GOETHE-HANDBUCH

BAND 1

GOETHE
HANDBUCH

Goethe, seine Welt und Zeit

in Werk und Wirkung

—

Zweite, vollkommen neugestaltete
Auflage unter Mitwirkung zahlreicher
Fachgelehrter herausgegeben von
Alfred Zastrau

—

BAND 1

AACHEN – FARBENLEHRE

J.B.METZLERSCHE
VERLAGSBUCHHANDLUNG
STUTTGART

© J. B. Metzlersche Verlagsbuchhandlung

und Carl Ernst Poeschel Verlag GmbH. in Stuttgart 1961. Satz und Druck: H. Laupp Jr Tübingen

Printed in Germany

WORTE GOETHES ZUM GELEIT

DAS HALBGEWUSSTE HINDERT DAS WISSEN · WIR WÜRDEN UNSER WISSEN NICHT FÜR STÜCKWERK ERKLÄREN, WENN WIR NICHT EINEN BEGRIFF VOM GANZEN HÄTTEN · WIR BRINGEN WOHL FÄHIGKEITEN MIT, ABER UNSERE ENTWICKLUNG VERDANKEN WIR EINER GROSSEN WELT, AUS DER WIR UNS ANEIGNEN, WAS WIR KÖNNEN UND WAS UNS GEMÄSS IST · WO LAMPEN BRENNEN GIBTS ÖLFLECKEN, WO KERZEN BRENNEN, GIBTS SCHUPPEN: DIE HIMMELSLICHTER ALLEIN ERLEUCHTEN REIN UND OHNE MAKEL · VERHARREN WIR ABER IN DEM BESTREBEN, DAS FALSCHE, UNGEHÖRIGE, UNZULÄNGLICHE, WAS SICH IN UNS UND ANDERN ENTWICKELN ODER EINSCHLEICHEN KÖNNTE, DURCH KLARHEIT UND REDLICHKEIT AUF DAS MÖGLICHSTE ZU BESEITIGEN.

GOETHE AM CAPO MISENO

Federzeichnung von Johann Heinrich Wilhelm Tischbein

(vgl. S. XIII)

MITARBEITER AM GOETHE-HANDBUCH

Band 1

Abel, Walther (*Ab*), Oberstudiendirektor Dr., Berlin (Altertumskunde)

Altenberg (†), Paul (*Ag*), Prof. Dr., Berlin (Epik)

Amburger, Erik (*Ar*), Dr., Gießen (Genealogie)

Balzer, Georg (*Ba*), Dr., Berlin (Mineralogie, Geologie, Botanik)

Beau, Albin Eduard (*Be*), Dr. Dr., Coimbra/Portugal (Portugiesische Bezüge, Wirkungsgeschichte)

Beurlen, Karl (*Bn*), Prof. Dr., Rio de Janeiro/Brasilien (Geologie, Biologie)

Bohn, Ursula (*UB*), Dr., Berlin (Anglistik, Romanistik)

Buch, Wilfried (*Bh*), Dr., Dortmund (Rätseldichtung, Symbolik)

Diezel, Rudolf (*Dl*), Dr., Weimar (Landeskunde Sachsen-Weimar-Eisenach)

Dobbek, Wilhelm (*Dk*), Dr., Weimar (Geistesgeschichte)

Eberhardt, Hans (*Eb*), Dr., Weimar (Landeskunde Sachsen-Weimar-Eisenach)

Elvers, Rudolf (*Ev*), Dr., Berlin (Musikwissenschaft)

Femmel, Gerhard (*Fm*), Dr., Weimar (Kunstgeschichte, Zeichnungen)

Flach (†), Willy (*Fl*), Prof. Dr., Weimar (Amtliche Schriften, Amtstätigkeit)

Forssmann, Erik (*Fo*), Fil. lic., Mora/Schweden (Skandinavistik, Wirkungsgeschichte)

Frede, Lothar (*Fr*), Dr. Dr., Stuttgart (Rechts- und Staatswissenschaft, Numismatik)

Frenzel, Elisabeth (*EF*), Dr., Berlin (Theaterwissenschaft)

Frenzel, Herbert A. (*HF*), Dr., Berlin (Theaterwissenschaft)

Friese, Hans (*Fe*), Dr., Weimar (Altertumskunde)

Fuchs, Albert (*Fu*), Prof. Dr., Strasbourg/Frankreich (Elsässische und französische Kulturbeziehungen, Autobiographik)

Griewank (†), Karl (*Gk*), Prof. Dr., Jena (Geschichte)

Grosse, Siegfried (*Gs*), Dr., Freiburg/Br. (Tagebücher)

Grumach, Ernst (*Gr*), Prof. Dr., Berlin (Editionswesen, Gespräche)

Gurlitt, Dietrich (*Gu*), Dr., Freiburg/Br. (Geographie, Geologie)

Habermann (†), Paul (*Hb*), Dr., Berlin (Verslehre, Versgeschichte)

Hagen, Waltraud (*Hg*), Dr., Berlin (Editionswesen)

Hansen, Wilhelm (*Hn*), Detmold (Volkskunde)

Hausmann, Ulrich (*Hm*), Prof. Dr., Tübingen (Archäologie, Antike Kunst)

Hildebrandt, Kurt (*Hi*), Prof. Dr., Kiel (Philosophie)

Hinrichs, Carl (*CH*), Prof. Dr., Berlin (Geschichte)

Hunger, Herbert (*Hu*), Prof. Dr., Wien/Österreich (Mythologie)

Huschke, Wolfgang (*Hk*), Dr., Darmstadt (Landeskunde Sachsen-Weimar-Eisenach, Verwaltungsgeschichte)

Koch, Herbert (*Ko*), Dr., Jena (Orts- und Landeskunde, Universitätsgeschichte)

Lepinte (†), Christian (*Lp*), Dr., Paris/Frankreich (Geheimwissenschaften)

Littmann, Arnold (*Li*), Universitätslektor Dr., Stockholm/Schweden (Sprach- und Literaturwissenschaft, Skandinavistik, Kunstgeschichte)

Löhneysen, Hans-Wolfgang Freiherr von (*Lö*), Dr., Berlin (Kunst- und Kulturgeschichte)

Matthaei, Rupprecht (*Mt*), Prof. Dr., Erlangen (Optik, Farbenlehre)

May (†), Eduard (*My*), Prof. Dr., Berlin (Philosophie)

Mehl, Oskar (*Ml*), D. Dr., Mörtitz über Eilenburg (Theologie, praktische Theologie, Bibel, Kirche)

Meschkowski, Herbert (*Mk*), Prof. Dr., Berlin (Mathematik)

Metger, Swana (*SM*), Göttingen (Wissenschafts- und Literaturgeschichte)

Meyer-Abich, Adolf (*MA*), Prof. Dr., Hamburg (Geschichte der Naturwissenschaften)

Mommsen, Momme (*Mm*), Dr., Berlin (Chronologie)

Moser, Hans-Joachim (*Mr*), Prof. Dr., Berlin (Musikgeschichte)

Müller, Ernst (*Mü*), Dr., Weimar (Landeskunde Sachsen-Weimar-Eisenach)

Müller-Blattau, Joseph (*MB*), Prof. Dr., Saarbrücken (Musikgeschichte)

Oppel, Horst (*Op*), Prof. Dr., Marburg (Literaturwissenschaft, Geistesgeschichte)

Patzig, Günther (*Pg*), Prof. Dr., Hamburg (Philosophie)

Petschat, Johanna (*JP*), Berlin (Bibliographie, Ortsbezüge, Personenbezüge)

Ristow, Brigitte (*BR*), Dr., Berlin (Verslehre, Versgeschichte)

Rossmann, Kurt (*Rs*), Prof. Dr., Heidelberg (Philosophie)

Rukser, Udo (*Ru*), Dr., Quillota/Chile (Hispanistik, Wirkungsgeschichte)

Rumpf, Josefine (*Rf*), Dr., Frankfurt a. M. (Stadtgeschichte)

Ruppert, Hans (*Rt*), Dr., Weimar (Neu-Latinistik)

Schlagdenhauffen, Alfred (*Sh*), Prof. Dr., Strasbourg/Frankreich (Literaturwissenschaft, Romantik)

Schleif, Walter (*Si*), Pönitz über Leipzig (Personenbezüge)

Schmidt, Wieland (*St*), Prof. Dr., Berlin (Bibliothekswesen, Wissenschaftsgeschichte)

Schmidt-Hidding, Wolfgang (*SH*), Prof. Dr., Bonn (Großbritannische Geistes- und Kulturgeschichte)

Schöne, Annemarie (*Sn*), Dr., Bonn (Großbritannische Geistes- und Literaturgeschichte)

Schulz, Günter (*Sz*), Dr., Bremen (Personenbezüge, Soziologie)

Selle (†), Götz von (*Se*), Prof. Dr., Göttingen (Niedersächsische Landeskunde, Universitätsgeschichte)

Siebenschein, Hugo (*Sb*), Prof. Dr., Prag/ČSR (Landeskunde, Wirkungsgeschichte)

Steinen, Wolfram von den (*Stn*), Prof. Dr., Basel/Schweiz (Geschichte)

Stengel, Hans (*Sl*), Dr., Berlin (Naturwissenschaften, Technik)

Stolte, Heinrich (*So*), Prof. Dr., Hamburg (Literaturwissenschaft, dramatische Kleinformen)

Trunz, Erich (*Tz*), Prof. Dr., Kiel (Literaturwissenschaft, Alterslyrik, Altersstil)

Tümmler, Hans (*Tü*), Oberstudiendirektor Dr. phil. habil., Essen (Geschichte)

Ungerer, Emil (*Ug*), Prof. Dr., Karlsruhe (Biologie)

Vulpius, Wolfgang (*Vp*), Dr., Weimar (Biographie, Sammlungen)

Wiese und Kaiserswaldau, Benno von (*Ws*), Prof. Dr., Bonn (Theorie der Dramatik)

Wirth, Irmgard (*Wt*), Dr., Berlin (Architekturgeschichte, Architekturtheorie)

Zastrau, Alfred (*Za*), Prof. Dr., Berlin; Ankara/Türkei (Ortsbezüge, Personenbezüge, Poetik, Sprach- und Literaturwissenschaft)

Stichwörter / Artikel / Such-Register: Die Textbände des Goethe-Handbuches enthalten nur Stichwörter, denen ein eigener Artikel mit allen erforderlichen Quellen- und Literatur-Angaben gewidmet ist. Wer etwa ein Stichwort und einen Artikel im Text vermißt, möge sich durch das Such-Register (im Ergänzungsband) den Hinweis geben lassen, in welchem Zusammenhang er die gewünschte Auskunft finden kann. Ein sorgfältiges Verweisungssystem erleichtert es, den jeweils infrage kommenden Problem-Kreisen unmittelbar von Stichwort zu Stichwort oder mit Hilfe des Such-Registers nachzugehen. Diese Verweisungen übergreifen oft die Einzelstichwörter, vornehmlich in dem Sinne von Beziehungen, die natur- und geisteswissenschaftliche Zusammenhänge erkennbar machen. Das Goethe-Handbuch legt auf derartige Querverbindungen zwischen den Sachgebieten ganz besonderen Wert, weil solche Wechselwirkungen in Goethes Werk und Welt oft zu wenig beachtet worden sind.

Allgemeine Zitierweise: Wörtliche Äußerungen Goethes werden buchstaben- und zeichengetreu mit der dazugehörigen Belegstelle in *Kursiv*-Satz gegeben. Grundlage für die Textwiedergabe ist die 1887–1919 im Auftrage der Großherzogin Sophie von Sachsen erfolgte Ausgabe von Goethes Werken (Weimarer Ausgabe = WA). Die Zitierung nennt die Abteilung der WA (I = Werke, II = Naturwissenschaftliche Schriften, III = Tagebücher, IV = Briefe) jeweils in römischer Ziffer, ferner nach einem schrägen Trennstrich in arabischen Ziffern die Band- sowie nach einem Komma dieser folgend die Seitenzahl, zB. IV/34, 65 = Abteilung IV (also Briefe), Band 34, Seite 65; bei geteilten Bänden wird die Teilzahl als Exponent hinter der Bandzahl in kleiner römischer Ziffer hochgestellt, danach hinter einem Komma die Seitenzahl wie üblich angegeben, zB. I/5^{II}, 293. In allen etwa mißverständlichen Fällen wird die Zeilen- oder Verszahl hinzugefügt, zB. I/42^{II}, 282 Z. 8f. oder: I/3, 163 V. 5. Bei allen Abweichungen von der Textgestalt der WA ist entsprechender Nachweis gegeben worden.

Besondere Zitierweise / Der junge Goethe: Für den Lebensabschnitt Goethes bis zur Abreise nach Weimar 1775 ist zusätzlich herangezogen worden: Der junge Goethe. Neue Ausgabe in sechs Bänden, besorgt von Max Morris. Die Zitierung erfolgt als: Morris 6, 257 = Der junge Goethe. Neue Ausgabe in sechs Bänden, besorgt von Max Morris, Band 6, Seite 257.

Besondere Zitierweise / Naturwissenschaftliche Schriften: Soweit bereits erschienen, werden Goethes naturwissenschaftliche Schriften nach der neuen, vollständigen, mit Erläuterungen versehenen, im Auftrag der Deutschen Akademie der Naturforscher (Leopoldina) zu Halle durch Günther Schmid, Wilhelm Troll, Lothar Wolf, Rupprecht Matthaei ua. besorgten Ausgabe: Goethe. Die Schriften der Naturwissenschaft (Leopoldina-Ausgabe der naturwissenschaftlichen Schriften = NS) zitiert, zB. NS 9, 224 = Leopoldina-Ausgabe, Band 9, Seite 224. Gemeint ist jeweils die Erste Abteilung: Texte dieser Ausgabe. Wird aus der Zweiten Abteilung zitiert, so wird der jeweiligen Bandzahl die römische Ziffer II vorangestellt, zB. NS II, 6, 31 Z. 24–26 = NS Abteilung II, Band 6, Seite 31 Zeile 24–26.

Besondere Zitierweise / Amtliche Schriften: Soweit bereits erschienen, werden Goethes amtliche Schriften nach der bisher ersten, als Veröffentlichung des Staatsarchivs Weimar, bzw. des Landeshauptarchivs Thüringen durch Willy Flach besorgten Ausgabe der Amtlichen Schriften (= AS) zitiert, zB. AS 1, 243 = Goethes amtliche Schriften. Veröffentlichung des Staatsarchivs Weimar. Herausgegeben von Willy Flach, Band 1, Seite 243.

Besondere Zitierweise / Gespräche: Gespräche Goethes werden im allgemeinen nach der zweiten, durchgesehenen und stark vermehrten Auflage der von Woldemar Freiherr von Biedermann begründeten, unter Mitwirkung von Max Morris, Hans Gerhard Gräf und Leonhard L. Mackall durch Flodoard Freiherr von Biedermann neu besorgten Gesamtausgabe: Goethes Gespräche. Gesamtausgabe (= Bdm.) zitiert, zB. Bdm. 3, 226 = Goethes Gespräche. Gesamtausgabe. Neu herausgegeben von Flodoard Freiherr von Biedermann, Band 3, Seite 226. Die Auflagebezeichnung fällt hierbei fort. Die Unterhaltungen mit Goethe, die der Kanzler Theodor Adam Heinrich Friedrich (von) Müller überliefert hat, werden nach der von Ernst Grumach besorgten kritischen Ausgabe [1956: UKM] oder nach der darauf beruhenden kleinen Ausgabe [1959: UKM (klA), mit Anmerkungen von Renate Fischer-Lamberg] zitiert, zB. UKM 51 = UKM Seite 51 oder UKM (klA) 230, Z. 60 = UKM (klA) Seite 230, Ziffer 60.

Besondere Zitierweise / Handzeichnungen: Handzeichnungen Goethes werden, soweit bereits erschienen, nach der von Georg Femmel besorgten Gesamtausgabe des Corpus der Goethe-zeichnungen (Goethes Sammlungen zur Kunst, Literatur und Naturwissenschaft) Bd I (1958: Nr 1–318. Von den Anfängen bis zur italienischen Reise 1786), Bd II (1960: Nr 1–416. Italie-nische Reise 1786–1788. Die Landschaften) zitiert, zB. Corpus I 289 InvNr 2346* = Corpus B 1 Nr 289 Inventarisations-Nr 2346*.

Besondere Zitierweise / Sonstige Ausgaben: Sonst gebräuchliche, abgekürzte Zitierweise von Aus-gaben goethescher Werke, von Tagebüchern, Briefen, Briefwechseln, Gesprächen, auch Hand-zeichnungen usw. entschlüsselt das Abkürzungsverzeichnis, das jedem Hauptband des Goethe-Handbuches vorangestellt wird.

Alphabetische Folge: Sämtliche Stichwörter, auch die Artikel über Persönlichkeiten, sind me-chanisch nach der Buchstabenfolge des Alphabets geordnet. Ä, ö, ü zählen dabei wie a + e, o + e, u + e. Bei namensgleichen Personen wird jeweils der Name als Stichwort voll aus-geschrieben wiederholt. Ausnahme: Angehörige derselben Familie, die ohne Wiederholung ihres Familiennamens genealogisch in einem Artikel nur durch Ziffern unterschieden auf-einander folgen, zB. Bellini 1) Jacobo, 2) Gentile, 3) Giovanni. Die alphabetische Stichwort-folge namensgleicher, nicht verwandter Personen richtet sich nach den meist bereits in den Vornamen auftretenden ersten ungleichen Buchstaben. Personen, deren Familien- sowie Vor-namen usw. gleichlauten, werden nach ihrem Geburtsdatum chronologisch geordnet. Dies gilt auch für Sammelartikel zB. nach Berufsgruppen oder im Anhang zu Örtlichkeits-Artikeln, sofern dort nicht das Datum des Bekanntwerdens mit Goethe ausschlaggebend ist. Im übrigen verlasse man sich auf das Such-Register im Schlußband.

Behandlung der Adelsprädikate: Das Goethe-Handbuch unterscheidet bei dem Adelsprädikat »von« in schematischer Weise nur zwei Möglichkeiten der Wiedergabe. Ausgeschrieben »von« heißt es überall da, wo Angehörige regierender, gefürsteter oder gleichrangiger Häuser zu kenn-zeichnen sind, zB. Prinz Louis Ferdinand von Preußen. Sonst wird »von« oder auch »zu« nur in Abkürzung unmittelbar dem Namen vorgestellt, zB. Wilhelm vHumboldt. Weitere Adels-titulaturen richten sich nach folgenden Mustern: 1) KA Fürst von Hardenberg, 2) JA Graf vCapo d'Istrias; MU Graf zPutbus, 3) HChrE Freiherr vGagern, 4) CLvKnebel.

Angabe von Amtsbezeichnungen und Titeln: In der zweiten Lebenshälfte hat Goethe selbst be-tonten Wert auf Genauigkeit bei Amtsbezeichnungen und Titeln gelegt. Das Goethe-Handbuch hat daher diesen Gebrauch übernommen. Gelegentlich sind Schlüsse daraus zu ziehen wie etwa in dem Fall des »Herzogs« von Acerenza. Im übrigen wird gerade in Sammel-Artikeln mit be-sonderer Aufmerksamkeit darauf geachtet, weil zB. summierende Umgangsnachweise auf diese Art auch das Sozialgefüge des jeweiligen Personenkreises mitillustrieren. In allen erforderlichen Fällen werden die Amtsbezeichnungen und Titel nach ihren Tätigkeitsmerkmalen und nach ihrer gesellschaftlichen Bedeutung erklärt.

Belegstellen bei Orts-Artikeln: Abgesehen von einigen Ausnahmen, deren besondere Behandlung sich aus der Arbeitslage der Spezialforschung ergab, werden Ortsbezüge in eigenen Artikeln nur dann dargestellt, wenn sie für Goethe hinlänglich bedeutungsvoll geworden sind, zumin-dest durch Aufenthalte (Zeichnungen, Mahlzeiten, Übernachtungen oä)., durch sachliche Beobachtungen, durch persönliche Begegnungen, durch schöpferische Anregungen und Entwürfe. In einer Reihe von Fällen fehlen infolge von Aufzeichnungslücken in Goethes Tagebüchern, Briefen usw. Primär-Belege für Ortsbezüge. Der im jeweiligen Artikel angegebene Goethe-Beleg bezieht sich dann auf die von Goethe selbst nachgewiesene Tagesstrecke, aus der auf das Pas-sieren des infrage kommenden Ortes geschlossen werden muß. Dieser Schluß wird fast immer gestützt durch Überlieferungen oder Ermittlungen aus zweiter Hand, wie stets besonders vermerkt wird. Alle derartigen Hilfsmittel weist das Abkürzungsverzeichnis nach. In jedem Falle empfiehlt es sich, auch das Routenverzeichnis im Kartenwerk (= RV) zu Rate zu ziehen.

Schreibung der Namen: Die Schreibung der Namen, vorzüglich der Ortsnamen, als Stichwörter folgt dem heutigen Gebrauch; die Schreibung Goethes wird in Klammern hinzugefügt, wenn sie von der heutigen Schreibart abweicht. Das Such-Register gibt in allen Fällen besonders starker Abweichungen Auskunft.

Kartenwerk: Das Kartenwerk (= 4. Band) mit seinem Übersichtsblatt und den 20 Teilkarten sowie mit Vorwort, Inhalts- und Routenverzeichnis (= RV) ist in seiner Verzahnung mit den Stichwörtern der Hauptbände unmittelbar Bestandteil des ganzen Goethe-Handbuches.

Verweisungen: Ortsnamen, Personennamen, Werktitel, Begriffe oder Sachbezeichnungen usw., die durch ein vorgestelltes Sternchen * gekennzeichnet sind, bilden entweder ein eigenes Stichwort oder können mithilfe des Such-Registers (Schlußband) in ihren Zusammenhängen ermittelt werden. Nähere Ausführungen sind also von dort aus zu finden. Dergestalt werden auch die Problemkreise sowie die Querverbindungen und Wechselwirkungen erfaßbar, die man jeweils exakt verfolgen muß, wenn man ein adaequates Verständnis erstrebt. Ohne solche Sternchen erscheinen stets die in Goethes Leben, Denken, Schaffen, Wirken wiederkehrenden Haupt-Orte, -Personen, -Werke, -Begriffe oder -Sachen usw., zB. Weimar, Carl August, *Faust*, *Polarität*, Briefe.

Stichwort-Abkürzung: Im Artikeltext wird das jeweilige Artikel-Stichwort stets nur mit seinem Anfangsbuchstaben wiederholt. Bei Flexionsformen des Stichwortes, die sich aus dem Gebrauch im Satz ergeben, werden die Numerus- und Kasus-Endungen dem Abkürzungspunkt unmittelbar nachgestellt, zB. die A.s, die B.e, des C.s, den D.n usw. Adjektivbildungen aus dem Stichwort werden entsprechend behandelt, zB. a.liche, b.sche, c.ige, d.hafte, e.er usw.

Abkürzungsverzeichnis: Die Auflösung der im Text dieses ersten Hauptbandes gebrauchten Abkürzungen (meist bibliographischer Art) findet der Benutzer in dem Abkürzungsverzeichnis, wenn keine Erklärung im jeweiligen Artikeltext gegeben wird.

Angabe der Seitenzahlen: Um Mißverständnisse zu vermeiden, wird bei Zitaten aller Art auf genaue Angaben der Seitenzahlen Wert gelegt. Auch soll dadurch eine möglichst eindeutige Vorstellung der zitierten Stelle oder der zitierten Schrift hinsichtlich ihres Umfanges vermittelt werden. So bedeutet: S. 123f., daß das Zitat (oder sein Sinnzusammenhang) auf Seite 123 beginnt und auf Seite 124 endet; bei größerem Umfange wird durch die Zahlen der Anfangs- und Schlußseite die genaue Begrenzung angegeben: S. 123–125.

Literatur-Angaben: Die Literatur-Angaben am Artikel-Schluß weisen jeweils nur diejenigen literarischen Hilfsmittel nach, die der Verfasser für den betreffenden Artikel maßgeblich oder wesentlich gebraucht hat. Darüberhinaus versteht sich die Kenntnis und Verarbeitung der einschlägigen Bibliographien, insbesondere der Goethe-Bibliographien (vgl. GHB 1, Sp. 1181–1189) von selbst.

Titelbild: Johann Heinrich Wilhelm TISCHBEIN: Goethe auf Kap Misenum bei Bajae-Pozzuoli am 1. III. 1787. Rechts im Hintergrund die Insel Ischia, davor Procida; im Vordergrund rechts Hafen von Misenum (vgl. Baia).
Unsignierte Federzeichnung auf grau-weißem Papier mit feiner senkrechter Rippung und Wasserzeichen (Wappen und waagerechten Linien in weiteren Abständen).
Größe 22,5 cm × 17,5 cm.
Privat-Besitz Rom. Veröffentlicht mit freundlicher Genehmigung der Eigentümerin, einer direkten Nachfahrin des Künstlers, Sig.ra Miecke PANICO, geb. Bartel.
Foto: U. Hausmann

ABKÜRZUNGEN IM GOETHE-HANDBUCH BAND 1

(Soweit im Text oder in den bibliographischen Anhängen der Artikel nicht aufgelöst)

AbhBerlin	=	Abhandlungen der Preußischen Akademie der Wissenschaften. Berlin 1804–1907. Phil.-hist. Kl. 1908–44. Forts.: Abhandlungen der Deutschen Akademie der Wissenschaften zu Berlin. 1945/46 ff.
AbhGöttingen	=	Abhandlungen der Gesellschaft der Wissenschaften zu Göttingen. 1–40. 1838–95. NF. Phil.-hist. Kl. 1–25. 1896–1931. Fortsetzung: Abhandlungen der Akademie... Phil.-hist. Kl. 1 ff. 1931 ff.
AbhMünchen	=	Abhandlungen der Bayerischen Akademie der Wissenschaften. München. Phil.-hist. Kl. 1935–1909. Philos.-philol. u. hist. Kl. 1910 ff.
ADB	=	Allgemeine deutsche Biographie. Bd 1–56. 1875–1912.
ADRE	=	Allgemeine deutsche Real-Encyklopädie für die gebildeten Stände. Bd 1–12. Brockhaus. ⁷1827.
AHirth	=	Alfried Hirth: Goethe als Zeichner. Eine Studie unter besonderer Berücksichtigung der Italienischen Reise. Habilitations-Schrift. Jena 1946.
AkA	=	Werke Goethes. Hg. Deutsche Akademie der Wissenschaften zu Berlin. Bd 1 ff. 1952 ff.
ALZ	=	Allgemeine Literaturzeitung. Bd 1 ff. 1785 ff.
ArtA	=	Johann Wolfgang Goethe. Gedenkausgabe der Werke, Briefe und Gespräche. Bd 1–24. 1948–1954. Hg. Ernst Beutler. Artemis-Verlag, Zürich.
AS	=	Goethes amtliche Schriften. Veröffentlichung des Staatsarchivs Weimar. Hg. Willy Flach. Bd 1. 1951.
AT	=	Altes Testament.
Bdm	=	Goethes Gespräche. Gesamtausgabe. 2. Auflage. Hg. Flodoard Frhr von Biedermann. Bd 1–5. 1909–1911.
Beisenherz	=	Heinrich Beisenherz: Goethes Reiseweg durch Westfalen. In: Heimat und Reich. Monatshefte für westfälisches Volkstum. Jg 1938. S. 281–286.
Beutler	=	Ernst Beutler: Essays um Goethe. Bd 1: ⁴1948; Bd 2: 1947.
BLÄ²	=	Biographisches Lexikon der hervorragenden Ärzte aller Zeiten und Völker. Hg. August Hirsch. Bd 1–5. ²1929–1934. Ergänzungsband bearbeitet von W. Haberling und H. Vierodt. 1935.
BLÖ	=	Constant von Wurzbach: Biographisches Lexikon des Kaiserthums Oesterreich ... 60 Tle. 1856–1891.
Bradish	=	Veröffentlichungen des Verbandes deutscher Schriftsteller und Literaturfreunde in New York. Wissenschaftliche Folge. Hg. Joseph A. Bradish. 1933 ff.
BrCarlAugust	=	Briefwechsel des Herzogs-Großherzogs Carl August mit Goethe. Hg. Hans Wahl. Bd 1–3. 1915–1918.
BrCharlotte	=	Goethes Briefe an Charlotte von Stein. Neue, vollständige Ausgabe auf Grund der Handschriften im Goethe- und Schiller-Archiv. Hg. Julius Petersen. Bd 1–2 in 4 Tlen. 1923.
BrChristiane	=	Goethes Briefwechsel mit seiner Frau. Hg. Gerhard Gräf. 2 Bde. 1916.
BrElternhaus	=	ArtA Erg.Bd 1: Briefe aus dem Elternhaus. Johann Caspar Goethe. Cornelia Goethe. Catharina Elisabeth Goethe. Drei Einführungen von Ernst Beutler. Hg. Wolfgang Pfeiffer-Belli. 1960.
BrLavater	=	Goethe und Lavater. Briefe und Tagebücher. Hg. Heinrich Funck. Als: SGGes Bd 16 (1901).
BrMarianne	=	Briefwechsel zwischen Goethe und Marianne von Willemer. Mit Lebensnachrichten und Erläuterung. Hg. Theodor Creizenach. ³1878.
BrMeyer	=	Goethes Briefwechsel mit Heinrich Meyer. Hg. Max Hecker. Bd 1–3. Als: SGGes. Bd 32 (1917), 34 (1919), 35 (1922).
BrMutter	=	Die Briefe der Frau Rath Goethe. Hg. Albert Köster. Neuausgabe 1956.

BrReinhard	=	Goethe und Reinhard. Briefwechsel in den Jahren 1807–1832. Mit einer Vorrede des Kanzlers Friedrich von Müller. Hg. Otto Heuschele. 1957.
BrSartorius	=	Goethes Briefwechsel mit Georg und Caroline Sartorius (von 1801 bis 1825). Auf Veranlassung von Wilhelm Werner von Bobers im Auftrag des Goethe- und Schiller-Archivs. Hg. Else von Monroy. 1931.
Brümmer	=	Franz Brümmer: Lexikon der deutschen Dichter und Prosaisten des neunzehnten Jahrhunderts. Bd 1–2. 1888.
BrVoigt	=	Goethes Briefwechsel mit Christian Gottlob Voigt. Bd 1–3. Unter Mitwirkung von Wolfgang Huschke. Hg. Hans Tümmler. Als: SGGes Bd 53 (1949), 54 (1951), 55 (1955).
BrZelter	=	Briefwechsel zwischen Goethe und Zelter in den Jahren 1799–1832. Mit Einleitung und Erläuterungen. Hg. Ludwig Geiger. Bd 1–3. 1902.
Bulling	=	Karl Bulling: Goethe als Erneuerer und Benutzer der jenaischen Bibliotheken. Gedenkgabe der Universitätsbibliothek Jena zu Goethes hundertstem Todestag. Als: Claves Jenenses 2 (1932).
BvM	=	*Belagerung von Mainz.*
BWPr	=	Programm zum Winckelmannsfest der Archäologischen Gesellschaft zu Berlin. Bd 1–76. 1841–1919. Dann: Winckelmann-Programm der Archäologischen Gesellschaft zu Berlin. Bd 77 ff. 1920 ff.
ChrWGV	=	Chronik des Wiener Goethe-Vereins. Bd 1 ff.: 1887 ff.
CiF	=	*Campagne in Frankreich.*
CollStrasbourg	=	Goethe et l'esprit français. Actes du colloque international de Strasbourg. 23–27 Avril 1957. Als: Publications de la Faculté des Lettres de l'Université de Strasbourg. Fasc. 137 (1958).
Corpus	=	Corpus der Goethezeichnungen. Hg. Gerhard Femmel. Bd 1 ff. 1958 ff. In: Goethes Sammlungen zur Kunst, Literatur und Naturwissenschaft. Hg. Nationale Forschungs- und Gedenkstätten der Klassischen Deutschen Literatur in Weimar.
DanteJb	=	Jahrbuch der deutschen Dante-Gesellschaft. Bd 1 ff.: 1867 ff. Seit 1929: Deutsches Dante-Jahrbuch. Bd 10–34/35 = NF Bd 2–25/26: 1929–1957. Bd 36/37 ff.: 1958 ff.
DBL	=	Dansk Biografisk Leksikon. Bd 1–7. København 1933–1937.
Dehio-Gall	=	Handbuch der deutschen Kunstdenkmäler. Bd 1 ff. 1949 ff.
Dennert	=	Friedrich Dennert: Goethe und der Harz. ²1927. Als: Harzer Heimatbücher. Bd 2.
Drost	=	Willi Drost: Goethe als Zeichner. Ein Beitrag zum Bilde seiner Persönlichkeit. Mit 34 Abbildungen. ²1939.
DuW	=	*Dichtung und Wahrheit.*
DVjs	=	Deutsche Vierteljahresschrift für Literaturwissenschaft und Geistesgeschichte. Jg 1 ff. 1923 ff.
EGW	=	Momme Mommsen unter Mitwirkung von Katharina Mommsen: Die Entstehung von Goethes Werken in Dokumenten. Bd 1 ff. 1958 ff.
ESchaeffer	=	Emil Schaeffer: Goethes äußere Erscheinung. 1914.
Euph	=	Euphorion. Zeitschrift für Literaturgeschichte. Jg 1 ff. 1894 ff. 1934 bis 1944 unter dem Titel „Dichtung und Volkstum".
EWeniger	=	Erich Weniger: Goethe und die Generale. Erstveröffentlichung: JbHochstift 1936/40; als Buch 1941, ²1943 ³1959.
FGA	=	Frankfurter Gelehrte Anzeigen. 1772–1790.
Fischer	=	Paul Fischer: Goethe-Wortschatz. Ein sprachgeschichtliches Wörterbuch zu Goethes sämtlichen Werken. 1929.
GgA	=	Göttingische gelehrte Anzeigen. Jg 1–206. 1739–1944. Jg 207 ff. 1953 ff.
GHager	=	Gertrud Hager: Gesund bei Goethe. Hg. Deutsche Akademie der Wissenschaften zu Berlin. Veröffentlichungen des Instituts für Deutsche Sprache und Literatur, H. 5 (1955).

GKPB	=	Goethe. Gesamtkatalog der Preußischen Bibliothekon mit Nachweis des identischen Besitzes der Bayrischen Staatsbibliothek in München und der Nationalbibliothek in Wien. 1932.
GM	=	Goethe-Museum Frankfurt a. M.
GNM	=	Goethe Nationalmuseum Weimar.
Goedeke	=	K Goedeke: Grundriß zur Geschichte der deutschen Dichtung. 3. Auflage. Bd 4, Abteilung 2–4. 1910–1913 (Literatur-Verzeichnis bis 1912). – Abteilung 5. 1957 ff (Literatur-Verzeichnis 1912–1950).
Goethe	=	Goethe. Vierteljahrsschrift der Goethe-Gesellschaft. Bd 1: 1936. Als Viermonatsschrift ... Bd 2–9: 1937–1944. Als NF des Jahrbuchs der Goethe-Gesellschaft. Bd 10 ff.: 1947 ff.
GoetheBbg	=	Goethe-Bibliographie. Hg. Hans Pyritz, Paul Raabe, seit 1960 fortgeführt von Heinz Nicolai, Gerhard Burkhardt. 1955 ff.
GoetheBN	=	Bibliothèque Nationale. Goethe. 1749–1832. Exposition organisée pour commémorer le centenaire de la morte de Goethe. Edition des Bibliothèques Nationales de France. 1932.
GoetheJb	=	Goethe-Jahrbuch. Bd 1–34. 1880–1913.
GoetheKal	=	Goethe-Kalender. Bd 1 ff. 1906 ff.
GoetheNW	=	Günther Schmid: Goethe und die Naturwissenschaften. Eine Bibliographie. Hg. Emil Abderhalden. 1940.
Götting	=	Franz Götting: Die Bibliothek von Goethes Vater. In: Nassauische Annalen 64 (1953), S. 23–69.
GR	=	The Germanic Review. A quarterly issued by the Department of Germanic Languages of Columbia University. Bd 1 ff. 1925 ff.
Gräbner	=	Karl Gräbner: Die Grossherzogliche Haupt- und Residenzstadt Weimar. 1830.
Gräf	=	Hans Gerhard Gräf: Goethe über seine Dichtungen. Versuch einer Sammlung aller Äußerungen des Dichters über seine poetische Werke. Drei Teile. Bd 1-9. 1901–1914.
GRM	=	Germanisch-Romanische Monatsschrift. Bd 1 ff. 1909 ff.
Grumach	=	Ernst Grumach: Goethe und die Antike. 2 Bde. 1949. Mit einem Nachwort von Wolfgang Schadewaldt: Goethes Beschäftigung mit der Antike. Bd 2, S. 971–1050.
GSA	=	Goethe- und Schiller-Archiv Weimar.
H	=	Heft.
HA	=	Goethe's Werke. Nach den vorzüglichsten Quellen revidirte Ausgabe. Verlag Gustav Hempel, Berlin [1869–1879]. 36 Thle.
Hamberger-Meusel	=	Das gelehrte Teutschland oder Lexikon der jetztlebenden teutschen Schriftsteller. Angef. von Georg Christoph Hamberger, Fortges. von Johann Georg Meusel. ⁴1783–1791. Bd 1–4. Nachtr. 1–4.
HAW	=	Handbuch der klassischen Altertumswissenschaft in systematischer Darstellung mit besonderer Rücksicht auf Geschichte und Methodik der einzelnen Disziplinen. 3. Auflage. Hg. Iwan v. Müller und Walter Otto. Bd 1 ff. 1900 ff.
HbgA	=	Goethes Werke. Hamburger Ausgabe. Bd 1–14. Textkritisch durchgesehen und mit Anmerkungen versehen von Erich Trunz. 1948 bis 1960.
HBLSchweiz	=	Historisch-biographisches Lexikon der Schweiz (mit der Empfehlung der allgemeinen geschichtsforschenden Gesellschaft der Schweiz). Hg. Heinrich Türler, Marcel Godet, Victor Attinger. Bd 1–9 und Supplementband. Neuenburg 1921–1934.
HerderSW	=	Herders sämmtliche Werke. Hg. Bernhard Suphan. Bd 1–33. 1877 bis 1913.
Hg	=	Herausgeber.
HHettner	=	Hermann Hettner: Geschichte der deutschen Literatur im achtzehnten Jahrhundert. Hg. Georg Witkowski. 1928.
HoffmannSchlesien	=	Adalbert Hoffmann: Goethe in Breslau und Oberschlesien und seine

		Werbung um Henriette von Lüttwitz. Neue Beiträge zu Goethe's Lebensgeschichte. 1898.
Houben	=	Johann Peter Eckermann: Gespräche mit Goethe in den letzten Jahren seines Lebens. Hg. H. H. Houben. ⁹1909.
HPaul: Grundriß	=	Grundriß der Germanischen Philologie. Hg. Hermann Paul. Bd1.²1901.
Hunger	=	Herbert Hunger: Lexikon der griech. u. röm. Mythologie. ²1954.
HwbAberglauben	=	Handwörterbuch des deutschen Aberglaubens. Hg. Hanns Bächtold-Stäubli. (Als: Abteilung I. Handwörterbücher zur deutschen Volkskunde. Hg. Verband deutscher Vereine für Volkskunde.) Bd1-10. 1927-1942.
HwbNatur-wissenschaften	=	Handwörterbuch der Naturwissenschaften. Hg. Rudolf Rittler, Georg Joos. Bd 1-10 und Registerband (Sachregister und systematische Übersicht). ²1931-1935.
HZ	=	Historische Zeitschrift. Bd 1 ff. 1859 ff.
IR	=	Italienische Reise.
JRHaarhaus	=	Julius R. Haarhaus: Auf Goethes Spuren in Italien. 1896.
IRvEinem	=	HbgA. Bd 11: Italienische Reise. Mit Nachwort und Anmerkungen versehen von Herbert von Einem. Textkritisch durchgesehen von Erich Trunz. 1950.
JALZ	=	Jenaische Allgemeine Literatur-Zeitung. Bd 1ff. 1804 ff.
JbGGes	=	Jahrbuch der Goethe-Gesellschaft. Bd 1-21. 1914-1935.
JbHochstift	=	Berichte des Freien deutschen Hochstiftes für Wissenschaften, Künste und allgemeine Bildung. In Goethes Vaterhause. 1876-1881/82. Fortgesetzt als: Berichte des Freien Deutschen Hochstiftes in Frankfurt a. M. Fortgesetzt als: Jahrbuch des Freien Deutschen Hochstiftes. 1902-1925. Seit 1926: Jahrbuch des Freien Deutschen Hochstifts Frankfurt a. M.
JbSKip	=	Jahrbuch der Sammlung Kippenberg. Bd 1-10. 1921-1932.
JLM	=	H. 1: Journal der Moden. H. 2-27: Journal des Luxus und der Moden. H. 28: Journal für Luxus, Mode und Gegenstände der Kunst. H. 1-42. Weimar 1786-1827.
Jöcher	=	Allgemeines Gelehrten-Lexicon. Darinne die Gelehrten aller Stände. Hg. Christian Gottlieb Jöcher. Bd 1-4. Leipzig in Johann Friedrich Gleditschens Buchhandlung 1750-1751.
JubA	=	Goethes Sämtliche Werke. Jubiläumsausgabe. Bd 1-40 und Register. 1902-1912.
Justi	=	Carl Justi: Winckelmann und seine Zeitgenossen. Bd 1-3. ³1923.
KatSKip	=	Katalog der Sammlung Kippenberg. 1913.
KatStol	=	Katalog der fürstlich Stolberg-Stolberg'schen Leichenpredigten-Sammlung. Bd 1-4. 1927-1935.
Keudell	=	Elise v.Keudell: Goethe als Benutzer der Weimarer Bibliothek. 1931.
Klapheck	=	Goethe und das Rheinland. Rheinische Landschaft. Rheinische Sitten. Rheinische Kunstdenkmäler. Text und Einführung von Richard Klapheck. Hg. Rheinischer Verein für Denkmalpflege und Heimatschutz. 27.Jg (1932).
Kneschke	=	Ernst Heinrich Kneschke: Neues allgemeines Deutsches Adels-Lexicon. Bd 1-9. 1859-1870.
KuA	=	Über Kunst und Alterthum.
Lanckorońska	=	Maria Gräfin Lanckorońska und Arthur Rümann: Geschichte der deutschen Taschenbücher und Almanache aus der klassisch-romantischen Zeit. 1954.
Lepsius: LParthey	=	Lili Parthey: Tagebücher aus der Berliner Biedermeierzeit. Hg. Bernhard Lepsius. Mit 36 Abbildungen. 1926.
LHA	=	Landeshauptarchiv Weimar.
LMünz	=	Ludwig Münz: Goethes Zeichnungen und Radierungen. 1950.
MGG	=	Die Musik in Geschichte und Gegenwart. Allgemeine Enzyklopädie der Musik. Hg. Friedrich Blume. Bd 1ff. 1949/51 ff.

MLN	=	Modern Language Notes. Bd 1ff. 1886ff.
MOberhoffer	=	Magdalena Oberhoffer: Goethes Krankengeschichte. Goethes Krankheiten nach seinen eigenen Aufzeichnungen und nach Äusserungen seiner Zeitgenossen. Als: Heilkunde und Geisteswelt. Bd 1 (1949).
Morgenblatt	=	Morgenblatt für gebildete Leser. Jg 1–59. 1807–1865.
Morris	=	Der junge Goethe. Neue Ausgabe in 6 Bänden, besorgt von Max Morris. 1909–1912.
MuR	=	*Maximen und Reflexionen.*
MuR: Hecker Nr	=	Goethe: *Maximen und Reflexionen.* Hg. Max Hecker. Als: SGGes Bd 21 (1907).
NDB	=	Neue Deutsche Biographie. Hg. Historische Kommission bei der bayerischen Akademie der Wissenschaften. Bd 1 ff. 1953 ff.
NF	=	Neue Folge.
NS	=	Goethe: Die Schriften zur Naturwissenschaft. Vollständige mit Erläuterungen versehene Ausgabe. (Deutsche Akademie der Naturforscher / Leopoldina zu Halle). Hg. Günther Schmid, Wilhelm Troll, Lothar Wolff, Rupprecht Matthaei ua. Bd1ff. 1947ff.
NT	=	Neues Testament.
PBB	=	Beiträge zur Geschichte der deutschen Sprache und Literatur. Begründet von Hermann Paul und Wilhelm Braune. Bd 1ff. 1874ff. [z. Zt. in doppelter Ausgabe: Halle; Tübingen].
Pierer	=	Universal-Lexikon der Gegenwart und Vergangenheit oder neuestes encyclopädisches Wörterbuch der Wissenschaften, Künste und Gewerbe. Bearbeitet von mehr als 200 Gelehrten. Hg. H. A. Pierer. 2., völlig umgearbeitete Auflage (Dritte Ausgabe). Bd 1–34. 1840–1846. Supplemente zu Pierer's Universal-Lexikon der Gegenwart und Vergangenheit oder neuestem encyclopädischen Wörterbuche der Wissenschaften, Künste und Gewerbe. Bearbeitet von mehr als 300 Gelehrten. Bd 1–6: 1851–1854. Neueste Ergänzung zu sämmtlichen Auflagen von Pierers Universal-Lexikon und zu jedem ähnlichen Werke. Bd 1–2: 1855–1856.
Poekel	=	Wilhelm Poekel: Philologisches Schriftsteller-Lexikon. 1882.
PolBrCarlAugust	=	Politischer Briefwechsel des Herzogs und Großherzogs Carl August von Weimar. Hg. Willy Andreas, bearb. Hans Tümmler. Bd 1. 1954.
RDK	=	Reallexikon zur deutschen Kunstgeschichte. Hg. Otto Schmitt, seit 1951 Ernst Gall und L. H. Heydenreich. Bd 1 ff. 1937ff.
RE	=	Paulys Realencyclopädie der classischen Altertumswissenschaft. Neue Bearbeitung: begonnen von Georg Wissowa, fortgeführt von Wilhelm Kroll, Karl Mittelhaus u. a. Hg. seit 1946 Konrat Ziegler. Bd 1ff. 1894ff.
Revgerm.	=	Revue Germanique. Bd 1 ff. 1905ff.
RGG	=	Die Religion in Geschichte und Gegenwart. Handwörterbuch für Theologie und Religionswissenschaft. Hg. Hermann Gunkel und Leopold Zscharnack. Bd 1–5 nebst Reg.Bd. ²1927–1932.
RHaym	=	Rudolf Haym: Herder. Mit einer Einleitung von Wolfgang Harich. Bd 1–2. 1954.
Riemer/Pollmer	=	Friedrich Wilhelm Riemer: Mitteilungen über Goethe. Auf Grund der Ausgabe von 1841 und des handschriftlichen Nachlasses. Hg. Arthur Pollmer. 1921.
RL	=	Reallexikon der deutschen Literaturgeschichte. Hg. Paul Merker und Wolfgang Stammler. Bd 1–4. 1925–1931.
RL²	=	Reallexikon der deutschen Literaturgeschichte. 2., neu bearb. Auflage. Hg. Werner Kohlschmidt und Wolfgang Mohr. Bd 1 ff. 1955ff.
Roscher	=	Ausführliches Lexikon der griechischen und römischen Mythologie. Hg. Wilhelm Heinrich Roscher. Bd 1–5. 1884–1924. Supplement 1–6 und Nachträge. 1893–1937.
Ruppert	=	Hans Ruppert: Goethes Bibliothek. Katalog. 1958. Hg. Nationale

		Forschungs- und Gedenkstätten der klassischen deutschen Literatur in Weimar.
RV	=	Routenverzeichnis. In: Goethe - Handbuch. 2. Auflage. Bd 4: Karten der Reisen, Fahrten, Ritte und Wanderungen Goethes, 1956.
SBBerlin	=	Sitzungsberichte der Preußischen Akademie der Wissenschaften. 1882 ff. Seit 1939: Jahrbuch.... Seit 1948: Sitzungsberichte der Deutschen Akademie der Wissenschaften zu Berlin.
SBHeidelberg	=	Sitzungsberichte der Heidelberger Akademie der Wissenschaften. 1909 ff.
SBLeipzig	=	Berichte über die Verhandlungen der Königlich-Sächsischen Gesellschaft der Wissenschaften. 2 Bde. 1848f. Fortsetzung: „Philologisch-historische Klasse" und „Mathematisch-physische Klasse". 1849 ff.
SBMünchen	=	Sitzungsberichte der Bayerischen Akademie der Wissenschaften zu München. 1860 ff.
SBWien	=	Sitzungsberichte der Akademie der Wissenschaften, Wien. 1848 ff.
SchillerNatA	=	Schillers Werke. Im Auftrage des Goethe- und Schiller-Archivs und des Schiller-Nationalmuseums. Nationalausgabe. Bd 1 ff. 1943 ff.
SchillerSäkA	=	Schillers Sämtliche Werke. Säkular-Ausgabe in 16 Bänden. Hg. Eduard von der Hellen. 1905 ff.
Schuchardt	=	Christian Schuchardt: Goethes Kunstsammlungen. Bd 1-3. 1848.
SGGes	=	Schriften der Goethe-Gesellschaft. Bd 1-57. 1885-1958.
SGesTh	=	Schriften der Gesellschaft für Theatergeschichte. Bd 1 ff. 1902 ff.
Soret/Houben	=	Frédéric Soret: Zehn Jahre bei Goethe. Erinnerungen an Weimars klassische Zeit 1822-1832. Aus Sorets handschriftlichem Nachlaß, seinen Tagebüchern und seinem Briefwechsel zum erstenmal zusammengestellt, übersetzt und erläutert von Heinrich Hubert Houben. 1929.
SpeckColl	=	Speck Collection.
Stark	=	Carl Bernhard Stark: Systematik und Geschichte der Archäologie der Kunst. (Als: Handbuch der Archäologie der Kunst. Abt. 1.) 1880.
Tgb	=	*Tagebuch.*
ThB	=	Allgemeines Lexikon der bildenden Künste. Hg. Ulrich Thieme und Friedrich Becker. Bd 1-36. 1907-1947.
ThF	=	Theatergeschichtliche Forschungen. Bd 1 ff. 1891 ff.
TuJ	=	*Tag- und Jahreshefte.*
UKM	=	Kanzler von Müller: Unterhaltungen mit Goethe. Kritische Ausgabe besorgt von Ernst Grumach. 1956.
UKM (klA)	=	Kanzler von Müller: Unterhaltungen mit Goethe. Kleine Ausgabe. Hg. Ernst Grumach. Anmerkungen von Renate Fischer-Lamberg. 1959.
Urzidil	=	Johannes Urzidil: Goethe in Böhmen. 1932.
Vogel-Traumann	=	Goethe als Student. I. Julius Vogel: Goethes Leipziger Studentenjahre. II. Ernst Traumann: Goethe, der Straßburger Student. 1910.
WBode	=	Goethe in vertraulichen Briefen seiner Zeitgenossen. Auch eine Lebensgeschichte. Zusammengestellt von Wilhelm Bode. Bd 1-3. 1921 bis 1923.
Wegner	=	Max Wegner: Goethes Anschauung antiker Kunst. 1944.
WHagen	=	AkA Erg.Bd 1. Waltraud Hagen: Die Gesamt- und Einzeldrucke von Goethes Werken. 1956.
WKF	=	Weimarische Kunstfreunde.
WMuschg	=	Walter Muschg: Tragische Literaturgeschichte. ²1953.
WÖD	=	*West-östlicher Divan.*
WVeil	=	Wolfgang HVeil: Goethe als Patient. 1946.
WVulpius	=	Wolfgang Vulpius: Goethe in Thüringen. Stätten seines Lebens und Wirkens. 1955.
Zedlitz	=	Neues preußisches Adels-Lexicon oder genealogische und diplomatische Nachrichten ... bearbeitet von einem Verein von Gelehrten und Freunden der vaterländischen Geschichte unter dem Vorstand des Freiherrn Leopold von Zedlitz-Neukirch. Bd 1-5. 1836-1839.

GOETHES BIOGRAPHIE

Anfangs ist es ein Punkt, der leise zum Kreise sich öffnet,
Aber, wachsend, umfaßt dieser am Ende die Welt.

FRIEDRICH HEBBEL

Aachen selbst hat Goethe nie besucht. Doch spinnen sich in Leben, Dichtung, geschichtlicher Kenntnis und Anteilnahme manche Fäden dahin. Seit 1772/73 (Frankfurt) durch Sophie v*Laroche und Johanna *Fahlmer vermittelt, knüpfen diese sich persönlich enger, als Goethe Betty *Jacobi (1764 verheiratet mit Friedrich Heinrich *Jacobi) kennen und sehr schätzen lernte. Betty Jacobi war Schwester des bekannten a.er Tuchfabrikanten Johann Arnold vClermont und verkörperte niederrheinisch-niederländisches Wesen in überaus eindrucksvoller Weise (I/28, 282). Als echtes a.er Kind hielt und belebte sie stets die Verbindung zwischen ihrer Heimatstadt und *Düsseldorf/*Pempelfort, wo Goethe wiederholt zu Gast war (1774; 1792). Ob freilich und wiewiet Betty („Dorothea") und ihr welterfahrener Bruder („Weltbürger") als Vorbilder für die Gestaltungsarbeit an *Hermann und Dorothea* (1796–1797) mitwirkten, muß zweifelhaft bleiben. Im übrigen hat A. für Goethe Bedeutung als karolingische Residenz (I/34[I], 170), als Aufbewahrungsort der Reichsinsignien (I/26, 292; 307; 316), als Stätte des Aachener Friedens, Beendigung des Österreichischen Erbfolgekrieges (18. X. 1748: I/26, 29; 30), und des Aachener Kongresses (30. IX. bis 21. XI. 1818; Zusammenkunft der „Heiligen Allianz": Rußland, Österreich, Preußen unter persönlicher Anwesenheit der drei Monarchen; wichtig dabei ist das Geheimprotokoll gegen etwaige neue revolutionäre Strömungen und im Zusammenhang mit diesen Tendenzen eine politische Denkschrift des Grafen Alexander Stourdza, deren Nachwirken sich bei der Ermordung *Kotzebues, 23. III. 1819, zeigte; I/5[I], 197). Als alte Kaiserstadt hat A. 1793–1794 im *Reineke Fuchs* entsprechend Platz gefunden. In der Frage einer aktiven Kultur- und Kunstpflege, insbesondere der Einrichtung von Anstalten für Wissenschaft und Kunst in A. oder am Niederrhein wurde Goethe Anfang 1816 durch JA v*Sack bemüht (III/5, 199). Die im Winter 1824/25 über Ritz/*Nees vEsenbeck an Goethe gelangte Anregung, den eben vollendeten Theater-Neubau in A. durch einen eigenen Prolog zu feiern, fand keine gute Stunde mehr, obwohl es Goethe *höchst angenehm seyn* sollte, *auch*

dadurch eine Communications-Linie bis in jene schönen merkwürdigen Gegenden gezogen zu sehen (10. I. 1825: *IV/39,79;* 301f.). 1825 schließlich erwachte Goethes Interesse an der Stadt und ihrer Umgebung nochmals, aber unter mehr naturwissenschaftlichen als geschichtlichen Gesichtspunkten (*Bäderkunde).

Personen: Mitglieder der in A. ansässigen, altadligen (Reichsadelsstand, 25. VII. 1752), ursprünglich französischen Tuchfabrikanten- und Kaufherren-Familie vClermont: 1) Esaias (Vater der „Betty", Begegnung nicht belegt), 2) Johann Arnold (Bruder der „Betty"), 3) Helene Elisabeth („Betty", 1743 bis 1784), verheiratete *Jacobi (frühester Beleg für persönlich-unmittelbare Bekanntschaft: Brief vom 10. IX. 1773, Morris 3, 53), dazu wohl auch die durch Heirat mit vClermonts verbundenen Mitglieder der in Düsseldorf/Pempelfort ansässigen Familie Jacobi, besonders Bettys Söhne JF Jacobi, eines der *lieben Bübgen*, der kleine „Fritz", später Mitinhaber der Firma vClermont und Präsident der Municipalität A. (frühester Beleg: Briefe vom 3. November und vom Dezember 1773, *Morris 3, 64* und 72), sowie dessen Bruder JG Jacobi, in erster Ehe verheiratet mit Karoline vClermont (1772–1795; vgl. ebenfalls Morris 3, 64 und 72); Carl August im August 1814 (III/5, 122; 125 ua.); JA v*Sack 1816 in A. residierender Generalgouverneur der herrenlos gewordenen Gebiete vom Niederrhein und Oberpräsident der preußischen Rheinprovinz (vgl. Brief vom 15. I. 1816: IV/26, 218–224, III/5, 201); Kongreßteilnehmer 1818 (wohl bekannt, aber in diesem Zusammenhang nicht eigens notiert): abgesehen von den Monarchen Alexander I. von *Rußland, Franz I. von *Österreich, Friedrich Wilhelm III. von *Preußen, die *Diplomaten: a) Rußland: bisheriger Außenminister JA Graf v*Capo d'Istrias, neuer Außenminister KRW Graf v*Nesselrode, Gesandter ChrA Graf, später Fürst von *Lieven (1774–1839), FD v*Alopaeus; b) Österreich: Staatskanzler CWNL Fürst von *Metternich, Hofrat (Protokollführer) Fv*Gentz; c) Preußen: Staatskanzler KA Fürst von *Hardenberg, amtierender Außenminister ChrG Graf v*Bernstorff, Innenminister Wv*Humboldt; letzte Beziehungen: Dr. WMotherby aus *Königsberg, Badereise

nach A. am 9. VI. 1826 (III/10, 202); HChrE
Freiherr v*Gagern, pensionierter Gesandter,
politischer Schriftsteller, politische Reise nach
A. am 24. XI. 1830 (III/12, 335).   *Za*

Keudell Nr. 1592–1593. – Klapheck S. 203–269. –
JHansen: Von der französischen Revolution bis zur
Gegenwart. In: Geschichte des Rheinlandes 1. 1923.
S. 278.–JHeyderhoff: Goethe und das Rheinland. 1931.

Aalen, am Oberlauf des Kocher, damals noch
freie Reichsstadt (1802 an Württemberg),
durchfuhr Goethe, von *Mögglingen kommend,
auf der Rückreise aus der *Schweiz am 3. XI.
1797, weil es am Wege lag, weniger weil es ihn
als Heimat und zeitweilige Aufenthaltsstätte
ChrFD*Schubarts interessiert hätte. Er notiert: *Schöne Mädchen. Uhr mit einem Tobaksraucher (III/2, 191).* Stärker als sonst wandte
Goethe während dieser Reise seine Aufmerksamkeit auch technischen Dingen zu. Mit dem
Tobaksraucher ist der „Spion von Aalen" gemeint, ein geschnitzter Kopf mit Pfeifchen im
Mund, der den Bewegungen des Uhrenpendels
folgend in stetem Wechsel nach zwei Seiten
ausblickt; es handelt sich um den Überrest von
einer berühmten nürnberger Uhr, die ehemals
noch mehr ähnlich mechanisierte Figuren besaß und 1634 nach A. gekommen sein soll. Die
später unterschobene historische Fabel (Fran-
zosen- und Napoleonszeit) scheint Goethe noch
nicht gekannt zu haben.   *Za*

Aare/Aare-Schlucht. Am 2. X. 1779 (*Schweiz-
Reise) erreichte Goethe diesen schweizerischen
Nebenfluß des Rheins vor *Hof. Die A., auf
der Ostseite des Finsteraarhorns (Ober- und
Unteraargletscher) entspringend, bildet im
*Haslital den 75 m hohen, aaraufwärts hinter
*Guttannen liegenden (von Goethe kaum
mehr aufgesuchten) Handeggfall, bricht zwi-
schen Hof und *Meiringen (*Reichenbach-
Fälle) in der 100 m tief eingeschnittenen Aare-
Schlucht durch den Jurakalkfelsen des Kir-
chet, nimmt alle Wasser des Berner Oberlan-
des auf und staut sie zum *Brienzer und
*Thuner See. So entsteht in und durch ihren
Lauf eine der bedeutendsten Alpenlandschaf-
ten, die ihren Eindruck auf die Reisenden
nicht verfehlte und Goethe veranlaßte, am
4. VI. 1780 CLv*Knebel nachdrücklich die
Reise ins Haslital anzuempfehlen (IV/7, 361).
Er selbst hielt sich hier zwei abenteuerreiche
Tage auf (IV/4, 81 f.).   *Za*

Abach (Abbach), niederbayrischer Flecken, an
der*Donau südlich*Regensburg, bekannt durch
Steinbrüche und Schwefelquelle; Goethe berührte A. auf dem Wege nach Italien am 5. IX.
1786, beachtete die *Schöne Gegend bey Abach
wo die Donau sich an Kalckfelsen bricht, bis gegen*

Saal; die auch damals noch imponierende
Ruine der Heinrichsburg (Geburtsstätte Heinrichs II.) oberhalb des Bades lag in dieser Zeit
nicht im Blickfeld seines Interesses *(III/1, 152).*
          Za

Abälard, Abaelardus, französisch Abélard oder
Abailard, Petrus (1079–1142), französischer
Theologe und Philosoph, Schöpfer der scholastischen Methode, später von der Kirche
angefeindet (1121 und 1141 verurteilt), einer
der berühmtesten Lehrer seiner Zeit, in weitesten Kreisen bekannt durch sein Liebesverhältnis mit Héloise, das auf Betreiben ihres
Oheims, Fulbert, zur Entmannung A.s führte.
Gewisse Briefe der Korrespondenz der Liebenden, welche auch dem 18. Jahrhundert bekannt
war (Wieland schrieb darüber), haben sich als
unvergänglich erwiesen; die Korrespondenz
selbst ist allerdings eine literarische Fiktion
A.s. Goethe wird diese Liebesbegegnung zum
Modell dafür, daß *aus einem solchen Zusammentreffen zweier Wesen, die gewaltsamsten Leidenschaften und so viel Glück als Unglück entsprungen sind (I/26, 298).*   *Fu*

Abaschin *(Aboschin),* Dorf nordöstlich *Marienbad, durchfuhr Goethe am 21. VIII. 1821
auf der Heimfahrt von einem *für die Kenntniß
des Landes* besonders gewinnbringenden Ausflug nach *Tepl *(III/8, 94).*   *Za*

Urzidil S. 196

Abbate, Niccolo dell' (1512–1571), Maler und
Zeichner von Teppichentwürfen, tätig in Modena, Bologna und (seit 1552) in Fontainebleau
am Hofe Heinrichs II., ist in Goethes Sammlung durch die Reproduktion einer hl. Familie
vertreten.   *Lö*

Schuchardt 1, S. 3.

Abbaye-aux-Bois, im 18. Jahrhundert ein Kloster in *Paris (rue de Sèvres), zur Revolutionszeit Staatsgefängnis, dann wieder Kloster und außerdem Aufenthaltsort für Damen
der Gesellschaft (Mme *Récamier, die dort
jeden Tag den Besuch *Chateaubriands empfing, welcher bei ihr Hof hielt); ua. verkehrten
in der A.-aux-B. *Ballanche, *Delacroix,
Av*Humboldt, *Salvandy, *Villemain, *Ampère; *Lamartine las dort seine ersten „Mé-
ditations" vor, und Chateaubriand gab dem
noch ganz jungen Victor *Hugo die Dichterweihe. Für Goethe gewann die A.-aux-B. *all-
gemeineres Interesse* durch einen Beitrag der
Herzogin von *Abrantès im „*Livre des Cent-
et-un" (1831: *I/41 II, 372;* dazu I/42 I, 342). *Fu*

Abbt, Thomas (1738–1766), bekanntgeworden
als volkstümlich wissenschaftlicher Schriftsteller (1760: „Vom Tode fürs Vaterland"; 1762

bis 1764: „Vom Verdienste"), sehr fruchtbar auch als Journalist auf den Spuren *Lessings (Litteraturbriefe) sowie im Zusammenhang mit Friedrich *Nicolai, Moses *Mendelssohn ua. (1761), ferner als Übersetzer (Sallust), beliebt als Lehrer und Gelehrter (Halle/Saale; Frankfurt/Oder; Berlin; Rinteln), durch ausgedehnte Reisen (Frankreich; Alpen) mit führenden Persönlichkeiten verbunden (*Voltaire), vielseitig gebildet (*Shaftesbury; *Hume; *Möser), schließlich als gräflich schaumburg-lippischer Hof-, Regierungs- und Konsistorialrat (auch als patronus scholarum) in Bückeburg bedienstet, hat trotz geringer Lebens- und Schaffensdauer nachhaltiges Echo gefunden, sogar als Sprachschöpfer („Wandelbarkeit", „Landeseingeborener", „Wohlhabenheit" usw.). Goethes Urteil gegenüber diesem beweglich umgetriebenen, zumal für *Herder vorbildlichen, mit allerdings unausgereiften Mitteln (Theologie, Philosophie, Mathematik, Historie, Literatur, Psychologie) gegen den zeitgenössischen *Rationalismus angehenden Mann, der einen fast kraftgenialen „Verstandesmenschen" („Vom Verdienste") entwarf, scheint zwiespältig: Die vielleicht gar nicht einmal goethesche Sonnenfels-Rezension vom 22. V. 1772 (I/37, 271) tut ihn recht beiläufig, beinahe schroff ab, was dem damaligen Verhältnis Goethe/Herder kaum angemessen sein kann – die spätere Würdigung von 1814 findet ganz andere Worte: *Thomas Abt war in diesen Diensten* (Bückeburg) *bekannt und berühmt geworden, dem Verstorbenen klagte das Vaterland nach und freute sich an dem Denkmal, das ihm sein Gönner gestiftet. Nun* (1771) *sollte Herder an der Stelle des zu früh Verblichenen alle diejenigen Hoffnungen erfüllen, welche sein Vorgänger so würdig erregt hatte (I/28, III f.).*   *Za*
Vermischte Schriften. Hrsg. von FNicolai. 1768–1781; ²1790. – JGHerder: Über Thomas Abbts Schriften. Riga 1768 (jetzt Ausgabe von Suphan 2, S. 249–386). – ADB 1 (1875) S. 2–4. – A Bender: Thomas Abbt. 1922.

Abegg, Johann Friedrich (1765–1840), Theologe, auch Philologe, Oberkirchenrat, Universitätsprofessor für praktische Theologie in *Heidelberg, war am 7. X. 1814 Goethes Tischgast in *Heidelberg (IV/25, 54; 355). A. war eine imponierende Persönlichkeit von starker Anziehungskraft, mehr der vita contemplativa als activa zugewandt, mit bemerkenswerten Neigungen nach der Seite der *Romantik (Creuzer, Daub, Umbreit, Thibaud.) Er entfaltete sich eher im gesprochenen als im geschriebenen Wort. Als Goethe ihn in Heidelberg zu Tisch lud, hat A. intensive Beziehungen zu ehemaligen jenenser Universitätsprofessoren, zB. zu

dem protestantischen Theologen und Orientalisten HEG*Paulus, der damals ebenfalls in Heidelberg amtierte, aber 1789–1803 in Jena gelehrt hatte und wegen der bekannten *academischen Händel (III/3, 79)* ausgeschieden war. Vielleicht verbirgt sich hier der Hinweis, um einen seit Bdm. 5, 212 aufgekommenen Zweifel aufzuklären. Denn bei dem dort und Bdm. 5, 189 f. genannten JFAbegg kann es sich keinesfalls um den bekannten Strafrechtler [NDB 1 (1953) S. 6f.] handeln, weil dieser, erst 1796 geboren, bereits am 3.V. 1798 hätte Gespräche mit Fichte, Goethe, Hufeland, Paulus ua. und Tagebuch darüber führen müssen. Die Vermutung liegt nahe, daß der von uns namhaft gemachte A. gemeint sein wird, zumal dieser ausführlich auf die finanzielle Unterstützung durch seinen (älteren?) Bruder hinweist; A. stammte aus einer kinderreichen Predigerfamilie in Roxheim bei Kreuznach und war für seine Ausbildung während Schulzeit, Studium und Vikariat auf Hilfe angewiesen. Die Forschung dankt A. einen detaillierten Bericht seines Besuches vom 3. V. 1798 (Bdm. 5, 190): „Die Räume in Goethes Hause sind äußerst geschmackvoll. In dem Zimmer linker Hand befinden sich prachtvolle Gemälde, unter anderen eins, das eine römische Hochzeit darstellt und in Rom gefunden ist. Auf der vorderen Seite liegt ein kleines Zimmer, in dem ein Fortepiano stand; aus diesem gelangt man in einen niedlichen Garten, durch dessen Tür man in den Park tritt. Goethe ist einer der schönsten Männer, die ich je gesehen habe. Er ist fast einen halben Kopf größer als ich, sehr gut gewachsen, angenehm dick, aber sein Auge ist nicht so grell wie auf dem Kupferstiche. Ruhe, Selbständigkeit und eine gewisse vornehme Behaglichkeit werden durch sein ganzes Benehmen zur Schau getragen. Mit keinem Teilnehmer der Gesellschaft unterhielt sich Goethe besonders lange. Er ging aus einem Zimmer ins andere und zeigte bald diesem, bald jenem ein freundliches Gesicht."   *Za*
ADB 1 (1875), S. 4.

Abeken, 1) Bernhard Rudolf (1780–1866), geboren und gestorben in Osnabrück, bedeutend als Philologe im Schuldienst, Literarhistoriker, Kommentator antiker Autoren (Sophokles; Cicero), Herausgeber der Werke J*Mösers, Interpret *Dantes, Goethe-Biograph. A. trat schon als jenaer Student im Hause seines theologischen Universitätslehrers JJ*Griesbach (1800; besonders Tischgesellschaft am 21. IX. 1800) dem Lebenskreis Goethes und Schillers persönlich nahe. Mösers Tochter JvVoigts empfahl ihn nach Abschluß seiner theologischen und philosophischen Studien 1803 der Familie des Ministers vdRecke in *Berlin als Hauslehrer (Hofmeister), 1808 übernahm er in gleicher Eigenschaft die Erziehung der Kinder Schillers in Weimar. Dort gewann er nach der jenenser Episode (von Goethe namentlich nicht einmal erwähnt, III/2, 306) engeren Kontakt mit Goethe, der an der Entwicklung der Kinder besonderen Anteil nahm (IV/20, 269; III/3, 406; III/4, 20). A. empfahl sich Goethe in dieser Zeit durch eine auffallend verständnisvolle Rezension der im Herbst 1809 erschienenen *Wahlverwandtschaften* in dem cottaschen ,,Morgenblatt für gebildete Stände" [anonym, 22./23./24. I. 1810; neu abgedruckt durch BvWiese/ETrunz in HbgA 6 (1951), S.627–633]. In Goethes Auftrag ließ FW*Riemer diese Rezension im März 1810 als Sonderblatt in Jena drucken und einem ausgesuchten Personenkreis zugehen. Seither vertiefte sich Goethes Aufmerksamkeit und Verbindung (1810: III/4, 105; 1817: IV/27, 334; IV/28, 26; 1822: III/8, 255; 1826: III/10, 185; 1827: III/11, 100; 1828: IV/44, 169; III/11, 240; 1830: III/12, 351; 1831: III/13, 263), auch nachdem A. 1810 als Konrektor am Gymnasium in *Rudolstadt amtierte. A. erfreute Goethe 1817 durch seine, ebenfalls anonym erschienene Rezension über JD*Gries und dessen Calderon (2. Bd) in den ,,Heidelberger Jahrbüchern": *sie ist gar zu schön und einen solchen Mann sollte man kennen* (an S*Boisserée, 10. II. 1817: *IV/27, 334*); ferner trug er 1826 dazu bei, Goethes *Dante-Kenntnis zu beleben (III/10, 185). Wie intensiv auch menschlich der Kontakt gewesen war, zeigt Goethes Tisch-Einladung am 5. VII. 1828: *Ew.Wohlgeboren sollen mir heute um 2 Uhr zu einem stillen freundschaftlichen Mittagessen ... herzlich willkommen seyn (IV/44,169).* A.s spätere und größere Bedeutung für die Goethe-Forschung liegt in seinen Altersschriften (Osnabrück). Diese wurden ihm, dessen Name in Goethes Familie ,,längst mit herzlicher Liebe und Dankbarkeit ausgesprochen wurde" (1861, Ottilie vGoethe/Pogwisch) zum Sprachrohr einer gemütvoll-liebenswürdigen Verehrung. Sie haben zumal in biographischer Hinsicht vielfach Quellenwert: ,,Ein Stück aus Goethes Leben" (1845), ,,Goethe in den Jahren 1771–1775" (1861), und ,,Goethe in meinem Leben" (aus dem Nachlaß herausgegeben durch AHeuermann, 1904). Dieser Schrift beigebunden sind ,,Schillers Gespräche mit Christiane v. Wurmb" (A.s Frau; Base der Gattin Schillers); A. hatte diese Aufzeichnungen bereits am 11. IX. 1828 Goethe mitgeteilt (Bdm. 4, 18).

Auch dadurch, weiterhin durch seine Edition der Werke JMösers (1842–1843) einschließlich wertvoller Briefe Goethes an JvVoigts hat A. einen schätzbaren Quellenbeitrag geleistet. Nicht weniger bedeutend ist A.s Briefwechsel mit JDGries [,,Goethe im Briefwechsel zweier Freunde", hrsg. von HGGräf in: JbGGes. 5 (1918), S.232–255], auch mit KImmermann (Dante-Jb., 1937).

–, 2) Ludwig (1793–1826), geb. zu Osnabrück, gest. in Berlin, seit 1823 Professor am Joachimsthalschen Gymnasium in Berlin, jüngerer Bruder des Vorigen, ,,soll sehr gelehrt sein, ist ziemlich häßlich und spricht nur wenig" (LParthey S. 88) besuchte Goethe, *von einer Gesundheitsreise kommend,* am 15. VIII. 1826 in Weimar *(III/10, 230).*

–, 3) Heinrich Johann Wilhelm Rudolf (1809 bis 1872), geb. zu Osnabrück, gest. in Berlin, Neffe des Erstgenannten, damals Theologiestudent in Berlin (1827–1831), später Hauslehrer im Hause ChrK JvBunsen zu Rom (1831 bis 1838) und zugleich Assistent am dortigen Archäologischen Institut, in der beruflichen Hauptentwicklung aber durch theologisch-diplomatische Interessen und Missionen im Auswärtigen Dienst (Bismarck nennt ihn ,,das unvergeßliche und unersetzte Faktotum") bestimmt, wurde durch seinen Onkel am 5. VII. 1828 bei Goethe eingeführt, ohne allerdings auf Goethe stärker interessierend wirken zu können (IV/44, 169; III/11, 240; Bdm. 4, 4). *Za*

Abel, Conradinus (1750–1823), 1820 geadelt, württembergischer Hof- und Legationsrat, Landschaftskonsulent, Minister-Resident zu Paris, Kunstsammler, war eine der bedeutendsten Gestalten der württembergischen Geschichte um 1800 und – wohl durch die Tatsache, daß seine Tochter Luise (später verehelichte *Guaita) in kurzer Ehe mit dem damaligen Kronprinzen, späteren König Wilhelm I., verheiratet war, von dem sie auf Drängen König Friedrich I. durch Napoleon gewaltsam getrennt wurde – einer der Führer der württembergischen Landstände in der Opposition gegen König Friedrich I. († 1816). A. *hatte für sich und seine Freunde sehr schätzbare Gemählde aus dem französischen Schiffbruch zu retten gewußt (IV/12, 287), andere aus den französischen Auctionen für einen sehr billigen Preis erhalten (III/2, 124), mußte seine Schätze jedoch aus Furcht vor den Franzosen in den Häusern seiner Freunde aufbewahren. Dort hat sie Goethe, der A. 1797 bei seinem Aufenthalt in Stuttgart nicht antraf, nach und nach aufgesucht (IV/12, 287). Bei v*Madeweiß* sah Goethe eine *Schlacht von Wouvermann,* einen *Sonnenuntergang* von Claude *Lorrain – I/34ᴵ, 304 sagt nicht, daß A. dieses Bild *selbst radiert* hat – und bei Frau A. am 4. IX. außer den bei Madeweiß gesehenen Bildern Gemälde von N*Poussin und *Lorrain.   *Lö*

Abel, Jakob Friedrich (1751–1829), war 1772 als Professor der Philosophie an die militärische Pflanzschule auf der Solitude und bei ihrer Umbildung (1773) sowie Verlegung(1775) als Herzogliche Militärakademie (1781–1794 „Hohe Karlsschule") nach *Stuttgart berufen worden. In A.s Wirkungszeit fielen Schillers dortige Studienjahre (1773–1780), an denen er als stark rhetorisch begabter Lehrer (Psychologie, Moral, Geschichte der Menschheit) von oft hinreißender Wortgewalt und als Freund teilhatte. Besondere Wirkung entfaltete A. durch seine Genie-Lehre (1776: „Ob große Geister geboren oder erzogen werden"). Goethe lernte den in seinen *Fächern, Denkungsart und Lebensweise sehr schätzbaren* Mann *(I/34ᴵ, 340)* kennen, als ihm A. am 12. IX. 1798 in *Tübingen (seit 1790 dort ordentlicher Professor der Philosophie) Besuch machte. Auch *Cotta hatte empfehlend auf A. hingewiesen (I/35, 74), dessen geachtetste Schrift „Einleitung in die Seelenlehre" 1786 unter seinen Augen in Stuttgart erschienen war. Philosophie-geschichtlich gehört A. trotz anfänglicher Differenzen in den Zusammenhang der *Leibniz-*Wolff-Epigonen.   *Za*

ADB. 1 (1875), S. 12–13. HWagner: Geschichte der Hohen Karlsschule. Würzburg 1856–1858. – FAders: JFAbel als Philosoph. 1893. – GHauber: Die Hohe Karlsschule. 1907. – RUhland: Geschichte der Hohen Karlsschule in Stuttgart. 1953.

Abel, Johann Gotthelf Lebrecht (1750–1822), Dr. med., geb. in Halberstadt als Sohn des dortigen, fast mehr literarisch-philologisch als medizinisch interessierten Gleim-Freundes und Arztes Friedrich Gottfried A. (1714–1794), war seit 1784 kurfürstl.-jülich-bergischer Hofrat in *Düsseldorf, Freund des Hauses FH*Jacobi, *ein sehr geschickter, geistreicher Arzt, ... ein Schüler des Geheimerath Hofmann (I/33,204).* Im November 1792 behandelte er *ein gewaltiges rheumatisches Übel,* das Goethe anschließend an die *Campagne in Frankreich* bei FHJacobi in *Pempelfort mehrtägig ins Bett zwang, A. wandte eine Kampfer-Therapie an. Es muß sich um einen jener allmählich häufiger werdenden rheumatischen Anfälle gehandelt haben, deren Ursache in einer bis 1767 zurückreichenden Streptomykose zu suchen ist. Diese hat auch für andere *Krankheiten Goethes zähnachwirkend eine unheilvolle Bedeutung gehabt. A. war Freund des Hauses Jacobi,

künstlerisch hochbegabt, besaß eine große Kupferstichsammlung, war trotz dieser vielseitigen schöngeistigen Interessen ein hocherfolgreicher, für die damaligen Verhältnisse bahnbrechend moderner Arzt (1802 Direktor des Collegium Medicum; 1809 ordnet er das Medizinalwesen des Großherzogtums Berg neu; 1818 pr. Geheimer Medizinalrat und Direktor der Sanitätskommission; nach der Völkerschlacht bei Leipzig hat er vielen Typhuskranken durch Freiluftbehandlung das Leben gerettet).   *Za*

BLÄ², Ergbd. 1935. S.5. – WVeil: Goethe als Patient. ²1946. S. 41. – MOberhoffer: Goethes Krankengeschichte. 1949. S. 45f.

Abel, Karl Friedrich (1725–1787), hervorragender Virtuose (Viola da Gamba), der letzte namhafte Meister seines Instrumentes, auch Komponist, war gelegentlich Gast, *wohl aufgenommen und bewirthet,* in Goethes Elternhaus und Goethe selbst aus solchen Kindheitseindrücken nachwirkend unvergeßlich *(I/27,167).* Geborener Köthener, war A. Thomasschüler noch zu Lebzeiten JS*Bachs, wurde dann Mitglied der dresdener Kapelle (1748–1758) und schließlich (1759–1782) Kammermusiker in der königlichen Kapelle zu London. Als Interpret wie als Komponist blieb er in der Musikauffassung des *Barock und *Rokoko verwurzelt, neigte zu den Mannheimern und näherte sich mit JChrBach der Frühklassik; seine besondere Stärke waren die schmelzenden langsamen Mittel- und die etwas kurzatmigen Schluß-Sätze. A. war ein bedeutender, kunstverständiger Mann, (bekannt als trinkfester, geistreicher Gesellschafter) und sein Beispiel illustriert die geistige Höhenlage in Goethes Elternhaus nach der musikalischen Seite.   *MB*

ADB 1 (1875), S.13f.; NDB 1 (1953), S. 11f.; MGG 1 (1949), Sp. 24.

Abendmahl [ital.: cena (vgl. I/49ᴵ, 290) oder cenacolo = bildliche Darstellung des Abendmahls] im engeren Wortsinn das durch Christus am Abend vor seinem Tode (Lucas-Evangelium XXII, 17–20) eingesetzte Sakrament und als solches das eucharistische Mahl, ist das entscheidende Gnadenmittel der christlichen Kirche, insbesondere der katholischen, deren Gläubige im A. in der Gestalt des Brotes kraft der durch den geweihten Priester in der Messe bewirkten Verwandlung Christi Fleisch, der Priester jedoch auch den Wein als das Blut des Erlösers genießen, während der lutherische Protestant durch eigenen Glauben im Augenblick des Empfanges die Verwandlung vollzieht; aus letzterem folgt für den Protestanten die Notwendigkeit, das A. in beiderlei Gestalt zu sich zu nehmen.

Aufgewachsen in einer religiös empfindlichen Welt, wurde Goethe früh die entscheidende Bedeutung des A.s für den christlichen Glauben deutlich. Er war dem Übersinnlichen zu aufgeschlossen, um nicht trotz seiner protestantischen Erziehung, mit pietistischen Gedanken vertraut, abgestoßen auch durch die äußerliche Lehrvermittlung der lutherischen Glaubensinhalte (I/27, 120), im Grunde der katholischen Sakramentslehre näherzustehen, denn *der Protestant hat zu wenig Sacramente, ja er hat nur Eins, bei dem er sich thätig erweis't, das Abendmahl,* das nach Goethes Meinung von Jahr zu Jahr weniger Personen verlangten. In seine Jugendgeschichte flocht Goethe eine eigene, aber tiefdurchdachte Darstellung der katholischen Sakramente und ihrer Wirkungsmöglichkeit im menschlichen Leben ein, in dessen Verlauf der Gläubige, *durch mehrere sacramentliche Handlungen ... vorbereitet und rein beruhigt wird, ... die Hostie zu empfangen; und daß ja das Geheimniß dieses hohen Acts noch gesteigert werde, sieht er den Kelch nur in der Ferne, es ist kein gemeines Essen und Trinken, was befriedigt, es ist eine Himmelsspeise, die nach himmlischen Tranke durstig macht ... In dem Abendmahle sollen die irdischen Lippen ein göttliches Wesen verkörpert empfangen und unter der Form irdischer Nahrung einer himmlischen theilhaftig werden (I/27, 119–121).* In das Stammbuch seiner Mutter schrieb Goethe den von ihm in Verse gesetzten A.s-text (I/4, 180).

Sich verwandeln können war Sehnsucht und Wesen des goetheschen Seins. War es natürlich, daß Goethe in seiner Jugend in einer gleichsam theoretischen Weise den Gedanken der Transsubstantiation als Denkmotiv aufnahm, so mußte mit zunehmender Erfahrung, gebildet durch eine Summe leidenschaffender und durchlittener Erlebnisse, die Erkenntnis wachsen, daß die Verwandlung, die durch Tätigsein und das ihm „Zustoßende" im Menschen bewirkt wird, eine höhere moralische Leistung sei. Gerade das Sakramentsverständnis des jungen Goethe führte zur Profanierung der besonderen religiösen Elemente. Der Mensch wird das Maß der Dinge. Spürt man schon in der Schilderung der leipziger Jahre eine Lockerung des Sakraments-Verständnisses, namentlich durch die „unverwandelte" Art *Gellerts (I/27, 117), so ist es verständlich, daß das A.ssakrament zur gelegentlich gebrauchten Metapher wird (vgl. IV/2, 45), um endlich, als Charlotte v*Stein, die große Verwandlerin seines Lebens, ihm 1779 auf einer Dienstreise eine Weste zuschickt, das erotische

Gebiet zu streifen: *Wenn Sie ein Misel wären hätt ich Sie gebeten das Westgen erst einmal eine Nacht anzuziehen und es so zu transsubstantiiren, wie Sie aber eine weise Frau sind muss ich mit dem Calvinischen Sakrament vorlieb nehmen (IV/4, 13).*

Im Jahre nach der italienischen Reise mußte Goethe bekennen, daß er *an der Lehre des Lucrez mehr oder weniger hänge und alle meine Prätensionen in den Kreis des Lebens einschließe (IV/9, 78f.);* das sakramentale Erlebnis trat ganz zurück, wie er denn auch die Feier des A. nach dem wenig tiefgehenden Erlebnis der Konfirmation – *Ich empfing die Absolution und entfernte mich weder warm noch kalt, ging den andern Tag mit meinen Eltern zu dem Tische des Herrn, und betrug mich ein paar Tage, wie es sich nach einer so heiligen Handlung wohl geziemte (I/27, 126)* – eher gemieden als gesucht hat. Hatten ihn in *Leipzig eine seltsame Gewissensangst und der alte *Spruch, daß einer, der das Sacrament unwürdig genieße, sich selbst das Gericht esse und trinke (I/27, 126f.),* dazu getrieben, *Kirche und Altar völlig hinter* sich zu lassen, hatte die pietistische Episode der anschließenden frankfurter Zeit nur eine vorübergehende Wiederannäherung bewirkt (26. VIII. 1770: IV/1, 245), so scheint doch gerade diese Tatsache im Zusammenhang mit Goethes bevorstehendem *Geburtstag einen Hinweis auf sehr viel spätere (1811; 1812) Teilnahmen am A. als kultische Feier geben zu können. Goethe soll nach Briefmitteilungen (Av*Arnim; Hv*Kügelgen) in diesen Jahren und wieder nur um die Zeit seines Geburtstages „heimlich" kommuniziert haben (WBode: Goethe in vertraulichen Briefen seiner Zeitgenossen. 1921–23. 2, S. 324; 377). Eine den Briefschreibern kaum verständliche, nicht eigentlich „christliche" Verknüpfung des Erlebnisses einer Lebenswende von Jahr zu Jahr und eines auch damit geforderten *Stirb und werde* muß ihm in den damaligen Jahren Anlaß gewesen sein; es geschah „heimlich" und wir wissen nichts Näheres darüber. Was über Goethes Art, seinen Geburtstag zu begehen, bekannt ist, läßt nur Vermutungen zu. Goethe hatte als Mensch jene Selbstverwandlung geleistet, die ihm die Teilnahme am Transzendentalen in der gebräuchlichen kirchlichen Form als überflüssig erscheinen ließ. Diesem Prozeß der Profanierung entspricht es schon, wenn Goethe 1788 angesichts des A.s von *Leonardo in Mailand – in der Geschichte dieses seit je bedeutungsvollen Bildgegenstandes dasjenige höchsten menschlichen und christlichen Gehaltes zugleich – das Tragisch-Dramatische des Vorgangs allein wahrnimmt (I/49II, 221). Für ihn war diese Darstellung „nur" *ein rechter Schlußstein in das Gewölbe der Kunstbegriffe (IV/8, 375)*.

Aber es war – keimhaft bereits in den italienischen Jahren – der Gegenstand, der Goethes Anteilnahme an einem Bilde regte, nicht so sehr das Formal-Künstlerische (vgl. I/21, 106), sollte doch auch die Kunst von den *sittlichen Gegenständen . . . nur diejenigen wählen, die mit den sinnlichen innigst verbunden sind (IV/9, 109)*. So kam es lange Zeit zur Ablehnung christlicher Gegenstände im engeren Sinne. Auch 1814 vermochte Goethe noch nicht den typologischen Zusammenhang der einzelnen Tafeln des damals *Memling zugeschriebenen Sakramentsaltares von D*Bouts zu erkennen (I/34II, 34). Aus verschiedenen Ursachen war Goethes persönliche Entwicklung bei dem raschen Entschluß zur Beschäftigung mit *Leonardos A. vorbereitet, um auch das Ikonographische in vollem Maße zu berücksichtigen, dh. das im Kunstwerk Gestaltete mit der schriftlichen Vorlage zu vergleichen. Angeregt durch den aus dem literarischen Bereich herübergenommenen Begriff *Aufregungsmittel* nimmt Goethe den Satz: *Einer ist unter Euch der mich verrät* als den ganzen Inhalt der Darstellung *(I/49I, 208)*, obgleich der Augenblick der Verratserkenntnis und die Einsetzung des A.s selbst in dieser *ersten completten malerischen Fuge (IV/28, 359)* angedeutet ist. Schon damals muß Goethe die in den *TuJ* 1820 besprochenen „Sieben Sakramente" des N*Poussin gekannt haben, denen er jedoch als Darstellung *wichtiger und verehrter Gegenstände . . . Naivetät* absprechen mußte *(I/36, 167)*; auf dem A.sbilde *Poussins waren Christus und die Jünger im antiken Sinne um eine Trikline gelagert. Bei Leonardos A. jedoch war *keineswegs die Rede von Annäherung an ein unsichres veraltetes Costüm. Höchst ungeschickt wäre es gewesen, an diesem Orte die heilige Gesellschaft auf Polster auszustrecken (I/49I, 207)*. – Über diesen Motiv-Vergleich hinaus kam Goethe zur typengeschichtlichen Betrachtung bei der Besprechung eines damals *Giotto zugeschriebenen A.s von T*Gaddi (I/49I, 294).

Der Kreis goethescher Entwicklung schloß sich, als er nach Vollendung des *Faust* S*Boisserée am 24. XI. 1831 schrieb und sich tröstete, *daß gerade die, an denen mir gelegen seyn muß, alle jünger sind als ich und seiner Zeit das für sie Bereitete und Aufgesparte zu meinem Andenken genießen werden (IV/49, 153)*; kommt doch in dieser an die A.sformel an-

klingenden Wendung in einer heilig-profanen Weise die testamentliche, vielleicht sogar eine Auffassung zum Ausdruck, die das Lebenswerk zu einer sakramentalen Stiftung macht.   *Lö*

Aberglaube. Die einseitig enge Umschreibung des Begriffes, wie sie besonders im 18. Jahrhundert aus kirchlicher und rationalistischer Sicht entwickelt wurde, ist Goethe fremd. Er erblickt im A. ein irrationales Element, das in naher Bindung zum Religiösen steht. A. und Unglaube sind daher nicht etwa gleichartige Erscheinungen, denn *der Aberglaube ist ein Erbtheil energischer, großthätiger, fortschreitender Naturen; der Unglaube das Eigenthum schwacher, kleingesinnter, zurückschreitender, auf sich selbst beschränkter Menschen. Jene lieben das Erstaunen, weil das Gefühl des Erhabenen dadurch in ihnen erregt wird, dessen ihre Seele fähig ist, und da dieß nicht ohne eine gewisse Apprehension geschieht, so spiegelt sich ihnen dabei leicht ein böses Princip vor (Farbenlehre 1810: II/3, 164)*. In diesem Sinne beruht der A. *auf einer viel größeren Tiefe und Delikatesse, als der Unglaube (zu Riemer, 12. XII. 1806: Bdm. 1, 465)*. So sind für jeden Menschen, der *in *Ahnung wunderbarer Verknüpfungen und Vorbedeutungen* lebt *(Lehrjahre: I/22, 12)* sowohl der A. wie auch seine kunstvoll gesteigerte Form der Magie Versuche, sich auf primitive, also urtümliche Art dem Unbegreiflichen zu nähern. *Die Anlässe zur Magie überhaupt finden wir bei allen Völkern und in allen Zeiten. Je beschränkter der Erkenntnißkreis, je dringender das Bedürfniß, je höher das Ahndungsvermögen, je froher das poetische Talent, desto mehr Elemente entspringen dem Menschen, jene wunderbare, unzusammenhängende, nur durch ein geistiges Band zu verknüpfende Kunst wünschenswerth zu machen (II/3, 223)*. Ahndungsvermögen und starke Neigung zur Fiktion vereinen A. und Poesie auf gleicher Wirkungsebene. *Der Aberglaube ist die Poesie des Lebens, beide erfinden eingebildete Wesen, und zwischen dem Wirklichen, Handgreiflichen ahnen sie die seltsamsten Beziehungen; Sympathie und Antipathie walten hin und her. Die Poesie befreit sich immer gar bald von solchen Fesseln, die sich immer willkürlich anlegt; der Aberglaube dagegen läßt sich Zauberstricken vergleichen, die sich immer stärker zusammenziehn, je mehr man sich gegen sie sträubt. Die hellste Zeit ist nicht vor ihm sicher; trifft er aber gar in ein dunkles Jahrhundert, so strebt des armen Menschen umwölkter Sinn alsbald nach dem Unmöglichen, nach Einwirkung in's Geisterreich, in die Ferne, in die Zukunft; es bildet sich* *eine wundersame reiche Welt, von einem trüben Dunstkreise umgeben. Auf ganzen Jahrhunderten lasten solche Nebel und werden immer dichter und dichter (Justus Möser 1823: I/41^{II}, 54f.).* Indem das Poetische seine Überlegenheit genüber den ihm wesensverwandten Grundzügen des A. offenbart, *schadet's dem Dichter nicht, abergläubisch zu sein (Eigenes und Angeeignetes 1823: I/42^{II}, 128).* Goethe erblickt im A. den Ausdruck in sich durchaus folgerichtiger Denkformen. *Ein großer Theil dessen, was man gewöhnlich Aberglauben nennt, ist aus einer falschen Anwendung der Mathematik entstanden, deßwegen ja auch der Name eines Mathematikers mit dem eines Wahnkünstlers und Astrologen gleich galt. Man erinnere sich der Signatur der Dinge, der Chiromantie, der Punctirkunst, selbst des Höllenzwangs; alle dieses Unwesen nimmt seinen wüsten Schein von der klarsten aller Wissenschaften, seine Verworrenheit von der Exactesten (Farbenlehre 1810: II/3, 159).* Die Eigengesetzlichkeit prälogischen Denkens primitiver Menschen und Völker offenbart sich in der starken Neigung zum Konkretismus und jenem Unvermögen, klare Kategorien zu scheiden, das unausweichlich zur mystischen Partizipation aller Erscheinungen der menschlichen Umwelt führt (vgl. LLévy-Bruhl: Die Seele der Primitiven. Wien 1930). *Es gibt so manches Wünschenswerthe, möglich Scheinende; durch eine kleine Verwechselung machen wir es zu einem erreichbaren Wirklichen. Denn obgleich die Thätigkeiten, in denen das Leben der Welt sich äußert, begränzt, und alle Specificationen hartnäckig und zäh sind; so läßt sich doch die Gränze keiner Thätigkeit genau bestimmen, und die Specificationen finden wir auch biegsam und wandelbar. Die natürliche Magie hofft mit demjenigen, was wir für thätig erkennen, weiter als billig ist zu wirken, und mit dem, was specificirt vor uns liegt, mehr als thunlich ist zu schalten. Und warum sollten wir nicht hoffen, daß ein solches Unternehmen gelingen könne (II/3, 221f.).* Die konsequente Struktur des prälogischen Denkens bewirkt, *daß die Formen des Glaubens und Aberglaubens bei allen Völkern und zu allen Zeiten immer dieselben geblieben sind (DuW: I/26, 151).* Der A. oder vorurteilsloser gesprochen, der Volksglaube, stellt für Goethe in den Geistesepochen der Menschheit eine bestimmte Entwicklungsschicht dar. Während der Mensch der Urzeit sich ahnungsvoll in seine Umwelt hineintastet, bildet sich in der darauf folgenden Epoche die Erscheinungswelt des Volksglaubens und der Poesie. *Eine frische gesunde Sinnlichkeit blickt umher, freundlich sieht sie im Vergangenen und Gegen-*

wärtigen nur ihres Gleichen. Dem alten Namen verleiht sie neue Gestalt, anthropomorphosirt, personificirt das Leblose wie das Abgestorbene und vertheilt ihren eigenen Charakter über alle Geschöpfe. So lebt und webt der Volksglaube, der sich von allem Abstrusen, was aus jener Urepoche übrig geblieben sein mag, oft leichtsinnig befreit. Das Reich der Poesie blüht auf und nur der ist Poet, der den Volksglauben besitzt oder sich ihn anzueignen weiß. Der Charakter dieser Epoche ist freie, tüchtige, ernste, edle Sinnlichkeit, durch Einbildungskraft erhöht (Geistesepochen, nach Hermanns neuesten Mittheilungen 1817: I/41^{I}, 128f.). Der Volksglaube wird in der darauf folgenden Entwicklungsschicht durch den Priesterglauben abgelöst, dessen Theologie Dämonen erzeugt, *die so lange einander unterordnet, bis sie zuletzt sämmtlich von Einem Gotte abhängig gedacht werden (ebda 1817: I/41^{I}, 129).* Jedoch diese *Epoche ... kann sich ... nicht lange rein erhalten, sondern muß, weil sie denn doch zu ihrem Behuf den Volksglauben aufstutzt, ohne Poesie zu sein, weil sie das Wunderbarste ausspricht und ihm objective Gültigkeit zuschreibt, endlich dem Verstand verdächtig werden (ebda 129).* Aber auch die letzte Geistesepoche der Menschheit, die prosaische, vermag die Elemente der Urgefühle, des Volksglaubens und der Theologie nicht zu paralysieren. Sie wirken, wenn oft auch nur resthaft, weiter fort. *Das Menschenbedürfniß, durch Weltschicksale aufgeregt, überspringt rückwärts die verständige Leitung, vermischt Priester-, Volks- und Urglauben, klammert sich bald da bald dort an Überlieferungen, versenkt sich in Geheimnisse, setzt Mährchen an die Stelle der Poesie und erhebt sie zu Glaubensartikeln (ebda 130).* Die Geisteshaltung früherer Stadien der Menschheitsgeschichte kann jederzeit wieder zum Durchbruch gelangen, und so stellt sich beispielsweise der Polytheismus als Ausdrucksform früher Religiosität nach Goethes Auffassung *in drey Personen der Gottheit, einer Göttin-Mutter, den 12 Aposteln und soviel Heiligen weit zahlreicher wieder her (21. IV. 1831: III/13, 65).* Hier entwickelt Goethe die für die moderne Volkskunde richtungweisende Einsicht, daß der Volks- oder A. ein unterschichtliches Element im geistig-seelischen Haushalt des Menschen bildet, das selbst beim Intellektuellen – oft nur tiefenpsychologisch erkennbar – ein resthaftes Dasein fristet. *Der Aberglaube gehört zum Wesen des Menschen und flüchtet sich, wenn man ihn ganz und gar zu verdrängen denkt, in die wunderlichsten Ecken und Winkel, von wo er auf einmal, wenn er einigermaßen sicher zu sein glaubt, wieder hervortritt*

*(Betrachtungen im Sinne der Wanderer 1829:
I/42^{II}, 174).* Indem der A. wahre Bedürfnisse
des Menschen zu befriedigen sucht, ist er *weder
so scheltenswerth als er gehalten wird, noch so
selten in den sogenannten aufgeklärten Jahrhunderten und bei aufgeklärten Menschen. Denn wer
kann sagen, daß er seine unerläßlichen Bedürfnisse immer auf eine reine, richtige, wahre, un-
tadelhafte und vollständige Weise befriedige; daß
er sich nicht neben dem ernstesten Thun und
Leisten, wie mit Glauben und Hoffnung, so auch
mit Aberglauben und Wahn, Leichtsinn und Vorurtheil hinhalte (Farbenlehre 1810: II/3, 160).*
Diese Einsicht führt zwangsläufig zu der Frage,
in welchem Maße dieses unterschichtliche Element des A. bei Goethe selbst in die Erscheinung tritt. In der Umwelt seiner Kindheit
wirkten die Überlieferungen des Volksglaubens
noch lebendig fort. Die Familie hegte die ehrfürchtige Überzeugung, daß der Großvater
*Textor *die Gabe der Weissagung besitze, beson-
ders in Dingen, die ihn selbst und sein Schicksal
betrafen. Zwar ließ er sich gegen niemand als
gegen die Großmutter entschieden und umständlich heraus; aber wir wußten doch, daß er durch
bedeutende Träume von dem was sich ereignen
sollte, unterrichtet werde (DuW: I/26, 57).* Goethe meint zwar, daß diese Gabe sich auf keines
der Kinder und Enkel fortgeerbt habe, aber es
sei nur an jene Erscheinung des Zweiten Gesichtes erinnert, die Goethe auf dem Ritt von
*Sesenheim nach *Drusenheim hatte. *Ich sah
nämlich, nicht mit den Augen des Leibes, sondern des Geistes, mich mir selbst, denselben Weg,
zu Pferde wieder entgegen kommen, und zwar in
einem Kleide, wie ich es nie getragen: es war
hechtgrau mit etwas Gold. Sobald ich mich aus
diesem Traum aufschüttelte, war die Gestalt ganz
hinweg. Sonderbar ist es jedoch, daß ich nach
acht Jahren, in dem Kleide das mir geträumt
hatte, und das ich nicht aus Wahl, sondern aus
Zufall gerade trug, mich auf demselben Wege
fand, um Friederiken noch einmal zu besuchen
(ebda 28, 83f.).* Goethes Mutter aber bediente
sich des Stechorakels und schien an kritischen
Tagen *doppelt getröstet, da sie des Morgens, als
sie das Orakel ihres Schatzkästleins durch einen
Nadelstich befragt, eine für die Gegenwart sowohl
als für die Zukunft sehr tröstliche Antwort erhalten hatte (ebda 26, 155 f.* Vgl. Brief vom
9. XII. 1777: IV/3, 196). Diese alte Volksüberlieferung des Stechorakels schwebte in einem
überhöhten Sinne Goethe bei den *Weissagungen des Bakis* vor, da er die Absicht hatte, auf
jeden Tag im Jahr ein solches Distichon zu verfassen und damit eine Art von Stechbüchlein
zu schaffen. *Der Unentschlossene findet nur sein*

*Heil im Entschluß dem Ausspruch des Looses
sich zu unterwerfen. Solcher Art ist die überall
herkömmliche Orakelfrage an irgend ein bedeutendes Buch, zwischen dessen Blätter man eine
Nadel versenkt und die dadurch bezeichnete
Stelle bei'm Aufschlagen gläubig beachtet. Wir
waren früher mit Personen genau verbunden,
welche sich auf diese Weise bei der Bibel, dem
Schatzkästlein und ähnlichen Erbauungswerken
zutraulich Raths erholten und mehrmals in den
größten Nöthen Trost, ja Bestärkung für's ganze
Leben gewannen. Im Orient finden wir diese Sitte
gleichfalls in Übung; sie wird Fal genannt, und
die Ehre derselben begegnete Hafisen gleich nach
seinem Tode . . . Der westliche Dichter* (Goethe)
*spielt ebenfalls auf diese Gewohnheit an und
wünscht, daß seinem Büchlein gleiche Ehre widerfahren möge (West-östlicher Divan: I/7, 122f.).*
Die Intensität der Bindungen Goethes an die
Sphäre des A. vollzieht sich in verschieden
wirksamen Graden. Von völlig irrational-prä-
logischen Verhaltensweisen über anschauliche
Vergleichsformeln bis zu sinnvollen Überhö-
hungen abergläubischer Volksüberlieferungen
und historisch-kritischen Studien magischer
Schriften, Zauberbücher und Dämonographien
spannt sich der weite Bogen seiner Begegnungen mit dieser Zauberwelt. Nur wenige Beispiele einer in tiefster Schicht bejahenden Haltung gegenüber den irrationalen Mächten seien
hier herausgehoben: Als in Straßburg ein leidenschaftliches Mädchen seine Lippen ver-
wünscht und geheiligt *(denn jede Weihe enthält ja beides),* hatte er sich *abergläubisch genug, in Acht genommen, irgend ein Mädchen zu
küssen (DuW: I/28, 13).* Auf einer einsamen
Wanderung an der Lahn im Jahre 1772 trieb es
ihn, auf merkwürdige Art das Orakel anzufragen. *Zufällig hatte ich ein schönes Taschenmesser
in der linken Hand, und in dem Augenblicke trat
auf dem tiefen Grund der Seele gleichsam befehls-
haberisch hervor: ich sollte dieß Messer ungesäumt in den Fluß schleudern. Sähe ich es hinein-
fallen, so würde mein künstlerischer Wunsch erfüllt werden; würde aber das Eintauchen des
Messers durch die überhängenden Weidenbüsche
verdeckt, so sollte ich Wunsch und Bemühung
fahren lassen (ebda 175f.).* Kurz nach der Vollendung des *Werther* traf zufälligerweise an dem
Tage, da Goethes Schwester sich mit JG
*Schlosser verheiratete und das Haus von
freudiger Festlichkeit erfüllt war, ein Angebot
des leipziger Verlegers ChF*Weygand ein. *Ein
solches Zusammentreffen hielt ich für ein günstiges Omen, ich sendete den Werther ab (ebda 227).*
Noch Jahrzehnte später empfand er die zufällige Übersendung eines schönen Karneols

durch Freundeshand in Tagen großer innerer Erschütterung als *eine günstige Vorbedeutung* (29. IV. 1815: *IV/25, 289)*. Die Magie geheimnisvoller Zahlenreihung veranlaßte ihn im Jahre 1797, sich um das Los Nr. 7666 der hamburger Stadtlotterie zu bemühen. *Ich habe bedacht daß es doch angenehm seyn müßte, in einem, zwar unwahrscheinlichen, aber doch möglichen Falle, das Gut zugleich mit dem großen Loose zu gewinnen. Sie sehen daß ich mich gleich recht in den Sinn eines Lotteriespielers versetze, an den Zufall muß man gleich übertriebene Forderungen machen. Ich fürchte nur die Nummer ist schon in alle Welt ausgegangen* (20. V. 1797: *IV/12, 126)*. Goethe empfand dies vielleicht, wie er später meinte, als *ein artiges Haschespiel der zufälligen Fügung, die uns abergläubische, alte und junge Kinder mit Namen und Tageszahlen herumjagt. Warum sollte man sich ein solches Spiel nicht gefallen lassen* (15. VI. 1819: *IV/31, 369)*. Die im volkstümlichen Denken wurzelnde Anschauung, Künftiges nicht voreilig zu berufen (vgl. 8. VII. 1831: *IV/49, 3 f.)*, spiegelte sich in seiner Neigung wider, über entstehende Arbeiten sich ungern zu äußern. So berichtet er in den *TuJ* von 1801: *allein durch einen auf Erfahrung gestützten Aberglauben, daß ich ein Unternehmen nicht aussprechen dürfe, wenn es gelingen solle, verschwieg ich selbst Schillern diese Arbeit* [Die natürliche Tochter] *und erschien ihm daher als untheilnehmend, glauben- und thatlos (I/35,91)*. Der Zufall als Grundelement des A. bewegte ihn bis ins hohe Alter hinein. Im Jahre 1816 ward die geplante Reise nach Süddeutschland vereitelt, weil auf dem Wege nach *Erfurt die Wagenachse brach und man nach Weimar umzukehren genötigt war. *Aus Unmuth und Aberglaube ward die vorgesetzte Reise vielleicht übereilt aufgegeben (TuJ* 1816: *I/36, 112f.)*. Noch im Jahre 1821 gedenkt er des merkwürdigen Zufalls, wie er in seinem Zimmer nach der Schlacht bei Leipzig das Napoleonbild ohne äußere Veranlassung vom Nagel gefallen sei (Gespräch mit Grüner am 2. IX. 1821: Bdm. 2, 547).
Bindung und Distanz zugleich offenbaren sich in den zahlreichen Anspielungen auf Erscheinungen des A., die besonders in Goethes Briefen immer wieder auftauchen. *Ihre Pein würd ich nicht los, und hätt' ich sechs Alraune heißt* es an F*Oeser (6. XI. 1768: *IV/1, 171)* und ein Jahr später schrieb er wieder an sie: *... ich habe Sie fast so selten gesehen, als ein Nachtforschender Magus einen Alraun pfeifen hört* (13. II. 1769: *IV/1, 190)*. Im gleichen Brief beklagte er sich über ein allzu langes Kranken-

lager: *Es war eine impertinente Composition von Laune meiner Natur, die mich vier Wochen an den Bettfus, und vier Wochen an den Sessel anschraubte, dass ich eben so gerne die Zeit über, hätte in einen gespaltnen Baum wollen eingezaubert seyn (ebda 189)*. Auf die volkstümliche Überlieferung vom Aufstehen mit dem verkehrten Fuß spielt eine Briefstelle des Jahres 1812 an: *Ihr Oppositionair muß in Weimar bey'm Aufstehen mit dem linken Fuß in den Pantoffel geschlüpft seyn* (an CFv*Reinhard 14. XI. 1812: *IV/23, 150)*. Auch die häufig wiederkehrende Grußformel *Alles Gute anwünschend* (an JF*Rochlitz 30. I. 1804: *IV/17, 43*. Vgl. IV/25, 299 und 30, 127) beruht im letzten Grunde auf der gleichen irrationalen Haltung, die diesen Wortbegriff in engste Beziehung zum Verwünschen und Verfluchen setzt. Die volkstümliche Vorstellung vom Zauberkreise im Sinne einer Abschirmung gegen die Außenwelt und eines abgegrenzten Bereiches erfolgverheißenden Bemühens hat Goethe sich völlig zu eigen gemacht; in zahlreichen Briefen kehrt dieser Begriff wieder: *Um das Stück* [den *Faust*] *zu vollenden, werd ich mich sonderbar zusammennehmen müßen. Ich muß einen magischen Kreis um mich ziehen, wozu mir das günstige Glück eine eigne Stäte bereiten möge* (an Carl August 8. XII. 1787: *IV/8, 305)*. Noch Jahrzehnte später heißt es im gleichen Sinne: *Was mich betrifft, so erlauben mir glückliche Umstände und Ereignisse einen ganz engen Zauberkreis um mich her zu ziehen, in welchem ich, nach alter Gewohnheit, meinen stillen Beschäftigungen nachhänge* (an Sv*Grotthus 7. II. 1914: *IV/24, 134)*. In welcher Intensität das Zauberische Goethe gegenwärtig war, zeigen seine zahllosen Begriffprägungen, die alle dieser Sphäre verbunden sind: *Zauberband (I/1, 14), Zauberbann (I/10, 341), Zauberbinde (I/13^I, 346), Zauberduft (I/14, 134), Zauberformel (I/26, 317), Zaubergesang (I/14, 199), Zaubergewand (I/13^I, 63), Zauberkräuter (I/12, 58), Zauberkreis (I/14, 123), Zaubermantel (I/14, 57), Zaubermummerei (I/40, 210), Zauberpferde (I/14, 227), Zauberring (I/25^I, 154), Zauberschatten (I/2, 145), Zauberschlaf (I/12, 66), Zauberschleier (I/12, 77), Zauberschlüssel (I/25^I, 134), Zaubersegen (I/12, 187), Zauberspiegel (I/15^I, 85), Zaubersprüche (I/15^I, 307), Zauberstab (I/17, 160), Zauberstricke (I/41^{II}, 55), Zaubertrank (I/14, 123), Zauberwald (I/2, 25), Zauberwort (I/2, 17)* und *Zauberzeichen (I/14, 65)*.
Goethes sinnbildliche Sicht der Überlieferungen des Volksglaubens überhöht den traditionsgebundenen Unterbau des *Faust* (Teufelspakt,

Hexenküche, Walpurgisnacht) in gleicher Weise wie die volkstümlichen Motive des *Zauberlehrlings* und *Schatzgräbers*. Besonders das Motiv des Schatzgräbers erfährt immer neue Sinndeutungen. In der *Farbenlehre* heißt es: *Und wie einem Schatzgräber, der durch die mächtigsten Formeln den mit Gold und Juwelen gefüllten blinkenden Kessel schon bis an den Rand der Grube heraufgebracht hat, aber ein Einziges an der Beschwörung versieht, das nah gehoffte Glück unter Geprassel und Gepolter und dämonischem Hohngelächter wieder zurücksinkt, um auf späte Epochen hinaus abermals verscharrt zu liegen; so ist auch jede unvollendete Bemühung für Jahrhunderte wieder verloren (Farbenlehre 1810: II/3, 116f.).* In den *TuJ* geht er auf die Überlieferung des stillschweigenden Schatzhebens ein: *Einen sehr tiefen Sinn hat jener Wahn, daß man, um einen Schatz wirklich zu heben und zu ergreifen, stillschweigend verfahren müsse, kein Wort sprechen dürfe, wie viel Schreckliches und Ergötzendes auch von allen Seiten erscheinen möge (TuJ 1803: I/35, 150).* In einem Brief an JChv*Loder schließlich gibt Goethe abermals dem Schatzheben eine neue Sinndeutung: *Hier soll aber Schatz nicht heißen: der Werth des Errungenen, sondern soll die Mühseligkeiten des Beschwörers andeuten, die er übernehmen müssen, um diesen Fund, wie er auch sey, zu Tage zu fördern (7. VI. 1831: IV/48, 176).*
Von der sinnbildhaften Überhöhung abergläubischer Vorstellungen bis zur historisch-kritischen Betrachtung ist nur ein Schritt. Goethe hat sich sein Leben hindurch um ein psychologisches Verständnis und eine kulturgeschichtliche Würdigung dieser Phänomene bemüht. Seine Studien zur *Geschichte der Farbenlehre* bringen eine kritische Auseinandersetzung mit der alchimistischen Literatur, die Gestaltung der Walpurgisnachtszene im *Faust* bedingt eine eingehende Lektüre der umfangreichen Literatur zur Geschichte des Hexenwahns, ob es sich dabei nun um Erasmus Francisci höllischen Proteus (1708), Balthasar Bekkers bezauberte Welt (1693), die Daemonolatria des Nicolaus Remigius (1693) oder Peter Goldschmids höllischen Morpheus (1698) handelt (vgl. Keudell Nr. 119, 243, 244, 249, 250, 252). Im Jahre 1817 bemühte er sich sogar in langwierigen Verhandlungen, für die weimarische Bibliothek eine Handschrift des 6. und 7. Buches Mosis zu erwerben, das er als *ein ganz eigen Sachsen=Weimarisches Monument von der wunderlichsten Art* bezeichnete (an CGv*Voigt 23. VI. 1817: IV/28, 142). *Eine auf dem Lande Oppburg bey Neustadt wohnende Alchymisten-*

Familie hält es im Geheim seit mehreren Jahren für den größten Schatz und bringt es nur an Tag, weil der Glaube sich mindert, und die Noth sich mehrt (an denselben 16. V. 1817: *IV/28, 90f.*). Eine systematische Analyse des A. nach seinen Einzelerscheinungen und seiner Einordnung in die Menschheitsgeschichte hat Goethe wiederholt versucht *(ÜberVolksglauben: I/42II,510f.;* Naturwissenschaftl. Schriften, Paralipomena: II/13, 446; *Geistesepochen nach Hermanns neuesten Mittheilungen: I/41I, 128 bis 131).*
Man kann schwerlich von einer zwiespältigen Haltung Goethes oder einer „Doppelstellung" zum A. sprechen. Er ist sich bewußt, daß ein jeder Mensch im Grunde dieser unterschichtlichen Bindung verhaftet ist, und sich dieser *Ehrfurcht vor der uns umgebenden geheimnisvollen Macht (Bdm. 2, 353)* kaum entwinden kann. Es bleibt ihm nur das Bemühen, *sich in diesen bedenklichen Regionen nicht zu lange aufzuhalten, sondern dergleichen Vorfallenheiten als symbolische Andeutungen, sittliches Gleichniß und Erweckung des guten Sinnes zu benutzen: denn es möchte doch immer gleich schädlich sein, sich von dem Unerforschlichen ganz abzusondern oder mit demselben eine allzu enge Verbindung sich anzumaßen (Allgemeine fromme Betrachtungen 1821: I/41I, 264).*   Hn

WAron: Goethes Stellung zum Aberglauben. In: Goethe Jb. 33 (1912) S. 42–66. – EBertram: Goethes Geheimnislehre. 1934. S. 81–112. – BWachsmuth: Goethe und die Magie. In: Goethe 8 (1943), S. 98–115.

Aberli, Johann Ludwig (1723–1786), Landschaftsmaler in *Bern, Schüler von HMeyer (nicht zu verwechseln mit Goethes Freund) und seit 1759 Leiter einer eigenen Zeichenschule. Goethe besuchte den Maler, der durch seine in den Umrissen radierten und dann getuschten oder kolorierten schweizer Prospekte bekannt geworden war, am 16. und 17.X.1779 (IV/4, 85) und muß ihn sehr geschätzt haben, denn *Aberli macht seine Studien nach der Natur in Öl trefflich (IV/4, 88).* *Meyer erwähnt ihn in „Hackerts Kunstcharakter und Würdigung seiner Werke" (I/46, 349).   Lö

Schweizerisches Künstlerlexikon I (1905), S. 4. – Gradmann-Cetto: Schweizer Malerei und Zeichnung im 17. und 18. Jahrhundert. 1944. S. 63 (mit Abb.).

Abramson, Abraham (1754–1811), gebürtiger Potsdamer, preußischer Münzmeister zu Berlin, ein seinerzeit recht namhafter Medailleur, der sich durch Entwurf und Herstellung einer stattlichen Reihe von Denkmünzen auf berühmte Künstler, Gelehrte usw. weitwirkende Achtung erworben hatte. Auf eine Anfrage Schillers antwortet Goethe am 13. II. 1796, empfiehlt A. als *geschickt* und gibt zugleich einige praktische Ratschläge, die sein Vertrautsein mit Person und Sache bezeugen (IV/11, 28). *Za*

FrMüller: Die Künstler aller Zeiten und Völker 1 (1857), S. 3.

Abrantès, Laure St. Martin Permon, Herzogin von (1784–1838), die Frau des Marschalls Junot, dem engsten Kreis um *Napoleons I. erste Frau Josephine angehörig. Nach dem Sturz des ersten Kaiserreichs hielt sie einen der ersten pariser Salons, verarmte aber bald und suchte diese Lage durch literarische Arbeiten zu verbessern (Memoiren über die Revolution, das Kaiserreich und die Restauration; Romane). Goethe kennt sie zum mindesten durch „Le *Livre des Cent-et-un", zu dem sie einen Beitrag über die „*Abbaye-aux-Bois" geliefert hatte (1831: I/41^II, 372). *Fu*

Abstammungslehre. Mit ihrer Überzeugung, daß die verschiedenen Pflanzen- und Tierformen infolge eines allmählichen Formenwandels aus einfacheren entstanden seien und daher die Gesamtheit der mannigfaltigen Formen aus einfachsten, allen gemeinsamen Urformen hervorgegangen sei, ist die A. der krasseste Ausdruck der Überzeugung von der inneren Einheit der organischen Natur. Mit der Behauptung des unumschränkten Formenwandels setzt sie sich in Widerspruch zur unmittelbaren Erfahrung, daß die Nachkommen jeweils ihren Eltern gleichen und die Arten daher konstant sind. Dieser allgemeinen Erfahrung entsprechend war die ältere Biologie von der Vorstellung der Konstanz der Arten beherrscht, der noch *Linné Ausdruck gegeben hatte mit dem Satz, daß es so viele Arten gebe, wie am Anfang vom Schöpfer geschaffen worden seien. Die fortschreitend sich vertiefende Kenntnis der *Morphologie und Anatomie der Organismen machte im ausgehenden 18. und im beginnenden 19. Jahrhundert die Erkenntnis von der Stufenfolge der Organismen und damit einer gesetzmäßigen Ordnung der Formenmannigfaltigkeit als einer vom Einfachen zum immer Differenzierteren gehenden Reihe immer deutlicher, wie sich das in den Systemen zB. eines Linné oder den Schilderungen eines *Buffon ausdrückte. Die Vorstellung von der inneren Einheit der organischen Natur mußte von hier stärkste Nahrung erhalten und wurde daher eine der herrschenden Ideen in den damals gültigen biologischen Theorien, zB. von *Kielmeyer, Buffon, *Geoffroy de St. Hilaire. Auch Goethe war von der Einheit des Organismenreiches überzeugt. Diese Überzeugung führte zum Nachweis des menschlichen Zwischenkieferknochens; am stärksten kam sie zum Ausdruck in Goethes Stellung zum Akademie-

streit zwischen *Cuvier und Geoffroy de St. Hilaire.

Von der Vorstellung einer Einheit der organischen Natur und der Erkenntnis der Stufenfolge der Organismen war, besonders bei der immer allgemeiner werdenden Ablehnung der alten Urzeugungslehre – William Harvey (1578–1657) hatte das Prinzip ausgesprochen „Omne vivum ex ovo" –, nur noch ein kleiner Schritt zu der Vorstellung einer tatsächlichen und konkreten Abstammung der Arten voneinander, vor allem, wenn man den Organismen eine gewisse Wandlungsfähigkeit zuerkannte. So begegnen in der Tat in dieser Zeit, in die auch die biologischen Forschungen Goethes fallen, oftmals Formulierungen, die man im Sinn einer A. ausdeuten könnte. Schon *Leibniz („natura non facit saltus") hatte sich einmal die Frage gestellt: „Und kann man schließlich nicht annehmen, daß jene großen Umwälzungen des Erdballs eine große Zahl tierischer Arten umgestaltet haben?" Auch Kielmeyer hat gelegentlich in diese Richtung weisende Äußerungen getan. *Voigt (Professor der Medizin und Botanik in Jena), der in Rußland arbeitende Tauscher, Ballenstedt (1756–1840, Pfarrer in Pabstorf im Braunschweigischen) und andere äußerten sich im Sinn einer allmählichen Umwandlung der Tiere und Pflanzen. Die Gedankengänge von Geoffroy de St. Hilaire, der alle Tiere als Abwandlung einer Grundform auffaßte, konnten auch abstammungstheoretisch ausgelegt werden. An eine konkrete stammesgeschichtliche Umbildung der organischen Formen dachten jedoch diese Autoren dabei im allgemeinen nicht, sondern mehr an die Abwandlung eines idealen Bauplans.

Den Schritt zu der Vorstellung eines wirklichen, historischen Formenwandels in dieser Zeit hat *Lamarck vollzogen. Im Sinn der leibnizschen Fragestellung dachte er sich die Organismen als sich wandelnd und verändernd, und zwar durch direkte Bewirkung infolge einer Änderung der Lebensbedingungen und des dadurch ausgelösten sich verschiebenden Gebrauchs oder Nichtgebrauchs der einzelnen Organe, so daß fortschreitend besser angepaßte Formen entstehen. Goethe hat Lamarck nicht kennengelernt, wie dessen Ideen in seiner Zeit überhaupt im allgemeinen nicht beachtet worden sind. Lamarck starb nahezu völlig vergessen.

Erst 50 Jahre danach wurde mit dem Erscheinen des darwinschen Buchs über den Ursprung der Arten, 1859 (*Darwin), die A. Gegenstand der allgemeinen Diskussion der Bio-

logie. Nun wurde auch Lamarck wiederentdeckt. Die darwinsche Theorie der natürlichen
Zuchtwahl ging allerdings in völlig anderer
Richtung. Sie übertrug die Erfahrung der Tier-
und Pflanzenzüchtung in die freie Wirklichkeit,
wobei der Kampf ums Dasein die Funktion des
Züchters übernahm, die untauglichen Varietäten auszumerzen, die lebenstüchtigen aber weiter zu züchten. Der Erfolg dieser darwinschen
Theorie ist darin begründet, daß sie ihrer Methode nach empirisch, ihrer Zielstellung nach
mechanistisch zu sein scheint. Die Zielstrebigkeit, die hinter dem lamarckschen Anpassungs-
begriff steht, war oder schien zumindest hier
nicht mehr vorhanden. Denn die natürliche
Zuchtwahl ist ja auch ein richtendes Prinzip.
Allerdings war die organische Formbildung selber durch die Ausscheidung der Anpassung
nicht mehr auf ein Ziel bezogen; sie war durch
den Zufall der richtungslosen Variabilität bestimmt. Aus diesem „Rohmaterial" der organischen Produktion wurde von der Umwelt als
der züchtenden Instanz das Brauchbare ausgelesen. Der stammesgeschichtliche Fortschritt
war also gewissermaßen eine zufällige Begleit-
erscheinung eines an sich rein zufälligen Geschehens. Daß diese Theorie die Antwort auf
das entscheidende Problem, wie denn die organische Natur durch eine rein zufällige Variabilität fähig sei, dem „Züchter" immer solche
Formen zu liefern, die als fortschrittlicher und
differenzierter und vollkommener ausgelesen
und weiter gezüchtet werden können, schuldig blieb, das bemerkte man nicht. Auch die
Vererbungs- und Mutationslehre hat diese
Frage nicht beantworten können, sie hat nur
eine speziellere Beschreibung des Mechanismus der Selektionstheorie gegeben. Nur die
Mittel einer etwas krampfhaften Dialektik haben erlaubt, die tatsächliche Erscheinung des
stammesgeschichtlichen Fortschritts scheinbar zu erklären, wie das moderne Zusammenfassungen (zB. Rensch, Heberer) deutlich zeigen.
Die darwinsche Veröffentlichung hat heftige,
jahrzehntelange Diskussionen um das Für und
Wider der A. überhaupt und um die Kausal-
deutung der A. (Anpassung oder Selektion)
ausgelöst. Der Kampf um die Vererbung der
erworbenen Eigenschaften wurde durch die
Vererbungslehre (*Genetik) zuungunsten einer
solchen entschieden. Die logisch-erkenntnis-
theoretische Analyse des vererbungstheoreti-
schen Begriffssystems durch Kafka zeigt jedoch, daß die „Eindeutigkeit" der vererbungs-
theoretischen Antwort durch logische Unklarheiten des Begriffssystems vorgetäuscht wird.

Wenn die Vorstellung der A. richtig ist,
so muß sie sich mit der Tatsache auseinandersetzen, daß in der stammesgeschichtlichen Entwicklung ein Fortschritt zu höherer
Differenzierung stattfand, daß also die organische Natur stets Neubildungen hervorgebracht hat, die sinnvoll sind, daß also der Vorgang epigenetisch (*Epigenese) nicht präfor-
mationistisch (*Einschachtelungslehre) sich
vollzog; somit können mechanistische Gesichtspunkte nie zur Erklärung ausreichen.
Den Kampf um die A. hat die impulsive Persönlichkeit Ernst Haeckels (1834–1919) durch
lange Jahre hin bestimmt. Haeckel hat sich
dabei gleichzeitig zum Wortführer des Mechanismus in der Biologie gemacht, nicht nur A.
und Darwinismus gleichsetzend, sondern auch
die A. als entscheidende Grundlage für den
Mechanismus betrachtend, eine Verkennung
der wahren Zusammenhänge, welche bis in die
Gegenwart hinein Verwirrung stiftete. Diese
völlige Verkennung der wirklichen Zusammenhänge zeigt sich auch darin, daß Haeckel Lamarck, Goethe und Darwin in einem Atemzug
als die Begründer der modernen A. nennt.
Seither ist Goethe oft für die A. in Anspruch
genommen worden. In der Tat gibt es viele
Äußerungen Goethes, die man abstammungstheoretisch ausdeuten könnte. In der Einleitung der *Hefte zur Morphologie* lesen wir: *Soviel aber können wir sagen, daß die aus einer
kaum zu sondernden Verwandtschaft als Pflanzen und Thiere nach und nach hervortretenden
Geschöpfe, nach zwei entgegengesetzten Seiten
sich vervollkommnen, so daß die Pflanze sich zuletzt im Baum dauernd und starr, das Thier im
Menschen zur höchsten Beweglichkeit und Freiheit sich verherrlicht (II/6, 13).* Und *das Wechselhafte der Pflanzengestalten* erweckte ihm *die
Vorstellung: die uns umgebenden Pflanzenformen
seien nicht ursprünglich determiniert und festgestellt, ihnen sei vielmehr . . . eine glückliche Mobilität und Biegsamkeit verliehen, um in so viele
Bedingungen . . . sich zu fügen und darnach bilden und umbilden zu können (II/6, 120). Man
darf daher eine ursprüngliche, gleichzeitige Verschiedenheit und eine unaufhaltsam fortschreitende Umbildung mit Recht annehmen, um die
ebenso constanten als abweichenden Erscheinungen begreifen zu können (II/8, 253).* Und an anderer Stelle spricht er über die *schlimme, mancher guten Betrachtung entgegenstehende Ansicht,
als seien die Thiere degradirte Menschen, und
man dürfe dem Menschen nur etwas wegnehmen,
so würde man nach und nach ein Thier vor sich
haben (II/13, 115). Geoffro stellt dieses klar und
richtig dar . . . und ist auch unsrer aufmerksa-*

men Betrachtung werth. *Wir erkennen alsobald das Unsichere dieses Ganges und finden es räthlich, umgekehrt zu verfahren, vom Einfacheren, vom Geringeren auszugehen, zum Entwickelten, zum Gesteigerten uns aufwärts zu bewegen. Da werden wir denn bekennen, daß wir das Untere im Oberen gar wohl wieder finden, daß wir aber das Obere im Unteren suchend solches allenfalls nur theilweise wieder antreffen (II/13, 116).*

Nach all diesen Erfahrungen, die in mannigfachster Weise modifiziert immer wieder ausgesprochen werden, hatten ihn *die Erscheinungen des Wandelns und Umwandelns organischer Geschöpfe . . . mächtig ergriffen, Einbildungskraft und Natur schienen hier mit einander zu wetteifern, wer verwegner und consequenter zu verfahren wisse (II/6, 395).*

Das sind Worte – und ähnliche könnten noch zahlreich angeführt werden aus den verschiedensten Zusammenhängen –, welche die Vorstellung einer stammesgeschichtlichen Entfaltung der organismischen Natur, eine „Abstammungslehre" also, zu verraten scheinen. Hätte aber Goethe das Erscheinen des darwinschen Buches, die haeckelschen Streitschriften zugunsten der A. erlebt, er hätte sich sicherlich mit ebenso deutlichen, ja groben Worten von dieser A. abgewandt, wie er das mit dem Vulkanismus eines v*Buch getan hat, obwohl er vulkanische Erscheinungen als solche ja keineswegs leugnete. Wenn wir lesen, daß *das äußere Element die äußere Gestalt eher nach sich, als die innere umbilden kann. Wir können dieses am besten bei den Robbenarten sehen, deren Äußeres so viel von der Fischgestalt annimmt, wenn ihr Skelett uns noch das vollkommen vierfüßige Thier darstellt (II/7, 222),* so zeigt schon diese Bemerkung, daß die goethesche Vorstellungsweise, wenn man sie abstammungstheoretisch verstehen will, nichts gemein hat mit den Gedankengängen der modernen A., der ja das gesamte Tier- und Pflanzenreich sich in verfließende Stammlinien auflöste, innerhalb deren systematische Einheiten abzutrennen nur eine Angelegenheit der Willkür und Zweckmäßigkeit ist. Bei Goethe aber wäre *zuerst . . . der Typus in der Rücksicht zu betrachten, wie die verschiedenen elementaren Naturkräfte auf ihn wirken, und wie er den allgemeinen äußern Gesetzen, bis auf einen gewissen Grad, sich gleichfalls fügen muß (II/8, 19).* Der *Typus ist es, der im Mittelpunkt steht und die mannigfaltigen Formen, welche uns entgegentreten, sind Abwandlungen des Typus. *Allein die lebendige Natur könnte dieses einfache Bild nicht in das Unendliche vermannichfaltigen, wenn sie nicht einen großen Spielraum

hätte, in welchem sie sich bewegen kann, ohne aus den Schranken ihres Gesetzes herauszutreten (II/8, 32).* Die organische Natur hat also wohl eine große Wandlungsfähigkeit, aber diese ist nicht zufällig und willkürlich, nicht unbeschränkt in formlose Stammreihen verfließend. Sie ist an das Gesetz des Typus gebunden, der abgewandelt wird; aber, wie die Robbe zeigt, auch in der extremsten Abwandlung bleibt der Typus gewahrt. *Die Classen, Gattungen, Arten und Individuen,* dh. also die konkreten Verwirklichungen des Typus, *verhalten sich wie die Fälle zum Gesetz; sie sind darin enthalten, aber sie enthalten und geben es nicht (II/8, 73).* Denn der Typus ist nicht eine konkrete Form; er ist, wie ihm Schiller einwandte, keine Erfahrung, sondern eine Idee; er ist die Gestaltnorm, die sich je nach den herrschenden Lebensbedingungen in der verschiedensten Weise modifiziert. Von solcher Grundlage her wird an anderer Stelle völlig eindeutig festgestellt: Ein dahin gerichteter Geist *wird die drey großen in die Augen fallenden Gipfel, Krystallisation, Vegetation und animalische Organisation, niemals einander zu nähern suchen, vielmehr wird er nur ihre Zwischenräume genau zu kennen trachten, und mit großem Interesse an den Puncten verweilen, wo die verschiedenen Reiche zusammen zu treffen und ineinander überzugehen scheinen (II/13, 428).*

Man darf also, so geht aus diesen Äußerungen hervor, auch die „abstammungstheoretischen" Formulierungen Goethes nicht im Sinn der modernen A. verstehen. Die Beziehungen dieser Formabwandlungen sind nicht historisch, sie sind idealer Art („idealistische Morphologie"). Es sind Verwirklichungen und Abwandlungen eines Urbilds. Zur historischen Ausdeutung dieser morphologischen Beziehungen fehlte Goethe die Vorstellung der Zeiträume. Auch seine geologischen Studien führten ihn ja nicht zu dem Bild einer in langen Zeiträumen sich vollziehenden erdgeschichtlichen Entwicklung. Bemerkenswerterweise hat Goethe ja auch nie nachhaltiges Interesse an den Fossilien genommen (*Paläontologie).

Goethe, das darf man wohl sagen, war auf dem Weg zur A. Das linnésche Prinzip, das so viele Arten existieren, wie zu Anfang geschaffen worden seien, und diese Arten nun starr und unveränderlich bestünden, widersprach der goetheschen Erkenntnis von der Wandlungsfähigkeit der Organismen. Aber die A., zu der Goethe in seiner vergleichenden Morphologie und in seinen *anatomischen Studien den Grundstein gelegt hatte, hat nichts zu tun mit dem, was das 19. Jahrhundert, was Darwin und Haeckel unter der A. verstanden haben. Das Gesetzlos-Zufällige lehnte Goethe im *Vulkanismus (vBuch) kategorisch ab, es veranlaßte ihn schließlich sogar, die vulkanischen Erscheinungen überhaupt zu leugnen. Da es auch in der A. (Darwin, Haeckel) zum tragenden Prinzip wurde und das Gestalt-Typische völlig verschwinden ließ, hätte es Goethe vielleicht sogar dazu gebracht, sich von seinen eigenen abstammungstheoretischen Ansätzen abzuwenden. Mit unverhohlenem Spott erwähnt er, daß man schon behauptet habe, *es hange nur vom Menschen ab, bequem auf allen Vieren zu gehen, und Bären, wenn sie sich eine Zeitlang aufrecht hielten, könnten zu Menschen werden (II/6, 19)*. Man fühlt sich bei diesen Worten an Lamarck erinnert, den freilich Goethe nie erwähnt und daher wohl auch kaum kennengelernt hat. Wieweit Tier und Mensch für Goethe getrennt sind, zeigt das Beispiel des *Affen noch deutlicher; die Paradoxie des Verhältnisses Affe/Mensch besagt, daß der Affe immer menschen-unähnlicher wird, je menschen-ähnlicher er wird (Bdm. 3, 409). Schroffer läßt sich die goethesche Gegenposition zum späteren Darwin nicht formulieren. Sich *einen Begriff der verschiedenen Gestalten und ihres Entstehens im Einzelnen auszubilden (II/6, 169)*: das war das Ziel, das Goethe in seinen biologischen Studien sich gestellt hatte. Die Erkenntnis der Wandlungsfähigkeit der organismischen Gestalt im Rahmen des gegebenen Typus führte ihn zur Konzeption einer vergleichenden Morphologie, mit welcher er die Fundamente einer Abstammungslehre legte, für welche nach einem fast hundertjährigen Irrweg heute die Zeit reif zu werden beginnt, eine A., welche im organismischen Geschehen anstelle von Zufall und Willkür wieder Sinn und Gesetz anerkennt, welche um den zielbezogenen Grundgehalt des Lebens wieder weiß und damit erst eine wirkliche und echte, biologische A. wird, für welche die *Geschöpfe zu den Heiligthümern gehören, welche. . . durch ihr seltsames Gebilde, die nach dem Regellosen strebende, sich selbst immer regelnde und so im Kleinsten wie im Größten durchaus gott- und menschenähnliche Natur sinnlich vergegenwärtigen (II/8, 259)*. **Bn**

Lamarck: Philosophische Zoologie. Übers. von Lang. 1903. – Darwin: Entstehung der Arten. Übers. von JVCarus 1875–1887. – Haeckel: Generelle Morphologie. 1866. – GHeberer: Die Evolution der Organismen. 1943. – GHeberer: Allgemeine Abstammungslehre. 1949. – BRensch: Neuere Probleme der Abstammungslehre. 1947. – KBeurlen: Urweltleben und Abstammungslehre. 1949. – GKafka: Was sind Rassen. Eine Kritik an den Grundbegriffen der modernen Erblichkeitslehre. 1949.

Abstecherbühnen des weimarischen Hoftheaters außer der gesondert zu betrachtenden traditionellen in *Lauchstädt befanden sich zunächst vor allem in *Erfurt und in *Rudolstadt. Während für Lauchstädt eine laufende Konzession bestand (die man ebenso wie das dortige Theatergebäude *Bellomo abgekauft hatte) und 1802 in Lauchstädt sogar auf weimarische Initiative ein eigenes neues Theater gebaut wurde, fanden die Gastspiele in den anderen Städten fallweise auf Einladung der dortigen Behörden statt. Ein Gastspiel in Erfurt schloß sich gleich im ersten Jahr von Goethes *Theaterleitung 1791 vom 19. VIII. bis 25. IX. an die Badesaison in Lauchstädt an. Ebenso spielte man in den Folgejahren vom 23. VIII. bis 1. X. 1792, vom 18. VIII. bis 6. X. 1793, vom 14. IX. bis 5. X. 1794 und vom 22. VIII. bis 4. X. 1795. Außerdem gab man im Winter 1793/94 und zu Beginn des Jahres 1795 vereinzelte Gastspiele von Weimar aus wie auch nach langer Pause zu Beginn des Jahres 1815. Das alte erfurter Theater befand sich in der Futterstraße im dreistöckigen Hintergebäude des Universitätsballhauses. Die Bühne war klein, die technische Einrichtung einfach, der Fundus bescheiden. Zuschauerraum war ein rechteckiger Saal, der in erster Linie zu Redouten und Tanzveranstaltungen diente. Er hatte ein Parterre und zwei Reihen Logen, die nicht einzeln voneinander getrennt waren; nur in der Mitte boten sie eine eigene Loge für den Statthalter. Darüber befand sich eine Galerie. Der Saal wurde 1808 für die Festtage des Erfurter Kongresses umgebaut. Er war schon seit der Mitte des 18. Jahrhunderts von Wandertruppen bespielt worden, die unter der Aufsicht der erfurter Regierung standen. Das Publikum stellten im wesentlichen die für das Theater nicht besonders aufgeschlossenen Kleinbürger, der Spielplan nahm auf dieses Publikum Rücksicht und mußte auch wegen der von der Regierung ausgeübten Zensur alles vermeiden, was etwa Statthalter, Hof, Adel, Militär oder Bürgerschaft verletzen konnte. Im April 1794 traf von Rudolstadt in Weimar eine Aufforderung ein, während der Sommermonate in Rudolstadt eine Filialbühne einzurichten. Die Verhandlungen darüber führten am 12. V. 1794 zur Unterzeichnung eines Kontraktes über ein Gastspiel im August. An dieses erste Gastspiel vom 18. VIII. bis 10. IX. 1794 schloß sich eine fast regelmäßige Folge: 12. VIII. bis 30. IX. 1796, 21. VIII. bis 18. IX. 1797, 20. VIII. bis 30. IX. 1798, 19. VIII. bis 23. IX. 1799, 18. VIII. bis 25. IX. 1800, 17. VIII. bis 15. IX. 1801, 17. VIII. bis 20. IX.

1802; vereinzelte Gastspiele fanden auch im Herbst 1803 statt. Benutzt wurde im allgemeinen das 1792 errichtete Komödienhaus auf dem Anger, eine ursprünglich aus Rundholz roh zusammengezimmerte kleine Bude, die nach der Zusage der weimarer Truppe im Sommer 1794 durch Umbau wesentlich verbessert worden war. Der zweigeschossige Saal hatte in der Höhe des Obergeschosses an beiden Längsseiten Galerien mit geschlossenen Logen. Die Bühne brachte man auf die Tiefe der weimarer mit fünf Kulissen und fertigte Skeletts der Kulissen in der Größe der lauchstädter. Die Bühne hatte drei Versenkungen. Auf Wunsch des fürstlichen Hauses wurde bei besonderen Anlässen auch im Schloßtheater gespielt, das 1786 in den Nordflügel der Heidecksburg eingebaut worden war. Der durch zwei Stockwerke gehende Saal war unregelmäßig gebaut, hatte zwei Ränge und in der Mitte des ersten Ranges die Hofloge. Die Bühne war trapezförmig und fünf Kulissen tief. Der rudolstädter Hof zeigte sich als kunstsinnig; der Adel, das Militär und die Beamten besuchten das Theater häufig, dagegen war das Bürgertum arm und wohl auch ohne Interesse. Die Gastspiele in Erfurt und Rudolstadt, später auch die in *Halle, dienten vor allem dazu, die Zeit zwischen der lauchstädter Badesaison und der weimarer Wintersaison zu überbrükken. Ein Sonderfall war das schon für 1797 geplante und 1799 durchgeführte Gastspiel in Naumburg während der Peter-Pauls-Messe vom 16. VI. bis 30. VI. Die Hoffnung, den Beginn der lauchstädter Badesaison durch ein wirtschaftlich ergiebigeres Gastspiel an anderer Stelle vertauschen zu können, erwies sich als völlig verfehlt: die zwölf Vorstellungen in Naumburg waren ein Mißerfolg. Die Initiative zu diesem Gastspiel war übrigens nicht von Goethe ausgegangen. Ein ganz großer finanzieller und künstlerischer Erfolg dagegen war das leipziger Gastspiel 1807, das zunächst vom 24. V. bis 5. VII. fünfundzwanzig Vorstellungen brachte, dann wegen der Verpflichtungen in Lauchstädt abgebrochen und vom 4. VIII. bis 31. VIII. mit achtzehn Vorstellungen fortgesetzt wurde. Als Gesamtleistung und vor allem wegen des klassischen Spielplans stellt es einen Gipfel des weimarer Theaterschaffens dar. Gespielt wurde im Hause am Ranstädter Tor, das außer einem Stehparkett drei übereinanderliegende Ranglogen und eine Galerie hatte und etwa 1100 Zuschauer faßte. Die Leipziger, die durch die brave Truppe *Secondas nur an einen realistischen Spielplan gewöhnt waren und bei dieser Gelegenheit zB.

zum erstenmal den „Don Carlos" in Versen hörten, bereiteten der *Hof-Schauspielergesellschaft einen großen Erfolg und hätten auch gern im nächsten Jahre eine Wiederholung des Gastspiels gesehen, wenn man sich in Weimar nicht zu einer Absage hätte entschließen müssen, da dem Erfolg ein unverhältnismäßig hoher Aufwand gegenüberstand. Halle, das von jeher vor allem durch seine Studenten einen großen Teil des lauchstädter Publikums gestellt hatte, legte als Badeort selbst Wert darauf, Anziehungspunkte für ein größeres Publikum zu besitzen. Auf Wunsch der Badedirektion faßte die Hoftheaterkommission 1811 den Entschluß, während der Hauptbadezeit zwar an den entscheidenden Tagen in Lauchstädt, aber einmal wöchentlich auch in Halle zu spielen. Aus finanziellen Gründen und mit Rücksicht auf den wachsenden Ruf des Ensembles wurde dann vom 6. VIII. bis 9. IX. eine fortlaufende Reihe von 26 Vorstellungen in der zum Theater umgebauten Universitätskirche gegeben. Das Gastspiel wurde, auch in wirtschaftlicher Hinsicht, ein voller Erfolg. Nach der fünften Vorstellung richtete die Badedirektion an die Theaterleitung das Ersuchen „um Aufführung mehrerer ausgesuchten Stücke von gerechtfertigtem Rufe". Es kam zu einem erneuten Gastspiel vom 11. VI. bis 31. VIII. 1812. Im Sommer 1813 wurde von Weimar aus und im Sommer 1814 von Lauchstädt aus gastiert. 1814 entstand für Halle, zugleich als Totenfeier für den hallenser Arzt JChr*Reil, die Fortsetzung des lauchstädter Festspiels *Was wir bringen (I/13[I], 93–114).* Aus finanziellen Gründen, vor allem infolge des Krieges, aber auch mit Rücksicht auf die Schauspieler, denen der sommerliche Rückfall in die überwundene Zeit der Wandertruppen nicht mehr angenehm war, wurden seit dem Sommer 1815 keine auswärtigen Gastspiele des weimarischen Hoftheaters mehr unternommen.   *EF*

BThSatori-Neumann: Die Frühzeit des Weimarischen Hoftheaters unter Goethes Leitung 1791 bis 1798. SGes Theatergeschichte 31 (1922). – CAHBurkhardt: Das Repertoire des Weimarischen Theaters unter Goethes Leitung 1791 bis 1817. ThFl (1891).

Abtei Maria Laach, als Stiftung für den Benediktinerorden um 1093 durch den Pfalzgrafen Heinrich II. gestiftet, war 1802 im Zuge der französischen Revolutionskriege vollständig geplündert und aufgehoben worden. In diesem Zustand von Verödung und Säkularisation lernte Goethe die Anlage während der Rheinreise mit dem Reichsfreiherrn HFK vom und zum *Stein am 28. VII. 1815 bei einem Abstecher von *Andernach aus kennen; ihn überwältigt der trostlose Eindruck und er notiert außer der Verödung nur *Gräber. See;* die Basilika („eine der vollkommensten Äußerungen deutsch-romanischen Baugeistes zu Beginn seiner Reife", Dehio) erwähnt er nicht. Die Abtei gehörte 1863 bis 1872 den Jesuiten, seit 1892 wieder den Benediktinern (III/5, 173). *Wt*

Abtnaundorf, damals Dorf nahe bei, jetzt Vorort von *Leipzig, an der Parthe, war Goethes Ziel am 4.V.1800 abends, um dort den leipziger Bankherrn ChrG*Frege aufzusuchen und dessen sehr schöne Mineralien und Sammlungen anzusehen: *Besonders merkwürdig war mir eine Juno als Herme, von orientalischem Alabaster, weiß, mit wenigen rothen Streifen (III/2, 291). Za*

Academia Goetheana de Sao Paŭlo wurde als Pflegstätte literarischer und wissenschaftlicher Tätigkeit im Sinne Goethes unter Mitwirkung der Universität Sao Paŭlo im Dezember 1949 begründet. Präsident: José Antonio Benton; Sekretär: Dr. WPfeiffer. Post-Adresse: Sao Paulo, Caixa Postal 4059. Die A. veranstaltet Vorträge, Sprachkurse, Ausstellungen und fördert den Austausch von Dozenten und Studenten mit Deutschland im Einvernehmen mit der Universität Sao Paŭlo. Im Jubiläumsjahr 1949 hat die A. in Sao Paŭlo, Montevideo, Buenos Aires und Santiàgo de Chile Goethefeiern veranstaltet unter Beteiligung der dortigen Landes-Universitäten. Als Organisation humanistischen Charakters hat sie Mitglieder und Zweigstellen in Argentinien, Chile, Mexico, Uruguay, den USA, Kanada und den europäischen Ländern. *Ru*

Académie des Inscriptions et Belles-Lettres (Akademie der Inschriften), französische 1663 von *Colbert gegründete Körperschaft; sie hatte zur ursprünglichen Aufgabe die Abfassung der „inscriptions et devises" für die Denkmäler, die *Ludwig XIV. errichten ließ, und für die Medaillen, die zu seinen Ehren geprägt wurden. 1701 wurde die A. endgültig organisiert; sie bestand nun aus vierzig Mitgliedern, die sich historischen, archäologischen und linguistischen Untersuchungen widmeten und von 1717 ab die berühmten „Mémoires de l'A. des i. et b.-l." herausgaben, welche von Goethe sehr geschätzt wurden und, wie er hervorhebt, auf die deutsche Forschung großen Einfluß hatten (1805: I/46, 93; 1799: III/2, 231?; vgl. auch PL*Courier). *Fu*

Académie des Sciences, die 1666 von *Colbert gegründete französische Akademie der Wissenschaften; während der Terrorperiode der französischen Revolution aufgelöst (1793), wurde sie 1795, neuorganisiert mit zehn Ab-

teilungen von je sechs Mitgliedern, ins Leben zurückgerufen; seitdem sind keine wesentlichen Veränderungen eingetreten. Goethe kennt schon 1770 (I/37, 88) die in Jahrbüchern zusammengefaßten „Mémoires"(wissenschaftlichen Abhandlungen) der A.; er erwähnt die A. gelegentlich der Auseinandersetzung zwischen *Cuvier und *Geoffroy de Saint-Hilaire (1830: Bdm. 5, 175); er benutzt die „Mémoires" anläßlich der *Farbenlehre (1809: III/4, 86; 98). *Fu*

Académie française, in Paris, 1635 gegründet, anfänglich aus zwölf, dann aus vierzig sich durch Zuwahl ergänzenden Mitgliedern bestehend; ihre wesentliche Aufgabe ist die Feststellung des richtigen Sprachgebrauchs und dessen Festlegung im „Dictionnaire de l'Académie française" (erste Auflage 1694; die achte ist im Erscheinen begriffen). Goethe, der sie schon als Knabe durch den Streit um *Corneilles „Cid" kannte (I/26, 170), hat erfaßt und ausgesprochen, was ihr als Fehler vorgeworfen werden muß: *sehr mittelmäßige* Qualität gewisser Mitglieder (1805: I/45, 165), erniedrigende Beharrlichkeit mancher Kandidaten (1805: I/45, 215), unfruchtbarer, nüchterner Konservativismus (1825: I/42^{II}, 482 f.). *Fu*

Acate *(Achates),* ein Flüßchen im südlichen *Sizilien, interessiert Goethe während seiner geologischen Beobachtungen in *Caltanisetta (28. IV. 1787: I/31, 175). Er hat aber seine in diesem Zusammenhang angedeutete Vermutung (über die Mündung des antiken Achates; über die Namensverknüpfung mit dem Halbedelstein *Achat?) dann nicht weiter verfolgt. *Za*

Accius, Lucius A., (um 170–90 vChr.), Sohn eines Freigelassenen aus Pisaurum in Umbrien, einer der ältesten römischen Tragödiendichter, von dessen zahlreichen Werken lediglich Titel und kümmerliche Reste erhalten sind. Der *uralte Lateiner* schrieb in Anlehnung an ein Stück des *Aeschylus einen Philoktet, aus dessen Fragmenten GHerrmann das Werk des griechischen Dramatikers zu restaurieren unternahm (De Aeschyli Philocteta dissertatio. Leipzig 1826). Dieser Versuch erregte Goethes aufmerksamste Betrachtungen, weil er hoffte, dadurch an Aeschylus heranzukommen. Aber bald mußte er einsehen, *daß das ein Meer auszutrinken sey, für unsre alte Kehle nicht wohl hinabzuschlucken (IV/41, 39). Fe*

Accolti, Benedetto (1497–1549), Schriftsteller und Gelehrter, Sekretär in Florenz und bei Papst Clemens VII., Kardinal, als Erzbischof von Ravenna von Benvenuto Cellini erwähnt (I/43, 104; 44, 33). *Rt*

Acerenza, ein süditalienisches Bergstädtchen in der Landschaft Basilicata (Potenza) gelegen, territorial zum ehemaligen Königreich *Neapel gehörig; die Adelsfamilie der Pignatelli de' Belmonti besaß hier Privilegien, eines ihrer Mitglieder nannte sich nach dieser Stadt „Herzog" von A., und zwar

–, 1) Franz Pignatelli de' Belmonti (gest. um 1856), eine politische Abenteurer- und Hochstaplernatur, die offenbar die Wirren der kriegerischen Auseinandersetzungen der Heimat mit dem Revolutions-Frankreich (1798 Flucht des Königs und Hofes aus Neapel, Rückkehr erst 1805, erneute Flucht 1806, endgültige Rückkehr erst 1815) für zweifelhafte Rollen in europäischen, besonders in deutschen Hochadelskreisen ausnutzte. Nach einem Geheimbericht im Wiener Polizeiarchiv (Nr. 2541) heißt es 1813, daß P. sich 1801 aus Anlaß seiner bevorstehenden Hochzeit mit der Prinzeß Johanna Katharina von *Kurland kraft eigener Machtvollkommenheit zum Herzog von A. „ernannt" habe; das Familienoberhaupt der Pignatelli erhob keinen Einspruch und der selbst landlos gewordene König von Neapel, Ferdinand, lachte dazu. Der „Herzog" verwirtschaftete in Kürze das Vermögen seiner Frau, die sich 1806 bereits von ihm trennte und 1819 rechtsgültig geschieden wurde. Für seinen Lebensstil ist es bezeichnend, daß er „ein hölzernes Pferd mittels einer Maschine im Zimmer traben ließ, um sich Bewegung zu machen", ganz abgesehen von den mancherlei „Affären", in die er sich verwickelte. Goethe, der der Familie der unglücklichen „Herzogin" seit langem nahestand, traf diesen skrupellosen Glücksritter und Lebemann persönlich am 12.VI.1812 in *Karlsbad zu einem Spaziergang in Gesellschaft mit dem *Erbprinz* Friedrich Ludwig *von Mecklenburg* und dem hzgl. mecklenburgischen Kammerherrn Otto Philipp Gustav vOertzen. In der Tagebuchnotiz nennt Goethe, obwohl auch in den sparsamsten Angaben sonst die fürstlichen und andere Titel beachtet zu werden pflegen, Pignatelli nur eben *Acerenza,* o h n e jedes Prädikat *(IV/2, 293 f.),* vielleicht ein Hinweis darauf, daß er den fraglichen Repräsentanten aristokratischer Standeswürde menschlich durchschaute und auf diese Weise kennzeichnen wollte. Der bemitleidenswerten Gemahlin:

–, 2) Johanna Katharina, geb. Prinzessin von *Kurland (1783–1876), läßt Goethe jedoch in allen, auch den dürrsten Zeugnissen (1808, 1810, 1823) diesen an und für sich ebenso unberechtigten (oder den vorehelichen) Titel (III/3, 356; III/4, 139; 144; *Prinzessin;* 150; 214:

Prinzessin; III/9, 80: *Fürstin*) – ein Zeichen gewiß besonderer persönlicher Hochachtung, dazu die mehr als nur förmliche Aufmerksamkeit in *Marienbad am 22.VII.1823: *Nahm ich Abschied von der Fürstin Acerenza (III/9, 80; IV/37,142).* „Sie war kleiner als ihre Schwestern, vielleicht nicht ganz so hübsch, aber voll Reiz. Ein zierlicher Körper, wunderschöne Hände, kleine Füße, große dunkle Augen, weiche dunkelbraune Locken, der feine kurische Mund, vortreffliche Zähne, das alles machte sie Männern und Frauen höchst anziehend. Sie galt immer für die sinnigste, tieffühlendste der Schwestern und war es wohl auch ... Sie war, ohne so geistreich zu sein, wie die beiden Schwestern, verständiger, ich möchte fast sagen – weise. Man erholte sich gern Rath bei ihr, vertraute ihr Schmerz und Freude und fand immer Auskunft und warmes Mitgefühl" (EBinzer in Lepsius: LParthey, S. 64–65). *Za*

Achat ist aus heißer Lösung (hydrothermal) in kolloidaler Form ausgeschiedene Kieselsäure, die mikrokristallin geworden ist (Chalcedon), normalerweise Hohlräume in vulkanischen Gesteinen ausfüllend und gebändert. Die Bänderung kommt durch verunreinigende Stoffe und rhythmische Fällung zustande. Ist die gesamte Masse des Chalcedon durch Verunreinigung gleichmäßig trüb und undurchsichtig, wird er als Jaspis bezeichnet. Ist er gleichmäßig rot gefärbt, nennt man ihn Carneol. Die Bänderung ist das Charaktermerkmal des A. Sie verleiht ihm bei wechselnder Färbung sein schönes Aussehen, welches zu seiner Verwendung als Halbedelstein führte. Oft sind die Hohlräume nicht völlig durch A. ausgefüllt; dann kann im Kern noch eine Druse von Bergkristallen auftreten. Die kieselsäurereichen und kieselsäure-ausscheidenden heißen Lösungen treten im Gefolge vulkanischer Vorgänge auf. So ist das gleichzeitige Vorkommen von Jaspis und A. mit Lavagesteinen das Normale.

Die intensive Beschäftigung Goethes mit *Vulkanismus und vulkanischen Gesteinen hat ihn oft Jaspis feststellen lassen. Dieser wird daher in seinen Aufsammlungen häufig registriert und erwähnt, ohne daß Goethe sich näher mit ihm beschäftigte. Die A. – *von der größten Schönheit, besonders diejenigen, in welchen unregelmäßige Flecken von gelbem oder rotem Jaspis mit weißem, gleichsam gefrornem Quarze abwechseln und dadurch die schönste Wirkung hervorbringen (NS 1, 154)* – haben ihn durch ihre Schönheit stärker gereizt. Zu wissenschaftlicher Problemstellung wurde nur der Trümmerachat herangezogen. Bei diesem ist durch tektonische Zertrümmerung die regelmäßige Bänderung gestört und nachträglich wieder verkittet. Goethe war diese Erscheinung im Rahmen seiner Vorstellung über die Gestaltung anorganischer Massen bei der Ausscheidung und Verfestigung ein mit der Verfestigung *(Solideszenz)* simultaner Vorgang und der Trümmerachat mit ein Beweis seiner Pseudo-Breccien-Theorie (*Breccien) und *Gebirgsbildungslehre.

Bei einem aus Ilmenau stammenden Bandjaspis sind *die Linien wie durch einen kleinen Schreck im Augenblicke der Solideszenz verschoben* und weisen *nunmehr ein gelindes treppenartiges Steigen und Fallen* vor *(NS 2, 351).* Beim Trümmerachat aber ist *die erste Tendenz zum Bandartigen . . . durch eine Störung . . . in einzelne Stücke zerteilt; die Chalcedon-Masse jedoch . . . erstarrte zugleich mit den Trümmern (NS 2, 351).* Oder, wie der Vorgang an anderer Stelle dargestellt wird, *die chalcedonartige Mitte noch feucht und unentschieden (NS 2, 410)* nimmt im Strömen *die zur Seite soeben gebildeten Achatstreifen mit, schiebt sie gegen- und durcheinander, bis das Ganze zusammen erstarrt (NS 2, 410).* Für diese Vorstellungen gilt grundsätzlich das gleiche, wie für die Breccien-Vorstellung Goethes gilt. Die Zertrümmerung des A. ist ein nachträglicher Vorgang, der mit der A.bildung selber nichts zu tun hat. Seiner gesamten Vorstellung entsprechend und im Rahmen der zu seiner Zeit möglichen Voraussetzungen ist diese goethesche Deutung folgerichtig und zwangsläufig; vom Standpunkt des Neptunismus mußte die Erscheinung ohne Möglichkeit einer wirklichen Erklärung hingenommen werden. *Bn*

Achen (Aken), Johann von (1552–1615), Historien- und Porträtmaler, beeinflußt von *Tintoretto, tätig in Köln und München, in Prag als Hofmaler Rudolfs II., war Goethe durch die in seiner Sammlung befindlichen Reproduktionen von biblischen und mythologischen Szenen und durch zwei Federumrisse bekannt. *Lö*
Schuchardt: 1, S. 146 (Achen und Aken); 299.

Achenbach, Heinrich Adolph (1765–1819), war Pfarrer in Siegen (Westf.). Er hat sich gelegentlich dichterisch betätigt, war aber vor allem ein eifriger Liebhabermineraloge und hat als solcher das Eisenhydroxyd-Mineral *Goethit entdeckt und beschrieben, das er Goethe zu Ehren benannte. *Denen Herrn Cramer und Achenbach bin ich dafür noch vielen Dank schuldig (NS 2, 171).* In einem Brief an *Cramer vom Juni 1819 gedenkt Goethe A.s anläßlich seines Todes (IV/31, 203). *Bn*

Achill/Achilles, Achilleus, die Zentralgestalt der homerischen Ilias, ist für Goethe das Urbild des Männlichen, und zwar auf der noch unvollendeten Jugendstufe *(Ach! und daß er sich nicht, der edle Jüngling, zum Manne | Bilden soll. Ein fürstlicher Mann ist so nöthig auf Erden; I/50, 284)* gegenüber *Odysseus als dem Urbild des Männlichen auf der vollendeten Reifungsstufe: *Im Achill und Odysseus, dem Tapfersten und Klügsten, hat der *Homer alles vorweggenommen (Bdm. 3, 407).* Goethes A.bild erwächst zunächst und in allem wesentlichen aus seiner früh (*Frankfurt 1765) begonnenen, immer wieder aufgenommenen (zB. *Straßburg 1770/71) und lebenslang gepflegten Lektüre Homers (zB. Weimar 1797/1799 *Achilleis; 1820/1821 Ilias im Auszug, I/41[I], 494; 498 ua.).* Gemäß dieser Quellenkenntnis, zu der sich über Homer hinaus die zahlreichen anderen antiken Zeugnisse, insbesondere die Tragiker und die spätantiken Romanschreiber gesellen, ist A. für Goethe der schönste aller vor Troja liegenden Griechen, der schnellfüßigste, stärkste, tapferste, leichtentflammt zu Liebe und Haß, heftig in entgegengesetzten Gemütsbewegungen, furchtbar im Zorn, maßlos in Wut und Rache, hinschmelzend in Trauer, lenkbar, gastfrei, freigebig, ohne Rücksicht gegen Freund wie Feind: *nach der Tollheit seiner Natur (Bdm. 1, 517)* in extremer Augenblicklichkeit und Unausgeglichenheit lebend und handelnd. A.s Göttlichkeit ist für Goethe keine Angelegenheit mythographischer Gelehrsamkeit oder literarischer Beflissenheit, sondern dichterischer Wirklichkeit: *Vormals im Leben ehrten wir dich, wie einen der Götter, | Nun du todt bist, so herrscht über die Geister dein Geist* (1796: I/5[I], 254). In der eignen Dichtung Goethes spielt A., abgesehen von der Vorbildhaftigkeit seines Freundsein-Könnens *(Iphigenie, I/10, 38),* von den berühmten Situationen mit Penthesilea, Helena usw. *(Der neue Paris, I/16, 92; Faust, Ungedrucktes, I/15[II], 190),* von dem sagenhaften Schilde *(Inschriften, Denk- und Sendeblätter, I/4, 3; 12)* usw., deren Einzelmotive nicht wesentlich aus der traditionellen Vorstellungsweise sich erheben, als Idealbild des jugendlichen Mannes, als *ewig strebender Jüngling (I/46, 69),* nach N*Poussins „Achill unter den Töchtern des Lycomedes" (I/5[II], 38) am 15. III. 1816 in *Bilder-Scenen . . . bei Freiherrn von *Helldorf (I/4, 60, Nr. 76)* noch immer die seit je bedeutende und stellvertretende Rolle; als spezifisch goethesch aber erscheint die Hervorhebung eines Goethe selbst eigenen, von ihm ins Symbolische erhöhten

Wesenszuges: *Weinende Männer sind gut.* / *Weinte doch Achill um seine Briseis (West-Östlicher Divan;* Aus dem Nachlaß, *1/6, 290; 455).* Für Goethe gehörte die Fähigkeit der *Träne zum Mannes-, ja zum Menschentum: *Ein Mann, der Thränen streng entwöhnt / Mag sich ein Held erscheinen; / Doch wenn's im Innern sehnt und dröhnt, / Geb' ihm ein Gott – zu weinen* (1822/1823: *1/3, 278).* Die in Literatur und bildender Kunst von Goethe vermerkten Darstellungen bevorzugen folgende Themen: a) auf den Gebieten der Literatur dominieren selbstverständlich das homerische Epos, seine Übersetzungen (JH*Voß), die Tragiker, und die dazugehörigen zeitgenössischen Sekundär-Veröffentlichungen, sonst gibt es nur wenig, wovon Goethe Notiz nimmt oder gibt, etwa „Die Begebenheiten des Pyrrhus, des Sohnes des Achilles, als ein Anhang zu den Begebenheiten des Telemachs, aus dem Französischen", 1772 (FGA, Paralipomena Nr. 28, I/38, 357f.) oder die sehr viel spätere Oper „Achille" von Ferdinando Paër (1771–1839; zB. November 1810, III/4, 165–169); b) in der bildenden Kunst sind es Werke von der Antike (*Polygnot, *Philostrat) bis zur damaligen Gegenwart, hauptsächlich Darstellungen aus A.s Jugend: A. und Chiron (Philostrat, I/49^{I}, 72; JWH*Tischbein, I/49^{I}, 320; WJK*Zahn, III/11, 109); A. auf Skyros, bei Lykomedes (Philostrat, I/49^{I}, 72; N*Poussin, I/5^{II}, 38; JA*Nahl, I/35, 115 und 294); A. und Brisëis (Pompejanisch, Bdm. 3, 441; PhF*Hetsch, I/34^{I}, 292); A. im Kampf mit den Flüssen (J*Flaxmann, I/47, 342–344; J*Hoffmann, I/35, 115 f. und 294, dazu Abbildungen I/48, Beilagen); A. als Freund des Odysseus (Polygnot, I/48, 95); A. als heldenmäßiger Kriegsgott (ChF*Tieck, IV/45, 169 und 209); Die Gesandten an den A. (JFlaxmann, I/47, 342–344); A. an Patroklos' Leichnam (JFlaxmann, I/47, 342–344); Thetis mit den Waffen A.s (JFlaxmann, I/47, 342 bis 344); A. den Leichnam Hektors schleifend (JFlaxmann, I/47, 342–344); A. an der Leiche des Antilochos (Philostrat, I/49^{I}, 78); Porträtkopf A.s (JHWTischbein, III/3, 20); die von Goethe so scharf abgelehnte A.-Darstellung des Prinzen *Pallagonia (III/1, 335) muß mitgenannt werden. Alles in allem zeigt diese Themenzusammenstellung die besonderen Vorzüge und Nachteile klassizistischer Einstellung, die in Verbindung mit den WKF zu Einseitigkeiten geführt hat. Andrerseits lassen sich einige Momente goethescher Sonderauffassung erkennen, die für sein *Kunsturteil überhaupt bedeutungsvoll sind.   *Za*

Roscher 1 (1884–1890), S. 11–29. – Hunger S. 2–5. – Grumach S. 1077

Achillëis. Beim Studium der Ilias im Dezember 1797, in einer Zeit regsten Bemühens um die Erkenntnis des Wesens epischer Formen, erwuchs in Goethe der Gedanke, zu untersuchen, *ob nicht zwischen Hektors Tod und der Abfahrt der Griechen von der Trojanischen Küste, noch ein episches Gedicht inne liege* (an Schiller 23. XII. 1797: *IV/12, 384).* Nach ständigem Gedankenaustausch mit Schiller über die Möglichkeit eines solchen Werkes entwarf Goethe im März 1798 das Schema für die Dichtung über den *Tod des Achill.* Erst am 10. III. 1799 jedoch finden wir die Tagebuchnotiz: *Anfang der Ausführung (III/2, 236).* Bis zum 5. IV. entstand der erste Gesang, vier weitere Gesänge lagen *ziemlich motivirt* vor *(IV/14, 62).* Zu der Ausführung dieser geplanten Teile der Dichtung kam es nicht mehr: „Die Achillëis geriet ... ganz ins Stocken" (Bdm. 1, 516). Erst bei der Herausgabe seiner Schriften 1806 griff Goethe das Thema wieder auf und plante, die A. in einen Roman zu verwandeln (III/3, 256; Bdm. 1, 516).

Der eine Gesang des Fragmentes war ursprünglich in zwei Gesänge gegliedert; Goethe spricht in den *Tu J* zweimal von *zwei Gesängen: 1/35, 78 f.* und *1/36, 27.* Nach dem ältesten *Schema* liegt der Beginn des 2. Gesanges bei Athenes Hinabflug zu Achill *(1/50, 436).*

Das Fragment erschien zuerst 1808 in Tübingen als Band 10 der ersten cottaschen Gesamtausgabe.

Von dem Werk liegt eine Handschrift von Schreiberhand nach Goethes Diktat vor. Sie enthält die Tagesangaben sowie die Verszählung und Korrektur Goethes. Außerdem ist ein Einzelblatt mit V. 591–613 vorhanden. Von der erwähnten Handschrift ist ferner eine Schreiberabschrift mit Änderungen Goethes und Verbesserungsvorschlägen von HVoß und Riemer erhalten. Diese Abschrift diente als Vorlage für ein nicht erhaltenes Druckmanuskript. Über die sonst vorliegenden Schemata und Entwürfe vgl. Goethe Jb. 8 (1887), 269.

Über das geplante Epos, dessen Anfang das erhaltene Bruchstück bilden sollte, sind drei Schemata vorhanden, von denen besonders das erste vom 31. III. 1798 ein deutliches und ziemlich lückenloses Bild des projektierten Handlungs- und Ideenablaufs gibt (I/50, 435 bis 439). Das Schicksal des Achill soll über das in der Ilias Gestaltete hinaus bis zum Tode fortgeführt werden. Bei dem Entwurf, der durch ausgedehnte Lektüre des Homer, des Hesiod, der Tragiker gestützt wurde, lenkt den Dichter besonders der lateinische Bericht des Dictys Cretensis „De bello Trojano", auf den ihn Hederichs Mythologisches Lexikon (1770) hinweist und den er in der Ausgabe von Perizonius im Dezember 1797 studiert. Achills Liebe zu Polyxena, der Tochter des Priamos, und seine Ermordung im Tempel zu Thymbra waren in den Quellen gegeben. Damit war der Anfang, der an den letzten Vers der Ilias anschließt, und das Ende bestimmt. Das *Schema*, in 102 Motiven angeordnet, gibt an, wie Achill, ohne als Eroberer in Troja einzudringen, Polyxena begegnet, als diese mit ihrer Schwester Cassandra als Sühnebotin ins griechische Lager kommt. Es zeichnet den Ausbruch und die Entwicklung der Leidenschaft in Achill und den Widerstreit der Parteien, den diese Liebe im troischen und im hellenischen Lager erregen muß, bis zu der tragischen Hochzeitsfeier im Apollo-Tempel zu Thymbra. Es läßt allerdings durchaus nicht jeden Schritt, den die Handlung tun sollte, deutlich erkennen, aber da es als Erinnerungsstütze für den Dichter dienen sollte, weist es oft mit einem einzigen Wort auf poetische Assoziationen, auf dichterische Möglichkeiten, auf szenische Visionen hin, die sich an die Erzählung schließen oder aus ihr entspringen sollten. Das erhaltene Bruchstück beweist, mit welcher poetischen Kraft der im Großen vorgezeichnete Gang der Geschichte zu lebendiger Gestaltung des einzelnen und zur Vertiefung aller Beziehungen sich entfalten mußte. Auch an diesem Stoffe war die deutende Darstellung menschlicher innerer und äußerer Zustände durchaus möglich, auch hier war in allem einzelnen das Allgemeine zu geben und *des Menschen Los* an einsichtigen Verhältnissen und großen Gestalten natürlich auszuformen. Im Besonderen war hier die Beschränkung des Menschlichen durch das Schicksal zu gestalten, seine Begrenzung durch das Göttliche, mit dem es sich in seiner höchsten und am meisten gefährdeten Gestalt düster und heiter berührt. In dieser Beschränkung durch das unerforschliche, auch von den Göttern nicht zu ändernde Schicksal und in dieser Berührung mit dem Göttlichen liegt der Sinn und die Aufgabe männlichen Daseins und zugleich die unterschiedliche Bestimmung der Lebensalter. Daher kann man wohl kaum mangelnde innere Anteilnahme am Stoff als Grund dafür angeben, daß das Werk nicht vollendet wurde. Eher scheint der Gedanke berechtigt, daß in die ausgeführten Teile, also in den erhaltenen einzigen Gesang der A., so viel poetische und menschliche Substanz bereits eingegangen war und eine große Szene so vollkommen erfüllt hatte, daß das Werk schon vollendet schien,

ehe es im Sinne seiner Geschichte eigentlich begonnen hatte.

Hinzu kommt freilich die im Stoffe selber liegende Schwierigkeit. Denn die wesentlich alexandrinische, empfindsam phantastische Geschichte verträgt sich kaum mit der Goethe als Ziel vorschwebenden poetischen Erneuerung des Homerischen, das in der Verherrlichung der idealen Mannesgestalten (Bdm. 3, 407) und nicht im Sentimentalisch-Romantischen erkannt worden war. Eine Äußerung Goethes zu Riemer faßt den Stoff epigrammatisch zusammen: *Achill weiß, daß er sterben muß, verliebt sich aber in die Polyxena und vergißt sein Schicksal rein darüber, nach der Tollheit seiner Natur (Bdm. 1, 517)*. Alles Subjektive und Pathologische war daher schlechterdings von dieser spätantiken Fabel nicht zu trennen, so daß schließlich der Plan mit der ursprünglichen aesthetischen, so gründlich mit Schiller erörterten Absicht nicht übereinstimmen konnte und aufgegeben wurde. Goethe erkannte diesen inneren Gegensatz sehr bald und glaubte anfangs, ihn versöhnen zu können. Der *tragische* und zugleich *sentimentale* Stoff verlange *eine ganz realistische Behandlung, die jene beyde innern Eigenschaften ins Gleichgewicht setzen* würde (an Schiller 16. V. 1798: *IV/13, 149*). Dadurch verbinde sich der antike mit dem modernen Stil, indem durch die ruhig sachliche Behandlung, durch die das Tragische und Sentimentale hindurchleuchtet, auch der moderne Leser angesprochen wird (an Schiller 23. XII. 1797: IV/12, 381–385). Die inneren Beziehungen, die von dem Ganzen und allem Einzelnen angeregt werden, gehen über die selbstverständlichen Erinnerungen an den Stoffkreis und die Ausdrucksformen der Ilias weit hinaus und erfassen, besonders in der großen Szene zwischen Athena und Achill, Einsichten in das Wesen unserer Art und unseres Schicksals, die menschliches Einverständnis mit göttlicher Weisheit verbinden. Alles dies tröstet zwar nicht über die Tatsache hinweg, daß das Werk im Ganzen keine Gestalt gefunden und daß das Erhaltene ein Torso ist, aber es macht den mit so starkem poetischen und mit so weitem menschlichen Gehalt erfüllten Gesang zu einer gültigen und reinen Dichtung, da in dem ausgeführten Teil das romanhafte Element einmal anklingt, sondern das Heroische in Klage und Lobpreisung zu menschlicher Wesens- und Schicksalskunde erwärmt und vertieft wird.

Deshalb kann der vorhandene Gesang nicht allein als Teil eines nur gedachten Ganzen, sondern eher als selbständige Dichtung betrachtet

und gewertet werden. Das Gespräch der Athena in der Gestalt des Freundes Automedon mit Achill ist der eigentliche Gehalt des Fragments. Zu ihm führt alles Vorangehende hin: die ernste Beschäftigung des Achill, dem gefallenen Patroklos den Totenhügel aufzuschichten, das düstere Bewußtsein des eigenen frühen Todes und die Versammlung der Götter, in der trotz der Klage der Thetis die Unentrinnbarkeit dieses Schicksals bestätigt wird. Auf Junos Rat eilt Pallas zu dem Peliden, um ihm in der flüchtigen Stunde und im Angesicht des nahen Todes das ganze Gefühl der Unsterblichkeit zu bieten. Mit der wiederkehrenden Sonne erhebt sie den Vergänglichen in die unvergängliche und zukünftige Gestalt seines Nachruhms. Das Hochgefühl dieses vom Gotte gespendeten Glücks, das den Tod voraussetzt und das Schicksal sinnvoll macht, zieht die Fülle des Daseins in einen trunkenen Augenblick zusammen, vernichtet die Zeit und hebt den Menschen über die Grenze seiner Existenz hinaus. Indem diese Beseligung dem Menschen aus vertrautem Freundesmund und doch zugleich aus göttlicher Weisheit und Liebe widerfährt, gewinnt nicht nur Achill den *heiteren Ernst*, mit dem er sich dem todverbundenen, nächtlichem Geschäft zu der hellen Arbeit des Tages anschickt, die Dichtung selbst steigt in jene feierliche Heiterkeit auf, die einen wesentlichen Teil ihrer Schönheit ausmacht. Mit der sinnlichen Frische und Deutlichkeit, mit der sich hier das Zukünftige und Unsichtbare des Ruhmes in greifbare Bilder verwandelt und verwirklicht, war zu Beginn des Gesanges bereits die vereinsamte und verdüsterte Seele Achills in der flammendurchzuckten Nacht zu unmittelbarem Erlebnis in plastische Greifbarkeit umgesetzt; sie gab vor allem dem Erscheinen der Götter und jeder einzelnen der olympischen Gestalten Umriß und Klang, wenn es sanft die Hallen her leuchtete und *Wehen des Äthers/Drang aus den Weiten hervor, Kronions Nähe verkündend (I/50, 276)*.
Nach homerischem Vorbild wird Beschreibung und Schilderung in Bewegung verwandelt und alles zu naiver und klarer Anschauung gebracht. Wesentlicher aber ist die poetische Kraft, die alle Vorgänge und Einzelheiten in scharfen Konturen und zugleich mit farbiger Fülle erfaßt und das so deutlich Gesehene unmittelbar in der klanglichen Form und in dem daktylischen Rhythmus des Hexameters festhält und gleichzeitig vorüberführt, so daß alles musikalisch in sich ruht und über sich hinausweist. Wie in *Hermann und Dorothea* wird jeder Gegenstand und jeder äußere und innere Vor-

gang mit kontursicherer Deutlichkeit dargestellt. Die Durchsichtigkeit des Gegebenen, die Transparenz alles Gegenständlichen aber läßt das Allgemeine *geheimnisvoll-offenbar* durchschimmern und verbindet Göttliches mit Menschlichem, nicht nur in der Doppelgestalt Athene-Automedon, sondern auch in der Zeichnung der olympischen Versammlung.   *Ag*

Achill und Brisëis, *pompejanisches Wandgemälde aus der Casa del Poeta Tragico, jetzt in *Neapel, Museo Nazionale. Dargestellt ist die Fortführung der Brisëis nach *Homer, Ilias I 318–427. Goethe lernte das Bild am 7. IX. 1827 in der Zeichnung des Malers *Zahn kennen: „Es wurden Tische zusammengeschoben ... worauf ich meine Zeichnungen entrollte und erklärte. Namentlich gefielen: ... Achilles und Brisëis" (Bdm. 3, 442; vgl. auch Brief Meyers an Goethe 25. VI. 1827: Hecker 2, 130).   *Hm*
AMau, AIppel: Führer durch Pompeji⁶. 217 f. – GRodenwaldt: Kunst der Antike⁴. Abb. 427. – Grumach S. 668.

Achtermannshöhe, eine der bedeutenderen Erhebungen des *Harzes, sah Goethe im September 1783 (IV/6, 201) und im August 1784 (IV/6, 335 f.) trotz der Äußerung FWHv*Trebras 1813 und trotz seiner eigenen Bemerkung (NS 2, 78; 1815/16?) wohl nur liegen.   *Za*

Aci Castello, sizilisches Städtchen an der Küste nördlich *Catania, reizte Goethe wegen der ganz nahe dabei vor der Küste liegenden Kyklopeninseln (Scogli de' Ciclòpi; Faraglioni); der Sage nach sind es die Felsbrocken, die der geblendete Polyphem Odysseus und den Seinigen nachschleuderte. *Die Felsen von Jaci zogen mich heftig an, ich hatte großes Verlangen mir so schöne Zeolithe herauszuschlagen, als ich bei *Gioeni gesehen (I/31, 194)*. Goethe verzichtete zunächst darauf, wird aber dann auf der Weiterreise von Catania am 6. V. 1787 doch in AC. gewesen sein, wie eine Zeichnung ChrH *Knieps beweist, die hier entstanden sein muß (Peltzer Nr 40; Graevenitz Nr 86; JRvEinem S. 637).   *Za*

Ackermann, 1) Heinrich Anton (1731–1792), als Sohn eines Advokaten in Eisenach geboren, Jurist, zunächst Advokat, seit 1758 in verschiedenen mittleren Beamtenstellen in Weimar tätig, wurde 1779 Amtmann in Ilmenau und trat als solcher mit Goethe als dem Leiter der Ilmenauer Steuerkommission in amtliche Beziehungen. Goethe äußerte mehrfach seine Zufriedenheit mit der Arbeit des *dicken Amtmanns* (IV/4, 37; 175; *IV/5*, 14; *39 f.*; 44; 51).
–, 2) Ernst Christian Wilhelm (1761–1835), Sohn des vorigen, Jurist, 1792 Amtsadjunkt,

später Amtmann in Ilmenau, 1815 Geh. Referendar im Staatsministerium in Weimar, Wirkl. Geh. Justizrat. Mitarbeiter Goethes bei der Reorganisation des ilmenauer Steuerwesens in den 90er Jahren des 18. Jahrhunderts (IV/9, 178f.; IV/11, 45; IV/15, 154). Goethe pflegte mit ihm gelegentlich auch gesellschaftlichen Verkehr, unterhielt sich mit ihm über juristische Fragen (III/5, 73) und besuchte ihn 1813 in Ilmenau (III/5, 73; IV/24, 27). Goethes Tagebuch erwähnt Besuche von seiten A.s am 17. IV. 1800 und am 10. XI. 1825 (III/2, 287; III/10, 122).

–, 3) Adolf Ludwig Constantin (1799–1877), Sohn des vorigen, Theologe, zunächst Kollaborator in Weimar, 1825 Diakonus in Blankenhain, 1827 Archidiakonus in Jena, 1837 Hofprediger, später Oberhofprediger und Generalsuperintendent in Meiningen, D. theol., Dr. phil. h. c., besuchte Goethe am 15. IV. 1822 (III/8, 186). *Hk*

Ackermann, Jacob Fidelis (1765/1766?—1815) der namhafte Universitätsmediziner, Anatom, Physiologe, auch Gerichtsmediziner, Schädelkundler (Gegner Galls), hatte nach ausgedehnten Reisen zwischen Promotion und Habilitation (Göttingen, Wien, Pavia, Schweiz) in *Mainz 1789 als Privatdozent (Medizinalpolizei) begonnen, war nach einem Umweg über die Botanik dort 1796 als Nachfolger SThvSömmerings o. Professor der Anatomie geworden, hatte sich trotz Aufhebung der Universität in führender wissenschaftlicher Position halten können. Als Nachfolger JChr*Loders wurde er 1803/1804 für die Fächer Anatomie und Chirurgie als hzgl.weimarischer Hofrat nach *Jena berufen, woran Goethe nicht nur sachlichfachlich, sondern auch durch seine amtlichen Pflichten der *Oberaufsicht (Anatomisches Museum) interessiert war. A.s Aufenthalt in Jena war nur von kurzer Dauer und in verwaltungsmäßiger Hinsicht nicht glücklich. Mit freudiger Erwartung begrüßt und eingeführt (26. XII. 1803: III/3, 93; Juni 1804: *TuJ* I/35, 178f.; ferner III/3, 103; 105) wußte er sich, wie auch schon Loder, nicht ganz reibungslos in die Verhältnisse, besonders in bezug auf die erwarteten Formen der Kassenverwaltung zu schicken (an ChG*Voigt 19. VI. 1805: *Ich gebe aber Ew. Excellenz zu überlegen, ob man nicht die Sache solle auf sich beruhen lassen, und da an dem Manne ohnehin soviel verloren wird, auch noch dieses mit drein geben. Seine Art Geschäfte zu behandeln ist ohnehin sehr lose, und wenn man mit ihm contestirt, so kommt die Sache vielleicht auf eine unangenehme Weise an Serenissimum IV/19, 18;* ähnlich IV/19, 80; 95). A. verließ

Jena 1805, um die anatomische Professur in *Heidelberg als großhzgl. badischer Geheimer Hofrat anzunehmen. Besonders dort entwikkelte er sich zu einem der führenden Männer der deutschen medizinischen Wissenschaft in der Romantik. Goethe hat während seiner späteren Aufenthalte in Heidelberg 1814 und 1815 keinen Wert auf eine Wiederbegegnung mit A. gelegt, obwohl er in beiden Jahren die alten jenenser Bekanntschaften trotz der seinerzeitigen *academischen Händel (III/3, 79)* gern erneuerte. *Za*

ADB 1 (1875), S.36. – NDB 1 (1953), S. 37–38. – BLÄ² 1 (1929), S. 19–20; Ergbd. 1935, S. 7. – MSalomon: Biographien hervorragender Ärzte. 1885. S. 1–5.

Ackermann, Konrad Ernst (1. II. 1712 Redefin i. M. – 13. XI. 1771 Hamburg), Schauspieler und Theaterprinzipal, debütierte 1740 bei Schönemann, gründete 1753 eine eigene Truppe, mit der er mehrere Jahre in Rußland, dann am Rhein, in Niedersachsen und in der Schweiz spielte. In den Jahren 1757 und 1762 war sie zu den Messen in Frankfurt/M., wo sie der junge Goethe spielen sah. Seit 1764 war A. meist in Hamburg, seine Truppe bildete das Ensemble der durch Lessings „Hamburgische Dramaturgie" bekannten Hamburger Entreprise, nach deren Zusammenbruch A. die Truppe wieder übernahm, die nach seinem Tode von seinem Stiefsohn FL*Schröder weitergeführt wurde. *EF*

FLWMeyer: Friedrich Ludwig Schröder. 1819. – JFSchütze: Hamburgische Theatergeschichte. 1794. – HEichhorn: KEAckermann und die Ackermannische Gesellschaft deutscher Schauspieler. FU Berlin, Diss. 1955.

Ackermann, Rudolf (1764–1834), Buch- und Kunsthändler in London, war zunächst Sattlermeister und Wagenbauer, durchwanderte dann Deutschland, Frankreich und England, wurde durch seine in Paris gefertigten Wagen bekannt und ließ sich in London nieder. 1795 eröffnete er eine Kupferstichsammlung und eine damit verbundene Manufaktur von Farben für Landschafts- und Miniaturmaler. Von Goethe wird er in einem Bruchstück über die *Theilnahme der Engländer und Schottländer an deutscher Literatur* erwähnt *(I/42^{II}, 495).* *Lö*
ADB. 1 (1875), S. 38 f.

Ackermann, Sophie, geb. Tschorn (um 1760 Celle – 5. VII. 1815 Weimar), Schauspielerin. Kam mit der Truppe *Bellomos 1783 nach Weimar, spielte erste Liebhaberinnen in Schauspiel und Oper. Lehnte 1791 Goethes Vorschlag, sie ohne ihren Mann Gottfried A. in die weimarische *Hof-Schauspielergesellschaft zu übernehmen, ab. Gastierte 1803 noch einmal in Weimar ohne Erfolg, wurde 1811 durch den Herzog gnadenhalber wieder engagiert. *EF*

Acqua acetosa, ein *Sauerbrunnen, der wie ein schwacher Schwalbacher schmeckt,* im Norden *Roms, auf Parkwegen durch die Porta del Popolo über die Via Flaminia in einer halben Weg-stunde erreichbar. Goethe besuchte und be-nutzte diesen Brunnen, der von GL*Bernini (1599–1680) eingefaßt war, Juli/August 1787 regelmäßig in den frühen Morgenstunden als Ersatz für eine gründlichere Badekur (I/32, 27; 58): *Die Hitze war groß, um aber den Sauer-brunnen zu trinken, der von der Porta del Popolo etwa eine halbe Stunde entfernt ist, ging ich sehr früh hinaus, und hatte die schönsten veränder-lichen Ansichten von Villen und Vignen, Ge-mäuer und Durchsichten, wovon ich mich nicht enthielt manches zu zeichnen (I/32, 391).* Zu den Handzeichnungen vgl. Hirth, Gruppe C. *Za*

Acqua Claudia, die *höchst ehrwürdigen Reste* dieser *großen Wasserleitung,* hochgeschwungene Bogenreihen, sah Goethe am 11. XI. 1786 beim Besuch der *Grotta di Egeria: Der schöne große Zweck, ein Volk zu tränken durch eine so un-geheure Anstalt (I/30, 214).* *Za*

Acqua Marcia, die in sehr bedeutenden Resten erhaltene antike, aus den Quellwassern des *Anio gespeiste Wasserleitung hat Goethe erst-mals wohl Mitte Juni 1787 bei seinem Besuch mit Ph*Hackert in *Tivoli näher gesehen: Es gehören die *Wasserfälle dort mit den Ruinen und dem ganzen Complex der Landschaft zu de-nen Gegenständen, deren Bekanntschaft uns im tiefsten Grund reicher macht (I/32, 4).* Bei die-ser Gelegenheit zeichnete Goethe; unter den verschiedenen Motiven findet sich auch der Aquädukt (Hirth). Schon am 11. XI. 1786 mögen ihm die monumentalen Bogengänge beim Besuch der *Grotta di Egeria von der Via Appia aus und mehr im Hintergrund des Landschaftsbildes imponierend vor das Auge getreten sein (I/30, 214). *Za*

Actes des apôtres, französische royalistische Zeitschrift (1789–1791), die Goethe sich 1818 (IV/29,112) aus Weimar nach Jena erbittet. *Fu*

Acton, Sir John Francis Edward (1736–1811), Minister Ferdinands IV. von Neapel. Mehrfach von Goethe erwähnt in der Schrift über PhHackert (I/46, 238; 257; 276; 278 f.; 282 f.; 301). *Sn*

Adam, Pierre (geb. 1799), ist der Kupferste-cher der 1826 herausgegebenen Folge von Por-träts nach F*Gérard, die Goethe im gleichen Jahre kennen lernte (III/10, 200; 272; I/49^I, 389 f.). *Lö*

Adams, John Quincy (1767–1848), namhafter Politiker der Vereinigten Staaten von Nord-amerika (1794 als Gesandter in Dem Haag;

1809 in St. Petersburg, 1817 Staatssekretär unter Monroe, Autor der „Monroe-Doctrin"), krönte seine Laufbahn als Staatsmann, indem er 1824 gegen die Kandidaturen von A Jackson, WHCrawford, HClay zum Präsidenten (als sechster in der Reihe nach Annahme der Ver-fassung von 1788) gewählt wurde. Die Nach-richt davon mit Einzelheiten des Hergangs hatte im Frühjahr 1825 Deutschland gerade erreicht, als GHCalvert am 17. III. 1825 seinen Besuch im Haus am Frauenplan machte. „Goethe wished to understand the mode and forms of election", und Calvert legte ihm das Verfahren in seinen einzelnen Etappen dar. Dabei bediente er sich zu Goethes Wohlgefal-len des Ausdrucks „gereinigt", um zu beschrei-ben, wie der Volkswille auf dem Wege des Wahlganges gesiebt würde. „I used it because, being of one of the most federal of federal fami-lies, and not having yet begun to think for my-self on political subjects, the breadth and grandeurs of democracy were still unrevealed to me; and it pleased Goethe because, broad and deep as was his sympathy with humanity, he was after all not omnisentient any more than omniscient" (Bdm. 3, 177). Am Ende der Amtsperiode von A. erneuerte sich Goethes Interesse für die Eigenart der USA-Demokra-tie: *Sehr vernünftige Vorstellung des gegenwär-tigen Zustandes der amerikanischen Staaten be-sonders im Verhältniß auf die Präsidentenwahl* (13. II. 1829: *III/11, 178).* *Za*

Adam und Eva, nach 1. Mos. I, 27 die Stamm-eltern des Menschengeschlechts, konnten Goe-the, der sich von der dogmatischen Schöp-fungslehre als Dichter und Naturwissenschaft-ler weit genug entfernt hatte, zur inneren Be-deutung nicht werden. Er, der in der mensch-lichen Beziehung, in der Begegnung der Ge-schlechter besonders, einen hohen Sinn alles Lebendigen erlebte, konnte nicht glauben, daß in Liebe und *Eros etwas Erbsündliches ver-borgen sei.

Aus der Vielzahl bedeutungsloser Erwähnungen *des alten Adam (I/27, 125; IV/4, 225 und vie-lerorts), der Adamskinder (I/47, 198)* oder der *Sippschaft von Adam her (I/36, 130),* die mehr einen Hinweis auf die menschlichen Schwächen im allgemeinen darstellen, aus scherzhaften An-spielungen (IV/47, 31) oder aus denjenigen Stel-len, in denen objektiv beschriebene Liebesselig-keit unter der Metapher des ersten Menschen-paares erscheint (I/1, 129; 192), hebt sich die in *DuW* eingegangene Erinnerung an die frühe Beschäftigung mit dem Alten Testament her-aus, aus der Goethe, bildhaft denkend und sprachbemüht, jedenfalls die Vorstellung des

Paradieses gewann (I/26, 204), *weil ich auf keine andere Weise den Frieden zu schildern vermochte, der mich umgab (221).* Aber es war doch wohl nicht Goethes eigene Meinung, wenn es in der *Natürlichen Tochter* heißt: ... *jenes Apfels | Leichtsinnig augenblicklicher Genuß hat aller Welt unendlich Weh verschuldet (I/10, 335),* wenn auch von hier aus ein Weg in die Problematik der Gretchentragödie möglich ist. Aber in ihr standen sich nicht Mann und Weib frei gegenüber, sondern Mephistopheles suchte diejenige leidenschaffende Konstellation, die seinen Faust ihm ausliefern sollte. Nur eine Spekulation wäre es, in dieser aus rein menschlichem Begehren und Leiden hervorgewachsenen Tragik das Gegenbild des Sündenfalles zu sehen. – Doch in schmerzhafter Liebeseinsamkeit mochte Goethe wohl klagen: Es *reichte die schädliche Frucht einst Mutter Eva dem Gatten | Ach, und vom törichten Biß kränkelt das ganze Geschlecht (III/2, 130;* eine andere Fassung I/5^I, 66 an Frau von Stein 1781). Und in lächelnder Überlegenheit rät Goethe dem Mädchen seiner *Venetianischen Epigramme: Fürchte nicht liebliches Mädchen, die Schlange die dir begegnet, Eva kannte sie schon, frage den Pfarrer, mein Kind (I/1, 459).*
Einige der zahllosen Darstellungen des ersten Menschenpaares in der bildenden Kunst beschäftigten Goethe gelegentlich, waren sie doch Anlaß einzusehen, *wie natürlich es war, daß Kunst und Kirche in einander verschmolzen und eins ohne das andere nicht zu bestehen schien (I/34^I, 162).* In Verona sah er im Pal. Bevilacqua *Tintorettos Paradies – die Eva ist doch das schönste Weibchen auf dem Bilde und noch immer, von alters her, ein wenig lüstern (I/30, 69).* *Michelangelos Schöpfungsgeschichte in der Sixtinischen Kapelle des Vatikan erwähnt Goethe ebenso nur im Vorübergehen (I/32, 444), wie er später die aus dem *Cranach-Kreise in Dresden (I/47, 382) oder in Leipzig *(I/48, 160: ... das erste Menschenpaar in Eintracht mit der Natur; das scheue Wild weidet noch vertraulich neben dem Menschen)* befindlichen Adam-und-Eva-Darstellungen beschreibt (vgl. auch IV/31, 117 über das aus der hohwiesnerischen Sammlung stammende Schnitzbild „Adam und Eva" aus dem 16. Jahrhundert). Und die Frage wäre, ob nicht die ganze Profanierung der christlichen Ikonographie aus Goethes Absicht spricht, innerhalb seiner gedachten Basilika die links stehende Reihe alttestamentlicher Gestalten mit Adam beginnen zu lassen: *in vollkommen menschlicher Kraft und Schönheit; ein Canon, nicht wie der Heldenmann, sondern wie der fruchtreiche weichstarke*

Vater der Menschen zu denken sein möchte ... *(I/49^{II}, 90).* – Im Rahmen einer Erörterung von Problemen der *Abstammungslehre äußerte Goethe am 7. X. 1828 gelegentlich und in Scherzform, daß nicht ein, sondern mehrere Menschenpaare als Ureltern erforderlich wären, um die Verschiedenheit der menschlichen Gesellschaft zu erklären, und daß demzufolge nicht alle Menschen der Erde von AuE. allein hergeleitet werden könnten (Bdm. 4, 28 f.), eine Auffassung, die, in der späteren Wissenschaftsentwicklung als polygenetische Hypothese sehr ernst genommen, die Interpretation sowohl der Menschheits- wie der Sprachgeschichte darwinistisch-schleicherscher Prägung grundlegend beeinflußte.   *Lö*

Addison, Joseph (1672–1719), englischer Staatsmann und Schriftsteller, bekannt vor allem durch die Mitarbeit an den *Moralischen Wochenschriften seines Freundes Steele „The Tatler" (1709), „The Spectator" (1711), „The Guardian" (1713). Den 8. Band des „Spectator" (1714) bestritt er sogar allein. Seine Journalistik hatte großen Einfluß auf Deutschland und fand mannigfache Nachfolge: *Bodmers „Discourse der Mahlern" (1721), ferner der seit 1724 in Hamburg erscheinende „Patriot", endlich *Gottscheds „Vernünftige Tadlerinnen" (1725). Auch sein dramatischer Versuch „Cato" (1713) setzte sich in Gottscheds „Sterbendem Cato" (1732) verwandelt fort. Jedenfalls genossen die schriftstellerischen Arbeiten A.s sehr weitgehende Popularität, der sich auch Goethe zumal in jungen Jahren (leipziger Studentenzeit, Begegnung mit *Gellert und Gottsched; *Clavigo)* nicht entzog; ebenso sollte die Schwester Cornelia daran teilhaben. A.s „Remarks on several parts of Italy" wird bei den Vorbereitungen zur zweiten italienischen Reise (1890) unter Nr. 11 *Addison, Anmerkungen über verschiedene Theile von Italien, aus dem Engl. Altenb. 1752 (I/34^{II}, 184)* erwähnt, die Liste der Bücher, die Goethe von der weimarer Bibliothek erhielt, verzeichnet aber nur JChr Nemeitz' „Nachlese besonderer Nachrichten von Italien, als ein Supplem. von Misson, Burnet, Addison etc. Leipz. 1726" (I/34^{II}, 183). Selbst noch im Alter (1820) erinnert sich Goethe der A.s (IV/34, 46).   *Sn*

Adel/Adelung. Im 18. Jahrhundert war die Stellung des A.s im Sozialgefüge aller europäischen Länder (jedenfalls bis zu der französischen Ausnahme von 1789) noch nicht wesentlich erschüttert. Er galt nach wie vor nicht nur als e i n, sondern als d a s Ferment der Ordnung und genoß (auch im napoleonischen Frankreich wieder) alle Rechte eines bevorzugten, sichtbar ausgezeichneten, vielfach auch metaphysisch legitimierten Standes im Staate (beide Wortformen sind etymologisch und semasiologisch verwandt). Man meinte den A. durchaus als verbriefte Elite. Man forderte, anerkannte und ehrte in ihm die traditionserhaltende und -schaffende Kraft der besonderen Herkunft verbunden mit der besonderen Leistung. Die geschichtlichen Beziehungen zum Ordenswesen waren und blieben wirksam, selbst da, wo man sie in beflissener Säkularisationstendenz leugnen möchte. Im Laufe der deutschen Sonderentwicklung bereits seit Karl IV. (1316–1378) und in der Folgezeit (Barock, Rokoko) waren Blut und Besitz, bzw. Bildung und Besitz als Ererbtes, bzw. als Erworbenes in der Wertschätzung einander mehr und mehr angenähert und im Sinne einer Elite-Ergänzung mannigfache Übergänge geschaffen worden (Briefadel, Personenadel, Verdienstadel; was man heute „Funktionärsadel" nennen müßte, zeigt sich damals nur erst in unscheinbaren Ansätzen). Auf diese Weise glaubten die Verantwortlichen nicht nur sich selbst zu nutzen, sondern dem A. als Instrument sowohl wie als Manifestation der Elitebildung Ansehen und Wirkung erhalten, immer neue Träger zuführen und größere Breite sichern zu können. Ohne oftmals heftige Spannungen zwischen Wollen und Vollbringen ging es dabei nicht ab. Das Patriziat der Städte, besonders der reichsunmittelbaren und führenden, entwickelte seinen eigenen Standes-Stolz. Die schon mit Beginn der Neuzeit (Renaissance) statuierte soziale Dreigliederung in A., Bürger und Bauern war über 1806 hinaus nicht nur gültig, sie wurde vielfach noch vertieft, außerdem war sie grundlegend für die Gesetzgebung. Die Krise, die die *Gesellschaft zur Zeit Goethes zu erschüttern begann, war hauptsächlich Ausdruck von Spannungen zwischen A. und Bürgertum, auch die Revolutionen von 1789, 1830 usw. Erst im späteren 19. Jahrhundert trat rechtlich eine weitgehende Ausgleichung der inzwischen durch Beamtentum, Heereswesen sowie durch Lohnarbeit sogar noch vermehrten Standesunterschiede ein. Davon nahm Goethe nichts mehr wahr.

Er selbst hat die alte Ordnung der *Stände nicht als etwas empfunden, das man auf alle Fälle bekämpfen, verändern und abschaffen müsse. Mit seinem *Werther* wußte er seit früher Jugend *so gut als einer, wie nöthig der Unterschied der Stände ist, wie viele Vorteile er ... verschafft,* obwohl ihm das Beispiel der alten Fräuleins-Tante, die *kein anständiges Vermö-*

gen, keinen Geist, und keine Stütze hat als die Reihe ihrer Vorfahren, keinen Schirm als den Stand, in den sie sich verpallisadirt, und kein Ergetzen, als von ihrem Stockwerk herab über die bürgerlichen Häupter wegzusehen (I/19, 94 f.) verdrießlich genug ist. Nicht sehr viel schmeichelhafter ist die gleichzeitige Charakterisierung: *Und das glänzende Elend, die Langeweile unter dem garstigen Volke, das sich hier neben einander sieht! die Rangsucht unter ihnen, wie sie nur wachen und aufpassen, einander ein Schrittchen abzugewinnen; die elendesten erbärmlichsten Leidenschaften, ganz ohne Röckchen (I/19, 93).* Nimmt man dazu noch jene häufigen, nicht nur fast gleichzeitigen (1774), sondern immer wiederkehrenden (1821/23) Äußerungen einer weit mehr als aufklärerisch-humanitären, in *offener Menschlichkeit* begründeten *Liebe zu der Classe von Menschen..., die man die niedre nennt! die aber gewiss für Gott die höchste ist* (1777: IV/3, 191), so wird man Goethes Verhältnis zum A. nicht zu einfach formulieren dürfen. Er fand beim „niederen Volk" ... *doch alle Tugenden Beysammen, Beschräncktheit, Genügsamkeit, Grader Sinn, Treue, Freude über das leidlichste Gute, Harmlosigkeit, Dulden – Dulden – Ausharren in un-- ich will mich nicht in Ausrufen verlieren (ebda 191).* In der weimarer Fassung (1783/86) des *Werther* heißt es: *Diese Liebe, diese Treue, diese Leidenschaft ist also keine dichterische Erfindung. Sie lebt, sie ist in ihrer größten Reinheit unter der Classe von Menschen, die wir ungebildet, die wir roh nennen (I/19, 118).* Derartige Stellen, vermehrt um *Sebastian Simpel* (etwa um 1778 entstanden), um die nicht wenigen „Mißheuraten", die sich in seinem Werk (vgl. Schiller an Goethe, 5. VII. 1796) und ja auch in seinem Leben (Christiane) finden, und berechtigen doch wohl noch nicht, mit KGrün („Über Goethe vom menschlichen Standpunkte". 1846. S. XXI) „den rätselhaften Geheimderath von Weimar als Flügelmann oder Tambour-Major direkt in unsere Reihen" (des Kampfes gegen die Aristokraten) oder mit FGregorovius (1849) in die sozialistische Phalanx zu stellen. In allen Lebensstufen war es Goethes Wesensart, „keine gesellige Form mit hochmütiger Demut verachtend, hinter jeder nur das Reinmenschliche" aufzusuchen und so gerne zu finden (Bdm. 2, 485 f.). Goethe belebte dieserart die „alte ständische Gliederung mit dem Geist eines reinen und echten Menschentums, das auch den einfachen Mann als Menschen achtet und damit über die Grenzen des in der Zeit üblichen humanitären Mitleids hinauswies" (WMommsen S. 250).

Aber er belebte sie, er stellte sie nicht und nirgendwo rebellisch-revolutionär in frage, auch in den Jahren bis 1775 nicht.

Goethe konnte sich eher durch die Mutter, nicht durch den Vater dem frankfurter Patriziat verbunden fühlen; sein Lebensstil bewegte sich zu allen Zeiten durchaus diesen Verhältnissen entsprechend auf der Höhenlage der Personen von Stand im Sinne des A.s, zu dem ihm eigentlich nur der formelle Titel fehlte. Bei seinem Eintreffen in Weimar galt er dem dortigen Hofadel freilich nicht viel mehr als ein hergelaufener bürgerlicher Literat, der durch eine fast revolutionäre Kühnheit des Landesherrn in die Regierung berufen worden war. Seiner *amtlichen Tätigkeit wurden ungewöhnliche Schwierigkeiten bereitet. Carl August verteidigte ihn am 10. V. 1776: „... nicht alleine ich sondern einsichtsvolle Männer wünschen mir Glück diesen Mann zu besitzen. Sein Kopf, und Genie ist bekant ... Einem Mann von Genie, nicht an den Ort gebrauchen, wo er seine außerordentl. Talente nicht(!) gebrauchen kann, heißt denselben mißbrauchen, ich hoffe Sie sind von dieser Wahrheit so wie ich überzeugt. Was den Punkt daß dadurch vielen verdienten Leuten, welche auf diesen Posten Ansprüche machten anbetrifft, so kenne ich niemanden in meiner Dienerschaft, der meines wißens darauf hofte; zweitens werde ich nie einen Platz welcher in so genauer verbindung mit mir, mit dem wohl u. weh meiner Unterthanen stehet, nach anciennetät, sondern nach vertraun vergeben. Was das Urtheil der Welt betrifft, welche mißbilligen würde daß ich den D. Göthe in mein wichtigstes Collegium setzte, ohne daß er zuvor weder Amtmann, Professor, Cammer oder Regierungs Rath war, dieses verändert gar nichts, die Welt urtheilt nach vorurtheilen, ich aber, u. jeder der seine Pflicht thun will, arbeitet nicht um Ruhm zu erlangen, sondern um sich vor Gott, u. seinen eignen Gewissen rechtfertigen zu können, u. suchet auch ohne den Beyfall der Welt zu handeln.“

Am 11. VI. 1776 ernannte er ihn zum Geheimen Legationsrat, und um die letzten Möglichkeiten zu Zurücksetzungen oder Kränkungen aus der Welt zu räumen, betrieb er seit 1781 entschlossener Goethes Erhebung in den Reichsadelsstand, die von diesem selbst aber nicht sehr aktiviert aufgenommen wurde: *Die Herzoginn Mutter hat mir gestern eine weitläufige Demonstration gehalten daß mich der Herzog müsse und wolle adlen lassen, ich habe sehr einfach meine Meynung gesagt. und einiges dabey nicht verhelt ... (IV/5, 223).* Die Nobili-

tierung, die der Herzog damals noch nicht selbständig vornehmen konnte, mußte beim kaiserlichen Hof Josephs II. in Wien erwirkt werden; dazu wurde der dortige Geschäftsträger des Hauses Sachsen-Weimar-Eisenach Christian Bernhard v Isenflamm am 25. III. 1782 in mangelhaft-französischer Diplomatensprache angewiesen „Monsieur! Les Services essentiells que mon Conseille Privé Göthe m'a rendu, et son fidel attachement pour ma personne, demandent ma reconnoissance. je ne pourrois pas la lui mieux temoigner devant le monde, qu'en tachant de lui procurer des lettres de noblesse. Son nom est trop connu dans le Public, et sa reputation trop bienfaite, pourque j'eusse besoin de prouver qu'il merite d'en etre decoré. je suis donc trés persuadé que la Cour Imperiale ne me refusera pas, en lui demandent la patante de noblesse pour mon susdit Conseillé privé Goethe. Vous voudrez donc bien Vous charger Monsieur, de la demander en mon nom, j'en devrois la reconnoissance la plus vive a S. M. Imperiale. Je Vous envoi cyjoint un dessin pour les armes, que je voudrois qu'on accorda a la famille de (Golthe) Goethe, et pour son nom, tout changement / comme cela se fait parfois en annoblissant / m'y seroit trés desagreable. Aquitez Vous je Vous prie Monsieur, de cette commission avec l'habileté, en l'exactitude, a la quelle Vous m'avez accoutumé dans le traitement de Vos affaires, et soyez persuadé de la consideration particuliere que je Vous porte. Adieu Monsieur. Charles Auguste D. d. SW." Übersetzung ins Deutsche nach JAvBradish: „Monsieur! Die wesentlichen Dienste, die mein Geheimrat Göthe mir geleistet hat, und seine treue Anhänglichkeit an meine Person verlangen meine Anerkennung. Ich könnte ihm diese nicht besser vor der Welt bezeugen als dadurch, daß ich versuche, ihm den Adelsbrief zu verschaffen. Sein Name ist in der Öffentlichkeit zu bekannt und sein Ruf zu begründet, als daß ich zu beweisen nötig hätte, daß er ausgezeichnet zu werden verdient. Ich bin daher sehr überzeugt, daß der Kaiserliche Hof mir meine Bitte um das Adelspatent für meinen obengenannten Geheimrat Goethe nicht verweigern wird. Bitte wollen Sie es daher übernehmen, Monsieur, dieses in meinem Namen zu erbitten. Ich würde dafür seiner Kaiserlichen Majestät die größte Erkenntlichkeit schulden. Ich sende Ihnen beigeschlossen einen Entwurf für das Wappen, von dem ich wünschte, daß man es der Familie von Goethe bewillige, und es wären mir für seinen Namen alle Änderungen (wie man das

bei Adelungen manchmal tut) sehr unangenehm. Erfüllen Sie, bitte, Monsieur, diesen
Auftrag mit der Gewandtheit und Genauigkeit, an welche Sie mich in der Durchführung
Ihrer Angelegenheiten gewöhnt haben, und
seien Sie überzeugt von meiner besonderen
Hochschätzung, welche ich für Sie hege.
Adieu, Monsieur. Carl August, Herzog von
Sachsen-Weimar." In der *Wappen-Frage
folgte der Herzog wahrscheinlich Goethes
eigenem Wunsch und Brauch: *Sonntags früh
bey Tags Anbruch. ... Der herrliche Morgenstern den ich mir von nun an zum Wappen
nehme, steht hoch am Himmel* (24. XII. 1775:
IV/3, 8 f.). Um Verwechslungen mit dem
Wappen der Grafen von Sternberg zu vermeiden, mußte der goldene Stern, den Carl
Augusts Entwurf zeigte, in einen silbernen abgewandelt werden (Correspondance de Monsieur d'Isenflamm à Vienne durant d'année
1782, 10. V.; Landeshauptarchiv Weimar nach
Angabe von JAvBradish). Der Reichsvize-
kanzler Rudolf Joseph Reichsfürst von Colloredo betrieb die Nobilitierung mit einer für die
Umstände heutiger Bürokratie erstaunlichen
Schnelligkeit: vIsenflamm hatte ihm am 9. IV.
1782 den herzoglichen Antrag übermittelt, bereits am 10. IV. legte er den Vorgang dem
Kaiser vor, der noch an demselben Tag sein
eigenhändiges „placet" verfügte und somit
Goethe „aus Römisch-Kaiserlicher Machtvollkommenheit ... in des heiligen Römischen
Reiches Adelstand cum Denominatione ‚von'
erhob (Bradish S. 20). Demzufolge datiert der
Adelsbrief unter dem 10. IV. 1782. Obwohl
nach der üblichen Schablone verfaßt (vgl.
Faksimile-Wiedergabe im 3. Bd.) und zunächst
von Goethe nicht sehr wichtig genommen
(IV/5, 337; auch Wielands Brief an Merck vom
26. VI. 1782), ist die faktische Adelung mit
allen ihren (übrigens kostspieligen: 362 Reichstaler) Förmlichkeiten in ihrer weiterwirkenden
Bedeutung für Goethe und schließlich auch
für seine Familie nicht zu verkennen. Als sie
bekannt wurde, erregte sie großes Aufsehen in
Weimar, wenngleich sich nicht alle so gallig
ausgedrückt haben wie damals JG*Herder
(der sich seinerseits im Herbst 1803, noch dazu
mit Goethes Hilfe, tragikomischer Manipula-
tionen zu gleichem Zwecke bediente; IV/16,
311): „... Göthe [ist] zum Kammerpräsidenten ernannt, doch ohne diesen Namen, der für
ihn ohne Zweifel auch als appendix zu klein
ist. Er ist also jetzt Wirkl. geh. Rath, Kam-
merpräs., Präsident des Kriegscollegii, Aufseher des Bauwesens bis zum Wegbau hinunter, dabei auch directeur des plaisirs, Hof-

poet, Verfasser von schönen Festivitäten,
Hofopern, Ballets, Redoutenaufzügen, Inscrip-
tionen, Kunstwerken etc. Direktor der Zeichenakademie, in der er den Winter über Vorlesungen über die Osteologie gehalten, selbst
überall der erste Akteur, Tänzer, kurz das fac
totum des Weimarschen und so Gott will, der
maior domus sämmtlicher Ernestinischer
Häuser, bei denen er zur Anbetung umher-
zieht. Er ist baronisirt und an seinem Geburtstage (wird seyn der 28. Aug. a.c.) wird die
Standeserhebung erklärt werden. Er ist aus
seinem Garten in die Stadt gezogen und macht
ein adlich Haus, hält Lesegesellschaften, die
sich bald in Aßembleen verwandeln werden
etz. etz." (an JG*Hamann, Briefausgabe von
OHoffmann 1889, S. 184 f.).
Tatsächlich nahm Goethe mehr und mehr die
Lebensformen des A.s an. Was aber seinem
Tun und Lassen wie bisher so auch weiterhin
stets die besondere Note gab, war die Fähigkeit, zwischen wahrem und falschem A. zu unterscheiden, auch wenn es sich etwa gar um
einen „Herzog" von *Acerenza handelte. In
dieser Hinsicht sind alle seine sehr positiven
Äußerungen zu verstehen – sie galten dem
wahren A., dh. der Idee, dem Postulat des A.s
im Sinne des Edelen, des Edelmännischen, um
dessentwillen er den falschen A. nicht nur er-
trug, sondern sogar mitrespektierte. In klarer
Folge entwickelt sich die goethesche Haltung
seit dem Ausklang der Sturm-und-Drang-
Jahre: *Ich brachte reines Feuer vom Altar; /
Was ich entzündet, ist nicht reine Flamme. / Der
Sturm vermehrt die Gluth und die Gefahr, / Ich
schwanke nicht, indem ich mich verdamme. /
Und wenn ich unklug Muth und Freiheit sang /
Und Redlichkeit und Freiheit sonder Zwang,... /
Nun sitz' ich hier zugleich erhoben und gedrückt, / Unschuldig und gestraft, und schuldig
und beglückt ... / Du kennest lang die Pflichten
deines Standes / Und schränkest nach und nach
die freie Seele ein. / Der kann sich manchen
Wunsch gewähren, / Der kalt sich selbst und
seinem Willen lebt; / Allein wer andre wohl zu
leiten strebt, / Muß fähig sein, viel zu entbehren*
(*I/2, 145; 147*). In diesen Worten: *Pflichten,
Einschränken, Entbehren*, „die fortan nicht
mehr aus Goethes Welt wegzudenken sind"
(ETrunz, HbgA. 1, 466) und denen sich später
Entsagung, Verzicht, Abschied, Opfer usw.
anreihen werden, faßt Goethe an dem bedeutungsvollen Tage des 3. IX. 1783 (26. Geburtstag Carl Augusts) programmatisch seine Auffassung vom Wesen des A.s zusammen, nur
kurze Zeit, nachdem er am 10. IV. 1782 selbst
geadelt worden war, und genau in dem Sinne,

der seit alters das Ethos und die Ehre des A.s als αἰὲν ἀριστεύειν konstituierte und der sich berührt mit der anderen, hochberühmten Formel: *Schwerer Dienste tägliche Bewahrung / Sonst bedarf es keiner Offenbarung (I/6, 240 V. 27 f.)*. Zehn Jahre später (1793) heißt es im Munde des Hofrates der *Aufgeregten: Wahrlich! Wenn alle Vorzüge gelten sollen, Gesundheit, Schönheit, Jugend, Reichthum, Verstand, Talente, Klima, warum soll der Vorzug nicht auch irgend eine Art von Gültigkeit haben, daß ich von einer Reihe tapferer, bekannter, ehrenvoller Väter entsprungen bin! Das will ich sagen da wo ich eine Stimme habe, und wenn man mir auch den verhaßten Namen eines Aristokraten zueignete (I/18, 47)*. Auf dem düstern Erfahrungsuntergrund der *Halsbandgeschichte (I/35, 11), der französischen *Revolution, der *Campagne in Frankreich, der *Belagerung von *Mainz, des deutschen, insbesondere preußischen Zusammenbruchs, der Auflösung des Reiches usw. glaubt dann Goethe, ohne dabei die Dissonanzen in der Alltagswirklichkeit des A.s zu ignorieren (vgl. zB. 1804: I/40, 271), den A. in der Idee und im eigenen Beispiel postulativ und repräsentativ etwa als Ferment der Ordnung nachdrücklich wiederherstellen zu müssen (mehr als einmal im Sinne eines ,,Fürstenknechtes‘‘ mißverstanden, zB. von EM*Arndt). So betonte er: *Der Adel sei von jeher dienstpflichtig gewesen. Und der erste Staatsdiener* [die oft zitierte Maxime Friedrichs d. Gr. von *Preußen, übernommen und nachgesprochen durch Joseph II. von *Oesterreich] *sei der Fürst* – weiter: *daß die Männer zum Dienen, die Weiber zu Müttern gezogen werden müßten. Das jetzige Unglück* [1809] *der Welt rühre doch meist davon her, daß sich alles zu Herren gebildet habe (Bdm. 2, 48)*. Metaphysische Perspektiven öffnen sich mit dem Traditionswort: *Man läugnete stets, und man läugnet mit Recht, / Daß je sich der Adel erlerne (1813: I/3, 5)*. Denn das heißt nichts anderes, als daß Standesunterschiede naturgegebene Rangunterschiede darstellen, wenn man nicht gar die göttliche Gnade selbst bemühen will. In der Tiefe ruht Goethes Stellung zum A. auf der Basis seines urbildlichen Denkens. Das Urbild eines höheren, höchsten, göttlichen Menschentums leuchtet durch das Vorbild dessen hindurch, was den wahren A. auch in der lebendigen Persönlichkeitserscheinung repräsentiert: *Es ist kein Produkt menschlicher Reflexion, sondern es ist angeschaffene und angeborene schöne Natur. Es ist mehr oder weniger den Menschen im allgemeinen angeschaffen, im hohen Grade aber einzelnen ganz vorzüglich begabten Gemütern. Diese* haben durch große Taten oder Lehren ihr göttliches Innere offenbart, welches sodann durch die Schönheit seiner Erscheinung die Liebe der Menschen ergriff und zur Verehrung und Nacheiferung gewaltig fortzog (zu Eckermann, 1. IV. 1827: *Bdm. 3, 363*; vgl. dazu WFOtto, Gesetz, Urbild und Mythos. 1951. S. 43–45). Auf sich selbst bezogen, aber in denselben, urbildlichen Zusammenhang gehörig, zugleich als Summe des gelebten Lebens gültig, stehen die berühmten Worte da: *Ich will nun just eben nicht damit prahlen, aber es war so und lag tief in meiner Natur; ich hatte vor der bloßen Fürstlichkeit als solcher, wenn nicht zugleich eine tüchtige Menschennatur und ein tüchtiger Menschenwert dahintersteckte, nie viel Respekt. Ja, es war mir selber so wohl in meiner Haut und ich fühlte mich selber so vornehm, daß, wenn man mich zum Fürsten gemacht hätte, ich es nicht eben sonderlich merkwürdig gefunden haben würde. Als man mir das Adelsdiplom gab, glaubten viele, wie ich mich dadurch möchte erhoben fühlen. Allein, unter uns, es war mir nichts, gar nichts! Wir Frankfurter Patrizier hielten uns immer dem Adel gleich, und als ich das Diplom in Händen hielt, hatte ich in meinen Gedanken eben nichts weiter als was ich längst besessen* (zu Eckermann, 26. IX. 1827: *Bdm. 3, 458*).

In einer Gegenüberstellung von *Aristokratie, Anarchie, Despotie* kann in dem starken, ebenfalls urbildlichen Lichte der *Aristokratie* allenfalls noch die *Despotie* bestehen, nur weil sie wenigstens etwas von Ordnung in ihrem Fundament, wenn auch in der Form tyrannisch erzwungener Stabilität, mitführt und *fähigen Geistern* manche Chancen bietet (1818/19: *I/7, 40 f.*). Hier schwingen Gedanken mit, die noch stärker an *Platon erinnern und in dessen Politeia VIII ausgeführt sind. Kurz vor dem Tode heißt es: *Denn beides, Geburt und Geist, geben dem, der sie besitzt, ein Gepräge, das sich durch kein Inkognito verbergen läßt. Es sind Gewalten wie die Schönheit, denen man nicht nahe kommen kann, ohne zu empfinden, daß sie höherer Art sind (2. III. 1832: Bdm. 4, 435)*. Vielleicht etwas idealisierend schreibt JP*Eckermann am 23. III. 1832: ,,Am andern Morgen nach Goethes Tode ergriff mich eine tiefe Sehnsucht, seine irdische Hülle noch einmal zu sehen . . . Auf dem Rücken ausgestreckt, ruhte er wie ein Schlafender; tiefer Friede und Festigkeit waltete auf den Zügen seines erhaben-edlen Gesichts. Die mächtige Stirn schien noch Gedanken zu hegen . . . Der Körper lag nackend in ein weißes Bettuch gehüllt . . . Friedrich [der Diener] schlug das Tuch auseinander, und ich erstaunte über die göttliche Pracht dieser Glieder. Die Brust überaus mächtig, breit und gewölbt; Arm und Schenkel voll und sanft muskulös; die Füße zierlich und von der reinsten Form, und nirgends am ganzen Körper eine Spur von Fettigkeit oder Abmagerung und Verfall. Ein vollkommener Mensch lag in großer Schönheit vor mir, und das Entzücken, das ich darüber empfand, ließ mich auf Augenblicke vergessen, daß der unsterbliche Geist eine solche Hülle verlassen. Ich legte meine Hand auf sein Herz – es war überall eine tiefe Stille – und ich wendete mich abwärts, um meinen verhaltenen Tränen freien Lauf zu lassen" (ESchaeffer S. 41). Doch berührt sich diese Schilderung mit Augenzeugnissen LK*Vogels und besonders CW*Coudrays: ,,Den 26. [III. 1832] gegen Morgen war alles nach dem vorgedachten Programm vorbereitet, und ich begab mich mit John und Friedrich in Goethes Arbeitszimmer, wo die Leiche seit dem 22. März in Eis mit Sorgfalt gut erhalten worden war. Beim Anblicke des ehrwürdigen Hauptes, welches eine Welt in sich getragen und gehegt hatte, und welches nun von seinem großen Tagewerke sanft zu ruhen schien, ergriff mich ein heiliges Gefühl, und es flößten mir die mir wohlbekannten, durch den Tod auch nicht im geringsten veränderten Züge allmählich Trost und Beruhigung ein, so daß ich dem traurigen Geschäft der Ankleidung beizuwohnen Mut faßte. Den in allen Teilen schön und kräftig geformten Körper konnten wir nicht genug bewundern, und fand ich bestätigt, was schon früher von Goethe gesagt worden: ,In ihm habe der Schöpfer ein an Geist und Körper gleich vollkommnes Meisterwerk aufgestellt.' Mit einem von meiner Tochter Marie gewundenen Lorbeerkranze schmückte ich selbst das mit Silberlocken reich bedeckte Haupt und drückte den Abschiedskuß auf den lieblichen Mund, aus welchem ich so manche freundliche und belehrende Rede vernommen hatte. Die angekleidete Leiche wurde sodann auf das Paradebette gebracht, wo ich derselben eine halb aufrechte Stellung und den Armen und Händen eine solche Lage zu geben suchte, wie der Lebende zu schreiben pflegte" (ESchaeffer S. 84 f.). Zusammengefaßt: Goethes urbildlich begründete, weniger auf soziale Aspekte beschränkte, als vielmehr in ethische, ja ontische Perspektiven hineinreichende Auffassung des A.s im Sinne einer *Gewalt* führt eben deswegen bis in den Kern seiner Bewußtseinsbildung, wo sich Logos und Bios gestalthaft verbinden, wo sie durch das Beispiel der eigenen Lebensleistung sich als *Nothwendigkeit*

erfüllen, die Natur und Kunst zur Einheit natürlicher und wahrer Gesetzesschönheit verschmilzt (WVeil, Goethe als Patient 2. 1946. S. 303). Diese Auffassung ist keineswegs eine Altersfrucht. Ihre tiefste und bedeutendste Formulierung findet sie schon 1783 im *Tiefurter Journal: Edel sei der Mensch, / Hülfreich und gut! / Denn das allein / Unterscheidet ihn / Von allen Wesen, / Die wir kennen (I/2, 83)*. Mit einer solchen Haltung vermochte Goethe, ,,sobald es auf etwas rein Menschliches ankommt" (Schiller an Goethe; 5. VII. 1796), alle Enge der ständischen Gliederung zu überwinden, indem ihm nicht die Privilegien, sondern die in jeder Schicht entsprechenden Leistungen eigentliche Maßstäbe sind und die ,,Idee" des A.s sich mit der der ,,Humanität" vereinigt. Diese Auffassung regulierte Goethes Verhalten gegen Hoch und Niedrig und legte die Grenzen seines Eintretens für andere, insbesondere auch für Angehörige der untersten Schichten fest – das spezifisch Franziskanische blieb ihm in der Praxis seines Lebens fremd: *Eigentlichen Bettlern, gebrechlichen alten Leuten habe ich niemals gern gegeben; sie schienen mir einen Zustand besetzt, sich darein geschickt zu haben, und mir deuchte Anmaßung, die gränzenlose Noth mildern und mäßigen zu wollen. Einem Thätigen, im Augenblick Bedürftigen dagegen fortzuhelfen, habe ich es nie an Beisteuer mangeln lassen. Besonders waren mir die Handwerksbursche empfohlen, mit denen ich früher als Fußreisender oft in Verbindung gewandert und in späterer Zeit immer demjenigen am liebsten gab, welcher am besten gekleidet war (I/41^I, 260)*. Seine Hilfe sollte in allen den vielen Einzel-Fällen, wo sie jemandem zuteil wurde, gegen die (zeitweiligen) Folgen eines Schicksalschlages in verfahrener Lage abschirmen und dem Betreffenden so schnell wie möglich wieder zum Weiterlaufen auf eigenen Füßen helfen (vgl. auch IV/3, 258 f.). Geben und Nehmen verlangte eine beiderseitige Aktivität und war nur durch eine solche zu rechtfertigen, auch dies eine Haltung besonderer, wenn auch verhaltener Noblesse. Moderne Auffassungen werden bestreiten müssen, daß man auf diese Weise der sozialen Frage in einem Zeitalter der Vermassung Herr werden könnte.

Goethe pflegte, freilich erst einige Jahre nach 1782, das Standesprädikat ,,von" unterschriftlich seinem Namen gern und bisweilen sehr schwungvoll einzuflechten, auch dann, wenn er nur mit dem Anfangsbuchstaben zeichnete. Gelegentlich liebte er es, zB. als Praeses der Mineralogischen Gesellschaft zu

Jena mit „Freiherr" zu unterschreiben. Erst zum 28. VIII. 1859 wurde diese freiherrliche Titulatur seinen Enkeln Walther und Wolfgang de iure durch Carl Alexander zuerkannt; am 4. II. 1861 erging das Diplom über die Anerkennung des Freiherrntitels für Wolfgang v Goethe in Preußen durch Wilhlem I. (Bradish S. 214–217). *Za*

ClvSchwerin: Deutsche Rechtsgeschichte. ²1944. S. 266–270. – JAvBradish: Goethes Erhebung in den Reichsadelsstand und der freiherrliche Adel seiner Enkel. 1933. Als: Veröffentlichung des Verbandes deutscher Schriftsteller und Literaturfreunde in New York, Heft 1. – JAvBradish: Goethes Beamtenlaufbahn. Ebda Heft 4, S. 147–158. – EWeniger: Goethe und die Generale. 1943. – WMommsen: Die politischen Anschauungen Goethes. 1948. S. 247 bis 280. – AHoffmann: Werktätiges Leben im Geiste Goethes. 1950.

Adelung, Johann Christoph (1732–1806), interessiert hier hauptsächlich wegen seiner Leistungen auf sprachpflegerischem Gebiet, obwohl Goethe im Herbst 1819 auch eine diplomatische Übersetzerarbeit des Vielgeschäftigen „Neues Lehrgebäude der Diplomatik ... aus dem Französischen", 1759) kurz zu Rate zog. Durch seinen „Versuch eines vollständigen grammatisch-kritischen Wörterbuchs der Hochdeutschen Mundart" (Leipzig 1774–1786, erweitert 1793–1801), womit er einen nachgelassenen Plan *Gottscheds übernahm und gewiß eindrucksvoll ausführte, ferner durch seine für den preußischen Schulgebrauch bestimmte „Deutsche Sprachlehre" (Berlin 1781; aufgrund einer Verordnung Friedrichs d. Gr. – 1779 – im Auftrage des preußischen Ministers vZedlitz abgefaßt und mehrfach umgestaltet), endlich durch seine Schrift „Über den Deutschen Styl" (Berlin 1785) und weitere, aus diesen Ansätzen entwickelte, immer aber in Gottscheds Bahnen verharrende Arbeiten hatte er im Sprachwesen seiner Zeit und darüber hinaus eine durchaus beherrschende Stellung. Kraft dieser blieb es, lange nachwirkend, bei der Vorbildlichkeit der obersächsischen Schriftsprache, deren Muster für A. *Gellert war, zumal in zunehmender Schärfe (vgl. auch A.s „Magazin für die deutsche Sprache", 1783–1784) und mit nicht geringem Breitenerfolg gegen jedes etwaige Eindringen „niedriger", dh. mundartlicher (zB. oberdeutscher), geniesprachlicher (Sturm und Drang) und altdeutsch-mittelalterlicher oder gar romantischer Eigentümlichkeiten gekämpft wurde. Insbesondere dies mag Anlaß gewesen sein, daß Goethe gerade in den Jahren von der italienischen Reise bis etwa zu Schillers Tod, also in den überwiegend „klassischen" Jahren, sich auf a.sche Prinzipien stützte. Außer der Beachtung von Interpunktions-Regeln (zB. *Tasso*

1789) bezog sich Goethe recht positiv vornehmlich auf das Wörterbuch als auf die Kodifikation des von allem „Niedrigen", auch Veralteten, Provinziellen usw. gereinigten Sprachgutes anerkannt bester deutscher „Schreibart" (I/40, 139; vgl. auch die Äußerungen über *Genie* I/29, 146–148). Es wäre oberflächlich, darin ein Zeugnis dafür zu erblicken, daß Goethe zB. noch 1803 *(Regeln für Schauspieler)* abhängig gewesen sei von Gottscheds Machtspruch (I/40, 424). Doch fand er im Zuge der Metamorphose seiner eigenen *Sprache von der Stufe der Jugend zu der des Mannes einigen Halt, wogegen ihm *Campe in seinem übertriebenen Purismus (1794; 1801) als *furchtbare Waschfrau*, als *grober Anatom*, als *Pedant* erschien *(I/5ᴵ, 217; 225; 221)*. Um anderes oder gar um mehr handelt es sich in der (nicht einmal namentlich-ausdrücklichen) Bezugnahme Goethes auf A. und sein gottschedisch-aufklärerisches Verständlichkeits-Ideal nicht. Die wässerige Vielgeschäftigkeit A.s führte sogar zu einer kräftigen Warnung vor dem *Dresdener Wassermann (I/5¹, 217)*, die vielleicht nicht nur seine uferlos flüssige Schreibseligkeit im allgemeinen, sondern auch seinen allzu dünnen Sprachrationalismus im besonderen treffen wollte. *Za*

ADB. 1 (1875), S. 80–84. – HPaul: Grundriß 1 (1891), S. 54–56 u. passim. – HHirt: Etymologie der nhd. Sprache. 1921. S. 61–63.

Aderhold, Heinrich Gottlieb, geboren um 1788 als jüngster Sohn des Landwirts und Gutsbesitzers Jakob A. in Stöckey bei Nordhausen (Harz), gestorben als großherzoglicher Theaterschneider am 30. IX. 1834 in Weimar. A. hatte das Schneiderhandwerk erlernt und war bereits am 30. IV. 1811 nach Ausweis des Trauregisters „herzoglicher Hoftheaterschneider in Weimar" (verheiratet mit Johanna Elisabetha geb. Kühn). Goethe, der dem *Bühnenkostüm zunehmende Aufmerksamkeit widmete und dabei jeweils das Charakteristische für den malerischen Gesamteindruck im Rahmen seiner Auffassung der *Schauspielkunst und trotz gebotener Sparsamkeit betont wissen wollte, hat lange Jahre erfolgreich mit A. zusammengearbeitet. In dem entscheidungsvollen Februar 1817, als Goethe seinen Sohn August offiziell in die *Theaterleitung einzuführen gedachte und erneut um *die Vermannichfaltigung eines befriedigenden geistreichen Zusammenspiels* sowie *für ununterbrochene bedeutende Vorstellungen* Sorge trug *(I/42ᴵᴵ, 37)*, wurde ihm auch A. in gesteigerter Weise wichtig. *Alles was zur technischen Einrichtung der Bühne gehört, ist auf das genauste schon auf einem solchen Puncte, daß selbst das Wenige, was noch abgehen möchte, bereits an-*

geordnet und vorgearbeitet ist (ebda 36). Zusammenhängend mit diesen Bemühungen erwähnt das Tagebuch den sonst im Hintergrund gelassenen A. gerade in dieser Zeit wiederholt (4., 7., 8., 9. II. 1817), und zwar in bemerkenswerter Gleichzeitigkeit mit F*Beuther, worin sich Goethes Wertschätzung des Malerischen neuerlich ausdrückt (7. II. 1817). Nach Goethes Rücktritt von der Theaterleitung im April 1817 riß die Verbindung zu A. gleichwohl noch nicht ab. A. holte sich am 13. u. 14. XI. sowie am 9. XII. 1818 abermals sachlichen, vielleicht auch persönlichen Rat; es handelte sich um die kostümliche Gestaltung des *Maskenzuges vom 18. XII. 1818, insbesondere um die Maske(n) für KHAv*Helldorf (vgl. Personenverzeichnis I/16, 485). Danach findet sich kein goethescher Beleg mehr für weiteren Kontakt mit A., obwohl Goethe auch in sehr viel späterer Zeit (zB. noch 1829) immer wieder lebhaft für Fragen der *Dekorationskunst,* der *Theater-Decoration* und natürlich der Bühnenkostüme zu interessieren war: *Es ist der Reiz der Sinnlichkeit, den keine Kunst entbehren kann ... ein Stück auf dem Papiere ist gar nichts (Bdm. 4, 63 f.).* – In der Familie der A.s hat sich das Theaterblut bis heute lebendig erhalten. *Hk*

AHoffmann: Werktätiges Leben im Geiste Goethes. 1950. [Nicht zur Person, sondern zur Sache.]

Aderlaß. Seit langem – schon in der *Medizin des indischen, griechichen, jüdischen Altertums sowie in der Volksmedizin – bediente man sich mit Erfolg des Mittels, bei bestimmten Indikationen dem Patienten durch A. – auch durch Schröpfen, Blutegel usw., vgl. die boshafte Anspielung *Faust I (V. 4144-4177)* – *Blut zu entziehen und so Erleichterung zu verschaffen oder Rettung zu bringen. Neben der Blutsbrüderschaft stellt dieser medizinische A. die kaum noch als solche kenntliche Spätform eines symbolischen Eingriffs (auch ingestalt der Selbstverwundung) dar, die ursprünglich stellvertretend für den wirklichen Vollzug der Menschen-Opferung zu gelten hatte. Für die literarische wie unliterarische Überlieferung des 18. Jahrhunderts sind diese Zusammenhänge meist längst verblaßt, doch lebte unverstanden die antike Tradition, wonach jeder Körperteil einem Sternbild zugeteilt ist und dieses beim A. entsprechend berücksichtigt werden muß. Die Volkskalender verzeichneten damals noch neben dem A.-männchen auf besonderen A.tafeln auch die jeweils günstigsten Termine für den Eingriff. Im Fränkischen wurden die A.tafeln 1769 auf Antrag der Medizinischen Fakultät *Würz-

burgs verboten. Auf diese volksmedizinische Überlieferung bezieht sich: *wenn's gut Aderlassen ist, gut Purgiren, gut Schröpfen, das steht im Kalender, und darnach weiß ich mich zu richten (Die Aufgeregten,* 1793; *I/18, 24).* Unabhängig von solcher Kenntnis in volksmedizinischen oder auch medizinischen Praktiken (WVeil; MOberhoffer) gewinnt der A. für den Goethe des *Wilhelm Meister* wegen seiner mehr oder weniger geheimnisvollen Verbindungen mit Blut und *Opfer über das rein Medizinische hinaus sinnbildliche Ausdruckskraft (unter Berücksichtigung uralter rabbinischer Traditionen: אין כפידה אלא בדם heißt die auch Goethe bekannte Paulus-Stelle im Hebräer-Brief 9, 22: καὶ χωρὶς αἱματεκχυσίας οὐ γίνεται ἄφεσις = nulla expiatio nisi per sanguinem; griechisch αἱμάσσειν βωμούς = ἱεροποιεῖν; lateinisch sanguinem litare = animam litare; vgl. auch Vergil, Aeneis IX, 349: purpuream vomit animam). Vieldeutig und tiefsinnig, umso mehr weil in Mephistos Munde, heißt es *Faust I (V. 1740): Blut ist ein ganz besondrer Saft.* Metamorphosisch auf der schmalen Schwelle zwischen Leben und Tod, erhebt sich der A., medizinisch im Zusammenhang mit seiner (ebenso vieldeutigen und tiefsinnigen) Anwendbarkeit bei *Wiederbelebung der für todt Gehaltenen,* insbesondere bei Ertrinkenden, auf die Höhe dichterischer *Symbolik und Symbolsprache. In zwei sich spiegelnden Bildern wird der *Wilhelm Meister* der *Wanderjahre* durch Situationen, dh. durch Stationen geführt, wo es gilt, jeweils einem jungen Leben, vom Tode des Ertrinkens bedroht, *durch einen Aderlaß vielleicht ... zu helfen ... (I/25[I], 54 f.).* Das erste Mal kam der Unglücksfall zu früh für den noch Unkundigen und Ratlosen, der *in der Verwirrung* den Verunglückten *den Athem einzublasen* versucht *(I/25[I], 50).* Das zweite Mal aber zeigt *Wilhelm* sich in reifer *Meister*schaft – womit der ganze Roman perspektivisch welt- und lebensoffen ausklingt – der bedrohlichen Lage gewachsen und rettet den eigenen Sohn in einer Art zweiter Geburtshilfe: *Wirst du doch immer auf's neue hervorgebracht, herrlich Ebenbild Gottes (I/25[I], 297 f.)!* Der Vorgang weist auch durch seine Begleitumstände über das Augenblickliche und Besondere hinaus ins Ewige und Allgemeine der Menschwerdung und des Menschendaseins, er manifestiert das Allgemeine im lebendig erfaßten Besonderen, ebendadurch die goetheschen Forderungen an das Symbol erfüllend. Fraglich bleibt, ob die Lektüre einer nach Verfasser und Inhalt nicht näher zu ermittelnden Erzählung „Der Aderlaß" im marienbader Sommer 1823 (III/9, 87) auch in diesen Zusammenhang gehört.   *Za*

AGilg: Wilhelm Meisters Wanderjahre mit ihren Symbolen. In: Zürcher Beiträge zur deutschen Literatur- und Geistesgeschichte Heft 9 (1954), S. 89; 122; 184; 195.

Adersbach, schlesisches Dorf im südlichen Teil des Waldenburger Gebirges, bemerkenswert wie *Weckelsdorf durch seine „Felsenstadt", in deren bizarrer Formung ein geologisch mit der sächsischen Schweiz verbundener Quadersandsteinzug sehr entschieden auftritt, streifte Goethe Ende August 1790, offenbar um diese Eigentümlichkeit selbst zu sehen (III/2, 24). *Za*

Adolfshöhe, Aussichtspunkt nördlich *Biebrich, wurde von Goethe wiederholt besucht, erstmals wohl 1793, häufiger während der wiesbadener Kuren, zB. 1814 auf den Hin- oder Rückwegen zur Tafel im biebricher Schloß des Herzogs Friedrich August von *Nassau (III/5, 124; 125; 127), besonders aber am 15. VIII. 1814 auf der Fahrt zum *Sanct Rochus-Fest zu Bingen: Auf der Höhe über Bieberich erschaute man das weite prächtige Flußthal mit allen Ansiedelungen innerhalb der fruchtbarsten Gauen (I/34[I], 3).*   *Za*

Adorf, kursächsisches Städtchen am Oberlauf der Elster, nahe der böhmischen Grenze; Goethe übernachtete hier im Posthaus am 3./4. VII. 1795, von *Bergen kommend, auf der Fahrt nach *Karlsbad (III/2, 36).   *Za*

Adrian, Johann Valentin (1793–1864), damals (1823) in *Stuttgart, war bereits ein weitgereister (Frankreich, Schweiz, Italien, England), vielseitig ausgebildeter (Miltenberg, Aschaffenburg, Würzburg), pädagogisch bewährter (Hoffmann-Rödelheim; Graf vWinzingerode), namhafter junger Schriftsteller (1816/17: „Der Maientanz, oder die Gründung von Würzburg, eine romantische Darstellung"; 1817/18: „Nachtschatten"; 1819: Übersetzung von *Byrons erzählenden Gedichten und *Alfieris ‚Virginia'; 1820: Eigene Erzählungen), als er sich im Winter 1822/23 Goethe durch seine Publikation „Die Priesterinnen der Griechen" (Verlag: JDSauerländer, Frankfurt/M., 1822) empfahl: *Eigentlich besticht mich die ruhige Behandlung des Gegenstandes und daß der Verfasser weder *Etymologie noch *Mystik noch Lüsternheit einmischt* (bei Weitergabe des *Büchleins, das ihm sehr wohl gefällt,* an JH*Meyer, 20. XII. 1822: *IV/36, 238).* Um Näheres über den Verfasser zu erfahren, schreibt Goethe am 6. I. 1823 an JJv*Willemer: *Ich wünschte einige Nachricht von diesem Manne, wo er sich aufhält, was er etwa sonst geschrieben, woher er ist, wie alt? und*

3 Goethe-Handbuch

dergl. Eine solche Notiz würde mir viel Vergnügen machen, da mir das Büchlein selbst gar wohl gefallen hat (IV/36, 263). Bereits am 3. II. 1823 wendet sich Goethe an A. unmittelbar: *Ich erkundigte mich nach Ihnen, weil es mir wünschenswerth schien, in dieser verworrenen Zeit einen wohl unterrichteten, sinnigen, ruhig und bedächtig vorschreitenden jungen Mann näher zu kennen, für den mich besonders der Umstand einnahm, daß ich weder mystisches Pfaffenwesen noch Etymologie noch Lüsternheit bemerken konnte. Da Sie sich nun glücklicherweise mir selbst nähern* [über *Cotta, 19. I. 1823] *und überdieß ein geschätzter und geprüfter Mann Sie einführt, so freue ich mich gar sehr der neuen Aussicht auf einen jungen Freund, mit dem ich harmonirend wirken könnte, wonach ich jeden Tag trachten muß und kaum zu hoffen wagte. Sagen Sie mir daher von Ihrem Thun, von Ihren Aussichten das Hinreichende, damit ich das Weitere bedenke und mich darüber ausspreche. Mehr sag ich nicht, damit die Einleitung nicht vorschreite dem Wünschenswerthen* (3. II. 1823: *IV/36, 303 f.*). A. antwortete am 10. II. 1823 (IV/36, 458), aber nicht so, daß der Kontakt sich fortspann und vertiefte. Goethes sehr vorsichtig und doch werbend angedeutete Hoffnung ging dann im Mai 1823 auf JP*Eckermann über und die Beziehung zu A. erlosch, ohne weitere, nachdrücklich bezeugte Spuren und ungeachtet der späteren Verdienste des Mannes in seiner gießener Universitätslaufbahn (1823 ao. Professor der neueren Sprachen und Literatur, 1826 Ordinarius in diesen Disziplinen, 1830 Erster Universitäts-Bibliothekar und Direktor der UB.). Auch die Reiseschilderungen A.s, vor allem aus England (1827; 1829; 1830–1833), haben kein besonderes Interesse bei Goethe mehr wecken können.   *Za*

ADB 1 (1875), S. 123 f. – Brümmer S. 8.

Adriatisches Meer, der meerbusenartige Teil des Mittelmeeres zwischen der Ostküste Italiens und der Westküste Jugoslawiens sowie Griechenlands. Es besteht aus zwei, bei der Halbinsel Monte Gargano durch eine unterseeische Bodenerhebung getrennten Becken, von denen das nördliche flacher und infolge der stärkeren Süßwasserspeisung ungleich weniger salzhaltig ist als das südliche. In beiden Becken ist, wenn auch gering, die Gezeitenbewegung (*Ebbe und Flut) spürbar, ausgeprägter zwar im Osten als im Westen. Auch Fauna und Flora haben durchaus maritimen Charakter. So konnte der aus dem Norden kommende Binnenländer Goethe beim Erreichen *Venedigs, der *Braut des Meers (III/1,*

240), den Atem, und am 30. IX. 1786 von der Höhe des Markusturms aus zum ersten Male den Anblick des wirklichen, offenen Meeres, und zwar bei Flut (III/1, 249), in sich aufnehmen. Am 6. X. 1786 betrat er auf dem *Lido bei Ebbe den Strand und gab sich der Größe der Begegnung mit diesem elementaren Naturphänomen voll hin; er machte sich mit den ersten Sendboten seiner pflanzlichen und tierischen Geschöpfe bekannt: *Wie wohl wird mir's, daß das nun Welt und Natur wird und aufhört Cabinet zu seyn (III/1, 271–273)*. Die Fahrt wiederholte er am 9. X. 1786, um der neptunischen Urgewalt und den menschlichen Anstalten zur Selbstverteidigung gegen ihren Ansturm nachzusinnen, um abermals Pflanzen und Tiere zu studieren: *Ich kehre noch einmal ans Meer zurück! Dort hab ich heut die Wirthschafft der Seeschnecken, Patellen (Muscheln mit Einer Schaale) der Taschenkrebse gesehen und mich herzlich darüber gefreut. Was ist doch ein lebendiges für ein köstlich herrliches Ding. Wie abgemeßen zu seinem Zustande, wie wahr! wie seyend (III/1, 288)!* Die zweite Reise nach Venedig erneuerte am 15. IV. 1790 durch eine „Seefahrt nach *Murano" und am 22. IV. 1790 durch eine Fahrt nach dem Lido die Bilderinnerung an „einen der schönsten Anblicke". Die „ungeheure Meeresfläche mit hunderten von großen und kleinen Schiffen bestreut" spiegelt in den Aufzeichnungen des *treuen Zöglings (III/2, 326)* P*Götze auch Goethes tiefgehenden Eindruck (III/2, 19). Die hier 1786 erstmalige und 1790 wiederholte Begegnung mit dem Meer, ergänzt durch die dazwischen liegenden mit dem *Tyrrhenischen Meer, wird zur bleibenden Anschauungsbasis für Goethes Bild vom Meere überhaupt, dh. wohl auch zu ihrem Teil für seine Neigung zur neptunischen Theorie (*Neptunismus), die 1789 so deutliche Formen findet (IV/9, 153).   *Za*

Adula- oder Rheinwald-Gebirge, das Quellgebiet des Hinterrheins in Graubünden (Rheinwald-Gletscher, insbesondere Paradies-Gletscher 2216 m; Rheinquellhorn 3200 m; Rheinwaldhorn 3398 m), das Goethe eben um des Rhein-Ursprungs willen auf der Heimreise aus Italien *grüßen* (IV/8, 373) wollte, sah er am 30. V. 1788, als er Paßhöhe und Ort *Splügen erreichte (I/32, 480; I/53, 385). Sein Weg folgte dann der Bahn, die sich der Sohn des A. gebrochen hatte über *Chur, *Vaduz, *Feldkirch bis *Fussach. So war es denn auch der Rhein, der Goethe auf der Schwelle zum Heimatland als Erster seinerseits begrüßen sollte, das Zweite war *Konstanz mit dem Adler und darin *die Spur jener famosen Wanderung* (1799)

und die alte Freundin B*Schultheß, *welche ich sprechen und begrüßen muß (IV/8, 373–374)*, fürwahr ein zartes Zurücktasten in die so lange verlassene Atmosphäre des voritalienischen Daseins.   *Za*

Aegineten, Giebelskulpturen des Aphaia-Tempels auf Aegina, von *Haller vHallerstein und dem englischen Architekten Cockerell 1811 bei der planmäßigen Untersuchung des von ihnen fälschlich als Tempel des Zeus Panhellenios aufgefaßten Baues entdeckt und 1813 durch Vermittlung des Bildhauers Martin vWagner von Kronprinz *Ludwig, dem späteren König von Bayern, für die Glyptothek in *München erworben. Sie wurden im Jahre 1815 von Wagner nach Rom gebracht und dort von ihm und *Thorwaldsen restauriert und 1828 im Aeginetensaal der Glyptothek aufgestellt. vWagner war es, der sie zuerst in einer Publikation „Bericht über die Aeginetischen Bildwerke im Besitz seiner Königlichen Hoheit des Kronprinzen von Baiern", mit kunstgeschichtlichen Bemerkungen von *Schelling, Stuttgart-Tübingen 1817, veröffentlichte. Mit dem fast gleichzeitigen Bekanntwerden der originalen griechischen Skulpturen von Aegina, *Phigalia und des *Parthenon in Athen (*Elgin Marbles) in diesen Jahren begann eine Revolution in der Erkenntnis und Bewertung griechischer Plastik. Goethe erhielt die erste Nachricht von dem Funde auf Aegina am 1. II. 1812 (III/4, 256). *Zu der im November angesetzten Auction*, schreibt er an Caroline v*Humboldt, *möchte ich wohl eine kleine Fahrt nach Zante machen* (7. IV. 1812: *IV/22, 319 f.*). Wagners *Äginetische Bildwerke (III/6, 61)*, notiert er am 15.VI. 1817; der Erbgroßherzog berichtet er am 16. X. 1817 über *die Äginetischen Marmore (III/6, 123)*. Goethes Vorstellung wurde noch vor Erscheinen der Wagnerschen Veröffentlichung durch Überlassung von *Zeichnungen des in Rom mit der Restauration Beauftragten (I/36, 124)* bereichert.

Die Ae. wurden bei ihrem Bekanntwerden als künstlerisch und stilistisch einheitliche Schöpfung angesehen. In Wahrheit verteilen sich die Reste über drei Giebel und mindestens zwei durch fast eine halbe Generation getrennte Bauperioden. Abgesehen von der etwas trockenen plastischen Arbeit der spätarchaischen und frühklassischen peloponnesischen Skulpturen mochte Goethe auch diesen Sachverhalt vorausempfunden haben: *denn, genau besehen, wird an den Aeginetischen wenig Freude zu haben seyn. Es sind zusammengestoppelte Tempelbilder, von ganz verschiedenem Kunst-Werth (die liegenden vielleicht zugearbeitet) die immer pro-*

blematisch bleiben müssen. *Glauben wir doch nicht daß die Alten alle ihre Röcke aus ganzem Tuch geschnitten haben (IV/29, 105 f.).* Des Epochalen der Entdeckung ist sich Goethe jedoch vollauf bewußt gewesen, in den *Annalen* faßt er es zusammen: *Für die Einsicht in höhere bildende Kunst begann dieses Jahr eine neue Epoche. Schon war Nachricht und Zeichnung der Äginetischen Marmore zu uns gekommen (I/36, 145),* ein Urteil, das umso schwerer wiegt, als Goethe die Ae. nur in Zeichnungen kennen gelernt hatte. Die Zeichnungen Wagners befinden sich im GNM.   *Hm*

GRodenwaldt: Griechische Tempel. 1941. S. 29 ff. Taf. 14–33. – AHirt: Die aeginetischen Bildwerke an Herrn Schelling über dieselben. Nebst einer Zeichnung. 1818 (vgl. III/6, 112). – Wegner S. 35–37 mit Abb. 2–3. – Grumach S. 521 f. – AFurtwängler: Aegina. Das Heiligtum der Aphaia. Text u. Taf. 1906. – GWelter: Aegina. 1938.

Ägypten, ägyptische Kultur und Kunst und Goethes Verhältnis dazu wird allgemein mit den Versen der Zahmen Xenien charakterisiert: *Nun soll am Nil ich mir gefallen, | Hundsköpfige Götter heißen groß: | O, wär' ich doch aus meinen Hallen | Auch Isis und Osiris los!* (1820: *I/3, 257)* – und ähnlich abschätzig an anderen Stellen: I/17, 134; I/20, 292; I/1, 237 mit I/5[I], 137; I/42[II], 201; I/47, 41–42; eine sehr frühe: IV/2, 252 vom Jahre 1775. Es findet aber eine überraschende, ganz andersartige Beleuchtung durch Zeugnisse von Eindrücken während der italienischen Reise (vgl. zB. I/32, 438). Schon den Obelisken auf der Piazza del Popolo, der seit 1589 hier stand und den Augustus aus Ä. hatte aus Rom bringen und im Circus Maximus aufstellen lassen, konnte er kaum übersehen haben, zumal sein Quartier bei *Tischbein am Corso in unmittelbarer Nähe davon lag. Jedoch wichtiger als diese äußeren Eindrücke war für Goethes Einordnung und Bewertung der ä.schen Dinge der Hinweis des Reisehandbuches von *Volkmann auf *Winckelmanns Geschichte der Kunst zum besseren Verständnis der ä.schen Sammlung Benedikts XIV. im Bodengeschoß des *Capitols. *Winckelmanns Geschichte der Kunst hab ich angefangen zu lesen und habe erst Egypten zurückgelegt und fühle wohl daß ich nun erst wieder von vorne sehen muß; auch hab ich es in Absicht auf die Egyptischen Sachen gethan. Je weiter hinauf desto unübersehlicher wird die Kunst und wer sichre Schritte thun will, muß sie langsam thun* (6. I. 1787: *IV/8, 119).* Nicht erst seit Winckelmann, aber von ihm zuletzt für Goethe gültig formuliert, gehörten zum Gesamtbild der ,antiken' Kunst auch die Kunstwerke des alten Ä. Tischbein malte Goethe im Winter 1786/87 (in der Urfassung des berühmten Bil-

des) als Reisenden, *in einen weißen Mantel gehüllt, in freier Luft auf einem umgestürzten Obelisken sitzend, . . . die tief im Hintergrunde liegenden Ruinen der Campagna di Roma überschauend (I/30, 241).* Hinter den Blöcken des Obelisken sind rechts die Figuren eines griechisch-römischen Reliefs als Gegenstück zum ä.schen Monument sichtbar, mit ihm zusammen die Einheit antiker Kunstwelt andeutend. Neue Nahrung erhält Goethes Interesse an den *Egyptischen Sachen* durch die Bekanntschaft mit dem französischen Architekten *Cassas, der im vorderen Orient und Ä. gereist war und im August 1787 auf dem Rückwege nach Rom kam. Goethe ließ sich zehn Zeichnungen und Entwürfe von ihm zeigen, darunter die Rekonstruktion einer Pyramiden-Anlage mit Sphinx-Allee, die Goethe als *ungeheuerste Architecturidee (I/32, 89)* tief beeindruckte. Er geht daraufhin wieder hinaus aufs Marsfeld und studiert die Trümmer des umgestürzten Obelisken: *Die herrlichen ägyptischen Denkmale erinnerten uns an den mächtigen Obelisk, der auf dem Marsfelde durch August errichtet als Sonnenweiser diente, nunmehr aber in Stücken, umzäunt von einem Breterverschlag, in einem schmutzigen Winkel auf den kühnen Architecten wartete, der ihn aufzuerstehen berufen möchte (NB. Jetzt ist er auf dem Platz Monte Citorio wieder aufgerichtet und dient, wie zur Römerzeit, abermals als Sonnenweiser). Er ist aus dem echtesten ägyptischen Granit gehauen, überall mit zierlichen naiven Figuren, obgleich in dem bekannten Stil, übersäet. Merkwürdig war es, als wir neben der sonst in die Luft gerichteten Spitze standen, auf den Zuschärfungen derselben Sphinx nach Sphinxen auf das zierlichste abgebildet zu sehen, früher keinem menschlichen Auge, sondern nur den Strahlen der Sonne erreichbar (I/32, 90 f.; dazu I/47, 65–66; 1788).* Tief dringt Goethe hierbei in das Wesen ä.scher Kunst ein und kommt zu Erkenntnissen, die die neuere ägyptologische Forschung erst nach Generationen in diesem Zusammenhang innigster Durchdringung von Kult und Kunst und ihrer sich selbst genügenden Gestaltung entdeckt hat: *Hier tritt der Fall ein, daß das Gottesdienstliche der Kunst nicht auf einen Effect berechnet ist, den es auf den menschlichen Anblick machen soll. Wir machten Anstalt, diese heiligen Bilder abgießen zu lassen, um das bequem nah vor Augen zu sehen, was sonst gegen die Wolkenregion hinaufgerichtet war (I/32, 91).* Goethe läßt nicht nur Abgüsse nach den Reliefs und Hieroglyphen des Obelisken machen, sondern er modelliert sie in Ton nach, um sich ihrer ganz zu vergewissern: *So will ich es auch*

3*

*mit den besten hetrurischen Sachen thun usw.
Nun modellire ich nach diesen Bildungen in
Thon, um mir alles recht eigen zu machen (I/32,
75). Ich spreche nicht aus wie glücklich ich bin,
daß ich da zu sehen anfange, wo ich Zeitlebens
nur getappt habe* (19. I. 1788: *IV/8, 323*).

Die Verbindung von *egyptischen* und *hetrurischen Sachen* drückt noch einmal aus, wie
sehr sie für Goethe, obwohl ihm an sich fremd-
artiger als die griechische und römische Kunst,
doch als notwendige Ergänzung zu diesen gehören und einer besonderen Mühe wert sind.
Goethe stellt sich hiermit ganz unter die Auffassung des 18. Jahrhunderts, für welche ua.
der Titel des großen antiquarischen Sammel-
werkes von *Caylus, der „Recueil d'Antiquités Egyptiennes, Etrusques, Grecques et Romaines" (Paris 1752–1768) charakteristisch
ist. Dies Bild des ä.schen Altertums hält sich
bis zum Ende der italienischen Reise. Ditt-
mann hat gesehen, daß die bald danach einsetzenden abfälligen Urteile über ä.sche Dinge
ihren Grund vornehmlich in der Wirkung von
Herders 3. Teil der „Ideen zur Geschichte der
Menschheit" haben, den Goethe während der
Rückreise aus Italien im Zusammenhang (erste
Lektüre schon 12. X. 1787 und 10. I. 1788:
I/32, 113; 211 f., bezeugt) las und in dem Herder Ä. im universalhistorisch gesehenen Ent-
wicklungsprozeß aus der „klassischen" *Antike herausgenommen und in den Bereich der
allgemeinen Kindheitsstufe der Menschheit
hinaufgerückt hatte. Ä.sche Kunst und Kultur,
als Teil des antiken Weltbildes von Goethe erlebt und bewundert, waren nun durch den
maßgeblichen Einfluß Herders für ihn entwer-
tet worden. In der *Anzeige der *Propyläen*
(1799) findet sich bereits der Niederschlag dieser Umwertung, die von nun an herrschend
bleibt: *Unserer Meinung nach halten sich die
Liebhaber gewöhnlich viel zu lange bei der ägyptischen, ältestgriechischen, altitalienischen, besonders aber der altdeutschen Kunst auf, deren
Verdienste meist nur ein historisches, selten ein
höheres Kunstinteresse haben (I/47, 41).* Die
Zusammenstellung der entwerteten Kunstgebiete und Perioden ist bezeichnend. Neben
dem Entwicklungsgedanken Herders steht
deutlich die klassizistische Anschauung Goethes als Ergebnis der italienischen Reise. Nur
die entwickelte Stufe der klassischen griechischen Kunst (für Goethe bis in die römische
Epoche hineinreichend) hat *höheres Kunstinteresse*, alles Vorklassische, Ä.sche, Etrurische,
Archaische sowie die frühe Kunst *Italiens und
*Deutschlands treten jetzt merklich zurück,
sinken gelegentlich wie die chinesischen und

indischen Altertümer auf den Grad von *Curiositäten (I/33, 194;* 1792; 1822) herab. Aus Anlaß der Herausgabe des Winckelmann-Gedenk-
bandes (1805) unternimmt es Goethe mit Meyer
zusammen, der ä.schen und *etruskischen
Kunst ihren angemessenen Platz in der historischen Entwicklung der Kunst der alten Völker anzuweisen. Die noch von Caylus vertretene Abhängigkeit der Griechen und Etrusker
von Ä. lehnen sie ab und stellen dagegen
Winckelmanns Ansicht von dem Eigenwuchs
der griechischen Kunst und seine Einteilung
der ä.schen Kunstgeschichte, die übrigens noch
heute gültig ist: *Die Monumente von ägypti-
schem Geschmack . . . ordnete er in drei Classen,
nämlich in echt ägyptische Arbeiten, in griechische und in römische Nachahmungen derselben . . . (I/46, 75).*

Trotz der genannten, in der Folgezeit häufigen abwertenden Urteile über ä.sche Altertümer, wobei die Anschauung der Zeit von Ä.
als einem dunklen, geheimnisvollen, in Halb-
dämmer gehüllten Lokal auf den Kultapparat
der *Freimaurerlogen sichtlich eingewirkt hat
(vgl. Schikaneders *„Zauberflöte"), haben sich
Goethe ä.sche Kunstformen tief und unverlier-
bar eingeprägt. Sie stehen ihm als *Symbole
und Metaphern an entlegenstem Ort zur Verfügung, so etwa, wenn er Pyramide und Obelisk als Gleichnisbilder für *Platons und *Aristoteles' Verhältnis zur Welt verwendet: [Ari-
stoteles] *umzieht einen ungeheuren Grundkreis
für sein Gebäude, schafft Materialien von allen
Seiten her, ordnet sie, schichtet sie auf und steigt so
in regelmäßiger Form pyramidenartig in die Höhe,
wenn Plato, einem Obelisken, ja einer spitzen
Flamme gleich, den Himmel sucht* (1810: *II/3,142*).
In Goethes eigener Antikensammlung war
Ä.sches nicht stärker vertreten als noch heute
in manchem Privathaus.   Hm

Aelst, Willem van (um 1626 bis nach 1683), niederländischer Stillebenmaler, 1643 Meister in
Delft, reiste danach mehrere Jahre in Frankreich und Italien und war in Florenz für den
Großherzog von Toskana Ferdinand II. de'
Medici tätig. Nach seiner Rückkehr lebte er in
Amsterdam. Von den drei Gemälden, die Goethe bei seinem Galeriebesuch in Dresden 1810
sah und als *Elst* notierte, ist nur das Stilleben
(jetzt Katalog-Nr 1331) als Aelst bezeichnet,
während ein anderes, 1644 datiertes und mit
Guilelmo vA. signiertes Bild von Goethe nicht
erwähnt wird. (I/47, 369; 371)   Lö

Wurzbach: Niederländisches Künstlerlexikon. 1910.
1, S.4. – Katalog der Königl. Gemäldegalerie zu Dresden. 1902. S.424.

Aemilius Paullus *(Paulus),* Lucius Macedoni-
cus, Sproß einer römischen Altadelsfamilie

(Via Aemilia), Sohn des bei Cannae 216 vChr. gefallenen römischen Konsuls Lucius Aemilius Paullus, selbst zweimal Konsul (182 und 168 vChr.), gestorben 160 vChr., Vater des jüngeren Scipio, eine der beispielhaften Gestalten des alten *Römertums, ist bekannt vor allem als Besieger des Königs Perseus von Makedonien (Schlacht bei Pydna, 168 vChr.). Aufgrund dieses Sieges feierte er den glänzendsten seiner Triumphzüge, dessen bildliche Wiederkehr Goethe 1820/21 in dem *Triumphzug von *Mantegna (I/49^{II}, 227–235)* beobachtet: *Es ist offenbar, daß er* [Mantegna] *den Triumph des Paulus Aemilius über Perseus König von Mazedonien vor Augen gehabt und aus diesem dreytägigen endlosen und grausamen Zug einen gedrängten faßlichen, menschlichen Auszug gebildet* (Nachtrag 1822; *ebda 235*). Die historischen Vorgänge waren Goethe aus dem Bericht des *Plutarch geläufig, den er wiederholt gelesen hatte – 1821 ausdrücklich wieder *um der Triumphzüge willen, in Absicht Mantegna's Blätter, deren Darstellungen er offenbar aus den Alten geschöpft, besser würdigen zu können. Bei diesem Anlaß ward man zugleich in den höchst wichtigen Ereignissen und Zuständen der römischen Geschichte hin und hergeführt (I/36, 191)*, im Februar 1832 wohl aus weniger speziellem Interesse (III/13, 222 f.). In den *MuR* (MHecker Nr 228) findet sich aus der Zeit der Mantegna-Studien als Lesefrucht folgender Satz aufbewahrt: Aemilium Paulum – virum in tantum laudandum, in quantum intelligi virtus potest (vgl. auch Schrimpf, HbgA. 12, 547). *Za*

Aeneas, Sohn des Anchises und der Aphrodite (*Venus), die trojanisch-homerische Heldengestalt, in der sich das *Römertum sagenhaft mit dem *Griechentum verknüpfen ließ und verknüpfte, die Titelfigur der epischen Großdichtung *Vergils, hat für Goethe nicht die Bedeutung wie der *Achill oder der *Odysseus der homerischen Epen als Urbilder des Männlichen: *In Achill und Odysseus, dem Tapfersten und Klügsten, hat der *Homer alles vorweggenommen (Bdm. 3, 407)*. Goethe sucht und findet, mit seiner französischen Vorlage gesprochen, in dem Ae. Vergils wegen der Dido-Verbindung etwas anderes: *Was in der Äneis wirkt, sind die Empfindungen, die zu allen Zeiten allen Herzen angehören (Versuch über die Dichtungen,* Übersetzung des „Essai sur les fictions" der Madame de *Stael, 1795; *I/40, 211*). Es ist bezeichnend, daß Ae. für Goethe kaum sehr viel anderes oder gar mehr sein kann als traditionelles Kulturgut, wie denn auch Vergil selbst trotz eifriger Unterrichts-

oder auch späterer Lektüre keineswegs seine dominierende Stellung wie bei *Dante behaupten konnte, sondern hinter Homer zurücktreten mußte. *Za*

Aertsen, Pieter, gen. der „Lange Pier" (1508 bis 1575), Maler großfiguriger Genrebilder; von ihm besaß Goethe die Reproduktion eines der charakteristischen Bilder, ein Küchenstilleben, in dessen Hintergrund Christus und die Jünger beim Mahle in Emmaus dargestellt sind, und eine Zeichnung. *Lö*
Schuchardt 1, S. 146; 299.

Aeschylus *(Eschylus)* / Aischylos (? 525 bis 456 vChr.), der älteste Repräsentant der großen attischen *Tragödie, wahrscheinlich ihr eigentlicher Schöpfer vor *Sophokles und *Euripides, bereits um 500 vChr. in Athen als Dichter hervorgetreten, gehört zu den unsterblichen Gründern des Abendlandes, die das Vermächtnis des *Griechentums immer wieder als Anspruch wirksam machen. Wahrscheinlich in Eleusis, der Stätte der eleusinischen Mysterien, damit in beziehungsreicher Nähe der eleusinischen Dromena (Festspiele zu Ehren der Demeter), ja unter deren lebhaftem Eindruck geboren und aufgewachsen – er übernimmt zB. manches bei der Kostümgestaltung seiner eigenen Dramen von dem Gebrauch der eleusinischen Priesterkleidung –, hat Ae. allezeit ein sehr starkes inneres, tiefgläubiges Verhältnis zu den kultischen Geheimnissen und zu den religiösen Untergründen dieser, in seiner Heimatstadt regelmäßig (aber nur alle vier oder fünf Jahre in vollem Umfang) festlich begangenen Weihehandlungen bewahrt. Zeugnis dessen ist nicht nur die berühmte Bemerkung des *Aristophanes, sondern mehr noch die Tatsache, daß Ae. einige heute nicht mehr erhaltene Dichtungen entweder den Eleusinien selbst, den Kerykes (Priesterherolden) von Eleusis oder den Kabeiroi (*Kabiren) von Samothrake gewidmet hat. In Ae. schließt sich der Ursprung der attischen Tragödie geradlinig an die Ausdrucksgewalt mythisch-kultischer Urformen an (ADieterich; OKern; WFOtto; KKerényi; HHunger). „In jedem Augenblick fühlt man sich seinen Dramen gegenüber dem Ursprung des Dramas aus streng geordneter Kulthandlung noch nahe" (WPorzig S. 18). Hier ist die Quelle der dichterischen Gestaltungskraft des Ae. zu suchen. Goethe scheint das gespürt zu haben: *ein Meer auszutrinken . . ., für unsere alte Kehle nicht wohl hinabzuschlucken* (20. V. 1826: *IV/41, 39;* aufgrund einer Kenntnis von FG*Welcker: „Die aeschyleische Trilogie Prometheus und die Kabirenweihe zu Lemnos, nebst Winken über die Trilogie des Aeschylus überhaupt". Darmstadt 1824, und Nachtrag Frankfurt 1826 ?). – Wenn man von dem ersten öffentlichen Unterricht in *lateinischer wie in *griechischer Sprache bei JJG*Scherbius absieht (vgl. Morris 1, 65–73, fast ausschließlich biblisch-theologische, zumeist erbauliche Textvorlagen; Paradigmata aus Ae.-Texten unwahrscheinlich, dazu I/38, 201 Nr 10), wird man in den Jahren seit 1765 (erste intensivere *Homer-Lektüre) zumindest bis zur straßburger Studienzeit mehr als Gelegenheitsbegegnungen mit Ae. nicht annehmen können. Eine deutsche Einzelübersetzung zB. der Thebais (Sieben gegen Theben) gab es zwar bereits 1767 durch JEGoldhagen, weitere Einzelübersetzungen: Prometheia, Thebais, Perser, Oresteia 1802 durch FL Graf v*Stolberg (bereits 1783 vorhanden, aber nicht vor 1802 gedruckt). Das Gesamtwerk des Ae. beginnt erst nach 1770 in den modernen Sprachen zu erscheinen (französisch: JJ Le Franc, Marquis de Pompignan, um 1770; englisch: RPotter 1779; deutsch: JTL Danz 1805/08). Ausgaben in originalem Griechisch gab es freilich seit 1518/1552 und 1663 mit den charakteristischen Verlagsorten Venedig und London. Neuere Gesamtausgaben im deutschen Verlagswesen und von angemessenem Rang finden sich erst seit 1782 (CG Schütz). Wenn der durch FL Graf vStolberg Ende Mai/Anfang Juni 1782 überlieferten Äußerung Goethes, daß Ae. nach Homer sein Lieblingsdichter sei, mehr als aktueller Quellenwert beigemessen werden soll, hält es schwer, seine Lektüre für die vorausliegenden Entwicklungsstufen bibliographisch zu identifizieren. Ohne Zweifel aber, und zwar schon in ebendiesen voritalienischen, weimarer Jahren gibt es eine sehr eindringliche Beschäftigung Goethes mit Ae.; diese steht im Zusammenhang mit seinem Ringen um eine neue (klassische) Form für das eigne *Drama. Goethe schreibt am 14. II. 1779 an Charlotte vStein: *Den ganzen Tag brüt ich über Iphigenien, daß mir der Kopf ganz wüst ist, ob ich gleich zur schönen Vorbereitung lezte Nacht 10 Stunden geschlafen habe (IV/4, 11).* GChr *Tobler, der bald danach in Weimar zu finden ist, fördert alsdann durch seine Ae.-Übersetzungen (erschienen 1781/82) Goethes Studium, besonders erwähnt wird im Tagebuch der Agamemnon, dh. der erste Teil der Oresteia *(Ward der Agamemnon des Eschyl. gelesen. 9. II. 1782: III/1, 138).* Anderes muß bald gefolgt sein: *Tobler hat noch drey Stücke des Aeschylus geschickt, und ein Paketgen aus der*

Griechischen Anthologie für dich, die Werthern und die Kleine (an ChvStein, 17. III. 1782). Goethes bereits erwähnte Bitte an Stolberg betraf dessen Übersetzung der Eumeniden, also des dritten Teils der Oresteia (Mai/Juni 1782: Bdm. 1, 121 Nr 244). Danach schweigen die Zeugnisse längere Zeit, um mit auffälligerem Nachdruck erst am Beginn der Schiller-Freundschaft wieder hervorzutreten. 1795 müht sich Goethe um den Plan, dem nur als Fragment überlieferten Prometheus (Prometheia) des Ae. ein eigenes „Trauerspiel im altgriechischen Geschmack", *Die Befreiung des Prometheus* (Anfang April 1794 / Anfang April 1797: *I/11, 331–334,* dazu Schiller an Körner, 10. IV. 1795: Bdm. 1, 221) entgegenzustellen. Es entstehen einige Entwürfe, darunter ein durch Wv*Humboldt am 9. IV. 1797 für Schiller nach Jena überbrachter *Chor aus Prometheus (I/11, 441);* Goethe scheint beabsichtigt zu haben, seinen alten *Prometheus,* das dramatische Fragment aus den Jugendtagen von 1773 *(I/39, 193–215)* in Parallelität zu *Fausts* Erlösung und in Um- oder Neugestaltung der Überlieferungsbruchstücke des Ae. aus dem *Gram des tiefen langen Sinnens* über seinen *Schmerz den unverdienten,* dh. aus dem aufbegehrenden Titanismus des Tuns wie des Leidens gemäß der Entwicklungsstufe dieser Jahre zu befreien. Es blieb bei diesen Ansätzen; das Thema selbst ging dann endgültig an den *Faust* über. Auch ein anderer Wunsch (vielleicht in derselben Zeit entstanden?), einen dritten Teil zu den Schutzflehenden zu schreiben, blieb unausgeführt (Bdm. 2, 50). Doch die Ae.-Studien setzen sich fort. Nach der Übertragung Toblers (die noch wiederholt beigezogen und meist aus der weimarer Bibliothek entliehen wird: Keudell Nr 81 und 157 in der Zeit von ca. 1797 bis 1800) tritt die mühevoll gearbeitete, wenn auch nicht sehr gelungene Agamemnon-Übersetzung WvHumboldts, an deren Werdegang Goethe seit 1797 aufmerksam Anteil nimmt: *Humboldt arbeitet an der Übersetzung des Agememnon von Aeschylus . . . und indem ich so sehr Ursache habe über die Natur des epischen Gedichts nachzudenken* [etwa gleichzeitig wurde *Hermann und Dorothea* beendet] *so werde ich zugleich veranlaßt auch auf das Trauerspiel aufmerksam zu seyn, wodurch denn manches besondere Verhältniß zur Sprache kommt* (28. III. 1797: *IV/12, 81).* Später die Gesamtübersetzung von JTLDanz (1805/06), die Agamemnon-Übersetzung von JH*Voß (1808) sowie die vielfach umgeschmolzene, endlich abgeschlossene von WvHumboldt: *Das große Werk, dem*

Sie, theuerster Freund, einen schönen Theil Ihres Lebens gewidmet, konnte nicht zu besserer Stunde bey mir anlangen (1. III. 1816: *IV/27, 156*). Neben solcher ausgedehnten Bemühung um den Text des Ae. und seine Kenntnis stehen die Zeugnisse für eine Bemühung um seine Interpretation. So schon 1804: *Die alte Tragödie bei Äschylus hat Ähnlichkeit mit den alten tragischen *Balladen, besonders den schottischen. Vielleicht ließen sich diese auf alte Weise zu Dramen machen* (Riemer S. 248). Dann HBlümner: „Über die Idee des Schicksals in den Tragödien des Aeschylos. Leipzig 1814" (9.-12. XI. 1814: Keudell Nr 936; vgl. in *Shakespeare und kein Ende* Goethes Urteil über *Blümners höchst schätzbare Abhandlung* und über *deren vortreffliche Recension in den Ergänzungsblättern der Jenaischen Literaturzeitung I/41^I, 64*). Ferner 1823 die mannigfachen Arbeiten JGJ*Hermanns (III/9, 4; 330). Der späte Gedanke, den Philoktet des Ae. etwa gar selbst zu restaurieren (31. I. 1827: Bdm. 3, 340) blieb freilich ein mehr oder weniger flüchtiger Einfall.

Goethe hat sich also sehr wohl ein deutliches Bild aller damals bekannten Ae.-Texte in den zeitgenössisch modernsten Übersetzungen (vielleicht auch im griechischen Originaltext?) gemacht sowie an der Diskussion um deren Verständnis und Deutung teilgenommen. Er hat sich sogar wiederholt nachschöpferisch betätigt (1773?; 1795/97; 1809; 1827). Zu der Tatsache, daß die klassischen Dramen Goethes ohne Rezeption der antiken Tragödie, ohne deren Anverwandlung und Umgestaltung im Sinne eines goethesch *gräcisirenden Schauspiels (IV/16, 11)* kaum möglich gewesen wären, hat auch Ae. seinen Beitrag geleistet. Goethes Zugang zu den tiefen Regionen des antiken *Griechentums vollzog sich aber weniger auf diesem Wege als vielmehr auf dem einer noch direkteren Begegnung, deren biographisch letztes Wort die *Klassische Walpurgisnacht* ist. Ehe es so weit war, sagte Goethe Anfang September 1827 zu W*Zahn: *Ja, die Alten sind auf jedem Gebiete der heiligen Kunst unerreichbar. Sehen Sie, . . . ich glaube auch etwas geleistet zu haben, aber gegen . . . Äschylos . . . bin ich doch gar nichts* (Bdm. 3, 443).   Za

Grumach S. 242–253. – LWolde: Aischylos, Tragödien und Fragmente, verdeutscht. 1928. – WPorzig: Aischylos. Die attische Tragödie. 1926. – WFOtto: Dionysos. Mythos und Kultus. 1933. – ThvScheffer: Hellenische Mysterien und Orakel. 1940. S. 24–70.

Aesculap / Asklepios, der römische, eigentlich griechische Gott der Heilkunst, eine verhältnismäßig junge Gottesgestalt wird von Goethe fast ausschließlich im Zusammenhang mit Denkmälern oder Fragen der Bau- und Bildkunst genannt. In *Wilhelm Meisters Wanderjahren* gewinnt er, eng verbunden mit dem Gedanken einer *Plastischen Anatomie*, dh. anatomischer Modelle, wie heute als „Phantome" vielfach für das Studium der *Medizin gebräuchlich, eine betontere Bedeutung. In dieser *Weltangelegenheit (IV/49, 242f.)* eilte Goethe seiner Zeit voraus, zT. weil er der optimistischen Meinung war, daß für die Zwecke der Anatomie alsbald nur noch die Leichen natürlich verstorbener, nicht hingerichteter Strafgefangener verfügbar sein, diese für die praktischen Erfordernisse der ärztlichen Ausbildung jedoch nicht ausreichen dürften: *Damit man aber nicht glaube, . . . daß wir uns von der Natur ausschließen und sie verläugnen wollen, so eröffnen wir eine frische Aussicht. Drüben über dem Meere, wo gewisse menschenwürdige Gesinnungen sich immerfort steigern, muß man endlich bei Abschaffung der Todesstrafe weitlaufige Castelle, ummauerte Bezirke bauen, um den ruhigen Bürger gegen Verbrechen zu schützen und das Verbrechen nicht straflos walten und wirken zu lassen. Dort mein Freund, in diesen traurigen Bezirken, lassen Sie uns dem Äsculap eine Capelle vorbehalten, dort so abgesondert wie die Strafe selbst werde unser Wissen immerfort an solchen Gegenständen erfrischt, deren Zerstückelung unser menschliches Gefühl nicht verletze, bei deren Anblick uns nicht, wie es Ihnen bei jenem unschuldigen Arm erging, das Messer in der Hand stocke und alle Wißbegierde vor dem Gefühl der Menschlichkeit ausgelöscht werde (I/25^I, 94)*. Nur an dieser Stelle, die sich bemerkenswert mit der Intention der *Wanderjahre* verknüpft, wird ein – freilich stark modifizierter – Reflex der alten Göttlichkeit des Ae. spürbar, während Goethe derartiges sonst nicht mit diesem Namen verbindet.   Za

UHausmann: Kunst und Heiltum. Untersuchungen zu den griechischen Asklepiosreliefs. 1948. S. 18–37. – ETrunz, HbgA 8 (1950), S. 689 f.

Aesculap-Relief (Vatikan). Ein eigenartiges, in seiner Darstellung noch heute umstrittenes, römisches Weihrelief an den Heilgott Aesculap (griech. Asklepios), dessen Kult im Jahre 293 vChr. von Epidauros auch nach Rom auf die Tiberinsel gekommen war, bemerkte Goethe bei einem seiner Besuche im Vatican, wo es noch heute in eine Statuenbasis der Sala Rotunda (Nr 550 a) eingemauert ist, *Basrelief auf der Gallerie des Museum, Merkur der eine kniende Figur dem Eskulap empfiehlt der sie an die Grazien weißt (I/32,441)*.   Hm

UHausmann: Kunst und Heiltum. 1948. S.82f. Abb. 14.

Aesop, Aesopus/Aisopos, um 550 vChr., wohl aus Sardes gebürtig, nach herodotischer Überlieferung zeitweilig Sklave auf Samos, war schon im Altertum eine geschichtlich kaum faßbare Gestalt. Frühzeitig galt er als Verfasser einer Sammlung von *Fabeln in Prosa, bald danach und in zunehmendem Maße als Urheber weiterer, ja der meisten Fabeln überhaupt. Sein Name verbindet in fast lückenloser Tradition griechische und römische Antike über das Mittelalter, über *Renaissance und *Barock mit dem achtzehnten Jahrhundert. Ä.ische Fabeln gehören mit Vorzug und zahllosen Ausgaben zum Bildungs- und Lebensgut gerade dieser aufgeklärten Epoche, weil ihr stark lehrhaftes Element den aktuellen Tendenzen der Zeit so überzeugend zu entsprechen vermochte und praktische Lebenserfahrung belehrend und unterhaltend darbot. Wegen dieser Eigenschaften galten sie sogar als beispielhaft und nahmen die erste Stelle in der literarischen Rangliste ein: *Nach diesen... Erfordernissen wollte man nun die verschiedenen Dichtungsarten prüfen, und diejenige, welche die Natur nachahmte, sodann wunderbar und zugleich auch von sittlichem Zweck und Nutzen sei, sollte für die erste und oberste gelten. Und nach vieler Überlegung ward endlich dieser große Vorrang, mit höchster Überzeugung, der Äsopischen Fabel zugeschrieben (I/27, 79).* In der Sprache JG*Sulzers lautet das zeitgenössisch unmittelbarer: „Fabel (die äsopische) ist die Erzählung einer geschehenen Sache, in so fern sie ein sittliches Bild ist... 1) Die Fabel ist nicht blos ein besonderer Fall dessen, was man allgemein ausdrüken will, wie das Beispiel ist. 2) Sie ist ein sittliches Bild, das ist, die Vorstellung, die durch sie anschauend soll erkennt werden, betrifft allemal etwas aus dem sittlichen Leben der Menschen; sie ist ein allgemeiner moralischer Satz, oder auch nur ein Begriff von einem moralischen Wesen, von einem Charakter, von einer Handlung, von einer Sinnesart. Überhaupt also ist die abgebildete Sache ein moralischer Satz, oder nur ein moralischer Begriff... 3) Das Bild ist eine Erzählung, und dadurch unterscheidet sich die Fabel von andern Bildern. Das, was der sinnlichen Vorstellung vorgeleget wird, ist eine Sache, die als würklich geschehen erzählt wird; nicht eine blos mögliche Sache, die geschehen könnte, wie viele Beyspiele; nicht eine vorhandene Sache, die beschrieben wird, wie viele Gleichnisse... Die Absicht der Fabel ist eben die, die man bey allen Bildern hat: wichtige Begriffe und Vorstellungen dem anschauenden Erkenntniß sehr lebhaft und mit großer

ästhetischer Kraft vorzubilden. Sie ist ein Werk des Genies, das wegen der Ähnlichkeit zwischen sinnlichen Gegenständen und abgezogenen Vorstellungen Vergnügen macht ... Die Äsopische Fabel ist demnach ein Werk, wodurch der Zwek der Kunst auf die unmittelbarste Weise erreicht wird. Sie ist keineswegs ... eine Erfindung Kindern die Wahrheit einzuprägen, sondern eine auch dem stärksten männlichen Geist angemessene Nahrung. Aesopus war ein Mann, und suchte Männer durch seine Fabeln zu belehren... Sie gehöret zu den lehrenden Gedichten, und nimmt unter ihnen einen desto höhern Rang ein, je wichtiger die Wahrheit ist, die sie dem Gemüth einpräget ... Der vollkommenste Fabeldichter, den man kennt, ist ohne Zweifel der phrygische Philosoph Aesopus."
Dieser hohen Wertschätzung der Fabelkunst Ae.s folgten, wie Goethe besonders hervorhebt, ChrF*Gellert, M*Lichtwer und GE*Lessing neben vielen anderen ungenannten oder weniger bedeutenden. Auch Goethe selbst hatte zunächst im Elementarunterricht Fabeln des Ae. nachzuerzählen (Morris 1, 74 f.), noch in *Straßburg beschäftigten ihn vor-sulzerische Definitionen der Fabel anhand eines Buches von ELDHuch: Äsopus. 1769 (Morris 2, 28), das aber keine wesentlich anderen Gesichtspunkte geltend machte. Erst durch das Vertrautwerden mit JG*Hamanns Aphoristik werden Abweichungen angeregt worden sein (Morris 2, 120). Parodistische Möglichkeiten scheinen 1775 aufzublitzen (Morris 5, 344). In Goethes eigener, späterer Dichtung taucht Ae. nur verhältnismäßig selten auf (1770: *Satyros, I/16, 77–104;* 1794: *Reineke Fuchs I/50, 5–186;* auch *Parabolisch I/2, 6).* Die Vorherrschaft des Ae. und seiner Fabelkunst kann Goethe nicht mehr zu ihren eindeutig überzeugten und überzeugenden Anwälten zählen. Goethe hatte mit seinem *Symbolbegriff eine zu stark unterschiedene Basis gewonnen.   *Za*

IG Sulzer: Allgemeine Theorie der schönen Künste. Zweyter Theil. Leipzig. ²1778. S. 104–109.

Ästhetische Pflanzenansicht. Bei seinem Aufenthalt in *Dornburg im Sommer 1828 stellte Goethe *ästhetische Betrachtungen über die Blumen im Gegensatz von dem Wissenschaftlichen auf (III/11, 276).* Er verfertigte ein ausführliches Schema zu einem größeren Aufsatz *Ästhetische Pflanzen-Ansicht,* der aber nicht ausgeführt wurde. Darin sollte die Geschichte der *Blumenmalerei dargestellt und das Verhältnis der Künstler und Kunstliebhaber zur Botanik und Blumengärtnerei behandelt werden. *Die*

Kunstliebhaber sind zugleich Botanophilen. Der Künstler hat sich nach ihnen zu richten (II/6, 362 f.).   **Ba**

Ätna, ein mehr als 3000 m hoch ansteigender, breit ausladender gemischter Vulkan, der besonders durch die Flankenausbrüche, die aus mehr oder weniger langgestreckten Spalten an den Flanken des Hauptberges austreten, gekennzeichnet ist. Diese Flankenausbrüche fördern vor allem Lava, während der Hauptkrater vorwiegend Asche und Schlacken auswirft. Im Zusammenhang mit den Flankenausbrüchen entstehen Nebenkegelchen, sog. „Parasiten", am Ä. als Bocchen bezeichnet. Eine der größten Flankeneruptionen des Ä. war die von 1669, die von Nicolosi aus eine 18 km lange Spalte aufriß; der hier austretende Lavastrom zerstörte einen Teil von Catania und bildete eine 3 km lange ins Meer hinausreichende Landzunge. Am unteren Teil der Spalte entstand neben anderen die 250 m hohe Bocca, die, als Monte Rosso bekannt, die größte Bocca des Ä. ist.

Um einen allgemeineren Begriff von den Volkanen zu haben, muß man den Etna mit Verstand und Sorgfalt bereisen heißt es in einem Brief an Frau vStein aus Rom (IV/8, 160). Als Goethe im Mai 1787 nach *Catania kam, besichtigte er dort den Lavastrom von 1669 und *schlug ein unbezweifeltes Stück des Geschmolzenen herunter, bedenkend, daß vor meiner Abreise aus Deutschland schon der Streit über die Vulkanität der Basalte sich entzündet hatte (NS 1, 158).* Wenn auch das Problem *Vulkanismus-*Neptunismus in den geologischen Auslassungen vor der italienischen Reise kaum in Erscheinung trat, so hat es ihn doch offenbar damals schon stark beschäftigt, und er versuchte, in Italien angesichts des Ä. und Vesuv zur Klarheit zu kommen. Der Ä. freilich wurde ihm zur Enttäuschung. Das Wetter verbot eine Besteigung; er mußte sich mit einem Besuch des Monte Rosso begnügen, und auch hier machte ein *gewaltsam stürmender Morgenwind (NS 1, 160)* Beobachtung weitgehend unmöglich. Für das Problem des Vulkanismus hat Goethe also am Ä. keine weitere Förderung gefunden. Dennoch konnte ihm 1815 der Ä. zum Gleichnis für das vulkanisch verzehrende Hervorbrechen heißer Leidenschaft durch *Schnee und Nebelschauer* in jäher Steigerung zu *Frühlingshauch* und *Sommerbrand* werden (I/6, 168).   **Bn**

Afbeelding van 't nieu [-w] Romen, Waer in vertoont zijn de Kerken, hl. lichnamen, reliquien en andere aenmerkelijte Dingen – ein Werk, das 1661 in Amsterdam erschienen war, verzeichnet Goethe unter den Schriften, die er zur Vorbereitung seiner zweiten italienischen Reise benutzen wollte (I/34^II, 182).   **Lö**

Affe (Simia, Pithecus), der mit dem *Menschen die erste Ordnung der Säugetiere, die Primaten, bildet, stellt ebendeswegen in zoologischer wie in anthropologischer Hinsicht für Goethe einen Sonderfall dar, der fast stets in sehr enger Relation zu Problemen der Entwicklungsgeschichte (*Abstammungslehre, *Morphologie) und zum Menschen betrachtet wird. Diese Relation hat die Form einer dialektischen Paradoxie, in der die sonst für Goethes Denken so verbindliche Wechselwirkung von *unterscheiden* und *verbinden* sich umkehrt: *Dich im Unendlichen zu finden, / Mußt unterscheiden und dann verbinden (I/3, 97;* vgl. *Analogie). Je menschen-ähnlicher nämlich der A. wird, um so menschen-unähnlicher wird er, weil das von Goethe formulierte Gesetz: *Das Tier wird durch seine Organe belehrt; der Mensch belehrt die seinigen und beherrscht sie (MuR Nr. 1190)* gültig bleibt, aber durch die äußere An-Ähnelung des A.n an den Menschen gespenstisch im komischen oder im tragischen Sinne wird. Je mehr sich der A. in Ähnlichkeit dem Menschen „verbindet", umso mehr „unterscheidet" er sich gerade dadurch: „Wir sprachen über die Häßlichkeit dieser Bestien, und daß sie desto unangenehmer, je ähnlicher die Rasse dem Menschen sei" (9. VII. 1827: Bdm. 3, 409). Bereits in den *Wahlverwandtschaften (1808/09) heißt es, daß diese *menschenähnlichen und durch den Künstler noch mehr vermenschlichten* Geschöpfe einen *abscheulichen* Anblick boten, der allerdings und gerade *Lucianen die größte Freude* macht *(I/20, 236): Im Grunde sind doch die Affen die eigentlichen Incroyables, und es ist unbegreiflich, wie man sie aus der besten Gesellschaft ausschließen mag.* Ein anderer als *Luciane* hätte das kaum sagen können oder dürfen. Für eine Auffassungsweise, die der *Vergleichung* eine so grundlegende Bedeutung für die *Naturgeschichte überhaupt* beimißt *(II/8, 7),* muß der A. als Erzeugnis und Ereignis der schaffenden Natur eine besondere Problematik mit sich bringen, in der das zur Häßlichkeit Verzerrte und Entstellte nahe beim Teuflischen erscheint: *Aber was ich dann fand – den Schrecken wollt' ich um vieles / Rothes Gold nicht zweimal in meinem Leben erfahren! / Welch ein Nest voll häßlicher Thiere, großer und kleiner! / Und die Mutter dabei, ich dacht' es wäre der Teufel. / Weit und groß ihr Maul mit langen häßlichen Zähnen, / Lange Nägel an Händen und Füßen und hinten ein langer /*

Schwanz an den Rücken gesetzt; so was Ab-scheuliches hab' ich / Nicht im Leben gesehn! Die schwarzen leidigen Kinder / Waren seltsam gebildet wie lauter junge Gespenster. / Gräulich sah sie mich an. Ich dachte, wär' ich von dannen! / Größer war sie als Isegrim selbst, und einige Kinder / Fast von gleicher Statur. Im faulen Heue gebettet / Fand ich die garstige Brut, und über und über beschlabbert / Bis an die Ohren mit Koth, es stank in ihrem Reviere / Ärger als höllisches Pech. Die reine Wahrheit zu sagen: / Wenig gefiel es mir da, denn ihrer waren so viele, / Und ich stand nur allein. Sie zogen gräuliche Fratzen (I/50, 161). In einer anderen, gesteigerten Dimension erscheint diese Pro-blematik in dem Verhältnis *Mephistopheles/ Phorkyas* des zweiten *Faust*-Teiles; wenn-gleich der Gebrauch des Ausdrucks „Fratze" auch an dieser Stelle ebenfalls zurück, dh. in den ersten Teil verweist (zB. *Hexenküche: Versprichst du mir, ich soll genesen / In diesem Wust von Raserei? / – Wie glücklich würde sich der Affe schätzen, / könnt' er nur auch im Lotto setzen! V. 2337–2338; 2400–2401). –*
Goethe hat wahrscheinlich schon früh und den damaligen Gepflogenheiten bei Schaustellun-gen entsprechend, zumindest während der Messen (Frankfurt/M.; Leipzig), bei großen und kleinen Volksbelustigungen, bei sonstigen Gelegenheiten daheim oder unterwegs im Ge-folge straßauf-straßab getriebener Fahrender lebende A.n (meist wohl Altwelt- oder Ost-affen, Schmalnasen/Catarrhina; darunter ge-wiß die einigermaßen beliebten Meerkatzen-artigen ebenso wie die höchstentwickelten Ver-treter: die Menschenaffen; weniger die damals in Europa noch selten gezeigten Neuwelt- oder Westaffen, Breitnasen/Platyrrhina, denn zoo-logische Gärten im modernen Sinne entstehen erst seit 1829), möglicherweise auch Halbaffen (Prosimiae) selbst und wiederholt gesehen. Zeugnisse dafür lassen sich erschließen oder finden sich primär. So etwa in *Wilhelm Meisters theatralischer Sendung* (1783): *Wahr-haftig, man muß ein Fell haben wie ein Bär, der in der Gesellschaft von Affen und Hunden* [noch heute üblich] *an der Kette herumgeführt und geprügelt wird, um bei dem Tone eines Dudel-sacks vor Kindern und Pöbel zu tanzen (I/51, 169).* Ferner berichtete Goethe aus *Neapel am 19. III. 1787: Am Molo, einer Hauptlärmecke der Stadt, sah ich gestern einen Pulcinell, der sich auf einem Brettergerüste mit einem kleinen Affen stritt, drüber einen Balcon, auf dem ein recht artiges Mädchen ihre Reize feil bot. Neben dem Affengerüste ein Wunderdoctor, der seine Arcana gegen alle Übel den bedrängten Gläubi-*

gen darbot; von Gerhard Dow gemahlt, hätte solch ein Bild verdient, Zeitgenossen und Nachwelt zu ergötzen (I/31, 62). Endlich erzählt *Ecker-mann, zwar von ihm selbst erlebt, aber a) aus Frankfurt und b) vom dortigen Messe-betrieb am 24. IV. 1830: „Es ist Messe, und das Getreibe und Geleyer und Gedudel auf der Straße geht vom Morgen bis spät in die Nacht. Ein Savoyardenknabe war mir merkwürdig, der eine Leyer drehte, und hinter sich einen Hund zog, auf welchem ein Affe ritt. Er pfiff und sang zu uns herauf, und reizte uns lange, ihm etwas zu geben. Wir warfen ihm hinunter, mehr als er erwarten konnte, und ich dachte er würde einen Blick des Dankes heraufsenden. Er that aber nicht dergleichen, sondern steckte sein Geld ein und blickte sogleich nach Ande-ren, die ihm geben sollten (Houben S. 325). Außer solchen nicht eben allzu häufigen un-mittelbaren oder mittelbaren Nachweisen muß an die von Goethe wiederholt besuchten Für-stenhöfe gedacht werden, die oftmals lebende A.n verschiedenster Art unterhielten: „Ich begreife nicht, sagte der Kanzler [FThAH v*Müller] wie fürstliche Personen solche Tiere in ihrer Nähe dulden, ja vielleicht gar Gefallen daran finden können." – *Fürstliche Personen,* sagte Goethe, *werden so viel mit widerwärtigen Menschen geplagt, daß sie die widerwärtigen Tiere als ein Heilmittel gegen dergleichen unan-genehme Eindrücke betrachten. Uns anderen sind Affen und Geschrei der Papageien mit Recht widerwärtig, weil wir diese Tiere hier in einer Umgebung sehen, für die sie nicht gemacht sind. Wären wir aber in dem Fall, auf Elefanten unter Palmen zu reiten, so würden wir in einem solchen Element Affen und Papageien ganz ge-hörig, ja vielleicht gar erfreulich finden. Aber, wie gesagt, die Fürsten haben recht, etwas Wider-wärtiges mit etwas noch Widerwärtigerem zu ver-treiben. –* Hierbei, sagte ich, fällt mir ein Vers ein, den Sie vielleicht selber nicht mehr wissen: *Wollen die Menschen Bestien sein, / So bringt nur Tiere zur Stube herein: / Das Widerwärtige wird sich mindern; / Wir sind eben alle von Adams Kindern.* Goethe lachte. *Ja,* sagte er, *es ist so. Eine Roheit kann nur durch eine andere ausgetrieben werden, die noch gewaltiger ist (Bdm. 3, 409).* Das ist eine fast homöopathi-sche Methode: Similia similibus. – Einen breiteren Raum nimmt das Studium skelet-tierter, gelegentlich wohl auch ausgestopfter oder sonst präparierter Exemplare ein, wie sie in Kabinetten und Museen damals, dh. bereits seit dem 16. Jahrhundert durchaus zu den fast selbstverständlichen Schaustücken ge-hörten. Solche Naturalien-Kabinette und

Museen fanden sich in nahezu allen bedeutenden Städten, in Residenzen, gelegentlich auch
in Privathand (Pierer 20, S. 274); Goethe hat
im eigenen Besitz oder in öffentlichen Einrichtungen (*Amtliche Tätigkeit) selbst solche
Sammlungen eingerichtet oder verwaltet und
ausgebaut. Auf seinen zahlreichen Reisen
(vgl. Routenverzeichnis im 4. Band) pflegte
er kaum einmal an solchen Institutionen vor-
beizugehen. Im übrigen traf Goethe in den
Werken der bildenden Kunst auf eine klare
und reiche Darstellungstradition, sowohl in
christlich-kirchlicher wie in profaner Sicht,
die bereits seit dem Mittelalter harmlos fabu-
lierende, mehr oder weniger scharf satirische
und schließlich eindeutig satanisierende Motive aufwies [RDK 1 (1937), Sp. 202–206]. Bemerkenswert dabei ist, daß die Götzen in
Wiedergaben des Götzendienstes oftmals
wegen ihrer Zerr- und Gegenbildlichkeit zu
Gott und zum Gottesdienste a.artiges Aussehen erhalten haben. Der künstlerische Wert
und der kunstgeschichtliche Zusammenhang
der infragekommenden Werke wird hier außeracht gelassen. Uns kommt es auf den A.n als
Bildgegenstand und nicht als Kunstwerk an.
Länder- oder Tierkunden allgemeiner oder besonderer Art gehören daher in diesen Frage-
kreis ebenso wie Darstellungen der reinen
Kunst. Der Gebrauch solcher Werke ist wiederholt bezeugt, zB. GLLBuffon: ,,Naturge-
schichte der vierfüßigen Tiere", Keudell Nr 45
(Februar 1794); PhCluverus: ,,Introductio in
universam geographiam tam veterem quam
novam, tab. geogr. 46 ac notis olim ornata a
Johanne Bunone ... locupleta addit. et annot
Johannis Friderici Hekelii et Johannis Reis-
kii", Keudell Nr 46 (September 1794); Jde*La
Fontaine: ,,Fables choisies", Keudell Nr 47
(Dezember 1794); MPark: ,,Reisen im Innern
von Afrika ... i.d.J. 1795–97", Keudell
Nr 202 (März-September 1800); ,,Neuere Geschichte der See- und Landreisen", Bd 6. 7.
Bd 6, Abt. 1: WHodge: ,,Reise durch Ostindien ... 1780, 1781, 1782 und 1783"; Bd 6,
Abt. 2: WTench: ,,Gesch. von Port Jackson
in Neu-Holland von 1788–92. Nebst e. Beschr.
d. Insel Norfolk ..."; Bd 7, Abt. 1: AeAnder-
son: ,,Gesch. d. Britt. Gesandtsch. nach
China ... 1792, 1793 und 1794", Bd 7, Abt. 2:
,,Reise nach Guiana und Cayenne ...", Keudell Nr 203 (März–Juli 1800); JMawe: ,,Reise
in das Innere von Brasilien ... Nebst e. Reise
nach d. La Plata Fluß ...", Keudell Nr 1120
(November 1817 – Juli 1818); *Anquetil-
Duperron: ,,Reise nach Ostindien nebst einer
Beschreibung der bürgerlichen und Religions-

gebräuche der Parsen ...", Keudell Nr 1155
(Juli 1818–September 1819); WCEschwege:
,,Journal von Brasilien od. vermischte Nachrichten aus Brasilien auf wiss. Reisen ge-
samm.", Keudell Nr 1198 (Februar–August
1819); GFLyron: ,,A Narrative of travels in
Northern Africa in the years 1818, 19 and
20 ...", Keudell Nr 1401 (Mai–September
1821); Louis: ,,Gemälde von Westindien und
dem Kontinent von Süd-Amerika", Keudell
Nr 1757 (November 1826); ERüppel: ,,Atlas
zu der Reise im nördlichen Afrika. Abt. 1:
Säugetiere bearb. von PhJCretzschmar.", Keudell Nr 1859 (September 1827); MFürst zu
*Wied-Neuwied: ,,Reise nach Brasilien a.d.J.
1815–17. Atlas", Keudell Nr 1903 (März–April
1828); JPSpic und CPhvMartius: ,,Atlas zu der
Beschreibung der Reise in Brasilien", Keudell
Nr 2199 (März 1831); ,,The Gardens and
menagerie of the Zoological society delineated",
Keudell Nr 2227 (September–Oktober 1831). –
Bekannt ist Goethes temperamentvolle Ablehnung der zu *Bagheria besichtigten barok-
ken Gebilde im Park des Prinzen *Pallagonia
(I/31, 114). Die schon dem frankfurter Goethe
vertraute indische Gottheit Hanuman (Hannemann; Huhman, Hunemann, ein in *Indien
heiliger Schlankaffe, Schmalnase, Kampf-
genosse des Râma im Râmâjana) muß auch
hier genannt werden: *Auf ewig hab' ich sie vertrieben, / Vielköpfige Götter trifft mein Bann, /
So Wischnu, Cama, Brama, Schiven, / Sogar
den Affen Hannemann (I/3, 257)*. Hier klingt
allerdings herdersche Geschichtsauffassung
hindurch.
Von anderen, etwa nebenmotivisch oder gar
in Staffage auftretenden A.nbildern erfahren
wir zu wenig oder gar nichts. Schilderungen
etwa bei Reisebeschreibungen lassen sich nach
Umfang und Gewicht ebensowenig bestimmen. Aber es ist alles in allem genug, um eine
für Goethes Beobachtungsart hinreichende
Eigenkenntnis, bzw. Vorstellungsdichte und
Urteilsfähigkeit über den A.n zu gewährleisten.
Außer Fachleuten wird es heute nur wenige
geben, die an Bild- und Buchkenntnis sowie
an unmittelbar Gesehenem eine auch nur annähernd vergleichbare Variationsbreite und
-fülle aufweisen können.
Am bedeutendsten in diesem Zusammenhang
sind Goethes eigene anatomische, insbesondere osteologische und morphologische Studien,
soweit der A. darin eine Rolle spielt. Bereits
die Vorarbeiten zur *Osteologie nehmen häufig
Bezug: *Bey einem Affenschädel verbinden sich
die Ossa bregmatis mit dem Osse Sphenoideo und
trennen das Os frontis und temporum von ein-*

ander. *Alle diese Fälle mit ihren Umständen zu untersuchen* (vor 1795, wahrscheinlich bis 1784 zurückreichend: II/13, 208; dazu den Abbildungsplan 216, sowie das Os intermaxillare, den Zwischenknochen betreffend 218 und 219; die Angaben auf diesen Seiten stimmen aber nicht mit den überlieferten Bebilderungen überein, vgl. ebda 218 und 219). Etwa gleichzeitig findet sich eine Notiz: *Merckwürdige Separation der Epiphysen des Humerus am Bären zu notiren. Am Elephanten . . . am Elend . . . am Affen ein Exemplar (II/13, 225)* sowie inbezug auf das Verhältnis Ulna/Radius die Bemerkung: *Bey Thieren, die aufs gehen (laufen stehen) ausgerichtet sind ist der Radius stärcker als die Ulna. ja zusammengewachsen. Bey Thieren deren Hände zum Arbeiten (Handeln) eingerichtet sind ist die Ulna stärcker als der Radius. (Vielmehr proportioniert wie beym Menschen). Zu untersuchen wie beyde Theile verwachsen.* Etwas später heißt es: *Getrennt im Gleichgewicht M e n s c h Schwankend A f f e (ebda 226);* vgl. II/8, 159.

Schließlich: In Goethes Sprachschatz erscheint der A. als *Schimpfwort nicht mehr, auch nicht weniger häufig als in der normalen Umgangssprache. Kennzeichnend aber ist, daß hier wieder recht deutlich die anfangs bemerkte Paradoxie treibende Kraft wird und alle Tonarten und Grade des Karrikierenden, Grotesken vom Niedlich-Komischen bis zum Abscheulich-Abstrusen umspannt.

Was den A.n für Goethe über die Paradoxie hinaus immer wieder interessant macht, ist seine Eigenschaft, eine besonders neuralgische Nahtstelle zwischen natur- und geisteswissenschaftlicher Forschungsart darzubieten. Von beidem etwas manifestiert sich in einer Geistesrichtung, die in Goethes letztem Lebensjahrzehnt den A.n als dichterischen Gegenstand, als „Helden" herausstellt, um seine in Natur und Geist sich bekundende, menschennachahmende Gegenbildlichkeit zum Menschen bis in das gespenstische Vertauschen von Schein und Sein zu steigern (W*Hauff; EAPoe). Man könnte diese Perspektive bereits in den *Wahlverwandtschaften* angelegt oder vorbereitet finden: *Wie man es nur über das Herz bringen kann, die garstigen Affen so sorgfältig abzubilden. Man erniedrigt sich schon, wenn man sie nur als Thiere betrachtet; man wird aber wirklich bösartiger, wenn man dem Reize folgt, bekannte Menschen unter dieser Maske aufzusuchen. Es gehört durchaus eine gewisse Verschrobenheit dazu, um sich gern mit Carricaturen und Zerrbildern abzugeben (I/20, 291).*
Za

Affiches, Les petites, die dem Publikum geläufige Bezeichnung für die „Annonces, affiches et avis divers", die in zwei Serien erschienen („Affiches de Paris", 1751–1790, und „Affiches de Province", 1751–1779); in ihnen nahm die Polemik gegen die „*Encyclopédie" zuweilen eine äußerst scharfe Form an; in *Rameau's Neffen* erwähnt (1805: I/45, 88).
Fu

Afrika. Eine eingehendere Beschäftigung Goethes mit A., dem damals noch besonders „dunklen Erdteil", läßt sich zunächst (nach 1780/84) im Zusammenhang mit osteologischen Studien feststellen. Sie fügt sich wohl der Absicht ein, Näheres von der Lebenswelt der gerade untersuchten oder zu untersuchenden Tiere (zB. Löwe, Tiger, Elefant, *Affe usw.), dann auch der Pflanzen zu erfahren. Goethe nimmt damit ein Anliegen vorweg, das in der *Biologie des 20. Jahrhunderts (JvUexküll; KLorenz) als Forschungsprinzip nach der Seite der Oekologie oder der Verhaltenspsychologie besonders bedeutsam hochentwickelt wurde. Fragen der Mission oder des Sklavenhandels spielen demgegenüber für Goethe eine Nebenrolle. In späteren Jahren (etwa nach Schiller, mehr noch nach Christianes Tod) beginnt Goethe so sehr „in der Welt" zu leben, daß A. auch in wesentlich erweiterter Weise in sein Blickfeld tritt und als Land und Erdteil um seiner selbst willen Gegenstand von Studien wird. Hauptgewährsmänner dabei sind: Georges Francis Lyon (1821: Keudell Nr 1401); vor allem aber und schon früher Mungo Park, der ehemalige Wundarzt, der, beauftragt durch die Afrikanische Gesellschaft/London in der abenteuerlichsten Weise das Innere A.s bereiste und erforschte und 1806 von Eingeborenen umgebracht wurde (Goethe las seine Berichte 1800: Keudell Nr 202) und Eduard Rüpell, der geborene Frankfurter, eine bedeutende Forscherpersönlichkeit, die für die *Senckenbergische Gesellschaft Landeskunde, Naturkunde, Geschichtskunde, Altertumswissenschaft usw. auf dem Boden A.s betrieb; außer Reiseberichten auch einen Atlas publizierte und 1839 als erster Ausländer Mitglied der Kgl. Geographischen Gesellschaft in London wurde.
Za

Afzelius, J. W., Dr. phil. aus Upsala, weilte zu literarischen und besonders bibliothekarischen Zwecken in Göttingen und traf am 29. X. 1822 mit Goethe zusammen (III/8, 244).

Agassiz, Ludwig Johann Rudolf (1807–1873), geboren in Môttier/Schweiz, gestorben in Cambridge/Mass., bedeutender Ichthyologe, aber auch sonst als Zoologe, sogar als Geologe tätig und wirkungsvoll, gehört zu den ersten

Naturforschern, die Goethes naturwissenschaftliche Arbeiten und Arbeitsweise, besonders seine morphologischen Forschungen,
ernst nahmen und zu ihrer Verbreitung beitrugen. A. hatte in Paris (1832) mit LChrFDG
*Cuvier und Av*Humboldt Freundschaft geschlossen, diese Freundschaft spielt in seinem
Eintreten für Goethe eine wesentliche Ver-
mittlerrolle.   *Za*
BLÄ² 1 (1929), S. 42–44.

Agincourt, Jean Baptiste Louis George Seroux
d' (1730–1814), wurde nach längerer Betätigung im französischen Militär- und Verwaltungsdienst aus Liebhaberei Kunstsammler,
Kunsthistoriker und Altertumsforscher. Anfang 1777 begann er zu reisen, um umfangreiche Studien über mittelalterliche Kunstwerke in Deutschland, England und Italien zu
machen. Seit 1778 ständig in Italien, besuchte
er 1781 *Neapel, *Pästum *Herculaneum und
beabsichtigte *Winckelmanns ,,Geschichte der
Kunst des Altertums" (1764) fortzusetzen, um
dadurch die Kontinuität der kunstgeschichtlichen Entwicklung von der Antike bis zur Renaissance zu erweisen. Seine Arbeit, die unter
ständiger Benutzung einer eigenen reichhaltigen Sammlung langsam gedieh, wurde durch
das schon 1787 begonnene (I/32, 390) und seit
1808 erscheinende sechsbändige Werk ,,Histoi-
re de l'art par les monuments depuis sa déca-
dence au IVᵉ siècle jusqu'à son renouvellement
au XVIᵉ siècle" Ausdruck des entwicklungsgeschichtlichen Denkens, das um 1800 sich
durchzusetzen begann, obgleich das Werk noch
in der Epoche des bloß antiquarischen Interesses begonnen worden war.
Goethe hatte schon auf seiner italienischen
Reise d'A. kennengelernt (22. VII. 1787), *der
seine Zeit und sein Geld anwendet, eine Geschichte der Kunst von ihrem Verfall bis zur Auf-
lebung zu schreiben (I/32, 36).* Zwar war Goethes Interesse damals der Antike und der
Kunst der Renaissance und des hohen römischen Barocks zugewendet, doch schon hier
war – in Analogie zu seinen ersten Überlegungen zur *Metamorphose der Pflanzen* – das Bewußtsein deutlich, daß *der Menschengeist während der trüben und dunkeln Zeit immer geschäftig war (I/32, 36),* daß ein geistiges Prinzip
wirksam blieb, mochte auch die äußere Form,
das Kunstwerk, dem hohen Gesetz des Klassischen nicht mehr genügen. Das Werk d'A.s
begrüßte Goethe mit großem Interesse zu einer
Zeit, als er selbst, vielleicht nach dem Vorbild
d'A.s, in *KuA* die Kontinuität der Entwicklung im *Mittelalter erwiesen hatte (I/34ᴵ,
167).* Ende 1815 und mehrfach 1816 wurden

die einzelnen Lieferungen des Werkes aus der
großherzoglichen Bibliothek entliehen (III/5,
200) und betrachtet, mit den Freunden besprochen, mit S*Boisserée darüber korrespondiert (IV/26, 237) und bei dieser Gelegenheit
erstmals der Genter Altar der Brüder v*Eyck
studiert (IV/27, 275). Abermals 1824 entliehen,
diente das Werk d'A.s bei der Abfassung des
Aufsatzes über die *Externsteine (I/49ᴵᴵ, 51). *Lö*
Larousse: Dictionaire universelle du XIXᵉ siècle.
¹⁴1875. S. 606. – La Grande Enzyclopédie. ²⁹1904. –
PhSchweinfurth: Goethe und Seroux d'A. Revue
de littérature comparée (Paris 1932). – WWaetzoldt:
Deutsche Kunsthistoriker. 1924. 1, S. 284. – Keudell
Nr 1014; 1015; 1523.

Agram (Lebensdaten unbekannt), ein englischer Kurgast in Karlsbad, traf im Sommer
1806 mit Goethe zusammen und war zumindest an mehreren Tagen im Juli ein sehr an-
regender Gesprächspartner *über Gasthöfe,
Shakespeare, Racine, Reisebeschreibungen, Engländer in Weimar, englische Chemiker und
Physiker (III/3, 149).*   *Za*

Agricola (Bauer), Georg (1490–1555), studierte
1514–1518 in Leipzig, wurde dann Lehrer an
der Lateinschule in Zwickau, kehrte 1522 nach
Leipzig zurück; 1524 ging er nach Bologna,
dann nach Venedig; wurde 1527 Stadtphysikus
in Joachimsthal; 1531 siedelte er nach Chemnitz über, wo er hauptsächlich mineralogische
und bergbauliche Studien betrieb. 1546, 1547,
1551 und 1553 war er dort Bürgermeister.
A. hat in seinem Erstlingswerk ,,Bermanus"
(1528) eine Mineralogie der Gegend von Joachimsthal geschaffen; in seinen späteren umfassenden und systematischen Schriften, die
in Chemnitz entstanden, entwickelte er nicht
nur das erste wissenschaftliche System der
Mineralien, sondern auch eine Theorie der Erdbeben und Gebirgsbildung, die er auf das unterirdische, von Bitumen genährte Feuer zurückführte; er erkannte die große Bedeutung
der Abtragung für die Formung der Gebirge
und als einer der ersten neben *Leonardo da
Vinci die wahre Natur der Fossilien und befaßte sich außerdem eingehend mit den Fragen
des Bergbaus.
Goethe, der in seinen naturwissenschaftlichen
Studien eine umfassende Erkenntnis der
Wirklichkeit anstrebte, griff gern auf vielseitige Persönlichkeiten zurück. *Aus der alten
Zeit, in die ich so gern zurücktrete, um die Muster einer menschenverständigen Anschauung
mir abermals zu vergegenwärtigen, las ich Agricola De ortu et causis subterraneorum (1806:
I/35, 256).*   *Bn*
WFischer: Zum 450. Geburtstag Agricolas, des ,,Va-
ters der Mineralogie" und Pioniers des Berg- und
Hüttenwesens. N. Jbb. f. Min., Geol. usf. 1944, Monatshefte Abt. A.

Agricola, Karl Joseph (1779–1852), Maler und
Kupferstecher, tätig in Wien, malte eine Szene
aus *Hebels Gedicht „Die Wiese", deren Reproduktion Goethe besaß.   Lö
Schuchardt: 1, S. 105.

Agrigento (bis 1927 Girgenti, griechisch Akragas), Stadt an der Südküste Siziliens, im Altertum bedeutende und umfangreiche griechische Kolonialgründung, die nach einer besonderen Blütezeit während des 5. Jahrhunderts vChr. 406 von den Karthagern erobert
und zerstört wurde. Die großen Tempel am
Rande einer nach Süden steil abfallenden Ge-
ländestufe stammen fast alle aus dieser Zeit.
Über ihnen erhebt sich der Burgberg der alten
Stadt, auf dem das mittelalterliche und neue
A. liegt.
Goethe weilte in A. während der sizilianischen Reise im Frühjahr 1787 vom 24.–28.
April (I/31, 339). Im Dom auf dem Burgberg sah und bewunderte er mit feinem
Gefühl für den griechischen Charakter des
Monuments den attischen Hippolytus-*Sar-
kophag (ausgehendes 2. Jh. nChr.), *zum Altar
gerettet .... Es soll mir einstweilen als ein
Beispiel der anmuthigsten Zeit griechischer
Kunst gelten (I/31, 159).* Einem rotfigurigen
Kolonettenkrater des 5. Jahrhunderts vChr.
(heute im Dom-Museum) widmete Goethe
als einziger Vase in Italien Worte liebevoller
Beschreibung (I/31, 159; 169). Unter den Tem-
peln erwähnt er den *Junotempel,* den des *Hercules* (noch aus dem 6. Jh.), denjenigen des
Äsculap, als welchen er, *Riedesel folgend, den
heute sog. des Vulcan bezeichnet, nicht wie
JRvEinem 635 irrtümlich meint, den heute *als
Asklepiostempel benannten, den Goethe *in
dem weiten Raume zwischen den Mauern und
dem Meere* ebenfalls sah, damals noch als *christliche Kapelle erhalten,* an dem ihm die mit den
Quaderstücken der Mauer *auf's schönste* verbundenen Halbsäulen besonders erfreuten (von
vEinem aaO. irrtümlich mit dem Heiligtum
der Ceres und Proserpina in S. Biagio identifiziert). Schließlich sah Goethe die Reste des
riesenhaften *Jupiter-Tempels,* des größten aller
sizilischen Tempelbauten; *Kniep zeichnete
die Ruinen für ihn. Von Goethe selbst stammt
die bekannte Sepiazeichnung mit dem *Grabmal des Theron,* einem Bau römisch-republi-
kanischer Zeit, etwas unterhalb der Tempelbauten gelegen *(I/31, 164),* sowie eine Ansicht der Trümmer des Herculestempels (Wegner Abb. 62). – Im Jahre 1828 erhielt Goethe
von Lv*Klenze ein Ölbild der restaurierten
Südostecke des Jupitertempels (III/8, 138; 11,
210; IV/44, 83. – Vgl. I/49^I, 387).

Im Felsen unterhalb des Tempels der *Juno
Lacinia* sah Goethe Reste antiker Gräber
(I/31, 165). Das *vom Meer her* in den Felsen
gehauene antike Tor ist die *Porta Aurea,* durch
die die Straße zum Hafen der antiken Stadt öff-
nete *(I/31, 166).*   Hm
Koldewey-Puschstein: Die Griechischen Tempel in
Unteritalien und Sizilien. 1899. S. 181; 183 f. u. pas-
sim. – GRodenwaldt: Arch. Anzeiger 1940. S. 599 ff.
Abb. 3–6; 102. – Berl. Winckelmann-Programm 1942.
S. 10. – Wegner S. 10–13, 153 Abb. 2, 62; S. 94 Abb.
59; S. 113, 150 Abb. 37. – Grumach S. 455; 582; 630;
Taf. 9 (nach 496). – JRvEinem S. 633–635.

Agrippa, Marcus Vipsanius (63–12 vChr.). Aus
niederem Stande stammend, wurde er Freund
und Feldherr Octavians, des späteren Kaisers
Augustus, und war während dessen Regierungszeit Leiter der kaiserlichen Außenpolitik sowie
des Heereswesens. Er wurde sogar Schwiegersohn des Kaisers. Goethe sah auf seiner italienischen Reise am 8. X. 1786 in *Venedig seine
Bildsäule: *Sodann betrachtete ich mit ganz eignem Gefühl die nackte colossale Statue des Marcus Agrippa, in dem Hofe eines Palastes; ein sich
ihm zur Seite heraufschlängelnder Delphin deutet
auf einen Seehelden. Wie doch eine solche heroische Darstellung den reinen Menschen Göttern
ähnlich macht! (I/30, 136).*   Za

Agrippa von Nettesheim, Heinrich Cornelius
(1486–1535), in unstät-abenteuerndem Leben
besonders als Arzt und Philosoph hervorgetreten. Sein Hauptwerk „De incertitudine et
vanitate scientiarum" (Köln 1527) wurde
schon dem Knaben Goethe von Hofrat
FW*Hüsgen empfohlen, *das . . mein junges
Gehirn . . eine Zeit lang in ziemliche Verwirrung
setzte (I/26, 255; 27, 204).*   Rt

Agthe, Johann Friedrich (1788–1840), aus
Sangerhausen, Schüler des weimarer Hof- und
Stadtmusikus AB*Eberwein, 1. Hautboist im
kursächs. Inf.Rgt. Friedrich August, wurde
1816 Hof- und Stadtmusikus in Weimar. Er
leitete 1818 die musikalische Begleitung bei
der Aufführung von Goethes Maskenzug (III/6,
263 u. 271; IV/31, 295).   Hk

Aguillon (Aguilonius), Franz von (1567–1617),
Angehöriger des Jesuitenordens, Naturforscher, insbesondere Mathematiker und Physiker (Optik), Rektor des Jesuitenkollegiums zu
Antwerpen. A. wurde berühmt durch sein
Werk „Opticorum Libri VI" (Antwerpen
1613), worin er zum erstenmal nach dem
antiken Hipparch von stereographischen Pro-
jektion spricht. Goethe studiert aus Anlaß
seiner Arbeiten an der *Farbenlehre, hauptsächlich an dem geschichtlichen Teil, in den
Jahren 1807–1809 intensiv das große Werk des
A., den er neben Roger *Bacon und *Boyle für
einen der Hauptschriftsteller auf diesem Ge-

biet und in dieser Zeit hält. Er würdigt in konzentrierter Form die Leistung des *ernsten und tüchtigen Mannes (II/3, 266–268)*.   *Za*

Ahl/Ahler Hütte, ein Hütten- und Hammerwerk an der Lahn mit entsprechender Niederlassung. Auf der Geniereise fuhr Goethe mit seinen Begleitern am 18. VII. 1774 hier vorüber; es wurde aber nicht ausgestiegen, obwohl ein „Herr von der Nil" ausdrücklich einlud. Zeugnis dessen ist das Tagebuch JC *Lavaters.   *Za*

Ahlefeld, Charlotte Elisabeth Luise Wilhelmine von, geb. von Seebach (1777–1849), Pseudonyme: Natalia oder Ernestine (Lyrik), Elise Selbig (Prosa), nach einem früh erfolgreichen Roman (Liebe und Trennung, 1797) sehr federgewandte Verfasserin vieler, aber unbedeutender Unterhaltungsromane, 1798 verheiratet mit dem schleswigschen Rittergutsbesitzer Rudolf vA., 1807 von ihm getrennt und meist in Thüringen sich aufhaltend, seit 1821 ständig in Weimar, gehörte zum engsten Freundeskreis um Charlotte v*Stein. Dadurch wurde sie auch mit Goethe bekannt, wie eine launig-ernste Stammbucheintragung *(Faßnacht 1830)* bekundet: I/5^I, 78.   *Za*

Ahnung/Ahndung, ein Wort aus Goethes *Sprache, in dem sich neben entsprechendem Gebrauch von *ahnen/ahnden, ahnungsvoll/ahndungsvoll, ahnungsweise/ahndungsweise,* auch *ahndevoll* oä. Grundzüge seiner geistesgeschichtlichen Stellung erspüren lassen. Gewiß ist der Vorgang, daß den Menschen wie eine Vermutung bedeutungsschwerer Zusammenhänge „etwas an-kommt", im Deutschen seit alters bekannt und nach diesem „an" benannt – auffällig, aber nicht zufällig stärker im Nieder- und Mittel-, kaum in Oberdeutschen. Doch ist es gelegentlich auch in der heimatlichen *Mundart Frankfurts vernehmbar. Dergestalt zeugt es mitläufig für das, was Goethe sein *nordisches Erbteil* nennt. *Ich überzeugte mich auf's neue, daß unsere heidnischen Urväter zwar viele auf Naturahnungen sich beziehende düster abergläubische Gewohnheiten, aber keine fratzenhaften Götzenbilder gehabt (I/36, 52).*
Deutlich an solcher Wortentstehung und -verwendung ist das Bemühen, eine innere Regung zu kennzeichnen, die gleichsam von außen angestoßen wird. So beherrscht denn vor Goethe bis auf geringe Spuren die unpersönliche Ausdrucksweise „es ant mir, es ahnt mir, mich ahnet" durchaus das Feld. Ein unkontrollierbares „Es" wendet sich an einen ebenso unkontrollierbaren Sinn außerhalb des Verstandes wie außerhalb des Systems der fünf legi-

timen Sinne. Es handelt sich also um eine rational unzugängliche Aktions- und Reaktionsverknüpfung, um ein dunkles Wechselspiel äußerer und innerer Wirkungen. Derlei mußte dem Menschen einer Geschichtsphase, die nach verstandesheller *Aufklärung, nach durchsichtiger Vernünftigkeit strebte, als überholt und unwürdig erscheinen. Kein Zweifel, daß Sache und Wort wissentlich wie willentlich verdrängt oder ausgeklammert wurden, bis zu völligem Verschwinden aus der maßgebenden Literatur. Vorbereitet war dies längst vor 1700, zunehmend verstärkt und vollendet erst danach, bis hoch in die siebziger Jahre des 18. Jahrhunderts. Trotz oder wegen seiner Auseinandersetzung mit *Swedenborg hat *Kant in seinen anthropologischen Vorlesungen die A. auf solcher, nur leicht korrigierten Basis registriert als den „verborgenen Sinn für das, was noch nicht gegenwärtig ist". Das ist zu dürr und zu wenig.
Mit und in Goethe, in dem jungen Goethe der siebziger Jahre *(Götz/Werther)* vollzieht sich die eigentliche Wendung. Die Geistesarbeit der unmittelbaren Vergangenheit bleibt aber in Teilen gewahrt. Das „Es" ertönt auch in Goethes Sprache kaum wieder. Erfahrung und Ausdruck gestalten sich mehr und mehr ins Persönliche um: „Ich ahne". Das Ahnungsvermögen wird somit eine aktive Eigenschaft des Ahnenden, eine Art von *innerem Licht.* Die A. wird eine individuelle, eine subjektive Leistung. Ihrer darf, ja soll das „Ich" fähig sein. Hochsprachlich gut und ohne hörbaren Rückfall ins Altertümliche oder Mundartliche kann man seit Goethe nicht mehr sagen: „Es ahnt mir." In dieser Tatsache liegt mehr als eine grammatische Nuance.
Klar unterschieden von anderen Anlagen, auch von der *Phantasie, erfährt Goethe in der A. die Wirksamkeit eines Geistes- oder Seelenorgans, das in seinem Verhalten zur Welt durchaus der *Intuition verwandt ist. Es verharrt freilich im *Trüben, gibt bloß Hinweise und keine Gewißheit, ist mehr der *Nacht verhaftet als dem *Tag. So steht die A. an ähnlicher Stelle wie der *Aberglaube. Man darf daher *nur so viel darauf geben ..., um *Ehrfurcht vor der uns umgebenden geheimnisvollen Macht in allem zu haben und zu behalten, welches eine Hauptgrundlage wahrer Weisheit ist (Bdm. 2, 353). Die Abgründe der Ahndung, ein sicheres Anschauen der Gegenwart, mathematische Tiefe, physische Genauigkeit, Höhe der Vernunft, Schärfe des Verstandes, bewegliche sehnsuchtsvolle Phantasie, liebevolle Freude am Sinnlichen, nichts kann entbehrt werden zum*

lebhaften fruchtbaren Ergreifen des Augenblicks, wodurch ganz allein ein Kunstwerk, von welchem Gehalt es auch sei, entstehen kann (II/3, 121) – gewiß auch das Kunstwerk des eigenen Lebens. Diese Einsicht ist keine einzeln oder spät nachgereifte Sonderfrucht der Altersjahre. Sie ist vielmehr der Ausdruck einer Haltung, die mit wenig Schwankungen alle Lebensstufen durchwaltet. Nach einer Tagebuchnotiz hat Goethe vor und bis 1779 *besonders in Geheimnissen, duncklen Imaginativen Verhältnissen eine Wollust gefunden (III/1, 93)*. Mittelbar und schon für die Kinderzeit gültig spricht dafür die Wiedergabe von Berichten oder Erinnerungen der Mutter in der *Aristeia (I/29, 231-238)*. Auch von einer Erbanlage zum *Traumwesen in der Familie *Textor ist dabei die Rede. Das hervorragendste Beispiel gibt der Großvater. In ihm hatte sich diese Fähigkeit zur Gabe der Weissagung emporgesteigert. Goethe selbst wollte später von weiterer Vererbung nichts mehr wissen. Alles in allem muß es aber mehr gewesen sein als eine bloß leichthin zu nehmende Mitgift. Vielleicht war es gar eine der heimlich ernsten Wurzeln mütterlich ererbter *Lust zu fabuliren (I/3, 368)*.

Unmittelbar finden sich infolge der beiden großen Autodafés nicht mehr allzuviele Frühzeugnisse. Nach der schweren *Krankhe't, mit der der Aufenthalt in *Leipzig endete und die geradezu eine wachstumsnötige Krisis dargestellt haben muß, weisen die ältest erhaltenen Niederschläge auf *Frankfurt und *Straßburg. Hier hatten persönliche und literarische Begegnungen von großer Spannweite (zB. mit dem *Klettenberg-Kreise, mit *Herder, mit *Klopstock; ferner in intensiver Lektüre mit Swedenborg, *Paracelsus, *Shakespeare, *Spinoza, *Hamann, mit der *Bibel und dem *Koran, nicht zuletzt mit *Ossian) die veranlagte Erlebniskraft tief und neu aufgeschlossen. So wird das Ahnungsvermögen 1774 durch einen Klopstock-Besuch beflügelt und läßt sich als lebhaftes Inne-Werden eines fast überdehnten Naturzusammenhangs vernehmen: *Vom Gebirg' zum Gebirg' | Schwebt der ewige Geist, | Ewigen Lebens ahndevoll (I/2, 65)*. Man glaubt in diesem frühesten lyrischen Reflex mehr Klopstock, weniger Goethe zu hören, obwohl die eigenwillige Wortbildung *ahndevoll* auch später wiederkehrt. In dieselbe Zeit fällt außerdem eine, wenn auch nicht die letzte bedeutsame Verwendung des unpersönlichen Ausdrucks. *Werther berichtet von seinem etwas ungerechtfertigten Verhalten: *Ob (es) mir gleich selbst zu ahnen anfing, unsere Lustbarkeit

werde einen Stoß leiden (I/19, 26). Die an und für sich gesellig-heitere Situation ist eng mit der Natur und einer aufkommenden Gewitterstimmung verbunden. Sie gibt als heimlich-unheimliches „Es" den Anstoß zur A., ohne doch letzte persönliche Tiefe zu erreichen. Kaum zufällig klingt auch diese Episode in den feierlichen Namen „Klopstock" aus. Aber schon weist etwas über das gefühl- oder gedankenvoll Abstrakte eines nachempfundenen Klopstock hinaus. Vergleichbares findet sich auch an anderen Stellen, ob mit wunderbaren A.n Werther nur allein dem hinfließenden Wasser bis an die Grenze der Vorstellungskraft folgt oder ob er neben Lotte im Mondenlicht dunkeldeutige Fragen aufsteigen fühlt (I/19, 110; auch 82). Das über Klopstock Hinausweisende ist das mehr und mehr Goethesche. Es meldet sich zunehmend zum Wort, durchaus schon vor oder neben Überfremdetem. Immer tiefer dringend, sucht es später im Dämonischen (*Daimon) sein Ziel.

Goethe als dem Ahnenden geht es um den Zusammenhang nicht allein mit der äußeren Natur, sondern mit dem inneren Schicksal, das diese einbezieht, durchwaltet und eindringlicher als nur in „Stimmungen" sprechen macht. *Sollten nicht . . . uns in der Jugend wie im Schlafe, die Bilder zukünftiger Schicksale umschweben, und unserm unbefangenen Auge ahnungsvoll sichtbar werden? Sollten die Keime dessen, was uns begegnen wird, nicht schon von der Hand des Schicksals ausgestreut . . . sein (I/22, 58)*? Zwar als Frage und gewissermaßen mit den Vorbehalten einer Frage ausgesprochen, bleibt das „Umschweben", das „Ausgestreutsein" als mögliche, ja als wahrscheinliche Wirklichkeit erhalten. Es ist kein unkontrollierbares „Es" mehr, das da von ungefähr „an-kommt". Es ist das „Ich", das das Umschwebende und Ausgestreute ergreift und nach *Bedeutung, nach *Vorbedeutung sich zueignet. Sein Geistes- oder Seelenorgan in dieser Sphäre ist das Ahnungsvermögen. Dessen Wirksamkeit ist die A. – eine A. aber, die eben durch das „Ich" persönlich zu leisten ist und mit deren Inhalt der so organbegabte Mensch fertig zu werden hat. *Der Mensch ist niemals ganz Herr von sich selbst. Da er die Zukunft nicht weiß, da ihm sogar der nächste Augenblick verborgen ist, so hat er oft, wenn er etwas Ungemeines vornimmt, mit unwillkürlichen Empfindungen, Ahnungen, traumartigen Vorstellungen zu kämpfen, über die man kurz hinterdrein wohl lachen kann, die aber oft in dem Augenblick der Entscheidung höchst beschwerlich sind (I/19, 280)*. Dergestalt nimmt die A. das

Thema gerade bedeutendster Dichtungen und Darstellungen vorweg. Entsprechende Funktionen hat sie in Goethes persönlichster Daseinserfahrung und -meisterung. *Bedeutend fand ich steets die sanften Träume die der Morgen uns ums Haupt bewegt. – So war der meine. Spät noch wacht ich denn mich hielt das Sausen des ungeheuren Sturms nach Mitternacht noch munter (1/10, 416).* Diese existentielle Erlebnisfähigkeit ist überhaupt die Voraussetzung jener poetischen Gestaltungsweisen. So verlangt es der Wahrheitscharakter der dichterischen *Konfession.

Man erinnere sich an das novellistische Begebnis beim straßburger Tanzmeister (I/27, 282 bis 292). Die ältere Tochter nimmt in Kuß und Fluch das Thema der späteren Begegnung mit Friederike *Brion vorweg. Mit manchen ominösen Rückbezügen sich wieder einflechtend, bestimmt diese Vorwegnahme (erfunden oder nicht erfunden?) geradezu Anfang, Verlauf und Ende der ganzen Begegnung (I/28, 12 f.; 22 f.). Eine sonderbare A. durchschauert weitvorausgreifend den Abschied der Liebenden. Sie hebt den qualvoll engen Augenblick in das Schicksalsmaß seiner fortdauernden Bedeutung. Das „Ich" sieht sich mit Geistesaugen über einen unfaßbaren Zeitraum wiederkehren (I/28, 83).

Durch keine späte Ironie entschwert, mit den ganzen Gewichten ihrer Gegenwartslast wird die A. in dem berühmten Briefgedicht der Schicksalsbeziehung zu Charlotte v*Stein inne. Sie spricht sich fast nur in Fragen aus. Und doch kommt es zum schmerzhaften Ausdruck innersten Verbundenseins, herüberreichend aus abgelebten Zeiten in das Hier und Jetzt eines neuen Erdenwandels. Datiert vom 14. IV. 1776, manifestiert dieses Zeugnis tiefster A. (I/4, 97 f.) schon im ersten Anfang das Thema des wahren Verhältnisses mit voller Schwere. Gleichzeitig mit diesen unbeschreiblichen Versen findet sich ein für *Wieland bestimmtes Brieffragment, in dem das „Ich" mit seiner Persönlichkeitskraft die A. zur Gewißheit steigert: *Ich kann mir die Bedeutsamkeit – die Macht, die diese Frau über mich hat, anders nicht erklären als durch die Seelenwanderung. – Ja, wir waren einst Mann und Weib! – Nun wissen wir von uns – verhüllt, in Geisterduft (IV/3, 51 f.).* So schließt das gegenwärtige All schicksalhafter Beziehungen Vergangenheit und Zukunft in sich ein. Überhaupt regt sich die A. am lebhaftesten, am eindringlichsten und am ausdrücklichsten, wenn der urmächtige *Eros das Getrennte, doch Füreinander-Bestimmte sich ersehnen, sich nähern läßt und das Weltgesetz der Polarität gleichsam den Atem anhält: *Laß die beiden sich finden; bei'm ersten Nahen werden sie dunkel und mächtig ahnen, was jedes für einen Inbegriff von Glückseligkeit in dem andern ergreift (I/37, 224 f.).* So heißt es schon 1772. Zumal Goethes *Lyrik, aber nicht nur diese, ist voll davon. Ihre Tiefe bedeutet es, daß sie das Urbildliche im Geschehen wittert und sich wie ein dunkler Blutstropfen das Vorwissen um die Unausweichlichkeit des Opfers in den schäumenden Kelch des Lebens mischt.

Aber auch in anderen Bereichen ist das Ahnungsvermögen am Werke. Goethe erfährt es zB. im Zusammenhang mit der *Halsbandgeschichte, die 1785 längst vor der französischen *Revolution einen unaussprechlichen Eindruck auf ihn machte: *In dem unsittlichen Stadt-, Hof- und Staats-Abgrunde, der sich hier eröffnete, erschienen mir die greulichsten Folgen gespensterhaft, deren Erscheinung ich geraume Zeit nicht los werden konnte; wobei ich mich so seltsam benahm, daß Freunde, unter denen ich mich eben ... aufhielt, ... mir nur spät ... gestanden, daß ich ihnen damals wie wahnsinnig vorgekommen sei (I/35, 11).* Die nicht ganz unbestrittene, ahnungsvolle Beurteilung der *Valmy-Kanonade vom 20. IX. 1792 (I/33, 75) gehört ebenfalls hierher, ferner die kleine Episode mit dem Überfall des französischen Vortrabs: *Nun fiel mir's auf's Herz, daß in vergangner Nacht, als der bärbeißige Schwager in's Haus trat, ich einer solchen Ahnung mich nicht erwehren konnte (I/33, 118).* Und anderes mehr – genug, um Goethes Ahnungsvermögen als existentielle Erlebnisfähigkeit zu kennzeichnen. Die Wirksamkeit als Voraussetzung auch der poetischen Produktion liegt am Tage. Außer der Lyrik (*Balladen) aber sei besonders verwiesen auf diejenigen Dichtungen, die in der Form einer A. das Thema des Ganzen vorwegnehmen, wiederholte Rückbezüge als Kompositions-, sogar als Spannungsmittel einflechten, an Gipfelpunkten derartige Wiederholungen zur äußersten Höhe des *Symbols emporsteigern usw. – kurz: die aus der A. geradezu eine poetische Praktik werden lassen. Ohne Zweifel ist dies Verfahren ansatzweise da schon 1771 im *Urgötz (Götzens Weislingen-Traum: I/39, 45; 132), 1772 im *Urfaust (Religionsgespräch I/39, 20–295), 1773/1775 ff. im *Egmont, den Goethe im Alter vollends unter dem Gesichtspunkt des *Dämonischen zu deuten unternimmt (I/29, 173–177). In den „klassischen" Schöpfungen wie etwa in der *Iphigenie (1779/1786) tritt das Phänomen der A. poetisch in das antikisierte des *Orakels über, auch für das Wort ist kaum noch Raum (I/10, 46). *Tasso* (1780/1789), der „gesteigerte Werther", nimmt, wenn auch sehr sublimiert, in einer hier durchaus charakteristischen, weil irregreifend, fast ironisierten A. die eigene Gefährdung vorweg (I/10, 151); das Echo bleibt nicht aus (I/10, 180 f.). Erheblich anders und weit kräftiger – *ahnungsvoller* bewegen sich für die *Natürliche Tochter* Freud und Schmerz heran. Im Kreise der „klassischen" Werke zeichnet sich dies durch ein erstaunlich dichtes Geflecht von A.en, Bedeutsamkeiten, Hinweisen, Winken aus. Alles scheint, ja ist darauf gebaut. Wie ein dunkler Schleier weht es ständig durch die Dichtung hin, um so spürbarer, weil der vollendete Teil nur die Exposition des nicht vollendeten Ganzen darstellt (I/10, 273 f.; 278; 286; 292; 306; 310; 315; 333 f.; 369–371; 376 f.; 377–379). Unter den Prosawerken steht *Wilhelm Meister* voran, jedenfalls zeitlich (1777–1829). Bereits die *Lehrjahre* geben nachdrückliche Beispiele. Im Ganzen ist der A. aber nur episodischer Charakter eingeräumt (I/21, 318; 325; I/23, 10; 88; 104; I/25, 228 usw.). Das hat seinen Grund nicht nur in der langen Entstehungszeit, sondern auch in der lockeren Weiträumigkeit der Gesamtanlage, die mit dem wachsenden epischen Abstand andere Mittel einer Wendung ins Symbolische ebenso wie der inneren Verknüpfung forderte und verlieh. Gleiches zeigen die *autobiographischen Schriften (*Dichtung und Wahrheit* 1809–1831). In seiner Weise kann als dramatisches Gegenstück auf *Faust* (1771–1831) verwiesen werden. Ganz anders die *Wahlverwandtschaften* (1807–1809). Hier lebt wieder alles aus der A. Denn nur diese vermag Organ zu sein für die unbegreiflichen Verschlungenheiten der menschlichen Existenz, für ihre Verstrickung in Natur und Kosmos, die sich wie Spuren trüber leidenschaftlicher Notwendigkeit unaufhaltsam durch das Reich der heiteren Vernunftfreiheit hindurchziehen. Weil dem Bilde des *Ewig-Weiblichen zugehörig, muß es bedeutungsvoll sein, wenn die feminine Wesensseite der mann-weiblichen Urpolarität auch ahnend näher an die Wahrheit herankommt. Charlotte nimmt in ihren A.en sogleich das Thema der *Wahlverwandtschaften* vorweg. Ihr sind es zunächst und fast platonisch *meistentheils unbewußte Erinnerungen glücklicher und unglücklicher Folgen, die wir an eigenen oder fremden Handlungen erlebt haben (I/20, 12).* Eduard bewegt sich tiefer im Dunklen (I/20, 187 f.). Die A.en spinnen sich fort und verweben das Ganze zu einem unausweichlichen Netzwerk. Der Tintenfleck auf Charlottes

Nachschrift (I/20, 26), mehr noch das chemische Gespräch mit dem Buchstabenspiel, aufgelöst in die Namen der Beteiligten (I/20, 55 bis 57) mehren die vorauswirkende Last auf den Gemütern. Die trügerische Liebesnacht zwischen Eduard und Charlotte, die sie in einem gespenstigen Tausch der Geister und der Leiber zum Einswerden mit ihren Wahlverwandten entflammt, schürzt die Schlinge quälendster Verwirrung I/20, 131–132. Das Kind dieser „verbrecherischen" Vermählung macht es durch seine geisterhafte Ähnlichkeit mit Ottilie und dem Hauptmann offenbar (I/20, 300). Es muß an diesem seinem Verhängnis zugrunde gehen (I/20, 361 f.). Alles weitere ist dann nur noch das Abrollen der vorgesponnenen Fäden, die Bestätigung ihrer unschuldig-schuldigen Verflechtungen – als wäre es ein Spiel, und ist doch keines. In immer wiederkehrenden Bezüglichkeiten hat es die A. ergriffen. Aber sie kann das Verhängte nicht wenden. Auch nicht, wenn ihre Leuchtkraft stärker wäre, wie Ottilie hofft: *Man mag sich stellen wie man will, und man denkt sich immer sehend. Ich glaube der Mensch träumt nur, damit er nicht aufhöre zu sehen. Es könnte wohl sein, daß das innere Licht einmal aus uns herausträte, so daß wir keines andern mehr bedürften (I/20, 224).* Ein tieferes Wort über die A. hat Goethe dann nicht mehr gesprochen.   *Za*

Vgl. HOppel: Studien zur Auffassung des Nordischen in der Goethezeit, 1944. – PHankamer: Spiel der Mächte, 1948. – ESpranger: Nemo contra Deum nisi Deus ipse. In: Goethe 11 (1949), S. 46–61. – PAltenberg: Goethe. 1949.

Ahrendsberg, (Ahrensberg) eine hervorragende Bergkuppe im nördlichen *Harz, bestieg Goethe mit GM*Kraus(e) Anfang September 1784, als er *von den Fesseln des Hofs entbunden* *Goslar verlassen konnte, um den Harz zu durchqueren, *immer begleitet von dem hellsten Himmel (IV/6, 353).*   *Za*

Ahrensklint, Felsklippen bei *Schierke im *Harz, links der Kalten Bode, sah Goethe Anfang September 1784 liegen, als er mit GM-*Kraus(e) unterwegs war.   *Za*

Aich (Eich), Dorf im Egertal südwestlich *Karlsbad, häufiges Ausflugsziel Goethes (1808; 1811; 1812; 1818; 1819; 1823) meist im Wagen mit Bekannten aus der karlsbader *Badegesellschaft, am 26. VIII. und 3. IX. 1823 wohl mit Uv*Levetzow (III/9, 100; 108).   *Za*

Ai Colli, sizilische *Gegend* mit dem *Monte Pellegrino im Westen von *Palermo, hat Goethe Anfang April 1787 mehrfach aufgesucht (I/3,1 96 passim); ihn interessierten außer den landschaftlichen Reizen besonders die geologischen Verhältnisse (Muschelkalk).   *Za*

Aiguille du Dru, 3754 m hohe, im *Montblanc-Massiv gelegene, das Mer de glace oder *Eismeer überragende, von Goethe 1779 gesehene und erwähnte Bergspitze (I/19, 250). *Fu*

Aire, durch die *Argonnen fließender, der *Maas (Meuse) parallel laufender, in die *Aisne mündender Fluß in Ostfrankreich (im wesentlichen im Département Meuse) mit *Grandpré am Oberlauf; von Goethe während der *Campagne in Frankreich 1792 überschritten (I/33, 44; I/33, 124 ist Aire statt *Aisne* zu lesen). *Fu*

Aisne, Fluß in Ostfrankreich, in den *Argonnen entspringend und nach einem Lauf von 280 km bei Compiègne in die *Oise mündend; während der *Campagne in Frankreich 1792 berührte Goethe die A. an ihrem Oberlauf (I/33,57; I/33,124 ist *Aisne* durch *Aire zu ersetzen). *Fu*

Aissé, Mlle (1693[?]-1733), eine Zirkassierin, welche als kleines Kind durch einen französischen Botschafter nach *Paris gebracht wurde, wo sie später durch Schönheit und Geist zur Modeerscheinung in der Gesellschaft wurde, Verfasserin der „Lettres de Mlle Aissé à Mme Calandrine" (1787 von *Voltaire mit Anmerkungen herausgegeben); aller Wahrscheinlichkeit entnahm Goethe diesen Briefen den Satz in den *Wahlverwandtschaften: Es gibt, sagt man, für den Kammerdiener keinen Helden (I/20,262). *Fu*

Akademie-Verlag. Nachdem 1919 die Sophien-Ausgabe von Goethes Werken zum glücklichen Abschluß gebracht worden war, ergab sich die Erkenntnis, daß der Text der Sophien-Ausgabe an mancherlei Punkten verbesserungsfähig sei. Es fehlte daher seitdem nicht an Versuchen, einen solchen einwandfreien Text herzustellen. Die Welt-Goethe-Ausgabe der *Mainzer Presse setzte sich als erste die Aufgabe, diese Lücke in einem groß angelegten Unternehmen zu schließen; die Ausgabe blieb indes ein Torso. In erweiterter Form ist dieser Plan von Wolfgang Schadewaldt aufgegriffen worden für eine Goethe-Ausgabe, die die Deutsche Akademie der Wissenschaften übernommen hat und deren Durchführung in den Händen von EGrumach liegt. Die Ausgabe will aufgrund einer erneuten Durcharbeitung der Handschriften des Goethe- und Schiller-Archivs den Text so vollkommen bieten, wie sich das erreichen läßt; sie will ferner durch Kommentierung und Begleittexte alles zum Verständnis der Werke Nötige zusammentragen. Die Ausgabe erscheint in dem 1947 in Berlin gegründeten Akademie-Verlag. Bisher liegen nur Textbände vor. Den vollen editorischen Wert des großen Unternehmens lassen erst die Kommentarbände ermessen. (vgl. GMüller, DVjs. 26 (1952), S. 377 f.). *St*

4*

EGrumach: Prolegomena zu einer Goethe-Ausgabe. In: Goethe 12 (1950), S. 60–88.

Aken (Aacken), preußisches Grenzstädtchen und Umschlagshafen an der Elbe westlich *Dessau. Goethe berührte A. morgens auf der Rückreise aus *Berlin am 27. V. 1778, gerade als Teile der Armee des Prinzen Heinrich von *Preußen hier im Manöver waren; so befand er sich doch *mitten im Soldaten Wesen* und hat *wieder ein schönes Maneuver gesehen.* Der Prinz von *Bernburg lud ihn zur Tafel, an der Goethe mit mehreren *Generalen zusammentraf (Knobelsdorf, Marwitz, Petersdorf, Kleist, Lossow, Wolfersdorf, Prinz Nassau, Herzog von Holstein): *Unter den Generals und Offiziers ist manch tüchtig und stattlicher Mann (IV/3,* 226 *bis* 227; *III/1, 67).* *Za*

Aken, Jan van (gest. 1661), Kupferstecher, ist der Verfertiger von Reproduktionen der vier Rheinansichten nach *Saftleben, die Goethe am 23. VIII. 1826 bei *Weigel bestellte (IV/41, 128) und seiner Sammlung zufügte. *Lö*
Schuchardt: 1, S. 184. – Wurzbach: Niederländisches Künstlerlexikon. (1910). 1, S. 8.

Akragas nennt Goethe mit seinem antiken Namen das heute Fiume San Biagio heißende Flüßchen, das Hochplateau und Stadt *Agrigento (Akragas) ostwärts umfließt; das westwärts verlaufende Flüßchen Hypsas (Fiume Drago, Belice), das sich mit A. zum Fiume San Leove südlich der Stadt vereint und beim Porto antico mündet, nennt Goethe nicht. Der A. interessiert ihn, weil im Dezember/Januar Zugvögel (Ridene) aus Afrika auf ihm einzufallen pflegen (I/31, 169). *Za*

Akt als Bezeichnung für einen in sich selbständigen Teil eines Bühnenwerkes wurde von Goethe im Wechsel mit Aufzug verwendet. Die beiden Ausdrücke wechseln sogar in den verschiedenen Fassungen des gleichen Werkes (*Götz* 1771, 1773, 1804), und *Die Aufgeregten* sind dem Titel nach ein *Politisches Drama in fünf Acten (I/18, 1),* die dann im Text mit *Aufzug* überschrieben erscheinen. Sowohl „Akt" wie „Aufzug" hatten bekanntlich zu Goethes Zeit die vorher ebenfalls gebräuchlich gewesenen Bezeichnungen „Handlung", „Abhandlung", „Teil" verdrängt. Ein ästhetischer oder theaterpraktischer Unterschied zwischen A. und Aufzug gilt auch abgesehen von Goethe als nicht nachweisbar. Während nach neuerer Auffassung bereits die griechischen Dramatiker zu stofflich und dynamisch eigengearteten a.mäßigen Gebilden vorgeschritten sind, verharrten die Poetiker lange bei einer sehr äußerlichen Auffassung des A.s. Die französischen Klassiker und dann die deutschen, insbesondere Schiller, der am 8. XII. 1797 bei

Goethe brieflich um Aufklärung über die Herkunft der A.einteilung bat, haben dann eine A.form entwickelt, bei welcher der Handlungseinschnitt immer deutlicher mit einer inneren Abgrenzung zusammenfällt. Hielt sich noch Lessing an das Gesetz, nach dem die Bühne am Schlusse eines A.s leer zu sein hatte, so lernten Goethe und Schiller den Vorteil ermessen und nutzen, den der Zwischenaktvorhang für die dramatische Einzelspannung und die handlungsmäßige Geschlossenheit der A.e bot. Der Zwischenaktvorhang ist wohl für die italienische Opernbühne und als Notbehelf für die deutsche Schauspielbühne des 17. Jahrhunderts anzunehmen; mit der Kodifizierung der französischen Einheitstechnik war er dann auch in Deutschland wieder vollständig außer Gebrauch gekommen. Als Datum seiner Wiedereinführung gilt heute aufgrund der Untersuchungen von JPetersen die Uraufführung des *Götz von Berlichingen*, also das Jahr 1774, das insofern auch als Geburtsjahr des modernen Begriffs A. anzusprechen wäre. Während nämlich noch in der ersten Fassung der *Mitschuldigen* von 1769 der Abgang des *Alcest* im zweiten Aufzug durch eine latente Bühnenanweisung gezwungen motiviert wird, die in der Ausgabe von 1787 getilgt ist, blieben im *Götz* am Ende des vierten A.s zum erstenmal die Personen ohne jede weitere Angabe über einen Abgang auf der Bühne, und der vierte A. des *Egmont* schließt dann bereits mit der ausdrücklichen Vorschrift: *Alba bleibt stehen. Der Vorhang fällt (I/8, 273)*. Der letzte Satz erscheint freilich erst am Ende des 18. Jahrhunderts in den Theaterstücken immer regelmäßiger. Zu der gleichen Zeit, als die Kunst *Shakespeares in einem neuen Lichte erschien, kam die noch wenige Jahrzehnte zuvor zugunsten des Einortsdramas verschmähte Freiheit zunächst dem Bewegungsdrama zugute. Als prägnantestes Beispiel dieser Gattung, deren offene Kompositionsweise mit der geschlossenen der eigentlich klassischen Typus *(Iphigenie, Tasso)* kontrastiert, wurde von Perger *Faust I* herausgestellt. Wie schon im mittelalterlichen Passionspiel herrsche hier die Grundvorstellung einer Begehung von Standorten, die durch einzelne Personen charakterisiert sind. *Fausts* Osterspaziergang sei eine Wanderung mit langsamem Ortssprung und Zeitsprung (nach Mittag bis Abend). Bemerkenswert seien auch die vielen Straßenszenen, das Wandeln im Garten und die Wegerlebnisse der *Walpurgisnacht*. Obgleich *Faust II* A.-gliederung aufweist, verläuft nach Petsch die Handlung in beiden Teilen des *Faust* in einer

Art Ellipse um die beiden Brennpunkte von Geistigkeit und Sinnlichkeit, wobei die zweite Ellipse eine Stufe höher gelagert ist und das Gesamtstück so das goethesche Prinzip der Steigerung im polaren Wechsel widerspiegelt. Waltet bei dem rhapsodisch-musikalischen Dramentyp nicht die Vorstellung von etwa gleich großen Handlungsabschnitten mit Anhub, Gipfelung, Fall und zwingt die Fetzentechnik die Darsteller zu einer äußerste Kraft fordernden Gestaltung zahlreicher, ohne vorbereitende Steigerung einsetzender Episoden, wie sie jede Gretchen-Darstellerin fürchtet, so wird die geschlossene Form etwa der *Iphigenie* von dem pyramidalen Aufbau der fünfaktigen Tragödie bestimmt. Wie in diesem Drama läßt sich auch im *Tasso* in der Achse des dritten A.s die entscheidende Szene sehen, die völlige Abwesenheit des Helden im ganzen Mittelakt entspricht als Charakteristikum der Handlung (Innen) der szenarischen Ortlosigkeit (Außen). So werden wir es bereits im *Egmont* verstehen müssen, wenn die ideentragende, von Schiller als undramatisch kritisierte Liebesszene im Zentrum und zugleich im Zenith steht und wenn durch die verschiedenen A.e hindurch mit bewußt zunehmender und abnehmender Intimität der szenarischen Angaben *Bürgerhaus-Clärchens Wohnung-Clärchens Haus* darauf hingewiesen wird. Dergestalt scheint Goethe thematische Idealität und theatralische Realität verbinden zu wollen.

Bietet *Der Triumph der Empfindsamkeit* das merkwürdige Beispiel eines sechsaktigen Werkes, dem der Dichter – wie er später einsah – *freventlich (I/35, 6)* – das ganze Monodrama *Proserpina* eingefügt hatte, so lehren die *Bühnenbearbeitungen, daß Goethes Vorstellung von der Bedingtheit eines A.s und von dessen Gewicht im Gesamtwerk nicht besonders starr oder begründet war. Bei der Bühnenbearbeitung des *Tasso* 1807 kürzte er den vierten und fünften A. so unverhältnismäßig stärker als die übrigen, daß sie beide zusammen fast nur noch den Umfang eines einzigen Aufzuges hatten und die Handlung ohne Verhalten der Katastrophe zueilen ließen. Den sperrigen *Götz* spielte er 1809 als zwei Ritterschauspiele, von denen das erste vier und das zweite fünf Aufzüge hatte. Schließlich muß auch in diesem Zusammenhang der unglückseligen Verkennung jener eigentümlichen Einaktigkeit von Kleists „Zerbrochenem Krug" gedacht werden, die zu den bekannten Aufteilung in drei A.e führte. Die Entfernung sämtlicher Personen von der Bühne am A.-schluß hatte dem Zuschauer des frühen und mittleren 18. Jahrhunderts die beruhigende Gewähr geboten, daß alle Gespräche zu einem vorläufigen Ende gekommen waren. Auch die Kapitel der gleichzeitigen Romane pflegten den Erzählungsstoff noch zu erschöpfen. Wie nun aber im Kapitelanfang der effektvolle Einsatz, fand sich auch im Drama der mitten in eine Situation einführende A.anfang früher und häufiger als der abrupte A.schluß. Bei Goethe befinden sich beim A.anfang die Personen gern schon auf der Bühne, und die ersten Worte beziehen sich auf Ergebnisse eines vorangegangenen Gespräches. So setzt der zweite Aufzug der Bühnenbearbeitung des *Götz* mit dem unvermittelten *Ihr liebt mich, sagt ihr (I/13[I], 219)* ein. Goethes A.schlüsse dagegen klingen meist ruhig aus. Sie enden häufig mit Reflexionsmonologen, die infolge ihrer Breite und der Passivität des Sprechers leicht undramatisch und untheatralisch wirken, wenngleich sie aus den Charakteren erklärbar sind *(Iphigenie, Tasso)*. Das Publikum des 18. Jahrhunderts verstand solche Monologe auszukosten. Insofern konnte Goethe in einem Brief vom 18. III. 1799 an Schiller schreiben: *Mit dem Monolog der Prinzessin – gemeint ist Thekla in „Wallensteins Tod" – würde ich auf alle Fälle den Act schließen. Wie sie fortkommt bleibt immer der Phantasie überlassen (IV/14, 46).* An abrupte A.schlüsse mußte dieses Publikum erst gewöhnt werden. Spannungs- und Überraschungsmomente sind bei Goethe ohnehin seltener als etwa bei Schiller. Ein A.schluß wie der des vierten A.s in dem am ehesten theatralisch wirkungsvollen *Clavigo* wirkt fast undramatisch: der Arzt erscheint, damit die schon bekannte Tatsache von *Mariens* Tod noch einmal bestätigt wird. Bezeichnend ist auch Goethes Schwanken gegenüber A.schlüssen, wenn er Bühnenbearbeitungen – etwa des *Götz* – herstellte. Als Schiller an seine *grausame (I/40, 91)* Bearbeitung von Goethes *Egmont* ging, erkannte er sofort die Schwächen der A.schlüsse, und so änderte er zB. den Schluß des ersten A.s, indem er II, 1 hinübernahm, den langen Monolog *Brackenburgs* damit ins Innere verschob und schließlich noch eine effektvolle Strafrede *Egmonts* an *Vansen* hinzufügte. Übereinstimmend mit seinen Ansichten über *Regie gelangte Goethe zu A.schlüssen, die in Gruppen und Tableaus auslaufen (*Götz*-Bearbeitung 1804, *Faust II*). Daß Goethe sich der entscheidenden Handlungsfülle fünfter A.e bewußt war, erhellt etwa aus den *Lehrjahren*. Schon in der Schule beim Anhören von merkwürdigen Todesfällen der Weltgeschichte sah die Einbildungskraft des Knaben Wilhelm *über Exposition und Verwicklung hinweg und eilte dem interessanten fünften Acte zu (I/21, 38f.; vgl. auch I/51, 33).* Er begann *einige Stücke von hinten hervor zu schreiben ohne ... auch nur bei einem einzigen bis zum Anfange zu kommen.* Im ganzen bestätigt Goethes Art, dramatische Werke zu gliedern, daß er gleich weit entfernt war von der Technik der errechneten französischen Tragödie vor ihm wie von der des berechnenden Theaterstücks französischer Prägung nach ihm und daß äußere Wirksamkeit sich bei ihm am ehesten als natürliche Folge einer Wirkung von innen her einstellte.   *HF*

RPetsch: Wesen und Formen des Dramas. 1945. – Ders.: Von der Szene zum Akt. In: DVjs. 11, 2 (1933), S. 165–199. – APerger: Einortsdrama und Bewegungsdrama. 1929. – Ders. Grundlagen der Dramaturgie. 1952. – LPaalhorn: Die ästhetische Bedeutung der Aktgliederung in der Tragödie. Halle, Diss. 1929. – JPetersen: Schiller und die Bühne. 1904. – JKlaiber: Die Aktform im Drama und auf dem Theater. 1936. – KSchindler: Der Aktschluß im deutschen Drama des achtzehnten Jahrhunderts. Heidelberg, Diss. 1912. – WHochgreve: Die Technik der Aktschlüsse im deutschen Drama. 1914. – VTornius: Goethe als Dramaturg. 1909. – LBlumenthal: Goethes Bühnenbearbeitung des Tasso. In: Goethe 13 (1951), S. 59–85.

Akustik, musikalische, dh. Klanglehre als Teil der Physik, trat Goethe durch *Chladni nahe. Die Tagebuchnotizen und der Brief an Schiller vom 26. I. 1803 berichten, daß Chladni *seine ausgearbeitete Akustik in einem Quartbande mitgebracht habe (IV/16, 170).* Goethe liest sie im Manuskript und berichtet später (14. III. 1803) befriedigt an Wv*Humboldt, daß er *diesen Theil der Physik recht brav, vollständig und gut geordnet abgehandelt habe.* Er sieht sich aber zugleich *nach einem höhern Standpunkte um, wo das Hören, mit seinen Bedingungen, als ein Zweig einer lebendigen Organisation erschiene (IV/16, 197 f.).* Diesen Standpunkt vertritt Goethe, von der A. ausgehend, in seiner *Tonlehre. Als er daran arbeitet, entleiht er Chladnis „Akustik" aus der weimarer Bibliothek (1. V. bis 29. X. 1810). Die von Chladni entdeckten Klangfiguren geben Goethe 1820 Anlaß, sie mit entsprechenden Erscheinungen der Farbenlehre, den sogenannten seebeckschen Figuren zu parallelisieren (Tgb. 27. VII. 1820: III/7, 201; *Zur Farbenlehre*: II/5[I], 294–96). Abschließend und umfassend bemerkt Goethe: *Die den Chladnischen so nahverwandten Seebeckischen Figuren geben uns allerdings eine äußerst heitere Aussicht in die Natur, welche nach allen Seiten hin als unendlich und doch immer als Eins angeschaut wird. Das Instrument ist so vollkommen, daß der große Capellmeister von Ewigkeit zu Ewigkeit gar bequem darauf spielen kann (an Schlosser 5. V. 1815: IV/25, 301).*   *MB*

Ala (Alla), rein italienisches südtiroler Grenzstädtchen im Tal der Etsch, durchquerte Goethe auf dem Hin- und Rückweg der zweiten Italienreise Ende März (III/2, 3) und Anfang Juni (IV/9, 208) 1790.   *Za*

Albachten, Dörfchen im Kreise *Münster muß Goethe auf der Rückreise von der *Campagne in Frankreich* in der Nacht vom 6. zum 7. XII. 1792 durchfahren haben, ehe er über *Mecklenbeck bald danach Münster erreichte (Beisenherz; Kassenverbuchungen von JGP*Goetze).   *Za*

Albacini, Carlo (nach Nagler noch 1824 am Leben), italienischer Bildhauer und Restaurator, Professor an der Akademie S. Luca in Rom, schuf 1780 im Auftrag der Kaiserin Katherina von Rußland das Grabmal für R*Mengs in der Peterskirche zu Rom. 1787 besuchte ihn Goethe, *um einen Torso zu sehen, den sie unter den Farnesinischen Besitzungen, die nach Neapel gehen, gefunden haben (I/32, 32),* wohl kaum, wie Goethe vermutete, ein Apoll, sondern ein ausruhender Dionysos, „vermutlich ein Original aus dem frühen 3. Jahrhundert vChr." Für den König von Neapel sollte A., *der der beste Restaurateur der Statuen war (I/46, 263),* die von jenem ererbte Sammlung Farnese restaurieren, wie Goethe aufgrund der Mitteilung *Hackerts (I/46, 263) schildert.   *Lö*

Nagler: Allgemeines Künstler Lexikon. 1835 ff. 1, S. 36. – ThB 1 (1907) S. 171. – JRvEinem S. 645.

Albani, Alessandro (1692–1779), einer alten, 1464 angeblich vor den Osmanen aus Albanien nach Italien geflüchteten, vornehmlich in der Kirchenführung zu Ansehen und Wohlstand gekommenen Familie entstammend, war nur auf Drängen des Papstes Clemens XI. (ebenfalls ein Albani) in den geistlichen Stand eingetreten, besaß aber und bewahrte weitgehend weltmännische Anlagen und Neigungen, die ihn zu hohen Ämtern und Erfolgen als Kirchenfürst und mithilfe seiner ausgedehnten Verbindungen zum Erwerb überaus vielseitiger und reichhaltiger Kunstschätze führten, begünstigt durch *ein bis an's Wunderbare gränzendes Sammlerglück (I/46, 47).* 1758 zog er als Hausgenossen und Berater, wenn nicht als Freund *Winckelmann zu sich und gestaltete unter dessen verantwortungsvoller Mitwirkung die etwa 1760 eigens zu diesem Zweck erbaute Villa Albani als Heimstatt seiner Kostbarkeiten: *Gebäude drängten sich an Gebäude, Saal an Saal, Halle zu Halle, Brunnen und Obelisken, Karyatiden und Basreliefe, Statuen und Gefäße fehlten weder im Hof- noch Gartenraum, indeß große und kleinere Zimmer, Galerien und Cabinette die merkwürdigsten Mo-*numente aller Zeiten enthielten (I/46, 48).* Von aller Pracht, die der kirchlich fast zu freie Kardinal (vgl. die Anekdote I/30, 252) angehäuft und die Goethe in Rom (1787/88) selbst, wenn auch flüchtig, in sich aufgenommen hatte, ist heute nach wechselvollen Schicksalen nur noch ein Abglanz beisammen.   *Za*

C Justi: Winckelmann und seine Zeitgenossen. ³1923. Bd 2. S. 340–359.

Albani, Francesco (1578–1660), Maler, hervorgegangen aus der Werkstatt der *Carracci in Bologna, deren Leiter er schon 1598 wurde; seit 1600 in der Werkstatt des Annibale *Carracci in Rom, arbeitete er später gelegentlich mit *Domenichino zusammen. Die 1614 entstandenen Malereien in S. Maria della Pace in Rom, u. a. über dem Chor eine Himmelfahrt Mariä in Anlehnung an Annibale *Carracci, sah Goethe vielleicht im Dezember 1787, zitiert jedoch in der *Italiänischen Reise* nur eine Äußerung *Volkmanns, der A.s schwaches Colorit tadelt (I/32, 175). Eine vollständige Folge von Stichen nach den 1609/16 entstandenen Fresken A.s in der Galerie des Pal. Verospi zu Rom mit einer Darstellung Apolls, den Tierkreis durchfliegend, empfiehlt *Meyer zur Anschaffung für die Bibliothek, um ähnliche Stichwerke dadurch zu ergänzen, obgleich A. „gegen die älteren Meister auf der Wagschale wohl zu leicht würde befunden worden seyn; aber sehr lieblich sind seine Bilder doch allemahl". Goethe stimmte seinem Vorschlag zu (IV/21, 90). Goethe erwähnt ferner von dem sonst wenig beachteten Künstler, der bei Nachlassen des Einflusses der Carracci in einer weichlichen und schematischen Manier vorwiegend mythologische Liebesgeschichten und Amorettentänze darstellte, am 31. III. 1807 Kupfer nach Bildern in Paris (III/3, 202); einige Stiche nach Werken A.s besaß er selbst.   *Lö*

Goethes Briefwechsel mit Heinrich Meyer, SGGes. 2. S. 264 f. – Schuchardt. 1, S. 3 – ThB 1 (1907), S. 174.

Albano, mittelitalienisches Städtchen in albaner Gebirge, durch die alte via Appia mit *Rom verbunden. A. steht auf den Trümmern eines alten Landgutes des Pompeius (I/34^II, 212) und bot zu Goethes Zeiten noch mehr antike Reste. In dem Drang, rasch nach Süden, zunächst nach *Neapel weiterzukommen, nahm Goethe im Februar 1787 knapp Notiz von A., auf der Rückfahrt aber und während des zweiten römischen Aufenthaltes begann ihm im Juni 1787 die belebende landschaftliche Schönheit aufzugehen: *Auf den Gebirgen aber, Albano, Castello, Frascati, wo ich vergangene Woche drei Tage zubrachte, ist eine immer heitre reine Luft. Da ist eine Natur zu studiren (I/32, 10).* Für September/Oktober 1787 nimmt sich Goethe wiederholt vor (I/32, 56; 58; 60; 80), dorthin aufs Land zu gehen und vor allem *nach der Natur zu zeichnen.* Standquartier wird dann allerdings *Frascati, A. nur tageweise besucht; diese Ausflüge aber (27. IX. und 5. X. 1787) sind dann zeichnerisch sehr ergiebig: *auch auf diesem Wege wurden viele Vögel im Fluge geschossen (I/32, 84;* 107; 466; 468). Mitte Dezember 1787 finden sich noch immer *Töne in der Landschaft von der größten Schönheit, und die herrlichen großen Formen im nächtlichen Dunkel (1/32, 159).* Den Ertrag der A.-Aufenthalte an *Handzeichnungen hat AHirth nachgewiesen.   *Za*

Albers. Aus dieser alten Patrizierfamilie Bremens, die mit Anton A. und dessen Ehefrau Catharina, geb. Bußmann wohl um 1738 in der Hansestadt zu Bedeutung gekommen und durch Johann Christoph A. (1741–1801), Großkaufmann und Weinhändler (Bordeaux) verheiratet mit Marie Catharina geb. Retberg (Senatorenfamilie) in dessen Eigenschaft als Ältermann der Kaufleute in Bremen besonders einflußreich geworden war (IV/19, 85 Z. 28), hatte Goethe mit Vertretern der nächstfolgenden Generation unmittelbaren Kontakt:

–, 1) Anton d. Ä. (1765–1844), zunächst als Kaufmann ausgebildet und tätig, wandte sich alsbald auf dem Wege des Selbststudiums der Malerei zu und malte Landschaftsveduten mit figürlichen Staffagen. Nach längeren Reise- und Studienaufenthalten in Frankreich (Paris), Holland, England, Spanien, Italien blieb er seit 1816 schließlich in der Schweiz (Lausanne), wo er auch starb. Die meisten seiner Bilder befinden sich in bremischem Privatbesitz. Eine italienische Landschaft (1842) kam in den Besitz der bremer Kunsthalle; die Sammlung des Fürsten von Hohenzollern-Hechingen zu Löwenberg erwarb zwei Gemälde; das hzgl. braunschweigische Schloß Blankenburg sicherte sich eine große italienische Landschaft mit einem See im Hintergrunde. Wahrscheinlich dieser Bruder, nicht der Sohn des Nachfolgenden, ist der von Goethe als Künstler, dh. als Maler benannte *Herr Albers,* der ihm 1805 Arbeiten von sich (3 Landschaften für die Ausstellung in Weimar) durch N*Meyer übersandt hatte: *Herr Albers hat einen schönen Sinn, aber es fehlt seinem glücklichen Naturell noch gar sehr an Ausbildung. Er müßte noch einen ganzen Cursus der höhern und niedern Technik machen. (25. XII. 1805: IV/19, 85).* Ähnlich anerkennend heißt es in einem Brief an JHW*Tischbein: *Herr Albers hat sehr viel Anlage und ist von uns auf das Freundlichste behandelt wor-*

den. Ich danke Ihnen für die nähere Schilderung dieses werthen Mannes (24. II. 1806: IV/19, 105). Aus dem Gemäldeversand erwuchsen später Unstimmigkeiten (26. II. 1806: IV/19, 110): *Daß aber Herr Albers sich über Mangel von Sorgfalt bey Zurücksendung seiner Gemählde beklagt, muß mich höchlich verwundern. Sie sind in meiner Gegenwart von Meister Johlern, den Sie kennen, ich mag wohl sagen mit pedantischer Sorgfalt eingepackt worden, so wie ich das Liebste, was ich besäße, eingepackt wünsche, um es um die Welt zu schicken. Da mir aber bekannt ist, daß man gewissen Leuten nichts recht machen kann, so bin ich auch darüber beruhigt.*

Das frühe Datum der Angelegenheit verlangt, daß es sich bei diesem A. eben um Anton d.Ä. handeln muß, weil der Adressat als etwaiger Sohn, nicht als Bruder der Nachfolgenden, kaum siebenjährig, schwerlich schon als immerhin wohlhabender Mann und fruchtbarer Künstler hätte gelten können. Anton d.Ä. ist aber als beides bekannt [ThB 1 (1907), S. 185; NDB 1 (1953), S. 125].

–, 2) Johann Abraham (1772–1821), Bruder des Vorgenannten, bedeutender, führender Arzt in Bremen. Studium: Carolinum Braunschweig; Universität *Jena: JChr*Loder, ChrWF*Hufeland; Göttingen: Zwischensemester; Jena: Promotion 30. III. 1795 Dissertation: ,,De ascite" (Bauchwassersucht). Nach dem Studium mehrjährige wissenschaftliche Reisen nach Marburg, Wien (Geburtshilfe; Kindbettfieber; Augenheilkunde; Klinische Vorträge), Edinburgh, London; 1798 wieder in Bremen. Große ärztliche Praxis dort (Augen- und Kinderheilkunde); zahlreiche medizinische Veröffentlichungen (1799: Vorschläge zur Verbesserung der Hospitäler; 1809 Preis Napoleons für beste Arbeit über Croup/Krupp, halbiert mit Jurine, publiziert 1815; Geburtshilfliche Schriften 1804, 1817, 1818; Untersuchung über Hautverfärbung durch innerlichen Gebrauch von Höllenstein 1816; Abhandlung über Zwecklosigkeit des Aderlasses bei Hydrophobie, 1815; über verschiedene Unterleibserkrankungen 1817 usw.; großenteils in englischer Sprache). Johann Abraham A. heiratet 1799 Marie Wilhelmine geb. Retberg (bremische Großkaufmannsfamilie), eine begeisterte Goethe-Freundin. Goethe selbst urteilt über Johann Abraham A.: *Doctor Albers, durch seine Kenntnisse der ausländischen medicinischen und naturhistorischen Litteratur rühmlich bekannt (8. X. 1803: IV/16, 323);* dies Urteil geht auf eine Empfehlung durch NMeyer zurück (IV/16, 479). Im Hinblick auf die Verbindung Goethe/A. scheint aber Johann Abrahams Frau, die Retberg-Tochter, die aktivere Kraft gewesen zu sein. Sie regte den englischen Arzt John *Forbes an, Goethe aufgrund des in den *Wahlverwandtschaften (I/20, 212)* gebrauchten Gleichnisses vom roten Faden ein englisches Schiffstau zu schicken: *Nicht bedeutender noch ausdrucksamer hätte ein Symbol der gegenwärtigen Zeitveränderung zu mir gelangen können, als daß, durch Ew. Wohlgeboren Vermittelung, ein englisches Schifftau mich in meiner mittelländischen, einsamen Klosterstube besucht, und mich, durch seinen Thrangeruch, an das freie Weltmeer, das ich seit so vielen Jahren nicht wieder erblickt, auf das lebhafteste erinnert. Dank sey daher Ihnen und Ihrer theueren Gattin gesagt, die jenes gemüthlichen Gleichnisses gegen den Ausländer gedenken wollen, auch ihm danken Sie, wenn es Gelegenheit giebt, zum schönsten* (15. I. 1814: *IV/24, 102 f.*).

–, 3. Marie Wilhelmine, geb. Retberg, Tochter des bremischen Großkaufmanns Johann Abraham Retberg, seit 1799 Ehefrau des Vorgenannten (s. d.). Der Sohn aus dieser Ehe hieß Wilhelm, aber nicht Anton (wie die Zeugnisse verlangen würden) und war nicht Maler, auch nicht als Dilettant, sondern Diplomat. *Za*
ThB 1 (1907), S. 185. – NDB 1 (1953), S. 125. – BLÄ² 1 (1929), S. 57–62. – Bremer Nachrichten, 17. IX. 1938.

Albert (nähere Daten nicht bekannt), einen *Straßencommissarius* aus *Eger, der im Dienste des Fürsten ClWNL von *Metternich-Winneburg die technische Erneuerung der auch von Goethe häufig befahrenen Haupt- und Poststraße Eger-*Marienbad im Bauabschnitt Eger-*Sandau zu beaufsichtigen hatte, lernte Goethe bei Gelegenheit einer Ausfahrt am 27. IV. 1820 *(III/7, 166)* kennen. Bei späteren Besichtigungen dieser wege- und brückenbaulich besonders interessierenden Arbeiten vermerkt Goethe keine weiteren Zusammenkünfte mit A., wohl aber mit dessen Untergebenem *Schneider. *Za*

Albert, Franz Joseph, Gastwirt zum Schwarzen Adler in *München (später Hotel Detzer, Kaufinger Straße; nicht mehr vorhanden), ist Goethes Quartiergeber für die Nacht 6./7. IX. 1786: *Ich wohne auch hier in Knebels Wirthshaus, mag aber nicht nach ihm fragen, aus Furcht Verdacht zu erwecken oder dem Verdacht fortzuhelfen. Niemand hat mich erkannt* [Goethe reiste nach Italien wie auch sonst gern *incognito] *und ich freue mich so unter ihnen herum zu gehen (III/1, 154).* CLv*Knebel war ein Jahr zuvor (24. X. 1785) in München und bei demselben A. zu Gast, auch nur für eine

Nacht, gewesen, hatte aber wenig Erfreuliches über seine Eindrücke von München und seinen Menschen berichtet, so sehr er das bayrische Volk „als das aufgeklärteste teutscher Nation" preist, „weil es offenbar das gutherzigste ist, Stärke und Kraft besitzt, innerlich und äußerlich wohlgebildet ist, und einen Charakter der Selbsterhaltung in diesem Allen trägt, den unter solcher Regierung wohl keine Nation hat" (vMaltzahn S. 125–127). Vielleicht war Franz Joseph A. auch von diesem Schlage, Knebel hatte ihn jedenfalls an Goethe empfohlen. *Za*
H Freiherr vMaltzahn: Karl Ludwig vKnebel. Goethes Freund. 1929.

Alberti, Domenico (1717–1740), gebürtiger Venetianer, ein vielversprechendes, nicht ausgereiftes Talent, hat sich in der Entwicklung der Sonatenform, vornehmlich der Klaviersonate der galant-frühklassischen Zeit einen Namen gemacht. Zweisätzig, nach dem Muster des Francesco Durante (1684–1755) und jeweils in den ersten Sätzen stark von Domenico Scarlatti (1683–1757) abhängig, sind sie hauptsächlich durch die Partie der linken Hand (gleichmäßig fortgesetzte Akkordbrechungen), wie sie später von J*Haydn und WA*Mozart viel verwendet wurde, schulebildend geworden. Noch heute nennt man diese Art der Baßbehandlung bei Klavierkomponisten „Albertische Bässe". Die leichte Ausführbarkeit und Eingängigkeit haben ihr bis in die Liebhaber- und Unterhaltungsmusik der Gegenwart Nachwirkung verschafft. Bei Gelegenheit der Übersetzung von *Diderots Dialog *Rameau's Neffe* (1805) sah sich Goethe zu einer Anmerkung über A. veranlaßt: *Ein außerordentliches musikalisches Talent, mit einer vortrefflichen Stimme begünstigt, die sogar Farinelli's Eifersucht erregte, zugleich ein guter Clavierspieler, der aber seine großen Gaben nur als Dilettant zum Vergnügen seiner Zeitgenossen und zu eigenem Behagen anwendete, auch sehr frühzeitig starb (I/45, 162).* *Zelter schrieb (6. VI. 1805) auf diese und ähnliche Anmerkungen hin (zu Duni, Lully, Musik, Rameau) an Goethe: „Es hat mich nicht wenig gekränkt, daß Sie und er (Diderot) mehr von der Musik verstehen als ich; ich habe niemals etwas gelesen, das mir die Augen so mit Zangen aufgerissen hätte." *Za*

Alberti, Leandro (1479–1553), Dominikanermönch und Verfasser geschichtlicher und geographischer Werke, der vor allem theologische und philosophische Studien getrieben hatte und 1525–1528 ausgedehnte Reisen durch Süditalien und Frankreich unternahm. Die Frucht seiner späteren geschichtlichen und

geographischen Studien und weiterer Reisen durch Mittel- und Oberitalien von 1530 bis 1536 bildeten die Voraussetzung seiner „Descrittione di tutta Italia nella quale si contiene il sito di essa, l'origine et la signoria delle città et de' Castelli", die 1550 in Bologna erschien und bei der venezianischen Ausgabe von 1568 noch durch die „Isola" des Dominikaners Vicenzo da Bologna ergänzt wurde. 1566 und 1567 erschienen lateinische Übersetzungen von WKHoeninger. A.s Werk zeichnet sich durch Genauigkeit und weitreichende Kenntnis der länderbeschreibenden Literatur seiner Zeit aus und umfaßt geschichtliche und antiquarische, ökonomische und verwaltungstechnische Mitteilungen. Goethe wollte die auf der weimarer Bibliothek vorhandene venezianische Ausgabe bei der Vorbereitung zu seiner zweiten Reise nach Italien benutzen (I/34[II], 183).   *Za*
Enciclopedia Italiana 2 (1929), S. 180.

Alberti, Leone Battista (1404–1472), war der erste Baumeister der italienischen Renaissance, der sich mit den Architekturbüchern des *Vitruv auseinandersetzte und Vermessungen an antiken Bauwerken in *Rom vornahm. Ob Goethe mit Bewußtsein während seines kurzen florentinischen Aufenthaltes den Palazzo Ruccellai und die Fassade von S. Maria Novella als Werke des A. angesehen hat, ist mehr als fraglich. Später nennt er ihn *der zierliche Alberti (IV/12, 48),* wohl nachdem er nach der italienischen Reise noch einmal sich die Entwicklung der florentinischen Architektur klargemacht hat. Die wichtige architekturtheoretische Schrift des A. „De re aedificatoria", 1485 nach seinem Tode erschienen, hat Goethe, obwohl sie für die *Architekturtheorie des Cinquecento die Grundlage bildete, nirgends erwähnt und daher wohl nicht gekannt.   *Wt*

Albertus Magnus (eigentl. Albert Graf vBollstädt, 1193–1280), der vielseitigste Gelehrte des Mittelalters, der durch seine Kommentare besonders zu den naturwissenschaftlichen Schriften des *Aristoteles diesem das Abendland erschloß, als Dominikaner an vielen Stellen Deutschlands, zuletzt in Köln, lehrend und verwaltend tätig, wird in einer Bemerkung Goethes über seine Beschäftigung mit der älteren Naturgeschichte erwähnt: *Ich studirte den A. M., aber mit wenigem Erfolg. Man müßte sich den Zustand seines Jahrhunderts vergegenwärtigen, um nur einigermaßen zu begreifen was hier gemeint und gethan sei (I/36, 23).*   *Rt*

Albini, Franz Joseph Freiherr von (1748–1816), 1798 Teilnehmer am Kongreß zu Rastatt, kurmainzischer Ministerpräsident; Goethe benutzte seinen Aufenthalt in *Hanau, um auch

diesem namhaften Staatsmann seine Aufwartung zu machen. Er besuchte ihn am 21. X. 1814, aß mittags am selben Tage mit ihm zusammen, wurde am 22. von ihm zu Tisch geladen und empfing am 24. A. selbst zu einem abschließenden Besuch. Da sich Goethe in Hanau hauptsächlich für naturwissenschaftliche, insbesondere mineralogische Dinge (*Leonhard) interessierte und dadurch fast ganz ausgefüllt war, kommt dem wiederholten Zusammensein mit A. erhöhte Bedeutung zu; die Ereignisse des napoleonischen Krieges (Goethe besichtigte das historische hanauer Schlachtfeld vom 30./31. X. 1813 am 22. Oktober 1814: III/5, 135) und die Verhandlungen des *Wiener Kongresses standen im Mittelpunkt des politischen Interesses der Zeitgenossen.   *Za*

Albis (lat. Mons Albis), Bergkette im Kanton *Zürich (Uetliberg 873 m; Albishorn 918 m) mit bekannt lieblicher Aussicht auf *Züricher See, *Rigi, *Pilatus und die Alpenkette vom Säntis bis zur *Jungfrau, begrenzt von der *Sihl und der Sihlschlucht. Goethe überquerte den A. nach seinem Bericht in *DuW* während der 1. *Schweiz-Reise Ende Juni 1775 auf der Rückkehr vom *St. Gotthard (I/29, 132; 228) und erwähnt an der gleichen Stelle auch die *Geschichte des Badens im Albis Thale. Gewaltige Händel deshalb. Lavaters Verlegenheit deswegen (ebda 227: Ärgerlicher Gegensatz der schweitzerischen bürgerlichen Beschränkung mit dem gehofften Naturleben).* Die in Zürich zurückgebliebenen Brüder *Stolberg *(Die guten harmlosen Jünglinge, welche gar nichts Anstößiges fanden, halb nackt wie ein poetischer Schäfer, oder ganz nackt wie eine heidnische Gottheit sich zu sehen . . .)* waren nach dem Baden im Züricher See *(Ich selbst will nicht läugnen, daß ich mich im klaren See zu baden mit meinen Gesellen vereinte . . . wer es auch mochte gesehen haben, nahm Ärgerniß daran; ebda 134 f.)* nun auch aus dem *düsteren Thal, wo hinter dem Albis die Sihl strömend herabschießt . . .* durch *Steinwurf auf Steinwurf* vertrieben worden *(ebda 135 f.).* – Die *Briefe aus der Schweiz, Erste Abtheilung,* ihrer Entstehung nach in den Zusammenhang dieser Reise gehörig, feiern diesen Überschwang sub specie der Schönheit im vollkommenen Muster der menschlichen Natur, sie ergänzen und steigern ihn zugleich durch das Abenteuer des Anblicks nackter Weibesschönheit *(I/19, 212–219).*

Auf der 3. Schweiz-Reise schreibt Goethe am 28. IX. 1797, diesmal auf dem Hinweg zum Gotthardt und in Begleitung des Pfarrers Beyel/*Hütten kurz vor *Schindellegi: *Man* *sieht rückwärts die ganze Reihe des Albis, so wie, nach den freyen Ämtern zu, die niedern Gebirgsreihen, an denen die Reus hinfließt; der Anblick ist jenen Gegenden sehr günstig (III/2, 161;* vgl. I/34ᴵ, 384).   *Za*

Albrecht, Christian Friedrich Heinrich (1787 bis 1853), Buchdrucker, Inhaber der Hofbuchdruckerei in Weimar, druckte das von Goethe herausgegebene 1. Heft der „Weimarischen Pinakothek" und hatte deshalb im April und Mai 1824 mit Goethe verschiedene Besprechungen (1/36, 198; III/8, 42; 44; 48).   *Hk*

Albrecht, Johann Georg (1694–1770), seinerzeit der „erste Lehrer der Stadt" (Frankfurt/ Main), Rektor des frankfurter Gymnasiums 1748–1766, unterrichtete Goethe im Hebräischen, etwa 1762–1765. Er ist der einzige Lehrer seiner Schuljahre, dem Goethe eine ausführlichere Darstellung in *DuW* widmet (Erster Teil, 4. Buch; I/26, 197–204). Was ihn dazu gereizt hat, scheint weniger der sachliche Gewinn dieser Zeit als der persönliche durchaus „satyr"-hafte Eindruck des allgemein angesehenen, sogar gefürchteten, aber zugleich als „Original" geltenden, sarkastischen Mannes gewesen zu sein. Die gestalthafte Begegnung mit einem Wesensverwandten des „Satyros", die für Goethe vornehmlich in jüngeren Jahren, zumal seit Straßburg 1773, bedeutsam genug wurde, mag hier – ohne geradezu „modellhaft" nachzuwirken – Anstöße ausgelöst haben.   *Za*

FJSchneider: Goethes „Satyros" und der Urfaust, 1949.

Albrecht, Johann Karl (gest. um 1800), Stiefsohn des braunschweigischen Staatsmanns JFW Jerusalem, kam, der Herzogin Anna Amalia von Braunschweig her empfohlen, 1760 als cand. jur. nach Weimar, wo er eine Anstellung als Archivar fand. 1765 erhielt A. den Titel Rat, war seitdem als Lehrer des Erbprinzen *Carl August und des Prinzen *Constantin tätig und wurde 1772 zum Legationsrat, 1782 zum Hofrat ernannt. Nach mehrjähriger Reise durch Italien, Frankreich, England und Holland kehrte A. 1779 nach Weimar zurück, wo er seine Lehrtätigkeit beim Prinzen Constantin wieder aufnahm; auch Carl August nahm bei ihm noch Unterricht und zwar in Mathematik und Physik. Im Januar und Februar 1780 traf der ernste und kenntnisreiche, aber pedantische und auch sonst eigenartige Mann mehrfach (III/1, 106 f. u. 109) mit Goethe zusammen: *War Albrecht zu Tisch. Wunderliche Art Menschen (III/1, 109).* Prinz Constantin wählte nicht *Knebel, sondern A. zu seinem Reisebegleiter für seine 1781 begin-

nende Reise nach der Schweiz, Italien, Frankreich und England, deren Fiasko A. nicht nur die Ungnade Carl Augusts, sondern auch Goethes Mißbilligung zuzog, vgl. Goethes Brief an A. vom 30. VII. 1783: IV/6, 183 f. A. lebte seitdem als Privatmann lange Jahre in Weimar, wo er noch 1795 erwähnt wird, starb aber nicht hier.   *Hk*

Alcamo, am Nordhange des Monte Bonifato (auch Monte della Madonna dell' Autu; 825 m) und unweit über dem *Golfo di Castellamare im nordwestlichen *Sizilien gelegen, *ein stilles reinliches Städtchen* arabischen Ursprungs, 1233 durch den Staufenkaiser Friedrich II. christianisiert, erreichte Goethe am 18. IV. 1787 von *Palermo her. Aber mehr als die staufischen und später-mittelalterlichen, auch renaissancistischen Relikte zog ihn *die Großheit der Gegend* an, nur für Vegetation und Feldbau hat er noch besonders Blick und Wort *(I/31, 149–152). Das Wasser, das von *Segesta herunter kommt* ist der Fiume Freddo, der sich nicht weit von A. mit der *Gaggera, bzw. dem Fiume Caldo vereint; hier interessieren Goethe die mineralogisch-geologischen Verhältnisse: *Außer Kalksteinen viele Hornstein-Geschiebe, sie sind sehr fest, dunkelblau, roth, gelb, braun, von den verschiedensten Schattirungen. Auch anstehend als Gänge fand ich Horn- oder Feuersteine in Kalkfelsen, mit Sahlband von Kalk (I/31, 152).* Als Kuriosität vermerkt Goethe im Tagebuch, daß er während der Tage in A. *ein gemauert Bette* hatte *(III/1, 337).* Er verließ A. endgültig am 20. IV. 1787.   *Za*

Alchemie/Alchymie. Wissenschaftsgeschichtlich muß die A. seit ihren Anfängen wohl schon in der priesterlichen Esoterik des alten Ägypten als dunkle, dunkelste Vorstufe der *Chemie gelten. Sie war nicht nur in Frühformen Lehre vom Stoff, sondern sie war, unlösbar in Vorstellungsweisen der *Magie, des *Aberglaubens und des Volksglaubens verflochten, auch deren Anwendung im Sinne einer ars regia (einer „königlichen Kunst"). Mit ihrer Hilfe sollte der *Stein der Weisen zu gewinnen sein. Dieser war in Theorie und Praxis eines pansophischen Denkens für die A. das principium aller stofflichen Verwandlungen, das arcanum, die quinta essentia (pseudo-aristotelisch), das große Elixir (al iksir = der Stein), der rote Löwe, das Magisterium (= das Meisterstück), die rote Tinktur, kurz: das Mittel aller Mittel, die Substanz aller Substanzen, jenseit der vier elementarischen Wesenheiten Feuer, Wasser, Luft, Erde die fünfte. Ihr zauberhafter Gebrauch sollte alle unedlen Metalle zu Gold machen, dh. unerschöpfliche Macht durch

Reichtum sichern und – als Trinkgold: aurum potabile (vgl. das „Goldwasser" aus Danzig und seinem Hause zum Lachs; Krambambuli) genossen – unversiegliche Lebenskraft durch Gesundheit gewährleisten.

Schon der Name A. ist schwer zu deuten. Es ist unklar, ob er mit dem alten, einheimischen Priesternamen für Ägypten: Chemi/Kemi = schwarzschlammig (Nil), schwarzerdig, schwarz, fast im Sinne von „göttergesegnet", zusammenhängt. Ableitungsversuche aus dem Griechischen denken an: $\chi\nu\mu\acute{o}\varsigma$ = Saft, Brühe; an: $\chi\varepsilon\tilde{\nu}\mu\alpha$, $\chi\acute{\nu}\mu\alpha$ = Guß, Metallguß; oder an ein nicht weiter auflösbares, bereits altgriechisch eingebürgertes Fremdwort: $\chi\eta\mu\varepsilon\acute{\iota}\alpha$. Als Beschäftigung mit dem „Schwarzen" würde es schon dem Namenssinne nach an die Sphäre der „Schwarzen Kunst" heranrühren. Eine der frühest bezeugten Begriffsbestimmungen (Zosimos) spricht von ihr als von der Kunst, Gold und Silber zu machen. Diese Definition kehrt in den folgenden Epochen, auch nach der Arabisierung (al kîmijâ; 10. Jh.) wieder, obwohl der arabische *Orient in der Zeit vom 7. bis zum 12. Jahrhundert sehr bemüht ist, die A. in der Richtung auf mehr wissenschaftliche Erkenntnisziele und -verfahren zu entwickeln (Ibn Haijân/Dschabir; Ibn Sina/ Avicenna). Der *Okzident hat in den Zeit vom 13. bis zum 17. Jahrhundert die Energie seiner begabtesten Köpfe (Albertus Magnus, Basilius Valentinus, Villanovanus, Roger Bacon, Raymundus Lullus usw.) durchaus noch für die Suche nach dem geheimnisvoll-abenteuerlichen Ur-Stoff aufgeboten, wobei freilich oftmals nicht wenige, technisch sehr erfolgreiche Entdeckertaten gelangen (Schwarz; Böttger; Brand; Kunkel usw.). Als Paten oder Ahnherrn gebrauchte oder mißbrauchte die A. auch die Überzeugungsredlichkeit wissenschaftlich vielfach in einem ganz anderen Sinne führender Männer wie Libavius, Paracelsus, Verulam, Glauber, Sylvius, van Helmont, Homberg, Boyle usw. Diese Einstellung findet sich bis weit in Goethes Tage. Man denke etwa an KA*Kortum und seine „Hermetische Gesellschaft", 1796–1819, in deren programmatischem Namen die Erinnerung wohl mehr an den ägyptischen Priester Hermon, an den angeblichen Verfasser der „Tabula Smaragdina", eines A.-Rezeptes zum Goldmachen (auch Goethe bekannt; vgl. Briefe an ETh *Langer vom 29. IV. und 11. V. 1770), und weniger an *Hermes Trismegistos fortlebt.

„Urerfahrungen, die der naive chemische Anfänger bei der Destillation und Sublimation von Stoffen (in Kolben und Retorte, über dem Ofen) machte, erweckten in ihm den Glauben, am Ende könne ein Eingeweihter in einem entsprechend schwierigen und geduldigen Verfahren aus den Materien, die er sich als im Grunde einheitlich und ineinander verwandelbar vorstellt, auch jene schöpferische Ur- und Kernsubstanz wieder herausdestillieren, die am Anfang der Schöpfung allein da war und von welcher der Aufstieg der Elemente in der Natur ausgegangen ist. Diese letzte Quintessenz, bald mehr mineralisch als „Stein" oder Pulver, bald flüssig oder flüchtig als sogenannter Merkurius (ein spirituelles Quecksilber) erscheinend, muß, wenn man sie gewissermaßen isolieren kann, für Bruchteile der Materie, auf welche man sie projiziert, erlösend wirken: sie läutert die Metalle auf ihrer natürlichen – den sieben Planeten entsprechenden – Leiter, die mit dem saturnischen Blei beginnt, bis zum solaren Golde empor. Dies alles in einem Prozeß, welcher den langsamen Kreislauf der Schöpfung von jener vollkommenen Ursubstanz über den „Sündenfall" in niedere Stofflichkeit hinauf zu höheren und höchsten Qualitäten zauberhaft beschleunigt. Als Elixier ..., als Universaltinktur, als Panacee – alles nur Erscheinungsformen oder Derivate des großen Arcanums – wirkt dieses heilend, wiederherstellend auch auf alle belebten Stoffe. Um aber jene Agentien freizumachen, bedarf es mehr als quasi chemischer Reinigungen; es gelingt nur durch innere Mittätigkeit des Laborierenden selbst, weil ja dessen Wesenskern am Innern der Welt draußen magisch partizipiert. Der Umgang mit Retorte, Kolben und Öfen, mit Essenzen und Mischungen aller Art bedeutet ein Mysterium ... Das „Goldmachen" darf nur geheime Bewährungsprobe, gewissermaßen mystisches Spiel sein, nicht mehr. Sonst verliert der Adept in einem verhängnisvollen Zirkel gerade diejenige Seelenverfassung, die ihm die magische Läuterungskraft verliehen hatte; er muß zum Schwindler werden oder aber sich der Hilfe dunkler Mächte bedienen. So beschränkt sich der Edle lieber auf die vielen Vorstufen des Großen Werks, wobei es ihm mehr um Heilmittel für die Menschen zu tun sein wird ... Er begnügt sich mit einer auf das eigene Selbst angewandten Verwandlungskunst. Jedenfalls muß das halb chemische, halb mystische, halb stoffliche halb innerliche Geheimnis den Unwürdigen verborgen bleiben ... Darum ... kann und darf das Mysterium nur in Bildern, Gleichnissen und Symbolen angedeutet werden, solchen, die aus der Natur, aus Märchen und Mythos sich anbieten: überall, wo es um dieselben, im Menschen-innersten verankerten Urwünsche, die gleiche Verwandlungs-, Läuterungs- und Erlösungs-hoffnung geht" (GFHartlaub S. 20–22).

Diese Formulierungen, als Brücke benutzt, lassen in Verbindung mit unmittelbaren und mit mittelbaren Zeugnissen Goethes eigen-tümliche, noch nicht hinlänglich erforschte Beziehung zur A. und damit zu einer spezifi-schen Form des *Okkultismus zumindest in nicht ungewichtiger Bedeutung erscheinen. Grundlegend ist die frankfurter Krisenzeit nach und zwischen *Leipzig und *Straßburg (1769–1772). Persönlich im Vordergrund ste-hen SKv*Klettenberg und JF*Metz, sachlich Goethes A.-Lektüre und Eigenpraxis, wie in den *Ephemerides (Morris 2, 26–50)* vermerkt oder etwa im *Faust V. 1034–1055* verarbeitet (EBeutler: Faust-Erläuterungen, S. 541 f.; ETrunz, HbgA 3, S. 503 f.). Zusammenfas-send stellt Goethes späterer *DuW*-Bericht die Verhältnisse dar (I/27, 199–208), ungefähr gleichzeitig (1807/10) damit verfaßt, das Kapi-tel *Alchymisten* im *Historischen Theil* der *Farbenlehre (II/3, 207–212)*. An der letzt-genannten Stelle formuliert Goethe seine Distanz gegenüber der A.: *Betrachtet man die Alchymie überhaupt; so findet man an ihr die-selbe Entstehung, die wir oben bei anderer Art Aberglauben bemerkt haben. Es ist der Miß-brauch des Echten und Wahren, ein Sprung von der Idee, vom Möglichen, zur Wirklichkeit, eine falsche Anwendung echter Gefühle, ein lügen-haftes Zusagen, wodurch unsern liebsten Hoff-nungen und Wünschen geschmeichelt wird (ebda S. 207)*. Diese Distanzierung, begründet mit dem Hinweis auf eine mißbräuchliche An-wendung der *Analogie durch die A., ist be-tont kühl, dennoch heißt es wenige Zeilen weiter: *Es führt zu sehr angenehmen Betrach-tungen, wenn man den poetischen Theil der Alchymie, wie wir ihn wohl nennen dürfen, mit freiem Geiste behandelt. Wir finden ein aus all-gemeinen Begriffen entspringendes, auf einen gehörigen Naturgrund aufgebautes Mährchen (ebda 208)*. Hier lassen Goethes Ausführungen ein Wendung ins Positivere zu.

Diese bekundet sich stärker in Goethes dichte-rischem als in seinem wissenschaftlichen Werk. Und dennoch finden sich außer etwa im *Faust* mittelbare Zeugnisse in vielen bota-nischen, optischen, anatomischen, geologi-schen und meteorologischen Arbeiten „ins-geheim" und „ dem Verfasser selber unbewußt, wohl auch unwillkommen" (GFHartlaub S. 117). Es handelt sich um Reflexe, die auf Goethes theoretischen wie praktischen Um-

gang mit der A. zurückweisen, die Fachsprache der Adepten verwenden und im Grunde um die Achse eines Denkens kreisen, das sich in den Bahnen der *Morphologie und der *Meta-morphose bewegt und Außen mit Innen durch die Ent-Sprechungen der *Analogie verbinden will. Soweit das Denken der A. dazu verhelfen konnte, vermochte Goethe sich ihm anzuschlie-ßen und die Suche nach einer alle Substanzen verbindenden Ur-Substanz wie die nach einer alle Pflanzen verbindenden Ur-Pflanze mit-zumachen, freilich in einer Weise, die keinen *Sprung* vom Möglichen zum Wirklichen ver-langt.   *Za*

CGJung: Psychologie und Alchemie. 1944. – RD Gray: Goethe the alchemist. A study of alchemical symbolism in Goethe's literary and scientific works. 1952. – GFHartlaub: Goethe als Alchemist. In: Euphorion 48 (1954), S. 19–40. – GFHartlaub: Über RDGray, Goethe the alchemist. Ebda. S. 116–118.

Alcibiades/Alkibiades (450–404 vChr.), zweifel-los eine der faszinierendsten Gestalten der antiken Geschichte, dämonisch-prächtig in den Möglichkeiten ihrer Jünglingsgenialität, athe-nischer Altadelssohn, perikleisch erzogen, aber eher ein Vertreter der jüngeren, nach Macht um der Macht willen strebenden Generation, berühmter Staatsmann und Feldherr, war Goethe zunächst durch die literarisch beliebte Darstellung *Plutarchs früh bekannt gewor-den. Aber weniger als historische Persönlich-keit, vielmehr als Figur der platonischen Dia-loge (Symposion C 33–35) und zumal im sokra-tischen Umkreis wurde A. 1771 dem straßbur-ger Goethe zum Symbol, und zwar zu einem Symbol, in dem er sich selbst und damit sein Verhältnis zu JG*Herder begreifen wollte. In Herder suchte Goethe seinen *Sokrates, in diesem Suchen ward er sich selbst zum A. – ein Vorgang, der nicht unerheblich hinausgreift über die schwärmerischen Formen der *Freund-schaft des 18. Jahrhunderts, wenngleich in ihnen verwurzelt. *Herder, Herder. Bleiben Sie mir was Sie mir sind. Binn ich bestimmt Ihr Planet zu seyn so will ich's seyn, es gern, es treu seyn … Adieu lieber Mann. Ich lasse Sie nicht los. Ich lasse sie nicht! Jakob rang mit dem Engel des Herrn. Und sollt ich lahm drüber werden … Jetzt eine Stunde mit Ihnen zu seyn wollt ich mit –– bezahlen* (entgegen IV/1, 264 mit *Morris 2, 116 f.*, dazu Morris 6, 137 u. 183, in den frankfurter Oktober 1771 zu setzen. In einem weiteren Briefe (Ende 1771) an Her-der, der mit einem platonischen Sokrates-Zitat schließt, heißt es: *Jetzo studir ich Leben und Todt eines andern Helden, und dialogisir's in meinem Gehirn. Noch ist's nur dunckle Ahn-dung. Den Sokrates, den Philosophischen Hel-dengeist … den göttlichen Beruf zum Lehrer der*

*Menschen . . . Ich brauche Zeit das zum Gefühl
zu entwickeln. Und dann weiss ich doch nicht
ob ich .. mich . . . zu der wahren Religion hinauf-
schwingen kann, der statt des Heiligen ein
groser Mensch erscheint, den ich nur mit Lieb
Entusiasmus an meine Brust drücke, und rufe
mein Freund und mein Bruder. Und das mit
Zuversicht zu einem grosen Menschen sagen zu
dürfen! – Wär ich einen Tag und eine Nacht
Alzibiades, und dann wollt ich sterben. Vor wenigen Tagen hab ich sie recht aus vollem Herzen
umfasst, als säh ich sie wieder und hörte Ihre
Stimme (Morris 2, 120).* Diese außerordentliche Jünger/Meister-Begegnung gedieh nicht
zur letzten Reife. Es lag nicht an dem *Alzibiades*, sondern an dem „Sokrates“. Goethe sucht
in Herder seinen Sokrates vergeblich. Lange
aber auch in vielen Regungen schwingt das Erlebnis nach, gerade dadurch seine ursprüngliche Kraft, hochgespannt und mehr und mehr
enttäuscht, nachdrücklich beweisend. Vornehmlich an die Szene im Zelt von Potidaia
oder an die Bekränzungsszene anknüpfend und
dergestalt dem Augenblicklich-Unvergäng-
lichen des Sokrates/Alcibiades-Symbols in der
Darstellung durch *Platon (Symposion) verhaftet, zurückgedrängt bis fast auf veräußer-
lichte Reminiszenzen finden sich Reflexe z B.
ua. im *Egmont* (I/8, 302), vielleicht auch im
Tasso (I/10, 123 f.). Übrigens nannte sich im
sokratischen Kreis der straßburger Freunde
auch JMR*Lenz, der ohnedies gern Goethe
kopierte, einen „A.“, allerdings gegenüber
JD*Salzmann als seinem „Sokrates“. – In den
Xenien von 1796 wird das A.-Bild, zwar unabhängig von seinem straßburger Symbolwert
für den jungen Goethe, gegen eine aktuelle
literarische Entstellung (Roman; KGCramer,
AGMeißner), aber doch nicht ohne Tiefenerinne-
rung verteidigt: *Sieh mich doch an, ob ich wirk-
lich ein solcher | Hasenfuß bin, als bei euch man
in Gemählden mich zeigt (I/5^I, 258)?* Im
Alter regt und bezeugt sich bei Goethe ein
neues, besonders intensives Interesse für A. in
der Darstellung Plutarchs, ausdrücklich am
22. XI. 1820 (III/7, 251), sonst heißt es in diesen Tagen öfter ohne nähere Angabe: *Plutarch
oder Später für mich Plutarch gelesen* oder
Sodann Plutarch oä. *(III/, 252; 254).* Ein Jahr
später: *Nachts Plutarch* oder *Abends für mich.
Im Plutarch gelesen* oder *Abends für mich,
Plutarch (III/8, 121; 124; 125).* Mitbestimmend bei dieser wiederbelebten Lektüre war
der Umstand, daß der leipziger *Buchhändler
JAG*Weigel eine Neuausgabe (1820) der
„Vitae parallelae“ des Plutarch geschickt hatte
(Büchervermehrungsliste 25. I. 1821; III/8,

309). Mit Unterbrechungen setzt sich diese
Lesebeschäftigung durch die folgenden Jahre
fort. 1830 und besonders 1831 schwoll sie
noch einmal auffällig an und galt mehrtägig
auch gerade dem A.-Kapitel; Ottilie vGoethe/
Pogwisch liest vor: 4. u. 6. X. 1831 (III/13,
150 f.). Obwohl Goethe in dieser Zeit sich
selbst *immer mehr und mehr geschichtlich* wird
(IV/49, 165) ist ein latenter Erinnerungs-
Zusammenhang mit dem A.-Erlebnis seiner
Jugend wörtlich nicht bezeugt. Als möglich
wird er gelten dürfen.   *Za*
EMaaß: Goethe und die Antike. 1912. S. 426–489. –
WRasch: Freundschaftskult und Freundschaftsdich-
tung im deutschen Schrifttum des 18. Jahrhunderts
vom Ausgang des Barock bis zu Klopstock. 1936. –
KHildebrandt: Goethe. ³1942. S. 55–58. – Grumach
S. 848–861. – EvSchenck: Briefe der Freunde. Das
Zeitalter Goethes im Spiegel der Freundschaft. ²1949.
S. 241 f.

Aldegrever, Heinrich (1502 bis vor 1561), Maler, Goldschmied und Kupferstecher, tätig in
Soest in Westfalen; mehrere seiner meisterli-
chen Stiche befanden sich in Goethes Kunstsammlung.   *Lö*
Schuchardt 1, S. 105. – ThB. 1 (1907), S. 240 ff.

Aldenrath, Heinrich Jacob (1775–1844), Por-
trätmaler in Hamburg, Schüler und Freund
FC*Grögers, wurde Goethe durch *die Hambur-
ger Steindrücke, meist Porträts, in Vortrefflich-
keit von zusammenlebenden und arbeitenden
Künstlern unternommen und ausgeführt (I/36,
197 f.),* 1821 bekannt und durch *Meyer in *KuA*
(Bd 3 H.2, S. 133f.) beurteilt; er erwähnt das ge-
meinschaftlich mit *Gröger gemalte Porträt
FrGerstäckers und des Herzogs von Holstein-
Oldenburg.   *Lö*
ThB. 1 (1907), S. 243 f.

Aldingen, damals ein schwäbisches Dörfchen,
im württembergischen Neckarkreis gelegen,
gehörte in den Bereich des kaiserlichen Heer-
lagers, das Goethe am 3. IX. 1797 von *Stuttgart aus in seinen Positionen gegen den französischen Revolutionsgeneral Jean Victor Moreau
besichtigte. Er scheint es unter Führung von
dem österreichischen Generalstabs-*Hauptmann
Jakardowsky* durchquert zu haben, als er sich
*an der ganzen Fronte bis gegen Mühlhausen
hin* führen ließ *(I/34^I, 305).*   *Za*

Aldingen, Dörfchen an den Ostausläufern des
Schwarzwaldes zwischen Neckar- und Donau-
Oberlauf, *ein heitrer weitläufig gebauter Ort,* den
Goethe auf dem Wege in die Schweiz mit dem
Tagesziel *Tuttlingen durchfuhr(III/2,137).Za*

Aldobrandini, Pietro (1571–1621), unter Papst
Clemens VIII. früh (1593) Kardinal und Leiter
der vatikanischen Politik geworden, seit 1604
Erzbischof von Ravenna, für Wissenschaften
und Künste sehr aufgeschlossen, legte erhebliche Teile seines wachsenden Vermögens in

großen Sammlungen an, die er 1603 in der von Giacomo della Porta (1512–1577; Michelangelo-Schüler) entworfenen Villa Aldobrandini in Frascati bei Rom unterbrachte. Nach dem Erlöschen des römischen Zweigs der ursprünglich toscanischen Adelsfamilie fiel der weitaus größte Anteil des Besitzes den *Borgheses zu (1681; 1769). Im Zuge dieser Erbschaftsangelegenheiten wechselten viele Objekte ihren einstigen Platz.

Die a.sche Gemäldesammlung, soweit sie sich im Palazzo Borghese befand, besuchte Goethe mit Angelika *Kauffmann am 18. VIII. 1787 und behielt besonders *einen trefflichen Leonard da Vinci* (irrtümlich, weil als Werk des Bernardino Luini, Mailänder Leonardo-Schule, ca. 1475–1533, festgestellt) im Gedächtnis *(I/32, 59):* Christus unter den Schriftgelehrten (heute in London, Nationalgalerie). Die napoleonischen Ereignisse brachten die Sammlung auseinander. Im September 1787 war Goethe Gast in der Villa Aldobrandini: *Man spricht viel von Lusthäusern, aber man müßte von hier aus umherblicken, um sich zu überzeugen, daß nicht leicht ein Haus lustiger gelegen sein könne (I/32, 99).* Im Apollo-Saal machten die Ovidischen Metamorphosen al fresco des Domenico (Domenichino) Zampieri (1581–1641) besonderen Eindruck (I/48, 182).   *Za*

Aldobrandinische Hochzeit, Bild eines Wandfrieses augusteischer Zeit, mit Verwendung älterer Motive, um 1600 unter Papst Clemens VIII. auf dem Esquilin gefunden, gehörte zunächst dem Kardinal *Aldobrandini, ging danach in andere private Hände, gelangte 1818 in den Besitz von Papst Pius VII. und befindet sich seitdem in der Vaticanischen Bibliothek. Die ungeschickten Restaurationen wurden erst 1815 entfernt. Künstler wie *Rubens, van *Dyck und *Poussin haben es gekannt und bewundert, letzterer auch kopiert. Goethe hat das Gemälde in Italien nicht gesehen, da es sich damals noch im Privatbesitz befand. Er lernte es erst im Oktober 1797 in der Kopie *Meyers kennen, als er während seiner dritten *Schweiz-Reise mit diesem in *Stäfa die Ankunft von Meyers römischen Sendungen erwartete. Da sie *diesen Schatz fremden Händen und neuen Zufällen nicht aussetzen* wollten *(I/34ᴵ, 434),* reiste die Kopie im Gepäck Goethes mit nach Weimar und wurde dort im Junozimmer des Hauses am Frauenplan aufgehängt (November 1797). Eine nach der Reinigung des Originals von J*Raabe hergestellte Kopie sah Goethe erst 1820, lehnte sie jedoch mit Meyer zusammen ab. Der Archäologe Böttiger veröffentlichte aufgrund der Kenntnis

der meyerschen Kopie die Untersuchung: Die Aldobrandinische Hochzeit. Eine archäologische Ausdeutung. Nebst einer Abhandlung über dies Gemählde von Seiten der Kunst betrachtet, von H. Meyer, Dresden 1810. Eine Studie von Meyer über die Farben des Bildes nahm Goethe in die *Farbenlehre* auf (II/3, 97 bis 105). Goethes Bemerkung, *daß vielleicht der Maler . . . die Hauptfiguren der pronuba und der nova nupta nach einem Gemälde des Echion, das Plinius (XXXV, 10) nova nupta, verecundia notabilis nennt, kopiert, das andere aber aus verschiedenen Stücken komponiert habe (Bdm. 1, 272),* trifft, wenn auch nicht den genauen Sachverhalt, so doch gut den kompilierten Charakter des Bildes. Daß die AH. zu den vom alten Goethe am meisten geschätzten antiken Kunstwerken gehörte, bezeugt eine große Reihe von Äußerungen dieser Jahre, die letzte ist ein von Eckermann bewahrtes Gespräch vom 14. X. 1823: Das Bild war, bei zur Seite geschobenen grünen Vorhängen, in voller Beleuchtung mir vor Augen, und ich freute mich, es in Ruhe zu betrachten. *Ja,* sagte Goethe, *die Alten hatten nicht allein große Intentionen, sondern es kam bei ihnen auch zur Erscheinung. Dagegen haben wir Neuern auch wohl große Intentionen, allein wir sind selten fähig, es so kräftig und lebensfrisch hervorzubringen, als wir es uns dachten (Bdm. 3, 24).* Noch in die Schilderung des Saales der Vergangenheit in den *Lehrjahren* wirkte das Bild ein: *So verschämt wird durch alle Zeiten die Braut sitzen, und bei ihren stillen Wünschen noch bedürfen, daß man sie tröste, daß man ihr zurede; so ungeduldig wird der Bräutigam auf der Schwelle horchen, ob er hereintreten darf (I/23, 199),* mit welcher Beschreibung Goethe die richtige Deutung der Darstellung, zu der die moderne Forschung erst auf Umwegen (Auffassung des Sitzenden als Hymenaios) gelangte, ein Jahrhundert früher vorweggenommen hat.   *Hm*

LCurtius in: Vermächtnis der antiken Kunst. Hrsg. von RHerbig. 1950. S. 199 ff. – Helbig.³ – Grumach S. 652–658. – Wegner S. 121–123; 152; 158; Abb. 39.

Aldrovandi (Aldrovandus), Ulisse (1522–1605), italienischer Natur- und Altertumsforscher, ein vielseitiger Mann, lange Zeit wegen Häresie in päpstlicher Haft. 1561 wurde A. Dozent der *Pharmazie in *Bologna. 1568 gründete er ebendort einen botanischen Garten (den Goethe freilich nicht erwähnt). Auch mit der Anlage eines seiner Zeit vorauseilenden Herbariums hat er sich beschäftigt. Seine Werke behandeln meist naturwissenschaftliche Probleme, beispielgebend wirkte seine Ornithologie, zweimal hat er grundlegend zur Insektenkunde das Wort ergriffen, weniger bedeutend sind seine botanischen Veröffentlichungen. A. hielt immer einen großen Kreis von Zeichnern und Holzschneidern in Arbeit, die die Illustrationen seiner Werke unter seiner Aufsicht zu liefern hatten. Neben seinen naturwissenschaftlichen Forschungen widmete er aber auch der antiken Plastik Zeit und Kraft. Frucht dieses Interesses ist eine Schrift, die Goethe 1796 zu den Vorbereitungen für die zweite Reise nach Italien benutzte (I/34[II], 179; 182; 185) und an JH*Meyer weiter empfahl: *Wenn Ihnen ein kleines Buch begegnet: Le Antichita di Roma per Lucio Mauro Appresso le statue antiche per Ulisse Aldrovandi, so sehen sie doch hinein. Es ist merkwürdig, wegen des Anhanges, in welchem Aldrovandi die Antiken recensirt, wie sie zu seiner Zeit in öffentlichen und Privatgebäuden zu Rom standen* (22. I. 1796: *IV/11, 8*).   *Za*

Alembert, Jean Le Rond d' (1717–1783), französischer Mathematiker, Philosoph und Schriftsteller, am bekanntesten durch seinen „Discours préliminaire à l'Encyclopédie", in dem er eine Klassifizierung der Wissenschaften versucht, um diese sowohl in ihrer Entstehung als in ihrer künftigen Entwicklung zu erklären; er war eines der Häupter der *Encyclopédie und der um diese gruppierten Bewegung, welcher er in der *Académie française zur Mehrheit verhalf. In seinen Anmerkungen zu *Rameau's Neffen läßt Goethe die Vorwürfe nicht gelten, die d'A. gemacht wurden, als dieser sich *um des Lebens und der Gesellschaft willen vielseitig literarisch ausbildete* (1805: *I/45, 162*); er weist auch *Palissots Verdächtigungen in den „Philosophes" zurück, die aus d'A. und anderen Enzyklopädisten *Schurken machen, die im Taschendiebstahl unterrichten* (*I/45, 193*). *Fu*

Alexander der Große (356–323 vChr.), König der Makedonier, der große Schüler des *Aristoteles, der sich *Achill zum Vorbild nahm und nach militärisch-politischer Eroberung Asiens eine Verschmelzung von Orient und Okzident in einer neuen Weltkultur erstrebte, über diesem Ziele aber starb, ist eine der zentralen Heldengestalten sowohl morgen- wie abendländischer Sage und Dichtung. Deren zahllose Formen waren Goethe früh vertraut, vgl. auch sein spätes Studium des spanischen Alexander-Epos in Schuberts Ausgabe am 7. VIII. 1807 (III/3, 254 f.). A. bezeichnet einen Wendepunkt der Weltgeschichte. Abgesehen davon, daß er wie in diesem Sinne üblich auch bei Goethe gelegentlich dazu herhalten muß, als Orientierungsmarke in der Zeitrechnung zu dienen (I/46, 44; III/4, 226; IV/22, 369; IV/41, 73 ua.), macht sich Goethe nach sporadischen Vor-

formen erst in den *Divan*-Jahren intensiver mit A. und seinem Lebensgang vertraut, also zu einer Zeit, als es ihm selbst darum zu tun war, Orient und Okzident west-östlich zu verbinden. Als noch recht zufälliger, richtungsloser Auftakt ist es wohl anzusehen, wenn die *TuJ* 1811 davon berichten, daß die Lektüre von GEJ de Sainte-Croix: „Examen critique des anciens historiens d'Alexandre le Grand" zum besonderen Erlebnis wurde (I/36, 71). Für den Winter 1818/19 meldet das Tagebuch, daß Goethe am 26. I. 1819 ACurtius: Alexandri Magni vita in Übersetzung gelesen hat (III/7, 10), und zwar mit starker Wirkung, denn vier Wochen später ist in einem Gespräch mit Fv*Müller wieder davon die Rede (24. II. 1819: Bdm. 2, 431). Hauptthema ist die Episode des Streites zwischen A. und Clitus und deren tödlicher Ausgang, dieselbe Episode, die Goethe nach ACurtius in den *Noten und Abhandlungen* berichtet, um bei gleicher Gelegenheit zu erzählen: *Die Tischgespräche an Alexanders Tafel mögen immer von großer Bedeutung gewesen sein, alle Gäste waren tüchtige, gebildete Männer, alle zur Zeit des höchsten Rednerglanzes in Griechenland geboren* (*I/7, 96*). Goethe will den tödlichen Ausgang dadurch motivieren, daß sich die Gesprächssituation durch Trunk und Leidenschaft erhitzt, unter Mitwirkung der Frauen, *welche immer die heftigsten, unversöhnlichsten Feinde der Feinde sind*, zu trunkener Wut gesteigert und so das grausige Ende herbeigeführt habe. Im späten Alter (November 1831) kehrt Goethe in der *Plutarch-Lektüre mit Ottilie nochmals zu A. zurück. A. hat wie Achill für Goethe die Bedeutung eines Urbildes des Männlichen. *Za*

Alexandermosaik, Fußbodenmosaik des später „Casa del Fauno", zu Goethes Zeit „*Casa di Goethe" genannten Hauses in *Pompeji (Exedra H) aus dem Beginn des 1. Jahrhunderts vChr. nach einem Tafelbild des griechischen Malers Philoxenos von Eretria um 300 vChr. Das Mosaik wurde am 24. X. 1831 bei den Ausgrabungsarbeiten des Hauses entdeckt. Der Maler *Zahn schickte Goethe am 18. II. 1832 eine Durchzeichnung sowie einen Grundriß des Gebäudes (III/13, 229). Goethe war zutiefst beeindruckt: *Man muß die Vollkommenheit der mannichfaltigsten, in sich abgeschlossenen, malerischen Compositionen immer mehr bewundern und sich nur in Acht nehmen, gegen alles bißher Bekannte ungerecht zu werden. Vergleichend mit der ewig zu preisenden Schlacht Constantins von Rafael; es führt zu den allerhöchsten Betrachtungen* (*III/13, 230*), und bekennt in seiner Antwort an Zahn: *Mitwelt und Nachwelt*

*werden nicht hinreichen, solches Wunder der
Kunst würdig zu commentiren, und wir genöthigt seyn, nach aufklärender Betrachtung und
Untersuchung immer wieder zur einfachen
reinen Bewunderung zurückzukehren (IV/49,
262).*   Hm

HFuhrmann: Philoxenos von Eretria. 1931. – Wegner
S. 113; Abb. 38. – Grumach S. 670–672. – AMau-
AIppel: Führer durch Pompeji⁶. S. 242 ff.

Alexandersbad, der Badeort bei *Wunsiedel.
im *Fichtelgebirge, interessierte Goethe nicht
als Bad (erst 1782 durch den Markgrafen Alexander eingerichtet), sondern wegen der eigentümlichen geologischen Erscheinungen in seiner Nähe. Bereits 1785 war er im Juni/August
mit *Knebel in A. gewesen; damals hieß die betreffende Höhe mit dem auffälligen Granit-
labyrinth noch Luchsburg, 1805 erhielt sie zu
Ehren der anwesenden Königin von *Preußen
den Namen *Luisenburg. Am 13. VII. 1808
plante Goethe von *Franzensbad aus eine Ex-
cursion dorthin und setzte dafür anderthalb
Tage an (III/3, 360), aber erst am 25./26. IV.
1820 kam es auf dem Wege über *Eger nach
*Karlsbad dazu. Um die Luisenburg gründlich
zu studieren, blieb Goethe über Nacht in A.
(III/7, 164). Er kostete auch die Quelle, einen
gasreichen, erdigen Eisensäuerling.   Za

Alexandriner, ein aus dem Französischen stammender steigend alternierender (dh. Senkung
und Hebung regelmäßig wechselnder) Vers der
Form ⨯ ~ ⨯ ~ ⨯ ~ | ⨯ ~ ⨯ ~ ⨯ ~ (⨯), also
mit zwölf Silben bei stumpfem (einsilbigem)
und dreizehn Silben bei klingendem (zweisilbi-
gem) Reimausgang und starkem Einschnitt
nach der sechsten Silbe. Beispiel: *Du kennst
ihn nicht genug,   du hast ihn nie geliebt. / Es
ist nicht Eigensinn,   der seine Stirne trübt. //
Ein launischer Verdruß   ist seines Herzens
Plage, / Und trübet mir und ihm   die besten
Sommertage. / (Laune des Verliebten V. 39–42:
I/9, 5).* Der A. ist von Goethe in der Jugendzeit viel und auch im Alter wieder verwendet
worden.

Der A. war vorzugsweise der Vers der französischen Epik des Mittelalters und dann des
französischen klassischen Dramas. Im 17.
Jahrhundert kommt er in die deutsche Literatur, die er bis über die Mitte des 18. Jahrhunderts beherrscht; im Epos wird er durch den
*Hexameter, im Drama durch den *Blankvers
abgelöst. Seine Eigenart ist außer der Alter-
nation der starke Einschnitt in der Mitte nach
der sechsten Silbe, durch den er sich deutlich
vom gleichfalls alternierenden zwölfsilbigen
(allerdings meist reimlosen) jambischen *Trimeter unterscheidet. Die Teilung macht den
Vers besonders geeignet für Antithesen, Kon-

traste, Vergleiche. Schiller hat in einem Brief
an Goethe (15. X. 1799) die Eigenart des A.
gut gekennzeichnet: „Die Eigenschaft des
Alexandriners, sich in zwei gleiche Hälften zu
trennen, und die Natur des Reims, aus zwei
Alexandrinern ein Couplet [d.h. ein Reim-
paar] zu machen, bestimmen nicht bloß die
ganze Sprache, sie bestimmen auch den ganzen innern Geist dieser Stücke, die Charaktere, die Gesinnungen, das Betragen der Personen. Alles stellt sich dadurch unter die Regel
des Gegensatzes, und wie die Geige des Musikan-
ten die Bewegungen der Tänzer leitet, so auch
die zweischenklige Natur des Alexandriners
die Bewegungen des Gemüts und die Gedanken. Der Verstand wird ununterbrochen aufgefordert, und jedes Gefühl, jeder Gedanke in
diese Form, wie in das Bett des Prokrustes ge-
zwängt.“

Die ältesten A.gedichte Goethes sind die Neu-
jahrsgratulationen an die Großeltern 1757 und
1762 (I/37, 1 f.). Während Goethe späterhin
grundsätzlich Reimpaare a a b b bildet mit
stumpfen Reimen a und weiblichen Reimen
b (s. o.), zeigt das erste Gedicht umarmenden
Reim a b b a; die beiden letzten Verse bilden
auch a weiblich.

Als Frankfurt 1759/61 von französischen
Truppen besetzt war, besuchte Goethe nach
seinen Angaben in *DuW* (I/26, 141–151) täglich das französische Theater, und *der gemes-
sene Schritt, das Tactartige der Alexandriner,
das Allgemeine des Ausdrucks* machte ihm die
Tragödie leichter verständlich als das Lustspiel. *Es dauerte nicht lange, so nahm ich den
Racine, den ich in meines Vaters Bibliothek
antraf, zur Hand und declamirte mir die Stücke
nach theatralischer Art und Weise, wie sie das
Organ meines Ohrs und das ihm so genau verwandte Sprachorgan gefaßt hatte (ebda 142).* In
Frankfurt veranlaßte mit großer Lebhaftigkeit Olenschlager junge Leute, von Zeit zu
Zeit ein Schauspiel aufzuführen. Sie wagten
sich an Racines „Britannicus“ – denn sie wollten neben dem Schauspielertalent auch die
Sprache zur Übung bringen –, und Goethe
übernahm die Rolle des Nero (*DuW 4*: I/26,
249). Von in deutschen A.n verfaßten Schau-
spielen (*Deutsche Schaubühne) lernte Goethe
FMv*Grimms „Banise“, JChr*Gottscheds
„Cato“, FL*Pitschels „Darius“ ua. kennen.
So wurde ihm der A. vertraut.

In *DuW (I/26, 225)* erwähnt Goethe von ihm
(wohl in A.n) verfaßte Kirchenlieder *(geistliche
Oden)* und *(ebda 167)* ein von ihm geschriebenes französisches Stück *im Geschmack des
Piron.* Davon ist nichts erhalten.

Noch in die frankfurter Zeit gehören wohl die ersten vier Akte der in A.n verfaßten Tragödie *Belsazar,* von der zwei Bruchstücke, das eine in einem leipziger Brief an Cornelia vom 6. XII. 1765 (IV/1, 25 f.) und das zweite als Einleitung des 5. Kap. des 2. Buchs von *Wilhelm Meisters theatralische Sendung* (spätere Nachdichtung?) (I/53, 148 f.; I/51, 144 f.) erhalten sind. Aber wohl schon in Leipzig ändert sich Goethes Verhältnis zum A. In einem Brief an JJ*Riese vom 30. X. 1765 heißt es: *Die Versart, die, der große Schlegel selbst / Und meist die Kritiker für's Trauerspiel/ die schicklichste und die bequemste halten. / Die Versart die den meisten nicht gefällt, / Den meisten deren Ohr sechsfüsige, / Alexandriner noch gewohnt. Freund die, / die ists die ich erwählt mein Trauerspiel / zu enden.* Erhalten ist von diesem im Blankvers geschriebenen 5. Akte nichts. Am Schluß eben dieses Briefes verwendet Goethe dann aber in einem Spottgedicht auf Gottsched, das mit Hexametern beginnt, selbst wieder A. (Morris 1, 105 f.; IV/1, 17 f.). *Corneilles „Lügner" hatte Goethe als leipziger Student in A. zu übertragen versucht, wobei er jedoch über die erste Szene des ersten Akts nicht hinausgekommen war (Morris 1, 250–253; I/37, 50–54; 38, 219). Wohl parodistisch gebraucht er den A. *zu lustiger Stunde* in dem Gedicht auf den leipziger Kuchenbäcker Händel *(Hendel),* das im Oktober 1766 entstand und durch *DuW, Buch 7* erhalten ist (I/27, 140 f.; I/37, 58). Im Gegensatz zu Gottsched, der die Meinung vertrat, daß der A. der Tragödie vorbehalten bleiben müsse, der Komödie aber allein die Prosa zukomme, dichtet Goethe in der leipziger Zeit 1767–68 das Schäferspiel *Die Laune des Verliebten* in A.n und dann, wohl Anfang 1769 in Frankfurt, das später stark umgearbeitete und auf drei Akte erweiterte Lustspiel *Die Mitschuldigen.* Die Versform des A.s legte ihm aber einen zu starken Zwang auf und konnte ihn auf die Dauer nicht befriedigen. In Straßburg befreite er sich von allen fremden Fesseln und bedient sich jetzt in der dramatischen Dichtung der Prosa. Zur Parodie auf den A. gebraucht Goethe diese Versart wieder in dem Schönbartspiel *Das Jahrmarktsfest zu Plundersweilern,* in dem er das zuerst 1772 in Knittelversen wie das ganze Stück geschriebene Zwischenspiel Hamann-Ahasverus und das Estherspiel zu den Aufführungen in *Ettersburg (20. X. und 6. XI. 1778) in A. umdichtet und stark erweitert (I/16, 20–28, V. 234–401; 31–36, V. 469–554).

Dann schwindet der A. als selbständige Versart über ein Menschenalter vollständig. Voltaires A.dramen „Mahomet" und „Tancrède" übersetzt Goethe 1799/1800 in Blankversen (I/9, 275–452). Schiller war damit nicht einverstanden, wie aus einem Brief an Goethe vom 15. X. 1799 hervorgeht: „Da nun in der Übersetzung [des Mahomet] mit Aufhebung des alexandrinischen Reims [hier = Vers] die ganze Basis weggenommen wird, worauf diese Stücke erbaut wurden, so können nur Trümmer übrigbleiben. Man begreift die Wirkung nicht mehr, da die Ursache weggefallen ist." Zusammenhängende A.stellen erscheinen dann wieder in der sonst in Blankversen abgefaßten Übersetzung von *Shakespeares „Romeo und Julia" 1811/12 (I/9, 169–274; 102 Verse der ersten und zweiten Szene des 2. Akts, V. 560 ff.). Es vergehen dann wieder zwei Jahrzehnte: im Mai bis August 1831 wird der Schluß der 4. Szene des 4. Akts von *Faust II* V. 10849 bis 11042 = 194 Verse (I/15^I, 281–289) in A.n geschrieben. Vielleicht ist aus der frankfurter Knabenzeit das glänzende Ereignis der Kaiserwahl wieder aufgetaucht und damit unlösbar verbunden auch die Form. Hatte der A. in der Jugenddichtung aber eine lebendige Bewegung, so klingt er jetzt steif und gemessen, der Würde des Gegenstandes entsprechend. So steht der A. am Anfang und am Ende von Goethes dichterischem Lebensweg. Ob einzelne Sechsheber in Gedichten unter jambischen Vierhebern und Fünfhebern als A. anzusehen sind, steht dahin. Ebenso bedürften die Darlegungen von MMorris (Goethe Jb. 29 (1908), S. 165–168), daß der Urfaust in manchen Szenen bis zu 20 % A. zeige, der Nachprüfung. Goethes A. sind im allgemeinen sehr regelmäßig gebaut. Zwischen Metrum und Wortbetonung besteht kein Konflikt. Die Sprache schmiegt sich eng an das metrische Gerüst an; es ist weder ein Hervortreten noch eine Schwächung des Metrums zu spüren. Allerdings ist durch Einschub von Vokalen *(Trübet* neben *trübt: Laune des Verliebten V. 42* und *40; liebest* neben *liebst V. 104* und *107)* und Vokalausfall *(Verbitt'rung* V. 418; *Armsel'ge Laune des Verliebten V. 356)* der jambischen Fügung Erleichterung geschaffen. (Die A. des *Faust II* sind allerdings in der Silbenzahl öfter so lässig gebaut, daß AHeusler ihnen überhaupt den A.charakter abgestritten hat.) Der den A. kennzeichnende scharfe Einschnitt nach der 3. Hebung ist im allgemeinen streng durchgeführt. Durch häufige Versbrechung über den Reim hinweg (Enjambement/Zeilensprung) wird die

Monotonie der gleichartigen Teilung gemildert. Beispiel: *... mit freundlichen Geberden / Hör' ich gar manchen an, und mancher Schäferin / Sagst du was Süßes vor (Laune des Verliebten, V. 14–16).* In *Laune des Verliebten* sind in dieser Weise 7% der Verse gebrochen, in den *Mitschuldigen* 5%, im *Jahrmarktsfest* 3%, in *Romeo und Julia* 12%, in *Faust II* 6%. Oft werden auch Verse auf zwei oder auch drei Personen verteilt, in den *Mitschuldigen* (V. 697: I/9, 91 f.) ein Vers sogar auf sechs Personen.

In der Reimung ist der Wechsel von männlich und weiblich reimenden Reimpaaren in der Folge a a b b (heroischer A.; Reimfolge a b a b: elegischer A.) streng durchgeführt (einzelne Ausnahmen wie der Beginn von *Laune des Verliebten* sind ungeklärt). Die Reime sind bis auf einzelne mundartliche Trübungen wie *schön / stehn; Freuden / neiden; zugegen / mögen; geliebt / trübt* rein.

Beispiele zum Stil: a. Parallelität der beiden Vershälften: *Das Siegel ist sehr groß, und das Papier ist fein (I/9, 56);* b. Gegensatz: *Das Geld nimmt täglich ab, und täglich braucht man mehr (I/9, 63);* c. Antithese: *Aus Vorsatz hast du nie, aus Leichtsinn stets gefehlt (I/9, 13).*

Dem A. im deutschen Lustspiel hat Hildegard Kehl (s. u.) aus der Schule Franz Sarans eine Monographie gewidmet und darin Goethes *Laune des Verliebten* eingehend behandelt. Nach ihren Untersuchungen ist jede der beiden Reihen (der halben Verszeilen) eines A. noch einmal durch eine leichte Fuge gegliedert. Beispiel:*Du denkst,'er liebe dich.O nein,'ich kenn ihn besser (V. 26).* Diese Gliedformen wechseln ständig nach der jeweils herrschenden Stimmung. Die Schwereunterschiede der Hebungen untereinander sind deutlich; die Senkungen sind leicht. Durch die Betonungstypen und sprachlichen Gliedformen gewinnt der Vers Buntheit, rhythmisch bewegtes Leben, kräftig vortreibenden Zug, elastische Geschmeidigkeit. Er flutet leicht hin und her. Zum Gefühlsausdruck dienen viele metrische Drückungen (in 100 Versen 60, meist am Anfang der Reihen). Neben solchen Stellen mit Spannung und starker Bewegung stehen auch ruhige, spannungslose. Sprachlich sind die Hebungen in der Regel etwa länger als die Senkungen. Die Versmelodie der Reihe steigt an; die Senkungen schlagen nach oben; die allgemeine Tonlage ist ziemlich hoch, die Färbung ungefähr flötenartig, das Zeitmaß etwas rasch, frisch vorwärts-schreitend, die Lautheit mittel, die Bindung ein leicht perlendes Legato. Hiatus fehlt; vorkommenfalls wird er durch einen leichten Knacklaut verhindert. Die Vokale treten aus der Schallmasse etwas heraus; die Konsonanten sind nur ganz wenig stimmhaft und leicht behaucht.   *Hb*

KBartsch: Goethe und der Alexandriner. In: Goethe-Jb. 1 (1880), S. 119–139. – MMorris: Alexandriner im Urfaust. In: GoetheJb. 29 (1918), S. 165–168. – MMorris: Goethestudien. ²1902. 1, S. 1–12. – AHeusler Goethes Verskunst. In: DVjs. 3 (1925), S. 76–93. Jetzt auch in: AHeuslers Kleine Schriften. 1943. S. 462–482. – AHeusler: Deutsche Versgeschichte. 1925–29. – FSaran: Deutsche Verskunst. 1934. – HKehl: Stilarten des deutschen Lustspielalexandriners. 1931. S. 56–81; 111–119.

Alexis und Dora, die Eröffnungselegie des zweiten Buches (I/1, 265–271), entstand 1796 (12./14. Mai) und erschien zunächst in Schillers Musenalmanach für das Jahr 1797. Der Stoff ist weder frei erfunden noch ein Reflex aus Goethes Begegnung mit der ,,schönen Mailänderin" Maddalena *Riggi (I/32, 121–131). Ein Gedicht wie diese *Idylle,* die Schiller (18. VI. 1796) und ähnlich später auch Humboldt, Wieland, Meyer, Gleim, Körner, Schlegel zu dem ,,Schönsten, was Goethe gemacht hat", rechneten – ,,so voll Einfalt ist sie, bei einer unergründlichen Tiefe der Empfindung" – setzt andere Erfahrungsdimensionen für ihren eigentlichen Ursprung voraus. Äußeren Anlaß bot die zweite *Schweiz-Reise (9. IX. 1779 – 14. I. 1780 gemeinsam mit Carl August). Während einer Mittagsrast am 11. XI. 1779 (wahrscheinlich in *Fiesch) wurde Goethe mit der Legende des Heiligen Alexius (mundartlich: Alexis) vertraut (I/19, 279–287), die die Wirtin unter den Vorbereitungen zur Mahlzeit ihren beiden Gästen in einfacher, gerührter und rührender Weise erzählte und die Goethe sogleich in der Legendensammlung des Dionysius von Lützenburg (bearbeitet durch Pater Martin von Cochem) nachlas. Das Gasthaus besaß ein Exemplar dieses Werkes (vielleicht die stärker überarbeitete Ausgabe von 1708 ,,Neue Legende der Heiligen. Nach Ordnung des Kalenders geschrieben"), in dessen Bänden Goethe und Carl August zuvor geblättert hatten. Gemäß der Kalenderfolge wird im 3. Bande berichtet, wie der Hlg. Alexius/Alexis als Sohn vornehmer und reicher Eltern zu Rom aufwächst, mit ihnen in Wohltun und Frömmigkeit wetteifert, ihrem Willen folgend eine schöne, gleichgestellte Jungfrau heiratet, aber sogleich nach der Trauung zu Schiffe geht, weil er seine Liebe Gott gelobt hat, und nach Asien abfährt, dort jahrelang als Bettler lebt, schließlich nach wechselvollen Schicksalen in die Heimat zurückkehrt, wiederum als Bettler unkenntlich und unerkannt im elterlichen Hause Aufnahme findet und unter allerlei Wunderzeichen stirbt. Für Goethe wurde der *reine* *menschliche Faden der Geschichte* ohne *alle abgeschmackten Anwendungen* des Bearbeiters Martin von Cochem über das Zufällige des Vertrautwerdens hinaus und im Zusammenhang mit der gegenwärtigen (zweiten) Schweiz-Reise, die ihm die erste (Mai / Juli 1775; Lösung von Lili*Schönemann) wieder sehr verlebendigte, zu einer echten „Gelegenheit". In ihr erneuerte sich die Begegnung mit der unvergessenen Frauengestalt (vgl. auch *Hermann und Dorothea*) und ließ ihn in der Tiefe eine schöpferisch-fruchtbare Beziehung zwischen seinem eigenen und dem Schicksal des Alexis in der Notwendigkeit des Liebesabschieds finden. Darum sprach ihn die schmucklose, aber innerlich wahre Erzählweise der Wirtin so stark an, daß er große Mühe hatte, seine Bewegung zu unterdrücken. Aber noch *die frühe Nacht und die allgemeine Stille* dieses Tages hat er am Reiseziel sogleich als *das Element* empfunden und genutzt, *worin das Schreiben recht gut gedeiht (I/19, 285 f.),* um diese Eindrücke festzuhalten. Damit aus diesem mehr als nur stofflichen Keimboden sich schließlich die vorliegende Idylle zu gestalten vermochte, bedurfte es eines neuen Anstoßes. Dieser kam spät. Wohl Anfang November 1795 erhielt Goethe über Barbara*Schultheß (geschrieben am 27. X. 1795) mitten aus abenteuerlichen Fluchterlebnissen und unbeirrter Bewährung einen Gruß Lilis: „Ich laß Ihn grüßen, und freue mich beym andenken an Ihn, das Reine Bild, daß Er durch Sein betragen gegen mich in meine Seele gelegt darinn zu wahren und werde es durch nichts daß mir gesagt werden mag verwischen lassen." Vornehmlich dieses Lebens- und Gedenkzeichen (neben anderen Grußworten Lilis durch Frau v*Egloffstein, die „dem unvergeßlichen Freunde, dem allein sie ihre geistige Ausbildung verdanke", gegolten hatten, und mittelbaren frankfurter Nachrichten über ihr gegenwärtiges Schicksal) hat Goethe seinen schweizer Reisebericht von 1779/1780 wieder hervorholen und in diesen *alten Papieren* eben den *Alexis und Dora*-Stoff als einen geeigneten Beitrag für Schillers Musenalmanach suchen, finden und gestalten lassen als Abglanz der selbsterfahrenen, augenblicklichen Gleichzeitigkeit von Erfüllung und Entsagung. Auch die Wahl des Namens Dora-Dorothea läßt sich auf eine Reminiszenz aus Martins von Cochem Legendenbuch zurückführen. *Za*

JRies: Die Briefe der Elise von Türckheim geb. Schönemann, Goethes Lili. 1924. S. 29. – FSchallehn: Ursprung und Entstehung der Elegie „Alexis und Dora". JbGGes. 16 (1930), S. 166–182. – KHildebrandt: Goethe. ³1942. S. 174–176.

5*

Alfieri, ein sonst unbekannter Edelsteinschneider des 18. Jahrhunderts in Rom, von dem Hackert geschnittene Steine in seinem Nachlaßverzeichnis aufführt (I/46, 388). *Lö*

Alfieri, Vittorio, Graf (1749–1803), einer der bedeutendsten Bühnenautoren und -reformatoren Italiens (Grabdenkmal von ACanova in Florenz), besonders wirkungsvoll und erfolgreich als Tragödiendichter. A. begann als Offizier, gab aber bald den Militärdienst auf und sammelte sich nach einem fünfjährigen Reiseleben durch die wichtigsten Länder Europas sowie nach einer anschließenden, völlig untätigen Zwischenzeit in Turin zu intensiver Arbeit für Literatur und Theater. Sein Aufenthalt wechselte von Rom über Paris nach Florenz, wo er 1780 mit der von ihrem Gemahl getrennt lebenden, später ebenfalls literarisch bekannt gewordenen Gräfin Albany zusammenzog. Er entfaltete eine erstaunliche Produktionskraft und begründete vornehmlich für die Tragödie einen in Italien neuen, tendenziös wirkungsvollen, knappen und herben Stil, um der staatlich-nationalen Einigung seines Vaterlandes Impulse geben zu können. Seine Werke, 1805–1815 erstmals gesammelt erschienen, umfassen 22 Bände Tragödien, Komödien, Satiren, Oden, Kanzonen, Sonette, eine Melotragödie, ein Epos und die Selbstbiographie. Goethe kannte Werke von A. *(ein paar Bände)* bereits 1793 (an FH*Jacobi, 1. II. 1793: IV/10, 49). Der Höhepunkt des goetheschen Bemühens um A. liegt in den Jahren 1809–1811. Zwei Werke stehen dabei im Vordergrund, die Tragödie „Saul", die KLv*Knebel 1809 mühevoll übersetzt und die Goethe mit noch mehr Mühe 1811 auf die weimarer Bühne bringt, und dann die Selbstbiographie, die Goethe bereits 1809 höchst interessant findet. Rund zehn Jahre später urteilt Goethe über A. zusammenfassend: *Wir dürfen auch über Alfieri reden, denn wir haben uns genugsam an ihm herumgequält; unsere Freunde haben ihn treu übersetzt, wir thaten das Möglichste, ihn auf unser Theater zu bringen; aber der Widerspruch eines großen Charakters bei mächtigem Streben, eine gewisse Trockenheit der Einbildungskraft bei tiefem leidenschaftlichem Sinn, der Lakonismus in Anlage sowohl als Ausführung, das alles läßt den Zuschauer nicht froh werden* (1821: I/41^I, 236). *Za*

Algardi, Alessandro (1602–1654), Bildhauer und Architekt; der Schule dieses neben L*Bernini bedeutendsten Meisters des römischen Spätbarocks wird von *Schuchardt eine Federzeichnung in Goethes Kunstsammlung zugeschrieben. *Lö*

Schuchardt 1, S. 233. – ThB. 1 (1907), S. 281.

Algarotti, Francesco Conte (1712–1764), Natur-
und Kunstwissenschaftler der Aufklärung
(„Saggio sopra l'Architettura", Pisa 1753, und
„Saggio sopra la Pittura", Bologna 1762, der
englischen Akademie gewidmet), war mit
*Voltaire befreundet (darum wohl auch mit
letzterem II/4, 135–141; 468 zusammengestellt), stand im Auftrage Friedrichs II. von
Preußen in diplomatischen Diensten und popularisierte im französischen Geschmack Kunsttheorie und Naturlehre für den Salon (Schlosser S. 577). Goethe beschäftigte sich, nachdem
der *Schluß des polemischen Manuscripts* der
Farbenlehre *nach Jena gesendet* worden war,
am 3. I. 1810 mit *Pater Castel und Algarotti,*
so auch am 6. *(III/4, 87 f.).* Er entlieh jedoch
erst am 12. A.s Buch „Il Newtonianismo per
le dame ovvero dialoghi supra la luce e i
colori", Napoli 1737 (Keudell Nr 627), worin
A. sich an die „Dame der Gesellschaft" wendet. Goethe reihte A. im historischen Teil seiner *Farbenlehre* unter die *Literatoren, Lob-
redner, Schöngeister, Auszügler und Gemein-
macher* ein, die *vor der Menge den Ausschlag
für die Newtonische Lehre* geben, *wozu die
Anglomanie der Franzosen und übrigen Völker
nicht wenig beigetragen habe (II/4, 404)* – ein
Satz, den Goethe wohl am 13. I. schrieb, als er
die *Schicksale der Chromatik in Frankreich
weiter* fortsetzte *(III/4, 89).*   Lö

Schlosser: Die Kunstliteratur. 1924. – Keudell
Nr 627.

Alicudi (Alicuri), eine der heute stark verödeten liparischen Inseln nördlich *Sizilien, das
antike Ericussa, hat Goethe etwa auf der Höhe
von *Ustica am 31. III. 1786 nachmittags vom
Schiff aus neben *Filicudi *(noch einige Inseln)*
als fernen winzigen Punkt gesichtet, als er
über das *Tyrrhenische Meer nach *Sizilien
fuhr und *Palermo angesteuert wurde *(I/31,
84).*   Za

Allayrac, Nicolas d' (1753–1809), zumindest
durch den Vater Jean d'A. adlig geworden,
kam früh mit Musikliebhabern und mit Musikern in Verbindung und wuchs so selbst in die
Musik hinein, um sich als Schüler von FLanglé
und beraten durch AEMGrétry der Komposition zu widmen. Er begann mit Streich-
quartetten und fand überraschende Aufnahme.
Seine großen Leistungen aber lagen auf dem
Gebiete der Bühnen-, insbesondere der Opern-
Musik. 1786 hatte er den entscheidenden Erfolg mit „Nina". Auf dem Programm des weimarer Theaters notiert Goethe 1793 die
Savoyarden (21. XI. 1793: *III/2, 31;* 7. XII.
1793: *III/2, 32*); 1796 die *Wilden* (21. und
24. X. 1796: *III/2, 49*); 1797 abermals die

Wilden (6. V. 1797: *III/2, 67*); 1799 die
Savoyarden (? 8. VI. 1799: *III/2, 253*); 1801
die *Savoyarden* (30. IX. 1801: *III/3, 36*);
1802 *Adolph und Clara* (? 9. X. 1802:*III/3,
65*); 1807 wieder *Adolph und Clara* (9. II.
1807: *III/3, 192;* 23. IX. 1807: *III/3, 278*),
dann *Gulistan oder der Hulla von Samarkand*
(24. X. 1807: *III/3, 288*), ferner *Zwey Worte
oder die Nacht im Walde* (Aufführung 7. XI.
1807: *III/3, 293*); 1808 erneut *Zwey Worte /
Mitternacht im Walde* (24. II. 1808: *III/3,
319*); 1809 dann *Adolph und Clara* (4. II. 1809:
III/4, 9) und wieder *Nacht im Walde* (27. XI.
1809: *III/4, 81*); 1810 nochmals *Adolph und
Clara* (29. I. 1810: *III/4, 93*), dann *Alexis*
(3. und 28. II. 1810: *III/4, 94; 99*); 1811 erneut *Adolph und Clara* (21. I. 1811: *III/4,
180*) und die *Nacht im Walde* (23. XII. 1811:
III/4, 248); 1812 nochmals die *Nacht im
Walde* (18. III. 1812: *III/4, 262*); 1813 wiederum die *Nacht im Walde* (24. II. 1813: *III/5,
19* – verkoppelt mit dem „24. Februar" von
Z*Werner!), dann *Adolph und Clara* (3. III.
1813: *III/5, 21;* 31. X. 1813: *III/5, 81*); 1814
Adolph und Klara (9. III. 1814: *III/5, 99*);
1816 *Adolph und Clara* (4. XI. 1816: *III/5,
283*); 1817 die *Nacht im Walde* (1. III. 1817
III/6, 18). Dann hört Goethes Verantwortlichkeit für das Theater und für seinen Spielplan
auf. So lange er aber verantwortlich war,
hatte A., der sich wegen der französischen
Revolutionswirren nach 1792 lieber Dallayrac
nannte, um seinen Adel zu verbergen, einen
guten Platz im Repertoire. Eine der besonders
erfolgreichen Darstellerinnen war die Schauspielerin FAC*Unzelmann (Bethmann-Unzelmann, geb. Flittner), deren Goethe in den
TuJ ausdrücklich lobend gedenkt *(I/35,
128 f.).*   Za

MGG 1 (1952), S. 185.

Allegorie, griechischer Terminus (ἄλλη „anders-
wie", ἀγορεύειν „sprechen") für „bildlicher
Ausdruck", hat nach der Deutung *Sulzers
(durchaus gültig für das 18. Jahrhundert) die
Wirkung, „daß sie abgezogene (abstrakte) Vorstellungen dem anschauenden Erkenntnis sinnlich darstellt" (Allgemeine Theorie der schönen Künste I, ²1778, 38). In so allgemeiner Begriffsbestimmung ist sie nicht zu unterscheiden
von *Symbol oder von der *Symbolik. Daher
konnten noch Persönlichkeiten wie *Herder zu
keiner klaren Trennung beider Begriffe gelangen. Wesentlich Goethes Verdienst ist es,
diese Unterscheidung angebahnt und vollzogen
zu haben: *Die Allegorie verwandelt die Erscheinung in einen Begriff, den Begriff in ein
Bild, doch so, daß der Begriff im Bilde immer*

noch begränzt und vollständig zu halten und zu haben und an demselben auszusprechen sei. Die Symbolik verwandelt die Erscheinung in *Idee, *die Idee in ein Bild, und so, daß die Idee im Bild immer unendlich wirksam und unerreichbar bleibt und, selbst in allen* *Sprachen ausgesprochen, doch unaussprechlich bliebe* (nach 1816: *1/48, 205–206*). *Es ist ein großer Unterschied, ob der Dichter zum Allgemeinen das Besondere sucht oder im Besondern das Allgemeine schaut. Aus jener Art entsteht Allegorie, wo das Besondere nur als Beispiel, als Exempel des Allgemeinen gilt; die letztere aber ist eigentlich die Natur der Poesie; sie spricht ein Besonderes aus, ohne an's Allgemeine zu denken oder darauf hinzuweisen. Wer nun dieses Besondere lebendig faßt, erhält zugleich das Allgemeine mit, ohne es gewahr zu werden, oder erst spät* (1823/24: *1/42^{II}, 146*). Aus dieser Gedankenführung ergibt sich, daß die A. in einem dialektischen Verhältnis zum Symbol steht, daß darin das ebenfalls dialektische Verhältnis des Allgemeinen zum Besonderen wiederkehrt, wobei der A. mehr negativer (willkürliches *Suchen*), dem Symbol mehr positiver Charakter (unwillkürliches *Schauen*) eignet. Daß im Sinne dieser Unterscheidung die A. immer besser wird, je mehr sie sich dem nähert, was Goethe *Symbol* nennt, fordert die ausführliche Entwicklung eben des goetheschen *Symbols* und seiner weitgreifenden Zusammenhänge, die im *Analogie-Begriff verschmelzen.   *Za*

Allegri, Gregorio (1584–1652), Komponist des berühmten neunstimmigen Miserere (51. Psalm), das Goethe in der Karwoche 1788 in Rom hörte. *Es ist ein unglaublich großes simples Kunstwerk, dessen immer erneuerte Darstellung sich wohl nirgends als an diesem Orte* [Sixtinische Kapelle] *und unter diesen Umständen* [im Karfreitagsgottesdienst, wenn die letzten Kerzen am Altar verloschen sind] *erhalten konnte (I/32, 293; 296)*. Spätere Bemerkungen Goethes über die *Heiligkeit der* *Kirchenmusiken (I/48, 193)* haben hier ihren Ausgangspunkt.   *MB*

Allesina, Johann Maria, gebürtiger Piemonteser aus dem Dorf S. Silvestro im Tal Vigezzo bei Domo d'Ossola, in jungen Jahren nach Frankfurt am Main eingewandert, heiratete dort am 30. V. 1724 Franziska Klara Brentano. Er betätigte sich als Seidenhändler und kam zu erheblichem Vermögen. Goethe, der zur Goldenen Hochzeit 1774 Gast bei A. war – sie wurde in Sindlingen bei Höchst gefeiert –, berichtet, daß *darauf eine Medaille geschlagen worden, die ich selbst besitze* (I/30, 48). Die älteste Tochter der A. – Söhne waren nicht vor-

handen – heiratete Franz Maria Schweitzer, der sich nach der Eheschließung Allesina-Schweitzer nannte, um den Namen nicht aussterben zu lassen. Goethe zählte zu den häufigeren Gästen des belebten Hauses.   *Za*

Allgemeine Deutsche Bibliothek, begründet und herausgegeben von F*Nicolai (1765–1793/96; dann als „Neue Allgemeine Deutsche Bibliothek" bis 1806), ist die konsequente und führende Zeitschrift der deutschen *Aufklärung (Durchschnittsauflage 1500, später 1250 Stück). Sie bietet ein umfassendes Bild der gleichzeitigen deutschen Kultur, lange Zeit mit besonderer Berücksichtigung der theologischen Strömungen. Zu ihren Mitarbeitern zählten viele der hervorragendsten Zeitgenossen (Nicolai, *Mendelssohn, *Heyne, *Kästner usw.), darunter auch nicht-aufklärerische Persönlichkeiten (*Herder, *Merck). „Trotz den zahlreichen, untereinander so verschiednen Mitarbeitern, deren Zahl von 40 allmählich bis auf 154 stieg, wußte N. als Redacteur überall geschickt zu vermitteln, stets die Einheit des Tones und der Tendenz stramm durchzuführen und so das ungeheure . . ., auf mehr als 250 Bände anwachsende Werk zum Producte seines Kopfes zu machen, zu dem maßgebenden Organe deutscher Aufklärung, das allen feindlichen Zeitströmungen, auch den Bedrückungen durch die Censur unter Friedrich Wilhelm II., Widerstand leistete" (Muncker, ADB. 23 (1886), S. 583). Dieser Vorzug der Unbeirrbarkeit hinsichtlich ihrer ursprünglichen Grundlinie (auch nach dem Übergang an den hamburger Verleger Bohn 1793) war zugleich der entscheidende Mangel des Ganzen. Mit dem immer älter werdenden Nicolai überlebte sie sich selbst.

Goethe beschäftigte sich eingehend mit der Zeitschrift und erwähnte sie des öfteren in *DuW* (vgl. besonders das Zitat einer *bedeutenden Stelle* bei Einleitung des neunten Buches: I/27, 225 f.). Er bemerkt aber, an seinem eigenen Maß gemessen, *wie unendlich weit die Allgemeine deutsche Bibliothek in Sachen des Geschmacks zurück war, und daß junge Leute, von wahrem Gefühl belebt, sich nach anderen Leitsternen umzusehen hatten (I/27, 92)*. Neben solchen ruhig wägenden Urteilen kommt es zu unverhohlenem Spott über *zehnmal geles'ne Gedanken auf zehnmal bedrucktem Papiere,/ Auf zerriebenem Blei stumpfer und bleierner Witz (I/5,^{I} 242)*. In der *Walpurgisnacht* ist sie nur noch die *alte Mühle (I/14, 209)*.   *Za*

GOst: Nicolais Allgemeine Deutsche Bibliothek. 1928. – J Kirchner: Die Grundlagen des deutschen Zeitschriftenwesens. 1928. – RFArnold: Allgemeine deutsche Bücherkunde. ³1931. S. 21.

Allgemeine Literaturzeitung (ALZ), 1785 in Jena unter Mitwirkung *Wielands und *Bertuchs von *Schütz und *Hufeland gewissermaßen als Fortsetzung der „Jenaischen gelehrten Zeitungen"(1749–1757/1765–1784) begründet, um über alle deutschen und über die wichtigsten außerdeutschen Publikationen als bibliographisches wie als kritisches Organ für alle Wissens- und Kunstgebiete zu berichten. Der Erfolg war groß und schnell zunehmend; die Auflage stieg bereits 1787 über 2000 Stück, eine für damalige Verhältnisse enorme Zahl (fast das Doppelte des Durchschnitts bei anderen Zeitschriften). Bei der Fülle der Neuerscheinungen (gemäß der Produktion beider – frankfurter und leipziger – Messen) blieben die eigentlichen Rezensionen bis in die neunziger Jahre nur kurz. Um diese Zeit vollzog sich jedoch eine Umstellung: Beschränkung des Programms und zugleich des Publikums auf die rein wissenschaftliche Welt, wodurch die Rezensionen an äußerem und innerem Format und die ALZ selbst nunmehr absolut führende Geltung sowie namhafte Mitarbeiter gewinnen konnten (vgl. Goethes Aufriß *Zur Geschichte der Jenaischen Literaturzeitung*, 1803: I/42^II, 456 f.). Die am Redaktionsort leicht zugängliche Verbindung mit der Universität (Jena) half, Beiträge und Niveau zu entwickeln. Im Zusammenhang mit personalen Spannungen (ausgelöst durch *Fichte) und Veränderungen an der Universität (Entlassung Fichtes; Weggang mehrerer bedeutender Lehrer: Hufeland, Paulus, Schelling) bereitete Schütz als Eigentümer und Herausgeber 1803 unter der Hand die Verlegung der ALZ von Jena nach Halle vor – *übrigens in Gefolg großer dem Redacteur verwilligter Begünstigungen* [10000 Thaler] von preußischer Seite. *Die Sache war von der größten Bedeutsamkeit und es ist nicht zu viel gesagt: diese stille Einleitung bedrohte die Akademie* [Universität in Jena] *für den Augenblick mit völliger Auflösung (I/35, 153).*
Der weltberühmten Allgemeinen Literaturzeitung mit Aufkündigung des Dienstes zuvorzukommen, und indem sie sich an einen andern Ort bewegte, sie an derselben Stelle fortsetzen zu wollen war ein kühnes Unternehmen (I/35,164). Goethe wagte es. *Der Irrthum jenseits bestand darin: Man hatte nicht bedacht, daß man von einem militärisch-günstigen Posten wohl eine Batterie wegführen und an einen andern bedeutenden versetzen kann, daß aber dadurch der Widersacher nicht verhindert wird, an der verlassenen Stelle sein Geschütz aufzufahren, um für sich gleiche Vortheile daraus zu gewinnen (I/35, 182).*

Goethe griff mit aller Energie ein, sicherte sich den wissenschaftlich und geschäftlich gleich versierten *Eichstädt (bisher zweiter Redakteur der ALZ) als Herausgeber der nunmehr neu gegründeten „Jenaischen Allgemeinen Literaturzeitung" (JALZ) und warf das persönliche wie sachliche Gewicht der *Weimarischen Kunstfreunde (WKF), dh. im Grunde sein eigenes, in die Waage. Das Unternehmen gelang in vollem Umfange. *Wer Gelegenheit hat den ersten Jahrgang der Neuen oder Jenaischen Allgemeinen Literaturzeitung* [1804] *anzusehen, der wird gern bekennen, daß es keine geringe Arbeit gewesen (I/35,165).* Die *Wichtigkeit des Geschäfts* beanspruchte über die Anfangsschwierigkeiten hinaus Goethes *fortwährenden lebhaften Anteil.* Außer der leitenden Mitwirkung, die der Funktion eines Oberredakteurs zu vergleichen war und nicht nur die großen Gesichtspunkte betraf, sondern bis in Einzelheiten der Beitragsaufnahme oder -ablehnung hinabreichte, nannte er in den *TuJ* 1804 (I/35, 182) nur die Rezension der „Lyrischen Gedichte" von *Voß (I/40, 263–283); nicht minder bedeutsam für ihren literarischen Weg waren die nachfolgenden Besprechungen der „Allemannischen Gedichte" von *Hebel und der Wunderhorn-Sammlung von *Arnim und *Brentano (I/40, 297–307; 337–359) ua. vor allem in den Jahren 1804–1807. Zugleich benutzten die WKF die JALZ als Publikationsorgan für ihre *Preisaufgaben. Außerdem erschienen als Mitarbeiter Kant, Schiller, Wv Humboldt, AW und KSchlegel, Schelling usw. Mit Goethes Tod erlosch die JALZ, ein Zeichen dafür, wie sehr sie sein eigen Kind und wie eng sie an ihn und seine eigene Tätigkeit gebunden war.
Die spätere Jenaer Literaturzeitung (1874 bis 1879; Herausgeber: AKlette) steht in keinem unmittelbaren Zusammenhang mit ihr.   *Za*
WSchönfuß: Das erste Jahrzehnt der ALZ. Diss. Leipzig 1914. – JKirchner: Die Grundlagen des deutschen Zeitschriftenwesens. 1928. – RFArnold: Allgemeine deutsche Bücherkunde. ³1931. S. 22.

Alliépont, damals wohl kaum mehr als eine unbedeutende Häusergruppe oder Ansiedlung, nordöstlich von *Grandpré in den *Argonnen, unmittelbar an einem der strategisch-taktisch wichtigen Gebirgsdurchgänge hoch gelegen, gehörte zum Kampfgebiet der *Campagne in Frankreich. Ohne daß Goethe den Ortsnamen verzeichnet, dürfte dies der Geländepunkt gewesen sein, wo ein Vorkommando *(Husarenposten)* der Interventionstruppen mit dem strengsten Befehl, den *angewiesenen Posten nicht zu verlassen,* Stellung bezogen hatte *(I/33, 53).* Goethe ritt am 14. IX. 1792 mit

dem ascherslebener Kürassiermajor ChFvWey-
rach (Regiment von Rohr; Chef: Carl August
als pr. Generalmajor) hierher, um die durch
die *Affaire von Clerfayt bey Croix aux Bois
(III/2, 28)* in Bewegung kommende Gefechts-
lage zu erkunden, und hielt auf der Höhe Umschau. Der wenig später *mit einigem Gefolge*
eintreffende Prinz Louis Ferdinand von *Preußen verlangte von dem Vorkommandoführer,
einem jungen, Goethe bekannten Offizier, so-
fortiges Vorrücken gegen dessen ausdrückliche *Ordre* und sprengte selbst sogleich voran,
zwangsläufig von allen, auch von Goethe, gefolgt. Ein Trupp französischer Jäger zu Pferde
griff alsbald an. Es entwickelte sich beiderseits
lebhaftes Gewehrfeuer. Die Situation gab
Goethe eine jener bemerkenswerten Gelegenheiten, nicht nur soldatischen Mut unter dem
Pfeifen der Kugeln, sondern souveräne Zivil-
Courage zu bewähren, indem er zugunsten des
vorkommandoführenden Offiziers den vor-
wärtsstreibenden Prinzen auf die Befehls-
widrigkeit seines Handelns hinwies und zum
Verzicht auf seine temperamentvolle Eigenmächtigkeit veranlaßte: *Der Officier dankte
mir auf's verbindlichste, und man sieht hieraus
daß ein Vermittler überall willkommen ist (I/33,
54).*   Za

Alliteration (Stabreim) verwendet Goethe seit
1770 offenbar bewußt als künstlerisches Stil-
mittel und bis in das Alter in allen Literatur-
gattungen immer häufiger. A. war in altger-
manischer Zeit entsprechend den Gesetzen
germanischer Betonungsverhältnisse das Kunstmittel der Bindung von Versen gewesen. Sie
besteht darin, daß meist gleichartige Redeteile
den gleichen konsonantischen (Licht und Luft,
Haus und Hof) oder (seltener) einen vokali-
schen Anlaut (Auge und Ohr) haben. Aus germanischer Zeit haben sich über 500 solcher
alliterierender Redewendungen erhalten: frank
und frei, Ruh' und Rast, Degen und Dolch.
Davon hat Goethe ungefähr 330 verwendet.
Darüberhinaus hat er den Bestand an alliterierenden Verbindungen teils bewußt teils unbewußt (im Einzelfalle schwer zu entscheiden)
nach allen Seiten erweitert und bereichert. Die
Summe aller von Goethe gebrauchten alliterierenden Wendungen beträgt ungefähr 3600.
In den Prosawerken sind die A.n häufiger als
in den Versdichtungen. Goethe selbst hat sich
über die A. nirgends ausgesprochen.
Als Kunstmittel hat Goethe die A. zweifellos
bewußt verwendet, wenn er zB. in *Götz von
Berlichingen* (1771: I/39, 47; 1773: I/8,48) ein
ursprüngliches *Bamberg, und zehn Meilen in
die Runde, entbieten euch ein tausendfaches:*

Gott grüß' euch! für die Bühne (1803/04: *I/13[I],
225*) ändert in: *vom Bischof an bis zum Narren
herunter grüßt euch der Hof, und vom Bürgermeister bis zum Nachtwächter die Stadt*, oder in
Willkommen und Abschied V. 14 der Fassung
von 1771 *Tausendfacher war mein Muth (Morris 2, 59)* in *frisch und fröhlich war mein Muth*
(Fassung von 1789: *I/1, 68*), oder in *Iphigenie:
durchsuche sorgfältig das Ufer (I/39, 387)* zu
*durchsucht das Ufer scharf und schnell (I/10,
77)* der Versfassung, oder in dem Fragment
einer zum Andenken Schillers geplanten größeren dramatischen Dichtung statt „Mainz" und
„Sachsen" die alliterierenden Bezeichnungen
ihrer Wappenbilder Rad (= Mainz) und Rautenkranz (= Sachsen) wählt: *Von deinen
Schildern darf das Rad allein / Es darf allein
der Rautenkranz sich zeigen (I/16, 568).*
Nach den sehr ausgedehnten und sorgfältigen
Untersuchungen von WEbrard, der sämtliche
Formen bei Goethe aufgezeichnet, ihre syntaktischen Verbindungen untersucht und ihr
Herkommen aus Natur und Menschenleben
gruppiert hat, kommen zwei- (*Götz: Liebs und
Leids* etc.) bis sechsgliedrige *(Faust: grau,
grämlich, Griesgram, greulich, Gräber, grimmig)*
A.n vor. Tonmalende A.n über ein Gedicht verteilt besonders in *Lilis Park (I/2, 87–91);*
Beispiele aus *Faust II* V. 8617/18: *mit desto
festerem / Fuße freudig herannaht*; V. 10024/5:
*Wo der stille Winzer wirkte, dort auf einmal
wird's lebendig*; V. 11091/92: *Kluger Herren
kühne Knechte / Gruben Gräben.* Verhältnismäßig wenig A.n zeigen *Faust I* und *Iphigenie;* arm an A.n sind die Tagebücher, reich
die *Noten und Abhandlungen zum west-östlichen
Divan* und *Wilhelm Meisters Wanderjahre.* In
den Briefen stellen sich alliterierende Wendungen ein, wenn die Sprache eine gewisse Wärme
annimmt.
Im ganzen ist die erstaunlich große Zahl alliterierender (und nur einmal vorkommender)
Wendungen ein Beweis für Goethes aus
sprachschöpferischer Tätigkeit erwachsene
Mannigfaltigkeit und Fülle.   Hb

WEbrard: Allitterierende Wortverbindungen bei
Goethe I und II. In: Beilagen zum Jahresbericht des
Kgl. Alten Gymnasiums. Nürnberg 1899 und 1901. –
ADaur: Faust und der Teufel. 1950.

Allori, Allessandro (eig. Allessandro di Cristo-
fano di Lorenzo A.; 1535–1607), Maler, Schüler A*Bronzinos, tätig in Florenz, schuf in der
Mediceer-Villa Poggio a Caiano bei Florenz
einige Allegorien, die vermutlich das Vorbild
für die Reproduktion einer allegorischen Darstellung unter A.s Namen in Goethes Sammlung abgegeben haben.   Lö

Schuchardt 1, S. 5. – ThB. 1 (1907), S. 320 f.

Allstedt (Allstädt), altes Landstädtchen in der *Goldenen Aue an der Helme, nahe bei *Kalbsrieth, dem Stammsitz der Familie v*Kalb, gelegen, einst sächsische Kaiserpfalz, zum sachsen-weimar-eisenachischen Verwaltungsbezirk *Apolda gehörig. Goethe hielt sich vornehmlich in den Jahren vor seiner italienischen Reise wiederholt an diesem Ort und in der Umgegend auf, um Rekruten-Aushebungen beizuwohnen, um die *Stuterey* in A. zu besichtigen, um andere Verwaltungspflichten wahrzunehmen oder auch nur auf der Durchreise (1776; 1778; 1779; 1780). 1802 und 1805 war er ebenfalls dort. 1806 wurde auf seine Veranlassung das *Münzkabinett in der Angst der letzten Tage nach Alstedt geflüchtet (IV/19, 201).* Später bot sich kein Anlaß mehr zu einer Fahrt nach A. *Za*

Almanach. Wortgeschichtlich wohl ägyptisch-griechischen Ursprungs,arabisch-spanisch-französisch vermittelt, etymologisch nicht geklärt, findet sich der Name „A." (= ἀλμενιχιακα: „Kalender") als Buchtitel seit 1460 für astronomisch-astrologische Jahrestafeln mit entsprechenden Erläuterungen, auch mit unbedruckten Blättern für eigene Bemerkungen (Peurbach, Regiomontanus, Stöfler, Kepler ua.). In der Barockzeit fügt man gern Angaben über den Postverkehr, über Märkte, Messen usw. hinzu. In der Publizistik des 18. Jahrhunderts spielen der A. und seine möglichen Erweiterungsformen, durch *Aufklärung und emporstrebendes *Bürgertum bevorzugt und vervielfacht, die maßgebliche Rolle einer durchaus zeittypischen Bücherart. Fast alle Verlage nahmen sich ihrer an. Manche wurden nur dazu gegründet. Immer neue Adressatenkreise suchte man anzusprechen und zu bedenken, so etwa: Berufsgruppen aller Art, Vertreter verschiedenster Gesellschaftsschichten, die Sonderwelten des Herrn wie der Dame, Stein-, Blumen- und Tierfreunde jeglicher Spezialrichtung, Musensöhne oder Musentöchter, Lachlustige,Unterhaltungsbedürftige, Genesende, Theaterbegeisterte, Reisefreudige, Abenteuerhungrige, Liebende, Ehelustige oder Eheleute, Patrioten, Sporttreibende, Kinder und Kinderfreunde, Spieler, Weintrinker, Tintenliebhaber, Rätselrater, Einsame, Gesellige, Geschichtskundige, Fernsüchtige, Freimaurer, Revolutionscharaktere, Revolutionsopfer usw. Es wurde Mode, diese Jahresbände in immer bequemeren, intimeren Formaten (Oktav, Duodez, Sedez) und in immer mehr ansprechender, dennoch preiswürdiger und abwechslungsreicher, bunter und fast sensationsartiger Ausstattungsmanier herzustellen

und herauszubringen. Käuferschaft und Kaufkraft schienen unerschöpflich, wenn auch nicht immer treu. Das Publikum nötigte außerdem dieser Art jährlich wiederkehrender Lese-, Belehrungs-, Erbauungs- und Belustigungsgaben insofern seinen Willen auf, als sich jedenfalls innerhalb der deutschen Entwicklung eine allmähliche, aber durchgreifende Namensverschiebung vom althergebrachten Titel „A." fort zu der neuen, äußerlich zutreffenderen Bezeichnung *Taschenbuch hin bemerkbar machte. Einem Drittel A.-Titel stehen etwa zwei Drittel Taschenbuch-Titel gegenüber. Soweit Goethe mit unmittelbaren Zeugnissen beteiligt ist, zeigt sich ein Überwiegen der A.-Publizistik in den frühen Formen seiner Mitwirkung, bereits in den mittleren und jedenfalls in späteren und späten hat sich aber der Name „Taschenbuch" relativ wie absolut durchgesetzt. Sehr bald nach der Goethezeit treten mit der zunehmenden Technisierung ganz andere Publikationsarten für Periodika in den Vordergrund. Ein Überblick über die in Goethes Werk als benutzt, gefördert, gekannt oder beachtet unmittelbar und von ihm selbst bezeugten A.e und Taschenbücher zeigt eindeutig dieses Bild. Goethe betont den Sachverhalt schon im bloßen Wortgebrauch dadurch, daß er bei der Sonderpublikation eigener Werke in solchen Fällen den Ausdruck *Taschenbuch* bevorzugt (1798 *Hermann und Dorothea;* 1804 *Die natürliche Tochter;* 1810 *Pandorens Wiederkunft).* Im übrigen stellt sich die chronologische Entwicklung nach den goetheschen Belegen folgendermaßen dar:

1. Göttinger Musenalmanach, herausgegeben von HChr*Boie, 1771 (I/28, 139); – 2. Theaterkalender von Wien für das Jahr 1772, verfasset von einigen Liebhabern der deutschen Schaubühne, herausgegeben von JKurzböck, zweiter Theil (I/37, 239–242); – 3. Eyn feyner kleyner Almanach, herausgegeben von F*Nicolai, 1776 (III/1, 26); – 4. Minerva. Ein Journal historischen und politischen Inhalts von JWv*Archenholz, 1795 (I/40, 380); – 5. Vossischer Musenalmanach, herausgegeben von JH*Voß, 1796 (I/5^I, 241); – 6. Taschenbuch von J. G. Jacobi und seinen Freunden für 1795 (I/5^I, 241); – 7. Schillers Musenalmanache 1797, 1798, 1799 (I/35, 64); – 8. Taschenbuch für Gartenfreunde, herausgegeben von WG Becker 1797 (III/2, 113); – 9. Taschenbuch zum geselligen Vergnügen, herausgegeben von WG. Becker 1797 (I/5^I, 224; 285); – 10. *Taschenbuch für 1798 Hermann und Dorothea von JW von Göthe,* herausgegeben von F*Vieweg; –

11. Taschenbuch für Damen, redigiert von ThHuber, 1800 (I/42^{I}, 84); – 12. Taschenbuch für das Jahr 1802, herausgegeben von JG Jacobi (III/2, 315); – 13. Musenalmanach, herausgegeben von BVermehren 1801/02 (III/3, 4); – 14. _Taschenbuch auf das Jahr 1804 Die natürliche Tochter. Trauerspiel von Goethe._ – 15. _Taschenbuch auf das Jahr 1804, herausgegeben von Wieland und Goethe;_ – 16. Almanach für Theater und Theaterfreunde, herausgegeben von AW*Iffland 1807 (I/35, 247; I/40, 169–173); – 17. Taschenbuch für die gesammte Mineralogie, herausgegeben von KC v*Leonard 1807 (III/3, 235; auch 1826: III/10, 301); – 18. _Taschenbuch für das Jahr 1810 Pandorens Wiederkunft. Ein Festspiel von Goethe (I/50, 452);_ – 19. Minerva. Taschenbuch für das Jahr 1811, herausgegeben von G*Fleischer dem Jüngeren (IV/22, 225); – 20. Urania. Taschenbuch für Damen, herausgegeben von JCWSpazier, 1812 (III/4, 300); – 21. Taschenbuch der Sagen und Legenden, herausgegeben von AvHelvig und FHC de la *Motte-Fouqué, 1812 (IV/23, 153); – 22. Taschenbuch für Freunde altdeutscher Zeit und Kunst, herausgegeben von EvGroote und FWCarové 1816 (I/34^{I}, 179); – 23. Hoftheatertaschenbuch, herausgegeben von BKorsinsky 1816 (? III/5, 201); – 24. Almanach für Privatbühnen, herausgegeben von AMüllner, 1816 (? III/5, 293); – 25. Mahlerisches Taschenbuch für Freunde interessanter Gegenden, Natur- und Kunstmerkwürdigkeiten der österreichischen Monarchie, herausgegeben von ADoll und FSartori, 1817 (III/6, 65); – 26. Taschen- und Addreßhandbuch von Fürth im Königreich Baiern, herausgegeben von JGEger, 1820 (III/7, 131); – 27. Taschenbuch der Liebe und Freundschaft gewidmet, herausgegeben von St*Schütze, 1820 (III/7, 227); – 28. Taschenbuch für die vaterländische Geschichte, herausgegeben von Joseph Freiherr vHormayr und vMednyanßky, 1824 (III/9, 302; 339); – 29. Berliner Musenalmanach für das Jahr 1830, herausgegeben von HStieglitz, MVeit, KWerder (III/12, 103; 111; 138); – 30. Musenalmanach, herausgegeben von AJGWendt 1830 (IV/47, 60).

Nur in der Sonderform des seit langem so eingeführten Musenalmanachs hält sich der Ausdruck „A." durch, sonst beherrscht die Titulierung mit „Taschenbuch" durchaus das Feld. _Za_
AGoldschmidt: Goethe im Almanach. 1932. – M Gräfin Lanckorońska/ARümann: Geschichte der deutschen Taschenbücher und Almanache aus der klassisch-romantischen Zeit. 1954.

Almanach des Dames, ein literarischer französischer Almanach, der, 1805 gegründet, zur Zeit des ersten Kaiserreichs seinen größten Erfolg hatte und bis 1845 erschien. Goethe vermerkt dessen Lektüre 1810 (III/4, 165 f.) und 1828 (III/11, 305). Die Exemplare waren wohl in ihrer Mehrheit oder Gesamtheit Geschenke des Verlegers (1821; III/8, 316). _Fu_

Almendingen _(Almedingen),_ Ludwig Harscher von (1766–1827), Jurist, in leitender Stellung am Hofgericht zu *Wiesbaden tätig; er hatte außerdem seine „Politischen Ansichten über Deutschlands Vergangenheit und Zukunft" publizistisch geäußert. Goethe suchte ihn am 10. VIII. 1814 nachmittags auf, erhielt dabei _Almedingens Heft_ und beschäftigte sich am folgenden Tage damit _(III/5, 125)._ Im nächsten Jahr wiederholte Goethe das Zusammensein am 6. VI. 1815 (III/5, 165). Danach fand keine Begegnung mehr statt. Goethe scheint vA. geschätzt zu haben. _Za_

Aloia (Alloja), Vicenzio (Lebensdaten unbekannt). Kupferstecher und Professor an der Zeichenakademie in Neapel, Schüler G*Hakkerts, von dem Ph*Hackert dem König von Neapel einen Kupferstich überreicht (I/46, 280 f.), ist Goethe sonst nicht bekannt. A. veröffentlichte Ansichten aus der Umgebung von Neapel nach Gemälden der Brüder Hakkert und ua. 1804–1806 „Recueil des vues les plus agréables de Napels et de ses environs", 27 Blatt nach LFergola. Er steht damit in der Entwicklung der frühklassizistischen *Vedutenmalerei in Italien, deren deutscher Hauptvertreter PhHackert war. _Lö_

Alopaeus (Alopeus), von, finnische Adelsfamilie, *Diplomaten im Dienste *Rußlands: –, 1) Magnus (Taufname), dienstlich russifiziert zu Maksim, im Ausland Maximilian genannt (1748–1821), führte zunächst für den Zarewitsch Paul dessen Privatkorrespondenz mit Friedrich d. Gr., später auch mit dessen Thronfolger Friedrich Wilhelm (II.), trat 1769 in den diplomatischen Dienst ein, erhielt seine erste diplomatische und damit zugleich eine besondere Vertrauens-Stellung 1785 als Ministerresident in Eutin, amtierte seit 1789 in Berlin, auch in schwierigen Missionen bewährt, blieb 1808–1813 als Privatmann in Deutschland, wirkte 1813–1815 in der Zentralverwaltung der befreiten Gebiete, trat 1815 aus Gesundheitsrücksichten in den Ruhestand. Die Verbindung zu Goethe, während der Kuren 1812 und 1813 in *Karlsbad lockergesellig angeknüpft und ausgebaut (III/4, 311; 318; III/5, 40; 43), am 12. X. 1815 durch einen plötzlichen Besuch in Weimar aufgefrischt _(III/5, 187: In der Nacht Hr. von Alopäus aus Frankreich kommend),_ hatte seine Gemahlin in zweiter Ehe (seit 1799):

–, 2) Luise Charlotte Auguste, geb. v*Veltheim (1768–1851), vermittelt, die wohl durch ihre verzweigte Familie (*Harbke) Kontakt mit Goethe besaß (III/4, 311).

–, 3) Franz David (1769–1831), jüngerer Bruder des Erstgenannten, 1781–1785 Eleve der Karlsschule, danach Jurastudent in *Göttingen, seit 1813 bei König Friedrich Wilhelm III. von *Preußen akkreditiert. In dessen Begleitung nahm A. an den Feldzügen sowie am Kongreß in *Aachen teil. 1819 wurde er finnischer Freiherr, 1830 polnischer Graf. A. war eine der führenden Persönlichkeiten in der Heiligen Allianz. Goethe empfahl er sich als versierter Kunstkenner, einen *Kunstschatz* übersendend, einen geschnittenen Stein, *auf welchen* Goethe *so lange begierig war* und *der in seinen Sammlungen eine höchst bedeutende Lücke auszufüllen geeignet* sein sollte (15. III. 1826: *IV/40, 332*).   *Za*

Alorna, Donna Leonor de Almeida (1750 bis 1839), durch Erbschaft Herzogin de Assumar und Marquesa de A., verheiratet mit dem portugiesischen Generalleutnant und Gesandten in Wien Karl August Graf vOeynhausen, einem gebürtigen Deutschen (1739–1793). Die Marquesa, die als „portugiesische Madame de Staël" bezeichnet worden ist, mit der echten Namensträgerin tatsächlich in Verbindung stand sowie mit dem Dichter Filinto Elisio (1734–1819) befreundet war, übersetzte unter ihrem Pseudonym „Alcipe" als erste Autorin goethesche Lyrik ins Portugiesische: *So hab' ich wirklich dich verloren? (I/1, 60); Kehre nicht in diesem Kreise / Neu und immer neu zurück! (I/1, 103); Eros, wie seh' ich dich hier! (I/2, 125); Sah ein Knab' ein Röslein stehn (I/1, 16).* Zu Lebzeiten der Marquesa wurden diese und andere Übersetzungen (Cronegk, Wieland, Herder, Bürger) nicht gedruckt, sie wirkten in ihrem lissaboner Hause, das ein Zentrum portugiesischen Geisteslebens war, unmittelbar. Die Erst-Publikation dieser Erst-Übersetzungen als Druck-Veröffentlichung erfolgte 1844. Der Erfolg war beachtlich, vor allem durch die Initiative des portugiesischen Historikers Alexandre Herculano.   *Za*

Grande enciclopedia Portuguesa e Brasileira 1 (1936/37), S. 144. – Goethe 13 (1951), S. 127–134.

Alpen. Die A. spielten in der Entwicklung von Goethes geologischen Anschauungen eine entscheidende Rolle, freilich weniger insofern in ihnen die geologische Theorienbildung im speziellen ausgestaltet wurde, als vielmehr insofern die Besonderheit alpiner Landschaft die Wende zu geologischer Fragestellung an die Landschaft überhaupt herbeiführte (*Geologie).

Diese vollzog sich auf der zweiten *Schweiz-Reise von 1779. Maßgeblich war offenbar der tiefgreifende Gegensatz zwischen der thüringischen und der alpinen Landschaft. Wenn Goethe auch überzeugt war, daß *diese Massen nach der Schwere und Ähnlichkeit ihrer Teile groß und einfach zusammengesetzt* seien *(NS 1, 8),* und tief fühlte, *hier ist nichts Willkürliches, alles ist langsam bewegendes, ewiges Gesetz (NS 1, 9),* so hat doch, abgesehen von der Vorstellung des *langsam bewegenden,* dieses Gesetz noch keine bewußte Formulierung gefunden. In den A. sollte Goethe sein Gesetz des geologischen Denkens auch nicht finden.

Nachdem er mittlerweile bei den Besuchen im *Harz die Grundlagen eines geologischen Systems entwickelt hatte, konnte er auf der *italienischen Reise beim Passieren des *Brenners 1786 seine Beobachtungen in den A. diesem System einordnen. Er hat zu seiner *Weltschöpfung manches erobert. Doch nichts ganz Neues, noch Unerwartetes (NS 1, 125).* Daher postuliert er auch unbedenklich, von seiner Vorstellung über den Granit und das Urgebirge aus, auf dem Brenner, ohne einen solchen gesehen zu haben, den *Granitstock, an den sich alles anlehnt (NS 1, 126).* Und ebenso weist er die vulkanische Natur des bozener Porphyrs ohne weitere Diskussion zurück; denn als Ferber diesen für *vulkanische Produkte* hielt, war das *vor 14 Jahren, wo die ganze Wissenschaft viel neuer war (NS 1, 128).*

Für die Schweiz-Reise von 1797, die auf den Gotthard führte, wurden ausführliche Literaturvorbereitungen getroffen. Aber abgesehen von unzusammenhängenden Einzelbeobachtungen über Gesteins- und Mineralvorkommen wird vor allem auf das *Zickzack der Felslager (NS 1, 263)* und das *Zickzack des Kalkes, nur im Großen (NS 1, 265)* hingewiesen. *Das Ungeheure läßt keine Mannigfaltigkeit zu (NS 1, 265).* Das scheinbar Regellose und Chaotische der Lagerungsverhältnisse gibt keine Möglichkeit, ein Gesetz zu erkennen. Noch fehlten alle Voraussetzungen, noch waren alle Beobachtungen zu vereinzelt und zu dürftig, als daß in dem komplizierten Bau des Alpenkörpers Leitlinien hätten herausgefunden werden können. Die intensive alpinistische und geologische Erschließungsarbeit mehrerer Generationen war notwendig; einer der ersten Pioniere dieser Arbeit, de *Saussure, den Goethe auf der zweiten Schweiz-Reise aufgesucht hatte, tat die allerersten Schritte. Für Goethe aber, der die A. nur bei kurzen Besuchen kennenlernen konnte, mußten diese mit der Kompliziertheit ihres Baues für die geologische

Deutung unerschließbar bleiben. So verblieb es denn im Grunde bei der allgemeinen geologischen Vorstellung der italienischen Reise. Abgesehen von der entscheidenden Anregung zu geologischer Betrachtungsweise überhaupt auf der zweiten Schweiz-Reise konnten die A. die weitere Ausgestaltung des geologischen Systems Goethes nicht mehr beeinflussen. Das gilt im übrigen für die geologische Theorienbildung des Zeitalters ganz allgemein.　　*Bn*

Alperstedt, sachsen-weimarisches Dorf mit Rittergut, nördl. Erfurt, 1822: 371 Einwohner, wurde von Goethe auf der Fahrt passiert, die er am 30. IX. 1776 mit Rittmeister FvLichtenberg und ChKaufmann von Weimar über Schwansee, Alperstedt, Haßleben, Ringleben, Gebesee nach Tennstedt unternahm (III/1, 23).　　*Dl*

Alpthal, eine *kleine Gruppe von Gebäuden* im Tal der Alp mit *Kirche und Wirthshaus (III/2, 164)*. Goethe durchwanderte *auf einem leidlichen Fußwege* die Ansiedlung, deren geologische Verhältnisse ihn interessierten *(meist Kalk, wenig Sandstein, einige Stücke sehr fest und serpentinartigen Gesteines . . . Schiefriger Quarz)*, während der dritten Schweiz-Reise am 29. IX. 1797 in Richtung von *Einsiedeln über den *Schwyzer Hacken-Paß *(Hocken)* auf *Schwyz zu.　　*Za*

Alraun. Der noch heute weit verbreitete Glaube an den glücksbringenden A. ist an jene menschenähnlichen Fetischgestalten gebunden, die man aus den tiefgespaltenen fleischigen Wurzeln gewisser Pflanzen herstellte. Die Glaubensvorstellung ist orientalischen Ursprungs und im Mittelalter durch die antike gelehrt-magische Literatur nach Mitteleuropa vorgedrungen, wo sie besonders in den Kräuterbüchern des 16. Jahrhunderts eine eingehende Darstellung fand. Der alte Sagenstoff, der in der deutschen Literatur über Jahrhunderte hinweg in immer neuer Gestaltung auftaucht (H*Sachs, HJChv*Grimmelshausen, Av*Arnim, FHKde la Motte-*Fouqué, Hans Heinz Ewers), ist auch Goethe eng vertraut. Der Volksglaube, daß der A. beim Ausgraben in der Johannisnacht einen Schrei ausstoße, durch den man sich nicht schrecken lassen dürfe (RKühnau: Schlesische Sagen. 1910–1913. 2, S. 45), findet in einem Brief vom 13. II. 1769 seinen Niederschlag: *Ich habe Sie fast so selten gesehen als ein Nachtforschender Magus einen Alraun pfeifen hört (IV/1, 190)*. Ähnlich ist in *Romeo und Julia* (1811) von *Gekreisch wie von Alraunen, die man aufgewühlt* die Rede *(I/9, 257)*. Auf die besonderen zauberischen Umstände, unter denen man die A.wurzel ausgraben muß, spielt eine Erwäh-

nung im Faust an: *Der eine faselt von Alraunen, / Der andre von dem schwarzen Hund (I/15ᴵ, 18)*. Nach der Volksüberlieferung schreit der A. beim Ausgraben so entsetzlich, daß der Ausgräber, an dessen Ohr dieser Schrei dringt, sterben muß. Man bindet daher die A.wurzel an einen schwarzen Hund und läßt sie durch ihn herausziehen. Der Hund fällt dann vom Schrei tot zu Boden (Grimm: Deutsche Mythologie. 2, S. 1005 ff.). Noch im Jahre 1820 soll unter dem Galgen des Hochgerichts bei Göttingen das „Alruneken" mit Hilfe des schwarzen Hundes gewonnen worden sein (Korrespondenzblatt d. Dt. Gesellschaft f. Anthropologie 40, 52). Im übertragenen Sinne weist Goethe in einem Brief vom 24. VI. 1816 auf die Volksüberlieferung von der zauberischen Gewinnung des A.s hin: *Zelter kommt in 8 Tagen und will mich nach Wiesbaden reißen, wenn ihm der Zauber gelingt, die Alraunwurzel aus dem Boden zu ziehen, so seht ihr mich doch noch (IV/27, 65)*.　　*Hn*

OvLippmann: Über einen naturwissenschaftlichen Aberglauben Faust II, V. 4979 f. In: Abhandlungen der naturforschenden Gesellschaft Halle 20 (1894), S. 259–270. – ATStarck: Der Alraun. Ein Beitrag zur Pflanzensagenkunde. Baltimore 1917. – HMarzell: Alraun. In: Handwörterbuch des deutschen Aberglaubens. 1 (1927), Sp. 312–324.

Alt, Jacob (1789–1872), Maler und Lithograph, von dem Goethe 1821 die seit 1818 herausgegebene „Malerische Donaureise" erhielt und *das gute Exemplar, auf die Bibliothek gab (III/8, 49)*, hatte sich nach Studien in Wien selbständig zum Landschaftsmaler ausgebildet. Reisen nach Oberitalien brachten ihm venezianische Motive für seine Gemälde, die dem Interesse für topographisch genaue Veduten am Anfang des 19. Jahrhunderts entgegenkamen. Das Gleiche gilt von seiner „Malerischen Donaureise" und seinen *Aquarellen römischer Ansichten, die er im Auftrage Kaiser Ferdinands ausführte.　　*Lö*

Alt-Albenreuth, Dorf südöstlich *Eger, *wo sich vulkanische Spuren auf der Oberfläche finden; sodann merkwürdig aufgeschwemmte Schichten von originärem und verändertem Gebirg (III/9, 98)*, interessierte Goethe eben wegen dieser geologischen Eigentümlichkeiten; JS*Grüner aus Eger hatte dazu angeregt (III/9, 76f). Goethe fuhr dann am 23. VIII. 1823 selbst nach A. (III/9, 97f).　　*Za*

Altdeutsche Malerei und Kunst, altdeutsche Schule – *altdeutsch* schon 1772 bei Goethe nachweisbar (IV/2, 290) – ist um 1800 die Bezeichnung für eine Entwicklungsphase der deutschen Kunst, deren Anfänge im Allgemeinen mit dem Auftreten des gotischen Stiles um 1250 bestimmt werden, aber zuweilen auch nur das 15. Jahrhundert und den Anfang des 16. umfaßt, stets jedoch mit *Dürer und *Holbein als beendet gilt.

Während Dürer, vor allem als Graphiker, und in geringerem Grade auch der Hofmaler L*Cranach d.Ä. dem 17. und 18. Jahrhundert bis in die Jugendzeit Goethes bekannt blieben (IV/3, 86; 214), war die Erinnerung an die a.M., die ein *Hagedorn allerdings in seinem „Lettre à une amateur" verteidigte (Justi S.396; vgl. auch I/27, 160), doch so weit erloschen, daß das Interesse des späten 18. Jahrhunderts einer Entdeckung gleichkam. Ausgehend von den großen Namen gewann man die Kenntnis ihrer Vorläufer; von der Lokalgeschichte her (so etwa *Murr in Nürnberg) erkannte man die größeren Zusammenhänge: *Nürnberg hoff' ich dereinst mit Ihnen zu sehen und glaube selbst daß man von da, und von Augsburg aus, den alten deutschen Kunsthorizont recht gut werde überschauen können* (an H*Meyer 16. XI. 1795: *IV/10,327*). Die Auflösung der Klöster und des Kirchenbesitzes 1803 und die Sammlung zahlloser Gemälde und Altäre der a.M. durch den Staat (vgl. *Mannlichs Reise durch das nördliche Bayern 1803 und 1804) vermehrten die noch unsichere Kenntnis rasch. Der darauf zum Durchbruch kommende Einfluß der spätmittelalterlichen Malerei ist einer jener mehrfach zu beobachtenden Rückgriffe auf vergangene idealisierte Zeiten und Zustände, deren bedeutendster die *Renaissance gewesen war. Allerdings war die *Antike gültiger, die schöpferische Kraft ihrer Wiedergeburt im 15. und 16. Jahrhundert größer gewesen. Demgegenüber erscheint die deutsche Kunst vor 1500 im Rahmen der abendländischen Entwicklung gebundener und muß die Fähigkeit der Zeit um 1800 als unschöpferischer bezeichnet werden. Entsprechend ist die Bedeutung dieses Einflusses geringer, wenn auch von typenbildender Kraft in der Bildkunst – die Plastik blieb hiervon so gut wie unberührt (vgl. I/49^I, 51) – und von bestimmender Wirkung auf die Einstellung breiter Schichten des deutschen Volkes zur eigenen Vergangenheit in kultureller, selbst in politischer Hinsicht.

Gliederung: 1. Goethes Kenntnis der a.M. – 2. Seine Vorstellung von der Entwicklung der a.M. und sein Urteil. – 3. Die a.Mode. – 4. Die Nachahmung der a.M. und Goethes Kritik.

1. – Goethe war der Welt des deutschen Spätmittelalters in der Reichs- und Krönungsstadt Frankfurt noch nahe gewesen; das Straßburg-Erlebnis, seine *Götz-* und *Faust*-Dichtungen wiesen ihn auf diesen Zeitraum als geistiges Milieu seiner neuen Ausdruckskunst hin (I/28, 100; 123), eine Zeit, mit der ihn auch der

stiftende Charakter der Reichsverfassung und des -kammergerichts als Jurist verband (I/26, 118). So ist Goethes frühe Neigung zu Dürer und Cranach erklärlich, die ihn schon 1775 M*Schongauer bewundern ließ (I/29, 116). Italien allerdings konnte ihn hierin nicht fördern, und doch studierte Goethe auf der Rückreise aus dem klassischen Land in Nürnberg Murrs Beschreibung dieser Stadt und interessierte sich für Dürer, den er in München schon auf der Hinreise lebhaft beachtet hatte. Nur wenig wuchs Goethes Kenntnis zur Zeit der Schiller-Freundschaft; aber in diesen Jahren entstand *Hermann und Dorothea,* darin er *das reine menschliche der Existenz einer kleinen deutschen Stadt (IV/11, 273)* gestaltete: er beschäftigte sich mit MSchongauer und erkannte, während er das *Verdienst und Unverdienst dieses Künstlers* schematisierte, daß *die Deutschen in einer frühern Connexion mit Italien gestanden (IV/13, 324).* Die Renaissance wurde Maßstab. – Tritt demgemäß in diesen Jahren das Interesse an der a.M. zurück, konnte Goethe *Hölderlin in seiner *Neigung zu den mittlern Zeiten* auch *nicht bestärken (IV/12, 263),* so empfand er doch bei seinem Besuch bei *Beireis in Helmstedt den Gegensatz zu einer kennerhaft-antiquarischen Einstellung zur Kunst des Spätmittelalters. Er beschäftigte sich 1805 mit der mittelalterlichen Plastik im *Magdeburger Dom (I/48, 241). In den *Wahlverwandtschaften* ist die a.M. schon ein Begriff, und Goethe hörte F*Schlegel, der von *Mosler und den *Boisserées erzählte, wohlwollend zu (Sulpiz Boisserée S. 51). 1810, als Goethe das bedenkliche Wort niederschrieb, daß die a. Baukunst *offenbar eine saracenische Pflanze* sei, fand er sich schon zu lobenden Worten für Dürer und Holbein, ja für Jan van *Eyck bereit. Durch den Besuch SBoisserées 1811 und durch häusliche Studien im Januar 1814 (III/5, 92 f.) war Goethe vorbereitet, 1814/15 den entscheidenden Zuwachs an Kenntnissen beim Besuch des *frankfurter Dominikanerklosters, in dem die Bilder von Dürer, Holbein d.Ä., *Grünewald, *Wolgemut und *Burgkmair ihn den Unterschied zwischen der oberrheinischen und niederrheinisch-*brabäntischen* Kunst erkennen ließen (I/34^I, 106), und in der Sammlung der Brüder Boisserée begeistert aufzunehmen (I/34^{II}, 15 ff; IV/25, 63 f.); hier befand sich das seitdem berühmte Bild der Veronika mit dem Schweißtuch Christi. Hinzu kamen 1815 Eindrücke des *lochnerschen Dombildes in Köln und aus anderen dortigen Sammlungen (III/5, 59), in denen sich *aus der Zerstörung und Zerstreuung gerettete altdeutsche Kirchen-Bilder* be-

fanden *(IV/26, 59)*. Dem entsprach in Weimar Goethes Sorge für die Erhaltung und Aufbewahrung *kirchlicher Schnitzbilder (IV/26*, 160 f. und *195;* vgl. auch I/36, 161 über ein a. Fenster für die Bibliothek in Jena und IV/45, 255), die freudig gegebene *Nachricht von altdeutschen, in Leipzig entdeckten Kunstschätzen (I/48, 156;* vgl. IV/25, 63), endlich der Erinnerungsbericht über die Sammlung Boisserée und die Darstellung der geschichtlichen Entwicklung, die für Goethe in dem freilich falsch datierten kölner Dombilde gipfelte (I/34^I, 164–191). Freiherrn vom und zum *Stein, der in Paris 1815 wegen Zurückführung deutscher Kunstschätze verhandelte, wünschte Goethe, daß *mitten unter der bedeutendsten Umgebung auch die Kunst und Alterthumstrümmer des südwestlichen Deutschland sich Ihrer fördernden Theilnahme erfreuen* mögen *(IV/26, 67)*, was doch in Verbindung mit I/34^I, 190 Goethes Wunsch nach weiterer Kenntnis der a. M. deutlich macht, die er später vielfach in Kupfern und Holzschnitten – *das eigne altdeutsche Portefeuille (III/7, 35)* – oder in den *Strixnerschen Nachbildungen betrachtete(III/ 7, 125; 11, 232; 12, 15) (Schuchardt 1, S. 221). 2. – Der Umkreis dieser recht verschiedenartigen Kenntnis der a. M. mußte Goethe zur Vorstellung der geschichtlichen Entwicklung und zur Charakterisierung genügen. Das genetischmorphologische Denken, *die entwickelnde Methode (I/36, 253)*, wuchsen Goethe erst in den nachitalienischen Jahren zu. Und mag auch der Wunsch, *den alten deutschen Kunsthorizont* von Nürnberg und Augsburg aus zu übersehen (1795), auf intuitive Einsicht schließen, für die a. M., für die Kunst dieser Zeit überhaupt, gaben erst die Anregungen Boisserées, der neben seiner Kunstliebhaberei entwicklungsgeschichtliche Vorstellungen besaß, und der Überblick, den die Rhein- und Mainreise bot, die Möglichkeit deutenden Urteils und geschichtlicher Einsicht. Überdies wurde sie durch die Art des Kennenlernens gefordert; denn hat *bey empirischen Betrachtungen blos das Genetische einigenWerth* (1799: *III/2, 273)*, so darf man sich mit der a. M. nur aus historischen Gründen beschäftigen (S. Boisserée 1, S. 156).
Das entwicklungsgeschichtliche Bild dieser Kunst ist von Goethe in einfachen Linien gezeichnet und von pragmatischer Einsicht bestimmt, fast schon „hegelianisch". Die a. M. löst *jene orientalische düstere Trockenheit* der *byzantinischen Malerei ab. Es *bricht ein frohes Naturgefühl auf einmal durch, und zwar nicht etwa als Nachahmung des einzelnen Wirk-

lichen, sondern es ist eine behagliche Augenlust, die sich im Allgemeinen über die sinnliche Welt aufthut (I/34^I, 170)*. Hauptwerk dieser Stufe *byzantinisch-niederrheinisch* ist das Veronika-Bild, *weil es das doppelte Element eines strengen Gedankens und einer gefälligen Ausführung in sich vereinigt (174 f.)*. Wichtiger aber ist, daß *gegen Ende des sogenannten Mittelalters die Plastik auch in Deutschland der Mahlerey vorgeeilt* ist, *weil sie der Baukunst unentbehrlicher, der Sinnlichkeit gemäßer und dem Talente näher zur Hand* war. Darum erscheint die Malerei oft als Nachbildung von Schnitzwerken. Lochners Dombild – damals dem sagenhaften Meister *Wilhelm von Köln zugeschrieben und 1410 datiert – ist die *Achse der niederrheinischen Kunstgeschichte ... ein wichtiges Document eines entschiedenen Schrittes, der sich von der gestempelten Wirklichkeit losmacht und von einer allgemeinen Nationalgesichtsbildung auf die vollkommene Wirklichkeit des Porträts losarbeitet (178–180)*. Da Goethe hieran die Entwicklung der altniederländischen Malerei anschließt – und Jan van Eyck entwicklungsgeschichtlich nach Lochner stellt! –, kommt es nicht zu einer Verbindung mit der Malerei um 1500, der Kunst der Dürer-Generation. Allerdings beabsichtigte er, *gleichmäßig die Verdienste der ober- und niederrheinischen Mahlerschulen und ihre Eigenthümlichkeiten* zu würdigen *(IV/26,143)*. Vereinzelt steht der Gedanke, daß die alten Niederländer eine unabhängige, wenn auch auf das gleiche Ziel strebende Entwicklung durchgemacht hätten (IV/28, 68; vgl. hierzu Meyers Verwunderung, daß *Fiorillo die a. und die altniederländische Kunst gemeinsam abgehandelt habe, was doch der Tradition entsprach; Meyer an Goethe 22. IV. 1817: BrMeyer 389 f.).
Doch nicht die Malerei allein ist Goethe beachtenswert; erst im Zusammenhang mit den von der jungen Generation herangetragenen Interessen für die altdeutsche Poesie (vgl. IV/36, 452) und mit den insbesondere von SBoisserée sorgsam erarbeiteten baugeschichtlichen Fragen gewinnt diese Beschäftigung Bedeutung, die von Goethes Seite aus durch die von Stein angeregte Zeitschrift *Kunst und Alterthum* gefördert wurde, in der *das Publicum immerfort an Ihre* [Boisserées] *Vorsätze, sowie an Ihre Leistungen* erinnert werden sollte. 1823 wollte Goethe aus diesem Grunde *jenen frühern enthusiastisch geschriebenen Bogen* [über das Münster zu Straßburg] *von 1772 wieder abdrucken, wo man denn die ersten Cotyledonen des seit so vielen Jahren immerfort wachsenden und sich gränzenlos ausbreitenden

Baumes nicht ohne Verwunderung betrachten wird. Zugleich bring ich die Schicksale des Schlosses Marienburg zur Sprache, um von der Gegenseite das Pfaffthum im Ritterthum abzuspiegeln; beides gehört zusammen und paralleliesirt sich auch gar wundersam in Gebäuden (an Boisserée 12. XII. 1823: *IV/37, 279;* dazu das frühere Zitat aus der JALZ, daß Christentum und Ritterlichkeit nicht eigentlich deutsch seien: IV/24, 101). – Gleichzeitig ist der erkenntnisreiche Satz: *Man sieht in den Werken der altdeutschen Baukunst die Blüte eines außerordentlichen Zustandes. Wem eine solche Blüte unmittelbar entgegentritt, der kann nichts als anstaunen; wer aber in das geheime innere Leben der Pflanze hineinsieht, in das Regen der Kräfte und wie sich die Blüte nach und nach entwickelt, der sieht die Sache mit ganz andern Augen, der weiß, was er sieht* (zu Eckermann 21. X. 1823: *Bdm. 3, 27*). „Altdeutsch" ist somit nicht ohne weiteres Stilcharakteristikum, sondern bloße Benennung, ein Verabredungswort. Architektur und Malerei, die Dichtung bleiben voneinander getrennt, was sie verbindet, ist der Ausdruck des Deutschen.

Darum ist es auch nicht leicht, diese Urteile mit denen über die Kunst des frühen 16. Jahrhunderts zu verbinden, zumal sie kaum gleichzeitig und schon im Hinblick auf die Nachahmung der a. M. entwickelt sind (vgl. Abschnitt 4). In diesem Zusammenhang steht doch wohl richtig die Stelle aus *DuW,* daß Goethe unter dem Einfluß der *herderschen Schrift über Laokoon schon früh mit einigem Mitleid auf das sonst so herrliche sechzehnte Jahrhundert herabblicken* mußte, *wo man in deutschen Bildwerken und Gedichten das Leben nur unter der Form eines schellenbehangenen Narren, den Tod nur unter der Unform eines klappernden Gerippes, so wie die nothwendigen und zufälligen Übel der Welt unter dem Bilde des fratzenhaften Teufels zu vergegenwärtigen wußte (I/27, 175).* Denn *die deutsche Kunstwelt des 16. Jahrhunderts . . . kann in sich nicht für vollkommen gehalten werden. Sie ging ihrer Entwicklung entgegen, die sie aber niemals, so wie es der transalpinischen glückte, völlig erreicht hat* (an P*Cornelius 8. V. 1811: *IV/22, 87*). Und erst spät mag der Gedanke sein, daß *das trocken-Naive, das steif-Wackere, das ängstlich-Rechtliche, das womit man ältere deutsche Kunst charakterisiren mag, ... zu jeder früheren einfacheren Kunstweise gehört (I/48, 208).* Entwicklungsgeschichtliche Betrachtung, die als solche das einzelne positiv werten konnte, und zweckgerichtete Urteile stehen im Gegensatz und bezeugen, daß Goethe, gebunden an

die mehr zufällige Kenntnis, eine frühere Phase der Entwicklung und eine davon eigentlich unabhängige (unvollkommene) Blüte in seine geschichtliche Vorstellungswelt aufnahm, zugleich beide Gebiete für das Bewußtsein der gebildeten Welt trennend.

3. – Als Goethe 1817 die a. Kunst als ein *erwünschtes Evangelium* ansah, *dem Deutschen zu sagen: daß er, anstatt sich in sich selbst zu beschränken, die Welt in sich aufnehmen muß, um auf die Welt zu wirken (IV/28, 41),* war der Höhepunkt der a. Mode – dieses Wort im weitesten Sinne verstanden – schon überschritten. Deutlich sah er zu diesem Zeitpunkt, daß der assoziative Geist des jungen Jahrhunderts die noch aus dem Mittelalter kommenden gildenmäßigen Ordnungen, die gerade aufgelöst waren, zu ersetzen strebte. Die Bildung der Burschenschaften (IV/28, 120; 335), der aufbrechende, ideal gerichtete Gemeingeist mußte ihm als Auswirkung einer in sich selbst zurückkehrenden Wiedergeburt von Vorstellungen und Verhaltensweisen erscheinen, die, mochten sie geschichtlich zu ihrer Zeit Zweck und Notwendigkeit gehabt haben, in der Gegenwart das hohe Recht des Individuums beeinträchtigen mußten.

Äußeres Kennzeichen der Nachahmung war das Aufkommen der a. Tracht. Goethes *Götz,* Vorbild dieser Mode, war bereits 1774 in Berlin in a. Tracht, jedoch in modernen Kulissen aufgeführt worden. 1775 wollte Goethe selbst in a. Tracht – *schwarz und Gelb, Pumphose, Wämslein, Mantel und Federstuzhut* – auf einen Ball gehen, woraus aber nichts wurde, weil Lili nicht kommen wollte *(IV/2, 290).* Schon 1781 gab in Vers und Bild *Das Neueste von Plundersweilern* eine Glosse über diese Mode: *Mit Deutschheit sich zu zieren itzt | Hat jeder sein armes Wamms zerschlitzt; | Sie ziehen die Hemdchen durch die Spalten, | Das gibt gar wunderreiche Falten; | Die Puffen stehn gut zu Gesicht; | Sie schonen sogar der Höschen nicht; | Sie werden bald ihr Ziel erreichen | Und deutschen Betteljungen gleichen (I/16, 53 f.).* Nach dieser, dem Sturm und Drang entsprechenden Mode kommt a. Tracht durch Einwirkung der Beschäftigung mit dem *Nibelungenlied, mit mittelalterlicher Poesie und Malerei allgemein im ersten Jahrzehnt des neuen Jahrhunderts wieder auf. Eine „Gallerie altdeutscher Trachten, Gebräuche und Geräthschaften" erschien 1802 in Leipzig als Vorlagebuch für das Theater und „Nationalschauspiele" (JLM 17, S. 459) Vom Theater aus, das gerade auch durch die Dramen Schillers und Goethes häufig mittelalterliches oder a. Kostüm und Bühnenbild verlangte (vgl.

IV/26,131 und EvItzenplitz), nicht vom Volkstümlichen her geht die a. Mode in Weimar durch die festlichen Räume bei Redouten und Maskenzügen. 1809 wird der Herzogin Luise zum 30. I. ein Gedicht im Stil des Nibelungenliedes gewidmet und auch im folgenden Jahre, als ,,die *altdeutsche Poesie... der vorherrschende Gegenstand der Unterhaltung in der besten Gesellschaft" war, (JLM 25, S. 73), wurde am 30. I. ein von Goethe eingerichteter Maskenzug *Die romantische Poesie (I/16, 215) – eine so unvergleichlich als mannigfaltig und kostbar gekleidete Versammlung (IV/21, 179)* – im Kostüm des Nibelungenliedes veranstaltet und am 16. II., dem Geburtstag Maria Paulownas, mit stärkerem russischen Einschlag als ,,Völkerwanderung" wiederholt (JLM 25, S. 200 f.) (vgl. IV/21,. 181 und 188). Goethes kindliche Freundin B*Brentano, die Christiane zum Fest am 30. I. ein *Maskenkleid von herrlichem Effeckt* gesandt hatte *(IV/21, 180 f.),* trug 1810 öffentlich ,,altdeutsche oder flandrische Tracht" (S.Boisserée S. 81). Mehr und mehr wurde es Vorrecht der studentischen Jugend, sich a. zu tragen; so daß a. Tracht von der preußischen Regierung ,,mit Unwillen angesehen und für eine Art Ordenszeichen des übertriebenen Deutschtums gehalten" wurde, in München wurde sie sogar verboten, während 1818 bei einem Fest zu Ehren des bayerischen Kronprinzen in Rom alles in a. Tracht erschien (Atterboom S. 4).

4. – In seinem Aufsatz über die *Neu-deutsche religios-patriotische Kunst* gab HMeyer einen Überblick über den Einfluß der a. Kunst, den er um 1790 sowohl auf italienischem Boden als innerhalb der deutschen Kunstwelt dadurch feststellen zu können glaubte, daß man *sich mit dem Unannehmlichen der alten Meister, Schöns* [Schongauers], *Altdorfers und anderer, allmählich auszusöhnen* begann. *Dürern wurden seine Härten verziehen, Holbeins Ansehen stieg ungefähr in ähnlichem Verhältniß, auch Lucas Cranach erwarb Gönner und Freunde (I/49[I], 31).* Aufsehen erregte *Wackenroders Schrift 1797, von manchen Goethe zugeschrieben. ,,Sternbalds Wanderungen" von L*Tieck, endlich F*Schlegel als ein *schriftlicher Lehrer des neuen alterthümelnden, katholisch-christelnden Kunstgeschmacks* werden als die Inspiratoren dieser Bewegung erkannt (I/49[I], 34–39), die *durch ganz Deutschland, unter den höheren und niederen Classen, die Vorliebe für alles Altnationale, oder als solches Angesehene* hervorrief, ja, *während der Epoche feindlichen Drucks und Kränkungen, nur desto höher stieg (I/49[I], 43).*

Zentren der Kunstnachahmung a. Stils wurden Köln (Boisserée, *Cornelius; vgl. I/34, 81; dagegen 1829: IV/45, 184) und Wien, wo man schon 1807 ein Fest im a. Stil beim Grafen Zichy feierte, *Pforr und *Overbeck in der kaiserlichen Galerie die a. Maler entdeckten und FSchlegel sein Interesse an der a.M., gestützt auf SBoisserées Mitteilungen, öffentlich bekundete, dann bemerkenswerterweise Rom, wohin eine Gruppe der späteren *Nazarener von Wien aus gekommen war. Daß Rom Mittelpunkt dieser Kunstrichtung wurde, mag an der Tatsache liegen, daß die deutschen *Kunstakademien sich auch im zweiten Jahrzehnt des Jahrhunderts von dem klassizistischen Ideal nicht zu lösen vermochten. Die Freiheit der Stadt Rom sammelte die Träger eines unantiken Geschmacks, die als Künstler sich von der linearen Form des 15. Jahrhunderts gerade als Erben des Klassizismus angesprochen fühlen mußten. Die Brüder *Riepenhausen sind bezeichnende Symptome. Aus Goethes *Faust* fand PCornelius die a. Motive und nicht nur er allein: FPforr zeichnete 1809/10 einen Zyklus von *Götz-*Illustrationen. Das dürerische Gebetbuch übte weithinreichenden Einfluß, nicht ohne Mitwirkung Goethes selbst (JALZ 1808 Nr 67 die Meyer zugeschriebene Besprechung, vgl. I/48, 249).

Diese Strömungen innerhalb der deutschen Kunst waren zu einer Zeit vorherrschend, als Goethe den deutschen Geschmack ungünstig beurteilte: *Die Deutschen lieben das moralisch lyrische, diese subjectiven reflectirten Gesänge, die einen andern Jemand wieder leicht ansprechen und an allgemeine Zustände des Gemüths, an Wünsche, Sehnsuchten und fehlgeschlagene Hoffnungen erinnern (1807: IV/19, 423).* Schon vorher (1805) hatte Goethe eindringlich vor der Neigung zur Karikatur gewarnt, *in der sich der formlose Witz gefällt, und vor der Halbcultur die uns gern die altflorentinisch=deutschen mönchischen Holzschnittanfänge als das letzte Ziel der Kunst aufstellen möchte (I/48, 131).* Und doch konnte Goethe, vielleicht in der Einsicht, daß er selbst diese Bewegung sowohl in den siebziger Jahren als um 1810 nachhaltig beeinflußt hatte, und in der Freude über die Verlebendigung einer vergangenen Zeit, alsbald Cornelius loben, daß er *sich ganz in die alte deutsche Art und Weise vertieft* habe (1811: IV/22, 84). Seltsam berührte ihn das Phänomen: *Man hat in der Kunstgeschichte wohl das Beyspiel, daß frühere Werke in späteren Zeiten nachgeahmt worden, aber ich wüßte nicht, daß Künstler sich, mit Gemüth, Geist und Sinn, in eine frühere Epoche dergestalt versetzt, daß sie ihre eigenen Productionen an Erfindung, Styl und Behandlung denen ihrer Vorgänger hätten gleich machen wollen. Den Deutschen war es vorbehalten, eine so wundersame, freylich durch viel zusammentreffende Umstände hervorgerufen bedeutende Epoche zu gründen (IV/24, 9).* Goethe wollte glauben, daß durch diesen Rückgriff die im 16. Jahrhundert nicht entfaltete Blüte der deutschen Kunst nun sich öffnen werde. *Ich beobachte aufmerksam diesen neuen Kunstfrühling (IV/24, 10;* vgl. auch I/34^I, 81). Goethe verband sich dieser Nachahmung selbst durch seinen Entwurf für das Altarbild der Rochuskapelle bei Bingen, den Meyer zeichnete und LSeidler ausführte (I/36, 104 f.). Doch Gebäude in der a. *Bauart* aufzuführen, konnte ihm nicht zusagen (IV/25, 318; 411 ff.), es schien ihm bei Nachahmung der Architektur sogar *gefährlich .., die Geister der vorigen Jahrhunderte in die Wirklichkeit hervorrufen zu wollen (IV/26, 143).* Bestimmte die Beurteilung der nachahmenden Malerei ein theoretischer Entwicklungsgedanke, so die der Architektur das Verlangen nach überschaubarem Raum und klarer Gliederung; das historische Interesse überwog.

Auch Meyer erkannte 1817 zunächst *das redliche Bestreben an, den Ernst, Fleiß und die Ausdauer.., womit mehrere der das Christlichmystische, oder auch das Vaterländische beziehenden Künstler ihrem Zweck großmüthig nachgerungen (I/49^I, 47),* betonte, daß *die meisten sich zu diesem Geschmack bekennenden Künstler ungemeine Sorgfalt auf reinliche zarte Behandlung ihrer Werke* verwendet hätten *(48),* und schloß: *Das Kunstwerk soll zwar den Geist des Beschauers unterhalten, dessen Gemüth ansprechen, aber eben darum weil es geschauet werden muß, verlangt das Auge zugleich wohlthuende Befriedigung (50).* Obgleich Meyers Schrift, von der Öffentlichkeit Goethe zugeschrieben, sich um objektive Kritik und geschichtliche Darstellung der allgemeinen geistesgeschichtlichen Vorgänge bemühte, empfand man sie als harte Ablehnung einer die Jugend Deutschlands weitgehend beherrschenden Neigung. Allerdings war *Meyer, der 1813 eine Schrift über LCranach veröffentlicht hatte, nicht ein so freies Verhältnis zur Kunst der Vergangenheit und der Gegenwart gegönnt wie Goethe, legte er doch erst im Herbst 1817 in der Sammlung Boisserée „vor den Werken der verkannten Künstler seine Beichte" ab (S. Boisserée. S. 81). Aber die öffentliche Stellung Weimars zur „neudeutschen" Kunst war festgelegt, die Nachahmung begann auch Goethe zu tadeln. Die ehemals

gelobte Kunstweise Cornelius' und Overbecks wurde zur *modernen Deutsch-Narrheit, der Frömmeley und Alterthümeley (IV/38,71),* die Goethes Verhältnis zur a. Kunst selbst beeinflußte. Da er im Grunde von einem noch aufklärerischen Denken her die Welt der Geschichte als ein ständiges Fortschreiten im Guten ansah, konnte er aus den gleichen theoretischen Entwicklungsgedanken, denen seinerzeit die Anerkennung entstammte – nun nicht mehr verstehen, daß ein Künstler der *alterümelnden* Art *die vollkommenen Meister ignoriert und zu den unvollkommenen Vorgängern zurückgeht und diese zum Muster nimmt. Raffael und seine Zeitgenossen waren aus einer beschränkten Manier zur Natur und Freiheit durchgebrochen. Und statt daß jetzige Künstler Gott danken und diese Avantagen benutzen und auf dem trefflichen Wege fortgehen sollten, kehren sie wieder zur Beschränktheit zurück. Es ist zu arg, und man kann diese Verfinsterung der Köpfe kaum begreifen. Und weil sie nun auf diesem Wege in der Kunst selbst keine Stütze haben, so suchen sie solche in der Religion und Partei; denn ohne beides würden sie in ihrer Schwäche gar nicht bestehen können* (zu Eckermann 4. I. 1827: *Bdm. 3, 313;* vgl. IV/26, 42). Zu diesem Zeitpunkt war der unmittelbare Einfluß schon überwunden und der einstige Führer der „Altdeutschen", Cornelius, zum steifen antikischen Stil mühsam emporgekommen. *Lö*

CJusti: Winckelmann und seine Zeitgenossen. ⁴1943. 1, S. 396. – SBoisserée: Selbstbiographie und Briefe. 1862. 2 Bde. – Schuchardt 1, S. 221. – JLM 17 (1802), S.459; 25 (1810), S. 73; 139; 200–201. – PDAtterboom: Aufzeichnungen. Hrsg. von KvMaurer. 1867. S. 4. – RBenz: Goethe und die romantische Kunst. 1941. – HvEinem: Goethe und Dürer / Goethes Kunstphilosophie. 1946. – EvItzenplitz: Friedrich Beuther und die Theaterdekoration des Klassizismus. Göttingen. Diss. 1953. –

Altdeutsche Poesie. Verglichen mit Goethes Studium auf dem Gebiete der *altdeutschen Malerei, Bild- und Baukunst nimmt seine Beschäftigung mit der a. P. nur einen verhältnismäßig geringen Raum ein. Chronologisch liegt sie außerdem erheblich später. Sie gehört in den Zusammenhang seiner Auseinandersetzung mit dem *Mittelalter, mit Goethes großartigem Versuch, das eigene, bis zum 15./16. Jahrhundert tiefgegründet vorgedrungene Geschichtsbild vornehmlich nach Schillers Tod (1805) über diese Schwelle hinaus zu erweitern und zu vertiefen und dergestalt zugleich seinen Standort gegenüber der *Romantik zu sichern. Großartig ist dieser Versuch deswegen, weil Goethe vor dem Weltbild des Mittelalters wesentlich als Fremder stand, aber mit der sachlichen Selbstüberwindung des naturwissenschaftlich bestimmten und erfahrenen Forschers bemüht war, von derlei Vorurteilen abzusehen und der Sache um der Sache selbst willen nachzugehen. Schon früher hatte Goethe sich empirisch mit der Kirche des Mittelalters und ihren kultischen Formen (zB. in der Kirche der Grotta Santa Rosalia auf dem *Monte Pellegrino bei *Palermo am 6. IV. 1787: I/31, 100–105), auch theologisch prinzipiell mit dem *Katholizismus und seiner *Sakraments-Auffassung (*Abendmahl) befaßt. Zu einer solchen Systematik wie bei Schiller, der sich das Geschichtsbild Europas horizontal fast im Sinne einer kartographischen Darstellung von Land zu Land (mit Ausnahme des skandinavisch-nördlichen) wie vertikal von der gegenwärtigen Neuzeit über die Renaissance und unter Einbeziehung des Mittelalters bis zur griechischen *Antike hinab aneignete und zu einem universal-humanen Menschenbild umschmolz, kam es für Goethe nicht. Goethe hatte das zu seiner Zeit traditionelle, bis in die *barocke Epoche Opitzens, Flemings, Bessers, Canitz' reichende Geschichtsbild aus eigener Kraft (vielfach durch *Herder angeregt) bis in das 15. Jahrhundert, also fast bis in die Anfangsstadien der Neuzeit zurückerweitert und sich dergestalt des Verständnisses für seine eigene Zeit von den epochalen Ursprüngen her aktiv versichert. Das Mittelalter als eine Folge dunkler Jahrhunderte wird zugunsten eines möglichst engen Kontaktes mit dem Altertum der Griechen und Römer übersprungen. Der Bedeutung dieser Lücke scheint sich Goethe nach Schillers Tod und in der Begegnung mit der Romantik empfindlicher bewußt geworden zu sein. Um diese Zeit (zumal seit 1807) häufen sich in Goethes Wortschatz Ausdrücke wie *Mittelalter, mittlere Zeit, Mittelzeit* und werden lebendiger Bestandteil seiner *Sprache. Die durch JJ*Bodmer seit 1748 („Proben der alten schwäbischen Poesie des 13. Jahrhunderts"; 1753: „Der Parcival, ein Gedicht in Wolframs von Eschilbachs Denkart, eines Poeten aus den Zeiten Kaiser Heinrich des VI."; 1757: „Fabeln aus den Zeiten der Minnesinger"; 1757: „Chriemhildens Rache und die Klage; zwei Heldengedichte aus dem schwäbischen Zeitpunkt. Samt Fragmenten aus dem Gedichte von den Nibelungen und aus dem Josaphat"; 1758–1759, gemeinsam mit JJ*Breitinger: „Sammlung von Minnesingern aus dem schwäbischen Zeitpunkte, 140 Dichter enthaltend") so emsig betriebene, Goethe wohl bekannt gewordene Editionsarbeit sprach ihn kaum an; die *Volksbücher waren ihm

freilich bereits seit der Kinderzeit vertraut (I/26, 51). Auch die straßburger Bemühungen von JJ*Oberlin, der Goethe ua. *zu den Denkmalen der Mittelzeit hinwies und mit den daher noch übrigen Ruinen und Resten, Siegeln und Documenten bekannt machte, ja eine Neigung zu den sogenannten Minnesingern und Heldendichtern einzuflößen suchte (I/28, 48)*, sowie die gleichgerichteten Anregungen durch ChrW*Koch (ebda) fruchteten nichts. Wolfram v*Eschenbach begegnete Goethe am 22. III. 1790 auf Schloß *Ambras durch die 1387 für den deutschen König Wenzel geschriebene Prachthandschrift des „Willehalm" (III/2, 6; am 10. III. 1820 erneuerten sich die damaligen Eindrücke anhand des Werks von APrimisser). Die mittelalterliche Lyrik war ihm durch die anakreontisierende Mode zum *Singsang der Minnesänger* geworden, hauptsächlich durch JWL*Gleim: „Gedichte nach den Minnesingern", Berlin 1773, deren groteskes Mißverstehen der hocharistokratischen Originale allerdings einer Travestierung gleichkommt („Unter ihren lieben Schafen fand ich eine Hirtinn schlafen . . .", S. 21, oder „Ach! welche süßen Freuden hat / Mein süßstes Weibchen mir gegeben! / Ich war, ich war des Lebens satt, / Nun fang ich wieder an zu leben." S. 65); zu nennen sind aber auch GA*Bürger, LChr*Hölty, JM*Müller ua. Goethes dem Mittelalter verschlossene Haltung wertet 1793–1794 den *Reineke Fuchs*, selbst nach dem lübecker Druck von 1498, als Zeugnis noch mittelalterlichen, sondern bereits frühneuzeitlichen Geistes.

In den *Balladen-Jahren Goethes, zugleich in den Arbeitsphasen eines Neubeginns am Faust suchte AW*Schlegel Anteilnahme für die a. P. zu wecken: „Meine Beschäftigung mit der älteren Geschichte der deutschen Poesie belohnt sich nun reichlich. Außer daß ich immer ein aufmerksames Auditorium habe, bin ich dabei auf neue Aufschlüsse gerathen, wie wohl ein Rittergedicht einzurichten wäre. Es ist unglaublich was für Schätze ungenutzt und unbekannt da liegen" (IV/13, 424). Goethes Antwort einen Tag später am 15. XII. 1798 blieb kühl: *An der Entdeckung guter und brauchbarer Stoffe in den ältern deutschen Gedichten zweifle ich keineswegs und hoffe künftig auf deren Mittheilung (IV/13, 344)*. Erst 1805 tritt das *Nibelungenlied stärker und fordernder an ihn heran. In dieser Zeit wird ihm das Studium der a. P. zum „Kernfeld einer Auseinandersetzung mit der Romantik" (AHübner), zugleich aber auch zu einem auf den Gegenstand selbst gerichteten Gebot. Ein Mentor, der ihm, persönlich und sachlich gleichwertig wie S*Boisserée auf dem Gebiet der *altdeutschen Malerei, die Wege gewiesen oder bereitet hätte, stand ihm nicht zur Seite. In der Hauptsache bildete FHvd*Hagen die Brücke zur mittelalterlichen Dichtung, denn die a.P. ist vornehmlich die Dichtung der dunklen *Mittelzeit,* nicht die der renaissancistisch frühen Neuzeit. Goethe hat lange Jahre um Zugang und Verständnis gerungen und versucht, der sprachlichen Schwierigkeit Herr zu werden, obwohl damals lexikalische und grammatikalische Hilfsmittel kaum und Kommentare noch weniger zur Verfügung standen. Im Zuge dieser Bemühungen hat er zunächst 1805–1812, in Sonderfällen auch weit darüberhinaus (bis 1826/30) nahezu alle bedeutenden Werke der a.P., soweit sie damals überhaupt vorlagen oder neu erschienen, in der Hand gehabt und erneut, wo nicht erstmals, gelesen. Er hat auch literar- und kulturhistorische Schriften beigezogen, um sich in einem möglichst weitgespannten Umkreis Rechenschaft geben zu können, *wie es in* jenen *Tagen ausgesehen und welche Geister darin gewaltet.* Er hat dergestalt bedeutend mehr gelesen als der Durchschnitt des gebildeten Publikums zu seiner oder späterer, auch neuerer und heutiger Zeit. Wenn er letztlich mit dieser angestrengten Bemühung gescheitert ist, so lag es an dem geschichtlichen Abstand zur Sprachform der a.P., dh. zugleich an der wissenschaftsgeschichtlichen Situation der germanisch-deutschen *Philologie, die erst in den Anfängen stand. Übersetzungen aus dem Mittelhochdeutschen ins Neuhochdeutsche, ohnedies eine bis heute problematische Angelegenheit, lagen außer den anakreontischen Verschäferungen oder Verniedlichungen durch Gleim usw. oder außer der Nibelungenlied-Publikation K*Simrocks, die ja mehr eine Um-Schreibung als eine Über-Tragung ist, nicht vor. Man vergegenwärtige sich aber die Intensität der goetheschen Beschäftigung mit der a.P. anhand der Dichte, Fülle und Variationsbreite seiner Entleihungen aus der weimarer Bibliothek:

1. Ulfilas Gothische Bibelübersetzung, die älteste Germanische Urkunde nach Ihre'ns Text ... ausgearb. von Friedrich Karl Fulda ... hrsg. von Johann Christian Zahn. Weißenfels 1805. (14.–18. III. 1807: Keudell Nr 481).–
2. Alkmar, Heinrich v.: Reineke der Fuchs... ins Hochdeutsche übers. u.m.e. Abh.... versehen von Johann Christoph Gottscheden. Leipzig und Amsterdam 1752 (September 1807: Keudell Nr 489; dasselbe nochmals 5.–30. XI. 1807: Keudell Nr 503). – 3. Bragur.

E. Litt. Magazin der Deutschen und Nordischen Vorzeit. Hrsg. von Böckh und Gräter. Bd 1: Leipzig 1791. (3. XII. 1808 – 20. II. 1809: Keudell Nr 540). – 4. Myller, Christoph Heinrich: Sammlung Deutscher Gedichte a. d. 12., 13. und 14. Jh. Geendigt 1784. Berlin o. J. (25. IV. – 15. XII. 1809: Keudell Nr 575). – 5. Küttner, Karl August: Charaktere teutscher Dichter und Prosaisten. Von Kaiser Karl d. Großen bis aufs Jahr 1780. Bd 1. Berlin 1781 (13. X. – 30. XI. 1809: Keudell Nr 601). – 6. Agricola, Johannes: Sybenhundert und fünffzig teutscher Sprichwörter verneuwert und gebessert. Hagenaw 1537, am 7. Tag d. Mertzen. (Dezember 1809: Keudell Nr 616). – 7. Minne -und Meistergesänge aus d. 14. und 15. Jahrhundert, darunter von Frauenlob, König Wenzel von Böhmen u.a. Der letzte Theil ist jünger: 15. und 16. Jh. Papierhs. d. 15. und 16. Jhs. 150 Bl. (18. I. bis 27. VI. 1810: Keudell Nr 637; dasselbe nochmals 30. V. 1827 – 6. XI. 1828 Durch Hrn. Geh. R. St.M. v. Goethe vermutlich nach Berlin gesendet: Keudell Nr 1810). – 8. Älterer Meistergesang: Erzählungen, Fabeln, Parabeln usw., darunter Verse aus dem „Deutschen Cato". Papierhs. d. 15. Jhs. 255 beschr. Bl. (18. I. – 27. VI. 1810: Keudell Nr 638). – 9. Koch, Erwdin Julius: Grundriß einer Geschichte der Sprache und Literatur der Deutschen von den ältesten Zeiten bis auf Lessings Tod. Bd 1. 2. Berlin 1795–1798. (22. I. bis 19. II. 1810: Keudell Nr 643). – 10. Sammlung von Minnesingern aus dem schwäbischen Zeitpuncte, 140 Dichter enthaltend, durch Rüdiger Manessen ... A. d. Handschr. d. Kgl. Franz. Bibl., hrsg. von Bodmer und Breitinger. Th. 1. 2. Zyrich 1758–59. (22. I. – 19. II. 1810: Keudell Nr 644). – 11. Minnelieder aus dem schwäbischen Zeitalter, neu bearb. und hrsg. von Ludewig Tieck. Berlin 1803. (22. I. bis 6. II. 1810: Keudell Nr 645). – 12. Treitzsauerwein, Marx: Der Weißkunig. E. Erz. von den Thaten Kaiser Maximilians I. ... nebst den von Hansen Burgmair dazu verfert. Holzschn. ... Wien 1775. (24. I. – 19. II. 1810: Keudell Nr 647). – 13. Altdeutsche Wälder. Hrsg. durch die Brüder Grimm. Bd 1. Kassel 1813. (30. IX. – 23. XI. 1813: Keudell Nr 862). 14. Eichhorn, Joh. Gottfried: Geschichte der Literatur von ihrem Anfang bis in d. neuesten Zeiten. Bd 4, Abt. 1–3. Göttingen 1807–1810. (10. XII. 1818 – 27. IV. 1819: Keudell Nr 1184). – 15. Die Vorzeit od. Geschichte, Dichtung, Kunst und Literatur des Vor- und Mittelalters. Hrsg.: Christian August Vulpius. Bd 1. Erfurt 1817. (März 1823: Keudell

Nr 1466). – 16. Radlof, Johann Gottlieb: Die Sprachen der Germanen in ihren sämmtlichen Mundarten . . . Frankfurt a. M. 1817. (6. IV. bis 13. IV. 1826: Keudell Nr 1696). – 17. Älterer Meistergesang: Erzählungen, Fabeln, Parabeln und Sinnsprüche, darunter Verse aus dem „Deutschen Cato". Hinten Titulaturen und ein sog. „Buhlbrief". 15. Jh. Papier in Perg. 235 beschr. Blätter (30. V. 1827 bis 6. XI. 1828: Keudell Nr 1809).
In Goethes eigener Hausbibliothek am Frauenplan befanden (und befinden) sich:

1. UBoner/JJBodmer: Fabeln aus den Zeiten der Minnesinger. 1757. – 2. Der Nibelungen Liet. Ein Rittergedicht aus dem XIII. oder XIV. Jahrhundert. Zum ersten Male aus der Handschrift ganz abgedruckt von ChrHMyller. 1782 (vgl. die Bemerkung Friedrichs d. Gr. zu Myllers: Sammlung Deutscher Gedichte aus dem XII., XIII. und XIV. Jhdt. Erster Band, welcher enthaltet: Der Nibelungen Liet. Eneidt. Got Amur. Parcival. Der arme Heinrich. Von der Minnen. Dis ist von der Wibe List. Dis ist von dem Pfenninge: „Ihr Urtheil ist viel zu vortheilhafft von denen gedichten aus dem 12., 13. und 14. seculo deren Druck Ihr beförderet habet, und zur Bereicherung der Teutschen Sprachen so brauchbar haltet. Meiner Einsicht nach sind solche nicht einen Schuß Pulver werth und verdienten nicht, aus dem Staube der Vergeßenheit gezogen zu werdenn. In Meiner Bücher Sammlung wenigstens würde ich dergleichen elendes Zeug nicht dulden, sondern herausschmeißen. Das mir davon eingesandte Exemplar mag dahero sein Schicksal in der dortigen großen Bibliothec abwarten. Viele Nachfrage verspricht ebensolches nicht. Euer sonst gnädiger König Friedrich. Potsdam den 22ten Februar 1784." Dies ist weitgehend die opinio communis). – 3. JJ*Görres: Die Deutschen Volksbücher. 1807. (nur teilweise aufgeschnitten). – 4. FHvdHagen: Der Nibelungen Lied in der Ursprache mit den Lesarten der verschiedenen Handschriften. Zu Vorlesungen. FA*Wolf zugeeignet. Beruht auf Myllers Text 1807. – 5. FHvdHagen/JGBüsching: Deutsche Gedichte des Mittelalters. 1808. – 6. Av*Arnim/Cl*Brentano: Des Knaben Wunderhorn. Anhang: Kinderlieder. 1808. – 7. FHvdHagen: Der Helden Buch. 1811. – 8. FHvdHagen: Sammlung für altdeutsche Literatur und Kunst. 1. Buch. Danach wieder eingegangen. 1812. – 9. JuW*Grimm: Die beiden ältesten deutschen Gedichte aus dem 8. Jahrhundert (Hildebrandslied und Wessobrunner Gebet). 1812. – 10. JuWGrimm: Kinder- und Haus-

märchen. Gesammelt durch die Brüder Grimm 1812/1815/1824. – 11. JuWGrimm: Altdeutsche Wälder (Zeitschrift). 3 Bde. 1813/1815/1816. – 12. JGBüsching: Erzählungen, Dichtungen, Fastnachtsspiele und Schwänke des Mittelalters. Bd 1. 1814. – 13. JuWGrimm: Hartmann von der Aue: Der arme Heinrich. 1815. – 14. K*Lachmann: Über die ursprüngliche Gestalt des Gedichts von der Nibelungen Noth. 1816. – 15. JuWGrimm: Deutsche Sagen. 1816. – 16. FHvdHagen: Heldenbilder aus den Sagenkreisen Karls d. Gr., Arthurs, der Tafelrunde etc. 1819/1823. – 17. ChrMEngelhardt: Herrad von Landsperg, Aebtissin zu Hohenburg oder St. Odilien im Elsaß im 12. Jahrhundert und ihr Werk Hortus deliciarum. 1818. – 18. FHvd Hagen: Gottfrieds von Straßburg Werke aus den besten Handschriften mit Einleitung und Wörterbuch. 1823 (nur teilweise aufgeschnitten). – 19. ChrMEngelhardt: Der Ritter von Stauffenberg, ein altdeutsches Gedicht, hrsg. nach der Handschrift der öffentlichen Bibliothek zu Straßburg, nebst Bemerkung zur Geschichte, Litteratur und Archäologie des Mittelalters. 1823. – 20. FHvdHagen: Erzählungen und Mährchen. 2 Bde. 1825/1826. – 21. EG Graff: Diutiska. Denkmäler deutscher Sprache und Litteratur aus alten Handschriften. 3 Bde. 1826/1830. – 22. Proben althochteutscher Sprache (KLacher; unvollständig). – 23. WWackernagel: Zwey Bruchstücke eines unbekannten mittelhochdeutschen Gedichtes. 1827. – 24. KSimrock: Das Nibelungenlied. Übersetzt. 1827. – 25. LEttmüller: Singerkriec ûf Wartburc. 1830.
Nicht wenige von diesen Editionen mögen als Widmungsexemplare in Goethes Haus gekommen sein, manche sind nur in einzelnen Bogen aufgeschnitten worden. Goethes Urteil über die a. P. ruht und gipfelt in seiner Auffassung vom *Nibelungenlied, die ritterliche Lyrik (trotz oder wegen 1810: I/16, 219 f.) und die ritterliche Epik (vgl. die Äußerung über Hartmanns armen Heinrich 1811: I/36, 72) vermochten in ihrer spezifischen Mittelalterlichkeit sein Kunsturteil wegen der Beschwerlichkeit der damaligen Voraussetzungen nicht mehr zu erreichen. Das *Volkslied gehört für Goethe seit den Tagen, da er selber sammelte, nicht ins *Mittelalter.　　　　*Za*

HPaul: Geschichte der germanischen Philologie· §§ 31–33; 40 f.; 43; 46; 52; 66. In: Pauls Grundriß 1 (1901). – AHübner: Goethe und das deutsche Mittelalter. In: Goethe 1 (1936), S. 83–99.

Altdorf (Aldorf, Altorf), Hauptort des Kantons Uri, der Sage nach Schauplatz von *Tells Apfelschuß, berührte Goethe auf seinen *Schweiz-Reisen: 1. am 19. VI. 1775 und wenige Tage später auf dem Rückweg vom *Scheideblick nach Italien* (Drost Abb. 6) abermals; 2. im November 1779 auf der schnellen Heimreise; 3. am 30. IX./1. X. und am 5. X. 1797. Bei der letzten Reise hatte Goethe Gelegenheit, den Ort zumindest auf dem Hinwege zum St. Gotthard genauer in sich aufzunehmen: *Er ist schon stadtmäßiger, und alle Gärten sind mit Mauern umgeben. Ein italiänisches Wesen scheint durch, auch in der Bauart, so sind auch die untern Fenster vergittert (III/2, 169).* Nach dem Logis im Schwarzen Löwen wird Goethe der *höfliche Abschied* von dem Gastwirt Franz Maria Arnold mit dem *Schein wechselseitiger Zufriedenheit* zum *Weltgleichniß (III/2, 170).*   Za

Altdorfer, Albrecht (vor 1480–1538), Maler und seit 1526 Stadtbaumeister von Regensburg, schon seit 1519 Mitglied des Rates der Stadt. Schüler des Miniaturmalers JKölderer, gehört er zu den Hauptmeistern der deutschen Renaissance und vertritt zusammen mit dem jungen L*Cranach den sog. Donaustil, der in seiner Neigung zu kleinfigürlichem Erzählen in landschaftlicher Weite romantische Züge trägt. Neben seinen Hauptwerken, dem Flügelaltar von St. Florian (1518) und der Alexanderschlacht für den Herzog Wilhelm IV. von Bayern (1529; München Alte Pinakothek), entstand 1522 die erste figurenlose Landschaft der deutschen Kunst.
S*Boisserée teilte Goethe am 30. XII. 1816 mit, daß die heidelberger Sammlung der Brüder durch Meister der oberdeutschen Schule, ua. von *Wolgemut und A. ergänzt worden sei. Diese Notiz nahm Goethe fast unverändert in *Kunst und Alterthum am Rhein und Main (I/34^I, 191)* auf. Nur hieraus ergibt sich eine oberflächliche Kenntnis Goethes; auch *Meyer weiß in seinen Anmerkungen zur „Neu-deutschen religios-patriotischen Kunst" nur, daß A. in *Altdorf in der Schweiz geboren und um 1511 in Regensburg nachzuweisen sei. In dem Aufsatz selbst gibt er an, daß man um 1790 schon seit mehreren Jahren angefangen hatte, „sich mit dem Unannehmlichen der alten Meister, Schöns, Altdorfers und anderer, allmählich auszusöhnen" (I/49^I, 31).   Lö

Firmenich-Richartz: Die Brüder Boisserée als Kunstsammler. 1916. 1, S. 266. – LvBaldaß: Albrecht Altdorfer. 1941.

Alte Kirche an der Jagdmatt, auf dem Wege zwischen *Altdorf und *Amsteg. Goethe kam hier auf allen drei *Schweiz-Reisen vorbei, beschreibt aber nur am 1. X. 1797 *die artig bemahlte saubere Kirche mit einem Jagdwunder, ohngefähr wie des heiligen Hubertus.* Am 5. X., auf dem Rückweg, heißt es: *Wir kamen wieder zur Kirche an der Jagdmatt; Jäger und Hunde knieen vor dem Hirsch, der eine Veronika zwischen dem Geweihe hat. Die Kirche war offen und geputzt, niemand weit und breit, der darauf Acht gehabt hätte. Begriff von geistlicher und weltlicher Polizei (I/34^I, 393; 401).*   Za

Altenau, Harzstädtchen an der Oker. Hier übernachtete Goethe am 9. XII. 1777, von *Clausthal kommend *(Abends nach Altenau unendlich geschlafen: III/1, 56),* vor der ersten *Brocken-Besteigung; auf dem Rückwege nach Clausthal durchquerte er am 11. XII. 1777 abermals A. (III/1, 57), ebenso gelegentlich der zweiten Harzreise, gemeinsam mit Fv*Stein, auf dem Hin- und Rückwege von Clausthal zum Brocken (zwischen 20. und 24. IX. 1783: IV/6, 200–202).   Za

Altenberg, die sächsische Bergstadt im Erzgebirge, bekannt durch ergiebige Zinnbergwerke (*Geising-Berg), suchte Goethe 1813 während einer besonderen, ausschließlich den Zinnvorkommen nahe *Teplitz gewidmeten Exkursion auf. Er verließ am 9. VII. 1813 nachmittags Teplitz und erreichte am Abend *Zinnwald, wo er Quartier machte. Am 10. VII. begann er schon morgens mit den Grubenbesichtigungen, kam noch vormittags in A. und kehrte bereits mittags nach Zinnwald zurück (III/5, 61). Das Ergebnis der Exkursion, A. betreffend, finden wir in einem ausführlichen Bericht: *Reise nach Zinnwald und Altenberg (NS 2, 39–44).* In A. konnte Goethe nicht einfahren, weil Feiertagsruhe angeordnet war. Um so wertvoller war ihm das Gespräch mit dem Bergamtsassessor Friedrich August Schmid (ebda 42).   Za

Altenbergen, Dorf südöstlich von Friedrichroda in Thüringen, 1779: 179 Einwohner. Goethe erwähnt es am 4. IX. 1777. Er kam damals auf seiner Reise von *Ilmenau nach *Wilhelmsthal zwischen Georgenthal und Friedrichroda *bey der Kirche zwischen Katerfeld und Altenberge vorbey (III/1, 46),* die sich zwischen diesen Orten auf einem freien, mit Bäumen bestandenen Platz erhob und den drei Gemeinden Altenbergen, *Catterfeld und Engelsbach gehörte.   Hk

Altenbrack, (Altenbrak), Harzdörfchen an der Bode, durchquerte Goethe auf der dritten Harzreise Anfang September 1784 mit GM *Kraus (NS 1, 75 f.; Dennert S. 98; 206).   Za

Altenburg, Hauptstadt des damals an Sachsen-Gotha angegliederten Herzogtums Sachsen-A., 1806: 9201 Einwohner.
Goethe kam 1790 auf der eiligen Fahrt in das schlesische Feldlager zu Carl August und von dort zurück durch A., berührte ferner 1810 auf der Rückreise aus Dresden die Stadt, wobei er

von hier aus die Herzogin Dorothea von *Kurland in *Löbichau besuchte; eine weitere
Durchreise erfolgte 1813 (III/4, 157; 5, 71). *Dl*
Altenstein, Karl Freiherr von Stein zum
(1770–1840), wurde 1799 von KA (dem späteren Fürsten) v*Hardenberg in die preußische
Regierung berufen, wo er 1808 anstelle von
HFK Freiherrn vom und zum *Stein die Leitung des Finanzministeriums übernahm. 1810
wurde er interimistisch entlassen, 1813 als
Zivilgouverneur nach Schlesien entsandt;
1817–1838 leitete er das Kultus- und Unter-
richtsministerium in Berlin. Goethe erfreute
sich eines guten Einvernehmens mit dieser
einflußreichen Persönlichkeit und pflegte den
Kontakt seit dem ersten persönlichen Zusammentreffen in Weimar, wo A. sich aus
Anlaß des Empfanges der Erbprinzessin Großfürstin Maria Paulowna aufhielt und am
15. und 17. IX. 1807 mit Goethe bei der regierenden Herzogin zum Tee geladen war (III/3,
275; 276). Die Begegnung setzte sich unmittelbar oder mittelbar brieflich oder durch Brief-
grüße fort, Mittelsmann war gelegentlich der
Staatsrat ChrFL*Schultz. Am 18. IX. 1824
erneuerten Frau und Tochter vA. in Goethes
Haus die alte Verbundenheit (III/9, 270). A.
fand sich zu mancher Hilfeleistung bereit
(I/36, 170; 200). Das Wichtigste aber war, daß
er sich als Freund der *Farbenlehre* erwies und
seine Stellung als preußischer Kultus- und
Unterrichtsminister in ihren Dienst stellte.
LDv*Henning genannt vSchönhoff hielt 1821
öffentliche Vorlesungen über Goethes Farbenlehre an der berliner Friedrich-Wilhelms-
Universität und A. hat ihm dazu geholfen, indem er *ein Zimmer im Academiegebäude einräumte und Mittel gab einen vollständigen
Apparat anzuschaffen (III/8, 282).* Die angeregte, Kunst- und Naturinteressen umfassende
Verbindung erlischt erst mit Goethes Tod. Der
letzte Brief Goethes an A. vom 22. I. 1832
(IV/49, 211 f.) ist ein Dank an den Adressaten
für bewiesene Hilfe an CE*Schubarth: *Die
Nachricht, daß Sie, mein Theuerster, [CE
Schubarth] wirklich angestellt und für Ihre
künftige Lebenszeit beruhigt sind, war mir sehr
angenehm, und ich hab es für meine Schuldig-
keit erachtet, des Herrn Staatsminister v. Altenstein Excellenz auch in meinem Namen deshalb
zu danken (IV/49, 234 f.).*   *Za*
Alterslyrik. Goethe ist bis in sein höchstes
Alter hinein als Lyriker tätig geblieben, und
schon dies ist durchaus eine Besonderheit. Wir
kennen aus der Weltliteratur Alterswerke von
Epikern und von Dramatikern, doch Alters-
Lyrik ist etwas höchst Seltenes. Zur Lyrik ge-

hört die Aufwallung des Augenblicks, das Hin-
gegebensein an ein Erlebnis; aber Goethes
Lebensstil im Alter scheint solchem Schaffen
durchaus nicht geneigt: im festen Kreise Weimars, von Besuchern umdrängt, zwischen reichen Sammlungen, täglich Briefe diktierend,
wirksam als tätiges Organ im europäischen
Wissenschafts- und Kunstleben, unentwegt
naturwissenschaftlich beschäftigt. Dennoch
vermochte er von Zeit zu Zeit dies alles von
sich zu schieben und sich rein der Erfülltheit
des Augenblicks hinzugeben, und dann entstanden lyrische Gedichte von höchstem Rang.
In der Ausgabe letzter Hand wurden nur einige davon gedruckt und diese an ganz verschiedenen Stellen, so daß sie nicht als Gruppe deutlich wurden. Auch das, was Eckermann und
Riemer in den „Nachgelassenen Werken" mit-
teilten, blieb verstreut und war meist nicht
datiert. Manches blieb damals Handschrift
und kam erst in der WA zum Druck. So blieb
lange unklar, was Goethe als Lyriker in seinem
Alter geleistet hatte. Erst die chronologische
Anordnung aller Gedichte, die HGGräf 1916
herausgab, stellte in Bd 2 die Altersgedichte
zusammen, und hier zeigte sich erst die Größe
ihrer Zahl. Doch da diese Ausgabe rein zeitlich
ordnet, stehen Gedichte verschiedenster Art
nebeneinander, und man muß die einzigartigen lyrischen Schöpfungen wie *Um Mitternacht*
und *Der Bräutigam* zwischen einer Fülle von
Andersartigem suchen. Es ist bezeichnend für
Goethes A., daß sie sehr vielgestaltig ist. Versucht man sie ihrer Art nach zu gliedern, so ergeben sich etwa folgende Gruppen:
1) S p r ü c h e i n V e r s e n. Sie sind betrachtend, belehrend, zugespitzt, eine Form, die
dem hohen Alter durchaus entspricht. Nur an
einigen wenigen Stellen gehen sie ins Lyrische
über. Die Anzahl dieser *Sprüche ist sehr groß.
2) G e d i c h t e a n P e r s o n e n. Goethe wurde
im Alter oft durch den weimarer Hof, durch
adlige und gelehrte Bekannte in den böhmischen Bädern, durch reisende Besucher usw.
um Verse gebeten oder dazu angeregt. Es ist
eine Dichtung, die zwar stellenweise in den
großen Stil seiner späten Lyrik übergeht,
meist aber in einem abstandhaltenden Ton
bleibt, den der Geübte und Konziliante für
solche Gelegenheiten zur Verfügung hatte. Sie
ist gesellschaftlich gehalten. Auch die Zahl dieser Gedichte ist sehr groß. Gegenüber diesen
beiden Gruppen kann man dann zwei kleinere
unterscheiden, die an Menge weit geringer, an
Gewicht aber desto bedeutender sind:
3) Die weltanschaulichen Gedichte, zu
denen *Prooemion, Urworte orphisch, Eins und*

Alles, Vermächtnis und ähnliche gehören. Sie fassen Goethes Weltanschauung des Alters in großen Bildern zusammen, zeigen seine Symbolwelt in vollster Ausgestaltung und sprechen Lebensergebnisse oft formelhaft-kurz und belehrend-einprägsam aus.

4) Die reine Lyrik. Diese Gruppe ist unter den späten Gedichten das eigentlich Wundersame. Es ist verständlich, daß der Greis spruchhaft den Weltlauf glossierte, daß er für Fürsten und Freunde Gelegenheitsverse schrieb und daß er Lebensergebnisse belehrend zusammenfaßte. Aber neben diesem allen gibt es auch die reine Lyrik, und sie erreicht mitunter – etwa in den *Chinesisch-deutschen Jahres- und Tageszeiten* – eine schwebende Leichtigkeit von besonderer Art.

Diese späte Lyrik beginnt mit dem *Westöstlichen Divan,* dessen meiste Gedichte 1814 bis 15 entstanden, doch kamen in den Jahren 1819–20 noch weitere hinzu. Im Vergleich mit der Lyrik der Jahre davor zeigt sich hier eine neuartige Verbindung von Fülle und Geist, von Leidenschaft und Ironie, von Unbekümmertheit und Verhüllung, die den Beginn des *Altersstils erkennen läßt; die Sprache beginnt mit dessen lockerem Satzbau, neuartigen Wortprägungen und formelhaften Wendungen. Neben und nach den *Divan*-Gedichten entstanden andere lyrische Schöpfungen wie *Um Mitternacht* (1818), *St. Nepomuks Vorabend* (1820) und *Wilhelm Tischbeins Idyllen* (1821). Dann aber brachten die Jahre 1822 und 1823 das Erlebnis mit Ulrike v*Levetzow, das zur lyrischen Aussprache drängte und keine andere Lyrik neben sich aufkommen ließ. Im Gegensatz zum *Divan* mit seiner glücklichen Wechselrede ist dieses meist eine Lyrik des Einsamen, ein Gespräch mit sich selbst, allenfalls mit den Göttern, die sich ins Unerkennbare zurückgezogen haben. Da, wo diese Dichtung das geliebte Du erreicht, bleibt sie zurückhaltend, konventionell und nur in den Untertönen voll Leidenschaft. Den Mittelpunkt der Ulriken-Lyrik bildet die *Trilogie der Leidenschaft,* beginnend mit dem düsteren Selbstbildnis mit Werther, endend mit der Lösung der Leidenschaft in Kunst durch Form und Geist. Im Mittelpunkt steht die *Elegie,* in welcher alles, was an Sinnvollem und Tröstlichem ein reiches Leben lang sich ergeben hatte, nicht hinreicht, die Verzweiflung des Augenblicks aufzuwiegen. Alle drei Gedichte sind lyrische Großform, zumal die *Elegie,* und sie werden es durch den Zusammenschluß zur Trilogie noch mehr. Aber das große Erleben drängte auch zu anderer Aussprache, kleinen, kurzen, aus dem

Augenblick entstandenen Strophen. Einige davon hat Goethe damals Ulrike gezeigt, auch seinem Sohne und der Schwiegertochter zu lesen gegeben und sie 1827 gedruckt, da sie verhüllend, scheinbar spielend das erschütternde Erleben zu Form werden lassen: *Du hattest längst mir's angetan . . ., Tadelt man, daß wir uns lieben . . ., Du Schüler Howards . . ., Wenn sich lebendig Silber neigt . . ., Du gingst vorüber . . .,* und *Am heißen Quell . . .* Höchstwahrscheinlich stammen aber aus dieser Zeit und diesem Erlebniskreis auch drei kleine Gedichte, welche unverhüllt die Klage des Liebeskranken aussprechen: *Könnt' ich vor mir selber fliehen . . ., Ach! wer doch wieder gesundete . . .* und *Denn freilich sind's dergleichen Kiel' und Pfeile . . .* Sie kamen aus den Handschriften erst 1893 zum Druck (wurden dabei aber zwischen die Sprüche gestellt). Zeitlich steht am Ende dieser Gruppe das in dunklen Farben gehaltene Gedicht *An Werther,* in welchem dem Dichter mit Schauder offenbar wird, daß das einstmals Erlebte immer noch in ihm ist, daß es sein ewiges Schicksal ist und daß Vergangenheit und Gegenwart sich ineinander schieben. Wahrscheinlich steht – nach der grundlegenden Untersuchung von L Blumenthal – in diesem Zusammenhang auch das Gedicht *Der Bräutigam* (das man früher anders datiert hat). Auch hier eine Verwischung der Zeitstufen – Altersstil in reinster Form – aus einem inneren Zustand heraus, der nicht an Zeitperioden gebunden ist.

Nach dieser Lyrik der Leidenschaft, die an den Rand des Zerbrechens führte, konnte es nur ein Schweigen geben, und wenn ein neues Beginnen möglich war, so konnte es für Goethe nur von der Natur kommen. Vier Jahre später, im Jahre 1827, war er wieder viel in seinem Gartenhaus, einige Wochen brachte er ganz dort zu, in den anderen war er einen Teil des Tages dort. Er schuf sich hier die Muße zur Betrachtung, er führte ein Leben mit den Pflanzen seines Gartens, mit den Tageszeiten, mit dem Wetter, ja mit den Jahreszeiten. Hier entstand der Zyklus *Chinesisch-deutsche Jahres- und Tageszeiten.* Die Verwandtschaft zu China besteht darin, daß es lyrische Kurzgedichte sind, die Naturmotive behandeln oder von solchen ausgehen. Der einzelne Naturgegenstand wird stellvertretend für die Natur schlechthin, und der Garten genügt, um den Kosmos zu erleben, soweit dieser dem Menschen erlebbar ist. Einige dieser kleinen zarten Gebilde nähern sich der Form des Dinggedichts – so das Narzissen-Gedicht und das Abend-Gedicht –, andere sind

mehr betrachtend, einige werden sogar dia-
logisch.

Im Jahre darauf, 1828, ist dann die letzte
große Lyrik Goethes entstanden. Wieder war
es eine Zeit der Zurückgezogenheit und der
Betrachtung, wieder ein Sommer mit sonnigen
Tagen und Aufenthalt im Freien. Diesmal war
Goethe in Dornburg. Hier entstanden die Gedichte *Dem aufgehenden Vollmonde* und *Früh,
wenn Tal, Gebirg und Garten . . .*, beide erfüllt
von Naturbildern in lebhafter Gegenständlichkeit, aber zugleich voll tiefer Symbolik, so daß
sie im Höhepunkt und Ende etwas ganz Inner-
liches aussagen. Mit diesen beiden Gedichten,
die Goethes lyrische Kraft in höchster Reife
zeigen, klingt seine Lyrik aus. Sprachen die
marienbader Gedichte von dem Menschen mit
seiner Tragik, die Gartenhaus-Gedichte von
Natur und Naturbetrachtung, so zeigen die
dornburger Gedichte Mensch und Natur in
vollendetem Gleichgewicht.

Wesentliche Themen der A. – Naturerleben und
Liebesklage – sind Goethe auch früher schon
zu eigen gewesen, aber sie erscheinen jetzt in
ganz neuer Sicht und ganz anderem Stil; er
durchschreitet gleichsam noch einmal den
ganzen Kreis seiner Möglichkeit, doch auf
höherer Ebene. Zugleich aber enthält diese A.
auch noch eine Entwicklung in sich. Von ihren
drei großen Gedichtkreisen hat jeder seinen
eigenen Charakter. Und darin, wie diese drei
einander folgen – die zerbrechende Tragik, die
heilende Natur, die Lebensüberschau im großen *Symbol – scheint ein Wachstum echt
goethescher Art vorzuliegen, eine Steigerung.
In der A. kommen manche Formen nicht mehr
vor, die Goethe früher benutzt hatte, so die
Elegie, die ihm in der Zeit seiner Klassik lieb
gewesen war, und das Sonett, das ihm dann –
für kurze Zeit – dazu diente, die Spannung
zwischen Unruhe und Maß gestalthaft zu
kristallisieren. Im *Divan* gibt es gelegentlich
frei gebaute Ghaselen, aber nur spielerisch und
ganz nebenher. Von festen großen Formen
findet man in der Lyrik der Spätzeit überhaupt
nur die Stanze und zwar in der 6zeiligen Gestalt *(Elegie, Aussöhnung, Wandersegen, Denn
freilich sind's . . .)*; sie kommt da vor, wo eine
innere Spannung vorhanden ist; die Großartigkeit ihrer Form symbolisiert dabei die
geistige Welt, die der Dichter sich erarbeitet
hat und in der er lebt, im Gegensatz zu dem
Chaos der inneren Not. (In den weltanschaulichen Gedichten kommt auch die 8zeilige
Stanze vor – *Urworte* – und die Terzine – *Im
ernsten Beinhaus war's*.) Sonst aber herrschen
einfache Formen von der Art *Ziehn die Schafe*

von der Wiese . . . oder *Willst du mich sogleich
verlassen . . .*, einfache Vierheber, meist zu
4 Zeilen zusammengeschlossen, von einer Ent-
spanntheit, die der Serenität des Alters entspricht. Aber diese einfachen Formen sind
keineswegs kunstlos, im Gegenteil, sie sind
höchstes Können, so wie eine ganz leicht hingeworfene Tuschzeichnung gerade das höchste
Können erfordert.

In der A. steigt das Kurzgedicht zu besonderer
Bedeutung empor; es kommt bei Goethe zwar
auch schon früher vor (Beginn in Straßburg;
erster Gipfel: Lili-Lyrik; in Weimar 1780:
Über allen Gipfeln . . .; dann lange Zeit ganz
im Hintergrund), wird jetzt im Alter aber zur
Lieblingsform und erhält andere Funktion,
denn es ist nur noch in wenigen Fällen so wie
früher ein Seufzer aus gequälter Brust, sondern meist eine stille Betrachtung, ein Blick
auf einen Gegenstand der Natur oder der
Kunst und ein Hindurchblicken bis in hintergründige Tiefen. In dem Zyklus *Wilhelm Tischbeins Idyllen* formt das Kurzgedicht Bildmotive leise zu Symbolen um; in den Versen
an Ulrike wie *Wenn sich lebendig Silber neigt . . .*
spricht es Augenblickserfahrungen des Herzens aus, in den *Chinesisch-deutschen Jahres-
und Tageszeiten* bewegt es sich zwischen Gegenständlichkeit und Vergeistigung: ein frommes
Anschauen der Gottnatur mit Leichtigkeit und
Heiterkeit des Geistes. Ähnlicher Art sind
Kurzgedichte wie *Die Nachtigall sie war entfernt . . .* und *Es spricht sich aus der stumme
Schmerz . . .* Das Kurzgedicht ist immer Gegenwart, es deutet im Symbol die Tiefe an,
aber es meidet alles Pathos; es bleibt leicht,
behutsam, gleichsam schwebend.

Den formalen Gegenpol bildet die Großform,
die in dieser Periode nur in der marienbader
Elegie vorkommt. Hier sind 23 Stanzen anein-
andergereiht, eine Fülle von Motiven verei-
nend; die seelische Bewegung, in welcher die
Verzweiflung und der Lebenswille einander be-
kämpfend ihre Gründe aus der ganzen Weite
des persönlichen Daseins schöpfen, erfordert
diese große Form. Aber nur noch der Dialog
Äolsharfen kann damit verglichen werden.
Sonst kommen in der späten Lyrik nur kleinere Formen vor. Doch das bedeutet nicht, daß
der Gehalt geringer sei; im Gegenteil: es ist
für die A. bezeichnend, daß sie im Kleinsten
das Größte einfängt. Zwischen der Kurzlyrik
und der Großform gibt es eine Reihe von Gedichten mittlerer Form: *Um Mitternacht, St.
Nepomuks Vorabend, Der Bräutigam* und die
beiden dornburger Gedichte; sie haben 12–16
Zeilen, binden in dieser Knappheit aber Ver-

gangenes und Gegenwärtiges zusammen und geben weiteste Zusammenschau. Goethe hat deswegen das Gedicht *Um Mitternacht* selbst ein Lebenslied genannt.

Die Kurzlyrik ist gegenständlich; die Tischbein-Gedichte gehen von Bildmotiven aus (die Ruine, der Kentaur, die einsame Eiche usw.), die *Chinesischen Jahreszeiten* von Gartenmotiven (die Narzissen, die Rosenknospe usw.); Goethe kommt hier gelegentlich zu einer Gegenständlichkeit, die es weder bei ihm noch bei anderen Dichtern früher gegeben hatte und die erst in späterer Zeit in der Lyrik sich entfaltete. Auch in längeren Gedichten wie *Frühling übers Jahr* und *Dämmrung senkte sich von oben* ... herrscht das Naturmotiv durchaus vor. Ein anderer Motivkreis ist die Lebensüberschau: *Um Mitternacht, An Werther* blicken auf verschiedene Lebensepochen zurück, und auch *Der Bräutigam* und *Früh, wenn Tal Gebirg und Garten* ... schließen Epochen zusammen, freilich nur im leise andeutenden Symbol.

Das Symbol gehört zu allen Gedichten der späten Lyrik. In dem Zyklus *Tischbeins Idyllen* sind es Symbolmotive aus Natur und Mythologie: Ruine, Sonnenaufgang, der einsame Baum, der Kentaur. In der Trilogie zu Howards Wolkenlehre ist es – wie so oft in Goethes Dichtung – die Wolke, die zum Sinnbild wird. Die goethesche Licht-Symbolik steht im Mittelpunkt der beiden dornburger Gedichte (des Mond-Gedichts und des Sonnen-Gedichts) und ist auch ein wesentliches Motiv im Gedicht *Der Bräutigam*. Neben diesen festen großen Symbolen, die zu dem steten Symbolkreis der goetheschen Dichtung gehören, stehen andere Motive, die aus dem jeweiligen realen Zusammenhang stammen, denn jedes reale Motiv kann symbolisch werden. Die Wiese in dem Frühlingsgedicht der *Chinesischen Jahreszeiten* ist zunächst ganz wirklich und schaubar, wird dann aber zum Symbol aller Hoffnung und alles Wissens vom Gesetz des Jahreslaufs.

Das lyrische Motiv, als Symbol erlebt, weist über das Hier und Jetzt des Augenblicks hinaus. Damit verbindet sich in der späten Lyrik das Phänomen der Zeitüberschneidung. Das Gedicht *Der Bräutigam* gestaltet den Zustand des Lebens auf ein Ziel hin; er war, er ist – aber wie jene Vergangenheit zu dieser Gegenwart sich verhält, wird nicht gesagt. Im Gedicht *An Werther* überschneiden sich Einst und Jetzt in einem Erleben, das dem Individuum, eben weil es sich gleich bleibt, nicht nur einmal begegnet, und indem vom Einst gespro-

chen wird, wird das Jetzt ausgesagt. Das dornburger Sonnengedicht gestaltet den Sonnenlauf eines Tages, aber weil das Licht zum Symbol wird, ist es Hinweis auf eine höhere Welt, der man ein Leben lang näher kommt, je mehr man gelernt hat, sie mit *reiner Brust* aufzunehmen. – Dieses Überschneiden der Zeitstufen im Symbol gibt es auch in *Faust II* – zB. wenn sich die Klage um Euphorion mit der um Lord Byron überschneidet – oder in der *Novelle,* wenn Gegenwärtiges und Urtümlich-Biblisches sich ineinanderschiebt; und Goethe hat in *DuW* selbst von seiner Fähigkeit gesprochen, *Vergangenheit und Gegenwart in Eins* zu empfinden *(I/28, 284).*

Der Aufbau der späten Gedichte setzt die Motive nebeneinander, ohne durch feste grammatisch-logische Verknüpfung zu sagen, wie sie zueinander stehen. Das Gedicht *Um Mitternacht* (1818) bringt drei Stufen: Kindheit (Sternenlicht), Mannesjahre (Nordlicht), Greisenalter (Mondlicht); aber den Zusammenhang muß man selbst finden. Die späteren Gedichte fügen noch lockerer aneinander. In dem dornburger Nachtgedicht gibt es das Mond-Motiv und das Liebes-Motiv. Aber wie sie zueinander stehen, muß erfühlt werden (die Lichtsymbolik ist etwas unausgesprochen Verbindendes). Im Gedicht *Der Bräutigam* springt die Vergangenheitsform der ersten drei Strophen zur Gegenwartsform der Schlußstrophe ohne Andeutung der Beziehung. Dadurch entsteht ein Halbdunkel oder ein Nebeneinander der Farbtupfen, das an *Rembrandts oder *Tizians Spätwerke erinnert.

Dementsprechend ist der Satzbau oft reihend, und das, was er reiht, stammt aus verschiedensten Bereichen. Die kleinen Hauptsätze in *St. Nepomuks Vorabend* mischen impressionistische Eindrücke, die Legende des Heiligen und Symbolmotive, die beides verbinden. Das Gedicht *Wenn sich lebendig Silber neigt* ... setzt Aussagen über das Barometer und über das eigene Herz nebeneinander, als Verbindung nur ein *auch* – aber was alles liegt hier in diesem kleinen Wort! Das Gedicht *Du Schüler Howards* verzichtet sogar auf diese kleine Verbindung. Solcher Satzbau, verbunden mit dem Versklang, macht diese Gedichte so leicht; es ist die Leichtigkeit der Vergeistigung.

Die Sprache zeigt alle Charakteristika des Altersstils, doch sind in der Lyrik dessen eigenwillige Neubildungen sehr viel seltener als in *Faust II*. Komposita wie *Fürstensiegel (Tischbeins Idyllen)* oder *Treugesicht (An Ulrike)* tun der Sprache keinen Zwang an. Majestätische Verse wie *Überselig ist die Nacht* können sich verbinden mit so alltäglich klingenden Zeilen wie *Und nun bist du garnicht da,* die in diesem Zusammenhang seltsam emporgehoben und notwendig nüchtern erscheinen. Überhaupt wird jedes Sprachelement dieser späten Gedichte erst aus dem Zusammenhang deutlich. In den *Neugriechisch-epirotischen Heldenliedern* haben die Berge Olympos und Kissavos politisch Partei ergriffen und schelten einander. Olympos, empört, daß Kissavos die Türken bevorzugt und diese auf sich herumlaufen läßt, sagt, affektvoll aufwallend: *Türken– du Getretener.* Das ist im Zusammenhang sofort verständlich und sehr wirkungsvoll; als herausgenommenes Zitat sieht es nach einer ungeheuerlichen Sprachvergewaltigung aus.

Die Gelassenheit der Betrachtung äußert sich vor allem als Klang. So wie die Sprache in Prosa gliedert, so gliedert auch der Vers: Satzpause und Versende fallen zusammen, es ist die sogenannte „glatte Fügung", die immer den Eindruck des Entspannten, Harmonischen macht. Daß der innere Reichtum der knappen Altersgedichte nicht den Eindruck des Gedrängten erweckt, sondern daß alles den Charakter von Leichtigkeit hat, liegt weitgehend an diesem Sprachklang und an den schlichten Rhythmen, den Viertaktern. Ihre Spannkraft und Verwobenheit erhalten sie dadurch, daß die Reime einander kreuzen. Diese Form erweist sich hier als imstande, die Motive – zurückgeführt auf ein Minimum, das Wesenhafte, Zeichenhafte – aneinanderzureihen und sie durch die Leichtigkeit des Klanges und das Spiel der Übergänge transparent zu machen. So sehr die späte Lyrik von Anschauung und von Symbolik erfüllt ist, am Ende wird alles zu Geist. Das Gedicht von der Rosenknospe beginnt: *Nun weiß man erst, was Rosenknospe sei* ... Das Wissen ist mehr als Anschauen. Und im gleichen Zyklus nennt ein Gedicht mitten zwischen allen gegenständlichen Motiven *das ewige Gesetz, / Wonach die Ros' und Lilie blüht.* Das Vorfrühlingsgedicht *Ziehn die Schafe von der Wiese* ... führt vom Gesehenen weiter zu dem, was kommen wird; nicht das dingliche Gegenüber, sondern das Gewußte, Erwartete, Erhoffte ist das Hauptmotiv; das, was im Geiste ist. Und auch das dornburger Mondgedicht bleibt nicht beim Naturmotiv. *Überselig ist die Nacht* – da ist alles zu Geist geworden. Diese Verbindung von Angeschautem, das zum Symbol wird, und von Geist, der alles verinnerlicht, ist das eigentliche Charakteristikum der Altersgedichte. Daraus strömt ihre Serenität, die Ausdruck findet in der zarten Kurzform und dem leichten Klang. Aber das Gegenständliche und Leichte ist zugleich das Hintergründige, das eine Unendlichkeit andeutet.

Tz

Goethe: Gedichte. Hrsg. von HGGräf. 1916 u.ö. – Goethes Werke. HbgA. Bd 1. 1948. ²1952. – Goethe: Gedichte. Mit Erläuterungen von EStaiger. 3 Bde Zürich: Manesse 1949. – Goethe. Gedenkausgabe. Hrsg. v. EBeutler. Bd 1: Gedichte. Hrsg. v. EStaiger. Zürich: Artemis 1950. – KViëtor: Goethes Altersgedichte. Euph. 33 (1932), S. 105–152; wiederholt in Viëtor: Geist und Form. Bern 1952. – MKommerell: Gedanken über Gedichte. 1943. – MKommerell: Dichterische Welterfahrung. 1952. – ETrunz: Goethes späte Lyrik. DVjs. 23 (1949). – LBlumenthal: Goethes Gedicht „Der Bräutigam". In: Goethe 14/15 (1952/52), S. 108–135. – LBlumenthal: Goethes letztes Gedicht? In: Goethe 16 (1954), S. 143–160.

Altersstil. In Goethes Alter haben bereits die Zeitgenossen den Wandel seines Stils bemerkt. Tieck in dem Vorwort zu seiner Lenz-Ausgabe (1828), das später unter dem Titel „Goethe und sein Zeitalter" in den „Kritischen Schriften" (1848) erschien, stellte in Goethes Schaffen mehrere Perioden fest und sah in den Werken der Jugend künstlerische Vollendung, in denen der Klassik manches Wertvolle und in denen des Alters bedauerliches Erstarren und Absinken. Dieses Urteil wirkte auf Immermann, Adolf Schöll und andere Kritiker. Nur Karl Rosenkranz in seinem Buch „Goethe und seine Werke" (1848) gab auch den Alterswerken einen hohen Rang. Er periodisierte in 1) „der geniale Naturalismus", 2) „ der klassische Idealismus", 3) „der eklektische Universalismus", „die mit dem Jugend-, Mannes- und Greisenalter eng zusammenfallen" (S. 103), und betonte, daß Goethe als Mensch und als Dichter die verschiedenen Altersstufen – auch das Greisenalter – mit besonderer Reinheit gelebt habe (S. 489). Der Stimmführer der vorherrschenden Meinung war FThVischer, der zwar erkannte, daß bei Goethe ein „Altersstil" vorläge, diesen aber rein negativ als Schwäche und Verknöcherung, Mangel an Gegenständlichkeit und Richtigkeit deutete: „Ich kämpfe im Namen des Naturgefühls gegen die Naturlosigkeit, ja Naturwidrigkeit in seinem Altersstil." (Die 2. Aufl. von Vischers Buch „Goethes Faust", 1920, stellt durch ein Sachregister bequem alle diesbezüglichen Stellen zusammen unter den Stichworten, die zu ihrer Zeit alle etwas Abwertendes enthielten: „Altersschwäche der Phantasie", „Altersstil", „Barockschnörkel", „Geschmacksnachlaß", „Manierismus", „Naturlosigkeit".) Auch VHehn konnte mit den Spätwerken nichts anfangen, und Herman Grimm ging über sie schonend hinweg. Für das Kunstideal des damaligen Realismus standen im Vordergrund des Interesses *Götz, Egmont, Faust I,* auch *Hermann und Dorothea,*

Iphigenie und *Tasso*. Fast unbekannt war dagegen der *Divan*, fast vergessen waren die *Wanderjahre,* und man schreckte zurück vor *Faust II.* Man las zwar *Dichtung und Wahrheit*, jedoch nur als Biographie von Goethes Jugend, nicht aber als Alterswerk, in welchem Altersstil und Altersweltschau sich aussprechen. Wie der Realismus die ihm gemäßen Seiten aus Goethes Werk heraushob (das Gegenständliche und das Idealistische), so tat es dann auch der Impressionismus um 1900: er bevorzugte das leicht Hingeworfene, Skizzenhafte, Persönliche, Unmittelbare; die Funde des „Urfaust" und „Urmeister" kamen dafür genau im rechten Augenblick und wurden eben deswegen so überschwenglich gefeiert.

Doch allmählich begann die Literaturwissenschaft seit der Jahrhundertwende sich auch dem goetheschen A. zu öffnen. Zu gleicher Zeit machte die allgemeine Stilforschung – der Psychologie nahestehend – die Beobachtung, daß Jugend als eigene Lebensform ihren eigenen Stil habe und daß auch das Alter seine eigene Sehweise mit sich bringe (Spranger; ALVischer). Die Kunstwissenschaft begann, allgemein mit dem Begriff „Altersstil" zu arbeiten und als dessen Hauptvertreter Michelangelo, Tizian und Rembrandt zu nennen (AEBrinckmann: Spätwerke großer Meister. 1925. – ThHetzer: Tizian. 1935). – In der Literaturwissenschaft war das Buch von Knauth „Goethes Sprache und Stil im Alter" (1898) ein erster Vorstoß; zwar bleibt es eine Aufzählung sprachlich-stilistischer Eigenarten nach der grammatisch-philologischen Beschreibungsart des 19. Jahrhunderts, aber der Verfasser begeistert sich für seinen Gegenstand im Gegensatz zu Vorgängern und Zeitgenossen. Hier führte Burdach weiter, zumal durch seine Neubewertung des *Divan*. Gundolf charakterisierte – Goethes Leben und Werk dreiteilig gliedernd – zusammenfassend die Altersepoche und ihren Stil. Arthur Hübner gab erstmals 1932 eine sehr prägnante Darstellung des goetheschen A.s in der Sprache, die durch Kurt May (1936) in bezug auf *Faust II* sehr fruchtbar fortgesetzt wurde. Die *Alterslyrik, bis dahin wenig beachtet, wurde durch Viëtor (1932) und Kommerell (1943) in ihrer Symbolik und ihren Bauformen näher erfaßt. Und Wilhelm Emrich untersuchte – zumal an *Faust II* – das „Gewebe" der Symbolik, in welchem Natur, Kunst und Geschichte sich vereinigen (1943). Nach dem zweiten Weltkrieg stellte sich die Hamburger Ausgabe die Aufgabe, die goetheschen Alterswerke besonders ausführlich zu kommentieren (zB. für

die *Wanderjahre* war dies noch nie geschehen) und dabei auf die Eigenarten des A.s hinzuweisen. – Seit dem Expressionismus war es verhältnismäßig leicht, den Zugang zu Goethes Spätwerk zu finden. Was früher als „Mangel" erschienen war – das Fehlen fester motivischer Handlungszusammenhänge und grammatischkorrekter Sprachform –, galt jetzt eher als Vorteil. Während FThVischer und viele mit ihm getadelt hatten, daß der Sprachstil des Alters unkorrekt und eigensinnig sei, erschien jetzt diese Subjektivität, die ihre Visionen so unmittelbar und ausdrucksstark zur Form werden läßt, als besondere Leistung. Das Vorwalten des Symbols wurde erst jetzt erkannt und führte zu dem Bemühen um eine besondere Symbolinterpretation. Dadurch ergab sich ein neues Verständnis für *Faust II* (Kommerell; Emrich), für die *Wanderjahre* und die späte Lyrik (HbgA.); die *Novelle,* noch von Gundolf als „alexandrinische Gattungspoesie" abgetan, erschien nun als ein verinnerlichtes, formvollendetes, zartes und geistiges Werk des Spätstils (Staiger). Allgemein bemühte sich die Forschung, das Versäumte nachzuholen, und sie wertete nun die Werke des Alters keineswegs mehr niedriger als die der früheren Perioden.

Goethes A. steht in engem Zusammenhang mit seiner Altersweltanschauung. Für diese wird jedes einzelne Phänomen zu etwas Gleichnishaftem, das über sich hinausweist. In seiner Jugend hatte Goethe die Gegenständlichkeit der Dinge, die Einmaligkeit des Hier und Jetzt gesehen; in seiner Klassik verband er verwandte Erscheinungen zu einer Reihe und suchte den Typus und das Gesetz; im Alter gewinnt diese Schau des Gesetzlichen eine neue Dimension: alles wird zum Symbol. *Alles Vergängliche* weist über sich hinaus, wird zum *Gleichnis* einer höchsten unvergänglichen Welt. Da das Symbol nie auszuschöpfen ist (womit aber natürlich nicht gemeint ist, es sei ungenau oder unklar), enthält diese Weltschau des Alters ein Element von Mystik, und die symbolische Weltbetrachtung führt zu einem symbolischen Stil der Dichtung.

Weil der A. die allgemeinen Dinge des Lebens darstellen will, wirkt er verallgemeinernd im Vergleich mit Goethes Frühstil, der auf das Einmalige, Individuelle gerichtet ist. In *Pandora* (1808) werden Prometheus und Epimetheus zu Vertretern der vita activa und vita contemplativa, und ihnen stehen Chöre von Hirten, Schmieden und Kriegern zur Seite, die ganz allgemein, typisierend gehalten sind. In den Novellen, die seit dieser Zeit entstehen und

die später in den *Wanderjahren* zusammen-gefaßt werden, wird oft die Einzelgestalt zum Vertreter eines Typs, und bezeichnend ist der verallgemeinernde Titel *Der Mann von funfzig Jahren.*
In Goethes früheren Dichtungen, in denen die Einzelmotive vorwiegend gegenständlich wa-ren, bedurfte es nach althergebrachter Weise einer kausalen Verknüpfung im Geschehnis-zusammenhang; nun aber im Alter, da es auf die Symbole ankommt, hat jedes Einzelmotiv als ein über sich Hinausweisendes höheren Eigenwert, die Komposition wird lockerer, wird zum Zyklus von Einzelmotiven, und der Zusammenhang wird zum Symbolzusammen-hang. Der besondere Kompositionsstil der Alterswerke ist also die symbolische Bilder-reihe, der Zyklus. Er will das Leben als Ganzes andeuten, denn dies ist es, worauf es der Welt-schau des Alters ankommt. In der Lyrik wird der *Divan* zum großen Zyklus, dem sich klei-nere Zyklen wie die *Chinesisch-deutschen Jah-res- und Tageszeiten* anschließen. In der Epik sind die *Wanderjahre* ein typisch zyklisches Werk und verkörpern den A. in besonders aus-geprägter Art. Daß der ewigen Bewegung eine ewige Statik zugrunde liegt, gibt diesem Alters-roman die Statik seiner Struktur. Die Bilder stehen nicht zeitlich nacheinander, sondern räumlich nebeneinander. Sie sollen alle zu-gleich dasein und miteinander verglichen wer-den. Etwa in bezug auf das Religiöse: die Josephsfamilie (kirchliche Gläubigkeit), Mon-tan (Naturfrömmigkeit), der Abbé (sittlich-soziale Idee als religiöse Erfahrung); oder in bezug auf die Entsagung: Entsagung aus Taktgefühl (Joseph), aus Verpflichtung zur Ar-beit (Lenardo), mangelnde Entsagung (Felix) usw. Es kommt weniger darauf an, in welcher Reihenfolge diese Bilder dargeboten werden, als vielmehr darauf, daß sie alle nebeneinander da sind. Daraus folgt das Sprunghafte der Er-zählung, die Auflösung in Einzelbilder, deren Beziehung zueinander der Leser selbst herstel-len muß. Ein Bild spiegelt das andere wechsel-seitig. In ähnlicher Art ist auf dem Gebiete des Dramas dann *Faust II* eine große symbolische Bilderreihe, in welcher der Handlungszusam-menhang oft vernachlässigt wird, der Symbol-zusammenhang aber überall schlüssig und not-wendig ist. Die Entstehungsgeschichte zeigt, daß der ursprünglich angelegte Handlungs-zusammenhang bewußt zurückgestellt wurde, je mehr sich die innere Bezogenheit der symbolischen Bilder entwickelte. Motive, die für den Geschehnisablauf wichtig wären, wie die Losbittung Helenas in der Unterwelt und

die Belehnung Fausts mit dem Meeresstrande, fallen weg, aber die ausgewogen zusammen-gestellten Bilder aus der Welt des Schönen und der Welt der Tat (anschließend an die Bilder des 1. Teils aus der Welt der Erkenntnis und der Welt der Liebe) enthalten alles, um Wesen und Grenzen dieser Lebensbereiche zu zeigen. In allen Alterswerken tritt also die Kategorie der Zeit zurück, ob es sich nun um große Werke wie *Faust II* und die *Wanderjahre* han-delt oder um kurze Gedichte wie *Der Bräuti-gam* oder *Früh, wenn Tal, Gebirg und Garten...* Vergangenheit und Gegenwart sind ineinander verschlungen, das Urbildliche wiederholt sich, und je mehr die Gotterfülltheit des Daseins er-lebt wird, desto mehr ist die Zeitfolge gleich-gültig (*Alterslyrik).
Indem der Dichter seine Bilderreihe vor den Leser hinstellt, tritt er einerseits hinter sein Werk zurück, anderseits zeigt er sich eigen-willig in Auswahl und Zusammenstellung und läßt insofern sein Ich stärker sehen als je zu-vor. Der A. vereinigt in eigener Weise Abstand und Nähe. Der Dichter spricht nicht als Goe-the, sondern als Hatem und ist doch plötzlich wieder er selbst so unverhüllt wie selten. Er begrenzt sich und weist zugleich über die Grenze hinaus, er gibt uns weiteste Ausblicke, souveräne Erkenntnisse und setzt alles Ge-sagte durch Ironie wieder in die Schwebe. Das Persönlichste wird zu distanzieren versucht, in-dem er es zum Fall, zum Typ verallgemeinert, aber anderseits tritt da, wo wir das Sachliche erwarten, plötzlich der Autor ganz individuell hervor; in den Schriften zur Literatur und Kunst, besonders auch in den naturwissen-schaftlichen Schriften, spricht er über sich selbst, sein Bestreben und seine Meinung; auf solche Weise werden die Zeitschriften des alten Goethe, *Über Kunst und Altertum* und *Zur Morphologie,* zu sehr persönlichen Mitteilun-gen. Seine Schreibweise unterscheidet sich hier von der seiner früheren Aufsätze, die nur über die Sache sprachen und das Ich vermie-den, ähnlich wie sich der Stil der *Wanderjahre,* in denen er als „Redacteur" seine persönlichen Betrachtungen einschiebt, eigenwillig abbricht und wieder fortfährt, von dem der *Lehrjahre* abhebt, in denen der Schreibende sein Ich gar nicht nannte und im Bericht alle Sprünge und Brüche verband und glättete. Häufig wird er im Alter belehrend; Sprüche in Prosa und in Versen werden erst in dieser Zeit bei ihm häu-fig, und auch in Roman und Drama mischt sich Maximenartiges mannigfaltig ein.
Dichtung und Wahrheit wird zum Buch der Altersweisheit, das die Erlebnisse der Jugend

zum Ausgangspunkt nimmt, alle Erlebnisbereiche noch einmal von der Höhenlage des Alters zu durchfühlen und zu durchdenken. Zwischen die darstellenden Teile sind allgemeine Betrachtungen eingeschoben, und je älter Goethe wurde, desto breiteren Raum nehmen sie ein; das zeigt der 4. Teil (Buch 17 bis 20), der etwa 20 Jahre später geschrieben ist als der Beginn; er ist auch sonst bezeichnend für A. und Altersgeist in seiner lockeren Komposition und seinen weiten Ausblicken (wie der Partie über das Dämonische), die mehr durch die geistige Welt des Alters verursacht sind als durch den dargestellten Stoff des Jugendlebens.

Goethes Dichtung war immer reich an Bildern und Symbolen, aber erst im Alter gestaltet sich diese Symbolik so vielfältig aus, daß sie ein großes Geflecht symbolischer Bilder wird. Das Licht ist das Symbol des Göttlichen, die Farbe bedeutet den Abglanz des Urlichts auf den irdischen Dingen, das Auge ist Sinnbild für die Stellung des Menschen zwischen Licht und Materie; die Erde ist das Materielle, Starre, Ungeistige; die Wolke wird zum Symbol dafür, daß Materie immer leichter werden kann, bis sie zuletzt in den Äther zerfließt und in des Schöpfers Hand zurückkehrt. Der Schlaf ist Versinken ins Vegetative, fern von Gut und Böse; Jugend ist Fähigkeit zu Glauben und Begeisterung ohne Rationalismus und Skepsis usw.

Aus diesem Gefüge von Vorstellungen wird nun oft ein Motiv, ein Zusammenhang mit nur einem einzigen Worte angedeutet, ohne zu betonen, daß dieses Wort symbolisch gemeint sei. So entsteht die Formel. Da Goethe im Alter vieles zusammenfaßt, was ein Leben lang sich in ihm entwickelt hatte, und da größere Vorstellungszusammenhänge dabei oft knappen Ausdruck erheischen, bildeten sich diese formelhaften Wörter und Wendungen, die Goethe selbst und seiner nächsten Umgebung so geläufig waren, daß er wohl nicht mehr sah, daß Fernerstehenden dieser ihr Formelcharakter nicht gleich verständlich sein konnte. Zu solchen Formelwörtern gehören *sich steigern, trüb* (Mischung von Materie und Licht), *heiter* (zu Geist werdend, das Leben aus Überschau sehend) usw. Nur wenn man die besondere Bedeutung dieser Formelwörter kennt, wird deutlich, daß Zusammensetzungen wie *heitere Entsagung, Jugendschranke* vollkommen paßrecht sind. Dem Greis ist seine Symbolwelt zur Selbstverständlichkeit geworden, und das stete Umgehen mit Lebensergebnissen und deren Bildern prägt seine Sprache bis in die einzelne Wortwahl und den Duktus seines Schreibens hinein.

Der Sprachstil des Alters, in Dichtungen wie Briefen unverkennbar, benutzt einen außerordentlich reichen Wortschatz. Während die Wortwahl der Klassik sich auszeichnet durch Vermeidung des Alltäglichen, des Mundartlichen und der Fremdwörter, vereinigt die Alterssprache alles, das Höchste und das Niederste, das Persönlichste und das Üblichste, und oft so, daß eins ins andre übergeht. Goethe bildet sich im Alter neue Wörter; *Faust II* ist voll davon: *Silenus' öhrig Tier (1001)*; *Unglücksbotschaft häßlicht ihn (9437)*; *Ringsum von Wellen angehüpft, Nichtinsel (9511)*; *eigensinnig zackt sich Ast an Ast (9543)*; *zweighaft Baum gedrängt an Baum (9541)*; ähnlich ist es in der späten Lyrik: *auf Gipfelfels' hochwaldiger Schlünde (Herrn Staats-Minister von Voigt: I/4, 15)*; ... *So nährt es doch, das Schaf bewollt sich dran, | Die Wiese grünt, gehörnte Herde braunt ... (An zwei Gebrüder: I/4, 55)*; *Ros' und Lilie morgentaulich ... (Divan)*. In solcher Weise werden Adjektive, Verben und Substantive neu geschaffen, aber es kommt dabei auf den jeweiligen Zusammenhang an, in dem sie stehen; oft wird das neue Wort erfordert durch den Bildbereich der Nachbarschaft und die mit dem Versrhythmus gegebene Knappheit. Im Zusammenhang damit steht die Zusammenfügung der Wörter zum Satz, die oft die gewohnten grammatischen Formen der deutschen Syntax überschreitet. Goethe liebt im Alter Genitiv-Konstruktionen von adjektivischer oder adverbialer Funktion; das Narzissengedicht der *Chinesisch-deutschen Jahres- und Tageszeiten* beginnt: *Weiß wie Lilien, reine Kerzen, | Sternen gleich, bescheidner Beugung* ..; in der *Paria*-Trilogie heißt es: *Schöne Frau des hohen Brahmen, | Der verehrten, fehlerlosen, | Ernstester Gerechtigkeit.* Und in *Faust II*: *Und sollt' ich nicht, sehnsüchtigster Gewalt, | Ins Leben ziehn die einzigste Gestalt? (7438 f.)*. Konstruktionen dieser Art sind nur möglich, weil im A., zumal wo er lyrisch ist, die Einzelelemente flockenhaft nebeneinanderstehn; die Verbindung soll gar nicht fest, rational, grammatisch sein, sondern alles wirkt sinnlich, farbig, symbolisch und ist nebeneinandergesetzt wie die Farbtupfen eines Malers, der mit breitem Pinsel souverän sein Bild hinwirft. Darum lösen die Sätze sich oft in Aufzählung, in Reihung auf, in kleine Hauptsätze wie *Waldung, sie schwankt heran, | Felsen, sie lasten dran, | Wurzeln, sie klammern an ... (Faust 11844 ff.)* oder in Asyndeta ohne Verb: *Ewiger Wonnebrand, |*

Glühendes Liebesband, | Siedender Schmerz der Brust, | Schäumende Gotteslust (11857 ff.). Wenn anderseits umgreifende Zusammenhänge gegeben werden, zB. in den Gedichten *Um Mitternacht* und *Früh, wenn Tal, Gebirg und Garten* . . ., ist die Verklammerung der „Wenn-Dann"-Sätze nicht grammatisch korrekt und also auch nicht logisch-rational, sondern locker, vieles offen lassend, hintergründig: denn das Leben hat zwar Folge, aber der Greis will nicht alles nur als Ursache und Wirkung hinstellen, die Phänomene selbst sind wunderbar genug, und das Rätsel der Welt soll und kann nicht enträtselt werden. So ist der A. immer die Altersweltanschauung bis in jede Kleinigkeit von Wortwahl und Satzbau hinein, und jede Stileigentümlichkeit ist nur im Zusammenhang des Gehalts zu verstehn.

Auch die Brief-Prosa gelangt zu besonderen Eigenheiten des Alters, die es vorher nicht gibt. Die augenblicklichen Gegebenheiten werden Anlaß zu allgemeinsten Ausblicken, dabei werden Lebensereignisse mehr als je in formelhafte Sprache zusammengezogen, ganz besonders aber in den kraftvoll-knappen Schlußformeln, die in dieser Zeit neu entstehen: *Und so fortan, Dankbar verpflichtet, treu angehörig, unwandelbar* usw.

Der Fülle und Weite der sprachlichen Formen entspricht in der Altersdichtung die Fülle der Rhythmen. *Faust II* vermischt altdeutsche Verse, Formen aus der romanisch beeinflußten Tradition seit Opitz, antike Rhythmen vieler Art und goethesche Neubildungen zu einem Gewoge der Klänge, das beispiellos ist. In *Pandora* hatte Goethe damit begonnen, *Faust II* vollendete diese Symphonie, die nur möglich ist, weil Goethe als ein sehr kraftvoller und sehr eigenwilliger Dichter alles dies dem eigenen Wollen dienstbar macht und dem eigenen Stil einschmilzt. Einem Dichter, der sich zum Diener dieser Formen gemacht hätte, wäre ein so vielformiges Gebilde auseinandergebrochen.

Goethe greift im Alter im Vers wie in der Sprache auf alles zurück, was er sich früher zu eigen gemacht hatte. Einiges ist noch da von Elementen aus frühester Jugend, vieles ferner aus dem expressiven Stil des Sturm und Drang, der in den großen Hymnen den Satzbau zerbrach und neue Wörter für den jeweiligen Zusammenhang schuf. Auch die antikisierende Sprache der Klassik, die in den Versen der Helena die Freiheit griechischen Satzbaus und griechischer Wortzusammenstellung nachbildete, hat der Alterssprache Wege geöffnet. Diese schöpft – zumal in der Prosa – aber auch aus ganz anderen Bereichen, solchen der Kanzlei und der gelehrten Fachsprache. Mit diesem allen aber schaltet sie in freiester und eigenster Weise. – Der Stil der goetheschen Jugend stand im Zusammenhang mit dem allgemeinen Stil der Zeit, sei es mit dem Sturm und Drang im Drama, sei es mit der Empfindsamkeit im Briefstil. Der Stil der goetheschen Mannesjahre hatte Beziehungen zu den großen Meistern der Weltliteratur, zu *Euripides oder *Homer, zu den großen Prosaerzählern oder schließlich zu Hafis. Der A. aber ist völlig einzig in seiner Art. Er steht fast ohne Beziehung zur zeitgenössischen Dichtung und hat auch keine Vorbilder in dem weiten Felde der Weltliteratur, das der Dichter damals überblickte. Er ist nur aus ihm selbst heraus entwickelt. Er ist sein eigenstes Gebilde und sagt darum über ihn und sein Wesen besonders viel aus.

Dieser Stil war gekommen mit der naturgemäßen Logik des Werdens, mit der sich alles bei Goethe entwickelt hatte und mit der er es sich entwickeln ließ. Nun aber, als er da war, hat Goethe mit der ihm eigenen Hellsichtigkeit und Klugheit selbst erkannt, daß er einen A. habe. Freilich gibt es das Wort „Altersstil" bei ihm selbst und bei seinen Zeitgenossen noch nicht (es kommt erst später bei FTh Vischer und bei Knauth vor), aber dem Sinne nach ist es in seinen Äußerungen bereits angelegt. In bezug auf die Altersstufen sagt er: *Jedem Alter des Menschen antwortet eine gewisse Philosophie. Das Kind erscheint als Realist . . . Der Jüngling . . . wird zum Idealisten umgewandelt. Dagegen ein Skeptiker zu werden hat der Mann alle Ursache . . . Der Greis jedoch wird sich immer zum Mysticismus bekennen. Er sieht, daß so vieles vom Zufall abzuhängen scheint: das Unvernünftige gelingt, das Vernünftige schlägt fehl, Glück und Unglück stellen sich unerwartet in's Gleiche; so ist es, so war es, und das hohe Alter beruhigt sich in dem, der da ist, der da war, und der da sein wird (I|42^{II}, 210 f.).* In einem Brief an Zelter vom 11. V. 1820 findet er für die Altersschau des Lebens folgende – vom *Divan* ausgehende – Formulierung: *Unbedingtes Ergeben in den unergründlichen Willen Gottes, heiterer Überblick des beweglichen, immer kreis= und spiralartig wiederkehrenden Erdetreibens, Liebe, Neigung zwischen zwey Welten schwebend, alles Reale geläutert, sich symbolisch auflösend. Was will der Großpapa weiter? (IV|33, 27).* Hier sind wesentliche Züge der Altersweltanschauung zusammengefaßt, und die Art, wie dem Formelhaften und Erhabenen eine humorvolle Wendung aus dem Wortschatz des Alltags angefügt ist, ist selbst höchst bezeichnend für den A. Das, was Goethe hier das eine Mal *Mysticismus* nennt, das andere Mal *symbolisch*, ist nicht nur Sehweise, sondern auch Darstellungsweise. Er bemerkte dieses selbst, und diese Äußerung erschien Riemer sehr befremdlich; er wird sie wohl gerade deswegen recht genau aufgezeichnet haben. Am 4. IV. 1814 notiert er: „Merkwürdige Äußerung Goethes über sich selbst bei Gelegenheit des *Meister*. Daß nur die Jugend die Varietät und Spezifikation, das Alter aber die genera, ja die familias habe. An sich und Tizian gezeigt, der zuletzt den Sammt nur symbolisch malte. – . . . Goethe sei in seiner *Natürlichen Tochter*, in der *Pandora* ins Generische gegangen; im *Meister* sei noch die Varietät. Das Naturgemäße daran! . . .“(Bdm. 2, 224 f.). Hier nennt Goethe als Prototyp des A. denjenigen Künstler, den man im allgemeinen erst 100 Jahre später als Beispiel dafür entdeckte: Tizian; und er kontrastiert den Stil der *Lehrjahre* mit dem Beginn des A. in *Pandora*. Ein Jahr darauf variiert Goethe diesen Satz, indem er an Schelling schreibt: *Je älter man wird, desto mehr verallgemeint sich alles* (16. I. 1815: *IV/25, 159*). Er hat auch selbst gewußt, warum er im Alter eine Beziehung zur östlichen Dichtung empfand: *Der höchste Charakter orientalischer Dichtkunst ist, was wir Deutsche Geist nennen, das Vorwaltende des oberen Leitenden . . . Der Geist gehört vorzüglich dem Alter, oder einer alternden Weltepoche. Übersicht des Weltwesens, Ironie, freien Gebrauch der Talente finden wir in allen Dichtern des Orients . . . (I/7, 76)*. – Daß für ihn im Alter die Zeit eine andere Rolle spielte als in seinen früheren Perioden, hat er ebenfalls selbst gewußt und oft ausgesprochen. In *DuW* sagt er: *Ein Gefühl, das . . . sich nicht wundersam genug äußern konnte, war die Empfindung der Vergangenheit und Gegenwart in Eins: eine Anschauung, die etwas Gespenstermäßiges in die Gegenwart brachte. Sie ist in vielen meiner größern und kleinern Arbeiten ausgedrückt . . . (I/28, 284)*. Und an *Humboldt schreibt er am 1. XII. 1831: . . . *ob etwas in der vergangenen Zeit, in fernen Reichen oder mir ganz nah räumlich im Augenblicke vorgeht, ist ganz eins . . . (IV/49, 165)*. – Als die Werke des Alters sich zu symbolischen Zyklen auswuchsen, hat er dieses Formprinzip selbst gesehen. Über den *Divan* schreibt er an Zelter am 17. V. 1815: *Jedes . . . Glied . . . ist so durchdrungen von dem Sinn des Ganzen . . . und muß von einem vorhergehenden erst exponirt seyn . . . (IV/25, 333)*. Bei den *Wanderjahren* notiert er sich in einem Schema die Motive und schreibt dar-

unter: *Dieses alles gegeneinander zu arbeiten*. Und über *Faust II* schreibt er an Iken am 27. IX. 1827: *Da sich gar manches unserer Erfahrungen nicht rund aussprechen und direct mittheilen läßt, so habe ich seit langem das Mittel gewählt, durch einander . . . abspiegelnde Gebilde den geheimeren Sinn dem Aufmerkenden zu offenbaren . . . (IV/43, 83)*. So hat er selbst sein Prinzip der wechselseitigen Spiegelung ausgesprochen, aber er wußte auch, daß eben diese Art der Form eine besondere Aufmerksamkeit des Lesers, eine produktive Kraft des Empfangenden erfordert. Zu seinem Wissen, daß er einen besonderen A. habe, kam also eine Ahnung, daß dieser nur langsam und schwer die richtigen Leser finden werde, freilich auch die Hoffnung, daß diese sich in späterer Zeit finden würden; und so gab er auf die Frage *Was willst Du Freund' und Feinde kränken?* die Antwort: *Ich muß nun an die Enkel denken (Ist denn das . . . I/3, 229)*.   *Tz*

PKnauth: Goethes Sprache und Stil im Alter. 1898. – KBurdach: Goethe und sein Zeitalter. 1926. (Vorspiel. 2.). – FGundolf: Goethe. 1916. u.ö. – AHübner: Goethe und die deutsche Sprache. 1933. Auch in: Goethe 2 (1937), S. 109–124 und in: Hübner: Kleine Schriften zur deutschen Philologie. 1940. S. 254–267. – ESpranger: Goethes Weltanschauung. 1933 u.ö. – KMay: Faust II, in der Sprachform gedeutet. 1936. – MKommerell: Geist und Buchstabe der Dichtung. 1939 u.ö. – MKommerell: Gedanken über Gedichte. 1943. – EStaiger: Meisterwerke deutscher Sprache. Zürich 1943 u.ö. – WEmrich: Die Symbolik von Faust II. 1943. – Goethes Werke. HbgA. Bd 1: Gedichte. 1948; Bd 3: Faust. 1949; Bd 8: Wanderjahre. 1950. – PStöcklein: Wege zum späten Goethe. 1949. – ALVischer: Alter als Schicksal und Erfüllung. Basel ²1945. – ALVischer: Seelische Wandlungen beim alternden Menschen. Basel 1949. – KViëtor: Geist und Form. Bern 1952. – ETrunz: Das Vergängliche als Gleichnis in Goethes Dichtung. In: Goethe 16 (1954), S. 36 bis 56. – GSchulze-Marmeling: Die Erschließung der Goetheschen Alterswerke 1819–1952. Phil. Diss. (Maschinenschrift) Münster 1953. – Vgl. ferner die Literatur zu: Alterslyrik; Faust II; Dichtung und Wahrheit usw.

Altertumskunde (-wissenschaft), im engeren Sinne Kenntnis und wissenschaftliche Darstellung von Sachen, Problemen und geschichtlichen Personen der Antike, von dem klassischen Altertum, war ein durchgreifendes Anliegen der Bildung um 1800. In der Abkehr vom *Rokoko war man von der Vorbildlichkeit der *antiken Kunst überzeugt, wenn auch die künstlerische Produktion von der A. weitgehend eingeengt wurde („archäologischer Klassizismus“); in der Dichtung allerdings entfaltete sich erst zu dieser Zeit in fruchtbarer Auseinandersetzung, oft auch trotz bewußter Anlehnung an die Antike (*Anakreontik, *Epos, *Drama) oder durch die Stoffwahl das eigendeutsch Klassische zur Selbständigkeit. Der zeitliche und geographische Raum, der von der A. erfaßt wurde, ist in der

Goethe-Zeit abgegrenzt; er erfährt erst in der nachfolgenden Zeit seine Erweiterung auf alle anfänglichen Kulturen, hat sich jedoch, angewandt auf den deutschen Bereich („Deutsches Altertum"), nicht durchgesetzt. Bei nichtadjektivischem Gebrauch ist bei Goethe die Vorstellung der griechischen und römischen Antike als geistige und geschichtliche Existenz mitgegeben, andere geographische Bereiche erhalten ein Eigenschaftswort. „Vaterländische Alterthumskunde" (*KuA* Bd 2, H. 2, S. 83) hat römische und deutsche (germanische) Altertümer des Rheinlandes (vgl. I/49^{II}, 158) zum Gegenstand. „Altertum" allein kann, abgesehen von der Bezeichnung für eine Lebensstufe, in singularer Rückbildung des geläufigen Plurals „Alterthümer" (morgenländische, römische) als Sammelbezeichnung für alle dem Altertum entstammenden Gegenstände, auf ein einzelnes Kunstwerk bezogen sein (I/49^{II}, 47); die *Externsteine* werden als *ein östliches Alterthum* bezeichnet (48). Darüberhinaus sind Kunst und Altertum, besonders durch die von Goethe herausgegebene Zeitschrift, aufeinander bezogene Begriffe (vgl. auch *Kunst im Alterthum I/49^{II}, 153*). Sie deuten auf die ästhetische Geschichtsbetrachtung um 1800, wobei nicht übersehen werden sollte, daß der Titel – erstmals wohl 3. IX. 1815 (IV/26, 73) – auf den am 31. X. 1814 geschriebenen Gedanken zurückgeführt werden kann: *Mir sind [auf der Rheinreise] unendliche Schätze des Anschauens und der Belehrung geworden, vom Granit an bis zu den Arbeiten des Phidias und von da rückwärts bis auf unsere Zeiten (IV/25, 66)*. Denn die Zeitschrift nahm erst vom zweiten Bande an Goethes literarkritische und kunstarchäologische Aufsätze – beginnend mit *Myrons Kuh* – auf und wurde Goethes wichtigster Beitrag zur A.

Goethes Leistung in der A. kann nur vor dem Hintergrund ihrer Entwicklung gesehen werden, in der sich ein jahrhundertelanges abendländisches Bemühen erkennen läßt. Die verschiedenen Gebiete, die die A. umfaßt: *Philologie und Literaturgeschichte, insbesondere der epischen und tragischen *Dichtung, *Philosophie, Archäologie (*antike Kunst) – als Begriff im heutigen Sinne steht Archäologie zuerst 1685 bei Jacques *Spon in den Miscellanea eruditae antiquitatis – *Religion (*Mythologie), Geschichte, *Münzkunde, Recht, Staatshaushalt und -verfassung, sowie *Geographie und *Naturwissenschaft bedingen nicht nur die Aufspaltung in die einzelnen akademischen Fächer, sondern auch

ihre ganz verschiedene Wirkung und Wirkungsweise seit dem Niedergang der antiken Welt. Einige Werke der Kunst waren im *Mittelalter erhalten und vorbildlich geblieben (Villard de Honnecourt, Kathedralplastik in *Reims, sog. Protorenaissance in Süditalien), die Kunstliteratur der späteren Antike war jedoch vergessen. Hingegen waren einzelne Schriften der Philosophie (*Aristoteles) für das Hochmittelalter, insbesondere für die Scholastik von bestimmendem Wert – dazu Goethe, der die *Niederträchtigkeit der mittleren Zeiten bis in's sechzehnte Jahrhundert* tadelte, *treffliche Menschen wie Aristoteles, Hippokrates durch dumme Mährchen lächerlich und verhaßt zu machen (Maximen und Reflexionen, 1832)*. Das *römische Recht erlangte zunehmende Bedeutung, teils durch seine praktische Aufnahme in manchen Rechtsgebieten, teils durch seine von *Bologna ausgehende, im 11. Jahrhundert einsetzende theoretische Behandlung (vgl. Morris 2, 313 und III/13, 163; *Fortdauer durchs Mittelalter des römischen Rechts . . .*). Es wurde zum Ausgangspunkt humanistischer Studien. Die Kenntnis der römischen Autoren (*Vergil, *Terenz) war nie ganz erloschen, Latein war die Sprache der Liturgie, der Diplomatie und des Rechts, der Wissenschaft und eines bedeutenden Teils der mittelalterlichen Dichtung geblieben.

Einer echten, dem Abendland eigentümlichen Wahlverwandtschaft zur Antike verdankte die *Renaissance ihr Dasein. Das nach 1300 wachsende, im 15. Jahrhundert voll ausgebildete Selbstbewußtsein des italienischen Menschen, der sich den antiken Gelehrten, Philosophen und Dichtern gleichzustellen vermochte – Cola di Rienzi sogar den römischen Volkstribunen – führte den *Humanismus herauf, denn es waren *zu allen Zeiten nur die Individuen, welche für die Wissenschaft gewirkt. Nicht die Zeitalter (Bdm. 1, 510)*. Beim Niedergang der päpstlichen und kaiserlichen Macht, die jede sich auf Institutionen des Altertums berufen konnte, stellte sich Geist und Wissen mit der Wiederaufnahme antiken Denkens selbständig und unabhängig neben Staat und Kirche. Die Kenntnis der Antike ergriff breite Kreise, standen doch selbst *die Künstler des fünfzehnten und sechzehnten Jahrhunderts immer mit Gelehrten und Alterthumsforschern, die damals auch von ihrer Seite künstlerisch arbeiteten, in genauer Verbindung (I/49^{II}, 235;* *Mantegna). An der von den Mediceern in *Florenz ins Leben gerufenen platonischen Akademie wirkten Griechen aus Byzanz und lehrten die Sprache *Homers und *Platons.

Cyriacus von Ancona reiste nach *Athen. _Durch die Buchdruckerkunst wurden mehrere Schriften der Alten verbreitet_ [zuerst *Cicero, Officia et paradoxa, 1465 bei JFust und PSchöffer in *Mainz, gleichzeitig bei KSweynheim und APannertz in *Rom; *Vergil zuerst bei ARusch in *Straßburg 1468; entscheidend die bei Aldus Manutius in *Venedig seit 1494 erschienenen Klassikerausgaben, die sog. „Aldinen"]. _Aristoteles und Platon fesselten nicht allein die Aufmerksamkeit; auch andere Meinungen und theoretische Gesinnungen wurden bekannt, und ein guter Kopf konnte sich die eine oder die andre zur Nachfolge wählen, je nachdem sie ihm seiner Denkweise gemäß schien. Dennoch hatte Autorität im Allgemeinen so großes Gewicht, daß man kaum etwas zu behaupten unternahm, was nicht früher von einem Alten schon geäußert worden; wobei man jedoch zu bemerken nicht unterlassen kann, daß sie den abgeschlossenen Kreis menschlicher Vorstellungsarten völlig, wenn gleich oft nur flüchtig und genialisch, durchlaufen hatten, so daß der Neuere, indem er sie näher kennen lernt, seine geglaubte Originalität oft beschämt sieht (Geschichte der Farbenlehre: II/3, 216)._ Während die hier von Goethe angesprochene naturwissenschaftliche Arbeit alsbald den Boden des Altertums verließ, wurde in Italien, Deutschland und den Niederlanden (*Erasmus von Rotterdam) bei zunehmender textkritischer Arbeit die Edition der antiken Autoren fortgesetzt und um 1750 im großen und ganzen zum Abschluß gebracht. Die Kunstliteratur des Altertums wurde gesammelt (FJunius, De Pictura Veterum, 1637), nachdem die Kunsttheoretiker (*Vitruv) schon seit dem 16. Jahrhundert ausgewertet worden waren. Am Ende des 18. Jahrhunderts entwickelte sich die Philologie (FA*Wolf 1777 als „Philologiae studiosus" in *Göttingen) zu einem Sonderfach und zum Vorbild gelehrter Arbeit, so daß man Griechisch und Latein nicht mehr als _tote Sprachen_ empfinden konnte, _denn von beiden nur kommt, was in der unsrigen lebt (I/5^I, 313)_; Goethe wird dies zumindest auch im geistigen und übertragenen Sinne gemeint haben. Mit den beginnenden Ausgrabungen (*Herculaneum 1738, *Pompeji 1748) und den rasch sich vermehrenden *Antikensammlungen trat ein neues Bewußtsein von der antiken Kunst hervor, das in JJ*Winckelmann, der vom Studium der alten Autoren ausgegangen war, seinen Exponenten fand und gleichzeitig zu den ersten archäologischen Bauaufnahmen in Griechenland führte (Le Rois: Ruines des plus beaux monuments de la Grèce. Paris

1758; ^{2}1770 von Goethe benutzt: Keudell Nr 8; 24). Von Neapel ging auch die Erforschung der griechischen Vasenmalerei aus (FA*Tischbein). Die Hinwendung zum Altertum, die Bildung, Geschmack und Kunst beeinflußte, führte zu entscheidenden Wandlungen. In *Frankreich wurde mit der Revolution und der ersten Republik, später mit der Errichtung des Kaiserreiches unter *Napoleon I. (über die Rückwirkungen auf das Verständnis für *Cäsar vgl. Bdm. 3, 321) ein zunächst gewaltsamer, für die Folge epochemachender Weg zur Restitution römischer Staatsformen beschritten, die gelehrte Arbeit als vorbildlich hingestellt hatte. Deutschland, mit seiner über das Römische hinausweisenden schöpferischen Sehnsucht zum griechischen Wesen (*Klinger: Medea; Goethe: _Prometheus_; *Schiller: Die Götter Griechenlands; *Hölderlin), war es aufgegeben, die bis dahin gesammelten Fakta zu sichten, sich anzueignen und im nachschaffenden Geiste zu deuten, zugleich die Polarität des griechischen Menschen erkennend: „Wo auch der Grund zu suchen sei, in der Natur unserer Sprache, oder in Verwandtschaft eines unserer Urstämme mit dem hellenischen oder wo sonst etwa: wir Deutschen nach so manchen Verbildungen stimmen am willigsten unter den Neuern in die Weisen des griechischen Gesanges und Vortrages; wir am wenigsten treten zurück vor den Befremdlichkeiten, womit jene Heroen andern den Zutritt erschweren; wir allein verschmähen immer mehr, die einfache Würde ihrer Werke verschönern, ihre berühmten Unanständigkeiten meistern zu wollen" (FAWolf: Darstellung der Alterthumswissenschaft. 1807). Goethe, mit zahlreichen Altertumswissenschaftlern und -kennern befreundet, förderte die Aufgabe der A. namentlich auf dem Gebiete der Kunst und der Dichtung, viel weniger auf dem der *Farbenlehre und stellte seiner Zeit ein nur ihm eigenes Bild der Antike vor Augen. Er konnte _in den Zeiten der reinen hochkräftigen Natur_, als die ihm die Antike entgegentrat, sich selbst wiederfinden _(I/48, 58)_ und empfand das _Wundersamste des Alterthums ...: Die Gesundheit nämlich des Moments ... noch ebenso frisch, tüchtig und wohlhäbig, als im Augenblick des Glücks und Behaglichkeit (IV/46, 110)_, als zeitüberdauernde Wirklichkeit und gegenwärtig wirksam. _In einer ansehnlichen Stadt geboren und erzogen, gewann ich meine erste Bildung in der Bemühung um alte und neuere Sprachen, woran sich früh rhetorische und poetische Übungen anschlossen (II/6, 98)._ Doch war Goethe sich der

Tatsache bewußt, daß nicht allein das Altertum Grundlage seiner Bildung gewesen war, hatte doch neben Aristoteles und Platon in der *Kultur der Wissenschaften* die *Bibel ebenso gewirkt *(Bdm. 1, 520)*; dem *Christentum glaubte er *den größten Theil* seiner Bildung schuldig zu sein *(I/27, 382)*. *Ich verdanke den Griechen und Franzosen viel, ich bin Shakespeare, Stern und Goldsmith Unendliches schuldig geworden. Allein damit sind die Quellen meiner Cultur nicht nachgewiesen (Bdm. 4, 51)*. Goethe fand sich mit zunehmenden Jahren, namentlich nach seiner *italienischen Reise, in einer geläuterten und selbständigen Stellung gegenüber dem Altertum, das in ihm gleichwohl entscheidende Fähigkeiten zur Produktion angeregt hatte *(*Prometheus, *Iphigenie, *Hermann und Dorothea)*. Mit dem vollen Bewußtsein seiner Zeit und seiner Persönlichkeit vermochte er gerade inbezug auf die Antike *von einem Punkt aus-, aber nach mehreren Seiten hinzugehen (Bdm. 1, 503)* und so nicht nur verschiedene Fachgebiete von einer Sicht her zu betrachten, sondern auch die Vielfalt der Erscheinungen in einer Vorstellung zu sammeln: *Man spricht immer vom Studium der Alten: allein was will das anders sagen als: Richte dich auf die wirkliche Welt und suche sie auszusprechen; denn das taten die Alten auch, da sie lebten (Bdm. 3, 253;* dazu IV/17, 241).

Goethes Einstellung zu den einzelnen Disziplinen ist von dem Wissen um die Einheit des antiken Lebensgefühls beherrscht: *Nach einerlei Weise lebte der Dichter in seiner Einbildungskraft, der Geschichtsschreiber in der politischen, der Forscher in der natürlichen Welt. Alle hielten sich am Nächsten, Wahren, Wirklichen fest, und selbst ihre Phantasiebilder haben Knochen und Mark. Der Mensch und das Menschliche wurden am werthesten geachtet, und alle seine innern, seine äußern Verhältnisse zur Welt mit so großem Sinne dargestellt als angeschaut. Noch fand sich das Gefühl, die Betrachtung nicht zerstückelt, noch war jene kaum heilbare Trennung in der gesunden Menschenkraft nicht vorgegangen (I/46, 23).* So wurde ihm die innere Einheit von Religion und Poesie, in denen – offenbar nach homerischen Vorstellungen gedacht – die Philosophie schon *vollkommen enthalten* sei, zur erkenntnisreichen Maxime. *Denn da in der Poesie ein gewisser Glaube an das Unmögliche, in der Religion ein ebensolcher Glaube an das Unergründliche statt finden muß, so schienen mir die Philosophen in einer sehr üblen Lage zu sein, die auf ihrem Felde beides beweisen und erklären wollten (I/27, 11).* Die grie-

chische Tragödie wird Goethe zum Inbegriff seines Griechenbildes, denn in ihr lebt *der Charakter des Großartigen, des Tüchtigen, des Gesunden, des Menschlich-Vollendeten, der hohen Lebensweisheit, der erhabenen Denkungsweise, der reinkräftigen Anschauung (Bdm. 3, 387)*. A. wird für Goethe die Erfahrung, besser: ein Phänomen der Erfahrung des Lebens, Denkens und Anschauens und großartig, tüchtig, gesund, reinkräftig und vollendet, schlechthin menschlich die Summe der Eigenschaften nicht eines Ideals, wie es Schiller verstanden haben wird, sondern, herausgesetzt aus der eigenen Natur, Wert eines nacheiferungswürdigen Vorbildes. – Doch er bleibt kritisch. Von der Geschichte, namentlich der römischen, konnte er sagen, daß sie *für uns eigentlich nicht mehr an der Zeit* sei. *Wir sind zu human geworden, als daß uns die Triumphe des Cäsar nicht widerstehen sollten. So auch die griechische Geschichte bietet wenig Erfreuliches. Wo sich dieses Volk gegen äußere Feinde wendet, ist es zwar groß und glänzend, allein die Zerstücklung der Staaten und der ewige Krieg im Innern* [ein Gedanke, der von den innerstaatlichen Verhältnissen Deutschlands, nicht aber von der geschichtlichen Wirklichkeit der griechischen Polis ausgeht], *wo der eine Grieche die Waffen gegen den andern kehrt, ist auch desto unerträglicher. Zudem ist die Geschichte unserer eigenen Tage durchaus groß und bedeutend . . . (Bdm. 3, 142).* Der in den zwanziger Jahren des 19. Jahrhunderts aufbrechende Freiheitskampf der Griechen gegen die Türken, nicht nur von Goethe mit einem von A. und Bildungsbewußtsein geleiteten Interesse verfolgt, mochte ein Anlaß zu solchen Gedanken gewesen sein.

Wesentlich ist Goethes Beziehung zur antiken Kunst, der er in einer auf Winckelmann aufbauenden Weise sich genähert hatte, ihr allerdings in einer ihm ganz eigenen ,,Anschauung" vom Kunstwerk begegnete und aus dem *Kunsterlebnis heraus wichtige Abhandlungen widmete *(Philostrats Gemälde, Laokoon, Myrons Kuh)*. Die zahlreichen Entdeckungen und Ausgrabungen, die gemacht wurden [Skulpturen vom *Parthenon, Aegina (*Aegineten), *Phigalia und die neueren Ausgrabungen von Pompeji] umgreifen die in der Goethezeit mögliche Evolution der Erkenntnisse. Sie sind der Hintergrund für seine Auffassung von antiker Kunst (vgl. I/36, 145), die ihm nicht mehr als Gegenstand antiquarischen Wissens oder als bloßes Vorbild für den schaffenden Künstler wichtig war, sondern sich ihm als eine zweite höhere Natur darstellte, *denn die*

Griechen verfahren nach den gleichen Gesetzen wie die Natur (I/30, 168; dazu I/32, 77). Und, genau besehen, führte mich mein Weg eigentlich an der römischen Architektur nur vorbey gegen die griechische, die ich denn freylich in einem ganz andern Sinne [als *Vitruv] *zu besuchen und zuletzt immer wie eine fremde erhabene Feenwelt zu betrachten hatte (IV/45, 115).*
Es ist der Sinn für das Gesetzliche und Lebendige der Form, für das *gegliederte Gebilde (I/1, 119),* der in Goethes Beschäftigung mit den Phänomenen des Altertums hervortritt und Stoffwahl und Gedankenführung im Verlaufe der Jahrzehnte bestimmt. Die Kenntnisse des Altertums lehrten Goethe das Gestaltbewußtsein, das ihm aus dem Unbewußten zudrang und ihn zwang, *von dem Formlosen zur Gestalt überzugehen.* Goethes Antikenverständnis und der bildende Wert, der mit dem Problem „Griechentum und Goethezeit" umschrieben wird, haben ihre Bedeutung nicht verloren: *Man studiere nicht die Mitgeborenen und Mitstrebenden, sondern große Menschen der Vorzeit, deren Werke seit Jahrhunderten gleichen Wert und gleiches Ansehen behalten haben. Ein wirklich hochbegabter Mensch wird das Bedürfnis dazu ohnedies in sich fühlen, und grade dies Bedürfnis des Umganges mit großen Vorgängern ist das Zeichen einer höheren Anlage. Man studiere Molière, man studiere Shakespeare, aber vor allen Dingen die alten Griechen und immer die Griechen.* Denn *ein edler Mensch, in dessen Seele Gott die Fähigkeit künftiger Charaktergröße und Geisteshoheit gelegt, wird durch die Bekanntschaft und den vertraulichen Umgang mit den erhabenen Naturen griechischer und römischer Vorzeit sich auf das herrlichste entwickeln und mit jedem Tage zusehends zu ähnlicher Größe heranwachsen (Bdm. 3, 365).*   Lö

Keudell. – WRehm: Griechentum und Goethezeit. 1938. – RBenz: Der Wandel des Bilds der Antike im 18. Jahrhundert. In: Antike und Abendland. 1945. S. 108–120. – MWegner: Altertumskunde. Orbis academicus. 1951. – ARumpf, Archäologie. Sammlung Göschen 538. 1953. – EGrumach: Goethe und die Antike. Eine Sammlung, 2 Bde. 1949.

Althann, alt-österreichische Grafenfamilie. Einen Angehörigen, den Reichserbschenken, Graf vA. bewunderte Goethe bei der Kaiserkrönung Josephs II. von *Österreich am 3. IV. 1764 in der *Pracht* der *Erbämter* und wie er nach erfolgter Krönung als *Erbschenk... zu dem Springbrunnen ritt und Wein holte (DuW: I/26, 317; 319; 323).* Zu einem anderen Mitglied der Familie:
–, 2) Franz (1760–1817), Obristhofmeister der Kaiserin Maria Ludovica von *Österreich trat Goethe in nähere Beziehung. Er lernte den Grafen im Juni 1810 im Gefolge der Kaiserin in *Karlsbad kennen (I/36, 400; vgl. auch an Carl August 10. VI. 1810: IV/21, 322–324 und an Christiane 12. VI. 1810 ... *Da ich gleich von Anfang mich zur Gesellschaft gehalten habe, so habe ich schon viel Bekanntschaft gemacht IV/21, 326).* Am 23. I. 1811 legt Goethe einem Brief an den Fürsten *Lichnowsky ein Schreiben an A. bei und bezieht sich darin auf die *Offenheit oder das Zutrauen,* womit dieser ihn in *Carlsbad beehrt;* er bittet ihn, der Kaiserin seine Dankbarkeit für die ihm bereits angekündigte *herrliche Gabe* – eine aber erst am 18. II. in Weimar eingetroffene kostbare Dose mit dem in Brillanten ausgelegten Namenszug der Kaiserin – zu übermitteln *(IV/21, 429–431;* III/4, 180 f.; vgl. auch IV/22, 25; 37; 54).
Am 13. VII. 1812 reist Goethe auf Wunsch des Herzogs Carl August von Karlsbad nach *Teplitz, wo er wiederum mit Maria Ludovica und ihrem Gefolge zusammentraf und auch die Gräfin A., eine geborene Gräfin Bathiany als Obristhofmeisterin der Kaiserin kennenlernte (I/36, 406). Er wohnte im „Goldenen Schiff" gegenüber dem „Herrenhause", wo der österreichische Hof Wohnung genommen hatte, sah die Kaiserin fast täglich, wurde oft zur Tafel gezogen und las ihr regelmäßig vor. Bei allen diesen Gelegenheiten dürfte er A. und seine Frau gesehen und gesprochen haben, erwähnt auch gegenseitige Besuche (III/4, 306 f.; 309). Graf A. hatte zusammen mit dem Fürsten Lichnowsky den Wunsch Maria Ludovicas, Goethe möge ihr vorlesen, unterstützt (Urzidil S. 110). Nachdem die Kaiserin mit ihrem Gefolge am 10. VIII. abgereist war, vergaß Goethe nicht, in dem Brief vom 28. VIII. *(solches schrieb ich ... als an meinem Geburtstage)* an die Gräfin J*O'Donnel anzufragen: *Darf ich bitten von Ihrem lieben Selbst mir freundliche Nachricht zu geben und von des Herrn Grafen und der Frau Gräfinn Althan Exzel ... einiges und hoffentlich recht erfreuliches zu melden (IV/23, 79 f.).*   Za

Urzidil. S. 92–116.

Altichieri. Der in den Vorbereitungen zur zweiten Reise nach Italien im Zusammenhang eines stichwortartigen Überblicks über Villen des Mittelalters vorkommende Name (I/34II, 212) bezeichnet sicher nicht den Maler der Veroneser Schule Altichiero da Zevio (um 1320–1385), dessen Fresken in Padua Goethe nicht gekannt zu haben scheint. Vielleicht liegt eine Verwechslung mit den Gärten der Familie *Altieri bei Rom vor.   Lö

Altkönig oder Altkin, 798 m hoher Berg im *Taunus. Als Goethe im späten Sommer 1765

*Homburg besuchte und den *Feldberg bestieg, sah er wie so oft schon den A. liegen, da *uns die weite Aussicht immer mehr in die Ferne lockte (I/27, 19)*. Abermals erblickte ihn Goethe im Herbst des Jahres 1814 auf seiner Reise zum *St. Rochusfest nach Bingen: *Links oben die blauen Gipfel des Altkins . . . (I/34ᴵ, 56)*.   Za

Alton, 1) Eduard Joseph Wilhelm d' (1772 bis 1840), seit 1826 o. Professor der Archäologie und Kunstgeschichte in Bonn, war ursprünglich zum Militärdienst erzogen worden, wobei er während seiner Ausbildung in Wien zum Reiter und Pferdekenner wurde. Durch Reisen in Italien, Franken und am Rhein erwarb er Kunstkenntnisse, durch eigene Zeichnungen und Radierungen unterstützt. Die Beschäftigung mit der Zoologie führte ihn zur Natur- und Altertumsforschung. A. wohnte 1808 bis 1810 im Park von *Tiefurt, siedelte darauf nach Würzburg über und unternahm Reisen nach England, Frankreich und Spanien, bis er 1818 als a.o. Professor nach Bonn berufen wurde, wo er – von 1826 an als Ordinarius – natur- und kunstgeschichtliche Vorlesungen hielt. Seine Sammlung von Gemälden, Kupferstichen und Radierungen, ,,der Zahl nach von geringem Umfange, gleichwohl aber geeignet, die Aufmerksamkeit aller Kunstfreunde auf sich zu ziehen" (Schlegel S. 372), wurde nach seinem Tode an die Bibliothek in Bonn, an das Museum in Berlin und nach England verkauft. In einem ,,Verzeichnis einer von E. d'Alton hinterlassenen Gemäldesammlung, nebst einer Vorerinnerung und ausführlicher Beurteilung dreier darin befindlicher Bilder" unternahm es Schlegel, das Publikum auf die Sammlung aufmerksam zu machen. Aufgrund seiner ausübenden Tätigkeit als Radierer und Erfinder der Kreidezeichnungen auf Stein (gedruckt in Andrés Offizin zu Offenbach a/M., 1802) war er Mitglied der Akademie der Künste gewesen.
Ergebnis der naturwissenschaftlichen Studien waren umfangreiche Arbeiten: 1. Naturgeschichte des Pferdes, erster Teil: Das Pferd und dessen verschiedene Rassen. Mit 26 Kupfern. 1810. - Zweiter Teil: Die Anatomie des Pferdes. Mit 25 Kupfern. 1816. – 2. Kupfertafeln zu Pander's Beiträgen zur Entwicklungsgeschichte des Hühnchens. 1817. – 3. Pander und d'Alton: Die vergleichende Osteologie, I. Abtheilung in XI Lieferungen, abgebildet, beschrieben und mit den verwandten Geschlechtern verglichen. 1821 bis 1828. – 4. Über das Riesenfaulthier. 1824. – 5. S. Th. a Soemmering quatuor hominis

adulti encephalum describentes tabulae ut lectionum in universitate Friderico-Guilelmana habendarum licentiam nancisceretur commentario illustravit. Mit 4 Steintafeln. Berlin 1830. An einem Teil der Osteologie arbeitete er zusammen mit seinem Sohn.
Der Kontakt Goethes mit A. entstand während des weimarer Aufenthaltes von 1808 bis 1810. Die Tagebucheintragungen deuten auf das Interesse, das Goethe dem Vielgebildeten und in mancher Auffassung Verwandten entgegenbrachte (vgl. III/3, 397; III/4, 52). Und doch war der Aufenthalt zu kurz, die Umstände zu schwierig, als daß eine engere Verbindung hätte entstehen können. *Ich höre von Knebel daß es mit seiner Ökonomie nicht sonderlich steht. Zwar habe ich das schon lange gewußt, aber daß es so arg sey, konnte ich mir nicht vorstellen,* schreibt Goethe an JH*Meyer *(IV/21, 58)*. Der Verkauf eines von A. entdeckten und *Correggio zugeschriebenen Gemäldes an den Herzog kam nicht zum Abschluß (vgl. IV/21, 90). Es blieb in der Sammlung, wurde aber von Goethe in der Jenaischen *Allgemeinen Literaturzeitung 1809 ausführlich besprochen. Diesen Aufsatz fügte Schlegel in die ,,Vorerinnerung zum Verzeichnis . . ." (s.o.) ein und schloß daran die Geschichte von der Auffindung des Werkes. Daneben nahm er zwei Betrachtungen zu Bildern der Sammlung (Jacopo da Pontormo und Rubens), von A. selbst geschrieben, auf, in welchen sich die Nähe der Kunstauffassung zu Goethe dokumentiert. Schlegel nannte A. sein ,,Orakel in Kunstsachen"; denn ,,er erkannte mit fast untrüglichem Sinne den Widerschein der Natur, als der großen Urkünstlerin in den echten Schöpfungen des Genius" (Schlegel S. 373). A. nennt das ,,Kunstvermögen im Genie . . . eine potenzierte Natur", die Entstehung des Kunstwerkes zu einem organischen Ganzen Ausdruck der Einheit in der Idee, die ,,in der Ausführung sich nur entwickelt"(ebda S. 389). Diese Auffassung läßt sich unschwer mit Goethes Kunsttheorie parallelsetzen und findet ihre Entsprechung in der Naturlehre.
Erst in den zwanziger Jahren, angeregt durch das Erscheinen der Einzelhefte zur ,,Vergleichenden Osteologie", nahm Goethe die Verbindung mit A. wieder auf (vgl. IV/34, 18 f.), weil er selbst für seine Arbeiten zur Morphologie der naturwissenschaftlichen Grundlagen bedurfte. Das von A. gelieferte und systematisierte Anschauungsmaterial wurde das Fundament der naturphilosophischen Spekulation der Principes de Philosophie Zoologique (II/7, 196; 366). Mit einer persön-

lichen Wendung bestätigt Goethe in der Rezension zu den „Faulthieren und Pachydermata" (Heft I, 1. 2. der Osteologie) seine hohe Schätzung A.s und ihre Verbindung in gemeinsamer Arbeit: *Indem wir diese treffliche Arbeit vor uns sehen, gedenken wir mit besondrem Vergnügen jener Zeit, da der Verfasser noch zu den unsrigen gehörte und eine bedeutende Gesellschaft durch geist- und kenntnißvolle Gespräche zu unterhalten, nicht weniger durch wissenschaftliche und artistische Mittheilungen zu fördern wußte. Dadurch blieb denn auch sein nachfolgendes Leben und Bemühen mit dem unsern verschlungen und vereiniget, so daß er uns auf seiner fortschreitenden Bahn niemals aus den Augen gekommen (II/8, 223).* Das Urteil des Kenners zog Goethe häufig heran (vgl. III/9, 251; 284; II/10, 166; I/36, 213). Arbeiten und Veröffentlichungen gingen zur Rezension oder als Geschenk hin und her; Goethe erwiderte die Aufmerksamkeiten A.s mit der Übersendung eines Exemplars der Morphologie und des Stiches nach einem von *Dawe gemalten Bilde Goethes (IV/36, 77 f.). Der Stich wurde mit dem dazugehörigen Brief 1920 von dem in Not befindlichen Enkel A.s verkauft. Nicht nur die Übereinstimmung in der Kunstauffassung, sondern vielmehr die Bedeutung A.s für seine naturwissenschaftlichen Studien erkannte Goethe als unschätzbare Bereicherung und Grund der Zusammenarbeit (vgl. IV/38, 222 bis 224). *Mit Recht betrachte ich ... die neueren Aufschlüsse, die Sie uns über Constanz und Versatilität organischer Bildung schenken und erwarten lassen, als neue Schöpfungs-Momente, die, das Lebendige erst recht belebend, eine höhere Bildung steigernd hervorbringen (IV/34, 57).* Stimmte er doch in der Auffassung der geschichtlichen Entwicklung von den Anfängen an, des Zusammenhanges aller Bildungen und ihrer Entfaltung in die Erscheinungen so genau mit Goethes eigener Auffassung überein, *daß nichts entspringt als was schon angekündigt ist (II/11, 141). Wir theilen mit dem Verfasser die Überzeugung von einem allgemeinen Typus, so wie von den Vortheilen einer sinnigen Nebeneinanderstellung der Bildungen; wir glauben auch an die ewige Mobilität aller Formen in der Erscheinung (II/8, 225).* Goethe konnte die Arbeiten A.s als willkommenen *Lohn für seine früheren allgemeinen Bemühungen* betrachten, indem er *die nur ... geahnte Ausführung bis ins Einzelne vor Augen sah. Neue Schöpfungs-Momente* nannte Goethe die Aufschlüsse, die er aus A.s Arbeiten gewann. Das Gewordene, *und zwar nach dessen Vollendung und Untergang,* wurde Goethe durch die Darstellung einer sinnvoll zusammenhängenden Entwicklung *künstlerisch vermittelt ... und aus dem Tode ein Leben gedichtet (IV/40, 228 f.; II/11, 141).* (*Vergleichende Anatomie.)

–, 2) die Familie des Vorgenannten, seine Schwester und seine Frau Friederike geb. Buch gehörte ebenfalls zu Goethes Bekanntenkreis (vgl. III/4, 28; 52; III/12, 279).

–, 3) Johann Samuel Eduard (1803–1854), Sohn des Erstgenannten, ging nach einem Medizinstudium in Bonn nach Paris, wurde 1827 Lehrer der Anatomie an der Akademie der Künste in Berlin und wirkte von 1834 an als Professor der Anatomie in Halle. Er war Mitarbeiter seines Vaters an einem Teil der Osteologie (vgl. IV/43, 51).   *SM*

Verzeichnis einer von Ed'Alton hinterlassenen Gemäldesammlung, nebst einer Vorerinnerung und ausführlichen Beurteilung dreier darin befindlicher Bilder. Hrsg. von AWSchlegel. Bonn 1840. Vgl. Schlegel: Werke. Bd IX. 1846. S. 372 ff. – ADB I (1875), S. 372.

Altoviti, Bindo (15./16. Jh.), reicher Kaufherr (Makler) in Rom, Gönner *Raffaels und *Cellinis. Raffael hat ihn gemalt. Cellini fertigte 1550 ein *Portrait in Erz von Bindo Altoviti in natürlicher Größe (I/44, 217),* verlor sein Werk und Geld an ihn und mußte einsehen, *von was für einer Art der Kaufleute Treue und Glauben sei (I/44, 222).* Die Altoviti-Büste Cellinis verblieb bis auf unsere Tage in dem ehemals von ihrem Auftraggeber bewohnten Palast an der Engelsbrücke zu Rom.   *Za*

Alt-Rohlau, böhmisches Dorf an der Rohlau, nahe bei *Karlsbad. Goethe passierte A. am 14. VIII. auf dem Hin- und am 17. VIII. 1786 auf dem Rückwege, als er mit Frau v*Stein aus Karlsbad bis *Schneeberg fuhr und dort wieder umkehrte: *Laß dir deine Mutter Vieles erzählen, ich begleite sie morgen bis Schneeberg,* hatte er tagzuvor an FrvStein geschrieben *(IV/8, 3).* Ein zweites Mal war A. am 6. IX. 1819 Ausflugsziel Goethes: *Um zwey Uhr nach Rohlau (III/7, 89).*   *Za*

Altstad, baumbewachsene Felseninsel im *Vierwaldstätter See, bekannt durch den Raynal-Obelisken für die schweizer Freiheitshelden, den Goethe gelegentlich einer Bootsfahrt, von *Stans/Stansstad kommend und in Richtung auf *Küßnacht an A. vorüberfahrend, vergeblich suchte: *man wies uns den Felsen wo es [das Raynaldische Monument] gestanden hatte. Durch die Zuleitung des goldnen Knopfs auf der Spitze, ward es vom Gewitter getroffen, beschädigt und abgetragen* (7. X. 1797: *III/2, 183).*   *Za*

Altwasser (*Alt-Wasser*), Dorf nordwestlich *Marienbad, streifte Goethe am 27. VI. 1822

auf dem Rückweg von einem Ausflug nach
Bad *Königswart (III/8, 211). *Za*
Alvensleben, Johann August Ernst Graf von
(1758–1827), braunschweigischer Staatsmann
und Minister, Domdechant von Halberstadt
in der Nachfolge v*Spiegels, brandenburgischer Landtagsmarschall, pflegte für sich
selbst, für seine Gemahlin Dorothea Sophie
Friedericke, geb. vRohr (1771–1816) sowie für
seine Tochter Sophie (1790–1848) die Verbindung mit Goethe, nachdem er ihm am 14. VI.
1807 in *Karlsbad an der herzoglichen Tafel
begegnet war (III/3, 225). Die Beziehung wurde
am 9. IX. 1808 durch einen Ausflug auf den
*Kammerbühl vertieft. Am 18. IX. 1828 (III/
8, 241) machte Graf vA. Besuch im Haus am
Frauenplan. An die Begegnung erinnert eine
Tasse mit einem braun aufgemalten Bildnis
des Grafen vA., die Goethe geschenkt erhielt
und die er aufbewahren ließ, obwohl sein Anteil bei dem Kontakt weniger aktiv gewesen
zu sein scheint als der des Schenkers. Das Gemälde, das als Vorbild für die Tassenbemalung
benutzt wurde, hat sich im a.schen Familien-
besitz erhalten. *Za*
Alvensleben, Philipp Karl Graf von (1745 bis
1802), preußischer Staatsmann und Minister,
seit 1775 als außerordentlicher Gesandter in
*Dresden, wurde nach weiteren Auslands-
missionen (Haag 1788; London 1788) im Mai
1791 Staats-, Kriegs- und Kabinettsminister
in Berlin. In dieser Eigenschaft nahm er 1792
an der *Campagne in Frankreich teil, wo ihn
Goethe am 6. IX. 1792 unweit von *Jardin
Fontaine traf und sich von ihm aus einer Verlegenheit helfen lassen konnte (I/33, 40).
vA. soll unvermählt gestorben sein. *Za*
Amadis von Gallien, [französisch „Amadis
de Gaule", verballhornt aus „Amadis de Gal-
les" (= Wales)], Ritterroman, der zuerst auf
spanisch in Saragossa erschien (1508), dann
(1540) auf französisch und (1569) auf deutsch.
Der Ursprung der Zentralfigur ist vermutlich
in Spanien zu suchen; doch schwankt die Nationalität (spanisch? walisisch? bretonisch?);
die Chronologie der Ereignisse ist verworren.
Das Werk wurde zu einem „vierundzwanzig-
bändigen Romankreis, der in der Erzählung von
den ‚Abenteuern' des Amadis von Frankreich
und der ‚Fürsten seines Geblüts' Elemente des
mittelalterlich-ritterlichen Ethos mit solchen
der Barock-Galanterie verschmilzt" (RL 1,
S. 38). Im Hintergrund zeichnet sich zeitweise
der spanische Kampf gegen die Mauren ab. Als
Darstellung des ritterlichen Tapferkeits- und
Tugendideals war der A. noch im 17. Jahrhundert bei der höheren Gesellschaft sehr ge-

schätzt; im 18. Jahrhundert fand er in der
Form des Volksbuches auch einen breiteren
Leserkreis (um 1820: I/53, 439). –„Der neue
Amadis" *Wielands (1771), an den Goethe für
sein Jugendgedicht gleichen Titels (1771?: I/1,
13 f.) auch gedacht haben kann, war nicht als
Protest gegen den alten A., sondern als Satire
gegen die zeitgenössische Gesellschaft geschrieben worden (VMichel). Der *Prinz Pipi* und die
Prinzessin Fisch aus Goethes Gedicht finden
sich weder bei Wieland noch in den deutschen
„Historien von Amadis aus Frankreich", wohl
aber in französischen Feenmärchen des 18.
Jahrhunderts, die Goethe durch mündliche
Überlieferung, zB. durch seine Mutter, hat
kennen können (vdHellen). 1805 liest Goethe
den „A. v. G." und bedauert, *daß man so alt
wird, ohne ein so vorzügliches Werk anders als
aus dem Munde der Parodisten gekannt zu haben*
(an Schiller 14. X. 1805: *IV/17, 237)*. Von Goe-
the benutzte Ausgabe: Traduction libre d'
Amadis de Gaule par le cte. de Tress[an] 2 Bde.
Amsterdam 1779.   *Fu*
Amadis von Gräcien, 1812 (I/42^{II}, 440) in Studien zu mittelhochdeutscher und verwandter
Literatur erwähnt, ist einer der zahlreichen
Nachkommen des *Amadis von Gallien, deren
Geschichte im Roman nach der Geschichte des
Stammherrn geschildert wird.   *Fu*
Amastini, Angelo Antonio (Lebensdaten un-
bekannt), Steinschneider des 18. Jahrhunderts,
von dem Hackert geschnittene Steine hinter-
ließ (I/46, 388), kopierte antike *Gemmen und
vermochte „auch eigene Erfindungen im Geschmack der Alten trefflich darzustellen",
die oft für original gehalten wurden. *Lö*
Nagler 1 (1935), S. 95.

Amazone/Amazonenreiche. Bevor Goethe in
*Italien die beiden verschiedenen Statuen ver-
wundeter A.n selbst betrachten konnte, war
ihm die A.n-Sage traditionsgemäß und vornehmlich aus literarischer Überlieferung längst
vertraut. Er kannte die bereits im *Griechentum verbreitete, wenn auch durchaus unge-
sicherte Etymologie, wonach, aus griechisch
ά-privativum und μαζός = „Brust/Mutter-
brust" gebildet, der Name A. an die Annahme
anknüpfen sollte, daß es sich um ein Volks-
oder Staatsgebilde von Frauen, um eine *Wei-
berherrschaft,* um eine Gynaikokratie nicht so
sehr von Müttern, als vielmehr von Töchtern
handele, die sich eine oder beide Brüste bereits
in der ersten Jugend ausbrennen oder aus-
schneiden ließen, um in der jagd- oder kampf-
gerechten Handhabung der Waffen, vornehmlich des Bogens, durch ein solches Attribut der
Weiblichkeit nicht behindert zu werden. Im

Sinne dieser Deutung sollten die A.n betont männergleich sein, vielfach galten sie als männerfeindlich. Auch hieß es, daß Männer, wenn vorhanden, nur geknechtet und mit Hausarbeit beschäftigt seien oder aber um der Fortpflanzung willen zu bestimmten Zeiten im Jahr erobert und wieder verstoßen oder gar getötet würden. Spätere Erklärer (Servius Maurus Honoratus) wollen den rätselhaften Namen von griechisch ἅμα (= „gemeinschaftlich") und ζάω (= „leben") herleiten, um darin eine Anspielung auf das männerlose Zusammen leben zu erblicken, oder sie (Eustathios) denken an die namengebende Gewohnheit einer Ernährungsweise ohne Brot (ἀ-privativum; μάζα = „Gerstenbrot"). Goethe lag das Motiv der Brustlosigkeit näher, er wußte von den *Pferdebändigerinnen, die jeden reinlichen Reiz, den Schmuck der Weiber, entbehren (I/50, 283).* Die antiken Statuen zeigen es in zarter Andeutung, indem sie jeweils nur eine Brust freilassen, die andere durch ein über die Schulter hochgezogenes Gewandstück verhüllen. Meist verzichten sie auf die Wiedergabe der Verstümmelung. Die dramatisch-theatralische Verwendung dieses Motivs durch Hv*Kleist in seiner „Penthesilea" (gedruckt 1808) lehnte Goethe scharf und drastisch ab: *Beim Lesen seiner Penthesilea bin ich neulich gar zu übel weggekommen. Die Tragödie grenzt in einigen Stellen völlig an das Hochkomische, z. B. wo die Amazone mit einer Brust auf dem Theater erscheint und das Publikum versichert, daß alle ihre Gefühle sich in die zweite, noch übriggebliebene Hälfte geflüchtet hätten, ein Motiv, das auf einem neapolitanischen Volkstheater im Munde einer Colombine, einem ausgelassenen Polichinell gegenüber, keine üble Wirkung auf das Publikum hervorbringen müßte, wofern ein solcher Witz nicht auch dort durch das ihm beigesellte widerwärtige Bild Gefahr liefe, sich einem allgemeinen Mißfallen auszusetzen* (1809 zu JD *Falk: Bdm. 2, 107).* Und fast zehn Jahre später heißt es bei der Besprechung des Reliefs von Phigalia: *Bei solchen Darstellungen kommt es darauf an, die Kraft der Gestalten gegen einander vortreten zu lassen; wie wollte hier die weibliche Brust der Amazonen-Königin gegen eine herculische Mannesbrust und einen kräftigen Pferdehals in ihrer Mitte sich halten, wenn die Brüste nicht auseinandergezogen und der Rumpf dadurch viereckt und breit wäre (I/49*^{II}*, 17).* Darstellerische Gründe sind es hier wie da, die in Goethes Urteil oder schon in seinem Gegenstand das etymologische Motiv des A.n-tums überhaupt verschwinden lassen. Bekannt ist außerdem seine betonte Zurückhaltung

oder gar Ablehnung gegenüber Bildwerken, die die Muttergottes als Stillende zum Thema haben. Dennoch darf es als maßgeblich für die Vorstellungsweise der Goethezeit gelten, was GF*Creuzer nach 1810 zusammenfassend formuliert: „Aber der mythische Bericht von der Brust, die sie verstümmelten . . ., ist bei den Griechen zu bleibend, als daß nicht ein wesentlicher Zug darin verborgen liegen sollte" (Symbolik und Mythologie der alten Völker. Bd 2. S. 173). Dieser verborgene, „wesentliche Zug" ist mit den damaligen Forschungsmitteln noch nicht klar erfaßt worden. Doch die gelegentlich geäußerte Vermutung, durch die Verbindung der flachen Mannesbrust und der vollen, hervortretenden Weibesbrust an einem und demselben Leibe hätte man die Vereinigung der beiden Geschlechter, bzw. die noch nicht eingetretene Trennung, ihren (fast *hermaphroditischen) Ausgleich in e i n e r Person andeuten wollen, weist in eine Richtung, die sich zumindest entfernt mit goetheschem Denken berührt. JJ*Bachofen ist damals freilich noch nicht einmal geboren, man wird ihn daher nur schwer als Zeugen bemühen dürfen.

In bemerkenswerter Weise meldet sich die A. erst spät in Goethes Dichtung zum Wort. Vorklänge im konventionellen Sinn finden sich freilich schon im *Egmont,* wenn es – spöttisch zugespitzt – von der Regentin heißt: *Sie hat auch ein Bärtchen auf der Oberlippe, und manchmal einen Anfall von Podagra. Eine rechte Amazone (I/8, 242)!* Oder auch in der *Iphigenie (der Gütigen; man glaubet, sie entspringe / Vom Stamm der Amazonen, sei geflohn, / Um einem großen Unheil zu entgehn. I/10, 34),* aber ohne Spott und mit Emphase: *Muß ein zartes Weib / Sich ihres angebornen Rechts entäußern, / Wild gegen Wilde sein, wie Amazonen / Das Recht des Schwerts euch rauben und mit Blute / Die Unterdrückung rächen? Auf und ab / Steigt in der Brust ein kühnes Unternehmen (I/10, 83).* Mit einem wesentlich neuen Akzent erscheint die A. zwischen 1794 und 1796 in *Wilhelm Meisters Lehrjahren.* Die zeitliche Parallelität oder Nähe zu den großen Epen und Epen-Entwürfen ist vielleicht auch eine (meist gegensinnig) innere, was die *Achillëis oder Goethes Beschäftigung mit *Achill überhaupt anlangt und auf dessen urbildliches Mannestum hinweist. Später wäre etwa an die Aristie der *Dorothea (1797) zu denken: *Ja, und das schwache Geschlecht, so wie es gewöhnlich genannt wird, / Zeigte sich tapfer und mächtig, und gegenwärtigen Geistes. / Und so laßt mich vor allen der schönen That noch erwähnen, / Die* *hochherzig ein Mädchen vollbrachte, die treffliche Jungfrau, | Die auf dem großen Gehöft allein mit den Mädchen zurückblieb; | Denn es waren die Männer auch gegen die Fremden gezogen. | Da überfiel den Hof ein Trupp verlaufnen Gesindels, | Plündernd, und drängte sogleich sich in die Zimmer der Frauen. | Sie erblickten das Bild der schön erwachsenen Jungfrau | Und die lieblichen Mädchen, noch eher Kinder zu heißen. | Da ergriff sie wilde Begier; sie stürmten gefühllos | Auf die zitternde Schaar und auf's hochherzige Mädchen. | Aber sie riß dem einen sogleich von der Seite den Säbel, | Hieb ihn nieder gewaltig; er stürzt' ihr blutend zu Füßen. | Dann mit männlichen Streichen befreite sie tapfer die Mädchen, | Traf noch viere der Räuber; doch die entflohen dem Tode. | Dann verschloß sie den Hof, und harrte der Hülfe, bewaffnet (I/50, 235f.).* Diese Darstellung, wie **Alexis und Dora* mitbewegt durch Lilis Schicksal, scheint aber mit *Eugenie*, der „Wohl-Geborenen", der *Amazonen-Tochter*, | *Die in den Fluß dem Hirsche sich zuerst | Auf raschem Pferde flüchtig nachgestürzt (I/10, 252)*, in eine Linie hineinzugehören, die in die konventionellen Auffassungen zurücklenkt. Nicht ohne Einfluß auf die Gesamtentwicklung blieb die Lektüre der „Libussa-"Geschichte in den „Volksmährchen der Deutschen" von JA*Musäus, die Goethe neben früheren, weniger geschätzten Musäus-Werken bereits in der fünfbändigen Erstausgabe (1782/1787; vgl. auch I/2, 264) sowie dann in der von ChrM*Wieland noch eingeleiteten Neuausgabe (1813/15) kannte. Im Zusammenhang mit dem böhmisch-nationalen Heldengedicht „Wlasta" (1829) von KE Ritter v*Ebert ist am 6. IV. 1829 gesprächsweise die Rede „von der früheren *Weiberherrschaft in Böhmen,* und woher die Sage von den Amazonen entstanden" (zu Eckermann: *Bdm. 4, 88*). Was Goethe von A.n-Reichen oder -Gründungen auf asiatischem, afrikanischem oder europäischem Boden sonst noch wußte, bleibt dunkel. Ein Gegenstand besondren und sinnbildlichen Interesses wurde ihm die A., wie gesagt, nur in den Jahren zwischen 1794 und 1796. Aber in dieser Zeit des umgestaltenden und neugestaltenden Schaffens an *Wilhelm Meisters Lehrjahren* verwandelte sich auch Goethes Bild der A. Dieser Verwandlungsprozeß machte aus der A. ein durchaus symbolisches Wesen, das als *schön (I/22, 43; I/23, 11)*, als *edel (I/22, 66)*, als *liebenswürdig (I/22, 153)*, als *wahr (I/23, 33)* und *herrlich (I/23, 85)* wie eine *Gestalt aller Gestalten (I/23, 43)* – innerlich verwandt und auch wieder nicht verwandt mit dem Knabenmädchen *Mignon*, mit der *Männin der schönen*

Seele, auch mit *Homunculus, Euphorion, Gingo Biloba* usw. – als Weib in Mannskleidung zwitterhaft, als Zwei in einem, als *artiger Hermaphrodit,* zum Traumbilde *Wilhelms* und zu seinem Seelenführer wird, in dem sich der Ausgleich des Lebens, die Verbindung der Gegensätze, auch der Geschlechter als mannweibliche Ideation darbietet und zuletzt als *Natalie* in irdischer Realität erscheint. Visionär tritt sie als *Amazone* vor ihn hin: *Ihr menschenfreundliches Bemühen hieß sie gehen und kommen; endlich stand sie vor ihm. Das Kleid fiel von ihren Schultern; ihr Gesicht, ihre Gestalt fing an zu glänzen und sie verschwand (I/22, 153f.).* Ehe *Wilhelm* im Bewußtsein erfassen konnte, was das Abfallen der *zweideutigen* Mannskleidung und das Aufglänzen der *reinen* Weibesgestalt zu bedeuten hatte, war alles vorüber. Er durfte das erst nach langer Entwicklung und Reifung verstehen: *Ich kenne den Werth eines Königreichs nicht,... aber ich weiß, daß ich ein Glück erlangt habe, das ich nicht verdiene, und das ich mit nichts in der Welt vertauschen möchte (I/23, 310).* Unter dem Zeichen der A. ereignet sich nur in diesen Jahren und so nur in *Natalie* diese Annäherung an älteste mythisch-märchenhafte, bewußt oder unbewußt bilderschaffende Geistes- und Seelenschichten. Hier wurde Goethe die A. zu einer Episode innerhalb des Themas latenter Doppelgeschlechtigkeit, sie wurde Beispiel für das Androgyne als diejenige Bedingung eines schöpferisch-genialen Werdens, die aller Individuation und Spezifikation vorausliegt: *Man kann den rechten Begriff von den zwey Geschlechtern nicht faßen wenn man sich solche nicht an Einem Individuo vorstellt. Dieser Satz scheint allzuparadox zu seyn, da unsere Begriffe sich vom Menschen oder von den ausgebildeten Thieren anfangen und wir eben dadurch am besten die beyden Geschlechter unterscheiden daß wir sie an zwei Individuis wahrnehmen (II/7, 287).* Später bediente sich Goethe für diesen Gedanken anderer Symbole. *Za*

ETrunz: HbgA 7 (1950), S. 617. – WDanckert: Goethe. Der mystische Urgrund seiner Weltschau. 1951. S. 390–392; dazu GMüller: Goethe-Literatur seit 1945. In: DVjs 26 (1952). S. 137f. – WEmrich: Symbolinterpretation und Mythenforschung. Möglichkeiten und Grenzen eines neuen Goetheverständnisses. Euph. 47 (1953), S. 52f.

Amazone (Capitol), Marmorkopie des *Sosikles wahrscheinlich nach einem Bronzeoriginal des Kresilas, der nach Plinius (nat.hist. 34, 53) zusammen mit *Phidias, *Polyklet und Phradmon im Wettbewerb für das Heiligtum der ephesischen Artemis (*Ephesus) eine verwundete A. schuf. Die Statue des Capitolinischen Museums (Hauptsaal 33) wurde von Papst Benedikt XIV. (1740-1758) gestiftet

Goethe sah sie dort und notierte den Unterschied zur A. (Mattei) im Museo – seit Clemens XIV. (1769–1774) im Vatican, Galleria delle Statue 265 –, deren Urbild man dem Phidias zuschreibt: *Amazone im Capitol den rechten Arm in der Höhe die rechte Brust blos ist in der rechten Seite auf dem Ende der Rippen verwundet und in der Brust. Eine andre wie die im Museo den rechten Arm in der Höhe die lincke Brust blos (I/32, 440 Paralip. Nr 10.* Vgl. auch I/32, 436 Paralip. Nr 2.).   *Hm*

FWinter: Kunstgeschichte in Bildern. 256,1.

Ambras, Schloß bei Innsbruck mit berühmten Kunstsammlungen. Goethe besichtigte es auf seiner zweiten italienischen Reise am 22. III. 1790 und hebt die Handschrift des Willehalm hervor, die 1387 für König Wenzel geschrieben worden war (III/2, 6); die Handschrift kam im September 1806 in das Kunsthistorische Museum nach Wien. Am 10. III. 1820 beschäftigt sich Goethe noch einmal mit diesen Schätzen aufgrund des ausführlichen Werkes von APrimisser (Die k. k. Ambrasser Sammlung. Wien: Heubner 1819), der als Sohn des Schloßhauptmanns von A. mit dieser Bibliothek aufgewachsen war (III/7, 146).   *St*

ThGottlieb: Büchersammlung Kaiser Maximilians I. 1900.(Die Ambraser Handschriften. 1.) S. 7; 78; 104.

Ambrosch, Joseph Julius Athanasius (1804 bis 1856), Philologe und Archäologe aus Berlin, später Professor der klassischen Philologie in Breslau, durchquerte Weimar am 23. IX. 1829 von Berlin kommend auf der Reise nach Italien (III/12, 129).   *Hm*

WPökel: Philologisches Schriftstellerlexikon. S. 5.

Ambrosch, Karoline, Sängerin, Schauspielerin, Tochter des berliner Sängers Joseph Carl A. und seit 1807 verheiratet mit H*Becker. In Weimar März 1805 bis Ostern 1809 als Liebhaberin für Oper und Schauspiel engagiert. War dann in Breslau, seit 1812 in Hamburg, wo sie nach einigen Jahren von der Bühne verschwand.   *EF*

Ambrosi, Bartolo, *ein langer, nicht gerade hagerer Mann von etwa dreißig Jahren,* wenig liebenswert erscheinend durch die *stumpfen Züge eines geistlosen Gesichts* und *die langsame und trübe Weise, womit er seine Fragen hervorbrachte,* war damals Bürgermeister (podestà) in *Malcesine am *Garda-See, als Goethe am 13. IX. 1786 unfreiwillig dorthin verschlagen wurde. Über die Abenteuerlichkeit der Begegnung gibt es drei Berichts-Varianten: ,,Es ist eine Wonne, ihn [Goethe] von seinen Reisen erzählen zu hören", bemerkt H*Voß einleitend zu der von ihm 1804 mitgeteilten Fassung, die sich durch eine neue Pointe auszeichnet (Bdm.

1, 351 f.). Am kürzesten ist die frische Notiz im Tagebuch, wobei auf die mündliche Darstellung vertröstet und die Situation durch einen Vergleich mit den kurz zuvor in *Ettersburg gespielten ,,Vögeln" des *Aristophanes (Goethe als ,,Treufreund", der den Chor der Vögel beschwatzt) illustriert wird (III/1, 185). Die ausführliche Erzählung in der *IR* breitet den Vorgang in vielen Details aus. Danach wollte Goethe, nun einmal nach Malcesine geraten, das dort befindliche alte Skaliger-Kastell (bis zum Frieden von Campo Formio 1797 ein Grenzstützpunkt der venezianischen Seehauptleute) zeichnen (ein erhalten gebliebenes Blatt, Bleistiftzeichnung, nachgewiesen von AHirth Gruppe A 1). Die Bevölkerung, in immer dichterer Zahl auftretend, hielt ihn seines Zeichnens wegen für einen österreichischen, dh. kaiserlichen und demzufolge republikfeindlichen Spion und alarmierte den *Podesta* A., der mit seinem *Actuarius* in Amtseigenschaft kam. Nach längerem Verhandeln, in dem Goethe auf seine ebenfalls stadtrepublikanische Herkunft aus Frankfurt/M. hinwies, wurde als Zeuge für frankfurter Verhältnisse der *Meister Gregorio* herbeigerufen. Dieser, ehemals bei der frankfurter Familie *Bolongaro in Diensten,* verwickelte Goethe in ein Zwiegespräch über alle dort sonst noch ansässigen *italiänischen Familien,* auch über die *Allesinas und erklärte ihn daraufhin seinen Landsleuten gegenüber als einen ,,braven kunstreichen Mann . . . , wohlerzogen, welcher herumreis't, sich hat zu unterrichten". Man solle ihn freundlich entlassen, damit er daheim Gutes von Malcesine rede und seine Landsleute aufmuntere, hierher zu reisen und die schöne Lage zu bewundern. Goethes Quartierwirt, wohl der Besitzer des alten Albergo Italia (heute durch eine Goethe-Tafel ausgezeichnet) urteilte nach Goethes Erzählung: ,,Verstünde der Podesta sein Handwerk, und wäre der Actuar nicht der eigennützigste aller Menschen, ihr wäret nicht so los gekommen. Jener war verlegener als ihr, und diesem hätte eure Verhaftung, die Berichte, die Abführung nach Verona auch nicht einen Heller eingetragen. Das hat er geschwind überlegt, und ihr wart schon befreit, ehe unsere Unterredung zu Ende war" (I/30, 50). Tatsächlich waren die politischen Verhältnisse der *Biberrepublik* Venedig *(I/30, 17)* nach dem Höhepunkt von 1716 (Korfu, Johann Matthias Reichsgraf von der Schulenburg) in schnellem Verfall und führten deswegen zu zunehmenden Spannungen, die sich an den Grenzen vielfach unliebsam bemerkbar machten und erst 1797 bereinigt wurden.   *Za*

Ambrosius *(Ambrosi)*, Dr. med., Arzt und Badearzt in *Teplitz. Während seiner Kuren 1810, 1812, 1813 in Teplitz ließ sich Goethe durch A. ärztlich beraten (so vermerkt am 10. und 19. VIII., sowie am 6. IX. 1810; III/4, 146; 148; 151; ferner am 19. VII. und 7. VIII. 1812: III/4, 304; 308; endlich am 27. IV., 16. und 25. V., 2., 4., 17., 18., 20. VI., 5. und 6. VII. 1813: III/5, 39; 46; 50; 52; 55; 56; 60). A. empfahl sich nicht nur durch seine unaufdringliche Therapie, die die Benutzung der alkalisch-salinischen Thermalbäder schon 1810 (wahrscheinlich bei Steinkoliken), sodann 1812 (Steinkoliken; arteriosklerotische Störungen) und 1813 (Nachwirkungen eines Anfalls wahrscheinlich pectanginöser Natur vom 10. I. 1813 nachts), vornehmlich in diesem letzten Jahre aufgrund der sorgsamen Badkontrolle zu sehr eindrucksvollen Erfolgen führte. Er hatte auch mineralogische Interessen *(III/4, 409: Beschreibung des Egraer Vulcans für Ambrosi; NS 2, 34: Von einem bewundernswürdigen Erzeugnis eines solchen Erdbrandes bei Kaden, dem stänglichen Toneisenstein, habe ich einige allerliebste Exemplare von Dr. Ambrosi erhalten)* und allerlei reizvolle *Liebhabereyen,* wußte *lange Kranken- und Kriegsgeschichten* bemerkenswert zu erzählen *(III/5, 52)* und hatte eine beachtliche Sammlung von Kupferstichen angelegt, die er gern sehen ließ (III/5, 55f.). Goethe verließ Teplitz und A.s Behandlung in einer Hochstimmung, die er schon gleich am Anfang mit der Kur in Verbindung gebracht hatte: *Das Baden bekommt mir ganz außerordentlich wohl, ich wüßte nicht, mich jemals besser befunden zu haben* (an Christiane 10. V. 1813: *IV/23, 339)* und die ihn am Schluß dankbar empfinden lassen, *daß ich mich so wohl als möglich befinde ist das größte Glück* (an Christiane 23. VIII. 1813: *IV/23, 407).* Außer den *Teplizer Wassern . . ., die freylich mit allem versöhnen (ebda 415)* darf Goethe die hocherfreuliche Erfolgswirkung auch seinem umsichtigen Arzte A. zuschreiben. *Za*
Urzidil S. 128–134; 139. – MVeil: Goethe als Patient. ²1946. S. 32–42. – MOberhoffer: Goethes Krankheitsgeschichte. 1949. S. 79–87.

Ambrosius, Johann Nicolaus, war 1775 Regimentshautboist in Weimar, wurde 1784 Hof- und 1808 Kammermusikus. Nach einem Auftrag Goethes an PF*Seidel vom 13. I. 1789 sollte A. die von PC*Kayser nach Weimar gesandten Noten zu zwei Akten der Oper *[Scherz, List und Rache]* sorgfältig in Stimmen ausschreiben *(IV/8, 126).* *Hk*

Ambrosius Astensis ist die Signatur des italienischen Malers Ambrogio d'Asti, der zu Anfang des 16. Jahrhunderts in Pisa tätig war. Unter diesem Namen befindet sich in Goethes Kunstsammlung eine Durchzeichnung des Brustbildes eines Heiligen mit Krone und Palme (hl. Angelus). *Lö*
Schuchardt 1, S. 233. – ThB 1 (1907), S. 390 f.

Amerika. Für die „Neue Welt" ist das 18. Jahrhundert, insbesondere die Goethe-Zeit, eine Epoche entscheidender Wandlungen auch und gerade im Verhältnis zur „Alten Welt", zu deren Kenntnis und Verständnis für A. Entdeckungsgeschichtlich begannen sich die wissenschaftlichen Ideen und Ziele der *Aufklärung befruchtend und beflügelnd auszuwirken; immer weiter ausgreifende Unternehmungen waren das sichtbare Zeugnis. Diese Ausdehnung und Vertiefung der Landeskenntnis sowohl im Norden (zunächst meist unter französischer Führung, seit 1803 auf Eigen-Initiative der *Vereinigten Staaten), wie im Süden (vornehmlich durch missionierende Jesuiten, danach durch Av*Humboldt und A*Bonpland 1799–1804) als auch in der Mitte (lange vernachlässigt; erst wieder aufgegriffen durch AvHumboldt und ABonpland, 1799–1804), außerdem die zunehmende Verselbständigung A.s gegenüber dem europäischen Mutterland und die politische Eigen-Entwicklung der verschiedenen Groß- oder Kleingebiete des riesigen Erdteils führte im allgemeinen Bewußtsein der „Alten Welt" mehr und mehr zu einer klaren Differenzierung. Diese ließ immer deutlicher *Nordamerika (Kanada, Vereinigte Staaten), *Mittelamerika (Mexico, Cuba, Panama), *Südamerika (Columbien, Venezuela, Brasilien, Peru, Chile, Argentinien) als geographisch und politisch besondere Charaktere hervortreten. Der Kontakt mit von dort herkommenden oder hinreisenden Personen, außerdem das *Auswanderungsproblem trugen das Ihrige zur Verdeutlichung bei. Im Sinne und Zuge dieser Entwicklung wird auch in Goethes Sprachgebrauch der Name A. allmählich unfähig, die Fülle der ins Blickfeld tretenden Erscheinungen und Unterschiedlichkeiten zu fassen. Zeitlich läßt sich eine Parallelität mit Unabhängigkeitskämpfen, Verfassungsaktionen und Staatskonsolidierungen von 1775–1783 (Vereinigte Staaten von Nordamerika), 1810 (ehemals spanische Besitzungen), 1822 (Brasilien) beobachten. Mit dem weiterhin stattfindenden, unspezifizierten Wortgebrauch des Namens A. meint Goethe meist Nordamerika, und zwar noch häufiger besonders die Vereinigten Staaten; Südamerika als solches wird fast immer deutlich gekennzeichnet. Der Blick auf den Zusammenhang beseitigt jede etwaige Unklarheit. *Za*

KRitter: Geschichte der Erdkunde und Entdeckungen. 1801. – OPeschel: Geschichte der Erdkunde bis auf AvHumboldt und KRitter. 1865. – KWeule: Geschichte der Erdkenntnis und der geographischen Forschung. 1904. – JNLBaker: A history of geographical discovery and exploration. London 1931. – H-Plischke: Entdeckungsgeschichte vom Altertum bis zur Neuzeit. 1933.

Amine. Eine verlorene Jugendarbeit Goethes aus der Zeit vor 1765 im Stil französischer Schäferpoesie, wahrscheinlich nur wenige Szenen umfassend, Vorläufer der *Laune des Verliebten,* in die Goethe den Mädchennamen, vielleicht auch szenische Einzelzüge übernahm. Er ließ seiner Schwester Cornelia das Manuskript in Frankfurt, als er nach Leipzig ging, und zürnte brieflich, als er von einer Liebhaberaufführung hörte: ... *er* [Brevillier] *würde mir das größte Vergnügen machen, wenn er mein Schäferspiel ins Feuer schmisse (IV/1, 114).*   *So*

Ammann, Jost (1539–1591), Holzschneider und Radierer in Nürnberg, stammte aus Zürich, wo sein Vater Professor für Rhetorik war. Seit 1569 war A. wahrscheinlich in der Werkstatt des VSolis in Nürnberg tätig, wo in der Nachfolge *Dürers noch eine lebhafte *Holzschnittradition bewahrt worden war. Durch seine Verbindung mit dem Verleger Feyerabend in Frankfurt/M. erhielt er den Auftrag, die Frankfurter Bibel von 1564 zu illustrieren. Damit begann seine aufreibende Arbeit für den Verlag, dessen Aufträge die künstlerische Qualität der Holzschnitte A.s oft beeinträchtigten. Bei Feyerabend erschien auch die „Eigentliche Beschreibung aller Ständ auf Erden" (1568), die 132 Holzschnittdarstellungen aller Gewerbe mit den dazu notwendigen Geräten und Handwerkszeug enthielt. Goethe sah dieses Werk am 1.II.1829 (III/12, 16). Das I/34^{II}, 182 genannte Werk „Ammanni Cleri tot. Romanae Ecclesiae..." erschien 1585 unter dem Titel „Cleri totius romanae ecclesiae habitus artificiosissimis figuris nunc primum a Jodoco Ammanno expressis etc.", also eine Sammlung der geistlichen Gewänder der römischen Kirche, von der eine deutsche Ausgabe im gleichen Jahre, weitere Auflagen 1579 und 1661 erschienen. Goethe besaß einige Holzschnitte von A.

A.s Illustrationen zum Reinicke Fuchs, die 1572 mit einer lateinischen metrischen Übersetzung des Gedichtes ebenfalls bei Feyerabend herauskamen, waren für Goethe gelegentlich seines Aufsatzes über Castis Fabelgedicht „Die redenden Tiere" von Interesse, weil diese *allerliebsten Holzschnitte ... in dem großen Kunstsinne der damaligen Zeit ... die Gestalt der Thiere symbolisch, flügelmännisch, nach heraldischer Art und Weise* bildeten, wodurch der

Künstler *von der naivsten Thierbewegung bis zu einer übertriebenen, fratzenhaften Menschenwürde gelangen* konnte *(I/49^I, 351 f.);* Goethe empfand in diesen Bildern eines populären Holzschnittstiles ein einheitliches Gesetz des Gestaltens, das das Tierische zum Menschlichen auf seine Weise erhöhte, *als größten Vortheil.*   *Lö*

Schuchardt 1, S. 106. – Nagler 1 (1935), S. 92. – ThB 1 (1907), S. 410 f.

Ammer, linker Nebenfluß des *Neckar, mitbestimmend für den *doppelten Charakter* der landschaftlichen Lage *Tübingens *auf einem Bergrücken, zwischen zwei Thälern, in deren einem der Neckar, in dem andern die Ammer fließt.* Goethe, der bereits Anfang Dezember 1779 hier war (IV/4, 154), bemerkte in den Septembertagen 1797 *mit Verwunderung,* daß ihm *keine Spur vom Bilde ... jener sonderbaren und angenehmen ritterlichen Expedition vor so viel Jahren geblieben ist (I/34^I, 333).* Am 7. IX. 1797 verzeichnet sein Tagebuch: *Oberhalb liegt das Schloß, unterhalb ist der Berg durchgraben, um die Ammer auf die Mühlen und durch einen Theil der Stadt zu leiten (III/2, 128;* vgl. I/34^I, 321; 322). Einen Spaziergang *an dem Mühlbache im Ammerthale hinauf (III/2, 132;* vgl. I/34^I, 338) *mit Herrn *Cotta* notiert Goethe am 13. IX. 1797. Die Heimreise ließ ihn am 29./31. X. 1797 zu keinen Aufzeichnungen mehr kommen (III/2, 190): *Die Jahrszeit, Wetter und Weg sind nun nicht mehr einladend* (an Schiller: IV/12, 352); an Christiane schreibt er sogar: *die Jahrszeit ist äußerst verdrießlich, die Wege schlecht und alles unglaublich theuer (IV/12, 353).*

Ammerbach, Dorf und Bach bei *Jena. Der Ort A. wurde von Goethe am 25. IX. 1776 auf dem Hinweg einer Fahrt nach *Drackendorf berührt (III/1, 22), der Bach war während eines Hochwassers (*Saale) am Vormittag des 23. II. 1799 das Ziel eines Rittes in Begleitung von JGP*Goetze (III/2, 236). Der alte Goethe erwähnt am 25. VII. 1817 noch einmal: *Für mich spazieren gefahren gegen den Ammerbach (III/6, 83).*

Ammern, 3 km nördlich Mühlhausen (Thüringen) an der Unstrut gelegenes Dorf, von Goethe auf der Fahrt nach *Göttingen und *Pyrmont am 6. VI. 1801 passiert (III/3, 16). *Dl*

Ammon, Christoph Friedrich von (1766–1850), den man den Talleyrand der lutherischen Kirche genannt hat, ist einer der beispielhaften Repräsentanten rationaler Theologie, ein Gelehrter von enzyklopädisch reichem und polyhistorisch vielfältigem Wissen, fruchtbar als Verfasser theologischer Erfolgsbücher, einflußreich in der Kirchenpolitik, hinreißend als Kanzel- wie als Parlamentsredner, wendiger als seinem Rufe zuträglich. Schon als Student fiel er in Erlangen auf, wurde dort 1789 Professor in der philosophischen, unmittelbar danach in der theologischen Fakultät, ging 1794 als Professor und Universitätsprediger nach *Göttingen, wo er kantianisierte, ,,weil er sich des Lichts einer aufgehenden Sonne bedürftig fühlte'' (vSelle: Die Georg-August-Universität in Göttingen. 1937. S. 181), 1804 amtierte er wieder in Erlangen, 1813 wurde er als Nachfolger von Franz Volkmar Reinhard Oberhofprediger in *Dresden, hielt sich dort mit den Mitteln erprobter Wendigkeit bis 1849 hochgefeiert im Amt und starb bald nach seiner Emeritierung. In dem Bestreben Supranaturalismus und Naturalismus, Göttlichkeit und Menschlichkeit durch rationale Vernünftigkeit und Verständigkeit zu verbinden, reduzierte er schon 1792 den Offenbarungsbegriff der biblischen Überlieferung auf die Fähigkeit zu eigenem Nachdenken und auf das eigene moralische Bewußtsein, das er in den Propheten wie in Jesus selbst wirksam sieht und behauptet, daß ,,gewisse von Jesu mit seiner moralischen Gotteswürde in Verbindung gesetzte übermenschliche Prädikate absichtlich in eine geheimnisvolle allegorische Dunkelheit eingehüllt zu sein scheinen''. So erhält seine Glaubens- ebenso wie seine Sittenlehre etwas Lavierendes, das mehr Anpassungsvermögen an Zeitströmungen als Charakterstärke in Grundfragen des Christentums offenbart, weshalb A. von FDE*Schleiermacher als schwankendes Rohr erbittert bekämpft wird. Während seines Aufenthaltes in Göttingen lernte Goethe A. am 9. VI. 1801: *Abends bey Eichhorn in großer Gesellschaft* kennen und machte ihm am nächstfolgenden Tag Besuch *(III/3, 20)*. Die Zusammenstellung: *Meister, Martens, Meiners, Beckmann, Gmelin, Runde, Ammon, Bouterwek, Grellmann* sowie die Tatsache der gemeinsamen Einladung zu Ehren Goethes zeigen, welche Stellung und Geltung A. nach rund siebenjähriger Universitätstätigkeit sich in Göttingen erworben hatte.   *Za*

Amor. Hinter diesem Namen verbirgt sich im Sprachgebrauch des 18. Jahrhunderts und zumindest auch des jüngeren Goethe weder der altgriechische noch der frührömische Gott, der sich in den ältesten Zeugnissen als welt- und lebenschaffende Liebe manifestierte und noch als fackeltragender Jüngling in späterer Zeit die Flammen dieser Urgewalt zu entzünden hatte. Weder der kosmogonische Mythos des griechischen *Eros noch die numinöse Kult-

aktualität seiner römischen Entsprechung – überhaupt keine religiöse Wirklichkeit von hinreichender Prägnanz (alius est amor, alius cupido: amant sapientes, cupiunt ceteri; Serv. Aen. IV, 194), sondern allenfalls die nachalexandrinische Vermengung von A. und *Cupido und deren rasch fortschreitende Diminuierung und Pluralisierung läßt sich in der Fülle der Rokokoreflexe aufspüren. Hier ist dieser A. zu einer Offenbarung des Geistes der Galanterie, vielleicht zu einem ,,Genius'' solcher Galanterie geworden. Das für diese Zeit mehr als für andere Epochen umfassend stilbestimmende Element des Spieles und des Spielerischen hat in seinem A. auch die Liebe entwirklicht und entschwert, die urphänomenale Kraft in Anziehung und Abstoßung der Geschlechter zum kultiviert koketten Liebesspiel umgewandelt und durchstilisiert, entindividualisiert und in Perücke und Décolleté modisch legalisiert (JHuizinga S. 298–308). So erscheint in dieser Zeit, bereits hellenistisch-alexandrinisch vorgebildet, anstelle der faszinierenden Jünglingsgestalt der Vorepochen mehr und mehr der vorlaute Schalk, der diebische Spitzbube, der lose Knabe, das mutwillige Kind. Als solches füllt er die Tableaux, die Galerien, die Parks, die Hecken und jede geeignete Stelle drinnen oder draußen. Der A., der in Goethes leipziger *Annette*-Liedern durch die Verse geistert, seinen Wohnsitz zumeist im Décolleté der Geliebten, auf ihren Lippen, in der heißen Röte ihrer Wangen, in der Requisitenwelt des Schäfertums hat, *bleibt doch* auch hier *immer ein Kind (Morris I, 220)*, freilich ein solches, das die *Kunst die Spröden zu fangen (ebda 217 bis 221)* fast frivol beherrscht und zu lehren versteht. Durchaus im Stil der *Anakreontik ist Amor niemals weit, wenn je ein Paar alleine ist (Morris I, 220)*, aber es ist eben der A. dieser Epoche, derselbe, den Goethe später – bezeichnender Weise in einem seiner *Geselligen Lieder* – den *kleinen Flügelbuben* nennt (1814, *Kriegsglück: I/I, 135, V.37*). Er läßt sich unterscheiden bereits von dem A. der römischen *Elegien: Eine Welt zwar bist du, o Rom; doch ohne die Liebe | Wäre die Welt nicht die Welt, wäre denn Rom auch nicht Rom (I/I, 233)*. Ein einziger Tempel, *Amors Tempel,* wird nur dasein und dieser eine wird *den Geweihten* empfangen *(ebda)*. So oft auch hier *Amor . . . ein Schalk . . . bleibt,* so feiern die *Elegien* im ganzen dennoch ein Fest, das einem Feste des Eros sehr nahe kommt, wie denn gerade der zweite römische Aufenthalt mit seinen nächtlichen Abschiedsstunden vor dem 24. IV. 1788 an den Voraussetzungen für die *Klassische Wal-

purgisnacht und für ihre Eros-Feier entscheidend mitgeschaffen hat: *Dieses in aufgeregter Seele tief und groß empfunden, erregte eine Stimmung, die ich heroisch-elegisch nennen darf, woraus sich in poetischer Form eine Elegie zusammenbilden wollte (I/32, 337).* In der zweiten Lebenshälfte trennt Goethe den konventionellen A. der zeitgenössischen Vorstellungsweise immer bewußter und entschiedener von dem im eigentlichen Sinne neuentdeckten Eros, und was er über die Urgewalt der Liebe zu sagen hat, trägt dichterisch mehr und mehr diesen Namen: *Hierunter ist alles begriffen, was man von der leisesten Neigung bis zur leidenschaftlichsten Raserei nur denken möchte* (1820: *I/41^I, 218 f.*).

JHuizinga: Homo ludens. ³1949. S. 295–304. – Hunger S. 107–109. – Pauly-Wissowa S. 484. – ABertholet u. ELehmann: Lehrbuch der Religionsgeschichte. 2 (1925), S. 465.

Amor (Maskenzug). Zum Maskenzug am 30. I.1782 in Weimar bei Gelegenheit des Geburtstages der Herzogin Luise schrieb Goethe das Huldigungsgedicht *Amor*, aus neun Strophen zu je vier vierfüßigen Trochäenversen bestehend. Die Verse sind dem Liebesgott in den Mund gelegt. Er grüßt und segnet die Herzogin, seine Freundin. Er ist nicht der leichtfertige und eitle Knabe, sondern ernsthaft und mit der Treue im Bunde. Indem er beklagt, daß er mit seinem *ernsten Gruß* nur *allzu selten ein Herz* rühre, hat Goethe eine zarte Mahnung beabsichtigt, da die Ehe des herzoglichen Paares nicht glücklich war. So suchte der Dichter, wie gerne bei festlich-offiziellen Anlässen, jeden Byzantinismus peinlichst vermeidend, Huldigung mit Mahnung und freundschaftlicher Förderung im Menschlichen zu verbinden. Amor läßt er eine bessere Zukunft ausmalen, in der auf einmal wieder *Herzen sich bilden, dem* seinen *gleich:* ... *Jugendfreuden zu erhalten | Zeig' ich leis das wahre Glück.* Goethe nahm das Gedicht unter den **Maskenzügen* in seine Werke auf *(I/16, 199)*. Vgl. auch **Pantomimisches Ballett.*   *So*

Amor, 1) Peter, Schauspieler, von Ostern 1791 bis Ostern 1793 in Weimar engagiert. Spielte „vermischte Rollen".

–, 2) Caroline, geb. Friderici, gesch. Naumann (geb. um 1745 in Österreich), Schauspielerin, Debüt 1775. Mit ihrem Mann Peter *A. Ostern 1791 bis Ostern 1793 in Weimar engagiert. Spielte Königinnen, edle und komische Mütter. Ging 1793 an das erzbischöfliche Hoftheater nach Salzburg.   *EF*

Ampère, Jean Jacques Antoine (1800–1864), Sohn des Mathematikers und Physikers André Marie A., französischer Schriftsteller, Histori-

ker, Literaturhistoriker (geisteswissenschaftlicher und komparatistischer Richtung) und Reisender (Skandinavien, Deutschland, Italien, Griechenland, Ägypten, Kleinasien, Nord- und Mittelamerika), seit 1833 Professor für Geschichte der französischen Literatur am Collège de France. Er war ein Schüler *Cousins, und *Ballanche brachte ihn frühzeitig in den Kreis um *Chateaubriand und Mme *Récamier. Goethe kannte ihn zunächst als Mitarbeiter am „*Globe", in welchem A. 1826 (Nr 55 und 64) die Übersetzung dramatischer Werke Goethes durch *Stapfer - *Cavagnac - *Marguéré besprochen hatte; Goethe lobte 1827 (Bdm. 3, 383 f.), wie eindringend darin wichtige Aspekte seines Wesens und Lebens erfaßt waren, und übertrug die Rezension ins Deutsche (I/41^II, 179–198); er hob auch A.s Bemühungen um das Verständnis des Helena-Aktes hervor (ebda 358). A. besuchte Goethe 1827 (III/11, 48; 50; 67; IV/43, 72 f.; Bdm. 3, 388 f.; 395–397; 403), was diesem erlaubte, in Gesprächen ua. über *Mérimée und A. de *Vigny tiefer in den Kreis um den „Globe" zu blicken. 1830 beurteilte Goethe A.s marseiller Antrittsvorlesung „De l'histoire de la poésie" (Methode: Literaturgeschichte in Verbindung mit Kulturgeschichte und vertiefter Sprachkenntnis) als *treffliche Arbeit (III/ 12, 249).* 1831 *(III/13, 134)* ist der von Goethe gelesene, aber nicht genauer zu bestimmende *Rapport sur les épopées françaises du XII. siècle* vielleicht eine im Manuskript mitgeteilte Vorarbeit zu A.s späteren Darstellungen der französischen Literatur des Mittelalters. Goethe schätzte A. als weiten und gebildeten Geist und Weltbürger, der *die nationalen Vorurteile, Apprehensionen und Borniertheiten vieler seiner Landsleute weit* hinter sich liegen lasse: *Ich sehe übrigens die Zeit kommen, wo er in Frankreich Tausende haben wird, die ihm gleich denken (Bdm.3,389).* – Das berühmte Wort über *Tasso als einen gesteigerten *Werther geht nicht auf A., sondern auf Goethe selbst zurück (Bdm. 3, 384; JGRobertson 1918).   *Fu*

Amphibien. Wenn wir heute A. und Reptilien entsprechend den durchgreifenden Verschiedenheiten in ihrer Anatomie und ihrer Entwicklung scharf trennen und die Reptilien sogar mit den Vögeln und Säugetieren in etwas engere Verbindung bringen, wenn wir als A. im wesentlichen die in sich abgeschlossenen und sehr selbständigen Gruppen der Frosch-Ähnlichen und der Molche und Salamander zusammenfassen, so waren in der Klassifikation *Linnés, so wie es schon *Aristoteles vorgeschlagen hatte, A. und Reptilien in eines zusammengefaßt als die niederen Vierfüßler im Gegensatz zu den Säugetieren. Ebenso hatte auch *Lamarck A. und Reptilien in eine gemeinsame Klasse eingereiht. Die eine Trennung notwendig machenden Organisationsunterschiede verbergen sich hinter einem relativ gleichartigen Habitus, sie wurden erst einer späteren und tiefer greifenden Analyse zugänglich. Auch für Goethe war daher die linnésche Vorstellung maßgeblich. Wohl hat er sich einmal auch mit der Anatomie des Frosches, also eines echten Amphibs, beschäftigt. Wo aber sonst in den osteologischen Schriften das Wort Amphib begegnet, sind fast ausnahmslos Reptilien im heutigen Sinn gemeint. Mit ihrer Hilfe hoffte er dem Begriff des Urtiers sich nähern zu können und für den an den Säugetieren entwickelten Typus eine allgemeinere und breitere Grundlage sowie Einsicht zu gewinnen, *um die schon sehr complicirte Bildung der Säugethiere zu erklären (II/8, 38). So werden wir in das Reich der Fische und Amphibien gehen müssen, wenn wir uns die Construction des Ganzen aus mehreren Theilen wollen anschaulich machen (II/8, 336)*, heißt es im Hinblick auf den Unterkiefer, der beim Krokodil jederseits aus 5 Knochen besteht.   *Bn*

Amsler, Samuel (1791–1844), schweizerischer Kupferstecher, erhielt zunächst seine Ausbildung in Zürich, später in München. 1816 unternahm er eine Fußreise nach Rom und schloß sich dort den spätklassizistischen Künstlerkreis um *Thorwaldsen an; A. hatte „zum Vorbild seines Stiles … den Marc Anton" und befleißigte sich einer „strengen einfachen, stilvollen Manier". Eine seiner bedeutendsten Arbeiten nach Thorwaldsen war eine Caritas, wahrscheinlich der Stich, den L*Seidler 1823 Goethe zeigte (III/9, 143). 1818 begann A. mit seinen Stichen nach dem Alexanderzug, die 1834 in München beendet wurden, wohin er als Professor für Kupferstecherkunst und Mitglied der Akademie der Künste berufen worden war. Sein letztes Werk war ein Stich nach Overbecks, seines Freundes, Kolossalgemälde „Triumph der Religion in den Künsten" von 1839.   *Lö*
Erinnerungen der Malerin Louise Seidler. Hrsg. von HUhde. Neue Ausg. 1922. S.137. – Schweizerisches Künstlerlexikon 1 (1905), S.33.

Amsteg *(Steeg; zum, am Steg)*, Dorf im Kanton Uri; Goethe passierte A. auf allen drei *Schweiz-Reisen; am 20. VI. 1775, soeben und zum ersten Male aus den Orten der *Tell-Sage, insbesondere von *Altdorf, kommend: nach dem Mittagessen *gebadet im Schnee Wasser (III/1, 6)*; im November 1779 gemeinsam mit Carl August und OJMv*Wedel nur flüchtig durch-

querend; am 1. und 5. X. 1797 im Gasthof Zum Stern einkehrend (III/2, 170; 177). *Za*

Amtliche Schriften. Die Erforschung der amtlichen Tätigkeit Goethes und die Betrachtung seiner Wirksamkeit, seiner Leistung und seiner Bedeutung als Beamter, Politiker und Staatsmann muß in erster Linie von den unmittelbaren schriftlichen Zeugnissen ausgehen, die bei seinem amtlichen Schaffen entstanden und überliefert sind. Sie werden zweckmäßig zusammengefaßt unter dem Begriff der amtlichen Schriften (AS).

Von der sonstigen schriftlichen Hinterlassenschaft Goethes unterscheiden sich diese AS ganz wesentlich. Wenn seine dichterischen und schriftstellerischen Werke „als Kundgebung seines persönlichen Wesens" bezeichnet worden und als solche anzusehen sind, so gilt dies für die schriftlichen Erzeugnisse seines dienstlichen Wirkens in keiner Weise. Denn diese Schriften wurden weder inhaltlich noch formal durch seinen Willen und nach seinen Absichten, sondern durch Voraussetzungen bestimmt, die das Amt ihm vorschrieb; für die AS war er an die in seiner Zeit üblichen behördenmäßigen Stilformen gebunden. Aber trotz dieser ihm im dienstlichen Schriftverkehr gesetzten Schranken macht sich auch in den Amtsschriften seine Persönlichkeit bemerkbar, und daher sind auch die AS ein bisher viel zu wenig beachteter Teil von Goethes Werk.

Unter AS Goethes müssen im einzelnen alle die Schriftstücke verstanden werden, die als unmittelbarer schriftlicher Niederschlag seiner *amtlichen Tätigkeit entstanden sind, die also als direkte amtliche Verlautbarungen seiner amtlichen Wirksamkeit entsprangen. Es sind ihrer Entstehung und ihrer Abfassung nach solche Schriften, die entweder ganz von ihm verfaßt, dh. eigenhändig niedergeschrieben oder diktiert sind, oder es sind solche Schriftstücke, die zwar von anderen konzipiert wurden, an denen er aber infolge der kollegialischen Arbeitsweise der Behörden der damaligen Zeit im Wege der Revision eigenhändige Korrekturen vorgenommen hat. Der Form nach sind die AS sehr mannigfaltiger Art. Am Anfang stehen Aktenauszüge, Materialzusammenstellungen und Ausarbeitungen, die sich Goethe für den mündlichen Vortrag in der Behörde oder zur Klärung seiner eigenen Vorstellungen von der Sache zusammengestellt hat. Dazu treten dann, allerdings nur in Ausnahmefällen, schriftlich zu erstattende Gutachten (Voten) mit seiner Stellungnahme zu vorgelegten Fragen und Gegenständen und in größerer Zahl Berichte, die nach vorgenommenen Amtshandlungen schriftlich bei der Behörde einzureichen waren. Am zahlreichsten sind solche Schreiben, die aufgrund der in der Behörde kollegialisch gefaßten Beschlüsse als schriftliche Verlautbarungen dieser Beschlüsse aus der Behörde hinausgingen: Kanzlei- oder Handschreiben, Reskripte des Landesherrn oder Behördenreskripte, beide auch mit Postskripten, Kommunikations- und Requisitorialschreiben, Dekrete, Ordres und ähnliches. Für all diese amtlichen Schriftformen hatte sich Goethe dem Brauch der Zeit und der Kanzleien zu beugen. Hier galt nicht in erster Linie sein Stil, sondern hier mußte auch er weitgehend den Kanzleistil anwenden, den er 1785 gegen Versuche des Herzogs Carl August, ihn abzuschaffen, selbst energisch verteidigt hat. *Eine Canzley hat mit keinen Materialien zu thun und wer nur Formen zu beobachten und zu bearbeiten hat, dem ist ein wenig Pedantismus nothwendig (AS 1, 420).* Die so oft erfolgte Beurteilung und Verurteilung der AS Goethes von seinem persönlichen Stil her ist also völlig abwegig.

Unter den amtlichen Schreiben, die Goethe verfaßt hat, befindet sich auch eine große Zahl von Privatschreiben. Die Amtspraxis der damaligen Zeit kennt neben den vorstehend genannten AS auch das Privatschreiben, die per privatas zu erledigende Angelegenheit, als eine Form des behördlichen Schriftverkehrs. Solche in amtlichem Auftrag geschriebene Privatschreiben wurden nur in ganz bestimmten, genau geregelten Fällen angewandt, insbesondere dann, wenn von Amts wegen an eine Einzelperson und nicht an eine Behörde zu schreiben war. Von diesen amtlichen Privatschreiben sind nachdrücklichst zu unterscheiden diejenigen persönlichen Briefe, in denen sich Goethe außerhalb des amtlichen Bereichs ganz privat über amtliche Dinge geäußert hat. Man hat bisher dieser Unterscheidung viel zu wenig Aufmerksamkeit geschenkt, und daher kommt es, daß in völliger Verkennung des Wesens amtlicher und privater Schreiben vieles in die Editionen von Goethes Briefen aufgenommen worden ist, was dorthin, weil es amtlichen Ursprungs ist, nicht gehört. Vom Begriff der AS her wird hier noch manche Bereinigung vorzunehmen sein; die Klärung aber muß eintreten, weil die Auswertung persönlicher Privatbriefe andere Grundlagen und Voraussetzungen hat als die von amtlichen Privatschreiben.

Das besondere Kennzeichen der Behördenpraxis der damaligen Zeit ist die kollegialische Arbeitsweise. Die Aufgabe der Mitglieder des Kollegiums, die die Behörde bildeten, dh. die Aufgabe der oberen Beamten, bestand darin, in den regelmäßig stattfindenden Sitzungen die zu erledigenden Materien nach dem Referat des Sachbearbeiters allseitig zu beraten und aufgrund dieser Beratung einen gemeinsamen Beschluß zu fassen. Im Referieren, Votieren und Resolvieren, dh. in einem mündlichen Geschäft, bestand also die Hauptaufgabe der höheren Beamten. Die schriftlichen Ausarbeitungen, im wesentlichen die Konzepte derjenigen Schreiben, die aufgrund der Beschlüsse des Kollegiums dann aus der Behörde hinauszugehen hatten, wurden in der Regel durch die gehobenen mittleren Beamten, die expedierenden Sekretäre, vorgenommen. Nur in Ausnahmefällen haben sich die höheren Beamten selbst am schriftlichen Geschäft der Behörde beteiligt. Vielmehr wurden ihnen die von den Sekretären gefertigten Konzepte zur Revision vorgelegt, wobei sie an diesen Abänderungen vornehmen konnten. In jedem Falle gaben sie ihr Einverständnis mit dem dann endgültig gestalteten Konzept durch ihr an den Rand gesetztes Signum, also durch Signierung, kund. Dieses Verfahren galt auch für Goethes Behördentätigkeit. Daraus ergibt sich, daß seine amtliche Wirksamkeit nur zum kleineren Teil aus den von ihm selbst gefertigten Schreiben erkannt werden kann, daß vielmehr, wenn seine Beteiligung an dem vollen Umfang der Geschäfte der einzelnen Behörden, in denen er tätig war, erfaßt werden soll, auch die von ihm nur signierten, von anderen Beamten dieser Behörden angefertigten Konzepte herangezogen werden müssen. Denn im Signum kam die Zustimmung zur Sache und damit die Übernahme der Verantwortung dafür zum Ausdruck.

Das amtliche Schrifttum Goethes ist bisher wenig erforscht und, wie sich aus dem Vorstehenden ergibt, vielfach unzutreffend beurteilt worden. Neuerdings ist der ganze Problemkreis aufgegriffen worden durch das Landeshauptarchiv Weimar, das es sich zum Ziel gesetzt hat, die AS Goethes in ihrem vollen Umfang festzustellen und zu veröffentlichen, um auf diese Weise einmal eine gesicherte quellenmäßige Grundlage für die Betrachtung und Beurteilung der amtlichen Tätigkeit Goethes zu schaffen, zum anderen aber diese auch zu Goethes schriftstellerischer Arbeit gehörenden AS seinen Werken zuzufügen. Diese Arbeit geht in Erkenntnis der Tatsache, daß Goethe in seiner Wirksamkeit als Beamter an die behördenmäßigen Voraussetzungen seiner Zeit gebunden war, nicht von der Person Goethes aus, sondern von der Aufhellung der gesamten Tätigkeit jener Behörden, in denen Goethe gewirkt hat. Die Erforschung und Veröffentlichung der AS Goethes erfolgt also ihrer Entstehung gemäß im Rahmen derjenigen Behörden und Kommissionen, die in der Darstellung von Goethes amtlicher Tätigkeit im einzelnen aufgeführt sind.   *Fl*

W Flach: Goetheforschung und Verwaltungsgeschichte. 1952. [Mit umfassenden Literaturnachweisen.]

Amtliche Tätigkeit. Es wird leicht übersehen, daß Goethe bald nach seinem Eintritt in Weimar Beamter geworden und dies bis an sein Lebensende geblieben ist. Er hat diese amtliche Tätigkeit (AT) zu allen Zeiten sehr ernst genommen. Trotz dieser Tatsache steht es fest, daß seiner amtlichen Wirksamkeit von der Forschung bisher viel zu wenig Aufmerksamkeit geschenkt worden ist. Die Ganzheit seines Lebens und Wirkens aber wird sich erst dann zutreffend beurteilen lassen, wenn neben der dichterischen und wissenschaftlichen Leistung auch die AT in vollem Umfang berücksichtigt wird.

Goethe ist auf Einladung des Herzogs Carl August am 7. XI. 1775 sicher nicht in der Absicht nach Weimar gekommen, um hier Beamter zu werden. Erst allmählich ist er für das Verbleiben in Weimar und den Eintritt in den weimarischen Staatsdienst gewonnen worden. Seit Januar 1776 klingt dieser Gedanke bei ihm auf, zum ersten Male spricht er am 22. I. 1776 davon. *Ich bin nun ganz in alle Hof- und politische Händel verwickelt und werde fast nicht wieder weg können. Meine Lage ist vortheilhaft genug, und die Herzogthümer Weimar und Eisenach immer ein Schauplatz, um zu versuchen, wie einem die Weltrolle zu Gesichte stünde (IV/3, 21).* Von da ab zeigen sich solche Äußerungen wiederholt in seinen Briefen, und auch *Wieland weist schon Ende Januar 1776 darauf hin, ,,Goethe kommt nicht wieder von hier los". Am 8. III. 1776 spricht Goethe deutlich aus, *nun will ich auch das Regiment probiren (IV/3, 38),* und in jener Zeit betrachtete ihn auch Carl August bereits als fest in amtlicher Eigenschaft mit Weimar verbunden, indem er ihm in seinem Testament vom 16. III. 1776 ein Gehalt von 1200 Talern oder eine Pension von 800 Talern zusicherte. Am 22. IV. 1776 erhielt Goethe das Gartenhaus vom Herzog zum Geschenk, und am 26. IV. 1776 erwarb er das weimarer Bürgerrecht. So hat sich Goethe in den ersten Monaten des Jahres 1776, dem Wunsche seines neuen Freundes, des Herzogs Carl August entsprechend, für Weimar und den weimarischen Staatsdienst entschieden.

Zur gleichen Zeit aber wuchs der schon vorher fühlbare Widerstand weimarischer Hof- und Beamtenkreise gegen die Reformabsichten Carl Augusts, bei denen Goethes Berufung in den Staatsdienst eine wesentliche Rolle spielte, zur offenen Ablehnung der Pläne des Herzogs an. Führer und Sprecher der Opposition, die sich vor allem gegen die Bevorzugung eines unerfahrenen jungen Landfremden und gegen die Zurücksetzung verdienter und im langjährigen Dienst bewährter Beamter richtete, war der Vorsitzende des Geheimen Consiliums, der Wirkliche Geheime Rat Jacob Friedrich Freiherr von *Fritsch. Er hatte bereits einen Monat nach Goethes Ankunft in Weimar, am 9. XII. 1775, um seine Versetzung aus dem Consilium auf die Stelle des Präsidenten der Regierung gebeten und im Februar 1776 Carl August, als ihm dieser seine Reformpläne entwickelte und zum ersten Male von Goethes Berufung in das Geheime Consilium sprach, auf das Bedenkliche dieser Absichten aufmerksam gemacht und zu reiflicher Überlegung ermahnt. Nachdem Carl August ihm dennoch am 23. IV. seine endgültigen unveränderten Entschließungen eröffnet und ihm mitgeteilt hatte, daß er Goethe ins Consilium berufen und ihm den letzten Platz mit dem Titel eines Geheimen Legationsrates geben werde, bat Fritsch dringend um seine Entlassung aus weimarischen Diensten mit der Erklärung, daß er ,,in einem Collegio, dessen Mitglied gedachter D. Goethe anjetzt werden soll, länger nicht sizen" könne. In einem Brief vom 10. V. verteidigte Carl August Goethe gegen Fritsch: ,,Goethe ist rechtschaffen, von einem außerordentlich guten und fühlbaren Hertzen; nicht alleine ich, sondern einsichtsvolle Männer wünschen mir Glück, diesen Mann zu besitzen. Sein Kopf und Genie ist bekant". Nachdem Fritsch am 11. V. erneut Goethe als Mitglied des Geheimen Consiliums abgelehnt hatte, wurde dann durch Vermittlung der Herzogin-Mutter Anna Amalia in der Woche vom 13. zum 20. V. 1776 Fritsch zum Bleiben bestimmt und damit seine stillschweigende Zustimmung zur Berufung Goethes erlangt, sodaß Goethe am 23. V. dem Tagebuch anvertrauen konnte *Gut anlassen von Fritsch (III/1, 13).* So war die schwere Krise, die Goethes Berufung in den Staatsdienst und in das Geheime Consilium hervorgerufen hatte, glücklich überwunden worden.

Durch Urkunde vom 11. VI. 1776 hat Carl August Goethe ,,wegen seiner Uns genug bekannten Eigenschaften, seines wahren Attachements zu Uns und Unsern daher fließenden

Zutrauen und Gewißheit, daß Uns und Unserm Fürstlichen Hause er bey dem vom Uns ihm anvertrauenden Posten treue und nützliche Dienste zu leisten eyfrigst beflissen seyn werde", zum Geheimen Legationsrat mit Sitz und Stimme im Geheimen Consilium ernannt. Am 25. VI. 1776 erfolgte mit der Amtseinführung in das Geheime Consilium zugleich auch die Vereidigung Goethes als Beamter. Damit begann seine Laufbahn als Beamter des Herzogtums Sachsen-Weimar-Eisenach, in die er eintrat, um *Unterthanen glücklich zu machen;* aber sie begann ohne jede Vorbereitung und Erfahrung, durchaus mit dem *Unbegriff des zu Leistenden,* doch mit *thätiges Selbstvertrauen* und mit der *sichre Kühnheit, daß es zu überwinden sey (I/53, 384).*

Nach dreijähriger Tätigkeit als Geheimer Legationsrat wurde Goethe am 5. IX. 1779 „in Ansehung dessen Uns bekannten Gelehrsamkeit und Geschicklichkeit, auch in dem zuversichtlichen Vertrauen, er werde so wie bis anhero nach der Uns und Unserm Fürstlichen Hause bereits erwiesenen Treue und Devotion Uns fernerhin ersprießliche und treue Dienste zu leisten fortfahren", zum Geheimen Rat ernannt. Am 13. IX. 1804 erhielt er mit der Ernennung zum Wirklichen Geheimen Rat das Prädikat Excellenz, als Carl August den Geheimen Räten, die im Geheimen Consilium Sitz und Stimme hatten, dieses Ehrenwort beilegte. Am 12. XII. 1815 wurde der „Wirkliche Geheime Rat Johann Wolfgang von Goethe in Betracht seiner ausgezeichneten Verdienste um die Beförderung der Künste und Wissenschaften und der denselben gewidmeten Anstalten" zum Staatsminister ernannt. Seitdem war sein voller amtlicher Titel die Bezeichnung „Seine Excellenz der Großherzogliche Wirkliche Geheime Rat und Staatsminister Johann Wolfgang von Goethe". Diesen Titel hat er bis ans Ende seines Lebens geführt. In dieser Eigenschaft gehörte er zu denjenigen „höhern Klassen im Hof- und Staatsdienste", denen Großherzog Carl August durch Erlaß vom 1. XI. 1822 „an Höchst Ihrem Hofe eine allgemeine Uniform" verlieh. Das 50jährige Dienstjubiläum Goethes ist mit großer Aufmachung gefeiert worden, und zwar auf Veranlassung Carl Augusts am Tage der 50jährigen Wiederkehr seines Einzugs in Weimar, am 7. XI. 1825, da Carl August diesen Tag „als den Tag des wirklichen Eintritts in Meinen Dienst" betrachtete. Entsprechend seiner Laufbahn und seiner Stellung als eines der höchsten Beamten im Lande gestaltete sich auch das Gehalt, das Goethe nach den damaligen Besoldungsgrundsätzen für Beamte bezog. Bei seinem Eintritt in den Staatsdienst wurde ihm in der Ernennungsurkunde ein Gehalt von 1200 Reichstalern, zahlbar ab Johannis 1776 in vierteljährlichen Raten aus der Kammerkasse, zugebilligt. Am 3. IX. 1781 erhielt er eine jährliche, wiederum in vierteljährlichen Raten zu zahlende Besoldungszulage von 200 Reichstalern; gleiche Gehaltsaufbesserungen traten am 20. V. 1785 und am 11. IV. 1788 ein, und am 27. III. 1798 folgte eine Gehaltszulage von 100 Reichstalern, sodaß Goethes Gehalt von da an also jährlich 1900 Reichstaler betrug. So ist es geblieben bis 1815; lediglich eine Zulage von 100 Reichstalern jährlich auf Fourage für zwei Pferde ist ab 1. X. 1810 noch hinzugekommen. Nach der Erhebung des Herzogtums Sachsen-Weimar-Eisenach zum Großherzogtum und der Umwandlung des Geheimen Consiliums in ein Staatsministerium 1815 sind die Gehälter der neu ernannten Staatsminister erheblich aufgebessert worden; ab 1. I. 1816 erhielt daher Goethe ein Gehalt von 3000 Reichstalern und bezog auch weiterhin die Zulage von 100 Reichstalern für die Unterhaltung von zwei Pferden. Bis an sein Lebensende hat sich an der Höhe des Gehaltes nichts mehr geändert. Ab 1821 aber wurde es ihm nach Übernahme von Beamtenbesoldungen auf die Landschaftskasse von dieser, nicht mehr von der Kammerkasse gezahlt. – Nach Goethes Tod ist das den nächsten Hinterbliebenen eines verstorbenen Beamten, der Witwe und den Kindern, als Pension zustehende Gnadenquartal, dessen Auszahlung an die Enkel die Landschaftskasse zunächst verweigert hatte, auf Anordnung des Großherzogs diesen gewährt worden. – Wenn Goethe zu Kanzler v Müller am 31. III. 1824 äußerte, daß ihn bloß die *entschiedenste Uneigennützigkeit aufrecht* erhalten habe und daß er daher seinen *schriftstellerischen Erwerb und zwei Drittel seines väterlichen Vermögens hier zugesetzt und erst mit 1200 Taler, dann mit 1800 Taler bis 1815 gedient* habe *(Bdm. 3, 97),* so heißt das offensichtlich, daß zwar sein Einkommen als Beamter ein wesentlicher Teil seiner wirtschaftlichen Existenz war, daß dieses Einkommen aber von ihm wohl erst ab 1816 als ausreichend aufgefaßt worden ist.

Auf die hervorgehobene Stellung, die Goethe als Beamter einnahm, ist wesentlich neben seiner Erhebung in den Adelsstand auch die Verleihung von Orden an ihn zurückzuführen, wenn allerdings hierbei auch vielfach seine Bedeutung als Dichter von entscheidendem Einfluß gewesen ist. Die Adelung hatte Carl

August wegen „der wesentlichen Dienste", die Goethe ihm geleistet hatte, und wegen „seiner treuen Anhänglichkeit" an des Herzogs Person beantragt, also aus seiner Beamtenstellung heraus begründet; im Adelsdiplom vom 10. IV. 1782 ist mit dem Hinweis darauf, daß sich Goethe „durch seine gründliche Wissenschaften und ganz besondere Gelehrsamkeit den allgemeinen Ruf erworben", doch immerhin auch das persönliche Verdienst hervorgekehrt. Ähnlich steht es auch bei den Ordensverleihungen. Am 14. X. 1808 verlieh ihm Napoleon mit anderen Personen das Ritterkreuz des Ordens der Ehrenlegion, und dabei war in einem Atemzuge von Beamten, die durch ihre Verdienste empfohlen sind, und von genialischen Männern, deren Werke Europa und besonders Frankreich bewundert, die Rede. Einen Tag später, am 15. X. 1808, wurde Goethe mit dem Kaiserlich-Russischen Annen-Orden 1. Klasse (Großkreuz mit Stern) ausgezeichnet. Am 28. VI. 1815 erfolgte in „ehrenvoller Anerkennung" von Goethes „ausgezeichneten Verdiensten um die deutsche Sprache und Literatur" die Verleihung des Komturkreuzes des Österreichisch-Kaiserlichen Leopold-Ordens. Erst danach erhielt Goethe eine weimarische Ordensdekoration; am 30. I. 1816 wurde ihm mit vielen anderen das Großkreuz des am 18. X. 1815 erneuerten, ausgesprochenermaßen für verdiente und hohe Staatsdiener bestimmten Großherzoglichen Hausordens der Wachsamkeit oder vom weißen Falken verliehen. Nachdem am 11. VIII. 1818 das Ritterkreuz der Ehrenlegion in die nächst höhere Stufe des Offizierskreuzes umgewandelt worden war, erfolgte die letzte Ordensverleihung an Goethe zu seinem Geburtstag 1827 durch den bayerischen König Ludwig I., der ihm das Großkreuz des Verdienstordens der Bayerischen Krone persönlich überreichte. Solchen Auszeichnungen stand Goethe nicht gleichgültig gegenüber. *Ein Titel und ein Orden hält im Gedränge manchen Puff ab (Bdm. 3, 398).*
Goethe hat seine amtliche Wirksamkeit nicht nur in einer Behörde, sondern gleichzeitig und nacheinander an verschiedenen staatlichen Einrichtungen des Herzogtums und späteren Großherzogtums Sachsen-Weimar-Eisenach ausgeübt. Über diese Stellen seiner amtlichen Arbeit soll hier ein Überblick gegeben werden, die eingehendere Darstellung jedes einzelnen Amtsbereiches aber einer Sonderbehandlung vorbehalten sein.
Seine erste Tätigkeit spielte sich im *Geheimen Consilium, der obersten Landesbehörde, dem beratenden Organ des Landesherrn, ab. Am

11. VI. 1776 war er dorthin berufen worden. Am 25. VI. 1776 hat er an der ersten Sitzung dieses Kollegiums teilgenommen und sich von da an regelmäßig an den Arbeiten dieser Behörde beteiligt bis zum Februar 1785. Seit diesem Zeitpunkt ist er bis zur *italienischen Reise nur noch gelegentlich bei besonderen Anlässen für das Geheime Consilium tätig gewesen, und das gleiche gilt auch für die Zeit nach der italienischen Reise. Nominell aber hat Goethe dem Geheimen Consilium bis zu dessen Auflösung bei der Bildung eines Staatsministeriums am 1. XII. 1815 angehört.
Neben seiner Mitarbeit im Geheimen Consilium, bei dem alle staatlichen Anliegen zusammenliefen und überschaubar wurden, hat Goethe vor der italienischen Reise noch eine Reihe von staatlichen Sonderaufgaben zu bewältigen gehabt, für die bei der damals üblichen Behördenstruktur spezielle, in der Regel als Kommissionen organisierte Einrichtungen, die neben den großen Landeskollegien selbständig fungierten, geschaffen waren. Bereits ein halbes Jahr nach seinem Eintritt in den Staatsdienst kamen solche Sonderaufträge, zunächst in der Gestalt von Bergwerksaufgaben, auf ihn zu. Am 18. II. 1777 erhielt er den Spezialbefehl, zur Abfindung der Ansprüche der Freiin v Gersdorff an das Bergwerk in Ilmenau, das wieder in Gang gebracht werden sollte, Unterhandlungen zu pflegen, und dieser Auftrag wurde, nachdem er am 16. V. erneuert worden war, am 14. XI. 1777 auf sämtliche Bergwerksangelegenheiten ausgedehnt. In der seitdem fungierenden *Bergwerkskommission, seit 1803 Berg- und Salinendepartement genannt, die nach der Eröffnung des Bergwerkbetriebes in Ilmenau am 24. II. 1784 die Leitung der Bergbaugeschäfte überhaupt zu besorgen hatte und die als Immediatkommission den großen Landeskollegien gleichgestellt war und mit dem Geheimen Consilium unmittelbar verkehrte, ist Goethe auch nach der italienischen Reise noch tätig gewesen, hat sich aber, nachdem infolge Stollen- und Wassereinbruchs 1796 die Arbeiten im Bergwerk allmählich eingestellt wurden, zu Beginn des neuen Jahrhunderts von den Geschäften nach und nach zurückgezogen, längst ehe diese Kommission in den Jahren 1812/13 liquidiert wurde.
Anfang 1779 übernahm Goethe zwei weitere Kommissionen zur Durchführung staatlicher Spezialaufgaben. Am 5. I. 1779 wurde ihm die Leitung der *Kriegskommission, die zur Erledigung der Verwaltungsangelegenheiten des Militärs, vor allem zur Besorgung der ökono-

mischen Angelegenheiten eingerichtet war und
schon lange bestand, übertragen. Die Geschäfte dieser Kommission, die als Immediatkommission fungierte, hat er bis zur italienischen Reise in großem Umfang durchgeführt,
danach aber nicht wieder übernommen.
Am 19. I. 1779 wurden Goethe weiterhin die
Angelegenheiten des Straßenbauwesens übertragen, zunächst die Direktion des weimarischen Landstraßenbaues, in die dann am
23. II. 1779 ausdrücklich die Direktion des
weimarischen Stadtpflasterbauwesens und
die Aufsicht über die um die Stadt Weimar
gehenden Promenaden einbezogen wurde.
Diese Aufgaben wurden erst später unter dem
Begriff der *Wegebaukommission zusammengefaßt, die an sich eine der Kammer nach-
geordnete Kommission war, aber während
Goethes Amtsführung unmittelbar mit dem
Herzog bzw. dem Geheimen Consilium verkehrte. Auch die Geschäfte der Wegebaukommission hat Goethe bis zur italienischen
Reise geführt und dann nicht wieder aufgenommen. Aber als besondere daraus hervor-
wachsende Aufgabe hat er nach der italienischen Reise die am 21. X. 1790 gegründete
*Wasserbaukommission, genauer die zu Diri-
gierung des Wasserbaue verordnete Kommission, übernommen, der er bis zu ihrer auf seinen Antrag vom 27. VIII. 1803 erfolgten Auflösung am 1. IX. 1803 angehört hat.
Die Kommissionen, die Goethe zur Leitung
übertragen waren oder in denen er mitarbei-
tete, sind vornehmlich solche gewesen, bei
denen Angelegenheiten finanzieller Art eine
besondere Rolle spielten. Auch im Geheimen
Consilium waren Fragen des Steuerwesens, der
Staatsfinanzen und des staatlichen Schulden-
wesens ein besonderes Arbeitsgebiet Goethes.
Es war daher begreiflich, daß der Herzog ihm
auch die Kammerangelegenheiten zu übertragen beabsichtigte, als die Amtsführung des
1776 gleichzeitig mit ihm berufenen Kammerpräsidenten Johann August Alexander
vKalb unmöglich geworden war. Allerdings war
Goethe niemals nominell Kammerpräsident.
Aber am 11. VI. 1782 erhielt er, nachdem Kalb
am 7. Juni entlassen worden war, den Auftrag,
sich mit den Kammergeschäften näher be-
kanntzumachen und zu versuchen, sich zum
Kammerdirektorium zu qualifizieren. Dabei
sollte seine Tätigkeit nicht auf die gewöhnlichen, durch Etat und andere Vorschriften bestimmten laufenden und alltäglichen
Kammergeschäfte gerichtet sein, sondern vielmehr auf beträchtlichere, aus dem gewöhnlichen Rahmen fallende Gegenstände, die nicht

durch Etat und andere Vorschriften geregelt
waren. Durch diese Anordnungen und die daraus entspringende leitende Arbeit Goethes in
der Kammer hat diese von Anfang an einen
anderen Charakter gehabt als seine Mitwirkung in den übrigen Amtsstellen. Auch die
Kammergeschäfte hat Goethe nur bis zur italienischen Reise geführt. Noch während Goethes Aufenthalt in Italien betraute der Herzog auf dessen Vorschlag den Geheimen Assistenzrat Johann Christoph Schmidt am 17.
VII. 1787 interimistisch bis zu Goethes Rückkunft mit der Direktion der Kammer, und am
11. IV. 1788 wurde Goethe vom Kammerdirektorium entbunden und der zum Geheimen Rat beförderte Schmidt zum Kammerpräsidenten ernannt.
Finanzieller Art waren endlich auch die Geschäfte, die Goethe vor der italienischen Reise
in der *Ilmenauer Steuerkommission zu erledigen hatte. Am 6. VII. 1784 wurde „zu Besorgung der zu Berichtigung der Catastrorum
im Amte Ilmenau zu veranstaltenden Steuer-
revision sowie zu Führung der Aufsicht über
das Ilmenauer Steuerwesen" eine besondere
Kommission eingesetzt, der auch Goethe angehörte. Ihr Geschäftsumfang wurde am 21.
XII. 1784 auf alle ilmenauer Steuerangelegen-
heiten mit Ausnahme der der Regierung vorbe-
haltenen Kreissachen ausgedehnt und ihr daher
die kurze Bezeichnung Ilmenauische Steuerkommission gegeben. Dieser immediaten Kommission, die sich, nachdem die Neukatastrie-
rung 1795 beendet worden war, nur noch mit
reinen Steuersachen zu befassen hatte, hat
Goethe tatsächlich bis 1805 angehört, wurde
ihr nominell aber bis zu ihrer Auflösung am
2. I. 1818 zugerechnet.
In den eben genannten staatlichen Behörden,
Einrichtungen und Kommissionen ist Goethe
bis zur italienischen Reise, die auch in seiner
AT einen tiefen Einschnitt bedeutet, tätig gewesen. Daß der Entschluß, nach Italien zu
gehen, durch die drückend gewordenen Amtsgeschäfte wesentlich bestimmt worden ist,
wird durch Äußerungen folgender Art deutlich: *Die Hauptabsicht meiner Reise war: mich
von den phisisch moralischen Übeln zu heilen
die mich in Deutschland quälten und mich zuletzt unbrauchbar machten; sodann den heisen
Durst nach wahrer Kunst zu stillen* (an Carl
August am 25. I. 1788: *IV/8, 327*). – *Flucht
nach Italien, um sich zu poetischer Produktivität wieder herzustellen* (zu Eckermann am 10.
II. 1829: *Bdm. 4, 65*). Goethe hat sich in Italien
in dem Entschluß befestigt, die Last der
staatlichen Geschäfte im bisherigen Umfang

nicht weiter zu tragen. Er hat deswegen von Italien aus den Herzog gebeten, ihn von den Kammergeschäften und den Aufgaben der Kriegskommission zu befreien (IV/8, 224 u. 358), kein Zweifel also, daß es diese beiden Geschäftsbereiche waren, die ihn am meisten belasteten. Eingeschlossen in die Kammersachen war dabei wohl auch an die Wegebaukommission gedacht, die mit der Kammer eng verbunden war. Vom Geheimen Consilium brauchte sich Goethe nicht erst zu lösen, da er bereits seit Februar 1785 zu dessen Geschäften nur noch in einer loseren Verbindung stand. Dagegen wollte er, wie alle seine italienischen Briefe an Christian Gottlob *Voigt zeigen, hinsichtlich der beiden ilmenauer Kommissionen, *jener Geschäfte die mir immer interessant bleiben (IV/8, 317)*, in Italien Kräfte sammeln, *um mit neuen Kräfften, bey altem Anteil zurückzukehren (IV/8, 165)*. Goethe hat also nach einer neuen Form seiner Mitarbeit im amtlichen Bereich gesucht, die seinem Wesen angemessener war, und dem Herzog entsprechende Wünsche unterbreitet. *Ich werde Ihnen mehr werden als ich oft bisher war, wenn Sie mich nur das thun lassen was niemand als ich thun kann und das übrige andern auftragen . . . Kann ich es, weniger von Detail überhäuft, zu dem ich nicht gebohren bin; so kann ich zu Ihrer und zu vieler Menschen Freude leben (IV/8, 225 f.).* Seine Pläne und Vorschläge sind verwirklicht worden. Nach der Rückkehr aus Italien hat er im Geheimen Consilium, wie schon seit Februar 1785, nur noch ganz gelegentlich bei besonderen Anlässen mitgearbeitet, sich wieder um die Bergwerkskommission und die Ilmenauer Steuerkommission bekümmert, aus dem Wegebauwesen heraus den Wasserbau neu übernommen, aber sich völlig distanziert von den Kammergeschäften und von der Kriegskommission. Dafür übernahm er nach der italienischen Reise neue Arbeitsgebiete, und zwar solche Arbeiten, bei denen Pflicht und Neigung innigste Verbindung eingingen, Arbeiten, die, wie er es gewünscht hatte, nur *er* tun konnte.

Am 23. III. 1789 wurde zur Förderung des Wiederaufbaus des am 6. V. 1774 abgebrannten Residenzschlosses in Weimar eine *Schloßbaukommission gegründet, die dieses Bauunternehmen nach der künstlerischen, der technischen und der finanziellen Seite hin zu betreuen und zu beaufsichtigen hatte. Zu ihr gehörte von Anfang an auch Goethe. Er hat in dieser Kommission während ihres Bestehens bis zum Jahre 1803 lebhaft mitgearbeitet, besonders in architektonischen und künstleri-

schen Fragen. Mit dem Einzug der herzoglichen Familie in das neu errichtete Schloß am 1. VIII. 1803 war die Aufgabe der Schloßbaukommission erfüllt.

Die Leitung des am weimarischen Hof zu Beginn des Jahres 1791 neu errichteten Hoftheaters wurde von Anfang an Goethe übertragen. Die erste Erwähnung seiner künftigen Direktion erfolgte am 17. I. 1791; am 7. V. 1791 wurde das erste Stück unter seiner Leitung und mit Vorspruch von ihm aufgeführt; die erste amtliche Nachricht von seiner Oberdirektion stammt vom 3. XI. 1791. Zur Leitung des Theaters wurde auf Goethes Antrag am 1. VIII. 1797 eine erweiterte Hoftheater-Kommission gebildet, der er ebenfalls angehörte, und diese wurde am 26. III. 1816 in Hoftheater-Intendanz umbenannt. Obwohl die Theaterangelegenheiten, insbesondere die finanzielle Seite derselben, in enger Verbindung mit dem Hofmarschallamt standen, galten sowohl die Theaterkommission wie die Theater-Intendanz als Immediatbehörden, die mit dem Herzog unmittelbar verkehrten. Für die Hoftheater-Intendanz ist dies bei ihrer Einrichtung ausdrücklich festgelegt worden. Aus dieser Funktion ist Goethe, als seine Stellung infolge starker Gegenkräfte unhaltbar geworden war und nachdem er auf Votum, Signatur und Unterschrift bereits am 26. III. 1817 verzichtet und sich damit von aller Verantwortung entbunden hatte, am 13. IV. 1817 ausgeschieden (*Theaterleitung).

Die umfassendste AT, die Goethe nach der italienischen Reise bis an sein Lebensende ausgeübt hat, war die in der Leitung der wissenschaftlichen und künstlerischen Anstalten in Weimar und Jena. Gelegentlich waren ihm besondere Aufgaben dieser Art im Geheimen Consilium schon vor der italienischen Reise zugefallen, wie die Einrichtung eines Naturalienkabinetts in Jena und die Erwerbung der Büttnerschen Bibliothek aus Göttingen für Jena; auch in der Leitung der 1781 gegründeten Zeichenschule in Weimar wird er schon 1782 genannt. Nach der Rückkehr aus Italien aber nahmen die Aufgaben in Angelegenheiten von Kunst und Wissenschaft festere Formen an. Von 1788 an führte Goethe in Weimar die Oberaufsicht über das Freie Zeicheninstitut, zunächst mit Christian Friedrich *Schnauß, nach dessen Tod 1797 allein. Am 20. II. 1794 wurde ihm zusammen mit dem Geheimen Rat Christian Gottlob Voigt, der bei allen wissenschaftlichen Anstalten bis zu seinem Tod am 22. III. 1819 sein Mitarbeiter wurde, die Leitung der Botanischen Anstalt in

Jena als Kommission übertragen. Am 9. XII. 1797 übernahmen beide die Kommission zur Leitung der Bibliothek und des Münzkabinetts in Weimar, wozu später noch die Herzogliche Bibliothek in Jena kam. Am 11. XI. 1803 wurde ihnen die Oberaufsicht über das Museum in Jena übertragen, zu dem die mineralogischen und zoologischen, anatomischen und physikalisch-chemischen Sammlungen gehörten. Dazu kam am 21. IV. 1812 die Oberaufsicht über die neu gegründete Sternwarte in Jena, 1816 die Oberaufsicht über die damals eingerichtete Tierarzneischule in Jena und am 7. X. 1817 die Oberleitung der bei der Universitätsbibliothek in Jena zu treffenden besseren Einrichtung.

Bereits 1809 war unter den verschiedenen bis dahin getrennten wissenschaftlichen Instituten eine rechnungs- und verwaltungsmäßige Zusammenfassung hergestellt worden, und am 12. XII. 1815 wurde ihm bei der Neuorganisation der nunmehr großherzoglichen weimarischen Behörden die Oberleitung über alle diese wissenschaftlichen und künstlerischen Institute unter der Bezeichnung „*Oberaufsicht über die unmittelbaren Anstalten für Wissenschaft und Kunst in Weimar und Jena" übertragen. Eine unmittelbare Aufsicht über die Universität in Jena hat damit Goethe, wie so oft behauptet wird, nicht erlangt und nie geführt. Er hat sogar den ihm im Oktober 1819 angebotenen Posten eines Kurators der Universität Jena ausdrücklich abgelehnt. Wohl aber ist Goethe durch die von ihm geleitete Oberaufsicht über die unmittelbaren Anstalten für Wissenschaft und Kunst in Weimar und Jena mit der Universistät in die innigste Verbindung getreten und hat damit auch viele und grundlegende amtliche Geschäfte an der Universität Jena vollzogen.

Die im Vorstehenden nach der Seite der Berufung, der Laufbahn, der Dienststellen und der Arbeitsgebiete in großen Zügen umrissene AT Goethes ist noch wenig erforscht. Zwar ist über das Thema Goethe als Beamter, als Staatsmann und Politiker im ganzen und in den einzelnen Zweigen seines amtlichen Wirkens bereits ungemein viel geschrieben worden. Eine bibliographische Übersicht über solche Veröffentlichungen zeigt aber mehr als die Tatsache der Menge des Schrifttums; sie lehrt ebenso die Ungleichmäßigkeit des Interesses, das sich den verschiedenen amtlichen Arbeitsbereichen Goethes zuwandte. Durchaus im Vordergrund der bisherigen Betrachtungen stehen Goethes amtliche Beschäftigungen auf dem Gebiete des Theaters und bei den wissenschaftlichen Anstalten in Jena und Weimar.

Ferner finden sich manche Betrachtungen über seinen Staatsdienst im allgemeinen und seine Stellung zu Staat, Politik, Gesellschaft, Recht und Wirtschaft. Weite Strecken seiner sonstigen amtlichen Wirksamkeit aber sind völlig vernachlässigt, und im ganzen zeigt die Übersicht über das bisher Geleistete, daß die Beschäftigung mit dieser wichtigen Seite von Goethes Leben und Wirken mehr zufälliger als systematischer Natur gewesen ist, daß ferner die Quellengrundlage, auf der all solche Forschungen beruhten, viel zu schwach war, um abschließende Erkenntnisse zu ermöglichen, daß endlich aber im allgemeinen die Betrachtungsweise viel zu einseitig die überragende Persönlichkeit Goethes, viel zu wenig aber die zeitlichen, örtlichen und traditionsgebundenen Voraussetzungen seines amtlichen Wirkens im Auge hatte.

Bei solcher Forschungslage können die entscheidenden Fragen über Goethes AT, was er auf der einen Seite als Beamter für das Land Sachsen-Weimar-Eisenach gewollt, geleistet und erreicht hat, und was andererseits seine AT für ihn, seine Person und sein Werk bedeutet, also die Fragen des Inhalts seines amtlichen Wirkens und der Wechselwirkung zwischen dichterischem und amtlichem Schaffen, heute wohl immer wieder gestellt, aber letztlich noch nicht in vollem Umfang zutreffend beantwortet werden. Es ist notwendig, daß die Forschung erst den ganzen Komplex von Goethes AT erkennt, umreißt und in all seinen Bezügen aufhellt. Diese Arbeit hat mit der durch das Landeshauptarchiv Weimar übernommenen Herausgabe von Goethes *amtlichen Schriften begonnen. Dieses Unternehmen sucht entgegen der bisherigen Zufälligkeit und Systemlosigkeit in der Erforschung von Goethes amtlicher Wirksamkeit tragfähige Grundlagen zu gewinnen. Daher wird hier der gesamte Umkreis von Goethes amtlichem Schaffen quellenmäßig erschlossen, und zwar nach den in der Sache liegenden Gründen jeder Amtsbereich für sich. Daher wird hier aber auch ausgegangen von der Erkenntnis, daß Goethe, wenn er in seiner Tätigkeit als Beamter erfaßt werden soll, auch nach jeder Richtung hin als Beamter des 18. und beginnenden 19. Jahrhunderts verstanden werden muß. Das bedeutet, daß er im Rahmen der damaligen kollegialischen Behördentätigkeit zu begreifen ist, daß er nicht als Individuum, auch nicht als Einzelbeamter, sondern als Mitglied von Kollegien betrachtet werden muß und daß seine Leistung nur in diesem Rahmen verstanden werden kann. Nicht von der Biographie her, sondern nur in verwaltungs- und behördengeschichtlichen Zusammenhängen läßt sich Goethes AT gerecht und zutreffend beurteilen.

Stehen wir also erst am Anfang der Arbeit, die uns den Umfang und die Bedeutung von Goethes AT aufhellen soll, so lassen sich einige grundsätzliche Feststellungen darüber, wie er selbst diese Tätigkeit beurteilt hat, jetzt schon treffen. Es ist oft bedauert worden, daß sich Goethe so viel und so eingehend mit amtlichen Dingen beschäftigt und darüber seinen dichterischen Beruf vernachlässigt habe. Er hat unter seiner Beamtentätigkeit selbst viel gelitten, namentlich während der ersten 10 Jahre seines Aufenthaltes in Weimar. Die Briefe dieser Zeit und die Äußerungen seines Tagebuches enthalten manchen Aufschrei gegen das anscheinend Nutzlose seines Unternehmens im amtlichen Bereich bis hin zu jener vernichtenden Äußerung vom 9. VII. 1786: *Wer sich mit der Administration abgiebt, ohne regierender Herr zu seyn, der muß entweder ein Philister oder ein Schelm oder ein Narr seyn (IV/7, 241).* Auch später noch schlägt er rückblickend solche Töne an, so etwa, wenn er am 27. I. 1824 zu Eckermann äußert: *Hätte ich mich mehr vom öffentlichen und geschäftlichen Wirken und Treiben zurückhalten und mehr in der Einsamkeit leben können, ich wäre glücklicher gewesen und würde als Dichter weit mehr gemacht haben (Bdm. 3, 66).*

Aber gegenüber solchen Auslassungen hören wir von ihm auch ganz andere Ansichten, aus denen zu vernehmen ist, wie auch die AT zur Bildung seiner Persönlichkeit beitragen mußte und für die Entfaltung seiner Kräfte geradezu notwendig war. 1781 schon äußert er über den Ertrag seiner amtlichen Arbeit für seine Person, *daß ich täglich reicher werde, indem ich täglich so viel hingebe,* und er spricht in diesem Zusammenhang von so vielen Prüfungen, *deren ich aber zu meiner Ausbildung äußerst bedürftig war (IV/5, 179).* Solche Gedanken äußert er immer wieder. *Meine Geschäffte gehn ihren Gang, sie bilden mich indem ich sie bilde (IV/7, 154).* Innerlich mochte er mit vielem nichts zu schaffen haben, *ausser daß ich von dem Aufwand nebenher etwas in meine politisch moralisch dramatische Tasche stecke (IV/5, 240).* Und solche Auffassung findet sich genau so noch am Ende seines Lebens, wenn er etwa am 10. II. 1829 gegen Eckermann über seine ersten Jahre in Weimar äußert, daß das poetische Talent im Konflikt mit der Realität gelegen habe, die er durch seine Stellung zum Hof und verschiedenartige Zweige des Staatsdienstes zu höherem Vorteil in sich aufzunehmen genötigt gewesen sei *(Bdm. 4, 65).* Auch die amtlichen Dinge und gerade sie mußten ihm also beitragen zur *Begierde, die Pyramide meines Daseyns, deren Basis mir angegeben und gegründet ist, so hoch als möglich in die Lufft zu spizzen (IV/4, 299),* und noch spät hat er in Äußerung des gleichen Gedankens sich gegen den Vorwurf, daß er mit seiner amtlichen Wirksamkeit unendliche Zeit für sein schriftstellerisches Wirken verloren habe, verteidigt mit der Erklärung von der Einheit seines Wirkens: *Freilich ... ich hätte indes manches gute Stück schreiben können, doch wenn ich es recht bedenke, gereut es mich nicht. Ich habe all mein Wirken und Leisten immer nur symbolisch angesehen, und es ist mir im Grunde ziemlich gleichgültig gewesen, ob ich Töpfe machte oder Schüsseln (zu Eckermann 2. V. 1824: Bdm. 3, 106).*

Es steht also fest, daß Goethe durch seine AT im ganzen beeinflußt und gebildet worden ist; es wird bei der Darstellung der verschiedenen Geschäftszweige anzudeuten sein, wie sich solche Einflüsse im einzelnen auswirkten. Dort wird dann aber auch die andere Frage aufzuwerfen sein, was andererseits Goethes Tätigkeit für die Leistung der einzelnen Behörden und damit für die einzelnen Seiten der Landesverwaltung bedeutete. Hier wollen wir wiederum nur die grundsätzliche Seite dieser Frage anklingen lassen. Goethe hat es selbst ausgesprochen, daß sein Verhältnis zu den Geschäften aus seinem persönlichen Verhältnis zu Carl August entstanden ist, und er hat als eines der wesentlichen Ergebnisse der italienischen Reise dem Herzog mitgeteilt: *daß ich nur mit Ihnen und in dem Ihrigen leben mag (IV/8, 226).* Damit sind Goethe und Weimar eins geworden, und das wachsende Ansehen Goethes strahlte auf Land und Stadt Weimar zurück. *Weimar hat den Ruhm einer wissenschaftlichen und kunstreichen Bildung über Deutschland, ja über Europa verbreitet (IV/26, 187).* Das ist das wesentliche und bleibende Ergebnis von Goethes AT.　　　　　*Fl*

JAvBradish: Goethes Beamtenlaufbahn. 1937. Als: Veröffentlichung des Verbandes deutscher Schriftsteller und Literaturfreunde in New York, Heft 4. – Goethes Amtliche Schriften. Hrsg. von WFlach. Bd 1. 1950. – WFlach: Goetheforschung und Verwaltungsgeschichte. 1952. [Mit umfassendem Literaturverzeichnis über Goethes AT.]

Amyot, Jacques (1513–1598), französischer Bischof, Prinzenerzieher, Gelehrter und Schriftsteller, als welcher er besonders durch seine *Longos- (Paris 1559) und *Plutarch-Übersetzungen berühmt ist, die bis ins 18. Jahrhundert gelesen und bewundert wurden; er gehört neben dem Lyriker *Ronsard zu den gro-

ßen Meistern der französischen Sprache, deren Prosastil er durch seine lächelnde Klarheit und die ungezwungene Leichtigkeit seiner doch kunstvollen Periode entscheidend beeinflußt hat; in diesem formalen Sinne ist sein Plutarch eine Verfälschung des Originals. – Der für das deutsche 16. Jahrhundert begeisterte Stürmer und Dränger Goethe *schloß gar bald auch die Franzosen jener herrlichen Epoche,* darunter A., *in diese Neigung mit ein (I/28, 52);* der Greis lobt *Courier 1831 dafür, daß er die alte Übersetzung des Longos durch A. respektiert hat: *Dieses alte Französisch ist so naiv und paßt so durchaus für diesen Gegenstand, daß man nicht leicht eine vollkommenere Übersetzung in irgendeiner anderen Sprache von diesem Buche machen wird (Bdm. 4, 349).*   *Fu*
Grumach 1, S. 316. – Keudell Nr 1364.

Anaglyphisches Verfahren, eine Abart des Metallschnitts, von Goethe als *Holzstocknachahmung in Kupfer* bezeichnet *(IV/13, 177),* wurde von *Facius Anfang Juni 1798 erprobt. Das a.V. gehört mit dem Holzstich, der *Aquatinta-Manier und der wenig späteren *Lithographie zu den technischen Versuchen um 1800, die eine einfachere Reproduktion zeichnerischer Vorlagen ermöglichen sollten. Von Goethe alsbald tätig gefördert, bestand dieses Verfahren offensichtlich in einem System von tiefen, die Metallplatte möglichst gleichmäßig bedeckenden Einkerbungen (ἀνά = durch, γλύφειν = kerben) zur Gewinnung eines Abgusses als Druckstock im Hochdruckverfahren, bei dem auch *die zartesten Schraffuren, mit allen Gradationen leicht und bequem* hervorgebracht werden konnten; *bey wiederkehrenden Zierrathen konnte man sich stählerner Stempel bedienen (IV/13, 177).* Am 21. VII. 1798 berichtete Goethe *Schiller unter Beifügung eines Abdrucks von den Versuchen, die mit H*Meyer zusammen ständig verbessert wurden und beiden *Propyläen,* dem schillerschen Musenalmanach und dem von RZ*Becker herausgegebenen ,,Not- und Hülfsbüchlein für Bauerleute", verwandt werden sollten. Goethe hoffte, daß sich diese Technik *als Deckenzierrath sehr weit verbreiten* werde *(IV/ 13, 223).* *Meyer zeichnete zu diesem Zweck einen *Kauz auf einer Leyer (IV/13, 227).* Doch waren auch im September noch *mechanische Schwierigkeiten dabey zu überwinden ... indessen hat sie der ächt deutsche Geist unsers Facius, mit alter Treue, bekämpft (IV/13, 268).* Nach einer schon am 25. VII. 1798 an *Cotta ergangenen Anzeige (229) wurden am 19. IX. die *Druckerstöcke zu den Decken* an den Verleger der *Propyläen* mit Goethes Angaben über

Abdruck und Reinigung der Platten und seiner ausdrücklichen Bitte abgeschickt, *beym Abdruck auf das sorgfältigste verfahren zu lassen, damit diese Probe unserer neuen Anaglyphik sich Ehre mache (IV/13, 269 f.).* In einer nicht erhaltenen *Anzeige* wollte Goethe ein *Beyspiel* geben, *wie man wohl sogar jedes mechanisch einzelne an das allgemeine der geistigen Kunst immer künftig anschließen sollte (IV/13, 233).*   *Lö*

Anakreon/Anacreon (um 550 bis nach 488 vChr.), ,,der, wenn einer der alten Sänger, groß war" (Theokritos nach der Übersetzung von JH*Voß, Tübingen 1808, S. 304), gebürtig aus Teos an der jonischen Küste Kleinasiens, wich den vordringenden Persern aus, suchte an verschiedenen Höfen (bei Polykrates auf Samos; bei Hipparchos in Athen; weiterhin wahrscheinlich bei den mächtigen, thessalischen Aleuaden in Larissa) Zuflucht, reifte in dieser Atmosphäre (während seines Athen-Aufenthaltes neben Simonides) zum Sänger, der als Mund der Fürsten und ihrer Höfe das ,,natürliche Glücksgefühl, dazusein und die Schönheit der Erde zu genießen", in musischer Kleinkunst zu preisen und die Wirklichkeit zur Gegenwart der Götter zu verklären vermochte. Insofern erhob A. den fürstlichen Lebensstil zur Höhe des Festes, das trunken vom Wein und im Wort mitschwärmend, mitlebend in hingerissener Daseinsbejahung oder in durchgeistigter Anmut zu feiern war. Aber nicht dieser A., von dessen Dichtungen (Elegien, Epigrammen, Jamben, Liedern) das meiste mit der Vernichtung der königlichen Gönner unterging, sondern die sehr viel später unter seinem Namen als ,,Anakreonteia"/ ,,Anacreontea" zusammengefaßten etwa sechzig spätgriechischen Gedichte weniger festlichen als vielmehr spielerischen Charakters haben ihn in der neueren Zeit bekannt gemacht und sind irrtümlich begriffsbildend geworden. Erstübersetzer war der französische Buchdrucker Henricus Stephanus (Henri Estienne), aber der zweite dieses Namens), der 1554 seiner Ausgabe der griechischen Texte eine eigene Übersetzung ins Französische gegenüberstellte. Danach folgte eine große Anzahl weiterer Ausgaben und Übersetzungen, von denen nicht zu ermitteln ist, welche Goethe selbst gekannt und benutzt hat. Mit der Verdeutschung durch JP*Uz und JN*Götz (1746) darf man wohl rechnen. Ausdrücklich nimmt er nur einmal, und zwar kritisch, Stellung zu Übersetzungsproben von WChrL*Gerhard, die dieser ihm am 29. XI. 1816 mit der Frage übersandt hatte, ob er sie Carl August widmen dürfe, was Goethe aber ablehnte (IV/27, 251 f.). Sein Urteil über A. und die Anakreonteia formuliert Goethe in dem Konzept eines Briefes an *Zelter: *Man spricht immer von Anakreon als dem Tejer Greis. In den Gedichten die unter seinem Namen gehn, finde ich die eigentlichen hohen Jahre nicht ausgedruckt. Jene Leichtigkeit könnte sich ein jüngerer leicht gesinnter auch gar wohl anmaßen. Doch es sollen ja nur untergeschobene Gedichte seyn. Bey dieser Gelegenheit bemerke ich, wie sehr Würde und Zuverlässigkeit der alten schriftlichen Überlieferung zusammen sinken. Indessen wird, wenn sich alles ins gleiche stellt, immer noch genug übrig bleiben* (11. V. 1820: *IV/33, 336*). Mit diesen Worten bekundet er seinen inzwischen errungenen Abstand gegenüber der eigenen früheren Auffassung vom *tändelnden . . ., blumenglücklichen Anakreon (I/2, 70),* dessen Verse *An die Cicade* er 1781 noch „anakreontisch" verdeutscht *(I/2, 110)* und dem er ungefähr gleichzeitig ins Grab nachgerufen hatte: *Frühling, Sommer und Herbst genoß der glückliche Dichter; / Vor dem Winter hat ihn endlich der Hügel geschützt (I/2, 124).* Er hatte über seine Zeit hinaus gespürt, daß der wirkliche A. ein anderer und, „wenn einer der alten Sänger, groß" – zumindest größer gewesen sein mußte. *Za*

Anakreontik. Man bezeichnet mit diesem Kennwort eine zunächst französische Literatur-Mode, die durch Dichter wie *Chaulieu, La Fare, *Derat, *Voltaire zum Vorbild einer entsprechenden deutschen A. wurde. In diesem Sinne spricht eine Rezension in den „Frankfurter Gelehrten Anzeigen" (1772: I/38, 361) mit Bezug auf JG*Jacobi von dessen „großen französischen Vorfahren"; die Rezension rührt aber nicht von Goethe her. Ausgangspunkt war die in ihrer ursprünglichen Intention ganz anders gemeinte Erstveröffentlichung der allerdings pseudo-anakreontischen Gedichte durch Henricus Stephanus, der geglaubt hatte, *Anakreon damit einen Dienst zu erweisen. *Fu*

Die deutsche A. übernahm die französische Mode sehr bald und führte sie weiter, hauptsächlich in den Jahren 1740 bis etwa 1775. JWL*Gleims „Versuch in scherzhaften Liedern" leitet 1744 (dann weiter bis 1758: andere hierher gehörige Veröffentlichungen sogar noch 1796!) die Bewegung ein. JP*Uz und JN*Götz folgen 1746, Fv*Hagedorn schließt sich 1747 an, von JGJacobi war bereits die Rede, GE-*Lessing beteiligt sich 1751, ChrF*Weiße stößt 1758 dazu, der leipziger und der straßburger Goethe *(*Annette; *Sesenheimer Lieder),* auch JMR*Lenz und Schiller opfern dem Zeitgeist, in die Göttinger *Hainbund wirkt die A. hin-

ein, keine literarisch einigermaßen bedeutende Persönlichkeit dieser Jahrzehnte bleibt unberührt. AG*Kestner, von dem sein späterer göttinger Kollege CFGauß sagt, er sei unter den Dichtern der beste Mathematiker und unter den Mathematikern der beste Dichter gewesen, hat in seinen „Sinngedichten und Einfällen" die boshafteste Charakterisierung gegeben: „Was Henker soll ich machen, / Daß ich ein Dichter werde? / Gedankenleere Prose / In ungereimten Zeilen, / In Dreiquerfingerzeilen, / Von Mägdchen und von Weine, / Von Weine und von Mägdchen, / Von Trinken und von Küssen, / Von Küssen und von Trinken, / Und wieder Wein und Mägdchen, / Und wieder Kuß und Trinken, / Und lauter Wein und Mägdchen, / Und lauter Kuß und Trinken, / Und nichts als Wein und Mägdchen, / Und nichts als Kuß und Trinken, / Und immer so gekindert, / Will ich halbschlafend schreiben. / Das heißen unsre Zeiten / Anakreontisch dichten." Aber daß diese Charakterisierung vereinseitigt und übertreibt, beweist am besten Goethe selbst. Über sein bekanntes *Kleine Blumen, kleine Blätter (Morris 2, 58)* hinaus, finden sich späte Spuren der A., scheinbar wenig verwandelt, in *Alterslyrik und *Altersstil, wie andrerseits etwa die Behrisch-Oden manches vorwegnehmen, was lange danach erst reift. Insofern ist die A. in Goethes dichterischer Entwicklung auch und durchaus eines übermodischen Ausdrucks fähig. *Za*

FJSchneider: Die deutsche Dichtung der Aufklärungszeit. ²1948. S. 147–164. – GvSelle: Die Georg-August-Universität zu Göttingen. 1937. S. 100–104.

Analogie (analogia, ἀναλογία) ist schon gemäß dem ursprünglichen Impuls der Wortbildung (ἀνὰ λόγον) wohl am besten mit „Ent-Sprechung" zu verdeutschen, auch mit „Ähnlichkeit", wenn man dabei das An-Heran des einen an die Gestalt (Erscheinungs- oder auch Wesensform; -lich/-leiks) des anderen etymologisch als entscheidend für die Vergleichbarkeit zweier Gegenstände im Auge hat (MHohnerlein: Deutscher Sprachschatz. 1935. S. 12; 14; 88). In diesem Sinne bezeichnet die A. die Annäherung der Gegenstände aneinander oder an ein (übergeordnetes) Drittes, das wiederum sich als solches nur in dieser Bezüglichkeit zu ereignen vermag, weshalb denn für Goethe das *Verbinden* immer und unlöslich an das *Unterscheiden* gekettet ist. *Dich im Unendlichen zu finden, / Mußt unterscheiden und dann verbinden (I/3, 97).* A. ist ein Verhältnisbegriff und wird bereits in der griechischen Wissenschaft und Philosophie (zB. von *Euklid) als Ausdruck für „Verhältnis", Proportion (Cicero übersetzt mit: proportio oder comparatio) gebraucht. Im außer- und vorwissenschaftlichen Denken, in *Religion, *Magie, *Mythos, *Mystik usw. spielt die A. eine zentrale, oft verhängnisvolle Rolle. In der allgemeinen Erfahrung sowie in der empirischen Wissenschaft sind A.-Schlüsse, die jedem induktiven Verfahren zugrunde liegen, nützlich und unentbehrlich, verlangen aber, daß man sich ihrer „mit Behutsamkeit und Vorsicht" (I*Kant) bedient. In der Logik sind sie verpönt. Da es aber zweifelhaft ist, wie weit wir die exakte Gleichheit von Gegenständen mathematisch nachweisen können, und eine solche in der Natur niemals festgestellt werden kann (es sei denn, man konstituiert den Begriff des Gegenstandes völlig neu), so ruht unsere Wissenschaft von den Gegenständen zum größten Teil auf A.n. Die biologischen Beobachtungen zB. werden durch A. auf die Artgenossen übertragen. *Alle Gestalten sind ähnlich, und keine gleichet der andern; | Und so deutet das Chor auf ein geheimes Gesetz, | Auf ein heiliges Räthsel. O, könnt' ich dir, liebliche Freundin, | Überliefern sogleich glücklich das lösende Wort (I|1, 290)!* Hi Goethes Art, von A. zu sprechen, ist für seine Naturbetrachtung sehr aufschlußreich, nur muß man die Geschichte dieses Begriffs kennen. A. fungiert als Terminus bei Euklid für die mathematische Proportion, *Aristoteles definiert die A. zuerst als „Gleichheit von Verhältnissen" (Eth. Nic. E, 6, 1131 a 31 ff.) und benutzt sie zur Erläuterung der Grundbegriffe seiner Seinslehre: des „Stoffes" (Phys. A, 7 191 a 7 ff.), der „Form" (Met. Θ, 6 1070 b 16 ff.). Der Unterschied zwischen „Möglichkeit" und „Wirklichkeit" kann nach ihm lediglich als das Analoge in solchen Paaren wie Schlaf und Wachen, Erz und erzenes Standbild „erschaut" werden (Met. Λ, 6 1048 a 35). Besonders fruchtbar für die spätere Zeit wurde die analogische Methode in der Zoologie des Aristoteles. Ganz ähnlich wie Goethe suchte er mit Hilfe der A., in der Vielfalt der Geschöpfe etwa Identisches zu entdecken: „Was beim Vogel die Feder ist, das ist beim Fisch die Schuppe." (Hist. an. A, 1 486 b 21). Aristoteles machte indessen noch keinen prinzipiellen Unterschied zwischen der Funktions-A. morphologisch verschiedener Organe und der A., die zwischen morphologisch unverwandten Organen auch da besteht, wo die Organe sich, wie der Arm des Menschen vom Flügel des Vogels, in der Funktion unterscheiden: Für ihn sind die Arme des Menschen dem Rüssel des Elefanten, aber auch den Flügeln der Vögel und den Vorderbeinen der Tiere analog. Erst das ausgehende 18. Jahrhundert hat diesen Unterschied

ins Zentrum der Diskussion gestellt. Heute nennt die Biologie nur die Funktionsverwandtschaft A. Für die anatomisch-morphologische A. ist der Name „Homologie" eingeführt worden.
Das *Mittelalter griff vor allem auf die analogische Ontologie des Aristoteles zurück, deren Beweis, daß gewisse Worte wie „sein", „gut" usw. in verschiedenen Anwendungsgebieten nur analoge Bedeutung haben, zur Rechtfertigung der Theologie und Widerlegung aller Anthropomorphismen gleichzeitig geeignet war. Diese spekulative Lehre von der „analogia entis" (vgl. Thomas von Aquino, Summa Theologiae I, 15, 3) hat viel Anklang gefunden; präzisen Sinn erhielt der Begriff der A. erst wieder in der *vergleichenden Anatomie des 18. Jahrhunderts. Er stand im Mittelpunkt der berühmten Auseinandersetzung zwischen *Cuvier (der in der Bevorzugung der Funktionsanalogien dem Aristoteles folgte) und *Geoffroy de Saint Hilaire in der Pariser Akademie vom März 1830 an, der Goethe mit leidenschaftlicher Anteilnahme bis zum letzten Monat seines Lebens folgte. Goethe beeinflußte die Geschichte des Begriffs A. auch dadurch, daß er mit dem Gewicht seiner durch fünfzig Jahre fortgeführten Naturstudien (II/7, 181) auf die Seite Geoffroys trat, der unter Berufung auf die deutschen Gelehrten, unter ihnen Goethe, die morphologischen Übereinstimmungen zum Leitfaden vergleichender Naturbetrachtung machen wollte. Cuvier befürchtete pantheistische Verirrungen als Resultate solcher Methode und wollte sie auf die Aufweisung von Funktionsverwandtschaften beschränkt sehen. Wichtig ist aber das Cuvier und Geoffroy Gemeinsame, das Goethe mit ihnen teilt: A. ist wie bei Aristoteles eine viergliedrige Relation: der Arm ist beim (oder für den) Menschen, was der Flügel beim (oder für den) Vogel ist. Nicht die Organe selbst sind gleich, sondern das Verhältnis des Organs zu seinem Organismus. Goethe teilt indessen auch Cuviers Mißtrauen gegen unvorsichtige Verwendung von Analogien. Über den Wert der analogischen Methode entscheidet der Takt in ihrer Anwendung: *Außerdem ging er [Mairan] von einem Grundsatze aus, der sehr löblich ist, wenn dessen Anwendung nur nicht so schwer und gefährlich wäre, von dem Grundsatze der Einförmigkeit der Natur, von der Überzeugung, es sei möglich durch Betrachtung der Analogien ihrem Gesetzlichen näher zu kommen (Farbenlehre: I I|4, 130).* Es gilt, die rechte Mitte einzuhalten: *Folgt man der Analogie zu sehr, so fällt alles identisch zusammen; meidet man sie, so zerstreut sich alles in's Unendliche (II|11, 126).* A.-Schlüsse, die

aus drei gegebenen Gliedern der Relation das vierte ableiten (wobei ja erst dessen Eigenart entscheiden kann, ob die A., das Fundament dieses Schlusses, tatsächlich besteht), hat Goethe sich nie erlaubt. Es ist bezeichnend, daß er die A. gerade als Gegensatz zur Induktion auffaßt, die auf A.-*Schlüssen* beruht: *Ich ließ die Facta isolirt stehen. Aber das Analoge sucht' ich auf. Und auf diesem Wege z. B. bin ich zum Begriff der Metamorphose der Pflanzen gelangt (Induktion: II/11, 309).* Die A. ist der Weg zu den *Aperçus, die Goethes Forschungen zugleich den Antrieb gaben und die Richtung vorzeichneten. Außer der *Metamorphose der Pflanzen hat Goethe auch, nach ausdrücklichem Zeugnis, den *Zwischenkieferknochen des Menschen, mit Hilfe der A. entdeckt; da die Schneidezähne aller Säugetiere im os intermaxillare wachsen, der Mensch aber auch Schneidezähne hat, so müßte er auch ein os intermaxillare haben *(Über den Zwischenknochen: II/8, 118 f.).* Für erwiesen hielt Goethe diese Vermutung aber erst, als er die Suturen des *Zwischenknochens* am menschlichen Schädel selbst gesehen hatte; nichts lag ihm ferner als apriorische Konstruktion.

Diese Entdeckung von 1784 führte Goethe zur Konzeption eines Urtypus, einer *Urpflanze, eines Urtieres, zu dem sich die einzelnen Arten verhalten wie Variationen zu einem Thema, das freilich in voller Reinheit selbst nie in Erscheinung tritt. *Ob nun gleich dieses Organ, welches den Menschen eigentlich zum Menschen, den Vogel zum Vogel macht* [der Vorderarm], *zuletzt* [bei den Walfischen] *auf das sonderbarste abbrevirt erscheint . . ., so sind doch die sämmtlichen einzelnen Gliedmaßen daran gar wohl zu unterscheiden; das Analogon ihrer Gestalt ist nicht zu verkennen (II/7, 205).* Um 1790 vollzieht Goethe den zweiten Schritt aus der Vielfalt zu analogischer Einheit: nicht nur die verschiedenen Tierarten untereinander und die Fülle der Pflanzenarten sind Abwandlungen eines Urtypus: auch die verschiedenen Teile eines Individuums sind nur analoge Modifikationen weniger Urorgane; alle oberirdischen Pflanzenteile sind ursprünglich Blatt, und der Schädel der Säugetiere ist aus sechs Wirbelknochen abzuleiten (II/8, 138). *Die Metamorphose . . . wirkt bei vollkommneren Thieren auf zweierlei Art: erstlich daß, wie wir oben bei den Wirbelknochen gesehen, identische Theile, nach einem gewissen Schema, durch die bildende Kraft auf die beständigste Weise verschieden umgeformt werden, wodurch der Typus im Allgemeinen möglich wird; zweitens daß die in dem Typus benannten einzelnen Theile durch alle Thiergeschlechter und Ar-*

ten immerfort verändert werden, ohne daß sie doch jemals ihren Charakter verlieren können (Entwurf einer vergleichenden Anatomie: II/8, 88). Diese Verschränkung zweier analoger Metamorphosen ist die ureigenste goethesche Lehre. Die A. überbrückt die Spannung, die in Goethes Ausdrücken wie *beständigste Weise verschiedener Umformung* (s. o.) *identische und doch so sehr verschiedene Theile (II/8, 87)* der Logik zu spotten scheint. Das Allgemeine (der Typus) erscheint nur in Individuen von je besonderer Ausprägung, in jeder dieser Modifikationen erscheint aber mit *ewiger Mobilität (II/8, 225)* doch immer das Allgemeine. So kann Goethe sagen: *Wenn ich ein zerstreutes Gerippe finde, so kann ich es zusammenlesen und aufstellen; denn hier spricht die ewige Vernunft durch ein Analogon zu mir, und wenn es das Riesenfaulthier wäre (II/11, 137; vgl. auch Die Faulthiere und die Dickhäutigen: II/8, 223 bis 232).* Und dasselbe in schlagender Prägnanz: *Das Allgemeine und Besondere fallen zusammen; das Besondere ist das Allgemeine, unter verschiedenen Bedingungen erscheinend (II/11, 129).* Ein so „besonderes Allgemeines" kann aber nicht anders als durch A. definiert werden. Und deshalb reicht die A. auch über Zoologie und Botanik hinaus: *Naturgeschichte beruht überhaupt auf Vergleichung* lautet der wuchtige Einleitungssatz in die *vergleichende Anatomie (II/8, 7)* von 1795, und einer solchen Auffassung mußten sich die entferntesten Erscheinungen der gesamten Natur doch verwandt zeigen. So ist es für Goethe eine Bewährungsprobe seiner meteorologischen Systematik, daß sich deren Grundbegriffe mit denen der *Farbenlehre in vollständige A. setzen lassen; wie sich dort Licht und Finsternis an der Materie auswirken, so ist hier die Atmosphäre Medium des Kräftespiels von Schwere und Ausdehnung (II/12, 105). Im Vorwort zur Morphologie endlich verschlingen sich Farbenlehre, Zoologie und Botanik, mehr angedeutet als ausgesprochen, zu analogischer Einheit: *Wenn man Pflanzen und Thiere in ihrem unvollkommensten Zustande betrachtet, so sind sie kaum zu unterscheiden . . . Ob diese ersten Anfänge, nach beiden Seiten determinabel, durch Licht zur Pflanze, durch Finsterniß zum Thier hinüber zu führen sind, getrauen wir uns nicht zu entscheiden, ob es gleich hierüber an Bemerkungen und Analogie nicht fehlt. Soviel aber können wir sagen, daß die aus einer kaum zu sondernden Verwandtschaft als Pflanzen und Thiere nach und nach hervortretenden Geschöpfe, nach zwei entgegengesetzten Seiten sich vervollkommnen, so daß die Pflanze sich zuletzt im Baum dauernd und starr, das*

Thier im Menschen zur höchsten Beweglichkeit und Freiheit sich verherrlicht (II/6, 13).

Solche Beobachtungen, nicht ein bloß im Allgemeinen schwärmendes Weltgefühl stehen hinter dem berühmten Satz: *Jedes Existirende ist ein Analogon alles Existirenden; daher erscheint uns das Dasein immer zu gleicher Zeit gesondert und verknüpft (II/11, 126),* der unsere Interpretation der A. als Vermittlung zwischen Allgemeinem und Besonderem, zwischen Einheit und Vielfalt bestätigt. Diese in langer Erfahrung in ihm kräftig gewordene Überzeugung hat Goethe oft ausgesprochen; am deutlichsten vielleicht dort, wo er von der *Welt der Erscheinungen* redet, *wo das in seiner Einfalt Unbegreifliche sich in tausend und aber tausend mannichfaltigen Erscheinungen bei aller Veränderlichkeit unveränderlich offenbart (II/9, 195)* und am schönsten in der *Parabase* von 1820 *(I/3, 84): Und es ist das ewig Eine, | Das sich vielfach offenbart.*

Der Typus ist das Allgemeine, das im Besonderen durchscheint. Die A. lehrt uns, das in den Erscheinungen Verwandte als Hinweis auf das *Unbegreifliche* aufzunehmen. Es gibt aber auch ausgezeichnete Einzelfälle, die besonders geeignet sind, den Blick auf die einfachen Grundkräfte der Natur zu lenken, die *in sehr zarten Abweichungen (II/8, 87)* die Erscheinungen in ihrer Vielfalt hervorbringen. Solche Beispiele, Erscheinungen, Einzelfälle nennt Goethe *Symbole: Das ist die wahre Symbolik, wo das Besondere das Allgemeinere repräsentirt, nicht als Traum und Schatten, sondern als lebendig-augenblickliche Offenbarung des Unerforschlichen (I/42^{II}, 151 f.).* Ihm ist der Magnet *Urphänomen und Symbol: Urphänomen, weil man das in ihm augenfällige Prinzip der Polarität nicht auf Einfacheres zurückführen und so erklären kann; er ist Symbol, insofern er die Anschauung der Polarität vermittelt, eines Prinzips, dessen „Formel" dann in der Elektrizität, in der Farbenlehre, schließlich auch im Sittlichen, zur Bezeichnung des verschiedenartig Gemeinsamen unentbehrlich ist (II/11, 148). Ein anderes Symbol ist für Goethe die Entenmuschel, deren Verhalten im Augenblick der Schalenbildung ihm höchst bedeutend erschien: *Da ich nach meiner Art zu forschen, zu wissen und zu genießen, mich nur an Symbole halten darf, so gehören diese Geschöpfe zu den Heiligthümern, welche fetischartig immer vor mir stehen und durch ihr seltsames Gebilde, die nach dem Regellosen strebende, sich selbst immer regelnde und so im Kleinsten wie im Größten durchaus gott- und menschenähnliche Natur sinnlich vergegenwärtigen (Die Lepaden: II/8, 259).*

Derart Konkretes, die fortgesetzte geduldige Bemühung morphologischer Arbeiten, die Erinnerung an glückliche Augenblicke der Entdeckung fließen schließlich in dem Satz zusammen, der 1825 den *Versuch einer Witterungslehre* einleitet: *Das Wahre, mit dem Göttlichen identisch, läßt sich niemals von uns direkt erkennen: wir schauen es nur im Abglanz, im Beispiel, Symbol, in einzelnen und verwandten Erscheinungen; wir werden es gewahr als unbegreifliches Leben und können dem Wunsche nicht entsagen, es dennoch zu begreifen (II/12, 76).* Man darf wohl vermuten, daß die bekannten anklingenden *Faust*-Worte vom *farbigen Abglanz (V. 4727: I/15^{II}, 7),* vom Gleichnischarakter alles Vergänglichen (V. 12104 f.: I/15^{II}, 337) in solchen Überlegungen ihre ursprüngliche Wurzel haben.   *Pg*

Die Bedeutung der A. für das goethesche Denken erschöpft sich nicht in dieser einen Hauptrichtung auf das Vermitteln zwischen dem Allgemeinen und dem Besonderen, zwischen Einheit und Vielfalt. Die Betrachtung muß den Blick zumindest noch in eine andere *Weltgegend* wenden, die weniger der naturwissenschaftlichen Forschung als vielmehr dem künstlerischen, insbesondere dem dichterischen Schaffen eigentümlich ist. Hier verbindet die A. auf spezifische Weise *Innen und Außen. Erste Reflexe lassen sich in den Behrisch-Oden von 1767 wahrnehmen. Der berühmte frankfurter Brief an Fr*Oeser vom 13. II. 1769 scheint mit der *Lieblings Materie (Morris 1, 324)* nichts anderes zu meinen als das immer neue Kreisen um diesen Denkansatz, der typisch für diese Zeit auf einen sonst nicht reflektierten, unterirdischen Traditionszusammenhang mit dem Denkstil J*Böhmes hinzuweisen scheint (P Hankamer: Böhme-Lesebuch. 1925. S. 95 Nr 37; S. 189 Nr 32 uä.) und eines der Motive ist, das Goethe in *Barock-Nähe hält. Ein früher, ganz anders gearteter Ausdruck dessen nach der wissenschaftlichen Seite hin sind Goethes Bemühungen auf dem Gebiete der *Physiognomik: *Man wird sich öfters nicht enthalten können, die Worte Physiognomie, Physiognomik in einem ganz weiten Sinne zu brauchen. Diese Wissenschaft schließt vom Äußern aufs Innere. Aber was ist das Äußere am Menschen? Warlich nicht seine nackte Gestalt, unbedachte Geberden, die seine inneren Kräfte und deren Spiel bezeichnen! Stand, Gewohnheit, Besitzthümer, Kleider, alles modificirt, alles verhüllt ihn. Durch alle diese Hüllen bis auf sein Innerstes zu dringen, selbst in diesen fremden Bestimmungen feste Punkte zu finden, von denen sich auf sein Wesen sicher schließen läßt, scheint* *äußerst schwer, ja unmöglich zu seyn. Nur getrost! Was den Menschen umgiebt, wirkt nicht allein auf ihn, er wirkt auch wieder zurück auf selbiges, und indem er sich modificiren läßt, modificirt er wieder rings um sich her. So lassen Kleider und Hausrath eines Mannes sicher auf dessen Charakter schließen. Die Natur bildet den Menschen, er bildet sich um, und diese Umbildung ist doch wieder natürlich; er, der sich in die große weite Welt gesetzt sieht, umzäunt, ummauert sich eine kleine drein, und staffirt sie aus nach seinem Bilde* (1775: *Morris 5, 322*). Hier sind alle Voraussetzungen theoretisch benannt und entworfen, die seit 1771 bereits in einem neuen Stil des dichterischen, insbesondere des dramatischen Schaffens (*Götz) praktisch verwirklicht werden und deren Konsequenzen im einzelnen gar nicht abzusehen sind (vgl. etwa *Szene).

Die Beziehung zur Analogia entis der (platonisch-aristotelischen) Philosophie des Thomas und des Duns Scotus, zum Ausdruck des Göttlichen in der schöpferischen Natur, zur Emanation, ist handgreiflich. Auf der A. beruhen mithin die wichtigsten Mittel der Dichtung, die Gleichnisse, die Metaphern. Diese können ein anregendes Spiel sein – sie können aber aufgrund der metaphysischen A. in der Einheit von Philosophie, Religion, Dichtung wurzeln. Denn die Metaphysik ist uns gegeben als A. von Mikrokosmos und Makrokosmos, von Innen und Außen, weil jede Monade des Universums ist. *Im Innern ist ein Universum auch.* Dies Tiefen-Erlebnis, dies Allgefühl schafft aus der A. die Mittel: Allegorie, Symbol, Mythos. S y m b o l e sind ursprünglich ohne A. nur willkürliche, konventionelle Zeichen, also Ziffern, Buchstaben, Worte. A l l e g o r i e n enthalten etwas von sinnlicher A., sie sind Gleichnisse, nicht bloße Zeichen. Wo aber Gleichnisse gefunden werden, die eine metaphysische A. ausdrücken, da findet man Symbole im tiefen Sinn, und so wird das Wort „Symbol" (außer in den formalen Wissenschaften) meist verstanden.

Goethe läßt sowohl Allegorie wie Symbol von der sinnlichen Erscheinung ausgehen, beide verwandeln diese in ein Bild, aber die Allegorie bewirkt dies über den Weg des Begriffs, das Symbol über den Weg der Idee *(I/48, 205 f.): Die Allegorie verwandelt die Erscheinung in einen Begriff, den Begriff in ein Bild, doch so, daß der Begriff im Bilde immer noch begränzt und vollständig zu halten . . . und an demselben auszusprechen sei. – Die Symbolik verwandelt die Erscheinung in Idee, die Idee in ein Bild, und so, daß die Idee im Bild immer unendlich*
wirksam und unerreichbar bleibt und, selbst in allen Sprachen ausgesprochen, doch unaussprechlich bliebe. Das allegorische Bild ist analog dem begrenzten rationalen Begriff, das Symbol analog der schöpferischen geheimnisvollen Idee. Die symbolische Dichtung steigert sich zum Mythos. Der Mythos ist ein Vorgang, der als Gleichnis einer schöpferischen göttlichen Weltkraft dient. So kann Goethe sein schöpferisches Vermögen im Bilde des *Prometheus*, des Töpfers und Menschenbildners sehen und in diesem Gott die menschenbildende Kraft und den liebenden Vater darstellen. So ist der *Faust* der Versuch, den neuen Welt-Mythos zu schaffen. Aber indem er den ganzen Umfang seiner Natur, seiner Erkenntnis, seiner Dichtkunst in diesem Mythos gestalten will, ist er gezwungen, sich nicht nur der Symbole, sondern auch einer Überfülle allegorischer Bilder zu bedienen. Aufgrund der metaphysischen A. sind diese drei Ebenen nicht streng zu scheiden. Ganz in die allegorische Sprache ist das *Märchen* von der grünen Schlange übertragen. Unnachahmlich spielt um die Grenzen der allegorischen-symbolischen-mythischen A. der *Diwan (I): Sollt ich nicht ein Gleichniß brauchen, Wie es mir beliebt? Da uns Gott des Lebens Gleichniß, In der Mücke gibt. Sollt ich nicht ein Gleichnis brauchen, Wie es mir beliebt? Da mir Gott in Liebchens Augen Sich im Gleichniß gibt. (I/6, 286)* Daß man hier an *Leibniz' Reich der Natur und der Gnade denken muß, bestätigt die Beziehung auf das Universum, wenn Goethe von seinen Liedern sagt: *Nun tön' es fort zu dir, auch aus der Ferne; das Wort erreicht, und schwände Ton und Schall. Ist's nicht der Mantel noch gesäter Sterne? Ist nicht der Liebe hochverklärtes All? (I/6, 180)* In beiden Schlußgedichten des *Diwan* und in *Des Epimenides Erwachen* gibt Goethe seinen geschichtlichen Selbstmythos: *Jamblika*, einer der *Siebenschläfer*, ist der Ahnherr seines Volkes als Vorbild ewiger Jugend, Heros der Verjüngung wie Goethe. Der Mythos des schöpferischen Weltgeschehens ist der Schluß des *Faust*. Jener Spruch über das Wesen der Symbolik, in welcher die Idee als unendlich wirksam (schöpferisch) doch für die rationale Erkenntnis als unerreichbar, daher unaussprechlich erschien, ist geradezu ein Kommentar zum *Chorus mysticus*. Die Erscheinungen, das Vergängliche sind nur Gleichnisse, A. des Wesens, des Ewigen. Nur als mythische Dichtung können sie dennoch zum wesenhaften Ereignis werden. Obwohl das Wesen unaussprechlich scheint, „ereignet" es sich in der mythischen Tat des Dichters. Der schöpferische *Eros, gereinigt von der geschlechtli-

chen Sinnenlust, dennoch im Wesen heilige Lie-
beslust zur gestalteten Schönheit, ist der höchste Welt-Mythos. Das *Proœmion* preist Gott als
den Schöpfer, dessen Wesen unbekannt bleibt.
Aber überall sieht der menschliche Geist doch
nur seine Gleichnisse. *Und deines Geistes höch-
ster Feuerflug | Hat schon am Gleichniß, hat am
Bild genug (I/3, 73).*   Hi

Analyse und Synthese, A. ist Aufteilung des
Körpers in Raumgebilde, des Stoffes in Elemente, des Raumes in Zahlen, des Denkens in
Denkelemente. Die Logik wurde weit treffen-
der von Aristoteles Analytik genannt. Der Gegensatz ist S. Das wirkliche Verhältnis von A.
und S. führt indessen in unlösbare Schwierigkeiten. Für die Mechanik hat *Galilei die Methoden der A. und S. zur klassischen Wissenschaft vereinigt. Es ist vielleicht *Kants größte
Leistung, daß er den Ursprung unsrer Erkenntnis in der S. fand.

Als Künstler hatte Goethe ein tiefes Mißtrauen
gegen die A. Im Urfaust richtet er sich gegen
die logische, chemische, physikalische A. Als
er aber Naturforscher wurde, trieb er in weiten
Gebieten analytische Studien. Wurden Faust
die Skelette widrig, so wurden gerade sie jetzt
die Grundlage seiner Morphologie, seiner Biologie. Aber der Sinn seiner A. ist allein aus der
Beziehung zur S. zu verstehen. Mit gründlich-
ster A. fand er kaum merkbare Spuren der
Grenze des menschlichen Zwischenkieferknochens beim Menschen, weil er sie aufgrund der
synthetischen Kenntnis der andern Säugetiere
suchte, und bis in sein letztes Jahr bewegte ihn
dieser kleine Fund bis zur Leidenschaft, weil
er ihm als Beweis für die harmonische Gefügt-
heit der Tierwelt, des Erdenlebens überhaupt
galt. A. und S. stehen in Wechselbeziehung.
1829 hat Goethe diesem Problem den kleinen
Aufsatz *Analyse und Synthese* gewidmet. Wie
er Galilei hoch gepriesen hat, so sagt er hier:
*Ein Jahrhundert, das sich bloß auf die Analyse
verlegt, und sich vor der Synthese gleichsam fürchtet, ist nicht auf dem rechten Wege; denn nur beide
zusammen, wie Aus- und Einathmen, machen das
Leben der Wissenschaft (II/11,70). Die Hauptsache, woran man bei ausschließlicher Anwendung der Analyse nicht zu denken scheint, ist, daß
jede Analyse eine Synthese voraussetzt. (ebda 71).*
So stimmen Kant und Goethe überein. Sichere
Erkenntnis bestände nur in Entsprechung von
S. und A. Nach dieser Erwägung springt Goe-
the in einen andern, freiern Begriff der S. über.
Der exakten Wissenschaft (S. und A.) steht die
S. als Hypothese und Theorie gegenüber. Der
Gegensatz zu *Newton fordert die schwierigste
Selbstbesinnung: Goethe steht auf hoher kriti-

scher Stufe. Die Forschung bedarf immer wieder der S. um Hypothesen zu bilden, denn ohne
diese bliebe sie formlose Empirie, sinnlose
Stoffsammlung. Aber sie bedarf ebenso immer
der A. zur Kritik der Hypothesen, sonst wird
sie dogmatisch. Damit spricht er klar das
Prinzip der bloßen Arbeitshypothesen aus.

Dennoch bleibt dieser methodische Relativismus der wahren Erkenntnis untergeordnet. So
relativ unsere Forschung bleibt, so liegt ihr
doch eine metaphysische Wirklichkeit zugrunde. Die Wirklichkeit selbst ist synthetisch.
Goethe steigt damit aus der Erkenntnisana-
lyse in die Metaphysik: er weilt am Ort, wo
sich die Lehren von Kant und *Leibniz schneiden, auf dem Gipfel der *Philosophie. Durch
Sperrung hebt er hervor: *Eine große Gefahr, in
welche der Analytiker geräth, ist deßhalb die: wenn
er seine Methode da anwendet, wo keine Synthese zu Grunde liegt. Dann ist seine Arbeit
ganz eigentlich ein Bemühen der Danaiden, und
wir sehen hiervon die traurigsten Beispiele. Denn
im Grunde treibt er doch eigentlich sein Geschäft,
um zuletzt wieder zur Synthese zu gelangen. Liegt
aber bei dem Gegenstand, den er behandelt, keine
zum Grunde, so bemüht er sich vergebens, sie zu
entdecken. Alle Beobachtungen werden ihm immer nur hinderlich, je mehr sich ihre Zahl vermehrt (II/11,71 f.).*

Der methodische Wechsel zwischen A. (Kritik)
und willkürlicher S. (Hypothese) führt aber
den echten Forscher und Denker zur Erkenntnis der metaphysischen S., des wirklichen Wesens. Die A. soll den Geist in seine alten Rechte,
s i c h u n m i t t e l b a r g e g e n d i e N a t u r z u
s t e l l e n, wieder einsetzen. Daß Goethe die metaphysische, die Wesens-Erforschung meint,
geht auch aus dem hierhergehörigen Aufsatz
Vorschlag zur Güte hervor: *Die Natur gehört sich
selbst an, Wesen dem Wesen; der Mensch gehört
ihr, sie dem Menschen. Wer mit gesunden, offnen, freien Sinnen sich hineinfühlt, übt sein
Recht aus, eben so das frische Kind, als der ernsteste Betrachter . . . (II/11,65).* Goethe fordert
die Toleranz auch gegenüber der unbefangenen
Beobachtung neben der mathematischen Zer-
gliederung und doktrinären Hypothese.

Der Forscher soll also zuerst unterscheiden, *ob
er denn wirklich mit einer geheimnißvollen Synthese zu thun habe, oder ob das, womit er sich beschäftigt, nur eine Aggregation sei, ein Nebeneinander, ein Miteinander (II/11,72).* Das ist
klarer Ausdruck der leibniz-goetheschen Monadenlehre: Vorbild der geheimnisvollen S. ist
das Lebewesen, vor allem der Mensch. *Was ist
eine höhere Synthese als ein lebendiges Wesen;
und was haben wir uns mit Anatomie, Physiolo-*

gie und Psychologie zu quälen, als um uns von dem Complex nur einigermaßen einen Begriff zu machen, welcher sich immerfort herstellt, wir mögen ihn in noch so viele Theile zerfleischt haben (ebda 71). Diesem Weltprinzip entspricht der Schlußsatz der *Wanderjahre.* Die analysierenden Disziplinen sind Goethe an sich unerfreulich, sie dienen nur, die s.e Ganzheit des Menschen verständlich zu machen. Paradox aber klingt es, daß nur diese *geheimnisvollen Synthesen,* also die Monaden, die Lebewesen, analysierbar seien. Gerade diese Ureinheiten, die Individuen sind doch grundsätzlich unanalysierbar! Aber Goethe ist offenbar überzeugt: Was wirkliches Wesen, Einheit, Monade ist, das erscheint in der Erscheinungswelt als Ganzheit, als geheimnisvolle S. Analysieren läßt sich nur diese Ganzheit in ihre Teile, nicht die Monade als solche. Die Untersuchung der Einzelteile ohne Gesamtheits-Bezug ist sinnloser, erkenntnisloser Empirismus, unfruchtbares Schöpfen der Danaiden. Auch die A. muß unter der Idee der Ganzheit stehen. Gewiß gibt es an sich andere analytische Methoden, aber nach Goethes Auffassung werden sie dadurch widerlegt werden, daß sie unfruchtbar bleiben. Seine *Analogie* ist dadurch ganzheitlich echtanalytisch, daß sie auf den irdischen Kosmos bezogen bleibt, seine *Farbenlehre* auf den Lichtkosmos, seine Morphologie auf das Wesen selbst, die Monaden, die Lebewesen.   *Hi*

Anapäst, ein aus dem Griechischen stammender Versfuß der Form ⌣ ⌣ –, mit Zusammenziehung – ⌣, mit Spaltung ⌣ ⌣ ⌣ ⌣. Als a.isch werden von AHeusler: Deutsche Versgeschichte. Bd 3 (1929), § 1052 vier Balladen Goethes aus der Zeit von 1802–1816 bezeichnet: *Hochzeitslied (I/1, 178–180), Ballade (I/3, 3–6), Der getreue Eckart (I/1, 206 f.), Todtentanz (I/1, 208 f.).* In *Der Gott und die Bajadere* (1797: *I/1, 227–230*) sei der Dreizeiler a.isch. Goethe sei in der Versform der Balladen dem Vorgang GA*Bürgers (,,Leonardo und Blandine", ,,Der Kaiser und der Abt", ,,Die Kuh") gefolgt. Die Bezeichnung ,,anapästisch" trifft aber den Charakter dieser Verse nicht und ist abzulehnen. Sie rührt von PZaunert: Bürgers Verskunst (1911) her, der steigende Verse mit zweisilbigen Senkungen allgemein als a.isch bezeichnete. Die Verse der genannten Balladen sind vielmehr aus dem vom A. völlig verschiedenen Versgeschlecht – ⌣ – (bei Bürger – ⌣ ⌣) gebildet. Als a.isch können gelten die Verse des Gedichts *Ergo bibamus (I/1, 144 f.),* die Goethe zweifellos a.isch empfunden und M*Eberwein auch a.isch komponiert hat. Eine a.ische Para-

base für den Einmarsch der Pagen findet sich *Faust II* V. 9152–9164, und a.isch zu deuten sind wohl auch die Verse 677/78 in *Pandora: Verleiht ihm, verleiht sich die höchste Gewalt, | Mir erschien sie in Jugend-, in Frauen-Gestalt (I/50, 329),* die mit zweisilbiger Senkung beginnen und sowohl in ihrem Metrum (⌣ ⌣ –) wie in der sprachlichen Gliedform (× × ∼) deutlich a.ischen Charakter zeigen. Dadurch bilden sie den abschließenden Gegensatz zu den vorhergehenden auftaktigen daktylischen Versen. Wenn in a.isch gedachten Versen die sprachlich-akzentuelle Gliederung × × ∠ nicht deutlich hervortritt und sich immer wiederholt, werden solche Verse meist daktylisch empfunden.   *Hb*

Zu den allgemeinen Fragen antiker Versfüße und Verse vgl. PHabermann: Antike Versmaße und Strophenformen im Deutschen. In: RL² 1, S. 70–84.

Anastomose (= Zusammenmündung, Verbindung und Ergießung von Adern, auch von anderen Röhrengefäßen im Körper), anastomosieren (= mit den Mündungen zusammenstoßen, sich vereinigen). Goethe verwendet den auch schon zu seiner Zeit mehr in der Heilkunde gebräuchlichen Begriff mit Vorzug im Zusammenhang botanischer Betrachtungen und Untersuchungen *zur Morphologie,* um sich die Vorgänge der pflanzlichen *Metamorphose* zu verdeutlichen. Die A. wird ihm dabei zunächst unter dem Gesichtspunkt der *Bildung des Kelches* zu einem Kapitel der *Säftelehre: Die so nahe an einander gerückten und gedrängten Blätter berühren sich auf das genauste in ihrem zarten Zustande, anastomosiren sich durch die Einwirkung der höchst reinen, in der Pflanze nunmehr gegenwärtigen Säfte, und stellen uns die glockenförmigen oder sogenannten einblätterigen Kelche dar (II/6, 43).* Der Gedankengang führt schnell zum eigentlichen Thema weiter, zu der zentralen Frage nämlich nach den geschlechtlichen Organen der Pflanze und ihrer Funktionsweise. Indem Goethe hier seinen Begriff A. voll entwickelt und einsetzt, sieht er Staubwerkzeuge und Griffel nach dem Gesetz der Ausdehnung und Zusammenziehung sich bilden: *Wenn wir nun annehmen, daß hier eben jene Gefäße, welche sich sonst verlängerten, ausbreiteten und sich einander wieder aufsuchten, gegenwärtig in einem höchst zusammengezogenen Zustande sind; wenn wir aus ihnen nunmehr den höchst ausgebildeten Samenstaub hervordringen sehen, welcher das durch seine Thätigkeit ersetzt, was den Gefäßen, die ihn hervorbringen, an Ausbreitung entzogen ist; wenn er nunmehr losgelöst die weiblichen Theile aufsucht, welche den Staubgefäßen durch gleiche Wirkung der Natur entgegengewachsen sind; wenn er sich fest an sie* *anhängt, und seine Einflüsse ihnen mittheilt: so sind wir nicht abgeneigt, die Verbindung der beiden Geschlechter eine geistige Anastomose zu nennen, und glauben wenigstens einen Augenblick die Begriffe von Wachsthum und Zeugung einander näher gerückt zu haben (II/6,57 f.).* Über die hier erörterten Begattungsvorgänge in der Blüte hinaus hat Goethe der A. speziell keine weitere Untersuchung gewidmet.   *Za*

Anatomische Studien, dem Begriffe nach sowohl das Erwerben von Kenntnissen durch *anatomiren* des menschlichen Körpers (vgl. *IV/1, 239;* Anatomie oft als *Zergliederungskunst* eingedeutscht, so *I/34I, 130*) als auch die zeichnerische Wiedergabe eines anatomischen Zustandes, sind für den Künstler „angewandte Anatomie in dem Sinne, daß die vermittelte Kenntnis innerer Konstruktion zu einer verfeinerten, richtigeren und rascheren Beobachtung der äußeren Form des menschlichen Körpers eingesetzt werden kann" (Mollier). Danach können a.St. wie die Proportions- (antropometrischen) und physiognomischen (Ausdrucks-) Studien Hilfsmittel der Kunst sein und zu einer ganzheitlichen Betrachtung und Darstellung des Menschen führen, wenn das Bewußtsein von der physischen und psychischen Einheit des Menschen ungestört ist. Bei Goethe ist die Einheit dieser drei Beschäftigungsweisen mit der physischen Natur des Menschen nicht erweisbar, sie haben zeitlich verschiedenen Vorrang, deuten aber auf die Wege des Menschenerkennens, das anfangs auf der Suche nach dem Charakteristischen sich physiognomischer Probleme bemächtigt, dann in der Zeit naturwissenschaftlicher Neigungen das engere Gebiet der a. St. betritt, ohne je das bildkünstlerische Vermögen wesentlich zu fördern. Erst die Theorie holt das in der Praxis nicht Geleistete als Forderung nach.

Das Altertum hatte im 5. vorchristlichen Jahrhundert begonnen, den Kanon der menschlichen Gestalt festzulegen (vgl. I/32, 113) und mit dem Doriphoros des *Polyklet, dann mit dem borghesischen Fechter des *Agasias (vgl. I/30, 67) – „eine mit dem Meißel geschriebene plastische Anatomie" – natur- und kunstgemäße Vorbilder geschaffen, die, aus dem täglichen Anblick des nackten Menschen in der Palästra erwachsen, die anatomia dem Griechen innewohnendes Gefühl für leibliche Schönheit zur Idee und Würde erhoben hatten. Im Mittelalter wurde der klassische Kanon, aber auch die Kenntnis vom Menschen umgebildet, vernachlässigt oder vergessen; lediglich abstrakte Schemata blieben als Proportionslehre übrig, Keime späterer Zeit. Erst seit dem Anfang des

14. Jahrhunderts wurden Sektionen an menschlichen Leichen vorgenommen, welch letztere auf Grabmälern oder in den Totentanzbildern als Knochengerippe Hinweis auf die Macht des Todes waren. In der Renaissance jedoch, wesentlich von einem künstlerischen Interesse geleitet (*Leonardo, *Michelangelo), wurden *bildende Kunst und Heilkunde gleichermaßen durch die a. St. gefördert. Anatomische Theater entstanden (das erste in Pavia 1523), von denen noch Goethe in Padua eines der ältesten (errichtet 1584) kennenlernte: *In einem spitzen hohen Trichter sind die Zuhörer über einander geschichtet. Sie sehen steil herunter auf den engen Boden, wo der Tisch steht, auf den kein Licht fällt, deßhalb der Lehrer bei Lampenschein demonstriren muß (I/30, 89;* der gleiche Raumtyp aus frühklassizistischer Zeit das *Senckenbergische anatomische Theater von 1768 in Frankfurt: I/34II, 86). In den Malerakademien wurden die Leichensektionen in der zweiten Hälfte des 16. Jahrhunderts üblich. Aufgrund *vitruvianischer Kenntnisse – 1509 gab Pacioli die Divina Proportione heraus – entwickelte sich eine neue Proportionslehre, die *Dürer in den vier Büchern von der menschlichen Proportion, 1528, weiterführte (vgl. seinen Stich „Adam und Eva" von 1504) und die als Anthropometrie bis ins 17. Jahrhundert hinein als Teil der Anatomie selbst betrachtet wurde. So schreibt WFabry von Hilden in „Von der Fürtrefflichkeit und Nutz der Anatomy", 1624: „Wirst du einen wohlerfahrenen und geschickten Maler fragen, was er auff die Anatomy halte, antwort er dir alsbalt, es könne kein Maler etwas rechts machen, er habe dann die Erkandnuss der Anatomy. Daher kompts, daß Albertus Dürer, der Teutsche Apelles, so viel Mühe, Arbeit und Kunst hat angewant, seine discipulos und alle, die ihm nachfolgen werden, bis ans Ende der Welt, in der Anatomy so viel ihnen in ihrer Kunst zu wissen von nöthen, in Sonderheit in der Abtheilung des menschlichen Leibes, zu instituieren und zu underrichten . . ." – Die noch im 16. Jahrhundert symbolisch-additive anatomische Darstellungsweise (Anatomie des MHundt, 1501) gewinnt im Kreise der großen *Renaissance-Künstler (Leonardo, Quaderni di Anatomia, Windsor) naturgemäße Bildung, die mit JStephan van Calcars Zeichnungen zu AVesals De Humani Corporis fabrica libri septem, 1543, ihren künstlerischen Höhepunkt findet. In den Abbildungen herrscht das Gerüsthaft-Knochige und das Muskelhafte des Bewegungsapparates vor. Im Barock bildet die wenig beachtete Anatomia Humani Corpo-

ris, Centum et quinque Tabulis . . . per artificiosiss. G. de Lairesse ad vivum delineatis, 1685, von GBidloo die entscheidende Entwicklungsstufe des Anatomiebildes. In hervorragendem malerischem Geist und hoher Sachtreue weiß Gde*Lairesse auch beim Blick in das Abschreckend-Unergründliche des menschlichen Innern das geheimnisvoll Lebendige der organischen Bildung zu wahren. Das 18. Jahrhundert hat diese künstlerische Form der anatomischen Darstellung nicht mehr erreicht. Gefördert durch die medizinischen Entdekkungen, die mit dem Nachweis des Blutkreislaufes durch Harvey 1619 begannen, geht das Jahrhundert Goethes zur stärkeren Analyse der Teile über (Av*Haller: Anatomische Kupfertafeln) oder mit dem von Goethe getadelten PHDv*Holbach (Système de la nature ou des lois du monde physique et du monde moral, 1770 unter dem Pseudonym Mirabaud erschienen; I/28, 68, dazu 1812: III/4, 333 f.) zum nüchternen Materialismus. Goethes a. St., die zeichnerischen Wiedergaben, lassen die Kunst eines Lairesse auch nicht einmal ahnen (Anatomisches Skizzenbuch aus der Zeit der Italienischen Reise; vgl. AHirth, Gruppe D 1–D 5); die auf Dürer zurückgehende, von Elsholtz (1625–88, Anthropometria, 1663, deutsch als Meßkunst des menschlichen Körpers) und P*Camper (vgl. STh*Sömmering) übermittelte Proportionslehre nimmt Goethe ebenfalls auf und setzt damit im strengeren naturkundlichen Sinne seine physiognomischen Studien als Schädellehre (FJ*Gall) fort.

A. St. hatte Goethe schon in Leipzig, später in Straßburg bei JF*Lobstein getrieben. Sie standen im Rahmen allgemeinerer Interessen, die auf das Ganze der Natur abzielten: *Physik und Chemie, Himmels- und Erdbeschreibung, Naturgeschichte und Anatomie und so manches andere hatte nun seit Jahren und bis auf den letzten Tag uns immer auf die geschmückte große Welt hingewiesen (I/28, 69;* vgl. I/1, 317). Der Reiz, in das Verborgene der Natur zu schauen, gelenkt durch wissenschaftliche Neugier, mag der Antrieb dieses zunächst noch dilettantischen Strebens gewesen sein. Goethe bedurfte entscheidender menschlicher und seelischer Wandlungen, um auf einer höheren Stufe seines Lebens ir. das Geheimnis des *anatomischen Gebäudes (IV/9, 248)* eindringen zu können. JC*Loder wird der Anreger und Lehrer: *Ein beschwerlicher Liebesdienst den ich übernommen habe, führt mich meiner Liebhaberey näher. Loder erklärt mir alle Beine* [Knochen] *und Musklen und ich werde in wenig Tagen vieles fassen* (29. X. 1781: *IV/5, 207).* Wie Goethe aber

nichts lernt, ohne es produktiv zu verwandeln, wendet er dieses Wissen nur wenig später als Lehrer an der Zeichenschule in Weimar an: *Diesen Winter habe ich mir vorgenommen mit den Lehrern und Schülern unserer Zeichenakademie den Knochenbau des menschlichen Körpers durchzugehen, sowohl, um ihnen als mir zu nutzen, sie auf das Merkwürdige dieser einzigen Gestalt zu führen und sie dadurch auf die erste Stufe zu stellen, das Bedeutende in der Nachahmung sinnlicher* [an JC*Lavater gleichzeitig: *sichtlicher*] *Dinge zu erkennen zu suchen. Zugleich behandle ich die Knochen als einen Text, woran sich alles Leben und alles Menschliche anhängen läßt . . . Diejenigen Theile, die abgehandelt werden, . . . zeichnet alsdann ein jeder und macht sie sich zu eigen. Durch diesen Weg denke ich selbst in der Zeichnung, Richtigkeit und Bedeutsamkeit der Formen zuzunehmen* (14. XI. 1781 an JH*Merck: *IV/5, 220;* gleichlautend an Lavater vom selben Tage mit der bedeutsamen Ergänzung, daß er sich vorgenommen habe, *das Wort Phisiognomik und Phisiognomie gar nicht zu brauchen, vielmehr die Überzeugung davon durch die ganze Reihe des Vortrages einem ieden einleuchten zu lassen, IV/5, 217 f.).* Voraus ging die Mitteilung an den Herzog Carl August vom 4. XI. 1781: IV/5, 211). Diesen kunstpädagogischen Versuchen schließen sich bald im strengeren Sinne a. St. im Hinblick auf die *vergleichende Anatomie an, die den Interessen an der *geologischen und *mineralogischen Struktur als des Knochenreichs der Erde entsprechen. Unter den Zöglingen der Zeichenschule gewinnt Goethe 1784 den jungen JCW*Waitz für die rein naturwissenschaftlichen Zeichnungen des Elephantenschädels und des os intermaxillare *nach der Camperischen Methode (IV/ 6, 410;* vgl. 281), wie er im gleichen Jahre mit GM*Kraus geologische Studien treibt. Merck soll ihm Schädel schicken, *wenn es auch nur zum Abzeichnen ist. Denn ich möchte gar zu gerne eine vollständige Suite* [von Zeichnungen] *dieses* [Zwischenkiefer-] *Knochens beysammen haben (IV/6, 411).* Die künstlerischen Zwecke sind bei seiner Beschäftigung mit den *opticis et anatomicis (IV/10, 194)* ganz in den Hintergrund getreten und spielen beim Studium der *Bänderlehre,* einem *höchst wichtigen Theil der Anatomie* (1794: I/35, 33) und bei den Schädelstudien (1797: I/35, 60) keine Rolle mehr. Aber dieses Interesse mag in einem tieferen Sinne eine künstlerische Wurzel haben, denn Goethe treibt Naturwissenschaft nach einer Idee von Natur, nach einem Vor-Bild des Ergebnisses und darum nur „gewissermaßen" naturwissenschaftlich: *Es ist nun nicht mein*

Fach; ich treibe es aus Begierde, aus Leidenschaft; ich will gerne zeigen, daß alles auch hier einfach ist, wie in den Pflanzen, daß aus Knochen alles deduziert werden kann, aber noch sehe ich das Ende nicht (Bdm. 1, 238).
Vor dem liegt die *italienische Reise, an deren Anfang Goethe den Satz schrieb, *daß ich von der Kunst, von dem Handwerk des Mahlers wenig verstehe. Meine Aufmerksamkeit, meine Betrachtung kann nur auf den praktischen Theil, auf den Gegenstand und auf die Behandlung desselben im Allgemeinen gerichtet sein (I/30, 67,* wobei die Vokabel *praktisch* immerhin befremdet). Und doch konnte es in Rom nicht ausbleiben, daß Goethe sich auf a. St. im künstlerischen Sinne hingewiesen sah. Sie gehen einher mit Studien in der Perspektive, womit Goethe die beiden traditionellen „wissenschaftlichen Fächer" des Malers selbst praktisch zu lernen hoffte. *Auf Anatomie bin ich so ziemlich vorbereitet, und ich habe mir die Kenntniß des menschlichen Körpers, bis auf einen gewissen Grad, nicht ohne Mühe erworben. Hier wird man durch die ewige Betrachtung der Statuen immerfort, aber auf eine höhere Weise hingewiesen. Bei unserer medicinisch-chirurgischen Anatomie kommt es bloß darauf an, den Theil zu kennen, und hierzu dient auch wohl ein kümmerlicher Muskel. In Rom aber wollen die Theile nichts heißen, wenn sie nicht zugleich eine edle schöne Form darbieten (I/30, 257 f.;* der gleiche Gedanke am Ende der *Italiänischen Reise:* I/32, 317). Nach Monaten ist er begeistert über die neue Erkenntnis und zugleich verzweifelt: *Mit dem Zeichnen geht es gar nicht, und ich habe also mich zum Modelliren entschlossen und das scheint rücken zu wollen.* Er reflektiert, *daß mich nun mein hartnäckig Studium der Natur, meine Sorgfalt, mit der ich in der comparirenden Anatomie zu Werke gegangen bin, nunmehr in den Stand setzen, in der Natur und den Antiken manches im Ganzen zu sehen, was den Künstlern im Einzelnen aufzusuchen schwer wird, und das sie, wenn sie es endlich erlangen, nur für sich besitzen und andern nicht mittheilen können (I/32, 62).* Die gemeinsam mit JHW*Tischbein im Winter 1787/88 unternommenen Akt- und Anatomiestudien geben über diese Bemühung Auskunft (vgl. AHirth). Noch im Januar 1788 ist das *Interesse an der menschlichen Gestalt – ich wendete mich immer davon weg, wie man sich von der blendenden Sonne wegwendet (I/32, 209)* – vorhanden und im März wird *nach vorgängigem Studio der Knochen und Muskeln* ein Fuß modellirt *(ebda 293).* Nur in Rom wollte nach seiner Meinung so etwas glücken, doch hatte Goethe, obgleich

er die Problematik erkannt hatte, den Kampf schon aufgegeben und auf sein Künstlertum Verzicht getan (ebda 277).
Was Goethe nicht selbst zu leisten vermochte, verwandelte sich zur theoretischen Maxime: *Auf einen Canon männlicher und weiblicher Proportionen loszuarbeiten, die Abweichungen zu suchen wodurch Characktere entstehen, das anatomische Gebäude näher zu studiren und die schönen Formen welche die äußere Vollendung sind zu suchen, zu so schweren Unternehmungen wünschte ich daß Sie das Ihrige beytrügen wie ich von meiner Seite manches vorgearbeitet habe* (an JH*Meyer 13. III. 1791: *IV/9, 248).* Die offenkundige Absicht, Anthropometrie und Anatomie zur Förderung der bildenden Kunst wieder zu vereinigen, ist traditioneller als es scheinen könnte, und kommt dem, was die Antike tatsächlich leistete, gedanklich nahe. Bei der vorbereitenden Arbeit für die *Propyläen* konnte Goethe sich über die Zweckmäßigkeit der a. St. mit D*Diderot auseinandersetzen, um mehr und mehr Proportionslehre und a. St. als Grundlage der *höchsten Schönheit* der Gestalt anzuerkennen. Der Satz, daß der Mensch *der höchste, ja der eigentliche Gegenstand bildender Kunst* sei *(I/47, 12),* hat hier seine Wurzel. Unter den oft weitgehenden Forderungen, die Goethe in der *Einleitung in die Propyläen* an den Künstler stellt, stehen die a. St. obenan: *Die menschliche Gestalt kann nicht bloß durch das Beschauen ihrer Oberfläche begriffen werden, man muß ihr Inneres entblößen, ihre Theile sondern, die Verbindungen derselben bemerken, die Verschiedenheiten kennen, sich von Wirkung und Gegenwirkung unterrichten, das Verborgene, Ruhende, das Fundament der Erscheinung sich einprägen, wenn man dasjenige wirklich schauen und nachahmen will, was sich als ein schönes ungetrenntes Ganze, in lebendigen Wellen vor unserm Auge bewegt (I/47, 13).* Obgleich heftig kritisiert [Neue Bibliothek ... 63 (1800), S. 61 f.], gibt dieser Satz doch Goethes Einstellung zum Zweck der a. St. zu erkennen: die natürliche Erscheinung ist die Grundlage für die Gestaltbildung und die Gestalt selbst ein Ideelles; sie wird wie das Kunstwerk als Wirkung und Gegenwirkung und als abstrahierte Bewegung gedacht. Gestalt also ist *Komplex des Daseins;* in ihr ist *ein Zusammengehöriges festgestellt, abgeschlossen und in seinem Charakter fixiert.* Gestalt als ein Dauerndes kann nur als ein Gebildetes anerkannt werden. *Daher unsere Sprache des Wort Bildung sowohl von dem Hervorgebrachten, als von dem Hervorgebrachtwerdenden gehörig genug zu gebrauchen pflegt* (Vorwort zur Morphologie:

II/6, 9). Die mehrfach vorgetragene Forderung, daß der junge Maler beim Bildhauer *Proportion, Anatomie und Formen* lernen solle *(I/ 47, 247;* vgl. 249), ist die Vereinfachung und Nutzanwendung des Gestaltproblems, das Goethe noch spät beschäftigte: *Der Bildhauer wird das gesunde menschliche Gebilde vom Knochenbau herauf durch Bänder, Sehnen und Muskeln auf's fleißigste durchüben; welches ihm keine Schwierigkeit machen wird, wenn sein Talent als ein Selbstgesundes sich im Gesunden und Jugendlichen wieder anerkennt.* Goethe stellt wieder Anatomie und Proportionslehre zusammen: *Wie er* [der Künstler] *nun das vollkommene, obschon gleichgültige Ebenmaß der menschlichen Gestalt männlichen und weiblichen Geschlechts sich als einen würdigen Kanon anzueignen und denselben darzustellen im Stande ist, so ist alsdann der nächste Schritt zum Charakteristischen zu thun* (1817: *I/49^{II}, 59).* Andererseits aber kann – und dies scheint ein bedenklicher Weg der Ernüchterung – das Vermögen des Bildhauers ganz in den Dienst des Anatomen gestellt werden, der sich aus humaner Gesinnung heraus vor der Sektion scheut (vgl. I/25, 86–100). Um der immer schwierigeren Leichenbeschaffung auszuweichen, forderte Goethe, daß man in Zusammenarbeit von Anatom, Plastiker und Gipsgießer einen künstlich-natürlichen Menschen nachbilden solle (I/49^{II}, 64–75). Aber bei dieser Forderung fühlte er sich selbst schon *auf propagandistischem Wege (IV/49, 243);* auch vermochte der Aufgeforderte (vgl. IV/49, 226f.; 427f.), CW*Beuth in Berlin, dieser Anregung nicht zu entsprechen und sandte die *Plastische Anatomie* noch im Februar 1832 zurück, wodurch er Goethe noch *zu manchen Gedanken und Vorsätzen Anlaß gab (III/13, 227).*   Lö

AHirth. – Neue Bibliothek der schönen Wissenschaften und der freyen Künste 63 (1800), S. 61f. – JSchuster: Goethe als anatomischer Zeichner. In: Der Kunstwanderer. 1928–29. – RDisselhorst: Die anatomischen Arbeiten Goethes. In: Goethe als Seher und Erforscher der Natur. Leopoldinische Akademie Halle 1930. – LMünz: Goethes Zeichnungen und Radierungen. 1949. S. 50f. – WLeibbrandt: Heilkunde, eine Problemgeschichte der Medizin. 1953. (Orbis academicus). – WBargmann: Anatomie und bildende Kunst. 1947. – JMeder: Die Handzeichnung, ihre Technik und Entwicklung. 1923. – RDK 1 (1937), S. 670–681.

Anaxagoras (ca. 498–428 vChr.), griechischer Philosoph aus Klazomenai in Kleinasien (der Heimat auch des *Herodot), lebte als Freund des Perikles hochangesehen zu Athen, bis er 431 einem von dessen politischen Gegnern eingeleiteten Prozeß – wegen Gottlosigkeit – und der gegen ihn verhängten Todesstrafe nach Lampsakus auswich. Während seine Vorgänger in der Naturphilosophie die landläufige

Ansicht vom Entstehen und Vergehen der Dinge durch Hinweis auf die in allem Wandel beharrende Urmaterie bestritten, stellte A. dem Urstoff, dessen Rolle bei ihm die sogenannten Homoiomerieen (unendlich viele kleinste Teile der verschiedenen Grundstoffe) übernehmen, ergänzend den weltordnenden Geist (Nus) gegenüber, der Verbindung und Trennung dieser Teilchen bewirkt. Darum sahen *Platon und *Aristoteles in A. einen Vorläufer teleologischer Naturbetrachtung; neuerer Zeit gilt er als Begründer des philosophischen Dualismus.

Aus den weit verstreuten Nachrichten über A. hat Goethe nur gelegentlich einzelnes aufgegriffen. 1811 notiert er sich bei seiner den Sommer über hingehenden Lektüre der Moralia des *Plutarch (in der Übersetzung von Kaltwasser, Frankfurt 1783–1800) den Satz (Pseudo-Plutarch Placita V, 20, 3; Diels 46 A 101), daß nach A. *alle Thiere* zwar *die thätige Vernunft haben, aber nicht die leidende –* den auch Diels aaO. als ,,unverständlich" bezeichnet, da man eher seine Umkehrung erwarten würde *(I/42^{II}, 258).*

1823 und in den folgenden Jahren versucht Goethe die Phaethon-Tragödie des *Euripides aus den von JG*Hermann 1821 veröffentlichten Fragmenten wiederherzustellen. Er äußerte die Vermutung (I/41^{II}, 43 f.), daß Euripides den Sturz des den Sonnenwagen lenkenden Phaethon wie den eines Meteorsteins behandelt habe. Es mußte ihn, der bereits 1823 die schon dem Altertum bekannte Tatsache erwähnt hatte, daß *Euripides ... seine Naturphilosophie von Anaxagoras habe (Bdm. 3, 26),* ganz besondres Vergnügen machen *(IV/41, 123),* als ihn Göttling 1826 auf den Bericht des Diogenes Laertius über A. (Diog. Laert. II, 6–15, Diels 46 A 1) hinwies. Hier fand Goethe die Nachricht, daß A. die Sonne eine *durchglühte Metallmasse* genannt, den Fall des berühmten Meteorsteins von Aigos Potamoi vorausgesagt und als seinen Ursprung die Sonne bezeichnet habe, weswegen auch Euripides im Phaeton (FGT frg. 783) die Sonne einen *Goldklumpen* genannt habe. In der daraufhin verfaßten Nachschrift *Euripides Phaethon (I/41^{II}, 243-246)* suchte Goethe mit gut philologischen Mitteln darzutun, daß der hier überlieferte euripideische Ausdruck sich nicht auf die eigentliche Sonne, sondern auf Phaethon selbst beziehen müsse. Hierzu verwendet er auch die ihm ebenfalls von Göttling mitgeteilte Bemerkung des *Plinius (Hist. Nat. II, 58; Diels 46 A 11) über die Voraussagung des Meteoritenfalls durch A.

Dem in diese Zeit fallenden Entwurf der *Klassischen Walpurgisnacht* zeichnet Goethe die Figur des A. als Vertreters des *Vulkanismus in der Theorie der Erdgeschichte und als Gegners des*Thales ein, der den*Neptunismus zu vertreten hat *(Faust II V. 7835–7935: I/15[I], 147–150)*. Bei der Häufung von Anachronismen in dieser Rückspiegelung einer zeitgenössischen Kontroverse in die ionische Philosophie (Thales starb 50 Jahre vor A.s Geburt) ist die Frage müßig, was Goethe an der Lehre des A. dem Vulkanismus seiner Zeit ähnlich fand. Ein Meteoritenfall krönt immerhin auch die *Faust*-Szene, und das Wort von der *durchglühten Metallmasse* bot sich zur Übertragung auf die Erde im Sinne des Vulkanismus an.

1829 erwähnt Goethe in seinem Aufsatz über die *Spiral-Tendenz der Vegetation* die berühmte Lehre des A. von den *Homoiomerien* als ein Analogon seiner Auffassung, *daß spirale Organe durch die ganze Pflanze im kleinsten durchgehen* und gleichzeitig im großen eine spirale Tendenz besteht, *wodurch die Pflanze ihren Lebensgang vollführt und zuletzt zum Abschluß und Vollkommenheit gelangt.* So zeige sich die Vorstellung des A. von den *Homoimerien* in neuem Licht: *was ein vorzüglicher Mann einmal denken konnte, hat immer etwas hinter sich, wenn wir das Ausgesprochene auch nicht gleich uns zuzueignen und anzuwenden wissen (II/7, 37 f.)*.

Geringen Zeugniswert haben die drei Verse unter A.s Namen in *Die Weisen und die Leute (I/3, 107)* und der Bericht, daß Goethe die Nachricht vom Tode Augusts (27. X. 1830) mit dem Wort *non ignoravi, me mortalem genuisse* (vgl. Diels 35 A 1, S. 294, 29 ff.) empfangen habe *(Bdm. 4, 304)*. Denn die Philosophennamen hat erst *Riemer nachträglich in das Gedicht eingefügt (vgl. Brief an Zelter 31. X. 1814: IV/25, 66) und das Diktum des A. war auch anderen Philosophen zugesprochen worden und fast als anonyme Sentenz dem Gebildeten gegenwärtig.   *Pg*

Ancelot, Jacques Arsène François Polycarpe (1794–1854), französischer, sehr fruchtbarer Dramatiker, Verfasser einer von Goethe gekannten „Fiesco"-Bearbeitung (zu FvMüller 25. XI. 1824: Bdm. 3, 144).   *Fu*

Anderloni, Pietro (1784–1849), Kupferstecher, reproduzierte vorwiegend Werke von Meistern der *Renaissance; arbeitete bei dem mailänder Kupferstecher G*Longhi, mit dem zusammen Goethe A. als einen *vorzüglich* anzusehenden italienischen Stecher in einem Brief an *Cotta vom 30. XI. 1828 lobt. Goethe überlegte, ob

A. mit einer Reihe anderer italienischer Künstler dazu ausersehen werden sollte, sein 1827 entstandenes Porträt *Stielers zu stechen, bezweifelte jedoch, *ob aber solche Männer, mit wichtigen Arbeiten immerfort beschäftigt, dergleichen Unternehmen selbst eigenhändig ausführen würden (IV/45, 68)*. A. war als Zeichner und Stecher der von *Schinkel herausgegebenen „Vorbilder für Fabricanten und Handwerker" (1821) bekannt geworden, die Goethe in *KuA* rezensierte (I/49[II], 129). Eine sehr lobende, das Bedenkliche eines solchen Unternehmens aber nicht verschweigende Besprechung der Reproduktion A.s nach *Tizians „Christus und die Ehebrecherin" von *Meyer, die in *KuA* 1823 (Bd 4, H. 1. S. 44–48) erschien, sah Goethe am 7. XII. 1821 durch (III/8, 143) und wird sich dem Urteil seines Freundes angeschlossen haben, daß A. „bey nicht geringerem Aufwand von Kunst und von Fleiß" durch die Wahl seines Gegenstandes weniger erfolgreich sein werde als sein Meister Longhi. Goethe selbst besaß von A. eine Madonna mit Engeln nach Tizian.   *Lö*

Schuchardt 1, S. 91. – ThB 2 (1907), S. 433.

Andermatt *(an der Matte, Urseren, Urselen an der Matt)*, Hauptort des Urserentals im Kanton Uri, erreichte Goethe auf der ersten *Schweiz-Reise am 21. VI. 1775 nach anstrengender Wanderung: *Noth und Müh und schweis. Teufelsbrücke u. der teufel. Schwizen u. Matten u. Sincken biss ans Urner Loch hinaus u. belebung im Thal. an der Matte trefflicher Käss. Sauwohl u. Projeckte (III/1, 6)*. Gelegentlich der zweiten Schweiz-Reise streifte er A. nur flüchtig am 13. XI. 1779; ebenso auf der dritten am 2. X. 1797, doch bemerkt er dabei die angeblich schon vorkarolingische Columbans-Kirche (III/2, 174) neben den mannigfachen geologisch-mineralogischen Beobachtungen, die ihn in diesen Tagen fesseln und die ihn veranlassen, auf dem Rückwege am 5. X. 1797 die *Cabinette des Landammann Nagers und Dr. Halters* in A. zu besuchen *(III/2, 176)*. Goethe machte sich nähere Notizen darüber und vermerkt auch die Adresse eines ebenfalls in A. ansässigen Mineralienhändlers *Carl Andreas Christen;* so verlängert sich der Aufenthalt, daß ein Essen *in den 3 Königen* nötig wird; Goethe hält mit Recht den Namen des Gastwirtes *Meyer* fest *(III/2, 176)*.

P e r s o n e n : C (wahrscheinlich Caspar, nicht Carl) AChristen (eigentlich Cristan, als Talammann für das Urserental 1791–1793 bezeugt); Halter, Dr. (aber wohl nicht der Chirurgus Franz Heinrich, jedoch auch kein Angehöriger einer alteingesessenen Familie); FJMeyer, aus ursprünglich württembergischer Familie, damals Gastwirt, imponierende Persönlichkeit, machte sich 1798–1803 unter schwierigen politischen Verhältnissen als Distriktstatthalter besonders verdient; JA Nager (1749 bis 1822), aus ursprünglich wallisischer Familie (In-agro: Inager), Pannerherr und Talschreiber, bedeutender Mineraliensammler, dessen Sammlung jetzt geschlossen in Luzern gezeigt wird.   *Za*

Andernach, das alte, wahrscheinlich von Drusus gegründete Römerkastell Antunacum (Ante Nacum: „Vor der Nette"), die „zweitälteste Reichsstadt" (Lavaters Tagebuch: Morris 4, 112) auf dem linken Rheinufer, passierte Goethe am 20. VII. 1774 auf der Geniereise mit JC*Lavater und JB*Basedow. Außerdem berührte Goethe die kunsthistorisch und geologisch interessante Stadt *(durchaus bedeutend abwechselnde angenehme Ansichten, IV/26, 59)* während seiner Rheinfahrt mit dem Reichsfreiherrn HFK vom und zum *Stein am 25. VII. 1815 auf dem Hin- sowie am 28. VII. auf dem Rückwege von *Köln, beide Male wohl zur routenüblichen Mittagsrast; das letzte Mal wurde die Fahrt länger unterbrochen. Goethe begegnete dabei dem dort stationierten Offizier KFEvSuckow (? *v. Succow Commandant);* hauptsächlich galt der Aufenthalt einem Abstecher *Nach der verödeten Abtey Laach* und dem *Bruch der sog. Rheinischen Mühlsteine* (Basaltlavagruben) *bei Niedermennich, III/5, 173).* Den damaligen Zustand der Ruinen der kurfürstlich kölnischen Burg in A. zeigt ein kolorierter Kupferstich nach LJanscha von JZiegler 1798 in: RKlapheck: Goethe und das Rheinland. 1932. S. 32).   *Hm*

Andersen, Hans Christian (1805–1875), der größte dänische Dichter, der sein Vaterland durch die „Märchen" („Eventyr". 4 Bde. 1835; 1843; 1858; 1861) in der Weltliteratur vertritt, unternahm wiederholte Reisen durch Europa – auch nach Deutschland – und kam, angezogen von der Atmosphäre des klassischen Weimar, am 24. VI. 1832, am Geburtstage des damals gerade vierzehnjährigen Erbprinzen Carl Alexander, dort an. A.s Besuch an dieser Stelle ist eine unmittelbare Nachwirkung goetheschen Lebens und Schaffens. 1855 berichtet A. darüber in seiner Autobiographie („Mit Livs Eventyr"): „Eine sonderbare Lust trieb mich, diese Stadt zu sehen, wo Goethe, Schiller, Wieland und Herder gelebt hatten, von der so viel Licht über die Welt ausgeströmt war ... Ich war an Goethe's würdigen Freund, den vortrefflichen Kanzler von *Mül-

ler empfohlen, und fand bei ihm die herrlichste Aufnahme ... Kanzler von Müller führte mich zu dem fürstlichen Begräbnis, wo Karl August mit seiner herrlichen Gemahlin ruht... Dicht neben dem Fürstenpaare, welches die Große verstand und schätzte, ruhen diese ihre unsterblichen Freunde; verwelkte Lorbeerkränze lagen auf den einfachen braunen Särgen, deren ganze Pracht in den unsterblichen Namen Goethe und Schiller besteht. Im Leben gingen der Fürst und der Dichter miteinander, im Tode schlummern sie unter demselben Gewölbe. Ein solcher Ort wird nicht aus den Gedanken verlöscht, an einer solchen Stelle hält man sein stilles Gebet, welches nur Gott allein vernimmt" (HJessen: Zwiegespräche zwischen den Völkern. 1940. S. 71 f.). Eine fast freundschaftliche Beziehung verband A. – ebenfalls als Nachwirkung goetheschen Geistes – mit dem späteren Großherzog Carl Alexander, wofür der Briefwechsel beider (1887 von MJonas herausgegeben) ein liebenswürdiges Zeugnis ist.   *Za*

DBL 1 (1933), S. 327–343.

Anderson, Alexander (1775–1870), amerikanischer Holzschneider und Kupferstecher, war nach medizinischen Studien bis 1794 als Arzt tätig und widmete sich in seiner Freizeit autodidaktisch dem Metallstich für Buch- und Zeitungsdruck. Unter Benutzung von Buchsbaumstöcken entwickelte er, wenn auch künstlerisch wenig bedeutend, den Holzstich nach dem Vorbilde *Bewicks und führte dessen neuartige „englische Manier" in *Amerika ein, die den bisher üblichen längs der Faser geschnittenen Holzstock (Linienschnitt) durch den quer zur Faser geschnittenen ersetzte. Der Holzstich erlaubte eine feinere Strichführung und Punktiermanier und ließ Wirkungen zu, die denen des Gemäldes nahe kamen. – Goethe interessierte sich schon 1798 für die neue Technik und besaß selbst einen *Englischen Holzschnitt (IV/13, 178),* den er sich von *Meyer nach Jena erbat; er wollte ihn mit den von AW*Schlegel überreichten Holzschnitten von *Unger vergleichen, was am 14. XI. 1798 geschah (III/2, 223), denn *bey den Englischen Holzschnitten ist manche Betrachtung anzustellen* (an Meyer 15. XI. 1798: *IV/13, 309;* vgl. auch: BrMeyer 2, S. 45; 56 f.; 61 f.).   *Lö*

ThB 1 (1907), S. 437.

André, eine 1699 nach *Offenbach eingewanderte Hugenotten-Familie, in keiner nachweisbaren verwandtschaftlichen Beziehung zu den Druckern und Buchhändlern *Andreae stehend, hatte durch mehrere ihrer Mitglieder engen Kontakt mit Goethe:

–, 1) Johann (1741–1799), war ursprünglich Seidenfabrikant, ging dann zur Musik über und gründete 1774 eine Notendruckerei. Goethe hat A. bereits Anfang Juli 1764 besucht, als er in die „*Arkadische Gesellschaft zu Phylandria" aufgenommen werden wollte. Wenn er später in der Zeit seiner Liebe zu Lili *Schönemann in Offenbach weilte, wohnte Goethe bei *diesem allzeit fertigen Dichter und Componisten,* der Goethe überdies in das Haus Schönemann erst eingeführt hatte. Goethe schildert A. als *einen Mann von angebornem lebhaftem Talente,* als ein Mittelding zwischen Kapellmeister und Dilettanten. *In Hoffnung jenes Verdienst zu erreichen, bemühte er sich ernstlich in der Musik gründlichen Fuß zu fassen; als letzterer war er geneigt, seine Compositionen in's Unendliche zu wiederholen (I/29, 43 f.).* Das Werk, durch das er Goethes besonderes Interesse weckte, war das Singspiel „Der Töpfer", nach französischen Vorbildern (Duni „La laitière et les chasseurs", Audinot „Le tonnellier") von A. gedichtet und komponiert und 1773 mit Erfolg in Offenbach und Hanau aufgeführt. Goethes Vorliebe für die Gattung des Singspiels hatte hier ihren Ausgangspunkt. In Lilis Kreis spielte A. *unterrichtend, meisternd, ausführend (I/29, 44)* eine große Rolle. Er hatte 1775 Bürgers „Lenore" als Melodram vertont; er trug sie mit Goethe um die Wette immer wieder vor und verlängerte durch sein Musizieren das abendliche Zusammensein der Liebenden. Bei der Hochzeitsfeier des jungen offenbacher Pfarrers JL*Ewald mit Rachel Gertrud Dufay Anfang September 1775 boten Goethe und Lili zusammen mit dem Ehepaare A. das *Bundeslied einem iungen Paar gesungen von Vieren (Morris 5, 319)* in a.scher Komposition dar. A. war Goethes musikalischer Partner, wenn es die Vertonung einer Stegreifdichtung galt (zB. das *jammervolle Familienstück* vom 23. VI. 1775: *Sie kommt nicht!);* er *hatte immer Musik-Vorrath; auch ich* [Goethe] *brachte fremdes und eignes Neue; poetische und musikalische Blüthen regneten herab (I/29, 56 f.).* Im gleichen Jahre 1775 komponierte A.*Erwin und Elmire,* um 1780 *Claudine von Villa Bella.* 1777–1784 war A. Musikdirektor der döbbelinschen Schauspielertruppe in Berlin. Von seinen Liedern wurde das Rheinweinlied (MClaudius) volkstümlich. 1784 kehrte er nach Offenbach zurück und erweiterte den 1774 begründeten Musikverlag. Trotz der Enge des Kontaktes scheint Goethe am 11. X. 1797 die Gelegenheit eines Aufenthaltes in Offenbach nicht zu einem Besuch bei A. benutzt zu haben (III/2, 80).

–, 2) Catharina Elisabeth, geb. Schmaltz, Ehefrau des Erstgenannten, traf Goethe nochmals in *Eisenach am 15. IX. 1777 (III/1, 47).

–, 3) Johann Anton (1775–1842), Sohn der beiden Vorgenannten, auch dessen Ehefrau (ebenso wohl beider Sohn Karl August, geb. 1806), Musikverleger, Musikschriftsteller, Komponist, steigerte den Ruf seines Hauses dadurch, daß er Mozarts handschriftlichen Nachlaß 1799/ 1800 erwarb und 1805–1833 die ersten Mozart-Kataloge veröffentlichte; außerdem verstand er es, den Verlag mithilfe des Steindrucks seit 1816 (III/5, 236) erheblich auszubauen. Goethe nahm interessiert an dieser Entwicklung teil. Bereits während seines Aufenthaltes an der *Gerbermühle August/September 1815 hatte sich die Beziehung zum Hause A. erneut. Seine kompositorische Gabe hat A. nur an Goethe-Liedern erprobt. Nach 1816 fand die Verbindung keine neue Nahrung mehr. *MB*
HJMoser: Goethe und die Musik. 1949.

Andreae (in familienüblicher Schreibung auch Andrae), eine ehemals straßburger, seit der Mitte des 17. Jahrhunderts in Frankfurt/M. seßhafte, alte Buchhändler- und Verlegerfamilie, Inhaberin eines der rührigsten und angesehensten Druck- und Verlagshäuser aus älterer Zeit. Die Firma („Andräische Buchhandlung") erlosch 1892.

–, 1) Johannes (1626–1693) war Gründer des Unternehmens in Frankfurt/M. und gab ihm 1671 mit dem Haus „Zum Rosengarten" in der Fahrgasse (ursprüngliche Verkehrsader von Alt-Frankfurt) das Stammhaus. Im Umkreis seiner persönlichen und geschäftlichen Verbindungen findet sich JNAppel, der Schwiegervater von Goethes Urgroßvater ChrH*Textor.

–, 2) Johann Philipp (1654–1722), Sohn des Vorigen, baute die Firma gemeinsam mit seinem Bruder Matthäus nach der verlegerischen Seite besonders aus, pflegte aber nach wie vor den Druck; so stellte er 1704 für den frankfurter Verlag Zunner einen Neudruck der illustrierten Großbibel her, deren 232 Kupferstiche Matthäus Merians d. Ä. bereits vor 80 Jahren in der „Bilderbibel" verwendet worden waren. Die Bibel von Goethes Mutter, von Goethe selbst in Kinder- und Knabentagen so *häufig ... durchblättert* war mit denselben *Kupfern von Merian (I/26, 49)* geschmückt. Eine weitere Beziehung zu Goethes Lebenskreis knüpfte JPhA. am 19. VII. 1681 durch seine Heirat mit Katharina von der Lahr (1662–1717), die der niederländisch-reformierten Flüchtlingsgemeinde entstammte und als Taufpaten der Kinder ua. den frankfurter Bankier Johann Wolfgang *Schönemann (Urgroßvater Lilis) an das Haus band. In der ältest erhaltenen „Buchhändler-Galerie", die FRoth-Scholtzius 1726–1742 unter dem Titel „Icones Bibliopolarum" in Nürnberg herausgegeben hatte, war neben Vater und Sohn Merian und Theodor de Bry auch JPhA. abgebildet; der Kupferstich trug die Unterschrift: „De re literaria optime meritus". Seine älteste Tochter Christine heiratete 1707 den kölner Kaufmann Johann Georg *Stock, mit dessen Enkel, dem frankfurter Senator Jakob Stock und vornehmlich mit dessen Frau Esther geb. Moritz Goethe seit Jugendtagen befreundet war (vgl. I/4, 232) und in dessen Haus seine Mutter so gern und wohltuend verweilen konnte (IV/20, 166 f.). Catharina, die jüngere Schwester der Christine, hatte Johann Friedrich *Fleischer, einen anderen namhaften frankfurter Buchhändler geheiratet; beider Sohn Johann Georg war Goethes Mentor auf der Reise nach *Leipzig Ende September 1765.

–, 3) Johann Benjamin d. Ä. (1705–1778), jüngerer Sohn JPh.s, führte die Firma weiter, wurde 1754 Mitglied der Handwerkerbank, 1758 Senator, seit 1765 wiederholt zum jüngeren Bürgermeister und 1771 nach dem Tode von Goethes Großvater JWTextor, der höchster Justizbeamter Frankfurts gewesen war, zum Schöffen gewählt. Gerade in Goethes entscheidenden Wachstumsjahren war JB gemeinsam mit Goethes Großvater maßgeblich an der obersten Leitung der Stadtgeschäfte beteiligt. Infolge seiner zweiten Ehe mit Magdalena Margarethe Burgk konnte in unmittelbarer Nähe von Goethes Elternhaus deren Besitz, das geräumige Haus auf dem großen Hirschgraben Nr 13, später vereinigt mit Nr 15, als wohltätige Einrichtung zur „Andreae'schen Waisenhausstiftung" ausgebaut werden. Sein Sohn

–, 4) Johann Benjamin d. J. (1735–1793) übernahm aufgrund eines Vertrages von 1764 gemeinsam mit seinem Bruder Johann Jakob, etwa seit 1774 in heftigem Streit mit diesem, allein die Verantwortung für das alte Unternehmen. Die sehr agressiven und scharfen Schriftsätze der 1775 kulminierenden Auseinandersetzung wurden gedruckt; JB publizierte seine „Abgenötigte Aktenmäsige Erzälung der sämtlichen Rechtsstreite" 1775 als Antwort auf das „Promemoria" seines Bruders, das unter Mithilfe von dessen Anwalt Dr. Hieronymus Peter *Schlosser (Schwager von Goethes Schwester Cornelia) aufgesetzt worden war. JB hatte Verbindung mit JA

*Horn und kann zumindest auf diesem Wege auch Goethe selbst begegnet sein.

–, 5) Jean (1780–1850), ist der nächste und letzte Namensträger der alten, sehr verzweigten Familie, selbst wieder Kaufmann und Verlagsbuchhändler in Frankfurt/M., den Goethe als Schwiegersohn JJv*Willemers (verheiratet mit dessen 3. Tochter Maximiliane) wohl bei seinem frankfurter Aufenthalt im Spätsommer 1815 kennenlernte (vgl. III/5, 181). Die Bekanntschaft wurde dann weiter fortgesponnen. Am 24. X. 1822 machten *Herr Andreä und *Harnier, nach Berlin gehend* einen Besuch in Weimar *(III/8, 254)*, über den Goethe freundlich an Willemer berichtet (18. XI. 1822: IV/36, 208–210). Auf der Rückreise berührte A. entgegen seinen Plänen Weimar nicht, sandte aber bald darauf an Goethe eine *kostbare Gabe: Mir ist durch einen südlichern Freund ein Cactus Melocactus zugekommen, durch die milde Witterung begünstigt, gegen Vermuthen glücklich. An der Base hat er 10 Zoll und als Halbkugel eine proportionirte Höhe. Er ward sogleich der Belvederischen Anstalt zugeeignet, wo er sich unter so vielen Wundern noch immer wundersam genug ausnimmt* (Konzept eines Briefes an KGraf v*Sternberg: IV/36, 441). Goethe bedankt sich am 6. I. 1823 für die *colossale Pflanze* bei Willemer *zum allerbesten und schönsten (IV/36, 262 f.).* Sogar dem Großherzog wartete er *mit dem wundersamen Pflanzengebilde auf (IV/36, 220);* in dem Schreiben an Willemer vergißt er nicht zu bitten, *auch Herrn Andreä* von den übersandten sechs Fasanen *gute Bissen vorzulegen.* A. könnte endlich am 29. X. 1825 der Überbringer des Geburtstagsgedichtes von Marianne: „Zarter Blumen leicht Gewinde" (I/4, 268 f.) gewesen sein, dem Goethe eine Erwiderung anfügte. Eine Reinschrift des Gedichtes befand sich später in seiner Hand [I/5[II], 163; vgl. zu dieser Frage MHecker in: JbGGes. 2 (1915), S. 173–189]. In dieser Form bestand das Verhältnis zu A. wohl bis zu Goethes Tode fort. So schreibt Marianne vWillemer an Goethe zB. am 6. V. 1827: „Daß meine Schwiegersöhne [A. und FScharff, Gatte der zweiten Tochter Willemers] so glücklich waren, Sie zu sehen, würde ich ihnen von Herzen gegönnt haben, wenn sie mir ihr Vorhaben mitgetheilt hätten, allein ich wußte nichts mehr, als daß Jean, gedrängt durch seine Geschäfte, Weimar des Nachts passiren wollte..." (MHecker, ebda S. 187) oder Goethe teilt ihr am 9. XI. 1830 mit: *... Boisserée erfuhr jetzt erst, durch jene werthe Reisende* [Mariannes Schwiegersohn GThomas und A. *daß seit jenen*

schönen Zeiten immer noch eine Ordinari-Post
zwischen der [*Gerber-] Mühle und Weimar im
Gange sey (IV/48, 17).   Za

FKapp: Geschichte des deutschen Buchhandels bis
in das 17. Jahrhundert. 1886. – JGoldfriedrich: Geschichte des deutschen Buchhandels vom Westfälischen Frieden bis zum Beginn der Fremdherrschaft.
2 Bde. 1908/09. – Beiträge zur Genealogie und Geschichte der Familien Andreae. Als Manuskript gedruckt. 1902. – ADietz: Geschichte der Familie
Andreae. 1923. – RAFleischer: Die Buchhändlerfamilie Fleischer in der Zeit Goethes. 1927.

Andreä, Johann Valentin (1586–1654), aus füh-
render schwäbischer Theologenfamilie stam-
mend, Enkel des „württembergischen Luther"
Jacob A. (bekannt vornehmlich durch seine
maßgebende Mitwirkung beim Zustandekom-
men der Konkordienformel 1576), Sohn des
Stadtpfarrers Johann A. (Herrnberg in
Württemberg; später Abt in Königsbrunn),
war selbst eine der geistlich bedeutendsten
Persönlichkeiten seines Landes und seiner
Zeit. Gründlich ausgebildet und weit gereist
(Schweiz, Frankreich, Italien) wurde er 1614
Diakon in Vaihingen, 1620 Superintendent in
Calw, 1639 herzoglicher Beichtvater, Hofpre-
diger und Konsistorialrat in Stuttgart, 1641
Dr. theol., 1650 Abt von Bebenhausen, 1654
Abt von Adelberg. A. beeinflußte nachdrück-
lich und lange andauernd nicht nur das geistliche, sondern auch das geistige Leben Würt-
tembergs; seine stärksten Wirkungen gingen
von seiner schriftstellerischen Leistung aus.
Er vertritt eine Religiosität, in der sich Glauben und Wissen auf eine mehrfach im Schwa-
bentum erscheinende Weise tiefgründig verbinden. Vor allem ist er der Inaugurator der
*Rosenkreuzer. Die Wesensanlagen, die gerade
in ihrer Verschmelzung heterogener Motive
A.s besondere Bedeutung begründen, hat er
frühzeitig und vielseitig auch mit Einschluß
handwerklicher Fertigkeiten entwickelt. Als
„ein berühmter Lutherischer Doctor Theologiae, und geschickter Poete, welcher sich auch
auf die Mathesin und Mechanicam geleget"
(Jöcher 1726, Sp. 154 f.) bekundete A. bereits
darin unlutherische Denkansätze, die er zunehmend ausbildete, bis sie in den verschiedensten Bereichen Glaubenskraft und Erkennt-
niswillen, Unsichtbares und Sichtbares, Makrokosmos und Mikrokosmos, Gesellschaft und
Individuum, pansophisch, theosophisch, chri-
stosophisch zu vereinigen vermochten und
„das antiaugustinische und antilutherische
Grundmotiv der spekulativen Richtung in
Schwaben" (HOBurger S. 138) auf besondere
Weise (vgl. Th*Campanellas „Sonnenstaat")
zur Geltung und Wirkung brachten. Durch
diese seine Tendenz, die Offenbarung Gottes

„in libro mundi" zu suchen und zu finden sowie das Ideal einer christlichen Gesellschaft
aufzurichten, verschmolz er joachimitische
und paracelsische Elemente und gab seiner
Zeit, aber nicht nur dieser, einen hierfür längst
ersehnten, aus den Sternen hergeleiteten, besonders 1604 erwarteten, weitwirkenden Ausdruck. Für das 18. Jahrhundert und damit
auch für Goethe wurde A. hauptsächlich dadurch bedeutsam, daß von ihm die Bewegung
der Rosenkreuzer ausging. Die diesbezüglichen
Schriften, insbesondere und sicher von A.
stammend die „Chymische Hochzeyt des
Christiani Rosenkreutz. Anno 1459", sind
höchstwahrscheinlich um 1604 entstanden, gedruckt aber erst nach 1614/16. In dem Namen
des „Rosenkreutz" verbirgt sich das Wappen
A.s; muß dies als Absicht des Verfassers gelten, wird auch der Vorname programmatische
Bedeutung haben, die in späteren Schriften
A.s gefunden werden könnte – die Frage nach
dem etwaigen Sinn der so ausdrücklich gewählten Jahreszahl 1459 ist noch nicht klar
beantwortet. Die „Chymische Hochzeyt",
anknüpfend an Vorstellungsweise und Fachsprache der *Alchemie, entwirft in theoso-
phisch-allegorischer Romanform den Weg der
Seele zur „unio sacra" mit ihrem Gott und
knüpft an alle Geistesverwandten das brüderliche Band der „Ritterschaft vom goldenen
Stein". Goethe, der manche Beziehung zu den
Rosenkreuzern besaß, hat nachweisbar zumindest dieses Werk A.s gekannt, wahrscheinlich schon früher davon gehört und gelesen
(etwa gar 1768/69? oder erst 1770/71?); seit
1779 beschäftigte sich JG*Herder intensiv mit
A.; 1781 war ein Neudruck der „Chymischen
Hochzeyt" erschienen (Düntzer, in: Morgenblatt 1852, Nr 10 f.); 1784/85 mühte sich
Goethe um „Die Geheimnisse" und ihre
Stanzen; 1786 war endlich Herders Neuausgabe: „Joh. Val. Andreaes Dichtungen zur
Beherzigung unseres Zeitalters" mit der
enthusiasmierten Vorrede da; wahrscheinlich
in der zweiten Junihälfte desselben Jahres
schuf Goethe aus eingestreuten Kantaten-
Versen der „Chymischen Hochzeyt" für Charlotte v*Stein das erst viel später veröffentlichte Briefgedicht: *Woher sind wir geboren?
Aus Lieb. | Wie wären wir verloren? | Ohn Lieb. |
Was hilft uns überwinden? | Die Lieb. | Kann
man auch Liebe finden? | Durch Lieb. | Was
soll uns stets vereinen? | Die Lieb* (I/4, 102;
dazu I/5^{II}, 74 ferner ESchmidt in: SGGes. 2,
S. 365 f.). Carl August hatte sich ungefähr
gleichzeitig im weimarer Freundeskreise über
A. und die „scharfen Dichtungen des Vater

Rosen" geäußert: „Als Dichter erscheint Vater Andreä mehr in seiner chymischen Hochzeit; es ist eine unmäßige und zu wenig geordnete Einbildungskraft in diesem Werke, aber man findet Michel-Angelosche Pinselstriche" (Brief vom 21. VI. 1786: Düntzer 1883, S. 61). Die Diskussion um A. muß demnach in jenen Jahren sehr lebhaft gewesen sein, wofür auch Neubelebung und Verbreitung des Rosenkreuzertums nachdrücklich sprechen. Ob und in welchem Sinne die Tagebuchnotiz Goethes vom 19. VIII. 1796 (III/2, 47) auf A. und die Lektüre noch weiterer seiner Schriften bezogen werden darf, ist nicht zu entscheiden; an Zusammenhang mit dem Plan der Weiterarbeit am *Faust* darf noch nicht gedacht werden. Wir haben auch keinen Hinweis darauf, welche der nicht-rosenkreuzerischen Schriften A.s und welche Daten seines in die württembergische Kirchenleitung führenden, keineswegs utopistischen Lebensganges Goethe bekannt waren. Das faustverwandte lateinische Schauspiel (Komödie!) „Turbo" A.s von 1616 kreist immer wieder um die auch Goethe, wenngleich anders bewegende Frage „nach Recht und Unrecht der Wißbegier ... und A. erklärt ..., trotz allem sei der Wahrheitssucher schon weiter auf dem Wege zu Gott als jene, die bloß in den Tag hinein leben oder nach Ehre, Glück und Reichtum jagen" (HOBurger S. 138). *Za*

Kirchliches Handlexikon. Hrsg. von CMeusel. 1887 bis 1902. Bd 1 (1887), S. 136 f. – HOBurger: Die Gedankenwelt der großen Schwaben. 1951. S. 136–141.

Andreasberg, ein altes Bergbaustädtchen im Harz, nahe dem Südrand des Granitmassivs des Brockens, inmitten des vor allem durch Silbererzgänge charakterisierten Gangreviers von A. Goethe besuchte A. zusammen mit v*Trebra auf der zweiten Harzreise am 12. XII. 1777 (III/1, 57). Diese Reise durch das andreasberger Gebiet wurde für die Entwicklung der geologischen Vorstellungen Goethes wichtig, da er dort im *Rehberger Graben den Kontakt – wie wir heute sagen würden – zwischen dem Granit und seinem Nebengestein feststellte. Goethe faßte diesen Kontakt als „Übergang" vom Granit zum folgenden Gestein auf: es wurde diese Beobachtung einer der Ansatzpunkte für die Vorstellungen über den Granit als *Urgebirge und über das *Übergangsgebirge. *Bn*

Andres (Anders) 1) Friedrich Christian (geb. um 1735), Maler und Gemälderestaurator, *ein Böhme, Schüler von Mengs (I/49^{II}, 141)* wurde auf Veranlassung*Hackerts von Ferdinand IV., König von Neapel, berufen, um Gemälde in der Galerie von Capo di Monte zu restaurieren. Als *dem berühmtesten und besten Gemählde-Restaurateur (I/46, 266)* setzte der König ihm ein Jahresgehalt von 600 Dukaten als Galerieinspektor aus, für die gleiche Summe jährlich sollte er die Gemälde wiederherstellen, *doch mit dem Beding, zwei Schüler zu halten, Neapolitaner, und ihnen die Kunst zu lehren (I/46, 267)*. A. wohnte *in dem alten Schlosse,* wo Goethe ihn am 15. III. 1787 besuchte und *mehrere vergnügte und bedeutende Stunden verbrachte.* Goethe war lebhaft interessiert: *Von seiner Gewandtheit, alte Bilder wieder herzustellen, darf ich zu erzählen nicht anfangen, weil man zugleich die schwere Aufgabe und die glückliche Lösung, womit sich diese eigene Handwerkskunst beschäftigt, entwickeln müßte (I/31, 52),* beschrieb jedoch in dem späteren Aufsatz *Reinigen und Restauriren schadhafter Gemälde* eingehend den Arbeitsvorgang A.s, der der Meinung war, *man solle das Putzen und Restauriren nur als einen Nothbehelf ansehen und erst alsdann wagen, wenn die Gemählde völlig ungenießbar geworden (I/49^{II}, 142).*

–, 2) Ignatius (Lebensdaten unbekannt), Sohn des Vorgenannten, Maler, nahm mit seinem Vater an einem *prächtigen Mittagsmahl* teil, das die Patres des Kartäuser-Klosters in Neapel veranstalteten, nachdem ihnen Riberas *Kreuzabnahme Christi* auf Vermittlung Hakkerts vom König zurückgegeben worden war (I/46, 269 f.). *Lö*

Andrieux, François Guillaume Jean Stanislas (1759–1833), französischer Dramatiker, zur Consulatszeit *Napoleons auch politisch tätig, Goethe wohl nur durch die Mitarbeit am „*Livre des Cent-et-un" bekannt (1832: I/42^{I}, 343). *Fu*

Anecdotes italiennes depuis la destruction de l'empire romain jusqu'à nos jours (1769), Sammlung geschichtlicher, auf Italien bezüglicher Anekdoten durch den sehr fruchtbaren französischen Kompilator Jean-François de Lacroix (lebte um die Mitte des 18. Jh.s); von Goethe 1797 für die Vorbereitung des zweiten italienischen Aufenthaltes in Betracht gezogen (I/34^{II}, 182). *Fu*

Anekdote zu den Freuden des jungen Werthers, eine kleine Szene zwischen Lotte und Werther, die Goethe als Satire auf die 1775 erschienenen „Freuden des jungen Werthers" von *Nicolai schrieb (I/38, 37–43). Der berliner Aufklärer Nicolai hatte der Lebensgeschichte Werthers eine optimistische Wendung gegeben, indem er Albert auf Lotte verzichten läßt. Dieser lädt die Pistole, die Werther von ihm leiht, mit Hühnerblut, und Werther kommt auf diese Weise mit dem Leben davon. In Goethes satirischer Szene finden wir Werther und Lotte als Paar vereint. Doch Werther geht es sehr übel, Lotte kühlt ihrem Geliebten die Augen, die vom Schuß mit Hühnerblut schwer angegriffen sind. Die Satire greift damit geschickt das heraus, was an Nicolais Erfindung als läppisch erscheinen muß. Lotte tadelt Albert wegen seines *Hanswursten-Einfalls,* und alle von Lotte auf diese Weise gegen Albert gerichteten Anklagen sind in Wahrheit auf Nicolai gemünzt: *Erst musst ich lachen, dass er von der ganzen Sache gar nichts begriffen, nicht die mindeste Ahndung von dem gehabt hatte, was in deinem und meinem Herzen vorging (I/38, 42).* Solchen Vorwurf platter, verständnisloser Vernünftelei wiederholte Goethe im 13. Buch von *DuW,* wo er mit Recht hervorhebt, daß der ganze Charakter Werthers auf einen tragischen Ausgang angelegt sei, daß hier demnach nichts zu vermitteln sei, daß Werthers Jugendblüte von vornherein als vom tödlichen Wurm gestochen erscheine. Die kleine Szene hielt Goethe selber für verloren, doch tauchten zwei Abschriften auf: eine Handschrift Ph*Seidels, von Goethe korrigiert, aus dem Nachlaß *Oesers, von WPhvBiedermann als Festgabe zum 28. VIII. 1862 herausgegeben; eine zweite aus dem Kreise der *Jacobis, 1869 von RZöppritz in seinem Werk „Aus FHJacobis Nachlaß" (2, S. 280–284) veröffentlicht. Der ersten gebührt der Vorzug, die zweite weicht in einzelnen Worten ab. Den Begriff *Anekdote* hat Goethe hier im ursprünglichen Sinne des Wortes gemeint, als das *nicht Herausgegebene,* das heißt hier: das, was nicht bei Nicolai steht. Vgl. das Gedicht *Nicolai auf Werthers Grabe (I/5ᴵ, 159).*   *So*

Anet (Ins), 472 m hoch gelegenes, größeres Dorf im Kanton Bern/Schweiz. Goethe und Carl August ritten am 6. X. 1779 von *Erlach nach A., machten von dort einen Ausflug nach *St. Blaise am *Neuenburger See und übernachteten am Abend desselben Tages in A. *in einem leidlichen Wirthshaus.* Am nächsten Morgen brachen sie *von Annet auf, es rieselte stark, wir mussten durch den Moor und Moos was man bei uns durch Rieder nennen möchte, wodurch uns der Wirth begleitete, wo wir doch oft unsere Pferde führen mussten aus Furcht nicht einzusinken (IV/4, 76 f).* Erst 1874–1887 wurde durch umfangreiche Wasserbauarbeiten das *Moor und Moos*-Gebiet von A. in fruchtbares Nutzland verwandelt.   *Za*

Anfossi, Pasquale (1727–1797), seit 1773 berühmter Komponist von Buffoopern. Einige davon besaß Herzogin Anna Amalia in Partitur, Goethe sagten sie (zB. „Alessandro nel Indie" unter A.s persönlicher Leitung) bei seinem ersten

Aufenthalt in Rom 1787 nicht besonders zu (I/30, 247). A. war seit 1791 Kapellmeister am Lateran zu Rom und Kirchenkomponist.   *MB*

Angelico, Fra Giovanni Beato A. da Fiesole, eig. Guido da Pietro (1387–1455), Maler, seit 1407 Mönch des Dominikanerklosters in Fiesole, tätig in Rom und Florenz, neben *Massaccios weit vorausgreifender, naturnaher Darstellungsweise Bewahrer einer rein sakralen verklärenden Formschönheit, die sich auch in seiner blau, rot und gold bevorzugenden Farbenskala ausdrückt. Seine Tätigkeit als Freskomaler (in dem Kloster S. Marco zu Florenz 1437–1445 und in der Kapelle Nikolaus V. im Vatikan 1450) wird von seiner Arbeit an Tafelbildern begleitet, von denen das bedeutendste die zwischen 1418 und 1436 gemalte Krönung Mariä für die Kirche S. Domenico in Florenz ist (Uffizien).

H*Meyer hatte schon früh besonderes Interesse für A.: „Was sind aber die alten Florentiner gut! da Fiesole, *Ghiberti, Massaccio, *Lippi und *Ghirlandajo sind herrliche Menschen und ihre Werke unschätzbare Kleinodien", schreibt er an Goethe am 24. VI. 1796 aus Florenz (BrMeyer 1, S. 274) und lobt am 13. Oktober des gleichen Jahres die Krönung Mariä: „das schönste Gemählde des seligen Fra Angelico ... solche Sanftmuth, solche selige Stille, das Heitere und Heilige oder Fromme, welches dieses Bild hat, habe ich noch nie gesehen" und verweist auf das Urteil – „oder vielmehr Lobschrift" – des *Vasari (BrMeyer 1, S. 361; vgl. auch I/49ᴵ, 31).

Auf diesem Wege gewann Goethe Kenntnis von dem altflorentinischen Meister, dessen Hauptwerk, die Marienkrönung, er in den Umrissen von *Ternite (Mariä Krönung und die Wunder des Heiligen Dominicus, nach Johann von Fiesole, in 15 Blättern gezeichnet von WilhelmTernite. Nebst einer Nachricht vom Leben des Mahlers und Erklärung der Gemälde von August Wilhelm Schlegel. Paris 1817) 1823 in Gegenwart A*Schopenhauers betrachtete (III/9, 57). Doch erst 1827 urteilt er Zelter gegenüber: *Freylich muß man jenes irdische Leben* [der pompejanischen Malereien] *in den Augen etwas verklingen lassen, wenn dieses himmlische einigen Eindruck machen soll; denn, Gott sey Dank! wir haben uns vom Pfaffthum eben so weit entfernt als der Natur wieder genähert. Diesem unschätzbaren Vortheil können und dürfen wir nicht entsagen (IV/42, 73).* Wird damit A. als Nichtnaturalist gekennzeichnet und nur teilweise historisch gewertet, so weiß Meyer in seiner Rezension der Nachbildung in *KuA* 1827 (Bd 6, H. 1, S. 179 f.), zu der ihn Goethe am

18. II. 1827 aufgefordert hatte (IV/42, 66), im Anschluß an seine frühe Äußerung den Maler und sein Werk, dessen „Hauptverdienst" und „das ganz Eigenthümliche desselben . . . in der überall waltenden Stille, dem gemüthlichen Frommen" besteht, gerecht zu würdigen: „ein heiterer himmlischer Schein ergießt sich durch die ganze Darstellung".   *Lö*
WHausenstein: Fra Angelico. 1923. – ThB 1 (1907), S. 496–503.

Angelis, Seconde de (Lebensdaten unbekannt), *Sicilianer (I/46, 291),* Maler, tätig nach der Mitte des 18. Jahrhunderts, bewarb sich 1789 nach dem Tode *Bonitos um die Direktorstelle an der Akademie zu Neapel, da er als ein *ganz guter Mahler und Zeichner,* der lange als Professor an der Akademie tätig gewesen war, *die gerechtesten Ansprüche auf diesen Posten, sowohl wegen seines Talents, als anderer Verdienste* hatte *(I/46, 291).* Er verzichtete jedoch, als ein Wettbewerb ausgeschrieben worden war, an dem *Monti und *Tischbein beteiligt waren (I/46, 294), welche beide gemeinsam 1790 die Stelle erhielten. A. lieferte Kupferstiche für das sechsbändige Werk „Le pitture antiche d'Ercolano", Napoli 1757–1779, das Goethe Anfang 1827 in einzelnen Bänden von der Bibliothek entlieh (Juni 1828 nochmals den Band 1 mit den Fresken: Keudell Nr 1793; 1800; 1804; 1930) – wahrscheinlich für seinen Aufsatz über *Die schönsten Ornamente und merkwürdigsten Gemählde aus Pompeji, Herculanum und Stabiä (I/49ᴵ, 161–187).*   *Lö*
ThB 1 (1907) S. 507.

Angely, Louis (31. I. 1787 Leipzig – 16. XI. 1835 Berlin), Schauspieler und Dramatiker, spielte zunächst in Nordostdeutschland, den baltischen Provinzen und in Petersburg und war seit 1828 am Königstädtischen Theater in Berlin als Komiker und als geschickter Regisseur tätig. 1830 zog er sich von der Bühne zurück und wurde Gastwirt. Seine nach französischen Vorlagen geschriebenen Possen, Vaudevilles und Singspiele zeichneten sich häufig durch gut getroffenen Lokalkolorit aus, „Das Fest der Handwerker" leitete die Berliner Posse ein. Zunächst für den Bedarf des eigenen Ensembles geschrieben, brachten sie ihm auch auf den übrigen Bühnen Deutschlands große Erfolge. Den „Sieben Mädchen in Uniform", A.s meistgespieltem Stück, erkannte Goethe nicht nur zu, daß es *zeitgemäß* sei, da sich jedermann *das Soldatengespiele zu einer halblüsternen Posse verwandt (IV/40, 218)* gefallen lasse, sondern er fand darin sogar jene von *Aristoteles geforderte Erregung von Furcht, *indem wir doch immer nicht wissen können, wie der Spaß für die guten Dinger ab-*

läuft (Bdm. 3, 415). Einer Aufführung von A.s „List und Phlegma" wohnte Goethe dagegen *ohne sonderliche Erbauung (III/12, 64)* bei.   *EF*
WEylitz: Das Königstädtische Theater in Berlin. Rostock, Diss. 1940.

Anger, Christian Ernst, Pfarrer, Mag., 1827– 1850 Oberpfarrer und Superintendent in Blankenhain. Ihm sandte Goethe am 24. VII. 1830 *ein Exemplar von Hermann und Dorothea (III/ 12, 278).*   *Hk*

Angermann, Christian Friedrich (†1822), Dr. med., kgl. sächs. Hofchirurg in Leipzig, wurde 1809 in Weimar zum besoldeten Hofdentisten (Hofzahnarzt) angenommen mit der Verpflichtung, jährlich zweimal je 14 Tage hier tätig zu sein. A. besuchte Goethe am 6. IV. 1817, um ihm *das Bild von Rochlitz* zu überbringen, *wo die Abdrücke jener Wincklerischen geschnittenen Steinsammlung beygepackt waren (III/6, 32).*   *Hk*

Angerstein, John Julius (1735–1823), Kaufmann und Kunstliebhaber, vielleicht verwandt mit dem Stempelschneider und Münzmeister Julius A., der von 1692–1706 in Eisenberg/ Thür. und um 1710 in Weißenfels nachweisbar ist, da die Gleichheit des Vornamens, den auch der Sohn des John Julius A. trug, und die unbestimmte Angabe, John Julius A. sei russischer Herkunft, hierfür sprechen könnte. Seit 1750 in London, wurde A. in der Firma Lloyd-Caffee rasch erfolgreich und wohlhabend, so daß er seiner Neigung zur Kunst und seiner Philanthropie nachgeben konnte. Als Kunstsammler, der sich mit Unterstützung des Sir ThLawrence und zuweilen auch des BWest eine wertvolle Gemäldesammlung erwarb, verdient er Interesse, da seine Sammlung den Grundstock der londoner National-Galerie bildet. Nach seinem Tode erwarb der englische Staat 1824 aufgrund einer Bewilligung von 600 000 Pfund durch das Parlament den größten Teil seiner 38 Gemälde, darunter Hauptwerke von van*Dyck, *Rubens und *Raffael, und schuf im Hause A.s hierfür Ausstellungsräume. Der nach seinen Gemälden angefertigte Kupferstich-Band, den JYoung 1823 unter dem Titel „Catalogue of the Pictures of J. J. Angerstein, Esq., with Historical and Biographical Notice" herausgab, wurde Goethe durch den Großherzog Carl August zugesandt und am 25. X. 1824 angesehen (III/9, 287).   *Lö*
Dictionary of National-Biographie 1 (1885), S. 416. – ThB 1 (1907), S. 516. – Catalogue of the Pictures in the National Gallerie... Foreign Schools. London 1901. Vorwort.

Angulo y Heredia, Antonio (1829–1868), Cubaner, wurde als Schüler von José de la *Luz y Caballero in La Habana, wo er die deutsche Sprache und Literatur kennenlernte, auf Goethe hingewiesen. 1863 hielt er im Ateneo von Madrid eine Reihe von Vorlesungen über Goethe und Schiller, die auch in Buchform erschienen („Goethe y Schiller. Su vida, sus obras y su influencia en Alemania". Madrid 1863). Diese Vorlesungen wie das Buch sind die ersten wissenschaftlichen Studien, welche Goethe in spanischer Sprache gewidmet sind. Sie bezeichnen den Anfang ernsterer Bemühungen um Goethe und sind für das weitere Verhältnis der spanischen Welt zu Goethe von Wichtigkeit. *Ru*

Anhalt-Bernburg, die auf Christian I. († 1630) zurückgehende Linie der askanischen Fürsten- bzw. Herzogsfamilie mit *Bernburg (seit 1603 und bis 1863) als namengebender Residenz dieser jüngeren Bernburger Linie, nimmt hinsichtlich der Bedeutung für Goethe, aber nicht nur in dieser Hinsicht, und im Verhältnis zu der Dessauer Linie eine nur geringe Stelle ein. Goethe kannte aus diesem Zweig
–, 1) Friedrich Albrecht (1735–1796), der seit 1765 Souverän in seinem kleinen Lande und 1789–1796 im Sinne des Senioratsrezesses von 1635 als ältest regierender Fürst der Familie die „Gesamtung" (Seniorat), dh. die allen Linien gemeinsamen Angelegenheiten wahrzunehmen hatte. Sogleich bei Beginn seiner Regierungszeit (1765) verlegte er seinen Wohnsitz nach *Ballenstedt in das dortige, seit dem 11. Jahrhundert bestehende Schloß, in dessen Krypta sich die Grabstätte Albrechts des Bären befindet. Diese Ortswahl trägt alle Züge einer traditionsbewußten, programmatisch gemeinten Handlung. FA. machte sich auf den Gebieten der Verwaltung und Rechtspflege, des Straßenbaus, der Landwirtschaft, des Schulwesens, vornehmlich aber und hervorragend des Bergbaus verdient. Schlechte Bauernjahre (1771; 1772) und die dadurch entstandenen Hungerkatastrophen wußte er tatkräftig als echter Landesvater in den schlimmsten Auswirkungen abzuwehren, wie denn überhaupt die Repräsentanten der kleinen und kleineren Fürstentümer ihre politische Energie mehr nach innen wenden und bemüht sein mußten, ihren Landeskindern die größtmögliche Wohlfahrt zu sichern (in diesem Sinne wird für die damaligen Verhältnisse das Wort „Wohlfahrtsstaat" gebraucht), auf große Politik nach außen aber vorsorglich weise zu verzichten. Unter diesem Gesichtspunkt war FA. ein vorbildlicher Fürst, der zwischen den Großen auch geschickt zu lavieren verstand. Seine Gemahlin (seit 1763): Luise geb. Prinzessin von Holstein-Plön (1748

bis 1769) war bereits (wohl bei Geburt eines zweiten Kindes?) gestorben, als Goethe von Weimar aus Kontakt mit FA gewann. Am 25. V. 1778 *Kam die Berenburger Herrschafft* (gemeint ist der Fürst FA. mit Suite, aber ohne Gemahlin) nach *Wörlitz, wo sich Goethe als Begleiter Carl Augusts nach der *Berlin-Reise aufhielt *(III/1, 67)*. Zwei Tage später fand *bey Pr. v. Berenburg* ein gemeinsames Essen mit den am *Maneuvre* beteiligten preußischen Generalen in *Aken (wohl ein Herrenessen) statt, an dem Goethe teilnahm *(ebda)*. Eine persönlichere Äußerung Goethes über FA., der sie nach seiner gewinnenden Wesensart wohl hätte erwarten lassen, findet sich nicht.
–, 2) Alexius Friedrich Christian (1767–1834), Sohn des Vorgenannten, seit 1796 Fürst, seit 1806 Herzog (Titelverleihung durch Kaiser Franz II. am 18. IV. 1806), konnte 1797 durch Erbfolge sein Land um seinen Anteil am Fürstentum Zerbst vergrößern, trat 1807 dem Fürstenbund bei. 1817 übernahm er das Seniorat (s. o.) der anhaltinischen Linien. Von seiner Gemahlin (seit 1794) Marie Friederike, geb. Prinzessin von Hessen-Kassel (1768 bis 1839) wurde er 1817 geschieden, heiratete 1818 in zweiter, morganatischer Ehe deren Hofdame, ein Fräulein vSonnenberg als Frau vHoym (dieser Name einer kurzlebigen Nebenlinie war 1812 erloschen), nach ihrem noch im selben Jahre erfolgten Tode heiratete er deren Schwester wiederum als Frau vHoym; diese überlebte ihn dann. AFChr. entwickelte, wohl im Zusammenhang mit den bereits vom Vater überkommenen bergbaulichen Einrichtungen seines Landes, mineralogisch-geologische Interessen. Goethe beteiligte sich lebhaft, als sein *Steinfreund* J*Müller in *Karlsbad die bestellten Steinsammlungen für AFChr. im August und September 1807 ordnete, verpackte und verschickte (III/3, 266; 268; 269); diese Bestellung ist vielleicht ein Ergebnis der Anzeige *in dem Intelligenzblatt der Jenaischen Literaturzeitung Nr 94 des Jahres 1806 (NS 1, 331)*, die Goethe 1807 erwähnt. Am 16. I. 1826 (III/10, 149; IV/40, 481) konnte Goethe dem Herzog für die *formell und in gnädigsten Ausdrücken* eingegangene Gewährung des im Oktober 1825 erbetenen landesherrlichen Schutzes vor *Nachdruck danken *(IV/40, 177 f.)*. Diese Bitte um Schutz hatte der sog. Ausgabe letzter Hand gegolten. Sonst bestand aber kein Kontakt. Auch politisch ergaben sich keine wirkungsvollen Beziehungen. Während der *Harz-Reise von 1805 ergriff Goethe weder in Bernburg noch in Ballenstedt die Gelegenheit zu einer persönlichen Fühlungnahme.

–, 3) Hermine, geb. Prinzessin v. A.-B.-Schaumburg (1797–1817), heiratete Joseph Anton Johann, Erzherzog von *Österreich, Palatin, den Sohn des Kaisers Leopold II., starb aber bereits bei der Geburt ihres ersten Kindes, einer Tochter Hermine Amalie Maria (1817–1842). Von H., die einer im Mannesstamme mit dem Tode ihres Vaters Victor Karl Friedrich 1812 erloschenen Nebenlinie angehörte (Bernburg-Hoym-Schaumburg), und von ihrer bevorstehenden Hochzeit hörte Goethe wie *im tiefsten Frieden* lebend während der wiesbadener Kur im Juni 1815: *Dieß gab mancherley zu reden und noch mehr zu denken* (IV/26, 16). *Za*

Anhalt-Köthen. Mehr als eine nur konventionelle Beziehung kann es nicht gewesen sein, die Goethe mit diesen askanischen Nebenlinien (gegabelt in Plötzkau und Pleß) in Kontakt brachte, obwohl keine großen Umstände erforderlich gewesen wären, wenn er auf seinen Reisen zwischen 1776 und 1805 den Weg zu ihrer Residenz Köthen hätte nehmen wollen. Ob es je geschehen ist, berichtet er nicht. Persönliche Begegnungen auch an anderen Orten notiert Goethe ebenfalls nicht. Die Fürsten aus der Plötzkauer Linie: Carl Georg Leberecht (1755–1799), August (1789–1812), Emil (1812–1818) bleiben unerwähnt; sehr spät finden sich Zeugnisse für

–, 1) Friedrich Ferdinand (1769–1830), der seit 1818 als Herzog im Erbgang für die erloschene Plötzkauer Linie die Plessener an die Herrschaft brachte. Einen pariser Aufenthalt im Oktober 1825 benutzte er, um sich gemeinsam mit seiner Gemahlin (2) zur katholischen Kirche zu bekennen und überzutreten. Diese Maßnahme nötigte Friedrich Wilhelm III. von *Preußen als Halbbruder der Herzogin und als Oberhaupt der preußischen Königsfamilie dazu, öffentlich *ein so unbewundenes Glaubensbekenntniß abzulegen, welches für Wohldenkende doch höchst tröstlich ist, und das Corpus evangeliorum, wie es noch im Geiste besteht, auf's neue sicher stellt.* Auch die übrige fürstliche Umwelt fühlte sich, wie dieser Brief an Carl August zeigt, durch den überraschenden Schritt des Anhaltiners und durch die Reaktion des Preußen betroffen (18. IV. 1826: *IV/41, 15*). Am 16. I. 1826 hatte Goethe auch FF. seinen Dank in der Angelegenheit des Privilegs gegen *Nachdruck ausgesprochen (III/10, 149; IV/ 40, 481).

–, 2) Julie Wilhelmine (1793–1848), die Gemahlin des Vorgenannten in zweiter Ehe, war als geborene Gräfin von Brandenburg die Tochter Friedrich Wilhelms II. von Preußen aus dessen morganatischer Ehe (1790) mit der Gräfin Sophie Juliane Friederike vDönhoff, demzufolge Halbschwester des späteren Königs Friedrich Wilhelms III. von Preußen. Ihr Übertritt gemeinsam mit ihrem Gemahl zur katholischen Kirche veranlaßte das „Schreiben des Königs von Preußen an die Herzogin von Köthen", das wie bereits erwähnt Friedrich Wilhelm III. verfaßte und wiederholt auch in Zeitungen veröffentlichen ließ. Es war auch in Weimar und Goethe persönlich bekannt gemacht worden (17. IV. 1826: III/10, 184). Die Reaktion war allenthalben im protestantischen Lager unfreundlich.

–, 3) Luise Caroline Theodora Amalia (1779 bis 1811), als geborene Prinzessin von *Hessen-Darmstadt Nichte der Herzogin Luise Augusta, der Gemahlin Carl Augusts, 1800 vermählt mit dem Prinzen Ludwig von A.-K. (1778–1802), der als jüngster Sproß der aussterbenden Plötzkauer Linie nicht selbst, sondern nur in seinem Sohn Emil (1812–1818; s. o.) zur Herrschaft kam. Die Prinzessin war, noch unverheiratet, von Januar bis November 1796 wiederholt am weimarer Hofe zu Gast und dabei auch Goethe begegnet; er kann sie auch in *Leipzig getroffen haben (III/2, 39; 46; 49; 50). Während dieses Aufenthaltes dürfte die spätere Ehe angebahnt worden sein. *Za*

Anhalt-Dessau. Von allen askanischen Häusern ist dies dasjenige, mit dem Goethe am meisten verbindet. Nicht wenig trug dazu auch der besonders enge Kontakt der Fürstenfamilien in *Dessau und Weimar bei. Den „alten Dessauer" Leopold I. (1676–1747) kannte Goethe aus der europäischen, aus der preußischen und aus der anhaltinischen Geschichte, wahrscheinlich aber noch um vieles lebendiger aus der Familienüberlieferung der jüngeren Dessauer. Im Sommer 1825 las Goethe zusammen mit Carl August die Biographie Leopolds I. von KA*Varnhagen (III/10, 73; 76). Die *Selbstbiographie des Fürsten, die die Jahre 1676–1703 umfaßt und erst 1876 veröffentlicht wurde, hat Goethe selbst im Manuskript wohl nicht zu Gesicht bekommen können, obwohl sein Interesse für autobiographische Schriften schon in der ersten Lebenshälfte groß und rege war. Auch zu Leopold II. Maximilian (1700–1751) konnte Goethe keinen persönlichen unmittelbaren Kontakt mehr haben. Dieser begann erst mit

–, 1) Leopold III. Friedrich Franz (1740–1817), der als „Vater Franz" in seinem Lande und über dessen Grenzen hinaus weiterlebte. LFF war zu seiner Zeit eine der menschlich gewinnendsten Herrscherpersönlichkeiten. In neunundfünfzigjähriger Regierungszeit gelang es diesem Fürsten, die Lebens- und Herrschaftsformen des „aufgeklärten Despotismus" mit patriarchalischer Selbstlosigkeit zu einem beispielhaften und würdig selbstbewußten Landesvatertum im friederizianischen Sinne eines ersten Staatsdieners und eines Wirkens für andere zu vereinigen. Beim Tode des Vaters erst elfjährig (1751), war er zunächst auf die Vormundschaft seines Onkels Dietrich angewiesen. Wie in seinem Hause üblich (Großvater, Vater, 4 Vatersbrüder), trat er früh in die preußische Armee ein, um darin ebenfalls groß zu werden. Er nahm an den ersten Schlachten des siebenjährigen Krieges teil (Prag; Kolin), scheint aber dann Friedrichs Waffenglück nicht mehr vertraut oder aber den Krieg als politisches Instrument schon verabscheut und um schnellerer Verabschiedung willen Kränklichkeit vorgetäuscht zu haben. Er ließ sich mit dem 20. X. 1757 durch kaiserliche Autorität als majorenn erklären und übernahm damit selbständig die Regierungsgewalt. Friedrich d. Gr. mußte daraufhin A.-D. als Feindesland behandeln und bürdete ihm schwere Kriegssteuern auf, die LFF durch großherzige Veräußerung erheblichster Teile seines eigenen Familienschatzes beglich, um seinen Landeskindern alle vermeidbaren Opfer zu ersparen. Hatte er in einer starken Demonstration den Krieg und überhaupt die militante „Macht" als Mittel oder gar als Zweck der Politik abgelehnt und ihm nur mehr die Stelle einer allenfalls unerläßlichen ultima ratio gelassen, so wandte er sich programmatisch der Friedenspolitik zu und strebte danach, den produktiven „Geist" im Sinne eines aufklärerisch-humanen Denkens zum Prinzip seines Handelns zu machen. Um hierfür auch die persönlichen Voraussetzungen zu schaffen, unternahm er nach Beendigung des siebenjährigen Krieges 1763 und 1765 incognito als Graf vSandersleben große Bildungsreisen durch England, Schottland, Frankreich, Italien. Im Dezember 1765 schloß er hier seine ihn weit und tief bestimmende Freundschaft mit J J *Winckelmann: „Ich bin von Dessau ... und habe Ihres Beistandes nötig, lieber Winckelmann" (C Justi 3. Bd S. 343). Heimgekehrt wandte er sich mit Energie der inneren Entwicklung seines Landes zu, indem er sich von den Erfahrungen und Begegnungen seiner Reisen leiten ließ. 1768 ließ er nach englischem Muster die auch von Goethe immer wieder bewunderten Gartenanlagen von *Wörlitz, 1775 das „Louisium" bei Jonitz entstehen und die Residenz in

Dessau selbst erweitern und ausschmücken. 1771 wurde J B *Basedow ins Land gerufen und 1774 mit seiner Hilfe sowie unter Anwendung der Erziehungsgrundsätze J J *Rousseaus das Philanthropinum als „Schule der Menschenfreundlichkeit" in Dessau begründet; obwohl sich Basedow nicht bewährte, bestand das Erziehungsinstitut bis 1793, führte außerdem zu einer Reihe von Tochtergründungen (zB. in Schnepfenthal bei *Gotha durch Chr G *Salzmann, 1784). Erfolgreicher war LFF 1779 durch Errichtung eines Lehrerseminars, 1785 mit seiner Schulgründung durch J G Neuendorf (später „Herzogliches Friedrichs-Gymnasium") und 1786 mit der Eröffnung der Töchterschule, der ersten in ganz Deutschland. 1795 inaugurierte LFF die *Chalkographische Gesellschaft. Dem bereits seit 1766 durch den (1775 so titulierten) Hofmusikdirektor F W *Rust († 1796) führend entwickelten Musikleben suchte er 1798 durch den Neubau des Schauspielhauses und durch die Vergrößerung der fürstlichen Kapelle noch stärkere Wirkungsmöglichkeiten und Anziehungskraft zu geben. Auch für die Publizistik sorgte er (1763 „Wöchentliche Nachrichten" = Staatsanzeiger). Auf den Gebieten des Sozialwesens, der Rechtspflege, Wirtschaft und Verwaltung war LFF bestrebt, der Bettelei Herr zu werden (1766/70 Gründung und Einrichtung des Armenhauses in Dessau; 1773 „Almosen-Veranstaltung in den kleinen Städten und auf den Dörfern der Hochfürstlichen Anhalt-Dessauischen Lande"), das Vagabundentum zu bekämpfen, einer Beschleunigung im Geschäftsgang der Gerichte zu dienen, gute und bessere Straßen anzulegen, Brücken zu bauen, Industrieanlagen (zB. Bergbau) zu fördern, das Handwerk zu schützen, Ackerbau und Viehzucht durch eigene Musterbetriebe anzuregen, Wald- und Wildwirtschaft auf das Gemeinwohl abzustimmen, eine gesunde, förderliche Preis- und Steuerpolitik zu gewährleisten, endlich einen Katastrophenschutz durch Versicherung (Brandkasse) zu ermöglichen. Die ganze Vielfalt dieser Maßnahmen und Unternehmungen wurzelte bei LFF in seinem innersten Persönlichkeitskern; er war, mit Winckelmanns Worten, ein Fürst, „der ein Kaiser sein sollte, sowie er ein Menschenfreund ist" (C Justi 3. Bd S. 345). Doch war er deswegen kein uncouragierter Schwächling, wie sein erstes Zusammentreffen mit *Napoleon zeigt: „Sie sind der Fürst dieses Landes?" – „Ja, Sire, seit 48 Jahren!" – „Haben Sie ein Kontingent zur preußischen Armee gestellt?" – „Nein." –

„Und warum nicht?" – „Weil keins von mir verlangt worden ist!" – „Wenn man es aber verlangt hätte?" – „Dann würde ich es gestellt haben: Euer Majestät kennen ja das Recht des Stärkeren" (HWäschke S. 84). Unter diesem Gesichtspunkt ließ sich LFF 1807 zum Eintritt in den Rheinbund bewegen, wobei er den Titel „Herzog" annahm, schied aber 1813 als einer der ersten wieder aus. Goethes zahlreiche Begegnungen mit LFF fallen in die Jahre 1776, 1777, 1778, 1780, 1782, 1800, 1808 und fanden in *Holzweissig/Leipzig (erstmals 3. XII. 1776: III/1, 28), in Weimar (erstmals 3. VI. 1777: III/1, 40), oder in Wörlitz/Jonitz/Dessau statt (erstmals 3./19. XII. 1776: III/1, 28). Besonders bemerkenswert und charakteristisch für den Kontakt sind die Notizen: *Der Fürst kam gegen Mittag. Vorschlag mit ihm zu gehn. Kurzgefasster Entschluss, bey Tisch zugesagt* (in Leipzig, 11. V. 1778: *III/1, 66*). *Waren in Leipzig. Vergnügte Tage. der Fürst v. Dessau war da mit *Erdmannsdorf. Ich gewinne viel Terrain in der Welt* (Ende April 1776: *III/1, 116*); *früh F. v. Dessau. interessantes Gespräch. über seine Lieblings Materien* (in Weimar, 12. VI. 1782: *III/1, 141*). Für Goethe war LFF eine der schönsten Seelen, die er kannte und deren bloße Nähe bereits zu bessern vermochte. LFF kritisierte in den Anfangsjahren gelegentlich, daß Goethe „Natur und Kunst über den Menschen setze, die sinnliche Seite am Menschen hervorhebe und um die sittlich-religiöse Bildung des Volkes sich gar nicht kümmere" (CJusti 3. Bd S. 348). Die letzte Begegnung Goethes mit LFF, die im Tagebuch festgehalten wird, fand am 1. X. 1808 in Erfurt statt: *Nahm der Herzog von Dessau Abschied, der bey Napoleon gefrühstückt und dessen Unterredung mit Talma angehört hatte (III/3, 390 f.)*. In dieser Zeit (1796–1817) war LFF Senior der anhaltinischen Fürsten.

–, 2) Louise Henriette Wilhelmine, geb. Prinzessin von Brandenburg-Schwedt (1750 bis 1811), Gemahlin des Vorgenannten seit 1767, war nicht dessen erste und tiefste Liebe. LFF hatte erst aufgrund einer energischen Demarche Friedrichs d. Gr. seine Bindung an ein schönes, liebreiches, sanftes, anspruchsloses, bürgerliches Mädchen und zugleich seine Rücktrittsabsichten aufgegeben, um die Brandenburgerin zu heiraten. Für diese nahm ihn ihre vielen verehrungswürdigen Vorzüge ein, ein eigentliches und letztes Glück verhinderte aber die Verschiedenartigkeit der Charaktere. Goethe, der die Fürstin jedesmal bei Hofe in Wörlitz oder Dessau/Jonitz

(„Louisium"; hierher zog sich LFF 1817 zurück, um zu sterben) getroffen haben dürfte, erwähnt nur einmal ihre Anwesenheit ausdrücklich, und zwar in Tiefurt/Weimar am 12./13. VI. 1782 (III/1, 141).

–, 3) Friedrich (1769–1814), Sohn des Erstgenannten und seiner Gemahlin (2), Erbprinz, wird von Goethe ebenfalls nur einmal erwähnt: *als wir in Delitsch fütterten, kam der Erbprinz (2. I. 1797: III/2, 51)*.

–, 4) Johann Georg/Hans Jürge (1748–1811), den Bruder des Erstgenannten (LFF) nennt Goethe 1778 und 1797 wiederholt als Gastgeber (III/1, 66 f.; III/2, 51 f.). JG, der preußischer Offizier war, hatte Goethe 1778 in Berlin und 1797 in Dessau als Tischgast oder zu Ball geladen.

–, 5) Leopold IV. Friedrich (1794–1871), seit 1817 Herzog, traf schon als Thronfolger am 3. VIII. 1814 in *Mainz mit Goethe zusammen (III/5, 123); am 14. I. 1825 galt auch ihm Goethes Dank für die Gewährung des Schutzes gegen *Nachdruck.

–, 6) Friedrich, Graf von A.-D. (1732–1794) war Offizier in russischen Diensten und wird von Goethe nur einmal flüchtig genannt (März 1778: III/1, 63).   *Za*

CJusti: Winckelmann und seine Zeitgenossen. ²1923. 3. Bd. – HWäschke: Abriß der Anhaltischen Geschichte. 1895.

Anio (Aniene, Teverone), linker *Tiber-Nebenfluß, am Monte Cantaro entspringend und 3 km oberhalb *Roms mündend. Goethe lernte den Fluß in der ersten Junihälfte 1787 kennen, als er mit Ph*Hackert *Tivoli aufsuchte. Dabei sah er hier *eins der ersten Naturschauspiele*, nämlich die *Wasserfälle*, nicht den neuen, erst 1826–1835 unter Papst Leo XII. angelegten, mit den technischen Mitteln eines durch den Monte Catillo gebrochenen Doppelstollens gebändigten und zugleich gesteigerten großen Wasserfall, sondern dessen ältere, natürliche, aber auch gefährlichere Vorformen, die zT. auch heute noch ihre Fluten springen lassen. Die felsigen Schluchten und Schlüfte, durch die sich der Fluß hier hindurcharbeiten muß, haben gegenüber dem Anblick zu Goethes Zeit manches an ursprünglicher Größe und Wildheit eingebüßt. Schon in der Antike zog das Landschaftsbild die Patrizier Roms an; Tivoli wurde so zu ihrem Lieblingssitz, wie die Reste von zahlreichen bedeutenden Landhäusern (zB. des Maecenas; Hadrians) oder Tempel- und Theaterbauten bezeugen. Die Quellwasser des A. speisten die hier vorbeigeführte *Acqua Marcia. *Es gehören die Wasserfälle dort mit den Ruinen und dem ganzen Complex der Landschaft zu denen Gegenständen* *deren Bekanntschaft uns im tiefsten Grund reicher macht (I/32, 4).*   Za

Annales des sciences naturelles, comprenant la zoologie, la botanique, l'anatomie et la physiologie comparée des deux règnes et l'histoire des corps organisés fossiles, französische naturwissenschaftliche Jahrbücher (1. Reihe, 1824–1833; 30 Bde, 1 Reg.-Bd). Goethe verfaßt 1831 für die A. eine Mitteilung, die er *Soret zu übersetzen bittet (IV/48, 201).   Fu

Annales romantiques (1823–1836), zuerst unter dem Titel „Tablettes romantiques" erscheinend, Jahrbücher der romantischen Bewegung in Frankreich; 1825 (III/10, 92 f.) *mit wenig Vergnügen durchgesehen.*   Fu

Année littéraire, L', 1749 als „Lettres sur quelques écrits de ce temps" gegründet, 1754 bis 1790 unter dem Titel „L'a. l." erscheinend, führte als kritische Zeitschrift unter *Frérons, dann unter dessen Sohnes Leitung den Kampf gegen *Voltaire und die anderen Philosophen der *Aufklärung (*Rameau's Neffe* 1805: I/45, 88 f.; 169–171).   Fu

Annette. In doppelter Hinsicht ist dieser Name für Goethe, dh. für den jungen Goethe bedeutungsvoll: A. ist die Form des ersten Vornamens Anna von Katharina/Käthchen *Schönkopf in *Leipzig, außerdem ist es der Titelname einer ersten, allerdings mehr von EW*Behrisch als von Goethe angelegten Sammlung seiner *Leipziger Lyrik. Die Änderung des Vornamens Anna in A. ist wahrscheinlich eine literarische Reminiszenz (Marmontel: La nouvelle Annette et Lubin. Pastorale. 1767). In der von Behrisch kalligraphisch hergestellten Prachthandschrift haben statt der anfangs vorgesehenen 12 schließlich 19 Gedichte Platz gefunden. Alle, dem Themenkreis der *Anakreontik zugehörig, zeigen außerdem die Verarbeitung ganz verschiedener literarischer Vertreter dieser Moderichtung sowie auch verschiedener typischer Motive oder Situationen des anakreontischen Vorstellungsbereiches. So werden sie ua. zum Zeugnis dafür, wie Goethe durch Nachsprechen und Mitsprechen der dichterischen Formen seiner unmittelbaren Zeitgenossen in die Fähigkeiten zu eigenem Sich-Aussprechen hineinfindet. Die Skala der Anklänge bietet in der Reihenfolge der A.-Gedichte dieses Bild: *Gleim (Straßburger Ausgabe 1765!), *Wieland, *Schiebeler, *Gerstenberg, *Richardson, *Ramler, *Zachariae, *Hagedorn, unbekannte Vorlagen aus dem Französischen und Italienischen, *Rambouillet (aus einer Sammlung von 1764), *Voltaire. Diese Beobachtungen lassen sich in ihren Konsequenzen

nur im Zusammenhang mit den beiden anderen Gedichtsammlungen dieser Zeit: *Oden an meinen Freund* (1767) und der *Lieder mit Melodien Mademoiselle Friderike Oeser gewidmet* (1768) sowie mit den sonstigen dichterischen Zeugnissen, dh. durch eine Gesamtbetrachtung der Leipziger Lyrik des jungen Goethe erfassen.   Za

Morris 1, 212–248; 6, 32–48. – ETrunz: HbgA. 1, S. 416–422. – HMeyer: Goethe. 1949. S. 65–75.

Anpassung ist ein zweideutiger Begriff. Er umschließt sowohl die Erfahrungstatsache des Angepaßt-Seins der Organismen an ihre Umwelt und ihre Lebensbedürfnisse als auch den Vorgang des Sich-Anpassens an bestimmte Umweltsbedingungen durch entsprechende Ausgestaltung des Körpers. Hatte man ursprünglich den Zustand des Angepaßt-Seins der Organismen als eine von Anfang an gegebene Tatsache hingenommen, so wurde sie problematisch, als man begann, sich von der Vorstellung der Konstanz der Organismen zu lösen und eine stammesgeschichtliche Entfaltung anzunehmen. In voller Schärfe stellt sich dieses Problem *Lamarck, der es auch systematisch durchdenkt. Er „nimmt an, daß jedes Tier durch den Einfluß der Verhältnisse auf die Gewohnheiten und durch den Einfluß der Gewohnheiten auf den Zustand der Teile, und sogar auf den der Organisation, in diesen ihren Teilen und in ihrer Organisation Abänderungen erleiden kann, die sehr bedeutend werden können, und die den Zustand, in dem wir die Tiere antreffen, herbeizuführen vermochten". Der Zustand des Angepaßt-Seins an eine bestimmte Lebensweise und eine bestimmte Umwelt ist also die Folge eines Sich-Anpassens durch entsprechenden Gebrauch bzw. Nichtgebrauch und infolge davon sich wandelnder Ausbildung der Teile. Voraussetzung für diese Annahme ist die Theorie der Vererbung erworbener Eigenschaften, die Lamarck als Gesetz ausspricht: „Alles, was die Individuen durch den Einfluß der Verhältnisse . . ., durch den Einfluß des vorherrschenden Gebrauchs oder konstanten Nichtgebrauchs eines Organs erwerben oder verlieren, wird durch die Fortpflanzung auf die Nachkommen vererbt."
Bei *Darwin rückt zur Erklärung des Zustands des Angepaßt-Seins die Selektionslehre in den Vordergrund. Doch läßt er daneben auch den lamarckschen Gedankengang noch gelten (*Abstammungslehre): „Änderungen der Gewohnheiten bringen eine erbliche Wirkung hervor; so bei Pflanzen, wenn sie in der Blütezeit von einem Klima in das andere versetzt werden. Bei den Tieren zeigt sich der vermehrte

oder der verminderte Gebrauch einzelner Teile von viel markanterem Einfluß."

Die Vererbungslehre (*Genetik) wies nach, daß durch „Anpassung" des Individuums erworbene Merkmale nicht erblich sind; die moderne Abstammungslehre ist daher eine reine Selektionslehre. Für sie gibt es A. nur als Angepaßt-Sein, das durch Auslese entsprechender Mutationen entsteht.

Eine völlig neue Erfassung der A. gab Jacob vUexküll. Den Begriff A. lehnt er ab wegen seiner Zweideutigkeit und wählt statt dessen den eindeutigen Begriff Einpassung, der den Vorgang des Sich-Anpassens ausschließt und nur die Tatsache umschreibt, daß der Organismus dank der Planmäßigkeit seiner Organisation stets vollkommen in seine Umwelt hineinpaßt, „soweit die dem Tier zur Verfügung stehenden Mittel reichen". „Die Außenwelt bietet dem Lebewesen eine bestimmte Anzahl räumlich und zeitlich getrennter Eigenschaften zur Auswahl dar und gewährt dadurch den Tieren die Möglichkeit, sich aus ihnen eine ärmere oder reichere Umwelt zu schaffen. Sie selbst aber ist völlig unbeteiligt an der Wahl, die vom Lebewesen ohne fremde Beihilfe getroffen werden muß." „Alle Objekte sind in dem kleinen subjektiven", vom Tier mit seinen Organen erfaßbaren „Raum eingeschlossen, dessen fernste Ebene sie wie eine Schale umgibt."

Organismus und Außenwelt sind in allen Fällen zwei getrennte Systeme. Für Lamarck, Darwin und die Selektionslehre ist das Problem, wie der Organismus an die Außenwelt angepaßt sein kann. vUexküll schaltet noch den dritten Begriff der Umwelt ein, der eine der tierischen Organisation entsprechende Auswahl aus der Außenwelt als „Merkmalsträger" umschließt, also gewissermaßen eine Extrapolation der tierischen Organisation in die Außenwelt ist. Die vollkommene Einpassung des Organismus in seine Umwelt ist also lediglich Ausdruck der planmäßigen tierischen Organisation. Nicht die Einpassung des Organismus in seine Umwelt ist das Problem; denn die Umwelt ist ja das vom Organismus geschaffene Abbild seiner Organisation in der Außenwelt; sondern das Problem ist die planmäßige Organisation und ihre Fähigkeit, in der Außenwelt Merkmalsträger zu schaffen.

Die enge Beziehung zwischen der organischen Gestalt und ihrer Umwelt, die Harmonie zwischen der gestaltlichen Organisation, ihren Lebensäußerungen und den Bedingungen der Außenwelt, das eben, was wir als A., richtiger als Einpassung bezeichnen, müßte einem so

aufgeschlossenen Beobachter wie Goethe auffallen, wenn er auch den Begriff A. selber vermieden hat. *Was mich noch aufmerksamer machte, war der Einfluß, den die Gebirgshöhe auf die Pflanzen zu haben schien. Nicht nur neue Pflanzen fand ich da, sondern Wachsthum der alten verändert; wenn in der tiefern Gegend Zweige und Stengel stärker und mastiger waren, die Augen näher an einander standen und die Blätter breit waren, so wurden höher in's Gebirg hinauf Zweige und Stengel zarter, die Augen rückten aus einander, so daß von Knoten zu Knoten ein größerer Zwischenraum statt fand, und die Blätter sich lanzenförmiger bildeten (I/30, 22)*, schreibt er vom *Brenner. Die Vorstellung freilich, daß diese Einpassung die Folge eines einfachen Sich-Anpassens etwa im Sinn Lamarcks sei, lehnte er ab. *Man behauptete zum Beispiel, es hange nur vom Menschen ab, bequem auf allen Vieren zu gehen, und Bären, wenn sie sich eine Zeitlang aufrecht hielten, könnten zu Menschen werden (II/6, 19).*

Die Theile des Thieres, ihre Gestalt unter einander, ihr Verhältniß, ihre besonderen Eigenschaften, bestimmen die Lebensbedürfnisse des Geschöpfs. Daher die entschiedene, aber eingeschränkte Lebensweise der Thiergattungen und Arten (II/8, 15). So ist auch jedes Geschöpf Zweck seiner selbst ... Kein Theil desselben ist, von innen betrachtet, unnütz, oder wie man sich manchmal vorstellt, durch den Bildungstrieb gleichsam willkürlich hervorgebracht; obgleich Theile nach außen zu unnütz erscheinen können, weil der innere Zusammenhang der thierischen Natur sie so gestaltete, ohne sich um die äußeren Verhältnisse zu bekümmern ... Man wird nicht behaupten, einem Stier seien die Hörner gegeben daß er stoße, sondern man wird untersuchen, wi e er Hörner haben könne um zu stoßen (II/8, 17). So sehen wir auf der Erde, in dem Wasser, in der Luft die mannichfaltigsten Gestalten der Thiere sich bewegen, und nach dem gemeinsten Begriffe sind diesen Geschöpfen die Organe angeschaffen, damit sie die verschiedenen Bewegungen hervorbringen und die verschiedenen Existenzen erhalten können (II/7, 221). Man könnte nach diesen Äußerungen denken, Goethe habe die Erscheinung der Einpassung, des Angepaßt-Seins in ähnlicher Weise beurteilt und gesehen wie vUexküll, daß also eine Planmäßigkeit des Organismus vorhanden sei, die ihre Organisation in die völlig unabhängig davon stehende Außenwelt hinausprojiziere und aus dieser damit eine dieser Planmäßigkeit vollkommen entsprechende Umwelt herausschneide. So einfach freilich liegen die Dinge nicht. Es stehen diesen Äußerungen andere gegenüber, die man sehr wohl auch im Sinn Lamarcks ausdeuten könnte. *Das Thier wird durch Umstände zu Umständen gebildet; daher seine innere Vollkommenheit und seine Zweckmäßigkeit nach außen (II/8, 18).* *Zuerst wäre aber der Typus in der Rücksicht zu betrachten, wie die verschiedenen elementaren Naturkräfte auf ihn wirken, und wie er den allgemeinen äußern Gesetzen, bis auf einen gewissen Grad, sich gleichfalls fügen muß (II/8, 19). Der Zwischenkieferknochen ist zu der Absicht gebildet . . ., daß ein Thier sich hauptsächlich seine Nahrung, wovon die ganze Existenz des Thieres doch abhängt, zueigne (II/8, 140). Eine innere und ursprüngliche Gemeinschaft aller Organisation liegt zum Grunde; die Verschiedenheit der Gestalten dagegen entspringt aus den nothwendigen Beziehungsverhältnissen zur Außenwelt (II/8, 253).* Und so noch an weiteren Stellen.

Aber so wenig wie der durch vUexküll herausgearbeitete Blickpunkt, so wenig wird auch die lamarcksche Betrachtungsweise dem Gedankengang gerecht, den Goethe verfolgte. Ihm waren diese beiden Betrachtungsarten nur zwei Seiten eines viel umfassenderen Zusammenhangs, wie im Grunde schon deutlich wird, wenn man die Art der Formulierung Goethes in den angezogenen Stellen den entsprechenden Formulierungen etwa Lamarcks oder vUexkülls gegenüberstellt: ... *denn die Gestalt steht in Bezug auf die ganze Organisation, wozu der Theil gehört, und somit auch auf die Außenwelt, von welcher das vollständig organisirte Wesen als ein Theil betrachtet werden muß (II/7, 196 f.). Wird uns aber nicht schon die Urkraft der Natur, die Weisheit eines denkenden Wesens, welches wir derselben unterzulegen pflegen, respectabler, wenn wir selbst ihre Kraft bedingt annehmen und einsehen lernen, daß sie eben so gut von außen als nach außen, von innen als nach innen bildet? Der Fisch ist für das Wasser da, scheint mir viel weniger zu sagen als: der Fisch ist in dem Wasser und durch das Wasser da; denn dieses letzte drückt viel deutlicher aus, was in dem erstern nur dunkel verborgen liegt, nämlich die Existenz eines Geschöpfes, das wir Fisch nennen, sei nur unter der Bedingung eines Elementes, das wir Wasser nennen, möglich, nicht allein, um darin zu sein, sondern auch um darin zu werden (II/7, 221). Treten wir ihrer [der Natur] Macht zu nahe, wenn wir behaupten: sie habe ohne Wasser keine Fische, ohne Luft keine Vögel, ohne Erde keine übrigen Thiere hervorbringen können, so wenig als sich die Geschöpfe ohne die Bedingung dieser Elemente existirend denken lassen? Gibt es einen schöneren Blick in den geheimnißreichen Bau der Bildung, ... wenn*

wir, nachdem wir das einzige Muster immer genauer erforscht und erkannt haben, nunmehr fragen und untersuchen: was wirkt ein allgemeines Element unter seinen verschiedenen Bestimmungen auf eben diese allgemeine Gestalt? Was wirkt die determinirte und determinirende Gestalt diesen Elementen entgegen? Was entsteht durch diese Wirkung für eine Gestalt der festen, der weicheren, der innersten und der äußersten Theile? (II/7, 222 f.).

Zwischen dem für sich stehenden und in sich geschlossenen Organismus auf der einen und der als absolut gedachten Außenwelt auf der anderen Seite besteht eine unüberbrückbare Kluft, seit man sich (von *Galilei an) daran gewöhnt hat, die in der Physik von der Wirklichkeit abstrahierten Gesetze der Wirklichkeit gleichzusetzen, ja unmittelbar als Wirklichkeit selbst zu nehmen. Diese Kluft hat nun auch den Zustand der Einpassung der Organismen in die Außenwelt so problematisch gemacht. Sie ist mit der goetheschen Erfassung des Zusammenhangs aufgehoben. Denn die gleiche *Urkraft der Natur (II/7, 222),* die hinter der Außenwelt wirkt, steht gestaltend auch hinter dem Organismus; zwei verschiedene Äußerungsformen der einen Natur sind es, daher in gegenseitiger innerer Entsprechung das eine sich auf das andere hin bildet. *Der Zwischenkieferknochen ist nach der Art des Futters eingerichtet, das die Natur dem Thiere bestimmt hat, denn es muß seine Speise mit diesem Theile zuerst anfassen, ergreifen, abrupfen, abnagen, zerschneiden, sie auf eine oder andere Weise sich zueignen (II/8, 94).* Und im Hinblick auf den Bradypus (*Faultiere) heißt es: *Das seltsame Wesen fühlt sich halb der Erde halb dem Wasser angehörig und vermißt alle Bequemlichkeiten, die beide ihren entschiedenen Bewohnern zugestehen (II/8, 226).* So ist *jeglicher Mund geschickt die Speise zu fassen, / Welche dem Körper gebührt . . . / Auch bewegt sich jeglicher Fuß, der lange, der kurze, / Ganz harmonisch zum Sinne des Thiers und seinem Bedürfniß . . . Also bestimmt die Gestalt die Lebensweise des Thieres, / Und die Weise zu leben sie wirkt auf alle Gestalten / Mächtig zurück (II/8, 59).* Und die gleiche an die Tiefe des Geheimnisses der organischen Gestalt rührende Erkenntnis spricht aus dem bekannten Vers: *Wär' nicht das Auge sonnenhaft, / Die Sonne könnt' es nie erblicken (I/3, 279).* Deutlich wird von hier aus, weshalb Goethe den für unser gewöhnliches logisches Denken so naheliegenden und geläufigen Begriff der A. nie gebraucht hat. Dieser Begriff hat ja eine innere Berechtigung nur, solange man den lebendigen Organismus hineinstellt in eine völlig und im Wesen andersartige „tote", aus kausalmechanischen Beziehungen in zufälligen Faktorenkombinationen sich zusammensetzende Außenwelt. Freilich gibt er im Rahmen solcher Betrachtungsweise auch ein grundsätzlich unlösbares Problem; denn wie sollten zwischen zwei beziehungslosen, getrennten Bereichen aufeinander wirkende und sinnvoll aufeinander abgestellte Bildungen überhaupt entstehen können? Ja, wie sollte in einer solchen Außenwelt eine „Tier-Umwelt-Monade" im Sinne vUexkülls möglich sein, die aus der Außenwelt ihr entsprechende Merkmalsträger herauszuschneiden vermöchte?

So steht auch heute noch die Betrachtungsweise Goethes als ein zukunftsweisender Fremdkörper in der *Biologie, der seine volle Fruchtbarkeit erst erweisen wird, wenn aus einer anderen Sicht der anorganischen Natur die Beziehungslosigkeit des anorganischen und organischen Bereichs überwunden sein wird. *Bn*

ChDarwin: Über die Entstehung der Arten. 1859. – JLamarck: Zoologische Philosophie. 1809. – B Rensch: Neuere Probleme der Abstammungslehre. 1947. – JvUexküll: Theoretische Biologie. ²1928.

Anson, George, Lord (1697–1762), bedeutender englischer Seekriegsheld, gründete 1735 die Stadt Anson in South Carolina, machte 1740–1744 einen Seekriegszug (Kaperfahrt) um die Welt; 1744 wieder in England, wurde er Konteradmiral der weißen und 1746 Vizeadmiral der blauen Flagge, 1747 schlug er den französischen Admiral Jonquière beim Cap Finisterre, wurde daraufhin Lordadmiral und Pair von England, es folgte die Ernennung zum Ersten Lord der Admiralität; 1758 führte er die Blockade von Brest und schützte die britische Landung zu Malo und Cherbourg, 1761 holte er die Königin Charlotte von Stade nach England und wurde Vizeadmiral von Großbritannien. Damit stand er auf der Höhe seines Ruhmes. Lord A. ließ seine Beschreibung des Seekriegszuges um die Welt als „Anson's voyage round the world" durch seinen Schiffsprediger RWalter und seinen Nautiker und Mathematiker PRobins 1748 in London veröffentlichen. Dieses Buch, 1763 deutsch übersetzt (Toze; Leipzig), wurde ein rechtes Knabenbuch, in dem sich *das Würdige der Wahrheit mit dem Phantasiereichen des Mährchens* verband. Goethe berichtet aus seiner Jugend, wie sie *diesen trefflichen Seemann mit den Gedanken begleiteten . . .,* dabei *weit in alle Welt hinausgeführt* wurden, wenn sie *versuchten, ihm mit den Fingern auf dem Globus zu folgen (I/26, 50).* Die Paralipomena enthalten, wahrscheinlich aus der Zeit nach 1790 stammend, detaillierte Aufzeichnungen aus

dem Inhalt des Werkes, und zwar auf A.s Erfahrungen in China (Aufenthalt in Canton-Bucht und -Strom, I/53, 419 f.) bezüglich; vielleicht hat Goethe neben nachgewiesenen Entleihungen fernöstlicher Reiseliteratur (JWHeydt; PhBaldaeus; WSchultze; ODapper; EWHappelius; vgl. Keudell Nr 48–52) in dieser Zeit auch A.s Buch nochmals in der Hand gehabt. Bei der ersten Lektüre (1763/64) hatte es außer dem Reiz des Abenteuerlichen auch den literarischer und persönlicher Aktualität für sich. *Za*

Antaeus (Antaios = „Gegner"), aus jüngerer, kolonialer (nordafrikanischer) Sagenüberlieferung stammender Riese, Sohn des Poseidon und der Erdmutter Gaia, ein ungefüger, ungestümer Ringkämpfer, dessen brutale Naturkraft durch die mit Geistesüberlegenheit im Sinne der παλαίστρα gepaarte Leibesschulung des Herakles überwunden wurde, war unbesiegbar, so oft es ihm im Kampfe gelang, die mütterliche Erde zu berühren; Herakles mußte ihn deswegen mit seiner Ringerkunst in die Arme pressen und in die Luft heben. Dies freilich erst spät nachweisbare Motiv (noch selten selbst in jüngeren griechischen Kunstwerken) muß aber doch wohl ursprünglich sein, weil Gaia schon in sehr alten Zeugnissen als Helferin des A. erscheint [Roscher 1 (1884–1890), S. 362–364]; der Mythos verbindet Kultur- und Naturbedeutung miteinander. Hierin wurzelt auch die goethesche Version, wie sie sich wohl bereits 1775 (*Egmont*-Konzeption: *Und frisch hinaus, da wo wir hingehören! in's Feld, wo aus der Erde dampfend jede nächste Wohlthat der Natur, und durch die Himmel wehend alle Segen der Gestirne uns umwittern; wo wir, dem erdgebornen Riesen gleich, von der Berührung unsrer Mutter kräftiger uns in die Höhe reißen; I/8, 281),* und dem Lebensgefühl nach durchaus damals möglich, danach 1786 (*IR: Ich komme mir vor wie Antäus, der sich immer neu gestärkt fühlt, je kräftiger man ihn mit seiner Mutter Erde in Berührung bringt; I/30, 171)* und wiederholt im *Faust II* findet: *Ich fühlte gleich den Boden, wo ich stand; | Wie mich, den Schläfer, frisch ein Geist durchglühte, | So steh' ich, ein Antäus an Gemüte (V. 7075–7077;* es ist *Faust,* der diese Worte, und zwar beim Betreten griechischen Bodens, spricht) und: *Und so mahnt der treue Vater: In der Erde liegt die Schnellkraft, | Die dich aufwärts treibt; berühre mit der Zehe nur den Boden, | Wie der Erdensohn Antäus bist du alsobald gestärkt (V. 9609–9611;* hier redet bedeutungsvoll gegensinnig *Phorkyas/Mephisto). Za*

Anquetil-Duperron, Abraham Hyacinthe (1731 bis 1805), französischer Orientalist. In Indien gelang es ihm, sich durch die Parsen in ihren Feuerkult einweihen zu lassen. Er brachte eine Sammlung von 180 Handschriften zustande, die er der Königlichen Bibliothek in Paris übergab. 1771 veröffentlichte er sein Hauptwerk, das „Awesta", dh. die auf die Religion der Iranier (Meder, Baktrier, Perser, Parther) bezüglichen Texte, die Zoroaster zugeschrieben wurden und sich damals in den Händen der Parsen in Bombay und der Gebern oder Guebern befanden. Eines der anderen Werke A.-D.s benutzte Goethe in der deutschen Übersetzung von J J Purmann für die *Noten und Abhandlungen zum Divan:* Anquetils Du Perrons ... Reisen nach Ostindien nebst einer Beschreibung der bürgerlichen und Religionsgebräuche der Parsen, als eine Einleitung zum Zend-Avesta, dem Gesetzbuch der Parsen durch Zoroaster. Frankfurt/Main 1776 (1818: I/36, 136).   *Fu*

Anseaume, Louis (1721–1784), französischer Dramatiker, Verfasser von Operntextbüchern; seine „Deux chasseurs et la laitière" (1763) hatten in der Vertonung von *Duni in *Paris, am Versailler Hofe und, übersetzt („Das Milchmädchen und die beiden Jäger"), auch in Deutschland sehr großen Erfolg; Goethe erwähnt das Werk für die Zeit um 1770 (I/29, 43; 209; I/41I, 115).   *Fu*

Anthericum comosum oder Sternbergs Grünlilie, ein südafrikanisches Liliengewächs, hat seinen wissenschaftlichen Namen häufig geändert (heute: Chlorophytum comosum; syn. Anthericum Sternbergianum, Chlorophytum Sternbergianum, Cordyline vivipara, Hartwegia comosa, Hollia comosa, Phalangium comosum, Phalangium viviparum). Diese Pflanze bildet blütentragende Ausläufer, die an ihrem Ende eine Laubknospe treiben. Die mit Luftwurzeln versehenen Sprossen werden selbständig, sobald sie auf eine geeignete Unterlage treffen. Andernfalls entwickelt sich aus der belaubten Knospe heraus ein neuer Ausläufer, so daß mehrere Stockwerke entstehen, bis auf dieser lebendigen Leiter der Boden erreicht ist. Die heute sehr verbreitete Topf- und Ampelpflanze hat ihren Siegeslauf vor 125 Jahren von Weimar aus genommen, indem Goethe ihre Einführung in die Botanik und den Gartenbau veranlaßte. Er hat sich als erster mit diesem *botanischen Wunder* eingehend beschäftigt und dieses Gewächs bis zu seinem Tode zu seinen Lieblingspflanzen gezählt. 1827 erhielt Goethe die noch unbekannte Pflanze aus den belvedereschen Gewächshäusern und stellte zunächst eigene Beobachtungen über ihr eigentümliches Wachstum an. 1828 legte er die Pflanze zuerst dem Grafen Kv*Sternberg und etwas später dem Botaniker *Nees vEsenbeck zur Bestimmung vor. Letzterem schrieb er: *Ob ich gleich gegen die liebe Natur, am wenigsten gegen die verführerische Botanik meine Blicke wenden darf, so hab ich doch immer einige Repräsentanten der Pflanzenwelt neben mir, und das ist denn dießmal ein Pflänzchen, von dem ich das Nähere zu erfahren wünschte ... Mir ist sie höchst interessant wegen ihrer unglaublichen Prolificität, die das ganze Leben einer Pflanze vor unsern Augen vorgehn läßt. Sie treibt einen fadenartigen herabhängenden Blüthenstengel, an welchem die sechsblättrigen Blümchen erst seltener, dann gedrängter hervorkommen, bis sie sich endlich quirlartig entwickeln und ganz abschließlich einen Blätterbüschel treiben (IV/44, 48).* Sternberg gelang es zuerst, die Pflanze zu bestimmen. Er führte sie 1828 als Anthericum comosum in die Wissenschaft ein; Beschreibung und Abbildung erfolgten in der *Monatsschrift der Gesellschaft des vaterländischen Museums in Böhmen, wobei Sternberg auch die Vorgeschichte seiner Untersuchungen und Goethes Interesse an der Pflanze mitteilte. Dieser setzte seine Beobachtungen am A. fort, ließ die Frucht durch *Lieber, den Lehrer an der weimarischen Zeichenschule, abbilden und legte das Ergebnis seiner Beobachtungen in einem am 21. I. 1829 verfaßten Aufsatz *Über Anthericum comosum* nieder *(II/7, 352–354).* Text und Zeichnung waren von Goethe als Ergänzung zu Sternbergs Publikation gedacht. Seine Sendung an diesen am 30. I. 1829 begleitete er mit den Worten: *Ich habe diese Zeit her nicht aufgehört, mich mit Beobachtung jener wunderbaren Pflanze zu beschäftigen, seitdem ein bezeichnender Name, Abbildung und kunstgemäße Beschreibung sie noch werther gemacht hat. Nachkommendes möge davon ein Zeugniß geben. Doch muß ich hier noch des Allgemein-Merkwürdigen gedenken, daß vielleicht keine prolifikere zu finden ist, welche gleichzeitig und in so kurzer Zeit so eine unendliche Menge von Blättern, Augen, Zweigen, Blumen und zugleich Wurzeln entwickelt. Denkt man nun, daß in ihrem Geburtslande die Blüthenzahl sich vermehren und die Samen alle reif werden, so reicht seine Einbildungskraft hin, eine so häufige eilige Fortpflanzung zu verfolgen. Zwar hat der Mohn von jeher sich erhoben als eigen lebensreich und fruchtbar: foecundum super omne germen me Deus fecit. Dieß mag denn von der Samenkapsel gelten; dafür wächst er aber auch langsam und einzeln in die Höhe. Man wird meine hartnäk-*

kige Aufmerksamkeit auf einen so beschränkten Gegenstand belächeln; es ist aber nun meine Eigenschaft, mich monographisch zu beschäftigen, und von so einem Puncte aus mich gleichsam wie von einer Warte rings umher umzusehen (IV/ 45, 143 f.). Die *Luftpflanze* ist – ebenso wie das *Bryophyllum oder andere von ihm bevorzugte Gewächse – ein bezeichnendes Beispiel für Goethes eigentümliche Art der Naturbetrachtung: einzelne Musterstücke immer wieder zu studieren und die gewonnenen Resultate solcher fortgesetzter Beobachtungen seinen Ansichten über die Natur zugrunde zu legen. *Ba*

Anthing, Johann Friedrich (1753–1805), Adjutant und Biograph des russischen Feldmarschalls Suwarow, Silhouetteur, reiste 1783 bis 1800 durch Europa und fertigte von berühmten Zeitgenossen die damals beliebten Silhouetten an. Am 7. IX. 1789 war er bei Goethe zum Frühstück (III/2, 284) und erhielt einen Vierzeiler in sein Stammbuch (I/4, 229). 1791 gab A. 100 Silhouetten unter dem Titel „Collection de 100 silhouettes des personnes illustres et célèbres, dess. d'après les originaux" heraus, wovon 1793 eine zweite Ausgabe erschien. *Lö* ADB 1 (1875), S. 484 f.

Antike. Ausgangspunkt für dieses auch im Deutschen üblich gewordene Wort ist das französische „antique". Als Adjektiv wie auch als Substantiv wurde es seit dem frühen 18. Jahrhundert zunächst auf Kunstgegenstände aus altgriechischer oder aus altrömischer, auch aus hellenistischer, jedenfalls vorchristlicher und vorkirchlicher Vergangenheit bezogen. Es wurde damit zu dem kennzeichnenden Ausdruck für die gesamte kulturelle, schließlich überhaupt historische Hinterlassenschaft der „Alten" oder des „Altertums". In gleicher Weise erfolgte die Verknüpfung des französischen „antiquité" mit der summierenden Vorstellung von der Allheit solcher Gegenstände sowie von der (für allzu homogen gehaltenen) Epoche ihrer Herkunft. Begriffsgeschichtlich an entscheidender Stelle steht hier AClPh Graf *Caylus: Recueil d'antiquités Egyptiennes, Etrusques, Grecques et Romaines. Paris 1752–1767.* Dergestalt wurde das Wort A. zum programmatischen Ausdruck für die im 18. Jahrhundert neu beginnende, wesentlich auf die Denkmäler der *antiken Kunst sich erstreckende Beschäftigung mit der Kultur des Altertums. In zunehmendem Maße baute sich diese zu einer wissenschaftlichen *Altertumskunde aus. Die indessen weit vorgeschrittene spätere und heutige Forschungslage verlangt die verschiedenen Kulturen der A. in ihrer immer wesentlicher ge-

wordenen Differenzierung zu erfassen und den alten Sammelbegriff A. nur noch mit Zurückhaltung zu gebrauchen. Auch für denjenigen, der Goethes Verhältnis zu diesen Phänomenen der Vergangenheit adaequat verstehen will, wird es notwendig sein, *Griechentum und *Römertum nicht nur, sondern *Ägypten, ägyptische Kultur und Kunst, ferner *etruskische Kultur und Kunst, ja auch die Kulturen anderer zB. asiatischer Völker des Altertums jeweils in ihrem besonderen Aspekt für Goethe zu betrachten. Die A. ist geschichtlich nicht die Einheit, als die man sie bei Gebrauch dieses alten Allgemeinbegriffs aufzufassen verführt werden könnte. Die Relativität der so oft nachgesprochenen Formulierung von „edler Einfalt und stiller Größe" ist Goethe selbst spätestens im April 1788 sehr fragwürdig geworden. Die dichterische Frucht dieser tiefgreifenden Erfahrung ist die *Klassische Walpurgisnacht,* weshalb es unerläßlich ist, auch den Begriff des *Klassischen in die Überlegung einzubeziehen. *Za*

Antike Kunst. I. Goethes Verhältnis zur antiken Kunst wird übergriffen von seinem Verhältnis zur *Antike überhaupt (im Sinne des Zeitverständnisses) und hat andrerseits Teil an seinem Erlebnis *bildender Kunst überhaupt und an den Gedanken und Urteilen, die sich an diese Kunsterfahrung knüpfen. Jedoch beide Gebiete sind für Goethe nicht denkbar ohne eine innige Beziehung zur Natur. Ja, die Antike in allen ihren künstlerischen Aussageformen ist das Musterbild schlechthin für Goethes Konzeption der engen Response zwischen Kunst und Natur. *Jedes gute und schlechte Kunstwerk, sobald es entstanden ist, gehört zur Natur. Die Antike gehört zur Natur, und zwar wie sie anspricht, zur natürlichsten Natur (I/48, 250).*

Der Zusammenhang von Goethes Natur- und Kunstbetrachtung ist daher bezeichnend. Während der *italienischen Reise tritt diese doppelte Blickrichtung besonders hervor. *Du kennst meine alte Manier wie ich die Natur behandle, so behandl' ich Rom* (1786: IV/8, 66) oder die Stelle aus der *Geschichte seiner botanischen Studien* (1817: II/6, 131 f.), in der Goethe die *Regionen* bezeichnet, in denen er in Italien sich hin und her bewegte, wie er gleichzeitig einen Aufsatz über *Kunst, Manier und Stil,* einen anderen über die *Metamorphose der Pflanzen* und schließlich als dritten in einem Gebiet, das *weder Kunst noch Natur, sondern beides zugleich ist . . .,* in der Kulturgeschichte, das *Römische Carneval* schreibt. Aus Italien berichtet er: *Meine Kenntnis der natürlichen Dinge hilft*

10*

mir sehr fort. Es ist unsäglich wie die Alten der Natur, und mit welchem großen Sinn sie ihr gefolgt sind (1787: *IV/8, 311*).

Was für die Betrachtungsweise gilt, hat ebenso Gültigkeit für den Gegenstand des Betrachtens, für die Werke der Natur und Kunst, deren Verwandtschaft aus der noch ursprünglichen und schöpferischen Lebendigkeit der a.n K. heraus Goethe nicht müde wurde zu rühmen. In den höchsten Kunstwerken der Antike fallen ihm schließlich Natur und Kunst zusammen: *Diese hohen Kunstwerke sind zugleich als die höchsten Naturwerke von Menschen nach wahren und natürlichen Gesetzen hervorgebracht worden (I/32, 77 f.)* – vgl. auch seine Worte über *Abgrund der Kunst / Abgründe der Natur (IV/8, 328)* oder über *Tradition* und *Naturgesetze (I/32, 455 Paralip 25)*. Greift zwar Goethe durch seine Naturanschauung notwendig auch in der Kunstbetrachtung und in den aus ihr gezogenen ästhetischen Maximen weit über seine Vorgänger *Winckelmann und *Lessing hinaus, so ist er namentlich ersterem doch wieder tief verpflichtet. Man hat gesehen, wie sehr in dem Gebiet, das man „ethische Ikonographie" der Götter- und Heldengestalten in der a.n K. nennen könnte, Goethe Winckelmanns Bemühungen folgt. Ebenso ist es Winckelmanns Methode der im engeren Sinn kunstgeschichtlichen Untersuchung der Stilabfolge verschiedener Völker und Epochen, die Goethe im Verein mit H*Meyer anwendet und weiterführt. Wie bereits Winckelmann die a. K. keineswegs nur ästhetisch betrachtet hatte, sondern im eigentlich geschichtlichen Sinn die ersten Anfänge historisch-kunsthistorischer Deutung gewagt hatte, so war Goethe das Kunstwerk im hohen Maße durch geschichtliche Faktoren, durch Herkunft, Umwelt und Schicksal bedingt. *Alle mehr oder weniger gebildeten Völker hatten eine zweite Natur durch Künste um sich erschaffen, die aus Überlieferung, Nationalcharakter und klimatischem Einfluß hervorwuchs, deswegen uns alle alterthümlichen Reste, von Götterstatuen bis zu Scherben und Ziegeln herab, respectabel und belehrend bleiben (IV/26, 221)*. Zum Phigaliafries bemerkt Goethe, *daß jedes Kunstwerk dieser wunderbaren Nation nicht allein oder für sich isoliert betrachtet werden muß, sondern in Verbindung mit der ganzen Existenz der Hellenen, als ein Glied des wunderbaren Kunstlebens, das nur diese Nation lebte* (7. XII. 1818: *Bdm. 2, 427*).

Letztlich setzt Goethe die von Winckelmann begründete Methode der Bestimmung des dargestellten Gegenstandes, die Hermeneutik,

wenn auch mit viel stärker vergegenwärtigender Kraft, fort; seine Deutung des Archelaos-Reliefs (*Apotheose Homers) ist noch heute Grundlage der Forschung. Dagegen weisen Methode und Bestreben, verlorene Werke antiker Kunst wie die Gemälde *Polygnots oder die vermeintliche Galerie *Philostrats wiederzugewinnen, bereits über Winckelmann und Lessing hinaus, setzen vielmehr Jahre goetheschen Sehens und Forschens voraus und gehören bezeichnenderweise alle schon dem neuen Jahrhundert an.

Der wesentliche Schritt über Winckelmann hinaus liegt jedoch in Goethes neuer Anschauung vom *Schönen* in der Kunst. Bereits *Herder hatte in seiner „Plastik" (letzte Fassung von 1778) den statischen Begriff des Schönen und damit die Ästhetik der *Aufklärung (vgl. FWBv*Ramdohr und die scharfe Kritik durch Goethe und Schiller, zB. Schillers Brief vom 7. IX. 1794) durch die Einführung des historischen Prinzips, ausgehend jedoch von einer physiologisch-psychologischen Betrachtung der menschlichen Sinne, überwunden, ohne aber auf Goethe damit wesentlich zu wirken. Goethes Verhältnis zum Schönen in der Kunst ist ein vollkommen selbständiges, und will man Vorläufer und Mitstrebende nennen, so wären *Heinse anzuführen oder *Moritz. Goethes Begriff des Schönen gründet sich eng und folgerichtig auf seine Naturanschauung. Das Schöne ist ihm nicht jenseits des Kunstwerkes als Urbild oder Ursache und Grund für dessen Erscheinung zu suchen oder anzuschauen, sondern liegt wie das Allgemeine im Besonderen, wie das Göttliche im Natürlichen selbst, ist, wie Schadewaldt gezeigt hat, in der Natur als Physis, im Gesetzmäßig-Lebendigen beschlossen, geht von ihm aus, ohne dadurch von seiner göttlichen Qualität einzubüßen. Die Maxime gegen *Plotin steht hier zu Recht: *Eine geistige Form wird aber keineswegs verkürzt, wenn sie in der Erscheinung hervortritt, vorausgesetzt, daß ihr Hervortreten eine wahre Zeugung, eine wahre Fortpflanzung sei. Das Gezeugte ist nicht geringer als das Zeugende; ja, es ist der Vortheil lebendiger Zeugung, daß das Gezeugte vortrefflicher sein kann als das Zeugende (I/48, 199)*. Oder jene andere über die Rose, worin er sich nicht mehr nur negativ verteidigt, sondern positive Aussage über die Qualität des in die Erscheinung tretenden Schönen macht: *Es ist etwas unbekanntes Gesetzliches im Object, welches dem unbekannten Gesetzlichen im Subject entspricht. Zum Schönen wird erfordert ein Gesetz das in die Erscheinung tritt. Beispiel von der Rose. In den Blüthen tritt*

das vegetabilische Gesetz in seine höchste Erscheinung, und die Rose wäre nun wieder der Gipfel dieser Erscheinung. Perikarpien können noch schön sein. Die Frucht kann nie schön sein; denn da tritt das vegetabilische Gesetz in sich (in's bloße Gesetz) zurück. Das Gesetz, das in die Erscheinung tritt, in der größten Freiheit, nach seinen eigensten Bedingungen, bringt das objectiv Schöne hervor, welches freilich würdige Subjecte finden muß, von denen es aufgefaßt wird. . . Schönheit der Jugend aus obigem abzuleiten. Alter, stufenweises Zurücktreten aus der Erscheinung. In wie fern das Alternde schön genannt werden kann. Ewige Jugend der griechischen Götter. Beharren eines jeden im Charakter, bis zum Gipfel des menschlichen Daseins, ohne an die Rückkehr zu denken (I/48, 204 f.). Am kürzesten und prägnantesten: *Das Schöne ist eine Manifestation geheimer Naturgesetze, die uns ohne dessen Erscheinung ewig wären verborgen geblieben (I/48, 179).*
Und wie das Schöne selbst von Goethe völlig neu erlebt und gefaßt wird, so auch die Anwendung auf den Künstler. In gegenseitiger Anregung mit Moritz entsteht, von diesem formuliert, von Goethe zusammengefaßt (in Rezension Teutscher Merkur, Juli 1789, S. 105 bis 111: I/47, 84–90; vgl. I/32, 302–315) der Begriff von der *bildenden Nachahmung des Schönen* aus der Dynamik der Empfindung und des tätigen Gestaltens heraus: *Der lebendige Begriff von der bildenden Nachahmung des Schönen kann nur im Gefühl der thätigen Kraft, die das Werk hervorbringt, im ersten Augenblick der Entstehung stattfinden. Der höchste Genuß des Schönen läßt sich nur in dessen We r d e n aus eigener Kraft empfinden. Das Schöne kann nicht erkannt, es muß empfunden oder hervorgebracht werden (I/47, 87).*
Alle jene Aussprüche Goethes von der Kunst als zweiter Natur, von den *hohen Kunstwerken,* die zugleich *höchste Naturwerke* seien, finden hier ihren tiefen Sinn, und die Verknüpfung von Goethes Natur- und Kunstanschauung wird mit einem Schlage durchsichtig. (Gegen das Mißverständnis eines platten Naturalismus verwahrt sich Goethe in diesem Zusammenhang mit allem Nachdruck zB. *Über Wahrheit und Wahrscheinlichkeit der Kunstwerke:* I/47, 255–266).
Der Sinn, mit dem auf solche Weise Natur und Kunst gemeinsam ergriffen werden kann, ist der des Schauens. Das *Auge ist Goethes geometrischer Ort, der Welt entgegenzutreten, sie zu begreifen. Selbst, wo er vornehmlich reflektiert, ist das schauende Auge nie ausgeschaltet: *Alles kommt auf's Anschauen an, es kommt dar-*

auf an, daß bei dem Worte, wodurch man ein Kunstwerk zu erläutern hofft, das Bestimmteste gedacht werde, weil sonst gar nichts gedacht wird (I/47, 26). So gelangt er auch in seiner Naturbetrachtung nicht zu abstrakten philosophischen Formulierungen, sondern sieht in der Natur das gesetzmäßige bewegte Werden und Wirken von gestalteten Formen, die von einfachen elementaren Grundformen ausgehend sich entwickeln, sich aufspalten, sich gestalten und umgestalten, um sowohl die Arten wie die Einzelindividuen mit ihren Teilen hervorzubringen. Diese morphologische Betrachtungsweise der Natur kommt ihm in der Kunst zu Hilfe, wird ihm Erklärung für die innere Gestaltungsweise der griechischen Kunst, die noch so sehr Natur ist wie keine spätere mehr. Nirgendwo anders als in Italien, wo er Kunst- und Naturbetrachtung nebeneinander trieb, kam er diesem *Prinzip* auf die Spur (vgl. I/32, 471 Paralip. 37). Dort beschäftigte er sich mit der Kunst der Griechen und suchte zu erforschen, *wie jene unvergleichlichen Künstler verfuhren, um aus der menschlichen Gestalt den Kreis göttlicher Bildung zu entwickeln, welcher vollkommen abgeschlossen ist und worin kein Hauptcharakter so wenig als die Übergänge und Vermittlungen fehlen. Ich habe eine Vermuthung, daß sie nach eben den Gesetzen verfuhren, nach welchen die Natur verfährt und denen ich auf der Spur bin. Nur ist noch etwas anders dabei, das ich nicht auszusprechen wüßte (28. I. 1787: I/30, 264 f.).*
Daß Kunst in diesem Sinne nicht willkürlich sein könne, sondern *nach wahren und natürlichen Gesetzen hervorgebracht worden,* ist für Goethe damit freudige Gewißheit: *Alles Willkürliche, Eingebildete fällt zusammen, da ist die Nothwendigkeit, da ist Gott (I/32, 77 f.).*
Aus seiner morphologischen Anschauungsweise der Kunst verdanken wir Goethe entscheidende Ansichten in die Formgesetze der a. K., insbesondere der griechischen Plastik. Hatte er in seiner in Italien geschriebenen kurzen Abhandlung über *Einfache Nachahmung der Natur, Manier, Stil* (Teutscher Merkur, Februar 1789, S. 113–120: *I/47, 77 bis 83*) die Begriffe geklärt und gesucht, *das Wort Stil in den höchsten Ehren zu halten, damit uns ein Ausdruck übrig bleibe um den höchsten Grad zu bezeichnen, welchen die Kunst je erreicht hat und je erreichen kann (I/47, 83),* so stößt er nun tief in das Wesen der Formgesetze griechischer Bildkunst vor, indem er das in der Natur erkannte Gesetz lebendiger Gestaltenzeugung als *Prinzip* auch in der Kunst wiederfand. Im methodischen Verfol-

gen dieses Prinzips, dh. im Schaffen aus der Kenntnis morphologischer Gesetzmäßigkeit heraus, entstehe das, was im höchsten Grade _Stil_ sei. _Der Künstler, der immer anschaut, empfindet, denkt, wird die Gegenstände in ihrer höchsten Würde, in ihrer lebhaftesten Wirkung, in ihren reinsten Verhältnissen erblicken, bei der Nachahmung wird ihm eine selbstgedachte, eine überlieferte selbstdurchdachte Methode die Arbeit erleichtern, und wenn gleich bei Ausübung dieser Methode seine Individualität mit in's Spiel kommt, so wird er doch durch dieselbe, so wie durch die reinste Anwendung seiner höchsten Sinnes- und Geisteskräfte immer wieder in's Allgemeine gehoben, und kann so bis an die Gränzen der möglichen Production geführt werden. Auf diesem Wege erhuben sich die Griechen bis zu der Höhe, auf der wir besonders ihre plastische Kunst kennen, und warum haben ihre Werke aus den verschiednen Zeiten und von verschiednem Werthe einen gewissen gemeinsamen Eindruck? Doch wohl nur daher, weil sie der Einen wahren Methode im Vorschreiten folgten, welche sie selbst bei'm Rückschritt nicht ganz verlassen konnten (I/45, 310)._ Goethe nimmt hier die erst von der neueren kunstwissenschaftlichen Forschung am vermehrten Denkmälermaterial wiederentdeckte Bedeutung des Typus in der griechischen Kunst voraus, die sich nicht in der ewigen Sucht nach dem Originellen gefiel, sondern im einmal geschaffenen Typus durch immer wieder erneute Gestaltung dessen immanente Formgesetze erfüllte. Dabei wandelte sich im zeitlichen Fortgang wohl der Typus aus seinen inneren Gesetzen heraus, überlebte sich auch schließlich, jedoch konnte das einzelne Kunstgebilde niemals „aus dem Stil herausfallen". Goethe hat diese Erkenntnis auch direkt auf antike Monumente angewandt, bezeichnenderweise auf die *Gemmen, die wie die *Münzen die Typik antiker Kunst besonders rein verkörpern: _Der höhere gründliche Sinn der Alten verlangte nicht immer ein anderes, neues, nie gesehenes Gebilde. War der Character bestimmt, auf's Höchste gebracht, so hielt man an dem Gegebenen fest, und wenn man auch, das Gelungene wiederholend, aus- und abwich, so strebte man doch immer, theils zu der Natur, theils zu den Hauptgedanken wieder zurückzukehren (I/49II, 115)._ Über das Morphologische und die Typik hinaus, wenn auch mit beidem verbunden, führt eine Betrachtungsweise, die Goethe als obersten Prüfstein bei der Bewertung von Kunst und namentlich a. K. anwendet und deren Bedeutung Schadewaldt (S. 1001–1006) besonders hervorgehoben hat, es ist das, was Goethe das _Poetische_ oder den _hohen poetischen Sinn_ des Kunstwerkes nennt. Dieser Begriff verschwistert sich, wie man gesehen hat, mit dem des _Symbolischen_ und wird außerdem durch den der _Wirklichkeit_ erläutert, ohne daß er sich mit einem von ihnen ganz zur Deckung bringen ließe, noch auch mit Goethes Lehre von den _Gegenständen_ oder aber mit _Idee_ und _Gedanke_ des Kunstwerks identisch wäre. Von allem steckt etwas darin, sicher auch etwas davon, das Goethe in anderem Zusammenhang die _innere Wahrheit_ oder die _Übereinstimmung_ eines Kunstwerkes _mit sich selbst_ nennt, wie denn ein solches Kunstwerk, _indem die zerstreuten Gegenstände in eins gefaßt, und selbst die gemeinsten in ihrer Bedeutung und Würde aufgenommen werden,_ nicht nur ein _Werk der Natur,_ sondern _über die Natur sei (I/47, 265)._ Aber innere Wahrheit kann auch die Darstellung des gemeinsten Gegenstandes haben. Das _Poetische_ kommt hingegen, wenn wir Goethe recht verstehen, nur jener zweiten _idealischen_ Gattung zu (I/47, 91–95), wo der Gegenstand _von allem Gemeinen und Individuellen entkleidet, nicht durch die Bearbeitung erst ein Kunstwerk wird, sondern der Bearbeitung schon als ein vollkommen gebildeter Gegenstand entgegen geht_ die _der Geist des Menschen in der innigsten Verbindung mit der Natur erzeugt (I/47, 91f.)._ Beispiele dieser Gattung sind Goethe Gestalten wie *Jupiter und *Laokoon. Man könnte auch sagen, das _Poetische_ finde sich nur da ein, wo von vornherein ein – im höheren Sinn – symbolischer Gegenstand gestaltet werde und wo der Gestaltende von jenem tiefen Gefühl durchdrungen sei, _das, wenn es rein und natürlich ist, mit den besten und höchsten Gegenständen coincidiren und sie allenfalls symbolisch_ [dh. nicht darüber hinausschwärmend] _machen wird. Die auf diese Weise dargestellten Gegenstände scheinen bloß für sich zu stehen und sind doch wieder im Tiefsten bedeutend,_ und das wegen des Idealen, das immer eine Allgemeinheit mit sich führt. Wenn das Symbolische außer der Darstellung noch etwas bezeugt, so wird es immer auf indirecte Weise geschehen (I/47, 94). Da jedoch zum echten *Symbol gehört, daß es außer der Beziehung zum Allgemeinen sich verwircliche, als gestaltete Form in die Erscheinung trete, so bedarf der von Goethe geprägte spezifische Terminus des _Poetischen_ im Zusammenhang der bildenden Kunst der Ergänzung durch den des _Wirklichen,_ wie er vom Parthenon-Pferd sagt, es sei im Sinn der _höchsten Poesie und Wirklichkeit_ dargestellt (über _falsche Anwendung der Poesie auf bildende Kunst_ vgl. I/47, 95).

Goethes Definition des *Symbolischen* weist selbst den Weg zur Poesie, wie sie der Dichter Goethe in ihrer höchsten Qualität verstanden wissen will: *im Besondern das Allgemeine zu schauen, aber ist eigentlich die Natur der Poesie; sie spricht ein Besonderes aus, ohne an's Allgemeine zu denken oder darauf hinzuweisen* [indirekte Bezeugung]. *Wer nun dieses Besondere lebendig faßt, erhält zugleich das Allgemeine mit, ohne es gewahr zu werden, oder erst spät* (1823/ 1824: *I/42^{II}, 146*). Oder: *Es ist die Sache, ohne die Sache zu sein, und doch die Sache; ein im geistigen Spiegel zusammengezogenes Bild, und doch mit dem Gegenstand identisch (I/49^I, 142)*. Umgekehrt, vom Beurteiler des Kunstwerkes, besonders des antiken, gesehen, kann man dann sagen, daß ,,jenes ,Poetische' im Munde Goethes einen Bereich des Gestalteten umschreibt, in dem sich im kräftig bewahrten Sinnlichen ein einfacher Ur- und Weltsinn offenbart, in dem das rein Bildhafte ,bedeutund' wird" (Schadewaldt S. 1002). Goethe nennt ua. die pompejanischen Bilder ,,Diana und Aktäon" und ,,Iphigenie in Aulis" als *Beispiele von demjenigen, was die Kunst nur auf ihrer höchsten Stufe erreichen kann, von der Symbolik, die zugleich sinnliche Darstellung ist (I/49^I, 191)*. In diesem Sinne wollen die tiefblickenden Worte verstanden sein: *Bey den Alten, in ihrer besten Zeit, entsprang das Heilige aus dem sinnlich faßlichen Schönen. Zeus wurde erst durch das olympische Bild vollendet* (an *FH Jacobi 7. III. 1808: IV/20, 27*). Als Goethe in Italien für die griechische Schöpfung des *Kreises göttlicher Bildung* aus der menschlichen Gestalt das morphologische *Prinzip* erahnte (s. o.), blieb ihm noch ein unerklärbarer Rest zurück, den er nicht auszusprechen wußte. Es ist kaum zuviel vermutet, wenn er mit dem *hohen poetischen Sinn* identisch wäre, den er erst später so benannt hat.

II. Goethes Verhältnis zur a. K. war vom wissenschaftlichen Standpunkt gesehen das eines Dilettanten im besten Sinn. Es wurde wie so vieles bei ihm durch die *Gelegenheit* bestimmt. Wie sehr es dadurch unmittelbare Erfahrung war, Erlebnis, das auf seine Persönlichkeit wirkte, das er bewußt als *bildend* in sich aufnahm, geht fast aus jeder Zeile seiner diesbezüglichen Äußerungen hervor. Es gehört jedoch zu Goethes Anschauungsweise, daß er sich nicht mit einem vordergründigen Bekanntwerden begnügte, sondern forschend sehen und erkennen wollte. So bemächtigt er sich zuzeiten, unterstützt durch Meyer, in eindringender Arbeit der ihm ferner liegenden Gebiete und versucht, nach allen Seiten der a. K. hin seinen Gesichtskreis zu erweitern (zB. Münzen und Gemmen).

Mit antiker Baukunst wird er erst in Italien enger vertraut. Führer waren ihm hier *Palladio und *Vitruv. Später geleitete ihn AL*Hirt in unmittelbarem Umgang. In dem Aufsatz *Zur Theorie der bildenden Künste. Baukunst* (Teutscher Merkur, Oktober 1788, S. 38–45; *I/47, 60–66*) nimmt er Hirts Lehre von der ursprünglichen griechischen Holzarchitektur auf und macht sich Gedanken über die Folge der antiken Stilarten. *Charakter* und *Maß* stellt er gegenüber im *Aufsatz Baukunst von 1795 (ungedruckt; *I/47, 67–76*) und glaubt irrtümlicherweise, die frühen Griechen hätten keine genau meßbaren Zahlenverhältnisse bei der Errichtung ihrer Tempelbauten verwendet und nur auf den *Character* des Gebäudes gesehen, während als ein Zeichen des Verfalls die in Zahlen ausdrückbaren Proportionen anzusehen seien, die es gestatteten, einen Stil, ohne auf die Bestimmung des Baues zu achten, mechanisch zu übertragen (I/47, 71). Aber den Grund zu der nach der italienischen Reise einsetzenden fast fachwissenschaftlichen Beschäftigung mit antiker *Architektur, die übrigens von gleichartiger in Plastik und Malerei begleitet wurde (*Polygnot; *Philostrats Gemälde; *Parthenon-Skulpturen; *Phidias; *Phigalia), hatte doch das unmittelbare Erlebnis der antiken Bauten in Italien selbst gelegt. *Verona, *Assisi, *Spoleto, *Rom mit seinen Bauwerken und Ruinen, dann die griechischen Tempel in *Paestum, *Segesta, *Agrigento (Selinunt hat Goethe nicht besucht), das Theater von *Taormina, ferner *Pompeji und *Herculaneum, dann die Reste in *Pozzuoli hatte Goethe mit eignen Augen gesehen, während die vom Fürsten v*Waldeck in Aussicht gestellte gemeinsame Reise nach Dalmatien und Griechenland sich nicht verwirklichen ließ (I/31, 78). An diese Bauwerke knüpften sich auch seine theoretischen Erwägungen. Trotz einer mehr auf das Gesamt römischen Lebens gerichteten Bemerkung gegenüber S*Boisserée (11. VIII. 1815: Bdm. 2, 325), die seine Vorliebe für Römisches dokumentiert, führte ihn sein Weg *eigentlich an der römischen Architektur nur vorbey gegen die griechische, die ich denn freylich in einem ganz andern Sinne zu besuchen und zuletzt immer wie eine fremde erhabene Feenwelt zu betrachten hatte* (1829: *IV/45, 115*). Damit geht auch sein Verhältnis zur Plastik zusammen, für das naturgemäß trotz der römischen Kopien von der Zeit seines jugendlichgenialischen Erfassens an (*Apoll von Belvedere; Laokoon) auch während der italieni-

schen Reise und später das Griechische bestimmend gewesen war, das jedoch durch die
wenn auch nur durch unzureichende Reproduktionen gewonnene Kenntnis der großen Origi-
nalwerke der Klassik (*Aegineten, Parthenon-
Phigalia-Skulpturen) in besonders reine Sicht
gerückt wurde. Auch in der Malerei triumphier-
ten schließlich die auf griechische Vorbilder zurückgehenden Pompejanischen Bilder wie „Te-
lephos-Herakles", „Iphigenie in Aulis" ua. und
das *Alexandermosaik über die römische Dekorationsmalerei.

Entscheidend für die Hinwendung zum Griechischen, von einem außerordentlich feinen künstlerischen Gefühl für das Originale seiner Kunst-
sprache begleitet, wurden drei Erlebnisse griechischer Kunst, die man mit Recht „Begegnungen" (Schadewaldt) genannt hat: die spätgriechischen *Grabreliefs in Verona, die groß-
griechisch-sizilianischen Münzen in *Palermo
und *Catania und die Tempel von Paestum, wo
der Eindruck griechischer Architektur in Italien noch heute am reinsten und stärksten ist.
Das innerste Wesen griechischer Kunst verkörpert sich jedoch in der Plastik. Im Gegensatz zur Architektur kam er zur Plastik schon
früher in engere Beziehung. Nach einigen Abgüssen in Leipzig bei *Oeser, wo Goethe auch
zeichnete, wurde vor allem der Mannheimer
Antikensaal für Goethe zum Erlebnis (1769;
1771). In der frankfurter Advokatur schuf er
sich selbst ein kleines Abgußmuseum mit Lao-
koonkopf, Niobiden, sog. Sapphokopf und
einigem mehr (I/32, 324). Aber fast drohte
dann in Weimar der innere Sinn für plastische
Form verloren zu gehen oder abzustumpfen;
noch in München (6. IX. 1786) *will ihm vieles
gar nicht ein (III/1, 153)*. Wie sich Goethe in
Rom förmlich auf die Plastik stürzt und, was
für ihn selbstverständlich dazugehört, sich
bemüht, mit allen Mitteln der Vergegenwärtigung, des Zeichnens, *anatomischer Studien,
sich Kenntnis vom menschlichen Körper zu
verschaffen, bezeugen die Äußerungen der
italienischen Reise (I/32, 62; 209; 317; 447;
IV/8, 329). Er umgibt sich mit Abgüssen antiker Plastik, er besucht die Sammlungen und
findet im Vatikan am Apoll von Belvedere
(Laokoon wird nur kurz erwähnt) Anschluß
an die Begeisterung seiner Jugendjahre und
neues Erleben vor den nun im Original sichtbaren Statuen, die für ihn griechische Plastik
verkörpern, mochte er auch wissen, daß sie
zumeist römische Kopien waren. *Das A und O
aller uns bekannten Dinge, die menschliche Figur . . . (I/32, 62)* oder: *Umgeben von antiken
Statuen empfindet man sich in einem bewegten

Naturleben, man wird . . . durchaus auf den
Menschen in seinem reinsten Zustand zurückgeführt, wodurch denn der Beschauer selbst lebendig und rein menschlich wird (I/32, 321 f.)*
oder in der Prägnanz der Maxime: *Wir wissen
von keiner Welt, als im Bezug auf den Menschen; wir wollen keine Kunst, als die ein Abdruck dieses Bezuges ist (I/48, 203)*.

Aber Goethe bleibt nicht in den Mitteln der
Aneignung und in dem Studium der technischen Voraussetzungen stecken, so ernst es
ihm ist mit allen diesen Dingen, er verhält
immer wieder in versammelndem Anschauen:
*. . . wir fangen an zu sondern, zu unterscheiden,
zu ordnen, und auch dieses finden wir, wo nicht
unmöglich doch höchst schwierig, und so kehren
wir endlich zu einer schauenden und genießen-
den Bewunderung zurück (I/32, 321)*.

III. Für die unterschiedliche Erlebnis- und
Aussageweise, die namentlich zwischen Goethes *Sturm- und Drangperiode und der nachitalienischen Zeit für sein Verhältnis zur antiken Kunst besteht, mag man sich jene Beschreibungen für *Lavaters „Physiognomische
Fragmente", besonders die des *Homerkopfes
(1775: I/37, 339 f.), neben Abhandlungen wie
die *Über Laokoon* (1797: *I/47, 97–117*), von
der nur noch ein Paralipomenon (I/48, 235 f.)
die lebendig-leidenschaftliche Sprache der Zeit
des ersten Entwurfs zum Thema erkennen
läßt (vgl. Brief an Schiller 5. VII. 1797: IV/12,
182), stellen und dann den Aufsatz über Homers Apotheose (1827: I/49^{II}, 25–28) in seinem
sachlich-klaren *Altersstil hinzuziehen. Trotzdem bleiben die *Grundbegriffe* von Goethes
Beschäftigung und Verhältnis zur a. K. sein
ganzes Leben hindurch bestehen. Sie begannen sich in der Jugend zu bilden, entfalteten
sich in den Mannesjahren, füllten sich mit
vermehrter Anschauung, Sammlung, Ordnung und Klärung und erlebten im alten
Goethe gelegentlich derartige Verklärungen
wie in der Äußerung über die griechische
Architektur als *fremde erhabene Feenwelt*
(1829: *IV/45, 115*).

IV. Man hat Goethes Glauben an die Vorbild-
haftigkeit der Alten, namentlich hinsichtlich
seiner Bemühungen um die zeitgenössische
Kunst während der Propyläenzeit, gescholten.
Mag auch dies Bemühen auf einer Verkennung
der geschichtlichen künstlerischen Situation
seiner Zeit beruht haben, auf der irrigen Annahme, er könne die gesunkenen Kräfte bildkünstlerischer Gestaltung in Deutschland
durch Aufweis *bedeutender Gegenstände* aus
der Antike zu neuer Blüte führen, ohne daß
er sich darüber im klaren war, daß Gegen-

stände nur dann fruchtbar werden, wenn sie allgemein verbindlich sind und zudem von wirklich schöpferischer Hand bewältigt werden, für Goethe selbst bestanden die Voraussetzungen seines Glaubens zu Recht. Die Erfahrung, daß er als Dichter die Fähigkeit besaß, Gegenstände aus dem Bereich der Antike neu zu formen und mit Eigenem schöpferisch zu durchdringen, konnte ihm wohl den Irrtum nahe legen, ein Gleiches von den bildenden Künstlern seiner Zeit zu erwarten. Daß hier die Gesetze der Kunst, die er ja in Natur und Kunst zu ergründen nicht nachließ, andere waren und daß namentlich die Malerei aus dem Naturerlebnis der Romantik zu Realismus und Impressionismus vorschreiten sollte, das konnte Goethe bei dem allgemeinen Tiefstand der deutschen zeitgenössischen Kunst nicht übersehen. Was kommende Generationen aus dem Erbe der Romantik, sei es nun mit ihr oder im Widerspruch zu ihr, machen würden, lag außerhalb von Goethes Erkenntnismöglichkeit.

Für ihn gründete sich sein Bild der a. K. und die Wertsetzung, die er ihr wie der gesamten Antike gab, auf die unmittelbare Erfahrung ihrer reinen und *natürlichen* Leistung, auf das, was er als *zweite Natur* bezeichnet hatte. Daraus leiten sich fast alle Wertsetzungen im einzelnen ab, das Kräftig-Sinnliche, das Einfach-Elementare, das in sich Erfüllte, Unmanirierte, das Gesunde usw. Man könnte auch sagen, Goethe stand zur Antike und ihrer Kunst, wie die Antike zur Natur nach seiner Ansicht gestanden hatte. Die Natur als gesetzmäßig schaffende blieb Goethe immer die Maßeinheit oder der Prüfstein auch für die Betrachtung und Bewertung a.r K. und antiker Dinge. Sie bewahrte ihn zugleich vor Übertreibungen des Vorbildbegriffs und lehrte ihn die Grenzen des antiken Kanon erkennen. Über die Humaniora sagt er, es sei *ein rechtes Glück, daß die Natur dazwischen getreten ist, das Interesse an sich gezogen und uns von ihrer Seite den Weg zur Humanität geöffnet hat* (1808: *Bdm. 2, 6*). Daß Goethe selbst unter dem Druck der historischen Tradition gelitten hat, erhellen seine Worte: *Wir alle leben vom Vergangnen und gehen am Vergangenen zu Grunde (I/42^{II}, 127)*, und nur seine eigene naturhaft schöpferische Kraft rettet ihn vor der Vernichtung durch die Last der Geschichte, wenn er sich auch im hohen Alter gelegentlich nicht mehr in der Lage fühlt, *dem Vortrefflichen unserer Vorfahren* (Sophokles' Philoktet) *productive Kraft entgegen zu setzen (I/42^{II}, 465)*. Daß solches produktive

Verhalten gegenüber dem Vorbild auch noch von anderer Seite bedingt sei, erkannte Goethe nur zu gut: *Die Menschen sind nur so lange produktiv ..., als sie noch religiös sind; dann werden sie bloß nachahmend und wiederholend, wie wir vis-à-vis des Altertums, dessen inventa alle Glaubenssachen waren ...* (26. III. 1814: *Bdm. 2, 223*).

Es gab aber noch eine Weise für Goethe, dem Altertum als Vorbild gegenüberzutreten; sie führt zwar nicht direkt über die Nachahmung, auch nicht die schöpferische, sondern wurzelt in der sittlichen und wahrhaft bildenden Macht der antiken Dinge. Als eine solche Möglichkeit bezeichnet er die innere Aneignung des Vorbildes a principio, wie sie in echter „Begegnung" (Schadewaldt) erfolgt: *Was uns irgend Großes, Schönes, Bedeutendes begegnet, muß nicht erst von außen her wieder er-innert, gleichsam er-jagt werden, es muß sich vielmehr gleich vom Anfang her in unser Inneres verweben, mit ihm eins werden, ein neueres besseres Ich in uns erzeugen und so ewig bildend in uns fortleben und schaffen. Es gibt kein Vergangenes, das man zurücksehnen dürfte ...* (4. XI. 1823: *Bdm. 3, 37*). Aus derartig *vom Anfang her* erlebtem und ewig wirkendem Vorbild heraus entsteht jene Haltung der Antike gegenüber, die fern jeder sklavischen Abhängigkeit ihre innere Freiheit bewahrt und die der Sinn der stolzen Maxime ist: *Wer Proportion (das Meßbare) von der Antike nehmen muß, sollte uns nicht gehässig sein, weil wir das Unmeßbare von der Antike nehmen wollen (I/48, 206)*.   *Hm*

IRvEinem. – Wegner. – Grumach. – WSchadewaldt: Goethes Beschäftigung mit der Antike. In: Grumach S. 971–1050. – HTrevelyan: Goethe and the Greeks. Cambridge 1941. Übers. von WLöw. 1949. – RHerbig: Begegnungen Goethes mit griechischer Kunst in Italien. 1948. – HvEinem: Goethes Kunstphilosophie. 1947. (Freies Dt. Hochstift. Vorträge u. Schriften. 8) – ders.: Goethe und die bildende Kunst. Studium Generale 1949. S. 375–402. – ARumpf: Goethe e l'arte classica. Belfagor 1 (1950). – ders.: Goethe und die Antiken. 1951. – CWeickert: Die Baukunst in Goethes Werk. 1950. (Vorträge u. Schriften d. Dt. Akad. d. Wiss. zu Berlin. 38) – BWachsmuth: Goethes naturwissenschaftl. Lehre von der Gestalt. Goethe 9 (1944), S. 54–87.

Antiken-Sammlungen. Von Goethe besuchte Antiken-Sammlungen, bzw. Kunstsammlungen, die auch Antiken besaßen:

1. Die erste größere Sammlung von Antiken, wenn auch vornehmlich in Abgüssen, sah Goethe im „Mannheimer Antikensaal", der die ehemals kurpfälzische Sammlung aus Düsseldorf (von Karl Theodor überführt) enthielt, bei der Hinreise nach Straßburg im Oktober 1769 (Brief an CTh*Langer vom 30. XI. 1769. In *DuW* erwähnt er nur den zweiten Besuch auf dem Heimweg von Straßburg im August/September 1771 (I/28, 84 f.; 87).

Zur Geschichte der Mannheimer Abgußsammlung, die den Grundstock der heute zerstörten Sammlung des Münchener Archäologischen Seminars darstellte, vgl. Wagner S. 130. – JABehringer: Goethe und der Mannheimer Antikensaal. GJb. 28 (1907), S. 150 bis 159. – GvLücken: Goethe und der Laokoon. In: Natalicium Johannes Geffcken: 1931. S. 85–99. Darin S. 86. – HSitte: Im Mannheimer Antikensaal. JbG-Ges. 20 (1934), S. 150–158. – IRvEinem S. 591.

2. Die Antikensammlung der Landgrafen von Hessen in Kassel, von Friedrich II. (1760 bis 1786) vergrößert und in einem neuen Gebäude am Friedrichsplatz untergebracht, das Museum Fridericianum, besuchte Goethe erstmalig auf der Reise in die *Schweiz am 16. IX. 1779 und erwähnt nur kurz *die Antiken (III/1, 99)*. Zum zweiten Mal ist er dort anläßlich seiner Reise nach *Göttingen und *Pyrmont am 17. VIII. 1801 (III/3, 32); von diesem Besuch nennt er später nur den Kopf einer *Venus Urania in einem Brief an Wv*Humboldt (27. I. 1803: IV/16, 175). Nur ins Besucherbuch der Gemäldesammlung trägt er sich am 14. XII. 1792 auf dem Rückweg von der *Campagne in Frankreich ein.
MHieber: Die antiken Skulpturen und Bronzen des königl. Museum Fridericianum in Cassel. 1915. – HvButtlar: Staatliche Kunstsammlungen, Kassel. Die Kasseler Antiken. 1948.

3. *München berührte Goethe nur kurz am 6. VIII. 1786 auf der Hinreise nach Italien. Er besuchte Naturalienkabinett, Gemäldegalerie und Antikensammlung. Eine gewisse Ferne antiken Kunstwerken gegenüber bezeichnet seinen Krisenzustand vor der italienischen Reise: *Im Antiquario, oder Antiken Cabinet hab ich recht gesehen daß meine Augen auf diese Gegenstände nicht geübt sind, und ich wollte auch nicht verweilen und Zeit verderben. Vieles will mir gar nicht ein (III/1, 153)*.

4. Während Goethes Aufenthalt in *Verona (14.–19. IX. 1786) sah er das Museum Maffeianum am 16. IX. (III/1, 197–200; I/30, 62; vgl. zweiten Besuch im April 1790: III/2, 9) und die Antiken im Palazzo Bevilacqua am 17. IX. (III/1, 208; I/30, 69 f.).
GRodenwaldt: Goethes Besuch im Museum Maffaianum zu Verona. 102. BWPr. 1942. – IRvEinem S. 581 f.

5. In Venedig (28. IV.–14. IX. 1786 und Frühjahr 1790) sah Goethe an geschlossenen Sammlungen am 8. X. 1786 den Palazzo Grimani, dessen Antiken sich heute im Museo Archeologico befinden (I/30, 136). Vorher hatte er die kleine Sammlung in der Bibliothek von S. Caritá (2. X.: III/1, 255) und die Abgußsammlung im Palazzo Farsetti besucht (4. X.: III/1, 260 f.; I/30, 134 f.); alle Sammlungen sah er während seines zweiten venezianischen Aufenthaltes wieder (III/2, 9).

6. Die Frage, welche Antikensammlungen (und Monumente) Goethe in Rom wirklich gesehen hat und welche nicht, ist keineswegs immer genau zu beantworten. Einerseits erwähnt Goethe nicht alles, was er in Rom während seines doch relativ langen Aufenthaltes gesehen hat, andrerseits muß damit gerechnet werden, daß er, aus was für Gründen auch immer, zu einzelnen Sammlungen keinen Zutritt erhalten hat bzw. solche Schwierigkeiten vorfand, daß er auf den Besuch verzichtete, ohne darüber Notizen und Nachrichten zu hinterlassen. So ist zB. nicht beweisbar, daß er die Sammlungen des Konservatorenpalastes gesehen hat, während Besuche im Capitolinischen Museum sicher bezeugt sind (zB. am 31. X. 1786, 10. und 18. I. 1787: SGGes. 2, S. 403 f.). Sogar zum Quirinalspalast, der damals dem Papst zur Wohnung diente, hatte man zu Goethes Zeit Zutritt (I/30, 200 f.). Außer dem Capitolinischen Museum hat Goethe selbstverständlich die Vaticanischen Museen, genauer das Museo Pio Clementino, das er oft nur abgekürzt *Museo* oder *Museum* nennt (6. XI. und 19. XII. 1786: SGGes. 2, 403; I/32, 441; 22. I. 1787: SGGes. 2, 402) und zu welchem auch die Sammlung im Belvedere gehörte, oft aufgesucht (zB. 9. XI. 1786: I/30, 212. – 3. XII. 1786: I/30, 232). Jedoch exakte Daten zu nennen, fällt schwer; die ägyptische Sammlung des Capitols erwähnt ein Brief an Carl August vom 12.–16. XII. 1786 (IV/8, 85), und für die Einlage Meyers in die *IR* über Fackelbeleuchtung im Museo Pio Clementino und im Capitol (I/32, 148–151) steht fest, daß dies Phänomen von Goethe miterlebt wurde (vgl. I/32, 439 Paralip. 8), nur überließ er später die ganze Partie mit der Beschreibung der Statuen, die bei Fackelschein besonders vorteilhaft zur Geltung kamen, Meyer, der sie nach Aufzeichnungen eigener späterer Reisen gab, so daß Stücke erwähnt werden, die Goethe im Jahre 1787 nicht gesehen haben konnte (vgl. IRvEinem, 658 ff.). Wie sich diese Besuche in den beiden Museen zeitlich verteilt haben, ist nicht mit Sicherheit zu rekonstruieren. In den Zeittabellen zur Redaktion der *IR*, die zum wenigsten von Goethes Hand sind, erscheint von Meyer nachgetragen der Besuch im Museo Pio Clementino September/Oktober 1787 eingesetzt (I/32, 484), ebenso läßt Goethe zum Oktober notieren: *Museum bey Fackelschein nachzubringen (I/32, 464 Paralip. 30)*, setzt aber im gleichen Tabellentwurf für November noch einmal *Museum Fackelschein* an; im Paralipomenon 29 *(I/32, 463)* steht der Besuch mit *Aufsatz deshalb* neben dem Stichwort *Hirt*, vor dessen Würdigung im November 1787 (I/32, 151–153) tatsächlich Meyers Fackel-Bericht eingeschoben wird. Man könnte daraus schlie-

ßen, daß sich die beiden wirklich stattgefundenen Besuche im Museo Pio Clementino und Capitol auf September/Oktober und November des Jahres 1787 in der angeführten Reihenfolge verteilen und aus Redaktionsgründen im November zusammengefaßt wurden.

Von Privatsammlungen in römischen Palästen und Villen, die auch Antiken umfaßten, hat Goethe nachweislich die folgenden gesehen. Die Erwähnungen sind sehr verschiedenartig, manche Sammlungen werden ganz kurz abgetan, andere ausführlicher geschildert, oft die Antiken überhaupt nicht genannt; man muß mit vielem rechnen, was Goethe verschweigt.

a) Die Villa Albani, die Goethe den Genius *Winckelmanns unmittelbar ins Gedächtnis rufen mußte, scheint er jeweils nur kurz besichtigt zu haben (8. XI. 1786; 4. II. 1787 SGGes. 2, 403f.). Antiken nennt er nicht: *ich... sah mich nur im Allgemeinen darin um* (14. III. 1788: *I/32, 295*). Das Deckengemälde ,,Der Parnaß" von Mengs im Hauptraum des Casinos erwähnt er nur im historischen Teil der Farbenlehre (II/3, 377). – Vgl. auch I/46, 48f.

b) Am 22. VII. 1787 war Goethe mit Angelika *Kauffmann im Palazzo Barberini, ohne die Antiken zu erwähnen (I/32, 36).

c) Das Casino der Villa Borghese suchte er am 1. XI. 1786 auf (IV/8, 39; nach anderer Notiz SGGes. 2, 403 einen Tag früher) und am 26. des gleichen Monats (SGGes. 2, 403). Ein weiterer Beleg fällt auf den 1. III. 1788 (I/32, 290), wo Goethe sich auf den letzten Besuch vor etwa einem Jahr bezieht. Antiken, auch den damals noch hier befindlichen *Borghesischen Fechter, nennt er nicht.

d) Die Galerie Colonna im gleichnamigen Palazzo sah Goethe am 6. XII. 1786 (SGGes. 2, 402), sagt aber nichts Näheres darüber; am 27. VI. 1787 erwähnt er nur Gemälde (I/32, 7).

e) Ebenso schweigt er über seine Eindrücke in der Galerie Doria am Corso, die er bereits am 23. XI. 1786 besuchte (SGGes. 2, 403).

f) Unter dem 2. XII. 1786 verzeichnete Goethe den Besuch der ausgedehnten Parkanlagen der Villa Doria Pamphili auf dem Janicolo; von den zahlreichen in der Außenfront des Casinogebäudes eingelassenen antiken Skulpturen spricht er nicht (I/30, 230; vgl. auch I/32, 482).

g) Im Palazzo Farnese ist Goethe sicherlich öfter gewesen, als die Notiz zum 17. XI. 1786 (I/32, 482: *Antic. Bild.*) und die Erwähnung des Hercules am 16. I. 1787 (I/30, 254f.) erkennen lassen (vgl. auch SGGes. 2, 403 zum 25. XII. 1786).

h) Die Erwähnung der Athena Giustiniani (13. I. 1787: I/30, 250f.) bezeugt den Besuch des gleichnamigen Palazzo (vgl. auch SGGes. 2, 404 zum 22. I. 1787), der durch die Wiederentdeckung eines Apollokopfes (*Apollo Pourtales) im Zusammenhang mit Trippels Arbeit an der Goethe-Büste erneute Bedeutung gewinnt (28. VIII. 1787 (!): I/32, 71).

i) Daß der Erwerbung des Abgusses der *Juno Ludovisi am 5. I. 1787 (I/30, 244) ein Besuch der gleichnamigen Villa (die Sammlung heute im Museo Nazionale delle Terme) vorausgegangen war, läßt sich durch die Rechnungsbuchnotiz zum 9. XII. 1786 (SGGes. 2, 403) sowie durch ein Paralipomenon (I/32, 436 Nr 2) und indirekt aufgrund der Bemerkung I/32, 322 beweisen. Die ausdrückliche Eintragung in die Zeittabelle unter dem 2. XII. 1787 (I/32, 479) *Juno Ludovisi im Original* bezeugt einen weiteren, wohl den letzten Besuch der schwer zugänglichen Sammlung.

k) Die Villa Mattei (jetzt Celimontana) auf dem Caelius erwähnt eine Eintragung in die gleiche Tabelle (I/32, 479) am 6. XII. 1787 (vgl. den Besuch genau ein Jahr vorher: SGGes. 2, 402f.!); Antiken, die in großer Zahl vorhanden waren, werden nicht genannt.

Im März berichtet Goethe von dem Fest, das die Familie Mattei im Park und Casino nach der Wallfahrt durch die sieben Hauptkirchen Roms in der Karwoche dem Volk und der vornehmen Gesellschaft zu geben pflegte (I/32, 299–302).

l) In der französischen Akademie, zZt. Goethes noch nicht in der Villa Medici, sondern im Palazzo Mancini untergebracht, sah Goethe zusammen mit Meyer Abgüsse nach Antiken (I/32, 317). Für den Besuch der Villa Medici, damals noch Sitz der toscanischen Botschaft beim Hl. Stuhl (vgl. IRvEinem S.620), gibt es außer einer nächtlichen Visite während des Karnevals (19. II. 1787: I/30, 275) das schöne Zeugnis eines Paralipomenons zur *IR (I/32, 440 Nr 10*, durch die Notiz des letzten Ausspruchs Friedrichs d. Gr. auf den Beginn des Jahres 1787 zu datieren): *d 12 Jan. auf der Villa Med[ici]. Bey Sonnen Untergang. Die Schlagschatten der Fenster Gesimse auf der weisen Wand* [heute gelb] *völlig blau wie der Himmel. Es war Tramontane und der Himmel ganz blau* (vgl. auch II/5II, 440), wobei die Antiken des Parks, darunter der Meleager, und die in die Gartenfront eingemauerten zahlreichen römischen Reliefs ihm kaum entgangen sein dürften; erwähnt werden sie jedoch nicht.

m) Die Sammlung des Palazzo Rondanini, in dessen unmittelbarer Nähe am Corso Goethe zunächst wohnte (vgl. seinen Spitznamen ,Baron Rondanini'), hat er sicherlich oft besucht,

bezeugt sind 8. und 25. XII. 1786 (SGGes. 2, 403; I/30, 238f. *Medusa) und 29. VII. 1787 zusammen mit Angelika Kauffmann (I/32, 39).
n) Über die Besichtigung des Palazzo Rospigliosi (*Ruspigliosi*) sind wir nur durch eine Notiz im Rechnungsbuch unterrichtet (SGGes. 2, 404).
o) An größeren Privatsammlungen von *Münzen und *Gemmen sah Goethe diejenige von Dr. *Münter (20. XII. 1786: I/30, 237f.), war am 25. VII. 1787 (I/32, 38) mit dem Grafen J Jv*Friess in der Sammlung des Prinzen Piombino und erwarb am 22. IX. 1787 (I/32, 82; 91f.) im Anschluß an seine *ägyptischen Studien aus der Pastensammlung des 1770 verstorbenen Ch*Dehn, die auch einiges Ägyptische enthielt, 200 Abdrücke.
7. Auf der Reise nach Neapel sah Goethe mit *Tischbein zusammen am 22. II. 1787 das Antikenkabinett des Cavaliere Borgia in *Velletri (I/31, 6f.).
8. In Neapel selbst hatte Goethe am 7. III.1787 (I/31, 33f.) im Palazzo Colombrano entscheidende Eindrücke von Antiken (*Pferdekopf, *Nymphe) wiederum unter Tischbeins Führung.
Im Palazzo Reale auf Capo di Monte, dessen Sammlungen an Gemälden, Vasen, Münzen und Gemmen später mit der Sammlung von *Portici und den Bildern aus Pompeji im sogenannten Studiengebäude (*Hackert) zum Museo Borbonnico – jetzt National-Museum – vereinigt wurden, weilte Goethe am 9. III.1787 mit Tischbein und Fürst ChrAv*Waldeck (I/31, 35).
C Justi: Winckelmann und seine Zeitgenossen. ²Leipzig 1898. Bd 2. S. 203–206. – I RvEinem S. 643.

Die umfangreichen Sammlungen, *das Kunst- und Gerümpelgewölbe*, von Sir W*Hamilton sah Goethe nach der sizilischen Reise am 27.V.1787 (I/31, 250f.).
9. Die Sammlung im Schloß von *Portici, die zunächst die Hauptfunde aus Herculaneum und Pompeji beherbergte, sah Goethe wahrscheinlich zweimal, am 18.III.1787 (I/31, 59f.; 338) und am 31.V. oder 1.VI. 1787; er bezeichnete das Museum als *A und Ω aller Antiquitäten-Sammlungen (I/31, 271).
10. Während der sizilischen Reise besuchte Goethe in *Palermo das im Gebirge gelegene Kloster S. Martino delle Scale und seine Antikensammlung (10. IV. 1787: I/31, 117). Im Palazzo Reale, heute National-Museum, war er am 11. IV. 1787. Am nächsten Tag hatte er entscheidende Eindrücke großgriechischer Münzen in der Sammlung des Fürsten *Torremuzza (I/31, 120f.). – In der Kathedrale sah

er am 15. IV. 1787 einige *Merkwürdigkeiten*, wohl eine kleine Antikensammlung, in der sich wahrscheinlich vier schon von *Riedesel erwähnte römische Grabaltäre befanden (*I/31, 146*).
11. In *Catania bekam Goethe Einblick in die Sammlungen, darunter Antiken und Münzen, des Fürsten *Biscari (1.–5. V. 1787: I/31, 339).
12. Auf dem Rückweg aus Italien blieb Goethe längere Zeit in Florenz (1.–18. V. 1788). Nach seinem Bericht hat er fast alle Kunstwerke und Altertümer dort gesehen, die Erwähnung der Venus Medici bezeugt den Besuch der Uffizien (IV/8, 371).
13. Dresden. Goethe besuchte Dresden zum ersten Male in seiner leipziger Studentenzeit. Im 8.Buch von *DuW* schreibt er darüber: *Die wenigen Tage meines Aufenthalts in Dresden waren allein der Gemähldegalerie gewidmet. Die Antiken standen noch in den Pavillons des Großen Gartens, ich lehnte ab sie zu sehen, so wie alles Übrige was Dresden Köstliches enthielt (I/27, 174)*. In Italien bedauert er, die *herrlichen Sachen* in seiner Nachbarschaft nicht genutzt zu haben, und freut sich auf die Rückkehr, wo er es alles nachholen könne (*I/30, 258*). Daß mit diesen Worten besonders die dresdener Antiken gemeint sind, steht wohl außer Zweifel, denn Winckelmann hatte sich vor Rom in den Kunstschätzen dort umgesehen (Meyer im Winckelmann-Gedenkbuch I/46, 74), Goethe sah sie zum ersten Male am 28. VII. 1790 anläßlich seiner schlesischen Reise (III/2, 21). Auf der Rückreise von Karlsbad 1810 (16. IX. bis 25. IX.) weilte er länger in Dresden, besuchte bereits am 17. IX. die Antikensammlung und am 24. IX. die Gemäldegalerie mit Louise *Seidler zusammen (III/4, 154f.). Ein dritter Besuch der Antikensammlung ist bezeugt für das Jahr 1813 (13. VIII. 1813: III/5, 69; I/36, 83), wobei er die *Dresdener Sammlung der Originalien sowohl als der Abgüsse mit Muße betrachtete. Ein Paralipomenon (*I/47, 281*) läßt Goethes Beschäftigung mit den *Dresdner Antiken (aus Wackers Papieren durch Lipsius) erkennen*.
14. Besonders bedeutsam wurde für Goethe sein Besuch der Abgußsammlung im Schloß zu Darmstadt am 10. und 11. X. 1814 (Brief an Christiane vom 12. X.1814: IV/25, 56f.), da er dort Abgüsse von einigen *Parthenonfriesplatten, von der Athena (*Minerva) Velletri und von einem der venezianischen *Rosse (Kopf) sehen konnte, Antiken, die ihn in der Folgezeit noch stark beschäftigen sollten. Im folgenden Jahre unternahm er mit Boisserée nochmals eine Reise von Frankfurt dorthin (19. IX.

1815: III/5, 182), die ihren Nachklang im Gespräch mit seinem Reisebegleiter auf der Fahrt nach Heidelberg fand (Bdm. 2, 343).

15. Bereits im August 1815 hatte Goethe auf der Reise an Rhein, Main und Neckar die Antikensammlung im Bibliothekengebäude in *Mainz, um die Professor *Lehne sich hervorragende Verdienste erworben hatte, besichtigt und dabei die römischen Grabsteine besonders angemerkt (11. VIII. 1815: III/5, 176; I/34ᴵ, 98 f.).

16. In Karlsruhe besuchte er am 5. X. 1815 das Museum, erwähnt von Antiken nichts (III/5, 185).

17. Die Gemmen- und Münzsammlung des Baron v*Schellersheim sah Goethe am 14. X.1814 in dessen Hause in Frankfurt (III/5, 134).

18. Die Wallmodensche Sammlung in Hannover, der Herder entscheidende Anregungen für seine „Plastik" verdankte, hat Goethe anscheinend nicht gesehen. Ein Paralipomenon *(I/47, 281)* nennt ua. die Sammlung unter dem Obertitel *Geographische Kunstbetrachtungen.*

19. Letztlich wäre nach Goethes eigener Antikensammlung zu fragen. Wie seine ganze Beschäftigung mit der antiken Kunst, so ist auch diese nur als Teil seiner großen Gesamtanschauung von Natur und Kunst, als Teil seiner auf verschiedensten Gebieten im Lauf seines Lebens zusammengebrachten Sammlungen zu verstehen. Neben einer Fülle von Gipsabgüssen nach antiker Kunst besaß Goethe eine Reihe von Originalen antiker Kleinkunst, Bronzen und Terrakotten, und auch seine Münz- und Gemmenschubladen enthielten zahlreiche antike Stücke. Als Katalog der Sammlungen ist immer noch auf Schuchardts Beschreibung neben der des GNM. von Marie Schütte (Jena 1910) zurückzugreifen. Einzelne Stücke sind in neuerer Zeit Gegenstand archäologischer Studien geworden.

LCurtius: Bronzen aus der Sammlung Goethes. I. Römische Mitteilgn 45 (1930), S. 1–28. – KANeugebauer: Zwei Juppiterstatuen in Berlin und Weimar. Archäolog. Anzeiger 1935. Sp. 321–334. – FRapp: Eine Gemme aus dem Besitz Goethes. In: Festschr. PArndt. 1928. S. 128–132. – HBörger: Goethe als Liebhaber antiker Kleinkunst. In: Festschr. WWaetzoldt. 1941. S. 286ff.

Eine neue Bearbeitung von Goethes Antikenbesitz in Form eines archäologischen Katalogs ist ein dringendes Desiderat.   *Hm*

Wagner. – IRvEinem. – ARumpf: Goethe und die Antiken. 1951. – Tagebücher und Briefe Goethes aus Italien an Frau von Stein und Herder. Hrsg. von ESchmidt. 1886. SGGes. 2.

Antike Versmaße und Strophenformen. Goethe hat von den zahlreichen AV nur den daktylischen *Hexameter in Epen, in Verbindung mit dem *Pentameter in *Distichen, und den jambischen *Trimeter in *Faust II, Pandora, Paläophron und Neoterpe, Was wir bringen, Vorspiel* (1807) verwendet.

Antike Odenformen (alcäische, asklepiadeische, sapphische Strophen), wie sie bei *Klopstock und nach Goethe bei *Hölderlin in reichem Maße erscheinen, kommen bei Goethe nicht vor. *Zugemess'ne Rhythmen reizen freilich, | Das Talent erfreut sich wohl darin; | Doch wie schnelle widern sie abscheulich, | Hohle Masken ohne Blut und Sinn* sagt Goethe im *West-östlichen Divan (I/6, 40).* Es ist überaus merkwürdig, daß der dem *Griechentum und der *Antike so innig verbundene Goethe im allgemeinen der antiken Verskunst wenig Interesse entgegenbrachte. Studiert hat er ua. JGJHermanns „De metris graecorum et latinorum libri III", Leipzig 1796. Dies Buch besorgte er auch für Schiller auf dessen Bitte (Brief Schillers vom 27. IX. 1800). *Sie werden sich aber wenig daran erbauen . . . In meiner Arbeit gehe ich auch nur so nach allgemeinen Eindrücken. Es muß jemand wie etwa Humboldt den Weg gemacht haben, um uns etwa zum Gebrauch das Nöthige zu überliefern* (Antwortbrief Goethes vom 28. IX. 1800: IV/15, 122). Kennzeichnend ist auch Goethes folgende Äußerung: *Ich ersuche Sie, mir das Schema zu sechsfüßigen Trochäen, wie sie die Alten gebrauchten, durch die Boten zu senden. Ich habe das Unglück, dergleichen immer zu vergessen.* Überhaupt stand Goethe der Metrik seiner Zeit, sowohl der antiken wie der deutschen, mit Recht nicht sehr freundlich gegenüber, wofür noch zwei Stellen aus dem Briefwechsel mit KF*Zelter zeugen mögen. Zelter an Goethe 26. I. 1814: „Wenn die Philologen reden, möchte man sich die Ohren zuhalten. Sie wissen weder was sie mit dem Munde noch mit der Zunge anfangen sollen, weil sie sich gewöhnt haben, alles mit den Augen zu tun: lesen, fühlen, gehn, stehn, und darüber kurzsichtig, lahm und trocken werden. – Kommen wir endlich dahin, daß das Metrum ein Werk des Pulses, also etwas ist, das von innen heraus, nicht von außen hereinkommt: da mögen die Herren ihre Theorie (das heißt: mit der Praxis) anfangen." Goethe an Zelter: *Gott behüte mich vor deutscher Rhythmik wie vor französischem Thronwechsel. Dein mitternächtiger Sechsachtel Tact erschöpft alles. Solche Quantitäten und Qualitäten der Töne, solche Mannichfaltigkeit der Bewegung, der Pausen und Athemzüge! Dieses immer Gleiche immer Wechselnde! Da sollen die Herren lange mit Balken und Hütchen –˘˘– sich unter einan-*

der verständigen, dergleichen bringen sie doch nicht heraus (19. III. 1818: *IV/29, 90*).

Von einzelnen Versfüßen gebraucht er Ioniker (Ionici a minore ‿‿ _ _) und (vielleicht) Choriamben _ ‿‿_. Ioniker ‿‿ ‿ ‿ sind die Verse in *Pandora: Meinen Angstruf, | Um mich selbst nicht: | Ich bedarf's nicht |* . . . (V. 833–899: *I/50, 335–338*), Ioniker sind auch die Verse in Goethes *Schweizerlied (I/1, 153 f.): Uf'm Bergli | Bin i gesässe, | Ha de Vögle | Zugeschaut; | Hänt gesunge, | Hänt gesprunge, | Hänt's Nästli | Gebaut. ||* Rhythmus: ‿ ‿ ‿ ⏞ |
‿ ‿ ‿ ⏞ | ‿ ‿ ‿ ⏞ | ‿ ‿ ‿ ⏞ | ‿ ‿ ‿ ⏞ | ‿ ‿ ‿ ⏞ _
‿ ⏞ _ ⏞ ||

Choriamben (‿ ‿ ‿ ‿) sind vielleicht die Verse in *Pandora: Mühend versenkt ängstlich der Sinn | Sich in die Nacht, suchet umsonst | Nach der Gestalt* . . . (V. *789–812*).

Zu Goethes sogenannten anapästischen (‿ ‿ _) Versen s. *Anapäst.

Zu den einzelnen Versfüßen wie *Daktylus, *Iambus, *Spondeus, *Trochäus sowie zu *Hexameter und *Trimeter siehe die einzelnen Artikel. Besondere Erörterung der grundsätzlichen, allgemeinen Probleme bei *Hexameter. *Hb*

AHeusler: Deutsche Versgeschichte. 1925–1929. – FSaran: Deutsche Verskunst. 1934. – PHabermann: Antike Versmaße und Strophenformen im Deutschen. In: RL ²1955. S. 70–84.

Antoninus- und Faustina-Tempel (Rom). Am 4. X. 1786 sah Goethe in der Abgußsammlung des Palazzo Farsetti in *Venedig ua. einen Abguß vom Gebälk des Antoninus- und Faustina-Tempels vom *Forum Romanum in Rom. Der Tempel wurde 141 nChr. nach dem Tode der Kaiserin Faustina d. Ä. von Antoninus Pius erbaut und ihr geweiht; nach seinem Tode 161 nChr. wurde zusammen mit der Gattin auch der Kaiser selbst dort verehrt. Im 7./8. Jahrhundert nChr. baute man in den Tempel die Kirche S. Lorenzo in Miranda. Goethe erinnerte das Gebälk an das des *Pantheon, das er im Abguß in Mannheim gesehen hatte (III/1, 261; I/30, 135). Außer einer (neuerdings *Tischbein zugeschriebenen) Zeichnung der Säulen an der Frontseite, deren Basen mitsamt dem Unterbau des Tempels damals noch unausgegraben im Boden steckten, erwähnt Goethe den Tempel während seines römischen Aufenthaltes nicht. *Hm*

Wegner S. 28; Abb. 63 (Goethes Zeichnung). – Grumach S. 438 f. – IRvEinem S. 592. – Hirth S. 199. – SBPlatner und ThAshby: A Topographical Dictionary of Ancient Rome. S. 23 f. – LCurtius: Das antike Rom. Wien 1944.

Antinous Mondragone. Bei einem Ausflug nach *Frascati am 12. XII. 1787 sah Goethe in der Villa Monte Dragone den überlebensgroßen Bildniskopf des A., des berühmten Lieblings Kaiser Hadrians, der 130 nChr. im Nil ertrank und daraufhin im ganzen Reiche göttliche Ehren erhielt. (Bereits ein Jahr vorher, am 14. XI. 1786, war Goethe in der Villa erwähnt jedoch den Antinous nicht; vgl. SGGes. 2, 403). Der Kopf in Monte Dragone (heute im Louvre/ Paris) gibt das Haupt des bithynischen Knaben im Typus frühklassischer Apollobilder wieder, nur in die leicht süßliche Sprache hadrianischer Zeit übersetzt. Goethe, nicht verwöhnt durch unmittelbare Kenntnis originaler griechischer Standbilder, übersah diesen Zug. Durch eine Zeichnung *Burys stets an den Kopf erinnert, äußerte er im hohen Alter *Rauch gegenüber den dringenden Wunsch, einen Abguß zu besitzen, der dann durch Vermittlung CF*Tiecks am 22. V. 1828 eintraf und in seinem weimarer Haus aufgestellt wurde. Goethes Empfindung und Urteil beleuchten am besten Worte aus dem Brief an Rauch: *Verzeihen Sie dieses Anmuthen, aber ich darf wohl sagen, es ist der einzige wahre Genuß der mir noch übrig blieb, mich an plastischer Kunst zu erquicken* (3. XI. 1827: *VI/43, 144*). *Hm*

Wegner S. 84–86; Abb. 53. – Grumach S. 563–566. – IRvEinem S. 662. – Tagebücher und Briefe Goethes aus Italien an Frau von Stein und Herder. Hrsg. von ESchmidt. 1886. SGGes. 2. – JAKLevezow: Über den Anitinous. Berlin 1808. Dazu: IV/20, 291.

Antonio Veneziano *(Viniziano: I/34ᴵᴵ, 208)* eig. A. di Francesco da Venezia, ein wohl aus Venedig stammender Maler des 14. Jahrhunderts, der zwischen 1370 und 1388 in *Florenz, *Siena und Pisa – dort sein Hauptwerk, die Fresken mit der Legende des hlg. Raniero an der Südwand des Camposanto (1384–1387) – tätig war. Vorzügliche Naturbeobachtung und genrehaft-menschliche Auffassung des Hieratischen vereinigen sich in seinen Gemälden zu einem Realismus, der zur Schönheitlichkeit gesteigert ist. – *Meyer behandelte ihn in seinen Vorlesungen in Stäfa (I/34ᴵᴵ, 115) und Goethe notiert sich während seiner Vorbereitung zur zweiten Reise nach Italien aus *Vasaris Viten die im Kloster von S. Spirito in Florenz gemalten Darstellungen der Berufung der Apostel, der Vermehrung des Brotes und der Fische und der Mannalese, die Vasari sehr lobt, und die Szenen aus dem Leben des hlg. Stefanus von der Predella des Hochaltares in St. Stefano a Ponte Vecchio (I/34ᴵᴵ, 208; vgl. Vasari, ed. Milanesi, 1, S. 661 f.) – beide Werke sind nicht mehr vorhanden – und die Fresken vom Camposanto in Pisa. *Lö*

ThB 2 (1908), S. 13.

Antonissen, Henricus Joseph (1737–1794), Landschafts- und Tiermaler, tätig in Antwerpen; Goethe besaß von A. die Zeichnung eines liegenden Ochsen.   *Lö*

Schuchardt 1, S. 106. – ThB 2 (1908), S. 184.

Antraigues, Emmanuel Henri Louis Alexandre de Launay, comte d' (1755–1812), französischer Publizist und Abenteurer. Anfänglich, als Mitglied der *Assemblée constituante, im revolutionären Lager stehend, emigrierte er schon 1790 und wurde der geschäftige, sehr intrigante Agent der Royalisten. Die Papiere, die 1797 anläßlich seiner Verhaftung bei ihm gefunden wurden, brachten *Napoleon und dem *Direktorium zahlreiche Aufschlüsse; eine Briefstelle Goethes (an Cotta 19. IX. 1797: IV/12, 304) spielt darauf an.   *Fu*

Anville, Jean Baptiste Bourguignon d' (1697 bis 1782), französischer Geograph und Kartograph, Autor von Karten zur Geographie der alten Welt und eines modernen Atlas (1743–1761), der die Summe der damaligen erdkundlichen Wissenschaft darstellt; Goethe benutzt 1794 A.s Karte des antiken Griechenland (Bdm. 1, 217).   *Fu*

Apel. sehr wohlhabende, ursprünglich aus Quedlinburg (Harz) stammende, dem dortigen Patriziat zugehörige alte Familie, war mit dem Seidenfabrikanten und Ratsherrn Andreas Dietrich A. nach *Leipzig übergesiedelt. Dieser hatte dort den heute nicht mehr bestehenden, sondern längst überbauten *Apelschen Garten* geschaffen, an den jetzt nur noch die gleichnamige Straße im Häusermeer der Stadt erinnert.

–, 1) Heinrich Friedrich Innozenz (1732–1802), Sohn des Vorgenannten, Seidenfabrikant, Ratsherr und Bürgermeister in Leipzig, wohl auch Hofrat und akademisch ausgebildet (Dr.?), verheiratet mit der Witwe des Kaufmanns Siegert aus Chemnitz, war in Goethes Jugend Besitzer des väterlichen Gartens, der im noch heute, wenn auch etwas weiter nach außen gelegenen, parkreichen Westen (Johanna-Park) als sehr beliebtes Ausflugsziel galt. Goethe erzählt in *DuW,* daß er oft mit seinen Freunden während der leipziger Studienjahre (1765–1768) auf *Bilderjagd* ausging, *obgleich Apels Garten ... das wunderlichste Revier sein mochte, um poetisches Wildpret darin aufzusuchen (I/27, 102).* Und etwas später heißt es wiederum: *so waren wir andern doch auch immer in Apels Hause zu finden ... (I/27, 143).* Nähere Angaben über etwaigen persönlichen Umgang mit A. macht Goethe nicht.

–, 2) Johann August (1771–1816), Sohn des unter 1) Genannten, war Jurist und Philologe, 1801 Ratsherr in Leipzig, nach 1802 privati-

sierender Gelehrter und Schriftsteller auf seinem Rittergut Ermlitz bei Schkeuditz; er neigte zu romantischen Auffassungen. In Goethes Blickfeld geriet er 1802 durch seine nicht durchweg überzeugende Rezensententätigkeit für die ALZ sowie (seit 1803) auch für die JALZ (vgl. auch IV/17, 165). Von A.s eigenen Dichtungen (anonym erschienen) beschäftigten Goethe nur die antikisierenden Tragödien (zB. „Polyidor"), worüber JD*Gries berichtet: „Vor vielen Jahren erschien eine antikisierende Tragödie: Polyidor von Apel in Leipzig. Man versprach sich viel davon, und ich ward aufgefordert, das Stück bei Frommanns vorzulesen. Goethe selbst wollte zugegen sein. Ich präparierte mich recht ordentlich und las so gut ich konnte. Nach beendigter Vorlesung trat eine peinliche Stille ein. Endlich erhob sich Goethe, kam auf mich zu und sagte: *ich bin Ihnen um so mehr verpflichtet, daß Sie diese Mühewaltung übernommen haben, da ich, wäre ich allein gewesen, das Stück schwerlich zu Ende gebracht hätte" (Bdm. 1, 406).* Goethe hat nach diesem Versuch, dessen Mißlingen nur durch seinen überlegenen Takt gemildert werden konnte, erst am 30.VI. 1813 eine weitere Probe der a.schen Dichtkunst (Gastmahl des Darius) sich vortragen lassen, enthielt sich aber einer fixierten Äußerung (III/5, 59). A.s wirklich verdienstliche Leistungen, die auf dem Gebiet wissenschaftlicher Forschung (Metrik) lagen („Über Rhythmus und Metrum" 1807/1808; „Metrik", 2 Bde. 1814–1816) scheint Goethe nach diesen Enttäuschungen gar nicht beachtet zu haben.   *Za*

Apelles, aus Kolophon gebürtig (betrachtete sich jedoch als Ephesier), berühmter griechischer Maler, Jonier, lebte in der zweiten Hälfte des 4. Jahrhunderts vChr. Sein bekanntestes Bild war die Aphrodite Anadyomene in Kos, die Augustus erwarb und nach Rom brachte. *Alexander der Große ließ sich von ihm vorzugsweise porträtieren wie im plastischen Bild von *Lysipp. Seine „Verleumdung" ist bekannt durch *Botticellis Nachgestaltung in den Uffizien in Florenz. Seine Kunst bedeutete einen großen Fortschritt im Sinne der Entwicklung zum malerischen Illusionismus, den er mit höchster Anmut zu verbinden wußte, so daß Goethe ihn bezeichnenderweise zusammen mit *Raphael* nennt (I/7, 250). Goethes vielfach bezeugte Bemühung, *die Kunst der Alten richtiger aufzufassen, und die verlorenen Gemälde besser zu restaurieren,* galt auch dem verlorenen Oeuvre dieses Malers, wie ua. sein Interesse an dem Buch von K J Sillig „Catalogus artificum Graecorum et Romanorum" (Dresden 1827) zeigt *(Bdm. 4, 288)*. – In der Überlieferung der *Antike ist A. der Maler schlechthin. *Hm*

Grumach S. 651 f. – ThB 2 (1908), S. 23 ff. – EPfuhl: Malerei u. Zeichnung der Griechen. 1923. 2, S. 735 ff.

Apenninen. Der die gesamte Apenninenhalbinsel der Länge nach durchstreichende Gebirgszug der A. ist eine Fortsetzung der *Alpen; er ist von mehr oder weniger verfalteten vorwiegend mesozoischen Sedimenten aufgebaut. Goethe überquerte die A. auf der italienischen Reise zwischen *Bologna und *Florenz. *Die Apenninen sind mir ein merkwürdig Stück Welt (NS 1, 135)*. Zu spezielleren geologischen Beobachtungen und Feststellungen ließ die rasche Durchreise keine Möglichkeit. Außerdem ging das geologische Interesse Goethes in Italien vorwiegend auf den *Vulkanismus. So blieb es bei einigen kurzen geomorphologischen Bemerkungen, die auf der allgemeinen Grundvorstellung basieren, daß die Gebirgskörper primäre Bildungen der Urzeit sind. *Bn*

Aperçu (zu französisch: apercevoir/percevoir = „wahrnehmen"; „Überblick", „Übersicht" – „Einsicht"). In den Jahren nach 1785/1786 scheint dies Wort aus dem französischen Konversationsgebrauch in Goethes Sprache wenn nicht eingedrungen zu sein, so doch festere Wurzeln geschlagen zu haben. Seiner Herkunft nach ist es der Terminus für eine überschlägliche Wahrnehmung und Darstellung eines Sachverhaltes, eines Vorhabens, einer Angelegenheit nach ihren flüchtig erfaßten und umrissenen Hauptzügen; der Charakter des nicht Vollausgeführten, in allem einzelnen noch Unzulänglichen, Entwurfsartigen haftet dem Worte und der dadurch bezeichneten Sache an. In Goethes Sprache wird A. zu einem Ausdruck, in dem er die Spontaneität des schöpferisch-geistigen Arbeitsprozesses zu erfassen versucht. Seine Vorliebe dafür kulminiert um 1820, was freilich nicht mehr heißen kann, als daß ein längst erfahrener und immer wieder sich bestätigender innerer Ablauf um diese Zeit besonders nach dieser äußeren Kennzeichnung drängt. In der weiten, entscheidungsvollen, geographischen wie biographischen Spanne zwischen *Brenner und *Palermo sind Goethe die Augen auf eine neue Art aufgegangen, so daß er es als *Glückseligkeit* genießt, sehr viel in *kurzer Zeit denken und combiniren zu können* (Rom, 20. VII. 1787) – im Grunde nur ein spezifischer Modus des *Analogie-Blicks und des Erfassens der *prägnanten Stelle*, der Wahrheit durch *Intuition. So kreisen denn Goethes eigene Formulierungsversuche dessen, was für ihn das A. ist, immer um den unaussprechlich geheimnisvollen Kern dieser *außerordentlichen Gabe des Geistes (II/6, 127)*, um den wunderbaren Vorgang *momentaner Inspiration (ebda)*, um die durch nichts weiter ableitbare Kraft zum *Erfinden* oder zum *Entdecken: Alles, was wir Erfinden, Entdecken im höheren Sinne nennen, ist die bedeutende Ausübung, Betätigung eines originalen Wahrheitsgefühles, das, im stillen längst ausgebildet, unversehens, mit Blitzesschnelle zu einer fruchtbaren Erkenntnis führt. Es ist eine aus dem Innern am Äußern sich entwickelnde Offenbarung, die den Menschen seine Gottähnlichkeit vorahnen läßt. Es ist eine Synthese von Welt und Geist, welche von der ewigen Harmonie des Daseins die seligste Versicherung gibt (MuR: MHecker Nr 562)*. Unmittelbar anschließend heißt es: *Alles wahre Aperçu kommt aus einer *Folge und bringt Folge. Es ist Mittelglied einer großen, produktiv aufsteigenden Kette (ebda Nr 416)*. In diesem Sinne ist A. das blitzartige Aufleuchten einer unerhörten Einsicht, *das unmittelbare Gewahrwerden der *Urphänomene*, zutiefst verbunden mit einer *Art von Angst* und ebenso mit *Freude*, durchschauert von dem nicht sagbaren Gefühl, selbst Organ des Schöpferischen zu sein oder sein zu dürfen; im Augenblick *Mittelglied einer großen, produktiv aufsteigenden Kette* zu werden: *Jedoch ein dergleichen Aperçu, ein solches Gewahrwerden, Auffassen, Vorstellen, Begriff, Idee, wie man es nennen mag, behält immerfort, .. eine esoterische Eigenschaft (II/8, 135)*. Freilich enthält das A. auch die Möglichkeit des Irrtums, wie Goethe am Beispiel *Newtons verdeutlichen will: *Wenn wir ein falsches Aperçu ... ergreifen, so kann es nach und nach zur fixen Idee werden, und zuletzt in einen völligen partiellen Wahnsinn ausarten, der sich hauptsächlich dadurch manifestirt, daß man nicht allein alles einer solchen Vorstellungsart Günstige mit Leidenschaft festhält, alles zart Widersprechende ohne weiteres beseitigt, sondern auch das auffallend Entgegengesetzte zu seinen Gunsten auslegt (II/4, 41)*. Mit dieser Möglichkeit muß dialektisch gerechnet werden. Dennoch kommt nach Goethes Meinung *alles in der Wissenschaft auf das an, was man* im wahren Sinne *ein Aperçu nennt, auf ein Gewahrwerden dessen, was eigentlich den Erscheinungen zum Grunde liegt. Und ein solches Gewahrwerden ist bis in's Unendliche fruchtbar (II/3, 247)*. In diesem Sinne zitiert Goethe HGrotius: Florilegium ethicum politicum (1610) das gutmütige altfranzösische Reimwort „En peu d'heure / Dieu labeure" und will damit hinweisen auf die *originelle Weise, in der das A. nach dem Unend-*

lichen hindeutet: es bedarf keiner Zeitfolge zur Überzeugung und entspringt ganz und vollendet im Augenblick (I/29, 29). Diese Kraft urplötzlicher Evidenz verbindet das A. mit dem größeren und tieferen Begriff der Intuition, in dem es systematisch seine Stelle hat. *Ein entschiedenes Aperçu ist wie eine inoculirte Krankheit anzusehen: man wird sie nicht los, bis sie durchgekämpft ist (II/4, 302).*   Za

Apokalypse (griech.: Enthüllung), die „Offenbarung S. Johannis, des Theologen", von Patmos aus an sieben kleinasiatische Gemeinden, unter ihnen die von Laodicea (vgl. I/25[I], 239), gerichtet, ist die einzige prophetische Schrift des Neuen Testamentes und deutet in visionärer Schau das Ende der Welt, dessen Schrecken die Gnade Jesu Christi überwindet.
Zu Goethes alttestamentlichen Studien gesellte sich früh die Lektüre der A., doch hielt er sich im Sinn des aufklärerischen Jahrhunderts zur historisch-kritischen Partei, *ob ich mir gleich zu ahnen erlaubte, daß durch diese höchst löbliche verständige Auslegungsweise zuletzt der poetische Gehalt jener Schriften mit dem prophetischen verloren gehen müsse (I/27, 99).* Damit stellte sich Goethe – mag immer der Satz im 19. Jahrhundert entstammen – außerhalb der endzeitlichen Erwartung der A. und war den zeitgenössischen Bemühungen um die Offenbarung Johannis ein nüchterner Beobachter, gleich, ob er *Lavaters (vgl. I/28, 280) Predigtbearbeitung der A. beurteilt: *ich kan das göttliche nirgends und das poetische nur hie und da finden, das Ganze ist mir fatal, mir ist als röch ich überall einen Menschen durch der gar keinen Geruch von dem gehabt hat der da ist A und O. (IV/4, 112),* oder zugibt, daß *Crusius *als ein verständiger rechtschaffener gottesfürchtiger, als ein Mann ohne Tadel* seinen Untersuchungen zur A. durch solche Eigenschaften allein Eingang verschafft habe (I/27, 98), oder endlich angesichts der von FAFrhrv *Sonnenberg vorgelegten Schrift „Donatoa oder das Weltende" gesteht, *daß ich solchen apokalyptischen Ereignissen, energumenisch vorgetragen, keinen besonderen Geschmack abgewinnen konnte (I/35, 61).*
Abgesehen von der auf Apk. I, 8 und XXII, 13 zurückgehenden Gottesformel A und Ω (I/5[I], 297; I/7, 258; I/11, 217; I/31, 271 und in profanierter Form *I/32, 62 das A und O aller uns bekannten Dinge, die menschliche Figur),* die dem allgemeinen Sprachgebrauch angehört, zeugen gelegentliche Anspielungen, daß Goethe mit dem Sprachgut der A. im Sinne der Gebildeten seiner Zeit vertraut war: so das *Buch mit sieben Siegeln* nach Apk. V, 1 (I/14,

35) und die *babylon'sche Hur* nach Apk. XVII, 3 ff. in Verbindung mit dem Antichrist (I/5[I], 195 und I/38, 57), *Einzug des Antichrist,* den *Lavater *Schritt vor Schritt, Gestalt vor Gestalt, Umstand vor Umstand, dem Einzug des Churfürsten von Mainz nachgebildet* hatte *(I/26, 294)* nach Apk. XIII, 1 ff., der *Thron des Lammes* nach Apk. XXII, 1. 3 und das schon wichtigere Motiv des *säulgebeinten Engels,* dem Goethe sich selbst vergleichen mochte, nach Apk. X, 1 f. *(I/53, 359* und III/1, 4), eine Formulierung, die die Kenntnis des *dürerischen Holzschnitts aus der A. von 1498 voraussetzt. – Im übrigen gilt jedoch a.tisch svw. unverständlich, abstoßend, so wenn es über *Rameau heißt, daß er *so viel unverständliche Visionen und apokalyptische Wahrheiten über die Theorie der Musik schrieb, wovon weder er, noch sonst irgend ein Mensch, jemals etwas verstanden hat (I/45, 7).* A.tisch ist allem Gesunden fern: *So verwirret mit dumpf willkürlich verwebten Gestalten, | höllisch und trübe gesinnt, Breughel den schwankenden Blick; | so zerrüttet auch Dürer mit apokalyptischen Bildern | Menschen und Grillen zugleich, unser gesundes Gehirn (I/1, 317 f.)* – zu der sonst hohen Schätzung *Dürers merkwürdig kontrastierend.   Lö

Apolda, drittgrößte Stadt und bedeutendster gewerblicher Ort des (Groß-) Herzogtums Sachsen-Weimar-Eisenach, 1786: 3945 Einwohner, Sitz einer in Deutschland zeitweilig an erster Stelle stehenden Strumpfmanufaktur („Fabrikanten" mit durchschnittlich 2 Wirkstühlen in Heimarbeit, in Abhängigkeit befindlich von den „Verlegern", die die Wolle lieferten und die Ware verhandelten). Absatzschwierigkeiten führten zu schweren Krisen, die Hunger, Armut und schließlich auch Unruhen im Gefolge hatten. Die apoldaer Manufaktur war seit den 80er Jahren in erheblichem Rückgang begriffen; erst ein halbes Jahrhundert später erfolgte ein neuer Aufstieg. Einen Notzustand, der durch das Stillliegen von 100 Stühlen seit der Neujahrsmesse verursacht war, traf Goethe an, als er am 6. III. 1779 in A. die Rekrutenaushebung vornahm. Er bemerkt die sich verschlechternde Lage der Fabrikanten: *Armer Anfang solcher Leute leben aus der Hand in Mund der Verleger hängt ihnen erst den Stuhl auf, heurathen leicht. Sonst gaben die Verleger die gesponnene Wolle dem Fabrikanten iezt muss sie der Fabrikant spinnen oder Spinnen lassen und das Gewicht an Strümpfen liefern. Verlust dabey an Abgang Schmuz und Fett denn die Strümpfe werden gewaschen. Kann sie der Fabrikant nicht selbst durch die seinen spinnen lassen* wird er noch obendrein bestohlen Sonst wog man die Strümpfe überhaupt und ein Paar übertrug das andre, iezzo werden sie einzeln gewogen und das schweerere Paar nicht vergütet vom leichtern Paar aber abgezogen (III/1, 82). Goethe schenkte dem im gleichen Jahr entwickelten (nicht verwirklichten) Plan des Oberkonsistorialpräsidenten CFE Frhr. v*Lyncker, einen Teil der Strumpferzeugung auf die Landschaftskasse zu übernehmen und damit den bedrückten Fabrikanten zu helfen, Beachtung und blieb auch ferner mit den Fragen des Manufakturwesens im Lande verbunden.

Nachdem in *Dornburg die Arbeit an *Iphigenie* gut vorangegangen war, kam sie in A., wo Goethe am 5. III. 1779 abends eintraf und eine lärmende Umgebung vorfand, ins Stocken. Der Aufenthalt hier war seinem dichterischen Schaffen abträglich. In diesem Zusammenhang schrieb er an Chv*Stein: *Hier will das Drama gar nicht fort, es ist verflucht, der König von Tauris soll reden als wenn kein Strumpfwürcker in Apolde hungerte (IV/4, 18).* Über die Rekrutenaushebung bemerkte Goethe: *Kein sonderlich Vergnügen ist bey der Ausnehmung, da die Krüpels gerne dienten und die schönen Leute meist Ehehafften haben wollen,* und er bat den Herzog, *mit den Rekruten säuberlich zu verfahren (IV/4, 18).* Eine die Rekrutenaushebung darstellende Handzeichnung Goethes, in der er das Meßgerät in galgenähnlicher Form als Bild über der Tür (über diese ferner geschrieben „Thor des Ruhms") wiederkehren läßt, pflegt auf A. bezogen zu werden. Am 21. VII. 1779 beteiligte sich Goethe an der Bekämpfung des in der Stadt ausgebrochenen Feuers, dem über 100 Häuser zum Opfer fielen. *Meine Ideen über Feuerordnung wieder bestätigt (III/1, 90).* Weitere mit näheren Umständen überlieferte Aufenthalte Goethes in A.: 15. VII. 1776 Besuch des (1774 erstmalig abgehaltenen) Vogelschießens (III/1, 16; IV/3, 87); 30./31. XII. 1776 Übernachtung zusammen mit *Seckendorf, anschließend zur Jagd (III/1, 75; IV/3, 266); März 1782 auf der Dienstreise in A. (IV/5, 278). *Oberroßla, wo Goethe 1798 ein Freigut erwarb, lag *unfern des volkreichen und nahrhaften Städtchens (I/35, 143).*   Dl

HEberhardt: Goethes Umwelt (Thüringische Archivstudien Bd 1). 1951. S. 67–85.

Apoldaischer Steiger führt aus der Westvorstadt von *Jena über das Schlachtfeld von 1806 nach *Apolda. Wegen seiner landschaftlichen Reize beliebtes, nach der Schlacht noch mehr bevorzugtes Ausflugsziel. Goethe ging am 2. X. 1809 *um 11 Uhr spazieren nach dem Apoldaischen Steiger zu (III/4, 67),* am 29. IV.

1810 nach Tisch *über die *Ölmühle nach dem Apoldaischen Steiger hinauf, von da gegen die Stadt zurück (ebda 114),* am 26. VI. 1811 abends *für mich spazieren, nach dem Apoldaischen Steiger zu (ebda 223),* am 21. IV. 1812 nach Tisch *spazieren nach dem Apoldaischen Steiger zu (ebda 270)* und am 10. XI. 1817 *spazieren den Apoldaischen Steiger hin, rückwärts um die Stadt (III/6, 133).*   Ko

Apollino (Florenz). Im Anschluß an eine Stelle in der Lebensbeschreibung Cellinis (I/44, 199), die von einer Ergänzung eines antiken Jünglingstorsos zu einem Ganymed durch Cellini berichtet, erwähnt Goethe im Anhang XIV, 2 – wahrscheinlich aus der Erinnerung an seinen ausführlicheren Aufenthalt in Florenz (Mai 1788) – den später unter Nr 142 (Amelung) im Zimmer des Hermaphroditen der Uffizien geführten, jetzt im zweiten Stock des Bargello befindlichen zum Ganymed restaurierten *fürtrefflichen Apoll . . ., an welchem freilich die neuen, in's Manierirte und Vielfache sich neigenden Theile von der edlen Einfalt des alten Werks merklich abweichen (I/44, 368).* Der Torso ist die römische Kopie eines sich an *Praxiteles anschließenden Werkes, auf dessen bekanntere und vollständigere Replik in Florenz (Amelung Nr 69) sich die Bemerkung Goethes (I/35, 235), dort zwar nur auf den Gipsabguß, bezieht.   Hm

WAmelung: Führer durch die Antiken von Florenz. 1897. S. 93.

Apollo Pourtalès (vorm. Giustiniani), ein Apollokopf aus Marmor, römische Kopie nach einem griechischen Original des ausgehenden 4. Jahrhunderts vChr., der bereits von JSandrart, Teutsche Academie Bd 1 (1675) Taf. 14 als im Besitz der Giustiniani befindlich abgebildet war und während Goethes zweitem römischen Aufenthalt im August 1787 wiederentdeckt wurde. Bei der Auflösung der Sammlung Giustiniani in napoleonischer Zeit kam der Kopf in die Sammlung Pourtalès in Neufchâtel. Seit 1865 ist er im Britischen Museum in London (Nr 1547). Die Einwirkung des Kopfes auf die Gestaltung von *Trippels Goethe-Büste ist neben der offensichtlichen des im Typus unmittelbar verwandten *Apollo von Belvedere zu erkennen.   Hm

AHSmith: Cat. of Sculpture. 3. S. 154. Taf. 3. – Brunn-Bruchmann: Denkmäler griech. u. röm. Skulptur. Taf. 53. – Brunn: Götterideale. 1893. S. 84 ff. Taf. 7; 8.

Apoll von Belvedere, wahrscheinlich hadrianische Kopie einer bronzenen Apollostatue des attischen Bildhauers Leochares aus dem letzten Viertel des 4. Jahrhunderts vChr. Die Statue ist seit der Hochrenaissance bekannt und allgemein durch Jahrhunderte als Inbegriff

griechischer Plastik und apollinischer Göttlichkeit gefeiert. *Winckelmann glaubte, nur
in hymnischer Sprache sie beschreiben zu können, und hat an ihr das Feuer der neuerstehen-
den Sprache der deutschen Klassik mitent-
zündet. Für Goethe ist der Apoll die früheste
grundlegende Begegnung mit antiker Plastik
überhaupt, die er im Mannheimer Antikensaal (Oktober 1769 *Antiken-Sammlungen 1)
erlebte, und wahrscheinlich war er es, der
Goethe auf dem Rückweg von Straßburg
zu einem zweiten Besuch bewegte. Der Brief
an *Herder vom Herbst 1771 läßt die erfahrene Erschütterung unvermittelt hervorbrechen: *Mein ganzes Ich ist erschüttert, das können Sie denken, Mann, und es fibrirt noch viel
zu sehr, als daß meine Feder stet zeichnen könnte. Apollo von Belvedere, warum zeigst du dich
uns in deiner Nacktheit, daß wir uns der unsrigen schämen müssen (IV/1, 264).* In freien
hymnisch-antiken Rhythmen besingt Goethe
den Gott in *Wandrers Sturmlied: Wandeln
wird er | Wie mit Blumenfüßen | Über Deuka-
lions Fluthschlamm, | Python tödtend, leicht,
groß, | Pythius Apollo (I/2, 67)* ein Jahr spä-
ter. Der Herzog von *Gotha ersetzte eine
schlechte, anscheinend verkleinerte Wiedergabe, die Goethe wohl vorher besessen haben
muß, durch *einen Abguss der wahren Büste
des Vatikanischen Apolls (IV/5, 251);* am 16. I.
1782 war Carl August *da den Apollo zu sehn
(III/1, 136).* Als er dann in Italien das „Original" sah, versinken ihm alle Abgüsse: *Von
gewissen Gegenständen kann man sich gar keinen Begriff machen ohne sie gesehen, in Marmor
gesehen zu haben, der Apoll von Belvedere übersteigt alles denckbare, und der höchste Hauch des
lebendigen, jünglingsfreyen, ewigjungen Wesens verschwindet gleich im besten Gypsabguß
(IV/8, 100).* – Nach dem Bekanntwerden der
*Parthenon-Skulpturen vollzieht sich in Goe-
the wie in vielen seiner Zeitgenossen (*Canova, *Dannecker ua.), eine entscheidende Wende
in der Beurteilung griechischer Plastik und
damit auch des A. von Belvedere: *Freylich
würde alsdann sogleich hervorgesprungen seyn
die Albernheit der Frage, ob diese Kunstwerke
so vortrefflich seyen, als der Apoll von Belvedere?
(IV/28, 390; I/49II, 21).*   Hm
Wegner S.57–59; 143f.; 157; 164; Abb.18.– Grumach
S. 529–532. – Stark S. 256. – WAmelung: Vat. Kat.
II 267 ff. – KAPfeiff: Apollon. 1943. S. 135 ff.

Apotheose Homers. Das jetzt im Britischen
Museum (London) befindliche Weihrelief des
Archelaos von Priene (gegen 100 vChr. gefer-
tigt) war während Goethes Aufenthalt in Ita-
lien noch im Palazzo Colonna; jedoch zu dem
Zeitpunkt, als Goethe Abgüsse von vier ein-

11*

zelnen Figuren der Darstellung durch *Beuth
aus Berlin erhielt – Beuth hatte sie von einer
Reise nach London mitgebracht (Sept. 1827:
IV/43, 93) –, war es bereits in den Besitz des
BM gelangt. Es regte Goethe zu einer kleinen
archäologischen Untersuchung an (I/49II, 25
bis 28; 324f.; 257–259: Paralipomenon vom
3. X. 1827). Seine Deutung, *es sei die Abbildung eines Dichters, der sich einen Dreifuß
durch ein Werk, wahrscheinlich zu Ehren Homers, gewonnen und zum Andenken dieser für
ihn so wichtigen Begebenheit sich hier als den
Widmenden vorstellen lasse (I/49II, 28),* sprach
zum ersten Male die bis heute richtige Erklärung des Reliefs aus. Neuerdings hat man es
auf den hellenistischen Dichter Kallimachos
beziehen wollen, der hier nach zeitgenössischer
Tendenz an Homer gemessen, ja über ihn gestellt sei.   Hm
WWatzinger in: 63. BWPr (1903), S. 23 Anm. 43. –
Wegner S. 68 f.; 152; Abb. 25. – Grumach S. 572 bis
576. – GKleiner: Die Inspiration des Dichters. 1949.
S. 18 ff.

Apparat nannte Goethe eine Sammlung von
Gerätschaften und Tafeln zur Farbenlehre,
die er notwendig erachtete für jeden Naturforscher, ja für den Liebhaber, um *mit allen
den vorgetragenen Erscheinungen genau bekannt
zu werden (II/1, 115 Nr 283).* So suchte er
den Leser anzuregen, sich Geeignetes anzuschaffen und zT. selbst zu fertigen (II/1, 123
Nr 300; ebda 104 Nr 255). Und er hatte, wie
ihm bald bekannt wurde, den Erfolg, daß sich
die Fürstin PChrW von *Detmold einen derartigen A. durch Professor Reißig herstellen
ließ (IV/21, 389). Im geplanten *Supplemen-
taren Theil* wollte Goethe umständlich beschreiben, *was man denn eigentlich bedürfe, um
die sämmtlichen Phänomene . . . bequem hervorzubringen (II/4, 317; II/1, XVII; 5I, 330).*
Demgemäß hatte er schon im *Didaktischen
Theile* auf diesen A. verwiesen (II/1, 23 Nr 53;
123 Nr 301; 226 Nr 561). – Kaum hatte Goethe die ihm immer beschwerlicher werdende
Last des Farbenwesens mit dem Abschluß des
großen Werkes abgewälzt, als er seinen karlsbader Aufenthalt benutzte, Erkundigungen
darüber einzuziehen, ob die böhmischen Glashütten *trübe, gefärbte, weiße und in den nöthigen Formen geschliffene Gläser* liefern könnten,
die irgendeinem Mechanicus dienen würden,
*einen kleinen Apparat . . . zusammenzustellen
(IV/21, 362 f.),* damit die Leser der *Farbenlehre* ihn beziehen könnten.
1815/16 war Goethe bemüht, im Zuge einer
Neueinrichtung der Universität Jena, *einen
ganzen chromatischen Apparat* aufzustellen, *an
den noch keine Akademie der Wissenschaften*

gedacht habe *(IV/26, 338)*. Dazu hatte er bereits im Januar 1815 seine *sämmtlichen optischen und chromatischen Instrumente, Vorrichtungen und Zubehör . . . nach Jena schaffen und einstweilen in der Bibliothek* verwahren lassen (*IV/25, 230;* II/5^{II}, 422–428). *Man muß das Phänomen mit Augen sehen, weil das Wunderbare und Anmuthige davon nicht zu beschreiben ist (IV/25, 190)*. Als LDv*Henning sich 1822 anschickte, an der Universität Berlin Vorlesungen über Goethes Farbenlehre zu halten, sandte Goethe ihm ein Verzeichnis eines A.s. und stellte ihm eine ganze Sammlung entoptischer Gerätschaften zur Verfügung (II/5^{II}, 433–439). Dieses Unternehmen veranlaßte den Minister v*Altenstein, *ein Zimmer im Akademiegebäude* [Berlin] *einräumen und die nöthige Summe zum Apparat auszahlen* zu lassen *(IV/36, 151)*, wo ein solcher denn auch beinahe vollständig zusammengetragen wurde.

Goethes eigener chromatischer A., der uns in den nachgelassenen Gerätschaften zur Farbenlehre im Goethehaus in Weimar erhalten ist, umfaßt an 1400 Einzelgegenstände. Gezählt wurden: 53 trübe Gläser, 215 prismatische, 91 epoptische und 331 entoptische Gerätschaften, sowie 546 Farbenmuster in Seide, Stoffen; Papier, Metallfarbe; Buntglas, Ölpapier; Farbstoffproben. Außerdem konnten in Weimar 320 Tafel-Entwürfe und Kupfertafeln festgestellt werden, die Goethe ebenfalls zu seinem chromatischen A. rechnete. *Mt*
RMatthaei: Die Farbenlehre im Goethe-Nationalmuseum. 1941. S. 94–174.

Appelhülsen, das münsterländische Dörfchen zwischen *Buldern und *Bösensell, passierte Goethe am 6./7. XII. 1792 *(*Campagne in Frankreich)*. Die etwa 100 km lange Strecke von *Duisburg nach *Münster legte er vermutlich in einer zweiundzwanzigstündigen Wagenfahrt zurück und spricht in diesem Zusammenhang von *der leidigen Fahrt nach der geliebten Heimat (IV/10, 49;* Beisenherz; Kassenverbuchungen von JGP*Goetze). *Za*

Appelius, Wilhelm Carl Lorenz (1728–1796), aus Farnroda, Jurist, seit 1753 Hofadvokat, später Landschaftssyndikus und Kammerrat (1784) in *Eisenach; mineralogische Interessen. Goethe lernte ihn kennen, als er im September und Oktober 1777 zum Ausschußtag der eisenachischen Landstände mit Carl August in Eisenach weilte (III/1, 7; 49). *Diesen Abend mit einem sehr braven Manne von unsrer Landschaft unzähliges geschwäzzt* (12. IX. 1777: *IV/3, 174*). Er suchte ihn auch auf, als er im Juni 1784 nach Eisenach kam: *Ein schön Mineralienkabinet bey Appelius habe ich*

gesehen! Nur einen Teil. Es sind schöne Sachen darinne die ich noch nicht kannte. Es wird mich noch manchmal unterhalten (IV/6, 291).   *Hk*

Appiani, Andrea (1754–1817), Maler und Lithograph, Schüler des Carlo Maria de Giudici (1723–1804). Sein im Anschluß an JL*David entwickelter und im Sinne der italienischen Tradition auf das Figürlich-Statuarische gerichteter Stil sollte mit aller Bewußtheit – wie schon in der Vorgeneration eines *Mengs und *Batoni – durch eine Verbindung von antiken und renaissancehaften Elementen die Größe der Kunst wiederherstellen. Doch das, was unter diesen Einflußbereichen im frühen Barock der *Carracci und *Domenichino gelingen konnte, war am Ende des 18. Jahrhunderts nicht mehr möglich, zumal in dieser epigonenhaften Kunst, die in A.s „Kompositionen durch die Schönheit der Bewegung und durch die Harmonie der Linienführung . . . wie durch Lebhaftigkeit der Erfindung und durch die Brillanz des Colorits" eher einen Neumanierismus offenbarte, sich Einflüsse *Correggios – so in der Kuppelmalerei in S. Maria sopra S. Celso in Mailand von 1792 – ebenso bemerkbar machten wie der kalte Ton einer nur noch äußerlichen barocken *Allegorie.

Diese Stileigentümlichkeiten mußten ihn *Napoleon geeignet erscheinen lassen, seine Aufträge für den Palazzo Reale in Mailand auszuführen. In Anlehnung an die dem Raum und seinem Zweck entsprechende Allegorie des Barock entstand ein umfangreiches Programm, das im Thronsaal Napoleons seinen Mittelpunkt hatte. Hier waren im Deckenfresko Napoleon als Jupiter und Beherrscher des Erdballes und an den Wänden die vier Herrschertugenden dargestellt. Diesen 1805 vollendeten mythologisch-heroisierenden Darstellungen folgten 1810 in der Sala rotonda die Allegorien von Hymen und Pax (den Göttern der Ehe und des Friedens), die in Beziehung zu der Legende von Amor und Psyche des gleichen Saales gedacht waren; sie schlossen sich in der Gestaltungsweise dem Zyklus *Raffaels in der Villa Farnesina zu Rom an. Während im Thronsaal Napoleon als Jupiter-Herrscher erschien, wurde er im Ministerratssaal auf dem von Genien getragenen Thron sitzend in Apotheose dargestellt als Herrscher, dem die Verehrung zusteht, wobei der Thron unter dem Tierkreiszeichen abermals auf die Welt-Herrschaft deutet.

Dieses Programm wird sinnvoll ergänzt durch den Chiaroskuro-Fries im Saal der Karyatiden; die allegorischen oder halballegorischen Zeremonien- und Schlachtenbilder sollen die Wirk-

samkeit göttlicher Kräfte zeigen; diese ge-
leiten in Gestalt von Minerva und Victoria
Napoleon durch die – in der Mehrzahl als Historienbilder wiedergegebenen – kriegerischen Ereignisse des italienischen Feldzuges, damit am
Ende Gallia als Personifikation Frankreichs
ihn zum Thron Italias führen kann; bezeichnend, daß das letzte Bild Napoleon bei der
Krönung im Dom zu Mailand zeigt, bei der er
selbst sich die Krone aufs Haupt setzt. Die
Tätigkeit A.s wird mit dem 1811 vollendeten
Fresko im Südostsaal des Palazzo della Villa
Reale beschlossen, das – nicht ohne Einwirkung des raffaelschen Programms im Vatikan – Apoll mit den neun Musen auf dem Parnaß zeigt und als Zeichen der Herrschaft über
die Künste gedacht sein wird.

Noch während der napoleonischen Jahre waren Stiche nach der Schlachtenfolge begonnen
worden, die – denn das *langwierige Geschäft
ward durch den raschen Weltgang übereilt (I/49^I,
412)* – erst mehrere Jahre später fertiggestellt
wurden; die Gemälde nahm man ab, sie blieben jedoch im Palast erhalten (I/49^I, 412). Die
Folge von 32 Blättern, die 1820 in Mailand herausgegeben wurde, sah Goethe zuerst am 1. XI.
1823 auf der Bibliothek, während er sich gerade
mit den *nächsten Rubriken für Kunst und Alterthum* beschäftigte *(III/9, 138)*, und bat *Meyer
am 5., zu ihm zu kommen, um die *Friese* zu
besehen *(VI/37, 259)*. Nachdem auch mit
*Zelter und dem Kanzler v*Müller die Stichfolge betrachtet worden war (III/9, 151 und
156), wurde Anfang des Jahres 1824 der Plan
zu einem Aufsatz gefaßt, der in seinem historischen Teil am 15. und 16. Februar von Goethe
verfaßt wurde (III/9, 179 f.). Meyers Niederschrift der künstlerischen Beurteilung ging
Goethe am 7. April zu und wurde am 8. und
10. mundiert (III/9, 202 f.), um allerdings erst
dem posthum von Meyer herausgegebenen
6. Bande von *KuA* (H. 3, S. 454–481) eingefügt zu werden.

Es entspricht der Urteilsweise Meyers, daß er
die allegorische Interpretation des dargestellten Geschehens im zweiten Teil der Stichfolge
bevorzugt und den ersten 12 Bildern mit den
Schlachtendarstellungen „Kargheit" vorwirft.
Wo das Intellektuelle in den Allegorien das
Bildkünstlerische zu überdecken droht, da
empfindet er die gute Verbindung der Bildinhalte untereinander und lobt, mag auch manche Allegorie dunkel und nur „an sich selbst
gefällig" sein, das Schickliche solcher Darstellungen. Das rein Künstlerische wird ebenso mit
den Maßstäben des 18. Jahrhunderts gemessen: Die reiche Erfindungsgabe A.s wird nicht

von einer zeichnerischen Begabung unterstützt, die man wissenschaftlich nennen könnte; zwar scheinen ihm die Falten zierlich leicht
geworfen, doch sind die Gliederformen oft
mehr als erforderlich angedeutet. Ein helles
und fröhliches Kolorit schreibt er A. zu, obgleich er wohl kaum Werke von ihm kennt, und
betont, daß Licht und Schatten gut genutzt
sind. In einzelnen Bildern lobt Meyer mehr
die Gesamtkomposition, zuweilen mehr die Bildung des figürlichen Details.

Mit diesem Urteil, dem sich Goethe angeschlossen hat, steht das Interesse an A. etwas
fremd im Bereich der späten Studien Goethes,
findet seine Voraussetzung allerdings in der
Beschäftigung mit *Mantegnas Triumphzug,
die bis in das Jahr 1823 reicht. A. hat Goethe
in seinen letzten Jahren häufiger zur Betrachtung angeregt: im Oktober 1824, im Juli 1826
– anläßlich eines Besuches Zelters (III/10,
216 f.) – und nochmals im August 1829 entlieh er die Folge von der Bibliothek (Keudell
Nr 1568; 1732; 2043). Und noch 1831, als
H*Mylius ihm aus Mailand einen Stich nach
A.s Gemälde von unbeträchtlichem Wert aus
S. Martino zu Alzano Maggiore bei Bergamo,
die Begegnung Jakobs und Rahels, zusandte,
war ihm *nichts angenehmer . . ., als an das Verdienst eines Mannes wie Appiani erinnert zu
werden (IV/48, 109);* Goethe dankte im Namen der Kunstfreunde, der Stich gelangte in
seine Sammlung.   *Lö*

ThB 2 (1908), S. 40 f. – Schuchardt 1, S. 5.

Apponyi, Anton Georg Graf von (1751–1817),
aus alter, berühmter ungarischer Adelsfamilie
(1392 nach Schloß und Herrschaft Apponyi im
Comitat Neutra/Nyitra genannt und damit
den ursprünglichen Geschlechtsnamen Peczh
aufgebend), war Oberster mehrerer Bezirke
Niederungarns (Obergespan = Haupt mehrerer Gespanschaften; ungar. ispán/slav. župan
= Burggraf), also in sehr angesehener und
herausgehobener Stellung, außerdem ein verdienter Diplomat. Für Goethe wurde A. vornehmlich als Begründer der nach ihm benannten „Apponyischen Bibliothek" bemerkenswert; das Tagebuch notiert Begegnungen mit
A. und seiner Familie (verheiratet mit Therese
geb. Gräfin Nogarola; Sohn: Anton, geb. 1782,
gest. 1852; Töchter nicht bekannt) in Karlsbad 1807, 1808, 1810 (III/3, 255; 258; 346;
347; 361; 362; 363; III/4, 140; 142). Die Bibliothek umfaßte im Grundstock 50 000 Bände,
enthielt eine vollständige Sammlung von Aldinen (Drucke aus der Buchdruckerei des Aldus
Manutius und seiner Nachfahren, Venedig,
15. und 16. Jh.); das Objekt repräsentierte

einen Millionenwert. 1827 wurde die Bibliothek nach Wien gebracht und für die Benutzung durch das Publikum freigegeben.   *Za*

Apshoven, *(Anschoven),* Thomas van (1622 bis 1665), niederländischer Maler in der Art *Teniers des Jüngeren, tätig in Antwerpen. Von ihm sah Goethe bei seinem Besuch der dresdener Galerie 1810 ein Stilleben mit Weinglas, Austern und Citrone, das 1741 in die Galerie gekommen war, und fand es *ganz fürtrefflich (I/47, 382).*   *Lö*

Apuleius (um 125 nChr. geboren) stammte aus Madaura in Afrika und erwarb sich in Athen, Karthago sowie auf Reisen (besonders in den *Orient) seine Bildung. In Rom war er als Anwalt, in Afrika als Redner und Lehrer der Beredsamkeit, auch als Provinzialpriester des Kaiserkultes sowie im Vorsitz des Provinziallandtags tätig. Wir sind über sein Leben gut unterrichtet und besitzen fünf seiner zahlreichen Schriften, in denen sich das geistige Leben des Jahrhunderts der Antonine getreu widerspiegelt. Das wichtigste der vorliegenden Werke sind die Metamorphosen, bekannt als „Der goldne Esel". Das in diesen Sittenroman eingelegte Märchen von „Amor und Psyche" hat den Namen des Verfassers lebendig erhalten. *Raffael hat Szenen daraus in seinen farnesinischen Fresken wiedergegeben. Die danach hergestellten Kupferstiche von Dorigny erfreuen noch heute die Besucher des Gelben Saales im weimarer Goethe-Haus sowie des Speisesaales in *Tiefurt. Dank dieser Kopien wußte Goethe die Bilder *fast auswendig,* deren Originale er in der Farnesina November 1786 zum ersten Mal erblickte *(I/32, 32).* Zwei Gedichte der Sammlung *Antiker Form sich nähernd:* die *Ungleiche Heirath (I/2, 130)* und *Der neue Amor (135)* sowie eine Stelle der *Wanderjahre (I/24, 318)* spielen auf das Märchen an, auf *diese wunderschöne Fabel,* die Goethe nach einer Mitteilung von Riemer (Pollmer S. 218) einmal hat bearbeiten wollen. Noch der Greis las vor seinem 81. Geburtstag den „Goldnen Esel" und zwar in der Verdeutschung von August Rode, die er mehrere Jahre vorher aus der weimarer Bibliothek entliehen hatte (Keudell Nr 1701).   *Fe*

Aquarellmalerei (Wasserfarbenmalerei), von der Pinselzeichnung, der Lavierung und der *Gouache (Deckfarbenmalerei) zu unterscheiden, entsteht durch Auftragen pflanzlicher oder mineralischer, wasserlöslicher – mittels Gummiarabicum und Glyzerin gebundener – Lasurfarben auf holz- und zusatzfreies Leinenfaserpapier mit Knochenleimgrundierung, welch letztere durch die lichtdurchlässige *Farbe hindurchscheint. A. ist daher künstlerisch und technisch der eigentliche Gegensatz zur *Ölmalerei, deren Farben das Licht reflektieren.

Seit alters bekannt, findet die A. in der mittelalterlichen *Buchmalerei, dann zum Kolorieren von Holzschnitten (Einblattdrucken, Buchillustrationen) Verwendung, erhebt sich jedoch zu künstlerischer Eigenform erst mit A*Dürer (Landschaften, *Blumenbilder), der als erster alle Farbtönungen allein durch Mischung der Farben zu erreichen vermochte. Goethe übernimmt von B*Cellini die Beschreibung einer anderen A.manier, bei der man *nach vollendetem Umriß mit der Feder Pinsel nimmt und mit mehr oder weniger in Wasser aufgelös'ter und verdünnter Tusche nach Bedürfniß helleren oder dunklern Schatten anbringt (I/44, 385f.).* Wie der *Entwurf einer Farbenlehre* mitteilt, arbeitete *Tizian *in seiner spätern Zeit auch bei Ölbildern ähnlich, wo er die große Sicherheit hatte, und mit wenig Mühe viel zu leisten wußte. ... Bei'm Coloriren war das untergelegte gleichsam getuschte Bild immer wirksam. Man mahlte z. B. ein Gewand mit einer Lasurfarbe, und das Weiße schien durch und gab der Farbe ein Leben, so wie der schon früher zum Schatten angelegte Theil die Farbe gedämpft zeigte, ohne daß sie gemischt oder beschmutzt gewesen wäre ... Diese Methode hat viele Vortheile. Denn an den lichten Stellen des Bildes hatte man einen hellen, an den beschatteten einen dunkeln Grund. Das ganze Bild war vorbereitet; man konnte mit leichten Farben mahlen, und man war der Übereinstimmung des Lichtes mit den Farben gewiß. Zu unsern Zeiten ruht die Aquarellmalerei auf diesen Grundsätzen (II/1, 352f.; Abs. 903–905).* Erst gegen 1800 setzte eine Neubelebung der A. ein, die namentlich von England ausging (WTurner, 1775–1851), sich in Deutschland jedoch erst langsam durchsetzte. Goethe gibt an, daß sie in Italien schon 1787 *sehr hoch getrieben* worden war *(I/31, 91).* GPh*Hackert und GM*Kraus bedienten sich der A., auch HW*Tischbein, CD*Friedrich, KL*Kaaz, W-*Kobell und F*Horny. Mit RvAlt in Wien, F*Krüger und AMenzel (1815–1906) in Berlin fand die A. im 19. Jahrhundert ihre Vollendung.

Die latente bildkünstlerische Begabung Goethes hatte zunächst kein ausgeprägteres Verhältnis zur Farbe, das erst später auf physikalischoptisches Gebiet zur theoretischen Behandlung *(Farbenlehre)* führte, sondern äußerte sich lieber in der temperamentvollen, kaum vorbereiteten *Handzeichnung, wenn auch gelegentlich eine derartige Zeichnung aquarelliert wurde (Selbstbildnis im frankfurter Arbeitszimmer, Weimar, GNM). Es kam hinzu – wie Goethe in Italien bekennen mußte – *daß ich nie das Handwerk einer Sache, die ich treiben wollte oder sollte, lernen mochte. Daher ist gekommen, daß ich mit so viel natürlicher Anlage so wenig gemacht und gethan habe. Entweder es war durch die Kraft des Geistes gezwungen, gelang oder mißlang, wie Glück und Zufall es wollten, oder wenn ich eine Sache gut und mit Überlegung machen wollte, war ich furchtsam und konnte nicht fertig werden* (20. VII. 1787: *I/32, 34;* dazu die spätere auf *Wetzlar bezogene Mitteilung, daß er bemüht gewesen sei, *Naturgegenstände ... mit Griffel und Pinsel, ohne eigentliche Technik, nachzuahmen: I/28, 158).* Auch war ihm *eine schrittweise Ausführung nojos und unerträglich;* bescheiden heißt es deswegen: *Gezeichnet und illuminiert wird auch fleißig,* mit der charakteristischen Weiterführung: *Man kann nicht aus dem Hause gehn, nicht die kleinste Promenade machen, ohne die würdigsten Gegenstände zu treffen (I/32, 34).* Es ist also der Gegenstand und dessen Kunstwürdigkeit, der in Italien das Interesse an der A. belebt und während des Jahres 1787 mehrere Landschaften in A. entstehen läßt (Schuchardt S. 264ff.; Münz Abb. 76ff.), noch ehe CH*Kniep für Goethe auf der Fahrt nach *Sizilien, um *die langen Stunden der Überfahrt zu verkürzen, das Mechanische der Wasserfarben-Mahlerei (Aquarell), die man in Italien jetzt sehr hoch getrieben hat,* aufschrieb: *versteht sich den Gebrauch gewisser Farben, um gewisse Töne hervorzubringen, an denen man sich, ohne das Geheimniß zu wissen, zu Tode mischen würde. Ich hatte wohl in Rom manches davon erfahren aber niemals im Zusammenhange (I/31, 91;* A.n von Kniep verzeichnet Schuchardt S. 271). Die Erlebnisweise des Farbigen zeigt die zunehmende Neigung Goethes zur A. Die Frage nach der *Farbe der Landschaft dieser Gegenden* [bei Rom] beantwortet er ausführlich: *Darauf kann ich dir sagen: daß sie bei heitern Tagen, besonders des Herbstes, so farbig ist, daß sie in jeder Nachbildung bunt scheinen muß. Ich hoffe dir in einiger Zeit einige Zeichnungen zu schicken, die ein Deutscher* [Kniep] *macht, der jetzt in Neapel ist; die Wasserfarben bleiben so weit unter dem Glanz der Natur, und doch werdet ihr glauben, es sei unmöglich.* Und in einer Art geschriebener A. fährt Goethe fort: *Das Schönste dabei ist, daß die lebhaften Farben, in geringer Entfernung schon, durch den Lufton gemildert werden, und daß die Gegensätze von* *kalten und warmen Tönen (wie man sie nennt) so sichtbar dastehn. Die blauen klaren Schatten stechen so reizend von allem erleuchteten Grünen, Gelblichen, Röthlichen, Bräunlichen ab, und verbinden sich mit der bläulich duftigen Ferne. Es ist ein Glanz, und zugleich eine Harmonie, eine Abstufung im Ganzen, wovon man nordwärts gar keinen Begriff hat* (24. XI. 1787: *I/32, 139).* Doch hat sich dieses Interesse und die neugewonnene Fähigkeit nicht sehr lange erhalten. Ein merkwürdiges Zeitdokument ist die in *Pempelfort gefertigte Landschaft in A. nach eigener Skizze, von Goethe auf der *Campagne in Frankreich gezeichnet, die die volle Beherrschung des Farbigen und Kompositionellen zeigt (Sammlung Kippenberg; Düsseldorf, Abb. KatSKip 1913, Tafel 12).

Erst nach Schillers Tode, namentlich seit der Begegnung mit Kaaz belebt sich Goethes Neigung zur A. (vgl. I/35, 249–252); er selbst besaß eine unter Anleitung von Kaaz aquarellierte „Gebirgige Landschaft" (Schuchardt 1, S. 325). *Kaaz ... unterrichtet uns in einer Art von Mittelgouache, einer gar hübschen und heitern Manier, worin man auf eine bequeme Weise gerade so viel leisten kann, als man versteht, indem man durch Überlasiren* [also eigentlich Aquarellieren] *und Aufhöhen* [mit Deckweiß] *den Effect nach Belieben verstärken, verändern und das Bedeutende zuletzt geistreich aufsetzen kann, da zum Aussparen* [des weißen Grundes zur echten aquarellistischen Arbeit] *eine sichre Anlage von vorn herein, viel Abstraction und eine vollendete Technik gehört* (aus Karlsbad 17. VIII. 1808: *IV/20, 149).* Daher erklärt es sich, daß Goethe in seinem *Reise-, Zerstreuungs- und Trostbüchlein vom September 1806 bis dahin 1807.* Der Prinzeß Caroline von Weimar unterthänigst gewidmet meist die lavierte oder aquarellierte Federzeichnung bevorzugte, die mit ihrer Konturierung dem Stimmungsgehalt und der poetischen Absicht eher entsprechen mochte. Bezeichnend für diesen Wunsch, die A. wirklich zu beherrschen, oder doch auch aufschlußreich dafür, daß sie in ihrer Eigenheit dem goetheschen Zeichentalent nicht recht entgegenkam, ist die Episode aus *Wilhelm Meisters Wanderjahren: Wilhelm* begegnet auf seiner Wanderschaft einem Maler, *der aquarellirte Landschaften mit geistreicher, wohlgezeichneter und ausgeführter Staffage zu schmücken weiß und, leidenschaftlich eingenommen ... von Mignons Schicksalen, Gestalt und Wesen ... die Umgebungen, worin sie gelebt, der Natur nachzubilden* wünschte. Goethes freundschaftliches Verhältnis zu Künstlern wie Tischbein, Kniep,

Hackert oder Kaaz findet seine dichterische Deutung, *indem Wilhelm der glücklichen Einbildungskraft des Freundes durch genaue Beschreibung nachzuhelfen und das allgemeiner Gedachte in's Engere der Persönlichkeit einzufassen wußte (I/24, 353f.).* Goethes Beschreibungen der so entstandenen A.n jedoch vermitteln die Stimmung, den Vorgang, sind erzählend und beziehen sich, außer bei einem Blatte, das als *kräftig charakterisirt* bezeichnet wird, nicht auf das Technische des Aquarells. Auch das spät noch wachgerufene Interesse an den A.n G*Lorys (III/8, 16; vgl. Schuchardt 1, S. 275), R*Töpffers, dessen *Zyklen Goethe durch *Soret kennenlernte (vgl. *KuA*, Bd VI, H. 3, S. 552ff.), sowie GWv*Reuterns (IV/45, 282f.) ist gegenständlich oder allgemein künstlerisch, kaum auf A. im technischen Sinne bezogen (vgl. Bdm. 4, 360 und 428).

Um 1800 wurde die A. auch für farbige Reproduktionen nach älteren Gemälden angewandt, um den Eindruck des Kolorits zu vermitteln, das auf diese Weise doch recht unvollkommen beurteilt werden konnte. Goethe besaß eine ganze Anzahl derartiger Reproduktionen von H*Meyer und F*Bury, sowohl nach antiken Gemälden als nach bedeutenden Künstlern der *Renaissance und des Frühbarocks, sowie nach niederländischen Meistern (Schuchardt 1, S. 237 und passim). *Lö*

Schuchardt. – MDoerner: Malmaterial und seine Verwendung im Bilde. 1940. S. 220 ff. – RDK 1 (1937) Spalte 881–892. – LBrieger: Das Aquarell, seine Geschichte und seine Meister. 1923. – LMünz: Goethes Zeichnungen und Radierungen. 1949. S. 53ff.

Aquaviva, Dorf mit Schloß südlich *Trient, passierte Goethe, als er am 11. IX. 1786 bei der Einreise nach Italien (III/1, 171) sowie am 24. III. und Anfang Juni 1790 (III/2, 3; IV/9, 208) auf dem Hin- und Rückweg nach *Venedig der üblichen Postroute folgte. *Za*

Aquino, Francesco Maria Venanzio d', principe di Caramanico (1738–1795), geboren zu *Neapel als Sohn des Herzogs Francesco di Casoli, trat in die königlich-bourbonischen Dienste seines Vaterlandes Neapel und übernahm 1780 dessen diplomatische Vertretung in Frankreich. 1786 wurde er Vizekönig in *Sizilien mit Sitz in *Palermo. Er genoß die besondere Gunst der Königin Maria Carolina, die seit der Großjährigkeit (1784) Ferdinands IV. (1759 bis 1825) diesen und das Königreich beider Sizilien energisch beherrschte. Eine solche Vertrauensstellung machte A. in den Augen des neapolitanischen Ministers *Acton verdächtig. Doch sprachen die Verdienste des gebildeten und außerdem erfolgreichen A. stets für dessen

Integrität, zumal es ihm in seiner Eigenschaft als Vizekönig in Sizilien gelang, die Ansprüche des Adels suaviter in modo zurückzudrängen und das Vertrauen der Bevölkerung zu gewinnen. Auf Initiative A.s gehen die Gründungen des Osservatorio astronomico und des Orto botanico in Palermo zurück.

Längst mit Ph*Hackert bekannt und befreundet (I/46, 308), wandte er auch Goethe mehr als nur routinemäßig sein Interesse zu, indem er ihn durch *zwei wohlgeputzte Laufer* zur festlichen Tafel des Ostersonntags (8. IV. 1787) laden ließ und alsdann Befehl gab, ihn *in Palermo alles sehen zu lassen und ... auf* [seinem] *Wege durch Sicilien auf alle Weise zu fördern (I/31, 107; 109).* A. hat sein Wort gehalten. Goethe begegnete A. zum letzten Male persönlich, als er ihn an der Spitze einer Prozession durch die kurz nach einem Wolkenbruch notdürftig gereinigten Straßen ziehen sah (15. IV. 1787: I/31, 145). *Za*

GEdiBlasi: Storia cronologica dei viceré, luogotenenti e presidenti del regno di Sicilia. Palermo 1842. S. 675 f.

Arabesken. Unter dem Titel *Von Arabesken* veröffentlichte Goethe einen Aufsatz in *Wielands „Teutschem Merkur" (Febr. 1789, S. 120 bis 126; *I/47, 235–241; 429*). In Erinnerung an seine Eindrücke in *Pompeji schilderte er darin die Eigenarten der ornamentalen Dekoration pompejanischer Wände in ihrem Verhältnis zu den Gemälden, vergleicht die vegetabilischen Ornamente treffend mit Resten von Wandmalereien in den Titusthermen, bzw. in der *Domus Aurea in Rom und weist auf die berühmten A. in den Grotesken der Loggien des Vatikan von *Raffael und seiner Schule hin, für welche die moderne Forschung eine direkte Anregung durch die im 16. Jahrhundert bekannten Reste römischer Wandmalereien nachgewiesen hat. *Hm*

Grumach S. 673–675. – IRvEinem S. 604 f.

Arago, Dominique Francois (1786–1853), französischer Naturforscher, insbesondere Physiker und Astronom, ein Mann von beweglichem, aufgeschlossenem Geiste, bewährtem persönlichem Mute und politischem Geschick, trat schon 1805 als Sekretär im Bureau des Longitudes hervor, wo er gemeinsam mit anderen, auch spanischen Gelehrten (Chaix, Rodiguez), die Gradmessung fortsetzte. Während des spanischen Aufstandes gegen *Napoleon verhaftet, geflohen, erneut gefangen, erlangte er erst 1809 wieder seine Freiheit und wurde sogleich von Napoleon zum Professor an der École polytechnique in *Paris ernannt. 1830 wurde er Direktor der Sternwarte in Paris, 1831 Kam-

mermitglied, 1848 für kurze Zeit Kriegs-, Marine- und Innenminister. Seine Freundschaft mit Av*Humboldt kennzeichnet den Menschen ebenso wie den Forscher und wurde die Brücke, über die A. zu Goethes naturwissenschaftlichen Arbeiten fand. Seine eigenen Forschungen galten der Polarisation des Lichtes, dem Galvanismus und Magnetismus; A. veranlaßte außerdem 1839 eine der ersten Mond-Aufnahmen auf lichtempfindlichen Platten (Daguerre) und ließ 1845 durch seinen Schüler und Freund Leverrier die Uranus-Bewegung untersuchen, wodurch er mittelbar die Errechnung des damals noch unbekannten Neptun mitanregte. Die wissenschaftlichen Werke A.s erschienen in französischer (17 Bde) sowie in deutscher (16 Bde) Sprache 1854–1862. Goethe las schon 1811 Abhandlungen von ihm im „*Moniteur", über die er bei der Erörterung der entoptischen Farben berichtet (II/5^I, 230). In demselben Zusammenhang dankt Goethe A., daß er *das Institut zuerst auf meine Untersuchungen aufmerksam gemacht hat (II/5^I, 236)*. *Za*
DBF 3 (1939), S. 199–203.

Araújo (nicht: *Aranjo, III/2, 262*), Antonio de . . . de Azevedo (1754–1817), portugiesischer Diplomat und Staatsmann, 1790–1796 Vertreter seines Landes in Den Haag, danach in *Paris, später Staatssekretär des Äußeren und Staatsminister, ging mit dem portugiesischen Hof 1807 außer Landes, als Andoche Junot, Herzog von *Abrantès (1771–1813) auf Befehl Napoleons Portugal militärisch überwältigte und besetzte. Diese Flucht führte ihn nach *Brasilien, wo er als Conde da Barca in hohen Ehren starb. A. war ein vielgebildeter Mann, dessen Fähigkeiten und Neigungen literarische ebenso wie naturwissenschaftliche Gebiete umfaßten. Er hatte sich bereits in diesem Sinne betätigt, als er 1799 seine große Bildungsreise durch Deutschland antrat (Hamburg, Braunschweig, Göttingen, Gotha, Weimar, Dresden, Berlin). Diese Reise, die er nach Beendigung seiner diplomatischen Mission in Paris unternahm, sollte A. in Kontakt bringen mit den bedeutendsten Gelehrten und Künstlern seiner Zeit (zB. Klopstock, Herder, Wieland, Schiller, Zach). An Goethe wurde er durch CGv*Voigt empfohlen; die Begegnung fand in Jena *(Fremde auf dem Cabinett*, 30. IX. 1799: *III/2, 262)* statt. Goethe berichtet sogleich an Voigt: *Der Commandeur Aranjo* (sic!) *hat mir sehr wohl gefallen. Er hat etwas sanftes und natürliches und dabey doch ein gehaltnes und würdiges Betragen wie man es selten beysammen findet. Er ist sehr unterrichtet und aus-*

gebildet (IV/14, 194f.). Auch JG*Herder nannte A. „einen Portugiesen, wie es wenige geben mag" (11. X. 1799 an Gleim). Gerade die Spannweite seiner selbstbewußt in sich ruhenden Persönlichkeit vermochte A. nachdrücklich zu empfehlen. Wieviel A. für Goethes *Wirkung in Portugal und alsdann in Brasilien getan hat, läßt sich nicht ermessen. Auch gibt es keine persönlich-unmittelbare Äußerung A.s über seinen Besuch bei Goethe. Er scheint aber davon als von einem ganz besonders bemerkenswerten Ereignis seines Lebens gesprochen zu haben. *Za*
AEBeau: Goethe e a cultura portuguesa. In: Biblos. Vol. XXV. Coimbra 1950. – AEBeau: Goethe im portugiesischen Geistesleben. In:Goethe 13 (1951), S.126–127.

Arbesau *(Arbissau)*, böhmisches Dorf auf der Strecke zwischen *Teplitz und *Peterswald im südöstlichen, bereits stark ansteigenden *Erzgebirge, das Goethe am 16. IX. 1810 auf der Rückkehr aus der böhmischen Bäderkur *(III/4, 153)* und am 26. IV. 1813 (III/5, 39) wieder hinreisend sowie am 10. VIII. 1813 (III/5, 67) auf der Heimfahrt durchquerte. Goethe vermerkt den *schönen Einblick nach Böhmen,* den man von dort aus hat. *Za*

Arcadia / Academia degli Arcadi: Gesellschaft der Arkadier – eine jener Vereinigungen, die sich im Zuge der seit der *Renaissance erneuernden *bukolischen Poesie und im Namen nicht der wirklichen, sondern der erträumten Wunschlandschaft *Arkadien bildeten; sie widmeten sich der gemeinsamen Pflege eines solchen, stark sentimentalisierten und idealisierten „Schäferlebens" und erstrebten eine entsprechend verspielte oder verschwärmte, zumeist literarische Kultur friedlicher Schlichtheit und einfältiger Entrücktheit als eine besondere Form der Sehnsucht nach verlorener Anspruchslosigkeit, Naturnähe und Unschuld. Man glaubte mit dem hingebenden Ernst, der einer solchen Haltung erreichbar sein kann, auch und gerade auf diese Weise, aber gewiß nicht mehr eigentlich goethesch *das Land der Griechen mit der Seele zu suchen (I/10, 3)*. Tatsächlich reichte die A. nach Daten und Personen ihrer Gründung durchaus in eine Kulminationsepoche solcher Verschärfungen des europäischen Daseinsverständnisses und Stilwillens zurück, denn die Vorstellung von etwas bewußt Übertriebenem, und zwar nach der Seite der Vergrößartigung ebenso wie nach der Seite der Verniedlichung Übertriebenem, und anerkannt Unwirklichem ist eine Grundqualität dieses Zeitalters (JHuizinga S. 293–298). Giovanni Maria Crescimbeni (1663–1728) und Janus

Vincentius Gravina (1664–1718) gründeten 1690 (beide also verhältnismäßig jung) die A. in *Rom; Crescimbeni war 1690–1728 zugleich der erste Custode der jungen, aber schnell in vielen anderen italienischen Städten sich wiederholenden und ausbreitenden Vereinigung. In dieser Eigenschaft legte er die geistigen Grundlagen, hauptsächlich durch seine literarhistorischen Arbeiten über die Poesia volgare (Istoria della volgar poesia, 1698; Trattato della bellezza della volgar poesia, 1700; Commentaria intorno alla volgar poesia, 1702–1711): *Seine Dialogen über die Poesia volgare, welches nicht etwa Volkspoesie zu übersetzen ist, sondern Poesie, wie sie einer Nation wohl ansteht, wenn sie durch entschiedene wahre Talente ausgeübt, nicht aber durch Grillen und Eigenheiten einzelner Wirrköpfe entstellt wird, seine Dialogen, worin er die bessere Lehre vorträgt, sind offenbar eine Frucht arkadischer Unterhaltungen und höchst wichtig in Vergleich mit unserm neuen ästhetischen Bestreben (I/32, 217).* In diesen Worten scheint sich Goethe stärker an die Darstellung von JJ*Volkmann zu halten, als die damals gegenwärtigen Zustände eigentlich zugelassen hätten. Goethe wurde am 4. I. 1787 (nicht erst im Januar 1788, wie es die späte Redaktion der *IR* irrtümlich glauben machen will) durch den Fürsten PhJ von *Liechtenstein in die Gesellschaft eingeführt und von dieser am selben Tage aufgenommen; das Patent (in italienischer Sprache: I/32, 221 f.; deutsch übersetzt: LGeiger in: JubA 27, S. 372 f.) ist erhalten (Weimar, GNM); Custode war damals der Abt Gioacchino Pizzi (1716–1790), der den Schäfernamen Nivildo Amarinzio führte; Goethe wurde Megalio Melpomenio genannt und durch einen feierlichen Aufnahmeakt geehrt: *Der Custode, vom Katheder herab, hielt eine allgemein einleitende Rede, rief mehrere Personen auf, welche sich theils in Versen, theils in Prosa hören ließen. Nachdem dieses eine gute Zeit gewährt, begann jener eine Rede, deren Inhalt und Ausführung ich übergehe, indem sie im Ganzen mit dem Diplom zusammentraf, welches ich erhielt und hier nachzubringen gedenke. Hierauf wurde ich denn förmlich für einen der Ihrigen erklärt und unter großem Händeklatschen aufgenommen und anerkannt (I/32, 219).* Im Augenblick des Zeremoniells scheint Goethe die innere und äußere Überholtheit der A., zumindest die Diskrepanz mit seinem eigenen Wesen stark empfunden zu haben: *denn das Institut ist zu einer Armseligkeit zusammengeschwunden* (geschrieben am 6. I. 1787: *IV/8, 121;* dazu an Fv*Stein vom 4. I. 1787: IV/8,

115); in der späteren redaktionellen Überarbeitung und Verschmelzung seiner Aufzeichnungen und Erinnerungen zur *IR* hatte er Abstand gewonnen, um ausgeglichener urteilen zu können – hatte die A. doch JJ*Winkelmann und RA*Mengs zu ihren Mitgliedern gezählt, gehörten ihr 1787 doch A*Kaufmann, F*Jacquier und ähnlich bedeutende Persönlichkeiten an. Bemerkenswert ist, daß in den Akten der A. kein Aufnahmeprotokoll oder ein entsprechendes Dokument vorhanden ist; wahrscheinlich hat man Goethes *Inkognito wahren wollen. Der Aufnahmeakt dürfte wie üblich in der Capanna del Serbatojo, ,,Hütte des Winterhauses" (,,Gewächshauses"), dh. in der stadtinnen gelegenen Winterwohnung des Custode Pizzi stattgefunden haben und nicht in dem nur sommers für arkadische Zusammenkünfte benutzten Bosco Parrasio auf dem Gianicolo. Späterhin ist keine Rede mehr von der A. und von der Mitgliedschaft Goethes. *Za* ChrGJöcher: Compendiöses Gelehrten-Lexicon. Leipzig 1726. Erster Theil. S. 1142 f. – IRvEinem S.666 f. –

Archenholz, Johann Wilhelm von (1743–1812), geboren in der Nähe von Danzig, gestorben in Oyendorf bei Hamburg, war zunächst preußischer Offizier und nahm als solcher (Hauptmann) im Regiment Puttkammer am Siebenjährigen Kriege teil. Danach betätigte er sich als Schriftsteller, ausgedehnte Reisen führten ihn fast durch alle europäischen Länder, längere Zeit verbrachte er in England. Unter seinen Veröffentlichungen ragen hervor ,,England und Italien" (1785) und die ,,Geschichte des Siebenjährigen Krieges" (1793). Das letzte Werk hat das Publikumsurteil über dieses Ereignis weithin und bis zum heutigen Tage bestimmt, während A. sonst als überholt bezeichnet werden muß. Goethe hat die beiden genannten Schriften, wenn auch ohne sonderliches Wohlgefallen gelesen. A.s ,,England und Italien" erwähnt er bei seinem münchener Aufenthalt am 6. IX. 1786 nach einem Besuch der Bildergalerie (III/1, 153). Die Schwäche des Werkes schien Goethe in der Arroganz des Urteils über das Reiseland Italien zu liegen – A. meint englische Globetrotter auf seine Weise kopieren zu müssen: *Sie finden überall zu klagen, man glaubt einige Blätter im Archenholz zu lesen (I/30, 174.)* Aus Rom schreibt Goethe an Herders: *Zufällig habe ich hier Archenholzens Italien gefunden. Wie so ein Geschreibe am Ort zusammenschrumpft, ist nicht zu sagen (IV/8, 76).* Am 29. I. 1822 erwähnt Goethe dieses Werk noch einmal im Tagebuch (III/8, 162; vgl. Keudell Nr 1420). Mit der ,,Geschichte des Siebenjährigen Krieges in Deutsch-

land" beschäftigte er sich Oktober/November 1809 (III/4, 74; 75) sowie im Juli 1811 (III/4, 219; vgl. Keudell Nr 603 und 713).   *Za*
ADB 1(1875), S. 511 f.

Archimedes (287–212 vChr.), Sohn des Astronomen Pheidias von *Syrakus, selbst einer der bedeutendsten Mathematiker und Physiker, auch technischer Erfinder aller Zeiten, der bei Eroberung der Stadt Syrakus durch die Römer ein schmähliches Ende fand. Für Goethe wird A. hauptsächlich durch das berühmte Wort bedeutungsvoll: δός μοι ποῦ στῶ καὶ κινῶ τὴν γῆν (Pappos VIII 1060, 1–4). Während aber A. diese selbstbewußte Äußerung im Zusammenhang mit seiner genialen Flaschenzug-Erfindung tat, will Goethe sie in einem allgemeineren, mehr ethischen, fast ontischen Sinne verstanden wissen, da er *immer nur zum Genius rief: Gieb mir, wo ich stehe* (30. IX. 1831: IV/49, 348). Deshalb setzt Goethe in seinen *Maximen und Reflexionen*, in dem Werk, das als Spruchsammlung die Ernte eines Lebens einbringt, immer wieder zu neuen Formulierungen an: *Gib mir wo ich stehe! | Archimedes. | Nimm dir wo du stehest! | Nose. | Behaupte wo du stehst! | G. | (I/42^{II}, 134)*. Oder: *Beharre, wo du stehst! – Maxime, nothwendiger als je, indem einerseits die Menschen in große Parteien gerissen werden, sodann aber auch jeder Einzelne nach individueller Einsicht und Vermögen sich geltend machen will (MuR Hecker Nr. 549;* vgl. Schrimpf HbgA 12, S. 465). Dieses goethesche *Behaupten* oder *Beharren* hat freilich mit dem ursprünglich von A. Gemeinten nichts mehr zu tun.   *Za*

Architektur. In den *Biographischen Einzelheiten* findet sich folgender Satz einer Selbstschilderung Goethes von 1797: *Immer thätiger nach innen und außen fortwirkender poetischer Bildungstrieb macht den Mittelpunct und die Base seiner Existenz; hat man den gefaßt, so lösen sich alle übrigen anscheinenden Widersprüche (I/42^{II}, 506)*. Goethe selbst hat damit all denen, die sich um seine Beziehungen zu außerdichterischen, für ihn und sein Werk aber wesentlichen Gebieten bemühen, Ausgangspunkt und Weg für ihre Untersuchungen gewiesen. Nur unter dem Blickpunkt des zitierten Satzes, also allein von Goethes dichterischer Existenz aus gesehen, kann auch seine Stellung zur A. erkannt und gedeutet werden.
Die Wurzeln von Goethes lebendiger und notwendiger Beziehung zur A. sind bereits in seiner frühesten Jugend zu suchen. Zwei sehr verschiedenartige, aber bestimmende Elemente sind hier zu unterscheiden. Das eine

war die Umgebung, in der er aufwuchs und die ihn zuerst Gebautes schauen ließ: Frankfurt mit seinen mittelalterlich engen Gassen und Giebelhäusern, mit Kirchen, Klosterhöfen, Adelshäusern und bürgerlich stolzen Bauten der Freien Reichsstadt. Das andere aber fand sich in seinem Elternhause selbst, in der Liebe seines Vaters zu *Italien, die sich in vielfacher Form äußerte. Hatte doch JK*Goethe eine Reisebeschreibung „Viaggio in Italia" verfaßt und überdies in häufigen Erzählungen dem Knaben ein anschauliches Bild des klassischen Landes vermittelt, das durch die Prospekte mit antiken und barocken Bauten Roms im Hause und durch die Lektüre anderer Reisewerke noch verlebendigt wurde. Aber nicht allein das in seiner Umgebung Geschaute und in der Vorstellung Gewonnene waren für seine ersten Beziehungen zur Architektur wirksam. In *DuW* erzählt er, daß er früh schon gelernt habe, mit Zirkel und Lineal umzugehen, und nicht nur einfache stereometrische Gebilde aus Pappe zu fertigen vermochte, sondern darüber hinaus sogar versuchte, in seiner kindlichen Phantasie Lusthäuser zu ersinnen. Nicht viel später lernte er, angeleitet von Legationsrat *Moritz, genaue architektonische Risse zu fertigen. Der Umbau des elterlichen Hauses am Großen Hirschgraben ließ ihn außerdem eine Bauunternehmung in der Praxis miterleben. Der Knabe hat das mittelalterliche Frankfurt genau kennengelernt, und es hat, obwohl es nach seinen eigenen Worten *nichts architektonisch Erhebendes* bot, in ihm dennoch *eine gewisse Neigung zum Alterthümlichen (I/26, 24)* geweckt. Daß er bald darauf für eine Weile dieser Stadt mit ihren alten Mauern und Türmen überdrüssig wurde, ist nur aus seinen damaligen persönlichen Erlebnissen heraus und dem Streben der Jugend, die engere Heimat gegen eine neue Umgebung einzutauschen, zu verstehen, wie auch später gewisse unmutige Äußerungen, die sich anscheinend auf eine sachliche Abneigung gegen einen Zeitstil oder gegen die Baulichkeiten einer Stadt bezogen, sehr oft ganz persönlichen, momentanen Motiven entsprangen. – In Leipzig war es kaum die Anschauung, die ihn auf A. wies, empfand er doch sehr richtig das *Klein-Paris* gegenüber Frankfurt als tätig-lebendige Großstadt moderner Prägung. Beeindruckt war er von den hohen steinernen Gebäuden der Stadt, und die um einen Hof gebauten Häuser dünkten ihm *großen Burgen, ja Halbstädten ähnlich (I/27, 49)*. Jedoch allein wesentlich für seine allgemeine Kunstanschauung war hier der Einfluß *Oesers.

Hatte sich bisher Goethes Beziehung zur A. auf Aufnahme durch die Anschauung oder durch Lektüre, auf miterlebte Bauvorhaben und eigene Tätigkeit im Zeichnen beschränkt, so zwang das tiefgreifende Erleben des straßburger Münsters ihn zum erstenmal zur wirklichen Auseinandersetzung mit dem Geschauten und zu einem ihm selbst noch kaum bewußten Aufspürenwollen des aller Baukunst Wesentlichen. Noch ohne wirklich historische A.kenntnisse und sogar mit einer gewissen Abneigung gegen die Gotik belastet, versuchte er, durch intensives Schauen des Eindrucks Herr zu werden. Ein Hymnus auf Erwin von Steinbach *Von deutscher Baukunst* war das Ergebnis. Unter der Melodie der glühenden, unter *Hamanns und *Herders Einfluß sogar national gefärbten Begeisterung oder dem keck polemisierenden Ton klang jedoch bereits der Versuch auf, das Einmalige in einem Werke der Baukunst und der diesem innewohnenden Gesetze und Kräfte zu erkennen. Dieses Einmalige, Originale aber sah er vorerst in der charakteristischen Kunst, die so gesehen sich durchaus nicht allein auf die Gotik, sondern das echt Schöpferische an sich bezog. Es kam nicht so sehr darauf an, daß Goethe fälschlich gotisch mit deutsch gleichsetzte, auch nicht darauf, was er am straßburger Münster noch nicht oder was er falsch sah, und daß er von der Gotik als Stilepoche im Grunde noch gar nichts wußte. Das Entscheidende blieb das Erlebnis an sich, die Begegnung mit einem Werk der Baukunst, das ihn zutiefst erschütterte und begeisterte, zugleich aber zur Auseinandersetzung und Klärung mit dem Begriff Baukunst als solchem aufrief. Die Kraft dieses Erlebens und Schauens war so stark, daß ihn fortan die Beschäftigung mit der A. nicht mehr loslassen sollte. Wenn nun die Gotik für lange Jahre in den Hintergrund trat, so entsprach das nur der Weitung des goetheschen Weltbildes, das erst in der *Antike sein Fundament finden sollte. Auch Herders Einfluß trat ja in den Jahren nach *Straßburg in gewisser Weise vor neuen Begegnungen zurück, ohne deshalb von Goethe aufgegeben worden zu sein; gleichsam in einer anderen, verdeckteren Schicht blieb er dennoch wirksam. Goethes Entwicklung war in den für sein Dasein entscheidenden Zeiten zwar oft voller gefährlicher Spannungen, kannte aber kaum einen Bruch, sondern allein organische Entfaltung. Ein auf der Erlebnisstufe Straßburgs, dh. Herders und mit diesem *Shakespeares und der Volkspoesie sowie des Münsters stehen gebliebener Goethe hätte zwar den *Götz* schrei-

ben, aber nicht zur äußeren und inneren Form der damals erst geahnten antiken Welt vorstoßen und damit zu neuen Wegen seines dichterischen Schaffens wie zur *Iphigenie* und zum *Tasso* finden können. Daß die Antike aber auch schon im straßburger Hymnus aufklang, hat vEinem hervorgehoben. Die römischen Prospekte im Hause der Eltern, ein erstes durch Bücher erwecktes Vorfühlen der Bedeutung des Altertums konnten jedoch nicht genügen, sie waren aber stark genug, seine Sehnsucht nach Italien wachzuhalten und zu nähren, auch wenn es in Weimar zunächst galt, sich in eine sehr anders geartete Welt hineinzufinden. Mit der allmählichen Steigerung des *poetischen Bildungstriebes* aber wuchs in Goethe zugleich das Verlangen, die der Kunst innewohnenden Gesetze zu erkennen. Die Dichtkunst war für ihn zu solcher Erkenntnis kaum geeignet, denn hier war er selbst schöpferisch tätig und fand so nicht genug Raum, um den nötigen Abstand vom eigenen Schaffen zu gewinnen. Aber gerade hier, wo das Stoffliche ihm zuwuchs, bedurfte die Form der Klärung. Zwei Aussprüche aus den *Maximen und Reflexionen* mögen zeigen, wie Goethe stets das Verhältnis von Stoff, Inhalt und Form ansah. Einmal heißt es: *Die Form will so gut verdaut sein als der Stoff; ja, sie verdaut sich viel schwerer (I/48, 206).* Und an anderer Stelle: *Den Stoff sieht jedermann vor sich; den Gehalt findet nur der, der etwas dazu zu thun hat, und die Form ist ein Geheimniß den meisten (I/48, 182).* Die Form aber unterliegt Gesetzen, die allen Künsten gemeinsam sind, wenn sie auch in ihrer Anwendung sich unterscheiden. Von daher übte die Baukunst auch schon vor der Italienreise eine besondere Anziehungskraft auf Goethe aus, und die Erkenntnis der Grundsätze ihrer Beurteilung und ihrer Gesetze war es, die Goethe endlich in Italien vor den Werken der antiken und der Renaissance-Architektur suchte und fand. Der Wunsch, auch in der bildenden Kunst schöpferisch tätig sein zu wollen, und der daraus entspringende, ihn oft quälende Konflikt zwischen dem Wollen und Nichtkönnen, das wiederholte Angezogensein vom Schaffen in der sichtbaren Materie und der endliche Verzicht standen doch trotz der Intensität dieses Erlebens nicht an erster Stelle, wenn auch das Jahr 1786 der *italienischen Reise das Hin und Her seiner Stimmungen mit aller Deutlichkeit widerspiegelt. Das Verlangen, in der bildenden Kunst selbst produktiv zu sein, war außerdem fast ausschließlich auf die Malerei gerichtet, während er der A. bewußt sich mehr nur schauend und das Theoretische studierend näherte. Hätte doch eine eigenschöpferische Betätigung in der A. ein eingehendes praktisches Studium erfordert, dem Goethe, dem stärkeren Trieb zur Dichtkunst folgend, nicht hätte genügen können und wollen. Als geheimer Wahlspruch über der ersehnten und zutiefst für ihn notwendigen Fahrt in den klassischen Süden aber stand vor allem die Erkenntnis seiner selbst, zu der er durch das Begreifen der sichtbaren Welt gelangen wollte, nicht etwa schaulustiges Sich-Vergnügen: *Ich mache diese wunderbare Reise nicht, um mich selbst zu betriegen, sondern um mich an den Gegenständen kennen zu lernen (I/30, 67).* Daß er aber auf der Italienreise das reine Anschauen über alles andere stellte, äußerte er selbst: *Mir ist jetzt nur um die sinnlichen Eindrücke zu thun, die kein Buch, kein Bild gibt (I/30, 34).* Zunächst wollte er sich sogar jeden Nachdenkens und Urteilens über das Geschaute enthalten: *Ich halte die Augen nur immer offen und drücke mir die Gegenstände recht ein. Urtheilen möchte ich gar nicht, wenn es nur möglich wäre (I/30, 190).* Daß diese Eindrücke jedoch von weitreichender Bedeutung für ihn und sein Schaffen sein würden, sprach er wenig später in Rom aus: *Ich freue mich der gesegneten Folgen auf mein ganzes Leben (I/30, 213).* Erst 1787 aber hieß es in aller Deutlichkeit: *Nun hab' ich hier schon wieder treffliche Kunstwerke gesehen, und mein Geist reinigt und bestimmt sich (I/32, 6).* Dieser Prozeß der Klärung und des Sichhinwendens zum Wesentlichen, das zur Erkenntnis führen sollte, ging Hand in Hand mit der Erziehung des *Auges, der Anschauung, die weiß, was sie sucht. So hieß es fast gleichzeitig: *Mein Auge bildet sich unglaublich (I/32, 10).* Wenige Monate später vermochte Goethe das noch klarer zu formulieren: *Der Glanz der größten Kunstwerke blendet mich nicht mehr, ich wandle nun im Anschauen, in der wahren unterscheidenden Erkenntniß (I/32, 159 f.).* Wenn Goethe auch glaubte, hierin *Meyer den größten Dank schuldig zu sein, so waren doch die durch den schweizer Kunstgelehrten erworbenen Kenntnisse kunstgeschichtlicher Natur viel unwesentlicher als die Erkenntnisse, die sich aus seiner eigenen, zu höchster Intensität und geistiger Durchdringung gesteigerten Anschauung ergaben. Es ging ihm ja weit weniger um historische Schau als um das Abstandgewinnen zum Eigenschöpferischen, um das Gesetzmäßige der Kunst, das Geheimnis der Form in anderen Bereichen der Kunst erkennen zu können. Schon in Weimar fanden sich gelegentlich Tagebuchnotizen wie die folgende von 1778: *Architecktur gezeichnet*

um noch abgezogner zu werden. Leidlich reine Vorstellung von vielen Verhältnissen (III/1, 74). Damals schon hatte er die Proportionen vor allem in der antiken Architektur gesucht und sich besonders im Zeichnen von antiken Bauteilen und nach F*Blondel geübt. Die im Geistigen wohltuende Wirkung solcher Beschäftigung mit der A. geht ua. aus der kurzen Notiz hervor: *viel Liebe zur Bau kunst ... (III/1, 73).* Allein schon durch diese innere Berechtigung Goethes, einem außerdichterischen Gebiet wie der A. einen so wesentlichen Platz in seinem Denken und Schaffen einzuräumen, wird die bereits in Weimar in der langen Vorbereitung auf die Italienreise erfolgte Hinwendung zur klassischen A. der Antike und zeitweilige Abwendung von der Gotik erklärlich. Ein gotischer Bau mit seinen ihn oft verwirrenden *Zierrathen* hätte ihm, der noch nicht einmal kunstgeschichtliche Kenntnisse von jener Stilepoche besaß, kaum dazu dienen können, durch eigenes Zeichnen *Verhältnisse* zu begreifen, um noch *abgezogener* zu werden. Wie in allen Teilen gesetzlich und klar überschaubar mußten ihm dagegen damals die griechischen Ordnungen erschienen sein! In Italien aber stand nun, durchaus nicht unvorbereitet (vEinem), *Palladio an erster Stelle seines A.-Erlebens. War auch durch den Palladianismus der Stil des großen Baumeisters nordwärts verbreitet worden und lebte er gerade auch in jenen Jahrzehnten wieder auf, so war doch Goethes Palladio-Begeisterung mehr als nur ein Echo des Zeitgeschmacks; was er vielmehr in ihm suchte und fand, entsprach am meisten seinen eigenen dichterischen Forderungen. Diese innere Kongruenz lag in der auf der Antike fußenden Gesetzlichkeit von Palladios Bauten, in der Klarheit der Konzeption bei genialschöpferischer Gestaltung und freier Akzentsetzung in dichterischem Sinne, die Goethe als die *Fiktion* bezeichnete und der auch sein dichterisches Schaffen bedurfte. In dem späteren Baukunst-Aufsatz von 1795 bekannte er, von Palladio sprechend, noch einmal sehr deutlich: *Diese Lehre von der Fiction, von ihren geistigen Gesetzen ist nöthig, um gewissen Puristen zu begegnen, die auch in der Baukunst gern alles zu Prosa machen möchten (I/47, 72).* Goethe ergriff stets, was er suchte und brauchte: durch Palladio wurde er auf *Vitruv verwiesen, und in der antiken Baukunst strebte er durch die römische zur klassisch griechischen A., so daß er schließlich sogar imstande war, aus eigener Anschauung heraus Befangenheit und Ablehnung in Verständnis und Erkenntnis zu verwandeln (Tempel in *Paestum). In Palladio aber sah er den Baumeister, der tektonisch im Sinne der Alten und der Renaissance und dennoch malerisch, im einzelnen gegliedert und doch mit der Wirkung von Massen baute, der Römisches aufnahm, aber im Sinne seiner Zeit für die veränderten Bedürfnisse abwandelte, der also die Baukunst der Antike zur Wurzel hatte, doch zugleich vorwärts auf einen neuen klassischen Baustil wies, als ein Bindeglied zwischen der höchstentwickelten Baukunst der Griechen und Römer und den Möglichkeiten der auf ihn folgenden Zeit und den A.forderungen seiner eigenen Tage. Palladio bedeutete für Goethe daher große Vergangenheit und lebendige Gegenwart, und es darf also nicht verwundern, wenn ihn die Eindringlichkeit seiner Beschäftigung mit Palladios Bauten oft hinderte, die Bauten anderer Meister oder Epochen in Italien richtig zu sehen und gerecht zu würdigen. Da aber für Goethe zunächst nicht historische Betrachtung und Wertung, sondern Erkenntnis für sich und sein Werk aus dem aus seiner Naturanschauung abgeleiteten Verstehen der inneren Gesetzmäßigkeit der Baukunst das wirklich Ausschlaggebende waren, wäre es falsch, dieser Tatsache irgendeine größere Bedeutung zuzumessen. Goethe war damals weder Kunsthistoriker noch Kunstschriftsteller, er war Dichter und ergriff notwendig zunächst stets das hierfür Wesentliche. Daß er sich damals und besonders in späteren Jahren daneben auch mit Erfolg in jenen Gebieten versuchte, daß er den gewonnenen Erkenntnissen und dem eingehenden Studium der bildenden Kunst in der Anschauung und der theoretischen und später auch historischen Beschäftigung in der Form von Kunstaufsätzen und Rezensionen wiederum eine neue Gestalt geben konnte, zeugt nur von der inneren Folgerichtigkeit seiner Entwicklung, die in Italien einen entscheidenden Punkt erreicht hatte. Die reiche Ernte an Anschauung und Studium vor den Gegenständen der bildenden Kunst, insbesondere der A., die Goethe aus Italien heimbrachte, fand bis zu seinem Lebensende vielfältigen Niederschlag in seinem dichterischen Werk. Aber auch die in Italien begonnene Beschäftigung mit der *Architekturtheorie vor allem des 16. Jahrhunderts setzte er fort, und die beratende Beteiligung an den weimarer Bauvorhaben wie überhaupt denen des Großherzogtums nahm er gleichfalls wieder auf. Vor allem aber bedurfte das von ihm inbezug auf die A. Erkannte der letzten Klärung, die er für sich – er war ja in erster Linie im Worte schöpferisch – nur durch das

Aussprechen, also durch richtige Formulierung des Wesentlichen erlangen konnte. Der 1788 verfaßte Aufsatz *Zur Theorie der bildenden Künste (I/47, 60–66)* soll hier beiseite bleiben, da er in das Gebiet der Antike gehört. 1795 jedoch schrieb er den von ihm nicht veröffentlichten, nur mit *Baukunst (I/47, 67 bis 76)* bezeichneten *Aufsatz, auf dessen zentrale Bedeutung besonders vEinem hingewiesen hat. Im Jahre dieses Aufsatzes schrieb Goethe an Meyer: *Durch einen äußern Anlaß bin ich bewogen worden über die Baukunst Betrachtungen anzustellen und habe versucht mir die Grundsätze zu entwickeln nach welchen ihre Werke beurtheilt werden können (IV/10, 329)*. In diesem Aufsatz versuchte Goethe zu klären, was ihm in gewisser Weise besonders in der A. schwierig erschienen war: daß sie nämlich stärker als die anderen Künste zweckgebunden, also nicht freie Kunst sei, in ihren großen Schöpfungen sich aber zu wirklicher Bau-,,Kunst" erhebe. Er führte sie nun in drei von sich aus neu erkannten, durch die verschiedene Anwendung des Materials bedingten Abstufungen vom nächsten und höheren bis zum höchsten Zweck, der die anderen miteinschließt, aber nur durch das Genie zu erreichen ist, *die Überbefriedigung des Sinnes sich vornimmt und einen gebildeten Geist bis zum Erstaunen und Entzücken erhebt (I/47, 69)*. Bei dieser *Überbefriedigung des Sinnes* war der größere Bezug bereits gegeben. Maße und Verhältnisse in ihrer inneren Gesetzlichkeit und Harmonie an der A. anschaulich gemacht und geklärt, wurden jetzt auf den ethischen Bereich übertragen. Von nun an konnte Goethe die sinnlich-sittliche Wirkung aller zueinander stimmenden Teile eines Werkes der Baukunst auf den Menschen wiederholt aussprechen. Zunächst sollte der Mensch ein Gebäude nicht allein durch die Augen, sondern auch durch sein Körpergefühl erleben, also den Raum als solchen in seinen Maßen und seiner Wirkung in sich nachvollziehen. Dem Bau des menschlichen Körpers und dem Wesen des Körperlichen hatte er in Italien vor den Werken der Plastik besondere Aufmerksamkeit geschenkt: *Das Studium des menschlichen Körpers hat mich nun ganz. Alles andre verschwindet dagegen*, hieß es unter dem 5. I. 1788 *(I/32, 208)*. Daß Goethe die Wechselbeziehung zwischen der A. als gestaltetem Raum und dem Körpergefühl finden konnte, wird so ohne weiteres deutlich. Aus solchem Erleben eines Bauwerks aber, das nach ihm sogar ein Mensch mit verbundenen Augen ganz in diesem Sinne empfinden müsse, erwuchsen folgerichtig auch die sittlichen Begriffe von

Maß und Ordnung oder, wie er sagte, vom *Gehörigen* und *Schicklichen*, die über dem Notwendigen als unterster Stufe stehen. Im Prolog zur Eröffnung des Schauspielhauses in Berlin im Mai 1821 hieß es: *Denn euretwegen hat der Architekt, | Mit hohem Geist, so edlen Raum bezweckt, | Das Ebenmaß bedächtig abgezollt, | Daß ihr euch selbst geregelt fühlen sollt; (I/13ᴵ, 124).* Das in Straßburg als Höchstes geforderte *Charakteristische* hatte nun durch den übergeordneten Begriff des *Schönen* als des erfüllten Maßes und Gesetzes zwar nicht ersetzt, aber doch an eine minder wesentliche Stelle gerückt werden müssen. Denn nicht mehr allein das Genialische, das subjektiv ans Maßlose Grenzende, sondern Schöpferkraft und Gesetzlichkeit, dh. das Werk des Genies in höchster, sinnlich-sittlicher Form vermochten nun nach Goethe die höchste Stufe der Kunst, die somit nicht nur der Natur als eigengesetzlich gegenüber steht, sondern sich in ihrer Idealität über diese erhebt, zu erreichen. Diese in dem Aufsatz von 1795 zum erstenmal klar ausgesprochenen Gedanken hat Goethe nicht mehr aufgegeben, sondern in seinem Werk ausgebaut. In vielfacher Brechung kehren sie sowohl in seinen späteren Schriften zur Kunst als auch in dem eigentlichen dichterischen Werk wieder. So kam er auch in *Der Sammler und die Seinigen* wiederum auf das Verhältnis des Charakteristischen zum Schönen: *Zugegeben, aber nicht eingestanden, daß das Schöne charakteristisch sein müsse, so folgt doch nur daraus daß das Charakteristische dem Schönen allenfalls zu Grunde liege, keineswegs aber daß es Eins mit dem Charakteristischen sei. Der Charakter verhält sich zum Schönen wie das Skelet zum lebendigen Menschen. Niemand wird läugnen, daß der Knochenbau zum Grunde aller hoch organisirten Gestalt liege, er begründet, er bestimmt die Gestalt, er ist aber nicht die Gestalt selbst und noch weniger bewirkt er die letzte Erscheinung die wir, als Inbegriff und Hülle eines organischen Ganzen, Schönheit nennen (I/47, 159).* Und ferner: *... das Charakteristische liegt zum Grunde, auf ihm ruhen Einfalt und Würde, das höchste Ziel der Kunst ist Schönheit und ihre letzte Wirkung Gefühl der Anmuth (I/47, 163).* Eine weitere Bereicherung dieser Anschauungen und Begriffe bedeutete für Goethe die Erkenntnis des inneren Zusammenhangs zwischen A. und Musik, eine Wesensverbindung, die genau wie die Mehrzahl der im Aufsatz von 1795 formulierten Gedanken nicht durchaus neu war, aber doch in dieser von ihm erkannten und ausgesprochenen Entschiedenheit einen neuen Wert erhielt. Dieser wurde noch dadurch ge-

steigert, daß er auch in Goethes dichterischem Schaffen Gestalt gewann und so die Baukunst von der Poesie aus gleichsam noch einmal neu gedeutet wurde. Hier mag der Hinweis auf die schönste dieser Stellen in seinem dichterischen Werk, im zweiten Teil des *Faust*, genügen, in der die strenge, klare Harmonie eines antiken Tempels Musik wird: *Der Säulenschaft, auch die Triglyphe klingt, | Ich glaube gar der ganze Tempel singt (V. 6447 f.: I/15ᴵ, 82).*

Mannigfaltig waren in der nachitalienischen Zeit Goethes die praktisch zu bewältigenden Aufgaben im großherzoglichen Bauwesen, das auch den Wasser- und Wegebau mitumfaßte und sich andererseits in Weimar selbst bis zur Förderung und Bewältigung großer architektonischer Aufgaben erhob, bei denen Goethe bis zuletzt neben den Architekten beratend und planend mithalf. Was er in diesem praktischen A.-Bereich fand, war der Ausgleich zu seinem dichterisch gedanklichen Schaffen, die Beglückung der Wirksamkeit im tätigen Leben, der sinnlich-faßbaren Welt. Schon als junger Mensch hatte er in privatem Kreise gern Wohnungen miteingerichtet (so Herders Wohnung in Weimar, das Gartenhaus am Stern mit seinem Garten) oder Vermessungen vorgenommen und Risse gezeichnet (so beim Pfarrhaus in *Sesenheim). Weimar aber bot ihm nach der italienischen Reise Betätigungsmöglichkeiten in größtem Umfang. Inbezug auf seine architektonischen Kenntnisse, die freilich niemals wirklich die eines ausübenden Architekten waren, bekannte er noch 1829 zu Eckermann: *Der weimarische Schloßbau hat mich vor allem gefördert (Bdm. 4, 67).* Bei dieser oft nüchternen Tätigkeit im praktischen Bereich verlor er jedoch niemals das schöpferische Wissen um das wahre Wesen der Baukunst, wie er es 1795 zuerst formuliert hatte. Der in den *TuJ* von 1803 niedergeschriebene Satz: *Doch ein Gebäude gehört unter die Dinge, welche nach erfüllten inneren Zwecken auch zu Befriedigung der Augen aufgestellt werden, so daß man, wenn es fertig ist, niemals fragt, wie viel Erfindungskraft, Anstrengung, Zeit und Geld dazu erforderlich gewesen: die Totalwirkung bleibt immer das Dämonische, dem wir huldigen (I/35, 161)* läßt deutlich das Zusammenklingen von Goethes praktischer Tätigkeit im Bauwesen und seinen Erkenntnissen um die Gesetze der Form, die zuletzt wie alles Schöpferische ein Schöpfungsgeheimnis ist, dem man zwar durch Begriffe sich nähern, das man aber nicht ausloten kann, erkennen. In diesem Wissen um die größeren bis ins Religiöse reichenden Zusammenhänge, das sich auf sein dichterisches Werk auswirkte, von da aus aber auch umgekehrt seine Gedanken zur Baukunst in neuer Weise befruchtete, war er zweifellos seinen Baumeistern überlegen. Er hatte für sich selbst und sein Werk in der Erkenntnis des Wesens der Baukunst etwas gewonnen, was er von Anbeginn ahnend gesucht hatte, und das schon dem straßburger Baukunst-Aufsatz unbewußt zugrunde lag. In den Paralipomena zu der Abhandlung *Über den Dilettantismus* spricht er es in anderem Zusammenhang aus: *Was dem Dilettanten eigentlich abgeht, ist Architectonik im höchsten Sinne, diejenige ausübende Kraft, welche erschafft, bildet, constituirt; er hat davon nur eine Art von Ahndung, giebt sich aber durchaus dem Stoff dahin, anstatt ihn zu beherrschen (I/47, 326).*

Das bis 1795 inbezug auf die A. Erkannte, das in seinem dichterischen Werk nicht weniger als in seiner Beschäftigung mit der bildenden Kunst und den praktischen Bauaufgaben in Weimar fortwirkte und dessen Fundament das Italien-Erlebnis gewesen war, sollte noch einmal von 1810 ab durch die Brüder *Boisserée eine Erweiterung und einen Abschluß finden, wenn man will, ein Besinnen auf die Anfänge werden, so daß er 1823 einen letzten Aufsatz zur A. wieder mit dem Titel *Von deutscher Baukunst* verfassen konnte, der ausschließlich den Bemühungen um die Erhaltung der mittelalterlichen Bauwerke in Deutschland gewidmet war und sich nur auf deutsche Baudenkmälei, allen voran den Dom in Köln, bezog, nicht aber eine erneute Gleichsetzung von gotisch und deutsch unternahm. Das damals bewußt und notwendig erfolgte Zurückdrängen seiner jugendlichen Anschauungen zugunsten neuer, andersgearteter Einsichten wurde so gleichsam wieder gutgemacht. Mehr jedoch als die Boisserées ahnen konnten, blieb er seinen Anschauungen treu, nach denen die antike und die Renaissance-Baukunst Italiens, vor allem die eines Palladio, den höheren Punkt der Entwicklung darstellten. Aber zu einer gerechteren Würdigung der Gotik war er durch vermehrte Kenntnis des *Mittelalters fortan fähig; am 31. X. 1814 schrieb er an *Zelter über seine Eindrücke von der Rhein- und Mainreise: *Mir sind unendliche Schätze des Anschauens und der Belehrung geworden, vom Granit an bis zu den Arbeiten des Phidias und von da rückwärts bis auf unsere Zeiten ... Poetisches ist seit der Zeit nichts vorgefallen, Welt und bildende Kunst haben mir genug zu schaffen gemacht ... (IV/25, 66).* In jener Zeit

bereitete ihm gelegentlich aber auch die allzu intensive Beschäftigung mit dem Bauwesen oder der Baukunst, die ihn von seiner dichterischen Tätigkeit abhielt, Sorge, so daß er am 17. IV. 1815 seinem Freunde Zelter mitteilte: *Ich hüte mich zwar jetzt vor der Architectur wie vor dem Feuer. Je älter man wird, desto mehr muß man sich beschränken, wenn man thätig zu seyn begehrt (IV/25, 269).* Der Niederschlag der Eindrücke jener Reisen an den Rhein, Main und Neckar, die besonders dem Studium altdeutscher Malerei und Baukunst gegolten hatten, findet sich in den Betrachtungen über *Kunst und Alterthum am Rhein und Main (I/34^I, 69-200).* Daß diese Betrachtungen ihm nicht so sehr persönliches Bedürfnis waren als vielmehr dem Wunsche entsprangen, das Anliegen der Boisserées und all der anderen daran Beteiligten dadurch zu fördern, geht wiederum aus einem Brief an Zelter vom 29. X. 1815 hervor: *Es ist zwar meine Art nicht auf den Tag zu wirken, dießmal aber hat man mich so treulich und ernsthaft zu solcher Pflicht aufgefordert, daß ich mich nicht entziehen kann. Eigentlich spiele ich auch nur den Redacteur, indem ich die Gesinnungen, Wünsche und Hoffnungen verständiger und guter Menschen ausspreche (IV/26, 122).* Daß aber und wie sehr Goethe trotz gewisser *Apprehensionen* im einzelnen die Abneigung gegen die Gotik überwunden hatte, die nur eine Verfinsterung seiner in Straßburg gewonnenen Eindrücke gewesen war – sprach doch das vielzitierte, gegen die deutsche Gotik gerichtete Wort in der *IR* imgrunde nur die Beglückung aus, nun all das Neue aufnehmen und die Heimat in ihrer Art eine Weile vergessen zu dürfen, genau in dem Sinne, in dem er sich einmal gegen das allzuenge Frankfurt geäußert hatte –, mag eine kleine Notiz zu einer Ausstellung im jenaer Schloß von 1820 zeigen. Diese Ausstellung sollte sich ua. mit Beispielen von antiker und altdeutscher Baukunst (kölner Domriß) befassen; in diesem Nebeneinander sah Goethe nun *die beiden Enden der Baukunst* (an Coudray 1. X. 1820: *IV/33, 274).* Sie waren für ihn im letzten nicht vergleichbar, da nach ihm die Gotik auf anderen Prinzipien beruhte als die entwickeltere antike Baukunst, aber der Gotik räumte er unter Berufung auf seinen frühen Münster-Aufsatz, der trotz der noch verschwommenen Vorstellungen und Ausdrucksweise doch ein richtiges Fühlen offenbart habe, nun den ihr gebührenden Platz ein. In dem Jahrzehnt von 1820-1830 befaßte er sich neben der Erledigung der laufenden Aufgaben im Bauwesen noch mit Werken über

A., besonders mit solchen über die altdeutsche Baukunst. 1821 bekannte er in den *TuJ: Im Bezug auf die Baukunst verhielt ich mich eigentlich nur historisch, theoretisch und kritisch (I/36, 202).* Von dem zunächst subjektiven Erleben einzelner Bauten war er also in der A. wie auch in anderen Gebieten zu einer überschauenden, kritisch wertenden Betrachtungsweise gelangt, die das spontane persönliche Erleben einzelner Bauwerke jedoch niemals ausschloß.

Sein Verhältnis zur bildenden Kunst hat Goethe 1830 in einem Brief an Wv*Humboldt rückschauend noch einmal klar umrissen: *Es ist wunderbar genug daß der Mensch auch unwiderstehliche Triebe fühlt, dasjenige auszuüben, was er nicht leisten kann, dadurch aber doch in seinen eigentlichen wahren Leistungen auf das reellste gefördert wird (IV/47, 304).* Obwohl er sich oft selbst gewünscht hatte, Architekt zu sein, hatte ihn die A. weit weniger zu einer nur ausübenden Tätigkeit als zur Erkenntnis ihres Wesens getrieben, die ihm dazu verholfen hatte, die ihr zugrunde liegenden Gesetze auf sein eigenschöpferisches dichterisches Schaffen, und zwar in bezug auf die formale Gestaltung als auch auf das dem erkannten Maß und der Harmonie innewohnende Ethos, zu übertragen. Dies allein war der letzte Sinn und die tiefste Berechtigung seiner lebenslangen Beschäftigung mit der A. und insofern stand sie an sehr wesentlicher Stelle und war auf das engste mit dem Menschen, dem Dichter und auch dem Forscher Goethe verknüpft.   *Wt*

HvEinem: Goethe und die bildende Kunst. Studium Generale 2 (1949), S. 375–402. Darin zur Baukunst S. 378–384; weitere Literatur S. 397 Anm. 1. – HvEinem: Goethe und Dürer. Goethes Kunstphilosophie. 1947. – ThFischer: Goethes Verhältnis zur Baukunst. 1948. – CWeickert: Die Baukunst in Goethes Werk. 1950. (Dt. Akad. d. Wissenschaften. Vorträge u. Schriften. 38.) – GWietek: Goethes Verhältnis zur Baukunst. Kiel Diss. 1951. (Maschinenschrift).

Architekturtheorie. Goethes intensive Beschäftigung mit den theoretischen Schriften zur Architektur, vorzüglich den Büchern der großen italienischen Baumeister des 16. Jahrhunderts ging bis auf seine erste *italienische Reise zurück. Hatte er vorher fast nur die bekannten großen Reisebeschreibungen wie die von *Volkmann, *Archenholtz ua. gelesen, um sich über die in den einzelnen Städten Italiens anzutreffenden Baudenkmäler einen Überblick zu verschaffen und sie, durch diese Führer angeleitet, an Ort und Stelle kennenzulernen, so fragte er bald vor den Bauten selbst mit geschultem Auge nach den der Baukunst zugrunde liegenden Gesetzen und ihrer Entwicklung von der *Antike bis zum Ende der *Renaissance: *In Vicenz hab ich mich an den Ge-*

*bäuden des *Palladio höchlich geweidet und mein Auge geübt. Seine Vier Bücher der Baukunst, ein köstliches Werck, und den *Vitruv des Galiani hab ich mir angeschafft und schon fleißig studirt, hier werd ich in Gesellschafft eines guten Architeckten (*Bertotti-Scamozzi), die Reste der alten, die Gebäude der neuen Zeit besehen und nicht allein meinen Geschmack bilden, sondern auch im Mechanischen mir Kenntniße erwerben, denn eins kann ohne das andre nicht bestehen (an Carl August 3. XI. 1786: IV/8, 41).* Anschauung, theoretische und praktische Kenntnisse sollten nun also zusammenwirken, um ihn in der Erkenntnis des für die Baukunst Wesentlichen zu fördern. Beim Studium der A. standen die Bücher des Palladio an erster Stelle: von ihm aus fand Goethe zu Palladios Vorbild Vitruv, dessen zehn Bücher über Architektur er bis zu seinem Lebensende sich immer wieder vornahm. Neben Palladio studierte er die übrigen bekannten, von der antiken Baukunst ausgehenden italienischen Architekturtheoretiker und Baumeister des 16. Jahrhunderts: *Serlio, *Labacco, *Vignola und *Vincenzo Scamozzi. Auffällig ist es, daß Goethe nirgends die grundlegende architekturtheoretische Schrift des LB*Alberti, der sich als erster Baumeister der Renaissance mit Vitruv befaßt und die antiken Bauten Roms vermessen hatte, erwähnte und ihn wie auch den Architekten Averlino, gen. Filarete, mit seiner Schrift „Trattato d'Architettura" (1451–1464) kaum gekannt zu haben scheint. Sicher lag das an der fehlenden persönlichen Anschauung Goethes von der florentiner Kunst des Quattrocento, also von der eigentlichen Frührenaissance. Im Jahre des Baukunst-Aufsatzes von 1795, der die genaue Kenntnis der architekturtheoretischen Schriften von Vitruv bis zu den genannten Theoretikern des 16. Jahrhunderts verrät, schrieb Goethe an *Meyer: *Ich habe diese Zeit her, so viel mir meine übrigen Zerstreuungen erlaubten, in den alten Büchern der Baukunst fortstudiret (3. I. 1796: IV/10, 360).* Zwei Jahre später schickte er aus Jena an Schleussner – aus dem Gedächtnis zusammengestellt – einen kleinen Aufsatz über die Grundlage zu einer architektonischen Bibliothek, in dem er wiederum die ihm bekannten Theoretiker als unentbehrlich für die Beschäftigung mit der Architektur nannte und von den Schriften der Franzosen dazu das Werk des F*Blondel aus dem 17. Jahrhundert erwähnte, das sich in seiner eine reine Klassik vertretenden Haltung eng an die italienischen Architekturtheoretiker des 16. Jahrhunderts anlehnte. Auch das ihm schon in Straßburg bekannt gewesene Werk des Abbé *Laugier zählte Goethe mit auf, obwohl er bei diesem in gewisser Weise zur Vorsicht mahnte. In dem eingehenden Studium dieser für ihn wichtigsten Architekturtheoretiker von Vitruv bis zu Blondel und dem Klassizisten *Durand, zu denen von deutscher Seite noch seine Auseinandersetzung mit den die Baukunst betreffenden Theorien von JG*Sulzer zu zählen ist, lag für den späteren Goethe zweifellos eine der stärksten Wurzeln seiner klassizistischen Architekturanschauung. *Wt* Keudell. – HKoch: Vom Nachleben des Vitruv. 1951.

Archives littéraires de l'Europe ou Mélanges de littérature, d'histoire et de philosophie, französische literarisch-philosophische Zeitschrift, die von 1804–1807 in 17 Bänden erschien; Mitarbeiter waren ua. Suard und *Degérando; für Goethe war die *Konnexion mit dem Archive litteraire . . . von Bedeutung* (an CRv* Reinhard 16. XI. 1807: *IV/19, 457*).   *Fu*

Arendt, Eduard, Dr. (Lebensdaten unbekannt), ein junger Anatom (vornehmlich Zootom = Tieranatom), Chirurg und Arzt von *Königsberg*, wohl aus der Schule der dortigen Medizinischen Fakultät, seit Februar 1822 promoviert, machte Goethe am 23. und 24. VIII. 1822 in Weimar seine Aufwartung und überreichte ihm seine Dissertation über die Schädelbildung des gemeinen Hechtes: De capitis ossei Esocis Lucii structura singulari. Um seiner eigenen morphologischen Intentionen willen interessierte sich Goethe für die Arbeit: *Ich hatte seine Dissertation näher betrachtet; er ist sorgfältig und brav, gehört aber zu den Singularisten (III/8, 231),* dh. A.s Auffassung war der goetheschen imgrunde entgegengesetzt (1823: *MuR* Hecker *Nr 419): der Fehler* [der Singularisten] *... ist nur, daß sie die Grundgestalt verkennen, wo sie sich verhüllt, und läugnen, wenn sie sich verbirgt. Za*

Arendt, Martin Friedrich, Dr. (1769, nicht: 1773–1824), geboren in Altona, gestorben in *Venedig, seinerzeit sehr bedeutender, indes wissenschaftlich überholter Altertumsforscher, *nordischer gelehrter Antiquarius (IV/20, 278), scandinavisches und obotritisches Wundergeschöpf (IV/20, 296).* Goethe vergleicht ihn auch mit ChrW*Büttner (1802) und GChr *Beireis (1805), weist auf sein *unscheinbares, ärmliches äußeres Ansehen* hin; um ihn aber der weimarischen Gesellschaft zu empfehlen, sagt er: *doch ist er nicht unangenehm, vielmehr wenn man seine Originalität einmal zugiebt, ganz erfreulich* (16. I. 1809: *IV/20, 278*). Diese Originalität, auch in Tischsitten, war beträchtlich und erhob A. gewissermaßen als einen „franziskanischen Wodan" bis in die kleine

Spitzengruppe höchstextremer Originale, von denen überhaupt die europäische Gesellschaftsgeschichte zu berichten weiß: „Kahl, einäugig, mit weißem Barte, den Leib mit einem Strick umgürtet, die Füße mit Leinwand umwickelt und beschuht mit dicken Sandalen nach Art der ungarischen Bergbauern, einen kleinen Tornister auf dem Rücken, in der Hand einen Stock" – so trat er nach dessen späterer Schilderung (1823) bei dem Historiker Baron AvMednyanszky ins Haus und entwickelte im Gespräch „eine Gelehrsamkeit, welche für ein halbes Dutzend Akademiker hätte ausreichen können ... er zeigte überall ein immenses Wissen, große persönliche Erfahrung und ein äußerst glückliches, gut geordnetes Gedächtnis"(Archiv für Geschichte. Wien 1823. Nr 140 f.). A. hatte zunächst *Botanik studiert, und zwar in *Göttingen und *Straßburg, sowie auf ausgedehnten Fußwanderungen durch Deutschland, Frankreich, Italien und die Schweiz in persönlich-unmittelbarem Gedankenaustausch mit den führenden Gelehrten seiner Zeit das Universitätsstudium gründlich erweitert und vertieft. Als er seine Ausbildung für beendet hielt, nahm er eine Stelle an den botanischen Gärten in Kopenhagen an. Die dortige Regierung entsandte ihn alsbald nach Nordnorwegen (Finmark) zum Botanisieren, war aber sehr erstaunt, als er nicht mit botanischen, sondern mit archäologischen Beobachtungen zurückkehrte, und verabschiedete ihn deswegen schleunigst mit einem Gnadengeschenk. Fortan blieb die Archäologie, dh. die nordische, insbesondere runische Altertumskunde, sein asketisch betriebenes Arbeitsgebiet, dem er sich bis an sein Lebensende in ruheloser Wanderschaft durch den Kontinent hingab. Um dieser zwar ins Wunderliche übersteigerten, aber auch gegen sich selbst rücksichtslosen Hingabe willen lohnt es, mit Goethe, der den skurrilen Mann von Angesicht zu Angesicht kannte und sich in der weimarer Mittwochs-Gesellschaft (18. I. 1809) für ihn einsetzte, A.s freundlich zu gedenken: *Sein ärmliches Äußere verschwindet dem Blicke gar bald, wenn man seinem bestimmten, lebhaften und heiteren Vortrage zuhört (IV/20, 280; 296).* A. hatte, als er in Weimar eintraf, *einige interessante Alterthümer und Manuscripte bey sich (IV/20, 279),* während es sonst zu seinen Gewohnheiten gehörte, seine Papiere, Zeichnungen, Abhandlungen usw. zur Entlastung des Wandergepäcks unterwegs irgendwo unter Steinen, in hohlen Bäumen oder in ähnlichen abseitigen Verstecken aufzubewahren, bis ihn

die Heimkehr wieder vorbeiführte (vgl. A.s Nachlaß in Kopenhagen, Bibliothek). Nach dem Passieren Weimars (er verschwand Anfang Februar 1809 ohne Abschied: IV/20, 296) wandte sich A. südwärts, auch um in *Venedig – durch die Gespräche mit Goethe angeregt?? vgl. etwa III/1, 247 f. – die vermeintliche Runeninschrift des Marcuslöwen zu sehen, wobei er – auf keine Weise wegzubringen – das Monument erkletterte und ruhig daraufsitzend die lebhafteste Verwunderung der Venetianer erregte. A. starb 1824 in Venedig völlig gebrochen, nachdem man ihn zuvor in Neapel mit EM*Arndt verwechselt, der Geheimbündlerei im Sinne der Carbonari (= Kohlenbrenner; eine besonders im Königreich Neapel verbreitete, politische Geheimgesellschaft, deren Ziel die Vereinigung aller italienischen Staaten zu einem Bunde als Freistaat gewesen sein soll) bezichtigt, schließlich als deutschen Spion eingekerkert und als gemeinen Verbrecher behandelt hatte. Seine Gelehrtenleistung, wie sie Goethe schon 1809 kannte und schätzte, umfaßte eine ausgebreitete alt-nordeuropäische (germanische, keltische, slavische) Denkmäler- und Kulturkunde, insbesondere eine sehr subtile, wenn auch für die spätere Entwicklung (LWimmer: Die Runenschrift. 1887) nicht recht fruchtbar gewordene Kenntnis als *Runen-Antiquar* und eine weitreichende Vertrautheit mit altisländischer Literatur (zB. eigenhändige, vollständige Abschrift der älteren – poetischen – *Edda, der Edda Saemundi: *Edda Sämundar*, III/4, 4; vgl. auch IV/22, 148, Brief an W*Grimm vom 18. VIII. 1811), außerdem mehrere religionshistorische und numismatische Schriften sowie den zusammenfassenden ,,Abriß seiner Reisen und archäologischen Arbeiten" (1808). Späteres hat Goethe nicht mehr wahrgenommen, auch keinerlei Kontakt mehr mit A. gehabt, was nicht befremden kann bei der immer noch zunehmend sonderlingshaften Lebens-und Arbeitsweise des *wunderlichen Fußreisende (I/36, 45)*, der zB. aus Madrid heimstrebend und bereits mitten in Deutschland von einem Zweifel an der Richtigkeit seiner Forschungen überfallen wird, diesen nur in Madrid beheben zu können glaubt, wortlos dorthin zurückwandert und alsdann erneut und unverdrossen seinen Heimweg antritt, um eigentlich niemals anzukommen.   *Za*
Pierer 2 (1840), S. 311. – Pollmer S. 197–201

Arens, Johann August (1757–1806). Der erste Baumeister, den Goethe nach Weimar einlud, um ihm eine Beschäftigung im Dienste des Großherzogs nahezulegen, war der ihm aus dem Jahre 1787 von Rom her bekannte A. Anlaß war der Goethe intensiv beschäftigende, dringlich gewordene Wiederaufbau des 1774 abgebrannten Schlosses. A. hatte in Göttingen und im Ausland studiert und war später hauptsächlich in Hamburg tätig, wo er einige wenig bedeutende Gebäude in klassizistischem Geschmack, beeinflußt von den Bauten ChFHansens, schuf. Wie sehr sich Goethe auf das Eintreffen von A. freute, für den er sich 1787 in einem Empfehlungsschreiben an *Hardenberg verwendet hatte, um eineVerlängerung seines Stipendiums zur Fortsetzung seines Studienaufenthaltes in *Rom zu erwirken, geht aus Briefen des Jahres 1789 hervor. Zufrieden konnte er endlich im Juni 1789 an Chv*Stein melden: *Der Baumeister Arends ist jetzt hier und ich erfreue mich wieder der Nähe eines Künstlers (IV/9, 128).* Aber seine Hoffnungen, A. für länger an Weimar zu binden, sollten sich nicht erfüllen. Außer der begonnenen Ostflügelgestaltung des Schlosses, die später durch *Gentz sogar teilweise verändert wurde und den Entwurf zum *römischen Haus im Park hat er kein sichtbares Zeugnis seiner drei kurzen Aufenthalte in Weimar hinterlassen, jedoch ist ihm die Einheitlichkeit der gesamten neuen Schloßanlage zu verdanken. Außer im Mai und Juni 1789 war er im Januar 1790 und Ende Mai 1794 noch einmal in Weimar, war aber trotz des ihm auf Goethes Vorschlag 1789 verliehenen Patents als ,,Fürstlicher Baurath" und des 1792 zu Verhandlungen nach Hamburg geschickten *Steiner d. J. nicht zum dauernden Bleiben zu bewegen gewesen. Goethe hat das noch lange Zeit bedauert; die später nach Weimar berufenen Architekten Gentz und *Coudray übertrafen aber den in seinen Bauten recht nüchternen hamburger Baumeister durchaus an Können, sodaß sein Weggang für Weimar in Wahrheit kein Verlust war.   *Wt*
ThB 2 (1908), S. 83. – ADoebber: Das Schloß in Weimar ... 1747 bis 1804. Jena 1911.

Aretin, Freiherrn von, ein bayrisches Adelsgeschlecht. Sein erster Repräsentant Johann Baptist Christoph vA. (geb. 1706 in Konstantinopel?) soll, als Sohn des Herrscherpaares Bakdazar Caziadur von Siounik und Gogza geb. Fürstin von Charabagh aus armenischem Königshaus entsprossen, wegen kriegerischer Überwältigung der kleinasiatischen Heimat durch die Perser aber bereits zweijährig nach Venedig in Sicherheit gebracht und 1710 dort der bayrischen Kurfürstin Theresia Kunigunde Sobieska, Gemahlin Max Emanuels II. in zweiter Ehe, anvertraut, 1711 von dieser adoptiert und zur Erziehung am Hofe nach

München mitgenommen worden sein. 1769 erfolgte die Erhebung in den Freiherrnstand durch den Kurfürsten Maximilian III. Joseph. Goethe war diesem Hause verbunden durch –, 1) Johann Adam (1769–1822), nach juristischem Universitätsstudium (Ingolstadt) seit 1788 Staatsmann in bayrischem Dienst, 1793 als Rat in der oberen Landesregierung, 1796 Gründer der kurfürstlich-bayrischen Kriegsdeputation als Gegenmaßnahme gegen den Vormarsch des französischen Revolutionsgenerals JV*Moreau, 1798 Vizekanzler der oberen Landesregierung, 1802 Generalkommissar für die Säkularisation des ehemaligen Bistums Freising, 1808 Angehöriger der Gesetzgebungskommission (mit weitreichender und einschneidenderWirkung auf dem Gebiete der Verwaltungsorganisation), energischer Gegner des Fürsten CWNLv*Metternich, seit 1817 im Bundestag um eine führende Rolle Bayerns bemüht, 1819 Mitbegründer und erster Vizepräsident der „*Gesellschaft für ältere deutsche Geschichtskunde". In dieser Eigenschaft, die mit seinen Interessen und Qualitäten als Kunstsammler und Liebhaberphilosoph harmonierte, kam er mit Goethe über den Sekretär der Gesellschaft JL*Büchler brieflich in Kontakt: 1819 als er das Diplom der Ehrenmitgliedschaft zur Geburtstagsfeier übersenden ließ (IV/32, 8 f.; 263) und 1820/21, wiederum verbunden mit Geburtstags-Glückwünschen, in Fragen der Denkmälerkunde (Taufbecken; Nicolai de Syghen: Chronicon Thuringicum; 29. VIII. 1820: III/7, 214; 8. III. 1821: IV/34, 152 f.; 357). JA war zweimal verheiratet: a) mit Josepha Freiin vHertling (1774–1810; Tochter des bayrischen Kanzlers Johann Friedrich Freiherr vHertling), b) mit Maria Anna Freiin vStromer (1792–1849); er hatte 11 Kinder. –, 2) Johann Christoph Anton Maria (1772 bis 1824), Bruder des Vorgenannten, nach juristischem und historischem Universitätsstudium (Heidelberg; Göttingen) 1795 Mitglied der göttinger, 1796 der münchener Akademie der Wissenschaften, 1801 Bibliotheksstudium in Paris, dann Hofbibliothekar und Hofbibliotheksdirektor in München, 1809 Amtsniederlegung wegen allzu napoleonfreundlicher, ja - enthusiasmierter Publizistik, 1811 Eintritt in den Gerichtsdienst und Übersiedlung nach Neuburg/Donau, 1819 als Landtagsabgeordneter Herausgeber der oppositionellen „Landtagszeitung", zweimal verheiratet: a) mit Dorothea vReguilé (1775–1800); b) mit Wilhelmine vHertwig (1777–1849). JChrAM war ein vielgewandter wissenschaft-

licher, zumal juristischer, historischer und politischer Schriftsteller, er versuchte sich auch als Dramatiker und Komponist, außerdem setzte er sich seit 1806 temperamentvoll und tatkräftig für das lithographische Verfahren A*Senefelders ein. Aus der großen Variationsbreite seiner Publikationsformen und -themen interessierten Goethe vornehmlich die gemeinsam mit JMv*Babo/München herausgegebene Zeitschrift „Aurora. Eine Zeitschrift aus dem südlichen Deutschland" (wöchentlich dreimal, nur 1804, 1805; 1806?), die ihm trotz anfänglicher Bedenken (IV/17, 270 f.) *allen Beyfall zu verdienen scheint (IV/19, 1)*, ferner A.s bibliographische „Beyträge zur litterärischen Geschichte der *Wünschelruthe" (eine grundlegende Quellensammlung von Äußerungen verschiedenartigster Autoren; Separatdruck aus A.s „Neuem Litterärischem Anzeiger", München 1807, vermehrt um einen Nachtrag aus Kollektaneen JWRitters; 4. XI. 1807: III/3, 292), dann *Die Aretinische Schrift über die ersten Proben der Buchdruckerkunst* (gemeint ist die Abhandlung: „Über die frühesten universalhistorischen Folgen der Buchdruckerkunst. Mit dem vollständigen Facsimile des ältesten bisher bekannten teutschen Druckes. München 1808; 13./15. VI. 1808: *III/3, 346 f.*), weiter die durch FH*Jacobis dankenswerte Vermittlung anhand von *Strixners *Dürer-Reproduktionen (I/48, 249) bekannt gewordenen Bemühungen um die senefeldersche Kunst der *Lithographie: *Die mir übersendeten Nachrichten nebst den vortrefflichen Mustern des Steinabdrucks habe ich sogleich unserm gnädigsten Herrn vorgezeigt, welcher diesem Unternehmen seinen entschiedenen Beyfall nicht versagen konnte, vielmehr sogleich sich entschloß ein paar Subjecte nach München zu schicken, um zu so manchem andern Guten auch diese Kunst nach Weimar zu verpflanzen* (22. II. 1809: *IV/20, 299 f.*). – Persönlich ist Goethe weder JChrAMvA. noch dessen vorgenanntem, älterem Bruder begegnet.   *Za*

Kneschke 1 (1859), S. 104. – ADB 1 (1875), S. 517 f. – NDB 1 (1953), S. 347 f.

Aretino, Pietro (1492–1556), den er den *seltsamen Aretin* nennt (in: *Bedeutung des Individuellen, I/36, 277;* Datierung unsicher), hat Goethe sonst nur wenig beachtet. Man wußte damals noch nicht viel von A. und kannte kaum seine Werke. A. war „der größte Lästerer der neuen Zeit". Er stammte aus untersten Handwerkerkreisen (Vater: armer Schuhflicker; Mutter: Kurtisane von hinreißendem Wuchs, wiederholt Modell zu Statuen oder Gemälden), schämte sich dieser Herkunft, verleugnete den väterlichen Namen und legte ihn ab, sodaß ihn heute noch immer niemand weiß, und nannte sich nach seiner Vaterstadt. Er wurde noch weit über die publizistische Wirkung des Pasquino und der Pasquinata (pasquillo) hinaus bekannt und gefürchtet, zumal er mit seiner schriftstellerischen Findigkeit einträgliche Schmeicheleien und Erpressungen betrieb. Stätten seiner Wirksamkeit waren *Arezzo, *Perugia, *Rom, *Venedig (wo er sich Straffreiheit gesichert hatte). Seine literarisch zT. recht bedeutenden Werke (Dialoge, Komödien, Tragödien) sind bisweilen mit zu heißer Feder hingeschrieben, oft mehr als schlüpfrig und eindeutig zweideutig (illustriert von *Giulio Romano), aber immer unkonventionell, schmissig echt und interessant, gelegentlich auch eitel wie ihr Verfasser persönlich. Für enthusiasmierte Bewunderer war er „Il Divino". Als solcher ließ er Medaillen nach seinem Bilde schlagen und verehrte sie Freunden und Gönnern. Goethe machte es *glücklich ein paar davon* in seiner *Sammlung zu besitzen und ein Bild vor* sich *zu haben das er selbst anerkannt* (I/36, 277; vgl. auch III/3, 417). Da sofort nach A.s Tode alle seine Schriften verboten wurden, haben sich wenig Originalausgaben erhalten. Goethe beschäftigte sich im Frühjahr 1807 mit A.s Lebensgeschichte und hatte flüchtig den Gedanken, selbst eine Darstellung zu geben: *Überlegung einer Biographie von Aretin* (2. IV. 1807: *III/3, 202*). Zweifellos entspringt und entspricht dieser Plan der damalig besonderen, weniger produktiven als reproduktiven und konservierenden Geistes- und Seelenverfassung nach Schillers Tod (vgl. PHankamer: Spiel der Mächte. 1943/1948. S. 19–22). Was Goethe an Dichtungen oder Dichtungsfragmenten A.s kannte, wissen wir nicht; J*Fahlmer überliefert in der Wiedergabe eines Gesprächs mit Goethe die französische Version einer Grabschrift für A.: L'Aretin repose en ce lieu / De chacun il fit la satire, / Mais ne connoissant point de Dieu, / De Dieu seul il ne put medire (Frühsommer 1774: Bdm. 1, 29; auch Morris 4, 79). A. soll nach mündlicher Überlieferung an übermäßigem Lachen gestorben sein.   *Za*

JBurckhardt: Die Kultur der Renaissance in Italien. Neudruck der Urausgabe. Durchgesehen von WGoetz. 1922. S. 122–126. – Francesco de Sanctis: Storia della Letteratura Italiana. 1943 deutsch von LSertorius. Bd 2. S. 149–175. –

Arezzo, das etruskisch antike Aretium, Hauptstadt der gleichnamigen italienischen Provinz im südöstlichen Teile *Toscanas, durchfuhr Goethe, von *Figline kommend, auf der Fahrt nach *Perugia wahrscheinlich am 24. X. 1786 (III/1, 317; I/30, 177). Bei dieser ersten, flüchtigen Berührung interessierte ihn mehr das Landschaftsbild und die landwirtschaftliche Nutzungsart der Umgebung; die *Vorbereitung zur Zweiten Reise nach Italien* (1795; 1796: *I/34^{II}, 139–251*) veranlaßte ihn, sich intensiver auch mit den mannigfachen Kunstdenkmälern der Stadt zu beschäftigen (vgl. auch 1819: IV/31, 92); die anekdotenhaften Bezugnahmen in der *Cellini*-Biographie sind mit der Textvorlage gegeben. Goethe selbst ist kein zweites Mal in A. gewesen.   *Za*

Argens, Jean Baptiste de Boyer, marquis d' (1704–1771) französischer Literat aus dem Kreise der *Encyclopédie, ua. Verfasser der gesellschafts- und religionskritischen „Lettres juives" (1754), die Goethe in seinen Anmerkungen zu *Rameau's Neffen* von *Diderot anführt (1805: *I/45, 169*). D'A. lebte zeitweilig als Kammerherr und Präsident der Akademie der Wissenschaften am Hofe *Friedrichs des Großen, wo er, wie Goethe aus KFFlögels „Geschichte der Hofnarren" (1789) ersah, nicht immer taktvoll behandelt wurde, sich dafür aber auch manches erlauben durfte (1805: I/42^{II}, 31); nach fünfundzwanzigjähriger Beziehung zu Friedrich dem Großen fiel er in Ungnade und verließ *Berlin, um in sein Geburtsland, die *Provence, zurückzukehren.   *Fu*

Argenville, Antoine Joseph Dezallier d' (1680 bis 1765), Kunstschriftsteller, war 1733 Rechnungsmeister und 1748 „Conseiller du roy", beschäftigte sich hauptsächlich mit Naturgeschichte und Geschichte der Malerei. Schon 1709 veröffentlichte er einen „Traité sur la théorie et la pratique du jardinage". Aus seinen Studien nach der älteren italienischen und französischen Künstlergeschichtsschreibung entstand sein „Abrégé de la vie de quelques peintres célèbres", das 1745 erstmals erschien und 1762, vermehrt um *Descamps' „Vie des peintres flamands, allemands et hollandais", das 1753–1754 herausgegeben worden war, unter dem Titel „Abrégé de la vie des plus fameux peintres" in 4 Bänden neu aufgelegt wurde. *Volkmann lieferte eine deutsche Übersetzung, die 1767–1768 in *Leipzig erschien und die Goethe als Student in Leipzig kurz nach ihrem Erscheinen zur Freude *Oesers studierte. Goethe wurde dadurch in Verbindung mit Kupferstichen aus leipziger Sammlungen in die Geschichte der Kunst eingeführt (I/27, 159). Zusammen mit dem Werke Roger de *Piles suchte er *historische und critische Belehrung (I/27, 387)*. Goethes Freund *Meyer, der die kunstgeschichtliche Literatur des 18. Jh.s wesentlich systematischer durcharbeitete, schrieb im Dezember 1796 aus Florenz an Goethe über d'A., der ihm wie andere französische Schriftsteller „im höchsten Grade abgeschmackt vorgekommen war" (Br Meyer 1, S. 402). Dennoch benutzte Goethe das Werk von d'A. mehrfach, so 1799 und im Zusammenhang mit seinem Aufsatz über die niederländische Malerei im November 1814 gleichzeitig mit Descamps' „Voyage pittoresque de la Flandre et de Brabant", *Sandrarts „Teutscher Academie" (Keudell Nr 179; 935; 933; 934) und Schillers „Abfall der Niederlande".   *Lö*

Keudell Nr 179; 935. – Larousse 6 (1870), S. 685. – BrMeyer 1: SGGes 32 (1917). –

Argonnen, ein *waldbewachsener Gebirgsriegel* in Ostfrankreich (Départements Meuse, Marne, Ardennes), der in der Kriegsgeschichte des Landes als dessen *Thermopylä (I/33,44)* zu verschiedenen Malen wichtig wurde, so während der Kämpfe der Großen *Revolution mit der Ersten Koalition (zB. *Valmy), von denen die *Campagne in Frankreich 1792* spricht.   *Fu*

Arias Bernal, José Domingo (geb. 1908) zeitgenössischer kolumbianischer Schriftsteller, der den anspruchsvollen Roman „Wilhelm. Novela epistolar, contestación a la obra de Goethe intitulada ‚Werther'" (Briefroman als Antwort auf Goethe *Werther-Roman) in Buenos Aires erscheinen ließ. Es handelt sich dabei um keine *Wertheriade im eigentlichen Sinne, das Buch ist als Gegenstück zum *Werther* und als Antwort an Goethe gemeint. Daher wird Goethes Werk gewissermaßen ergänzt durch die Briefe, die Wilhelm an Werther geschrieben hat. Wilhelm sucht Werther „zur Vernunft zu bringen" – mit allzu gesundem Menschenverstand. Das Ganze ist imgrunde ein recht naiver Versuch, uns davon zu überzeugen, daß werthersche Verzweiflung heilbar sei, und zeigt nur, wie stark man hier noch heute mit *Werther* beschäftigt ist.   *Ru*

Ariccia *(Aricia),* zwischen *Albano und *Genzano im Süden *Roms; Goethe durchquerte, berührte oder streifte den landschaftlich reizvollen Ort 1786/1787 von oder nach Rom reisend sowie auf Ausflügen in die albaner Berge (Monte Cavo; Rocca di Papa; Nemi-See) mehrfach, so am 14. XII. 1787 bei einer Wanderung mit *Fritz dem zweiten,* dem jungen Maler F*Bury *(I/32, 158).*   *Za*

Ariosto, Lodovico (1474–1533), geboren in Reggio nell' Emilia, gestorben in *Ferrara, unter den Dichtern der italienischen *Renaissance und neben Torquato *Tasso damals wie heute einer der bedeutendsten, einer *jener großen Meister der Vorwelt (I/10, 212 V. 2634 f.):*

Wohl, Ariosto, bist du ein wahrhaft unsterblicher Dichter, | Denn da du hier nicht starbst, stirbst du, du Göttlicher, nie – mit diesem *Xenion* aus dem Nachlaß *(I/5^I, 295 Nr 177)* meinte Goethe 1796 übereinstimmend mit Schiller, daß A. und sein „Orlando furioso" selbst durch die Übersetzungskunst von JJW*Heinse (Hannover 1782–1785) nicht abgetötet werden konnte. A. hat nach Kinderjahren in Reggio nell' Emilia und in Rovigo die meiste, jedenfalls die entscheidende Zeit seines Lebens in Ferrara zugebracht, wohin er durch die damals sowohl unkostenreiche wie gewinnbringende Ämterlaufbahn seines Vaters in Diensten des Hauses d'Este (vornehmlich unter Ercole I.; Regierungszeit: 1471–1505) schon früh gelangte – nicht vor, aber sehr bald nach 1481 dürfte der Vater Würde und Bürde eines Podestà in Ferrara erlangt haben, dann allerdings schnell avancierend nach Modena versetzt worden sein. A. blieb aber in Ferrara.

Die Luft, die ihn hier am Morgen und am Abend seines Lebens umgab, schildert JBurckhardt 1860 mit berühmten Worten (JBurckhardt, S. 36–41). Es ist die Luft eines der besonders beispielhaften Renaissance-Höfe Italiens, besonders beispielhaft, weil das Fürstenhaus d'Este für sich selbst und für seinen dauernd bedrohten Herrschaftsbereich in einer sehr „merkwürdigen Mitte zwischen Gewaltsamkeit und Popularität" (JBurckhardt) und mit unleugbar großer persönlicher Tüchtigkeit die „künstliche Existenz" (JBurckhardt) ihres Staates virtuos bis zu einer prächtig illuminierten „Wunschwelt von fürstlichem Glanz" (WMuschg S. 354) hochzuzüchten verstand. Man darf sich nicht darüber täuschen, daß dazu hier wie anderswo eine Art von Balanceakt und in diesem Sinne ein spezifischer Modus von *Ironie gehört. JHuizinga meint diesen mit, wenn er unter Berufung auf *Heraklit und *Platon von dem „Als-Ob"-Charakter der Kulturen und von der notwendigen Immanenz des Spielmomentes (homo ludens) spricht, die jegliche Kultur in die Kategorie des *Spiels einzubeziehen vermag und den Menschen selbst als „Spielzeug Gottes" (θεοῦ τι παίγνιον μεμηχανημένον) begreift – „und das ist wirklich das Beste an ihm" (καὶ ὄντως τοῦτο αὐτοῦ τὸ βέλτιστον ΝΟΜΩΝ Z 803c). An dieser Stelle läßt sich das (gewissermaßen zeitlos) Moderne auch und gerade in den Renaissance-Dichtern erspüren: „Der Beruf des Poeten war schon zu der Zeit, als noch das Licht jugendlicher Begeisterung über ihm lag, von

innen her schwer. Unter den lorbeergeschmückten Klassikern Italiens erscheinen die ersten Dichter des modernen Leidens an der Welt" (WMuschg S. 355). Und wenn der Name A. „das Höchste an weltlicher Schönheitsdichtung der Renaissance umschließt", dann durchaus unter diesem Zeichen, das den späteren *Tasso* zu einem goetheschen Symbol für die „Tragödie des Dichters" (WRasch. 1954) werden ließ und das Goethe andeutet: *Zufriedenheit, Erfahrung und Verstand | Und Geisteskraft, Geschmack und reiner Sinn | Für's wahre Gute, geistig scheinen sie | In seinen Liedern und persönlich doch | Wie unter BlüthenBäumen auszuruhn, | Bedeckt vom Schnee der leicht getragnen Blüthen, | Umkränzt von Rosen, wunderlich umgaukelt | Vom losen Zauberspiel der Amoretten. | Der Quell des Überflusses rauscht darneben | Und läßt uns bunte Wunderfische sehn. | Von seltenem Geflügel ist die Luft, | Von fremden Heerden Wies' und Busch erfüllt; | Die Schalkheit lauscht im Grünen halb versteckt, | Die Weisheit läßt von einer goldnen Wolke | Von Zeit zu Zeit erhabne Sprüche tönen, | Indeß auf wohl gestimmter Laute wild | Der Wahnsinn hin und her zu wühlen scheint, | Und doch im schönsten Tact sich mäßig hält (I/10, 134 f.). Und doch!*
Außer dem Fürstenhaus und seinen regierenden Vertretern wurde auch für A. Matteo Maria Boiardo, Graf von Scandiano (1434 bis 1494) maßgeblich. Selbst ein fruchtbarer Dichter (außer kleineren Formen wie Gedichte, Eklogen, „Capitoli", Lustspiele am wichtigsten das etwas anachronistisch romantisierende Epos „Orlando innamorato" = „Der liebesentflammte Roland", mit 69 ausgeführten Gesängen und trotzdem als Ganzes noch immer unvollendet und unaufhörlich von der zärtlichen Leidenschaft Rolands zu Angelica kündend), seit 1469 zunächst unter Borso († 1471), dann unter dessen Bruder Ercole I. für die fürstlichen d'Estes in Ministereigenschaft tätig, bestimmte durch das eigene Schaffen wie durch seine administrative Umsicht weithin die kulturelle Atmosphäre des jungen (seit 1471), aber bedeutend aufstrebenden Herzogtums, zumal nach den Direktiven seines zweiten Herrn Ercole I. (vgl. Bertoni: La Biblioteca Estense. 1903); auch die *Leonore Sanvitale* in Goethes *Tasso* ist eine *Gräfin von Scandiano* und in ihrem Verhalten durchaus noch ein Kind dieses Hauses *(I/10, 104).*
A., der anfangs (seit 1489) dem Wunsch seines Vaters folgend die Rechte studiert hatte, wandte sich 1498 unter wenig überzeugter

Duldung des Vaters ganz der Literatur zu (Gregorio da Spoleto), um sich auf den längst angestrebten Beruf eines Hofpoeten gründlich und vielseitig vorzubereiten. *Ariost fand seine Muster hier (I/10, 108, V. 74).* Er mußte aber, gezwungen durch den unzeitigen Tod des Vaters (1502) die Verantwortung für den Unterhalt der hinterbliebenen Mutter und der vielköpfigen Geschwisterschar übernehmen: „Mein Vater stirbt: – ich muß Maria lassen | Und künftig nur mit Martha mich befassen, | das Wirtschaftsbuch studieren statt Homer" (Satira VII, 199–201, deutsch von AKissner. ²1922; vgl. dazu NT Ev. Lucae 10, V. 38–42). Deshalb besann er sich auf seine ehemals abgebrochene juristische Fachausbildung und ging in den Staatsdienst als Verwaltungsmann oder als Diplomat, erst in der Stellung eines Kastellans nach Canossa (22 km südwestlich von seinem Geburtsort Reggio entfernt), dann als Sekretär zu dem Kardinal Ippolito d'Este, dem Bruder des seit 1505 regierenden Herzogs Alfonso I. († 1534; seit 1501 in zweiter Ehe mit Lucrezia Borgia vermählt, die sich einen Namen auch als Freundin der Wissenschaften und der Künste zu machen verstand) und als Gesandter in beider Brüder Auftrag bei deren Schwester Isabella, der Markgräfin von *Mantua, sowie als ferraresischer Sprecher des Hauses d'Este bei Papst Julius II. († 1513, galt als Krieger und Politiker besonderen Formats), weiter als Soldat aufseiten seines heimatlichen Herzogshauses eben gegen den Heiligen Stuhl, endlich als Vertrauter und Kämmerer Alfonsos I., 1522–1525 als Gouverneur von Garfagnana (Castelnuovo di Garfagnana) hoch im Gebirge. Hier nahm er seinen Abschied. Während seiner Tätigkeit im Staatsdienst hatte er gelegentlich eines Aufenthaltes in *Florenz Alessandra Benucci als Witwe eines Mitgliedes der sehr einflußreichen dortigen Familie Strozzi (vielleicht Schwägerin von Giambattista, genannt Filippo d J.?) kennen und lieben gelernt, alsbald, zunächst heimlich, in Ferrara geheiratet und lebte mit ihr nun sehr glücklich als Privatmann bis zu seinem Tode. – A.s Hauptwerk – eben der „Orlando furioso" – ist Goethe bereits aus dem Elternhause her, zumindest schon in der Studienzeit, bekannt (vgl. dazu I/39, 55); ob auch anderes und gegebenenfalls was und in welchen Ausgaben oder Übersetzungen, ist nicht festzustellen, bei der großen Anzahl zeitgenössischer Editionen seit 1730 auch kaum erschließbar. Seither läßt sich eine immer wieder erneuerte Vertrautheit mit dem Dichter in enggereihten Zeugnissen verfolgen: 1775 *(Gestern . . . fiel* *mir Ariostens Wort vom Pöbel ein: Werth des Tods vor der Geburt; IV/2, 286);* 1786/87 (*Venedig 1786: Auf heute Abend hatte ich mir den famosen Gesang der Schiffer bestellt, die den Tasso und Ariost auf ihre eigenen Melodien singen, I/30, 129;* Ferrara 1786: *Dieselben Straßen belebte sonst ein glänzender Hof, hier wohnte Ariost unzufrieden, Tasso unglücklich, und wir glauben uns zu erbauen, wenn wir diese Stätte besuchen. Ariosts Grabmal enthält viel Marmor, schlecht ausgetheilt, I/30, 156;* Rom 1787: *Bei'm Grafen Fries . . . mußte man unmittelbar, und ohne weiteres, die Frage vernehmen: ob man Ariost oder Tasso, welchen von beiden man für den größten Dichter halte, I/32, 51);* 1789/96 *(Merlin der Alte, im leuchtenden Grabe, I/1, 130);* 1795 (Paralipomenon: CM Wielands Neuer Teutscher Merkur. Drittes Stück. 6. Orlando der Rasende. 2er Gesang... *Kann ich nicht lesen, I/40, 482);* 1796 *(Xenion,* s.o., *I/5¹, 295 Nr 177);* 1797 *(Abends viel über Ariost, Milton und s.w., III/2, 69)* – damit geht die erste Phase der Bezeugungen zu Ende; sie erweist eine weit überwiegende Beschäftigung mit dem „Orlando furioso" als dem Haupt- und Lebenswerk A.s. In der zweiten Phase, die hauptsächlich die Jahre nach Schillers Tod und bis nahe an den eigenen heran (1828) umfaßt, geben Goethes Aufzeichnungen von einem kontinuierlichen Umgang mit dem ganzen A. und seinem Gesamtwerk Kunde. 1806: Zum Geburtstag (III/3, 166) hatte Goethe die Freude, von Chr G*Voigt als „Andenkensbeilage" des Glückwunschbriefes (SGGes 55, S. 126 Nr 140) mitübersandt, eine A.-Medaille (Künstler nicht ermittelt) zu erhalten und sich dadurch der physiognomisch ausgedrückten Wesenhaftigkeit des verehrten Dichters aufs neue versichern zu können: *Er zeigt eine sehr schöne, freye und glückliche Bildung. Wie zart, ja man möchte sagen, wie schwach er aber ist, sieht man nicht eher, als bis man ihm einen Tyrannen gegenüberlegt. Zufällig fand er sich in meinem Kästchen neben einem Domitian, und die beyden Gesichter besahen sich einander wirklich wie über eine Kluft von mehreren Jahrhunderten* (31. VIII. 1806: *IV/19, 188;* Goethe hatte seit Jugendtagen ein besonderes Organ für ,bedeutende' Gegenüberstellungen: vgl. Brief an JC*Lavater über Chv*Stein-MAv*Branconi vom 31. VII. 1775: Morris 5, 284 f.; vgl. auch Wiederholte *Spiegelungen: I/42^II, 57); am 31. V. 1807 ist nach einer Notiz von FW*Riemer mit einer Medaillensammlung aus *Rom auch eine weitere von A. angekündigt, freilich wieder ohne nähere Angabe (III/3, 417); auch

sonst wird Goethe von außen her angeregt: CL*Fernow beginnt im August 1807 seine Biographie des A. aus dem Manuskript vorzulesen (20. VIII. 1807: III/3, 262; letztmalig notiert unter dem 3. I. 1808: III/3, 312); JD*Gries tritt mit seiner sehr anerkannten Übersetzung von A.s „Rasendem Roland" – der er freilich erst nach Goethes Tode eine Übersetzung von Boiardos „Verliebtem Roland" folgen läßt, um auch auf diese Weise das Korrespondierende, von A. anmutig ironisierte Verhältnis beider Werke zu illustrieren – im Herbst 1807 in Goethes Blickfeld (zB. III/3, 296), über einen sehr viel längeren Zeitraum hin aber widmet sich Goethe den kleineren Werken: den Satiren (= Briefe in Terzinen an Verwandte und Freunde, als Selbstironisierung von A. gemeint und verfaßt), den Komödien (La Cassaria; Gli studenti = Scolastica; Il Negromante sowie den lateinischen und italienischen Gedichten (Liriche); diese Beschäftigung mit A. hat den Charakter eines wirklichen Studiums (III/3, 257; 259; 261; 264 f.; *266* – 28. VIII. 1807: *Die Scolastica von Ariost wiederholt;* 290; 296; I/26, 363; dann 1808: III/3, 312; 357); weiter 1810: nur *Schlegels Recension von Gries' Übersetzung des Ariost* notiert (21. IV. 1810: *III/4, 111);* 1812/14: *Inhalt der romantischen Werke im Mittelalter (I/42^II, 440);* als Begleitworte zur *Sendung von einem Dutzend Münzen* an D*Friedländer: *Ludwig Ariost, ein köstliches Bild eines unschätzbaren Mannes . . . Die Unterschrift Pro bono malum deutet auf das Schicksal Ariosts, mit dem er freylich nicht Ursache hatte ganz zufrieden zu seyn* (15. I. 1813: *IV/23, 249 bis 253);* 1819, 1826 finden sich nur wenig besagende Erwähnungen, 1821 wird *Ariosts Gewandtheit* im Gegensatz zu dem zeitgenössischen Werk „Ildegonda" von Tommaso Grossi, dessen *Stanzen . . . ganz fürtrefflich, der Gegenstand modern unerfreulich* erschienen, hervorgehoben *(I/36, 194);* 1827 lobt Goethe JD Gries wegen neuerer Verdienste um eigene frühere Arbeiten am 2. VI. *(IV/42, 202): Höchst vergnügsam ist es zu schauen, wie sich jene buntbewimpelte südliche Lustjacht* (Lodovico Ariosto's ,Rasender Roland'. Übersetzt von JDGries. Zweite rechtmäßige Auflage. Neue Bearbeitung. 1827. Sr. Königlichen Hoheit Carl August Großherzoge von Sachsen-Weimar und Eisenach in tiefster Ehrfurcht gewidmet) *so heiter und freundlich auf dem Elemente unsrer ernsten Sprache bewegt.* Die von GHAWagner bei E*Fleischer zu Leipzig veranstaltete Ausgabe: Il Parnasso Italiano, ovvero: I quattro poeti celeberrimi italiani.

La Divina Commedia di Dante Alighieri; Le rime di Francesco Petrarca; L'Orlando Furioso di Lodovico Ariosto; La Gerusalemme Liberata di Torquato Tasso, bereits am 13.VII. 1826 zur Probe übersandt, brachte EFleischer am 11. X. 1827 mit AWagners Widmung „Al principe de' poeti, Goethe. Adolfo Wagner" persönlich nach Weimar, Goethe dankt mit Gegengabe; AWagner erhielt einen Trinkbecher, den Goethe so lange selbst gebraucht hatte *(IV/43, 138)*. Man darf darin wohl mehr als ein liebenswürdiges Kompliment an den Herausgeber sehen, wenn Goethe fortfährt: *es ist eine vollständige Bibliothek, die wohl hinreichend wäre, ein ganzes Leben zu beschäftigen und den vollständigen Menschen auszubilden, daher ich Ihnen Glück wünsche, daß Ihre Thätigkeit bis in das Einzelne dieser geheimnißvollen Schätze sich zu versenken den Muth hatte.* Damit klingen Goethes Zeugnisse über A. aus, dichterisch lebt vieles von dem, was er dem wegen seiner Fähigkeit zu entschwertem, heiter-ironischem Spiel verwandten Repräsentanten der Renaissance verdankt, in seinen eigenen großen Stanzen fort. Außerdem wird man daran denken müssen, daß schon 1797 der Neubeginn und 1831 der Abschluß der Schaffensarbeit am *Faust* und an seinen sehr *ernsten Scherzen* in einer gewissen Affinität mit A. stehen (IV/48, 72; *IV/49, 283*). *Za*

JBurckhardt: Die Kultur der Renaissance in Italien. Neudruck der Urausgabe. Durchgesehen von WGoetz. 1922. – RAFleischer: Die Buchhändlerfamilie Fleischer in der Zeit Goethes. Mit einem Vorwort von Professor Dr. EBeutler. 1937. – Francesco de Sanctis: Storia della Letteratura Italiana. 1943. – JHuizinga: Homo ludens. ³1950. – WMuschg: Tragische Literaturgeschichte. ²1953. – WRasch: Goethes Torquato Tasso. Die Tragödie des Dichters. 1954.

Aristipp/Aristippos (ca. 435–355 vChr.), griechischer Philosoph aus dem reichen Kyrene (Nordafrika), seit 416 zu Athen Schüler des *Sokrates. Nach dessen Tod führte ihn ein Wanderleben ua. für einige Zeit – nach anekdotischer Überlieferung zusammen mit *Platon – an den Hof von Syrakus. Er gründete in seiner Heimatstadt die Kyrenaische Schule, die bis zum Ende des dritten vorchristlichen Jahrhunderts bestand.

Aus dem Relativismus der Sophistik, besonders des Protagoras, vermischt mit sokratisch eudämonistischen Elementen zog A. die praktische Konsequenz: Wenn allein unsere subjektiven Empfindungen als schlechthin gewiß gelten dürfen, so können für unser praktisches Verhalten ebenfalls nur angenehme Empfindungen, und ihre Summe: die Lust, als Leitstern dienen (Hedonismus). „Der Weise führt kraft seiner Einsicht in der Regel ein lustvolles,

der Tor ein unlustvolles Leben" (Diogenes Laertius 2, 90). A. glänzte durch geistreiche Ausführung und weltmännischen Charme in der Anwendung dieser seiner Theorie, die in modifizierter Form bei *Epikur wiederkehrt. Goethe kennt A. vornehmlich durch Vermittlung *Wielands; dessen Versuch, im Göttinger Musenalmanach auf 1773 „das seinige oder Aristippische von neuem als etwas" zu empfehlen, „das nicht ganz und gar Endymions Traum sei", bespricht JH*Merck und nicht Goethe selbst (I/38, 324) in seiner frankfurter Rezension (I/37, 237). Aufgrund von Wielands letztem Roman „Aristipp und seine Zeitgenossen" (1801) bemerkt Goethe zu *Falk *(Bdm 4, 469)* wie gut es zu verstehen sei, *daß die zarte Natur von Wieland sich der aristippischen Philosophie zuneigt,* und in der Rede *Zu brüderlichem Andenken Wielands* von 1813 klingt mit, daß Goethe durch Wielands Schriften auch selbst in ein eigenes Verhältnis zu A. trat: *Aber auch unter diesen* [den Philosophen] *findet er* [Wieland] *einen Mann, den er als Repräsentanten seiner Gesinnungen ausbilden und darstellen kann, ich meine Aristippen. Hier sind Philosophie und Weltgenuß durch eine kluge Begränzung so heiter und wünschenswerth verbunden, daß man sich als Mitlebender in einem so schönen Lande, in so guter Gesellschaft zu finden wünscht. Man tritt so gern mit diesen unterrichteten, wohldenkenden, gebildeten, frohen Menschen in Verbindung, ja man glaubt, so lange man in Gedanken unter ihnen wandelt, auch wie sie gesinnt zu sein, wie sie zu denken (I/36, 327).*

Die dem A. in dem Gedicht *Die Weisen und die Leute* von 1814 zugeteilte Strophe *(I/3, 109)* entspricht Goethes Verhältnis zu A. und seinem eigenen Lebensgefühl, wenngleich die Namen in das Gedicht wohl erst nachträglich, aber auf Wunsch und mit Zustimmung Goethes von *Riemer eingesetzt wurden (vgl. an Zelter 31. X. 1814; IV/25, 66): *Den rechten Lebensfaden | Spinnt einer, der lebt und leben läßt. | Er drille zu, er zwirne fest, | Der liebe Gott wird weisen.*

Die *Spitze*, die Goethe am Schluß von Schillers Abhandlung „Über naive und sentimentalische Dichtung" gegen sich und *einen alten Freund* empfindet (9. XII. 1795; IV/10, 346 bis 347), muß wohl im Zusammenhang von A. und Wieland verstanden werden. So sehr aber in solchen Äußerungen eine Sympathie für den weltbejahenden A. wahrnehmbar ist, darf nicht übersehen werden, daß Goethe, schon in dem *Zu-Drillen* und *Fest-Zwirnen* des zitierten Vierzeilers angedeutet, dem Problem des *Ge-

nießens doch wohl noch anders gegenübersteht, zB: *Er hätte mir nur sagen dürfen, daß
es im Leben bloß auf's Thun ankomme, das
Genießen und Leiden finde sich von selbst (I/27,
12).*   Hi

Aristophanes (ca. 445 – ca. 385 vChr.), der
Großmeister der altattischen *Komödie, gebürtig aus dem Gau Kydathen, also unmittelbarer Landsmann des ihm äußerst verhaßten
Demagogen und Parvenus Kleon; durch Landbesitz in Aigina begütert; am Anfang des
4. Jahrhunderts als hoher Magistratsbeamter
(Prytan: πρύτανις) inschriftlich bezeugt und
insofern eine Ausnahme unter seinen Zunftgenossen; kriegserfahren; der Ritterpartei nahestehend; dem Landvolk nicht nur um des „Dör-
perlichen" willen zugetan; lebhaft beteiligt
an den politischen Ereignissen, äußeren und
inneren Wirren seiner Zeit (Lob der Segnungen
des Friedens; Angriff gegen die kleonische Demagogie, gegen die Sophistik und damit zusammenhängend irrtümlich auch gegen Sokrates, gegen die Prozeßleidenschaft seiner
Stadtgenossen, gegen das athenische Sizilien-
Abenteuer, gegen den Krieg und die Kriegs-
lust, gegen die euripideische Verbildung der
hohen *Tragödien-Kunst, gegen den Weiber-
haß, aber ebenso gegen *Amazonentum und
Gynaikokratie, gegen den Kommunismus der
Güter- und Weibergemeinschaft, gegen die
blinde Verteilung irdischer Glücksgüter usw.).
Wir kennen zwei Porträts von A., ein literarisches in *Platons Symposion (wo A. im Dialog die Fabel von dem dritten, dh. ursprünglich ersten Geschlecht erzählen muß, aus dem
durch Teilung die beiden anderen, das männliche und das weibliche entstanden seien, so
daß sie nun mit unaufhörlicher Eroskraft nach
Wiedervereinigung verlangen) und ein plastisches: eine Doppelbüste mit *Menander
(Bonn). Von den Daten und Stationen seines
Lebensganges wissen wir nur wenig; von seinen wahrscheinlich über 40 (44?) Komödien
sind 11 erhalten.
Goethe begann erst 1777 intensiver um eine
genauere Kenntnis A.s und seines Werkes bemüht zu sein, dh. das bisherige bloße Lern-
wissen (vgl. 1772: die unsichere Rezension der
FGA spricht sehr summarisch von A.; I/38,
344) durch eine echte, lebensvolle Aneignung
zu ersetzen. Wenn HTrevelyans Beobachtung
(S. 106) richtig ist, so gehört diese Bemühung
in einen tiefgreifenden Bildungszusammen-
hang: „Wieland dramatisiert hier eine Szene,
die sich im Frühling 1776 in seinem eigenen
Hause ereignete. Goethe, der dort mit einigen
anderen Herren vom Hofe zu Besuch weilte,

geriet bei der Betrachtung einer Niobiden-
büste in eine Art von Verzückung. Mochten
die Höflinge über diesen Zustand Andeutungen fallen lassen wie es ihnen beliebte – Wieland, der mit Visionen nicht unvertraut war,
konnte sehen, daß sich Goethe in einer visionären Entrückung befand, in der das schöne,
zu ihm emporgewandte Gesicht aufgehört
hatte, kalter Stein zu sein und zu einer Form
geworden war, die seine Seele an sich zog,
hinaus aus der Welt in höhere Reiche der
Kraft und Schönheit. In diesem Augenblick
nahm der griechische Geist, der sich in den
einfachen Umrissen des kindlichen Gesichts
verklärt hatte, als ein Ideal mit solcher Gewalt von ihm Besitz, daß er sich in mehr denn
dreißig Jahren nicht von ihm befreien konnte.
Es wird durch ,Proserpina' klar, daß die ersten
Wirkungen dieser Einimpfung weit davon entfernt waren, erquicklich zu sein. Goethe wurde
durch eine Vision (*Ahnung) gemartert, die er
nicht verwirklichen konnte. Indem er eine Anstrengung machte, den unbequemen Geist zu
bannen, wandte er sich im Herbst 1777 Aristophanes zu. Hier hoffte er die Griechen als
Männer und Frauen mit durchschnittlich alltäglichen Regungen und Sorgen abgebildet zu
finden. Auf diese Weise mochte es geschehen,
daß das Ideal seine Macht verlieren würde. Im
Winter 1777/78 las er mit einiger Beharrlichkeit
Aristophanes. Die letzte Verweisung stammt
vom Dezember 1778 und deutet an, daß sein Interesse am Erlöschen war. Diese Beschäftigung
mit Aristophanes spiegelt sich im *Triumph der
Empfindsamkeit* und noch ausgesprochener in
den *Vögeln* (Sommer 1780). Hier schickte sich
Goethe an, die Vögel des Aristophanes zu einer
*Satire auf gewisse zeitgenössische Vertreter
der deutschen Literatur umzumünzen. Von da
an war er nicht mehr länger auf die Hilfe des
Aristophanes gegen die quälende Vision angewiesen, aber er schätzte den alten Griechen
noch als nützlichen Führer bei einigen von den
leichteren Aufgaben des Genies." Der *Triumph
der Empfindsamkeit* (1777) zeigt Spuren aus A.s
„Ekklesiazusen" (Tendenzkomödie gegen Gynaikokratie, Güter- und Weibergemeinschaft), in Merkulos Lied an den Mond:
*Du gedrechselte Laterne, | Überleuchtest alle
Sterne, | Und an deiner kühlen Schnuppe |
Trägst du der Sonne mildesten Glanz (I/17,
25;* Goethe schreibt dazu an JH*Merck: *Bey-
liegend kriegst du von der Mutter meine neuste
Tollheit, daraus du sehn wirst dass der Teufel
der *parodie mich noch reitet. Denck dir nun
dazu alle Ackteurs bis zur Carrikatur (*Karrikatur) phisiognomisch (18. III. 1778: IV/3,*

214). Anschließend sind es die „Frösche", die Goethe studiert (Februar, März und Dezember 1778: III/1, 62; 63; 73). Wahrscheinlich 1779 (vgl. Brief an Chv*Stein vom 31.V.1779: *IV/7, 271;* dazu *III/1, 86: auf die Hottelstädter Ecke)* spürt man die „Wolken": *Die Töchter des Himmels die weitschweifenden Wolcken sind von dem übelsten Humor und haben nichts von der lieblichen Beredtsamkeit die ihnen *Sokrates zu schreibt.* 1780 beherrscht Aristophanes, der *ungezogene Liebling der Grazien (I/17, 114)* mit seinen „Vögeln" das Feld; Goethe widmet ihnen eine Nachdichtung, um den *Erfolg / Von dieser wunderbaren, doch wahrhaftigen Geschichte / Nach unsern besten Kräften vorzutragen (ebda 115).* Unter der zunehmenden Last seiner *Amtlichen Tätigkeit bietet sich Goethe in einem Stoßseufzer an JHMerck wie spielend der Vergleich an: *Lieber Bruder es geht mir wie dem Treufreund in meinen Vögeln, mir wird ein Stück des Reichs nach dem andern auf einem Spaziergang übertragen. Diesmal muß mirs nun freylich Ernst und sehr Ernst seyn denn mein Herr Vorgänger hat saubre Arbeit gemacht* (16. VII. 1782: *IV/6,* 7). Ähnlich bei der Affäre in *Malcesine: *Ich glaubte das Chor der Vögel vor mir zu sehen, das ich als Treufreund auf dem Ettersburger Theater oft zum Besten gehabt (I/30, 45).* Das sind Aus- und Nachklänge der produktiven Aneignung A.s. Was nun folgt, ist nur noch Kenntnisnahme und Betrachtung, im besten Sinne Ernte des Gesäten, bisweilen in dichter Folge der Zeugnisse: 1795 kreist ein Gespräch mit KA*Böttiger um technische und zugleich stilistische Fragen des antiken Theaters, wobei auch die Einwirkung A.s gestreift wird (Bdm. 1, 222; ähnlich auch am 8. IV. 1797 in einem Brief an Schiller: IV/12, 85); 1797/96 hilft das Vertrautsein mit *wahrer Aristophanischer Bosheit,* eine Rezension zu schreiben *(I/41II, 175);* 1798 werden *Nach Tische Aristophanes Ritter* in der *Übersetzung von Wieland* gelesen (11. I. 1798: *III/2, 196;* vgl. dazu FSengle: Wieland. 1949. S. 553, insbesondere 554); ein undatiertes Gespräch nach 1803 formuliert, *daß Aristophanes sich über die Menschen moquiert, ist ein Ernst, aber nicht lächerlich,* weil *das sogenannte Lustspiel das eigentliche Trauerspiel ist (Bdm. 2, 255).* An Übersetzungen nimmt Goethe in den folgenden Jahren auf: die von FG*Welcker („Wolken". 1810), die von FA*Wolf (wieder die „Wolken". 1811), ChrMWieland (die „Acharner"; 10. VI. 1812: III/4, 293); K*Reisig (Ausgabe der „Wolken"; 8. VI./22. IX. 1820: III/7, 182. 226); JH*Voß („Acharner"; „Ritter"; „Wolken"; 11.–12 X.

1821: III/8, 123), woraus *neue Ansichten und ein frisches Interesse an dem seltsamsten aller Theaterdichter* erwachsen *(I/36, 191)*. Von den „Vögeln", denen Goethe seinerzeit eine eigene Umdichtung nachbildete (1780: I/17, 75–115), ist in dieser Phase kein Wort mehr bezeugt. Wie ein herz- und scherzhaft anerkennendes Kompliment wirkt das Gesprächswort zu F*Förster vom 25. VIII. 1831: *Die Berliner Sprachverderber sind doch auch zugleich die einzigen, in denen noch eine nationale Sprachentwicklung bemerkbar ist, z. B. Butterkellertreppengefalle, das ist ein Wort, wie es Aristophanes nicht gewagter hätte bilden können; man fällt ja selbst mit hinunter, ohne auch nur eine Stufe zu verfehlen (Bdm. 4, 386).* Gegen das Lebensende hin ist der altgriechische Komödiendichter, der boshafte Wahrsager und Spaßmacher, in Goethes Sprache nur noch *der Hanswurst Aristophanes,* was man leichtfertig mißzuverstehen sich freilich hüten muß.   *Za*

Aristophanes Komödien. Übertragen von LSeeger, eingeleitet und erläutert von OWeinreich. 1952. – HTrevelyan: Goethe und die Griechen. 1949.

Aristoteles aus Stagira/Chalcidice (384/383 bis 322/321 vChr.), Schüler des *Platon in Athen (367/366–347vChr.), Fortsetzer des platonischen Akademiewirkens und der platonischen Konzeption einer Verknüpfung von philosophischer Wissenschaft und realer Staatskunst bei dem Fürsten Hermias (vgl. Platons 6. Brief) in Assus/Troas (347–345/344 vChr.), Erzieher des jungen *Alexander, späteren Königs von Makedonien in Pella (343/342–336/335 vChr.), Gründer und Leiter der peripatetischen Schule im Lykeion zu Athen (335–323 vChr.), gestorben in Chalcis/Euböa, wohin er vor der Anklage der Gottlosigkeit floh, um zu verhindern, daß „die Athener sich [etwa] zum zweiten Male an der Philosophie versündigten." A. schuf in Fortbildung der platonischen Lehre, aber in vielfacher Kritik, eine eigene, die ihn als größten Philosophen seit Platon erscheinen läßt. Seine umfangreichen Lehrschriften, meist Vorlesungskonzepte, sind zum großen Teile erhalten. Der Fortgang der Philosophie, besonders in Mittelalter und Renaissance, wurde wesentlich dadurch bestimmt, ob man antithetisch in Platon und A. Gegensätze sah und sich für einen von beiden entschied, oder ob man in A. den Erben Platons sah und beide harmonisierte. A. ist der Begründer der sogenannten formalen (klassischen, traditionellen) Logik, die er richtig als Analytik bezeichnete. Diese Vorarbeit der Philosophie, diese deduktive Logik, Syllogistik, wurde einseitig, aber nicht in A.s Sinne, als eigentliche philosophische Methode verstanden, so besonders von Chr Wolff. Über dies Collegium Logicum, die spezifische Schulphilosophie, die Goethe vorfand, hat er im *Faust* seinen Spott ergossen (V. 1910–1947). Goethe sah in A. nicht den Metaphysiker, nicht den Logiker, sondern den Systematiker der wissenschaftlichen, zumal der naturwissenschaftlichen Forschung. Außerdem den Verfasser der *Poetik. A.s Naturwissenschaft ist die biologische Betrachtung, während ihm die exakte, mathematische fernlag. Für die *Astronomie war er ohne adäquates Verständnis und in seinen Wirkungen am meisten hemmend. Daß auch A.s Biologie Irrtümer enthielt, die kraft seiner Autorität lange Zeit als Tatsachen galten, kann Goethe natürlich nicht interessieren.

Goethe rechnet die aristotelischen Lehrschriften mit der *Bibel und Platons Dialogen zu den *drei Hauptmassen, ... welche die größte, entschiedenste, ja oft eine ausschließende Wirkung hervorgebracht haben (Materialien zur Geschichte der Farbenlehre II/3, 138); auf diese drei Fundamente kommt man immer wieder zurück (Bdm 1, 520).* Er schätzt an A. vor allem dessen einzigartige Beobachtungsgabe: *Stünden mir jetzt, in ruhiger Zeit, jugendlichere Kräfte zu Gebot, so würde ich mich dem Griechischen völlig ergeben ...; die Natur und Aristoteles würden mein Augenmerk seyn. Es ist über alle Begriffe was dieser Mann erblickte, sah, schaute, bemerkte, beobachtete, dabey aber freylich im Erklären sich übereilte. Thun wir das aber nicht bis auf den heutigen Tag?* (an Zelter 29. III. 1827, *IV/42, 104*; vgl. zu Eckermann 1. X. 1828, Bdm. 4, 23). Die hier dem Lob nachgeschickte Einschränkung wird in den *Materialien zur Geschichte der Farbenlehre* näher begründet: *Die Schwierigkeit, den Aristoteles zu verstehen, entspringt aus der antiken Behandlungsart, die uns fremd ist. Zerstreute Fälle sind aus der gemeinen Empirie aufgegriffen, mit gehörigem und geistreichen Räsonnement begleitet, auch wohl schicklich genug zusammengestellt; aber nun tritt der Begriff ohne Vermittlung hinzu, das Räsonnement geht in's Subtile und Spitzfindige, das Begriffene wird wieder durch Begriffe bearbeitet, anstatt daß man es nun deutlich auf sich beruhen ließe ... (II/3, 119).*

Goethes Beschäftigung mit A. zieht sich fast ununterbrochen durch die Jahre von 1797 bis zu seinem Tode hin. Von seinen Schriften kennt er (nach dem Zeugnis der Tagebücher, Briefe und Entleihungen aus der weimarer Bibliothek) die Poetik, die (unechte) Physiognomik, die Politik, die für die *Farbenlehre*

einschlägigen Teile der Schriften De anima, De sensu, De generatione animalium, De insomniis; besonderen Wert legt er auf das peripatetische, meistens Theophrast oder Aristoteles selbst (zB. von FA*Wolf, Goethes Gewährsmann in philologicis; vgl. an Schiller 5. VII. 1802, IV/16, 100) zugeschriebene Büchlein De coloribus, ferner den einschlägigen Teil der pseudoaristotelischen (aber auf echt aristotelische Aufzeichnungen zurückgehenden) Problemata. Diese Schriften sind ein sehr kleiner Teil des Überlieferten, die eigentlichen Hauptwerke des A. zur Physik, Metaphysik und Ethik nicht berücksichtigt. Insofern muß das tief Treffende des goetheschen A.bildes verwundern. Wenn man nicht (mit Karl Schlechta, Goethe in seinem Verhalten zu Aristoteles, 1938, der sich S. 24 f. auf eine Briefstelle – an Chv Stein v. 10. X. 1782: *IV/6, 68: Mit Mühe hab ich mich vom Aristoteles losgerissen* – stützt) ein systematisches A.-Studium Goethes annehmen will, das sich in Zeugnissen nicht niedergeschlagen hat, wird man die Erklärung darin suchen, daß Goethe sich mit der Denkweise des A. an Punkten vertraut gemacht und auseinandergesetzt hat, die ihn auf das Lebhafteste interessieren, ja, seine Existenz berühren mußten, wie zB. in der Theorie der Kunst und der Farbenlehre. Diesen beiden Problemkreisen läßt sich fast alles einordnen, was als Niederschlag des A.-Studiums Goethes greifbar ist:

1) Farbenlehre. In der Farbenlehre vertritt A. und seine Schule für Goethe das ganze Altertum und seine Verdienste. Er ist gemeint, wenn es heißt, daß die Alten *alle die hauptsächlichsten Puncte, worauf es ankommt, kannten (II/3, 116).* Die einschlägigen Partien des Corpus Aristoteleum liest und übersetzt er (mit Riemers Hilfe) in den Jahren 1798 bis 1801; er benutzt die Gesamtausgabe (Graece et Latine) in vier Bänden von Guilelmus de Vallius, Paris 1654, für die Schrift De coloribus auch noch: Aristotelis, vel Theophrasti de coloribus libellus a Simone portio Neapolitano latinitati donatus et comm. illustr., Paris 1549. Seine Übersetzung hat er in der *Farbenlehre* abgedruckt (II/3, 10–23; 24–55); sie enthält De gen. an. E, 1 (Bekker 779 b 15–21), De sensu 2 (437 b 10–25 und 438 a 4–15), De sensu 3 (439 a 18 – 440 b 23), De sensu 4 (442 a 29) und De insomniis 2 (459 a 24 – 28 und 459 b 7–18) – in dieser Reihenfolge – und das ganze Büchlein De coloribus, von dem Goethe in den Paralip. z. Farbenlehre (II/5^I, 240) lobend sagt, es sei *um der Farben willen geschrieben.* Die Hauptstellen für ihn waren

außerdem De anima B, 7 418 b 11–13 mit der Lehre vom „Diaphanen" (s. II/3, 116) und der Schluß des Kap. 4 von De sensu, da die hier vorgetragene Kritik des A. an der demokritischen Reduktion des Sehens auf den Tastsinn ganz mit der Goethes übereinstimmt (s. II/3, 111). Die Übereinstimmung, in wichtigen Punkten, mit A. und seiner Schule war Goethe als Beweis der Richtigkeit seiner Lehre hochwillkommen; er nennt sie *die uralte, nur von mir aufs neue vorgetragene Farbenlehre* und schreibt an Schopenhauer (16. VI. 1816: *IV/27, 59): denn wir sind denn doch auf das höchste Alterthum gegründet und diesen Vortheil wird uns niemand entreißen.*

2) Kunstlehre. Nach einer Briefstelle (an Schiller v. 6. V. 1797: IV/12, 117) hat Goethe die Poetik des A. zuerst um 1767 (vermutl. in der Übersetzung von MCCurtius, Hannover 1753) kennengelernt. Im April und Mai 1797 las er sie (in derselben Ausgabe) gemeinsam mit Schiller. Von 1824, nach einer nur durch die Tagebucheintragung *Aristoteles Poetik* vom 12. IX. 1800 *(III/2, 305)* unterbrochenen Zwischenzeit, beginnt eine neue Auseinandersetzung mit der Poetik, ausgelöst wohl durch die Lektüre der Goethe gewidmeten Ausgabe der Politik des A. von Göttling (Aristotelis politicorum libri VIII, Jena 1824; dazu benutzt Goethe die Übersetzung von ChrGarve, hrsg. von GFülleborn, Breslau 1799–1802), der das Studium einer *französischen Übersetzung mit Glosse als Manuscript* (Tagebücher 30. VI. 1818, *III/6, 223)* vorausging. Jedenfalls ist die auch in der Politik (7, 1341 b 38 ff.) vorgetragene Lehre von der kathartischen Wirkung der Kunst hinfort der eigentliche Gegenstand der Poetik-Lektüre, während 1797 Goethe und Schiller an der Poetik des A. mehr die Behandlungsart im allgemeinen, die *Liberalität,* mit der A. *die Dichter gegen Grübler und Krittler in Schutz nimmt,* angezogen hatte (an Schiller vom 28. IV. 1797: *IV/12, 106).* Seine Meinung in der seit Lessing umstrittenen (auch heute noch verhandelten) Frage der Auslegung der aristotelischen Tragödiendefinition (Poet. 6, 1449 b 24 ff.) legte er nach eingehenden Studien (er benutzte dazu – 1826 – die 5-bändige A.-Ausgabe mit lat. Übersetzung von JG Buhle, Zweibrücken 1791–1800, ferner Aristotelis de poetica liber ed. Heinsius, Leiden 1620 und die um eine Übersetzung der Abhandlungen des Engländers Thomas Twining über die poetische Nachahmung vermehrte Übersetzung der Poetik von JGBuhle, Berlin 1798) zusammen mit einer Übersetzung der klassischen Stelle in der Abhandlung: *Nachlese zu*

Aristoteles Poetik (I/41II, 247–251) nieder: unter der Reinigung der Leidenschaften sei nicht eine Wirkung auf die Zuschauer, sondern eine dem Kunstwerk i m m a n e n t e Aussöhnung und Ausgleichung der in ihm erregten Leidenschaften zu verstehen. Diese Auslegung steht nun freilich mit ausdrücklichen Lehren des A. an anderer Stelle in Widerspruch; und die Übersetzung, auf die sie sich stützt, ist sprachlich unmöglich; trotzdem hat Goethe an ihr festgehalten, auch als ihm die Gegenposition in FrvRaumers Akademieabhandlung von 1828 (vgl. Brief an Zelter v. 31. XII. 1829, IV/ 46, 199) mit guten Argumenten entgegentrat. *Die Vollendung des Kunstwerks in sich selbst ist die ewige unerläßliche Forderung! Aristoteles, der das Vollkommenste vor sich hatte, soll an den Effect gedacht haben! welch ein Jammer!* (an Zelter 29. III. 1827: *IV/42, 104).* Er konnte nicht wahrhaben, daß der verehrte A. in dieser Sache so entschieden anders dachte als er selbst: *ich muß bey meiner Überzeugung bleiben, weil ich die Folgen die mir daraus geworden nicht entbehren kann* (an Zelter 31. XII. 1829: *IV/46, 200).*

3) Sonstiges. 1776 las Goethe die pseudoaristotelische Physiognomik und übersetzte eine Partie (Bekker 805 a 11–18), die er *Lavaters „Physiognomischen Fragmenten" einzusetzen beabsichtigte (an Lavater 20. III. 1776: IV/3, 42). Eine Tagebuchnotiz vom 11. XII. 1826 erwähnt Lektüre des *Aristoteles über Meteore* (in der am gleichen Tage ausgeliehenen Gesamtausgabe von de Vallius). Wahrscheinlich hat Goethe nur die Stelle Meteor. A, 8 345 a 13 ff. nachgeschlagen, die er in seinem Aufsatz über Euripides' „Phaethon" von 1826 (I/41II, 246) anführt.

In der Morphologie scheint Goethe von A. unbeeinflußt zu sein. Die weitgehende Übereinstimmung in der analogischen Methode, in der Anerkennung des Ökonomieprinzips, stellenweise auch in erstaunlich entsprechenden Einzelheiten und Formulierungen muß man, da Goethe A. in diesem Zusammenhang nie nennt, dem Zufall zuschreiben. Die Hypothese der Vermittlung aristotelischer Gedanken an Goethe durch *Galen (KSchlechta aaO. S. 84 ff.) ist entbehrlich, wenn man berücksichtigt, daß Goethe sich bei dem galenischen Referat nicht zu bescheiden brauchte, weil ihm das Original bequem zugänglich war, wenn es ihm in diesem Zusammenhang wichtig erschienen wäre. Monumental, in Anlehnung an Raffaels „Schule von Athen" hat Goethe sein A.-Bild als das des empirischen Forschers, nicht des Metaphysikers, im Gegensatz zum größeren

Platon in den *Materialien zur Geschichte der Farbenlehre* gegeben: *Aristoteles hingegen steht zu der Welt wie ein Mann, ein baumeisterlicher. Er ist nun einmal hier und soll hier wirken und schaffen. Er erkundigt sich nach dem Boden, aber nicht weiter als bis er Grund findet. Von da bis zum Mittelpunct der Erde ist ihm das Übrige gleichgültig. Er umzieht einen ungeheuren Grundkreis für sein Gebäude, schafft Materialien von allen Seiten her, ordnet sie, schichtet sie auf und steigt so in regelmäßiger Form pyramidenartig in die Höhe, wenn Plato, einem Obelisken, ja einer spitzen Flamme gleich, den Himmel sucht (I I/3, 141 f.).*   Hi/Pg

Arkadien. Goethes *IR* trägt in der Erstausgabe von 1816/17 das **Motto: Auch ich in Arcadien (I/30, 283),* übersetzt aus dem Lateinischen: Et in Arcadia ego. In der Ausgabe letzter Hand (1827) fehlt es. Über die Gründe läßt sich kaum etwas Verläßliches sagen. – Die wohl von *Stesichoros inaugurierte, vornehmlich von *Theokrit beispielhaft repräsentierte *bukolische Poesie hatte aus der sehr bergigen, kargen und spröden, armen, unwirtlichen Binnenlandschaft im Zentrum der Peloponnes das idyllische Traumland eines idealisierten Lebens- und Liebesparadieses von Bauern und Hirten, eben die sehnsüchtig umschwärmte Glück- und Wunschwelt A. gemacht – ein seliges Niemandsland der Zärtlichkeit. Diese „geistige Landschaft" (BSnell) hatte *Vergil für die römische Kultur entdeckt. 1480 hatte sie Jacopo Sannazaro (1458 bis 1530) durch seinen Schäferroman „Arcadia" erneuert. Aus sehr alter, bereits lateinischer Zeit stammend war das Wort: Et in Arcadia ego als Bildinschrift unter einem Gemälde *Guercinos (Rom, Galleria Nazionale d'Arte Antica, früher Corsini; noch WRobert-Tornow weist das Bild Bartolomeo Schidone, 1615, zu) überliefert; das Bild zeigt zwei junge Hirten, die erschrocken einen von einer Maus benagten Totenkopf betrachten; sie erschraken vor diesem Memento mori. Durch zwei sehr ähnliche, von Guercino offensichtlich angeregte Darstellungen hat N*Poussin diesen Bildgedanken volkstümlich gemacht, auch J*Reynolds, wahrscheinlich während seines Rom-Aufenthaltes und ebenfalls durch Guercino animiert, fügte es einer eigenen Darstellung ein. Durch *Reproduktions-Kupferstecher wie AF*Oeser (nach Poussin) und durch CWKolbe wurde das Motto noch weiter verbreitet. In deutscher Übersetzung findet es sich erstmals nachweisbar wohl bei JG*Jacobi in dessen „Winterreise" (1769: Sämtliche Werke II. S. 87): „Wenn ich auf schönen Flu-

ren einen Leichenstein antreffe, mit der Überschrift: ,Auch ich war in Arkadien'; so zeig' ich den Leichenstein meinen Freunden, wir bleiben stehen, drücken uns die Hand und gehen weiter." In allen folgenden Bezeugungen: JBMichaelis (berichtet 31. VII. 1771 an JWL*Gleim von einem „unvermuteten Grabmal mit der Aufschrift: Auch ich war in Arkadien"), ChrM*Wieland („Pervonte" 1778: „Und auch nicht eine dieser Schönen / Schien nach der Grabschrift sich zu sehnen: / Auch ich lebt' in Arkadia!!"; „Und ruft mit Wehmut aus: ,Du arme Vastola, / Auch du warst in Arkadia!' "), JDelille („Les jardins, ou l'art d'embellir des paysages" 1782. Str. 3, V. 139: „Et moi aussi je fus pasteur dans l'Arcadia"), ChrF*Weiße („Der Kinderfreund". 1782. 24. Bd, Schluß: „Das Denkmal in Arkadien"), JG*Herder („Ideen zur Philosophie der Geschichte der Menschheit", 1785, VII, 1: „Auch ich war in Arkadien ist die Grabschrift aller Lebendigen in der sich immer verwandelnden, wiedergebärenden Schöpfung"), Schiller („Resignation" 1784/85, gedruckt in der Thalia 1, Heft 2, 1786: „Auch ich war in Arkadien geboren", SäkA 1, S. 196; 336–338, dazu: HViehoff: Schillers Gedichte 1, S. 300), JGHerder („Die Erinnerung", 1787: „Lies die Inschrift glänzend schön: Auch hier ist Arkadien") – etwa bis zu diesem Zeitpunkt versteht man das Wort: Et in Arcadia ego sowie seine Übersetzung oder Variationen lediglich als Grabschrift, offenbar (wie EPanofsky nachgewiesen hat) in Mißdeutung seines ursprünglichen Sinnes, denn das „Ego" spricht der Tod: „Auch in Arkadien bin ich zur Stelle" (vgl. dazu GPBellori: „Cioè che il sepolcro si trova ancora in Arcadia, e che la morte ha luogo in mezzo le felicità"). AFélibien übernimmt diese Erklärung, um sie abzuwandeln – la vérité est dans les nuances –: „par cette inscription on a voulu marquer que celui qui est dans cette sépulture a vécu en Arcadie". In so abgewandelter Form sollte die deutsche Literatur des 18. Jahrhunderts für ihre hedonistische Daseinshaltung das inzwischen geflügelt gewordene Wort bestimmend werden lassen: Jeder hat irgendwann einmal Glück genießen können oder hatte zumindest die Möglichkeit dazu. Bei und in JGHerder scheint sich der bisher allein maßgebliche Grabinschrift-Charakter des Wortes verflüchtigt und erweitert zu haben („Angedenken an Neapel", 1789: „Doch ein Hauch wird lispelnd zu euch wehen; / Ich, auch ich war in Arkadien!"). Zugleich erscheint hier erstmals, wenn auch in ausgesprochen schlechter Vers-

bildung, A. ausschließlich auf *Italien bezogen: A. = Italien; dieser neuen Nuance
schließen sich GMerkel 1800 sowie EA Herzog
von Sachsen-Gotha 1815 an. So und nur so,
durchweht von der Wehmutserinnerung an
das lang vergangene, kurze Glück des Reisens,
meint es auch Goethe, wenn er 1816/17 die
alte Inschrift als Motto für die Erstpublika-
tion seiner *IR* verwendet: *Auch ich in Arkadien.*　　　　　　　　　　　　　　　　　　*Za*
WRobert-Tornow: GBüchmann, Geflügelte Worte.
Hundertstes Tausend. 1895. S. 376–378. – IRvEinem
S. 575–577 (Bibliographie!).

Arkadische Gesellschaft zu Phylandria. Ur-
sprünglich ein literarisches Kränzchen, wurde
die A. um 1764 von LYsenburg v*Buri als
ihrem Argon (für: ἄϱχων/Archon = Anführer)
Myrtill in Neuhof b. *Offenbach sehr selbstherrlich geleitet. Ihre Mitglieder setzten sich
aus jugendlichen Angehörigen der gehobenen
Familien zusammen; durch Annahme von Namen aus der Renaissance-Dichtung wurde die
geheimnisvoll-zeremonielle Art der Zusammenkünfte betont. So sind uns als Mitglieder
der A. bekannt: J*André unter dem Namen
„Amint", FC*Schweitzer unter dem Namen
„Alexis". Die A., die sich 1764/65 in eine ari-
stokratische *Freimaurer-Loge (es gehörten
ihr späterhin auch einige Prinzen und Prinzessinnen von *Hessen an) mit etwas unklaren
philantropischen Zielen umwandelte, betonte
schon jetzt durch die Schwierigkeiten, die sie
der Aufnahme neuer Mitglieder entgegenstellte, eine gewollte Exklusivität; man könnte
die Ursache für diese wohl etwas überspannte
Haltung in dem durchweg sehr jugendlichen
Alter ihrer Mitglieder suchen. Trotz oder wegen der so hohen Anforderungen an die Be-
werber bestand, jugendpsychologisch konsequent, das geistige Leben der A. wohl mehr
in wortreichen Zeremonien als in wirklichen
Leistungen, wie zB. gelegentlichen dramatischen Aufführungen. Die Akten der A. gingen
in Besitz und Obhut der Logenleitung zu
*Darmstadt über.

Im Frühjahr 1764, in den Wochen nach der
Aufdeckung seines Verhältnisses zu Gretchen
und zu ihren Freunden (Pylades), wandte Goethe, der wohl durch seinen Freund Schweitzer/
Alexis von der A. gehört hatte und letzterem
„schon lange angelegen, Ihn anzunehmen"
(Morris 6, 6), sich mit seinem ersten uns erhaltenen Brief vom 23. V. 1764 direkt an den
ihm persönlich nicht bekannten 17jährigen (!)
Buri: *ob ich werth bin, ihr Freund zu seyn, und
in ihre Gesellschafft einzugehen.* Er stellt sich
in einer für sein Alter wohl allzu selbstbewußten Weise vor, verschweigt auch seine Fehler

nicht: *einer meiner haupt Mängel, ist, daß ich
etwas heftig bin . . . Ferner bin ich sehr an das
Befehlen gewohnt, doch wo ich nichts zu sagen
habe, da kann ich es bleiben laßen . . . daß
ich so bekannt an Ihnen schreibe, als wenn ich
Sie schon Hundert Jahre kennete (IV/1, 1–3).*
Buri zögert in seinem Antwortbrief vom 26.V.
die Entscheidung hinaus, da ihm „weder
Hand noch Siegel noch auch selbsten der
Nahme bekandt" sei (Morris 6, 5), verhält sich
auch weiterhin sehr diplomatisch, da er Goethe auf dessen nochmaligen Brief vom 2. VI.
wiederum hinauszögernd antwortet, ihn aber
versichert: „Nach dem Bild welches mir ihr
Freund von Ihnen gemacht hat kann ich nicht
anderß als sie würdig halten in unsre Gesel-
schafft mit aufgenommen zu werden (ebda 7).
Dem widerspricht die schriftliche Äußerung
von Schweitzer an Buri vom 29. V.: „. . . atta-
giren Sie sich nicht an Ihn um Gottes Willen,
. . . ich gab Ihm seiner Laster wegen abschlägige Antwort" (ebda 6). Es ist kaum zu sehen,
was mit diesen „Lastern" gemeint ist:
Jähzorn, Überheblichkeit, Gretchenbindung,
Oberflächlichkeit, Schwatzhaftigkeit – von
ausschweifender Leidenschaftlichkeit wird
man überhaupt nicht reden können. Goethe,
dem in dieser Zeit zwischen dem Ende der
Kindheit und dem Studium in *Leipzig scheinbar sehr an der Aufnahme in die A. lag,
machte, nichts von den gegen ihn spielenden
Intrigen ahnend, in den ersten Julitagen sowie am 18. VII. einen Besuch bei André/Amint
in Offenbach und schrieb am 6. VII. sehr hoffnungsvoll an Buri: *ich bin meinem Freunde
[Schweitzer] sehr verbunden, daß er ihnen eine
so vortheilhafte Meynung von mir beygebracht
hat (Morris 1, 80);* auch bat er in demselben
Brief um eine Zusammenkunft an einem dritten Ort. Schon bei seinen Besuchen in Offenbach hatte er wohl auf ein Zusammentreffen
gehofft (Morris 6, 15). Dann hören wir von
Goethe nichts mehr über diese Angelegenheit;
zwischen Myrtill, Alexis und Amint werden
noch mehrere, Goethe gegenüber alles andere
als freundschaftliche Briefe gewechselt (André
an Buri 8. VIII.: „. . . Er mag 15 Jahre oder
16 alt sein, im übrigen hat er mehr ein gutes
Plappermaul, als Gründlichkeit" (Morris 1,
95; vgl. auch 6, 15 Nr 3 b), die mit Buris
Äußerung vom 1. IX. abgeschlossen werden:
„Herr Göthe schweigt ganz still und ich hoffe
auch, daß er sich weiter nicht melden wird.
Sollte er aber doch so unverschämt seyn sich
noch einmal zu melden, so habe ich mir bereits vorgenommen ihn nicht einmahl einer
Antwort zu würdigen" (Morris 6, 7).　　*Za*

Arlesberg, Dorf westlich Ilmenau am Südrande des Thüringer Waldes, von Goethe am 4. IX. 1777 zu Pferd auf dem Wege von Ilmenau nach Eisenach berührt (III/1, 46).   *Dl*

Arlon, belgische Stadt an der luxemburgischen Grenze, wo Goethe sich vom 13. zum 14. X. 1792 aufhielt (I/33, 140–142).   *Fu*

Armbruster, C., Verleger in Wien. Als Cotta 1815–1819 die zweite seiner Gesamtausgaben der goetheschen Werke erscheinen ließ, gab er gemeinsam mit dem wiener Verlag ChrKaulfuß & C.Armbruster eine Parallelausgabe (26 Bde. 1816–1822) heraus, um eine wiener Nachdruckausgabe auszuschalten. Diese wiener Ausgabe hat für die Textgestaltung eine nicht unwichtige Bedeutung gewonnen, seit Seuffert 1893 festgestellt hatte, daß sie zT. unmittelbar nach den goetheschen Manuskripten gedruckt ist, die Cotta an A. übersandt hatte, und daß sie, wenigstens für einzelne Partien, wesentlich besser ist als der fehlerreiche Abdruck in der cottaschen Ausgabe. Seitdem hat die wiener Ausgabe starke Berücksichtigung gefunden. Ihre Sigle ist B¹. – Trotz Cottas Vorsichtsmaßnahme kam doch eine wiener Nachdruckausgabe zustande, indem der Verleger BPhBauer 1816 eine Taschenausgabe in 12 Teilen von Goethes theatralischen Werken veranstaltete. *S*

JWahle und AFresenius in: WA I/13^{II} (1901), S. 118 bis 120. – KKipka in: Goedeke³ 4,3 (1912), S. 10. – Goethe. Hrsg. von der Preuß. Staatsbibliothek. 1932. Nr G 29 und G 170. (Gesamtkatalog der Preuß. Bibliotheken.)

Arnault, Antoine Vincent (1766–1834), französischer Literat und Dramatiker, 1830 in einem *Soret-Goethe Gespräch und auch gegenüber dem Kanzler von *Müller erwähnt (Bdm. 4, 210; 254).   *Fu*

Arndt, Ernst Moritz (1769–1860), *jener moralisch politische Arendt (IV/20, 278),* geboren aus einer bäuerlichen, ursprünglich leibeigenen und wegen der damaligen Hoheitsverhältnisse noch schwedischen Familie in Groß-Schoritz/Rügen, wo der Vater, Sohn eines leibeigenen Hirten, als freigelassener Bauer zunächst Inspektor, dann Güterverwalter, schließlich selbständiger Pächter der dänischen Grafen-Linie zu Putbus war „und dabei fast wie ein Edelmann lebte in einem Herrenhause und im Verkehr mit gebildeten Nachbarn" (RHuch: Einleitung zu EMArndt: „Meine Wanderungen und Wandlungen mit dem Reichsfreiherrn vom Stein", Neuausgabe). Gymnasialbildung, 1787 beginnend, in Stralsund; Studium seit 1791 in Greifswald, 1793 in *Jena, 1794 wieder in Greifswald: Theologie, Philosophie, Geographie und Völkerkunde (zugleich Liebesbegegnung mit der

1800 dann geheirateten, aber schon 1801 im Kindbett verstorbenen Professorentochter Charlotte Quistorp), anschließend Hauslehrer im Pfarrhaus LG*Kosegarten/Riga, 1798 aus Gewissensgründen Verzicht auf den bisher angestrebten Predigerberuf, 1798/99 große Bildungsreise durch Süddeutschland, Österreich/ Ungarn, Oberitalien/Savoyen, Frankreich (Reisebericht: 1804); 1800 Privatdozent, 1806 außerordentlicher Professor der Geschichtswissenschaft in Greifswald. In diesen Jahren und an dieser Stelle entwickelte A. seine mannigfachen Anlagen zu einem wirkungsvollen, auch sehr fruchtbaren Schriftsteller, Wortführer und sogar Liedersänger. Seine Frühschrift „Geschichte der Leibeigenschaft in Pommern" (1803) trug dazu bei, daß Gustav IV. Adolf (1778–1837), damals noch König von Schweden, 1806 die Leibeigenschaft in Vorpommern trotz Ablehnung und Widerstand des Adels aufhob. Im greifswalder Universitätsdienst näherte sich A. zunehmend Gedanken JG*Herders über die Ursprünglichkeit des Volksgeistes und der Volksordnung. Derartige Anregungen aus dem Ideenvorrat Herders führten A. zunächst auf dem Wege weiterer Entfremdung vom *Christentum zur schroffen Absage an *Renaissance, *Reformation, *Rationalismus, *Aufklärung, an Universalismus und Absolutismus, sowie an die *französische Revolution, befördert durch eine längere Schweden-Reise und das unmittelbare Bekanntwerden mit der ländlich-lebendigen Kultur dort (1803) sowie durch die kollegial-persönliche Fühlung und durch den jahrelangen Gedankenaustausch mit TThorild (1759–1808), der seit 1795 in Greifswald als Professor für schwedische Literatur wirkte und durch seine Vorkämpferschaft für *Klopstock, *Ossian, für den deutschen *Sturm und Drang, ja für einen gewissen Romantizismus, außerdem durch seine nachdrücklichen Hinweise auf *Spinoza und *Leibniz bekannt geworden war. In eigener Denkarbeit faßte A. diese Impulse publizistisch zusammen: „Germanien und Europa" (1802/03); „Geist der Zeit" (vier Teile: I 1806; II 1809; III 1813; IV 1817). Gerade diese letzte Schrift gibt A. Gelegenheit, eine eindringliche Interpretation abendländischer Geschichte und Kultur zu entwerfen und im Zuge der über ein Jahrzehnt ausgedehnten Erscheinungsweise zugleich Rechenschaft über den eigenen, inneren Entwicklungsgang – gewissermaßen unwillkürlich – zu geben: sein Weg hatte ihn inzwischen nicht nur durch die philosophischen Strömungen seiner Zeit (zB. JJ*Rousseau, I*Kant, JG

*Fichte, FDE*Schleiermacher, FWJ*Schelling), vor allem auch durch die Denkformen Schillers (und der weimarer Klassik überhaupt) hindurchgeführt und zunächst dem Kirchlichen oder schlechthin dem Christentum entfremdet, sondern längst dem protestantischen Glauben seiner Väter wieder angenähert, zugleich aber diese wiedergewonnene lutherisch streitbare Haltung mit christlich-deutschem Pathos und Haßvermögen gegen *Napoleon und *Frankreich zu einem eher negativen als positiven *Nationalismus versteifen lassen, so daß er in diesem kämpferischen Zorn gegen den nach seiner Auffassung in Napoleon erscheinenden rationalistischen, mechanistischen, darum despotisch-terroristischen Universalismus der alten französischen Aufklärung weit über das Ziel und auch über die geschichtliche Wahrheit hinausschoß. Seine Flucht nach Schweden 1806, die heimliche Rückkehr nach Deutschland 1809, die zunehmende Aktivität im berliner Kreise der LAv*Arnim, Cl*Brentano, Cv*Clausewitz ua. 1810, oder in *Breslau, bzw. Prag 1811, die Verbindung mit dem Reichsfreiherrn HFK vom und zum *Stein als dessen Privatsekretär in Petersburg 1812, der dergestalt gesteigerte, intensive Kontakt mit GLv*Blücher, dem späteren Fürsten von Wahlstatt, mit GJD v*Scharnhorst, AWA Graf Nv*Gneisenau, JvGruner und den vielen anderen führenden Vorkämpfern für eine preußische und deutsche Erneuerung an Haupt und Gliedern, ja für eine umfassende Wieder- nicht nur, sondern Neugeburt durch den gewaltigen Akt der *Freiheitskriege sind Stationen auf dem Wege zu einem hart an die Grenze der Demagogie heranführenden *Patriotismus (*Burschenschaft). In zahlreichen Erweckungsschriften, Flugblättern, Aufsätzen, Reden, auch in Liedern machte sich A. zum enthusiasmierten und enthusiasmierenden Wortführer der stark und stärker werdenden Bewegung; so erschienen in den Jahren 1812/13–1815 zB.: ,,Katechismus für den deutschen Kriegs- und Wehrmann''; ,,Was bedeutet Landwehr und Landsturm''; ,,Der Rhein, Teutschlands Strom, aber nicht Teutschlands Gränze''; ,,Grundlinien einer teutschen Kriegsordnung''; ,,Lieder für Teutsche''; ,,Über künftige ständische Verfassungen in Teutschland''; ,,Über die Feier der Leipziger Schlacht''; ,,Noch ein Wort über die Franzosen und über uns''; ,,Blicke aus der Zeit in die Zeit''; ,,Kriegs- und Wehrlieder''.

Goethes oft so sehr mißdeutete Zurückhaltung gegenüber den, wie ihm schien, bisweilen ungesunden Erscheinungen dieses Freiheitsdranges (*Geschichte) ist bekannt; sein Patriotismus hatte tiefere Wurzeln. Dennoch kommt er A. bei den ersten Zusammentreffen in *Dresden selbstverständlich undoktrinär entgegen und lobt an ihm, daß er sich *als Patriot durch Schriften bekannt gemacht* habe (21. IV. 1813: *IV/23, 326*). Im nächsten Jahr bekundet Goethe auch anderen, zB. LAvArnim und HKA*Eichstädt gegenüber interessierte Aufmerksamkeit für gerade neu erschienene und rezensierte Schriften A.s und fand im Sinne des Briefempfängers (vArnim) *das über Arndt Gesagte so freundlich als gründlich* (23. II. 1814: *IV/24, 177;* 364; Goethe hatte die Besprechungen a.scher Publikationen im ,,Preußischen Correspondenten'' vom 25. XII. 1813 sowie vom 28. I. 1814 gelesen). Aber er urteilt sehr viel ernster und durchaus beunruhigt, wenn er fast gleichzeitig zu JN*Ringseis über JJv*Görres und A. spricht: *Diese Männer werden die Kluft* – gemeint ist der konfessionelle Gegensatz – *zwischen dem nördlichen und südlichen Deutschland noch erweitern* (März/April 1814: *Bdm. 2, 224*). Dem vertraut gewordenen Freunde S*Boisserée wird er im August 1815 ein von dem poetisch ambitiösen preußischen Major Fv*Luck stammendes Spottgedicht ,,gegen die Arndtsche Dreieinigkeit'', gemeint sind Wellington, Blücher und der Herrgott, rezitieren und dabei auch die eine, eben ,,nur für Vertraute'' bestimmte Strophe nicht verschweigen, die davon handelt, daß ,,Gott der großen Schrift (GOTT) nicht wert, dieweil er nicht freiwilliger Jäger geworden, das Schießgewehr auf die Schultern genommen hat und in den Landsturm ausgezogen ist'' (Bdm. 2, 320). Am 8. III. 1826 formuliert Goethe in einem Gespräch mit FW*Riemer, wobei von Napoleon die Rede war und davon, daß er Riemer auf dem Felsen von Helena vorkäme wie *Prometheus und daß er von den übrigen Dynasten behandelt worden wäre wie Prometheus von Zeus: *Warum büßt er? Was hat er wie jener Prometheus den Menschen gebracht? Auch Licht; eine moralische Aufklärung. Er hat die Unzulänglichkeit der übrigen Regenten aufgedeckt. Er hat einen jeden aufmerksam auf sich gemacht. Den bürgerlichen Zustand des Menschen, seine Freiheit und was diese betrifft, ihren möglichen Verlust, ihre Erhaltung, ihre Behauptung hat er zum Gegenstand der Betrachtung, des Interesses von einem jeden gemacht. Er hat dem Volke gezeigt, was das Volk kann, denn er hat sich ja an die Spitze desselben gestellt (JbSKip 4, S. 44).* In diesen Worten Goethes kommt seine tiefeigene Stellung auch gegenüber dem zu flach angesetzten und zu kurz greifenden Napoleon-Haß A.s sozusagen positiv zum Ausdruck – trotzdem heißt es am 10. III. 1830 im Zusammenhang einer Erörterung der *politischen Dichtung (Sie wissen, ich bin im ganzen kein Freund von sogenannten politischen Gedichten): Doch will ich nicht leugnen, daß Arndt, *Körner und *Rückert einiges gewirkt haben ... (Bdm. 4, 232 u. 234 f.).* Das sind unbeschadet des mitschwingenden Tons von Verdrießlichkeit ob der häufig gegen Goethes vermutliche nationale Indifferenz erhobenen Vorwürfe Worte resümierender Rückschau, im langen Zeitraum und in der Tiefe immer neuer menschlicher Erfahrungen versöhnlicher, ausgleichender geworden. In der unmittelbaren Augenblicklichkeit, als solche Vorwürfe erhoben wurden, muß ihn ihre verständnislose Schärfe empfindlich verwundet haben. Soweit es sich dabei auch um Goethes Verhältnis zum *Adel handelt, darf zugleich an A.s Äußerungen im Anschluß an das Zusammensein mit Goethe in *Köln während der Rheinreise mit dem Reichsfreiherrn vom und zum Stein (vgl. 24. bis 31. VII. 1815: III/5, 172–174; ferner IV/26, 50; 51; 59–60; 66–67; I/34^I, 71–90) erinnert werden, mit denen Goethe in den Verdacht einer unziemlichen Unterwürfigkeit vor Altadligen, ja in das Licht eines *Fürstendieners*, eines *Fürstenknechtes* gedrängt wird: „Goethe war ja Minister und Exzellenz und in Wahrheit eine der exzellentesten Exzellenzen des Vaterlandes; aber hier in Köln wie? wie? Es kamen von den jungen Offizieren, die in Köln standen, einige, sich vor ihm zu verneigen, solche, deren Väter oder Vettern er kannte, Thüringer und andere, Ministersöhne, Baronensöhne, unter ihnen Wilhelm *Humboldts Erstgeborener, Jungen, vor welchen Stein, ja nicht einmal unsereiner, nicht die Mütze abgezogen hätte – und Goethe stand vor ihnen in einer Stellung, als sei er der Untere" (Ausgabe RHuch, S. 205 f.; ESchaeffer S. 23 f.). A – dessen Anwesenheit bei, mit oder neben Stein Goethe kaum übersehen haben kann, aber in keiner der erhaltenen Aufzeichnungen oder Berichtsnotizen über die Reise Nassau–Köln–Nassau, auch nicht einmal beiläufig, erwähnt! – suchte die ihm und den anderen so unglücklich und zwiespältig erscheinende „fast dienerliche" Devotionshaltung Altadligen gegenüber nicht nur als „Jugendgewohnheit, womit eine gewisse Steifheit verknüpft war", dergestalt als „in Art und Gewohnheit" liegend zu betrachten, er suchte sie mit einer von ihm namhaft gemachten

Mangelhaftigkeit seiner körperlichen Proportionen nachträglich gewissermaßen zu entschuldigen und auf eine dadurch bedingte „gewisse Steifheit und gleichsam Unbeholfenheit" zurückzuführen: „seine Beine waren am sechs, sieben Zoll zu kurz" (*Körpergestalt). – Zehn Jahre später wird Goethe die Spitzen beider Angriffe (nationale Indifferenz; Adels- und Fürstendienerei) abgebrochen haben und alles in einem ruhig sich entfaltenden, das Große im Kleinen darbietenden Bilde zusammenfassen, als ein Mensch „in der mildesten, heitersten Stimmung, durchaus über jede kleine Empfindlichkeit erhaben", dem *jedes Gewaltsame, Sprunghafte ... in der Seele zuwider*, weil *nicht naturgemäß* ist (worin zugleich die goethesche Andersartigkeit gegenüber A. ihre tiefste Formulierung findet): Gegen die nationale Indifferenz: *Ich bin ein Freund der Pflanze, ich liebe die Rose als das Vollkommenste, was unsere deutsche Natur als Blume gewähren kann; aber ich bin nicht Tor genug, um zu verlangen, daß mein Garten sie mir schon jetzt, Ende April, gewähren soll. Ich bin zufrieden, wenn ich jetzt die ersten grünen Blätter finde, zufrieden, wenn ich sehe wie ein Blatt nach dem andern den Stengel von Woche zu Woche weiter bildet; ich freue mich, wenn ich im Mai die Knospe sehe, und ich bin glücklich, wenn endlich der Juni mir die Rose selbst in aller Pracht und in allem Duft entgegenreicht. Kann aber jemand die Zeit nicht erwarten, der wende sich an die Treibhäuser.* Gegen die Adels- und Fürstendienerei: *Nun heißt es wieder, ich sei ein Fürstendiener, ich sei ein Fürstenknecht. Als ob damit etwas gesagt wäre! Diene ich denn etwa einem Tyrannen? einem Despoten? Diene ich denn etwa solchen, der auf Kosten des Volkes nur seinen eigenen Lüsten lebt? Solche Fürsten und solche Zeiten liegen gottlob längst hinter uns ... Wir werden ... diesen Herbst den Tag feiern, an welchem der Großherzog seit funfzig Jahren regiert und geherrscht hat. Allein, wenn ich es recht bedenke, dieses sein Herrschen, was war es weiter als ein beständiges Dienen? Was war es als ein Dienen in Erreichung großer Zwecke, ein Dienen zum Wohl seines Volkes! Soll ich denn also mit Gewalt ein Fürstenknecht sein, so ist es wenigstens mein Trost, daß ich doch nur der Knecht eines solchen bin, der selber ein Knecht des allgemeinen Besten ist* (27. IV. 1825: *Bdm. 3, 185 f.).*
Einer solchen Betrachtung auf höherer Ebene hatte auch A. gelegentlich schon früher sich zu nähern vermocht, freilich wohl ohne Goethe damals bereits persönlich begegnet zu sein: „Doch ragten einige hervor aus allen,

und einer so hoch, daß er in dieser kalten und leeren Zeit wie ein göttliches Wunder steht. Dies ist Goethe, der Dichter, nicht aus dieser Zeit geboren, sondern auf der einen Seite ein Bild der deutschen Vergangenheit, auf der andern ein Bild ihrer Zukunft. Wann solche Zeichen kommen, dann ist die Zukunft nicht fern. Schiller aber und Klopstock und Herder, so groß sie waren, standen doch zu sehr mit in der kranken und ungesunden Gegenwart und erinnern oft an das Eitle, Gespannte und Empfindsame derselben" („Ansichten und Aussichten der deutschen Geschichte". Leipzig 1814. ‚Im Frühling des Jahres 1813 auf der Flucht des Lebens verfasset.').

Von den späteren Schicksalen A.s, die den streitbaren Mann in immer neue Konflikte, Relegationen und Rehabilitierungen verwickelten und ihn 1848 noch in die Paulskirche führten, aber schließlich an dem Sinn der Geschichte, der Politik und Kultur in Deutschland wie in Europa und damit auch an dem Sinn des eigenen Lebenskampfes und -werkes verzweifeln ließen, nimmt Goethe bis zu seinem Tode keine Notiz mehr.   *Za*

ESchaeffer. – RHuch: EMArndt, Meine Wanderungen und Wandlungen mit dem Reichsfreiherrn vom Stein. 1925. – EWeniger: Goethe und die Generale. 1943. – WMommsen: Die politischen Anschauungen Goethes. 1948. – HRößler, GFranz, WHoppe: Biographisches Wörterbuch zur deutschen Geschichte. 1953.

Arnim (Arnym, Arnimb, Arnheim), eines der ältesten märkischen Uradelsgeschlechter, das sich von seinem altmärkischen Stammsitz (Gut und Dorf Arnim bei Hämerten/Elbe, Landkreis Stendal, nach niederländisch Arnheim/Arnhem?, 1204 erstmals dort beurkundet) herschreibt, in immer neuen Verzweigungen auch in die Uckermark, nach Pommern, Sachsen, Brandenburg, Ostpreußen, Schlesien, Hannover, Bayern, Mecklenburg ausdehnte (JPvGrundling, damals Präsident der „Königlichen Societät der Wissenschaften" zu Berlin, unterschied 1724 freilich nicht ganz zuverlässig 41 selbständige „Herren von Arnimb": Boizenburg, Beertz, Broddien, Berckholtz, Basedau, Bietkow, Bertkow, Claushagen, Küstrin, Cuetz, Dargersdorff, Ellingen, Flieth, Fredenwalde, Falckenwalde, Gerswalde, Golmitz, Gustow, verkehrt Grunow, Harnebeck, Jacobshagen, Kackstädt, Luzelow, Mahlendorff, Mihlow, Muhro, Naugarten, Nacklin, Rosenau, Sternhagen, Stegelitz, Schwaneberg, Thomasdorff, Trebenau, Warthe, Wichmannsdorff, Wegquem, Wismar, Werbelow, Zolchow, Zichow allein in der Uckermark).

Als kollektiver Namensträger passierte das preußische Regiment vA. (das 2. brandenburgische Dragonerregiment Nr 12 trug zu Ehren der vielen in der preußischen Armee dienenden und verdienten vA.s diesen Traditionsnamen dann bis in den ersten Weltkrieg hinein) am 8. II. 1806 Weimar. Goethe war diesem Regiment, in dem der Bruder des längst vertrauten Prinzen Louis Ferdinand von *Preußen: Prinz Friedrich Wilhelm Heinrich August als Oberstleutnant und Bataillonskommandeur (Grenadierbataillon) stand, eben durch den Prinzen Louis Ferdinand und durch dessen Freund, den damaligen Kapitän JEv*Gualtieri (Schwager ChrCALv*Massenbachs, verwandt auch mit Heinrichv*Kleist; nach Angaben Friederike *Bruns scheint Goethe wenn nicht gar mit dem Vater, so doch mit einem nahen Verwandten Gualtieris schon 1795 „sehr bekannt und vertraut" gewesen zu sein: Bdm. 1, 234), ferner durch den Adjutanten des Prinzen August, den damaligen Stabskapitän Cv*Clausewitz, nicht zuletzt durch den damaligen Leutnant HHGv*Hüser (dessen „Denkwürdigkeiten" mit den Angaben zu diesen Erlebnissen und ihren Nachwirkungen sind eine nicht unwichtige Quelle) besonders verbunden, um so mehr, als Goethe von dieser Zeit her auf engen Kontakt zumal mit dem Prinzen August Wert legt (III/3, 184; III/4, 138; 309; III/5, 81–83; I/36, 85; vgl. auch EWeniger S. 44; 70 f. und passim); außerdem wird kaum ohne maßgeblich dirigierende Mitwirkung Goethes gerade der Kapitän vGualtieri den Vorzug erhalten haben, Quartiergast im Haus am Frauenplan zu sein (III/3, 118).

Individuelle Träger des genealogisch so sehr verzweigten Adelsnamens vA. sind Goethe verschiedentlich, an verschiedenen Orten und zu verschiedenen Zeiten begegnet, ohne daß er sie jedesmal ausdrücklich nur namentlich erwähnte. In vielen Fällen ist nicht festzustellen, um welche Einzelpersönlichkeit es sich dabei jeweils handelt. Nicht eben wahrscheinlich ist es, daß Goethe auf der Hinreise (Juli) oder auf dem Rückweg (September/ Oktober) seiner *Schlesien-Fahrt 1790 in *Dresden Maria Henriette Elisabeth vA. (geb. 1768), alsbald verheiratete vKunheim, etwa im Hause ihrer Mutter, einer gesellschaftlich nicht gut angesehenen dresdener Offizierswitwe, oder im Hause der damals noch sehr gefeierten Schauspielerin Sophie Albrecht, geb. Baumer kennengelernt hat, obwohl sie in der Stadt als feurige, dh. wohl auch als leicht brennbare Schönheit gefeiert wurde (vgl. dazu auch Schillers energisch neutralisiertes Gedicht an sie, SäkA 2, 78 f.). ChrG *Körner, damals Oberappellationsgerichtsrat in Dresden, pflegte vor der jungen wie vor der alten Dame vA. zu warnen. Auch gab es für die gezählten Tage viel zu viel Gegenstände, die Goethe voll beanspruchten *(Antiken, Thurn, Porzellan, Gallerie, Thurn: III/2, 21;* ferner: Naturalienkabinett; weiter – weil gerade erschienen: *Kants Kritik der Urteilskraft; endlich: eigene *Elegien;* man kann überdies auf Goethes Antwort an die Schwägerin und Hausgenossin Körners JD*Stock hinweisen: *Ich bin verheiratet, nur nicht mit Zeremonie; Bdm. 1, 174).* Auch der *Major von Arnim und seine Frau,* mit denen Goethe am 8. IX. 1808 bei Frau v*Eskeles in *Karlsbad zu Mittag speiste, lassen sich eindeutig nicht ermitteln. Es handelt sich entweder um Johann August Maximilian vA. (1767–1834), kgl.-pr. Oberstleutnant a. D., verheiratet mit Wilhelmine Anna Marie, geb. vStutterheim (1785–1855), oder um Gustav Friedrich vA. (1767–1813), Major und Kommandant von Zerbst, verheiratet mit Auguste Amalie, geb. vArnim (1775–1829), oder um Hans Ludwig Friedrich vA. (1763–1825), Major a. D., Postdirektor in Sagan, verheiratet mit Dorothea Charlotte, geb. Stockmann (1767–1817), oder um August Abraham vA. (1753–1809), Major a. D., verheiratet mit Magdalena Eleonore Margarethe Louise, geb. vHolstein (1780 bis 1849), oder um Bernd Friedrich vA. (1747 bis 1814), Major, verheiratet mit Eleonore Henriette, geb. vDewitz aus dem Hause Hoffelde (1746–1819). Goethes Angaben erlauben eine genauere Identifizierung nicht *(III/3, 383).* Ebenso dunkel bleiben die Besucher vA. am 22. X. 1817*(Notizen aus *England, *Pyrmont, *Eisenach: III/6, 125),* am 11. XI. 1817 *(nach Dornburg vorüber reisend: III/6, 134),* am 9. XII. 1818 *(Der Stadtmusikus und der sublime Herr von Arnim; III/6, 271).* Dieser *sublime Herr* muß wohl identisch sein mit dem *Herrn von Arnim,* der am 14. XII. 1818 notiert wird *(III/6, 272)* und der außerdem bei dem *Maskenzug* am 18. XII. 1818 in dem Kostüm des „fabelhaften Kaisers von China": *Altoum* (Schiller: Turandot, SäkA 9, 119) auftreten sollte und auch aufgetreten ist *(I/16, 485;* vgl. dazu III/6, 273); wer aber unter den vielen A.s das ist, wissen wir nicht. Deutlichere Konturen erblicken wir erst bei den folgenden:

–, 1) Karl Otto Ludwig (1779–1861), Sohn des Joachim Erdmann vA., Directeur des spectacles/*Berlin, begegnete Goethe erstmals in *Göttingen zusammen mit seinem dort studierenden jüngeren Bruder (2) am 8. VI. 1801 (III/3, 19); dann scheint er erst wieder am 22. und 23. XI. 1813 und zwar in Weimar – er war damals *Leutnant* – Mittagsgast Goethes (der sich seiner nicht mehr sogleich und genau zu erinnern vermochte) gewesen zu sein; in seiner Begleitung befand sich ein Offizierskamerad, ebenfalls ein Leutnant: Brandt (III/5, 84 f.; vgl. dazu ebda 341); wahrscheinlich handelte es sich bei beiden sogar um militärische Einquartierung in Goethes Haus (EWeniger S. 124). Wir wissen aus anderen Quellen (Tagebuch F*Heinkes), daß Goethe damals jungen Offizieren besonders bereitwillig und aufgeschlossen Gastfreundschaft gewährte und im Umgang mit ihnen zu bezaubern verstand, was ihn freilich nicht gehindert hat, seinen eigenen Sohn August lieber nicht in Felduniform sehen zu wollen und den *Freiheitskriegen gegenüber reserviert zu bleiben (vgl. selbst die Waffensegen-Szene mit FrChr *Förster: Bdm. 2, 179; die Reserve hat der enthusiasmierte Förster allerdings nicht verstanden);

–, 2) Ludwig Joachim/Achim (1781–1831), der berühmte Bruder des Vorgenannten; in der jüngeren Generation der *Romantik eine der führenden Persönlichkeiten. Er begann als Naturwissenschaftler („Versuch einer Theorie der elektrischen Erscheinungen". Halle 1799) in *Halle (Verbindung mit JF*Reichardt in *Giebichenstein; auch mit L*Tieck) und in *Göttingen, wo er im Juni 1801 – schon *früher bekannt und verwandten Sinnes (I/35, 96)* – teils in Begleitung des Mediziners und Chemikers ThFA*Kestner (5. Sohn von *Werthers Lotte), teils zusammen mit seinem Bruder Karl Otto Ludwig (1) Goethe sah und sprach (I/35, 96; III/3, 19). Stärker aber als durch dieses Ereignis scheint er alsbald durch die Verbindung mit dem dann lebenslang in Freundschaft und Schwagerschaft engvertrauten Clemens *Brentano bestimmt worden zu sein. Diese Verbindung hat ihn mit umstürzender Kraft von der Naturwissenschaft fort und der künstlerisch schaffenden wie auch wissenschaftlich sammelnden und forschenden Hingabe an Poesie und Literatur zugetrieben. Von großer Bedeutung dabei wurde 1802–1804 eine nach alter aristokratischer Bildungstradition, aber auch im Gefühl der eigenen Entwicklungs- wie Berufskrise unternommene „Cavalierstour" durch Süddeutschland, durch die Alpenwelt Österreichs und der Schweiz, ferner durch Frankreich und England, wodurch in einer besonderen Mischung von Heim- und Fernweh die patriotische Intention seines Wesens sich zu beherrschender Stärke erhob und ihm die Aktualisierung der deutschen *Geschichte im Sinne einer Versöhnung, eines Ausgleichs, einer Verschmelzung ihrer nicht nur konfessionell zerspaltenen Kulturimpulse zur eigentlichen, tiefsten Aufgabe wurde. Freilich bedurfte er dazu intensiver Anstrengungen, denen er sich insbesondere in *Heidelberg unterwarf (nach wahrscheinlich schon in Göttingen geleisteten oder begonnenen literarischen Vorarbeiten: „Hollins Liebesleben", 1802, dies als Nachwirkung der schillerschen „Maria Stuart"; „Ariels Offenbarungen", 1804, dies ohne sonderliche Wirkung untergegangen) und in dem Kreis der *Heidelberger Romantik (ClBrentano, Jv*Görres, auch GF*Creuzer, Jv*Eichendorff, OHGrafv*Loeben, ua.) die entsprechende Basis gab. Als Gemeinschaftswerk aller entstand 1808 die „*Zeitung für Einsiedler" (Mitarbeiter: außer den erwähnten Gesinnungsverwandten besonders J und W*Grimm, Jean Paul *Richter, F*Hölderlin, L*Uhland, J*Kerner, auch die Brüder *Schlegel, PhO *Runge, FHK de la Motte-*Fouqué, endlich L*Grimm als Kupferstecher). Als mehr persönliches Werk (gemeinsam mit ClBrentano) entstand 1805 und erschien 1806 in ihrem ersten Teil (der zweite und der dritte mit dem Anhang der „Kinderlieder" 1808) die nicht allein für die damalige Zeit beispielhaft wirkende, aber auch nicht unbestritten gebliebene Sammlung alter deutscher Lieder „Des Knaben *Wunderhorn", die mit ihren gelegentlich recht eigenmächtig redigierten *Volks- und Kunstliedern vom späten Mittelalter bis in ihre Gegenwart führte und geradezu kanonische Geltung für die *Lyrik gewann; Goethe dankte für die Widmung des Werkes („Zueignung. Sr. Exzellenz des Herrn Geheimerath von Goethe.") mit einer in herzlich anerkennenden, ermunternden, aber auch mahnenden Worten gehaltenen, *mit freundlicher Behaglichkeit ausgefertigten (I/35, 260)*, ausführlichen Rezension *(I/40,358-359):Wenn wir in diesem Sinne die vor uns liegende gedruckte Sammlung dankbar und läßlich behandeln, so legen wir den Herausgebern desto ernstlicher an's Herz, ihr poetisches Archiv rein, streng und ordentlich zu halten. Es ist nicht nütze, daß alles gedruckt werde; aber sie werden sich ein Verdienst um die Nation erwerben, wenn sie mitwirken, daß wir eine Geschichte unserer Poesie und poetischen Cultur, worauf es denn doch nunmehr nach und nach hinausgehen muß, gründlich, aufrichtig und geistreich erhalten*

(erschienen in der JALZ Nr 18 vom 21. I. 1806 und Nr 19 vom 22. I. 1806). Diese Anzeige beschäftigte Goethe schon seit dem November 1805 (vgl. Brief an *Eichstädt vom 16. XI. 1805: IV/19, 74), zu einem Brief an Achim vA. selbst (dem ersten erhaltenen) kam es gleichwohl erst am 9. III. 1806: *Durch das Wunderhorn haben Sie uns eine so lebhafte und dauernde Freude gemacht, daß es wohl billig ist, nicht dem Urheber allein, sondern auch der Welt ein Zeugniß davon abzulegen, um so mehr da diese nicht so reich an Freuden ist, um reinen Genuß, den man so leicht und so reichlich haben kann, entweder aus Unwissenheit oder aus Vorurtheil zu entbehren (IV/19, 114 f.).* Goethe glaubte dennoch zu verspüren, daß *das Wunderhorn, das ich sehr schätze, . . . keineswegs unmittelbar und augenblicklich aus dem Boden entsprungen sei (IV/20, 250).* Hier regt sich seine distanzierte Kritik an dem romantischen *Volks-Begriff, besonders an dem der Heidelberger, insbesondere Creuzers (vgl. dazu die vermeintlich weiter führenden, sachlich aber abweichenden Beziehungen zu Schillers Bürger-Rezension von 1791, SäkA. 16, 226-250, 1808 bis 1811 ausgebreitet in den „*Heidelbergischen Jahrbüchern der Literatur") und an den prinzipiellen Motiven der Romantik als programmatischer „Deutscher Renaissance" (FSchultz S. 351). Achim vA. wurde freilich durch die brandenburgisch-preußischen Akzente seines Wesens, dh. durch seine „unerschütterliche Strenge im Grundsätzlichen und in der persönlichen Lebensführung" (FSchultz S. 395) vor gefährlichen Hypertrophien bewahrt. Er übersiedelte außerdem 1809 zunächst nach *Berlin, 1814 dann (am Ende des als Hauptmann im Landsturm mitgemachten Feldzuges) auf sein Gut Wiepersdorf im südlichen Teil der Mark Brandenburg (bei Reinsdorf, Kreis Jüterbog-Luckenwalde) und kehrte also in eine herbere Atmosphäre zurück, wo er auch für englische Augen „the handsomest man in Prussia" (GDownes am 31. VIII. 1826: Bdm. 3, 285) war, während Goethe etwa gleichzeitig aber natürlich inbezug nicht auf seine Leibes-, sondern auf seine Wesensverfassung ihn fand *wie ein Faß, wo der Böttcher vergessen hat, die Reifen fest zu schlagen, da läuft's dann auf allen Seiten heraus* (am 8. VII. 1825 zu *Varnhagen von Ense: Bdm. 3, 215).* Abgesehen von Goethes mehr als starker Abstandstendenz gegenüber allem, was die Mentalität der Romantik vertrat oder enthüllte (1829: Klassisch = gesund, romantisch = krank, vgl. Bdm. 4, 81) war das Verhältnis beider persönlich durch den Auftritt zwischen

ihren Ehefrauen getrübt („Zänkerei in der Ausstellung", Charlotte vSchiller Anfang September 1811; vgl. aber Achim vA.s besonnene Zeilen vom 28. X. 1811 an W*Riemer: „Daß es Goethe leicht gewesen wäre, ohne seiner Frau etwas zu vergeben, meine Frau für ihre langgehegte fromme Anhänglichkeit tröstend zu belohnen und mit ein paar Worten für die erlittene Kränkung zu entschädigen, wird Ihnen eingeleuchtet haben ... Gern hätte ich ihm am Hofe noch ein paar Worte zum Abschiede gesagt; er vermied es aber, ungeachtet er mich freundlich begrüßte.") In diesen Zeiten bewahrt und bewährt sich die durch nichts wandelbare Verehrung des Jüngeren gegenüber dem als exemplarisch empfundenen Großen und stellt für sich selbst das auch vom anderen bereits wieder entgiftete Verhältnis ins Reine; Christiane gegenüber muß Goethe verständlicherweise noch nach fast einem Jahre betonen: *Von Arnims nehme ich nicht die mindeste Notiz, ich bin sehr froh, daß ich die Tollhäusler los bin* (aus *Teplitz am 5. VIII. 1812: IV/23, 51*). Dennoch lockert sich der Kontakt, zumindest während der Lebenszeit Christianes ruht er völlig, erst 1817 – vielleicht – knüpft Achim vA. am 22. X. 1817, nach Ablauf auch des Trauerjahres, wieder an (III/6, 125), verweilt aber im Gespräch (wenn es sich tatsächlich um Achim vA. handelte) nur bei seiner Reiseerinnerung an England, Pyrmont, Eisenach; ein weiterer Besuch mit gemeinsamen Mittagessen folgt erst am 4. XII. 1820 (III/7, 255), ein letzter am 8. II. 1826 von Paris kommend (III/10, 159). Auch seine Frau „Bettina" fand gelegentlich wieder den Weg ins Haus.
Zu Achim vA.s Werken konnte Goethe keine ganz positive Stellung finden. So sehr er das Wunderhorn schätzte, so sehr bereiteten ihm die anderen Schriften, außer der „Zeitung für Einsiedler" (als Buchausgabe: „Trösteinsamkeit, neue und alte Sagen und Wahrsagungen, Geschichten und Gedichte") zunehmendes Mißbehagen, soweit er sich überhaupt um ihre Lektüre bemühte. Die „Amores Euryali et Lucretiae" in A.s erneuernder Bearbeitung wurden zweimal gelesen (20. XII. 1808: III/3, 406; 15. V. 1809: III/4, 29). Von der Novellensammlung „Der Wintergarten" (Nacherzählungen nach alten Stoffen, 1809) sprach Goethe, wie ClBrentano am 18. VIII. 1809 berichtet, „mit ganz ungeteilter Achtung" und versicherte, „daß er es für eines der am besten geschriebenen deutschen Bücher halte, und daß es ihn durchaus erfreut habe" (Bdm. 2, 51), „die Nelsonsromanzen schienen ihm allerdings, wie die meisten Arnimschen Verse, *unklar, ungesellig und zum Traum geneigt;* bediente sich dabei des Ausdrucks: *Wenn wir, die wir ihn kennen, lieben und hochschätzen, von dieser unangenehmen Empfindung gepeinigt werden, wie darf er sich betrüben, daß andere ihn aus solchem nicht kennen, lieben und hochschätzen lernen werden (ebda 52).* Sehr wenig erfreut war Goethe, als ihm die Post „Armut, Reichtum, Schuld und Buße der Gräfin Dolores" (2 Bde; 1809) ins Haus brachte: *So mußte ich mich z. B. zurückhalten, gegen Achim von Arnim, der mir seine Gräfinn Dolores zuschickte und den ich recht lieb habe, nicht grob zu werden. Wenn ich einen verlorenen Sohn hätte, so wollte ich lieber, er hätte sich von den Bordellen bis zum Schweinkoben verirrt, als daß er in den Narrenwust dieser letzten Tage sich verfinge: denn ich fürchte sehr, aus dieser Hölle ist keine Erlösung (7. X. 1810: IV/21, 395).* „Halle und Jerusalem" (Studentisches Bühnenspiel nach A*Gryphius, 1809/1811), „Ludwig Achim von Arnims Schaubühne" (Sammlung weiterer dramatischer Arbeiten nach historischen Mustern wie Pickelheringsspiele, Puppenspiele; 1813) werden sehr summarisch abgetan in dem Sinne, wie ihn Goethe am 23. X. 1812 gesprächsweise formuliert: *Tieck, Arnim und Konsorten haben ganz recht, daß sie aus früheren Zeiten herrliche Motive hervorziehen und geltend machen. Aber sie verwässern und versauern sie nur gewaltig und lassen oft gerade das Beste weg. Soll ich alle ihre Torheiten mitschlucken? Es hat mich genug gekostet, zu werden wie ich bin; soll ich mich immer von neuem beschmutzen, um diese Toren aus dem Schlamm zu ziehen, worein sie sich mutwillig stürzen? (Bdm. 2, 158).* Deutlich wird, daß Goethe in seinem Urteil Person und Sache trennt, bei aller sich verschärfenden Ablehnung der Schriften den Autor Achim vA. als Menschen stets mit warmherzigem Wohlwollen und echter Anteilnahme aufnimmt und begleitet; über seinen Tod am 21. I. 1831 auf Wiepersdorf findet sich allerdings in Goethes Aufzeichnungen kein Wort.
–, 3) Anna Elisabeth, geb. Brentano (1785 bis 1859), seit 1811 Ehefrau des Vorgenannten (2), ist als „Bettina" für Goethe eigentlich nur in der Zeit vor ihrer Ehe oder in der Erinnerung an diese Zeit („Goethes Briefwechsel mit einem Kinde. Seinem Denkmal." Drei Teile. 1835) bedeutungsvoll, zumal der vielleicht von ihr provozierte Auftritt mit Christiane Anfang September 1811 einen weiteren Kontakt zunächst ver-, dann behinderte; vgl. Bettina *Brentano;

–, 4) Lucas Siegmund (1813–1890), zweiter Sohn aus der Ehe Achim/Bettina (2 + 3), Berufsdiplomat, Gesandtschaftsattaché in Portugal (Lissabon), dann in Schweden (Stockholm) ist in den Tagen 10.–15. III. 1832, in den letzten außer Bett verbrachten Lebenstagen Goethes, Tischgast im Haus am Frauenplan (III/3, 231–234); Goethe trägt ihm sozusagen als vermächtnisartiges Weistum und Motto für seine politische Berufswirksamkeit ins Stammbuch die vielzitierten Verse ein: *Bürgerpflicht. Den 6. März 1832. Ein jeder kehre vor seiner Thür, | Und rein ist jedes Stadtquartier. | Ein jeder übe sein' Lection, | So wird es gut im Rathe stohn (I/5^I, 153)*. Za Zedlitz S. 137–141. – NDB 1(1953), S. 365–368 EWeniger: Goethe und die Generale. 1943.–FSchultz: Klassik und Romantik der Deutschen. Zweiter Teil. ²1952. – HULenz: Das Volkserlebnis bei Arnim. 1938.

Arno, den oberitalienischen Fluß, der am Monte Falterona entspringt und bei Pisa ins Ligurische Meer mündet, muß Goethe während seines Aufenthaltes in *Florenz am 23. X. 1786 und wohl auch im Mai 1788 wiederholt überquert haben. *Man kann ... jedem Pfad nachgehen, den Hügel von Fiesole besteigen, den Arno verfolgen, bis wo er sich ferne zwischen Höhen verbirgt und nur noch aufsteigende Dünste seinen Lauf verrathen (Zwei Landschaften von Philipp Hackert: I/48, 127)*.   Za

Arnold, Georg Daniel (1780–1829), in *Straßburg geborener und hauptsächlich dort wirkender elsässischer Dichter, Schriftsteller, Rechtslehrer und Verwaltungsbeamter. Nach Studien in Straßburg und *Göttingen und Bildungsreisen durch Deutschland (Weimar; Besuch zuerst bei Schiller, dann bei Goethe, dem A. im Briefe Schillers vom 9. VII. 1803 empfohlen wird), *Frankreich (*Paris), *Italien und *England wurde er Professor der Rechte in *Koblenz (1806–1809) und Straßburg (1809 bis 1829). Der anfänglichen Begeisterung für das revolutionäre Frankreich ließ die Terror-Periode und der zeitweilige Totalitarismus der *Revolution eine Entfremdung folgen; doch band die Ordnung des Kaiserreichs und später das Eindringen der Alliierten auf französischen Boden A. wieder in rückhaltloser Betätigung an Frankreich; der große straßburger Präfekt Lezay-Marnésia schätzte und förderte A., die Regierung ernannte ihn zum Dekan der juristischen Fakultät. Dabei blieben A.s Beziehungen zum kulturellen Deutschland, auf die auch der Brief Schillers hingewiesen hatte, unbeeinträchtigt. Neben rechtswissenschaftlichen, zT. lateinisch abgefaßten Arbeiten veröffentlichte A. deutsch oder französisch geschriebene literarische Studien, deren eine, in

*Millins „*Magasin encyclopédique" (1806), sich für die Kenntnis Goethes in Frankreich einsetzte; auf literarisch-schöpferischem Gebiete wurde er der Autor deutscher Gedichte in einer gepflegten, doch unselbständigen, nicht bis zum Dichterischen vordringenden Sprache und des „Pfingstmontags" (anonym, Straßburg 1816), eines Lustspiels in straßburger und, stellenweise, oberelsässischem Dialekt. 1829 erlag er, noch nicht fünfzigjährig, einem Schlaganfall; er hinterließ mit Recht das Andenken an einen wertvollen Menschen und vielseitigen Geist, wie ja schon 1820 KFGraf v*Reinhard in lobendem Sinne aus Straßburg an Goethe über ihn berichtet hatte. [Reinhards Urteil von Goethe übernommen (1821: I/41^I, 242), mit Streichung des „zu" vor *vielen Seiten.*] – „Der Pfingstmontag" ist von A. vor die Revolution verlegt worden, welche die stadtpolitische Hierarchie, die im Stück eine gewisse Rolle spielt, abgeschafft und eine stärkere Durchsetzung des elsässischen Wesens mit französischer Art herbeigeführt hatte; obwohl die eigene Zeit bejahend, wollte der Verfasser ein Bild der Vergangenheit festhalten; vielleicht erschien ihm auch die Gegenwart noch zu sehr von der Revolution mit ihren Folgen und Problemen beschwert, um der geeignete Rahmen für eine nie wirklich bedrohte und nur mit Familienfragen beschäftigte Lebenslust zu sein. Die Handlung des Stückes spielt im mittleren straßburger Bürgertum, erinnert mit ihrem Zentralmotiv des Kampfes um einen landfremden Geliebten (den Deutschen Reinhold aus Bremen) an *Hermann und Dorothea* und läßt zwei Liebespaare (Lissel-Reinhold, Klärel-Wolfgang) schließlich doch vereinigt werden; eine Nebenhandlung macht zwei andere Paare glücklich. Der straßburger und überhaupt der elsässische Charakter, wie er sich als Synthese aus den sehr gut gesehenen und mit suggestivem Können gezeichneten Gestalten ergibt, zeigt sich auf der Grundlage seiner ungebrochenen, starken, manchmal ungenügend überwachten Vitalität recht erdennahe, geld- und familienstolz, geistigen Strebungen nicht sehr aufgetan. Doch stehen dem allem liebenswerte Eigenschaften gegenüber: Tatkraft, nicht nur gesunder, auch gütiger Menschenverstand, elterliche Hingabe, Kindesdankbarkeit, mutige junge Liebe, Dienst am Gefühl und Gedanken. Allein das Verhältnis der geistig-seelischen Elemente, die im Stück in Erscheinung treten, ist so, daß die Atmosphäre nur allzu oft etwas Bedrückendes hat. Ohne einige seltene Lichtblicke in den ersten vier Akten und den versöhnlichen Abschluß im fünften Akt würde der „Pfingstmontag" mit seinem vielen Allzumenschlichen eine erbarmungslose Kritik des elsässischen Menschentyps darstellen. Der in sehr gewandt gehandhabte *Alexandriner gegossene Dialekt wirkt außerordentlich echt, auch wo er, wie Reinhold sagt, „des Geschmackes Schranken überschreitet"; die hochsprachlichen Teile, ein Gemisch aus Hagedorn, Schiller und lutherischem Pfarrerpathos, machen einen weniger wahren Eindruck, selbst als Ausdrucksweise junger Idealisten des endenden 18. Jahrhunderts. Das episch verweilende Stück mit der Lösung seines Knotens hinter der Bühne darf nicht als dramatisches Werk beurteilt werden, sondern ist als Zustands- und Charakterschilderung in der Art einer Reihe von „Fraubasengesprächen" (einer Gattung der straßburger Dialektliteratur) aufzufassen. „Das Bezwecken eines lebhaften dramatischen Interesses mußte … außer dem Plane des Verfassers liegen", da „feierliche, pathetische und sentimentale Auftritte" sich mit dem Dialekt nicht recht vereinigen lassen, dessen „lebendige Darstellung" A.s literarischer Hauptzweck war („Pfingstmontag", Vorbericht). Die straßburger Leserschaft nahm das Werk verständlicherweise nicht mit ungeteiltem Beifall auf (Brief A.s an Goethe, 28. VIII. 1822). – Stammes- (1811: I/36, 72 und 1817: I/36, 129 f.) und Temperamentverwandtschaft (I/28, 57; 326), eigene Erinnerungen an das *Elsaß (1820: I/41ᴵ, 165), Freude an dem *bedeutenden straßburger Dialekt (ebd. 147)* führten 1817 Goethe zu eingehender Beschäftigung mit dem Stück (I/36, 130); 1820 schickte er ein Exemplar an JS*Boisserée (IV/32, 245). Alle Aspekte des Lustspiels ins Auge fassend, sprach er *(I/36, 130)* sein *Behagen daran aufrichtig und umständlich aus:* in *KuA*, 1820, 1821 (I/41ᴵ, 147–168, 242–244). Doch war er dabei, wie er es selbst fühlte, nicht ganz unbestochen (ebd. 165), so wenn er *die Anlage des Ganzen* als *wirklich dramatisch* bezeichnet *(ebd. 162)*, ohne die undramatische Durchführung zu erwähnen, oder einen doch wohl etwas unverdient hellen Gesamteindruck von der Menschenwelt im Stücke entstehen läßt. Goethe lehnt es mit Recht ab, aus den guten, ohne alle Hemmungen sich äußernden menschlichen elsässisch-deutschen Beziehungen, aus der Tatsache, daß *deutsche Cultur und deutsche Sitten überwiegend* sind *(ebd. 243)*, und aus dem Umstand, daß die lächerlichste Figur des Lustspiels zugleich als einzige französisch beeinflußt ist (der Lizentiat Mehlbrüh), politische Folgerungen zu ziehen. Er betont im Gegenteil,

daß der Elsässer *im politischen Sinn sich gern als Franzose betrachtet (ebd.)*. Doch irrt er, wenn er darin nur eine negative Haltung erblickt, die er als Abneigung gegenüber der *germanischen Zerstückelung* erklärt, da sie doch weitgehend auf einem Positivum beruht, der Bejahung französischer Revolutionsideen (Goethes *französischen Superstitionen, ebd.*). Die Besprechung Goethes brachte die in Straßburg geäußerten Kritiken des „Pfingstmontag" zum Verstummen, wie A. es in seinem Dankschreiben Goethe mitteilte (am 28. VIII. 1822). In einem zweiten Brief (vom 9. IX. 1828) sprach er diesem das Bedauern aus, daß er ihm zu gegebener Zeit kein Doktordiplom der Universität Straßburg habe überreichen können, da das „Recht, Ehrendiplome zu erteilen", in Frankreich nicht mehr bestehe. – Goethe ließ 1822 durch FThAHv*Müller (IV/36, 183), 1826 durch ChrM*Engelhardt (IV/40, 287) Empfehlungen an A. übermitteln.   *Fu*

Arnold, Gottfried (1666–1714), pietistischer Theologe und Kirchenhistoriker von eigentümlich radikaler Grundhaltung gegenüber den institutionellen Formen des Christentums. Für den Pietismus wurde er durch Philipp Jakob Spener gewonnen. A., der nicht frei von einem Hang zur Schwärmerei war, geriet wiederholt in Spannungen zur Kirche, bekleidete 1697–98 eine Professur für Geschichte in Gießen, legte diese aber nieder, weil er auch in dem Universitätsleben wahre Christlichkeit vermißte. Nach einigen Übergangsjahren ohne öffentliche Ämter entschloß er sich 1701/02 in *Allstedt bei der Herzogin von *Sachsen-Eisenach zu wirken, 1705 ging er nach Werben, 1707 nach Perleberg, um zugleich die Aufgaben eines Pastors und Inspektors zu versehen. In seinem dortigen Amt wurde er auch zum brandenburgischen Historiographen ernannt. Seine anfänglich so radikalen Auffassungen gegenüber Christentum und Kirche milderten sich mit zunehmendem Alter. 1714 starb er plötzlich. Sein Hauptwerk freilich: „Unparteiische Kirchen- und Ketzerhistorie". 4 Bde. Frankfurt 1699/1700 ruht durchaus auf dem Leitgedanken, „daß Frömmigkeit und Kirche, Religion und Recht, Erlebnis und Dogma unvereinbar sind, so daß alle Objektivationen des Religiösen als Verfallserscheinungen gewertet werden" (PMeinhold). Goethe hat ausschließlich dieses Werk des sehr umstrittenen Mannes gekannt und benutzt, und zwar für die Arbeit am *Faust: Einen großen Einfluß erfuhr ich von einem wichtigen Buche, das mir in die Hände geriet, es war Arnolds Kirchen- und Ketzer-Geschichte. Die-*

ser Mann ist nicht ein bloß reflectierender Historiker, sondern zugleich fromm und fühlend. Seine Gesinnungen stimmten sehr zu den meinigen, und was mich an seinem Werk besonders ergötzte, war, daß ich von manchen Ketzern, die man mir bisher als toll oder gottlos vorgestellt hatte, einen vorteilhaftern Begriff erhielt (DuW: I/27, 217).   *Za*

Arnold, Theodor (Lebensdaten nicht ermittelt), Übersetzer des *Koran nach der englischen Übersetzung von George Sale, London 1734. Goethe verwertete A.s Koran, Lemgo 1746, im Divan (I/7, 287).   *Za*

Arnouville, Jean-Baptiste Machault d' (1701 bis 1794), französischer Großsiegelbewahrer, in *Rameaus Neffen* von *Diderot erwähnt (1805: I/45, 73).   *Fu*

Arnstadt, Stadt am Nordrand des Thüringer Waldes, Hauptort der Oberherrschaft des ehem. Fürstentums Schwarzburg-Sondershausen, 1771: 4507 Einwohner, von Goethe auf seinen Reisen nach *Ilmenau 1776 und 1779 berührt (III/1, 12; 83).   *Eb*

Arnstein (Kloster a. d. Lahn). Am 23. VII. 1815 kam Goethe mit LW*Cramer auf dem Wege von *Holzappel nach *Nassau an dem seit 1803 wegen der allgemeinen Säkularisation aufgehobenen Kloster A. des Prämonstratenserordens vorbei, das auf felsiger Höhe über der Lahn am Ort Obernhof liegt. Goethe, der sich damals mit der Theorie der Gangbildung besonders beschäftigte und sich in Holzappel im Gespräch mit Bergrat *Schneider über dessen Ansichten über das Verwerfen der Erzgänge unterrichtete, *hatte das Glück im Lahnthal einer aufgehobenen Abtei ungefähr gegenüber, auf einer verlassenen Halde Thonschieferplatten mit kreuzweis laufenden sich mehr oder weniger verschiebenden Quarzgängen zu finden (I/36, 98).* Die Halde rührte her von einem früheren Versuchsstollen im Feld der Grube Leopoldine Louise.   *Ba*

Arnswald, 1) Christoph Friedrich von (1723 bis 1794), weimarischer Kammerherr und Oberforstmeister in Zillbach, zuletzt Geh. Rat und Landjägermeister, begegnete Goethe auf dessen in Begleitung Carl Augusts unternommener Inspektionsreise in die Rhön im September 1780: *Der Herzog liest, Stein raucht mit Arnswalden eine Pfeife* (Kaltennordheim 13. IX. 1780: IV/4, 289). In dem Zillbacher Holzabgabestreit zwischen Sachsen-Weimar und Sachsen-Meiningen, mit dem sich auch Goethe amtlich zu befassen hatte, spielte A. eine maßgebende Rolle.   *Hk*

WFlach: Goethes Mitwirkung zum Zillbacher Holzprozeß. In: Goethe Bd 16 (1954).

-, 2) Karl Ludwig Bernhard von (1807-1877), Sohn des Oberforstmeisters Carl August vA. in Eisenach und Enkel des Vorgenannten, wurde 1828 Sekondleutnant im 1. Linien-Inf.-Bat. in Weimar, wo er am 17. V. 1831 Goethe besuchte, *seine Miniaturzeichnung vorweisend (III/13, 79).* Von A. stammt eine 1826 entstandene Zeichnung vom Junozimmer im Goethehaus am Frauenplan. 1840 wurde der künstlerisch begabte Offizier Kommandant der *Wartburg, an deren Erneuerung durch den Großherzog Carl Alexander er mitbeteiligt war; zuletzt war er Oberstleutnant und Oberschloßhauptmann auf der Wartburg.   *Hk*

Arrancy, französisches Dorf in den *Argonnen, 1792 von Goethe berührt (I/33, 20).   *Fu*

Arrigoni, Anton (1788-1851), Maler von Theaterdekorationen, Landschaftszeichner und -aquarellist, tätig in *Dresden, fertigte für den König August III. zusammen mit TFaber Ansichten sächsischer Gegenden, von denen Lithographien in Goethes Kunstsammlung gelangten.   *Lö*

Schuchardt 1, S. 106. - ThB 2 (1908), S. 154.

Arrone, Flüßchen, das den *Lago di Bracciano zum *Tyrrhenischen Meer hin entwässert. Goethes Rückweg aus *Rom am 24. IV. 1788 führte ihn vermutlich nahe an seinen Ufern vorbei (I/32, 480).   *Za*

Artaria & Fontaine, Kunsthandlung und Verlag für Notendruck in Wien, Buch- und Kunsthandlung in Mannheim. Die Stammfirma A. ist italienischen Ursprungs. Carlo A. (1747 bis 1808) und Francesco I A. (1744-1808) aus Bergamo gründeten 1771 mit kaiserlicher Handelskonzession in Wien eine Kupferstich- und Gemäldehandlung, die, seit 1776 vorwiegend als Musikalienhandel weitergeführt, ab 1778 auch einen eigenen Verlag für Notendruck umfaßte, in dem der Druck mit Zinkplatten eingeführt wurde. Die Hauptautoren dieses Verlages waren *Haydn, *Mozart und *Beethoven. Nach Rückkehr der beiden Gründer nach Bergamo übernahm Dominikus III A. (1775-1842) das Geschäft. Der aus dem 1765 von Giovanni Casimiro A. (1725-1797) gegründeten mainzer Geschäftshaus stammende Dominikus II A. (1765-1823) war vorübergehend in der wiener Firma tätig, ging jedoch 1793 nach Mainz zurück und verlegte das Geschäft nach Mannheim, wo er durch Einheirat seines Sohnes Karl (1792-1866) in die Familie Fontaine seit 1816 mit diesem die Firma Kunst- und Verlagsbuchhandlung A. & F. leitete, die bald europäischen Ruf genoß. Auch die Brüder *Boisserée standen mit der Firma in Verbindung. Nach dem Tode des Dominikus II A. 1823 wurde das

Geschäft von den Söhnen noch bis nach der Mitte des Jahrhunderts weitergeführt. Danach kommt als Geschäftspartner Goethes bis 1823 Dominikus II und danach Karl A. in Frage, da der meist als Korrespondent angesehene Dominikus III A. in Wien tätig war.

Goethe besuchte erstmals 1815 gemeinsam mit dem Herzog Carl August die mannheimer Firma (III/5, 184) und eröffnete damit eine langjährige, wenn auch gelegentlich getrübte Geschäftsverbindung. Am 10. XII. 1816 mahnte Goethe *ein Exemplar seiner* (des A.) *neuen *Poussins, wie auch noch zwey andere neue Blätter* an *(IV/27, 268)*, die *Gmelin bei A. für Goethe bestellt hatte (IV/27, 267). Im Dezember 1817 berichtete Goethe an den Großherzog von einem *Arrangement* mit A. *(IV/28, 332)*. Eine größere Sendung von A. traf im Februar 1818 bei Goethe ein (III/61, 69), wurde mit August von Goethe geprüft, gab zu weiteren Studien der eigenen Sammlungsbestände Anlaß (III/6, 175) und wurde nach Auswahl einiger Stücke zurückgesandt (III/6, 178), da die Preise höher waren, als Goethe sonst zu zahlen gewohnt war, oder einige Blätter beschnitten waren (IV/29, 71). Der weimarer Hof subskribierte nach Übereinkunft mit dem Bruder des Dominikus A., der 1818 *mit allerley alterthümlicher Trödelwaare* in Weimar war *(IV/29, 161)*, zugunsten der großherzoglichen Bibliothek (IV/29, 71) auf eine von A. herausgegebene Porträtfolge (III/7, 160), von der im November 1823 die ersten Blätter – Goethe, *Schiller, *Wieland und *Herder – betrachtet werden konnten (III/9, 141). Ein Jahr darauf ist ein Mitglied des Hauses A. – wohl Karl – bei Goethe, *seine mitgebrachten Kunstwaaren vorzuzeigen erbötig (III/9, 301)*. Auch 1828 wurde Goethe von diesem Geschäftsmann aufgesucht *(III/11, 226 f.), neuere und ältere Kunstwerke zeigend*, aus denen Goethe sich die *Madonna mit dem jungen Tobias* (vermutlich Raffaels Madonna mit dem Fisch, Madrid, Prado, von 1513) auswählte *(III/11, 232)*, während die *Artariaschen Hefte* – Lithographien nach Bildern der Sammlung Boisserée – weiter bezogen wurden *(III/11, 93)*. Schon 1825 war eine Zeichnung *Guercinos bei A. gekauft (IV/40, 222) und – wohl mit anderen Stücken zusammen – am 12. I. 1826 mit 55 rh. Gulden bezahlt worden; weitere Bestellungen bringen die folgenden Jahre, ua. eine „Mannalese" von Agostino *Veneziano nach *Raffael am 3. VII. 1827 (IV/42, 244), die der Sammlung eingereiht wurde. Zu Anfang 1829 scheint es zu Schwierigkeiten gekommen zu sein, da bei A. einige bestellte Fortsetzungen zurückgeblie-

ben waren, doch kam mit der Überweisung von 1000 rh. Gulden am 3. III. 1829 ein Geschäftsabschluß zustande (III/12, 32), so daß die bestellten *Continuationen* an die Bezieher ausgeteilt werden konnten *(III/12, 38)*. Neben zahlreichen Kupferstichen nach italienischen Meistern wurden verschiedene Werke durch A. bezogen, so eines über die Insel Rhodus, einige Bände der *Bibliothèque universelle* und „ein französisches Buch von neuen Erfindungen".

Lö

ThB 2 (1908), S. 159. – MGG 1 (1949), S. 730. – Schuchardt (1848), S. 59. – BrMeyer 1. Als: SGGes. 32. S. 490–91.

Artemis-Verlag. Nachdem der Insel-Verlag in der Großherzog-Wilhelm-Ernst-Ausgabe den goetheschen Werken eine Gestalt gegeben hatte, die allen bibliophilen Wünschen in textlich einwandfreier Form Rechnung trug, blieb der Besitz einer solchen Ausgabe der Wunsch vieler Goethe-Freunde. EBeutler ist diesen Wünschen nachgekommen, indem er während des zweiten Weltkrieges eine neue Edition vorbereitete und als „Gedenkausgabe der Werke, Briefe und Gespräche" im Artemis-Verlag in Zürich seit 1945 erscheinen ließ. Die Ausgabe umfaßt 24 Bde (Dünndruckpapier).   *St*

Arth (Art), den Ort am Südende des *Zuger Sees, sah Goethe *rechts im Winkel* liegen, als er von *Küßnacht kommend am 7. X. 1797 *die Höhe der kleinen Erdzunge erreichte, welche den Vierwaldstätter und den Zuger See trennt.* An der Stelle, die zum Umblick einlädt, steht eine *Capelle zum Andenken von Geßlers Tod (III/2, 184)*.   *Za*

Artis, Edmund Tyrell, englischer Gelehrter. Sein Werk „Antediluvian Phytology, illustr. by a collection of the fossil remains of plants, peculiar to the coal formations of Great Britain" wird im Tagebuch Goethes vom 30. III. 1826 erwähnt (III/10, 179).   *Sn*

Artischocken. Eine von Goethe sehr geschätzte Delikatesse. *Dieses Essen ist meine Leidenschaft (IV/25, 22)*, bekennt er gegenüber JFH*Schlosser in Frankfurt, der ihn viele Jahre lang mit reifen Früchten versorgte; und zur Entschuldigung für sein dringliches Verlangen nach A. führte er an, *daß wir, durch unsere botanischen Leistungen berühmt, von der Zeder bis zum Issop alles lebendig, womöglich blühend und fruchtend, vorzuzeigen bemüht sind, auch im culinarischen Fache zu völliger Zufriedenheit der Tafeln Pisang, Ananas und so herunter abzuliefern im Stande, demohngeachtet aber eine Artischocke, wie sie seyn sollte, zu produciren nicht vermögen. Es ist also auf einen Scherz abgesehen, wenn ich, wie unsere Frankfurter*

Gegend dieses edle Gewächs hervortreibt, zum Anschauen und Geschmack bringen möchte (IV/ 33, 153). Auf seinen beiden Rhein-Main-Reisen 1814/15 schwelgte Goethe im Genuß dieses Leckerbissens und im Vorgefühl solcher Tafelfreuden schrieb er schon auf der Hinfahrt aus Hanau an Christiane: *Ein Liebchen ist der Zeitvertreib, auf den ich jetzt mich spitze, | Sie hat einen gar so schlanken Leib und trägt eine Stachelmütze (IV/25, 4).* Von den zahlreichen Geburtstagsgeschenken 1814 in Wiesbaden machte ihm anscheinend *eine ungeheure Schachtel mit Artischocken Früchten und Blumen (IV/ 25, 26)* als Gabe der frankfurter Freunde besondere Freude. *Die übersendeten Stachelköpfe schmeckten* ihm jedesmal *fürtrefflich (IV/36, 210)* und an Jv*Willemer, der ihn gelegentlich auch mit A. versorgte, schrieb er im August 1824: *Die Artischocken sind glücklich angekommen und zwar nach Tische, wo ich einige Gewächse aus dieser Sippschaft in Größe eines Taubeneies verzehrt hatte; da denn freylich der Unterschied des vegetabilen Vermögens zwischen hier und meiner Vaterstadt gar merklich auffiel (IV/38, 218).*   Ba

Arundel, Thomas IV. Howard Earl of (1586 bis 1646), Lordmarschall unter König Jakob I. und Karl I. von England, feinsinniger und allseitig gebildeter Sammler von Antiken und Förderer antiquarischer Studien. Seine umfangreiche Sammlung antiker Skulpturen, die ‚Arundelian Marbles‘, darunter Originale aus dem griechischen Archipel, war neben derjenigen Karls I. „des besten Kunstkenners, den es je auf einem Thron gegeben hat“ (Ranke), die bedeutendste im damaligen England und hat wesentlich dazu beigetragen, die Idee des klassischen Altertums im Bildungsleben Englands zu verankern, für dessen Ausprägung die lebendige Verbindung von Naturforschung, Geschichte, Archäologie, Philologie, Theologie, Philosophie und der gleichzeitigen Kunst so bezeichnend ist. In diesem Zusammenhang war von weittragender Bedeutung, daß ein Schützling A.s, der Architekt Innigo Jones (1572–1651) *Vitruv und *Palladio studiert und mit Anmerkungen versehen herausgegeben hat und somit den Grund gelegt hat für den Palladianismus des späteren 17. und 18. Jahrhunderts, der auch nach Deutschland (vgl. Knobelsdorff) hinüberwirkte. Lord A. hatte selbst den Süden Europas bereist (1607–1611 und 1613–1614) und eine Anzahl von Künstlern und Gelehrten ausgesandt, antike Monumente, darunter auch Inschriften, zu sammeln. Nach seinem politischen Sturz in England (1642 geht er außer

Landes) zerstreute sich seine große Sammlung, teils ins Wilton-House, teils nach Oxford (Marmorea Oxoniensia, von Chandler 1763 publiziert) und anderswohin. Für Goethe wurde die Gestalt wichtig, als er sich bei Bekanntwerden der *Parthenon-Skulpturen, die Lord *Elgin nach London brachte, mit der Geschichte der antiken Studien in England beschäftigte und bei James Dallaway, ‚Arts in England‘ (3 Bde 1800), einer *Kunstgeschichte phrasenhaft aber nicht schlecht, als das höchst Interessante* dieses Buches fand, *wie in England die Liebe der plastischen Reste begonnen und überhand genommen. Lord Arundel steht oben an ...* (1817: *IV/28, 293*).   Hm
Grumach S. 500 f. – Stark S. 124 f.

Arve, von den Wassern des *Montblanc-Massivs gespeister linker Nebenfluß der *Rhone, den Goethe 1779 berührte (I/19, 241–253 passim). Mit dem *schönen Wasserfall auf Staubbachs Art,* den die Reisegesellschaft beim weiteren Marsch durch das A.-Tal bemerkt, den Goethe aber nicht nennt, dürfte wohl die Cascade d'Arpenaz gemeint sein, die *bei hohem Sonnenschein* gewiß *weder sehr hoch noch sehr reich* sein kann, weil sie wie die A. selbst nur bei Regen schön ist *(ebd. 244).*   Fu

Asch, die böhmische Stadt nördlich Eger am Fuße des Hainberges, nahe der bayrisch-sächsischen Grenze, war während der zahlreichen Reisen Goethes nach und von *Böhmen Poststation. Goethe durchquerte A. zum erstenmal am 30. VI./1. VII. 1806 auf dem Hinweg. Um sich den verdrießlichen Abend zu verkürzen, besuchte er mit FC*Riemer *Kotzebues Stück: Hussiten vor Naumburg, das von einer Wanderbühne in einer Scheune aufgeführt wurde. Doch auch diese Aufführung konnte nicht zu einer Erheiterung der Gemüter beitragen.
Am 6. VIII. 1806 auf der Rückfahrt; er fand den Ort *schmutzig ... den Gasthof höchst schlecht bestellt, da der Postmeister über Feld gegangen war (III/3, 153 f.).* Auch in den nächstfolgenden Jahren (1807; 1808; 1810; 1811; 1812) ist der Eindruck nicht erfreulicher: *Dieser Ort ist noch der abscheulichste in der ganzen Christenheit (III/4, 278).* Später (1818; 1819; 1820; 1821; 1822; 1823) tritt mehr das Interesse für die Persönlichkeit des Postmeisters in den Vordergrund: *In Asch verweilten wir bey dem Postmeister, welcher viele alte und neue Geschichten erzählte (28. VI. 1821: III/8, 83); Begrüßte mich der Postmeister Langheinrich nach seiner Weise derb, lebhaft und wohlgesinnt. Ein Gedicht ward mir von einem hiesigen Naturdichter, einem Mautbeamten und gar*

guten Manne von etwa 58 Jahren überreicht, den ich lange sprach und ihn durch manches erfreute (III/9, 67 f.). Auf der Rückreise (11. IX. 1823), der letzten überhaupt, traf Goethe in A. diesen *Naturdichter* nochmals: *von demselben ein Gedicht erhalten nach meinem Angeben (III/9, 114).*   *Za*

Aschenbrenner, Marie (gest. 15. VIII. 1819 Stuttgart). Schauspielerin, seit 1792 für edle und komische Mütterrollen am frankfurter Nationaltheater, wo sie Goethe 1797 sah und sich auf seiner Liste von frankfurter Schauspielern notierte. Sie ging 1798 nach Stuttgart, wo sie bis zu ihrem Tode blieb.   *EF*

Ascherofen/Ascherhofen, ein Wäldchen in der Nähe der *Hohen Schlaufe (*Ilmenau), durchquerte Goethe während eines Ausfluges am 18. III. 1779: *nach Stüzzerbach. auf den Gickelhahn, Ascherofen, Schwalbenstein (III/1, 83).*   *Za*

Aschersleben, Stadt vor dem nordöstlichen *Harz, berührte Goethe im Herbst 1789, als er die Herzogin Luise zu Carl August, der seit 1788 in preußischen Diensten als Generalmajor Chef des bisherigen Kürassierregiments von Rohr ist, in dessen dortige Garnison begleitete (IV/9, 155) und dann nach *Thale weiterfuhr, um abermals über A. nach *Leipzig zu reisen. Die vierte Harzreise führte ihn mit FA*Wolf Ende August 1805 auf dem Rückwege nach *Halle wiederum durch A., ohne daß er sich Zeit dafür nehmen konnte (IV/19, 50).   *Za*

Ascherson, (Vornamen und Lebensdaten nicht bekannt) Juwelier und Kunsthändler in Magdeburg. Von ihm notiert Goethe am 26. II. 1819: *Junger Juwelier und Kunsthändler von Magdeburg. Beschäftigung mit seinen geschnittenen Steinen… Studium der Abgüsse der Gemmen des Magdeburgers.* Am folgenden Tag besuchte ihn der Goldschmied nochmals im Hause am Frauenplan *(III/7, 20).*   *Hm*

Asien, schon im Altertum nach assyrisch Aszu = Aufgang (der Sonne) antithetisch zu ebenfalls assyrisch Ereb = Dunkel (auch griechisch ἔρεβος = Dunkel, Dunkel der Unterwelt) = Europa (als Weltgegend des Sonnenuntergangs) genannt und demzufolge ein Sammelname wie das lateinische Wort *Orient, bzw. Morgenland im Gegensatz zum *Okzident, bzw. Abendland, um die ungeheure Erd- und Völkermasse dieses Weltteils ohne Rücksicht auf ihre starken, ebensowohl geographischen wie ethnographischen Differenzierungen einheitlich bezeichnen zu können. Die ebenfalls bereits alte Unterscheidung einer Asia minor und Asia maior stellt gewissermaßen eine freilich auch schon seit der

*Antike übliche Hilfskonstruktion dar. Allenthalben verbreitet ist in der communis oppinio ist die Vorstellung, daß A. im Kreise der Alten Welt (*Europa, *Afrika, Asien) der dritte, unter Einbeziehung auch der Neuen Welt (*Amerika) der vierte Erdteil ist: ,,Gegen Morgen stößt es an das Chinesische Meer. Gegen Abend an Europa und Africa, von welchen beyden es durch das Schwartze, Mittelländische, und rothe Meer abgesondert wird. Gegen Norden hat es das Eiß-Meer, und gegen Mittag das Indianische Meer. Man rechnet vom Hellespont biß an Malacca, auf der äußersten Spitze von Indien 1300. Teutsche Meilen. Vom Archipelago biß an das Chinesische Meer 1750. und von Malacca biß an die Tartarische See 1550. Meilen. Es wird in groß- und klein Asien eingetheilt. Zum Erstern gehört die Große Tartarey, das Türckische Reich, Persien, das Reich des großen Mogols, sonst Indostan. Die zwey Indianische Halb-Insuln dieß- und jenseit des Ganges, und China. Dazu dann auch die Insul Japan, ingleichen die Maldivischen, Moluccischen, und Philippinischen Insuln, nebst der Insul Ceylon gerechnet werden'', so wird, noch gültig für mehr als die erste Hälfte der Goethezeit, diese communis oppinio formuliert (WDeer: Vollständiges Lexicon Der Alten Mittlern und Neuen Geographie. Leipzig 1730. S. 77). In großer Linienführung, dem *Koran folgend, drücken selbst Goethes weitgespannte Altersverse (*Talismane) diese an und für sich ja naheliegende globale Konzeption im Sinne eines religiös-kosmischen Menschen-, Erd- und Weltverständnisses aus: *Gottes ist der Orient! | Gottes ist der Occident! | Nord- und südliches Gelände | Ruht im Frieden seiner Hände (I/6, 10).* Im einzelnen suchte sich Goethe über die Grenzen dessen hinaus, was auch für das heutige Bewußtsein noch unter Orient fällt, besonders zu unterrichten über *China (*Chinesisch-Deutsche Jahres- und Tageszeiten), *Indien, *Japan, *Nepal, *Sumatra. Seine Hilfsmittel dabei waren hauptsächlich *Reisebeschreibungen (die er mit besonderem Interesse nicht nur an Land und Leuten, sondern auch an Fauna und Flora las), aber auch die gerade zu seiner Zeit erheblich fortschreitenden Ergebnisse der wissenschaftlichen *Orientalistik. Daß *Rußland eine Mittelstellung zwischen A. und Europa einnimmt, wußte Goethe so gut wie die Gegenwart. Aus dem Gefühl für die unüberschaubare Ausdehnung und Vielgestalt, für das bedrohlich oder nicht bedrohlich Rätselhafte und Unberechenbare, selbstverständlich auch aus einem Wissen um die tatsächliche Herkunft werden Goethe Metaphern möglich wie etwa 1831/32 *die asiatische Hyäne (IV/49, 87), das asiatische Ungeheuer (IV/49, 202; 231; 269)* für die damals epidemisch verheerende Cholera, die *sich uns immer näher drückt und schleicht* (am 9. II. 1832 schon bis *Merseburg: IV/49, 231). Für die erst seit 1779, dann aber rasch sich vermehrenden, meist unter dem sachlichen, vielfach wörtlichen Titel „Asiatische Gesellschaft" entstehenden und arbeitenden Gelehrtenvereinigungen zur Erforschung der Sprache, Literatur, Geschichte, Geographie, auch naturkundlichen Verhältnisse war Goethe lebhaft interessiert, insbesondere für die weltweit wirkende Gründung durch W*Jones (1784) sowie für das Projekt des russischen Grafen SSv*Uwarow (1811) – gerade dieses *lockte mich in jene Regionen, wohin ich auf längere Zeit zu wandern ohnedem geneigt war (I/36, 72),* während die aus der jonesschen Gründung erwachsenden „Asiatic Researches" (1788–1836), die er 1816 und 1822 aufmerksam studiert, ihm *ein Abgrund* sind, *in den man sich nicht ungestraft hineinstürzt (IV/27, 21).*   *Za*

Aspée, Jean/Johann, de l' (1783–1825), aus den sehr beschränkten häuslichen Verhältnissen einer westschweizerischen (?) Familie stammend, mußte zunächst als Maurerlehrling und -geselle verdienen. So kam er zu Bauarbeiten auf das Zähringen-Schloß Yverdon (12. Jh., am Südende des *Neuenburger Sees), wo JH*Pestalozzi auf Wunsch der Stadt Yverdon/Iferten 1805 eine zu europäischer Berühmtheit gelangte Erziehungsanstalt für Kinder aller Schichten und zugleich ein Lehrerbildungsinstitut gegründet hatte. A., der durch seinen Bildungshunger und durch seine bescheidene Zurückhaltung auffiel (nach Beginn der Schulstunden pflegte er von außen an der Klassentüre horchend mitzulernen, wobei er bisweilen das Ohr dicht an das Schlüsselloch legen mußte, um genau hören zu können), wurde durch Pestalozzi selbst so weit gefördert, daß er infolge seiner ungewöhnlichen Begabung in kürzester Frist nicht nur die Erziehungsanstalt, sondern auch das Lehrerbildungsinstitut durchlaufen konnte. A. ging dann nach Abschluß dieser fruchtbaren Lernzeit nach *Wiesbaden, um dort mit dem Willen und nach den Grundsätzen Pestalozzis und nach dessen *Pädagogik eine Elementarschule, und zwar für Mädchen (damals noch verhältnismäßig selten in Deutschland; vgl. *Anhalt-Dessau) zu gründen. Er wurde in Anerkennung seiner Verdienste herzoglich-

nassauischer Hofrat. Wahrscheinlich angeregt durch Oberbergrat LW*Cramer, dessen Tochter D., die spätere Frau St., „mit mehreren ihrer Gespielinnen" die Elementarschule A.s – „eines der besten Schüler Pestalozzis" – in Wiesbaden besuchte, wollte Goethe bereits während der Kur 1814 mit A. bekannt werden. Es mag aber auch sein eigenes, stark veranlagtes und entwickeltes Interesse für Pädagogik und pädagogische Probleme mitgewirkt haben. A. berichtet über seine wiederholten Aufwartungen bei Goethe sowie über dessen Examinationsbesuch in A.s wiesbadener Schule; „um zu verhüten, daß die frappanten Resultate dem Uneingeweihten als Auswendiggelerntes und mechanisch Eingeübtes erscheinen, forderte A. jeden Fremden und so auch Goethe zum Selbstexaminieren auf" (Bdm. 2, 269). Prüfungsgegenstände waren: „Kopfalgebra und überhaupt das Kopfrechnen, aber über alles ein Examen über deutsche Sprache." Goethe erklärte sich sehr befriedigt und „daß er zum zweiten Mal kommen will, so gut habe es ihm gefallen". Zur Verteilung an die Zöglinge sandte er dann eine Anzahl Exemplare von *Hermann und Dorothea.* Auf Wunsch der Tochter Cramer verfaßte und kalligraphierte Goethe zum Namenstag A.s ein Glückwunschgedicht: „Noch heute sehe ich im Geiste den großen Mann, wie er erst einzelne Worte in angemessenen Zwischenräumen niederschrieb und dann, die Silben mit der Federspitze zählend, die Lücken allmählich ausfüllte, zuletzt zeichnete er unter die Verse eine aufgehende Sonne und schrieb auf ihre Strahlen unsere Namen, die er sich von uns nennen ließ" (Bdm. 2, 303). Das Gedicht selber ist verschollen. Sehr viel weniger positiv sind die Äußerungen, die S*Boisserée aufzeichnet und in denen sich Goethe über *dieses verfluchte Erziehungswesen* Pestalozzis und über die Dressurkünste von dessen Pädagogik frei zu den Freunden auf dem *Geisberg und besonders auf dem Heimweg vernehmen ließ.   *Za*

Asselyn, Jan (1610–1652), Maler, wegen seiner verwachsenen Hand in der „Bent", der niederländischen Künstlervereinigung zu Rom, „Krabbetje" genannt, malte unter dem Einfluß ClLorrains Motive der italienischen Landschaft. Nach I/46, 113 fertigte *Hackert Studien nach seinen Gemälden.   *Lö*
ThB 2 (1908), S. 198.

Assisi, das altrömische Assisium in dem mittelitalienischen Umbrien, Geburtsort des augusteischen Lyrikers Sextus Propertius (*Properz), besonders aber des Heiligen Franziskus und durch diesen erst eigentlich im heutigen Sinne, auch als Bischofsstadt, namhaft geworden, besuchte Goethe am 26. X. 1786. Er *stieg unter einem starcken Wind . . . hinauf (III/1, 323)*, und zwar über Santa Maria degli Angeli (1569–1640 nach Plänen von Alessi und Vignola zu einem großartigen, freilich etwas überladenen, dreischiffigen Renaissancebau hochentwickelt, in dessen Mitte die Capella Portiuncula: das ehemalige, von Franziskus selbst errichtete Bethaus, die Keimzelle seiner Ordensgründung) und über die terrassenförmig emporgebauten Kirchenanlagen von San Francesco mit Unter- und Oberkirche (= Doppelkirche, 1228 begonnen, 1253 vollendet; die Unterkirche ist Kultuskirche über dem Grab des Heiligen geblieben, die Oberkirche ist Nationaldenkmal geworden; berühmte Fresken *Cimabues, ferner der Schulen wohl auch *Cavallinis, hauptsächlich aber *Giottos): *Die ungeheueren Substructionen der babylonisch über einander gethürmten Kirchen, wo der heilige Franciscus ruht, ließ ich links, mit Abneigung, denn ich dachte mir, daß darin die Köpfe so wie mein Hauptmannskopf* (Goethe denkt an seinen Reisegefährten bis *Perugia) *gestempelt würden (I/30, 182).* Im Reisetagebuch heißt es: (Ich) *sah des heil. Franziskus Grabstätte nicht, ich wollte mir wie der Cardinal Bembo die Immagination nicht verderben (III/1, 323).* Goethes wirkliches Interesse galt dem altrömischen, wohl augusteischen Minervatempel (Santa *Maria della Minerva*), der die besterhaltene Tempelfront der römischen *Antike in Italien darbietet; er läßt sich von einem *hübschen Jungen* führen: *und siehe, das löblichste Werk stand vor meinen Augen, das erste vollständige Denkmal der alten Zeit, das ich erblickte. Ein bescheidener Tempel, wie er sich für eine so kleine Stadt schickte, und doch so vollkommen, so schön gedacht, daß er überall glänzen würde (I/30, 182).* Dieser seiner ersten großen Begegnung mit antiker Baukunst geben zunächst *Vitruv und *Palladio das Stichwort des *Natürlichen*, mit dessen Hilfe es Goethe gelingt, der neuen und alsbald noch ursprünglicher werdenden Gewalt standzuhalten: *Dieses ist eben der alten Künstler Wesen das ich nun mehr anmuthe als jemals, daß sie wie die Natur sich überall zu finden wußten und doch etwas wahres etwa lebendiges hervorzubringen wußten (III/1, 325).* Der Preis für diese „Naturgemäßheit" (IRvEinem S. 601) ist der vorerst freilich noch zunehmende Verzicht auf einen gleichwertigen Zugang zu den Werken mittelalterlicher Kunst, in A. hauptsächlich zu San Francesco, der im-

ponierenden, gotischen Grabeskirche des Heiligen (Bauleiter seit 1232: Filippo da Campello). Die Art, wie sich Goethes Leibes- und Geistes-*Auge bei dem Studium der *lieblichen Minerva (I/30, 185)* bewährte, hat dennoch oder ebendeswegen etwas Beispielhaftes: *Was sich durch die Beschauung dieses Werks in mir entwickelt, ist nicht auszusprechen und wird ewige Früchte bringen (I/30, 184).* Keineswegs das geringste Motiv scheint dabei der Gedanke gewesen zu sein, daß eine gesunde Proportionalität bestehen muß zwischen der dekorativen oder gar monumentalen Größenordnung eines Bauwerks sowie den jeweiligen Verhältnissen seiner lokalen Umgebung, seiner äußeren und inneren Bedeutung: *Auch hierin waren die Alten so groß im Natürlichen . . . Nicht allein das Gebäude sollte man zeichnen, sondern auch die glückliche Stellung (I/30, 182 f.).* Za Wegner S. 20; 144; Abb. 47. – IRvEinem S. 600 f. – Grumach S. 429–431.

Assonanzen sind vokalische Halbreime, die auf den Einklang der Mitlaute verzichten wie zB. rot/schon, Tisch/Friede. Goethe kennt den bewußten Gebrauch von A. nicht, der bis in das 16. Jahrhundert und im Volkslied üblich war und dann wieder bei den Romantikern (CWM*Brentano) unter dem Einfluß spanischer Dichtung sogar gesetzmäßig wurde. Einige Beispiele für A. aus *Faust* seien genannt: *Floh/Sohn (V. 2212–2214* in Mephistopheles' Lied: *Es war einmal ein König); fürchterliche/Ungewisse (V. 6819–6821); barg/warf (V. 11048–11050); Wimmern / Innern (V. 11338–11340).* Empfindlich ist unser Ohr geworden gegen Vers-Bindungen durch sprachliche Formen, bei denen – häufig im *Faust* – auf den gleichen Vokal g/ch folgt wie in *Buch/genug (V. 419–421); Wie Himmelskräfte auf und niedersteigen / Und sich die goldnen Eimer reichen (V. 449–450); Ach neige, / Du Schmerzenreiche (V. 3587–3588).* Für Goethe waren Bindungen wie steigen/reichen, neige/-reiche in seiner frankfurter Mundart oder (besser gesagt) Halbmundart (steichen/reichen, neiche/-reiche) reine Reime. Vom Schriftbild aus könnten solche Fügungen für uns als A. gelten; durch die Entwicklung der deutschen Hochsprache und gemäß der durch die Bühnenaussprache jetzt verlangten Aussprache steigen/reichen, neige/-reiche werden solche Versausgänge gehörsmäßig aber als unreine Reime empfunden und auch mit diesem Ausdruck bezeichnet, der eigentlich für Versausgänge mit gleicher Konsonanz, aber ungleichem Vokale (wie bei Goethe *Brüder/Lieder, Fülle/Stille, Freude/beide*, die allerdings in seiner frankfurter Mundart ebenfalls reine Reime waren) vorbehalten sein sollte. Nicht zu verkennen ist, daß durch die Umsetzung mancher goethescher Verse in die deutsche Hochsprache das versmelodische Element sich zuungunsten der Versmelodie empfindlich ändert (*Schallform).   *Hb*

Aßmann, Christian Gottfried (1752–1822), dilettierender Zeichner und Radierer, über den Goethe in den Propyläen schreiben wollte (I/ 47, 280), war Schüler von *Oeser in Leipzig und seit 1783 Magister, seit 1785 o. Prof. der Ökonomie und Kameralistik an der Universität zu Wittenberg. Nach empfindsamen Schriften der siebziger Jahre veröffentlichte er geologische, ökonomische und kameralwissenschaftliche Werke. Bei der Verlegung der Universität nach Halle 1816 verblieb er, nunmehr pensioniert, in Wittenberg.   *Lö*

ThB 2 (1908), S. 201. – Hamburger–Meusel 1, S. 40 und 99; 5, S. 53; 10, S. 76.

Ast, Anton Friedrich (1778–1841), 1802 Dozent der klassischen Philologie in Jena, seit 1805 an der Universität Landshut/München. H*Voß, dessen objektive Besprechung seiner Sophokles-Übersetzung in der „jenaischen Allgemeinen Literatur-Zeitung" 1804, Nr 255–257 ihn zu einer gereizten „Erklärung und Anzeige" in deren Intelligenz-Blatt, Sp. 1192, veranlaßte, wurde von einer scharfen Gegenerklärung durch Goethe, um den *Riß zwischen zwey verdienten jungen Leuten, die in Einem Felde sich bemühen, nicht unheilbar werden zu lassen (IV/17, 214),* zur Mäßigung beredet, ihm die Erwiderung zu überlassen (Bdm. 1, S. 378), die als „Antwort des Recensenten" in der gleichen Spalte erschien. A.s Beurteilung der goetheschen Poesie und ihr Vergleich mit derjenigen der Romantiker in der von ihm herausgegebenen „Zeitschrift für Wissenschaft und Kunst", 1 (1808), S. 52–54 veranlaßte Goethe zu ironischen Bemerkungen (IV/20, 26; Bdm. 1, 521 und 525).   *Rt*

Astrologie. Das Bild, das wir heute vom Wesen der A. haben, ist das Ergebnis einer langen Entwicklung vom ahnenden Schicksalsfatalismus ihrer Anfänge bis zu den komplizierten Methoden einer pseudoastronomischen Sterndeutekunst ihrer Blütezeit. Erst spät vereinigten sich die Elemente griechischer Astronomie und arabischer Lehre von den Planetenkonjunktionen mit den Überlieferungen der babylonischen A., deren älteste Spuren bis in das zweite Jahrtausend vor Christi Geburt zurückgehen. Bei ihrem Eindringen in den westeuropäischen Kulturbereich von den Kirchenvätern als heidnische Magie verdammt, setzte nochmals im 12. Jahrhundert während der Kreuzzüge der Meinungskampf um die Gültigkeit des a.schen Gedankengutes ein, das in dem Lehrbuch des Claudius Ptolemeius aus Alexandria seine Jahrhunderte hindurch bindende Gestalt erhalten hatte. Aber erst die Renaissance brachte in der Berührung mit antiker und morgenländischer Kulturüberlieferung die A. zu neuem Ansehen, und an den Höfen und Hochschulen, in den Reichsstädten und Lagern der Heerführer ist im 16. und 17. Jahrhundert der Astrologe eine gewichtige Person, deren umständlich errechneter Schicksalsschau man vorbehaltlos Glauben schenkt. Daß ein J*Kepler als Astronom zugleich Horoskope stellt, kennzeichnet die Entwicklungstendenz der A. vom ahnungsvollen Erschauern ihrer Frühzeit zu jenem nüchternen Kalkul späterer Epochen, mit dem man das Einzelschicksal des Menschen errechnen zu können meint.

Goethes Verhältnis zur A. spiegelt imgrunde diese ganze Entwicklung wider, und er bekennt sich am Ende seines Lebens zu den Anfängen a.scher Weltschau, die er zu einer ethischen A. überhöht. Der vielberufene Anfang von *DuW* gibt zugleich ein historisch getreues Bild von der Bedeutung, die man noch um die Mitte des 18. Jahrhunderts in einer Reichsstadt der Sterndeutekunst beimaß: *Am 28sten August 1749, Mittags mit dem Glockenschlage zwölf, kam ich in Frankfurt am Main auf die Welt. Die Constellation war glücklich; die Sonne stand im Zeichen der Jungfrau, und culminirte für den Tag; Jupiter und Venus blickten sie freundlich an, Mercur nicht widerwärtig; Saturn und Mars verhielten sich gleichgültig: nur der Mond, der so eben voll ward, übte die Kraft seines Gegenscheins um so mehr, als zugleich seine Planetenstunde eingetreten war. Er widersetzte sich daher meiner Geburt, die nicht eher erfolgen konnte, als bis diese Stunde vorübergegangen. Diese guten Aspecten, welche mir die Astrologen in der Folgezeit sehr hoch anzurechnen wußten, mögen wohl Ursache an meiner Erhaltung gewesen sein: denn durch Ungeschicklichkeit der Hebamme kam ich für todt auf die Welt, und nur durch vielfache Bemühungen brachte man es dahin, daß ich das Licht erblickte (I/26, 11).* In den Kindheitsgesprächen spielt jene a.sche Konstellation noch eine große Rolle, denn oft sah der Knabe, wie Bettina v*Arnim nach den Erzählungen der Frau Rat berichtet, nach den Sternen, von denen man ihm sagte, daß sie bei seiner

Geburt eingestanden haben ... Er fragte auch oft die Mutter sorgenvoll: *Die Sterne werden mich doch nicht vergessen und werden halten, was se bei meiner Wiege versprochen haben? (Bdm. 1, 4).* Es entsprach durchaus jener familiären Atmosphäre, in der die geheimnisreichen Traumgesichte des Großvaters *Textor ebenso respektiert wurden wie der Orakelglaube der Frau Rat, wenn auch die Überlieferungen der A. ernste Beachtung fanden. Noch in den Briefen des jungen Goethe tauchen immer wieder zahlreiche Bezüge auf, die ein enges Vertrautsein mit den festgefügten Lehrmeinungen der A. verraten: *Die Tage waren kurz, mein Gehirn, wegen der Einstrahlung des Steinbocks und Wassermanns, etwas kalt und feucht (An F*Oeser 13. II. 1769: IV/1, 189). So viel Planeten in einem Zeichen thut nicht gut, und kommt denn noch ein Gegenschein dazu, so weis kein Mensch vor böser Witterung wo er den Kopf hintuhn soll (An LJF*Höpfner 7. V. 1773: IV/2, 85). Doch bereit ich alles, um mit Eintritt der Sonne in den Widder eine neue Produktion zu beginnen, die auch ihren eignen Ton haben soll (An *Boie 23. XII. 1774: IV/2, 220).* Noch offenbaren diese Briefstellen die Anerkennung überlieferter Regeln der A., aber ein Jahrzehnt später bekennt sich Goethe bereits zu einer intuitiven Schau des Sternenkosmos, die frei von aller a.schen Dogmatik ist. So heißt es in einem Brief aus Italien: *... zu Mitternacht wach' ich auf und erblicke über mir die angenehmste Erscheinung: einen Stern so schön, als ich ihn nie glaubte gesehen zu haben. Ich erquicke mich an dem lieblichen, alles Gute weissagenden Anblick, bald aber verschwindet mein holdes Licht und läßt mich in der Finsterniß allein (21. IV. 1787: I/31, 156).* Und in der Studie über entoptische Farben kritisiert er den a.schen Lehrsatz vom unheilbringenden Widerschein, den er in jenem Briefe vom Jahre 1774 noch für selbstverständlich hinnimmt, als eine verhängnisvolle Entwicklung dogmatischer Erstarrung in der A.: *So haben die Astrologen, deren Lehre auf gläubige unermüdete Beschauung des Himmels begründet war, unsere Lehre von Schein, Rück-, Wider- und Nebenschein vorempfunden, nur irrten sie darin, daß sie das Gegenüber für ein Widerwärtiges erklärten, da doch der directe Rück- und Widerschein für eine freundliche Erwiderung des ersten Scheins zu achten. Der Vollmond steht der Sonne nicht feindlich entgegen, sondern sendet ihr gefällig das Licht zurück das sie ihm verlieh ... Welche große Veränderung der Sterndeutekunst durch diese Auslegungsart erwüchse, fällt jedem Freund*

und Gönner solcher Wunderlichkeiten alsobald in die Augen (Entoptische Farben: II/5¹, 300f.). Goethes allmähliche Abwendung von der Lehrhaftigkeit jener pseudo-astronomischpräzisen A. entspricht durchaus jener tiefen Abneigung gegen die *Mathematik in ihrer Beschränkung auf das rein Zähl- und Meßbare, die ihm auch bei seinen weitausgebreiteten Naturforschungen die Astronomie verleidet. Die incurable Trockenheit spezifizierender A. wird seiner Meinung durch die verhängnisvolle Einwirkung der Mathematik auf diesen Bereich des Irrationalen bedingt. *Man wird sich überzeugen, daß es eine falsche Anwendung der reinen Mathematik und ebenso eine falsche Anwendung der angewandten Mathematik gebe. Offenbar ist die Astrologie aus der Astronomie durch den eben gerügten Mißgriff entstanden, indem man aus den Wirkungen bekannter Kräfte auf die Wirkungen unbekannter schloß und beide als gleichgeltende behandelte (Zur Farbenlehre: II/3, 159).* Intuitive Weltschau und mathematisches Weltmaß bleiben ihm unvereinbare Gegensätze, denn *der astrologische Aberglaube ruht auf dem dunkeln Gefühl eines ungeheuren Weltganzen. Die Erfahrung spricht, daß die nächsten Gestirne einen entschiedenen Einfluß auf Witterung, Vegetation u.s.w. haben, man darf nur stufenweise immer aufwärts steigen, und es läßt sich nicht sagen wo diese Wirkung aufhört. Findet doch der Astronom überall Störungen eines Gestirns durchs andere. Ist doch der Philosoph geneigt, ja genöthigt eine Wirkung auf das Entfernteste anzunehmen. So darf der Mensch im Vorgefühl seiner selbst nur immer etwas weiter schreiten und diese Einwirkung aufs sittliche, auf Glück und Unglück ausdehnen. Diesen und ähnlichen Wahn möchte ich nicht einmal Aberglauben nennen, er liegt unserer Natur so nahe, ist so leidlich und läßlich als irgend ein Glaube (An Schiller 8. XII. 1798: IV/13, 331).* Der historische Rationalisierungsprozeß der A. bedingt als Verfallserscheinung den sterndeutenden Scharlatan, der um keine Auskunft verlegen ist und – wie jener im Bunde mit Mephisto stehende Hofastrologe – die Geheimnisse des Kosmos mit handfesten Grundregeln zu erfassen vermeint: *Die Sonne selbst sie ist ein lautres Gold, | Mercur der Bote dient um Gunst und Sold, | Frau Venus hat's euch allen angethan, | So früh als spat blickt sie euch lieblich an; | Die keusche Luna launet grillenhaft, | Mars, trifft er nicht, so dräut euch seine Kraft. | Und Jupiter bleibt doch der schönste Schein, | Saturn ist groß, dem Auge fern und klein (Faust II: I/15¹, 17).*

Die letzte Folge dieser Entwicklung sind – modern gesehen – die Wochenhoroskope in den illustrierten Gazetten unserer Tage. Jener Hang, alle Schicksalswendungen im voraus errechnen zu wollen, *setzt,* wie Goethe sagt, *ein Gemüth voraus, das in sich arbeitet, das von Hoffnung und Furcht bewegt wird, über dem Vergangnen, dem Gegenwärtigen und dem Zukünftigen immer brütet, großer Vorsätze, aber nicht rascher Entschlüsse fähig ist. Wer die Sterne fragt, was er thun soll, ist gewiß nicht klar über das, was zu thun ist (I/40, 56).* Hier dokumentiert sich die unüberbrückbare Spannung zwischen der nüchternen Nutzanweisung a.scher Faustregeln und der ahnenden Ehrfurcht vor unfaßbaren kosmischen Zusammenhängen, die am Beginn aller A. steht, im Sinne der orphischen Urworte: *Wie an dem Tag, der dich der Welt verliehen, / Die Sonne stand zum Gruße der Planeten, / Bist alsobald und fort und fort gediehen, / Nach dem Gesetz wonach du angetreten (I/3, 95).* Indem der Mensch in seiner individuellen Gestalt über die Einflüsse von Vererbung und Umwelt hinaus im tiefsten Grunde etwas Gegebenes, ein Urphänomen, ist, steht diese göttlich bestimmte Uranlage im geheimniserfüllten Zusammenhang mit dem kosmischen Symbol der Schicksalsgestirne. *Der Dämon,* sagt Goethe in seiner Deutung der Urworte, *bedeutet hier die nothwendige, bei der Geburt unmittelbar ausgesprochene, begränzte Individualität der Person, das Charakteristische, wodurch sich der Einzelne von jedem andern bei noch so großer Ähnlichkeit unterscheidet. Diese Bestimmung schrieb man dem einwirkenden Gestirn zu . . . Hiervon sollte nun auch das zukünftige Schicksal des Menschen ausgehen, und man möchte . . . gar wohl gestehen, daß angeborne Kraft und Eigenheit mehr als alles Übrige des Menschen Schicksal bestimme (KuA 1820: I/41[I], 216).* Die Gestirne werden hier in einen inneren Bezug zum sittlichen Daimon des Menschen gesetzt. In den Wanderjahren überhöht dann der alternde Goethe, wie ESpranger dargelegt hat, die Überlieferungen der Sterndeutung zu einer sittlichen A. Auf dem Landsitz *Makariens* hat *Wilhelm Meister* eine Begegnung mit einem Astronomen. *Er ist ein Mathematiker und also hartnäckig, ein heller Geist und also ungläubig (I/25[I], 283),* bejaht erst nach lange widerstrebender Beobachtung die unfaßbare Bindung *Makariens* zur Sternenwelt, und allmählich erschließt sich ihm die Erkenntnis, daß die edle Frau *nicht sowohl das ganze Sonnensystem in sich trage, sondern daß sie sich vielmehr geistig als ein integrirender*

Theil darin bewege (Wanderjahre: I/24, 192). In diesem *Makarien*-Mythos offenbart sich die *Ahnung um die Zusammenhänge des sittlichen Geschehens mit dem, was die Sterne wollen, denn im Sinne von Goethes Naturphilosophie bilden Makrokosmos und Mikrokosmos eine unlösbare Einheit, von der gleichen Weltseele erfüllt und dem gleichen Gesetze sich beugend. Die Vorstellung, *Makarie* stände in unfaßbarer Bindung zur Sternenwelt entspricht jenen Gedankengängen des alternden Goethe, daß der bedeutende, dem Universum verbundene Mensch sich schließlich auf einen anderen Stern entfernen mag; anläßlich des Todes von Wieland bekannte er im Gespräch mit JD*Falk: *Wollen wir uns einmal auf Vermutungen einlassen . . ., so sehe ich wirklich nicht ab, was die Monade, welche wir Wielands Erscheinung auf unserm Planeten verdanken, abhalten sollte, in ihrem neuen Zustande die höchsten Verbindungen dieses Weltalls einzugehen . . . Ich würde . . . es sogar meinen Ansichten gemäß finden, wenn ich einst diesen Wieland als einer Weltmonade, als einem Stern erster Größe, nach Jahrtausenden wieder begegnete und sähe und Zeuge davon wäre, wie er mit seinem lieblichen Lichte alles, was ihm irgend nahe käme, erquickte und aufheiterte (25. I. 1813: Bdm. 2, 174).* Das Erschauern vor der Allgewalt des gestirnten Himmels erweckt in *Wilhelm Meister* die Besinnung auf die eigene Würde des Menschen, ohne die das Ungeheure unerträglich wäre. *Wie kann sich der Mensch gegen das Unendliche stellen, als wenn er alle geistigen Kräfte die nach vielen Seiten hingezogen werden in seinem Innersten, Tiefsten versammelt, wenn er sich fragt: Darfst du dich in der Mitte dieser ewig lebendigen Ordnung auch nur denken, sobald sich nicht gleichfalls in dir ein beharrlich Bewegtes, um einen reinen Mittelpunct kreisend, hervorthut? (Wanderjahre: I/24, 181).* Maß und Gesetz durchwalten sowohl den äußeren Kosmos wie auch die sittliche Welt. Im Menschen aber vereinigen sich – und hier offenbart sich eine nahe Gedankenverwandtschaft zwischen Goethe und *Kant – zwei Kosmen: „der gestirnte Himmel über mir, das moralische Gesetz in mir". Beide Welten haben ihren Mittelpunkt, die äußere nach alter Überlieferung in der Sonne, die innere im sittlichen Bewußtsein. Indem Goethe die kosmische Bindung des Menschen zugleich mit seiner sittlichen Verantwortung bejaht *(Denn das selbstständige Gewissen / Ist Sonne deinem Sittentag. I/3, 82)* erblickt er in der Bewältigung beider Kosmen die Ausdrucksform höchsten Menschtums:

Diese beiden Welten gegen einander zu bewegen, ihre beiderseitigen Eigenschaften in der vorübergehenden Lebenserscheinung zu manifestiren, das ist die höchste Gestalt, wozu sich der Mensch auszubilden hat (Wanderjahre: I/25[I], 272 f.).
Hn

CHMüller: Goethes Horoskop. In: Hochstift Jg 1905. S. 117–143. – AKniepf: Goethe und die Astrologie. In: Psychische Studien 45 (1918), S. 256–264. – JSchiff: Goethe und die Astrologie. In: Preußische Jahrbücher 210 (Oktober bis Dezember 1927), S. 86 bis 96. – JHoffmeister: Goethe und die Astrologie. In: Geisteskultur. Monatshefte der Comenius-Gesellschaft für Geisteskultur und Volksbildung 39 (1930), S. 278–286. – Vgl. besonders: ESpranger: Die sittliche Astrologie der Makarie in „Wilhelm Meisters Wanderjahren". In: Die Erziehung. Monatsschrift für den Zusammenhang von Kultur und Erziehung in Wissenschaft und Leben 14 (1939), S. 409–417.

Astronomie. Das gestirnte Firmament ist für Goethe nicht anders wie für *Platon oder für *Kant zu allen Zeiten ein Gegenstand tiefgreifender Verehrung, aber auch aufmerksamer Beobachtung gewesen, wie denn kein bedeutender Mensch ohne eine innige Beziehung zum *Himmel als Ganzem, insbesondere zu den Himmelserscheinungen, zu *Sonne, *Mond, *Sternen, zu *Planeten, *Kometen, *Meteoren usw. existieren kann, am wenigsten einer, dessen Weltwahrnehmungsorgan vorzüglich das *Auge war. Goethes *Adels-Wappen führte bekanntlich auf seinen besonderen Wunsch einen Stern im Felde. Die wissenschaftliche Erforschung der astralen Phänomene ist freilich eine Angelegenheit, die über diesen Vorhof weit hinausführen muß. Als Spezialdisziplin der *Physik, bzw. der mathematisch-physikalischen Naturforschung hat sie – aus der uralten Verklammerung mit der *Astrologie einmal befreit – die bewundernswürdigen himmelskundlichen Leistungen der Ägypter, Babylonier, Chinesen, Inder und Griechen vornehmlich in dem Aufschwung kurz vor, während und auch nach der Renaissance weit hinter sich gelassen; vgl. dazu den wahrscheinlich auch Goethe bekannten, anonymen deutschen Holzschnitt des 16. Jahrhunderts, der den Menschen – cusanisch oder nicht-cusanisch? – beim Hindurchstoßen durch den gestirnten Vordergrund in neue Weltenräume zeigt (HAStrauß). Die erneuerten Ansätze des 18./19. Jahrhunderts nahmen diesen Schwung auf und ließen sich davon weitertragen, um im Sinne der Entwicklung auch der anderen, mehr und mehr mathematisierten, dh. exakt gewordenen Naturwissenschaften bisher ungeahnte Perspektiven zu entwerfen. Der dafür geforderte Preis erschien manchem freilich zu hoch, und nicht nur Goethe, der durchaus im Sinne des *Griechentums hätte sagen können: Γῆς

παῖς εἰμὶ καὶ Οὐρανοῦ ἀστερόεντος, wie es auf den goldenen Totenpässen der vorchristlichen Magna Graecia in *Sizilien heißt. Goethe war im Sinne der modernen Wissenschaft kein Astronom, er war ebensowenig ein Auch-Astronom. Als Auch-Physiker oder als Auch-Mathematiker wird ihn gleichfalls niemand bezeichnen wollen: *Ich habe mich ... in den Naturwissenschaften ziemlich nach allen Seiten hin versucht: jedoch gingen meine Richtungen immer nur auf solche Gegenstände, die mich irdisch umgaben und die unmittelbar durch die Sinne wahrgenommen werden konnten; weshalb ich mich denn auch nie mit Astronomie beschäftigt habe, weil hierbei die Sinne nicht mehr ausreichen, sondern weil man hier schon zu Instrumenten, Berechnungen und Mechanik seine Zuflucht nehmen muß, die ein eigenes Leben erfordern und die nicht meine Sache waren* (1. II. 1827 zu JF*Eckermann: Bdm. 3, 346 f.). Die heutige Haltung würde man allenfalls Goethe variierend *(MuR* Hecker Nr 1193) mit EMach kennzeichnen können: „Die Sinne lügen nicht, sie sagen aber nicht die Wahrheit" (MGebhardt S. 38). Goethe hingegen war überzeugt: *Der Mensch an sich selbst, in so fern er sich seiner gesunden Sinne bedient, ist der größte und genaueste physikalische Apparat, den es geben kann, und das ist eben das größte Unheil der neuern Physik, daß man die Experimente gleichsam vom Menschen abgesondert hat und bloß in dem, was künstliche Instrumente zeigen, die Natur erkennen, ja, was sie leisten kann, dadurch beschränken und beweisen will (MuR* Hecker Nr 706; vgl. auch WHeisenberg S. 76). Es ist nur konsequent, wenn Goethe seine Ablehnung der *Brille, dh. sogar der Brillenträger, auf die *Mikroskope und – weil sozusagen Himmelsmikroskope – auch auf die *Fernrohre erweiterte. Nicht in allen Fällen äußerte er sich so scharf wie zu dem ihm allerdings sehr vertrauten und befreundeten Grafen KM v*Sternberg über Jv*Fraunhofer: *Fraunhofers Bemühungen kenn ich; sie sind von der Art die ich ablehne, mehr darf ich nicht sagen. Gott hat die Natur einfältig gemacht, sie aber suchen viel Künste* (12. I. 1823: *IV/36, 271*). Freilich berührten sich die hier gemeinten Arbeiten Fraunhofers mit Goethes ureigenen Unternehmungen auf dem Gebiet der *Optik, dh. recht eigentlich der *Farbenlehre. Positiv, ja freundlich stand Goethe zu DF*Arago, auch zu dessen Mitarbeiter JB*Biot; weniger zu HW*Brandes (es sei denn zu dessen *Witterungskunde und sonstigen Bemühungen in diesem Fache, 1820: I/36, 154*); sonst verdienen in diesem Zusammenhange aus den zeitgenössischen Bereichen der A. eigentlich nur noch FW*Herschel und FPv*Gruithuisen besondere, jedoch nachdrückliche Erwähnung; aus der Tradition bleiben Tycho Brahe (allerdings nicht sehr geschätzt: II/13, 448), positiver N*Coppernicus und J*Kepler (dieser besonders wegen der nach ihm benannten Gesetze der Planetenbewegung) im Bewußtsein gegenwärtig; den Planeten galt gelegentlich stärkere Aufmerksamkeit: *In den großen leeren Weltraum zwischen Mars und Jupiter legte er* (gemeint ist GChr*Lichtenberg) *auch einen heitern Einfall. Als Kant sorgfältig bewiesen hatte, daß die beiden genannten Planeten alles aufgezehrt und sich zugeeignet hätten, was nur in diesen Räumen zu finden gewesen von Materie, sagte jener scherzhaft, nach seiner Art: warum sollte es nicht auch unsichtbare Welten geben? – Und hat er nicht vollkommen wahr gesprochen? Sind die neuentdeckten Planeten nicht der ganzen Welt unsichtbar, außer den wenigen Astronomen, denen wir auf Wort und Rechnung glauben müssen (II/11, 120)?* Die ersten Glieder aus der Gruppe der kleinen Planeten, der Planetoiden oder Asteroiden waren gerade aufgefunden worden (Ceres durch Piazzi 1801, Pallas durch Olbers 1802, Juno durch Harding 1804, Vesta durch Olbers 1807; 1926 waren 1046 durch ihre Bahnelemente gesichert; HKayser will darin, keplersche und goethesche Gedanken weiterspinnend, die Weltentrümmer eines ehemaligen Planeten X gewissermaßen „hören", der hier obwohl an der schönsten, so doch auch an der gefährlichsten Stelle im Planetenraum stehend, wo sich beiden Tonstufen d und d^v akroatisch-harmonikal spalten, zerspringen mußte – in diesen Gedankengängen scheinen, durch den Freiherrn Albert vThimus vermittelt, romantische Intentionen wiederzukehren, wie sie Goethe durch die *Heidelberger Romantik, insbesondere durch CF*Creuzer angetragen wurden). In Verbindung mit erdgeschichtlichen Fragestellungen, die ja das Verhältnis der Erde zu anderen Weltkörpern zumindest desselben Systems nicht außeracht lassen können, erscheint die A. gewissermaßen als Vor-Kapitel, wie ein *Ausführlicher Entwurf* über die Bildung der Erde verdeutlicht: *Die Astronomie zeigt uns das Verhältnis der Erde zu gleichen und ähnlichen Körpern des Weltraumes (NS 1, 310;* vgl. dazu auch das *Schema:* ebd. 305). Die Vertreter der griechisch-antiken A. wie etwa Aristarch von Samos oder Ptolemaios mußten sich mit nahezu unbedeutenden Charakterisierungen in die

Paralipomena zur *Farbenlehre* oder zum *Faust* abdrängen lassen.   *Za*

Grumach S. 832f. – MGebhardt: Goethe als Physiker. Ein Weg zum unbekannten Goethe. 1932. – HA Strauß: Der astrologische Gedanke in der deutschen Vergangenheit. 1926. – EZinner: Geschichte und Bibliographie der astronomischen Literatur in Deutschland zur Zeit der Renaissance. 1941. – FBecker: Geschichte der Astronomie. ³1947. – EZinner: Sternglaube und Sternforschung. 1953. – OS Reuter: Germanische Himmelskunde. Untersuchungen zur Geschichte des Geistes. 1934. – EBrachvogel: Nikolaus Koppernikus und Aristarch von Samos. In: Zeitschrift für die Geschichte Ermlands 25 (1935). – FBoll: Kleine Schriften zur Sternenkunde des Altertums. 1950. – A Freiherr vThimus: Die harmonikale Symbolik des Alterthums. 1868–1876. – HKayser: Akroasis. Die Lehre von der Harmonik der Welt. 1947. – WHeisenberg: Wandlungen in den Grundlagen der Naturwissenschaft. ⁶1945.

Asverus, 1) Ludwig Christoph Ferdinand (1759–1830), gestorben am 26. März in *Jena, als Dr. jur., Hofgerichtsadvokat, Universitätssyndikus und Gerichtsdirektor in Graitschen, Wormstedt, Gleina und Jena. Goethe lud ihn am 16. XII. 1803 zusammen mit AGL *Seidler, JA*Reichardt, JHVoigt, JA*Schnaubert, LGF*Gruner, KWFvBreyer, WKF *Suckow, JChMetzel, JG*Marezoll, JCh Hennings, JK*Fischer, JW*Ritter, JKGGensler, Kayser, ChFKBöttger, JAH*Ulrich, ChG Heinrich und JChW*Augusti abends zu einer Teegesellschaft ein (III/3, 91). Als Schillers Gartenkauf durch die Pupillenkommission verzögert wurde, schrieb ihm Goethe am 3. III. 1797: *Ich dächte Sie . . . ersuchten ihn* (den Stadtschreiber Faselius), *bey dem Syndicus Asverus auszuwirken, daß die Sache hinüber komme, drüben soll sie keinen Aufschub leiden (IV/12, 59).*

–, **2)** Christiane Luise geb. Schuderoff, geboren in Altenburg, gestorben in Jena am 23. IV. 1828. Goethe traf am 6. XII. 1807 und am 19. I. 1812 abends bei *Frommanns, am Mittag den 15. XII. 1814 bei Stallmeister Seidler mit ihr zusammen.   *Ko*

Athalie. Den Schlußchor aus dem zweiten Akt von *Racines „Athalie" übersetzte Goethe 1789. Der preußische Kapellmeister JAP-Schulz hatte den Chor vertont. Goethe schätzte die Komposition, ärgerte sich aber über die der Musik unterlegte Übersetzung von KFCramer mit ihrer gespreizten, an Klopstock geschulten Manier. Goethe schrieb seine eigene Übertragung melodiegerecht zwischen die Notenzeilen (I/12, 289).   *So*

Athenaeum, eine Zeitschrift von AW*Schlegel und F*Schlegel. Berlin 1798–1800, Bd 1 bei FVieweg dÄ., Bd 2 und 3 bei HFrölich. Das „A." wollte die führende Zeitschrift der älteren Generation der *Romantik werden. Im Namen knüpft das „A." programmatisch und nicht ohne Arroganz an die lateinische Bezeichnung „Athenaeum" (latinisiert aus griechisch τὸ ᾽Αϑήναιον = Tempel der Athene) an, wie man sie – seit der römischen Kaiserzeit zur Titulatur höherer Bildungsanstalten gebraucht – in diesem Sinne (auch auf Gelehrtenvereinigungen, Hochschulen, Akademien, Bibliotheken bezogen) gerade damals wieder häufiger findet. Die Brüder Schlegel suchten außerdem in dieser Namenswahl die zumindest taktisch wünschenswerte, weil legitimierende, vielleicht aber sogar wirklich angestrebte Verbindung mit der klassischen, dh. vornehmlich mit der griechischen *Antike, wohl auch mit der weimarer *Klassik und ihren Großen zu betonen. Erschienen sind 3 Bände zu je zwei Stücken, dann erlosch das in mancher Hinsicht auch noch zu unreife Unternehmen. Hauptbeiträger waren außer den beiden Herausgebern: Fv*Hardenberg (Novalis), der gleich im ersten Band und im ersten Stück (= I/1) „Blütenstaub" erscheinen ließ, für I/2 dann Paralipomena dazu bereitstellte, seine 1797 entstandenen „Hymnen an die Nacht" 1800 in III/2 veröffentlichte und 1799 „Die Christenheit oder Europa" anbot (erschienen aber erst 1826, weil Goethe gegen den Abdruck im „A." Einspruch erhob); FDE*Schleiermacher (III/2: „Fragmente"); Dorothea *Schlegel (Tochter Moses *Mendelssohns, in zweiter Ehe mit Friedrich verheiratet; II/2: „Notizen"); ALHülsen (II/1: „Über die natürliche Gleichheit der Menschen"; III/1: „Naturbetrachtungen auf einer Reise durch die Schweiz"); Sophie Bernhardt (III/2: „Lebensansicht"). Mit den eigenen, gelegentlich recht boshaften Beiträgen hegten die Herausgeber ausgreifend kühne Pläne: „Der Bildung Strahlen all, in eins zu fassen, / Vom Kranken ganz zu scheiden das Gesunde, / Bestrebten wir uns treu in freiem Bunde, / Und wollten uns auf uns allein verlassen." Solche programmatischen Worte widmet FSchlegel dem letzten Stück der umkämpften Zeitschrift, prä- ebenso wie postludierend; es klingt wie ein poetischer Nachhall der bei den Gründungsverhandlungen pointiert, ja schroff ausgesprochenen Hoffnung, „kritische Diktatoren Deutschlands" werden zu können. Man spürt einen Ton von Resignation in diesem Schwanengesang. Die Zeitschrift ging ein, weil sie doch mehr bloßes Aufsehen als aufnahmewilligen Anklang erregt hatte und sich deswegen verlegerisch nicht mehr lohnte. Im Briefwechsel zwischen Goethe und Schiller spiegelt sich die Wirkung des „A." auf besondere Weise. Schiller legte das erste Stück (I/1), am 15. V. 1798 soeben erhalten, zunächst beiseite – wohl als unmißverständliches Anzeichen von Verdruß – und fand erst am 23. VII. 1798 Worte dafür, daß ihm „diese naseweise, entscheidende, schneidende und einseitige Manier physisch wehe" tut; am 16. VIII. 1799 bemerkt er: „Die Schlegels haben, wie ich heute fand, ihr Athenäum mit einer Zugabe von Stacheln vermehrt und suchen durch dieses Mittel, welches nicht übel gewählt ist, ihr Fahrzeug flott zu erhalten. Die *Xenien haben ein beliebtes Muster gegeben. Es sind in diesem literarischen Reichsanzeiger gute Einfälle, freilich auch mit solchen, die bloß naseweise sind, stark versetzt. Bei dem Artikel über Böttigern, sieht man, hat der bittere Ernst den Humor nicht aufkommen lassen. Gegen Humboldt ist der Ausfall unartig und undankbar, da dieser immer ein gutes Verhältnis mit den Schlegeln gehabt hat, und man sieht aufs neue daraus, daß sie im Grunde doch nichts taugen. Übrigens ist die an Sie gerichtete Elegie, ihre große Länge abgerechnet, eine gute Arbeit, worin viel Schönes ist. Ich glaubte auch eine größere Wärme darin zu finden, als man von Schlegels Werken gewohnt ist, und mehreres ist ganz vortrefflich gesagt. Sonst habe ich noch nichts in diesem Hefte gelesen. Ich zweifle nicht, daß es auf dem nunmehr eingeschlagenen Weg Leser genug finden wird, aber Freunde werden sich die Herausgeber eben nicht erwerben, und ich fürchte, es wird bald auch der Stoff versiegen, wie sie in den aphoristischen Sätzen auch auf einmal und für immer ihre Barschaft ausgegeben haben." Goethe, der bis zu einem gewissen Grade hofiert wurde und für eine zwar ausführliche, aber doch auch etwas eigenartige *Wilhelm-*Meister*-Rezension zu quittieren hatte (noch galt der *Wilhelm Meister* im Kreise der A.-Romantiker, auch bei Novalis, zB. als Muster zum „Heinrich von Ofterdingen" – bis zum Sommer 1799 – viel), äußerte sich wohlwollender, zumindest positiv abwartend: *Bey allem was Ihnen daran mit Recht mißfällt kann man denn doch den Verfassern einen gewissen Ernst, eine gewisse Tiefe und von der andern Seite Liberalität nicht ableugnen. Ein Dutzend solcher Stücke wird zeigen wie reich und wie perfectibel sie sind* (25. VII. 1798: *IV/13, 226*). Dazu kam es freilich nicht; das „A." hat seine Mission nicht erfüllen können – die *Heidelbergischen Jahrbücher der Literatur" traten in die Lücke.   *Za*

FSchultz: Klassik und Romantik der Deutschen. II. Teil: Wesen und Form der klassisch-romantischen Literatur. ²1952. S. 362–371.

Atkinson, James. Goethe erwähnt April 1831 sein Werk „An Account of the State of Agriculture and Grating in New South Wales" in einer kurzen Tagebuchnotiz (III/13, 57). *Sn*

Atmosphäre. Die die Erde umgebende Lufthülle, welche eine recht konstante Zusammensetzung von rund 20% Sauerstoff und nahezu 80% Stickstoff, in geringer aber wechselnder Menge Kohlensäure, sowie in sehr geringen Mengen Edelgase und Ozon enthält, ist es eigentlich, *in der und mit der wir uns gegenwärtig beschäftigen (II/12, 76).* Sie ist die Trägerin der meteorologischen Vorgänge, die letztlich dadurch bedingt sind, daß durch die mit der geographischen Breite und über Land und Wasser wechselnde Erwärmung ein Ungleichgewicht hergestellt wird, das die A. durch Luftströmungen in sich wieder auszugleichen strebt; es entstehen verschieden erwärmte Luftkörper und als Folge davon komplizierte Ausgleichsströmungen (Zyklonenbildung). Von besonderer Bedeutung dabei ist die mit der Temperatur wechselnde Aufnahmefähigkeit der Luft für Wasserdampf, woraus die Erscheinungen der Wolkenbildung und des Regens resultieren.

Die Meteorologie des Goethezeitalters hatte diese Beziehungen in ihrer ganzen Komplexität noch nicht erkannt, schuf aber, wie das dreibändige Lehrbuch der Meteorologie von Kämtz, das einen Querschnitt des Kenntnisstandes dieser Zeit vermittelt, überall die Grundlagen zu dieser Erkenntnis. Daneben spielten zur Goethezeit gelegentlich auch Vorstellungen noch eine Rolle wie die, daß die Luft sich völlig zersetzen könne, oder daß Luft durch Zersetzung zu Wasser werden und umgekehrt aus Wasser sich auch Luft bilden könne.

Für Goethe war, ohne daß ihn ihre chemische Zusammensetzung interessiert hätte, die A. die Trägerin der meteorologischen Prozesse. Zwischen die *Anziehungskraft und deren Erscheinung, Schwere, auf der einen Seite, dagegen an der andern Erwärmungskraft und deren Erscheinen, Ausdehnung* setzte er *die Atmosphäre, den von eigentlich sogenannten Körperlichkeiten leeren Raum, und wir sehen, je nachdem obgenannte beide Kräfte auf die feine Luft-Materialität wirken, das was wir Witterung nennen entstehen (II/12, 106). Die Elemente sind die Willkür selbst zu nennen; die Erde möchte sich des Wassers immerfort bemächtigen und es zur Solidescenz zwingen, als Erde, Fels oder Eis, in ihren Umfang nöthigen. Eben so unruhig möchte das Wasser die Erde die es ungern verließ, wieder in seinen Abgrund reißen*

(II/12, 103). Die Vorgänge der A. sieht Goethe also im großen Zusammenhang der Erdentwicklung (*Neptunismus und *Geologie). Das freie Wasser der A. und der Hydrosphäre stammt aus der Sonderung des mehr oder weniger chaotischen *Urmeeres;* diesem chaotischen Zustand streben die Elemente als solche wieder zu. *Das Höchste jedoch, was in solchen Fällen dem Gedanken gelingt, ist: gewahr zu werden was die Natur in sich selbst als Gesetz und Regel trägt, jenem ungezügelten, gesetzlosen Wesen zu imponiren (II/12, 103),* womit der entscheidende Punkt bezeichnet ist für das naturwissenschaftliche Streben Goethes. *Die erhöhte Anziehungskraft der Erde, von der wir durch das Steigen des Barometers in Kenntniß gesetzt sind, ist die Gewalt die den Zustand der Atmosphäre regelt und den Elementen ein Ziel setzt; sie widersteht der übermäßigen Wasserbildung, den gewaltsamsten Luftbewegungen ... Niederer Barometerstand hingegen entläßt die Elemente, und hier ist vor allen Dingen zu bemerken, daß die untere Region der Continental-Atmosphäre Neigung habe von Westen nach Osten zu strömen (II/12, 103 f.).*

Mit dem pulsierenden Wechsel der irdischen Anziehungskraft also ist das ordnende Grundprinzip gefunden für die A. (*Barometer). Welcher Art die so hergestellte Ordnung in der A. ist, das hatte Goethe schon zuvor erfaßt von dem durch seine Gestaltlichkeit der Anschauung sich am unmittelbarsten darbietende atmosphärisches Element der Wolken (*Wolkenbildung). Denn es hatte sich gezeigt, daß die *Wolkengestalten immer stufenweise über einander bleiben (II/12, 36),* so daß man dementsprechend *drei Luft-Regionen, die obere, mittlere und untere, welcher man die vierte, die unterste, noch hinzufügen kann (II/12, 34),* annehmen muß. *Die Herrschaft der obern Region manifestirt sich durch trocknes helles Wetter, die Atmosphäre ist in einem Zustande daß sie Feuchtigkeit in sich aufnehmen, tragen, emporheben kann ... Dieser Zustand der Atmosphäre wird durch die größte Barometer-Höhe offenbart (II/12, 34).* In der mittleren Region *wird eigentlich der Conflict bereitet, ob die obere Luft oder die Erde den Sieg erhalten soll (II/12, 35).* Überwindet ... *die untere Region, welche die dichteste Feuchtigkeit an sich zu ziehen und in fühlbaren Tropfen darzustellen geneigt ist, so senkt sich die horizontale Basis des Cumulus nieder, die Wolke dehnt sich zum Stratus, sie steht und zieht schichtweise und stürzt endlich im Regen zu Boden (II/12, 35).* Die Zunahme der Anziehungskraft bringt also die obere, die Abnahme die untere Region der A. zur Herrschaft, so wie es schon 1786 auf dem Brenner erstmals skizziert worden ist. Und es kann bei starker Zunahme sogar *die Disposition der obersten Luft . . . auch bis zur Erde herunter steigen (II/12, 36),* wie sich im umgekehrten Fall *auch der eigentliche Stratus . . . einmal höher erheben . . . mag (II/12, 36).*

Diesen verschiedenen Regionen der A. sind auch verschiedene Winde gesetzmäßig zugeordnet. Die untere A. so schreibt er 1828 an *Zelter, gehört eigentlich der Erde zu und hat eine heftige Tendenz sich und was sie enthält von Westen nach Osten zu tragen (IV/45, 1),* während in der höheren A. der Wind von Osten bläst.

In der tatsächlichen Entwicklung der Witterung nun wird dieses *immer* fortdauernde *Grundgesetz (II/12, 93)* in typischer Weise mit dem Wechsel der Jahreszeiten abgewandelt. Denn wenn auch *zu jeder Jahreszeit Verdunstung des Meeres und der Erdoberfläche . . . vor sich geht, so ist sie doch im Sommer bei uns stärker als im Winter; daher denn an langen Tagen . . . bei'm höchsten Barometerstande, sich allmählich nach Aufgang der Sonne die Atmosphäre mit Dünsten füllt (II/12, 92).* Und wenn wir erfahrungsgemäß *im September und October die meisten, wo nicht schönen, doch regenlosen . . . Tage haben (II/12, 93),* obwohl auch in diesen *Monaten das Quecksilber wie in den übrigen sich über und unter der Mittellinie bewegt (II/12, 93),* so deshalb, weil mit dem Kürzer-Werden der Tage *die Ausdünstung, durch Sonnenwärme verursacht, immer geringer* wird; *so kämpft eine mehr oder weniger elastische Luft mit besserem Geschick gegen die in der Atmosphäre schwebenden Dünste (II/12, 93 f.).* Wenn *die untersten Wolken sich mit der Erde horizontal legen, die höheren sich selbstständig ballen, die höchsten nicht mehr von der Luft getragen, sondern aufgelös't werden (II/12, 118),* so zeigt sich in dieser *Disposition der Atmosphäre* und ihrer Fähigkeit auf- und abzusteigen das Grundgesetz der Ordnung in der A. als ein letztlich morphologisches; die A. stellt sich dar als äußerste Zone des *lebendigen Erdkörpers,* in der mit zunehmender Höhe die Gestalt-Gesetzmäßigkeit sich mehr und mehr von der der Erd- und Gesteinsrinde löst. Dementsprechend haben wir in der Witterungslehre *also hauptsächlich auf die Disposition der Atmosphäre zu sehen und inwiefern sie die Eigenschaft erreicht, alles Wasser in sich aufzunehmen und zu vertheilen, oder solches geballt, zuletzt auch schichten- und streifenweis in sich zu hegen und zu tragen*

(II/12, 119); denn in der Disposition der A. gewinnt all das, was *in Zahlen und Graden ausgedruckt* werden kann, wie *Barometer- und Thermometerstand, Wind, geheime Feuchtigkeit und offenbare, ja die Farben des Himmels...(II/12,119),* anschauliche, typische Gestalt.

Stellt man dem das Bild der zeitgenössischen Meteorologie gegenüber, etwa bei Kämtz, Brandes, Forster und anderen, welche die Vielfalt der Maßergebnisse in Teilhypothesen zusammenzuschließen und auf die physikalischen Grundgesetze zurückzuführen suchten, dadurch freilich die als Witterung konkret erlebte Erscheinung entschwinden ließen, so zeigt sich die Geschlossenheit des goetheschen Vorstellungsbildes gerade als einer Witterungslehre besonders eindrucksvoll. Hatte Kämtz die Meteorologie als eine „Physik der Atmosphäre" bezeichnet, so war das Ziel Goethes eine *Witterungslehre.* Die Kenntnis der physikalischen Zusammenhänge innerhalb der A. war in der Zeit Goethes in ihren ersten Anfängen; Erfassung und Beschreibung der komplexen Erscheinung der Witterung mit physikalischen Mitteln war daher noch nicht möglich. Der Forschungsstand verlangte eine Verbreiterung des Beobachtungsmaterials und dessen Analyse. Das Anliegen Goethes aber war es, im Witterungsgeschehen einen sinnvollen Zusammenhang zu erkennen. Einen solchen erfaßte er aus seiner lebendigen Anschauung und brachte in das dauernd wechselnde Geschehen in der A. einen sinnvollen, auf die Erde (Anziehungskraft) bezogenen Ordnungszusammenhang mit den ihm und seiner Zeit zugänglichen Mitteln und Voraussetzungen.

Seiner Konzeption liegt damit eine falsche Voraussetzung zugrunde. Wenn aber die moderne Meteorologie als „synoptische Meteorologie" wieder Witterungskunde geworden ist, hat sie, wenn auch unter anderen Voraussetzungen – nicht die Anziehungskraft der Erde, sondern die Einstrahlung der Sonne ist das entscheidende, bewirkende Moment – das Prinzip der goetheschen Betrachtungsweise in gewisser Hinsicht wieder aufgenommen: Auch für sie ist die Witterung wieder das Ergebnis eines Widerstreits verschiedener Luftkörper, wenn sie von „Polarfront", von Warmluft- und Kaltluftmassen, von dem Aufgleiten einer Warmluftmasse auf einen Kaltluftkörper und ähnlichem spricht. Die Situation in der Meteorologie des Goethezeitalters war ganz ähnlich der in der *Geologie. Sammlung, Mehrung und Analyse von Erfahrungen und Beobachtungen mußten erst die Grundlagen für eine zusammenfassende Theorie schaffen. Wenn Goethe aus der unmittelbaren Anschauung eine Betrachtungsweise entwickelte, welche verschiedene Luftkörper einander gegenüberstellte, so war diese Witterungslehre zwar ein Fremdkörper der zeitgenössischen Meteorologie gegenüber, aber sie suchte das Prinzip des a.ischen Geschehensablaufs in einer Richtung, die – mit anderen theoretischen Voraussetzungen zwar – in der modernen Witterungslehre eine Bestätigung fand.   *Bn*

PRaethjen: Einführung in die Physik der Atmosphäre. 1942. – HvFicker: Wetter und Wetterentwicklung. In: Verständliche Wissenschaft. Bd 15 – ASchmauß: Das Problem der Wettervorhersage. 1942. LFKämtz: Lehrbuch der Meteorologie. Halle und Leipzig 1830–1836.

Atrio del Cavallo, das tiefe sichelförmige Tal zwischen *Monte Somma und dem Aschenkegel des *Vesuv mit dem Krater, *die Fläche, über welcher sich der Kegelberg erhebt (I/31, 29)*, scheint an der Stelle, wo Goethe damals zur zweiten Vesuv-Besteigung (6. III. 1787) ansetzen wollte, weniger breit, dh. der tätige Krater mehr in der Nähe des Monte Somma gewesen zu sein.   *Za*

Atzbach *(Atspach),* kleiner Ort nordöstlich *Wetzlar an der *Lahn, Wohnsitz wohl des wetzlarer Rentmeisters *Rhodius, mehrfach aufgesuchtes Ausflugsziel Goethes, der hier einmal (5. IX. 1772) vergeblich auf Ch*Buff gewartet hat: *Ich habe gestern den ganzen Nachmittag gemurrt dass Lotte nicht nach Atspach gangen ist, und heute früh hab ichs fortgesetzt (IV/2, 20).* Am 27. X. 1772 trägt er JC*Kestner *den lieben Leuten* (wohl Rhodius) in A. Glückwünsche auf *(IV/2, 32).*   *Za*

Auber, Daniel François Esprit, französischer Opernkomponist (1782 – 1871), Cherubini-Schüler, wandte sich 1811 der Opernkomposition zu und leitet durch die ,,ungewohnte Konzision und drastische Gedrängtheit der Form'' (RWagner) eine neue Phase der großen Oper in Frankreich ein. Seine Tonsprache muß freilich durch die spätere Entwicklung wenn auch nicht als überholt, so doch als überzeugungsschwächer gelten, was sich im Melodischen wie im Harmonischen beobachten läßt. Von mehreren Bühnenwerken, ua. ,,Julie'' (1811), ,,Jean de Couvin'' (1812), ,,Le Séjour militaire'' (1813), ,,Le Testament'' (1819), ,,Le Maçon'' (1825), ,,Fra Diavolo'' (1830) wurde ,,La Muette de Portici'' (1828) A.s größter Erfolg.
Goethe kannte von A. insgesamt drei Opern: ,,Der Maurer'' (III/11, 227), ,,Fra Diavolo'' (III/13, 225) und ,,Die Stumme von Portici''

(III/12, 156). *Im Fortschritt und Zusammenhang mag es wohl ein anziehendes lebhaftes Stück seyn* schreibt Goethe am 16. XII. 1829 an *Zelter *(IV/46, 182),* doch ändert er 1831 seine Meinung dahingehend, daß er zwei Jahre später den Inhalt als *absurd* und *lächerlich* bezeichnet: *Die ganze Oper . . . ist im Grunde eine Satire auf das Volk; denn wenn es den Liebeshandel eines Fischermädchens zur öffentlichen Angelegenheit macht und den Fürsten einen Tyrannen nennt, weil er eine Fürstin heiratet, so erscheint es doch wohl so absurd und so lächerlich wie möglich (Bdm. 4, 344 f.).*   *Za*

Aubert (nicht Albert) **de Vitry,** François-Jean-Philibert (1765–1829), Übersetzer von *Dichtung und Wahrheit,* I–III (1823); Goethe dankt ihm und drückt seine Freude aus, sich *mit der französischen Literatur . . . einigermaßen im Einklang* zu finden *(IV/38, 96 f.).*   *Fu*

Aubry, Philippe Charles (1744–1812), französischer Schriftsteller, der als der dritte Übersetzer des *Werther* ins Französische auftrat (1776) während in Wirklichkeit ein Graf vSchmettau die Übertragung besorgt hatte (FBaldensperger). Goethe erwähnt A. ohne Namensnennung 1826 (I/42II, 491).   *Fu*

Aubuisson de Voisins, Jean François d' (1769 bis 1841) aus Toulouse, Geognost und Ingenieur. A. studierte von 1797–1802 an der Bergakademie zu *Freiberg, an der GA*Werner seit 1775 als Lehrer der Mineralogie wirkte. Er war später Mitglied und beständiger Sekretär der Akademie der Wissenschaften zu Toulouse und Chefingenieur im Corps des Mines. Sein Hauptwerk ,,Traité de Géognosie'', 2 Bde, Paris 1819 erschien 1821 in der deutschen Übersetzung von Johann Gottlieb Wiemann (1790–1862) in Dresden. Außerdem hat er eine große Anzahl kleinerer bergkundlicher, geologischer und physikalischer Arbeiten veröffentlicht (*Geognosie).
Goethes Beziehungen zu Freiberg waren in den infragekommenden Jahren 1797–1802 zu stark auf andere Dinge gerichtet, als daß er A. wahrgenommen hätte. Die 1791 erschienene ,,Neue Theorie von der Entstehung der Gänge usw.'' von Werner beschäftigte ihn nachweisbar erst 1815 (III/5, 170; I/36, 97), dann wieder 1817 (I/36, 119) und 1818 (III/6, 192; I/36, 139); die von A. 1802 in Freiberg erschienene Übersetzung dieses Werkes ins Französische erwähnt er dabei nicht. An d'*Aubuisson de Voissins Geognosie* (2. X. 1821: *III/8, 119),* die *schon auf dem Titel eine Darstellung der jetzigen Kenntnisse in diesem Fach oder vielmehr weitem Kreise* verspricht, lobt er beim Erscheinen des ersten Bandes, daß dieser *vor-*

züglich Nomenklatur liefert, wodurch wir denn
in den Fall gesetzt werden, uns über die Erscheinungen im Allgemeinen zu verständigen ... wir
finden einen ernsten festen Grund und Mittelpunct, woran sich Altes und Neues anzuschlie-
ßen aufgerufen wird. Goethe zählt es zu den
Arbeiten ... die ihn im Augenblicke berühren,
... fördern, einen Wunsch erfüllen oder ...
eine Thätigkeit erleichtern (II/9, 223 f.) und
vermerkt in demselben Sinne in den TuJ
1821: Im Allgemeinsten wurde ich gefördert
durch d'Aubisson de Voisins Geognosie (I/36,
209). Die Beschäftigung mit diesem Werk A.s
läßt sich weiter verfolgen, am 28. V. des nächsten Jahres läßt er es sich durch *Kräuter
nach Jena schicken; als er in dem Brief vom
12. I. 1823 an den Grafen Kv*Sternberg zu
einer wahrscheinlich von Christian Andreas
Zipser (1783–1866) herrührenden Zuschrift
Stellung nimmt, der A. vorwirft, eine falsche
Meinung des Mineralogen und Physikers
François Sulpice Beudant (1787–1850) ohne
Untersuchung weiterverbreitet zu haben, zieht
Goethe daraus die Folgerung: das kommt alles
daher, daß die Menschen die Natur durch und
durch erklären wollen; sie begreifen nicht, daß
man bis auf einen gewissen Punct sehr sicher
fortschreiten kann, dann aber sich entschließen
muß, irgend ein Problem stehen zu lassen, dessen Lösung andern, vielleicht uns selbst in einiger Zeit vorbehalten ist (IV/36, 273). Hier
klingt wohl schon das Bedenken an, das Goethe dann in der Maxime aus dem Nachlaß
formuliert hat, daß ihn das Werk A.s trotz
aller Förderung, die er dadurch erfahren hat,
im Hauptsinne betrübt; denn hier ist die Geognosie, welche doch eigentlich auf der lebendigen
Ansicht der Weltoberfläche ruhen sollte, aller
Anschauung beraubt, und nicht einmal in Begriffe verwandelt, sondern auf Nomenklatur zurückgeführt, in welcher letzten Rücksicht sie
freilich einem jeden und auch mir förderlich und
nützlich ist (II/11, 107).   Za

Auch, Jakob (1765–1842), Mechaniker, zunächst in Kornwestheim und Karlsruhe tätig,
dann württ. Hofmechanikus in Vaihingen
(Enz), wurde 1798 zum Hofmechanikus nach
Weimar berufen, wo er seitdem lebte. Als
Schöpfer von Uhren und astronomischen und
metereologischen Instrumenten von hervorragender Qualität und als Fachschriftsteller
erwarb er sich über das weimarische Herzogtum hinaus einen Namen. Goethe, bei dem A.
am 14. I. 1799 erstmals zu Gast war (III/2,
229), bediente sich des geschickten Mechanikus
Auch, der sich aus Schwaben hieher begeben hat
(IV/15, 18) mehrfach, vor allem während der

Jahre 1799, als er durch ein Auchisches Teleskop
den *Mond beobachtete (III/2, 257 f.; IV/14,
161), und 1800, als er gemeinsam mit A. gleiche
Beobachtungen mithilfe eines von Knebel be-
schafften und von A. reparierten Teleskops anstellte (III/2, 281, 283, 307, 311; IV/15, 18 f.,
25, 37 f., 47). Am 8. II. 1825 unterhielt er sich
mit A. über das Planetarium von der Sonne bis
zur Erde; auch erwähnt er im Tagebuch einen
Aufsatz von Hofmechanicus Auch über das Planetarium (III/10, 15). Mit einer Uhr, die A.
ihm 1817 angefertigt hatte, war Goethe sehr
wohl zufrieden (IV/28, 102).   Hk
ADB 1 S.634. – KGräbner: Die Großherzogl. Haupt-
und Residenzstadt Weimar. Weimar 1836. S. 111 bis
113.

Audinot, Nicolas-Médard (1732–1801), französischer Dramatiker und Komponist, Gründer
des Ambigu-Theaters in *Paris, wo er das Melodrama einführte, Schöpfer einer Gattung,
die Goethe Zustands- oder Handwerks-oper
nennt (I/29, 43) und die in Deutschland um 1775
viel Erfolg hatte („Le tonnelier"/„Der Faß-
binder", 1761).   Fu

Audran, französische Kupferstecherfamilie;
Mitglieder mehrerer Generationen widmeten
sich mit großem Erfolg der Reproduktionskunst.
Goethe besaß von Benedict A. (1661 bis
1721), einem Enkel des Stammvaters Claude A. (1597–1675), eine Darstellung Davids
und Goliaths, angeblich von *Michelangelo,
und einen Stich nach Eustache *Le Sueur,
„Alexanders Vertrauen auf seinen Arzt Philip-
pus". Von dem Onkel Benedict A.s Gerard A.
(1640–1703) besaß Goethe zwei Stiche nach
*Poussin, die „Anbetung des goldenen Kal-
bes" und die berühmte Darstellung „Die Errettung des jungen Pyrrhus", sowie eine Aurora von Eustache Le Sueur.   Lö
Schuchardt 1 (1848), S. 207 ff.

Auerhahn, Berggasthof an der alten „Wald"-
oder „Frauenstraße" Ilmenau-Frauenwald-
Schleusingen, einem Abschnitt der Erfurt-
Nürnberger Geleitstraße, 1 km östlich von
*Stützerbach gelegen. Goethe berührte ihn
schon 1776 und in den folgenden Jahren auf
seinen Spaziergängen und -ritten von Ilmenau
über Gabelbach nach Stützerbach und Frauenwald, ohne ihn jedoch im Tagebuch zu erwähnen. Bei seinem letzten Aufenthalt in Ilmenau
im Jahre 1831 befuhr er am 27. und 30. August
die neu angelegte und 1829 fertiggestellte
Gabelbacher Chaussee mit Bewunderung bis
zum Auerhahn (III/13, 129; 131).   Hk

Auersperg, von und zu, altes bis in die Zeit
Karls d. Großen zurückreichendes, sich in
zwei Hauptlinien aufteilendes krainer Grafen-
geschlecht, benannt nach dem ehemaligen

Wohnsitz Ursperg. Goethe hatte mit folgenden Vertretern dieses Geschlechts unmittelbaren Kontakt:

–, 1) Karl Johann Nepomuk Ernst Joseph (1769–1829), Staatsbeamter und Besitzer der Herrschaft *Hartenberg bei *Falkenau in *Böhmen. Goethe weilte bei A., der ihm seit 1810 aus Karlsbad bekannt war, vom 27. bis 29. VIII. 1821, vom 4.–5. VII. 1822 und vom 5.–7. IX. 1823 zu Besuch. *Der Graf ein schöner, wohlgestalteter Mann von freyem, treuherzigem Anstand* ließ zu Goethes *Geburtstag 1821 ein Feuerwerk abbrennen: *und in dem Augenblicke krachten die Vorboten eines Feuerwerks auf dem gegenüberstehenden Berge, allerley Lustfeuer stiegen hier auf und brachten, indem sich unvermuthet in der Tiefe wiederspiegelten einen stillen Teich zur Evidenz, der in der Finsterniß verborgen gelegen ... ein abermaliges Krachen, das in den Gebirgen wiederschmetterte, verkündigte den Schluß und die Einleitung auf morgen war mit wenigen herzlichen Worten gegeben. Am 28. VIII. (!) hielt man den Umgang des Schlosses ... betrachtete die am Thalende liegende Brauerey ... und beschaute das Schloß von einer andern Seite (III/ 8, 100-103).* Auch Goethes zweiter Besuch verlief anregend: *Unterredung mit dem Grafen. Über seine Herrschaft. Ökonomie. Verbesserungen, Schloßreparatur, Bibliotheck pp (III/8, 223).* Nach außen bildete die Öconomie A.s den Schwerpunkt des goetheschen Aufenthaltes auch im September 1823 *(III/9, 109 f.);* nach innen aber schmerzte und bedrängte die *Marienbader *Elegie.

–, 2) dessen Sohn Joachim Joseph (1795–1875) lernte Goethe im Kreise der Familie A. kennen: *Bey Tafel erschien der junge Graf, angestellt im Bunzlauer Kreise, der still auf dem Geschäftswege fortgeht und zugleich mit seinem Vater in vollkommener Einigkeit, bey wiederhohlten Besuchen, das Eigene wohl zu behandeln und zu sichern bemüht zu seyn scheint (III/8, 285).*

–, 3) Maximilian Anton Karl Graf, österreichischer General (1771–1850) begegnete Goethe im Juli 1807 in *Karlsbad (III/3, 235).

–, 4) Anton Alexander, Dichter und Staatsmann (1806–1876). A. veröffentlichte unter dem Decknamen Anastasius *Grün seine dichterischen Werke.   *Za*

Auerstedt, Dorf südwestlich Eckartsberga, Poststation an der damaligen Straße Frankfurt–Naumburg–Leipzig, 1822: 406 Einwohner. Goethe berührte diesen Ort bereits auf der Fahrt zur Universität Leipzig und zurück nach Frankfurt. Indem er auf der Hinreise im Herbst 1765 den in der Gegend von A. steckengebliebenen Wagen wieder in Bewegung zu setzen half, stellten sich bei ihm die noch lange nachwirkenden Schmerzen in der Brust ein (I/27, 46; 185; 196). Von Weimar aus kam Goethe nach A. auf der Reise nach Leipzig am 24. III. 1776 (nachts), ferner begleitete er dorthin den Fürsten Leopold von *Dessau 1777 und 1784 (III/1, 40; IV/3, 43; IV/6, 327). Eine Erzählung über die Schlacht bei A. (14. X. 1806, Sieg des französischen Marschalls Davoust über die Preußen, Hauptquartier des Königs im Posthause) vernahm Goethe ein Jahr später aus dem Munde des a.er Postmeisters; er notierte: *Es wäre der Mühe werth, ihn zu einem naiven persönlichen Aufsatze zu veranlassen (III/3, 289).*   *Dl*

Aufklärung ist nach *Kants berühmter Definition „der Ausgang des Menschen aus seiner selbstverschuldeten Unmündigkeit. Unmündigkeit ist das Unvermögen, sich seines Verstandes ohne Leitung eines Anderen zu bedienen. Selbstverschuldet ist diese Unmündigkeit, wenn die Ursache derselben nicht am Mangel des Verstandes, sondern der Entschließung und des Mutes liegt, sich seiner ohne Leitung eines Andern zu bedienen. Sapere aude! Habe Mut, dich deines eigenen Verstandes zu bedienen! ist also der Wahlspruch der Aufklärung" („Beantwortung der Frage, Was ist Aufklärung?" 1784). In dem gleichen Aufsatz gibt Kant auf die Frage: „leben wir jetzt in einem aufgeklärten Zeitalter?" die Antwort: „nein, wohl aber in einem Zeitalter der Aufklärung". Denn es fehlt, so meint Kant, noch viel daran, daß die Menschen, „im Ganzen genommen, schon imstande wären ..., in Religionsdingen sich ihres eigenen Verstandes ohne Leitung eines Andern sicher und gut zu bedienen ... Allein, daß jetzt ihnen doch das Feld geöffnet wird, sich dahin frei zu bearbeiten, und die Hindernisse der allgemeinen Aufklärung ... allmählich weniger werden, davon haben wir doch deutliche Anzeigen. In diesem Betracht ist dieses Zeitalter das Zeitalter der Aufklärung, oder das Jahrhundert Friedrichs" (*Preußen).

Kant hat hier in erster Linie das je eigene Urteil des einzelnen und die Freiheit der Meinungsäußerung in Religionsdingen im Auge, darüber hinaus freilich die Freiheit zum „öffentlichen Gebrauch der Vernunft" überhaupt und in allen Dingen, und in diesem Sinne hat man im Anschluß an Kant den Begriff der A. häufig für die im 17. Jahrhundert in England begonnene und im 18. Jahrhundert sich jeweils in besonderer Weise in Frankreich und Deutschland fortsetzende Bewegung gebraucht, nachdem das Wort „A". schon seit der Mitte des 18. Jahrhunderts im Umlauf war und ganz allgemein zur Bezeichnung einer klaren und deutlichen Erkenntnis, der eindeutigen Antwort auf eine Frage, der Lösung eines Rätsels, der Aufdeckung eines Verborgenen, der Erforschung eines Unbekannten, kurz, der Beseitigung irgendwelcher Unkenntnisse, Unklarheiten, Rätselhaftigkeiten und Dunkelheiten diente. (Auch bei Goethe ist dieser allgemeine Sprachgebrauch vielfach anzutreffen, so zB. wenn er *den Reichthum des Aufklärens* rühmt und hierunter *die successive Aufklärung des Weltkörpers (II/II, 303),* will sagen die durch die neueren geographischen Forschungen gewonnenen genaueren Kenntnisse von der Erdoberfläche versteht.)

A. in der kantischen Bedeutung des Wortes schließt also eine zweifache Forderung in sich ein: Einmal wird jeder einzelne aufgefordert, sich in allen Dingen seines eigenen Verstandes zu bedienen und schlechtweg nichts auf bloße Autorität hin oder aus Tradition anzunehmen und anzuerkennen; zum andern wird die Obrigkeit aufgefordert, diesem je eigenen Verstandes- oder Vernunftgebrauch nichts in den Weg zu legen, also insbesondere das Recht der freien Meinungsäußerung zu garantieren. In diesen Forderungen ist alles Positive und Große, alles Beglückende und Befreiende, aber auch die ganze Überheblichkeit, alles Negative, Kleine und Kleinliche, alles Unglückliche, Verfehlte, Philiströse, Ärmliche und Erbärmliche der A. wie in der Nuß zusammengedrängt. Auch bekommt man zugleich einen Vorgeschmack von der Schwierigkeit, das Phänomen der A. eindeutig zu fassen; eine Schwierigkeit, die letztlich ihren Grund in der Unmöglichkeit hat, eine schier unendliche und durchaus nicht einheitliche zeit- und geistesgeschichtliche Mannigfaltigkeit in ein einfaches und starres Schema zu pressen.

Die Zweideutigkeit und „Dialektik" der A. macht sich bereits in ihrem eigentlichen Ursprungspunkt bemerkbar, nämlich darin, daß, wie es schon bei *Descartes und bei ihm gleich mit großer Deutlichkeit zum Ausdruck kommt, an die Stelle außermenschlicher Mächte (*Gott, *Natur) der Mensch selber, und zwar vorab sein Denken, seine Vernunfttätigkeit, als das Erste und Gewisse, als das eigentlich Absolute und schlechtweg Unhintergehbare tritt (mögen gleichwohl Gott

und Natur hinterher als nicht minder reale Substanzen sozusagen wieder zurückgewonnen werden). Die durch diese anthropologische Wendung ermöglichte Befreiung von blindem Autoritätsglauben und bloßem Ballast angeblich ehrwürdiger Traditionen war ebenso fruchtbar und beglückend, wie die durch dieselbe Wendung bedingte Hybris der Vernunft sich in den verschiedensten Richtungen nachteilig und schädlich auswirkte. Goethe hatte ein feines Empfinden für beide Seiten der Aufklärung; ihn einfach zu ihrem „Gegner" und „Überwinder" zu stempeln, gibt ein falsches Bild, das weder ihm noch der A. gerecht wird. Wenn er zB. ganz nebenbei und völlig unbefangen bemerkt: *Es liegt in jedem Menschen und ist ihm von Natur gegeben, sich als Mittelpunct der Welt zu betrachten, weil doch alle Radien von seinem Bewußtsein ausgehen und dahin wieder zurückkehren (II/ II, 87),* so nimmt er damit unwillkürlich die Haltung des modernen, aufgeklärten Menschen ein, die etwa der Mensch des Hochmittelalters durchaus nicht als „von Natur gegeben" empfand. Selbst in seinem abfälligen und eben deshalb häufig zitierten Urteil über *Holbachs „Système de la nature" redet Goethe die Sprache des Mannes einer aufgeklärten Zeit, wenn er seine und seines damaligen Kreises Erwartungen vor der Lektüre in die folgenden Worte kleidet: *Daß hierbei (dh. in dem holbachschen Buche) wohl manches vorkommen müßte, was dem gemeinen Menschen als schädlich, der Geistlichkeit als gefährlich, dem Staat als unzuläßlich erscheinen möchte, daran hatten wir keinen Zweifel, und wir hofften, dieses Büchlein sollte nicht unwürdig die Feuerprobe bestanden haben (I/28, 70).* Und Goethe trifft nicht nur sehr genau den zwiespältigen Kern der A., sondern neigt sich ihr auch deutlich zu, wenn er von der Autorität sagt, daß der Mensch zwar ohne sie nicht existieren könne, daß sie aber doch *eben so viel Irrthum als Wahrheit mit sich* bringe; denn: *sie verewigt im Einzelnen, was einzeln vorübergehen sollte, lehnt ab und läßt vorübergehen was festgehalten werden sollte, und ist hauptsächlich Ursache daß die Menschheit nicht vom Flecke kommt (II/II, 112).* Man wird freilich an dieser Stelle, an der Goethe zweifellos an die beherrschende Rolle der seiner Meinung nach „falschen" newtonschen *Optik denkt, beachten müssen, daß die so ganz und gar aufklärerisch klingende Schlußwendung durch Goethes außergewöhnlich heftige Abneigung gegen *Newton mitbedingt ist. Aber auch unabhängig davon hat Goethe die wichtigsten

Güter der A., nämlich die Geistesfreiheit, das Stehen auf eigenen Füßen, die Kritik, die Befreiung vom Autoritätsglauben und von den Bleigewichten des Nur-Überkommenen und in Wahrheit längst Abgestorbenen stets dankbar und freudig anerkannt, wie ihm denn auch – bei allem Respekt vor dem außer- und übermenschlichen Numinosen, dem Göttlichen, Heiligen, Geheimnisvollen, Unerforschlichen und Unergründlichen – der anthropozentrische Ausgangspunkt der A. immer selbstverständlich gewesen ist.

Auf derselben Linie liegt es, wenn Goethe, ungeachtet seiner Grundauffassung vom Wesen der Natur und der Wissenschaft, die Wissenschaften und ihre Anwendungsmöglichkeiten mitunter ganz im Sinne der A. sieht. Er rechnet es Francis *Bacon hoch an, daß durch ihn *der Sinn der Zeit auf das Reale, das Wirkliche gerichtet worden. Dieser außerordentliche Mann hatte das große Verdienst, auf die ganze Breite der Naturforschung aufmerksam gemacht zu haben (II/4, 14).* Und ganz baconisch-aufklärerisch klingt es, wenn Goethe der Naturbeherrschung durch Wissen und Wissenschaft unumwunden das Wort redet: *Es ist offenbar, daß das, was wir Elemente nennen, seinen eigenen wilden wüsten Gang zu nehmen immerhin den Trieb hat. Insofern sich nun der Mensch den Besitz der Erde ergriffen hat und ihn zu erhalten verpflichtet ist, muß er sich zum Widerstand bereiten und wachsam erhalten ... Denn die *Elemente sind als colossale Gegner zu betrachten, mit denen wir ewig zu kämpfen haben, und sie nur durch die höchste Kraft des Geistes, durch Mut und List, im einzelnen Fall bewältigen. Als Herz und Geist erhebend* aber empfindet es Goethe, *wenn man zu schauen kommt was der Mensch seinerseits getan hat, sich zu waffnen, zu wehren, ja seinen Feind als Sklaven zu benutzen (II/12, 102 f.).* Hier verknüpft sich Goethes Abscheu vor dem Ungeregelten und Chaotischen, insbesondere vor dem regellosen, wilden, blind-mechanischen Toben und Tosen der Elemente – ein Widerwille, wie er auch in Goethes Stellung zu den geologischen Theorien des *Plutonismus und *Neptunismus, sowie in seiner wohl etwas übertriebenen Hochschätzung *Howards und dessen *Meteorologie zum Ausdruck kommt – mit dem baconschen „Wissen ist Macht", mit der „echt aufklärerischen" Tendenz zur Beherrschung, Unterwerfung und Nutzbarmachung, ja Ausnutzung der Natur, und man mag auch hieran wieder erkennen, wie bedenklich es ist, von „der" A. schlechthin als von einer feststehenden, einfachen,

klar umrissenen Größe zu reden und die Denkweise und Haltung einer Persönlichkeit kurzerhand als „aufklärerisch" oder „gegenaufklärerisch" zu bezeichnen. Auf einen Goethe zumal paßt überhaupt keine Schablone, und die Zeit von der Mitte des 17. bis zum Ende des 18. Jahrhunderts ist viel zu mannigfaltig und reich, als daß sie durch den Begriff der A. auch nur annähernd gekennzeichnet werden könnte.

Der vorwärtsdrängenden Regsamkeit und ständig wachsenden Naturbeherrschung einer im Sinne der A. betriebenen Wissenschaft konnte sich Goethe ebensowenig entziehen, wie dem Imponierenden einer nicht minder aufklärerischen Wissens- und Stoffsammlung. So bezeichnet er *Bayles Wörterbuch *wegen Gelehrsamkeit und Scharfsinn* als *schätzbar und nützlich,* wenn er es auch zugleich *wegen Klätscherei und Saalbaderei lächerlich und schädlich* findet (I/29, 8). Die *Enzyklopädisten aber nimmt er als *verbündete Anzahl außerordentlicher Männer (I/45, 189)* gegen *Palissots Spott ausdrücklich in Schutz, und es besagt an und für sich nichts gegen den Geist der A. und gegen die Leistungen der Enzyklopädisten, wenn er seine Jugendeindrücke wie folgt wiedergibt: *Wenn wir von den Encyclopädisten reden hörten, oder einen Band ihres ungeheuren Werks aufschlugen, so war es uns zu Muthe, als wenn man zwischen den unzähligen bewegten Spulen und Weberstühlen einer großen Fabrik hingeht, und vor lauter Schnarren und Rasseln, vor allem Aug' und Sinne verwirrenden Mechanismus, vor lauter Unbegreiflichkeit einer auf das mannichfaltigste in einander greifenden Anstalt, in Betrachtung dessen was alles dazu gehört, um ein Stück Tuch zu fertigen, sich den eigenen Rock selbst verleidet fühlt, den man auf dem Leibe trägt (I/28, 64).* Solche und ähnliche Äußerungen treffen gewiß die eine oder andere negative Seite aufklärerischer Unternehmungen, können aber durchaus nicht als gegen „die" A. gerichtet angesehen werden. Goethes Kampf gegen die vollständige Mathematisierung der Naturwissenschaft, der sozusagen nur die andere Seite seiner Forderung nach einer (im weitesten Sinne) *morphologischen Betrachtungsweise ist, trifft genau mit der Tendenz der französischen Aufklärungsphilosophie zusammen, die Alleinherrschaft der Mathematik in der Naturwissenschaft zu brechen, wie wir denn überhaupt bei *Diderot, *Maupertuis, *Robinet, *Buffon, ja sogar bei *Lamettrie viele Anklänge an Goethes organismisch-morphologisches

Denken finden. Diese Art des Denkens und der Naturbetrachtung ist der mathematisch-mechanisch-materialistischen, die man häufig allein für die Naturphilosophie der A. in Anspruch nimmt, durchaus entgegengesetzt, und doch ist auch sie in der französischen A. zuhause, die unter diesem Aspekt rückwärts auf *Leibniz, vorwärts aber auf Goethe und seine Art des Deutens und Erforschens der Natur weist. Goethes Ablehnung der Kosmologie des Descartes mit ihren Wirbeln, *die so unbegreiflich, als irgend ein anderes der geoffenbarten Religion auch sind (Bdm. 2, 47)*, wie überhaupt seine Abneigung gegen Weltbildkonstruktionen und metaphysische Systeme, wird man freilich wohl kaum mit den gleichen Tendenzen der A. in Verbindung bringen dürfen (ganz davon abgesehen, daß die deutsche Philosophie der A. unter *Wolff noch durchaus dem System- und Weltbildgedanken huldigte). Denn wenn sich die englischen Aufklärungsphilosophen der Erkenntnis-, Staats-, Rechts- und Gesellschaftslehre, den Fragen der *Religion, *Politik und *Erziehung zuwenden, ohne nach einem umfassenden Weltbild und einer einheitlichen, das Ganze des Seins umspannenden philosophischen Deutung zu fragen, wenn *Condillac im „Traité des systèmes" sich gegen die Systemkonstruktionen in *Physik und *Metaphysik ausspricht, d'*Alembert im Discours préliminaire zur großen Enzyklopädie sich bereits auf einen geradezu „positivistischen" Standpunkt stellt und wenn das System der cartesianischen Physik und Kosmologie allmählich sogar in Frankreich verfällt, so sind für dies alles doch wesentlich andere Gründe maßgebend, als für Goethes Scheu vor philosophischen Systemkonstruktionen und mechanisch-physikalischen bzw. mechanisch-kosmologischen Theorien, welch letztere nun einmal außerhalb seiner Verständnisbereitschaft, ja, wohl auch außerhalb der Grenzen seines Verstehensvermögens lagen. Dagegen zeigt der Geist, der über *Voltaires „Philosophe ignorant" schwebt, manchen verwandten Zug mit dem Denken Goethes, ohne daß man hier von einer bloß zufälligen oder einer durch die beiderseitige Altersweisheit bedingten Übereinstimmung reden könnte. Vielmehr wird man den bei Voltaire so gut wie bei Goethe anzutreffenden, teils leise resignierenden, teils milden und besonnenen Verzicht auf das Unerreichbare, die weise und durchaus nicht schwächliche Beschränkung auf den Kreis des Zugänglichen und Erforschbaren einem im besten Sinne des Wortes aufgeklärten Denken

zurechnen dürfen, ganz ebenso wie *Lessings berühmtes Wort von dem immerwährenden Wahrheitsstreben bei freiwilligem Verzicht auf den endgültigen Besitz der Wahrheit einer (wiederum im besten Sinne gemeinten) aufgeklärten Haltung entspringt, die auch Goethe einnimmt, wenn er das ständige Streben und Bemühen dem Verweilen beim Erreichten vorzieht. Von hier aus, aber auch direkt von der anthropozentrischen Ausgangsposition her, führt dann ein gerader Weg zu dem für die A. höchst bezeichnenden *Relativismus, der mit einer gewissen Überlegenheit die verschiedenen Standpunkte Revue passieren läßt, ohne für den eigenen Standpunkt ein metaphysisches Sonderrecht zu beanspruchen: *Priester werden Messe singen | Und die Pfarrer werden pred'gen; | Jeder wird vor allen Dingen | Seiner Meinung sich entled'gen | Und sich der Gemeine freuen, | Die sich um ihn her versammelt, | So im Alten wie im Neuen | Ohngefähre Worte stammelt. | Und so lasset auch die Farben | Mich nach meiner Art verkünden, | Ohne Wunden, ohne Narben, | Mit der läßlichsten der Sünden (I/3, 104)*. An den Geologen v*Leonhard aber schreibt er unterm 12. X. 1807, nachdem er dargelegt, daß mit Rücksicht auf die Fragen der Gesteinsentstehung seine Erklärungsart sich mehr einer chemischen, als einer mechanischen Erklärung zuneige: *Gewiß würde man, nach meiner Überzeugung, über Gegenstände des Wissens, ihre Ableitung und Erklärung viel weniger streiten, wenn jeder vor allen Dingen sich selbst kennte und wüßte, zu welcher Parthie er gehöre, was für eine Denkweise seiner Natur am angemessensten sey. Wir würden alsdann die Maximen, die uns beherrschen, ganz unbewunden aussprechen und unsere Erfahrungen und Urtheile diesem gemäß ruhig mittheilen, ohne uns in irgend einen Streit einzulassen: denn bey allen Streitigkeiten kommt am Ende doch nichts weiter heraus, als daß sich zwey entgegengesetzte, nicht zu vereinigende Vorstellungsarten recht deutlich aussprechen, und Jeder auf der seinigen nur desto fester und strenger beharrt (IV/19, 433 f.)*. Man muß sich also hüten, Goethes Verhältnis zur A. lediglich unter dem wohlbekannten Schulbuchaspekt zu sehen, demzufolge der Goethe des *Sturm und Drang und der *Genie-bewegung gemeinsam mit *Herder und anderen die A. „überwindet", um sich dann allmählich abzuklären und schließlich den Gipfel der „*Humanität" zu erklimmen. Natürlich ist es richtig, daß die Stürmer und Dränger nach dem Vorgange *Hamanns, in bewußter Gegenstellung zur objektivistischen und objektivierenden Normalvernunft der A., in der subjektiven Empfindung das wahrhaft Schöpferische und Eigentliche erblicken und im Anschluß an *Möser das aufklärerische Prinzip der allgemeinen *Gleichheit der Menschen über Bord werfen (wobei freilich sogleich bemerkt werden muß, daß selbst die letztgenannte, gemeinhin als „typisch aufklärerisch" angesehene Idee sich zB. bei d'Alembert und Holbach, die beide die naturgegebene und gesellschaftliche Ungleichheit der Menschen sehr nachdrücklich betonen, völlig anders ausnimmt als in der späteren Proklamation der Menschenrechte und in der deutschen Trivialaufklärung!). Indessen hat Goethe nie die Aufklärung in Bausch und Bogen verurteilt. Das Kind mit dem Bade auszuschütten war – wenn man von dem ganz einzigartigen Verhältnis zu *Newton absieht – nicht seine Art, und im Vordergrund stand für ihn immer die jeweilige Persönlichkeit und nie das Zeitalter, die „Richtung" oder „Strömung". Das Denken in geistesgeschichtlichen Kategorien, in zeitbedingten Schablonen und philosophischen Schulbegriffen trat bei ihm überhaupt hinter der unmittelbaren, lebendigen Auseinandersetzung mit der jeweiligen Persönlichkeit und Sache weit zurück. Seine Äußerungen über Montesquieu, Voltaire, Rousseau, Buffon, Helvetius, Diderot, d'Alembert und die Enzyklopädisten überhaupt zielen immer auf den einzelnen, nicht auf die A. ab, und rückhaltlos erkennt er jedes Verdienst an. Montesquieu setzt ihn *in Erstaunen. Die ganze Geschichte unserer Zeit steht buchstäblich in seinem Werke (IV/19, 398).* Er hält „sehr viel von Rousseau, ist jedoch nicht ein blinder Anbeter von demselben" (Kestner: Bdm. 1, 22). Und wenn er von Voltaire einmal sagt, dieser komme ihm *immer vor wie ein Zauberer der einen Hexen Kessel abschäumt es ist nur Schaum was sein Löffel schöpft aber ein verteufelter Schaum aus einem Kessel voll unendlicher Ingredienzien aufsiedend (II/5^{II}, 300),* so kann, wer will, bei dieser Äußerung auch ein Urteil über die vielgenannte „Seichtigkeit" und „Oberflächlichkeit" der französischen A. mitklingen hören. Es ist aber doch in erster Linie und zunächst ein Urteil über den einmalig-einzigartigen Voltaire, der zwar nur Schaum, aber eben doch einen verteufelten Schaum löffelt und dem ein Kessel voll unendlicher Ingredienzien zur Verfügung steht! Noch weniger darf man bei dem recht komplizierten Verhältnis Goethes zu Kant vergessen, daß es die große Persönlichkeit des

Philosophen mitsamt der Eigenart seiner Gedankengänge ist, wodurch sich Goethe teils angezogen, teils abgestoßen fühlt, und es wäre falsch, wenn man die abfälligen Äußerungen Goethes über Kant samt und sonders so deuten wollte, als habe sich Goethe hier gegen „aufklärerisches Gedankengut" zur Wehr gesetzt. Übrigens ging Kant ja selber in zahlreichen wichtigen und entscheidenden Punkten über die Aufklärung hinaus, wenn er auch mit der „kopernikanischen Wendung" die anthropozentrische Ausgangsposition der A. in einer höchst eigentümlichen Weise verschärfte und auf eine neue und ungemein folgenreiche Formel brachte. Der echt aufklärerische Ausgang vom Menschen ist aber, wie wir eingangs schon betonten, auch für Goethe kennzeichnend, und wenngleich er an der *kritischen und *idealistischen Philosophie bemängelt, daß sie *nie zum Object* komme, so bekennt er doch offen und ganz im Sinne der A.: *Ich danke der kritischen und idealistischen Philosophie, daß sie mich auf mich selbst aufmerksam gemacht hat, das ist ein ungeheurer Gewinn ... (IV/49, 82).* Und es erinnert sowohl an Kants Grenzziehung als auch an die von der französischen A. (Voltaire, d'Alembert, Condillac) geforderte Beschränkung, wenn es in den *MuR* heißt: *Es wäre eine wahre Wohlthat für's Menschengeschlecht, wenn man dem Gemeinverstand bis zur Überzeugung nachweisen könnte, wie weit er reichen kann, und das ist gerade soviel, als er zum Erdenleben vollkommen bedarf (I/42^{II}, 259 f.).* Daß Goethe in so großen und bedeutenden Männern der deutschen A., wie Wieland und Lessing, das Positive zu sehen und zu mehren vermochte, ist bekannt und sei hier nur am Rande erwähnt. Die Äußerung zu Eckermann: *Lessing wollte den hohen Titel eines Genies ablehnen, allein seine dauernden Wirkungen zeugen wider ihn selber (Bdm. 3, 492 f.)* darf doch wohl als das höchste Lob angesehen werden, das jemals einem „Aufklärer" gespendet wurde. Aber auch *Gottsched, *Bodmer und *Breitinger werden durchaus nicht nur von ihrer negativen Seite gesehen. Von Breitinger heißt es sogar, er sei *ein tüchtiger, gelehrter, einsichtsvoller Mann* gewesen, der, wenn auch *von einem falschen Puncte ausgehend, ... doch noch auf die Hauptsache stößt, und die Darstellung der Sitten, Charaktere, Leidenschaften, kurz, des innern Menschen, auf den die Dichtkunst doch wohl vorzüglich angewiesen ist, am Ende seines Buchs gleichsam als Zugabe anzurathen sich genöthigt findet (I/27, 80).* Und wenn man an *Gellert auch noch so

viel tadeln mag, *hört er deßwegen auf, ein angenehmer Fabulist und Erzähler zu sein, einen
wahren Einfluß auf die erste Bildung der Nation zu haben, und hat er nicht durch vernünftige und oft gute Kirchenlieder Gelegenheit gegeben, den Wust der elendesten Gesänge zu verbannen? (I/37, 198)*. *Mendelssohn wird als
einer unserer würdigsten Männer bezeichnet
(I/28, 313) und selbst der viel befehdete und
weidlich verspottete Nicolai erhält einmal das
spärliche und zweideutige Lob: ... *der übrigens brave, verdienst- und kenntnißreiche Mann
(I/28, 228)*. Man sieht an diesen, aus dem
engeren Kreise der deutschen A. willkürlich
herausgegriffenen Beispielen, wie wenig sich
Goethe in seinen Urteilen durch den Schema-
begriff „A." leiten läßt, wie es ihm immer nur
um die Persönlichkeit und um die Sache zu
tun ist und wie er selbst dort, wo er bekämpft,
widerspricht und spottet, sich um ein gerechtes Urteil bemüht und ein auch nur geringes
Verdienst anzuerkennen bereit ist.

Freilich bezeichnen die Namen Mendelssohn
und Nicolai, denen einerseits noch *Garve
und *Reimarus, andrerseits *Ramler, *Jesche
und viele andere zugesellt werden können, genau den Punkt, der Goethe nicht nur von der
deutschen Trivialaufklärung, sondern von der
A. überhaupt trennt. Daß sich Goethe gegen
die berliner Trivialaufklärung mit ihrer Verherrlichung des Durchschnittsmenschen und
des Philisters, mit ihren platten Vernunft-
wahrheiten, ihrer armseligen Vernunftreligion,
ihrer Anpassung an den mittelmäßigen Leser,
ihrem rückgratlosen Weltbürgertum, ihrer Popularphilosophie und Halbbildung zur Wehr
setzt, versteht sich von selbst und bedarf keiner Belege. Nicolai wird zur Hauptzielscheibe
seines Spottes, und es zeugt wiederum von der
Einsicht Goethes in die Dialektik der A., wenn
er gerade Nicolai die Vernunft abspricht: *Nicolai reiset noch immer, noch lang wird er reisen,
| Aber in's Land der Vernunft findet er nimmer
den Weg (I/5ᴵ, 231)*; wie er denn auch in dem
folgenden, gleichfalls auf Nicolai gemünzten
Xenion einen scharfen Trennungsstrich zwischen „A." und „A." zieht: *Hättest du Phan-
tasie und Witz und Empfindung und Urtheil, |
Wahrlich, dir fehlte nicht viel, Wieland und Lessing zu sein (I/5ᴵ, 206)*! In der *Walpurgisnacht*
aber tritt Nicolai als Proktophantasmist auf,
der sich über die trotz aller A. immer noch
vorhandenen Teufelsgeister und Gespenster
empört: *Ihr seid noch immer da! Nein das ist
unerhört. | Verschwindet doch! Wir haben ja
aufgeklärt! | Das Teufelspack es fragt nach kei-
ner Regel. | Wir sind so klug und dennoch

spukt's in Tegel. | Wie lange hab' ich nicht am
Wahn hinausgekehrt | Und nie wird's rein,
das ist doch unerhört (I/14, 209)*! Die Plattheit
der A., die kein Verhältnis mehr hat zum Geheimnisvollen und Wunderbaren, zum Glauben an Götter, Teufel, Geister und Dämonen, die der Phantasie die Flügel be-
schneidet und recht eigentlich den Tod der
Poesie und aller höheren geistigen und sittlichen Bestrebungen bedeutet, war Goethe
zutiefst zuwider. Daher auch seine Verspottung des aufklärerischen Theologen KF
*Bahrdt (I/16, 105 f.; 35, 4 f.), der ua. *die
ganze Lehre der Schrift von dem Teufel weg-
räsonniren will (I/37, 251)*, und aus demselben Grunde rügt er an Voltaire, daß dieser
sich über *Shakespeares *Geister, Rasende,
Hexen, Feen und Unholde (I/38, 336)* lustig
macht. Die Abneigung gegen diese und aufklärerische Plattheit und Entmythologisierung läßt sich durch Goethes ganzes Leben
hindurch verfolgen. Aus dieser Abneigung
heraus, die sich naturgemäß mit dem Widerwillen gegen das Nüchterne, Alltägliche, Pedantische, Philiströse verbindet, spricht er
von dem *Gottschedische(n) Gewässer*, das *die
deutsche Welt mit einer wahren Sündfluth überschwemmt* hatte *(I/27, 63 f.)*, spricht er von
eben dieser Zeit als von einer *wässerigen, weitschweifigen, nullen Epoche (I/27, 88)*. Und er
freut sich über Wielands Auflehnung *gegen
alles, was wir unter dem Wort Philisterei zu
begreifen gewohnt sind, gegen stockende Pedanterie, kleinstädtisches Wesen, kümmerliche
äußere Sitte, beschränkte Kritik, falsche Sprö-
digkeit, platte Behaglichkeit, anmaßliche Würde,
und wie diese Ungeister, deren Name Legion ist,
nur alle zu bezeichnen sein mögen (I/36, 322)*.
Als wahrer Dichter setzt Goethe das Gefühl,
das Emotionale schlechthin, das durch die
A. nicht zurückgedrängt, sondern in seiner
ganzen anthropologischen, ja metaphysischen
Gewichtigkeit völlig verkannt worden war,
wieder in seine Rechte ein, und er betont mit
allem Nachdruck, daß man nicht glauben
solle, *man könne oder dürfe das wegraisonniren,
was Gefühl geworden ist, und bleiben wird und
muß (I/38, 383)*.

Es ist an dieser Stelle nicht möglich, alle
Züge in Goethes Denken zu verfolgen, die mit
der A. unverträglich sind und uns Goethe am
Gegenpol zeigen, wobei aber sogleich wieder
beachtet werden muß, daß hier nur an jeweils
e i n e bestimmte Seite der A. gedacht und die
„Dialektik" nicht vergessen werden darf. Das
wird zB. besonders deutlich an Goethes Abneigung gegen die *Endursachen*, gegen die

hausbackene *Teleologie* und *Physikotheologie*, die nichts betrachten kann, ohne nach seinem Zweck zu fragen – einer der wichtigsten Berührungspunkte zwischen Goethe und Kant: ... *es ist ein gränzenloses Verdienst unsres alten Kant um die Welt, und ich darf auch sagen um mich, daß er, in seiner Kritik der Urtheilskraft, Kunst und Natur kräftig nebeneinander stellt und beiden das Recht zugesteht: aus großen Principien zwecklos zu handeln. So hatte mich Spinoza früher schon in dem Haß gegen die absurden Endursachen gläubiget. Natur und Kunst sind zu groß um auf Zwecke auszugehen, und haben's auch nicht nöthig, denn Bezüge gibt's überall und Bezüge sind das Leben (IV/46, 223).* Kein Zweifel, daß Goethe damit eine scharfe Frontstellung gegen die gesamte deutsche Aufklärungsphilosophie von Leibniz bis zu Mendelssohn, aber auch gegen *Haller, *Bonnet, Voltaire und andere französische Aufklärer bezieht. Nichtsdestoweniger liegen die Wurzeln der antiteleologischen Auffassung doch auch in der sog. Aufklärungsphilosophie, nämlich teilweise bei den englischen Aufklärern, ferner bei Diderot, d'Alembert, Robinet und selbstverständlich nicht zuletzt bei Kant (sofern man diesen überhaupt noch zur A. zählen will).

Die aufklärerische Sucht, allenthalben nach Zwecken zu fahnden und alles unter dem teleologischen Aspekt zu beurteilen, steht in einem inneren Zusammenhang mit dem Optimismus und der Perfektionsidee der A. Die Auffassung aber, daß diese Welt nicht nur die beste aller möglichen Welten sei, sondern daß bei „richtigem Vernunftgebrauch" so gut wie alle Übel beseitigt werden könnten und mithin die „erleuchteten Zeiten" die früheren turmhoch überragten, korrespondiert mit dem nachmals so oft beklagten unhistorischen Sinn der A., ihrer Abwertung des Überlieferten, ihrer Ungerechtigkeit gegenüber der Vergangenheit. Daß Goethe bei seinem ursprünglichen Empfinden für das historisch Gewordene und Gewachsene – rechnet ihn Friedr. Meinecke doch mit vollem Recht zu den Ahnherren des Historismus – gegen den unhistorischen *Rationalismus mit seiner Überschätzung der aufgeklärten Gegenwart und seiner Verachtung und Verunglimpfung des Alten und Vergangenen Front macht, bedarf kaum der besonderen Hervorhebung. So sehr er zB. an Bacon dessen Gegenwarts- und Wirklichkeitssinn zu loben weiß, so sehr tadelt er seine echt aufklärerische *Ungerechtigkeit gegen die Alten (II/5^{II}, 256).* Er spricht – wiederum inbezug auf Ba-

con – *von der falsche(n) art die Jahrhunderte anzusehn, da nur solche geschätzt werden welche auffallende Resultate hervorgebracht (II/5^{II}, 260).* Freilich verkennt er gerade bei Bacon die Kraft nicht, die sich hinter der unbekümmerten, vorwärtsdrängenden, über das Althergebrachte sich hinwegsetzenden Art verbirgt: *Er strich also, wie es kräftige Menschen zu thun pflegen, die ganze Vergangenheit durch (II/5^{II}, 262).* Aber *wünschenswerth wäre* es eben doch *gewesen, daß Baco das Kind nicht mit dem Bade ausgeschüttet hätte, daß er den Werth des vorhandenen Überlieferten eingesehen und diese Einsicht fortgepflanzt hätte, daß er die vorhandenen Erfahrungen hätte zu schätzen und fortzusetzen gewußt, anstatt durch seine Manier ins Unbestimmte und ins Unendliche hinzuweisen (II/5^{II}, 265).* Auch an *Priestleys „History and present state of discoveries relating to vision, light and colours" (London 1772) tadelt Goethe, daß *Alles was im Alterthum und in der mittlern Zeit geschehen ..., für nichts geachtet wird (II/4, 208 f.).* Und zu *Riemer äußerte er sich am 10. V. 1806 in unmißverständlicher Weise, wie lächerlich es sei, *wenn die Philister sich der größern Verständigkeit und Aufklärung ihres Zeitalters rühmen und die frühern barbarisch nennen (Bdm. 1, 409).* Überhaupt war Goethe in der richtigen Einschätzung antiker und mittelalterlicher Wissenschaft seiner Zeit weit voraus. Hier wirkten Unverständnis und Überheblichkeit der A. ja noch bis ins 20. Jahrhundert hinein, um erst in unserer Zeit ihre endgültige Überwindung zu finden.

Mangel an *Ehrfurcht, der für Goethe immer ein Hauptstein des Anstoßes ist, wird ihm auch zum Angelpunkt seiner Kritik alles Aufklärerischen im negativen und abschätzigen Sinne. Er erkennt zwar die „großen Verdienste" des 18. Jahrhunderts bereitwillig an, aber bei eben diesen *großen Verdiensten hegte und pflegte es manche Mängel und that den vorhergehenden Jahrhunderten, besonders den weniger ausgebildeten, gar mannichfaltiges Unrecht. Man kann es in diesem Sinne wohl das selbstkluge nennen, indem es sich auf eine gewisse klare Verständigkeit sehr viel einbildete, und alles nach einem einmal gegebenen Maßstabe abzumessen sich gewöhnte. Zweifelsucht und entscheidendes Absprechen wechselten mit einander ab, um eine und dieselbe Wirkung hervorzubringen: eine dünkelhafte Selbstgenügsamkeit, und ein Ablehnen alles dessen, was sich nicht zugleich erreichen noch überschauen ließ. Wo findet sich Ehrfurcht für hohe unerreichbare Forderungen? Wo das Gefühl für einen in un-*

ergründliche Tiefe sich senkenden Ernst? Wie selten ist die Nachsicht gegen kühnes mißlungenes Bestreben! . . . Ob hierin der lebhafte Franzose oder der trockne Deutsche mehr gefehlt, und in wiefern beide wechselseitig zu diesem weit verbreiteten Tone beigetragen, ist hier der Ort nicht zu untersuchen. Man schlage diejenigen Werke, Hefte, Blätter nach, in welchen kürzere oder längere Notizen von dem Leben gelehrter Männer, ihrem Charakter und Schriften gegeben sind; man durchsuche Dictionnaire, Bibliotheken, Nekrologen, und selten wird sich finden, daß eine problematische Natur mit Gründlichkeit und Billigkeit dargestellt worden. Man kommt zwar den wackern Personen früherer Zeiten darin zu Hülfe, daß man sie vom Verdacht der Zauberei zu befreien sucht; aber nun thäte es gleich wieder Noth, daß man sich auf eine andre Weise ihrer annähme und sie aus den Händen solcher Exorcisten abermals befreite, welche, um die Gespenster zu vertreiben, sich's zur heiligen Pflicht machen, den Geist selbst zu verjagen. Wir haben bei Gelegenheit, als von einigen verdienten Männern, Roger Baco, Cardan, Porta, als von Alchymie und Aberglauben die Rede war, auf unsere Überzeugungen hingedeutet, und dieß mit so mehr Zuversicht, als das neunzehnte Jahrhundert auf dem Wege ist, gedachten Fehler des vorangegangenen wieder gut zu machen, wenn es nur nicht in den entgegengesetzten sich zu verlieren das Schicksal hat (II/3, 239–241).

Mit einer Sicherheit ohnegleichen, die uns heute noch in Erstaunen setzt, trifft Goethe hier einige Wesensmerkmale aufklärerischen Denkens, und doch wird zugleich wieder deutlich, wie sehr man sich bei der Beurteilung Goethes und seiner Stellung zur A. vor jeder bequemen Schwarz-Weiß-Malerei hüten muß. Der Hinweis auf das 19. Jahrhundert am Ende des Zitats zeigt das mit voller Eindeutigkeit. Insbesondere darf man mit Rücksicht auf Goethes Verhältnis zum Phänomen der *Ahnung*, zu *Aberglauben*, *Magie* und *Zauberei* nicht übersehen, daß Goethe zu den von der A. verspotteten und ausgekehrten, von der Romantik dann wieder in voller Breite hereingelassenen und hochgeschätzten, gemeinhin als „übersinnlich" oder auch als „okkult" bezeichneten Dingen zwar im Grunde eine durchaus positive Einstellung hat, aber auch stets eine sehr beachtliche Distanz hält. So wie er auf der einen Seite die von der A. geförderte Sammlung des Wissensstoffes begrüßt (s.o.), andrerseits aber dennoch die aufklärerische Genugtuung über die bloße Fülle des Angesammelten keineswegs teilt – *Die neuere Zeit schätzt sich selbst zu hoch, wegen der großen Masse Stoffes, den sie umfaßt. Der Hauptvorzug des Menschen beruht aber nur darauf, in wiefern er den Stoff zu behandeln und zu beherrschen weiß (II/3, 135)* – so weiß er auch mit Rücksicht auf das Okkulte und Imponderable die Akzente sehr fein zu verteilen und ist von aufklärerischem Besserwissen, von rationalistischer Neunmalklugheit und von jedem überheblichen Scientismus, der nur das unmittelbar Faßliche, das Errechenbare und Nachrechenbare gelten läßt, ebenso weit entfernt, wie von einem eigentlichen Okkultismus und einem wesenhaft abergläubischen Verhalten. Was Goethe mit aller Magie und Zauberei, mit allem Abergläubischen und Ahnungshaften verbindet, ist das dem Denken der A. strikt entgegengesetzte Wissen um die faktische Existenz des Unergründlichen und rational Unfaßbaren. Aus diesem ursprünglichen Wissen heraus nimmt Goethe schon früh gegen die Philosophen Stellung, die, ganz im Sinne einer radikalen A., alles beweisen und erklären wollen und die Grenzlinie übersehen, die das Erforschbare und rational Erklärbare vom Unerforschlichen und Unerklärlichen, kurz, vom Überrationalen, „das höher ist als alle Vernunft" trennt: *Denn da in der Poesie ein gewisser Glaube an das Unmögliche, in der Religion ein gleicher solcher Glaube an das Unergründliche statt finden muß, so schienen mir die Philosophen in einer sehr üblen Lage zu sein, die auf ihrem Felde beides beweisen und erklären wollten . . . (I/27, 11). Es gibt ein Mysterium so gut in der Philosophie wie in der Religion* (JD*Falk: Goethe aus persönlichem Umgang. 1832. S. 79 f.). Auch Goethes bekannte Vorliebe für die religiösen „Separatisten, Pietisten, Herrnhuter", die eben, sehr im Gegensatz sowohl zur unduldsamen protestantischen Orthodoxie, als auch zum toleranten, aber faden und trockenen Vernunftglauben einer aufklärerisch „gereinigten" Religion, wieder ein Gespür hatten für das Erlebnis des Numinosen, des Unergründlichen in all seiner göttlichen Erhabenheit, aber auch Schrecklichkeit und Schauerlichkeit, gehört hierher, ganz davon abgesehen, daß die religiösen Außenseiter allein schon *durch Originalität, Herzlichkeit, Beharren und Selbstständigkeit (I/26, 62 f.)* eine mächtige Anziehungskraft auf Goethe ausübten.

Ungemein aufschlußreich, gerade auch im Hinblick auf Goethes Verhältnis zur A., zum *Rationalismus* und zum aufklärerischen Denken überhaupt, ist Goethes Darlegung dessen, was er selbst seine „*Grundmeinung*" nennt, die Meinung nämlich, *bei allem was uns überliefert, besonders aber schriftlich überliefert werde, komme es auf den Grund, auf das Innere, den Sinn, die Richtung des Werks an; hier liege das Ursprüngliche, Göttliche, Wirksame, Unantastbare, Unverwüstliche, und keine Zeit, keine äußere Einwirkung noch Bedingung könne diesem innern Urwesen etwas anhaben, wenigstens nicht mehr als die Krankheit des Körpers einer wohlgebildeten Seele . . . Diese aus Glauben und Schauen entsprungene Überzeugung . . . liegt zum Grunde meinem sittlichen sowohl als literarischen Lebensbau . . .* Diese Überzeugung ist ihm ein *wohl angelegtes und reichlich wucherndes Capital . . .*, und er bekennt, daß ihm auch erst hierdurch die B i b e l zugänglich geworden sei *(I/28, 101 f.).*

Mit der großen Scheu und Ehrfurcht, die Goethe allem Echten, Eigentlichen und Ursprünglichen entgegenbringt, mit dem staunenden, ehrfürchtigen Stehenbleiben vor den *Urphänomenen, vor allem Unhintergehbaren und wahrhaft Letzten, trennt sich Goethe endgültig nicht nur von allem „Aufkläricht", sondern auch von den guten und besten Seiten der A., die er doch auch wieder, wie oben gezeigt, zu schätzen und zu würdigen weiß. Dieses ehrfürchtige und demütige *Thaumazein im Verein mit einer objektivistisch-realistischen Grundhaltung bewahrt Goethe, ungeachtet seines in der A. wurzelnden anthropozentrischen Ausgangspunktes, vor dem Abgleiten in einen aufklärerischen Anthropologismus, der schließlich nur noch das menschlich Verständliche als das allein Wirkliche zurückbehält und damit notwendigerweise im Platten und Gemeinen, im Alltäglichen, Mittelmäßigen und Trivialen enden muß. *My*

CvBrockdorff: Die englische Aufklärungsphilosophie. München 1924. – CvBrockdorff: Die deutsche Aufklärungsphilosophie. München 1926. – ECassirer: Die Philosophie der Aufklärung. Tübingen 1932. – PHazard: Die Herrschaft der Vernunft 1949. – MHorkheimer u. ThWAdorno: Dialektik der Aufklärung. Amsterdam 1947. – AKöster: Die deutsche Literatur der Aufklärungszeit. Heidelberg 1925. – EMay: Der biologische Naturalismus der französischen Aufklärungsphilosophie im Spiegel der Leibnizschen Gedankenwelt; Monograph. z. philos. Forschg., Bd 1, Beiträge z. Leibnizforschung, Reutlingen 1947, S. 178 ff. – EMay: Erkenntnistheoretische u. methodologische Betrachtungen zur Naturforschung Goethes; Zeitschr. f. philos. Forschg., Bd 3, H. 4, S. 501 ff., 1948. – FMeinecke: Die Entstehung des Historismus. Berlin 1936. – KSchilling: Geschichte der Philosophie 1953². – HMWolff: Die Weltanschauung der deutschen Aufklärung. München 1949.

Aufresne, Jean, Rival genannt (1728-1804), französischer Schauspieler. Kam durch Voltaires Vermittlung an den Hof Friedrichs d. Gr.; spielte später in Paris, wo er durch seinen Realismus in Gegensatz zu der traditionellen Kunst *Le-

kains geriet. Er ging nach Straßburg, wo ihn der junge Goethe in klassischen tragischen Rollen bewunderte. Er war einer *von den wenigen, die das Künstliche ganz in die Natur und die Natur ganz in die Kunst zu verwandeln wissen. Diese sind es eigentlich, deren mißverstandene Vorzüge die Lehre von der falschen Natürlichkeit jederzeit veranlassen (I/28, 67).* EF

Aufsätze zur Baukunst [I] (1773-1775). Anlaß für die ersten zwei von Goethe der *Baukunst gewidmeten Aufsätze war das Erleben des straßburger Münsters. Beide stellten einen Hymnus auf seinen Erbauer dar: *Von Deutscher Baukunst. D. M. Ervini a Steinbach. 1773. (I/37, 137ff.;* bereits Ende 1772 erschienen) und *Dritte Wallfahrt nach Erwins Grabe im Juli 1775, (I/37 322 ff.).* Später hat Goethe in **Dichtung und Wahrheit* rückschauend der Erregung seiner jungen Jahre sich zu erinnern, sie zu deuten gesucht und dabei auch zu seinem frühen Aufsatz *Von Deutscher Baukunst* Stellung genommen (I/27, 229 ff.; 270ff.; I/28, 82 f.; 98f.). Der junge Goethe, überwältigt von dem Anblick des Münsters, glaubte das Werk EvSteinbachs von der ihm bisher verhaßten und viel getadelten Bezeichnung „gotisch" befreien zu müssen und sprach stattdessen von deutscher Baukunst, die als Bezeichnung an ihre Stelle zu treten habe. Seine Kenntnisse – er wußte noch nichts von der französischen Gotik und sprach überhaupt den Italienern und Franzosen jede eigene Baukunst ab – hielten hier seinem klar schauenden Auge und begeisterten Herzen noch nicht die Waage. Jugendlich genialischer Überschwang ist der Tenor des Aufsatzes von 1772, er diktierte auch die betonte Stimmung gegen alles „Welsche". Die charakteristische Kunst pries hier Goethe als die einzig wahre, sie allein sei der echte Ausdruck genialer Schöpferkraft, die auch in Goethe selbst sich in diesen Jahren gewaltig zu regen begann. Im September 1772, zu der Zeit also, als er gerade seinen Aufsatz abgeschlossen haben mochte, schrieb er an JGRöderer: *Ja der Künstler muß eine so große Seele haben, wie der König für den er Sääle wölbt, ein Mann wie Erwin, wie Bramante. Das größte Meisterstück der deutschen Baukunst, das Sie täglich vor Augen haben* (das Münster) *. . . wird Ihnen nachdrücklicher als ich sagen, daß der grose Geist sich hauptsächlich vom kleinen darin unterscheidet, daß seinWerk selbstständig ist, daß es ohne Rücksicht auf das was andre getan haben, mit seiner Bestimmung von Ewigkeit her zu coexistiren scheine; da der kleine Kopf durch übelangebrachte Nachahmung, seine Armuth und seine Eingeschränktheit auf einmal manifestirt (IV/*

2, 25 f.). Es ging Goethe also imgrunde gar nicht um gotisch oder nicht gotisch, sondern allein um große, geniale, wahre Kunst, und so konnte er auch hier*Bramante neben EvSteinbach nennen. Was Goethe am Münster bewunderte, war die Fassade, der Anblick aus *tausend harmonirenden Einzelheiten,* die abends *zu ganzen Massen schmolzen,* Eindrücke also, die durchaus dem Bau gerecht wurden, die er aber vor jedem anderen großen Bauwerk, gleich welcher Stilepoche, genauso hätte empfinden können. Von dem Inneren des Münsters gab er sich kaum Rechenschaft und bekannte noch in *DuW: Das Innere dieser würdigen Gebäude wagte ich nur durch poetisches Anschauen und durch fromme Stimmung zu berühren (I/28, 99).* Der Schlußabsatz zu *Dritte Wallfahrt nach Erwins Grabe im Juli 1775,* dem zweiten, dem Erlebnis des straßburger Münsters gewidmeten, hymnisch erhobenen Aufsatz, in dem er sich an den ersten als an *ein Blatt verhüllter Innigkeit* erinnerte, bestätigt, daß nicht die Zuwendung zur Gotik als zu einer bestimmten Stilepoche, sondern die Erkenntnis des Wesentlichen der Baukunst und des Schöpferischen ihrer Künstler das eigentliche Anliegen der beiden frühen Aufsätze war: *Mit jedem Tritte überzeugte man sich mehr: daß Schöpfungskraft im Künstler sei aufschwellendes Gefühl der Verhältnisse, Maße und des Gehörigen, und daß nur durch diese ein selbstständig Werk, wie andere Geschöpfe durch ihre individuelle Keimkraft hervorgetrieben werden (I/37. 325).* So auch ist es zu verstehen, daß Goethe später in *DuW* von seinen in Straßburg gewonnenen Erkenntnissen als solchen nicht abrückte. Nur die Art, in der er sie als Jüngling formuliert hatte, empfand er als zu jugendlich schwärmerisch und daher unklar, denn er hatte einfache Gedanken und Betrachtungen *in eine Staubwolke von seltsamen Worten und Phrasen* verhüllt und damit, wie er meinte, das Licht, das ihm aufgegangen war, für sich und andere verfinstert.   *Wt*

EBeutler: Von deutscher Baukunst. Goethes Hymnus auf Erwin von Steinbach. Seine Entstehung und Wirkung. 1943.

Aufsätze zur Baukunst [II] (1795 u. 1823). Im Gegensatz zu den beiden in jugendlicher Begeisterung für das straßburger Münster und EvSteinbach geschriebenen *Aufsätzen von 1773 und 1775 ging Goethe in dem für die nachitalienische Zeit wesentlichsten Aufsatz zum Thema Baukunst *Baukunst. 1795. (I/47, 67–76;* von ihm selbst nicht veröffentlicht) nicht mehr von seinem subjektiven Eindruck vor einem bestimmten Bauwerk aus, um von da zu allgemeineren Schlüssen zu gelangen,

sondern versuchte nun von vornherein in objektiverer Weise seine Anschauung über die Baukunst als solche und ihren Sinn auszusprechen. Zwischen den frühen Aufsätzen und dem von 1795 lag das Erleben Italiens, das Goethe sich anscheinend ganz der Antike und der in der Renaissance aus jener wiedererstandenen klassischen Baukunst des Südens hatte zuwenden lassen. Nicht mehr Erwin, sondern *Palladio war der geheiligte Name, den Goethe vor dessen Werken voller Ehrfurcht und Bewunderung ausgesprochen hatte. Harmonie und Maß, klare Durchgliederung aller Formen und aus der Antike gewonnene Proportionen galten für ihn nun als höchste Forderungen und innere Maßstäbe einer vollendeten Baukunst. Ihm selbst war in Italien der Wunsch erwacht, die allen Dingen innewohnende Gesetzmäßigkeit zu erkennen und allgemeine Grundsätze daraus abzuleiten. Einen Aufsatz von 1788 *Baukunst (der Alten; I/47, 60–66)* hatte er ganz dem Tempelbau der Antike und seinen Ordnungen gewidmet und nur kurz noch einmal die von ihm schon in dem frühesten Aufsatz von 1773 bekämpfte These Laugiers von der Hütte als dem Anfang aller *Architektur gestreift. Nur wenige Zeilen darin hatten tadelnd den kleinlichen Verzierungen der *sogenannten gotischen Baukunst* gegolten, wobei als Beispiel der von Goethe verachtete *mailänder Dom zitiert wurde. In dem Aufsatz von 1795 aber ging es ihm um die Baukunst als solche. Er erkannte in ihr je nach der Beherrschung des Materials drei Abstufungen a) von dem reinen Nutzbau, der nur dem Notwendigsten dient, oder demjenigen, in dem das Nützliche mannigfaltiger gestaltet wird und der damit auf der Stufe guter Handwerksübung steht, b) über den Bau, der die Verbindung dieser Elemente mit dem Sinnlich-Harmonischen eingeht und dessen Bedingungen *aus dem Material, aus dem Zweck und aus der Natur des Sinnes für welchen das ganze harmonisch seyn soll* entspringen, c) zu demjenigen, der *in der ÜberAnforderung des Sinns* neben dem nächsten und höheren den höchsten Zweck darstellt. Das Schema dieser zweifellos von dem eifrig studierten *Vitruv abgeleiteten, aber entscheidend veränderten Dreiteilung ist ausführlich in den Paralipomena zu dem Aufsatz zu finden (I/47, 327–330). Die höchste erreichbare Stufe der Baukunst lag für Goethe danach in der *Mannigfaltigkeit mit Charakter* der *Anwendung der Nachahmung* und der *Ficktion,* Charakteristika, die Goethe am ausgeprägtesten bei *Palladio gefunden hatte, dem Meister der *Fiction,* der sogar Säulen und Mauern zu verbinden wußte. Den Verfall der Baukunst fand er dort, wo sich der *Verlust des Gefühls des schicklichen*, ein *Mangel an Fiction* und die *Zuflucht zum Gegensatz zum Sonderbaren zum Unschicklichen* zeigen. Hier mag er an die Bauten des Prinzen *Pallagonia gedacht haben. Wichtiger als diese Dreiteilung war aber – und hier lehnte er sich an kein Vorbild an – die Erkenntnis, daß die Baukunst nicht nur für den Zweck und darüberhinaus für das menschliche Auge da ist, also lediglich zur Befriedigung eines äußeren Bedürfnisses und ästhetischem Genusse dient, sondern sich vielmehr für Goethe in ihrer Wirkung auf den ganzen Menschen, auf sein Körper- und Raumgefühl und von da aus auf das Sittliche erstreckt. Diese entscheidende Frage nach dem Sinn der Baukunst und die Erkenntnis der aus der Harmonie aller ihrer Teile resultierenden ethischen Wirkung wurde fortan zu einem Grundpfeiler goethescher Architektur-Anschauung, die auch von daher eine zentrale Stelle in seinem Denken und Schaffen einnahm. In diesem wichtigen Aufsatz von 1795 wurde an keiner Stelle der in den frühen Aufsätzen postulierten charakteristischen Kunst Erwähnung getan und jede Erinnerung an die Baukunst des Mittelalters und das Straßburg-Erlebnis vermieden. Daß das kein Abschwören seiner jugendlichen Anschauungen, kein Widerspruch, sondern nur ein zeitweiliges Überdecken derselben durch die Erweiterung seiner Kenntnisse und Erkenntnisse war, macht die spätere Entwicklung Goethes deutlich.

Der Aufsatz *Von deutscher Baukunst 1823 (I/ 49ᴵᴵ,159-167)* nahm das Thema der mittelalterlichen Baukunst nicht nur wieder auf, sondern zum Hauptanlaß der Betrachtungen. Wie vor dem entscheidenden Aufsatz von 1795 die Italienreise, so lagen vor dem von 1823 die beiden Reisen von 1814 und 1815 an den Rhein, Main und Neckar und die bereits seit 1810 bestehende Bekanntschaft mit den Brüdern *Boisserée, die Goethe mit den Fragen der mittelalterlichen Baukunst erneut vertraut gemacht hatten. Gern erinnerte er sich nun wieder seiner straßburger Eindrücke, aber nun waren es der *kölner Dom und die damit zusammenhängenden Bemühungen der Boisserées, die ihn zu einer erneuten Auseinandersetzung mit der Gotik bewogen. Als Wissender lehnte er sie nun nicht mehr ab, sondern fand auch in ihr Harmonie und Proportion, also das, was er bereits in Straßburg gefühlt hatte. Er verfehlte aber auch hier nicht, gewisse Einzelheiten, die ihm sogar beim kölner Dom, der für ihn nun an erster Stelle der Gotik stand, un-

harmonisch dünkten, zu nennen. Seine – niemals aufgegebene, nur überdeckte – Grundeinstellung konnte er hier wieder positiv aussprechen. Sie war durch keine *übereilte Abneigung* mehr getrübt, wenn auch das Herz des alten Goethe stärker an der Antike und der klassischen Baukunst der italienischen Renaissance als an der des Mittelalters hing, weil er in dieser doch hier und da Spuren einer unharmonischen düsteren Gestaltungsweise oder häßliche Zierrathen zu finden glaubte. Dieser Aufsatz von 1823, mehr ein Dank an die Boisserées, *Moller und alle diejenigen, die den Sinn und das Verständnis für die deutsche Baukunst des Mittelalters durch ihre Bemühungen wiedererweckten, als Grundsätzliches aussagend, hilft dennoch den Kreis der goetheschen Anschauungen schließen, dessen Ausgangspunkt der Aufsatz von 1773 war.   *Wt*

Aufzug der vier Weltalter, Text zu einem Maskenzug vom 12. II. 1782 (I/16, 195 f.). Die vier Weltalter erscheinen: das goldene, begleitet von Freude und Unschuld; das silberne, begleitet von Fruchtbarkeit, den Gaben des Geistes und der geselligen Fröhlichkeit; das eherne, begleitet von Sorge, Stolz und Geiz; das eiserne, begleitet von der Gewalttätigkeit. Zum Schluß erscheint die Zeit, sie verkündet die Vergänglichkeit aller Erscheinungen und die Wiederkehr von ,,Freud und Unschuld". Die fünf vierzeiligen Strophen sind insofern aufschlußreich, als sie einen Einblick in Goethes geschichtsphilosophische Vorstellungswelt, seine *universalhistorische* Konzeption gestatten. Es ist Niederschlag rousseauischer Ideen, wenn die Folge der Weltalter vom Glanzvollen zum Düsteren fortschreitet. *Reichtum und Gaben tret ich in den Staub,* heißt es vom eisernen Weltalter. Als Ziel der Geschichte erscheint die Wiederkehr von Zuständen des Anfangs, des goldenen Weltalters.   *So*

Aufzug des Winters, Maskenzug vom 4.II.1781, gebildet von allegorischen Gestalten: Winter, Schlaf, Nacht, Träume, Spiel, Wein, Liebe, Tragödie, Karneval, vier Temperamente. Daran schließt sich ein *Chor der Masken:* Spanier und Spanierinnen, Scapin und Scapine, Pierrot und Pierrotte, Tabarros, das Studium Goethes Textverse dazu sind inhaltlich unbedeutend, doch weist ihre ganze Diktion bereits auffällig auf den sehr viel späteren Maskenzug im *Faust. Bei der Aufführung bildeten Goethe und Chr*Stein als Schlaf und Nacht ein Paar. Der Herzog trat im Chor der Masken als Spanier auf (I/16, 191–194).   *So*

Auge, Gliederung: 1. Goethes Augenausdruck (Grundlagen / Ausdruckskraft) 2. Die Lei-

15*

stungsfähigkeit seines Auges (Kurzsichtigkeit und Auffassen der Form / Farbenempfänglichkeit und Produktionskraft des Auges) 3. Goethes Art zu sehen (Augenlust / Bildung des Auges in drei Stufen / Voraussetzung der Dichtung) 4. Das Auge als Mittler zwischen Mensch und Welt (Geschöpf des Lichtes / Sprache der Augen).

1. Goethes Augenausdruck. Wie uns die Gesichtsmaske, die Weißer am 16. X. 1807 von Goethes Antlitz nahm, zuverlässig bezeugt, stand das linke A. etwas höher als das rechte und war merklich weiter geöffnet, was Goethe in einer Beilage zum Briefe an Cotta vom 22. X. 1816 selbst bestätigt hat *(etwas größer: IV/27, 204)*. Diese Verschiedenheit der A.n mußte sich auch im Blick äußern. Nach den Studien des Malers Karl Bauer (1908) war das linke A. „das feuervollere, das andere neigte mehr zum Ausdruck der Innerlichkeit". – An der bearbeiteten Maske, die geöffnete A.n zeigt, gemessen, ist die Lidspalte rund 30 mm lang und 14 mm hoch. Der Abstand der innern Augenwinkel voneinander beträgt ebenfalls 30 mm und der Pupillenabstand 60 mm (nach Möbius). Diese Entfernung der Mittelpunkte beider A.n voneinander ist bedeutsam für den Ausdruck des Gesichtes, nicht minder für die binokulare Tiefenwahrnehmung. Ihr Mittelwert wird zu 63 mm angegeben mit einer Schwankungsbreite von 55 bis 70 mm; somit befanden sich Goethes A.n an der untern Grenze des normalen Mittelbereiches (60 bis 65). – Von der Augenvignette, die Goethe nach seinem rechten A. für das erste Stück der *Beiträge zur Optik* im

Spiegel gezeichnet hat (Matthaei: Goethes Auge. S. 265), erhält man bei Vergrößerung auf 30 mm Lidspaltenlänge eine größte Öffnung von 15 mm. Den Hornhautdurchmesser findet man dann 13 mm. Zieht man die sieben en-face-Bildnisse zu Rate, die Riemer als treffend bezeichnet hat (HWahl), so fällt bezüglich der Weite der Lidspalte nur das von Bury (1800) heraus, auf dem das A. weniger als 11 mm geöffnet ist. Dies stammt aber aus der Zeit (1790 bis 1806), da sich nach allgemeinem

Urteil das Äußere Goethes unvorteilhaft verändert hatte. Die übrigen Bildnisse zeigen Lidspalten von wenigstens 13 mm Weite, Kolbe (1822) sogar mehr als 15 mm, mithin wie die Augenvignette. Dieselben Bildnisse bestätigen auch den Hornhautdurchmesser, da ihr Mittelwert 13 mm überschreitet. Demgegenüber gilt ein Horizontaldurchmesser von 11,6 mm als normal mit einem Spielraum von 10 bis 13 mm. Hierin wäre Goethes A. also an der obern Grenze anzusetzen, und man dürfte mit Recht von großen – nicht nur von weit geöffneten – A.n reden. Besonders auffallend ist dieses große A. bei Kügelgen (1808). – Zum Eindruck des großen A.s trägt auch die braune, nämlich dunkle Farbe der Iris bei, die viele Zeitgenossen veranlaßte, Goethes A.n „schwarz" zu nennen. „In der Ferne ... scheinen sie bloß deswegen schwarz, weil die ... Farbe so sehr mit dem Weißen im Auge absticht, daß man sie in Absicht auf das Weiße für schwarz hält" (JGKrünitz).

Goethes A. konnte um so mehr schwarz wirken, als sich die Iris bei weiter Pupille meist nur schmal darbot. Auf den sieben Bildnissen erscheint der Durchmesser der Pupille wenigstens so groß als die Irisring ist, bei Jagemann (1806) und Stieler (1828) entschieden, bei Lipps (1791) beträchtlich weiter. Den Eindruck der Schwärze vermitteln Jagemann und Kügelgen am stärksten. Er wird noch unterstützt durch den Umstand, daß die Lidspalte häufig weiter war als der Durchmesser der Hornhaut. Namentlich am Unterrande der Iris wurde dann das Weiß der Lederhaut sichtbar. Die Erscheinung ist bei Lipps und Schwerdgeburth (1831) zu beobachten sowie bei der Augenvignette. Besonders auffallend ist sie bei Kolbe und Jagemann, während bei Kügelgen und Stieler immerhin der untere Pol der Iris vom Lid freigegeben wird. Nur bei Bury ist er zugedeckt. Schopenhauer berichtet 1813, daß bei Erregung Goethes das Weiße auch am Oberrande der Iris sichtbar wurde. – Das dunkle A., die weite Pupille läßt den Glanz des A.s besonders hervortreten (Lipps, Kolbe); er wird befördert durch die Feuchte des A.s (Kügelgen, Stieler), wesentlich auch durch die Klarheit der optischen Mittel, die noch im Greisenalter auffiel (Schwerdgeburth). Er kann gesteigert werden, wenn der Augapfel bei Erregung nach vorne gedrängt wird, wobei auch das Weiße unter dem Oberlid sichtbar wird. Dieses „Glanzauge" gilt als Kennzeichen einer leibseelischen Anlage, die sich wieder in einer Lebendigkeit von Anschauungsbildern äußert, die auch Goethe eigentümlich war (siehe unter 2.). Physiologisch scheint ihm eine besondere Erregbarkeit von Schilddrüse und sympathischen Nerven zugrunde zu liegen. – Karl Bauer macht noch darauf aufmerksam, „daß der Zwischenraum von Braue zu Augenlid sehr gering und dieses sehr schmal war". Den Abstand vom untern Brauenrand zum Unterrand des Oberlides kann man an der Maske zu 15 mm ausmessen. Dies Verhalten deutet auf einen gehobenen Blick; es hängt überdies mit der groß geöffneten Lidspalte und der weiten Pupille zusammen. Sobald sich das Oberlid an der Öffnung der Lidspalte beteiligt, wird es schmaler; aber ein Abwärtsrücken der Braue erleichtert die Hebung des Oberlides, indem die Braue das von oben eindringende helle Licht abfängt, und bedingt zugleich Pupillenerweiterung. Diesem Vorgange verwandt ist auch die merkwürdige Form des Oberlides auf dem Selbstporträt, das uns die Augenvignette von 1791 enthüllt. Hier drängt die A.nbraue mit dem obersten Abschnitt des Oberlides über den äußern A.nwinkel einwärts und deckt dort nicht nur den Unterteil des Oberlides völlig zu, sondern auch den äußern obern Sektor der Iris bis an die Pupille heran. Von den Bildnissen jener Zeit deutet das Ölgemälde von Angelika Kauffmann (1787/88) diese Bewegung entschieden an. Man kennt diese Bewegung bei bildenden Künstlern, wo sie scharfes Beobachten begleitet; sie scheint als mimische Eigentümlichkeit, die hier beim Zeichnen des eigenen A.s im Spiegel auftritt, nur dem rechten A. Goethes zuzukommen. Diese Einstellungsbewegung darf indessen nicht verwechselt werden mit den erschlaffenden Oberlidern des Greises, die Schwerdgeburth andeutet.

Die einzigartige Ausdruckskraft der A.n Goethes im Urteile der Zeitgenossen. – Wieland 1775: „Mit einem schwarzen Augenpaar, / Zaubernden Augen voll Götterblicken, / Gleich mächtig zu töten und zu entzücken..." – Schiller 1788: „Sein Gesicht ist verschlossen, aber sein Auge ist sehr ausdrucksvoll, lebhaft, und man hängt mit Vergnügen an seinem Blicke." – Karl Graß, Landschaftsmaler aus Livland, 1792 (Lipps): „Das Gesicht Goethes ist voller Feuer und doch Weichheit ... Sein Auge ist rund und frei, braun, ein dunkler Spiegel, der desto reiner und heller auffaßt." – Johanna Schopenhauer 1806 (Jagemann): „... ein gar prächtiges Gesicht mit zwei klaren braunen Augen, die milde und durchdringend zugleich sind." – 1807: „Er ist ganz Natur, und seine klaren, hellen Augen benehmen alle Lust, sich zu verstellen." – Graf

Wolf Baudissin 1809 (Kügelgen): „... wie er anfing, lebhafter zu gestikulieren, wurden die beiden schwarzen Sonnen noch einmal so groß und glänzten und leuchteten so göttlich, daß, wenn er zürnt, ich nicht begreife, wie ihre Blitze zu ertragen sind." CGCarus 1821: „Die Jahre haben auf Goethe wenig Eindruck gemacht, der Arcus senilis in der Hornhaut beider Augen beginnt zwar sich zu bilden, aber ohne dem Feuer des Auges zu schaden. Überhaupt ist das Auge an ihm vorzüglich sprechend; mir erschien darin zunächst die ganze Weichheit des Dichtergemüts ... flammte ... dann und wann das ganze Feuer des hochbegabten Sehers hervor." – Eckermann 1824 (Kolbe): „Welcher Ausdruck und welches Leben des großen Gesichtes voller Falten! Und welche Augen!" – 1830 (Schwerdgeburth): „Er aber, in seiner gewöhnlichen Art, hüllte sich in Geheimnisse, indem er mich mit großen Augen anblickte und mir die Worte wiederholte: *Die Mütter! Mütter! 's klingt so wunderlich!"*

Wie es eine bei bildenden Künstlern verbreitete Gewohnheit ist, *so unbewußt als nothwendig (II/1, 322),* die eigene Körperlichkeit nachzubilden, mag es erlaubt sein, auch Schilderungen von A.n in Goethes Dichtung auf sein A. zu beziehen. So im *Faust:* vom *Knaben Lenker: der Augen schwarzer Blitz (V. 5543), mit hohen Augenbraunen (V. 41)* und von *erstaunten Augen (V. 1083),* endlich *Gretchen* sehnsüchtig vom Geliebten *Seiner Augen Gewalt (V. 3397).* Zudem im *Divan, Buch Suleika: Aber, Hatem, deine Blicke / Geben erst dem Tage Glanz (I/6, 151).*

2. Die Leistungsfähigkeit seines Auges. Die Gründe, die zu der Annahme führten, Goethe sei kurzsichtig gewesen (HCohn; in: Goethe Jb. 23), sind nicht zwingend. 1) Die handlich gefaßten Konkavgläser in Goethes Nachlaß, eine Lorgnette von — 2 Dioptrien (dptr = Kehrwert d. Brennweite in m) und ein goldgefaßtes Einglas von — 6, können andern Zwecken gedient haben. Goethe brauchte sie zu Versuchen, die in der *Farbenlehre* beschrieben sind; und seine Frau war kurzsichtig. Auch der Brief an *Meyer vom 15. IX. 1794, durch den ein *Dresdner Opticus* nach der Lieferung einer *Lorgnette* mit *wenig koncav* geschliffenen Gläsern befragt werden soll, handelt überhaupt von optischem Gerät wie *Prisma, Beinglas, Stahlspiegeln (IV/10, 193 bis 196).* – 2) Ebensowenig beweist die Eifersuchts-Szene, die Goethe am 10. XI. 1767 in Leipzig seinem Freunde *Behrisch schrieb: *Meine Augen sind schwach, und reichen nicht biß in die Logen. Ich ... wollte nach Hause*

laufen, mein Glas zu holen (IV/1, 137). Man nahm damals schon Ferngläser, nämlich monokulare Perspektive, mit ins Theater oder auf eine Wanderung. Eine solche Fernröhre entlieh Goethe von einem neben ihm auf der Galerie stehenden Theaterbesucher, um in die entfernte, schwach beleuchtete Loge zu blicken, in der Käthchen Schönkopf saß (HCohn: Goethe Jb. 23; FVierlng). – 3) Endlich läßt sich die Tatsache, daß Goethe an seinem achtzigsten Geburtstage einen Brief Zelters „mit unbewaffnetem Auge" (EvSimson) las, aus der Erfahrung erklären, daß dies sogar von Jugend an Übersichtigen noch im hohen Alter möglich sein kann (FVierling). – Die Vermutung, Goethe habe neben einem normalen ein kurzsichtiges Auge gehabt (Berliner Tageblatt; Deutsches Ärzteblatt), läßt sich durch einen Befund seiner Beiträge zur Optik widerlegen. Die starke Krümmung des Regenbogenstreifes, den man bei Betrachten eines geraden weißen oder schwarzen Stabes durch ein Prisma erhält, wird bei beidäugiger Betrachtung erst recht eindringlich. In Goethes Nachlaß befinden sich heute noch 10 Prismen in Längen von 12 bis 26 cm, die für beidäugigen Gebrauch bestimmt sind. Die Beobachtung gelingt mit dem Doppelauge indessen nur bei gutem Zusammenspiel beider A.n, das aber durch merklichen Unterschied ihrer Brechkraft gestört würde. – Daß Goethe den Gebrauch des Doppelauges in besonderer Weise beherrschte, dürfen wir Versuchen entnehmen, die er im Anschluß an das Studium von Purkinjes Buch „Das Sehen in subjektiver Hinsicht" beschrieben hat (II/11, 278 f.). Goethe vermochte, einen Stern, eine Kerzenflamme planmäßig doppelt zu sehen. Namentlich in dem Versuche, da Goethe aus zwei Kerzenflammen drei sah, hätte ihm bei verschiedenen A.n die Unschärfe des einen der äußern Bilder auffallen müssen. Auch die Fähigkeit, seine A.n sehr leicht in den Zustand des Schielens zu versetzen, kann allein keine Kurzsichtigkeit beweisen (PJMöbius). – Hochgradige Kurzsichtigkeit wird schon durch die weit geöffneten A.n und den geraden Blick Goethes unwahrscheinlich gemacht. So schreibt er in dem Gedicht, mit dem er seine Abneigung gegen *Brillenträger bezeugte: *Ich geh' mit Zügen frei und baar, / Mit freien treuen Blicken (I/3, 155)*, während der ausgesprochen Kurzsichtige ohne Brille die Lidspalten eng zu kneifen pflegt, auch wohl mit seitwärts gedrehtem Kopfe durch die Augenwinkel blickt. – Die Berichte aber von Fernsichten in der Landschaft, deren Goethe

viele gegeben hat, schließen stärkere Kurzsichtigkeit geradezu aus. 1786 Venedig: *... bestieg ich den Marcusthurm, wo sich dem Auge ein einziges Schauspiel darstellt. Es war um Mittag und heller Sonnenschein, daß ich ohne Perspectiv Nähen und Fernen genau erkennen konnte ... das Meer und einige Segel darauf (I/30, 107)*. 1797 am Gotthard: *Vorwärts steiles Amphitheater der Schneeberge im Sonnenlichte ... Im Heruntergehen bemerkten wir eigens zackige Gipfel hinter Realp, die daher entstehen, wenn die obersten Ende einiger Granitwände verwittern, die andern aber stehen bleiben (III/2, 172–175.)*. – 1814 Niederwald-Tempel: *Hier blickt man von neuem rheinaufwärts, und findet Anlaß, alles zu summiren was man diese Tage her gesehen ... so läßt sich durch das Fernrohr, ja sogar mit bloßen Augen manches Besondere, nah und fern, schauen und bemerken (I/34[I], 58 f.)*. – 1827 auf einer Höhe des Thüringer Waldes nach Eckermann: *Hier fühlt man sich groß und frei wie die große Natur, die man vor Augen hat, und wie man eigentlich immer sein sollte. Ich übersehe von hier aus eine Menge Punkte, an die sich die reichsten Erinnerungen eines langen Lebens knüpfen. ... in den Bergen von Ilmenau ... dort unten im lieben Erfurt ... in Gotha ... (Bdm. 3, 457)*. Trotz alledem gibt es zwei unumgängliche Hinweise, die zur Annahme einer geringfügigen Kurzsichtigkeit nötigen. 1) Goethe hat in jener biographischen Skizze, die später die Überschrift „Naturwissenschaftlicher Entwicklungsgang" erhielt, für die Zeit 1755–60 vermerkt: *Sehr bald gegen die sichtbare Natur gewendet. / Kein eigentlich scharfes Gesicht. / Daher die Gabe die Gegenstände anmuthig zu sehen (II/11, 300)*. Über diese Eigentümlichkeit seines A.s mag sich Goethe auf dem Straßburger Münster 1770/71 klar geworden sein, wo sich den jungen Gesellen *alles Gespräch in die Betrachtung der Gegend verlor: alsdann wurde die Schärfe der Augen geprüft, und jeder bestrebte sich die entferntesten Gegenstände gewahr zu werden, ja deutlich zu unterscheiden (I/27, 323)*. – 2) Riemer teilt mit (Pollmer S.107): „Er bediente sich zwar einer Lorgnette, aber nur im Theater in seiner etwas entfernten Loge; ebenso in einer Bildergalerie und außerdem in seinem Zimmer, um von weitem etwas auf der Straße zu erkennen." – Da ihm mithin das Glas entbehrlich war, kann nur ein geringer Grad von Kurzsichtigkeit angenommen werden. Vierling (Goethe-Jb. 23, S. 214) schätzt auf — 0,5 dptr. Zu genauerer Beurteilung bieten einige Versuche aus der *Farbenlehre* Handhabe. Im ersten

Stücke seiner *Beiträge zur Optik* (1791) hat Goethe zweimal Zahlenangaben für den Beobachtungsabstand gemacht *(§§ 45 u. 61)*. Es wird die Entfernung bestimmt, aus der Karten, die Goethe dem Buche beigegeben hatte, durchs Prisma betrachtet werden sollen, um die beschriebene Farbenerscheinung zu erhalten; und sie kommt in beiden Fällen etwa auf das gleiche heraus: eine Elle und zwei Fuß. Während die Elle nicht näher bezeichnet ist, mißt Goethe nach rheinischem Fuß (NS 3, 39) und der entspricht 31,4 cm. Der empfohlene Beobachtungsabstand liegt also mit mehr als 60 cm hinter dem Fernpunkt eines A.s von — 2 dptr Kurzsichtigkeit, das die Lorgnette aus Goethes Nachlaß nötig hätte und ohne Korrektur jenseits 50 cm unscharf sähe. Goethe hätte aber die für die prismatischen Versuche eingerichteten Streifen auf den Karten gewiß schmaler gemacht, wenn ihm ein geringerer Beobachtungsabstand bequemer gewesen wäre. Andrerseits fiele erst bei einer Kurzsichtigkeit von nur 1,25 dptr der genannte Abstand in eine angenehme Sehweite. – Die Abhandlung *über die Farbenerscheinungen, die wir bei Gelegenheit der Refraction gewahr werden* (1793), enthält in einer kurzen Anweisung zur Vermannigfaltigung eines Versuches (55) vier, freilich unbestimmte Entfernungsangaben. Zunächst wird festgestellt, daß man, um mit spitzwinkligen Prismen (30º) die volle Entwicklung des Phänomens zu bekommen, *sich allzuweit von dem Gegenstande entfernen müßte, wodurch derselbe, so wie die Ränder ... einigermaßen trübe wird.* Hier befinden wir uns also schon außerhalb des Bereiches scharfer Abbildung. Sodann werden für die Verwendung eines gleichseitigen Prismas (60º) drei Abstände genannt, eine stufenweise Ausbreitung der Farbenerscheinung verfolgen zu können. Man *trete ganz nahe zu dem Gegenstand,* um nur schmale Farbränder zu sehen. *Entfernt man sich,* so vermehren sich die Strahlen der Ränder bis sie einander erreichen. *Bei noch weiterer Entfernung* überdecken sie sich gegenseitig *(II/5^I, 204 f.).* – Will man diese vier Angaben abschätzen, so hat man von Nah- und Fernpunkt des goetheschen A.s auszugehen und zwar für das 44. Lebensjahr, in dem sich gewöhnlich die Alterssichtigkeit bemerkbar macht. Nimmt man an, daß Goethes A. sich in der Fähigkeit, seine Brechkraft bei Einstellung auf Nähe zu vermehren, an der oberen Grenze der Norm hielt, so ist seine Akkomodationsbreite 1793 auf 6,2 dptr anzusetzen. Bei einer vermutlichen Kurzsichtigkeit von

0,5 dptr läge dann der Nahepunkt seines A.s zu jener Zeit bei 15 cm, der Fernpunkt bei 2 m. Damit lassen sich die vier Abstände zwanglos in Einklang bringen: 1) *ganz nahe* = 15 bis 25 cm; 2) *Entfernt man sich* = ½ bis ¾ m; 3) *Bei noch weiterer Entfernung* = 1,5 m; 4) *allzuweit* = 3 m. Wollte man eine Kurzsichtigkeit von 1,0 dptr voraussetzen, so käme man schon ins Gedränge, die Abstände 1) bis 3) innerhalb eines Meters unterzubringen. – Die gleichen Annahmen bewähren sich auch bei der Auslegung eines Versuches aus der *Farbenlehre* (§ 367/68), in dem Farben mit unscharfer Abbildung einhergehen und zuletzt mittelst einer Lorgnette beseitigt werden. Goethe nimmt eine Stahlsaite vom Röllchen und legt das sich bildende wirre Knäuel auf die Fensterbank in die Sonne. Das A. erblickt nun auf einer der blanken Windungen *ein kleines glänzendes Sonnenbild, das, wenn man es nahe betrachtet, keine Farbe zeigt. Geht man aber zurück und faßt den Abglanz in einiger Entfernung mit den Augen auf; so sieht man viele kleine, auf die mannichfaltigste Weise gefärbte Sonnenbilder ...* Sieht man sodann durch eine Lorgnette *auf die Erscheinung: so sind die Farben verschwunden, so wie der ausgedehnter Glanz, in dem sie erscheinen, und man erblickt nur die kleinen leuchtenden Puncte, die wiederholten Sonnenbilder (II/1, 154 f.).* Der ausgedehntere Glanz, an dem die Farben erscheinen, ist das Kennzeichen des unscharfen Bildes, das bei Betrachten außerhalb des Akkomodationsbereiches auftritt, nämlich, wenn Goethe in seinem Arbeitszimmer bis etwa an die Mitte seines Tisches zurückging, um da aus *einiger Entfernung* dh. mehr als 2 m vom Fenster weg die Erscheinung zu prüfen. Ein Konkavglas von wenigstens 0,5 dptr ließ von dort aus das Sonnenbild scharf und ohne Farbenrand erkennen. Nahe betrachtet erschien es genau so wie aus der Ferne mit Konkavglas, wenn sich Goethe ihm nicht über den Nahepunkt hinaus näherte. Dieser lag unter den oben festgestellten Voraussetzungen für den 50jährigen, der diesen Versuch studiert haben mag, bei 33 cm. Deshalb heißt es hier auch nicht *ganz nahe; nahe* wäre für den bei diesem Lebensalter immerhin bemerklich weiter fortgerückten Nahepunkt auch noch ½ m und Goethe hätte, falls er 1,0 dptr kurzsichtig gewesen wäre, sich an der Fensterbank nur ordentlich aufzurichten brauchen, um mit einem Beobachtungsabstand von mehr als einem ganzen Meter die Bedingung der Farbenerscheinung zu erreichen. Keineswegs wäre es nötig gewesen *zu-*

rück zu gehen, um aus *einiger Entfernung* zu betrachten. Die erwiesene Leistung des A.s bei Fernsichten in der Landschaft ist aber allenfalls nur mit der geringen Kurzsichtigkeit von 0,5 dptr vereinbar. – Dieser Kurzsichtigkeitsgrad muß aber endlich auch angenommen werden, wenn man erklären will, daß der Greis noch ohne Brille lesen konnte. Freilich muß dazu noch eine andere Voraussetzung gemacht werden. Man darf vermuten, daß auch dem greisen Goethe noch eine gewisse Elastizität seiner Augenlinse erhalten blieb. Die Elastizität kann gelegentlich bei Greisen noch ausreichen, die Brechkraft des A.s um 2 dptr zu vermehren. Bei Goethe ist dieselbe Annahme um so mehr berechtigt, als dessen ungewöhnliche Lebenskräfte noch im hohen Alter von jedem ärztlichen Beobachter bezeugt sind. Beide Voraussetzungen zusammengenommen ermöglichen scharfe Abbildung im Bereiche von 40 cm bis 2 m Entfernung auch beim 80jährigen. Er bedurfte also, wie seine Mutter (MBirnbaum; GAbelsdorff) keiner Altersbrille. Kleinere Gegenstände, zB. feine Zeichnung, deutlich genug erkennen zu können, bediente er sich einer Lupe von 40 cm Brennweite und 85 mm Durchmesser, die heute noch in ihrer Kapsel auf dem Pult an der Ostseite des Arbeitszimmers liegt (Bdm. 4, 446). Ein Leseabstand von 40 cm steht übrigens in Einklang mit den drei Bildnissen, die den alten Goethe schreibend oder lesend darstellen: Kolbe (1822/26), EA Kiprenskij (1823) und Stieler (1828). – Die erweisbare geringfügige Kurzsichtigkeit dürfte für Goethes Sehen durchaus von förderlicher Bedeutung gewesen sein (trotz Bode: Drei Kurzsichtige), wie er selbst davon eine Gabe herleitet, *die Dinge anmutig zu sehen.* Ohne eine Fernsicht auszuschließen verhütete sie, daß Einzelheiten zu sehr hervortraten und etwa das Ganze verwirrten. Vielleicht ist das eigenartig Weiche, Nebelhafte oder Unbestimmte vieler Zeichnungen Goethes durch diese Anlage seines A.s bedingt. Jedenfalls mußte sie ihm die Auffassung der großen Formen erleichtern.

Auch für Farbe war Goethes A. besonders empfänglich. Viele Beobachtungen, die in der *Farbenlehre* sorgfältig beschrieben sind, zeugen von einer erstaunlichen Feinheit seines Farbensinnes. Wer Goethes Versuche mit seinen Mitteln zu wiederholen sucht, ist immer wieder überrascht, wie sicher Goethe die Farbenerscheinungen faßte. Das gilt in besonders hohem Maße für die *Physiologischen Farben.* Hier ist es außer Zweifel, daß Goethe eine ungewöhnlich große Kontrastempfindlichkeit besaß. Mit Unrecht hat die wissenschaftliche Untersuchung Farbenuntüchtiger zu der Annahme geführt, ein besonders lebhaftes Gegenspiel der Farben im Nebeneinander (kleine graue Fläche auf rotem Grunde grün) begründe den Verdacht auf Farbensinnstörung. (KEngelbrecht). Goethe selbst hat schon erfahren, daß der Versuch mit den geforderten Farben bei einem Farbenblinden (Protanopen) nicht gelingen wollte (NS 3, 273 f.). Um die genannte Eigenart von Goethes A. richtig zu beurteilen, muß aber daran gedacht werden, daß Kontrastempfänglichkeit, zB. die Wahrnehmung farbiger Schatten im Schnee oder, wenn Mond gegen Kerzenlicht steht oder der grüne Schein belaubter Bäume wirkt, keineswegs allein von der Erregbarkeit der Netzhaut abhängt; sie wird vielmehr durch Erfahrung und Wissen, also durch Einflüsse der Hirnrinde unterdrückt bei vielen Menschen, die dann befremdet sind, wenn ein Maler die Erscheinungen darstellt. Es war eine besondere Fähigkeit Goethes, sich die Naivität rein sinnlichen Erfassens zu bewahren. Sie gründet in einem ursprünglichen *Sinnenvertrauen.* – Die Lebendigkeit seines A.s (biologisch im weitesten Sinne gefaßt) schuf Goethe Gesichtserlebnisse aus dem ganzen Bereiche der Dauererregungen eines organisch-nervösen Gefüges von dem Nachbilde, das dem Sinneseindrucke unmittelbar folgt, über ein Sinnengedächtnis zu freisteigenden Phantasmen, von den durch ungewissen Sinnesreiz unter ungünstigen Sehbedingungen angestoßenen illusionistischen Umprägungen, wie Gespenstersehen, zu Gesichtsträumen und einem sinnlichen Phantasieren seiner *hervorbringenden Einbildungskraft (II/6, 302),* die sich schon Gesichts-Vorstellungen nähert. Beispiele aus der Dichtung: Blendungsnachbild im siebenten Gesang von *Hermann und Dorothea* V. 1–5; Gespenstersehen in *Willkommen und Abschied* V. 5–8, 13, in der *Walpurgisnacht* V. 3878–80, 3894–3900, im *Erlkönig* V. 6–8, 21–24; *Nachgesicht* in der *Klass. Walpurgisnacht V. 7009–11* und das sinnliche *Traumgesicht V. 7271–7312,* dazu *Homunculus* V. 6903 ff. ,,Wie freute ich mich nun", schreibt JMüller 1826 (,,Über die phantastischen Gesichtserscheinungen") ,,als ich in den *Wahlverwandtschaften* wiederfand, wie einer der sinnlich kräftigsten Menschen aus reicher Selbstbeobachtung die Lebenswahrheit auch dem kunstreichen Gebilde mitzugeben weiß." Und er führt einige Sätze aus dem Schlußabschnitt II, 8 an, da von *Ottilie* erzählt wird. *Wenn sie sich Abends zur Ruhe gelegt, und im süßen Gefühl noch zwischen Schlaf und Wachen schwebte, schien es ihr, als wenn sie in einen ganz hellen, doch mild erleuchteten Raum hineinblickte. In diesem sah sie Eduarden ganz deutlich und zwar nicht gekleidet wie sie ihn sonst gesehen, sondern im kriegerischen Anzug ... stehend, gehend, liegend, reitend. Die Gestalt bis auf's kleinste ausgemahlt bewegte sich willig vor ihr, ohne daß sie das mindeste dazu that ... Manchmal sah sie ihn auch umgeben, besonders von etwas Beweglichem, das dunkler war als der helle Grund; aber sie unterschied kaum Schattenbilder, die ihr zuweilen als Menschen, als Pferde, als Bäume und Gebirge vorkommen konnten (I/20, 302 f.). Aus Ottiliens Tagebuche: Man mag sich stellen wie man will, und man denkt sich immer sehend. Ich glaube der Mensch träumt nur, damit er nicht aufhöre zu sehen (I/20, 224).* – Bei Gelegenheit seiner Rezension des purkinjeschen Buches „Das Sehen in subjektiver Hinsicht" (1819) macht Goethe eine aufschlußreiche Anmerkung über die Produktivität seines A.s. *Ich hatte die Gabe, wenn ich die Augen schloß und mit niedergesenktem Haupte mir in der Mitte des Sehorgans eine Blume dachte, so verharrte sie nicht einen Augenblick in ihrer ersten Gestalt, sondern sie legte sich aus einander und aus ihrem Innern entfalteten sich wieder neue Blumen aus farbigen, auch wohl grünen Blättern; es waren keine natürlichen Blumen, sondern phantastische, jedoch regelmäßig wie die Rosetten der Bildhauer. Es war unmöglich die hervorquellende Schöpfung zu fixieren, hingegen dauerte sie so lange als mir beliebte, ermattete nicht und verstärkte sich nicht.* Und zur Deutung schließt er ab: *Hier ist die Erscheinung des Nachbildes, Gedächtnis, produktive Einbildungskraft, Begriff und Idee alles auf einmal im Spiel und manifestiert sich in der eignen Lebendigkeit des Organs mit vollkommener Freiheit ohne Vorsatz und Leitung (NS 9, 351).* JMüller, der solche „Phantastischen Gesichtserscheinungen" kannte, auf deren Hervorrufung und Verwandlung er aber keinen Einfluß hatte, die bei ihm auch keine vegetative Entwicklung zeigten, stellte nach einem Besuch bei Goethe (1828) den Unterschied fest: „Goethe hingegen konnte das Thema willkürlich angeben, und dann erfolgte allerdings scheinbar unwillkürlich, aber gesetzmäßig und symmetrisch das Umgestalten" („Handbuch der Physiologie"). Sein nachhaltig wirkendes und zugleich bildsames optisches Gedächtnis bewahrte sich Goethe im Dichten und Forschen. Diese Kraft des Gedächtnisses ist wohl auch ein Grund für das

Bedürfnis, erschütternde oder gar häßliche Eindrücke zu meiden, das Goethe eigen war. 3. Goethes Art zu sehen. Hatte der Knabe, wenn er im Gartenzimmer des Vaterhauses seine Lektionen lernte, sich *an der untergehenden Sonne ... nicht satt genug sehen* können *(I/26, 16),* so meldet der in Rom zu neuer Bewußtheit strebende Mann 1788 *Speculationen über Farben* und die Hoffnung, sich *auch diesen schönen Genuß der Weltoberfläche* zuzueignen *(I/32, 290).* In den *Beiträgen zur Optik* (1791) wird der Regenbogen daraus als Friedenssymbol erklärt, daß er *jugendlich empfindenden Völkern ... so wunderbar erfreulich* sei *(§ 7).* Und 1806 (spätestens) schrieb Goethe in der *Farbenlehre: Die Menschen empfinden im Allgemeinen eine große Freude an der Farbe ... Daß man den farbigen Edelsteinen Heilkräfte zuschrieb, mag aus dem tiefen Gefühl dieses unaussprechlichen Behagens entstanden sein (§ 759: II/1, 308).* Am 10. V. 1812 an Jacobi: *Ich bin nun einmal einer der Ephesischen Goldschmiede, der sein ganzes Leben im Anschauen und Anstaunen und Verehrung des wunderwürdigen Tempels der Göttin und in Nachbildung ihrer geheimnisvollen Gestalten zugebracht hat ... (IV/23, 7).* – *Das erste gibt mir Lust genug* ... beginnt der *Logogryph,* den Zelter 1814 erhielt, und seine Lösung ist „Schauen" *(I/4, 168).* Viele Bekenntnisse des optischen Genius bringt der *Faust* (RMatthaei: Die Farbenlehre im Faust). Im Urfaust: *Ha! welche Wonne fliesst in diesem Blick | Auf einmal mir durch alle meine Sinnen (V. 77/78).* – 1797/98 *Man kommt zu schaun, man will am liebsten sehn (V. 90)* und: *Der Anblick gibt den Engeln Stärke ... (V. 247).* – Und in den fünf letzten Jahren der *Faust*-Arbeit: Da die aufgehende Sonne die Farben wieder erweckt; *Ein Paradies wird um mich her die Runde (V. 4694).* – Bei Erscheinen der *Helena: Hab' ich noch Augen? (V. 6487).* – Endlich im Türmerlied: *Ihr glücklichen Augen | Was je ihr gesehn, | Es sei wie es wolle, | Es war doch so schön! (V. 11 300* bis *11 304).* – Mehr als 300mal liest man im *Faust* sehen, schauen, blicken mit den Ableitungen und Sinnverwandten dieser Wörter. Nimmt man hinzu, daß sich gut 200mal Farbbezeichnungen finden, so läßt sich behaupten, daß wohl jeder zwanzigste Vers der Dichtung Gesichtserlebnisse anrührt. Mithin darf man den *Faust* gewiß eine *Welt des Auges* nennen, *die durch Gestalt und Farbe erschöpft wird,* wie sie Goethe am 15. XI. 1796 bereits von der *Farbenlehre* erwartete *(IV/11, 264).* – *Allerschönste Farbenspiele (I/3, 101)* entzücken den 70jährigen Goethe, wenn er in den obern

Spiegel des Entoptischen Gestells blickt, der wochenlang nicht von seinem Fenstertische kam (IV/26, 300). – Im *Faust* aber gibt es Szenen, die geradezu im Aufbau eine Farbenregie erkennen lassen. So entwickelt sich *Vor dem Thor* aus dem heitern Frühlingsnachmittag mit seinem frischen Grün und den geputzten Menschen über die *Abendsonne-Gluth* zum ergrauten Tag in tiefe Nacht, während *Anmuthige Gegend* umgekehrt aus den vier *Pausen nächtiger Weile* zum Sonnenaufgang emporsteigt, der im *farbigen Abglanz* eines Regenbogens verklärt wird. Die *Klassische Walpurgisnacht* wird eröffnet mit dem Umschlagen der Lagerfeuer aus Rot in Blau. (Ähnliche Anweisung gab Goethe ausführlich für *Des Epimenides Erwachen*.) Licht- und Flammenerscheinungen mannigfaltiger Art durchsetzen die Walpurgisnächte und das Teufelsfest der Schlacht *Auf dem Vorgebirg* (RMatthaei: Die Farbenlehre im Faust). Selbst Szenen der Besinnung sind im *Faust* von optischen Vorstellungen und Gesichtserlebnissen getragen. Der erste Monolog erhält seinen Grundton von dem Wunsche, *alle Wirkenskraft und Samen* zu schauen, er wendet sich sehnlich dem Monde zu, schildert anschaulich das mit *Urväter Hausrath* vollgestopfte *dumpfe Mauerloch* und mündet in die Geisterbeschwörung mit ihrer *Fülle der Gesichte. Wald und Höhle* bringt *die Reihe der Lebendigen*, den reinen Mond und das Bild *Gretchens*. Die *Finstere Galerie* sucht die Leere des Weges, der zu den *Müttern* führt, durch alles Sichtbare darzustellen, das demjenigen noch würde, der *den Ocean durchschwommen* hätte, und nennt am Ziele *die Mütter umschwebt von Bildern aller Creatur*. Der Anfang der Szene *Hochgebirg* malt in Betrachtung eines Wolkengebildes sinnliche Phantasie von reicher Symbolik. – Das letzte Wort Faustens, mit dem er ins Grab sinkt, ist *Augenblick*: Es ist ein Blick mit Geistesaugen, den er als den höchsten erfährt in dem klar erkannten Wunsche: *Solch ein Gewimmel möcht' ich sehn, | Auf freiem Grund mit freiem Volke stehn (V. 11 579 f.).*

Goethe war *zum Sehen geboren;* aber er mußte sein A. erst ausbilden *(MuR* Hecker Nr 1194), daß es ihm wahrhaft zu dem *Organ* wurde, *womit er die Welt faßte (I/27, 16).* Dazu wirkte ungewollt schon der Umgang mit Malern, der ihm von Kindheit an in seinem Vaterhause gegeben ward (I/26, 139 f.; 242–246). Der brachte ihm die Fähigkeit, *die Welt mit Augen desjenigen Mahlers zu sehen*, dessen Bilder ihm gerade gegenwärtig waren. Und er übte sie später mit Bewußtsein, wobei ihm

in Venedig die Einsicht wurde, *daß sich das Auge nach den Gegenständen bildet, die es von Jugend auf erblickt (I/30, 132; I/27, 172).* Zugleich aber hatte er gelernt, überhaupt „Bilder" in der Landschaft zu sehen, und diese mit jedem Blick auftretende Eigenheit trieb ihn um 1765, *nach der Natur zu zeichnen (I/27, 16).* Der 21jährige straßburger Student nennt dies *unser Tagewerk,* das Tagewerk der Jungen: *Die Sachen anzusehen so gut wir können, sie in unser Gedächtniß schreiben, aufmerksam zu seyn und keinen Tag ohne etwas zu sammeln, vorbeygehen lassen.* Aber er bezeichnet in demselben Briefe *(IV/1, 243 f.)* bereits eine Bedingung der Augenbildung: *Überhaupt um die Welt recht zu betrachten . . . muß man sie weder für zu schlimm, noch zu gut halten; Liebe und Haß sind gar nah verwandt, und beyde machen uns trüb sehen.*

Drei Stufen des Sehens lassen sich aus den vielgestaltigen Äußerungen Goethes erkennen. Ein eigenhändiger Randvermerk von 1807 nennt sie ganz knapp: *Genuß, Empfinden, Wissen, Erkennen, Wissenschaftliches Anschauen. Wiederkehrender Genuß (II/9, 274).* Das zweite, vierte und fünfte von diesen Stichworten bezeichnen die drei Stufen, die Goethe nicht durch ein für allemal festgelegte Ausdrücke für die Betätigungen des Auges bestimmt hat. Die erste Stufe können wir mit dem Briefe „Ansehen" nennen und so sondert er sie von *Liebe und Haß,* während der Randvermerk offenbar vom *Genuß* scheidet. *So soll den echten Botaniker weder die Schönheit noch die Nutzbarkeit der Pflanzen rühren . . . Der Naturforscher untersuche was ist,* und *nicht was behagt (II/11, 22).* Ebenso muß der Beobachter von Vorurteilen frei sein; von ihm schreibt Goethe am 27. XII. 1780 an Herzog Ernst von Gotha: *Weder Fabel noch Geschichte, weder Lehre noch Meinung halte ihn ab zu schauen. Er sondere sorgfältig das, was er gesehen hat, von dem, was er vermuthet oder schließt (IV/5,24).* Ähnlich 1795 an Wv*Humboldt (IV/10, 344).* In dem 1792 entstandenen Aufsatze, *Der Versuch als Vermittler zwischen Objekt und Subjekt,* untersucht Goethe die Gefahren, die dem Naturforscher beim Übergange von der Erfahrung zum Urteil drohen und wie sie zu vermeiden sind. *Mit den Augen zu sehn, was vor den Augen dir liegt,* nennt ein *Xenion (I/5¹, 275),* das Schwerste von allem. Aber in *DuW* heißt es von einer unbefangenen Art, den Eindruck von Kunstwerken aufzunehmen: *Die Jugend ist dieses höchsten Glücks fähig, wenn sie nicht kritisch sein will, sondern das Vortreffliche und Gute, ohne Untersuchung*

und Sonderung, auf sich wirken läßt (I/28, 87). Kaum in Italien angelangt schreibt Goethe am 1. IX. 1786: *Mir ist jetzt nur um die sinnlichen Eindrücke zu thun, die kein Buch, kein Bild gibt. Die Sache ist, daß ich ... prüfe, ... ob mein Auge licht, rein und hell ist ... (I/30, 34).* Und am 21. XII. 1787 empfiehlt er seinem Gehilfen Seidel *die natürlichste Betrachtung,* dabei mahnt er: *Nur mußt Du immer Deine Meynung geringer halten als Dein Auge (IV/8, 313).* – Die erste Stufe des Sehens, die reine, sinnliche Erfahrung, setzt höchste Zuverlässigkeit des A.s voraus, die sich in einem ursprünglichen, zudem vielfach bewährten *Sinnenvertrauen Goethes bestätigt. Morphologie ruht auf der Überzeugung daß alles was sey sich auch andeuten und zeigen müsse. Von den ersten physischen und chemischen Elementen an, biß zur geistigsten Äußerung des Menschen lassen wir diesen Grundsatz gelten (II/6, 446).* Ähnliches sagt Goethe von den Farben aus, dem anderen Moment des Sichtbaren. *Gewisse Farben sind gewissen Geschöpfen eigen, und jede Veränderung der äußerlichen Erscheinung läßt uns auf eine innere wesentliche Veränderung schließen (II/5^I, 5).* – Solch reines Ansehen zu üben, bediente sich Goethe besonders zweier Mittel: die Gegenstände *stets vor Augen* zu haben und zu zeichnen. Wenn er sich auch der Unzulänglichkeit seines Bemühens, das Gesehene durch Zeichnung darzustellen, bewußt war, so steigerte er damit seine Aufmerksamkeit und gewann jederzeit wiederherstellbare innere Gegenwart (I/27, 16; I/29, 133; I/36, 400; Bdm. 4, 252 zu FvMüller). Nach dem Einmarsch der Franzosen in Weimar schreibt Goethe am 28. II. 1814 an Sartorius: *Sonst finden Sie mich von Kunst- und Naturgegenständen, wie mir glücklich alle erhalten worden sind, wie immer umgeben (IV/24, 180;* I/3, 147). „Im vollen Selbstgefühl", das er in 25jährigem Studium des Farbenwesens wohl errungen haben mag, habe Goethe gesagt, so berichtet FvMüller vom 12. V. 1815: *Wenn ich meine Augen ordentlich auftue, dann sehe ich wohl auch was irgend zu sehen ist (Bdm. 2, 301).*
Der Mensch erfreut sich nur einer Sache, in so fern er sich dieselbe vorstellt; sie muß in seine Sinnesart passen, und er mag seine Vorstellungsart noch so hoch über die gemeine erheben, noch so sehr reinigen, so bleibt sie doch gewöhnlich nur ein Versuch, viele Gegenstände in ein faßliches Verhältnis zu bringen, das sie, streng genommen untereinander nicht haben ... (II/11, 29). Daher kann er auf der ersten Stufe, dem Ansehen, nicht stehen bleiben. *Jedes Ansehen*

geht über in ein Betrachten, jedes Betrachten in ein Sinnen, jedes Sinnen in ein Verknüpfen, und so kann man sagen, daß wir schon bei jedem aufmerksamen Blick in die Welt theoretisiren (II/1, XII). Aber der Erscheinungsforscher Goethe fürchtet sich vor der Abstraktion und wünscht ein *Erfahrungsresultat, das recht lebendig und nützlich werden soll.* Hier ist ein Dilemma, das Goethe auch in Unterhaltung mit FvMüller am 24. IV. 1819 über die *Kunst zu sehen* anrührte *(Bdm. 2, 436):* Man erblickt nur, was man schon weiß und versteht. So bezieht er auch bei der Prüfung seines A.s, die er sich zu Beginn der Italienischen Reise vorgesetzt hat, gleich mit ein *wie weit es mit seinen Wissenschaften und Kenntnissen geht (I/30, 34).* Damit wird doch eine reine Ursprünglichkeit des Ansehens bezweifelbar, und Goethe gibt Seidel trotz der Mahnung, das A. voranzustellen zu, daß das Bedürfnis, *Folgerungen zu machen, die Natur der Seele ist.* Er mußte daher einen Weg suchen, richtig zu verknüpfen, und er findet ihn in der Frage, *was unmittelbar angrenzt, was zunächst folgt.* Da hat wieder das A. zu tun; es muß vieles sehen, sammeln, vergleichen, ordnen. *Naturgeschichte beruht überhaupt auf Vergleichung (II/8, 7). Mit Ordnung zu wissen, erfordert genaue Kenntniß der einzelnen Gegenstände –* so heißt es in botanischen Studien *(II/6, 300).* Und im Geologischen wird bemerkt, daß *die nackten Gebirge, Steinritzen und Brüche dem natürlichen Auge unerfreulich* seien. *Dem Auge deß, der Kenntniß besitzt, offenbaren sie das Innere (II/9, 274).* Also befinden wir uns auf einer höhern, der zweiten Stufe des Sehens, die Kenntnis voraussetzt: die Erkenntnis des einzelnen. Der Einsatz des ganzen Menschen wird nun wieder nötig: *Man lernt nichts kennen, als was man liebt, und je tiefer und vollständiger die Kenntniß werden soll, desto stärker, kräftiger und lebendiger muß Liebe, ja Leidenschaft seyn.* Und im Konzept dieses Briefes an Jacobi hatte Goethe eine Note vorgesehen: *Die unzulänglichen Urtheile der Menschen entspringen nur aus Mangel an Liebe, denn ihr Urtheil ruht auf nichts. Mir ist daher ein enthusiastischer Liebhaber der Natur unendlich schätzbarer, als ein sogenannter Kenner ohne wahre Neigung; jener wird sein Urtheil nach und nach bilden, schärfen, und es wird zugleich immer reiner und affirmativer werden, da indeßen jener kricklicher, negativer ... werden muß (IV/23, 7; 439).* – Der Naturforscher wird hier produktiv, um aber Gefahren der Subjektivität zu vermeiden soll er *den Maßstab dieser Erkenntniß, die Data der Beurtheilung nicht aus sich, sondern*

aus dem Kreise der Dinge nehmen, die er beobachtet (*II/11, 22; zarte Empirie* MuR Hecker
Nr 565. – Das Ziel dieses Verfahrens ist,
eine Folge der Gestalten und Erscheinungen zu suchen. Seinen dichterischen Niederschlag fand es im Eingang der *Faust*-
Szene *Wald und Höhle,* die 1780 in Rom ent-
stand. *Du führst die Reihe der Lebendigen |
Vor mir vorbei, und lehrst mich meine Brüder |
Im stillen Busch, in Luft und Wasser kennen*
(*V.3225-27*). In der Naturlehre vermag das
Experiment solche Reihen zu bauen. Der naturwissenschaftliche Versuch ist für Goethe
das planmäßige Unternehmen, Gelegenheit
zum Beobachten zu schaffen: *Wenn wir die
Erfahrungen, welche vor uns gemacht worden,
die wir selbst oder andere zu gleicher Zeit mit
uns machen, vorsätzlich wiederholen und die
Phänomene die theils zufällig theils künstlich
entstanden sind, wieder darstellen, so nennen
wir dieses einen Versuch (II/11, 26 f.).* Durch
Veränderung der Bedingungen, durch *Vermannichfaltigung eines jeden einzelnen Versuches* gelingt es ihm zB. im ersten Stücke der
*Beiträge zur Optik, eine solche Reihe von Ver-
suchen aufzustellen, die zunächst an einander
gränzen und sich unmittelbar berühren, ja,
wenn man sie alle genau kennt und übersieht,
gleichsam nur Einen Versuch ausmachen, nur
Eine Erfahrung unter den mannichfaltigsten
Ansichten darstellen (II/11, 32 f.).* Und er erkennt darin *Erfahrung . . . einer höhern Art.*
Doch bewährt sich dieses methodische Vergleichen und Ordnen noch in besonderer Weise:
*Ich raste nicht bis ich einen prägnanten Punct
finde, von dem sich vieles ableiten läßt, oder vielmehr der vieles freiwillig aus sich hervorbringt
und mir entgegen trägt, da ich denn im Bemühen
und Empfangen vorsichtig und treu zu Werke
gehe (II/11, 63;* auch II/8, 166). Als ein Beispiel nennt Goethe die Entdeckung des Zwi-
schenkiefers beim Menschen. Solche *Einsicht
in das Bezeichnende* zu nehmen, *ist schon weit
mehr als der sinnliche Blick und als das Gedächtniß nöthig (II/6, 300).*
Während die zweite Stufe von vielfältiger Erkenntnis des Einzelnen zur Reihe und von ihr
zum Einzelnen zurück und zum *prägnanten
Punkte* führt, wird nun die Verknüpfung der
Einzelfälle vom Ganzen her gefunden und geprüft. Fortan müssen Empfangen und Bemühen einander die Waage halten (*MuR*
Hecker Nr 1140). Die Schwelle der dritten Stufe
einer Bildung des A.s ist bereits betreten. Im vorangestellten Randvermerk wird
sie als *Wissenschaftliches Anschauen* bezeichnet. Für Goethe ist *der anschauende Begriff*

dem wissenschaftlichen unendlich vorzuziehen.
Und er schildert sein Vorgehen: *Wenn ich auf,
vor oder in einem Berge stehe, die Gestalt, die
Art, die Mächtigkeit seiner Schichten und
Gänge betrachte und mir Bestandtheile und
Form in ihrer natürlichen Gestalt und Lage
gleichsam noch lebendig entgegenrufe, und man
mit dem lebhaften Anschauen so ist's einen
dunkeln Wink in der Seele fühlt so ist's entstanden!* (1780: vor Italien! – *IV/5, 25 f.*).
Dies ist das Reich der Bilder (*die Mütter* im
Faust), der *Urpflanze, des *Typus und des
*Urphänomens. Die Ausbildung eines Ty-
pus gestattet, *alle möglichen Knochenabtheilungen zu kennen, . . . danach anzugeben, welche . . . verwachsen, welche noch bemerkbar und
welche trennbar sind. Wir erhalten dadurch den
Vorteil, daß wir die Theile auch alsdann noch
erkennen, wenn sie uns selbst keine sichtbaren
Zeichen ihrer Absonderungen mehr geben, daß
uns das ganze Thierreich unter einem einzigen
großen Bilde erscheint, und daß wir nicht etwa
glauben was in einer Art, ja was in einem Individuum verborgen ist, müsse demselben fehlen.
Wir lernen mit Augen des Geistes sehen, ohne
die wir, wie überall, so besonders auch in der
Naturforschung, blind umher tasten (II/8, 37).*
– Angesichts des Kammerberges bei Eger erinnert sich Goethe 1808 des Streites zwischen
Vulkanisten und Neptunisten und er meint,
*daß alle solche Versuche, die Probleme der Natur
zu lösen, eigentlich nur Konflicte der Denkkraft
mit dem Anschauen sind. Das Anschauen gibt
uns auf einmal den vollkommenen Begriff von
etwas Geleistetem; die Denkkraft . . . möchte . . .
auf ihre Weise zeigen . . . wie es geleistet werden
konnte . . . so ruft sie die Einbildungskraft zu
Hülfe, und so entstehen . . . Gedankenwesen . . .
denen das große Verdienst bleibt, uns auf das
Anschauen zurückzuführen, und uns zu größerer Aufmerksamkeit, zu vollkommenerer Einsicht
hinzudrängen (II/9, 91; MuR* Hecker Nr 1150).
Diesen Konflikt fand der Psychiater *Heinroth
durch den Denker Goethe ausgeglichen. 1822
schrieb er, man müsse in Goethe ,,ein hohes
Denkvermögen anerkennen, welches aber freilich nicht auf die gewöhnliche, philosophische,
abstrakte, sondern auf ganz eigentümliche
Weise, nämlich eben gegenständlich tätig ist''.
Und diese Eigenart erläutert Heinroth mit der
Feststellung, ,,daß sein Denken nicht von den
Gegenständen abgesondert ist, daß die Elemente der Gegenstände, die Anschauungen, in
dasselbe eingehen und von ihm auf das innigste durchdrungen werden, so daß sein Anschauen selbst ein Denken, sein Denken ein
Anschauen ist; ein Verfahren, welches wir ge-

radezu als das vollkommenste zu erklären genötiget sind". Dadurch werde „die Beobachtung und das Denken gleichsam in einen Akt zusammengeschmolzen". Goethe fand sich in dieser Darstellung bestätigt *(II/11, 58–64)* und fühlte *bedeutende Förderniß.* Schon 1798 hatte er von dem *Reinen Phänomen* (zu Goethes Lebzeiten nicht veröffentlicht) ausgesagt: *Dieses wäre also . . . derjenige Punkt, wo der menschliche Geist sich den Gegenständen in ihrer Allgemeinheit am meisten nähern, sie zu sich heranbringen, sich mit ihnen . . . auf eine rationelle Weise gleichsam amalgieren kann.* Gegenständliches Denken, *geistiges Anschauen* ist recht eigentlich eine Leistung des Auges. Darauf weist vor allem Goethes Lehre vom *Urphänomen . . . das nicht durch Worte und Hypothesen dem Verstande, sondern dem Anschauen offenbart, daß man von* ihm *herab bis zu dem gemeinsten Falle der täglichen Erfahrung niedersteigen kann (II/1, 72).* Freilich ist *ein Unterschied . . . zwischen Sehen und Sehen, es haben daher die Geistes-Augen mit den Augen des Leibes in stetem lebendigen Bunde zu wirken . . . weil man sonst in Gefahr gerät zu sehen und doch vorbeizusehen (NS 9, 78).*
Wir nur erst der Himmel heiter, | Tausend zählt ihr, und noch weiter. Den Zweizeiler setzte Goethe als Motto der Gedichtsammlung *Gott, Gemüt und Welt* voran. Seine produktive Stimmung wurde sehr vom Wetter beeinflußt, so daß es Jahre gab, da ihn der trübe November lähmte, daß er ungeduldig die Wiederkehr der Sonne erwartete. Daran ist gewiß das A. wesentlich beteiligt. Der *Klarheit des reinen Himmels,* dem *Glanz der reichen Erde* des Elsaß schreibt er es zu, daß ihm *die Lust zu dichten,* die er lange nicht gefühlt hatte, wieder hervortrat *(I/28, 30 f.).* – Manche Dichtung Goethes entsprang einem überraschenden Anblicke: *die Fischerin* (1782), *der neue Pausias* und *Amyntas* (1797), vielleicht auch *das Märchen* (1795) (RMMeyer). Das Epos *Hermann und Dorothea* (1796), für dessen kompetenten Beurteiler Goethe den Menschenmaler erachtete, gestaltete er in einer Reihe von Bildern (Hbg A. 2, S. 594–597). – Die Wesensbeziehung, die das Gedicht überhaupt zum Bilde hat, scheint sich in *Dichtung und Wahrheit* anzudeuten, da Goethe von jener *Richtung* spricht, der er sein *ganzes Leben* folgte, nämlich was ihn *erfreute oder quälte, oder sonst beschäftigte, in ein Bild, ein Gedicht zu verwandeln (I/27, 109 f.).* Solcher Auffassung fügt sich auch die Parabel: *Gedichte sind gemalte Fensterscheiben!* Und es mag für Goethes Gedichte nicht nur im Gleichnis die Ein-

ladung gelten: *Erbaut euch und ergetzt die Augen!* Der Dichter soll überhaupt darstellen. *Auf ihrem höchsten Gipfel scheint die Poesie ganz äußerlich (MuR Hecker Nr 510);* das bedeutet aber bei Goethe *sichtlich,* dem A. zugewandt. So bekennt er am 15. XI. 1796 Schiller gegenüber, daß er die andern Sinne nur sparsam brauche *und alles Raisonnement verwandelt sich in eine Art Darstellung (IV/11, 264).* Den *innern Menschen* dem Anschauen darzustellen ist ihm das Hauptanliegen der Dichtung (I/27, 80). – Aus den Jahren 1819–24 stammen Äußerungen Goethes, darin *Einbildungskraft (I/7, 102)* oder eine *exacte sinnliche Phantasie (II/11, 75)* geradezu als Voraussetzung der Dichtung gelten. Dieses menschliche Grundvermögen erhielte indessen ohne die lebendige Tätigkeit des A.s keinen Stoff. In den *Noten* zum *Westöstlichen Divan* wird berichtet von den ältesten orientalischen *Dichtern, die zunächst am Naturquell der Eindrücke lebten und ihre Sprache dichtend bildeten,* dann aber von den späteren, wie sie die Spur des Rechten verlieren mußten. *Denn wenn sie nach entfernten und immer entfernteren Tropen haschen, so wird es baarer Unsinn; höchstens bleibt zuletzt nichts weiter als der allgemeinste Begriff, unter welchem die Gegenstände allenfalls möchten zusammen zu fassen sein, der Begriff, der alles Anschauen, und somit die Poesie selbst aufhebt (I/7, 102 f.).* Und in einem historischen Nachtrag zur *Farbenlehre (II/5I, 387)* wird die alte Vorstellung von den vier Elementen aus einer *sinnlich-tüchtigen, gewissermaßen poetischen Anschauung* hergeleitet. Heinroths Ausführungen bezog Goethe auch auf eine *gegenständliche Dichtung. Mir drückten sich gewisse große Motive, Legenden, uraltgeschichtlich Überliefertes so tief in den Sinn, daß ich sie vierzig bis fünfzig Jahre lebendig und wirksam im Innern erhielt; mir schien der schönste Besitz solche werthe Bilder oft in der Einbildungskraft erneut zu sehen, da sie sich denn zwar immer umgestalteten, doch ohne sich zu verändern einer reineren Form, einer entschiednern Darstellung entgegen reiften (II/11, 60).* Als Beispiele führt er auf *die Braut von Corinth,* den *Gott und die Bajadere,* den *Grafen und die Zwerge* und den *Paria.*

4. Das Auge als Mittler zwischen Mensch und Welt. Wie ein Hymnus auf das A. klingen die letzten sechs Sätze (I–VI), die Goethe im Winter 1805/06 zu einer Einleitung der *Farbenlehre* entworfen hat *(NS 3, 437);* der erste von ihnen spricht vom Ursprung des Auges. (I) *Das Auge ist das letzte, höchste Resultat des Lichtes auf den organischen Körper.*

In der endgültigen Fassung erscheint die Vorstellung als eine überraschende biologische Erkenntnis: *Aus gleichgültigen thierischen Hülfsorganen ruft sich das Licht ein Organ hervor, das seines Gleichen werde; und so bildet sich das Auge am Lichte für's Licht . . . (II/1, XXXI).* Das erste, was diese Aussage enthält, Goethes „richtige Intuition" (Schiller) vom Werdegang unseres A.s läßt sich heute durch vergleichende und experimentelle Forschung genetisch und funktionell bestätigen. Das zweite, die *sonnenhafte* Natur des A.s, empfand JMüller als Widerspruch zu seiner Lehre von den Spezifischen Sinnesenergien. Und er meinte, es müsse „das äußere Licht dem Auge ein Ungleichartiges, ja in Hinsicht seiner Natur durchaus Gleichgültiges" sein, weil „es so gut wie der mechanische Anstoß" oder auch die Einbildungskraft „Lichtempfindung in dem Auge hervorrufen muß". (JMüller: Fragmente . . . zur Goetheschen Farbenlehre.) Demgegenüber verlangt Goethe, *Licht und Auge beide zugleich als eins und dasselbe zu denken.* Damit faßt er eine Ganzheit, der Licht und A. als Glieder angehören. Das *welt- und erdgemäß* Organ (Faust V.11907) hat Anteil am Wesen des Lichtes. Mit dieser Einsicht überwand Goethe die Skepsis, die aus der sinnesphysiologischen Grundlehre JMüllers entstand und noch lange nachgewirkt hat, schon in der Zeit ihrer Konzeption. – (III) *Das Licht überliefert das Sichtbare dem Auge; das Auge überliefert's dem ganzen Menschen.* Die Mittlerschaft des A.s ist ausgesprochen. Daß aber das erste Geschehen nicht allein vom Lichte bestimmt ist, zeigt die bemerkenswerte Abgrenzung *das Sichtbare,* das ja nun eben vom A. bedingt ist. In der Einleitung wird der lebendigen Selbständigkeit des A.s gedacht, *es bilde sich am Lichte, damit das innere Licht dem äußeren entgegentrete.* Es behauptet *sein Recht, das Object zu fassen, indem es etwas, das dem Object entgegengesetzt ist, aus sich selbst hervorbringt (II/1, 15 f.)* nämlich die geforderte (physiologische) Farbe. So umschreiben die folgenden Sätze den vom Auge gestifteten Wechselbezug zwischen Mensch und Welt. (IV/V) *Das Ohr ist stumm, der Mund ist taub; aber das Auge vernimmt und spricht. In ihm spiegelt sich von außen die Welt, von innen der Mensch.* Eine lebendige Ganzheit wird erzeugt, die sich symbolhaft im physiologischen Farbenpaare widerspiegelt (*Harmonielehre). (VI) *Die Totalität des Innern und Äußern wird durchs Auge vollendet.* Der abschließende Satz aber wird in beachtenswerter Weise durch eine geheim-

nisvolle Aussage vorbereitet: (II) *Das Auge als ein Geschöpf des Lichtes leistet alles, was das Licht selbst leisten kann.* Am schönsten wird das veranschaulicht durch eine Erscheinung, die Goethe erst zwölf Jahre später untersuchen konnte, die *Entoptischen Farben. Hier wird's ihm im Versuche am Entoptischen Spiegelgestell gegenwärtig: Dieselbe Zuordnung von Farbenpaaren, die das Licht leistet, wenn es einmal von parallelen, einmal von gekreuzten Spiegeln widerscheint, vermag auch das A. zu leisten, wenn es von den Farben der einen Spiegelstellung ein Nachbild hervorbringt. Beglückt findet Goethe seine alte Überzeugung bestätigt: *Denn das ist der Natur Gehalt, | Daß außen gilt, was innen galt (I/3, 355).* Und so feiert er die *Entoptischen Farben* auch im Gedichte (I/3, 101). Das *Pfauenauge,* das im entoptischen Glase erscheint, wird ihm zum *Zeichen: Tief ist der Krystall durchdrungen: | Aug' in Auge sieht dergleichen | wundersame Spiegelungen.* Da ist nun eine Formel ausgesprochen, die eine besondere Mittler-Rolle von Mensch zu Mensch bezeichnet, die Sprache der A.n (IV) Sie schenkt das innigste Einvernehmen und bürgt zugleich für Wahrhaftigkeit der Aussage. *Was ist denn aber beim Gespräch | Das Herz und Geist erfüllet, | Als daß ein echtes Wort-Gepräg' | Von Aug' zu Auge quillet! (I/3, 155* ein Stoßseufzer gegenüber dem Brillenträger – was hätte Goethe von Telephongesprächen gehalten?) Wenn man mit ganzer Person für seinen Standpunkt eintreten will, so sagt man es dem Gegner *ins Gesicht (Faust V. 4165).* So erklärt eine der *Furien* im *Faust,* wie sie erst den Anschein der Untreue schaffen, bis sie dem Liebhaber die üble Nachrede *Aug' in Auge* sagen dürfen (V. 5361). Vor allem aber ist die Sprache der A.n ein Vorrecht der Liebenden. Die Eigenart des wechselseitigen Einwirkens darzustellen gebraucht Goethe das Bild von den Phosphoren (Leuchtsteinen), die erst Licht empfangen müssen, um Licht zu spenden (I/3, 147). Das Spiel der Blicke schildert anmutig das Gedicht *April (I/3, 34): Augen sagt mir, sagt was sagt ihr? | . . . | Und in gleichem Sinne fragt ihr,* hebt es an und schließt mit der vierten Strophe: *Und indem ich diese Chiffern | Mich versenke zu studiren, | Laßt euch ebenfalls verführen | Meine Blicke zu entziffern!* (Auch I/3, 53.) Und im Liebesgespräch *Faustens* mit *Gretchen* gibt es keine innigere Aussage, keine gewissere. *Laß diesen Blick, | Laß diesen Händedruck dir sagen, | Was unaussprechlich ist: . . . (V. 3188 bis 3190).* Und nicht anders vermag er sein

Gottesbekenntnis zu geben: *Schau' ich nicht Aug' in Auge dir, | Und drängt nicht alles | Nach Haupt und Herzen dir, | Und webt in ewigem Geheimniß | Unsichtbar sichtbar neben dir? (V. 3446-3450).* (Noch im *Faust:* V. 5155-57; 6345; 8446; 8918; 10062-63; 10896; 12030; 12096. Dazu *Äugeln: Faust* V. 1683; I/2, 271; I/6, 62; IV/10, 7.) Der Glaube an die Zuverlässigkeit der Erfahrung durch das A. bestätigt sich am sichersten in der Begegnung zweier A.n: *Doch ein Blick am rechten Orte, | Übrig läßt er keinen Wahn (I/3, 52).*   *Mt*

JGKrünitz: Encyklopädie. Bd 3, Art. „Auge". 1782. – JCAHeinroth: Lehrbuch der Anthropologie. Leipzig 1822. S. 387 f. – JMüller: Über die phantastischen Gesichtserscheinungen. Coblenz 1826. S. 450. – JMüller: Fragmente . . . zur Goetheschen Farbenlehre. In: Zur Vergleichenden Physiologie des Gesichtssinnes. Leipzig 1826. S. 398. – JMüller: Handbuch der Physiologie II. Coblenz 1840. S. 567. – RMMeyer: Goethes Art zu arbeiten. In: GoetheJb. 14 (1893), S. 167. – HCohn: Goethes Kurzsichtigkeit . . . In: Wochenschrift für Therapie und Hygiene des Auges IV (1900), Nr 8; vgl. auch: GoetheJb. 23 (1907), S. 214. – PJMöbius: Ausgewählte Werke. Bd 3. 1903. S. 24. – WBode: Drei Kurzsichtige. In: Stunden mit Goethe IV. 1908. S. 65. – MBirnbaum: War Goethe kurzsichtig? In: Chirurgisch-therapeutische Wochenschrift Nr 52. 1912. – GAbelsdorff: Die Kurzsichtigkeit Goethes und seiner Mutter. In: Deutsche Medizinische Wochenschrift Nr 50. 1923. – RGreef: Goethe und die Brillen. In: Klinische Monatsblätter für Augenheilkunde Bd 82 (1929), S. 389. – HWahl: Goethe im Bildnis. 1930. – Berliner Tageblatt Nr 432. |1931|. – Deutsches Ärzteblatt v. 1. V. 1932. – RMatthaei: Goethes Auge. In: JbGGes. 1940. S. 265. – RMatthaei: Die Farbenlehre im Faust. In: GoetheJb. 10 (1948). – FVierling: Goethe kurzsichtig? In: Chronik des Wiener Goethe-Vereins Bd 54 (1950). – ETrunz: Hermann und Dorothea. In: HbgA. 2. 1952. S. 594–598. – KEngelbrecht: der echte Simultankontrast. In: Klin. Monatsbl. f. Augenheilkunde Bd 127. 1955.

Augereau, Pierre François Charles (1757 bis 1816), Sohn eines Obsthändlers, später Herzog von Castiglione und Marschall von Frankreich, begann seine Laufbahn als einfacher Soldat, wurde dann Fechtmeister in Neapel und trat 1792 als Freiwilliger in die französische Armee ein. 1796 avancierte er durch besondere Tapferkeit zum Divisionsgeneral. Er schloß sich *Napoleon Bonaparte an und übernahm 1800 den Befehl über die französisch-batawische Armee. In den Schlachten bei *Jena und Eylau zeichnete er sich besonders aus. In diesen ereignisvollen Oktobertagen des Jahres 1806 begegnete er Goethe in dessen Hause: *Lannes ab. Gleich drauf Marschall Augerau. In dem Intervall die größte Sorge. Bemühung um Sauvegarden u.s.w. bis endlich das Haus ganz voll Gäste war. Mit dem Marschall gespeist. Viele Bekanntschaften (III/ 3, 174).* Als Anfang Oktober 1813 die französischen Truppen sich abermals in Weimar und Jena einquartierten, befand sich A. unter ihnen (III/5, 77).

1814 schloß A. die Kapitulation von Lyon ab. Die Ernennung zum Pair durch Ludwig XVIII. hielt A. nicht ab, 1815 wieder zu Napoleon überzugehen.   *Za*

Augit, ein Mineral, richtiger eine Gruppe von Mineralien, von dunkelgrüner bis fast schwarzer Färbung und säuliger Kristallform, chemisch ein zwei- und dreiwertige Metalle enthaltendes Silikat von wechselnder Zusammensetzung, ein charakteristischer und häufiger Bestandteil in basischen Tiefen- und Ergußgesteinen, zB. in *Basalten. Infolge dieses Vorkommens traten Goethe bei seiner Beschäftigung mit dem *Vulkanismus und den Basalten A.e häufig entgegen, so daß wir sie in seinen Aufsammlungen oft erwähnt finden. Näher mit den A.n befaßte sich Goethe im Anschluß an die Untersuchungen über den *Wolfsberg in Böhmen, wo sich gut ausgebildete Kristalle sehr häufig finden. Von der Vorstellung ausgehend, daß das vulkanische Feuer die archetypischen Gesteine aufschmelze, bemerkt Goethe vor allem, daß die A.e *unschmelzbar* sind. Sie *verdienen daher wohl ihren Namen Apyr. Die Masse, die Augiten reichlich enthält, ist eigentlich das schmelzbare Unschmelzende. Sie kann schon völlig zur glasigen Schlacke verwandelt sein, und der Augitkristall liegt noch wenig verändert in derselben. (NS 2, 309.)* Die reichen Aufsammlungen von A. und *Hornblende am Wolfsberg gaben Goethe Veranlassung, da ihm selber die kristallographische Betrachtungsweise fern lag, die Materialien zur kristallographischen Bearbeitung dem schweizer Mineralogen *Soret zu übergeben, der einen kristallographischen Überblick über das Material gab.   *Bn*

Augsburg/Augspurg, freie Reichsstadt bis 1805, dann bayrisch, die alte Römerstadt am Lech (oberhalb seiner Vereinigung mit der *Wertach) gelegen [*Solinger Fläche um Augsb. alte Wirckung der Flüsse fruchtbarer schon gemischter Boden . . . Von Augsburg gegen das Gebirge ist eine große Plaine von gemischtem Boden, doch meist etwas kiesig, die Wiesen nach dem Fluß scheinen feucht zu sein (III/2, 5)].* A. war 15 vChr. als Vorposten, Burg und Kolonie des Kaisers *Augustus nach Eroberung Vindeliziens durch Drusus gegründet (Augusta Vindelicorum) und später durch die Via Claudia (Kaiser Claudius; *Acqua Claudia) über die Alpen hinweg mit dem imperialen Verkehrsnetz *Roms verbunden. Es war schon damals eine mächtig emporblühende, selbst als Verkehrsknotenpunkt und Handelszentrum bedeutende Stadt, erfuhr nach dem Zusammenbruch des Imperium Romanum (Baudenkmäler dieser Epoche im Stadtbild nicht mehr erhalten) erst mit der nachfolgenden, sehr energischen Besiedlung durch Volksteile aus *Schwaben, und zwar zumeist in nachmittelalterlicher Zeit, sichtbar neuen und imponierenden Auftrieb. Die altrömische Vergangenheit bleibt in dem Pinienzapfen des Stadtwappens gegenwärtig. Den ungeheuren wirtschaftlichen Aufschwung vornehmlich in der *Renaissance-Zeit versinnbildlichen die Namen des *habsburgischen Kaisers *Maximilian I., mehr noch die der bereits seit dem Mittelalter führenden Handelshäuser der Fugger und der Welser (denen der historische *Faust das Horoskop für ihren beispiellosen, aber nicht glücklichen Zug nach Venezuela 1535 gestellt und deren seemännischen wie militärischen und politischen Expeditionskommandanten Philipp v Hutten er dabei ganz besonders zutreffend vor den Ereignissen des Jahres 1540 gewarnt hatte; Goethe besaß die Kopie einer Gedenkmedaille auf Bartholomäus Welser, 1534 noch zu Lebzeiten des Dargestellten geschnitten, IV/45, 208; 388), für die Protestanten durch die *Confessio Augustana (1530) verehrungswürdig und erinnerungsbeladen, die humanistische Tradition am eindringlichsten durch Konrad Peutinger verkörpert – an die musikalische Welt, dh. an Leopold *Mozart, der von hier gebürtig war (1719), konnte er damals noch nicht denken – kurz: Goethe lernte A. selbst auf seinen Reisen nach und von *Italien kennen. Erstmals (ohne eine Belegnotiz) wahrscheinlich im Juni 1788 auf der eiligen Rückfahrt Rom/Weimar vom *Bodensee (*Konstanz) herkommend, dürfte er A. durchquert haben (IV/8, 376; I/32, 480; 488; III/2, 2; I/53, 385). Wir wissen nicht einmal, ob diese Passage, wenn überhaupt, bei Tage oder bei Nacht stattgefunden hat; ihren Weg hätte sie aber auf alle Fälle im Zuge der alten römischen Reichsstraße Via Claudia nehmen und der noch heute für die Altstadt charakteristischen Hauptstraße, der Maximilianstraße, „die man die schönste Straße der Welt genannt hat" (Strieder/Deininger S. 3) folgen müssen. Nähere Kenntnis der Stadt erwarb Goethe erst bei Gelegenheit seiner zweiten Italien-, dh. eigentlich *Venedig-Reise; er war auf dem Hinweg Mitte März 1790 (III/2, 13) sowie auf der Rückfahrt Anfang (9.) Juni 1790 (III/2, 2; IV/9, 207; 208; 210; I/53, 387) jeweils wohl auch zur Übernachtung in A., Unterkunft fand er dabei im „Weißen Lamm" (im Bombenkrieg 1944 total zerstört, fünf Jahre später neuerbaut und seit 1. I. 1950 wieder eröffnet), zumindest Mitte März, wenn JGP*Goetze unter dem Datum des 18. die Teilnahme an der Totenfeier im

Dom für den am 20. II. 1790 verstorbenen deutschen Kaiser Joseph II. verzeichnet (I/32, 491) und Goethe selbst schreibt: *Ich werde noch einige Tage in Augsburg bleiben, denn es kommt mir hier der Wohlgeruch der Freyheit, das heißt der größten Constitutionellen Eingeschräncktheit entgegen. Nur eine Promenade durch ihre Fleischbänke (I/32, 491)!* In diesen Tagen dürfte Goethe auch die private Kunst-Sammlung des freiherrlichen Hauses v Reischach (oder Teile davon?) besichtigt haben: *Geschmack der aus Gegenständen die eigentlich keine schöne Form haben eine schöne Form zusammengesetzt oder hervorbringt. Gemälde in Augsburg bey Reischach (I/49^{II}, 277).* Auch die Hausbemalungen von der Hand JE*Holzers (aus der Zeit vor 1740) haben ihn erfreut (ebda). Die vielgestalte und vielberedte Stadt bot sich damals *im Sonnenschein (I/32, 492)*. Goethe war gern in A.   *Za* Über seine sonstigen Eindrücke notierte er im Tagebuch in zwei Sätzen: *Augspurg selbst ist wohl eine der prächtigsten Reichsstädte wegen denen prächtigen und reichen Kirchen und Privatgebäuden. Von den Kirchen ist besonders der Thom oder die sogenannte Kreuzkirche die größte, aber in der Pracht glaube ich übertraf sie die von St. Ulrich (III/2, 13).* Aus diesen knappen Bemerkungen geht jedoch deutlich die Bewunderung hervor, die er angesichts der baulichen Schönheiten der Stadt empfunden haben muß. EHoll (1573–1646), der größte deutsche Baumeister an der Wende der *Renaissance zum *Barock, hatte wie kein anderer deutscher Architekt seiner Zeit mit großen öffentlichen Bauten das Stadtbild von A. – die Stadt stellte das bedeutendste Einfallstor der italienischen Renaissance nach Deutschland dar – zu eben der Schönheit und Pracht erhoben, von der Goethe offenbar stark beeindruckt war. Er besichtigte den Dom, der auf einem früheren Bau als romanische doppelchörige Anlage mit Querschiff im Westen und 2 Osttürmen anstelle des östlichen Querschiffs errichtet, aus dem 11. Jahrhundert stammte, aber in der *Gotik zT. an- und umgebaut (so ua. gotischer Ostchor) wurde. Die Gleichsetzung von *Thom und die sogenannte Kreuzkirche* trifft nicht zu. Bei der letzteren handelt es sich um eine unweit vom Dom gelegene, 1502 begonnene, spätgotische Hallenkirche, die von 1716–1719 von JJHerkomer geschickt barock umgestaltet wurde. St. Ulrich und Afra (ehem. Reichsstift), die er, soweit er sich erinnern konnte, sehr richtig sicher wegen ihrer den Raumeindruck weitgehend bestimmenden drei großen Barockaltäre aus dem Anfang des 17. Jahrhunderts als die prächtigste ansah, ist eine große hohe Basilika (ursprünglich eine romanische Anlage), deren Neubau von 1474–1500 unter Benutzung der von dem eingestürzten Bau von 1464 noch erhaltenen Teile erfolgt war. – Eine Kenntnis der Bauten des an *Palladio geschulten, aber zu durchaus eigener Schaffensweise gelangten EHoll in A. wäre bei längerem Aufenthalt für Goethes Architekturanschauung sicher aufschlußreich gewesen. Vgl. RV S. 27–29.   *Wt*

Seit das Verlagshaus *Cotta in A. eine Faktorei eingerichtet hatte, insbesondere eine Druckerei besaß und hier nicht nur Periodica (1795 gegründet, 1812 erweitert: „Allgemeine Zeitung"; 1822 gegründet: „Ausland"), sondern seit der 1824 erfolgten Modernisierung und Technisierung des Betriebes (erste Dampfschnellpresse: *Maschinenwesen) auch Bücher, zB. die *Edition der Werke Goethes in der „Vollständigen Ausgabe letzter Hand" herstellen ließ, wird A. für Goethe in stärkerer Weise neu bedeutungsvoll. Zuvor war er nur ganz vereinzelt wieder auf die Stadt aufmerksam geworden, so etwa, am 22. I. 1807 bezeugt (IV/50, 30), durch den Plan JChrv *Mannlichs *(Vertheilung der königlich bayerischen Gemäldesammlung in *München, Schleißheim, Augsburg, Landshut, . . . *Bamberg;* 25. III. 1807: *IV/19, 286)* oder am 7. III. 1814, wo die Beziehung sich völlig gelöst zu haben scheint: *in Augsburg kenne ich niemand (IV/ 24, 187).* Am 14. IV. 1822 regt sich nur ein zufälliges, sach-, aber nicht ortsbedingtes Interesse, das der Kopie eines Gemäldes von Pietro *Cavallini gilt (IV/36, 18), nachdem sich Goethe im Jahre zuvor anhand der Bücher von HAO*Reichard, Friedrich Carl Gullmann sowie Paul vStetten dÄ. eingehend mit den geschichtlichen Ereignissen in und um die *merkwürdige Stadt* beschäftigt hat *(IV/34, 200;* 207). Das *vielzeitige Augsburg (IV/41, 101),* dh. die in so vielen Zeiten der Geschichte gewachsene und darum so vielgesichtige Stadt nimmt gegen das Lebensende Goethes eben durch die 1827 beginnende Ausgabe der Werke letzter Hand eine mehr und mehr vordergründige Stelle ein: *Die Augsburger fangen an dringend zu werden* (12. VIII. 1829: *IV/46, 44).* Als Person steht dabei der cottasche *Factor bey der Expedition der Allgemeinen Zeitung zu Augsburg (IV/44, 242)* W*Reichel vermittelnd im Lichte; Goethe dürfte ihn schon vom Industriecomptoir FJ*Bertuchs her gekannt haben, wo Reichel 1803–1808 metteur en pages = Setzer, der den Umbruch besorgt, gewesen war; eine letzte Nachricht sendet er ihm am 3. I. 1832 *mit der Anzeige das von *Voigtische*

Münzkabinett betreffend (III/13, 199) nach A. Die Unerfreulichkeiten W*Menzels, der Goethe *ein potenzirter Merkel (I/5^I, 202)* zu sein schien, machten sich mit ihren negativen Reflexen auch in A. bemerkbar, ohne jedoch grundsätzlich stören zu können (3. VII. 1830: IV/47, 125).

Personen: Angehörige der freiherrlichen Familie vReischach im Frühjahr 1790, als Goethe die *Gemälde in Augsburg bey Reischach* besichtigte (?; I/49^{II}, 277); Johann Gullmann (Kommissionsrath, weimarischer Agent, für den 28. VI. 1799 als anreisend aus A. bezeugt: III/2, 255); CF*Grüner d'Akacs (Schauspieler, als abreisend nach A. am 17. X. 1802 notiert: III/3, 65); ?Carli (Briefverbindung *wegen der Bronzen,* dh. Lieferungsauftrag am 5. XI. 1806: *III/3, 178;* Eingang der bestellten Medaillen am 27. XI. 1806: III/3, 180); J und GWvHalder (Handelshaus als postalische Vermittlungsstelle zu Wv*Humboldt, damals in *Rom, Brief vom 3. V. 1808: III/3, 332); Johann Karl Friedrich Hauff (1766 bis 1846, Universitätsprofessor, *Mathematiker, ehemals in Marburg, Wien, Augsburg, Mähren, Dänemark pp. Wegen technischer Talente angestellt und wohl angesehn, aber wegen politischem Eigensinn nirgends lange aushaltend;* Begegnung in *Teplitz am 24. V. 1813: *III/5, 49);* W*Reichel (seit Ende Februar 1825 ständig, seit 1834 auch als Hausbesitzer E 144 in A. ansässig, bereits seit 1811 im Hause Cotta als Faktor und Leiter der stuttgarter Druckerei; reger Briefkontakt mit Goethe hauptsächlich wegen Herstellung der Ausgabe letzter Hand; seit 1834 auch selbständig als Drucker und Verleger, seit Sommer 1836 geistig umnachtet, am 23. XI. 1849 in A. gestorben); Eduard Jerrmann (1798–1859, Schauspieler, zuvor in Leipzig, München, Herbst 1825 als Sekretär und Regisseur an die „neuorganisierte Bühne" nach A. berufen, will am 18. IX. 1825 dort mit einer Aufführung des *Vorspiels auf dem Theater* und der *Iphigenie* eröffnen, bittet Goethe im Juli 1825 um entsprechende Umarbeitung des *Vorspiels,* Goethe lehnt aber am 22. VII. 1825 ab: IV/39, 257 f.; III/10, 82; 320); Albrecht Le Bret (1778–1846, zuvor Professor der Naturgeschichte am Gymnasium Stuttgart, seit 1822 in A. als Herausgeber und Schriftleiter der cottaschen Zeitschrift „Ausland"; Brief Goethes vom 24. V. 1826 wegen Durchsicht und Überwachung des Druckes von Goethes Werken: IV/41, 41 f.); Johann Benedict Paris von und zu Gailenbach (?, geb. 1781; 16. XII. 1828: III/11, 315).   *Za*

FWagner: Die Römer in Bayern. ⁴1928. – HFDeininger: Das reiche Augsburg. Ausgewählte Aufsätze Jakob Strieders zur Augsburger und süddeutschen Wirtschaftsgeschichte des 15. und 16. Jahrhunderts. 1938.

Augusti, 1) Johann Christian Wilhelm (27. X. 1772–28. IV. 1811), geboren in Eschenbergen/ Thür., gestorben in *Koblenz. A. habilitierte sich 1790 für Philosophie in Jena, wurde 1803 erst außerordentlicher, dann ordentlicher Professor der orientalischen Sprachen, ging 1812 nach Breslau, 1819 nach *Bonn. Goethe lud ihn am 16. XII. 1803 in Jena gemeinsam mit LChF*Asverus zum Tee (III/3, 91) ein und traf am 29. VII. 1818 mit ihm in *Karlsbad zusammen (III/6, 233).

–, 2) Ernestine Elisabeth Charlotte geb. Wunder (gest. 1865), seine Ehefrau, traf Goethe am 13. XII. 1807 in Jena auf einem Ball (III/3, 307).   *Ko*

Günther: Lebensskizzen. S. 224. – WSchmidt-Ewald in: Thüringische Sippe 2, S. 57. – Nachruf der Universitäts-Bibliothek Jena hist. lit. VI. o. 1/3.

Augustinus. Aurelius (354–430), Heiliger, der Kirchenvater, vor Thomas von Aquino wohl die bedeutendste Erscheinung, eine der am tiefsten geschichtsbildenden Gründergestalten des christlichen, insbesondere des christlich-kirchlichen Abendlandes, wirksam auch im *Protestantismus (*Luther war Augustiner-Mönch), galt in Goethes Denken durchaus in diesem Sinne als Beispiel für Wesen und Wirken der Tradition: *Die Tradition hat das eigne daß sie nicht allein Gesinnungen und Meynungen fortpflanzt sondern auch den Ton angiebt (II/5ᴵᴵ, 251).* Goethe verließ diese Tradition, als er nach seiner Rückkehr aus *Italien A. stärkere Aufmerksamkeit zuwandte und begann, dessen Hauptwerk „De civitate Dei" zu studieren. Die Intention dieses Studierens freilich kann und muß im Hinblick auf den eigentlichen A. als paradox erscheinen. Goethe befragte A. nämlich als zeitgenössisch fast noch unmittelbaren Zeugen, dh. als Quelle für die Kenntnis der heidnisch römischen *Religion und *Mythologie noch dazu auf dem Gebiete der Beziehungen zwischen den Geschlechtern, des Liebeslebens und der Fortpflanzung im Sinne der Indigitamenta, besonders inbezug auf die phallisch-priapischen Gottheiten und auf die Geburtsgöttin Lucina, die den Neugeborenen, in diesem Falle Goethes Sohn August, das Licht der Welt erblicken ließ (vgl. Brief an Carl August vom 6. II. 1790: IV/9, 173). Gerade dieser Göttin widmet A. wiederholte Betrachtungen, so sehr er sich einer solchen, für fleischlich-verwerflich gehaltenen Sphäre durch Bekehrung und Taufe 387 entfremdet und enthoben fühlte (vgl. Confessiones VI, VII). Goethe schließt an seine Lektüre der a.schen Schrift „De civitate Dei", die in den Büchern VI und VII Gründe für die Annahme zusammenträgt, daß der Ursprung der heidnischen Götterverehrung sehr bedenklicher Art gewesen sei, seinerseits Ausführungen an (allerdings in *lateinischer Sprache), die die Negation des A. zur Position umwandeln, das Tiefheidnische aus den Berichten des Heiligen herausholen und dabei auf die zuvor studierten „*Priapeia" (in der posthumen Ausgabe von Gaspar Schoppius/Kaspar Schoppe, Padua 1664; noch heute in Goethes häuslicher *Bibliothek) bezugnehmen. So werden *Amor und *Cupido, insbesondere der die Braut heimführende Gott Domiducus ihrem Wesen nach bestimmt, ferner der das Weib mit dem Manne verbindende Gott Jugatinus, die eine solche Verbindung mit Dauer segnende Göttin Manturna, die den Brautgürtel lösende Göttin Virginensis, weiterhin die in der Vereinigung der Geschlechter, in den geheimnisvollen Vorgängen von Empfängnis, Schwangerschaft und Geburt wirksamen Gottheiten Subigus, Prema, Pertunda, Janus, Saturnus, Liber, Libera, Vitumnus und endlich Sentinus, der dem Neugeborenen die Kraft des Fühlens und Empfindens verleiht (I/53, 203–207), um die fast gleichzeitig in den *Venetianischen Epigrammen* begonnene oder beginnende Lobpreisung der Liebe in der sinnbildlichen Organik, in der Sprache des liebenden Leibes durch das ursprüngliche Verständnis altrömisch-heidnischer Verehrungsformen und durchaus nicht frivol, sondern im wirklichkeitsfrommen Sinn der altrömischen pietas und religio (vgl. FAltheim S. 220–224; KKerényi S. 121–133) zu krönen und den Weg von Amor zu *Eros, dh. zur *Klassischen Walpurgisnacht* freizumachen: *So herrsche denn Eros der alles begonnen (I/15ᴵ, 175; V. 8479)!* Für Goethe bedeutete diese quasi kopernikanische Wendung keineswegs eine superstitio im Sinne einer „unbeholfenen Verfallenheit an Zeichen, die man immer und überall in schreiend krassen Formen sieht" (KKerényi S. 131). Freilich hat das alles mit dem Bathos wie mit dem Pathos des Heiligen nicht das mindeste zu tun: Was A. in seiner völlig anderen Erfahrung der Gegensätzlichkeiten als bloße Lust des Fleisches erschienen war, daher kraft des ordo metaphysicus in der physischen Existenz gebändigt werden mußte, durfte Goethe in umgekehrter Sinngebung mit gläubigem Hochgefühl als Unterpfand der *Ewigkeit im Augenblick des Lebens und als Teilhabe an weltenschaffender Gotteskraft erfahren: *Mit Vergünstigung der*

Göttin Lucina hat man auch der Liebe wieder zu pflegen angefangen (IV/9, 173; vgl. auch I/1, 330 Nr 102). Ihn scheint, 1790 noch mit scherzendem Ernst spielerisch überdeckt, die – fast modern-psychosomatisch anmutende – Auffassung geleitet zu haben, daß *in formando homine (I/53, 204)* väterlicher und mütterlicher Anteil, gleichermaßen von der Gottheit erhellt („Lucina": Lucinus, lucere, lux), nicht aber durch Trieb- und Trübseligkeiten wie durch Gewalt oder Gewöhnung verfinstert, zusammenwirken müssen, wenn zu seiner Stunde das Neuzugebärende, wohlempfangen und ausgetragen, unbedrohlich ans Licht finden soll – daß es also nicht nur äußere Anlässe oder Ursachen, sondern innere Gründe hat, wenn die Gottheit sich der Geburt versagt. Fast 40 Jahre später (1827) bildet sich diese Liebes- und Lebensauffassung im *Altersstil und kraft der Geheimsprache des tieferen Menschentums als „letzte seiner östlichen Wandlungen"(ETrunz) zu dem distanzierten Narzissengleichnis der *Chinesisch-Deutschen Jahres- und Tageszeiten um, wobei sie sich fernöstlicher Mentalität auf ebenso erstaunliche Weise annähert, wie sie sich mit den so ganz anders gerichteten Intentionen des A. nunmehr paradox berührt: *Weiß wie Lilien, reine Kerzen, / Sternen gleich, bescheidner Beugung, / Leuchtet aus dem Mittelherzen, / Roth gesäumt, d i e Glut d e r Neigung (I/4, 110).*　　　　　　　　　　　　　　　　*Za*

Migne PL 32–37. – FAltheim: Italien u. Rom. I³. 1944.– KKerényi: Die antike Religion. 1940.–HbgA. 1, S.589 (ETrunz).

Augustus. Gaius Octavius, 45 vChr. nach der Adoption durch *Caesar: Gaius Julius Octavianus, 27 vChr. durch Senatsbeschluß mit dem Beinamen Augustus = der Erhabene geehrt (63 vChr. – 14 nChr.) ist in selbstverständlicher Bildungstradition und -sicherheit auch in Goethes abendländisch-weltgeschichtlichem Bewußtsein so sehr die beispielhaft große, überragende, erste Kaisergestalt nicht nur des *Römertums, sondern *Europas und der ganzen „Alten Welt", daß der Name wie im Volksmund (*Bibel) sprichwörtlich gebraucht werden konnte: *Eile mit Weile! das war selbst Kaiser Augustus Devise (Hermann und Dorothea, V. 82: I/50, 226).* A., der Kaiser, der, *mit Verstand und Macht, die Welt regierte (I/18, 66),* und sein Zeitalter repräsentieren in einer Formulierung von 1822 dann die exemplarische Epoche, *wo die feinere Sitte den großen Abstand zwischen Herrscher und Beherrschten auszugleichen suchte und das für den Römer erreichbare Gute und Schöne in Vollendung darstellte (I/41I, 362).* Tatsächlich ist A. in seiner Amtsführung als Kaiser und

16*

durch die Last der Verantwortung, die er mit vollem Bewußtsein trug, von Jahr zu Jahr gewachsen und zu einer Persönlichkeit geworden, in der sich die Ideale der alten Römertums mit den Erfordernissen seiner Gegenwart monumental verbanden. Von den zahlreichen Bildwerken, die als Standbild oder Büste A.s Figur und Antlitz in effigie überliefern und die Goethe im Original sah, findet man zunächst eine Büste *mit der Bürgerkrone* in *Verona erwähnt *(I/30, 70).*　*Za*

Augustusforum (Rom), das zweite der großen Kaiserfora, anschließend an das „Forum Julium", von *Augustus erbaut und im Jahre 2 vChr. eröffnet, mit dem mächtigen Tempel des Mars, zeichnet sich durch die verhältnismäßige Enge des von hohen Mauern eingeschlossenen Platzes aus, der Goethe zu einer nachdenklichen Betrachtung über Abgeschlossenheit von Räumen im Norden und Süden anläßlich seiner *Vorbereitung zur zweiten Reise nach Italien* anregte: *Absonderung des Heiligen vom gemeinen durch Mauern von Alters her. . . . Andere Idee als im Norden (I/34II, 194).*　*Hm*

Grumach S. 438. – Platner-Ashby S. 220 ff. – LCurtius: Das antike Rom. 1944. S. 43 f. Abb. 65–68.

Augustus-Mausoleum. Von Augustus auf dem nördlichen Teil des Marsfeldes 28 vChr. errichteter Grabbau für sich, seine Familie und seine Nachfolger, ein kreisrunder, mächtiger Hügel von 87 m Durchmesser mit einer von Arkaden gekrönten hohen Mauer umgeben und mit Grabkammern im Inneren, trug durchs ganze Mittelalter die Bezeichnung ‚Mons Augustus', wurde nach mannigfachen Schicksalen – im 12. Jahrhundert diente der Bau der Familie Colonna als Festung – in der *Renaissance zu einer Gartenanlage umgewandelt, die den Soderinis gehörte. Im frühen 19. Jahrhundert wurde ein Zirkus eingebaut, eine Verwendung, die schon zu Goethes Zeit durch Abhaltung von Tierhetzen vorweggenommen war (I/32, 32). Bis 1936 waren die Reste der Anlage von einer Konzerthalle, dem sog. Augusteum, überbaut, während heute durch systematische Grabungen (1926–1936) die Grabstätte des julischen Hauses in der Krypta wiederhergestellt ist. Auf den Trümmern des einen der beiden *ägyptischen Obelisken, die Augustus am Eingang hatte aufstellen lassen, malte *Tischbein Goethe im Winter 1786/1787 (I/30, 241 f.).　　　　　　　　　　*Hm*

Platner-Ashby S. 332 ff. – Grumach S. 441. – JRvEinem S. 645.

Aulhorn, Johann Adam (1729–1808), Schauspieler, Sänger (Bassist) und Tänzer, kam 1756 mit der *doebbelinschen Truppe nach Weimar und trat 1757 in weimarische Hofdienste, aus denen er jedoch nach Herzog Ernst August Constantins Tod (1758) entlassen wurde, sodaß er sich eine Zeitlang als privater Tanzlehrer betätigen mußte. 1760 wurde er von Anna Amalia zum Substituten des Hoftanzmeisters Vezin ernannt und nach dessen Tod 1766 zum Hoftanzmeister. Seit 1762 war er Tanzlehrer des Erbprinzen Carl August und des Prinzen Constantin. Durch seine Mitwirkung am fürstl. *Liebhabertheater, ua. bei der Aufführung der *Fischerin* (III/1, 127 u. 129; IV/6, 1 u. 59; Goethe schrieb die Rolle des *Vaters* für ihn), wurde A. frühzeitig mit Goethe bekannt, der sich am 13. V. 1780 von ihm *die *Tanz Terminologie erklären* ließ *(III/1, 117)*. Auch während seiner späteren leitenden Tätigkeit am weimarer Hoftheater kam Goethe mit A. in Berührung (III/3, 284; IV/30, 66), der bei der Ausbildung des schauspielerischen Nachwuchses mit tätig war. A.s Enkel Carl Robert Samuel A. (1796–1855) war verheiratet mit Agnes Herder, einer Enkelin JG*Herders, die 1818 bei Goethes Maskenzug als Terpsichore mitwirkte (I/16, 483).   *Hk/EF*

Aulnoy, Marie-Catherine Jumel de Berneville, Gräfin von (gest. 1705), französische, durch ihre Märchen – „Contes de fées" – auch in Deutschland sehr bekannte Schriftstellerin; höchstwahrscheinlich auf sie spielt eine Stelle der *Bekenntnisse einer schönen Seele* (I/22, 259 f.) an.   *Fu*

Aura, sehr altes, längst vor-germanisches, dh. indo-germanisches Wort (mit α-Vorschlag zu *ụē-ịo* zB. in: wehen), griechisch (αὔρα = Lufthauch, Luftzug) und lateinisch (aura = Luftzug, Säuseln, Wind; ätherische Lebensluft; luftartige Ausströmung; Duft, Ausdünstung; auch: Lichtglanz, Schimmer, Sonnenwärme, Schall, Ton, Echo; dann entsprechend metaphorisch: Zeichen der Gunst; aura popularis = Volksgunst) reich bezeugt, ist eines jener Worte, deren Herkunft in Goethes *Sprache kaum exakt nachweisbar ist. Von entscheidender Bedeutung scheint dabei das Studium der Schriften des *Galenus gewesen zu sein, das in ersten Bemühungen vielleicht bis in die *straßburger, kaum bis in die *leipziger Universitätssemester zurückreicht, vielleicht aber auch im Umkreise der SKv*Klettenberg angeregt worden sein könnte, zumindest soweit mitwirkende Motive der *Geheimwissenschaften vermutet werden müssen. Der erstaunliche Brief an Friederike *Oeser vom 13. II. 1769 darf nicht außeracht bleiben (Morris 1, 324). Nicht eben häufiger Wortgebrauch läßt erkennen, daß Goethe mit A. etwas meint, was als „Sache" – systema

tisch in den Begriffskomplex der *Analogie gehörig – von innen nach außen reicht und sich dorthin kundtut: *Möge Ihnen die Aura die Ihnen daraus entgegenwehet angenehm und erquicklich seyn. Weiter sage ich nichts* (7. VII. 1797: *IV/12, 186*). Die Anspielung auf die gleichzeitige *Balladen-Dichtung Goethes ist bemerkenswert. Aber schon in einer solchen Bezeugung läßt sich die latente Gedankenverbindung mit den Grundzügen der goetheschen Geheimnislehre erspüren, die auch und gerade die A. zu einem Phänomen macht, dessen Wesen und Wirken zugleich Offenbarung und Verhüllung ist. Dadurch erlangt die A. legitimes Heimatrecht in Goethes *Symbolik und dichterischer *Symbolsprache; sie hat ihre Wirkung in den Frühstufen sachlich, nicht wörtlich am tiefsten zunächst im *dramatischen Stil der großen straßburger und frankfurter Entwürfe, Konzeptionen und Produktionen entfaltet. Gerade dadurch aber hat sie die Durchschlagskraft auch für die aus diesem Zentrum der *Poetik herausdringende Neukonstitution aller *Naturformen der Dichtung gewonnen. In letzter Tiefe quellen alle solche Intentionen aus dem, was für Goethes eigenstes Dasein, Denken, Schaffen und Wirken das *Leben war: *Alles Lebendige bildet eine Atmosphäre um sich her (MuR:* Hecker *Nr 435). Za*

Aurach, linker Nebenfluß der *Rednitz. Goethe passierte ihn wiederholt (1788; 1790) und bemerkte am 5. XI. 1797: *über Mosbach, Rudersdorf, die Aurach fließt dran vorbei (III/2, 192)*. Vgl. RV S. [27-29.] 35.   *Za*

Aurikelflor. Der A. war eine Sehenswürdigkeit von *Belvedere, die von dem Blumenfreund Carl August mit besonderer Fürsorge gepflegt wurde. Alljährlich im Frühjahr trafen sich die *weimarischen Gartenliebhaber und viele Fremden in Belvedere, um sich an der Farbenpracht der unzähligen Aurikelblüten zu erfreuen. Als der Großherzog Carl August im April 1821 in einem Billet an Goethe bedauerte: „Schade, daß von dir ungesehn die Aur(ikeln) und Prim(eln) in Belvedere verblühn", war er sogleich zur Stelle und bekannte, er habe sich *in Belvedere bewundernd erfreut, den lieblichsten Eindruck mit zurückgenommen. Das Hin- und Widerschwanken der Gestalt und Farbe ist wirklich höchst merkwürdig und augenlustig (IV/34, 206f.)*. Auch sonst war Goethe häufiger Besucher, zuletzt am 1. V. 1831, wobei er den *wunderbaren Eigensinn der beyden entgegengesetzten Abtheilungen, der Luycker und englischen Sorten* feststellte *(III/13, 71)*. Man teilte damals die Aurikeln ein in Lücker (Luycker, Luicker), dh. Blüten mit herzförmigem dünnem Blatt und in Englische, dh. Blüten mit zugespitztem oder gerundetem dickem Blatt.   *Ba*

Auschowitz, Auschewitz/Auschwitz, *zur alten Töpel gehörig, ein lauer Brunnen, vielleicht schwefelhaltig, daher ihn das gemeine Volk den Stink nennt, zwischen Plan und Töpel gelegen (III/4, 216),* war damals ein neu aufkommendes Bad, über das sich Goethe am 29. VI. 1811 mit dem Postmeister in *Asch unterhielt; am 20. IX. 1820 setzte er sich bei JFCAv*Lyncker für *eine gründliche Untersuchung ... des Auschowitzer Wassers (IV/33, 235)* durch JW*Döbereiner ein; am 5. VIII. 1821 und am 7. VII. 1822 besuchte er A. und seine Quelle selbst (III/8, 86; 214). Vgl. RV S. 62.   *Za*

Ausonius, Decimus Magnus, (ungefähr 310 bis 395 nChr.), war Professor der Grammatik und Rhetorik in seiner Vaterstadt Bordeaux, dem damaligen Burdigala, und wurde dann Erzieher des kaiserlichen Prinzen Gratian in *Trier. Als sein Zögling den Thron bestieg, fielen ihm mehrere Staatsämter zu; 379 wurde er mit der Purpurtoga des Consuls bekleidet. Durch seine literarische Gewandtheit und zahlreiche Verbindungen und Freundschaften errang der geistvolle Franzose eine höchst angesehene Stellung. Fast alle erhaltenen Werke entstammen seinen späteren in der Heimat verbrachten Jahren. Sie geben uns ein getreues Spiegelbild seiner Zeit, seiner Zeit- und Fachgenossen. Uns Deutsche erfreut noch heute sein Moselgedicht „Mosella", worin eine Rhein- und Moselreise von *Bingen bis Trier im epischen Stil Vergils geschildert wird. Daß Goethe dieses Werklein wirklich nicht gekannt? Was ihn nach den vorliegenden Zeugnissen interessiert, ist jener merkwürdige *Ver- und Entgiftungsfall (III/4, 344),* den der Franzose des 4. Jahrhunderts in seinem 10. Epigramm festgehalten hat. Eine Ehebrecherin vergiftet den Gatten mit Quecksilbersublimat, mischt aber um der schnelleren Wirkung willen noch Quecksilber hinzu; doch gerade dadurch kommt ihr Opfer mit dem Leben davon. Auf Goethes Wunsch hat *Knebel das Gedicht verdeutscht (I/5^I, 45), *Döbereiner den chemischen Zusammenhang dargestellt und in *Schweiggers Journal für Chemie und Physik 6, 360 ff. veröffentlicht.   *Fe*

Aussig, die bekannte böhmische Stadt an der Elbe, interessierte Goethe hauptsächlich aus geologischen und mineralogischen Gründen: J*Müller, der Steinschneider, brachte ihm am 15. VI. 1808 *Zeolithe von Aussig (III/3, 347)* in die karlsbader Wohnung; am 29. X. 1812 notierte Goethe in Weimar: *Natrolith im Kling-*

stein von Außig (III/4, 335); am 26. VII. 1812 war er zum ersten Mal selbst in A. und verzeichnet bei einer *Promenade an der Elbe. Merckwürdig Gestein (III/4, 305);* beim nächsten Besuch am 13. VI. 1813 macht er dann auch persönlich die wertvolle Bekanntschaft des dortigen Arztes und Mineralogen Dr. JA *Stolz, von dem er *spät nach Hause kommt (III/5, 54);* der letzte Besuch am 2. VIII. 1813 *mit Seren., Gr. Golowk., vSeebach* führte nicht nur zu Stolz und den Steinen, sondern auch zur Mater dolorosa von AR*Mengs, dessen Geburtsort A. war: *Unendl. schönes Bild (III/5, 65);* auf dem Heimwege fuhr man bis zum *Schreckenstein auf der Elbe, wobei wieder geologische Beobachtungen gemacht werden konnten: *Sandstein, darüber Basalt darüber Klingstein.* Vgl. RV S. 47 f.   *Za*

Austin, Sarah, geb. Taylor (1794–1867), englische Schriftstellerin, beschäftigte sich viel mit deutscher Literatur. Wurde bekannt durch Übersetzung verschiedener historischer Werke von Ranke. Schrieb „Characteristics of Goethe" (London 1833), trug dadurch wesentlich dazu bei, Goethe in England bekannt zu machen. Eine ihrer späteren Schriften „Goethe's Character und Moral Influence" (1857) nimmt eine ziemlich unfreundliche Haltung ein, wirft Goethe Mangel an Moral und Glauben vor. *Sn*

Australien, der seinerzeit von den Holländern (Willem Janß 1605 auf dem Schiff Duyfken erstmals bei der Fahrt von der Südküste Neuguineas zum Carpentariagolf) entdeckte, seit 1616 wiederum an seiner Nordwestküste häufiger angesteuerte und in Küstennähe untersuchte, zunächst Neu-Holland getaufte, wegen seines steinigen, wüstenhaften Charakters aber wenig geachtete Landkomplex, gewann etwas mehr Interesse, als Abel Janszoon Tasman (1602/03–1659) durch den Gouverneur von Java, van Diemen, beauftragt wurde und 1642 auslief, um die im Sinne der antiken Hypothesen in dieser Richtung und an dieser Stelle vermutete Terra australis incognita zu suchen, freilich ohne sie zu finden; die Fahrt vermochte kein deutliches Bild zu vermitteln. Im 18. Jahrhundert und zu Goethes Lebenszeit mußten erneute Anstrengungen gemacht werden, die einer Wiederentdeckung durchaus gleichkamen und nun erst A. als „fünften Erdteil" festlegten. James Cook begann, unterstützt durch den Naturforscher Sir Joseph *Banks, 1769–1771 die Suche nach dem fast sagenhaften Südland (Terra australis incognita) aufs neue, um es 1772–1774 zum zweiten und 1776–1779 (†) zum dritten Male damit zu wagen; den erwarteten oder doch erhofften Kontinent hatte er im Sinne seiner Erwartungen und Hoffnungen freilich nicht entdeckt. Immerhin half der Bericht seines wissenschaftlichen Begleiters auf der ersten Reise (JBanks) dazu, daß die Engländer unter dem Befehl des Kapitäns Philipp 1788 am Port Jackson im Gebiet um Sydney eine erste Kolonie zu Deportationszwecken gründen ließen. Diese wurde zum Fundament des englischen A., indem sie sich längs der Küste mehr und mehr ausbreitete, in schnellerem Tempo freilich erst nach 1800 (Baß; Flinders; Grant; Murray). 1814 schlug dann Matthew Flinders (1774–1814) in Erinnerung an die alte, auch von ihm gemeinsam mit andern (Baß; Brown) gesuchte, ingestalt der großen Landmasse von den Küsten her mühevoll erforschte Terra australis incognita vor, den Kontinent nicht mehr „Neu-Holland" sondern „Australien" zu nennen. Er hatte Erfolg mit dieser Anregung (,,A voyage to terra australis", 2 Bde, 1814). Diesen lange Zeit schwankenden und sehr wenig deutlichen Verhältnissen und den vielfach noch verworreneren Berichten darüber entsprechend, konnte Goethe kein fest umrissenes Bild von A. haben. Sein Interesse an der Flora (angeregt durch ein Gespräch mit JH*Seidel? 12. VIII. 1813: III/5, 68 f.; 336), an Kulturzeugnissen der Primitiven (Brief an KFPhv*Martius, 29. I. 1825: *ist uns doch auch schon ein ähnliches Stammeln von Australien her bekannt geworden, IV/39, 96;* 306), endlich an geologischen Problemen *(Australische Vulkane,* 25. V. 1827: *III/11, 62)* entbehrt noch der verläßlich ausgebreiteten und hinlänglich vertieften Grundlegung, es bleibt peripher. *Za*

Auswanderung. Anders als bei der *Emigration, der nicht als endgültig gedachten Flucht aus einem politischen und sozialen Lebensraum mit dem Ziel persönlicher Sicherstellung, sei es auch unter im übrigen prekären Bedingungen, geht es bei der A. um die Neugründung einer dauernd gewollten Existenz in einem andern Lande als der Heimat. Emigration ist immer Folge eines religiösen oder politischen, oft zum Terror ausartenden Druckes. A. muß nicht, kann aber, wie bei den hugenottischen Réfugiés und den deutschen Demokraten nach 1848, die Folge eines solchen sein. Prinzipiell ist sie eine Handlung aus freiem Entschluß, der gewöhnlich auf wirtschaftlichen Erwägungen, manchmal auch auf geistig-seelischen Impulsen – *Europa-Müdigkeit – beruht.

Seit den Tagen der ,,Mayflower" (1620) hatte gerade um die Mitte und in der zweiten Hälfte des 18. Jahrhunderts die A. aus Europa fort und nach *Amerika (*Nordamerika; *Vereinigte Staaten) ständig zugenommen. Goethes eigenste und intimste Lebenskreise wurden damals von dieser Bewegung berührt: *Wohlwollende hatten mir vertraut, Lili (*Schönemann) habe geäußert, indem alle die Hindernisse unsrer Verbindung ihr vorgetragen worden: sie unternehme wohl aus Neigung zu mir alle dermaligen Zustände und Verhältnisse aufzugeben und mit nach Amerika zu gehen. Amerika war damals vielleicht noch mehr als jetzt das Eldorado derjenigen, die in ihrer augenblicklichen Lage sich bedrängt fanden. Aber eben das was meine Hoffnungen hätte beleben sollen, drückte sie nieder. Mein schönes väterliches Haus, nur wenig hundert Schritte von dem ihrigen, war doch immer ein leidlicher zu gewinnender Zustand, als die über das Meer entfernte ungewisse Umgebung; aber ich läugne nicht, in ihrer Gegenwart traten alle Hoffnungen, alle Wünsche wieder hervor, und neue Unsicherheiten bewegten sich in mir (I/29, 156 f.).* Hier erscheint, auf ausschließlich persönlicher Grundlage, die Erwägung des Auswanderns als Manifestation eines Fluchtdranges aus einer geistigen und sozialen Beengung, wie Goethe ihn noch viel später nachfühlt – *Wären wir zwanzig Jahre jünger, so segelten wir noch nach Nordamerika* (1819: *Bdm. 2, 438)* – und erweitert, vertieft und ins Überpersönliche gesteigert, formulieren wird, wenn er Nordamerika *glücklich* preist, *keine *Basalte zu haben. Keine Ahnen und keinen klassischen Boden (1819: II/13, 314. Amerika, du hast es besser | . . . Hast keine verfallene Schlösser | Und keine Basalte . . .:* 1827: *I/5¹, 137).* (*Geologie führt hier Goethe zu politisch-sozialen Meditationen im Sinne der Sehnsucht nach Freiheit: auch ein Beitrag zu seinem geheimen Verhältnis zur metternichschen Reaktion.)

Literarisch beschäftigte sich Goethe mit charakterisierter Emigration in den *Unterhaltungen deutscher Ausgewanderten; in *Hermann und Dorothea* liegt ein Mischphänomen von Emigration und A. vor; A. in reiner Typik ist Gegenstand gewisser Kapitel oder Stellen in *Wilhelm Meisters Lehr- und Wanderjahren. In den *Lehrjahren* wird A. von einem doppelten, jedesmal noch ganz individualistischen Standpunkt aus ins Auge gefaßt: einmal – bis zu einem gewissen Grade an Goethe und Lili erinnernd – als ein Weg aus einer nicht wirtschaftlich, sondern geistig-seelisch beengten Lage für Menschen, welche *hierhüben nicht mehr am Platz sind (I/23, 237);* dann als

Mittel zur Sicherstellung der wirtschaftlichen Existenzmöglichkeiten fern von Nationen und Ländern, wo *große Veränderungen bevorstehn, sodaß die Besitzthümer beinahe nirgends mehr recht sicher sind.* Von der alten Turmgesellschaft *soll eine Societät ausgehen, die sich in alle Theile der Welt ausbreitet, in die man aus jedem Theile der Welt eintreten kann.* Die Mitglieder *assecuriren ... einander ihre Existenz, auf den einzigen Fall, daß eine Staatsrevolution den einen oder den andern von seinen Besitzthümern völlig vertriebe.* Dabei kommen als Refugium sowohl *Amerika* wie **Rußland* inbetracht *(I/23, 236 f.).* In den *Wanderjahren* ist zwar auch von vereinzelten Persönlichkeiten die Rede, welche *sich dießseits einigermaßen unbequem* befinden mögen *(I/24, 120),* wesentlich für den Altersroman ist jedoch die A. als umfassendes soziales Problem, weit über alle beschränkten individuellen Interessen hinweg, so wie *Lenardo* es begreifen und anfassen wird.

Die große amerikanische A.s- und Ansiedelungsexpedition wird, von der Verzahnung mit den *Lehrjahren* abgesehen, in den *Wanderjahren* selbst dadurch vorbereitet, daß berichtet wird, der Großvater des Oheims sei, dem *erhabenen William *Penn* folgend, ausgewandert und habe mitgeholfen, in Amerika die Bedingungen für *möglichst unbedingte Thätigkeit im Erwerb, und freien Spielraum der allgemeinsittlichen und religiösen Vorstellungen* zu schaffen *(I/24, 120).* Der Oheim selbst jedoch, *als Jüngling nach Europa gelangt,* fand hier eine *unschätzbare Cultur* und entdeckte *ganz andere Begriffe, wohin die Menschheit gelangen kann (ebda 121).* Im Verlauf des Romans heißt es dann weiter, daß *Lenardo* auszuwandern gedenkt, um auf etwas zu *wirken was er selbst geschaffen habe (ebda 217).* Frau *Susanne* wird ihr *Besitzthum verkaufen und mit schönem Geld über's Meer ziehen (I/25^I, 128),* weil sie die Revolution durch das **Maschinenwesen* kommen sieht. In diesen Gegebenheiten ist die goethesche Philosophie der A. beschlossen. Motive der Auswanderer sind, je nach den Individuen, etwas dem Künstlertrieb, einen Gedanken schöpferisch zu verwirklichen, Verwandtes; der Willen, Erwerbs-, dh. materielle Lebensmöglichkeiten zu sichern; das Bedürfnis, Behinderungen des Geistes hinter sich zu lassen. *Die Hauptsache bleibt* dabei *nur immer daß* die Auswanderer *die Vortheile der Cultur mit hinüber nehmen und die Nachtheile zurücklassen (I/25^I, 215).* Hier ist in erster Linie ein Postulat sittlicher Natur hervorzuheben, das, obgleich gelegentlich des innereuropäischen Umsiedelungsplanes ausgesprochen, doch auch für die überseeische A., *in der alten Welt so gut wie in der neuen (ebda 216)* gilt; es ist die den im Menschlichen liegenden Kernpunkt des ganzen A.s-Problems treffende Forderung, daß der durch das Maschinenwesen allseitig bedrohte Handwerker, zum Mann der *strengen Künste (I/25^I, 220)* werdend, in seiner Arbeit und durch seine Arbeit eine selbständige Persönlichkeit bleibt; denn *Lenardo* will den Handwerkern wie *allen Mitwirkenden ... eine würdige Stellung unter sich und gegen die übrige bürgerliche Welt ... schaffen (ebda).* Hier wird besonders deutlich, daß es Goethe über alles Ökonomische hinaus um Sicherung des Menschtums zu tun ist, und zwar durch Schaffung eines neuen, zeitgeforderten Menschentyps, der, ohne zum entpersönlichten Arbeitstier zu werden, in ausgesprochen sozialer Tätigkeit, in gemeinsamem harmonischem Streben wirkt. Und vielleicht erinnerte sich Goethe bei allen diesen Fragen und Lösungsvorschlägen an seinen fast fünfzig Jahre zurückliegenden Ruf nach den *neuen Menschen* (1780: *IV/4, 296),* die er zur Durchführung seines Reformwerkes im Dienste des Herzogtums **Sachsen-Weimar* benötigt hätte. Für die neuen Menschen der A. ist diese, in einem *Weltbunde (I/25^I, 188),* im Übernationalen – *Suchet überall zu nützen, überall seid ihr dann zu Hause (ebda 186)* –, im rein Menschlichen, individuelle und soziale Pädagogik. Was sie leisten kann, spricht *Lenardo* aus: *Niemand sehen wir unter uns ... der nicht versichert wäre, daß er überall, wohin Zufall, Neigung, ja Leidenschaft ihn führen könnte, sich immer wohl empfohlen, aufgenommen und gefördert, ja von Unglücksfällen möglichst wieder hergestellt finden werde.* Die Erziehung durch die A. ist Rettung. Das ist möglich, weil die A. den Menschen in Zeiten äußerer Veränderungen, Wirren, Zusammenbrüche auf seine inneren tiefsten Kräfte verweist, an seine inneren besten Kräfte appelliert, ihn zwingt, die Würde als Mensch zu wahren, wenn er nicht seelisch-geistig untergehen will. *Der Mensch ... lerne sich ohne dauernden äußeren Bezug zu denken, er suche das Folgerechte nicht in den Umständen, sondern in sich selbst (I/25^I, 189).* Die A. entgiftet und veredelt das vitalistisch Absolute, den Willen zum Leben, im Menschen, und erhebt es zum sittlich Absoluten. A. ist ein Weg zur Ethik. Damit wächst Goethes Beitrag zum Problem der A. über die A. hinaus. Die A. zeigt den Weg, den Goethe von der Menschheit beschritten sehen möchte, ist Symbol der Erziehung des Menschengeschlechtes. War Goethe sich bewußt, daß er das große *Iphigenie*-Motiv wiederaufnahm? Sicherlich war er sich klar über die Analogie mit dem ethischen Kern in den *Unterhaltungen* und in *Hermann und Dorothea;* denn auch hier haben Menschen – diesmal Emigrierte: der alte Geistliche, die Baronin, Dorothea – die Aufgabe zu bewältigen, allein auf sich gestellt sich angesichts der Schwierigkeiten einer Entwurzelung mit Würde und Humanität fest zu behaupten.

Gewiß gehört zu den Impulsen, die Goethe das Thema A. behandeln ließen, die Not der Arbeiter und die Bedrohung durch das Maschinenwesen; jene hatte er schon 1779 in *Apolda mit Erschütterung gesehen; „aus dem Jahre 1810 datieren die Berichte H*Meyers über die Baumwollspinnereien in der Schweiz und die Schwierigkeit, die die Maschine in die Hausindustrie bringt" (Beutler); 1814 und 1826 konnte Goethe Krisen in der Textilindustrie beobachten, 1826 einen Artikel „Des révoltes ouvrières en Angleterre" im „*Globe" lesen, der übrigens bereits früher die Arbeiterfrage vom Standpunkt des Maschinenwesens aus betrachtet hatte (Beck); 1827 überdachte Goethe, zT. anhand der Schriften von Ch*Dupin, den Fragenkomplex der Industrialisierung (Sagave). Aber der Schöpfer der *Wanderjahre* sah noch weiter: „Irgendwie war dem alten Goethe das Vertrauen zu der alten Welt und zu den alten Lebensverhältnissen erschüttert. Er sah die neue Zeit kommen, drohend und erstickend, die Zeit der Masse, der Maschine, des Kollektivismus, und so wendet sich sein Auge suchend und prüfend nach jenem Lande, von dem er annahm, daß es noch freien Spielraum für tätig schöpferische Kräfte gewähre... Schon 1817 stellte *Cogswell fest, daß Goethe über Amerika in einer Weise spräche, die zeigte, wie gründlich er sich mit dem Lande, seinen Hoffnungen und Aussichten beschäftigt hätte und wie er bis ins einzelne orientiert sei; er hätte von ihm mehr vernünftige Urteile gehört als von sonst irgend jemand in Europa" (Beutler). 1821 unterhält Goethe sich mit einem andern Amerikaner, G*Bancroft, und zeigt dabei sein Interesse für die „Kolonisierung Amerikas" und seine Kenntnis dieser Kolonisierung (Bdm. 2, 500). Nach 1820 ist Weimar überreichlich mit Amerika-Literatur versehen (Wadepul). Hier gehört zu den aufschlußreichsten Werken, von Goethe als *höchst erfreulich und geisterhebend* geschätzt (1826: *IV/40, 225*), mit Interesse zur Kenntnis genommen (1826: III/10, 245–248; 253 f.) und

auf seine Veranlassung zum Druck gebracht, das sechshundert Seiten starke amerikanische Reisetagebuch Bernhards von Sachsen-Weimar, des zweitgeborenen Sohnes Carl Augusts. „Ganz besonders mußten Goethe darin jene Partien interessieren, die, ganz ähnlich seinen Siedlungsgesellschaften in den Wanderjahren, neue soziale Experimente darstellten, so vor allem die sozialistische Gründung des Herrn Owen und die Siedlung des Württembergers Rapp mit seiner Harmony-Society von 700 Menschen. Liest man von Leben und Wirtschaft dieser Schwaben in ihrer Stadt ,Economy', von ihren Häusern, Feldern und Fabriken, ihren Schulen und merkwürdigem Gottesdienst, dann verlieren die Figuren der Wanderjahre und ihre sozialen Versuche von ihrem Fremdartigen und ihrer Lebensferne." So erklärt es sich, daß „jener Teil der zweiten Fassung der Wanderjahre, in der Lothario, der Abbé, Natalie, Therese und all die anderen in Amerika eine neue Heimat suchen, mit seiner Entstehung in jene andere Epoche nach 1826 fällt, da durch die Reise des Prinzen Bernhard und sein Tagebuch Amerika in den Vordergrund von Goethes Bemühungen gerückt war. Dem Leser mag diese Führung der Handlung und Lösung fremdartig vorkommen. Goethe aber war Amerika vertraut geworden" (Beutler).

1827 besprach Goethe (I/41[II], 296 f.) HLL *Galls Buch „Meine Auswanderung nach den Vereinigten Staaten in Nord-Amerika, im Frühjahr 1819 und meine Rückkehr nach der Heimat im Winter 1820" (Trier 1822), und zwar als Stoffsammlung (ebda 293) für einen Schriftsteller; er äußerte sich bei dieser Gelegenheit ziemlich skeptisch über die Schicksale der Ausgewanderten: *Was den Personenbestand betrifft, so hat weder ein epischer noch dramatischer Dichter je zur Auswahl einen solchen Reichthum vor sich gesehen. Die Unzufriedenen beider Welttheile stehn ihm zu Gebot, er kann sie zum Theil nach und nach zu Grunde gehen, endlich aber, wenn er seine Favoriten günstig untergebracht hat, die Übrigen stufenweise mit sehr mäßigen Zuständen sich begnügen lassen (I/41[II], 297).* Fu

WWadepul: Goethe's Interest in the new World 1934. – Beutler I, S. 462–520. – ETrunz in HbgA. 8, S. 579–732. – PPSagave: L'économie et l'homme dans les „Années de voyage de Wilhelm Meister". In: Etudes germaniques VII (1952). – ABeck: De quelques apports du „Globe" à la pensée et à l'oeuvre de Goethe. In: Bulletin de la Faculté des Lettres de Strasbourg XXXII (1953). – AGilg: Wilhelm Meisters Wanderjahre und ihre Symbole. Als: Zürcher Beiträge zur Literatur- und Geistesgeschichte IX (1954).

Autenrieth, Johann Heinrich Ferdinand (1777 bis 1835), o. Professor der Medizin und Kanz-

Autenrieth – Autobiographie

ler an der Universität *Tübingen. Durch seine glänzende Leitung der Universitätsklinik und durch zahlreiche Schriften (Hauptwerk: Handbuch der empirischen menschlichen Physiologie. 1801/02) wurde A. berühmt. Sein Verdienst geht dahin, daß er das damals unfruchtbare Theoretisieren über Krankheitserscheinungen aufgab, indem er versuchte, dieselben objektiv zu beobachten, um sie dann auf der Grundlage des Physiologischen zu klären. A. trat erstmalig im Jahre 1800 an Goethe heran, weil er *den Wunsch geäußert eine kleine Abhandlung zu sehen, die Goethe vormals über das os intermaxillare schrieb (IV/ 15, 70 f.).* Erst im Jahre 1822 trat Goethe wieder mit A. in Verbindung (III/8, 271). Doch findet sich später A.s Name abermals in einer von Goethe am 30. III. 1829 an EHF *Meyer aufgestellten Liste der Naturforscher, *welche sich für die Metamorphose der Pflanzen interessirt: 1821. Autenrieth, Disquisitio de discrimene sexuali etc. (IV/45, 225 f.;* vgl. II/6,258). *Za*

Autobiographie. I. Autobiographik – Gesamt- und Teildarstellungen eines Lebens durch den Erlebenden –, die Goethe kannte (unter Ausschluß der *Memoiren, die in Prinzip psychologisch weniger vertiefen und das Individuum weniger zentral auffassen; die Grenzen sind übrigens fließend, wie sich denn auch in der folgenden Aufzählung manches eher Memoirenhafte, zB. J*Chardin, JF*Marmontel, Mme de *Staël, JB*Tavernier, findet): V*Alfieri, H*Anquetil-Duperron, *Augustinus (?), Fde*Bassompierre, PACde*Beaumarchais, Gv*Berlichingen, St Lv*Bourbon-Conti, H*Cardanus, B*Cellini, JChardin, PL*Courier, D*Diderot (das A.sche in *Rameaus Neffe), *Fontvielle de Toulouse, B*Franklin, H L L*Gall, R*Guillemard, Ph*Hackert, G*Hiller, L*Howard, J H*Jung-Stilling, Sv*Klettenberg (?), JF*Krafft, FChr*Laukhard, JChr*Mämpel, *Marcus Aurelius, JF Marmontel, *Montaigne, KPh*Moritz, Jv*Müller, *Napoleon, JChr*Nettelbeck, Cfv*Reinhard, JJ*Rousseau, JChR*Sachse, Bv*Sachsen-Weimar, *Schertlin von Burtenbach, Hv*Schweinichen, JG*Seume, Mme de Staël, JK*Steube, JBTavernier, CF*Zelter. II. Autobiographische Schriften Goethes. 1) Stoffsammlungen. 1754-1832: *Gespräche (Bdm. und die Ergänzungen im Artikel Gespräche). 1764-1832: *Briefe (IV/1-50). 1770 bis 1771: *Ephemerides (I/37, 79-114). 1775 bis 1782, 1786-1787, 1790-1832: *Tagebücher (III/1-15). 1795-1796: Materialien zur Vorbereitung der zweiten Italienischen Reise (I/34^{II}, 149-251).

2) Über größere Zeitspannen sich erstreckende Darstellungen. 1749-1775: *Dichtung und Wahrheit (I/26-29). 1749-1822: *Tag- und Jahreshefte (I/35-36). 1779: *Briefe aus der Schweiz, zweite Abtheilung (I/19, 221-306). 1786-1788: *Italiänische Reise (I/30-32). 1792-1793: *Campagne in Frankreich. *Belagerung von Mainz (I/33). 1797: *Reise in die Schweiz 1797 (I/34^I, 201-445; I/34^{II}, 61 bis 137). 3) zu Einzelereignissen. (Die Daten vor den Titeln beziehen sich auf die Ereignisse, nicht auf die Berichterstattung.) 1768: Leipziger Theater (I/36,226-228). 1778: Das Louisenfest (I/36, 233-242). 1784: Rede bei Eröffnung des neuen Bergbaues zu* Ilmenau (I/36, 365-372). 1801: Aufenthalt in *Pyrmont (I/36, 258-261). 1804: Paralipomenon zu TuJ (I/36, 261-265). 1807: Paralipomenon zu TuJ (I/36, 387-393). 1808: Unterredung mit Napoleon (I/36, 269 bis 276). 1810: Über die Entstehung der zweiundzwanzig Blätter meiner Handzeichnungen (I/49^I, 337-343). 1813: Ausflug nach *Zinnwalde und *Altenberg (II/9, 139-154). 1814: *Sanct Rochus-Fest zu Bingen (I/34^I, 1-45). 1814: Im Rheingau Herbsttage (I/34^I, 47-67). 1815: Über die Entstehung des Festspiels zu *Ifflands Andenken (I/41^I, 90-95). 1815: Paralipomenon zu TuJ (I/36, 278-283). 1816: Rede bei der Feierlichkeit der Stiftung des weißen *Falkenordens (I/36, 373-378). 1822: Fahrt nach *Pograd (II/9, 105-111). 4) zu Einzelpersönlichkeiten. *Bristol: Lord Bristol, Bischof von Derry (I/36, 256 f.). *Byron: Zum Andenken Lord Byrons (I/42^I, 100-104). Goethe: Aus meinem Leben. Fragmentarisches. Jugend-Epoche. Spätere Zeit (geistig-seelische Haltungen; I/36, 223-226; 231 bis 233). Aufklärung ... durch die schönen Globen ... (II/11, 303). Gedichte von einem Polnischen Juden (am Schluß Goethes jugendliches Idealselbstporträt; I/37, 221-225). Selbstschilderung (auf Goethe bezüglich?; I/42^{II}, 506 f.). Wiederholte Spiegelungen (Goethe und F*Brion; I/42^{II}, 56 f.). Dankbare Gegenwart (Zeugnisse des Andenkens und Theilnehmens bei Goethes Genesung 1823; I/36, 294-299). KEGoethe: Aristeia der Mutter (I/29, 231-238). *Herder: Herder (I/36, 254 bis 256). *Iffland: Besuch von Iffland (I/36,243). FH*Jacobi: Jacobi (I/36, 267-269). FKChr* Jagemann: s. u. Ridel. ChrW*Kästner: s. u. Ridel. *Kotzebue: Kotzebue (I/36, 280-283). *Krumbholtz: s. u. Ridel. *Lavater: Lavater (I/36, 228 f.). *Lenz: Lenz (I/36, 229-231). *Möser: Justus Möser (I/41^{II}, 52-58). J*Müller (Steinschneider aus *Karlsbad; II/9, 10

bis 40). *Ridel: *Ridel's und der früher heimgegangenen Brüder Kästner, Krumbholz, Slevoigt und Jagemann Totenfeyer ... 1821 (I/36, 347-363).* Anna Amalia von *Sachsen-Weimar: ... Anna Amalia ... (I/36, 301-310). *Schiller: *Erste Bekanntschaft mit Schiller 1794; Ferneres in Bezug auf mein Verhältniß zu Schiller (I/36, 246-253). *Slevoigt: s. u. Ridel. *Sterne: *Lorenz Sterne (I/41[II], 252 f.).* FL zu*Stolberg s. u. Voß. JH*Voß: *Voß und Stolberg (I/36, 283-288).*

5) zu Einzelproblemen. a) Psychologie: *Verhältniß, Neigung, Liebe, Leidenschaft, Gewohnheit* (als seelische Haltungen; *I/42[II], 163 f.*). *Bedenklichstes* (Philosophie des Irrtums; *I/42[II], 113 f.*). – b) Geistesform: *Bedeutende Förderniß durch ein einziges geistreiches Wort (... daß mein Denkvermögen gegenständlich sei; II/11, 58-64). Induction (... hab' ich mir nie ... erlaubt; II/11, 309 f.).* – c) Philosophie: *Studie nach *Spinoza (II/11, 313-319;* „von Spinoza ausgehend, eine innerliche Auseinandersetzung mit frommen Freunden wie Lavater und Jacobi, die ihm ihren Glauben aufdrängen wollten". MMorris). *Anschauende Urtheilskraft* (über *die Kantische Lehre; II/11, 54 f.*). *Einwirkung der neuern Philosophie (II/ 11, 47-53). Bedenken und Ergebung* (Verhältnis von *Idee und Erfahrung; II/11, 56 f.*). – d) Kunst: *Kunst und Alterthum am Rhein und Main (I/34[I], 69-200).* – e) Theater: *Weimarisches Hoftheater* (Goethes Grundsätze als Theaterleiter; *I/40, 72-85*). – f) Naturwissenschaftliches: ... *Geschichte seiner botanischen Studien ... (II/6, 95-127). Confession des Verfassers* (wie er zu seinen *physischen und chromatischen Untersuchungen gelangt* ist; *II/4, 283-311). Naturwissenschaftlicher Entwicklungsgang* (II/11, 299-302). *Der Versuch als Vermittler von Objekt und Subjekt* (Methodologie; *II/11, 21-37). Erfahrung und Wissenschaft (... Bei meiner Naturbeobachtung und Betrachtung bin ich folgender Methode ... treu geblieben; II/11, 38-41). Unbillige Forderung* (botanische Methodologie; *II/6, 331 f.*). Allgemeine Gesichtspunkte naturwissenschaftlicher Methodologie (II/7, 146 f.). *Vorschlag zur Güte* (in naturwissenschaftlicher Polemik; *II/11, 65-67). Wirkung dieser Schrift* (der *Metamorphose der Pflanze; II/6, 246-278). Über den Granit* (am Schluß Goethes Geologenprogramm; II/9, 169-177). *Geognostisches Tagebuch der Harzreise 1784 (II/9, 155-168).* *Karlsbad (Geologie; II/9, 7-9). Marienbad* (Geologie und Vegetation; *II/9, 66-72*). Verhältnis zur Wissenschaft, besonders zur Geologie (II/9, 291-295). *Zur Morphologie. Das*

Unternehmen wird entschuldigt (II/6, 5-7.). – g) Verschiedenes: *Über die verschiedenen Zweige der hiesigen Thätigkeit* (1795: *I/53, 175-192;* 1824: I/42[II], 454-456). *Vorbereitung zur zweiten Reise nach Italien 1795, 1796 (I/34[II], 149-251).*
6) Grundsätzliches zur Autobiographik (außerhalb der von 1) bis 5) angeführten Texte). *Literarischer Sansculottismus* (1795: *I/40, 196 bis 203). Bildnisse jetzt lebender Berliner Gelehrten, mit ihren Selbstbiographien* (1806: *I/40, 360-366*). Verworfenes Vorwort zu *DuW* (1811?: *I/28, 356 f.*). Bedeutung des Individuellen *(I/36, 276 f.).* Paralipomenon zu *TuJ: Entstehung der biographischen Annalen (I/36, 288-294).* Notice sur la vie et les ouvrages de Goethe par Albert Stapfer (1826: I/41[II], 201 bis 204). *Der junge Feldjäger* (1826: *I/42[I], 105-108). Des jungen Feldjägers Kriegscamerad* (1826: *ebda 124-127). Solgers nachgelassene Schriften* (1827: *I/41[II], 269-271). Memoiren Robert Guillemards* (1827: *I/42[I], 128 bis 134). Varnhagen von Ense's Biographien* (1827: *I/41[II], 267 f.). Ein Wort für junge Dichter* (sehr spät?: *I/42[II], 106-108;* vgl. *311).*
III. Goethe und das Prinzip der A. – Goethe war nicht nur der Bewunderer großer, starker, welthistorischer Persönlichkeiten wie etwa *Sokrates, *Caesar, *Mahomet, Napoleon; er war auch tief überzeugt von der Bedeutung jedes Individuums und alles Individuellen. Wenn er am *Schäkespears Tag* (1771: *I/37, 129*) rhapsodisch ausruft, er sei sich selbst *alles ... da er alles nur durch sich kenne,* so sagt er damit, daß von der besonderen, einzigartigen Zusammensetzung und Tönung des Ich nicht nur Weltbild und Lebensgefühl, sondern auch, darüber hinaus, in unwiderstehlicher Zwangsläufigkeit, Lebensauffassung und Lebensführung eines Menschen abhängen. Für jeden ist sein Individuelles der Schlüssel zur Welt und der Führer durch die Welt. Erkenntnistheorie, Metaphysik und Ethik sind mit dem Ich aufs engste verbunden. Goethe bleibt dieser Überzeugung während seines ganzen Lebens treu. Ein Paralipomenon zu *DuW* wird die *Bedeutung des Individuellen* unterstreichen: *Jeder ist selbst nur ein Individuum und kann sich auch eigentlich nur für's Individuelle ... selbst unbedeutender Menschen ... interessiren (I/36, 276);* und der siebzigjährige Goethe schreibt: *Wie sehr wir uns auch von vergangenen Dingen zu unterrichten bestrebt sind und uns mit *Geschichte von Jugend auf im Allgemeinsten und Allgemeinen beschäftigen, so finden wir doch zuletzt, daß das Einzelne, Besondere, Individuelle uns über Menschen und*

Begebenheiten den besten Aufschluß gibt (1826: *I/42¹, 105*), mehr noch: daß aus der Betrachtung fremder *Schicksale die wichtigsten Aufschlüsse aus* unserm eigenen *Innern* und, wie man hinzufügen darf und muß, über unser eigenes Innere *sich entwickeln* können *(ebda 127)*; denn *was dem einzelnen begegnet, kann als *Symbol für tausend gelten* (1826: *I/42¹, 105*). Die Darstellung des Individuellen gräbt psychologisch tiefer, kann die Wirkung der Umwelt auf den Einzelnen genauer zeigen, *stellt ... das Individuum lebendig ... dar (I/28, 358)*, und ist dadurch wertvoller als die Wiedergabe des *Allgemeinen (I/36, 276)*, die *Geschichte, die sich nach Resultaten umsieht; aber darüber ... die einzelne That sowie den einzelnen Menschen verloren* gehen läßt *(I/28, 358)*. Die Einzelpersönlichkeit zeigt, wie ein Mensch, je nach seinem inneren Gesetz, die Probleme des Lebens angreift, die zu bewältigen die Aufgabe des Lebens ist. Auf irgendeine Weise findet auch ein Goethe in den Lebensläufen anderer ein Mittel, das ihm leben hilft. Erkenntnisdrang, auch als eine Form des Verantwortungsbewußtseins zu verstehen, menschliches Verbundenheitsgefühl – *Bruder ... geht dirs doch wie mir!* (1774: *IV/2, 156*) – erklären es, daß Goethe *nach Memoiren, Selbstbiographien, Originalbriefen und was für ähnliche Documente der Art auch übrig geblieben, auf's angelegentlichste* begehrt (1826: *I/42¹, 105*; vgl. auch *Autograph) und den Verfasser einer A., im Hinblick auf das Geschenk eines so wertvollen Stoffes, *für den höflichsten aller Menschen* hält *(I/36, 276)*. Dieses Interesse für A.n als Selbstdarstellungen eines Einzelnen, Besonderen, Individuellen hat seinen Grund darin, daß die A., im Gegensatz zur Biographie wie zur Historiographie überhaupt, ihrem Material aufs unmittelbarste nahesteht und im höchsten Grade die Möglichkeit der für Goethe so wertvollen und bezeichnenden genetischen Betrachtungsweise bietet. Dabei ist Goethe sich immer bewußt, beim Lesen einer A. *den Charakter, das Herkommen und die Denkweise des Verfassers abziehen* zu müssen, *wenn* er sich *daraus wahrhaft unterrichten* wolle (1827: *I/41¹¹, 269*). Der Fälschungskoeffizient mit seinen besonders starken Versuchungen für die Autoren, wie er der Gattung innewohnt, wird in Rechnung gesetzt als notwendig zu erstattender Gegenwert auch und zweifellos nicht in letzter Linie für die Freude und den Gewinn, sich in nächster Nähe von *Seelenwärme* und *Mittelpunkt* (1772: *I/2, 69*) eines Mitmenschen zu fühlen, den man *lieben* kann, während *das Allgemeine* nur nützlich ist *(I/36, 276)*. Die *Fiktionen und Fabeln*, die in A.n geschaffen werden, bekümmern Goethe gewiß nicht mehr und nicht weniger als die der Historiographie, wenn sie nur, *einer ... ärmlichen Wahrheit* überlegen, fruchtbar wirken (1825: *Bdm. 3, 226*). Und sind nicht auch sie noch Selbstbekenntnis dessen, der sie erfindet? – Goethes Interesse gehört allen Menschentypen, dem feinen und weiten Geiste Montaigne und Steube, dem *Schuhmachermeister in Gotha* (1822: *I/42¹, 92*), dem unbekümmert impulsiven Vitalisten Cellini und KPhMoritz, dem Neurastheniker, Napoleon, dem triumphierenden, dann gestürzten Caesar, und dem Sergeanten Guillemard, einem aus der *Menge obscurer Menschen* (1827: *I/42¹, 130*) in den Armeen Napoleons. In solchem Geiste erhält Goethe sich die Teilnahme an A.n während seiner ganzen Existenz wach, von der Lebensbeschreibung Götz von Berlichingens an, die er, *im Innersten ergriffen (I/27, 321)*, 1770 oder 1771 liest, über die 1782 mit verehrender Dankbarkeit empfangenen „Confessions" Rousseaus (IV/5, 323) bis zu den „Dix ans d'exil" Mme de Staëls, von denen er als Greis, *Weiteres auf diese Epoche der Geschichte* hinzuziehend, in ergänzender und vertiefender Meditation Kenntnis nimmt (1829: *III/12, 159*). In solchem Geiste besorgt er 1777 das erste Bändchen von Jung-Stillings Lebensgeschichte zum Druck, übersetzt er 1796–1803 den Cellini, läßt er sich 1805 gewiß auch durch das doppelt Autobiographische Diderots und zugleich Rameaus zur Schaffung von *Rameaus Neffen* bringen, *redigirt* er 1810–1811 *sorgfältig* PhHackerts hinterlassene a.sche *Papiere (I/36, 61)*, gibt er 1823 eine deutsche Fassung von LHowards A., bevor- und befürwortet er noch im letzten Jahrzehnt seiner Existenz die Aufzeichnungen Mämpels, Guillemards und Sachses über ihre Lebensläufe. Wie man sieht, erkennt Goethe nicht nur den A.n von Männern oder Frauen des bewegten Lebens Wichtigkeit und Würde zu. Darum wünscht er auch 1795, daß die *vorzüglichsten Schriftsteller* autobiographisch wenigstens *diejenigen Momente mittheilen, die zu ihrer Bildung am meisten beigetragen haben, und dasjenige was ihr am stärksten entgegen gestanden, bekannt machen; dadurch würde der Nutzen, den sie gestiftet, noch ausgebreiteter werden (I/40, 201)*. 1806 urteilt er: *Die Anforderung an lebende Gelehrte, kurze Selbstbiographien zu schreiben, in der Absicht das Publicum sogleich damit zu beschenken, ist ein sehr glücklicher Gedanke.*

Wir nehmen das Wort Gelehrte hier im weitesten Sinne und verstehen alle diejenigen darunter, die sich dem Wissen, der Wissenschaft und den Künsten widmen. Dann legt er, von JvMüllers Selbstbekenntnissen ausgehend und sie kritisch beleuchtend, die Grundsätze der A. dar, wie er selbst diese versteht. Es gilt, *bei der Absicht eine große Einheit darzustellen, auch das Einzelne unnachläßlich zu überliefern.* Diese *Art* der Selbstdarstellung ist besonders in einer Zeit angebracht, die, wie *unsere . . . so reich an Thaten, so entschieden an besonderem Streben* ist, *daß die Jugend und das mittlere Alter, für die man denn doch eigentlich schreibt, kaum einen Begriff hat von dem, was vor dreißig oder vierzig Jahren eigentlich da gewesen ist. Alles was sich also in eines Menschen Leben dorther schreibt oder dorthin bezieht, muß auf's neue gegeben werden.* Eine Persönlichkeit von Rang kann sich auch *des großen Vorteils eines Selbstbiographen* bedienen, *gute, wackere, jedoch für die Welt im Großen unbedeutende Menschen, als Eltern, Lehrer, Verwandte, Gespielen,* namentlich vorzuführen, *und sie als ein vorzüglicher Mensch in's Gefolge seines bedeutenden Daseins mit aufzunehmen. Wie herrlich treten ferner schon gekannte außerordentliche Naturen abermals, in besonderem Bezug auf den Autor sich bezeichnend, hervor!* Aber auch *die Wirkung großer Weltbegebenheiten auf ein . . . empfängliches Gemüth muß genugsam ausgedrückt* werden. Schließlich hat *ein außerordentlicher, auf das Publicum, auf die Welt wirkender Mensch* sich auch als solcher erscheinen zu lassen; denn *Bescheidenheit gehört eigentlich nur für persönliche Gegenwart . . . In alle freien schriftlichen Darstellungen gehört Wahrheit, entweder in Bezug auf den Gegenstand oder in Bezug auf das Gefühl des Darstellenden, und, so Gott will, auf beides. Wer einen Schriftsteller, der sich und die Sache fühlt, nicht lesen mag, der darf überhaupt das Beste ungelesen lassen* (1806: *I/40, 360–364*). Was ist die A. für Goethe? Die ohne Selbstverkleinerung unternommene Selbstdarstellung einer zu verstehender, liebender, verarbeitender, aneignender, fruchtbarer Aufnahme fähigen starken Persönlichkeit, die mit ihrer inneren *Polarität auch in die von außen bedingte Polarität ihrer engeren, weiteren, weitesten Horizonte gestellt ist. Hier spricht der künftige Verfasser von *DuW*, wo das Vorwort *die Hauptaufgabe der Biographie* – und auch der A. – dahingehend bestimmen wird, *den Menschen in seinen Zeitverhältnissen darzustellen, und zu zeigen, in wiefern ihm das Ganze widerstrebt, in wiefern*

es ihn begünstigt, wie er sich eine Welt- und Menschenansicht daraus gebildet, und wie er sie, wenn er Künstler, Dichter, Schriftsteller ist, wieder nach außen abgespiegelt (1811: *I/26, 7*).
IV. Goethes Autobiographik. Für Goethe ist alles, was ein Mensch aussagt, *Bekenntnis* über sich selbst (1820: *II/9, 293*); *er gebärde . . . sich wie er will, immer* wird er *nur sein Individuum zu Tage fördern* (sehr spät: *I/42*II, *106*). Die Bedeutung, die Goethe dem Individuum zuweist, erklärt diese Sehweise. Seine eigenen Werke, selbst wo sie zunächst unpersönlich erscheinen, sind, vielfältiger, erfaßbarer als bei den allermeisten anderen Dichtern und Schriftstellern, *Bruchstücke einer großen Confession (I/27, 110)*, geheimnisvoll offenbare Autobiographik. Daneben steht eine Autobiographik im prägnanten Sinne des Ausdrucks, wie sie sich, als solche gewollt und bezeichnet, seit 1809 *(TuJ 1809)*, wenn nicht seit 1808, laut Riemer (Pollmer S.220) dem Empfängnisjahr von *DuW*, entfaltet. Gewisse, teils irrationale, teils rationale Wurzeln sind beiden Arten der Selbstdarstellung gemeinsam. In engster Verschmolzenheit eben der Trieb zur Selbstaussage und der Trieb zur künstlerischen Gestaltung, welchem Gegenstande – *Mephistopheles* oder *Makarie*, der *Metamorphose der Pflanze* oder den *Geheimnissen* – sie auch gelte; das intellektuell-ethische Bedürfnis, sich über jedes Problem, auch und besonders über sich selbst, durch Formulierung klarzuwerden, darüber *mit sich selbst abzuschließen (I/27, 110;* auch I/36, 289), sich Rechenschaft abzulegen, wer er ist und wo er steht: *Stiller Rückblick aufs Leben,* heißt es 1779 im *Tagebuch (III/1, 93);* das Bewußtsein des eigenen Wertes, das sich zuerst jugendlich überschäumend, dann reifeberuhigt kundgibt, als selbstherrliche Genialität – *ein Fürst kommt* (1774 *An Schwager Kronos,* 1. Fassung: *I/2, 309*) –, als *Stolz auf sich selbst und herzliches Behagen* (1783 *Ilmenau: I/2, 145*), als Freude an sich selbst, dem *Braven,* und an der *That* (1810 *Rechenschaft: I/1, 143*), als Überzeugung wie andere und mehr als viele andere *Symbol* zu sein und sich selbst *ein Denkmal gesetzt* zu haben, so daß nun auch die Nation ihm *immer ungescheut* für sein Wirken, das befreiend war, wie *Blüchern, Denkmal setzen* kann (1819: *I/5*I, *103.* Auch [sehr spät?] I/42II, 106); die große erzieherische Tendenz – *Ich schreibe nicht euch zu gefallen, | Ihr sollt was lernen! (*Zahme Xenien I: I/3, 229*) –, welche Goethes Werk durchzieht, aufs Beispielhafteste die „*Lehr*"-*jahre* schafft und in den *Wanderjahren* und

ihrer *pädagogischen Provinz* gipfelt. Zu diesen Impulsen kommt für die Autobiographik im engeren Sinne folgendes hinzu: Goethe fühlt die innere Notwendigkeit, einer als fragmentarisch empfundenen literarischen und wissenschaftlichen Leistung Zusammenhang zu geben (I/27, 110), nicht nur anderen zur Aufklärung (I/26, 3–7), sondern auch sich selbst zur Hilfe gegen die *wehmüthige Verworrenheit (I/36, 291)* aus Skepsis über die eigene Existenz und das eigene Werk, die er, *je älter* er wird, *immer lückenhafter* sieht (1831: *IV/49, 47*; auch 1826: I/41[II], 201; *MuR:* Hecker *Nr 407*); er weiß, daß ein Gesamtbild seines Lebens auf manche nutzend oder erfreuend (I/36, 277) wirken kann, als historisch rückblickende Erhellung der Vergangenheit (1806: I/40, 361 f.), vor allem aber als Vermittler seines eigenen fundamentalsten Prinzips, *von innen heraus* zu *leben* (sehr spät?: I/42[II], 106); er kennt die auch paradigmatische Wichtigkeit der Erfassung eines *ganzen,* aus Individuellem und Überindividuellem gebildeten *Zustandes* wie der, als welcher seine Existenz dasteht, einer Erfassung, die, über ihn hinausgehend, zur allgemeingültigen Lehre des Verständnisses und Mahnung zum Verständnis werden soll; denn *Klarheit nöthigt zur Einsicht, Einsicht erschafft Duldung, Duldung ist die einzige Vermittlerin eines in allen Kräften und Anlagen thätigen Friedens* (1827: I/41[II], 268). Der ergreifende Anklang an den Römerbrief (V,4) – „Trübsal bringt Geduld, Geduld aber bringt Erfahrung, Erfahrung aber bringt Hoffnung" – trägt dazu bei, in Goethe auch hier den aus Denken und Fühlen gebildeten lebens- und menschenfreundlichen Ireniker erkennen zu lassen. Sich selbst im eigenen Lebensgefühl zu erfassen und sich selbst leben zu helfen ist der erste, triebhafte Grund von Goethes Autobiographik; andern leben helfen wird im Laufe eines langen Daseins mit stetig wachsender Stärke – es sei nochmals an die *Wanderjahre* erinnert – ein ebenso gewichtiges, bewußt erfaßtes und befolgtes Motiv zur Selbstdarstellung.

Zeichen der Antriebe, die zuletzt zur Autobiographik im eigentlichen Wortverstande führen, finden sich schon beim ganz jungen Goethe. Bereits die Briefe der leipziger Zeit sind hier zu nennen (1765–1768: IV/1, 8–160), sei es als Bilder der damaligen Umwelt Goethes, sei es als psychologische Selbstanalyse eines Menschen, der seinen Weg sucht (die Briefe an *Behrisch). Hierher gehört auch die Versepistel aus dem Jahre 1768 an F*Oeser (ebda 170–177). 1770–1771 sind die *Ephemerides (I/37, 79–114)* trotz ihres charakteristischen Zuges als Sammlung von Lesefrüchten eine Art erstes Tagebuch und Rechenschaftsbericht des Autors an sich selbst über das, *Was man treibt, Heut dies und morgen das* (Motto der *Ephemerides*). 1771 läßt Goethe in der *Geschichte Gottfriedens von Berlichingen* Elisabeth den gefangenen Gatten auffordern, seine Geschichte aufzuschreiben, um *einer edeln Nachkommenschafft das Vergnügen* zu verschaffen, ihn *nicht zu verkennen (I/39, 135).* Nicht verkannt werden ist auch eines der Themen, welche 1775 Goethes so selbstbekennerische, *mit dem Feuerblick des Moments (IV/2,289)* hingewühlte Briefe an Av*Stolberg durchziehen: *Aber nun giebts noch einen* Goethe *(ebda 233)* . . . 1775 ist ebenfalls das Jahr der allerdings sehr trockenen Aufzeichnungen von der ersten *Schweiz-Reise (III/1, 1–7) und des im Gegensatz dazu lyrisch schwingenden, tiefst persönlichen Ergusses vom 30. X. (III/1, 8–10) – *Grundstein meines Tagebuchs* –, schon charakteristisch durch den Willen, sich bis ins letzte zu beobachten und zu erkennen und durch den Gedanken an den Lebensweg samt den Kräften, die diesen beherrschen. Hier ist Vordeutung auf manche Seiten (III/1, 50–52; 61; 73–75; 77; 79; 86; 88; 89; 93 f.; 109; 112; 117–119) des als Ausdruck inneren Ringens oft so erschütternden Tagebuchs der nächsten weimarer Jahre: Goethe bemüht sich um *leidlich reine Vorstellung von vielen Verhältnissen* (1778: *ebda 74),* prüft seine *Gedancken über wichtige Veränderungen* in der Verwaltung des Herzogtums (1779: *ebda 86),* formuliert seine Lebensregel: *Ich darf nicht von dem mir vorgeschriebnen Weeg abgehn, mein Daseyn ist einmal nicht einfach, nur wünsch ich dass nach und nach alles anmasliche versiege, mir aber schöne Krafft übrig bleibe die wahren Röhren neben einander in gleicher Höhe aufzuplumpen* (1779: *ebda 89);* im gleichen Jahre überdenkt er seine bisherige Existenz, wie er sie geführt hat – *Stiller Rückblick aufs Leben, auf die Verworrenheit, Betriebsamkeit Wissbegierde der Jugend . . . (ebda 93)* –, bestimmt auch, in welchem Geiste die künftige zu leben ist: *Möge die Idee des reinen die sich bis auf den Bissen erstreckt den ich in Mund nehme, immer lichter in mir werden (ebda 94);* 1780 vermerkt er sich den übermächtigen Eingriff eines *Genius* in sein Vorhaben und Wollen *(ebda 112);* doch: *Ich übe mich und bereite das möglichste* (1780: *ebda 117);* neben diesem, dem Wichtigsten, stehen Aufzeichnungen über seine Tätigkeit, das Getane und das zu Tuende, und knappe Erwähnung, manchmal Kennzeichnung von Lektüren, Ereignissen, Menschen, einer Gesellschaft: alles in allem, Richtung und Gehalt der kommenden großen Berichte *Aus meinem Leben.* Was er 1779 aus der Schweiz Chv*Stein mitteilt (IV/4, 69–140) und das italienische Reisetagebuch für sie (1786–1788: III/1, 143–342) werden die Grundlage zu den *Briefen aus der Schweiz, zweite Abtheilung* und zur *Italiänischen Reise* bilden. Und wie in ahnender Vorwegnahme a.schen Darstellens spricht Goethe in einem Briefe aus Rom (1787: *IV/8, 241 f.*) von einer überdenkenden, selbstprüferischen *Rekapitulation* seines Lebens und Schaffens, durch die er sich *selbst* und seine *Engen und Weiten recht kennen* lernt. Die Tagebuchvermerke (III/2, 27–29) aus dem Feldzug von 1792 sind kärglich genug; dafür sind die über Goethes intellektuelle Interessen so aufschlußreichen Materialien zur Vorbereitung der zweiten Italienischen Reise und die *Acten (I/34¹, 237)* über die *Reise in die Schweiz 1797* desto reichhaltiger. Der Briefbericht über die Schweizer Reise von 1779 wird für die „*Horen" bearbeitet, und mag er auch nicht als Selbstdarstellung gewollt sein, so läßt er doch Goethes Persönlichkeit in manchem ihrer Aspekte ahnen oder erfassen. Es kommt die Zeit der Übersetzung des Cellini, dann des „Neveu de Rameau" *(Rameaus Neffe).* Goethe ist in oft wiederholter Berührung mit eigener und fremder Autobiographik. 1806 gibt er seine Begriffsbestimmung der A. Unter dem Eindruck der *Ausgabe der Werke bei Cotta (I/36,45),* wohl auch unter dem der Vollendung des sechsten Lebensjahrzehnts, Tatsachen, die beide als intellektuell-psychologischer „Choc" zur Rechenschaftsablegung auffordern können, beginnt 1809 die Materialsammlung zu *DuW* (I/36, 46), Auftakt von Goethes nun nicht mehr ausschließlich für ihn selbst oder Nächststehende wie ChvStein, sondern auch für die Welt bestimmter Autobiographik. Form und Geist dieser Werke sind nicht überall die gleichen, doch ist hier nicht der Ort, auf diese Sonderprobleme einzugehen; nur ein Punkt sei hervorgehoben: Die Frage nach dem Verhältnis von „Dichtung" und „Wahrheit" stellt sich grundsätzlich nur für *DuW.*   *Fu*

Autograph, im heutigen Sprachgebrauch üblicher: Autogramm, ist eine eigenhändige Niederschrift; meist denkt man dabei an A.en berühmter Persönlichkeiten des öffentlichen und geistigen Lebens. Seit der Mitte des 18. Jahrhunderts wurden A.en auch in Deutschland – vordem in Frankreich schon Ende des 16. Jahrhunderts, später in England – Gegenstände des gebildeten Sammlers. In der Goethezeit ist jedoch die Frage nach bezeugter oder nachprüfbarer Echtheit der Handschrift wichtiger als deren Inhalt. So heißt es auch in den *Wanderjahren: Über solche Heilthümer vergangener Zeit suche ich mir die strengsten Zeugnisse zu verschaffen, sonst würden sie nicht aufgenommen. Am schärfsten werden schriftliche Überlieferungen geprüft; denn ich glaube wohl daß der Mönch die Chronik geschrieben hat, wovon er aber zeugt, daran glaube ich selten (I/24, 118).* Über den bloßen Wert solcher Reliquien – vgl. Goethes Hinweis auf seine *fromme Sammlung ... denn fromm ist doch wohl alles, was das Andenken würdiger Menschen zu erhalten und zu erneuern strebt (IV/19, 139;* dazu I/4, 175 über ein A. Friedrich des Großen an den Großvater Ulrike v*Levetzows) und den Titel der ersten Buchausgabe von A.en A*Dürers: „Reliquien von Albrecht Dürer", 1828 – hinaus richtet sich das Interesse an A.n auf die Persönlichkeit des Schreibers, insofern sich diese in der *Handschrift dokumentiert. Dies führt notwendig auf den Gedanken, daß *die Handschrift auf den Charakter des Schreibenden und seine jedesmaligen Zustände entschieden hinweise, wenn man auch mehr durch *Ahnung als durch klaren Begriff sich und andern ... Rechenschaft geben könne; wie es ja bei aller Physiognomik der Fall ist, welche bei ihrem echten Naturgrunde nur dadurch außer Credit kam, daß man sie zu einer Wissenschaft machen wollte (TuJ 1810: I/36, 52;* dazu über Charakter im Gegensatz zur Handschrift *I/21, 215: Das Kind ... war unermüdet, und faßte gut; aber die Buchstaben blieben ungleich und die Linien krumm. Auch hier schien ihr Körper dem Geiste zu widersprechen).*

Goethe wurde durch das *Walchische Stammbuch, das ihm *Blumenbach gesandt hatte und das am 11. III. 1806 Gegenstand aufmerksamer Betrachtung in Gegenwart *Riemers gewesen war (III/3, 121), auf den Gedanken gebracht, *Autographa zu sammeln, um uns auch Entfernte und Verstorbene zu vergegenwärtigen* (4. IV. 1806 an Blumenbach: *IV/19, 121).* Dies sollte zu *dem löblich pädagogischen Zweck,* geschehen *meinen Knaben durch diese sinnlichen Zeugnisse auf bedeutende Männer der Gegenwart und Vergangenheit aufmerksamer zu machen, als die Jugend sonst wohl zu seyn pflegt* (27. IV. 1806 an *Cotta: *IV/19, 127).* Natürlich besaß Goethe schon vordem eine große Anzahl von A.en bedeutender Personen, mit denen er im Verlaufe von mehr als vierzig Jahren in Beziehung getreten war; so enthielt das Verzeichnis *eigenhändiger Briefe merkwürdiger Männer* in seinem Besitz, das sich Goethe aufstellen und 1811 drucken ließ (IV/22, 201), zumeist A.en, die *Dichter und ehedem sogenannte Schöngeister deutscher Nation* an ihn gerichtet hatten (26. II. 1806 an *Eichstädt: IV/19, 109;* dazu IV/19, 139 und 287). Das Verzeichnis wurde mehreren Freunden gesandt, wodurch die Sammlung *nach und nach fortdauernde Vermehrung erfuhr (I/35, 253).* Insbesondere war es Blumenbach, dem Goethe einen Teil seiner wichtigsten A.en verdankte (IV/19, 326 und IV/22, 273); ihm schrieb er als Dank für eine Sendung: *Auch bloße Couverte und Namensunterschriften nehme ich sehr gern auf. Theilen Sie mir doch ja dergleichen von englischen und französischen merkwürdigen Männern mit. Auch ältere Deutsche sind mir sehr willkommen* (20. VI. 1806: *IV/19, 139).* Cotta wurde um ein Stammbuch gebeten, *dergleichen auf Academien immer zu finden sind,* dafür sollten *die würdigen Männer um sich her, in Stuttgart oder sonst in Schwaben, um die Einzeichnung eines freundlichen Wortes und ihres Namens Unterschrift* angegangen werden ... *Könnten Sie mir auch außerdem noch alte Stammbücher um einen proportionirten Preis verschaffen; auch Briefe und was sich sonst für Denkmäler der Handschriften gelehrter und bedeutender Männer voriger Zeiten vorfinden; so geschähe mir ein besonderer Gefallen. Ein Blättchen von der Handschrift Herzog Carls* [von *Württemberg, vgl. Schiller] würde ja auch wohl irgend zu haben seyn* (27. IV. 1806: *IV/19, 127).* 1810 bezeugen die *TuJ,* daß die *Sammlung ... durch Freundesgunst ansehnlich vermehrt wurde (I/36, 52;* vgl. ua. 24. XI. 1809 *Fortsetzung des Verzeichnisses der Autographorum: III/4,81;* 24. III. 1812 *Sendung der Frau von Flies von Autographis: III/4, 263* und *Sammlung von archivarischen Autographis durch* ... *Geh. Rath von Voigt:* 24. XII. 1812 *III/4, 355* und 6. I. 1813: IV/23, 227), ebenso 1820, als *eine Beschreibung des Schlosses Friedland, mit Facsimiles von* [*Wallenstein ua.] bedeutenden Namen aus dem dreißigjährigen Kriege, herauskam, die ich an meine Original-Documente sogleich ergänzend anschloß (I/36,172).* Noch am 24. XII. 1827 trifft eine *Sendung von Autographis von Herrn von Arnim* ein *(III/11,153).* Lö

Auve, Bach im Département Marne, ein linkes Nebengewässer der *Aisne, südlich von *Valmy; in der *Campagne in Frankreich 1792* erwähnt, aber nicht mit Namen genannt (I/33, 77). *Fu*

Auvergne, Landschaft von vulkanischem Charakter im südlichen Zentralfrankreich, die den Geologen Goethe interessiert (1823: IV/37,56); er fragt bei *Nees vEsenbeck an, *ob denn nicht von dem Delphi der neuern Geognosten, von dem Nabel unserer modernen Geologie, von dem* (!) *feuerlustigen Auvergne genaue, nach der Wahrheit gezeichnete Kupfer vorhanden sind (1823: IV/ 37, 230).* Fu

Avant-Coureur, L', französische, über das geistige und industrielle Leben in Frankreich, besonders in *Paris unterrichtende, sehr erfolgreiche Zeitschrift (1760–1773; 1774 durch die nur Ein Jahr erscheinende ,,Gazette et Avant-Coureur" ersetzt). In *Rameaus Neffen (1805: *I/45, 88)* erwähnt; irrig der Hinweis 1786: IV/7, 192. *Fu*

Avenarius, Benedict Christian (20. II. 1739 bis 16. XII. 1826), Sohn des gothaer Magisters und Diakonus Johann Christian A., wandte sich 1756 in Göttingen zunächst der Theologie zu, folgte dann aber der mütterlich vererbten Anlage und Neigung zur Rechtswissenschaft. Goethe lernte ihn als älteren Kommilitonen während seines Studienaufenthaltes in *Leipzig kennen, auch EW*Behrisch scheint damals Kontakt mit A. gehabt zu haben: ... *Herr Avenarius hat sich in einem Briefe deiner erinnert, und läßt dir es vermelden* (7. XI. 1767: *Morris 1, 190).* A. hatte und pflegte literarische und philologische Interessen, betätigte sich gern und erfolgreich als witziger Übersetzer (1771 in lateinischer Sprache nach FW*Zachariae: ,,Aelurias, epos prorsum, in latinum versum"; 2. Abdruck 1792). Hier dürften die Berührungspunkte mit Goethe zu suchen sein. Bis 1773 war A. dann in Celle ,,supernumerairer Amtsschreiber", am 16. II. 1773 wurde er Stadtschulze und Stadtvogt in Hameln und stand in dieser Eigenschaft als erster Beamter im Stadtregiment. Am 1. VIII. 1820 wurde er ,,mit Beibehaltung seiner bisherigen Dienst-Einnahme wegen des vorgerückten Alters in Ruhestand versetzt". *Varnhagen vEnse hat in seinen Denkwürdigkeiten (Leipzig 1871. Bd 1, S. 321) einen Besuch bei A. überliefert: ,,... bei dem Namen Goethe verklärten sich seine Züge in freudigem Stolz" (Morris 6, 45). Außerdem riefen ein Stammbuchblatt, das leider verschollen ist, und Goethes Verse auf den Küchenbäcker *Händel lebhafte Erinnerungen an die Zeit in Leipzig hervor. Seinen Lebensabend verbrachte A. mit seiner Familie in Burgwedel. *Za*

Personalakte Stadtarchiv Hameln (Auskunft Dr. Feige: 24. I. 1956). – Neues vaterländisches Archiv. Lüneburg 1827. Bd 2, S. 304. – Villaret: Das französische Koloniegericht und der Kolonie-Kommissar zu Hameln. In: Geschichtsblätter des Deutschen Hugenotten-Vereins 10 (1901).

Avenches (dt. Wiflisburg), das Aventicum der römischen Antike (schon vor Caesar helvetische Hauptstadt), Städtchen im schweizerischen Kanton Waadt, ist reich an römischen Relikten (Ringmauer, Kastell, Amphitheater; Inschriften, Mosaikböden, Säulenbruchstücke, Geräte usw., heute im Museum der archäologischen Gesellschaft „Pro Aventico" vor weiterem Verfall bewahrt). Goethe kam auf dem Wege nach *Payerne/Peterlingen am 20. X. 1779 nach A. und sah dort *einen Fusboden Mosaique von der Römer Zeit* . . ., *schlecht erhalten, und geht täglich mehr zu Grunde, dass es Jammer ist (IV/4, 90)*. Vgl. RV S. 19.   *Hm*

Aventinus, Johannes (eigentl. Turmair oder Thurmayr, 1477–1534, latinisiert nach seinem Geburtsort Abendberg), 1507 Prinzenerzieher, 1517 Historiograph am bayerischen Hof, durch seine auch von Goethe 1808 und 1818 studierte „Bayrische Chronik" (Frankfurt 1522) bekannt geworden (16./17. XII. 1808: III/3, 405; 12. I. 1818: III/6, 157).   *Rt*

Aversa in der *Terra di Lavoro, das antike Atella, erwähnt Goethe in der *IR* (I/31, 263). Die Kennzeichnung des Lazzarone, die er an dieser Stelle versucht, ruht auf der zumeist beim ersten Aufenthalt in *Neapel (Februar/März 1787) gewonnenen Anschauung; in diesen Wochen ist Goethe auch in A. gewesen (RV S. 27).   *Za*

Axenberg, *(Axe flüe)* schroff vorspringender Berg mit zwei markanten Aufgipfelungen: großer und kleiner Axen, *ungeheuere Felswand und Halbbucht* am *Vierwaldstätter See (I/34[I], 402)*. Goethe fuhr bei seinen *Schweiz-Reisen hier vorüber, erstmals im Juni 1775; zuletzt am 6. X. 1797: *Gestaltlose Großheit der Natur (ebda 391;* vgl. auch Morris 5, 271); RV S. 12; 19; 34.   *Za*

Ayrer, Johann Friedrich (1732–1817), Stallmeister der Universität *Göttingen im Rang eines Professors. Diese hohe Stellung verdankte er dem göttinger Erziehungssystem, das der körperlichen Ausbildung seiner Studenten, insbesondere der Reitkunst, besondere Aufmerksamkeit widmete. Es war den Zeitgenossen aufgefallen, daß das erste fertiggestellte Gebäude der Universität das Reithaus war (1737). Goethe besichtigt am 8. VI. 1801 diese Einrichtungen und zeigt sich sehr beeindruckt, vor allem durch die hannoverschen Pferde (III/3, 19).   *Se*

BZimmermann: Geschichte des Reitinstituts der Universität Göttingen. 1930.

B., eine straßburger Familie, in welcher Goethe, durch den mit ihr verwandten *Salzmann eingeführt, verkehrte; September 1770 schrieb er, *im B.Hausse fahre man fort angenehm zu seyn (IV/1, 248)*. Es handelt sich höchstwahrscheinlich um die sehr reiche und weitverzweigte Bankiersfamilie Braun. (Da Goethe erst im Oktober mit der Familie *Brion bekannt wurde, kommt diese nicht in Frage.) *Fu*

B., ein nach Namen und Daten nicht zu ermittelnder Bekannter Goethes und auch JG *Herders in *Rom, einer von den *Menschen, die kein Gefühl echter *Gottesverehrung während ihres Lebens gehabt haben,* aber unvermutet *in ihrem Alter fromm werden, wie man's heißt.* Goethe fand das *auch recht gut, wenn man nur sich nicht mit ihnen erbauen soll (I/32, 79)*. In taktvoller Zurückhaltung verschweigt Goethe alles Nähere, muß aber für den Adressaten des zugrunde liegenden Briefes (eben Herder; 12., nicht: 14. IX. 1787) dennoch deutlich genug geworden sein. Über den biographischen Bezug hinaus besagt diese Äußerung im Zusammenhang mit anderen, ähnlichen, daß Goethe in Fragen der *Religion allen derart extremen Entwicklungsbrüchen, Abschwörungen, Bekehrungen, Bekenntniswechseln, allem *Renegaten- und *Konvertitentum durchaus abhold war: *I convertiti stanno freschi appresso di me* – deutsch übersetzt: Die Konvertiten werden bei mir kaltgestellt (*MuR* Hecker *Nr 211;* Übersetzung: Schrimpf HbgA. 12, S. 712; Quelle: unbekannt, nach einer von MHecker SGGes 21, S. 315 mitgeteilten Vermutung ist ein Brief-Zitat von Giovanni Ganganelli schon als Papst Clemens XIV. Vgl. dazu JJ*Winckelmann, FL Graf z*Stolberg-Stolberg, BJv*Krüdener, KWF*Schlegel, FLZ*Werner, aber auch AAFürstin v*Gallitzin.   *Za*

B., Henri Gaston Marquis de (1770–1830), einer der zahlreichen Emigranten, die in den französischen Revolutionswirren flohen, als Teilnehmer an der *Campagne in Frankreich einen Rückweg suchten, dann aber endgültig resignierten, um in der Fremde, dh. in Deutschland zu bleiben und dort zu sterben. B. wußte sein Inkognito so gut zu wahren, daß man seinen Namen nicht ermitteln kann, obwohl er umfangreiche Tagebücher, Briefe und ähnliche Aufzeichnungen handschriftlich hinterließ, die JvWickede 1858 als „Memoiren eines Legitimisten" bearbeitete und herausgab. Goethe hat während der Campagne „manchen Abend mit ihm in lebhafter Unterhaltuug verplaudert", ohne in den Grundanschauungen politisch oder religiös immer mit B. zu harmonisieren (B. hielt ihn für einen „Freidenker"). „Sehr interessierte es den Herrn von Goethe, wenn ich ihm über die alten Sagen der Bretagne und über die eigentümlichen Sitten unserer Bauern Mitteilungen machte, und er konnte dann stundenlang mit der größten Aufmerksamkeit mir zuhören" (Bdm. 1, 193 f.). Bei Goethe findet sich weder hierüber noch über den späteren Besuch B.s in Weimar eine Notiz – aus Rücksicht auf das Inkognito des Heimatlosen? *Za*
JvWickede: Memoiren eines Legitimisten. Aus dem Nachlaß. 1858. – ABock in: GoetheJb. 21 (1900), S. 276f. – ABergmann: Carl Augusts Begegnungen mit Zeitgenossen, 1933. S. 44; 172.

B., Tv., ist der Graveur Général der niederländisch-österreichischen Münze zu Brüssel Theodor Victor van Berckel (1739–1808), dessen abgekürzten Namen sich Goethe im Laufe seiner nach 1803 aufgenommenen *kunstgeschichtlichen Studien neuerer Medaillen im September 1807 in *Karlsbad notierte, nach dem ihm die T. V. B. signierte Gedenkmünze auf Kaiser Joseph II. aus dem Jahre 1781 vorgelegen hatte. Auf dem Revers der Münze ist die *Huldigung* der Niederlande halballegorisch dargestellt *(III/3, 419)*. *Lö*
KDomanig: Porträtmedaillen des Erzhauses Österreich von Kaiser Friedrich III. bis Kaiser Franz II. 1896. S. 27 und Tafel 46. – KDomanig: Die deutsche Medaille in kunst- und kulturhistorischer Hinsicht. 1907. Tafel 48. – ThB 3 (1909), S. 374.

Baader, 1) Joseph von (1763– 1835), einer der ingeniösesten Köpfe seiner Zeit von weltweitem Horizont, vielgereist und vielgebildet, war der Erfinder des nach ihm benannten und unter dem Namen „Baadersches Gebläse" bekannten Zylindergebläses („Beschreibung eines neu erfundenen Gebläses", Göttingen 1794), „bei welchem ein unten offener Holzkasten in einem zweiten, oben offenen, mit Wasser gefüllten Holzkasten auf und nieder bewegt wird" (LDarmstaedter). B., der ursprünglich Mediziner, dann Mechaniker und

Ingenieur war, erfand auch Pumpen für besondere Zwecke, schließlich eisenbahntechnische Vorrichtungen; er war früh im Bergfach tätig, seit 1798 Bergbaudirektor in *Bayern. CG*Voigt konnte sich 1794 seines Rates bei Angelegenheiten des Bergbaus in *Ilmenau mit Nutzen erfreuen (BrVoigt 1, S. 133). Goethe selbst hatte keinen unmittelbar bezeugten Kontakt mit B., kannte wohl auch von dessen umfangreichem technischen und sogar belletristischen Schrifttum (zB. „Der weiße Ärmel. Eine Erzählung", 1800; „Neptunus Herkules, oder: Das neueste Wunder der Wasserkünste", 1822; „Cantate zum Empfange I. K. M. M. auf einem Festballe", 1824) wenig oder nichts. Intensiver bemühte sich Goethe um B.s jüngeren Bruder:

–, 2) Benedict Franz Xaver von (1765 bis 1841), geboren und gestorben in *München, „der allerchristlichste Philosoph der Neuzeit" (CMeusel), insofern erklärter Gegner des Materialismus, Pantheismus, Deismus, des abstrakten Idealismus und Realismus, in Denkbahnen allerdings spätromantischer Prägung, indem er versucht, katholische Theologie und spekulativ-kantianische (nicht kantische) Philosophie innerlich zu verbinden. Seine Formel für das problematische Verhältnis von göttlichem und menschlichem Wissen ist: cogitor, ergo cogito et sum = ich werde gedacht, also denke ich selbst und „bin". B. begann seinen Weg mit naturwissenschaftlichen und medizinischen Studien (Ingolstadt, Wien), gab aber die seiner Konstitution zu beschwerliche ärztliche Praxis auf, um Mineralogie und Chemie für das Bergfach zu treiben: 1787–1792 Studium unter AG*Werner in Freiberg, Begegnung mit Av*Humboldt, anschließend Auslandsreisen (England, Schottland), wechselnde Aufenthalte in Deutschland (Hamburg, Bremen), 1796 Münz- und Bergrat in München, dort 1801 Akademie-Mitglied und Avancement als Oberbergmeister, Oberbergrat, 1812 bedeutende und gewinnbringende Entdeckung auf dem Gebiet der Glasfabrikation, 1820 aus politischen Gründen in den Ruhestand versetzt, 1826 Ernennung zum Honorarprofessor ohne Gehalt in München mit philosophisch-erkenntnistheoretischen, religions- und naturphilosophischen, soziologischen, psychologischen, anthropologischen Lehrthemen. B. unterhielt Kontakt mit F*Schlegel, GHv*Schubert, FWJv*Schelling, L*Tieck, KA*Varnhagen von Ense, J*Kerner, GFW*Hegel, JW*Ritter ua.; seine besondere Liebe galt dem Studium Jacob *Böhmes. Nach seinem eigenen Wort wollte B. ein

„Priester, nicht ein Pfaffe der Wissenschaft" sein; nach der wissenschaftlichen Seite hin sind dadurch zugleich seine Grenzen angedeutet. Goethes Interesse für B. wurde angeregt durch FH*Jacobi, es war lebendig nur in den Jahren 1796–1809 und mündete in die Formel: *Ich fühle, daß an dem Manne Bedeutendes ist, aber ich verstehe ihn nicht* (März/April 1814 zu JNv*Ringseis: *Bdm. 2, 224*). Aus der großen Zahl nach ihrem Umfang meist kleinerer Schriften kannte Goethe: „Beiträge zur Elementarphysiologie" (1797); wohlwollend und dem Freunde FH Jacobi entgegenkommend äußerte er sich darüber: *Baders Schrift habe ich mit Vergnügen durchgelesen, ob sie uns gleich aus Regionen etwas erzählt in die ich mich niemals versteige. Könnte er jemals zu mir herunter auf den Grund und Boden kommen, auf dem ich zu Hause bin, so würde ich eher im Stande seyn, aus der Anwendung seiner Principien, die Principien selbst zu beurtheilen. Indessen habe ich den Versuch gemacht sie nach meiner Art und Weise zu brauchen und es scheint mir sehr viel schönes und passendes aus denselben entgegen* (26. XII.1796: *IV/11, 294 f.*). Ferner – und wohl am meisten – bemühte er sich um Lektüre und Verständnis der Abhandlung „Über das pythagoräische Quadrat in der Natur oder die vier Weltgegenden" (1798): *Von Baadern habe ich eine Schrift gelesen über das pythagoräische Quadrat in der Natur, oder die vier Weltgegenden. Sey es nun daß ich seit einigen Jahren mit diesen Vorstellungsarten mich mehr befreundet habe, oder daß er seine Intentionen uns näher zu bringen weiß, das Werklein hat mir wohl behaget und hat mir zu einer Einleitung in seine frühere Schrift gedient, in der ich freylich, auch noch jetzt, mit meinen Organen nicht alles zu packen weiß* (1. VIII. 1800 an Schiller: *IV/15, 96;* vgl. dazu III/2, 303). Die unermüdliche Bettina *Brentano erwirkte am 10. IX. 1809 *(Franz Baaders Aufsätze: III/4, 60)* ein erneutes, letztes Bemühen und empfing freundlich formulierten Dank zur Weiterleitung auch an B. selbst: *Franz Badern werden Sie schönstens für das Gesendete danken. Es war mir von den Aufsätzen schon mancher einzeln zu Gesichte gekommen. Ob ich sie verstehe weiß ich selbst kaum; allein ich konnte mir manches daraus zueignen* (11. IX. 1809: *IV/21, 61*). *Za*

Baalen, Hendrik van (1575–1632), Landschafts- und Historienmaler, nach Angaben van Manders wie sein Freund *Rubens Schüler Adam van Noorts. 1593 war er Meister in Antwerpen und ging bald darauf nach Italien, malte vorwiegend Landschaften mit historischen Darstellungen, aber auch Altargemälde und Entwürfe für *Glasmalereien, ua. für die Liebfraukirche in Antwerpen. Seine Arbeitsgemeinschaft mit J*Brueghel dÄ. brachte manches Werk hervor, in dem er nur die Figuren, Brueghel jedoch die Landschaften malte. Sein berühmtester Schüler war Av*Dyck. – Goethe sah bei seinem zweiten Besuch der dresdener Galerie 1810 mehrere Bilder von B., so die vier Elemente, durch vier spielende Kinder dargestellt, ein Bild, das 1744 aus der Sammlung Wallenstein in die Galerie gekommen war: *etwas geistlos.* Ferner sah er das damals noch Rottenhammer zugeschriebene „Olympische Göttermahl", das, seit 1722 in der Galerie, von Goethe richtig als B. erkannt und als *artig* bezeichnet wurde. Andere Bilder gab Goethe noch traditionsgemäß an B., die ihm jetzt nicht mehr zugeschrieben werden *(I/47, 378, 387). Lö*
ThB 2 (1908), S. 406. – AWurzbach: Niederländisches Künstlerlexikon 1 (1900), S. 48 f.

Baar, Dorf oberhalb des *Zuger Sees, *artig gebaut, eine geräumige Gasse und dann zerstreute Häuser, zwischen Wiesen und Gärten (III/2, 185),* gibt Goethe beim Passieren am 8. X. 1797 (RV S. 34) Gelegenheit zu botanischen Beobachtungen (Löwenzahn; Stechpalme). *Za*

Babo, Joseph Marius von (14. I. 1756–5. II. 1822), geboren in Ehrenbreitstein, gestorben in München, Dramatiker und seit 1797 Bücherzensor und Intendant des Hoftheaters in München, war neben Törring der wichtigste Vertreter des sogenannten Ritterdramas, das zusammen mit dem bürgerlichen Schau- und Lustspiel den Spielplan der deutschen Bühnen zu Beginn von Goethes *Theaterleitung beherrschte. Obgleich Goethe die Unbildung des Theaterpublikums gerade auf die Mittelmäßigkeit dieser Gattungen zurückführte und daher deren Vorherrschaft brechen wollte, sah er es als günstigen Umstand an, daß er in der ersten Zeit seiner Direktion die Schauspieler an handfesten Theaterstücken, wie sie ihm B. und andere *energische Talente (I/33, 251)* lieferten, schulen konnte. So erschienen die drei meistgespielten Stücke B.s auch auf dem Spielplan des weimarischen Hoftheaters: „Otto von Wittelsbach" wurde von 1791–1797 fünfmal, „Die Strelitzen" 1791–1799 elfmal und das Lustspiel „Bürgerglück" in einer Bearbeitung von ChA*Vulpius 1792–1795 siebenmal und noch einmal 1801 gespielt. Auch die von B. gemeinsam mit JChrAMv*Aretin herausgegebene Zeitschrift „Aurora" schätzte Goethe (IV/19, 1).   *EF*
Otto Brahm: Das deutsche Ritterdrama. In: Quellen u. Forschungen 40 (1888).

Babst, Diederich *(Dietrich: I/42¹, 97)* Georg (1741–1800), ein aus Schwerin in Mecklenburg gebürtiger Mundart-Dichter, dessen Lebensgeschichte Goethe nach einer wohl von CFv *Both erhaltenen Auskunft (vgl. IV/34, 7; dagegen IV/35, 398) in seiner Einleitung zum *deutschen Gil Blas* mitteilt, studierte in *Rostock Jura und war später Sekretär des zweiten bürgerschaftlichen Quartiers dortselbst. *Da aber ein sehr geringer Dienst ihn und die Seinigen nicht ernährte, begann er wieder – wie in seiner Jugend – durch poetische Versuche und den damit verknüpften Gewinn seine bürgerliche Existenz mehr zu sichern; feierliche oder merkwürdige Vorfälle besang er theils in hochdeutscher, theils in plattdeutscher Sprache (I/42¹, 98).* So entstanden ua. „De Intog, den unser Herr Herzog Friedrich Franz mit Sine leve Fru Gemalin Louise to Rostock gehollen, in dre Schriewels von ehnen Recruten an sine Greth uf dem Lande", 1788, oder „Dat groote Fest van Peter un Pagel, aß de vier Mecklenborger Prinzen de Brook Fischers besuchten, beschreewen van so ehn Fischer, de in sinem Leewen wol niks fängt", 1793. Die von Goethe im gleichen Zusammenhang genannte *Sammlung lustiger, aber wahrer Schwänke* erschien 1788–1790 (nicht *1789*: I/42¹, 98) unter dem Titel „Allerhand schnaaksche Saken tum Tietverdriew afers Wahrheeten, üm sik mento to speegeln in uns Modersprak . . ." in drei Bänden. Durch CFvBoth erhielt Goethe mit einem Brief vom 15. X. 1820 (vgl. I/36, 182 f. und III/7, 243) den nach B.s. *Ableben edirten Oktavband: Uhterlesene pladdtütsche Gedichte, Rostock 1812, der mehrere höchst anmuthige, größere und kleinere Dichtungen enthält.* Der Herausgeber war der Sohn B.s, Johann Ludwig, der als Kantor an St. Jacobi zu Rostock wirkte (vgl. IV/34, 7). *Ergötzlich ist es zu sehen* – fährt Goethe fort – *wie ein Mann, in dem bürgerlichen Wesen selbst befangen, sich durch geniale Betrachtung darüber erhebt und dasjenige, was wir sonst als Philisterei, Bocksbeutel, Schlendrian und alberne Stockung zu verachten pflegen, in seiner natürlichen anmuthigen Nothwendigkeit sehen läßt und uns solche beschränkte Zustände dulden, schätzen und lieben lehrt (I/42¹, 98 f.).* Goethe dankte vBoth lebhaft für *solche lebendige Idiotikons* und schlug vor, daß der *Sohn und Herausgeber sich entschließen (möge), ein paar Bogen Wort-Erklärungen anzufügen. Mich lassen die drey Abende* (31. X. und 2./3. XI. 1820 in Jena: III/7, 243 f.) *her, die ich mich damit beschäftigte, sämmtliche niederdeutsche Idiotiken*

17*

im Stich, die ich um mich versammeln konnte . . . wenn dieß Hinderniß gehoben wäre, müßte das Heft durch ganz Deutschland durchdringen (3. XI. 1820: IV/34, 7).
B. reiht sich für Goethes Vorstellung in die Gruppe der *Natur- und Nationaldichter (I/36, 183)* ein, die *die nächste Umgebung treulich auffassen, landesübliche Charaktere, Gewohnheiten und Sitten mit großer Heiterkeit genau zu schildern verstehen; wobei sich denn ihre Production, wie alle poetische Anfänge, gegen das Didaktische, Belehrende, Sittenverbessernde gar treulich hinneigt (I/42¹, 97).* Diese Dichter sind für die zweite Hälfte des 18. Jahrhunderts – vgl. *Claudius, *Hebel – besonders charakteristisch, obwohl sie, durch den Gebrauch des Dialekts mitbedingt, zur herrschenden Intention der Literatur in einen gewissen Widerspruch treten oder in einer abseitigen Stellung bleiben. Es *sind frisch und neu aufgeforderte, aus einer überbildeten, stockenden, manierirten Kunstepoche zurückgewiesene Talente. Dem Platten können sie nicht ausweichen, man kann sie daher als rückschreitend ansehen; sie sind aber regenerirend und veranlassen neue Vorschritte (MuR: I/42¹¹, 120;* vorausgehen, wie der Wortvergleich ergibt, die Gedanken *I/36, 183: Gelegenheitsgedichte, die uns einen altherkömmlichen Zustand in festlichen Augenblicken neu belebt wieder darstellen,* und I/42¹, 98 f., vgl. oben). Goethe erkannte damit treffend die Eigenart und den Wert eines Dichters wie B., der – eine Bestätigung für Goethes fruchtbares Urteil – in FReuter seinen allerdings um vieles bedeutenderen Nachfolger finden sollte. Goethe wollte sich näher mit dieser bodenständigen Dichtung befassen: *bey näherer Betrachtung werden sich Ansichten ergeben, die der vaterländischen Literatur überhaupt und der provinziellen Ausbildung im Einzelnen förderlich sind* (9. V. 1822 anläßlich der Übersendung des *deutschen Gil Blas* an vBoth: IV/36, 35f.). Doch ist es dazu nicht mehr gekommen.   *Za*

KGoedeke 7. S. 567f. – WKosch: Deutsches Literatur-Lexikon 1 (²1949), S. 72. – ADB 46. S. 154–158.

Babylon, Babylonische Sprachverwirrung; Babel, Turm zu Babel. Der Zeit Goethes und Goethe selbst eignete eine noch durchaus selbstverständlich sichere, allgemein verbreitete *Bibelkenntnis [1809: Die *Bibel *ist nicht etwa nur ein Volksbuch, sondern das Buch der Völker, weil sie die Schicksale eines Volks zum Symbol aller übrigen aufstellt, die Geschichte desselben an die Entstehung der Welt anknüpft und durch eine Stufenreihe irdischer und geistiger Entwickelungen, nothwendiger* *und zufälliger Ereignisse, bis in die entferntesten Regionen der äußersten Ewigkeiten hinausführt (II/3, 138 f.);* mithilfe einiger Modifikationen würde sie *gewiß, je höher die Jahrhunderte an Bildung steigen, immer mehr zum Theil als Fundament, zum Theil als Werkzeug der Erziehung, freilich nicht von naseweisen, sondern von wahrhaft weisen Menschen, genutzt werden können (ebda. 140)*]. Auf der Basis einer solchen Bibelkenntnis ist der Anteil der biblischen, dh. zumeist der lutherischen an der damaligen deutschen, insbesondere an der goetheschen *Sprache überhaupt äußerst mannigfaltig. So füllt auch B. einen sehr deutlichen, aber beweglich verfügbaren Vorstellungskreis mit weitwirkenden Formen und Fixaten. Für Goethe ist B. im Sinne der alttestamentarischen Deutung traditionell, wo nicht gar nur konventionell die Stadt der Verwirrung (בלל): „Daher heißet ihr Name Babel, daß der Herr daselbst verwirret hatte aller Länder Sprache, und sie zerstreuet von dannen in alle Länder" (1. Mos. XI, 9); die andere Etymologisierung (כב כל; keilschriftlich-assyrisch: Bab-Ili) als „Pforte (Bab) Beels/Baals" oder „Pforte (Bab) Ils" = „Gottespforte" konnte in Goethes Sprache nicht mehr wirksam werden. Die alttestamentarische Deutung B.s als Stadt der Verwirrung, dh. die Sage von der Sprachverwirrung bzw. Sprachverteilung ist wahrscheinlich viel älter als der biblische Bericht, wenngleich dieser als erster, allerdings irrig, das Ereignis in der (mißverstandenen) Etymologie des Namens gesucht und gefunden zu haben scheint. Auf alle Fälle ist das ätiologisch-moralisierende Moment in der Verknüpfung des Stadtnamens mit der Sprachenverwirrung spezifisch alttestamentarisch; der vielleicht schon sumerischen oder akkadischen Überlieferung (AMoortgat; AFalkenstein/WvSoden) ist diese Nuance fremd. Von außerbiblischer Warte her gesehen, ist B., seit dem 3. vorchristlichen Jahrtausend namentlich bekannt und gerühmt, als eine der ältesten, größten, prächtigsten und bedeutendsten Städte der Ur- und Frühgeschichte überhaupt zugleich glanzvoller Mittelpunkt der altorientalischen Kulturen: „Festen Boden gewinnen wir erst in dem Augenblick, in dem die Hochkultur Babyloniens vor uns steht. Deren Denkmäler ... sind eine großartige Tempelarchitektur, eine bildende Kunst von hoher Vollendung und einzigartiger Frische, der Anfang der Schrift. All das wächst heraus aus der grundsätzlichen Leistung, der Schaffung der ‚städtischen' Kultur

auf der Grundlage einer eigenartigen theokratischen Staats- und Wirtschaftsform. In dieser ist von Haus aus alles Eigentum den Göttern vorbehalten. In deren Auftrag und zu deren Nutznießung verwalten es die priesterlichen Herrscher, indem sie jedem einzelnen seinen Platz im großen Gefüge zuweisen. Das Zentrum alles sozialen, wirtschaftlichen und kulturellen Lebens ist der Tempel" (AFalkenstein/WvSoden), dh. der „Turm", denn die Monumentalform dieser kultischen Zentralbauten ist zumindest seit den Uruk-Zeiten (VI–IV) als Terrassentempel und Hochtempel konzipiert (AMoortgat) und vollendet sich schnell zu den schwindelnd hohen Gipfelleistungen der typischen Sikkurat/Zikkurat, in B. zu der Riesenanlage des Marduk-Heiligtums Esangila und des „Turms" (vgl. die Modellabbildung: AFalkenstein/WvSoden Tafel XII). Die Menschen der alttestamentarischen Schriften haben den Baugedanken dieser Monumentalformen, die darin sich manifestierende Kühnheit, den „hohen Mut", nicht mitdenken können. Sie hielten ihn für Hochmut, wie denn die ganze Stadt in all ihrer Pracht, verstärkt durch den Haß wegen der Deportationen nach B. (2. Kön. XVII, 23 f.; XXIV, 14–16; XXV, 7), dem noch erzväterlich bestimmten Hirtensinn des alten *Judentums als Zeugnis eines ganz anderen Welt- und Wirklichkeitsbewußtseins fremd, feindlich, verwerflich und verworfen erschien. B. ist demzufolge „Götzenland", der „Hammer der ganzen Welt", das „andere Sodom und Gomorrha", der „Kelch des Zorns, davon alle Heiden trinken und samt ihr gestürzt werden sollen", die „Mutter der Hurerei"; B. wird „endlich wegen ihrer Abgötterei gestraft und zerstört werden", und man soll von da fliehen, „damit ein Jeglicher seine Seele errette, daß ihr nicht untergeht in ihrer Missethat". Der „Turm" ist „der schädliche Berg, welcher alle Welt verdirbt".

Im Sinne dieser biblischen (längst traditionelles, vielfach abgesunkenes, wissenschaftlich noch kaum korrigiertes Bildungsgut gewordenen) Fixierungen hält sich jahrzehntelang Goethes eigener Sprachgebrauch; sehr subjektive, doch positiv gefärbte Verschmelzungen mit den griechisch-antiken *Hybris-Auffassungen lassen sich gelegentlich beobachten und finden sich meist in der jugendlichen Aufbruchsphase des *Titanismus: *Wenigen ward es gegeben, einen Babelgedanken in der Seele zu erzeugen, ganz, groß, und bis in den kleinsten Theil nothwendig schön, wie Bäume Gottes* (1773: I/37, 140). Ganz im

Rahmen der konventionellen Wortverwendung bleibt Goethe auch noch, wenn er am 28. VIII. 1787 *heute zum Feste* das unlängst erschienene *Büchlein „Gott. Einige Gespräche von JGHerder"* voll würdiger Gottesgedanken liest und für die Heimgebliebenen aufschreibt: *Es war mir tröstlich und erquicklich, sie* (die würdigen Gottesgedanken) *in diesem Babel* (Rom), *der Mutter so vieles Betrugs und Irrthums, so rein und schön zu lesen (I/32, 63).* Eine kaum erheblichere, mehr technisch interessierte Erinnerung an die mit so vielen hundert Kupferstichen geschmückte, immer wieder studierte *Merian-Bibel der frankfurter Kinderzeit und deren Darstellung des alttestamentarischen Denkmals himmelstürmender Architektur meldet sich vergleichsweise am 8. X. 1791 in einem Gespräch mit KA *Böttiger und CM*Wieland zum Wort: „Hier sagte Goethe, daß er in Sizilien einen unvollendeten Tempel gesehn hätte, wo an den Quadersteinen noch auf beiden Seiten die Henkel sichtbar gewesen wären, um welche man die Seile geschlungen und die man alsdann beim Aneinanderpassen abgeschlagen habe. Übrigens habe man lauter solche schneckenförmig auflaufende Gerüste gehabt, wie sie in Merians Bilderbibel noch um den babylonischen Turm herum zu sehen wären" (Bdm 1, 179). Vielleicht aber ist es im Hinblick auch auf Goethes theoretisches und praktisches, sogar didaktisches Verhältnis zur Sprache wesentlich, daß der Vorstellungs- und Wortkomplex um B. und um die Sprachverwirrung dann erst in den Altersjahren und -werken (*Wilhelm Meisters Wanderjahre; Dichtung und Wahrheit; Zu brüderlichem Andenken Wielands; Zur Botanik: Pflanzenkultur in Weimar; Zahme Xenien; Sprichwörtlich;* Gespräche 1829) wieder anklingt. In der *Pädagogischen Provinz* (1820) gilt folgender Usus: *Zu jenen Sprachübungen ... wurden wir dadurch bestimmt, daß aus allen Weltgegenden Jünglinge sich hier befinden. Um nun zu verhüten, daß sich nicht, wie in der Fremde zu geschehen pflegt, die Landsleute vereinigen und, von den übrigen Nationen abgesondert, Parteien bilden, so suchen wir durch freie Sprachmittheilung sie einander zu nähern. Am nothwendigsten aber wird eine allgemeine Sprachübung, weil bei diesem Festmarkte jeder Fremde in seinen eigenen Tönen und Ausdrücken genugsame Unterhaltung, bei'm Feilschen und Markten aber alle Bequemlichkeit gerne finden mag. Damit jedoch keine babylonische Verwirrung, keine Verderbniß entstehe, so wird das Jahr über monatweise nur Eine Sprache im* *Allgemeinen gesprochen; nach dem Grundsatz, daß man nichts lerne außerhalb des Elements, welches bezwungen werden soll (I/25¹, 4 f.).* Der alttestamentarische Gottesfluch der Völker- und Sprachenverteilung erscheint ins Positive gewendet: *Nun beschaue man den Erdball und lasse das Meer vorerst unbeachtet, man lasse sich von dem Schiffsgewimmel nicht mit fortreißen und hefte den Blick auf das feste Land und staune, wie es mit einem sich wimmelnd durchkreuzenden Ameisengeschlecht übergossen ist. Hiezu hat Gott der Herr selbst Anlaß gegeben, indem er, den babylonischen Thurmbau verhindernd, das Menschengeschlecht in alle Welt zerstreute. Lasset uns ihn darum preisen, denn dieser Segen ist auf alle Geschlechter übergegangen (I/25¹, 182).* Indessen aber: Bereits 1811 hat Goethe diese Wendung ins Positive wesentlich weniger konziliant formuliert, um das alte Ereignis mythisch neu zu konstituieren. Dem Turmbau wurde dabei ein goethesch variierter Sinn gegeben, das hybride Verschulden auf seiten des Menschen wurde durch eine kühne Um-Interpretation fast ins Gegenteil verwandelt – wie denn Goethe auch den Gedanken der *Erbsünde nicht mitzudenken vermochte: *Das erneute Menschengeschlecht ging von hier zum zweitenmal aus; es fand Gelegenheit sich auf alle Arten zu nähren und zu beschäftigen, am meisten aber große Heerden zahmer Geschöpfe um sich zu versammeln und mit ihnen nach allen Seiten hinzuziehen. Diese Lebensweise, so wie die Vermehrung der Stämme, nöthigte die Völker bald sich von einander zu entfernen. Sie konnten sich sogleich nicht entschließen, ihre Verwandten und Freunde für immer fahren zu lassen; sie kamen auf den Gedanken einen hohen Thurm zu bauen, der ihnen aus weiter Ferne den Weg wieder zurückweisen sollte. Aber dieser Versuch mißlang wie jenes erste Bestreben. Sie sollten zugleich glücklich und klug, zahlreich und einig sein. Die Elohim verwirrten sie, der Bau unterblieb, die Menschen zerstreuten sich; die Welt war bevölkert, aber entzweit (I/26, 205 f.).* Geistesgeschichtlich im allgemeineren Sinne ist dieser völlig untheologische, wohl aber mythographische Entwurf einer kopernikanischen Wende für das Verständnis des Faktischen in der biblischen Erzählung nicht wirksam geworden. Lebensgeschichtlich jedoch für Goethe selbst – und darum ist gesteigerte Aufmerksamkeit zu fordern – besagt dieses durchaus kühne Hinaustreten aus der Überlieferung, erfüllt von dem Wagemut eines protëischen Mythen-Finders und -Künders, um so mehr, weil es zeitlich zusammenfällt mit dem Bemühen, der vieldeutigen Problematik des *Dämonischen schärfer ansichtig zu werden (1810/1813): *Er glaubte in der Natur, der belebten und unbelebten, der beseelten und unbeseelten etwas zu entdecken, das sich nur in Widersprüchen manifestirte und deßhalb unter keinen Begriff, noch viel weniger unter ein Wort gefaßt werden könnte. Es war nicht göttlich, denn es schien unvernünftig; nicht menschlich, denn es hatte keinen Verstand; nicht teuflisch, denn es war wohlthätig; nicht englisch, denn es ließ oft Schadenfreude merken. Es glich dem Zufall, denn es bewies keine Folge; es ähnelte der Vorsehung, denn es deutete auf Zusammenhang ... Dieses Wesen, das zwischen alle übrigen hineinzutreten, sie zu sondern, sie zu verbinden schien, nannte ich dämonisch, nach dem Beispiel der Alten und derer die etwas Ähnliches gewahrt hatten. Ich suchte mich vor diesem furchtbaren Wesen zu retten, indem ich mich nach meiner Gewohnheit hinter ein Bild flüchtete (I/29, 173 f.).* An dieser Stelle ist Goethes *Egmont* gemeint. Doch scheinen innerhalb der gleichzeitigen Um-Interpretation des alttestamentarischen Bibel-Berichtes von B. und dem Turmbau die verwirrenden *Elohim* mit der Rolle solcher dämonischer Wesenheiten bedacht zu sein. Freilich verbinden sich derartige mythographische Entwürfe mit keiner Landes- oder Kulturkunde des alten *Orients. Doch geben sie ein Beispiel, wie sich Goethe die früher schon geforderten Modifikationen etwa denkt (s. o.). Bemerkenswerterweise fehlt jeder Reflex einer etwaigen Kenntnis der christlichen Allegorisierung B.s als Vorbild des Antichrists und der Feinde der Kirche Christi (Offb. XIV, 16–18), so sehr Goethe sich sonst gerade zu dem johanneischen Christentum hingezogen fühlt: Mythisches, und nur um dies handelt es sich im Zusammenhang mit der kühnen Neu-Deutung der alten Erzählung, hat keinen Ort und keine Stunde. Im übrigen hat es fast einhundert Jahre gedauert, bis die Forschung den Komplex um B., den Turmbau und die Sprachverwirrung aus dem Dunkel des Unerforschten in helleres Licht zu rücken vermochte. In der Goethe-Zeit regte sich die *Altertumskunde überhaupt erst in ihren Anfängen. *Za*

GBüchner: Biblische Real- und Verbal-Handkonkordanz. 1912. – CMeusel: Kirchliches Handlexikon 1 (1887), S. 264–267. – ThDombart: Der babylonische Turm. 1930. – AMoortgat: Die Entstehung der sumerischen Hochkultur. In: Der Alte Orient. Bd 43 (1945). – AFalkenstein/WvSoden: Sumerische und akkadische Hymnen und Gebete. In: Die Bibliothek der Alten Welt, Reihe: Der alte Orient. 1953. – WMuschg: Tragische Literaturgeschichte. ³1953, S. 52–73.

Bacchiglione, der oberitalienische Küstenfluß, in den Lessinischen Alpen entspringend, von *Vincenza an schiffbar, hat zwei Mündungsarme, deren einer sich unweit *Padua in die *Brenta ergießt, deren anderer bei *Brondolo das Meer sucht. Goethe, dessen Reiseweg 1786 und 1790 insgesamt dreimal dem Lauf des Flusses folgte, befuhr den nördlichen Mündungsarm des B. mit der Postbarke von Padua aus und auf Padua zu am 28. IX. 1786 (III/1, 240) sowie am 31. III. 1790 (III/2, 14) und Ende Mai 1790 (IV/9, 207). *Za*

Bacchus *(Bachus: I/32, 436),* römischer Name für den griechischen Gott *Dionysos, ist ein Sohn des *Zeus und der Semele und kam beim Feuertod seiner Mutter als Sechsmonatskind zur Welt (vgl. I/41^II, 237 und I/49^I, 110). Zeus nähte ihn in seinen Schenkel ein und gebar ihn ein zweites Mal. B. trägt in Mythos und Kultus wesentlich urgriechische, vorhellenische Züge. Sein griechischer Name Dionysos, erklärbar als „der göttliche Nysos" oder „der Nysos des Zeus", deutet auf die Herkunft aus einem in fabelhafter Ferne gedachten Ort Nysa. Doch ist bei *Homer „nirgends die geringste Spur davon, daß sein Kult als etwas Neues, aus der Fremde Eingedrungenes, empfunden worden wäre" (WF Otto S. 56). Der Dionysoskult wanderte von Thrakien aus nach Hellas ein; in den „Bacchantinnen" des *Euripides kommt Dionysos aus Lydien nach Theben, seiner Heimat, zurück. Dionysos ist der Gott der Epiphanie, der Kommende und Besitzergreifende, er ist der Löser der Welt, der Öffner des Verschlossenen, der Prophet (Orakel in Delphi), der Gott, der Verzauberung, Verwandlung und Raserei bis zum zerstörerischen Wahnsinn bewirkt. Als solchem sind ihm der Wein heilig und sowohl das empfangende als das mütterliche, ammenhafte Verhalten der Frauen. Sie sind es, die sich ihm, wie sie ihn pflegten und aufzogen, untertan machen, ohne daß er sie berührt. Dionysos ist aber auch der Welt des Todes verhaftet, er ist selbst, allen Olympiern entgegen, ein sterbender, ein toter Gott; in Delphi zeigte man sein Grab. B.ischer Lärm, Musik und Totenstille sind ihm gleichermaßen zugeordnet; und wie er als ewig Ruheloser Meere durchzieht (Schale des Exekias) und mit seinem mänadischen Gefolge Berge und Wälder durchstürmt, in feuchten Grotten und Höhlen lebt, ist er in der Tiefe des Wassers, als des Urquells des Lebens, heimisch und aller geheimnisvollen, lebensteigernden Kräfte Gebieter: vgl. die Bacchanalien als Darstellung des b.ischen Lebens, Bildwerke der Antike nach *Philostrat: I/49^I, 75; andere Darstellungen: I/32, 447; I/33, 236;

I/36, 200; I/33, 255; vgl. auch I/47, 93; dichterisch dargestellt von Goethe in: *Deutscher Parnaß: I/2, 26–31.*
Die wilden mordenden Katzen, insbesondere Löwe, Panther (vgl. I/33, 255) und Tiger (I/32, 436), aber auch der Esel (vgl. I/15¹, 243), und unter den Pflanzen neben dem Weinstock der Efeu, der ihn bei seiner ersten Geburt vor den Flammen des Zeus kühlend schützte, sind aus Tier- und Pflanzenreich Verkörperung seines Wesens. Ariadne, die Tochter des Minos von Kreta, deren Kult den Inseln zugehört, ist seine Gattin. Mit ihr und durch sie berühren sich wie in der Geburt des Dionysos als des unsterblichen Sohnes einer sterblichen Mutter, Göttliches und Menschliches im Mythos des B. Er führt Ariadne von dem *dürr scheinenden Felsenufer ... auf bebaute bepflanzte Weinhügel, wo du* – wie Goethe meisterlich aus der Bildbeschreibung nach Philostrat zur Beschwörung des Vorgangs durch die Anrede übergeht – *in Rebengängen, von der muntersten Dienerschaft umringt, erst des Lebens genießest, welches du nicht enden, sondern, von den Sternen herab in ewiger Freundlichkeit auf uns fortblickend, am allgegenwärtigen Himmel genießen wirst (I/49¹, 94;* bildliche Darstellungen von B. und Ariadne nennt III/11, 109, *Tizians Bild: IV/33, 82; Darstellungen von *Migliori und *Mieris in *Dresden: I/47, 374 und 387).
Bei der Übernahme der griechischen *Mythologie durch die römische Kultwelt wurde der lydische Beiname des Dionysos, Bakchos, der auch als Epitheta des Gottes in der griechischen Dichtung auftritt, mit B. latinisiert. Von Süditalien drangen die Bacchanalien nach *Rom vor. Die bei diesen Festen mehr und mehr zunehmenden Ausschweifungen und verbrecherischen Handlungen veranlaßten 186 vChr. den römischen Senat, die Bacchanalien nicht nur zu verbieten, sondern auch die überwiegende Mehrzahl der Teilnehmenden, deren Zahl in die Tausende ging, hinzurichten. Nur in verschwindend geringem Umfang konnte der B.-Kult aufrechterhalten werden; den Tempel des B. in Rom besuchte noch Goethe (I/32, 438).
In der Dichtung und in der bildenden Kunst hat B. vielfältige Darstellung gefunden, beruht doch die B.-Kenntnis im wesentlichen auf den Zeugnissen der griechischen Epik und Hymnik, sowie auf den *Tragödien, die sich aus dem Kult des Dionysos entwickelten (vgl. Goethes Inhaltsangabe und seine Übersetzung des Schlußdialogs der „Bacchantinnen" des Euripides, sowie die Übersetzung

eines Fragmentes des *Bacchylides). Bildnerische Darstellungen, meist aus den Zeiten der hellenistischen und römischen Kunst, in der neben dem älteren bärtigen Typ des Gottes auch der junge unbärtige entwickelt wird, werden bei Goethe mehrfach erwähnt: *Torso eines Apolls, oder Bacchus (I/32, 35;* wohl identisch mit dem von H*Meyer genannten vortrefflichen *Sturz eines sitzenden Bacchus: I/32 149);* B. Ludovisi (I/32, 436); B.-Darstellungen, die bei JJ*Winckelmann genannt sind (I/32, 455); ein B.-Kopf über dem Tor eines Palastes in *Padua (III/2, 12); B.-Motive nach Philostrats Gemälden (I/49¹, 70; 75; 93 und 110); *Igler Säule (I/33, 152) und ein *Basrelief von Bacchus, Faun und Faunin,* Abguß einer Terrakotta aus London (*III/11, 87* und IV/42, 222) und B.-Darstellungen auf geschnittenen Steinen der *Hemsterhuisischen Sammlung (I/33, 236 und 255). Auch Goethes Deutung der Tänzerin als eines b.ischen Mädchens in *Der *Tänzerin Grab (I/48, 145–149)* gehört in diesen Zusammenhang, der auf die Doppelwesenheit des Gottes in Mythos und Kultus deutet. Denn auch *Sarkophagen und Urnen verzierte der Heide mit Leben: | Faunen tanzen umher, mit der Bacchantinnen Chor | Machen sie bunte Reihe; der ziegengefüßete Pausback | Zwingt den heiseren Ton wild aus dem schmetternden Horn. | Cymbeln, Trommeln erklingen; wir sehen und hören den Marmor (Venezianische Epigramme: I/1, 307).*
*Renaissance und *Humanismus, gestützt auf die lateinische B.-Überlieferung, beleben im Sinne neuantiker Anschauung B. und das Bacchanal als Darstellungsinhalt in Plastik und Malerei von neuem, Bildthemen, die in der *barocken Kunst im „Triumph des B." gipfeln. *Michelangelos B. – das von Goethe genannte *Bachanal (I/32, 444)* stammt wohl kaum von diesem Künstler – kann als Vorbild einer der Antike nahekommenden Gestaltung genannt werden (1497/1498, Florenz, Mus. Naz.). Sie steht der goetheschen Charakterisierung nicht fern. Die oberitalienische (beginnend mit *Mantegna), namentlich aber die *venezianische Kunst erlangten die Ausgestaltung eines Bildtyps, der maßgebend blieb. Tizian griff mit seinen „Andriern" (1518, Madrid, Prado) auf die Beschreibung des Philostrat zurück; Goethe kannte seit 1820 dies Bild durch den Stich von *Podesta und erkannte sogleich den Zusammenhang (IV/33, 82; dazu: I/49¹, 75). Die auf der rechten Bildseite angebrachte schlafende Andrierin, die ihrerseits auf die „Schlafende Ariadne" des vatikanischen Museums in Rom (2. Jh.

vChr.) zurückgeht, blieb bildmotivisch besonders wirksam. Selbst noch die „Venus" des N*Poussin (1636, Dresden) ist ihr deutlich verwandt. Goethe kannte dieses Bild wohl sicher, wenn er es auch nicht erwähnt; denn seine Beschreibung des philostratischen Bildes der Ariadne (I/49I, 93) trägt deutlich Züge dieses Gemäldes, so daß eine Beziehung glaubhaft wird, auch wenn sie über die gemeinsame Grundlage, die Philostrat für all diese Darstellungen bot, hergestellt werden müßte. Was Goethe an B.-Darstellungen des Barock in Dresden kennenlernte, ist jedoch eine populäre, Laszives und Gemeines nicht scheuende Weiterbildung des Motives, die einer geistigen Entzauberung des Stoffes gleichkommt (J*Jordaens: *Bacchus, betrunken mit Bacchanten;* *Baalen: *Ein Göttermal, Bacchus mit Gefolge: I/47, 372 und 387;* vgl. oben die Darstellungen B. und Ariadne). Zeitgenössische Darstellungen konnten der goetheschen Vorstellung ebensowenig entsprechen – *Seekatz, „Bacchanal" (Darmstadt) oder MJSchmidt, der „Kremser-Schmidt", „Bacchanal" (1790, Nürnberg) – um so weniger, als ihrer rokokohaft-zopfigen Vordergründigkeit keinerlei mythische Vorstellung des Gottes innewohnt (vgl. auch die von Fischetti in S*Leocio/*San Leucio bei *Neapel nach Entwürfen GPh*Hackerts ausgeführten Dekorationen: *Im Mittelbilde war Ariadne und Bacchus im Triumph vorgestellt, und in vier runden Feldern Bacchus, der den Menschen den Ackerbau, Weinbau usw. lehrte: I/46, 304).* Eher vermochte Goethe schon die „Faunenfamilie" aus JW*Tischbeins „Idyllen" zu erfreuen (I/49I, 317). Es ist eine Vielzahl derartiger Bilder des Barock, die dem Dichter erlebnismäßig gegenwärtig waren, als er die Weingärten zwischen *Verona und *Vicenza durchfuhr: *Die Trauben sind zeitig und beschweren die Ranken, die lang und schwankend niederhängen. Der Weg ist voll Menschen aller Art und Gewerbes, besonders freuten mich die Wagen mit niedrigen tellerartigen Rädern, die, mit vier Ochsen bespannt, große Kufen hin und wider führen, in welchen die Weintrauben aus den Gärten geholt und gestampft werden. Die Führer standen, wenn sie leer waren, drinnen, es sah einem bacchischen Triumphzug ganz ähnlich (I/30, 76 aus III/1, 215 f.).* Goethes B.-Vorstellung kann als die ins Bewußtsein getretene Erscheinung der dem Dichter innewohnenden dionysischen Grundkraft bezeichnet werden. Sie beruht auf einem mythisch-naturhaften Erlebnis, wie es Goethe noch eigen war. Daher ist B. für ihn kein literarisches Nachbild, kein Element nur der *Altertumskunde, sondern bei aller Angleichung an die mythographische Überlieferung (vgl. KF*Moritz) eine Eigenformung innerhalb der goetheschen Welt, ist Person und Gestalt. An einem wichtigen Punkt der abendländischen Geistesgeschichte verhinderte Goethe noch einmal die fortschreitende Entmythologisierung und stellte – namentlich im Alter – den unmittelbaren Bezug zum griechisch-antiken Denken her.

In Goethes Welt leben noch Nymphen, Dryaden und Faunen, in seinen Wäldern ist Bromios, der Lärmende, wie Dionysos auch genannt wird, noch gegenwärtig, in einem besonderen Sinne zeitnaher Gott: *Vater Bromius! | Du bist Genius, | Jahrhunderts Genius, | Bist, was innre Gluth | Pindarn war, | Was der Welt | Phöbus Apoll ist (I/2, 69),* wobei in echt goethescher, aber auch der griechischen Anschauung ähnlicher Weise (am delphischen Apollontempel war auf der einen Seite Apollon, auf der anderen Dionysos mit den Thyiaden dargestellt) die so oft als Entgegensetzung gedachten Götter gleichgesetzt werden können, weil sie als Weltkraft empfunden sind. Zuvor ist B. noch weitaus konventioneller. In den *anakreontischen Gedichten ist er der Weingott, ist er eine allegorische Gestalt. Venus wird ihm entgegengestellt: *Große Venus, mächt'ge Göttin! | Schöne Venus, hör' mein Flehn! | Nie hast du mich | Über Krügen vor dem Bacchus | Auf der Erde liegen sehn. | Keinen Wein hab' ich getrunken, | Den mein Mädchen nicht gereicht, | Nie getrunken, | Daß ich nicht voll güt'ger Sorge | Deine Rosen erst gesäugt (1768: I/4, 92).* Auch Jahre später hat sich die Vorstellung noch nicht wesentlich vertieft, als der Dichter zum Preise seiner Geliebten Amor und Lyäus (ein Beiname des Dionysos, vgl. I/10, 51) als Metaphern einführt, wobei der Leib der Geliebten dem Becher und die Liebe mit dem Wein, der den Becher erfüllt, gleichgesetzt wird: *Nein, ein solch Gefäß hat, außer Amorn, | Nie ein Gott gebildet noch besessen! | Solche Formen treibet nie Vulcanus | Mit den sinnbegabten feinen Hämmern! | Auf belaubten Hügeln mag Lyäus | Durch die ältsten, klügsten seiner Faunen | Ausgesuchte Trauben keltern lassen, | Selbst geheimnißvoller Gährung vorstehn: | Solchen Trank verschafft ihm keine Sorgfalt! (Der Becher, 1781: I/2, 106 f.).* So kann B. sogar zum Gott heiterer Liebe werden: *... nach Bacchus, dem weichen, dem träumenden, hebet Cythere | Blicke der süßen Begier, selbst in dem Marmor noch feucht. | Seiner Umarmung geden-*

ket sie gern und scheinet zu fragen: | Sollte der herrliche Sohn uns an der Seite nicht stehn? (*Römische Elegien*, 1790: I/*1*, *246*), womit allerdings dem eigentlichen Wesen b.ischer Frauen widersprochen ist.

Über das Bildungsmäßig-Konventionelle kommen eigentlich auch mehrere spätere Belege nicht hinaus. Im Vorspiel von 1807 beschreibt der *Friede* b.isches Wesen: *Und der Jüngling, volle Flaschen | Schwenkend, wähne, seine Lauben | Habe hier geschmückt der Weingott. | Und vom zartesten Gelispel | Bis zum wildesten Tumulte | Drücke jeder sein Gefühl aus.* Aber die *Majestät* weist auf die dunklere Seite des b.antischen Lebens hin: *Des Ungestümes wilden Ausdruck lieb' ich nicht: | Die Freude kehrt sich unversehens in herben Schmerz, | Wenn ohne Ziel die Lust dahinschwärmt, ohne Maß . . .* (I/*13¹, 35*; vgl. *Aufzug der vier Weltalter*: I/16, 440, und ein Paralipomenon zum *Groß-Cophta*: I/17, 374, sowie das Distichon auf die *Donau: I/5¹, 219).

Doch schon währenddem trat tiefere Lebenserfahrung an die Stelle konventionellen Bildungsgutes und schuf den Mythos neu. Wie im griechischen Kultus allein dem Dionysos und der Demeter wunderbewirkende Eigenschaften zugeschrieben wurden, so findet Goethe in der *Braut von Corinth* jenes glücklich-tragische Motiv von Wein und Brot, die der Liebesfeier in einem fast sakramentalen Sinne (*Abendmahl) zugehören. Die Braut nimmt *den dunkel blutgefärbten Wein; | Doch vom Weizenbrot, | Das er freundlich bot, | Nahm sie nicht den kleinsten Bissen ein. | Und dem Jüngling reichte sie die Schale, | Der, wie sie, nun hastig lüstern trank* (I/*1*, *222*; das gleiche Motiv in dem Gedicht von 1768). Trank und Speise dienen auch hier nur – Goethe gehört eben nicht mehr der griechischen Welt an – der Liebe, wie diese erst den bloßen Nahrungsgenuß mysteriengleich verwandelt: *Hier ist Ceres, hier ist Bacchus Gabe; | Und du bringst den Amor, liebes Kind* (ebda *220*). Aber zu dieser sich vertiefenden B.-Vorstellung Goethes gehört jetzt in entschiedenerem Maße Tod und Untergang, die, im Dionysos-Mythos im Element des Feuers symbolisiert, in der *Ballade zur poetischen Realität werden. Den sicheren Tod vor Augen, den sie als junge Christin und nun Abtrünnige als ein bewußtes Opfer auf sich nimmt, ruft die Braut ihrer Mutter entgegen: *Wenn der Funke sprüht, | Wenn die Asche glüht, | Eilen wir den alten Göttern zu* (I/*1*, *226*).

Damit war das Grundmotiv b.ischen Wesens wiedergewonnen: B. bewirkt die Verwand-lung, er ist der Löser des Verschlossenen, sein Wein, der durch Verwandlung aller vier Elemente Charakter und Wirksamkeit erhält, gibt mit der höchsten Lebenssteigerung zugleich den Tod. Das Feuer bewirkt die andere Verwandlung, führt erst wieder zum Wesen zurück, zum Anblick des Gottes, wie denn das Feuer einst die Geburt des Dionysos löste, ihn zum Göttlichen wandelte, seine Mutter jedoch tötete. Es ist der Boden vorbereitet, dem das Interesse an den „Bacchantinnen" des Euripides und an dem Gedicht des Bacchylides entwachsen kann. B. ist darin der Bringer von Trost und Sorgen: *Aber Gold und Elfenbein | Ziert die Häuser | Purpurne Schiffe | Bringen von Egypten | Den Reichtum der Früchte | Des Trinckenden | Herz beruhigend* (I/*53*, *358*). Die Motive erweitern sich, und die dem B. zugeordneten Elemente werden gegenständlich bereichert: Schiffe gehören dazu und Wagen, Wasser, Delphine und Fischer und natürlich die Winzer. Diese, *aus den Keltern, | Felsenkellern tretend, reichen | Schal' um Schale . . . | Den beseelten Wellen zu . . . | Die geschmückte | Schönste Schale reicht ein Alter, | Bärtig, lächelnd, wohlbehaglich, | Ihm, dem Bacchusähnlichen* (Pandora: I/*50*, *342*). Hier wird der vollkommene Lebenszustand gedacht, durch Erlebnis und Einfühlung bildhaft anschaubar und der Gott darin in seiner Epiphanie erlebt. Ein Bruchstück zu *Pandorens Wiederkehr* faßt diese Motive zusammen: *Philerôs in Begleitung von Fischern und Winzern. Dionysisch. Völliges Vergessen* (1808: I/*50*, *457*). Später werden eigene Wortprägungen zur Bezeichnung b.ischen Wesens gefunden. Am klarsten treten sie in der Beschreibung der *Tänzerin* in *Der Tänzerin Grab* auf: *Gewaltsam erscheint sie hier in einer mänadischen Bewegung, welche wohl die letzte sein mochte, womit eine solche Bacchische Darstellung beschlossen wurde, weil drüber hinaus Verzerrung liegt . . . sie ist ebenso gut eine Verzweifelnde als eine vom Gott mächtig Begeisterte . . . sie achtet ihrer Bewunderer nicht, aller Außenwelt entrückt, ganz in sich selbst hineingeworfen* (I/*48*, *148* f.). Diese kontradiktorischen Prägungen, die schon früher einmal in der *Iphigenie – Unbändig-heil'ge Wuth* (I/*10*, *51*) – auflebten, gipfeln in der b.ischen Szene im zweiten Teil des *Faust*.

Dort bewirken die Elemente Leben, Verwandlung und Tod. Das Element des Wassers ist die lebenspendende Feuchte (*Homunculus), vom Meere kommen die Reichtümer in den Hafen Fausts, der dem Wasser Land als den Ort des Menschen abgewinnen will. Feuer zerstört das Alte, um Neues zu schaffen (*Philemon* und *Baucis*), wie denn *Euphorion* das Reich der Luft dem Menschen zu eröffnen sich anschickt. In dieser von Goethe denkend erschaffenen Welt ist B. Gestalt und Gott geworden. In den *Römischen Elegien* war er in ästhetischer Nachempfindung der *weiche, der träumende (I/1, 246;* dazu die Epitheta zu *Adam: I/49^II, 90), jetzt ist B. der *Weichling:* er *Ruht in Lauben, lehnt in Höhlen, seiner Träumereien halbem Rausch* dient der Wein. Der Winzer betet *zu allen Göttern, fördersamst zum Sonnengott, der – Lüftend, feuchtend, wärmend, gluthend –* den Wein heranreifen läßt, den der Winzer zuvor, das Element der Erde nutzend, *Bald mit Hacke, bald mit Spaten, bald mit Häufeln, Schneiden, Binden* gepflegt hat. Beim Keltern geschieht die Verwandlung, bewußt tritt der griechische Name des Gottes an die Stelle des lateinischen (allerdings, nach dem Versmaß zu urteilen, mit lateinischer Betonung auf der vorletzten Silbe), ja, es hat den Anschein, daß B. sich in Dionysos zurückverwandelt. Organisch wachsend hatten sich die Motive bis zu dieser Gültigkeit entwickeln müssen. Erst der ganze Zusammenhang offenbart Sprach- und Bildkraft Goethes (der schon im *Vorspiel* von 1807 die sprachrhythmische Vorbereitung hatte anklingen lassen): [Chor] *Wallt ihr andern wo's beliebet, wir umzingeln, wir umrauschen | Den durchaus bepflanzten Hügel, wo am Stab die Rebe grünt; | Dort zu aller Tage Stunden läßt die Leidenschaft des Winzers | Uns des liebevollsten Fleißes zweifelhaft Gelingen sehn. | Bald mit Hacke, bald mit Spaten, bald mit Häufeln, Schneiden, Binden, | Betet er zu allen Göttern, fördersamst zum Sonnengott. | Bacchus kümmert sich, der Weichling, wenig um den treuen Diener, | Ruht in Lauben, lehnt in Höhlen, faselnd mit dem jüngsten Faun. | Was zu seiner Träumereien halbem Rausch er je bedurfte, | Immer bleibt es ihm in Schläuchen, ihm in Krügen und Gefäßen | Rechts und links der kühlen Grüfte ewige Zeiten aufbewahrt. | Haben aber alle Götter, hat nun Helios vor allen, | Lüftend, feuchtend, wärmend, gluthend Beeren-Füllhorn aufgehäuft, | Wo der stille Winzer wirkte, dort auf einmal wird's lebendig, | Und es rauscht in jedem Laube, raschelt um von Stock zu Stock. | Körbe knarren, Eimer klappern, Tragebutten ächzen hin, | Alles nach der großen Kufe zu der Keltrer kräft'gem Tanz; | Und so wird die heilige Fülle reingeborner saftiger Beeren | Frech zertreten, schäumend, sprühend mischt sich's widerlich zerquetscht. | Und nun gellt in's Ohr der Cymbeln mit der*

Becken Erzgetöne, | Denn es hat sich Dionysos aus Mysterien enthüllt; | Kommt hervor mit Ziegenfüßlern, schwenkend Ziegenfüßlerinnen, | und dazwischen schreit unbändig grell Silenus öhrig Thier [der dem Dionysos heilige Esel, der durch das Abfressen der Rebentriebe das Beschneiden des Weinstocks gelehrt hat]. | *Nichts geschont! Gespaltne Klauen treten alle Sitte nieder, | Alle Sinne wirbeln taumlich, gräßlich übertäubt das Ohr. | Nach der Schale tappen Trunkne, überfüllt sind Kopf und Wänste, | Sorglich ist noch ein- und andrer, doch vermehrt er die Tumulte, | Denn um neuen Most zu bergen, leert man rasch den alten Schlauch (I/15^I, 242–244).* Goethe hatte die Höhe mythischen Denkens erreicht und mit seiner dichterischen Kraft die bildlichen Darstellungen der neueren Zeit übertroffen.   *Lö* Pauly-Wissowa 3/2 Sp. 2751 und 5/1 Sp. 1010 ff. – WFOtto: Dionysos, Mythos und Kultus. 1933. – MGarce und RMortier: Histoire générale des Religions. Bd 2: Grèce-Rom. 1948. S. 224–227. – HHunger S. 67 und 91–95. – RDK 1 Sp. 1321–1339.

Bacchus I. II. Eine Bronzestatuette eines stehenden Bacchus mit Nebris aus dem 2. Jahrhundert nChr. erhielt Goethe durch Major v*Staff, der sie in Italien erworben hatte, 1822 für seine Sammlung (Schuchardt 2 S. 13 Nr 31; vgl. III/8, 172; IV/35, 286; I/36, 211). Ein Jahr später schickt ihm ChLF*Schultz den Abguß einer zweiten Bronzestatuette: *Können Sie mir ähnliche kleine Dinge von Zeit zu Zeit zusenden, so verpflichten Sie mich höchlich. Die Brosamen von dem reichen Tisch der Alten sind es doch eigentlich, wovon ich lebe (IV/37, 36).* *Hm* Wegner S. 88 f. – Grumach S. 570 f.

Bacchylides | Bakchylides (ca 505–ca 430 vChr.), wurde nach eigenem Zeugnis auf der griechischen Kykladeninsel Keos (heute: Kea; südöstlich nahe vor Attika/Athen), der Heimat auch seines Oheims *Simonides, geboren, und zwar wie dieser in Julis. B. zählt zu den namhaften, wenn auch nicht zu den ganz großen Lyrikern der griechischen *Antike. Die Familie (Name des Vaters und des väterlichen Großvaters: Medon/Meidon/Meidylos) scheint seit alter Zeit dem *Dionysos-Kult auf Keos nahegestanden zu haben. B. gehörte also zur Aristokratie seiner Vaterstadt; außerdem machte er sich als Wettkämpfer (ἀθλητής) bekannt. Längere Zeit in Sizilien am Hofe Hierons (Syrakus) und im Kreise seines Oheims Simonides, wegen des dortigen politischen Klimawechsels dann für einige Zeit wieder in der Heimat, hier wegen seiner monarchistischen Gesinnung mißliebig, schließlich wohl sogar verbannt, wandte er sich nach der Peloponnes, um hier in der Ursprungsatmosphäre der alten Chorlyrik seinen Lebensweg zu beschließen. B.s literarische Stellung bestimmt sich aus seiner Schülerschaft zu Simonides sowie aus seiner Gegnerschaft zu *Pindar. In dichterischer Kraft steht er beiden nach, entfaltete aber trotzdem nachwirkende Bedeutung, vor allem in der *römischen Literatur (*Horaz, *Tibull). „Es will schon etwas heißen, daß die alten Kunstrichter ihn in den Kanon der klassischen Lyriker aufnahmen" (OCrusius in: Pauly-Wissowa). In der Goethe-Zeit war nur verhältnismäßig wenig aus dem Reichtum der mehr gefälligen als genialen, mehr anmutigen als hingerissenen Lyrik B.s bekannt (1823: CFNeue: Bacchylides fragm. coll. rec. interpr.; 1843: ThBergk: Poetae lyrici. Gr.; erst 1896 vermittelte ein glücklicher Papyrusfund bessere Kenntnisse: 13 Epinikien, 6 Dithyramben); Goethe selbst benutzte wahrscheinlich eine auf den Textrezensionen des Straßburgers RFPLBrunck (1729–1803) beruhende Auswahl („Anthologia Graeca sive poetarum graecorum lusus". Leipzig 1794. Theil 1, S. 84 Nr XI) und fand darin das Gedichtfragment des B. „... γλυκεῖ' ἀνάγκα / σευομενᾶν κυλίκων θάλπησι θυμόν, Κύπριδος τ' ἐλπὶς διαιθύσσῃ φρένας, ἀμμειγνυμένα Διονυσίοισι δώροις. (heute: BSnell. 1934, S. 84 f. fragm. 4, V. 23–40), das er sowohl poetisch wie interlinear übersetzte (I/53, 358). Der chronologische oder gar der systematische Zusammenhang, dem dieser flüchtige goethesche *Übersetzungs-Versuch angehört, ist nicht bekannt. Die eigenhändige Orthographie des ungenauen Entwurfs könnte eine nicht zu späte Lebensphase (noch vor 1800?) wahrscheinlich machen. *Za*

Pauly-Wissowa 2/2, Sp. 2793–2801. – HRüdiger: Griechische Gedichte. ³1936, S. 136–139; 353.

Bacci, Pietro Giacomo (gest. 1656), Priester in der von Philipp *Neri gestifteten Congregazione dell'Oratorio zu Rom, verfaßte aus Anlaß der Heiligsprechung des Stifters eine „Vita del B.Filippo Neri fiorentino" (Rom 1622), die als Fernwirkung Goethes erst 1859 in deutscher Bearbeitung von CBReiching, mit einer Lobrede des Kardinals Wiseman, einem Kalendarium aus Sprüchen des Heiligen und mit einem Stahlstich erschien. Goethe benutzte die italienische Originalfassung in einer Ausgabe von 1745. Die Schrift befand sich in seinem persönlichen Besitz, er las sie in den Tagen vom 12. bis zum 16. XI. 1810 (III/4, 166), als er daranging, die Erinnerungen an das Fest des Heiligen (26. Mai), dem er 1787 in *Neapel beigewohnt hatte, für die Darstellung neu zu beschwören. Dabei

hatte Goethe – wohl an Ort und Stelle käuflich – eine kleine Lebensbeschreibung des Heiligen erworben. Deren Extrakt verwandte er für seinen Reisebericht unter dem Datum des 27. V. 1787, einschließlich auch des Wahlspruches in der vereinfachten Form: *Spernere mundum, spernere te ipsum, spernere te sperni (I/31, 249)*. Später wird dieser Wahlspruch als bernhardinische Maxime bezeichnet: Spernere mundum, spernere neminem, spernere se ipsum, spernere se sperni (vgl. die als Distichon metrisch gebundene Fassung des 12. Jahrhunderts: Spernere mundum, spernere sese, spernere nullum, / spernere se sperni, quatuor haec bona sunt). Man kann eine freilich negativ erscheinende Affinität zu der positiv formulierenden *Ehrfurchts*-Lehre bemerken, wie sie in den seit dem Sommer 1807 sehr langsam reifenden *Wanderjahren* entwickelt wird. Außerdem steht Philipp Neri vor Goethes Auge als eine jener beispielhaften Gestalten, in denen *zusammengehaltene unzersplitterte Geistes- und Körperkräfte sich mit erstaunenswürdiger Energie hervorthun konnten (I/32, 200)* und eben dadurch der goetheschen Daseinsdeutung und Daseinsbewältigung als wahlverwandt zu erscheinen vermochten, nicht zuletzt deswegen, weil eine solche in der Wirklichkeit der Wirklichkeiten sich ereignende Lebensleistung nicht ohne *Ironie im Sinne der εἰρωνεία möglich ist. Wohl eher wider seinen Willen wurde B. zu Goethes Mittelsmann. *Za*

Enciclopedia cattolica 2 (1949), Sp. 648.

Bach, Johann Nikolaus (4. VIII. 1802 bis 17. I. 1841), Dr., geboren zu Montabaur am Westerwald, gestorben als Gymnasialdirektor in Fulda. B. war ein hochbegabter Altphilologe. Seine Ausbildung, auf dem Gymnasium zu Montabaur begonnen, seit 1817 in Weilburg/ Lahn (Snell; Krebs) fortgesetzt, führte ihn 1821 mit Beginn des Universitätsstudiums nach Bonn als Haus- und Tischgenosse sowie als Schüler zu AW*Schlegel. Auch von den zahlreichen anderen Universitätslehrern (Näke, *Welcker, Hüllmann, Delbrück, Diesterweg, vCalker, Brandis), besonders aber durch den Universitätskurator Rehfues gefördert, erregte er weitere Aufmerksamkeit durch die verdienstvolle Anfertigung eines Realkatalogs der griechischen und lateinischen Literatur für die Universitätsbibliothek in Bonn, hauptsächlich aber durch seine Preisschrift über die Philosophie des Marcus Aurelius Antoninus. Seine Studien in Bonn beendete er am 26. IV. 1825 durch die Magister- und Doktor-Promotion mit einer Dissertation über Solon als Dichter. Anschließend wurde ihm auch noch der Besuch der Universität in Berlin ermöglicht, wo sich Boeckh, Buttmann, Süvern, Schmedding, Schulze, vor allem aber Wv*Humboldt seiner annahmen. Auf Humboldts Empfehlung wurde er am 18. XI. 1825 Gymnasiallehrer in *Oppeln, trat dem Hause des oberschlesischen Regierungspräsidenten vHippel nahe und heiratete dessen Tochter Franziska. Am 17. III. 1828 wurde er Oberlehrer am Leopoldinischen Gymnasium in *Breslau und erhielt aufgrund seiner Schrift über Philitas von Kos die venia legendi für klassische Philologie an der dortigen Universität. Er stand in zunehmend regem Kontakt mit bedeutenden, zT. ebenfalls noch jungen breslauer Gelehrten (Wachler, Passow, Schneider, Regis, vColle, Schulz, Ebers, Zastrau), wurde 1830 Mitglied der wissenschaftlichen Prüfungskommission, folgte aber 1835 einem Ruf nach Fulda, um Gymnasialdirektor zu werden. Eine Lungenlähmung riß ihn dort nach fünfjähriger Tätigkeit aus verheißungsvoller Schaffensarbeit in den Tod. Goethe kannte B., der mit nachdrücklichen und berechtigten Empfehlungen aufwarten konnte, nicht persönlich, empfing aber am 10. XII. 1830 mit Aufmerksamkeit dessen Programm über eine zur Veröffentlichung heranstehende, 1831 dann erschienene *Tyrtaeus-Arbeit (III/12, 341; 411). Goethe war in diesen letzten Lebensjahren (1815; 1827), sogar polemisch gegen gewisse Zeitströmungen, ganz besonders für Tyrtaeus interessiert, weil dessen Dichtung *nicht bloß Schlachtlieder singt, sondern auch den Menschen mit Mut ausrüstet, die Kämpfe des Lebens zu bestehen (Bdm. 3, 450)*. B. konnte um diese Haltung Goethes wissen. Über die anderen Schriften B.s findet sich bei Goethe keine Notiz.   *Za*

Neuer Nekrolog der Deutschen 19 (1841), S. 125–128. – Poekel S. 10.

Bach, 1) Johann Sebastian (1685–1750), der Großmeister der Barockmusik, trat immer mehr in den Mittelpunkt von Goethes musikalischen Erlebnissen und musikgeschichtlichen Interessen. Genau elf Monate deckte sich noch beider Lebenszeit, gleichwohl scheint, solange Goethe in *Leipzig studierte, der Name des Thomaskantors nicht mehr an sein Ohr gedrungen zu sein, so rasch wurde B. durch den schroffen Stilumschwung nach seinem Tode vergessen. Ebensowenig erinnerte man sich in Weimar des voreinst hier blühenden, aber 1717 im Zorn geschiedenen Hoforganisten. Erst im neuen Jahrhundert, als Forkel 1802 für B. eine

Werbeschrift fanfarenhaft hatte ausgehen lassen, entdeckte ihn Goethe, der sich von JHF *Schütz in *Berka (über den erfurter ChKittel zurück B.s Enkelschüler) gern das Jugendwerklein des „Capriccio auf die Abreise des geliebten Bruders", und hieraus zumal die Aria ... di Postiglione als vermeintliches Trompeterstückchen (Bdm. 2, 232) vorführen ließ. Immer lebhafter gelangt Kunde von B. durch *Zelters Berichte über die berliner Singakademie zu ihm, wesentlich war 1829 die Nachricht von F*Mendelssohns öffentlicher Aufführung der Matthäuspassion: *Es ist mir als wenn ich von ferne das Meer brausen hörte (IV/45, 218)*. 1819 schrieb Goethe an Zelter, er habe sich in Berka täglich 3–4 Stunden lang von Schütz in historischer Reihenfolge von JSB. bis *Beethoven vorspielen lassen; daß hierbei B. nicht nur der älteste, sondern zugleich meistbegünstigte Komponist gewesen, erhellt daraus, daß Goethe dem Badeinspektor das *wohltemperirte Clavier so wie die Bachischen Chorale* ein zweites Mal schenkte (IV/31, 45), damit er sie auch für weimarer Vorspielstunden gleich zur Hand hätte. RvBeyer, ein Zelter-Schüler, war Zeuge des berkaer Bachhörens. Über das rechte Anhören von b.schen Werken korrespondierten Goethe und Zelter 1827; der Singakademiedirektor erzählt vom Studium der Motetten, der h-moll Messe, beider Passionen. Zur Deutung des tiefsinnigen Goethe-Worts über B.s Musik *als wenn die ewige Harmonie sich mit sich selbst unterhielte, wie sich's etwa in Gottes Busen, kurz vor der Weltschöpfung, möchte zugetragen haben, so bewegte sich's auch in meinem Innern und es war mir als wenn ich weder Ohren, am wenigsten Augen, und weiter keine übrigen Sinne besäße noch brauchte (21. VI. 1827: IV/42, 376)* betont (gegen HAberts mehr rational-historische Auslegung) HJMoser die mehr orphisch-mystische Tiefenschau; so auch Müller-Blattau. 1830 erbte für zwei Wochen der 21jährige FMendelssohn das Vorspielamt des inzwischen verstorbenen Schütz und begeisterte – wieder in gewünschtem historischen Ablauf – Goethe besonders mit der Trompetenouvertüre B.s in D-dur, deren Eindruck Goethe bildhaft in Worte umsetzte: *man sehe ordentlich die Reihe geputzter Leute, die von einer großen Treppe herunterstiegen (nach FMendelssohn: 1830)*. Am letzten Geburtstag, den Goethe erlebte, musizierte Zelter ihm zu Ehren B.s gewaltige Motette „Singet dem Herrn ein neues Lied" – auf Wunsch der Ausführenden gleich zweimal.

Goethe sah B. noch kaum – wie wir – in den liturgischen oder geistesgeschichtlichen Bindungen seiner Zeit, sondern einmal als absolute ästhetische Größe obersten Formats, dann aber innerhalb der hamann-herderschen Idee der wahren Kirchenmusik von *Palestrina her offenbar als den frühesten großen Subjektivisten der Tonkunst – zugleich aber auch in seinen Präludien und Fugen als geheimnisvollen Abbildner jener kosmischen Ordnungen der Musik, deren Goethe zumal im *Faust* wiederholt (vom Engelsterzett im *Prolog im Himmel* bis zu *Ariels* Weckgesang am Beginn des II. Teils) gedacht hat.   *Mr*

HAbert: Goethe und die Musik. 1922. – HJMoser: Goethe und die Musik. 1949. – JMüller-Blattau: Goethes Weg zu JSBach. In: Goethe 12 (1950), S. 53–59.

–, 2) Philipp Emanuel (1714–1788), Johann Sebastians zweiter genialer Sohn, wurde Goethe mit seiner Klaviermusik ebenso wie der Altmeister selbst durch den Badedirektor und Organisten *Schütz in Berka nahegebracht. Goethe beklagt (an Zelter 3. V. 1816) den Brand in Berka, bei dem das *hübsche Wiener Clavier des Organisten Schütz, seine Sebastian, Philipp Emanuel Bache usw. (IV/27, 7)* ein Raub der Flammen wurden. Am 4. I. 1819 berichtet er dem Freund, daß ihm Schütz wieder und zwar *auf mein Ersuchen, nach historischer Reihe* vorspiele: *von Sebastian Bach bis zu Beethoven, durch Philipp Emanuel, Händel, Mozart, Haydn durch (IV/31, 45)*. Zelter sendet als Ersatz für das beim Brand Verlorene (Brief an Goethe vom 17. III. 1822) sechs Orgelsonaten von PhEB., darunter ein *Autograph. Daß auch der junge FMendelssohn-Bartholdy (Brief an Zelter vom 3. VI. 1830) der Goethe musikalische *Musterstücke aller Art* und zwar *von der Bachischen Epoche heran* in historischer Folge vortragen mußte, PhEB. gespielt hat, ist wahrscheinlich *(IV/47, 86)*.   *MB*

Bacharach, linksrheinischer bekannter Weinort. Goethe sah B. erstmals 1772, *auf einer nach Mainz rückkehrenden Jacht den Rhein aufwärts* fahrend *(I/28, 186)*, am Ufer liegen, als er seine Rheinreise mit JH*Merck und den Seinigen machte. Am 3. IX, 1814 genoß er, wieder im Herbst, vom *Niederwald den Blick auf den malerisch gelegenen Ort (I/34ᴵ, 58).   *Za*
Vgl. RV S. 11; 50.

Bachelier, Jean Jacques (1724–1806), seit 1763 Blumenmaler an der Académie royale in Paris und als solcher Leiter der Porzellanmalerei der königlichen Manufaktur in Sèvres, stiftete 1766 ein freies Zeicheninstitut für Kunsthandwerker – ein damals neuer Versuch, von der Kunst auf das Handwerk einzuwirken. Seine Art, in möglichster Naturtreue die unbelebten Gegenstände der Natur nachzuahmen, wird in dem von Goethe kommentierten *Versuch über*

die Mahlerei von *Diderot, in dem das Malen des Fleisches höher geachtet wurde als das Malen unbelebter Gegenstände, zweimal erwähnt (I/45, 297; 299).   *Lö*
ThB 2 (1908), S. 312.

Bachmann, Franz Moritz (1748–1809), aus Heiligenstadt/Eichsfeld, studierte an der Universität Mainz Rechtswissenschaften, lebte dann dort und seit 1773 in Heiligenstadt als Lehrer, später als Privatdozent in Mainz, wurde 1776 Oberlandgerichtsassessor im Eichsfeld und 1779 Lehrer des Staatsrechts an der Universität *Erfurt, später außerdem dort Regierungsrat und Verwalter des Dekanats der Juristischen Fakultät und des Rektorats der Universität. Nach dem Übergang Erfurts an Preußen wurde er 1802 preußischer Kriegs- und Domänenrat in Heiligenstadt, ging jedoch kurz darauf in Pension. 1807 ernannte ihn der Fürstprimas KTv*Dalberg, der B. aus seiner Erfurter Statthalterzeit kannte, zum Professor der Rechte an der Universität Aschaffenburg, wo B. bald darauf starb. Daß Goethes Tagebuchnotiz vom 15. I. 1791: *Die Erfurter (III/2, 26)*, sich auf einen Besuch B.s in Weimar bezieht, zeigen Einträge im weimarischen Hoffourierbuch, nach denen am 15. I. 1791 der Regierungsdirektor v*Belmont und der Regierungsrat Bachmann aus Erfurt an der Hoftafel teilnahmen.   *Hk*
Intelligenzblatt der JALZ 1810, Nr 4. – Meusel: Das gelehrte Teutschland Bde 1, 13, 17.

Bachmann, Gottlob (1763–1840), Musiker aus Bornitz bei Zeitz, seit 1791 Organist an der Nikolaikirche in Zeitz, Komponist von Singspielen, Klavier-, Orgel- und Kammermusik, Liedern und *Balladen, ua. von Goethes *Zauberlehrling* und *Erlkönig.* Nach einer Äußerung seines Biographen hatten seine Kompositionen „nichts was sie auszeichnete, weder im Guten noch Bösen".   *Hk*
ADB 1 (1879), S. 753. – HJMoser: Goethe und die Musik. 1949. S. 144 und 157.

Bachmann, Johann Gottlieb (gest. 1791), Jurist, seit 1759 Rentsekretär in *Allstedt. Goethe traf mit ihm am 9. III. 1779 auf einer gemeinsam mit *Castrop nach Allstedt unternommenen Inspektionsreise zusammen: *mit Bachm gessen (III/1, 82)*. Ob der im Tagebuch am 26. V. 1777 vermerkte *Verdruss Wedels über Bachmann (III/1, 39)* sich auf ihn oder auf den Kammerverwalter WBH *Bachmann bezieht, ist ungeklärt.   *Hk*

Bachmann, Karl/Carl Friedrich (1784–1855), Philosoph, mit Goethe durch ein *freundliches Verhältniß* verbunden *(IV/35, 256)*, studierte seit 1803 Theologie und Philosophie bei

FW*Hegel in Jena und wurde 1806 promoviert, hielt sich dann in *Dresden, *Heidelberg und (als Hauslehrer) in der *Schweiz auf und habilitierte sich 1811 in Jena mit einer „Dissertatio Aesthetices apud Graecos vestigia quaerem", nachdem er schon im Vorjahre seine Tätigkeit als Privatdozent aufgenommen hatte. Mit der Übernahme eines Extraordinariats für Philosophie (1812) rückte er in die traditionsreiche Stelle ein, die vor ihm *Schiller, AW*Schlegel, FWv*Schelling, zu dem er sich begeistert bekannte, und Hegel innegehabt hatten. Nachdem JAH*Ulrich (vgl. über ihn und seine Stellung zu F*Schlegel Schiller an Goethe 16. III. 1801) 1813 gestorben war, wurde B. o. Professor für Politik und Moral, ein Ordinariat, für das auch JF*Fries und JFHerbart in Erwägung gezogen worden waren. „Für den philosophischen Unterricht hat er, besonders in der späteren Zeit, um so weniger bedeutet, als er sich ganz seinen mineralogischen Neigungen hingab. Über seinen geringen Lehrerfolg war man sich bald im Klaren" (MWundt, S. 320; vgl. 1820 PhWv*Motz an die Regierung in Weimar). Gleichwohl kann B. als „Statthalter" der großen Philosophen-Tradition in Jena gelten. Als 1816 der Lehrstuhl für Logik und Metaphysik besetzt werden sollte, sprach sich Goethe gegen Schelling und für Fries nur zögernd aus; letzterer erhielt den Ruf, doch wurde er schon 1819, weil er am *Wartburgfest teilgenommen hatte, unter Belassung seiner Bezüge seines Postens enthoben. So war B. lange Jahre der einzige Vertreter seines Faches. 1822 hat er sich in seiner Eigenschaft als Dekan gegen die Berufung A*Schopenhauers auf den noch verwaisten Lehrstuhl für Logik und Metaphysik ausgesprochen und sich ua. für Herbart, Köppen und AWendt eingesetzt (dagegen der Brief von F*Osann an Schopenhauer vom 8. III. 1823, daß B. „Ihrem philosophischen Scharfsinn, Originalität der Gedanken und Genie alle Gerechtigkeit widerfahren läßt, ohne darum die Totalität Ihrer Ansichten zu billigen und Ihrem System zu folgen". Unbeweisbar bleibt, daß sich B. und Goethe für eine Berufung Schopenhauers eingesetzt haben). 1824 wurde dann EReinhold berufen, nachdem Fries den Lehrstuhl für Mathematik erhalten hatte.

B.s erste Veröffentlichung „Die Kunstwissenschaft in ihrem allgemeinen Umrisse dargestellt, für akademische Vorlesungen" (1811) wies B. als Hegel-Schüler aus, indem er sich unter Ablehnung der *aristotelischen Kunstlehre zum Reich der Ideen im Sinne *Platons

bekannte: „Denn die Werke des Menschen sind Spiegel der Naturwerke, Natur und Gedicht [nach B. sind alle Kunstwerke „Gedicht"] verhalten sich wie Weltschöpfung und Kunst, wie Gott und Künstler, also kann auch die Kunstwissenschaft nur durch die Naturwissenschaft verstanden werden und ist auf sie gegründet" [vgl. *Bildende Kunst 2], ja, „der Mensch denkt sich Gott als Künstler" (S. 11; dieser Gedanke auf neuplatonischer Grundlage zuerst bei Dion von Prusa). „… Kunst ist Nachweltschöpfung, ist verkörperte Idee, Ausdruck, Hülle, Symbol des Geistigen, und deshalb von universeller Beziehung. Das Kunstwerk ist nichts ohne die Idee, es lebt nur und hat Bedeutung durch sie" (S. 18). Neben der starken Einwirkung Hegels werden jedoch in der Einteilung der Künste und Kunstgattungen (plastische, akustische, logische, das ist Plastik/Malerei, Musik, Dichtung; bei I*Kant: redende, bildende und Kunst des Spiels der Empfindungen, das ist Beredsamkeit und Dichtung, Plastik als Kunst der Sinnenwahrheit, Malerei als Kunst des Sinnenscheines, sowie endlich Musik) Gedanken Kants aufgenommen und umgebildet. Doch ist im Bereich der ästhetischen Kategorien B. trotz spürbarer romantischer Impulse – „lieber Leser, lies diese Schrift aufmerksam, durchdenke sie und behandle sie mit Hochachtung. Denn sie verstattet Dir einen Blick in mein innerstes Wesen, ich gebe Dir hiermit einen Theil meines eigenen Selbst" (S. VII) – gegenüber der Kunstlehre des 18. Jahrhunderts und ihrer Urteilsmaßstäbe nicht wesentlich originell. Dieses Werk legte B. am 21. VII. 1811 Goethe vor (III/4, 221), dessen *Propyläen* er in der „Bibliographie zur neueren Ästhetik" unter der Rubrik Idealismus zitiert hatte.

Doch erst seit 1813 (10. II.: III/5, 15) kam es zwischen Goethe und B., meist in Jena, zu einem engeren persönlichen Verkehr. Häufige Zusammenkünfte fanden im Dezember 1814 in Jena statt (III/5, 141–144; 25. II. 1815 in Weimar: III/5, 151; 20. V. 1816 in Jena: III/5, 232; 1. IV. 1817 in Jena: III/6, 29). Mehrfach ist B. mit Goethe in Gesellschaft bei KLv*Knebel (28. XI. 1817: III/6, 141; 29. III. 1818: III/6, 189) oder mit andern bei Goethe zu Gast (11. VI. 1818: III/6, 216; 19. XII. 1818 zusammen mit H*Meyer, CW*Coudray, W*Rehbein und Kanzler v*Müller: III/6, 273). Auf Gespräche über naturwissenschaftliche Probleme läßt die Tatsache schließen, daß Goethe B. wie anderen jenaer Professoren des *Staatsrath Schultz* *physiologische Farbenerscheinung* zusandte (5. IV. 1817: *III/6, 31*). Erstmals 1821 werden gemeinsame *mineralogische Interessen bezeugt, als *Professor Bachmann, schöne Gebirgsarten vom Fichtelgebirg bringend,* Goethe in Jena besuchte (1. X.: *III/8, 119*). Zu der Zeit hatte B. bereits seine Hauptschriften veröffentlicht, von denen Goethe ebenfalls Kenntnis nahm. Zwar B.s zweites Werk „Über Philosophie und ihre Geschichte" (1811), mit der er sich auf die politischen Verhältnisse seiner Zeit bezieht und Geschichte im Sinne Hegels als Realisation des absoluten Geistes und die Geschichte der Philosophie als Geschichte der Wissenschaft des Absoluten erklärt, wurde Goethe offenbar erst am 17. VII. 1820 bekannt (III/7, 197). Doch veranlaßte die Arbeit „Über Philosophie und Kunst, ein platonisches Fragment, als Beilage zu Schellings Rede über das Verhältniß der Kunst" (1812) am 10. VI. 1812 selbst in *Karlsbad zu einem *Gespräch über die theoretischen Tendenzen* B.s *(III/4, 293 f.).* – Mehr zu Kant neigte B., als er „Über Sprach- und Begriffsverwirrung der deutschen Philosophie in Verstand und Vernunft" (1816) schrieb. Ohne je zu einem eigenen philosophischen System zu gelangen, griff B. in seinem Werk „Über die Philosophie meiner Zeit, zur Vermittlung" (1816) weiter aus, indem er die *französische Revolution und die deutsche Philosophie als die beiden großen Antriebe seiner Gegenwart bezeichnete und letzterer, wenn sie erst einmal die Aufspaltung in Richtungen überwunden haben würde, die Aufgabe zuerteilte, das nationale Leben mitzugestalten. Goethe, der dieses Buch am 7. und 8. X. 1816 las (III/5, 275 f.), dankte B., da es ihm bei der Redigierung seiner *Arbeiten im naturhistorischen Fache* nützlich sei: *Aus Ihrem Buche seh ich, daß ich mit Ihnen in gleicher Richtung gehe* (3. X. 1816: *IV/27, 183f.).* Im Gegensatz dazu mußte Goethe B.s, von der Gesellschaft der Wissenschaften in Utrecht preisgekrönte Schrift „Von der Verwandtschaft der Physick und Psychologie" (1821), die ihm der Verfasser am 27. 1. 1822 übersandte (eingegangen 28. I.: III/8, 162; 317; Goethe las sie am 29. I. und 1. II.: III/8, 162 f.), bei Anerkennung der darin abgehandelten Geschichte des Problems scharf kritisieren: *Nun gelang ich aber an den dritten Abschnitt, wo eine vorher schon geahndete Differenz entschieden sich ausspricht.* B. hatte ausgeführt, daß „nur dadurch die Physick eine selbständige, unerschütterliche Wissenschaft geworden (sei), daß Newton und mehrere das

tiefste Studium der Mathematick auf dieselbe angewandt haben, daß es ihnen gelang, die einzelnen Phänomene der Sinnenwelt in die intelligible Welt überzusetzen, und in die Formeln und Figuren der Mathematick, in die ewigen Gesetze des Geistes aufzulösen". *Hier mach ich Halt nach längst geprüfter Lebensregel: was mit mir übereinstimmt, bringt eine heitere Stunde; dem aber ein Ohr zu leihen, was mir widerstrebt, warte ich auf einen heitern Augenblick, wo ich mir selbst gewissermaßen gleichgiltig bin und auch wohl das Gegentheil von meinen Überzeugungen geschichtlich anhören mag* (2. II. 1822: *IV/35, 256*). Diese Kritik mag in der von B. durchgeführten Trennung von Erfahrung und Beweis, von Anschauen und Denken begründet sein, die für Goethe eine unauflösbare Einheit sind. Zwar hatte B. früher („Die Kunstwissenschaft", S. 16) dem höchsten Wesen und nur ihm allein zuerkannt, daß sein „Anschauen zugleich ein Denken", sein „Denken ein Anschauen" sei, einem Wesen, „das denkend anschaut, und anschaulich denkt", doch wo B. die Erfahrung zu intelligieren begann, um sie dadurch herabzuwürdigen, konnte Goethe nicht folgen; denn: *Der Mensch ist nicht geboren, die Probleme der Welt zu lösen, wohl aber zu suchen, wo das Problem angeht, und sich sodann in der Grenze des Begreiflichen zu halten* (15. X. 1825 zu *Eckermann: Bdm. 3, 228*). In B.s Entwicklung ist es dann bezeichnend, daß er, schon in seinem „System der Logik, ein Handbuch zum Selbststudium" (1828) – 29. XI. 1828 heißt es in den Tagebüchern: *Blieb für mich und machte mich mit Bachmanns System der Logik bekannt (III/11, 308)* – an die Stelle seiner früheren leisterne Platon und Schelling Aristoteles und R*Bacon (Vorrede S. X) setzt, die er in der Geschichte der Logik (S. 569 ff.) ausführlich behandelt. B. erklärt die Logik als formale Wissenschaftslehre, als Wissenschaft von der Methode aller Wissenschaften. Damit soll die Logik, die zu geregeltem Denken anleiten soll, der Wissenschaft dienen, und ihr die Eigenschaft eines Organon der Wissenschaft zukommen. Die Metaphysik wird, was B. nicht weiter abhandelt, zum alleinigen Gehalt des Denkens. B. wendet sich von der romantischen Philosophie ab und unter Annäherung an Kant – über den er auch in Ersch und Grubers „Encyklopädie" (1829, Bd 5, S. 341) schrieb – dem aufkommenden Positivismus zu, eine Entwicklung, die notwendig zu einem Kampf gegen die Hegelianer führen mußte. Er tadelt Hegel, der die Identität von Denken und Sein behauptet und damit die Vermischung von Logik und Metaphysik heraufgeführt habe, wirft ihm vor, Gott nach den Maßen menschlichen Denkens betrachten zu wollen, den Despotismus zu rechtfertigen, und glaubt – besonders in seiner 1835 veröffentlichten, aufsehenerregenden Schrift „Anti-Hegel, Antwort an Herrn Professor Rosenkranz in Königsberg, nebst Bemerkungen zu der Recension meiner Schrift über Hegel's System in den Berliner Jahrbüchern von Herrn Hinrichs in Halle" – Hegel die Beförderung des revolutionären Denkens nachweisen zu können.

Noch in den letzten Jahren vor Goethes Tode stand B. mit diesem in vielseitigem persönlichem Verkehr, wobei schon am 8. XI. 1828 die *Angelegenheiten der Mineralogischen Societät besprochen* wurden (*III/11, 300;* vgl. an August v*Goethe 22. X. 1828: IV/45, 28). Anfang August 1830 wurde B. zum Prodirektor der *mineralogischen Gesellschaft ernannt, *da userm guten würdigen Director Lenz sich öffentlich zu zeigen nicht mehr gegeben ist (IV/47, 164; Verfügung, Pflichtsnotul und Instruction* jedoch erst am 6. VI. 1831: *III/13, 86*). Eine *Angenehme und gründliche Unterhaltung über Philosophie und Naturbetrachtung,* das letzte Gespräch mit dem inzwischen Hofrat gewordenen B., verzeichnen die Tagebücher unter dem 19. XI. 1831 (*III/13, 174*). In diesem Jahre ist die Korrespondenz überwiegend der Neufassung und dem Neudruck des Diploms der mineralogischen Gesellschaft gewidmet (IV/49, 25 f., 49 f., 77 f. und 234; vgl. III/13, 123; 128, 134 und 139) und schließt am 29. II. 1832 nach JG*Lenz' Tode, durch den B. zum Direktor aufrückte, mit dem Satz: *Das Nächste Ew. Wohlgebornen erprobter Sorgfalt, das Fernere prüfender Überlegung anheim gebend (IV/49, 258*). B.s Porträt sollte im April 1830 durch JJ*Schmeller in Jena aufgenommen werden (IV/47, 10).   *Lö*

Meusel: Das gelehrte Teutschland im 19. Jh. Bd 5 (1820), S. 68. – Memoria CBachmanni et EReinoldi, ed. ab CGoettlingi. 1857. – JGünther: Lebensskizzen Jenaer Professoren. 1858. – ADB 1 (1885), S. 753. – FUeberweg: System der Logik und die Geschichte der logischen Lehren. ⁵1882. – MWundt: Die Philosophie an der Universität Jena in ihrem geschichtlichen Verlaufe dargestellt. In: Beiträge zur Geschichte der Universität Jena 4; Zeitschrift des Vereins für Thüringische Geschichte und Altertumskunde, NF. 15. 1932 (mit Porträt). – HFalkenheim: Goethe und Hegel. In: Heidelberger Abhandlungen zur Philosophie und ihrer Geschichte. 1934.

Bachmann, Wilhelm Balthasar Heinrich (1724–1797) aus Tannroda, weimarischer Kammerbeamter, seit 1773 Kammerverwalter, später (1788) mit dem Titel Kammer-

kommissionsrat. Goethe schätzte den erfahrenen Rechnungsbeamten. Er trug PF*Seidel, der seit 1785 *an Bachmanns Seite (IV/8, 303*) arbeitete, in einem Brief aus Rom vom 13. XII. 1786 einen Gruß an B. auf (IV/8, 87). Wenig später äußerte er Carl August gegenüber: *Wenn Bachmann abgeht, wird eine große Lücke erscheinen* (Rom, 7. XII. 1787: *IV/8, 303*), und er hielt es für möglich, daß der Herzog nach des Kammerrats LH*Wetken Tod *den alten Bachmann zum Assessor machen* könnte (Rom, 25. I. 1788: *IV/8, 333*), was allerdings nicht geschah. 1796 feierte B. sein 50jähriges Dienstjubiläum.   *Hk*
Weim. Wöchentl. Anzeigen 1796, Nr 35.

Bachof(f)/Bachov von Echt, altes aus dem Herzogtum Limburg stammendes Adelsgeschlecht, erhielt 1532 von Karl V. einen Wappenbrief und war in seinen verschiedenen Linien zu Goethes Zeit ua. in Brandenburg, Sachsen und Dänemark ansässig. Johann Friedrich BvE., herzoglich-sachsengothaischer Premierminister, wurde 1691 in den Reichsfreiherrnstand, sein gleichnamiger Sohn als kaiserl. Reichshofrath und herzogl. sächs. Geh. Rat und Kanzler 1752 von Kaiser Franz I. in den Reichsgrafenstand erhoben. Goethe kannte aus dieser weitverzweigten Familie:

–, 1) Caroline Gräfin BvE., geb. Gräfin vRonow (1738-1808), Witwe des dänischen Geh. Konferenzrats und Gesandten am kaiserlichen Hof in Wien, Johann Friedrich Grafen BvE. (1710–1781), siedelte 1782 mit drei Töchtern von Wien nach Weimar über, wo sie bis zu ihrem Tode lebte und Beziehungen zum Kreis der Herzogin Luise unterhielt, deren Oberhofmeisterin Gräfin *Giannini eine nahe Verwandte von ihr war. Nachdem sie eine Mietwohnung im späteren Schillerhaus innegehabt hatte, kaufte sie 1794 ein stattliches Haus und erwarb das weimarer Bürgerrecht. Goethe erwähnt sie in einem Brief vom 23. VI. 1784 (IV/6, 310) und in einem Tagebucheintrag vom 13. VIII. 1806 (III/3, 158). Die Notiz Goethes: *Der Blessirte Officier* (16. XI. 1806: III/3, 179) wird von EWeniger (Goethe und die Generale. 1943. S. 58) auf Hv*Boyen bezogen, der im Hause der Gräfin verborgen gehalten und gesund gepflegt wurde.

–, 2) Johann Christoph Anton Freiherr (gest. 1811),sachsen-gothaischer Geh. Regierungsrat und Kammerherr, seit 1792 auch Hofrichter am sächs. gemeinschaftlichen Hofgericht in Jena. Goethe traf mit ihm am 18. und 19. VI. 1806 bei FLv*Hendrich zusammen (III/3, 131).   *Hk*

Bachstedt, sachsen-weimarisches Kammergut im Amt Großrudestedt mit Schäferei. Goethe war mit Landkommissar George *Batty am 11. und 12. III. 1780 im Amt Großrudestedt, wo letzterer Anstalten für die Verbesserung der Landwirtschaft traf; dabei suchten sie Kammergut B. auf (III/1, 110 f.; RV S. 20). *Dl*

Bachstein, Minna (7. X. 1797–2. VIII. 1884), geboren in *Buttstädt bei Weimar als Tochter eines Kupferschmiedes. Vierzehnjährig kam sie 1811 in das Haus der Oberhofmeisterin Gräfin *Henckel vDonnersmarck. Als deren Enkelin, Ov*Pogwisch, 1817 Goethes Sohn heiratete, brachte sie die gleichaltrige Magd mit in die Ehe. Minna B. erlebte also die Geburt der Goethe-Enkel, half diese großziehen und betreute sie bis an ihr Lebensende, sooft sie sich in Weimar aufhielten. Sie war die zuverlässige Schaffnerin des Hauses, wenn die „Herrschaft" verreist war oder monate- und jahrelang auswärts lebte. Sie wußte um alle Geheimnisse des Hauses, um die Liebestragödien Ottiliens, um die Wunderlichkeiten und Schmerzen der Enkel, um Zusammenstöße zwischen der Mutter und den Söhnen und zwischen diesen, als es sich um das Erbe des Großvaters handelte, das der Deutsche Bund 1842 erwerben wollte; sie wußte um die zerrütteten Vermögensverhältnisse Ottiliens, und sie hat über das alles geschwiegen wie ein Grab. Ob sie ihren Lohn immer pünktlich erhalten hat, wissen wir nicht, wohl aber, daß sie mit ihren Ersparnissen manchmal ihrer Dienstherrin ausgeholfen hat. Sie überlebte den jüngeren der beiden Enkel und starb, kurz bevor Wv*Goethe nach Leipzig übersiedelte. Diese Tatsachen würden hier allenfalls eine Erwähnung rechtfertigen. Daß ihr mehr als eine solche zugebilligt wurde, hat einen zweifachen Grund. Der eine ist beschlossen in dem Goethe-Wort: *Nicht nur Verdienst, auch Treue wahrt uns die Person (Faust II V. 9984: I/15¹, 241;* vgl. *Lehrjahre: Durch fortdauernde Anhänglichkeit und Liebe wird der Diener seinem Herrn gleich I/22, 19;* auch *I/18, 202 ... daß nur Treue und Glauben die Menschen schätzenswerth mache).* Der andere liegt darin, daß die ganze Schutzbedürftigkeit der Enkel am Verhältnis zu dieser treuen Magd, die sie von der Wiege bis zur Bahre umhegt hat, offenbar wird. WvGoethes soziales Empfinden und seine dankbare Treue zu Menschen, die ihm halfen, hat sich in vielen zarten Aufmerksamkeiten für das greise „Minchen" und in oft wiederholten Ermahnungen, sich zu schonen, geäußert. Als sie gestorben war, widmete er ihr in der „Weimarischen Zeitung" einen un-

gewöhnlich betonten Nachruf: „Worte der Anerkennung und des Dankes für die Treue und Hingebung, die sie durch mehr denn 60 Jahre unserem Hause dargethan, nicht nur dienend und helfend, sondern, was mehr ist denn Alles, wirkend in Liebe, in einer Liebe, durch welche sie sich an uns gefesselt fühlte ... Auch Fernerstehende kannten den Werth der Entschlafenen, auf deren Weg kein Unkraut wuchs. Wir aber kannten diesen Werth am besten. Für uns ja lebte sie ..." WvGoethe ließ Minna B. auf der Grabstätte seiner Familie beisetzen.   *Vu*

Backhuizen *(Bakhuzen)* Ludolf (1631–1708), Maler und Radierer aus Emden in Friesland, war zunächst Schreiber und bildete sich nebenher bei Aldert van *Everdingen zu einem früh geschätzten Marinemaler, der sich im Urteil der Sammler und Kunstfreunde des 18. Jahrhunderts neben Willem van de Velde behaupten konnte. Noch zu Goethes Zeiten kopierte man ihn, wie *Thioli 1823 in Weimar (IV/37, 68), und Goethe selbst besaß mehrere Blätter B.s, ua. die Allegorie der Stadt Amsterdam.   *Lö*

FrMüller: Die Künstler aller Zeiten und Völker 1 (1857), S. 72. – ThB 2 (1908), S. 325. – Schuchardt 1, S. 147.

Bacon, Roger (1210/14–1294), „Doctor mirabilis", Schüler des RGrosseteste, Lehrer in Paris und Oxford. B. trat um 1250 in den Franziskanerorden ein, wurde aber bald darauf wegen seiner eigenwilligen Lehren aus dem Lehramt entfernt und um 1270 in Haft genommen, deren Ende er nur kurze Zeit überlebte. In seinen Werken „Opus maius", „Opus minus" und „Opus tertium" – zu Goethes Zeit war nur das Opus maius gedruckt (SJebb. London 1733) – entfernt sich B. weit von der herrschenden Philosophie seiner Zeit. Die theologische Spekulation will er durch ein System der Profanwissenschaften ersetzen, das allein den Namen der Philosophie verdiene. Eigentümlich ist ihm die Hochschätzung der Mathematik, die er als Fundament aller Wissenschaften, auch der Logik, ansieht. Ebenso modern wirkt seine Berufung auf Erfahrung, die er in äußere und innere Erfahrung unterteilt. Äußere Erfahrung vermitteln uns die Sinnesorgane, die innere Erfahrung faßt er als eine Stufenreihe auf, die von den reinen Wissenschaften bis zu mystischer Erleuchtung führt.

Goethe studiert die Schriften des B. 1807/08, während er die *Materialien zur Geschichte der Farbenlehre* zusammenstellt. Er bezeichnet ihn als einen der *Hauptschriftsteller (I/36, 31)* und gesteht im März 1808 FH*Jacobi, daß er

eine unbedingte Verehrung für Roger Baco ge-
faßt habe (IV|20, 25). In den *Materialien zur*
Geschichte der Farbenlehre widmet er B. als
einzigem Autor der *Zwischenzeit* ein eigenes
Kapitel (II/3, 149-165). Er druckt einige zentrale Abschnitte aus dem „Opus maius" (IV,
II, 1 ff.) in eigener, öfters etwas ungenauer
Übersetzung ab und entwickelt im Anschluß
daran, da B. keine eigentliche Farbenlehre
geschrieben habe, eine solche, die dieser *hätte*
verfassen können (II/3, 153-156) und die der
eigenen *Farbenlehre* Goethes in Hauptpunk-
ten entspricht. Die gleichmäßige Anwendung
mathematischer Methoden auf alle Wissensgebiete und B.s Zuversicht, in ihr den Schlüssel zur Philosophie zu besitzen, begleitet Goethe allerdings durchweg mit kritischen Anmerkungen: wo die Mathematik auf Gegenstände angewendet wird, die über das bloß
Körperliche hinausliegen, habe sie nur einen
symbolischen Erkenntniswert. Indessen mindert dies seine Verehrung für B. nicht wesentlich. Goethe schätzt an ihm die seltene Vereinigung von *Selbstverläugnung,* die ihn in den
Stand setze, die ganze Überlieferung sich anzueignen, und *Kraft und Muth,* die zur freien
Entwicklung des Gedankens nötig sind *(II/3,*
148); er sieht in ihm einen der Männer, die
unangefochten im Gegensatz zu ihrer Zeit
stehen und in denen sich ihre Epoche gleichsam selbst widerspricht (vgl. die Äußerung zu
Riemer am 1. X. 1807: Bdm. 1, 510f.). Hauptgrund für seine Schätzung des B. dürfte aber
das lebhafte Gefühl der Verwandtschaft seiner
eigenen *Farbenlehre* mit den Prinzipien der
Lichtmetaphysik B.s gewesen sein, das Goethe bei der Lektüre der von ihm zitierten Abschnitte des „Opus maius" empfinden konnte:
Das Zusammenspiel von Licht und Finsternis
an der Materie bei der Genesis der Farben in
Goethes *Farbenlehre* ist tatsächlich der Weise
analog, in der bei B. die natürlichen Wirkkräfte (als deren höchste er das Licht bezeichnet) an der Materie ein „Gleichnis ihrer selbst"
erzeugen. Diese Übereinstimmung mußte
Goethe um so mehr überraschen, als er die der
Metaphysik B.s zugrunde liegende Theorie des
*Aristoteles vom Zusammenwirken von Form
und Materie in allem Werden nicht aus eigener
Lektüre kannte; an dieser Theorie des Aristoteles hätte sich dieselbe *Analogie gleichfalls
durchführen lassen.   *Pg*

Baco von Verulam, Francis (1561–1621), englischer Staatsmann und Gelehrter. Er gilt,
mehr der ausgebreiteten Wirkung seiner
Schriften als der Originalität seiner Gedanken
wegen, als Begründer der induktiven Natur-

wissenschaften und des philosophischen Empirismus. Modern ist der Nachdruck, mit dem
B. alle Wissenschaften auf Erfahrung gründen
will, mittelalterlich-antik seine Überzeugung,
daß Wissenschaft die gestaltenden Formen der
Wirklichkeit erfassen solle, im Gegensatz zu
der dann seit *Galilei vorherrschenden Auffassung, nach der sie mathematisch formulier-
bare Beziehungen zwischen den Phänomenen
(Naturgesetze) erforscht. Seine unvollendetes
Hauptwerk, die „Instauratio magna", enthält ein System der einzelnen Wissenschaften
(„De dignitate et augmentis scientiarum")
und den ersten Versuch einer induktiven Logik („Novum Organon"; der Name deutet den
Gegensatz zu der seit der Spätantike „Organon" genannten deduktiven Logik des *Aristoteles an). Die b.sche Lehre (Nov. Org. I, 2)
von den „Idolen" (Vorurteilen) ist Goethe
schon vor der italienischen Reise bekannt und
wirkt bei der Entdeckung der *Urpflanze mit
(zu *Boisserée 3. X. 1815: Bdm. 2, 348 f.);
das Hauptwerk und der Entwurf eines Phi-
losophenstaats „Nova Atlantis" beschäftigen
Goethe 1807/08 bei der Abfassung der *Materialien zur Geschichte der Farbenlehre.*
Das große Ansehen, das B. als Begründer neuzeitlicher Naturwissenschaft genoß – auch
*Kant hatte ja seiner Vernunftkritik einen
Satz B.s als Motto vorangestellt –, mußte
Goethe empfehlen, seinen eigenen Begriff von
„Erfahrung" mit dem B.s ins Verhältnis zu
setzen. Die geläufige historische Einordnung
B.s ist ihm zu grob: *Man datirt von Bacon von*
Verulam eine Epoche der Erfahrungs-Naturwis-
senschaften. Ihr Weg ist jedoch durch theoreti-
sche Tendenzen oft durchschnitten und ungang-
bar gemacht worden. Genau besehen, kann und
soll man von jedem Tag eine neue Epoche dati-
ren (II|11, 262). Es stört ihn auch die Selbst-
verständlichkeit, mit der B. und seine Nachfolger den Begriff „Erfahrung" benutzen: *Wer*
kann sagen, daß er eine Neigung zur reinen
Erfahrung habe? Was Baco dringend empfohlen
hatte, glaubte jeder zu tun, und wem gelang es?
(II|13, 442). Goethe bemüht sich, Förderung
und Schaden, die B.s Schriften der Nachwelt
brachten, zu trennen. Die Polarität zwischen
Zustimmung und Kritik bestimmt den Aufbau des Kapitels *Baco von Verulam* in den
Materialien zur Geschichte der Farbenlehre (II|
3, 226–242), gelegentlich tritt die Kritik in
den Vordergrund, zB. dort, wo er B. *das Haupt*
aller Philister, und darum ihnen so auch zu
Rechte (zu Riemer 13. III. 1807: Bdm. 5, 69)
oder einen *Hercules* nennt, *der einen Stall von*
dialectischem Miste reinigt, um ihn mit Erfah-

rungsmist füllen zu lassen (IV/20, 25). In den *Materialien zur Geschichte der Farbenlehre* teilt Goethe die Schriften B.s, eines *bewunderungswürdigen Geistes (II/3, 227),* in einen *historischen* und einen *didaktisch dogmatischen* Teil (in Analogie zu seinem eigenen Verfahren) und will an beiden das *Erfreuliche* und *Unerfreuliche ... näher bezeichnen.* Im historischen Teil ist ihm der scharfe Blick B.s für die *Stockungen und Retardationen* in den Wissenschaften *erfreulich,* unerfreulich das Überwiegen der Kritik, *die Unempfindlichkeit gegen Verdienste der Vorgänger, gegen die Würde des Alterthums;* spöttische Geringschätzung, mit der B. von *Platon und Aristoteles spricht, erregt Goethes Zorn. Doch auch hier sucht Goethe B. zu verstehen: angesichts der hemmenden Wirkung religiöser Vorurteile auf die Wissenschaften und wegen seines Widerwillens gegen die (von Goethe auch gelegentlich absurd genannten) *Endursachen* habe B. *sich gedrungen gefühlt ... das Kind mit dem Bade auszuschütten (II/3, 235).* Überhaupt zeige sich bei B. *der ... gegen die Autorität anstrebende, protestirende, revolutionäre Sinn des vorigen* [16.] *Jahrhunderts ... in seiner höchsten Energie (II/3, 243);* nachdem man erst einmal in der Religion protestiert hat, liegt historische Notwendigkeit darin, *daß Baco von Verulam zuletzt wagen darf, mit dem Schwamm über alles hinzufahren, was bisher auf die Tafel der Menschheit verzeichnet worden war (ebda 242).* Mit Maßen geübtes Protestieren ist Goethe durchaus willkommen: In seiner Rezension von J G*Sulzers ,,Allgemeiner Theorie der Schönen Künste" von 1772 vermißt er (oder ist J H*Merck der Verfasser? I/38, 314) *ein wenig Baconische Bilderstürmerei (I/37, 195).* Am didaktisch dogmatischen Teil der Schriften B.s interessiert Goethe der Versuch, den Begriff der Erfahrung zu bestimmen und sie zur Grundlage aller Wissenschaften zu machen. Den Rückgang auf Erfahrung hält Goethe für verdienstlich, doch was B. dann als Erfahrung ausgibt, auf die alle Wissenschaft sich gründen soll, erscheint Goethe als ein äußerliches und kümmerliches (vgl. II/7, 115) Abstraktum echter und lebendiger Erfahrung. Alle Empirie, die vor Verallgemeinerung zurückschreckt, verläuft sich ins Unendliche. Das Menschenleben ist zu kurz, als daß man auf B.s Methoden das Allgemeine aus dem Partikulären gewinnen könnte; Erfahrung braucht, um fruchtbar zu sein, ein Prinzip, das über den Erkenntnis w e r t einzelner Beobachtungen entscheidet. Dies Prinzip liegt nach Goethe in den Phänomenen selbst; denn *das Be-*

18*

sondere ist das Allgemeine, unter verschiedenen Bedingungen erscheinend (II/11, 129).* Die eigentliche Wurzel der *Verulamischen Zerstreuungsmethode,* der *Methodenscheu (II/3, 246; 229),* sieht Goethe in B.s Blindheit gegen den ausgezeichneten Einzelfall: *Wer nicht gewahr werden kann, daß ein Fall oft Tausende werth ist, ... wer nicht das zu fassen und zu ehren im Stande ist, was wir Urphänomene genannt haben, der wird weder sich noch andern jemals etwas zur Freude und zum Nutzen fördern können (II/3, 236).* Daß B. den Magneten, für Goethe ein *Urphänomen, kannte und seine aufschließende Kraft nicht empfand, charakterisiert ihn ebenso wie seine Beschränkung auf Äußerlichkeiten: *Man sehe, wie Baco ... sich zu den Pflanzen nur äußerlich und zwar kümmerlich ... verhält. Für ihn war es der Sache, dem Sinn gemäß, sich an das zu halten, was man sah, was sich offen zeigte; das Innere ... Urlebendige, durfte man gar nicht berühren (II/7, 115).* Gerade die Weise, in der Galilei das Urphänomen des Pendelschwungs auffaßt, läßt Goethe von der entgegengesetzten Richtung (II/3, 243; vgl. 246) sprechen, die nach B. von der Wissenschaft eingeschlagen wird. Man darf aber in solchen Worten Goethes nicht eine ,,Abkehr vom Empirismus" im geläufigen Sinne sehen. B. irrt für ihn nicht darin, daß er Erfahrung zur Grundlage der Wissenschaften macht, sondern darin, daß er den Begriff der Erfahrung zu eng faßt. Darum schließt Goethe sich den kritischen Einwänden Bodleys gegen B., die er (II/3, 230–234) abdruckt, ebensowenig an wie B.s Lehre selbst. B.s Ansicht ist einseitig, nicht falsch: *was war denn die Maxime dieses außerordentlichen Mannes, als: man müsse das Vorhandene kennenlernen, ,,den sämmtlichen Bedingungen seines Daseins gemäß", das Unterscheiden ... sei die wahre Naturlehre; und hat er nicht eben durch diese gewaltig vorgetragene Lehre viel gewirkt? Und wirkt er nicht noch auf das herrlichste, wenn wir die ,,Einseitigkeit seiner Lehre begreifen", und seine Aufgabe des bloßen Beobachtens erkennend, den Geist gleichfalls wirken lassen, indem wir zugleich erfahren und untersuchen? (II/7, 119 f.).* Die nach 1824 geschriebenen Verse: *Baco. Denn wer nur mathematische Regeln kennt | Wird Schlüsse finden, welche Wunder wircken. | Die der gemeine Sinn nicht fassen kann (I/5^11, 417)* sind, gegen das Register der WA und Goethes vorherrschenden Sprachgebrauch, Francis Bacon *Baco* und Roger Bacon *Bacon* zu nennen, auf Roger *Bacon zu beziehen. *Pg*

Keudell Nr. 414; 498; 499; 1953.

Baculard d'Arnaud, François-Thomas-Marie de (1718–1805), französischer Dramatiker und Erzähler, ein Schauerromantiker des „genre sombre", der tragisch-pessimistischen Richtung von oft melodramatischer Farbe; B., der englische Einflüsse (*Walpole, *Young) aufgenommen hat, ist in Frankreich einer der Vertreter der europäischen Vorromantik. 1772 berichten die „*Frankfurter Gelehrten Anzeigen" in einem wohl nicht von Goethe herrührenden Aufsatz über B.s „Sargines", eine in die Zeit Philipp Augusts (um 1200) verlegte Ritternovelle (I/38, 384 f.). *Rameaus Neffe erwähnt B. mit zweifelhaftem Recht als *nicht arm* (1805: *I/45, 70*); die *Anmerkungen* dazu (*ebda 163*) charakterisieren ihn kurz.　　　*Fu*

Baczko, Ludwig Adolph Franz Joseph von (1756–1823), entstammte einer 1666 geadelten ungarischen Familie, war selbst gebürtiger Ostpreuße (Lyck), studierte in Königsberg anfänglich Rechtswissenschaft, erblindete 1777, trug sein Schicksal aber mit starken Gemüts- und Willenskräften, die ihn mit unbeirrbarer Beharrlichkeit seinen Weg weiterverfolgen ließen. Wissenschaftlich widmete er sich historischen, pädagogischen und didaktischen Problemen, schriftstellerisch strebte er auf dem Wege der Belletristik nach höherer poetisch-literarischer Geltung als Romancier. vB. wurde 1799 Professor der Geschichtswissenschaft an akademisch-militärischen Bildungsanstalten zu Königsberg/Pr. (Artillerie-Akademie; Brigadeschule). In seinen Veröffentlichungen griff er, allerdings ohne Bleibendes zu schaffen, geschichtliche oder vaterländische Themen auf; auch seine belletristischen Publikationen hielten sich meist im Durchschnittlichen. Relativ wertvoll ist vB. durch diejenigen Arbeiten geblieben, in denen er als Blinder für die Blinden seine Stimme erhob: „Über mich selbst und meine Unglücksgefährten, die Blinden." Leipzig 1807. – „Poetischer Versuch eines Blinden." Königsberg 1824. – Ov*Goethe/Pogwisch vermittelte am 10. VI. 1819 ua. ein *Autograph vB.s an Goethe: *Ottilie soll ... wegen der übrigen Blätter gelobt seyn* (*IV/31, 201*). Eins dieser *übrigen Blätter* war das Autograph vB.s, das Goethes besonderes Interesse fand, eben weil der Schreiber blind und ein eigenhändiges Scriptum um so bemerkenswerter sein mußte für einen Menschen, der so stark durch das *Auge lebte wie Goethe (IV/31, 376).　　　*Za*
Kneschke 1 (1859), S. 166 f. – ADB 1 (1879), S. 758 f.

Baden, an der *Limmat im Aargau, zur Römerzeit Aquae Helvetiae, bekannt durch sein historisch bedeutsames Habsburgerschloß „Stein zu Baden" (1415 und 1712 zerstört), streifte Goethe im Juli 1775 (Morris 5, 277) auf der Rückkehr von der ersten *Schweiz-Reise; er traf dort einen sonst Unbekannten, dem er seine Wertschätzung JJ*Bodmers ausdrückte. Vgl. dazu RV S. 12.　　　*Za*

Baden/Baden-Baden, als Badôn schon 987 nChr. erwähnt, an der Oos im nördlichen Schwarzwald und am Fuße der alten Zähringer-Burg Baden (Hohen-Baden) gelegen, eine der Hauptstädte in dem (seit 1806) Großherzogtum *Baden, bereits zur Römerzeit als Badeort (Aquae Aureliae) bekannt, gern aufgesucht wegen der aus großer Tiefe (1700 m) kommenden heißen (67/69°C) alkalischen und radioaktiven Kochsalzquellen (in Spuren Lithium und Arsenik), wirksam bei Gicht, Rheumatismus, Ischias, Katarrhen der oberen Luftwege, klimatisch besonders günstig gelegen (fast südländisch üppige Vegetation; Maronenbaum: Castanea savita). Gerade am Anfang des 19. Jahrhunderts begann sich BB. aufstrebend zu einem Kurort mit bedeutender Zukunft zu entwickeln. 1808 entstand das Gesellschaftshaus (das heutige Rathaus), 1822 bis 1824, erbaut von F*Weinbrenner, das klassizistische Kurhaus, 1839/42 – kurz nach Goethes Tod projektiert – von HHübsch der Arkadenbau der Trinkhalle, dann alsbald, eins ums andere, die betont prachtvollen Gasthäuser. Nachdem Carl August schon im Sommer 1815 BB. zur Erholung aufgesucht hatte und 1816 JF*Cotta sowie S*Boisserée kräftig zuredend Goethes Überlegungen bestimmt hatten, kam es zu dem Entschluß, gegen CF*Zelters *Wiesbaden-Einladung diesmal in BB. Aufenthalt zu nehmen (IV/27, 101 f.), zumal ärgerliche Vorkommnisse im *uneinigen Frankfurt (IV/ 27, 111)* die Freude an der Vaterstadt und ihrer Nähe völlig verleideten. Goethe ließ am 16. VII. 1816 durch FThD*Kräuter ein *Schema zu den Reisekosten nach Baden* aufstellen (*III/5, 253*), in dem auch die zur Vermeidung von Frankfurt gewählte, sogar etwas kürzere Route verzeichnet wurde: „Weimar – Erfurt – Gotha – Schmalkalden – Meiningen – Melrichstedt – Rockenhausen – Münnerstadt – Poppenhausen – Werneck – Würzburg – Bischoffsheim – Hartheim – Buchen – Ober-Schefflenz – Neckerelz – Wimmersbach – Heidelberg – Wisloch – Bruchsal – Carlsruh – Rastadt – Baden" (III/5, 393). Nach dem Aufbruch aus Weimar *am 20. July früh 7 Uhr,* gemeinsam mit JH*Meyer, fand die Fahrt bereits *um 9 Uhr, kurz vor Münchenholzen (*Mönchen-Holzhausen) ein jähes Ende: Es warf der ungeschickteste aller Fuhrknechte den Wagen um, die*

Achse brach und der gute Meyer wurde an der Stirne beschädigt. Das heftige Bluten der Wunde schien mir bedenklich, wir rafften uns so gut wir konnten aus dem Wagen (IV/27, 117). Nach eiligst erfolgten Um-Dispositionen (IV/ 27, 116; 118–122) begab sich Goethe, ärztlich durch W*Rehbein beraten, am 24. VII. 1816 in das erst einjährig betriebene Schwefelbad *Tennstedt. Infolge dieser Umstände mit dem Wagensturz ist Goethe nie wieder nach Südwestdeutschland, nie wieder an den *Rhein oder an den *Main, zu diesen *hochgesegneten Gebreiten* persönlich hingekommen, allein *mit Gedankenflügeln* konnte er die *weingeschmückten Landesweiten* und ihre Menschen erreichen *(I/4, 65 Nr 82).*
Im Frühherbst 1816 vermittelte die auch 1817 (verbessert vorliegende) wiederholt studierte *geologische Karte jener Gegend, von hoher Hand mitgetheilt (I/36, 119),* die von dem welterfahrenen spanischen Mediziner, Naturforscher, Geologen, Mineralogen und Balneologen (*Bäderkunde) Don Cd*Gimbernat entworfen war, anschaulich starke Eindrücke. Goethe notierte sich schon am 26. IX. 1816 in schematischer Zusammenfassung eine *Methodische Folge der Gebirgsarten in der Gegend von Baden zu leichterem Verständniß der geologischen Karte* in acht Rubriken *s. m.* (= „sua manu", aus welchem ausdrücklichen Zusatz man den betonten Wert für Goethe ablesen kann). *I. Urgebirg II. Übergang III. Problematische isolirte Gebirgsmasse, worin die heiße Quelle sich entwickelt IV. Quarzgestein V. Flötzgebirg VI. Aufgeschwemmtes Gebirg VII. Zerstreut angesetzt VIII. Nur einmal vorkommend. Vorstehendes wird fraglich, wenn die Musterstücke ankommen, sich erst begründen oder rectificiren (II/13, 370 f.;* NS 2, 88-90). Die *geologische Sammlung,* wohl spätestens noch im Dezember 1816 eingetroffen, war *sehr willkommen zu einstweiliger Aufklärung der mitgebrachten Charte.* Man hat noch einige fehlende Mineralien aus der Nähe von Baden von dem sendenden Freunde (CdGimbernat?) *verlangt (IV/27, 300).* Die Großherzogin überbrachte im Spätsommer 1817 bei ihrer Rückkehr aus BB. die schon erwähnte *vermehrte neue . . . Charte der Badnischen Umgebungen* (vgl. III/6, 102), und dieser *Anlaß zu Betrachtung und Bewunderung* läßt Goethe in einem Briefe an Gimbernat um *. . . mäßig große instructive Exemplare . . . von denen 27 darauf angezeigten Gebirgsarten . . . durch den Postwagen bitten (IV/28, 235).* Goethe verzeichnet nicht, ob und wann Gimbernat dieser Bitte etwa entsprochen hat. WEChr*Huschke ergänzte die Reiseberichte aus BB. am 9. VIII.

1817 (III/6, 91). Am 20. VI. 1819 bemerkte Goethe in einem Brief an L*Pansner: *Die heißen Heilquellen im badenschen Baden kommen gleichfalls an einer Stelle hervor wo Übergänge von Gebirgsarten bemerkbar sind (IV/31, 197);* vgl. sachlich dazu II/13, 370 f. unter III, auch NS 2, 89 Z. 5–22).
Danach gibt es für Goethe – außer dem Besuche des Herrn George von dem Steenhof, der am 8. X. 1828 *einen Spazierstock von Ilex aquifolium* (Stechpalme), *mit geschnitztem Knopfe* verehrt *(III/11, 288)* – nur noch recht oder ganz persönliche, ja intime Kontakte mit BB.: 1822/23 durch den Grafen CFv*Reinhard, der ihn 1810 mit den Brüdern Boisserée bekannt gemacht hatte: *Sehr ungern denk ich Sie leidend . . . Möge . . . ich vielleicht von Baden aus einige Worte von Ihrem Befinden . . . vernehmen . . . Hundertmal, ich sollte lieber sagen ununterbrochen, hab ich an Sie, mein Theuerster, gedacht . . . Und so für dießmal ein tausendfältiges Lebewohl (IV/36, 59–62); Daß die Heilquellen unsere Hoffnungen und Zutrauen wenigstens bis auf einen gewissen Grad erhalten, ist sehr schön; unsere Natur ricochettirt gleichsam alle Jahre einmal an solchem Orte, und reicht der Sprung auch nicht ganz aus, so ist doch wenigstens etwas gewonnen. In Baden wünscht ich auch wohl an Ihrer Seite zu wallfahrten, die Gegend muß sehr schön und auch geologisch höchst merkwürdig seyn, wie aus einer Charte von Gimbernat ersehen habe (IV/37, 76),* – besonders aber 1819/29 durch Marianne, dann auch durch JJv*Willemer; Marianne suchte im Sommer 1819 in BB. Linderung für ihren mehr inneren als äußeren Krankheitszustand, der wohl ein Verzweiflungsleiden war, sie empfing hier den ersten und einzigen Brief, in dem Goethe sie, wie sonst nur mündlich, „*Du*" nennt, und wenn sie am 19. VII. 1819 schrieb: „Hudhud läuft in einem fort über den Weg", antwortete Goethe unverzüglich nach Empfang des Notrufs der *allerliebsten Marianne* [Suleika]: *Wäre ich Hudhud ich liefe dir nicht über den Weg, sondern schnurstracks auf dich zu. Nicht als Boten, um mein selbst willen müßtest du mich freundlich aufnehmen. Zum Schluß den frommen liebevollen Wunsch Eja! wären wir da* (26. VII. 1819: *IV/31, 245;* vgl. auch 394; dazu ferner am 5. VIII. 1819 an JJvWillemer: *Nach Baden habe ich gleich geschrieben, man wird verzeihen wenn ich zu aufrichtig gewesen bin . . . Zu liebenswürdigen Entschlüssen scheint es nicht mehr an der Zeit zu seyn. Möge sich alles Gute so gewiß um Sie versammeln, als ich in Gedanken jederzeit bei Ihnen gegenwärtig bin: IV/31, 252)!* Die letzte Briefverbindung

nach BB. galt im Herbst 1829, volle zehn Jahre später, den beiden Willemers, wenngleich Goethe am 23. X. 1829 selbst findet, daß *Vorstehendes gleichsam nur in einem todten Geschäftstone geschrieben ist*... obwohl des Freundes *treue Gesinnungen sich immer gleich bleiben (IV/46, 115).*

Personen: Großherzog Carl August, Großherzogin Louise, geb. Prinzessin von *Hessen-Darmstadt, mit dem Fürstenhaus *Baden durch Heirat verwandt, als Kurgäste während der Sommer schon 1814 (? IV/24, 296; 390), 1815 (III/5, 175; 180; 182), 1816 (als Mitbringer der *Charte?* IV/27, 300) und 1817 (IV/28, 128; 153; 234-236); Cde*Gimbernat schon 1816 (? der *sendende Freund IV/27, 300)* sowie 1817 (Brief vom 3. IX. 1817 mit Dank und einem *Stück des bey Dornburg zwischen Kalk- und Mergelflötzen entdeckten Cölestins,* übersandt auf Wunsch der Großherzogin Louise: *IV/28, 235);* 1819 Domänen-Verwalter Hugenest als Vermittlungsadressat für den Briefwechsel mit Marianne vWillemer (26. VII. 1819: IV/31, 394); Marianne vWillemer (eigenhändig: IV/31, 244f.); 1822 CF Graf vReinhard Erholung suchend (10. VI. 1822: IV/36, 58-62), ebenso 1823 (11. VI. 1823: IV/37, 75 bis 76); 1829 JJ und MvWillemer als Sommergäste (30. IX. 1829: IV/46, 91f.; 22. X. 1829: IV/46, 114f.). *Za*

Baden, ehemals selbständiger, südwestlichster Teilstaat *Deutschlands, begrenzt vom Rhein, dem Bodensee, von Schwarzwald und Odenwald, bildet keine geographische Einheit; das schmale Rheintal und die Höhen des Schwarzwalds sind geologisch, klimatisch und wirtschaftlich gegensätzlich. B. geht auf eine Gründung der Zähringer zurück, erlebte aber in der Folgezeit mehrere einschneidende, durch die dynastischen und konfessionellen Verhältnisse im Fürstenhaus B. verursachte Umgruppierungen, insbesondere 1535 die entscheidende Teilung in ein südliches (Baden-Baden) und ein nördliches B. (Baden-Durlach). Carl Friedrich, *der ehrwürdige, wegen seiner Regententugenden gepriesene Markgraf von Baden (I/29, 17),* wurde nach dem Aussterben der Baden-B.er Linie 1771 wieder Herrscher von Gesamt-B. Ihm gelang es im Verlauf der napoleonischen Kriege, unterstützt durch seinen Außenminister SCJv*Reitzenstein, den Goethe noch 1814 in *Heidelberg kennenlernte (vgl. IV/25, 47), besonders durch den Reichsdeputationshauptschluß 1803 erhebliche Gebietserwerbungen zu machen. B. erhielt die rechtsrheinischen Teile der Bistümer *Konstanz, *Basel, *Straßburg und *Speyer,

sowie *Mannheim und Heidelberg; 1805 kamen das Breisgau (vordem habsburgisch-österreichisch) und die Reichsstadt Konstanz hinzu. Schon 1803 erhielt der Markgraf von B. den Titel eines Kurfürsten, 1806 wurde er Großherzog. Doch noch 1807 wird ein *Badenscher Regierungskanzley Sekretär* von Goethe als *Herzogl.* bezeichnet *(III/3, 208;* vgl. dagegen in *DuW,* daß JG*Schlosser eine *Anstellung im Großherzogthum Baden* gefunden hätte: *I/29, 100f.).*

Goethe hat B. mehrfach durchreist, doch war Mannheim, als er es 1769 besuchte, noch Residenz der Kurpfalz, Speyer, von ihm 1770 auf der Fahrt nach Straßburg durchfahren, noch freie Reichsstadt, *Bruchsal, 1771, 1775 und 1779 berührt, Residenz der Fürstbischöfe von Speyer und gehörte erst 1815, als Goethe sich auf seiner Reise in die Rhein- und Maingebiete befand, zu B. Erst zu dieser Zeit war das ehedem kurpfälzische Heidelberg b.sch, das Goethe zwar seit 1775 kannte, als besonderes Reiseziel jedoch erst 1814 und 1815 aus ersah.

Nur zweimal hat Goethe altb.sches Gebiet durchquert und zwar auf den beiden Reisen in die *Schweiz: 1775 von Straßburg kommend über *Dinglingen, *Emmendingen, *Freiburg/Breisgau, um dann über *Neustadt/Schwarzwald, *Schaffhausen (eidgenössisch) nach Konstanz (damals noch freie Reichsstadt) abzubiegen (vgl. III/12, 333) und 1779 ebenfalls von Straßburg bis Freiburg auf dem gleichen Wege, nach Basel; Konstanz wurde außerdem auf der Rückreise aus der Schweiz 1779 sowie auf der Heimkehr von *Italien 1788 von Goethe durchreist. Der für 1816 geplante Kuraufenthalt in *Baden-Baden kam durch den berühmten Wagensturz nicht zustande (vgl. I/49^I, 18).

Diesen mehr oder weniger flüchtigen Reisen durch B. ist es zuzuschreiben, wenn von einem nachhaltigeren Interesse Goethes für diese Landschaft nicht gesprochen werden kann. In seiner Vorstellung wird B. durch Begriff und Erlebnis des Oberrheins (*Rhein, *Elsaß) überhöht und verdrängt, der für ihn die eigentliche Kultur- und Natureinheit darstellt. Dieses Landschaftsganze mit seinen Metropolen Basel und Straßburg, die in dieser Eigenschaft schon am Ende des Mittelalters bedeutsam waren, wird spürbar in Goethes Würdigung JD*Schöpflins: *Im Baden'schen geboren, in Basel und Straßburg erzogen, gehörte er dem paradiesischen Rheinthal ganz eigentlich an, als einem ausgebreiteten wohlgelegenen Vaterlande. So erfüllt denn auch seine Thätigkeit das Elsaß* *und die Nachbarschaft; in Baden und der Pfalz behält er bis in's höchste Alter einen ununterbrochenen Einfluß (I/28, 45 und 47).* Ebenso gehört JP*Hebel für Goethe dem Oberrhein an, Hebel, *ein Provinzial-Dichter, der von dem eigentlichen Sinne seiner Landesart durchdrungen, von der höchsten Stufe der Cultur herab seine Umgebungen überschauend, das Gewebe seiner Talente gleichsam wie ein Netz auswirft, um die Eigenheiten seiner Lands- und Zeitgenossen aufzufischen, und der Menge ihr Selbst zu Belustigung und Belehrung vorzuweisen (I/49 I, 18).* Daneben findet – erstmals am 6. II. 1813, als *Die Gebirgsarten von Baden* studiert wurden *(III/5, 13),* dann nach 1814/15 – B. gelegentlich Goethes geologisches und mineralogisches Interesse. Cv*Gimbernat machte ihn mit seiner *schönen geologischen Charte von Baden* bekannt, die Goethe, *mit einem Commentar... nach meiner Vorstellung* versehen, JG*Lenz zuschickte (17. XI. 1816: *IV/27, 238).* Eine *geologische Sammlung aus dem Großherzogthum Baden* folgte und diente *zu einstweiliger Aufklärung der mitgebrachten Charte. Man hat noch einige fehlende Mineralien aus der Nähe von* [dem Ort] *Baden von dem sendenden Freunde* [Gimbernat?] *verlangt* (Ende Dezember 1816 an Carl August: *IV/27, 300;* dazu IV/27, 235 und III/5, 273; vgl. IV/39, 320). Auch numismatische Interessen werden berührt (26. IV. 1820: III/7, 165 f.). Die Korrespondenz mit der großherzoglich-b.schen Regierung anläßlich des Antrags an die Mitglieder des deutschen Bundes bezüglich der Privilegien für die Ausgabe letzter Hand ist rein geschäftlicher Natur (vgl. I/42 I, 115; III/10, 118 und 124, sowie IV/40, 138). *Lö*

Baden (Fürstenhaus). In den b.schen Ländern regierte seit 1091 und bis 1918 diejenige Linie der Zähringer, die ursprünglich auf der Burg Baden (Hohen-Baden) über dem Tal der Oos (heute: Stadt *Baden-Baden) saß und bereits die Grafen von Hochberg sowie die Markgrafen von *Verona stellte, weshalb sie sich auch in der b.schen Heimat „Markgrafen" nannten. Der eigentliche Begründer der Dynastie und damit auch des Territorialstaates B. war Bernhard I. (1380–1431); ihm verdankt B. seine Stellung als drittgrößte weltliche Macht in *Schwaben neben den *Habsburgern und den (damals noch) Grafen von *Württemberg. Die weitere Entwicklung führte 1535 durch die beiden Söhne Christophs I. (1458/1475–1527) zu der bekannten b.schen Teilung in die Häuser „Baden-Baden" (Bernhard III.) mit der Hauptstadt Baden und „Baden-Durlach" (Ernst I.) mit der Hauptstadt Pforzheim

(1565: Durlach; 1724: *Karlsruhe). Das Haus „Baden-Durlach" überlebte die Teilung und vereinigte kraft Erbganges 1771 die so lange getrennten b.schen Länder in der Hand Carl Friedrichs. Dieser war in erster Ehe mit Caroline Louise, Tochter des prachtliebenden Landgrafen Ludwig VIII. von *Hessen-Darmstadt und dadurch mit der Tante der späteren Herzogin von *Sachsen-Weimar-Eisenach Louise Augusta (Tochter des nüchtern-sparsamen Landgrafen Ludwig IX. von Hessen-Darmstadt; seit 3. X. 1775 Gemahlin des Herzogs Carl August von Sachsen-Weimar-Eisenach), verheiratet. Er leitete so die nachmalige, allerdings ohne spürbare und bemerkenswerte Wärme verlaufende Annäherung dieser beiden Häuser ein. Als unmittelbarer Vorgänger Carl Friedrichs war Carl III. Wilhelm (1679/1709–1738) derjenige, der mit Umsicht und Tatkraft während seiner oftmals durch die Folgen der französischen Eroberungszüge (1674; 1688/89; 1733), auch durch die Nachwehen anderer Kriege (1702) bewegten Regierungszeit die Grundlinien einer erfolgreichen Politik für B. entwarf und damit den Rahmen wie auch die Nah- und Fernziele für seinen Nachfolger festlegte. Außerdem gründete er 1715/24 die neue Residenz Karlsruhe. Da der Sohn und eigentliche Erbprinz Friedrich (1703–1732) bereits gestorben, dessen Gemahlin Anna Charlotte Amalia, geb. Prinzessin von Nassau-Diez-Oranien, schon geisteskrank war, wurde der Enkel Carls III. Wilhelm sofort Landesherr in B. und damit zugleich derjenige, der dann auch Goethe als erster Repräsentant des Fürstenhauses B. begegnen sollte:

–, 1) Carl Friedrich (1728–1811), Enkel und Nachfolger seines bedeutenden Großvaters Carl III. Wilhelm in unmittelbarer Erbfolge, 1738 noch unter der Vormundschaft seines Oheims Christoph (1717–1789) und seiner Großmutter Magdalene Wilhelmine, geb. Prinzessin von Württemberg (1677–1742). Er wurde zunächst in der Heimat selbst, dann auf der calvinischen Universität *Lausanne, ferner in Frankreich, in den Niederlanden, vornehmlich in den Generalstaaten (Bundesregierung der Niederlande: 1593–1795) durch den positiven Geist der *Aufklärung gebildet und diplomatisch-politisch sowie staatsschöpferisch durch seinen Oheim Wilhelm IV. (1711/1748–1751; 1734 Schwiegersohn des Königs Georg II. von Großbritannien; Erbstatthalter in den Niederlanden; Bruder der – geisteskranken – Mutter Carl Friedrichs) mannigfach und sehr nachhaltig angeregt. 1746 als Markgraf selb-

ständig, wollte er als Monarch im Sinne des aufgeklärten Absolutismus und Despotismus „ein freies, opulentes, gesittetes, christliches Volk" regieren und richtete alle seine Maßnahmen nach diesem Ziele aus: Förderung der Landwirtschaft (Neuregelung der Abgaben nach Maßgabe des Boden-Reinertrages, Einführung neuer Methoden in Ackerbau und Viehzucht, Kultivierung neuer Feld- und Gartenfrüchte, Lockerung und Aufhebung der Leibeigenschaft, Vereinfachung der Gespanndienste), Steigerung der gewerbe- und handelswirtschaftlichen Unternehmungen (unbeschränkte Gewerbefreiheit), Entwicklung des Volksbildungswesens (Neugründung von Schulen, Errichtung einer zentralen, seminaristischen Lehrerbildungsstätte, Gehaltsaufbesserung der Lehrer), Erleichterungen in der Zollpolitik (Senkungen bis zu 50%), Humanisierung in der Rechtspflege (Abschaffung der Folter, Beschränkung der Geldstrafen, Milderungen in der Kriminaljustiz), Toleranz in Konfessionsfragen, Bautätigkeit in der Residenz und im Lande – kurz: eine Fülle von umfangreichen und tiefgreifenden Regierungs- und Verwaltungsreformen, vielfach nach dem aktuellen Vorbild *Österreichs (Maria Theresia; Joseph II.), in zweiter Linie wohl auch *Preußens (Friedrich d. Gr., aber ohne dessen merkantilistischen Intentionen zu folgen) kennzeichnet das landesväterliche Wirken CF.s. Eines seiner wesentlichsten Mittel auf diesem Wege war die planmäßige Entwicklung und sorgliche Auswahl eines vorbildlichen Berufsbeamtentums, zu dem auch Goethes Schwager JG*Schlosser gehörte. Höchst konzentrierten Ausdruck fanden alle diese Bestrebungen und deren Gesamtmentalität in dem Zentrum der maßgeblichen Geistes-Elite Europas, das CF. in seiner Residenz Karlsruhe zu schaffen wußte und an dem sich Männer wie *Voltaire, Cassini de Thury (Carte de la France / Carte de Cassini), Frank („System einer medizinischen Polizey" 1779–1817; Leibarzt in Bruchsal 1772), JC*Lavater, JH *Jung-Stilling, FG*Klopstock usw. geistig und persönlich begegnen konnten, wo im Zusammenwirken von Gedanken des Reichsfreiherrn FCvMoser, JvMüllers, besonders aber JG*Herders der hochaktuelle Plan einer deutschen Akademie mit deutlichen politischen Aspekten (Reformen der Reichsverfassung) entstand.
Carl Friedrich hat in den mancherlei Wirren seiner ungewöhnlich langen Regierungszeit (Französische Revolution, Koalitionskriege, Napoleon-Zeit, Rheinbundpolitik, Erhebung,

Freiheitskriege) und mithilfe des raffiniert intelligenten Reichsfreiherrn EJv*Dalberg so geschickt zu manövrieren verstanden, daß mit den landesherrlichen Titelsteigerungen (1803 Kurfürst; 1806 Großherzog) stets auch recht erhebliche Gebietsgewinne verbunden waren. Bei seinem Tode konnte CF ein staatlich und wirtschaftlich wohlgeordnetes Hoheitsgebiet (das sprichwörtlich gewordene „Musterländle") von rd 15000 qkm mit fast einer Million glücklicher Einwohner hinterlassen.
Goethe widmet CF bei der Alters-Rückschau *(DuW)* sehr lobende Worte. Er nennt ihn einen *vortrefflichen Fürsten,* er weiß, daß er *wegen seiner Regententugenden gepriesen* und eben *wegen seiner vortrefflichen Regierungszwecke* besonders auch *unter den deutschen Regenten hoch verehrt* wird *(I/28, 112; I/29, 17; 96).*
In brüderlich-fürsorglichem Interesse am Schicksal seiner Schwester Cornelia bittet Goethe schon wenige Tage nach ihrem Bekanntwerden den neu gewonnenen weimarer Freund CLv*Knebel am 28. XII. 1774: *sondiren Sie mir wo möglich den Marckgrafen u Presidenten über meinen Schwager den Schlosser. Auch unbedeutende Worte geben Licht (Morris 4, 160; IV/2, 222).* Anfang April 1775 erwartet Goethe mit damals noch lebendigem Interesse an Problemen der *Physiognomik ein *Portrait des Markgrafen (Morris 5, 24; IV/2, 253; vgl. auch 283).* Auf dem Heimwege aus der *Schweiz, als sich Goethe mit seinem fürstlichen Freunde Carl August *an den Höfen herumtreiben und in der sogenannten grosen Welt hin und her fahren* mußte *(IV/4, 158),* fand die erste persönliche Begegnung mit CF – im Dezember 1779 – statt, und zwar in Karlsruhe; trotz der angeheirateten Verwandtschaftlichkeit aber *hat sich bisher noch keine Herzlichkeit zwischen den hohen Herzen spüren lassen. Es muss sich heute geben oder nie denn morgen früh verreisen wir.* Als erfahrener Gesellschafter zeigte sich der *Marckgraf gefällig und unterhaltend,* das war gewiß nicht viel für eine Schilderung *der unterthänigsten Sensation des ersten Tags (IV/4, 154 f.), coll amore dell odio gezeichnet (IV/4, 159).* Im April 1781 war CF besuchsweise in Weimar, Goethe nahm selbstverständlich an den offiziellen Veranstaltungen, vielleicht auch an manchen weniger offiziellen Zusammenkünften teil (IV/5, 107; BrGCharl 1 II, 623). JCLavater wurde, noch und wieder im Zuge physiognomischer Fragen um *Worte über... Marckgraf v. Baden... Marckgräfinn* gebeten *(IV/6, 21).* Danach findet sich nur mehr ein einziges Zeugnis für eine

(wahrscheinliche) Begegnung Goethes mit dem b.schen Landesherrn: CF war im Oktober 1783 mit dem Erbprinzen Carl Ludwig am Hofe in Weimar - die Markgräfin war im Frühjahr 1783 gestorben (IV/6, 151); vielleicht gehörte Goethe zur Begleitung Carl Augusts, die die Herren am 17. X. 1783 bis *Eisenach auf den Weg brachten (IV/6, 206; 448 f.). Danach schweigen Goethes unmittelbare Aufzeichnungen über CF, auch über dessen zweite (morganatische) Ehe mit Louise Freiin Geyer vGeyersberg (1768–1820), die CF am 24. XI. 1787 schloß und für deren Söhne er die legitime Nachfolge als Landesherr zu ermöglichen versuchte;

–, 2) Caroline Louise (1723–1783), geb. Prinzessin von Hessen-Darmstadt, seit 28. I. 1751 Gemahlin des Vorgenannten, als Tochter des sehr prachtliebenden, den Lebensstil des französischen Roi Soleil nachahmenden Landgrafen Ludwigs VIII. frühzeitig für die ebenso repräsentative wie produktive Seite der Kulturpflege eingenommen, vielseitig gebildet, besonders graphisch und malerisch sehr begabt, Mitglied der Akademie Kopenhagen und der Accademia di San Lucca in *Rom, Begründerin der Gemäldesammlung in Karlsruhe, war trotz dieser kulturell hochqualifizierenden Veranlagung nicht fähig, herzlichere Verbindungen mit dem Hof in Weimar herzustellen. Als Goethe sie im Dezember 1779 sah, schien auch ihm die *Markgräfin gefällig und gesprächig*, aber sie hielt, wie er ausdrücklich bemerkt, als *Frau Schwiegermama... die Erbprinzess sehr passiv am Gängelbande (IV/4, 155)*. Carl August scheint sie zu sehr als Tante, in den wohl überbetonten Würden und Ansprüchen einer Tante entgegengetreten zu sein, denn er *fürchtet sich vor der Marckgräfinn und wird nicht eher kommen als bis sie weg ist*, schreibt Goethe noch am 12. X. 1781 und fügt nicht ohne Spott hinzu: *wer doch einmal einen guten Credit hat, kan sicher seyn daß er sich ausbreitet (IV/5, 203)*. Noch spöttischer, fast frivol heißt es dann – wohl durchaus im Sinne der „weimarer" opinio communis – : *Ich hätte nicht geglaubt daß mir die Marckgräfinn von Baden noch eine Gefälligkeit erzeigen sollte, und es geschieht, da mir der Husar der die Nachricht ihres Todtes bringt ein Briefgen an dich mitnehmen kann (16. IV. 1783: IV/6, 151)*; so ließ sich der Todesbote in unfreiwilligem, nichts ahnendem Gehorsam metamorphosisch zum Liebesboten machen;

–, 3) Carl Ludwig (1755–1801), Sohn der beiden Vorgenannten, Erbprinz von Baden, am 15. VII. 1774 vermählt mit Amalie Friederike, geb. Prinzessin von Hessen-Darmstadt, Tochter des nüchtern-sparsamen Landgrafen Ludwig IX., durch seine Ehe mit Carl August verschwägert, am 16. XII. 1801 tödlich verunglückt. Goethe sah den Erbprinzen *in seine Augbrauen retranchirt aber gutwillig*, vielleicht zu *gutwillig*, um die Herrschsucht seiner Mutter gegenüber seiner jungen Gemahlin in erträglichen Grenzen zu halten (20. XII. 1779: *IV/4, 155*). Wohl auch 1781, gewiß aber 1783 war CL gemeinsam mit seinem Vater in Weimar, bei dieser Gelegenheit ist eine Begegnung mit Goethe kaum zweifelhaft (IV/5, 107; IV/6, 448 f.);

–, 4) Amalie Friederike (1754–1832), geb. Prinzessin von Hessen-Darmstadt, Gemahlin des Vorgenannten (3) seit 15. VII. 1774, war die Schwester der (seit 3. X. 1775) Herzogin von Sachsen-Weimar-Eisenach, der so *gründlich unterrichteten und an allem Guten und Schönen theilnehmenden Fürstin* (1801: *IV/15, 301*). AF schien Goethe bei der ersten Begegnung im Dezember 1779 zu *passiv am Gängelbande der Frau Schwiegermama* zu sein, war aber wohl deren Herrschsucht still unterlegen *(IV/4, 155)*. Der tödliche Unfall des Erbprinzen verhinderte im Dezember 1801 ein längst ersehntes und vorbereitetes Wiedersehen der Schwestern in Göttingen (IV/15, 301; 367). Auch Goethe hatte keine Gelegenheit mehr, mit AF persönlich zusammenzutreffen. Im Winter 1817/18 wurde die liebenswürdige Fürstin lediglich mit der postalischen Weiterleitung des Cölestins *an Hofrath *Gmelin nach Carlsruhe* und *an Herrn Carl von *Gimbernat nach Baden* bemüht *(III/ 6, 105; 161)*;

–, 5) Carl Ludwig Friedrich (1786–1818), Sohn des früh verunglückten Erbprinzen (3), trat an dessen Stelle als Nachfolger seines Großvaters 1811 die Regierung im Großherzogtum Baden an. Goethe nennt ihn in einem Brief an die Herzogin Louise am 5. VI. 1814 einen *trefflichen Fürsten, dem ich mit eben so viel Überzeugung als Neigung mein Leben gewidmet habe* und möchte ihn gern, *wäre es auch nur auf kurze Tage in seiner Residenz... verehren (IV/24, 296 f.)*; in dieser Äußerung mehr als eine – fast übertriebene – konventionell-höfische Höflichkeit sehen zu wollen, dürfte in Anbetracht des späten Datums nicht am Platze sein. In dem Briefbericht an Christiane vom 27. IX. 1815 aus *Heidelberg heißt es, anschaulich erzählend: *Der Großh. von Baden ist auch ein großer Jäger*, weil von Carl August und seiner selbst auf der Reise noch betätigten Passion für die *Jagd die Rede ist und die ihn dabei begleitenden Fürstenpersönlichkeiten mitgenannt werden: *PrinzChristian von Darmstadt ist auch dabey (IV/26,86 f.).* Auf Veranlassung *Napoleons hatte CLF am 8. IV. 1806 die durchaus liebreizende Stephanie Louise Adrienne Napoleone (1789–1860), Nichte der Josephine Beauharnais, Adoptivtochter Napoleons (der leibliche Vater war der Baron Tacher de la Pagerie) heiraten müssen. Goethe erwähnt Stephanie nirgends, obwohl sie auch am 28. August Geburtstag hatte und genau vierzig Jahre jünger war als er. CLF starb ohne männlichen Erben;

–, 6) Ludwig I. Wilhelm August (1763–1830), der Oheim des Vorgenannten (5) und nach dessen Tode 1818 Großherzog geworden, ist der jüngste Sohn des großen Carl Friedrich (1) aus dessen 1. Ehe. Goethe hatte ihn schon als sechzehnjährigen Prinzen im Dezember 1779 gesehen und als *ganz ins Fleisch gebacken* charakterisiert. Er sah ihn wieder, als er im Herbst 1815 nach Karlsruhe kam, spätestens am 5. X. 1815 *(III/5, 185: Pr. Louis).* Die letzte Briefverbindung im Herbst und Winter 1825 diente Goethes Bemühung um Privilegierung der letzthändigen *Sammlung* seiner *schriftstellerischen Arbeiten* und um Schutz vor unerlaubtem *Nachdruck (IV/40, 65; III/10, 104; 112; 323).* Von der Gemahlin Ludwigs I. Wilhelm August: Katharina Werner, tituliert als Gräfin vLangenstein († 1850) gibt Goethe keine Notiz. In einem Brief an den Lithographen FH *Müller empfiehlt er diesem am 5. III. 1828, *sich an einem Ort zu fixieren ... wo ein Fürst regiert, der... Künste und Gewerbe in allen Zweigen zu fördern sich angelegen seyn läßt (IV/44, 9);*

–, 7) Carl Leopold I. Friedrich (1790–1852), Stiefbruder des Vorgenannten (6), ältester Sohn aus der 2. Ehe Carl Friedrichs mit Louise Freiin Geyer vGeyersberg, seit 1796 Reichsgräfin vHochberg, auf dem Kongreß zu *Aachen als legitimer Erbe anerkannt, folgte dem kinderlos verstorbenen Vorigen (6) am 30. III. 1830. Goethe hat ihn 1814 in Darmstadt (IV/25, 54) und mit (allen?) seinen Geschwistern: Wilhelm August Friedrich (1792 bis 1859), Amalie (1795–1869), Maximilian Friedrich Johann Ernst (1796–1882) noch als *Grafen von Hochberg* 1815 in Karlsruhe getroffen *(IV/26, 96; I/36, 102),* ehe sie als Markgrafen von Baden (nach 1818) tituliert wurden. Mit Mißfallen vermerkt Goethe am 23. I. 1832: *Wenn auch nicht einträglich, so ist es doch schicklich, ja nothwendig, daß der regierende Herr eine Anzahl Conventionsthaler schlagen lasse, und da würde ich dringend wünschen, daß sie mit Bildniß und Wappen geprägt würden*

und nicht so laconisch-calvinisch, wie es in der Zwischenzeit geschah. Neuerlich haben die Großherzoge von Baden und Darmstadt, auch der Herzog von Coburg ihre Bildnisse auf die Münzen prägen lassen, ja der König von Preußen verschmäht nicht, sein Bildniß selbst auf geringern Münzen zu sehen; es ist das höchste Recht der Souveränetät, dessen man sich auf eine wunderlicheWeise einzeln begeben hat (IV/49, 219). In dieser Hinsicht und nach Goethes Auffassung gab auch Carl Leopold I. Friedrich von Baden damals ein positiv bemerkenswertes Beispiel;

–, 8) Friedrich (1756–1817), der zweite Sohn des großen Carl Friedrich (1) erhielt in Goethes Aufzeichnung vom Dezember 1779 die Kennzeichnung: *Der zweite Prinz artig und möchte gern (IV/4, 155),* da er aber nicht zur Herrschaft kam, auch sonst keine Bedeutung erlangte, blieb er, was er schon war: *Ein apanagirter Prinz.* Für Goethe hat er nie eine andere Rolle gespielt *(IV/4, 160).*   *Za*

Badstubenberg, Erhebung bei *Wildemann, erstieg Goethe Anfang August 1784 gelegentlich eines mehrtägigen Aufenthaltes in *Zellerfeld (IV/6, 334–336). Vgl. RV S. 23.   *Za*

Bäderkunde. Badeleben und B. als Kenntnis und wissenschaftliche Darstellung über Zusammensetzung und Wirkung der natürlichen Heilquellen gibt es seit der Antike; neben der technisch und architektonisch hochentwickelten Badekultur Roms in den Thermen – *zwischen dem verfallenen Gemäuer der Antoninischen Bäder,* den Caracallathermen, die *auch dem mahlerisch gewöhnten Auge in der Gegenwart kaum einige Zufriedenheit geben ... konnten,* ging Goethe umher *(I/32, 199; 170;* vgl. *Baia) –* war auch die Heilwirkung akrotothermischer, salinischer Eisenmineral- und Solbäder bekannt (Goethe zu Riemer Juni 1807 über den Teich Bethesda: *Daß die Pfaffen so dumm gewesen, sich ein solches Besitztum, wie ein Bad, ein Gesundbrunnen ist, entgehen zu lassen, Bdm. 1, 495;* aber es handelt sich dabei wohl um eine Lesefrucht, nicht um ein eigenes Wort Goethes vgl. III/3, 215). Goethe bezieht sich später auf eine Stelle der „Naturalium Quaestionium" des LA *Seneca, dem auch *die Gesundbrunnen merkwürdig* waren, *nicht weniger die periodischen Quellen. Von den Heilkräften der Wasser geht er zu ihrem Schaden über (II/3, 125 f.).* Im 15./16. Jahrhundert sammelte man alles, was über Bäder und ihre Heilwirkung mitgeteilt worden war: „De Balneis, omnia quae exstant apud graecos, latinos et arabos scriptores, qui hanc materiam tractaverunt", Venedig 1553; Goethe entlieh dieses Werk von der weimarischen Bibliothek im September 1816 während der Ausarbeitung seiner *Italiänischen Reise* gleichzeitig mit dem Buch von ABaccius, „De Thermis libr. VII", Venedig 1588. Manche Heilquellen blieben im Mittelalter bekannt, andere wurden entdeckt, so *Karlsbad durch Kaiser Karl IV. im Jahre 1327. Mochte man auch Ärzten und Heilmitteln nicht trauen, so glaubte man doch wenigstens an die Wunderkraft heilender Wässer: M*Montaigne unternahm 1580 eine Badereise (vgl. I/42^I, 95). Daß im 17. Jahrhundert Baden bei *Wien – ein für damalige Verhältnisse gut ausgestattetes Bad – und Bad *Schwalbach viel besucht waren, weiß M*Merian in seinen Topographien zu berichten und abzubilden. *Pyrmont war schon zu Ende des 16. Jahrhunderts berühmt (I/35, 104f.); später wurde es ein ausgesprochenes Fürstenbad, in dem 1683 der Große Kurfürst weilte. Karlsbad hatte *Wallenstein aufgenommen, ihm folgte fast ein Jahrhundert später (1711) Peter der Große. Letzterer hätte sich schon in der 1705 erschienenen „Dissertatio de thermis Carolinensibus" des FHoffmann (1660 bis 1742) über Zusammensetzung und Wirkung des Karlsbades unterrichten können, der Schrift eines Verfassers, der als der Begründer der neueren B. gelten kann. Nach seiner „Dissertatio de methodo examinandi aquas salubres", 1703, stellte er 1723 Untersuchungen über den Eisensäuerling in *Lauchstädt an, gab sie in seiner „Dissertatio de fontibus med. Lauchstadiensibus" bekannt und veröffentlichte im folgenden Jahr die Forschungsergebnisse über mehrere Bäder: „De praecipuis Germaniae medicalis fontibus". Es folgte 1734 ein „Kurtzer und gründlicher Bericht von der vortrefflichen Krafft und Würkung des Carls-Bad-Saltzes". So war eine reichhaltige wissenschaftliche Literatur zur B. entstanden (vgl. auch die spätere Schrift von CW*Hufeland: „Übersicht über die vorzüglichsten Heilquellen Deutschlands", 1815; *Döbereiner), die man auch den Badegästen in den böhmischen Bädern an die Hand gab (vgl. I/42^I, 24); seit dem 17. Jahrhundert kamen sommers Badeärzte mit den ersten Heilungsuchenden zu den Quellen.

Schon FHoffmann war in seiner Schrift „De medicina simplicissima summae efficaciae", 1737, für den Gebrauch kalter und warmer Bäder eingetreten. Ihm folgte JSHahn (1664 bis 1742): „Psychroluporia veterum renovata, jam recocta oder wiederaufgewärmtes alt kalt Baden und Trinken", 1738; er empfahl leb-

haft das Baden im Freien, das von Schlesien aus während des siebenjährigen Krieges auch nach Mitteldeutschland – die Schwimmkunst wurde in *Halle zuerst erlernt – übergriff: Es *war damals die Epoche des Kaltbadens eingetreten, welches unbedingt empfohlen ward (I/27, 186)*. Doch Goethe sah darin nur eine Ursache mehr, die zu seiner Erkrankung 1768 führte, und zählte das Baden – allerdings im hohen Alter – *Unter die damaligen Verrücktheiten, die aus dem Begriff entstanden: man müsse sich in einen Naturzustand zu versetzen suchen (I/29, 94)*. Die Behörden konnten sich nicht zur Duldung des Badens an Ufern und Seen entschließen. Für das Bistum Speyer war bereits 1759 das Baden verboten worden, „da das gemeinsame Baden beider Geschlechter in offenen Bächen und Flüssen zu allerhand Ärgernissen und Sünden geführt" habe. In *Dresden wurde 1761 das Baden in der Elbe wegen der vielen Unfälle untersagt, in Frankfurt 1773, doch wurden dort im gleichen Jahre verschiedene verschlossene hölzerne Badhäuser eingerichtet (ähnliche muß es am Tiber gegeben haben, von denen aus Goethe 1787 in Rom badet: I/32, 55). In Mannheim entstand 1777 die erste Rheinbadeanstalt.

Also war in Goethes Jugendzeit das Baden im Freien, wenn auch nicht üblich, so doch nichts Ungewöhnliches. Allerdings: die Grafen *Stolberg erregten sowohl bei ihrem Baden in der Nähe von *Darmstadt als später im *Züricher See (*Albis), wo *sie es . . . ganz unverfänglich* fanden, *die Kleider abzuwerfen und sich kühnlich den schäumenden Stromwellen entgegen zu setzen*, den Unwillen der unfreiwillig Zuschauenden. Denn *dieß geschah freilich nicht ohne Geschrei, nicht ohne ein wildes, theils von der Kühlung, theils von dem Behagen aufgeregtes Lustjauchzen, wodurch sie diese düster bewaldeten Felsen zur idyllischen Scene einzuweihen den Begriff hatten (I/29, 134–136)*. Goethe, der seinen Freunden in jugendlichem Überschwang gefolgt war, badete auf der gleichen *Schweiz-Reise auch bei *Amsteg, *wo die Reuß aus schrofferen Felsklüften hervordrang und das frische Schneewasser über die reinlichen Kiesbänke hinspielte (I/29, 120; vgl. III/1, 6; 72, wo vom Baden im Winter, das zur Abhärtung dienen sollte, berichtet wird: Pollmer S. 342; ferner die Tgb.-Notizen zwischen 1776 und 1780: III/1, 16; 17; 37; 43 f.; 79). – Diese Erinnerungen werden zu literarischen Motiven, die das natur- und sinnenhafte Erlebnis ins Ästhetische steigern: sowohl in den *Briefen aus der Schweiz – Ich veranlaßte Ferdinanden zu baden im See; wie herrlich ist mein junger Freund ge-

bildet! welch ein Ebenmaß aller Theile! welch eine Fülle der Form, welch ein Glanz der Jugend, welch ein Gewinn für mich, meine Einbildungskraft mit diesem vollkommenen Muster der menschlichen Natur bereichert zu haben (I/19, 213) – als auch in *Wilhelm Meisters Wanderjahren* kehren diese Schilderungen wieder (I/ 25^I,43 f.), die zugleich dartun, wie in dieser Zeit Freundschaft aus der Einheit von Seele und Sinn erlebt werden kann.

Was Goethe dichterisch überhöhte, blieb für Ärzte und Naturfreunde unmittelbarer Zweck. BGHebenstreit propagierte das Baden im Freien 1791 sogar in akademischen Vorlesungen, CWHufeland pries es, denn es reinige die Haut, es erfrische die Seele und den Leib und steigere das Lebensgefühl („Gemeinnützige Aufsätze zur Beförderung der Gesundheit, des Wohlseyns und vernünftigen medizinischen Aufklärung", 1794). Um 1795 wurde die erste Seebadeanstalt bei Doberan/Mecklbg. (Heiligendamm) angelegt; CWHufeland gab eine „Nöthige Erinnerung an die Bäder und ihre Wiederherstellung in Deutschland", 1801, KAZwierlein schrieb „Über die neuesten Badeanstalten in Deutschland auf Flüssen, zur See und an Badeörtern, deren Nutzen, Schaden und Charlatanerien", 1803, und wieder war es CWHufeland, der – auf engerem b.lichen Gebiet – 1821 ein Preisausschreiben über die Kaltwassermethode veranstaltete; es war das Geburtsjahr SKneipps.

Goethe – der schon in seiner Jugend in *Ems *einige Male des sanften Bades genoß (I/28, 177)* – ist vielfach und oft wochen- und monatelang, namentlich in den Bädern Nordböhmens (vgl. I/42^I, 24) gewesen, um seine oft in Mitleidenschaft gezogene Gesundheit wiederherzustellen. Erstmals 1785 in Karlsbad (alkalische Quellen mit Gehalt an Radioaktivität von laxierender Wirkung), unterzieht er sich einer Trink- und Badekur, deren Wirkung als *sehr heilsam* bezeichnet wird: *mein Gemüth ist viel freyer, ich kann mehr thun (IV/7, 90;* vgl. 154). 1786 wirkt Karlsbad günstig auf sein rheumatisches Leiden. Für 1791 und 1794 ist der Gebrauch von *Eger-Wasser (Eisen- und Glaubersalzsäuerlinge) bezeugt und (IV/10, 169; IV/18, 48), 1796 und 1799 nimmt Goethe Pyrmonter Brunnen ein (IV/11, 127; 14, 116; 126; III/2, 45). Im April 1800 unterzieht er sich als Ersatz für die in diesem Jahr nicht unternommene Badereise (IV/15, 172) einer häuslichen Badekur (III/2,287f.). Dazwischen erfolgte bereits 1795 ein abermaliger Aufenthalt in Karlsbad. Nach der im Januar 1801 mühsam überstandenen Erkrankung wird Goethe von

den Ärzten zu einem Aufenthalt in Pyrmont (kohlensäurereiche Solquellen und Eisensäuerlinge gegen Rheuma, Herz- und Magen/Darmleiden, sowie mit günstiger Einwirkung auf Bronchialkatarrhe, denen sich Goethe fast jährlich ausgesetzt sah) gedrängt, wo er trinkt und jeden zweiten Tag badet (IV/15, 240). Doch ihn *einem so entschieden anregenden Bade zuzuschicken, war vielleicht nicht ein Zeugniß richtig beurtheilender Ärzte (I/35, 105)*. Das 1805 auftretende Nierensteinleiden veranlaßte JC*Starck, Duschbäder in Lauchstädt (erdig-salinische Eisensäuerlinge) zu verordnen, doch werden diese aufgrund des Gutachtens von JC*Reil durch laue Bäder ersetzt. Hierfür wirkte nach einem weiteren heftigen Anfall dieses hartnäckigen Leidens Karlsbad 1806 und 1807, in welch letzterem Jahre die Trink- und die Badekur zeitlich nacheinander erfolgten, besser (IV/19, 161 und 353). Starke rheumatische Beschwerden veranlaßten 1808 abermals die Reise nach Karlsbad, dann nach *Franzensbad (Glaubersalzquellen von laxierender Wirkung); die Kur schlägt gut an (IV/20, 145). 1809 wird der Badeaufenthalt durch häusliches Baden und Trinken ersetzt (*Jena: IV/21, 18 und 31). 1810 ist Goethe von der Wirkung des Karlsbades enttäuscht, doch hat diesmal *Teplitz gute Wirkungen; Eger-Wasser wird in diesem Jahre nach Weimar nachgeschickt (IV/21, 357f.). 1811 wirkt die Kur in Karlsbad wohltätig (IV/22, 140), ebenso 1812, wo eine Zwischenkur in Teplitz (alkalisch-salinisch-radioaktive Mineralquellen gegen Lähmungen und Gelenkerkrankungen) eingeschoben wird. Die Quellen von Teplitz haben 1813 nach einer schweren Angina pectoris durch Gebrauch als Bäder außerordentlichen Erfolg (IV/23, 361f.). 1814 wird wegen rheumatischer Beschwerden zunächst *Berka, von Goethe 1812 als Bad eingerichtet, mit seinen schwefelhaltigen Quellen bevorzugt, doch geht Goethe im Sommer nach *Wiesbaden (akrotothermische Quellen, Kochsalz- und Solquellen), wo die regelmäßig genommenen Bäder durch eine Trinkkur mit Schwalbacher Wasser ergänzt werden (IV/25, 6). Dies wiederholt sich dort 1815 mit Weilbacher Wasser, das mit Milch gemischt wird (IV/26, 6). In *Tennstedt (schwefelhaltige Quellen) wird 1816 der geplante Aufenthalt in *Baden-Baden durch eine Trink- und Badekur ersetzt. 1818, 1819 und 1820 weilt Goethe wieder in Karlsbad, trinkt im letztgenannten Jahr auch Wildunger Wasser und als Nachkur *Marienbader Kreuzbrunnen (sulfatisches Natriumwasser mit laxierender Wirkung), das auch im Winter und in den folgenden Jahren fast ständig getrunken wird (IV/33, 98). 1821, wo er allerdings wenig badet, 1822, und dann nach der lebensgefährlichen Erkrankung vom Februar 1823 (während der Goethe ein warmes Bad fordert, das die Ärzte allerdings verweigern: Bdm. 2, 617, ihm aber wunschgemäß Marienbader Kreuzbrunnen geben lassen, der die Genesung einleitet: III/9,19) gebraucht Goethe Trink- und Badekuren in Marienbad (Mineral- und Glaubersalzquellen, erdig-alkalische Quellen, reine Eisenwässer gegen chronische Magen-Darm- und Blasenleiden) und beendet anschließend mit einem Aufenthalt in Karlsbad seine diesjährige und letzte Badereise. Der Plan, 1825 nach Gastein (radiumhaltige Thermalquellen gegen Gicht, Rheuma und Altersschwäche; vgl. auch *Aachen) zu gehen, zerschlägt sich.

Neben der medizinisch-therapeutischen Wirkung der Heilbäder ist für Goethe, als für einen Menschen, der Geselligkeit und Gesellschaft liebt, die den Gesamtorganismus beeinflussende Lebensweise während der Badeaufenthalte von entscheidendem Wert. Denn *in reiferen Jahren, wo man nicht mehr so heftig wie sonst durch Zerstreuungen in die Weite getrieben, durch Leidenschaften in die Enge gezogen wird, hat eine Badezeit große Vortheile, indem die Mannichfaltigkeit so vieler bedeutender Personen von allen Seiten Lebensbelehrung zuführt* (I/36, 13; vgl. auch 70). Die Loslösung von der täglichen Umwelt in Weimar mit ihren nicht immer ungetrübten häuslichen Verhältnissen, dagegen die „Wahlverwandtschaften" am Kurort – *on ne doit jamais aller aux bains si l'on n'use pas de la précaution d'y tomber amoureux; sans cela c'est à périr d'ennui* Bdm. 4, 380; auch der Zustand der „Bade-Ehen" war derzeit nicht unbekannt: I/20, 104) –, der Verkehr mit Freunden und Verehrern, dem Adel und dem jungen Bildungsbürgertum, mit Fürstlichkeiten (Maria Ludovica Beatrix, Kaiserin von *Österreich), *Diplomaten und Generälen aus vielen Ländern Europas geben dem jeweiligen Badeaufenthalt Inhalt und Geselligkeit, die sich von der Weimars wesentlich unterscheidet. *Personen ohne den mindesten Bezug auf einander werden durch Zufall augenblicklich in die unmittelbarste Nähe versetzt. Frühstück und Mittagessen, Spaziergänge, Lustpartien, ernst- und scherzhafte Unterhaltung bewirken schnell Bekanntschaft und Vertraulichkeit; da es denn ein Wunder wäre, wenn ... sich nicht die entschiedensten Wahlverwandtschaften zunächst hervor-*

thun sollten (I/32, 119f.); ... so läßt sich eine Badezeit mit dem Leben überhaupt vergleichen. Man kommt, als Neuling, mit allerley Hoffnungen und Forderungen an, manches bleibt unerfüllt, anderes erfüllt sich über alle Erwartung, manches unerwartete Gute und Böse ereignet sich und zuletzt tritt man ungern ab, ohne gerade wieder von vorn anfangen zu wollen (IV/23, 425; vgl. zu *Eckermann am 27. I. 1824: Bdm. 3, 66).

Aber neben diesem geselligen Treiben, von dem Goethe sich seiner Erholung zuliebe auch gelegentlich gänzlich ausschloß, wachsen ihm in den Bädern wissenschaftliche Belehrung in der *Mineralogie und der *Geologie durch eigenes Studium und Mitteilung anderer in großem Maße zu. Die Zeichenkunst wird besonders 1807 – eins der bedeutendsten Jahre in Karlsbads Geschichte – und 1810 fruchtbar; sie wirkt auf die Arbeit in Weimar und Jena zurück. Auf einer tieferen Schicht seines menschlichen Daseins sind Badeaufenthalte oftmals Wende und Entscheidung für Jahre geworden: am 3. IX. 1786 bricht Goethe frühmorgens von Karlsbad nach *Italien auf. In Teplitz und Karlsbad traf Goethe 1812 mit *Beethoven zusammen. Wiesbaden war der Ausgangspunkt seiner Rhein- und Mainreise und seiner Begegnung mit Mv*Willemer. Marienbad und Karlsbad sind Raum seiner letzten Leidenschaft zu Uv*Levetzow, wenn sie selbst auch schrieb: „Keine Liebschaft war es nicht" (Bdm. 2, 663). Denn es war mehr, es war ein erster Abschied vom Leben, der in den Versen der *Marienbader Elegie* zum Ereignis und durch das Kunstwerk überwunden wurde.   *Lö*

Enciclopedia Italiana 5 (1931), S. 856 ff. „Bagno" (mit Abb.). – RDK 1 (1937), Sp. 1372 (mit Abb. u. Lit.-Angaben). – PDiepgen: Geschichte der Medizin, die historische Entwicklung der Heilkunde und des ärztlichen Lebens. 1949. – AMartin: Abriß der Balneologiegeschichte. In: Handbuch der Balneologie, medizinischen Klimatologie und Balneographie 1 (1916). – AFischer: Geschichte des deutschen Gesundheitswesens. 1933. Bd 1, S. 223 ff. und Bd 2, S. 209 ff. – Handbuch der gesamten Therapie. 1927. S. 601 ff. – EBomboy: Les voyages de Montaigne aux eaux minerales en 1580–1581. In: Prog. med. Paris 75 (1947), S. 316 f. – OGübeli: Beurteilung und Chemismus der Heilwässer im Wandel der Zeiten. In: Prisma 2 (1947), S. 334 ff. – AMartin: Deutsches Badeleben in vergangenen Tagen. 1936 (mit Abb.). – MOberhoffer: Goethes Krankengeschichte. 1949. – JUrzidil: Goethe in Böhmen. 1932 (mit Abb.). – Keudell Nr 1063–1064.

Baehr, 1) George (1666–1738), Baumeister und Ratszimmermeister in *Dresden, schuf mit der 1726–38 erbauten Frauenkirche dortselbst aufgrund der schlesisch-ostdeutschen Tradition des protestantischen Kirchenbaues einen vorbildlichen Gemeinderaum über zentralem Grundriß mit Emporen in mehreren

Stockwerken und vermochte dieser architektonischen Schöpfung auch im Äußeren einen monumentalen Charakter zu verleihen. Die vollkommen aus Stein errichtete Kuppel gehört zu den eigenwilligsten und gelungensten Lösungen ihrer Gattung seit *Michelangelo. – Als Goethe 1768 Dresden besuchte, fand er es vom siebenjährigen Kriege her noch zerstört, die Frauenkirche jedoch erhalten. Er bestieg die *Kuppel* und sah *diese leidigen Trümmer zwischen die schöne städtische Ordnung hineingesät; da rühmte mir der Küster die Kunst des Baumeisters, welcher Kirche und Kuppel auf einen so unerwünschten Fall schon eingerichtet und bombenfest erbaut hatte* [der Baumeister der katholischen Hofkirche zu Dresden, GChiaveri, hatte aus statischen Bedenken die Abtragung der Kuppel gefordert]. *Der gute Sacristan deutete mir alsdann auf Ruinen nach allen Seiten und sagte bedenklich lakonisch: Das hat der Feind getan (I/27, 176).* – Auch am 11. VIII. 1813 war Goethe wieder auf der Kuppel der Frauenkirche – dem *Frauen Thurn* – wofür er gewissenhaft die Ausgabe von 8 gr notierte *(III/5, 68* und 335). *Lö*

ThB 2 (1908), S. 338 f. – WMüllering: George B., ein protestantischer Kirchenbaumeister des Barock. Diss. Dresden 1933.

–, 2) Johann Karl Ulrich (1801–1869), Urenkel des Vorigen, Maler, auf den sich Goethes Tagebuchnotiz vom 14. V. 1827: *Der Maler Baehr und ein Geselle (III/11, 56)* bezieht, war an diesem Tage mit dem Maler *Wagner auf einer Reise von Dresden nach Italien bei Goethe in Weimar. Dieser erkundigte sich nach den dresdner Kunstverhältnissen, insbesondere nach der damals umstrittenen *Restaurierung der sixtinischen Madonna von *Raffael, über die B. ihm Auskunft gab (Bdm. 3, 483 f.). B. war später Professor an der Kunstakademie in Dresden und veröffentlichte „Vorträge über Newton's und Göthe's Farbenlehre, gehalten im Künstler-Verein zu Dresden", 1863, in denen er für Goethes Farbenlehre eintrat. *Lö*

ThB 2 (1908), S. 339.

Bänderlehre (Syndesmologie), die Lehre der Ligamente, die Organe, vor allem aber Knochen untereinander verbinden, wurde zuerst von JWWeitbrecht (1702–1747; zuletzt in Petersburg tätig) in seiner „Syndesmologia, sive historia ligamentorum corporis humani, quam secundum observationes anatomicas concinnavit et figuris adumbratis illustravit", 1742 (deutsch 1779), systematisch dargestellt. – Goethe hörte im Zusammenhang mit seinen *anatomischen Studien 1794 bei JC *Loder Vorlesungen über B., obgleich *durch eine besondere Verrücktheit der medicinischen*

Jugend gerade dieser Theil vernachlässigt wurde und der Hörsaal daher fast leer war *(I/35, 32 f.),* aber das Interesse an der B. müsse, wie in den *Wanderjahren* ausgeführt wird, wieder geweckt werden, *denn mit ihnen* [den Bändern] *beginnt sich für uns das todte Knochengerassel erst wieder zu beleben (I/25^I, 89;* vgl. I/49^II, 59). Doch hat auch bei Goethe die B. neben seinem lebhaften Interesse am Knochenbau, das ihn zur *vergleichenden Anatomie führte, keine besondere Bedeutung erlangen können. *Sl*

BLÄ² 5 (1934), S. 886 f. – Rauber-Kopsch: Lehrbuch und Atlas der Anatomie des Menschen.¹⁹1955. S. 262ff.

Bänkelsang. Im Jahre 1730 taucht zuerst bei *Gottsched das Wort B. auf. Es deutet auf jene Bank hin, von der aus das Bänkelsängerpaar vor einer Bildtafel voller erschrecklicher Begebenheiten sein blutrünstig-moralisches Lied inmitten ungehemmten Jahrmarkttrubels heruntersang. Wahrscheinlich reichen die Anfänge des B.s bis in das 16. Jahrhundert zurück, das durch die Massenliteratur der „Neuen Zeitungen" die primitive Sensationslust des einfachen Volkes in gleicher Weise befriedigte, wie es Jahrhunderte später noch der B. tat, dessen Liederdrucke durch den stereotypen Vermerk „Gedruckt in diesem Jahr" die naive Neugier der Volksmenge erregten. Erst im 19. Jahrhundert bürgert sich das Wort Moritat für das Bänkelsängerlied ein, dessen wesentlicher Inhalt das unerschöpfliche Thema von Verbrechen und Sühne, Heimsuchung und wunderbarer Errettung ist. Selbst die umstrittene Etymologie dieses Wortes deutet auf seinen typischen Sinngehalt hin, ob man dabei an das spätmittelalterliche „moritas" (erbauliche Geschichte) oder an das rotwelsche „moores" (Lärm und Schrecken) denkt, oder es nur als vielleicht scherzhafte Latinisierung von „Mordtat" hinnimmt. Im 18. und frühen 19. Jahrhundert erreichte der B. den Höhepunkt seiner volkstümlichen Beliebtheit, die mit dem Aufkommen des modernen Zeitungswesens dann ein rasches Ende fand. In den Jahrzehnten nach dem 1. Weltkriege waren es nur noch einige wenige sächsische Schaustellerfamilien, die auf den Jahrmärkten mühsam die alte Tradition ernstgemeinten B.s aufrechterhielten. Schon immer wurden jedoch jene „Markt-, Avisen- oder Gassensänger" als ein sozial tiefstehendes Gewerbe angesehen, über das man sich in satirischen Bilddarstellungen und parodistischen Schauerballaden, wie sie der stilisierte B. des 19. Jahrhunderts in reichem Maße hervorbrachte, lustig machte. Aber bereits die Volksliedbe-

wegung der Sturm- und Drang-Zeit entdeckte im Liedgut der herumziehenden Bänkelsänger unschätzbare Reste alten Volksgesanges, für die man sich im steigenden Maße begeisterte: *Der allerneuste Ton ist's wieder, solche Lieder zu singen und zu machen ... Alle Balladen, Romanzen, Bänkelgesänge werden jetzt eifrig aufgesucht, aus allen Sprachen übersetzt. Unsere schönen Geister beeifern sich darin um die Wette (Claudine von Villa Bella: I/38, 155).* Diese Volksliedbegeisterung glaubte F*Nicolai im Jahre 1777 durch seinen satirischen Almanach „vol schönerr echterr lib:licherr Volckslider, lustiger Reyen unndt kleglicher Mordgeschichten, gesungen von Gabryel Wunderlich weyl. Benkelsengern tzu Dessau" lächerlich machen zu können. Es ist der gleiche Volksliederalmanach, der von den Romantikern bereits als wertvolle Fundgrube alten Liedgutes geschätzt wurde und von dem Goethe meinte, *Nicolai habe gegen seine Absicht darin recht gute Lieder drucken lassen und also mehr gesegnet als geflucht (zu HMeyer 1806: GoetheJb. 3, 209).*
Im Zuge einer anderen, gleichzeitig verlaufenden Entwicklung findet die Gestalt des Bänkelsängers ebenfalls ihren Weg in die Literatur. Um die Mitte des 18. Jahrhunderts dokumentiert sich die steigende Freude an originellen Volkstypen in zahlreichen Bilderserien, die nach dem Vorbilde der „cris de Paris" die Kaufrufe der Straßenhändler und das Vagantenvolk der Jahrmärkte naturgetreu abschilderten (zB. „Zürcherische Ausruff-Bilder" von DHerrliberger). Sogar das aufblühende Kunstgewerbe der Porzellanmanufakturen bemächtigte sich dieses Themenkreises, in dem der Bänkelsänger eine gewichtige Rolle spielte. Aus diesem Zusammenhange ist auch die Entstehung von Goethes *Jahrmärktsfest zu Plundersweilern* (1773) zu verstehen, jenem übermütigen Vergleich des wirren Welttreibens mit dem bunten Wirbel eines Jahrmarktes, der auch von einem Bänkelsängerpaar belebt wird. Auf der weimarer Erstaufführung wurde zu einem vom Maler *Kraus eigens entworfenen Moritatenbilde das Lied *Ihr lieben Christen allgemein, | Wann wollt ihr euch verbessern? (I/16, 17)* gesungen. Goethes Vertrautheit mit der volkstümlichen Überlieferung des B.s gelangt hier in gleicher Weise zum Ausdruck wie in dem parodistischen *Bänkelsängerlied*, das er dem Grafen Moritz *Brühl 1785 zum Geburtstag widmete *(I/4, 223–226)*, oder in der Erwähnung der Moritatenlieder auf das eingekerkerte und zum Tode verurteilte Gretchen *(Sie singen Lieder auf mich! Es ist bös von*

den Leuten! Faust: I/14, 231). Der Begriff des Bänkelsängerischen wird für Goethe zu einem Charakteristikum bestimmter Volkslieder, auf das er in seiner Wunderhornrezension vom Jahre 1806 wiederholt hinweist (zB. *Ungeheurer Fall, bänkelsängerisch, aber lobenswürdig behandelt: I/40, 343).*
Goethe nimmt die Gestalt des Bänkelsängers nicht nur als eine kuriose Erscheinung in der Fülle der Volkstypen hin, sondern er leitet aus ihr psychologische Einsichten ab, die ein tiefes Verständnis für die geistig-seelische Eigenständigkeit des Volksmenschen voraussetzen. Entscheidend ist ihm beim B. die Verbindung von Lied und Bild: *Am stärksten aber wird das Volk gerührt vor allem, was unter seine Augen gebracht wird. Weit mehr als eine ausführliche Beschreibung zieht ein gesudeltes Gemählde, ein kindischer Holzschnitt den dunkeln Menschen an. Und wie viel Tausende sind, die in dem vortrefflichsten Bilde nur das Mährchen erblicken. Die großen Bilder der Bänkelsänger drücken sich weit tiefer ein als ihre Lieder, obgleich auch diese die Einbildungskraft mit starken Banden fesseln* (Urmeister: *I/51, 150*). Im Hinblick auf die starke Wirkung des Bildhaften in Moritaten und Exekutionsliedern entwickelt Goethe sogar im Gespräch mit Riemer die kühne Hypothese, die Leidensgeschichte Jesu sei *nach dem Vorbild gewöhnlicher Hinrichtungen gemeiner Übeltäter von poetischen Erzählern nachgedichtet worden. Sie ist wie ein Bild nach Gang und Ordnung und konnte deswegen zu Bildern wieder werden* (2. VIII. 1809: *Bdm. 2, 47*). Gleicherweise wandelt er scherzhaft diesen Gedanken der primären Bildwirkung in dem Gedicht *Celebrität* ab, das angesichts eines Jahrmarktliederdrucks auf *Werthers* Tod entstanden ist: *Ist einer nun mit Kopf und Ohren | Einmal zum Heiligen auserkoren, | Oder hat er unter Henkershänden | Erbärmlich müssen das Leben enden; | So ist er zur Qualität gelangt, | Daß er gar weit im Bilde prangt. | ...Wie es denn auch dem Herren Christ | Nicht ein Haar besser geworden ist (I/ 2, 209).* Die primitive Didaktik des Bänkelsängers in der Ausdeutung des Moritatenbildes hat Goethe deutlich nachempfunden, und in den Strophen seines parodistischen Bänkelliedes vom Jahre 1785 spürt man den Bänkelsänger mit seinem Zeigestock vor dem spannungsgeladenen Abenteuerbild: *Hier seht ihr seiner Tage Lauf ... | Hier geht der Sonnenstrahl ihm auf ... | Hier galoppirt er früh und spat, | Hier steht er wirklich auf dem Kopfe, | Und hier als männlicher Soldat | Mit Degen, Hut und langem Zopfe (I/4, 224).* Ähnlich

schildert er anschaulich diese naive Demonstrationsmethode in *Rameau's Neffen: Bald wollt' ich mir ein Bild mahlen lassen, wie man's an der Stange herumträgt und auf einer Kreuzstraße hinpflanzt. Dabei hätt' ich mit lauter Stimme meine Geschichte erzählt: Hier ist die Stadt, wo er geboren ist. Hier nimmt er Abschied von seinem Vater dem Apotheker, hier kommt er in die Hauptstadt und sucht die Wohnung seines Onkels. Hier liegt er seinem Onkel zu Füßen, der ihn fortjagt. Hier zieht er mit einem Juden herum usw. Den andern Tag stand ich auf, wohl entschlossen mich mit den Gassensängern zu verbinden, und das würd' ich nicht am schlimmsten gemacht haben (I/45, 145).* Und im übertragenen Sinne wird des demonstrierenden Bänkelsängers noch in einem Briefe an Zelter gedacht: *Du bist so freundlich, mir das Schattenbild deiner Wunder-, That- und Klangwelt in meine Clause vorzuführen... Stelle Dich davor, ein Stäbchen in der Hand, und denke, bänkelsängerisch deutend, so wird es für den Augenblick wenigstens genügen* (9. XI. 1830: *IV/48, 11*).

Die tiefgreifende Wirkung des Bs. beruht seinem Inhalte nach in der drastischen Gegenüberstellung der durch Verbrechen und Unglück heimgesuchten Außenwelt und dem festgefügten bäuerlich-kleinbürgerlichen Lebenskreis seines Publikums, das die ihm ungewohnten Schicksalsfügungen staunend in Lied und Bild vernimmt. Darin liegt der wahre Ursprung aller volkstümlichen Lust am Ungewöhnlichen und Sensationellen begründet, ob es sich dabei nun um die Moritat eines Bänkelsängers oder die reißerische Reportage eines modernen Boulevardblattes handelt. In Goethes *Novelle* heißt es: *Es ist wunderbar... daß der Mensch durch Schreckliches immer aufgeregt sein will... es ist an Mord und Todtschlag noch nicht genug, an Brand und Untergang; die Bänkelsänger müssen es an jeder Ecke wiederholen. Die guten Menschen wollen eingeschüchtert sein, um hinterdrein erst recht zu fühlen, wie schön und löblich es sei frei Athem zu holen (I/18, 325 f.).* Scherzhaft ins Spießerhafte gekehrt charakterisiert Goethe diese Empfindungen des kleinen Mannes beim Lesen eines Jahrmarktliederdruckes auf *Werthers* erschröcklichen Tod: *Jeder kann mit dem Stocke zeigen: | „Gleich wird die Kugel das Hirn erreichen!" | Und jeder spricht bei Bier und Brot: | „Gott sei's gedankt: nicht wir sind todt!"* (*Celebrität: I/2, 210*). So schaut der selbstzufriedene Kleinbürger aus seinem behaglichen Gehäus auf das unruhevolle Getümmel der Außenwelt, die sein Erstaunen erregt, ohne ihn in der Geborgenheit seiner geordneten

Existenz unmittelbar zu bedrohen: *Nichts Bessers weiß ich mir an Sonn- und Feiertagen, | Als ein Gespräch von Krieg und Kriegsgeschrei, | Wenn hinten, weit, in der Türkei, | Die Völker auf einander schlagen (Faust: I/14, 47 f.).* Daß er in einer festgefügten Lebensordnung sich bewegt, wird ihm erst durch die Möglichkeit ihrer Gefährdung kraft unheimlicher Schicksalsfügungen bewußt, deren moralisierender Jahrmarktsprophet der Bänkelsänger ist. Goethe spricht geradezu vom *Bänkelsängersblick, der in der Welt nichts als Abenteuer, Strafgericht, Liebe, Mord und Todschlag sieht, just wie alles in den Quadraten seiner gemahlten Leinwand steht* (Frankfurter gelehrte Anzeigen 1772: *I/37, 230*). Doch auch diese unheimliche Außenwelt muß sich einer ausgleichenden Weltordnung fügen, die vom Volke in primitiver Schwarz-Weißmalerei von Gut und Böse gesehen wird. Der handfesten Vergeltungslehre naiver Sittlichkeit entspricht die unvermeidliche „Moral von der Geschicht", wie sie der Bänkelsänger am Ende seiner Moritat dem andächtig lauschenden Publikum verkündet: *Das Laster weh dem Menschen thut; | Die Tugend ist das höchste Gut (Jahrmarktsfest zu Plundersweilern: I/16, 17).* Mit volkspsychologischer Einfühlungsgabe hat Goethe das eigentümliche Dilemma erkannt, das jeden einfachen Menschen beschleicht, wenn dieser als Zeuge unheimlich-grauenvollen Geschehens von triebhafter Sensationsgier und rächender Vergeltungsmoral ergriffen wird. *Wie viel Tausende werden unwiderstehlich nach einer Execution, die sie verabscheuen, hingerissen, wie ängstet sich die Brust der Menge für den Übelthäter, und wie viele würden unbefriedigt nach Hause gehen, wenn er begnadigt würde und ihm der Kopf sitzen bliebe? Das sprudelnde Blut, das den bleichen Nacken des Schuldigen färbt, besprengt die Einbildungskraft der Zuschauer mit unauslöschlichen Flecken; schaudernd, lüstern blickt die Seele wieder nach Jahren zu dem Gerüste hinauf, läßt alle fürchterliche Umstände wieder vor sich erscheinen und scheut es sich selbst zu gestehen, daß sie sich an dem gräßlichen Schauspiele weidet* (Urmeister: *I/51, 150 f.*). Dies zwielichtige Gesicht kennzeichnet alle Bänkellieder. Daß diese Moritaten vom einfachen Volke mit andächtigem Ernst hingenommen werden, liegt in der eigentümlichen Gestalt des Bänkelsängers begründet, der sie als ein sich feierlich gebender Moralist inmitten lebenslustigen Jahrmarkttreibens in Wort und Bild verkündet. Und dieser besonderen Wirkung des B.s auf den Volksmenschen war sich Goethe auch bewußt, als er im Jahre 1808

angesichts der Demütigung seines Landesherren durch die napoleonische Fremdherrschaft erregt bekannte: *Ich will ein Bänkel-*
sänger werden, und unser Unglück in Liedern
verfassen! Ich will in alle Dörfer und in alle
Schulen ziehen, wo irgend der Name Goethe be-
kannt ist; die Schande der Deutschen will ich
besingen, und die Kinder sollen mein Schand-
lied auswendig lernen, bis sie Männer werden,
und damit meinen Herrn wieder auf den Thron
herauf und euch von dem euern heruntersingen!
(zu Falk 9. V. 1908: *Bdm. 1, 530*).   *Hn*

HNaumann: Studien über den Bänkelsang. In: Zeitschrift des Vereins für Volkskunde 33 (1923), S. 1–11.
– HNaumann: Bänkelsänger. In: RL 1, S. 105 f. –
OGörner: Der Bänkelsang. In: Mitteldeutsche Blätter für Volkskunde 7 (1932), S. 113–128 u. 156–171. –
ASpamer: Bänkelsang. In: Hofstaetter-Peters: Sachwörterbuch der Deutschkunde. Bd 1, S. 85. – ESter-
nitzke: Der stilisierte Bänkelsang. Diss. Würzburg
1933.

Baer, Carl Ernst von (1792–1876), geb. am
28. II. 1792 auf dem väterlichen Stammgut
Piep in Estland, studiert in Dorpat, Wien und
zuletzt in Würzburg Medizin, wird 1817 Prosektor bei *Burdach in Königsberg/Pr., gründet dort 1821 das Zoologische Museum und
übernimmt das zoologische Ordinariat; zweimal bekleidet er das Rektorat der Universität.
Im November 1834 gibt er seine Professur in
Königsberg auf und tritt in die Petersburger
Akademie ein. Von Petersburg aus macht er
Forschungsreisen nach Nowaja Semlja, ans
Eismeer, nach Finnland, Schweden und ans
Kaspische Meer; weitere nach Sibirien rüstet
er aus. Er begründet ein russisches Museum
für Völkerkunde und die Russische Entomo-
logische Gesellschaft. 1867 setzt er sich in
Dorpat zur Ruhe und stirbt dort am 28. XI.
1876.

vB. war ein selten universaler Forscher. In
Königsberg widmet er sich nach dem medizinischen Studium neben organisatorischen
Aufgaben an der Universität ganz der Zoologie. Er wird zum eigentlichen Begründer der
Entwicklungsgeschichte (heute Entwicklungsmechanik oder Entwicklungsphysiologie). Er
stellt die Individualentwicklung, die er in Ablehnung des haeckelschen biogenetischen
Grundgesetzes epigenetisch auffaßt, in den
Mittelpunkt des organischen Geschehens, das
nach seinen Worten „immer vom Allgemeinen
ins Besondere geht". Dabei betont er nachdrücklich die Zielstrebigkeit und Planmäßigkeit des Geschehens. Der Lebensprozeß ist ihm
„nicht das Resultat der physikalisch-chemischen Vorgänge, sondern ein Beherrscher derselben". Daher lehnt er, obwohl er selber Ab-
stammungsfragen verfolgt, die *lamarcksche
Theorie, vor allem aber die *darwinsche Zu-

fallslehre wegen ihres mechanistischen Gehalts
scharf ab. vB. war einer der wenigen seiner
Zeit, die gegen den herrschenden Mechanismus die goethesche Form des Denkens und
Naturforschens in sich noch verwirklichten.
Daher bewunderte er „Goethes Metamorphose
der Pflanzen aufrichtig", die seiner Meinung
nach „das Fundament der neueren Botanik
geworden ist". In der Beurteilung des Streites
*Cuvier-*Geoffroy-St.-Hilaire stellt er sich
allerdings in Ablehnung des goetheschen Urteils auf die Seite Cuviers, dessen Unterscheidung von Anfang an getrennter Baupläne er
gegen die herrschende darwinistische Abstammungslehre beipflichtet.

In der zweiten Hälfte seines Lebens tritt die
Zoologie hinter umfassenden geographischen,
anthropologischen, fischerei-biologischen Problemen zurück, die in der Petersburger Akademie an ihn herantraten und die er mit der
gleichen Überlegenheit behandelt, wie zuvor
die Zoologie.   *Bn*

KEvBaer: Nachrichten über Leben und Schriften des
Herrn Geheimerats Dr. Karl Ernst von Baer, mitgeteilt von ihm selbst. St. Petersburg 1866. ¹Braun-
schweig 1901 – KEvBaer: Rede. 3 Bde. ²1866. –
KEvBaer: Lebensgeschichte Cuvier's. Hrsg.v.LStieda
1897 – OKoehler: Carl Ernst von Baer. In: Der Biologe 9 (1940). – LStieda: Karl Ernst von Baer. 1905.

Bär, Hans Caspar, Dr. (18. XII. 1737–17. XII.
1807), der *Medicus und Chirurgus,* den Goethe
auf seiner 3.*Schweiz-Reise am 28. IX. 1797 in
*Hütten antraf; entstammt einem alten Ge-
schlecht, das schon im 17. Jahrhundert dort ansässig war. Die Eltern sind Caspar B. im „Tan-
nenmattli" Hütten und Susanne geb. Lüthold;
höchstwahrscheinlich handelt es sich bei dem
Vater um den „Chirurgus Bär von Hütten",
der in den Akten der Landvogtei Wädenswil
(jetzt: Staatsarchiv Zürich) schon für das Jahr
1720 bezeugt ist. Hans Caspar B. amtierte
bereits 1768 als Chirurgus in Hütten. Sechs
Jahre nach seinem Zusammentreffen mit Goethe, am 15. IV. 1803, wurde er in den Großen
Rat von Zürich gewählt. Er „war ein gebildeter Mann, der es für seine Zeit weit brachte."
Bei dem dreieinhalbstündigen Aufenthalt Goethes bewegte sich das *Gespräch hauptsächlich
um wirtschaftliche Fragen des Ortes, um die
Ausführung der Kühe nach Italien und um die
Weinausfuhre... nach Schwaben (III/2, 160
vgl. auch I/34ᴵ, 383f.).   *Za*

Briefliche Auskunft P. Ziegler-Wädenswil v. 16. VIII.
1956.

Bärenhäuter. Ähnlich wie die Werwolf-Sage
ist das Märchen vom B., das schon 1670 von
*Grimmelshausen erzählt wird, ein Überrest
primitiv-mythischen Denkens, dessen primäre
Entwicklungsstufe in dem Glauben an die rein

physische Wandlungsfähigkeit des Menschen zum Tier präanimistische Vorstellungsweisen voraussetzt. Eine spätere dualistische Ausprägung jener präanimistischen Mythe ist dann der Glaube an Seelentiere, wie er uns in der nordischen Bjarki-Sage überliefert wird. Seit dem 16. Jahrhundert ist der Begriff B. bereits unter humanistischem Einfluß zu einem Schimpfwort herabgesunken. Er wurde in Verbindung mit der Redensart „auf der Bärenhaut liegen" gebracht, die in Erinnerung an die angeblich faulenzenden, fellgekleideten Germanen (Tacitus: Germania Kap. 15 und 17) entstanden ist. In diesem abgewerteten Sinne ist das Wort, das in seiner abschätzigen Bedeutung ursprünglich auf Landsknechte, im 18. Jahrhundert auch auf Landstreicher und Studenten angewandt wurde, bei Goethe zu verstehen: *Wenn sie's nicht hat; binn ich ein Bärenheuter (Die Mitschuldigen: I/53, 62).*   *Hn*

Gaismaier: Die Bärenhäutersage. In: Progr. Ried 1904. – Bolte-Polivka: Anmerkungen zu den Kinder- und Hausmärchen der Brüder Grimm. Bd 2, S. 427 ff. – HWbAberglaube 1 (1928), Sp. 910–912.

Bärenthal, im Unterelsaß. Es gibt kein Tal dieses Namens, sondern nur ein solches, in dem ein Dorf B. liegt; es wird von der nördlichen Zinsel durchflossen und öffnet sich bei *Reichshofen auf die elsässische Ebene. Ende Juni 1770 durchritt es Goethe, von *Bitsch kommend (vgl. RV S. 10); wohl um der *hinabstürzenden Bäche* und der urwaldähnlichen *dicken Wälder auf beiden Höhen,* dh. einer unverfälschteren, stärkeren Natur und eindrucksvolleren Landschaft willen zog er diesen beschwerlicheren Weg der großen Straße durch das nördlich davon gelegene Tal des Falkensteinerbaches vor. Zuletzt jedoch muß er nach dieser abgebogen sein, da er zuerst *Niederbronn dann *Reichshofen* berührte. Im B. *kam ihm durch Gespräche einiger Fußbegleiter der Name von *Dieterich wieder in die Ohren (I/27, 338 f.).* Es handelt sich höchstwahrscheinlich um Waldarbeiter im Dienste vDieterichs, zu dessen weit ausgedehntem Landbesitz die ganze Gegend gehörte.   *Fu*

Bärmann, Heinrich Joseph (1784–1847), Mitglied einer bekannten Musikerfamilie, Komponist, vornehmlich Klarinettist, „ein wahrhaft großer Künstler und berühmter Mann", wie ihn CMv*Weber nannte, war nach seiner Ausbildung als Militärmusiker in *Potsdam seit 1807 Mitglied der Hofkapelle in *München; Weber schrieb für ihn seit 1811 mehrere Klarinettenkonzerte. Im Jahr darauf waren beide in Weimar, wo sie am 29. I. und 2. II. 1812 bei Hofe konzertierten (III/4, 255f.). *In diesen*

Tagen sind ein paar geschickte Musiker, von Weber und Bärmann, bey uns mit großem Beyfall aufgenommen worden, den sie auf alle Weise verdienen, schrieb Goethe an AHFv*Schlichtegroll (31. I. 1812: *IV/22, 256).* B. stand auch mit G*Meyerbeer (mit dem er zusammen in der Zeit des Wiener Kongresses musizierte) und mit F*Mendelssohn-Bartholdy(„Reisebriefe") in enger Beziehung, welch letzterer für ihn zwei Duos für Klarinette und Bassethorn schrieb.   *MB*

Graves Dictionary of Music and Musicians 1 (1952), S. 193. – HRiemann: Musiklexikon. 1929. S. 95.

Bäuerle, Adolph (eig.: Johann Andreas; 1786 bis 1859), österreichischer Bühnen- und Romanschriftsteller, Begründer des *Wiener Volksstückes, begann seine vielseitige journalistische Tätigkeit als Redakteur der „Wiener Theaterzeitung" 1806. Er schrieb 1813 „Die Bürger von Wien" und führte mit diesem Stück, das mit großem Erfolg auch außerhalb Wiens gespielt wurde, die Gestalt des Parapluiemachers Chrysostomus Staberl ein; sie kehrt in vielen seiner Stücke, den daher sogenannten Staberliaden, wieder. Goethe sah dieses Stück am 8. XII. 1824 in Weimar, wo auch das 1815 entstandene Volksstück B.s „Staberls Hochzeit" bereits am 16. XII. 1822 über die Bühne gegangen war (III/8, 273 und 9, 304). Am 9. XI. 1827 erhielt Goethe B.s Schrift „Gott erhalte Franz, den Kaiser!" vom Verfasser zugesandt, die dieser nach der Genesung Franz I. veröffentlicht hatte (III/11, 135). B. beschäftigte sich auf seine Art auch mit „Faust"-Themen: „Fausts Mantel" und „Schatten von Fausts Weibe" (1817, bzw. 1818) und brachte es 1828 sogar zu einer Parodie auf *Schillers „Cabale und Liebe". Auch der Text des Liedes: „Kam ein Vogel geflogen" stammt von ihm. Außerdem erwarb er sich unbestrittene Verdienste um die soziale Fürsorge in Wien.   *Za*

Biographisches Lexikon des Kaiserthums Österreich 1 (1856), S. 118 ff. – NDB 1 (1953), S. 531.

Bäumert, Johann Heinrich (1743–1816), war Gärtner und Botaniker am Senckenbergischen Institut in *Frankfurt/Main, das einer nach dem Tode JC*Senckenbergs gegründeten Stiftung unterstand. Nach B. erkundigte sich Goethe mit einem Brief vom 6. XI. 1815 bei CH*Schlosser, da er über *Pflanzenkunde in Frankfurt im Rahmen seiner Rhein- und Mainreise berichten wollte. Goethe bezeichnet B. als *Gartenbesitzer vor Sachsenhausen, links gegen den Mühlberg zu, der die schönen Pflanzen und die hübsche Tochter hat (IV/26, 140).* B. unterstand dem Arzt CE*Neef (*Nefe: I/34¹,*

126). Wie Goethe dann weiter berichtet, würde B. *die zweckmäßige Vollständigkeit des Gartens so wie den Gebrauch desselben nächstes Frühjahr einzuleiten wissen (1/34¹, 126),* denn die Gründung der Senckenbergischen Naturforschenden Gesellschaft, von Goethe mit angeregt, stand bevor und erfolgte 1817.   *Ba*

Die Gründung der Universität Frankfurt. 1929. S. 28 f. – MNoebius: Beschreibung des alten botanischen Gartens (unveröffentlicht). In: Sitzungsberichte der Senckenbergischen Naturforschenden Gesellschaft. 1903.

Bager, Johann Daniel (1734–1815), Porträt- und Genremaler, Schüler J*Junckers, tätig in Frankfurt/M, den Goethe einen *nicht ungeschickten Mahler* nennt, hatte 1773 für JC*Lavater die *Profile mehrerer namhafter Menschen* gemalt *(1/28, 258),* unter anderm auch ein Porträt Goethes in Ovalformat, Profil nach links, das Lavater am 6. XI. 1773 erhielt. Begeistert bestätigte er Goethe den Empfang und fand das Porträt ähnlich: „... Die Natur spricht. Nur die zu-lange Nase, denn das ist sie gewiß, mindert den Eindruck der Augen und der Stirne. Aber welche Naivetät – in dem Munde": SGGes 16 (1901), S. 6. JGSaiter stach dieses Porträt, das mit der lavaterschen Sammlung in die Fideikommiß-Bibliothek nach Wien kam, für die „Physiognomischen Fragmente" (3, Taf. 66); einen weiteren Nachstich fertigte CGGeyser für den zweiten Band des Nachdrucks von Goethes Schriften, Berlin 1775.   *Lö*

ThB 2 (1908), S. 354. – ESchulte-Straathaus: Die Bildnisse Goethes. 1910, S. 7 und Taf. 8. – HWahl: Goethe im Bildnis. 1932, S. 16.

Bagge, Charles-Ernst, Baron de (Geburtsjahr unbekannt, Todesjahr: 1791), aus alter, vielleicht nordeuropäischer Familie *(ein deutscher oder brabantischer Edelmann),* Kammerherr Friedrichs d. Gr., hielt sich die meiste Zeit seines Lebens in Paris auf, gefiel sich in der Rolle eines Musikliebhabers und eines Förderers junger musikalischer Talente und war auf alle Fälle *wegen seiner Leidenschaft zur Musik merkwürdig ... seine Concerte, allgemein gekannt und besucht, konnten sich eines in Paris so leicht erregten Lächerlichen nicht erwehren (1/45, 164).* Von der Virtuosität seines Violinspiels war eigentlich nur er selbst überzeugt, und Kaiser Joseph II. bestätigte ihm: „Baron, je n'ai jamais entendu personne jouer du violon comme vous."   *Za*

Baggesen, 1) Jens Immanuel (1764–1826), dänischer Schriftsteller, offenbarte bereits in seinen „Komiske Fortaellinger" 1785 unter dem Einfluß von JHWessel und Wieland einen aus parodierenden, empfindsamen und frivolen Tönen gemischten Stil, den er später zur Meisterschaft entwickelte. Über den Kreis der Reventlows und Stolbergs, des Grafen Schimmelmann und des Prinzen Friedrich Christian von Augustenburg und durch wiederholten Aufenthalt in Deutschland kam B. in enge Verbindung zur deutschen Literatur, zu der er dann selbst mit mehreren deutsch geschriebenen Werken beitrug. Reizbar und Stimmungsumschwüngen unterworfen, immer wieder von Sorgen, Krankheiten und Todesfällen in seiner Familie geplagt, voll innerer Unruhe, die ihn auf weite Reisen trieb und ihn mehrfach den Wohnort wechseln ließ, schwankend zwischen den Nationen und den philosophischen Anschauungen, im klassizistischen Ideal des 18. Jahrhunderts wurzelnd, aus dem er sich nie ganz zu lösen vermochte, hat B. der Mitwelt und Nachwelt eine gerechte Beurteilung seines Verhaltens und seiner umfangreichen literarischen Leistungen nicht eben leicht gemacht. Goethe kannte nach eigenem Zeugnis (III/3, 234; 262 f; 388; IV/11, 140) mindestens Gedichte und das idyllische Epos „Parthenais oder die Alpenreise" von B. Dieses zeichnete sich durch prachtvolle Schilderungen der schweizer Natur aus, für die freilich ein entstellend wirkender mythologischer Apparat aufgeboten worden war. Die Gedichte „Heideblumen" von 1808 erregten besonderes Aufsehen dadurch, daß sowohl Widmung wie Anspielungen die Liebe des inzwischen zum zweiten Mal verheirateten B. zu „Lilia" = Sophie Ørsted, der Schwester *Oehlenschlägers, zu einer Sache der Öffentlichkeit machten und zu einem Bruch mit dem kopenhagener Kreis führten, in dem B. damals vorübergehend lebte (vgl. Bdm. 2, 428). Sophie Ørsted hatte B. eine Zeitlang die Augen für die Schönheiten der neuen Literaturrichtung zu öffnen vermocht, so daß sich bei B. eine versöhnlichere Haltung anzubahnen schien, wovon sein vollendetstes dänisches Werk „Giengangeren" (1807), besonders dessen Hauptteil, der poetische Dialog „Min Gienganger og jeg selv" zeugt. Doch schon bald darauf brach die Fehde zwischen B. und Oehlenschläger aus, die sich dann über viele Jahre hinzog. „Der vollendete Faust oder Romanien in Jauer, ein dramatisches Gedicht" wandte sich mit oft krassen, wenn auch witzigen Ausfällen gegen die Brüder Schlegel, Schelling, Fichte, Tieck und andere und hat auch Goethe nicht verschont.   *HF*

–, 2) August, Sohn des Vorgenannten, Marineoffizier, *Lieutenant,* besuchte Goethe am 25.V. 1819 in Weimar, berichtete dabei von seines Vaters Streit mit Oehlenschläger: *Streit zwischen Altem und Neuem, Geregeltem und Unge-*

19*

regeltem (III/7, 50). Er *erfreute* Goethe aber zugleich *durch heitere Gegenwart und unbewundenes Gespräch (I/36, 152).*   **Za**

Bagheria *(Bagaria)* sizilischer Landschaftsteil und Ort mit Schloß nahe *Palermo, wo Goethe am 9. IV. 1787 zunächst geologischen Beobachtungen nachging (III/1, 333; I/31, 96; 338; I/32, 474; vgl. RV S. 26). Doch beschäftigte ihn zugleich auch *der Unsinn des Prinzen *Pallagonia (I/31, 109);* dieser hatte *seiner Lust und Leidenschaft zu mißgestaltetem abgeschmacktem Gebilde den freisten Lauf gelassen und dergleichen Figuren schockweise verfertigt und ganz ohne Sinn und Verstand entsprungen, auch ohne Wahl und Absicht zusammengestellt, daß man durch ... Spitzruthen des Wahnsinns durchgejagt wird ... (I/31, 111; 113). Im Schloße selbst nun, dessen Äußeres ein leidliches Innere erwarten läßt, fängt das Fieber des Prinzen schon wieder zu rasen an. Die Stuhlfüße sind ungleich abgesägt, so daß niemand Platz nehmen kann, und vor den sitzbaren Stühlen warnt der Castellan, weil sie unter ihren Sammetpolstern Stacheln verbergen (I/31, 114).* Auf Betreiben der Familie hat die Regierung den Erbauer dieser „Monstrositäten" dann endlich unter Kuratel gestellt (I/46, 171 f.). Neuerdings bahnt sich in der Forschung ein gerechteres Urteil über den barocken Fürsten an.   **Za**

Baglione, Giovanni (1571–1644), Maler und Kunstschriftsteller, tätig in Rom und 1609 bis 1610 unter starkem Einfluß des *Caravaggio in Neapel, wie sein Bild „L'amor sacro" im Kaiser-Friedrich-Museum zu Berlin mit seinen harten Hell-Dunkel-Kontrasten bei fast geometrischer Komposition erkennen läßt. Bei den großen Freskounternehmungen des damaligen Rom meist an zweiter Stelle mitwirkend, hat er jedoch auch selbständige Altarbilder, so eines für *Perugia, geliefert. Neben seiner Tätigkeit als Maler sammelte er Notizen über die Künstler seiner Zeit und faßte diese in der seit dem 16. Jahrhundert für geisteswissenschaftliche Werke häufig angewandten Dialogform in einem biographischen Lexikon über die zwischen 1573 und 1642 in Rom tätigen Künstler zusammen, das 1644 unter dem Titel „Le vite de' pittori, scultori, architetti ed intagliatori del Pont. di Gregorio XIII del 1572 fino a' tempi di Papa Urbano VIII nel 1642" erschien, am Schluß unter dem Namen des Verlegers seine eigene Lebensbeschreibung. Einen Anhang mit dem Leben des Salvator Rosa fügte GBPasseri der in Neapel verlegten Ausgabe von 1753 hinzu. Goethe führt dieses Werk in einer Liste von Werken der Kunstliteratur über

Italien anläßlich seiner *Vorbereitung zur zweiten Reise nach Italien* auf (I/34[II], 181).   **Lö**
Schlosser: Die Kunstliteratur. 1924. S. 411. – ThB 2 (1908), S. 355 ff.

Bagnoli, Ortschaft am Golf von *Pozzuoli, gehörte mit zu den Ausflugszielen, die Goethe auf Einladung und in Gesellschaft des Prinzen Christian August zu *Waldeck am 1. III. 1787 von *Neapel aus aufsuchte (I/31, 19 f.; vgl. RV S. 26)   **Za**

Bagolini, Rosa, geb. Nariani, italienische Fechtkünstlerin. Einer Vorstellung von ihr wohnte Goethe am 28. V. 1828 in Weimar bei.   **EF**

Bahn, Johann Daniel (1698–1781), aus Coburg, nach langjähriger Kanzlistentätigkeit in der weimarischen Kammer seit 1748 Kammerarchivar und in dieser Eigenschaft Goethe gewiß bekannt, obwohl in seinen Aufzeichnungen nicht erwähnt.   **Hk**

Bahr, Hermann (1863–1934), aus Linz, „Oberösterreicher ... mit sämtlichen typischen Zügen des Schlesiers" („Selbstbildnis". 1923, S. 6), besonders bedeutend als Essayist, vereinigte wie nur wenige Männer seiner Generation ein weltentief und -weit erfahrenes Wissen um die Verhängnisse, auch um die Verheißungen der zeitgenössischen Gesamtlage Europas. In theoretisch-praktischer Auseinandersetzung suchte er auf den Wahrnehmungsfeldern der Kunst und der Kulturphilosophie seine Positionen, die oftmals Negationen waren, zu gewinnen. Nach abgeschlossener Gymnasialbildung (Linz/Salzburg, 1881) studierte er in Wien, Czernowitz, Berlin zunächst, und vornehmlich altphilologisch angelegt, Kulturwissenschaften, dann Rechts- und Staatswissenschaften. Seit 1888 bildete er sich west-östlich auf ebenso intensiven wie extensiven Auslandsreisen (Frankreich, Spanien, Rußland, Schweiz). Zwischendurch arbeitete er 1890 einige Zeit in Berlin. 1891 ging er wieder nach Wien, um sich immer stärker dem Theater und der Literatur zu widmen. Weitere Stationen sind: Berlin (1906), Salzburg (1912), Wien (1918), München (1922); begraben wurde er in Salzburg (1934). Gefährdet wie alle ähnlichen Begabungen, erlebte und erlitt er – mehr oder weniger klar bewußt καθ' ὅλου („Selbstbildnis", S. 297) – alle Bewegungen und Erschütterungen seiner Epoche, dh. jener entscheidungsschweren Dezennien vom letzten Viertel des neunzehnten bis über das erste Viertel des zwanzigsten Jahrhunderts hinaus. B.s Verfahren glich bisweilen dem, was man imgrunde Selbstexperiment nennen muß und wobei nur die starken

Naturen sich finden, indem sie sich verlieren.
Sehr eigenwillig als Denker und als Deuter,
als Kritiker, hellsichtig als Beobachter, spür-
sicher als Anreger hat er, der wissenschaftlich
im spezifisch damaligen, „philologisch-ästhe-
tischen Sinne" ohne Zweifel ein Außenseiter
war, dies aber auf eine sehr beredte Weise sein
konnte (vgl. zB. „Summula". 1921, S. 11–12;
29–52), Anspruch auf einen sichtbaren Platz
in der Geschichte der Goethe-Forschung und
-Deutung. Wenn man ihm auch die Erstprä-
gung des Kennwortes „Moderne" (Eugen
Wolff 1886/87) rechtens nicht zuschreiben
kann, so hat er in seinem Lebenswerk als
weithin hörbarer Wortführer und in einer
Unzahl von publizistischen Formen zur Kritik ebendieser – merkwürdig zähebigen –
„Moderne" (seit 1890) negativ und positiv
mehr als andere beigetragen. Für die Pro-
blemkomplexe eines von hier aus befruchteten
Goethe-Verständnisses betont B. schon frühzeitig, daß Goethe nicht so sehr durch sein
Werk, sondern durch das, was er gewesen ist,
zum „Schicksal über alles geistige und weltliche Leben seit hundert Jahren" („Essays"
I. 1912, S. 32) gemacht wurde. B. schwebt
dabei vor, daß eigentlicher Maßstab der Dauer
und der Gültigkeit des goetheschen Daseins
das tätig und in dichtester Kommunikation
mit der „Welt" gelebte und geleistete Leben
ist („Summula", S. 7), dh. die exemplarische
Existenz eines Mannes, der in langen Lebzeiten Ernst gemacht hat mit der *täglichen Bewahrung schwerer Dienste (I/6, 240)*. Er findet auf diesem Wege, daß Goethe den Fluch
der betriebsamen Polypragmasie und damit
die Verabsolutierung der *unbedingten Thätigkeit (MuR: Hecker Nr 461)* im Sinne einer
Idolatrie des allenfalls fortschritts- und nütz-
lichkeitsgläubigen, pseudo-realistischen „Ar-
beits"-Menschen (auch des Zwecklügners wie
Pylades) durch eine zukunftsvolle Synthese
der alten Leitbilder des Ritterlichen und des
Priesterlichen in der Gestalt des Dienenden
und in der Form der „gehorsamen Ergebung
in's Gesetz" („Labyrinth der Gegenwart".
o J. S. 157) überwunden hat: „Wer nicht
beides hat, den Sinn, sich und seine Kraft zum
Höchsten auszubilden, aber auch den Sinn,
sich mit dieser höchsten Bildung dann dem
Ganzen dienend darzubringen, bleibt unerfüllt" („Summula", S. 26). Damit schickte
sich B. an, Goethes vielbemühten *Persönlich-
keits*-Begriff neu und weniger bildungs-opti-
mistisch zu befragen („Summula", S. 25).
Die Antwort gewahrt er in Goethes Doppel-
forderung, sich zu *verselbstigen,* zugleich aber

sich zu *entselbstigen* in regelmäßigen Pulsen,
„womit der tiefste Punkt der Barocke ausgesprochen ist" („Summula", S. 25). Hier liegt
der Ansatz für B.s weiterhin bahnbrechende
Einsicht (vgl. auch „Summula", S. 167–177)
in die tiefliegende Verbundenheit Goethes mit
dem *Barock. Endlich hat B. das Verdienst,
in Goethes *Farbenlehre dessen „tiefstes Buch,
das einzige, das ihn ganz enthält, den Schlüssel zum Faust und zu den Wanderjahren, die
Offenbarung Goethes – heute noch uner-
kannt-"(„Summula", S. 11) gesehen zu haben.
Inzwischen wird gerade dieser Ansatz B.s allmählich, und nicht zuletzt durch RMatthaei,
Gemeingut der neueren Goethe-Forschung. *Za*

HKindermann: Hermann Bahr. Ein Leben für] das
europäische Theater. (Darin: KThomasberger: Bibliographie der Werke von Hermann Bahr. S. 347–368).
1943. – EPrzywara: Humanitas. 1953. – EPrzywara:
In und Gegen. Stellungnahmen zur Zeit. 1955.

Bahrdt, Karl Friedrich (1741–1792), ein ungemein fruchtbarer Schriftsteller, der zwar durch
guten Stil in seinen zahlreichen theologischen
Arbeiten Aufsehen erregte, sehr viel mehr aber
noch durch die frivole Art, die religiösen Dinge
zu behandeln, endlich durch seinen anstößigen
Lebenswandel, der sehr häufigen Wechsel seiner zT. hohen Amtsstellungen und seiner Auf-
enthaltsorte zur Folge hatte. Goethe erwähnt
ihn und nennt ihn *Bahrdt mit der eisernen Stirn
(III/6, 162)*.   *Se*

Baia (antik: Baiae), Stadt in Unteritalien, am
gleichnamigen Golf, hart nordwestlich von
*Pozzuoli, nicht weit vom antiken *Cumae ge-
legen, im Altertum beliebter Badeort vornehmer und wohlhabender Familien. Auch die römischen Kaiser hatten hier ihre Landhäuser.
Nach *Tischbeins Schilderung berührte Goethe anläßlich des Ausflugs nach Pozzuoli am
1. III. 1787 auch B. (vgl. RV S. 26). „Eines angenehmen Tages erinnere ich mich, den wir in
Bajae zubrachten. Prinz Christian von Waldeck,
der zu der Zeit in Neapel war, lud uns ein, mit
ihm jene Gegend zu sehen. Nachdem wir den
Golf von Bajae durchfahren und die Gegend
durchwandert hatten, speisten wir in einer
Villa, welche einem Freunde des Prinzen gehörte. Sie lag auf der Höhe der Solfatara und
hatte die schönste Aussicht auf den Golf von Pozzuoli". Goethe behandelt den Ausflug in der *IR*
sehr kurz. Die Naturphänomene der ‚Campi
Phlegreae' und die Erinnerung an die erfreuliche Reisegesellschaft stehen durchaus im Vordergrund. Schon der Beginn der Aufzeichnungen leitet zu allgemeineren zusammenfassenden Betrachtungen über. Es widerstrebte ihm,
Einzelheiten mitzuteilen: *Von dem heutigen
Tage wäre schwerlich Rechenschaft zu geben (I/*

31, 20). Der Passus *Trümmern undenkbarer Wohlhäbigkeit, zerlästert und unerfreulich* ist am ehesten mit den Ruinen römischer Thermenbauten und Fischereianlagen in und um B. zu verbinden. Auf den Besuch eines bedeutenden Punktes in der nächsten Umgebung von B., des durch *Plinius' dJ. Bericht vom Untergang der Vesuvstädte Pompeji und Herculaneum berühmten römischen Kriegshafens am Kap Misenum (*Capo Miseno), deutet nichts in Goethes oder Tischbeins Bericht, wenn nicht eine Zeichnung des letzteren hier stellvertretend Zeugnis ablegte (Tafel Bd V). Tischbein hat Goethe flüchtig skizziert, wie er im leichten Reiseanzug mit langen Stiefeln und Hut auf einem Felsblock über kapartigem Steilufer sitzend, die Hände lässig über dem Stockknauf zusammengelegt, den weiten Blick nordwärts über Meer und Inseln hin genießt. Die stark vereinfacht gegebene Situation zweier Inselsilhouetten und einer vom Bildrand hereinragenden Landzunge läßt sich nur vom Kap Misenum mit dem typischen Umriß von Ischia im Hintergrund, Procida davor und der einschwingenden Nehrungsspitze des Hafens von Misenum erklären. An keiner anderen Stelle der italienischen Reise von Rom bis Neapel kann diese Konstellation von Steilküste, Inseln und Meer angesetzt werden; kurz nach dem Ausflug nach Pozzuoli-Baiae trennt Tischbein sich von Goethe.

Die gewaltige Erregung des Gesamteindrucks ließ Goethe nicht zu einer Fixierung von Einzelheiten kommen. Nur im Gegenüberstellen von *Natur- und Völkerereignissen* weist er darauf hin, daß ihm die geschichtliche und geologische Bedeutung der Örtlichkeit bewußt war. Die fast betäubende Erfülltheit des Tages klingt noch in der weiteren Schilderung der italienischen Reise nach: *Und so wird man zwischen Natur- und Völkerereignissen hin und wider getrieben. Man wünscht zu denken und fühlt sich dazu zu ungeschickt. Indessen lebt der Lebendige lustig fort, woran wir es denn auch nicht fehlen ließen. Gebildete Personen, der Welt und ihrem Wesen angehörend, aber auch durch ernstes Geschick gewarnt, zu Betrachtungen aufgelegt. Unbegränzter Blick über Land, Meer und Himmel, zurückgerufen in die Nähe einer liebenswürdigen jungen Dame, Huldigung anzunehmen gewohnt und geneigt.*
Unter allem diesem Taumel jedoch verfehlt' ich nicht manches anzumerken. Zu künftiger Redaction wird die an Ort und Stelle benutzte Karte und eine flüchtige Zeichnung von Tischbein die beste Hülfe geben; heute ist mir nicht möglich auch nur das Mindeste hinzuzufügen (I/31,20f.).

Selbst, daß Tischbein zeichnete, wird also angemerkt, nur dürfte es sich dem Zusammenhang nach um eine Landschaftsvedute gehandelt haben, während die flüchtige Skizze der Gestalt Goethes auf Kap Misenum, vielleicht sogar von diesem unbemerkt verfertigt, keine Erwähnung findet.   *Hm*

JHWTischbein: Aus meinem Leben. Hrsg. v. CSchiller. 1861. Bd 2. S. 95.

Baiersdorf, *Regnitz, passierte Goethe mehrfach (1788, 1790) und erwähnt das kleine Städtchen, von *Erlangen kommend, auf der Rückreise aus der *Schweiz am 16. XI. 1797 (III/2, 193; vgl. RV S. 27–28; 35).   *Za*

Bailleul, Jacques-Charles (1762–1843), französischer Politiker (Mitglied der Convention nationale während der französischen *Revolution) und sehr fruchtbarer Literat; in dieser Eigenschaft besonders zu nennen als einer der Gründer des ,,*Journal du commerce" und als Verfasser eines ,,Examen critique de l'ouvrage de la Baronne de *Staël sur la Révolution française". Goethe kannte das ,,Journal du commerce" und las das ,,Examen critique" 1819 (III/7, 14; 18).   *Fu*

Baj, Tommaso (um 1650–1714), Sänger und Kapellmeister der päpstlichen Kapelle im Vatikan zu Rom, ist der Komponist des Miserere, das, im strengen stilo antico (*Palestrina) gehalten, neben dem von G*Allegri während der heiligen Woche in der Sistina erklang. Goethe, der es sicher gehört haben wird (vgl. I/32, 296), erhielt durch PhC*Kayser aus Zürich nähere Kenntnis dieser Komposition. Dieser nannte ihm ein ,,Büchelchen von 6 Bogen in kl. Oktav, einen Auszug aus der Veröffentlichung Ch. Burneys (1726–1814) über die Musica che si canta la Settimana santa nella Capp. Pontif. In Londra. 1771 fol. enthaltend . . . die Miserere des Allegri und Baj am Charmittwoch, Donnerstag und Freytag zu fünf und neun Stimmen". Goethe fügte es den Akten zur Vorbereitung seiner zweiten Reise nach Italien bei *(I/34^{II}, 219; vgl. 215).   *Za*

ChBurney: The Present State of Music in France and Italy. 1771. – MGG 1 (1949–1951), Sp. 1092 und 2 (1952) Sp. 493 ff.

Bakis, griechisch, galt ursprünglich als appellative Bezeichnung einer gewissen Klasse gottbegeisterter Seher (vgl. die Sibyllen) im 8.–6. Jahrhundert vChr. Insbesondere jedoch wurden 3 Propheten namens B. unterschieden: ein boiotischer, ein attischer, ein arkadischer. Ihnen wurden im 5. Jahrhundert zahlreiche Weissagungen, meist patriotischen Inhaltes, zugeschrieben. Die uns überlieferten B.-Orakel (zB. Herodot: Geschichten VIII 20) hat CW*Goettling gesammelt. – Der Prophet und seine Weissagungen erscheinen auch bei *Aristophanes ("Frieden" und "Ritter"), später bei *Lukian ("Tod des Peregrinus" XXX), nun aber als Symptome obskuranter Zeitströmungen und so als Gegenstände beißenden Spottes. – Neben dem griechischen Bakis ist ein ägyptischer Bacis (Pacis) als heiliger, den Sonnengott verkörpernder Stier bezeugt (Macrobius Saturn. I 21, 20). BHederichs Lexikon Mythologicum führte nur diesen Bacis auf.

Goethes *Weissagungen des Bakis (WdB)* entstanden 1798 (vgl. *Tgb* vom 23. III. und 27. VII. 1798: *III/2, 202* und *216*), vermutlich in der ersten Jahreshälfte, sollten nach FW *Riemers "Mitteilungen" (2, 528 f.) als *Stechbüchlein* für *jeden Tag im Jahre* einen Spruch enthalten, beschäftigten Goethe jedoch *nur einige Zeit (TuJ 1798: I/35, 78)* und blieben fragmentarisch: sie *sollten*, wie Goethe am 20. III. 1800 *(IV/15,41)* an AW*Schlegel schrieb, *eigentlich zahlreicher seyn damit selbst die Masse verwirrt machte. Aber der gute Humor, der zu solchen Thorheiten gehört, ist leider nicht immer bey der Hand.* Mit dieser Bemerkung erhielt AWSchlegel das Manuskript, das sich unter Schillers Papieren verloren, dann aber *wunderbarer Weise* wiedergefunden hatte *(IV/15, 58)*, zur metrischen Durchsicht. Erstmals erschienen die *Weissagungen* im 7. Bd der *Neuen Schriften*, Berlin 1800 (N) und das 1814 entstandene *Motto* im 1. Bd der *Werke*, Stuttgart und Tübingen 1815 (B).

Angeregt wurden die *WdB* durch Aristophanes. Im Spätherbst 1797 hörte (Bdm. 1, 263), am 11. I. 1798 (III/2, 196) las Goethe *Wielands Übersetzung der "Ritter" (Attisches Museum. Zürich und Leipzig 1798. Bd 2) mit einer ausführlichen Anmerkung Wielands zu B. Durch eingefügte Orakelparodien verspottet Aristophanes hier das βακίζειν ("Frieden" V. 1061) seiner Zeit besonders eindringlich. Ähnlich wollte Goethe die angesichts der nahen Jahrhundertwende wiederum aufblühende Weissagungssucht foppen und züchtigen. Zugleich aber konnte sich seine ernste Neigung zur *Prophetie aussprechen. In dem Ende 1797 entstandenen Aufsatz *Über epische und dramatische Dichtung* bedauerte er, daß die modernen Dichter auch für die *Wahrsager und Orakel der Alten, so sehr es zu wünschen wäre, nicht leicht Ersatz finden (I/41^{II}, 222;* vgl. IV/12, 384). Zudem drängte das eigne, ständig *präsumtuöse* Leben (vgl. *I/36,231*) gerade jetzt, im Anblick des Alters und in der Hoffnung auf eine zweite Jugend, zu seherischer Antizipation.

Das ironisch-ernst ergriffene Prophetische hatte besonders die Erscheinung der Sprüche zu prägen. Formal wurden sie jedoch als präzise, schwer lösbare Rätsel gestaltet, die zumal einer verhüllten Fortsetzung der xenialischen *Guerre ouverte (I/5^{I}, 212)* Raum boten. Goethes *Einfall der noch toller ist als die Xenien* (an Schiller 27. I. 1798: *IV/13,40 f.*) galt zweifellos den *WdB*, die 1828 einmal knapp *die Xenien* genannt wurden *(III/11, 160)*. Inhaltlich zeigt sich *nicht Zukünftiges nur (WdB Nr 3)*, sondern *auch Vergangenes (Nr 16)* und vor allem gegenwärtig Gewichtiges, das freilich jetzt noch still verborgen liegt (Nr 3). – Zum letzten Male bediente Goethe sich hier in größerem Rahmen der *Distichen. In der Verbindung von Ironie und Ernst, überwältigendem Gesicht und ausgewogenem Rätsel, antikisch-gebändigter Form und aktuell-erregendem Gehalt entfaltet sich ein reiches, wahrhaft seltsames Lied (Motto).

Wie das *Märchen, so erhellte Goethe auch die *WdB* nicht. Eine triviale Deutung KNehrlichs, die ihm am 19. X. 1827 zugegangen war (JbGGes 21, 161-170), lehnte er unmutig ab: die Frager und Deutler *quälen… sich und mich mit den Weissagungen des Bakis, früher mit dem Hexen-Einmaleins und so manchem andern Unsinn, den man dem schlichten Menschenverstande anzueignen gedenkt* (an Zelter 4. XII. 1827: *IV/43, 197*). Ähnlich wies er schon in den *WdB* selbst die *klügsten* schließlich vom Rätselbuch fort *(Nr 15*, wohl zuletzt entstanden). – Andererseits aber rief er die *fühlende Hand (Nr 3)* und den *Verständigen (Nr 15)* zur Deutung auf. Eine solche Ermunterung und Hinweise auf die – anscheinend allgemein verkannte – Rätselnatur gab er ferner in den *Zahmen Xenien* (besonders 2. Abteilung *Mit Bakis Weissagen vermischt*, auch 3. Abteilung, etwa 1822/23: *I/3, 245–285*) sowie Ende 1827 in einem von MChrV*Töpfer niedergeschriebenen Aufsatz, der KNehrlichs verschwimmend-allgemeine Deutung in *KuA* anzeigen und widerlegen sollte: den *WdB* liegt die *Betrachtung besonderer Zustände, Verhältnisse und Begebenheiten* zugrunde (JbGGes 21, 1717 f.).

Der Sachlage gemäß sind grundsätzlich keine endgültigen, sondern bestenfalls wahrscheinliche Lösungen zu erwarten. Aber auch mit dieser Einschränkung konnte keine der bisher versuchten Erklärungen befriedigen. Übereinstimmung zeigen die früheren Interpretationen nur in der Beziehung mehrerer Sprüche (besonders *Nr 5–13*) auf politische Ereignisse. Schon FWRiemer (aaO.) bemerkte zu den

WdB: „Da nun ihre Abfassung in die Epoche der Französischen Revolution fällt, so ist manches auf die Zeitgeschichte Anspielende darin." Diese Vermutung Riemers wurde allgemein als Äußerung Goethes mißverstanden und trug so zu der verbreiteten, von RBuchwald neuerlich betonten politischen Deutung der *WdB* bei. – Interpretatorischer Angelpunkt wurde die Frage, ob die *WdB* allegorisch-rätselhaft auf Besonderes oder aber symbolisch-geheimnisvoll auf Allgemeines zielen. So suchte MMorris, auf Einzelwendungen gestützt, die Sprüche aus der „Tageslektüre" Goethes, meist wenig bedeutenden „Quellen", abzuleiten. FWeinhandl dagegen sah hier eine dem *Märchen* verwandte Symboldichtung, schrieb ihr (wie schon HBaumgart) strophischen Zusammenhang zu und suchte, die gegebenen Einzelzüge übergehend, einen tiefsinnig-allgemeinen Kern herauszuschälen. Goethe aber wies auf den Rätselcharakter *(Des Propheten tiefstes Wort | Oft ist's nur Charade: I/3, 268)* und auf das zugrunde liegende Besondere hin, und so fordern auch die Sprüche selbst eine jeden Einzelzug achtende Musterung. Andererseits ist nicht nur Goethes gegenwärtige „Tageslektüre", sondern sein Gesamtschaffen auf analogisch erhellende Winke hin zu untersuchen.

Methodisch muß dieser zweigleisige Weg gegangen werden, will man zu Lösungen gelangen, die sich dem Wortlaut der Sprüche anmessen und die *WdB* als durchaus sinnvolle Rätsel erscheinen lassen. In diesen legte Goethe gewichtige Einsichten in die absurde oder erhabene Seltsamkeit der inneren und äußeren Welt nieder. Neben Aussagen zu Dichtung und Naturforschung zeigen sich xenienhafte Invektiven und bedeutsame Selbstbekenntnisse. Wahrscheinlich hat Goethe die fragmentarische Reihe zu 32 Sprüchen aufgerundet, um sie der Windrose gleichen zu lassen (vgl. die *Temperamentenrose TuJ 1798: I/35, 80*). So fügen sie sich trotz ihrer verwirrenden Buntheit zum zyklischen Ganzen des *seltsamen Liedes,* in dem sich das Ganze der *doppelt seltsamen* Welt musterhaft spiegelt *(Motto).*

Notgedrungen sind die im folgenden vermittelten Einzeldeutungen formelhaft verkürzt. Die poetische Gestalt der Sprüche sowie Geltungstiefe, Sachzusammenhänge und Belegkomplexe der Lösungen werden unreferiert gelassen (vgl. dazu WBuch).

Nr 1, 3, 15, 16 begleiten, teilweise kommentierend, die *WdB* als „Sprüche zur Prophetie".
In *Nr 1/16* zeigt sich das gegenwärtige zyklische Geschichtsbild Goethes (vgl. an Schiller 20. I. 1798: IV/13, 32; auch II/3, VIII).

Nr 2 Der labyrinthische Weg eigner Naturforschung, der sich zur *Blume* der Dichtung umgestalten möge (vgl. das geplante große *Naturgedicht,* zu dem Goethe mit der poetischen Fassung der *Metamorphose der Pflanzen* im Juni 1798 bereits eine *kleine Probe* ablegte: *IV/14, 9 f.).*

Nr 4 Das vertraute Bild der Verwandlung des scheidenden Dichters in einen Schwan (zB. Horaz Carm. II 20) wird hier zum Bilde der Wiederkunft umgekehrt. Dem wiedergeborenen poetisch-prophetischen Gast im Bezirk der Forschung (vgl. II/1, 373) enthüllt sich die Natur.

Nr 5 *Tell und *Achill als die *beyden epischen Gegenstände* (an H*Meyer 23. III. 1798: *IV/13, 102),* die sich gegenwärtig in Goethes Brust *aufreiben.* Er hält *Achill, der Helden Muster (*Achilleis,* 2. Schema: I/50, 440),* für den Größeren.

Nr 6 Vaticinium ex eventu. Des Dichter*fürsten* Shakespeares Werk schläft auf der *kalten Schwelle* Norddeutschlands ein, wird jedoch von den *Geier* FL*Schröder epitomiert (vgl. *Serlo* in den *Lehrjahren: I/22, 157 f.;* auch *I/41 [I], 69*) und so für das *thätige Volk* des deutschen Theaters zu neuem Leben *geweckt.*

Nr 7 Die 7 Planeten als Sinnbild geheimnisvoll-wahrer Natur; ihnen gegenüber die *siebenfache Gesellschaft der Grundfarben* Newtons *(II/4, 250),* die sich tatsächlich dem Auge zeigen, jedoch gerade durch dieses *eigen Gesicht* betrügen und so für die schälkisch maskierte vordergründige Erscheinungswelt einstehen.

Nr 8 Goethes Skepsis gegenüber dem *Goldenen Zeitalter,* auf das die Welt am Jahrhundertende erregt zurück- und vorausblickt.

Nr 9 Adynaton, gegen FWHv*Trebra *(Tola),* den langjährigen optimistischen Gutachter des neuen ilmenauer Bergbaus, als vaticinium ex eventu und darüber hinaus gegen alle nach der Katastrophe von 1796 eben wiedererstehenden Hoffnungen gerichtet, das *Glück unter der Erde* Ilmenaus doch noch zu gewinnen.

Nr 10 Die im Verborgenen herrliche poetische Idee zeigt sich in der Erscheinungswelt gebrochen und findet nur im erwählten Dichter ihr *vollendetes Bild.*

Nr 11 Der genialisch-xenialische Dichtungsstrom Goethes und Schillers *reißt* selbst die *Lieder* des *schmeichelnden* JF*Reichardt *(I/5 [I], 216)* fort. Goethe wollte ihm bereits 1796 die Komposition der Gedichte entziehen und Zelter anvertrauen (IV/11, 106).

Nr 12 Fürstlicher Aufzug Wielands (vgl. 1781

Das Neueste von Plundersweilern V. 189 ff.: I/ 16, 51 f.), der die *Xenien*, in der Folge auch Goethes Gesamtschaffen vorübergehend wenig gerecht beurteilte.

Nr 13 Nicht *nur die Welt*, sondern auch der menschliche Geist ist ein *Kerker*. Wo die Gefängnis*mauern* der Lehrgebäude (besonders Newtons Farbenlehre, vgl. II/1, XIII–XV) *gestürzt* werden, fesselt mancher *Tolle* sich freiwillig von neuem (vgl. später: *MuR*: Hecker Nr 432).

Nr 14 Die wahren *Schätze*, die urbildlichen Ideen der Kunst und Natur, sind *nicht mit Augen* zu sehen, wie Goethe zuvor selbst glaubte (vgl. das denkwürdige Gespräch mit Schiller im Juli 1794: I/36, 251).

Nr 17 Die Himmelsgabe der Dichtung fordert schöpferische Empfänglichkeit (vgl. auch *Nr 3*: die *WdB* und alle Dichtung sind nur *Wünschelruthen*, nur *Einlösungs- und Anticipations-Scheine: I/42^{II}, 468*).

Nr 18 Der früher bejahten empirisch-*mathematischen Methode* der Naturforschung stellt Goethe nun seine paradoxe Lehre vom **Urphänomen* entgegen, das *ideal* und *real* ist *(MuR*: Hecker Nr 1369) und als Gegebenes (die *Zehn*, Grundform des dekadischen Systems, als Analogon des Urbildes) angemessen erschaffen werden will *(Sei Zehn!)*.

Nr 19 Der gutmütig-törichte *alte Peleus *Gleim* erwartet vergebens das rasche Erschöpfen der genialisch-xenialischen Elementarkraft *(I/5^I, 255)*.

Nr 20 Die Muse goethescher Dichtung bezeugt ihr Verhältnis zur christlichen Trinität und huldigt schließlich dem lieblich-unbeständigen Creator Spiritus.

Nr 21 Den schmerzlich eingesehenen Erscheinungsmangel der weltbelebenden und -bewegenden Idee erläutert Goethe sich „sentimentalisch" als den geheimnisvollen Grund ihrer Kraft.

Nr 22 Anstelle der Lösungswörter „Jugend" und „Alter" werden im 2. Distichon ihre Gegenstände selbst ergriffen: wer sein Alter zu meistern weiß, der *bezwingt* auch die Jugend (in pädagogischem Eros, aber auch als die eigne „zweite Jugend").

Nr 23 In der Furcht vor Goethes Urbild-*Gespenstern* verliert sich der Empiriker in der vielgestaltigen Erscheinungswelt (V. 3 Plurale!).

Nr 24 Goethe trifft auf seiner Lebensbahn nicht die angestrebte Kunst (die *neun* Musen), sondern unerwartet die Natur (die *vier* Elemente), aber er stößt auf sie nur *von außen*. Dem Gotte, der allein natura naturans und

naturata ist, *gleich' ich nicht (Faust V. 652: I/14, 38)*.

Nr 25 Schmerzlicher Blick auf die Fülle unverwirklichter poetischer Ideen und Pläne.

Nr 26 Launig-grimmiger Rückzug aus dem Xenienkampf gegen das *Teufelsgezüchte* im Garten deutscher Literatur.

Nr 27 Selbstgespräch Goethes bei einem Erlebnis eignen Alterns.

Nr 28 Auf Erasmus Darwins „Botanic Garden", Dublin 1793 (mit MMorris, vgl. an Schiller 26. I. 1789: IV/13, 36–39), darüber hinaus auf die Oberflächlichkeit aller bloßen Empirie zielend.

Nr 29/30 Quell- und Höhepunkt des *seltsamen Liedes* wie des *doppelt seltsamen* Geschehens: der „Mensch" als *Ausgeburt zweier Welten (MuR*: Hecker Nr 429).

Nr 31 Magnetnadel und Windfahne als gegensätzliche Charakterbilder (Goethe und KA*Böttiger, der *Drehdorl auf der Spitze: I/5^I, 193*).

Nr 32 Ausgleich der durch FA*Wolf entflammten „homerischen Frage" (mit MMorris), zugleich jedoch das Grundbekenntnis Goethes über das Wesen der Gott-Natur und ihre künstlerische Erfassung.   *Bh*

OKern und KSethe: Bakis, in Pauly-Wissowa 2/2 Sp. 2801 f. – ERohde: Psyche. Seelenkult und Unsterblichkeitsglaube der Griechen. Leipzig 1894. S. 351–357. – CWGoettling: Commentatio de Bacide fatiloquo, in Opuscula Academica. Leipzig 1869. S. 198–205. – BHederich: Gründliches mythologisches Lexicon, durchgesehen vermehret und verbessert von JJSchwaben. Leipzig 1770. – MEhrlich: Anmerkungen zu den Weissagungen des Bakis. In: GoethJeb 1, S. 205–222. – HBaumgart: Goethes Weissagungen des Bakis und die Novelle. Halle 1886. S. 1–56. – MMorris: Die Weissagungen des Bakis. In: Goethe-Studien. Berlin 1902. Bd 2, S. 206–248. – FWeinhandl: Aus den Weissagungen des Bakis. In: Die Metaphysik Goethes. Berlin 1932, S. 356–368. – MHecker: Karl Nehrlich, in: Goetheverehrung der Goethezeit. In: JbGGes 21, S. 161 bis 174. – RBuchwald: Goethe und das antische Schicksal. München 1948. S. 203–208. – WBuch: Goethes Weissagungen des Bakis. Diss. Freie Universität Berlin 1957 (Bibliographie).

Balbin, Bohuslaus (1621–1688), SJ, bedeutender böhmischer Geschichtsforscher und Geschichtsschreiber vornehmlich in pro-tschechischem Sinn, fruchtbarer Publizist, leidenschaftlicher Volkstumskämpfer. Im Zusammenhang seiner **Böhmischen Studien* bezieht Goethe sich gern auf B. (I/42^I, 396, also schon verhältnismäßig früh), 1821 hatte JS*Grüner eigene Arbeiten folkloristischer Art Goethe übermittelt, die Goethe als *Zusätze zu* B.s *Egerischem Sittengemälde ganz vorzüglich bedeutend und schätzenswerth* findet (30. IX. 1821: IV/35, 124). Es handelt sich um Bemerkungen über böhmische Wochenbett-Sitten (IV/35, 342). Goethe mahnt bei dieser Gelegenheit: *Bleiben Sie ja an der Arbeit, haben immer unsern edlen Balbin im Sinne und trac-*

tiren das zu Liefernde als wohlgereihte und wohl rubricirte Collectaneen (ebda 124). Goethe dürfte von B. gekannt haben: „Miscellanea historica regni Bohemiae" (1679), vielleicht auch: „Epitome rerum bohemicarum" (1677). Eine Notiz findet sich nur über die „Miscellanea" (I/42^I, 396). *Za*

Baldauf, Karl Gottfried (gest. 1805), Bergbaufachmann, Berggeschworener in Schneeberg (Erzgeb.), war ab 1789 mehrmals in *Ilmenau als Sachverständiger für Wasserhaltungsfragen tätig, als der dortige Bergbau wegen der Gebirgswasser in Schwierigkeiten geraten war (*Bergwerkskommission). Dabei machte er auch Goethes persönliche Bekanntschaft. 1801 Kunstmeister in Freiberg. *Ba*

Balde, Jacobus (1604–1668), unter den *neulateinischen Dichtern von Goethe besonders hervorgehoben (I/41^I, 113; 351 ein Wort B.s als Motto einer goetheschen *Calderon-Besprechung: De nugis hominum seria veritas / Uno volvitur assere; 467), Jesuit, an zahlreichen Orten als Professor, Prinzenerzieher, Hofprediger tätig. Seine Dichtungen, vor allem seine Oden und lyrischen Wälder (1643 bis 1645) und ihre Übersetzung in *Herders „Terpsichore" erregten 1795 das größte Aufsehen ... *und erfreuten sich der schönsten Wirkung (I/35, 56).* Wie Goethe sie Chv*Kalb empfiehlt (IV/10, 156), dankt er Herder *recht herzlich für deinen Dichter, er bleibt bey jedem Wiedergenuß derselbe, und wie die Ananas erinnert er einen an alle gutschmeckenden Früchte ohne an seiner Individualität zu verliehren (IV/10, 157).* *Rt*

Baldi *(Baldus: I/37, 83),* Baldo (gest. 1644), Mediziner an der Sapienza zu Rom, einige Monate Leibarzt des Papstes Innocenz, veröffentlichte als „Disquisitio iatrophysica ad textum 23. libri Hippocratis de aëre, aquis et locis: num in eo legi debeat Χολωδέστατον vel Θολωδέστατον ... in qua de calculorum causis ac de aqua Tiberis bonitate strictim disseritur", Rom 1637, ein textkritisch medizinisches Werk, dem Goethe die Sentenz *Longus homo raro sapiens* für seine *Ephemerides* entnahm *(I/37, 83).* In seinem Todesjahr gab B. „Relazione del miracolo insigne operato in Roma per intermissione di S. Filippo Neri" (F*Neri) heraus. *Sl*

BLÄ 1 (1929), S. 300 f.

Baldi, Lazzaro (1624–1703), Maler in Rom, ist der Zeichner einer Kreuzigung in Goethes Kunstsammlung. *Lö*

Schuchardt 1, S. 233. – ThB 2 (1908), S. 392 f.

Baldinger, Johann Gottfried (1738–1804), promovierte 1760 in Jena zum Dr. med. und wurde hier im darauffolgenden Jahre Privatdozent. Er leitete 1764 die preußischen Feldlazarette in Torgau und Wittenberg, war dann Professor der Medizin in Jena und *Göttingen (1773) und 1782 Leibarzt des Landgrafen von Hessen-Kassel. Als Professor der Medizin in Marburg erwarb er sich bleibende Verdienste um die Ausgestaltung des medizinischen Instituts der Universität. Am 23. VIII. 1800 besuchte er Goethe in Jena (III/2, 302). *Ko*

GFCreuzer: Memoria JGBaldingeri. 1801. – JGünther: Lebensskizzen der jenaischen Professoren. 1858. S. 129. – ADB 2 (1875), S. 4.

Baldinucci, Filippo (1624–1696), florentinischer Literat, Dilettant im Malen und Zeichnen, verfaßte das sechsbändige Werk „Notizie de' professori del disegno da Cimabue etc.", das von 1681–1728 in mehreren Auflagen erschien und die Zeit von 1260–1670 umfaßt. Es vervollständigt *Vasaris Künstlergeschichten und bietet besonders in Hinsicht auf das 16. Jahrhundert genauere Nachrichten über Künstler und Kunstwerke. Goethe hat für seinen Aufsatz über *Mantegnas Triumphzug B.s 1686 erschienenes Werk „Cominciamento e Progresso dell' Arte d'intagliare etc." benutzt (I/49^I, 278). *Lö*

Schlosser: Die Kunstliteratur. 1924. S. 420.

Baldovinetti, Alessio (1425–1499), Maler und Mosaizist, 1448 Mitglied der florentinischen Malergilde, wurde von *Meyer in den Vorlesungen über die florentinische Kunst in *Stäfa in Anwesenheit Goethes behandelt (I/34^{II}, 115). In der älteren Kunstliteratur gilt er als einer der ersten Italiener, die Ölfarben verwandten. „Der Reiz seiner Kunst liegt in der ihm eigenen etwas herben Art seines zeichnerischen Stiles, der wie das Quattrocento überhaupt zum streng Dekorativen neigt" (Weisbach). *Lö*

ThB 2 (1908), S. 398.

Balducci, Giovanni, zubenannt Cosci (gest. um 1603), Maler, tätig in Florenz und Rom; Goethe besaß das Faksimile einer Handzeichnung von ihm. *Lö*

Schuchardt 1, S 5. – ThB 2 (1908), S. 402.

Baldung, Hans, gen. Grien (1485–1545), Maler und Zeichner für Holzschnitt und Glasmalerei, anfangs unter dem Einfluß *Dürers, tätig in Straßburg und Freiburg/Breisgau, wo er zwischen 1512 und 1517 den Hochaltar des Münsters schuf. In seiner eindringlichen Menschenauffassung und lebendigen szenischen Gestaltung deutete er das Ende der großen Renaissancekunst an. Goethe hörte durch A*Hirt über den freiburger Altar und teilte es *Meyer unter dem 26. III. 1818 mit, ferner, daß Hirt *ein sehr schätzenswerthes Bild* von diesem Meister, von dem er *mit großer Hochachtung* spreche, erworben habe *(IV/29, 105)*. In Goethes Sammlung befanden sich von B. zwei Blätter aus der Apostelfolge von 1519.   *Lö*

Schuchardt 1, S. 124. – CKoch: Hans B.s Geburtsjahr. In: Zeitschrift für Kunstgeschichte, NF. II (1933), S. 113. – CKoch: Die Zeichnungen HBGriens. DVK. 1941.

Balgheim an der Prim, ein württembergisches Dorf, lag auf dem Wege von *Stuttgart nach *Schaffhausen, den Goethe auf seinen *Schweiz-Reisen insgesamt dreimal befuhr: 1779 auf der Rückreise im Dezember und 1797 auf der Hin- und Rückreise. Er erwähnt B. nur bei der zweiten Durchquerung auf dem Wege nach *Tuttlingen am 16. IX. 1797 (III/2, 137; vgl. RV S. 20; 34).   *Za*

Balingen am Heuberg, ein württembergisches Städtchen an der *Eyach ist Poststation des Hin- und des Rückreise-Weges auf Goethes dritter *Schweiz-Reise. Goethe, seit vier Uhr morgens aus *Tübingen unterwegs, rastet hier am 16. IX. 1797, aber der Ort gefällt ihm nicht: Er ist *enge gebaut . . . fast nur eine lange und breite Straße . . . die Nachbarn haben einen Misthaufen in der Mitte der Straße am Bach, in den alle Jauche läuft und woraus doch gewaschen und zu manchen Bedürfnissen geschöpft . . . wird (III/2, 135 f.).* Auf der Heimfahrt übernachtet Goethe am 28. X. 1797 in B. (III/2, 189). Die eilige Durchfahrt im Dezember 1779 findet keine Erwähnung (vgl. RV S. 20; 34 f.).   *Za*

Ballade. A. Goethes B.-Schaffen als Ganzes genommen. Goethes B.-Schaffen übergreift einen Zeitraum von rund sechzig Jahren (ca 1767–ca 1827) und durchzieht ihn wechselvoll. Es spiegelt eine bemerkenswerte, bisweilen unvereinbar oder willkürlich wirkende Folge von Entwicklungsstufen und Einzelformen. Wie nach einer *unbekannten geahnten Regel* scheint aber in allem eine innere Logik zu walten. In dieser inneren Logik, kraft deren die (vier) Entwicklungsstufen und die Fülle der Einzelformen (trotz einer gewissen Lässigkeit in der Zuordnung unterscheidbar) aufeinanderfolgen, außerdem in der langen Dauer, die dieser säkulare Vorgang braucht, drückt sich eine aus erstaunlich vielen Quellen genährte Er-Innerungs- und Ent-Äußerungskraft aus. Hinsichtlich der zeitlichen Verhältnisse von den ersten bis zu den letzten Spuren bietet nur der *Faust* mit ebenfalls rund sechzigjähriger Schaffensdauer eine Parallele (IV/49, 282). Man könnte auf den Gedanken kommen, daß in dieser Parallelität ein Problem verborgen ist. Man

sollte sich jedenfalls entschließen, das goethesche B.-Schaffen trotz und mit seinen Entwicklungsstufen, seiner Formenvielfalt, seiner jahrzehntelangen Dauer, seinem Beziehungsreichtum zumindest heuristisch noch stärker als ein Ganzes zu nehmen und zu befragen. Man wird erkennen, daß es durchaus ein Ganzes und in welchem bedeutsamen Sinne sub specie der Neukonstitution einer poetischen Gattung es ein Ganzes ist. Wohl kaum vor 1810, wahrscheinlich sogar nach 1817: *Mein ganzes inneres Wirken erwies sich als eine lebendige Heuristik, welche, eine unbekannte geahnete Regel anerkennend, solche in der Außenwelt zu finden und in die Außenwelt einzuführen trachtet (MuR: Hecker Nr 328).* Am 17. III. 1832: *Zu jedem Thun, daher zu jedem Talent, wird ein Angebornes gefordert, das von selbst wirkt und die nöthigen Anlagen unbewußt mit sich führt, deswegen auch so geradehin fortwirkt, daß, ob es gleich die Regel in sich hat, es doch zuletzt ziel- und zwecklos ablaufen kann (IV/49, 281).* Den Extrakt dieser Äußerungen zusammengenommen und auf die B. bezogen: Es gibt gar nicht so sehr viele Schaffensformen, in denen Goethe ein ebenso starkes oder gar ein noch stärkeres Organ für das Ur-Sprüngliche, dh. hier für das Archaische nicht im Sinne der *Chronologie, sondern in dem der *Morphologie und auf alle Fälle in dem einer *unbekannten geahneten Regel* bekundet.

B. Voraussetzungen: Goethes B.-Auffassung im Sinne des Archaischen. Naturwissenschaftlich-biologische Grundeinsichten: das Archaische ist nicht chronologisch, sondern morphologisch ursprünglich. Geisteswissenschaftlich-musische Grundeinsicht: das Archaische der B. besteht in der unabdingbaren Einheit von Wort-Ton-Bewegung, dh. von Poesie-Musik-Tanz; die B. ist für Goethe Grundstufe des Gesamtkunstwerks. Abweichungen der nach-goetheschen B.-Entwicklung. Konsequenzbetrachtung.

Die B. nimmt nach goethescher Auffassung in der Dichtkunst, also auch in der Lehre (*Philosophie) von der Dichtkunst: in der *Poetik eine *geheimnißvolle* Sonderstellung ein. Sie *bedient sich* nämlich (1821 und somit als Ergebnis lebenslanger Bemühungen formuliert) *aller drei Grundarten der Poesie* zugleich, weil sie *lyrisch, episch, dramatisch beginnen und, nach Belieben die Formen wechselnd, fortfahren, zum Ende hineilen oder es weit hinausschieben* kann. Außerdem pflegt sie *etwas Mysteriöses* zu haben, *ohne mystisch zu sein.* Dergestalt besitzt die

B. für Goethe eine imgrunde gattungsgemäß noch nicht entschiedene, also umfassende, eine noch durchaus unspezialisierte, also universale Wesensart. Diese Feststellung betrifft je für sich und für alle insgesamt die Fragenkreise des Stoffes, des Gehaltes, der Form. Es ist, wie es heißt, nur *der Refrain*, also *das Wiederkehren ebendesselben Schlußklanges*, der der B. *den entschiedenen lyrischen Charakter gibt (I/41^I, 223)*. Goethe lokalisiert die B. mit diesen dichtungstheoretischen Altersworten genau entsprechend seinen naturwissenschaftlichen, vornehmlich botanischen, mehr noch zoologischen: anatomisch-osteologischen Forschungen an einem historischen und systematischen Ausgangspunkt *vor* jeglichem *Specificationstrieb*. Aber er bewahrt sie in seiner biologisch immer tiefer wirklichkeitsbezogenen Erfahrungs- und Denkarbeit dieser späten Entwicklungsstufe (1821) doch davor, den früher (1790/95; *Urpflanze; *Urtier*) übersehenen Gefahren, die der *Idee der *Metamorphose* innewohnen, leichtfertig zu erliegen: *Die Idee der Metamorphose ist eine höchst ehrwürdige, aber zugleich höchst gefährliche Gabe von oben. Sie führt in's Formlose, zerstört das Wissen, lös't es auf. Sie ist gleich der vis centrifuga und würde sich in's Unendliche verlieren, wäre ihr nicht ein Gegengewicht zugegeben: ich meine den Specificationstrieb, das zähe Beharrlichkeitsvermögen dessen was einmal zur Wirklichkeit gekommen. Eine vis centripeta, welcher in ihrem tiefsten Grunde keine Äußerlichkeit etwas anhaben kann (17. III. 1823: II/7, 75;* vgl. dazu das erst 1893 durch LDollo formulierte *Irreversibilitätsgesetz und die goethesche Sonderform seiner Vorwegnahme). Die tiefgründige Dialektik dieser Ausdrucksweise verbindet die *Analogie des Ähnlichseins mit der des Andersseins, und zwar durch einen für Goethes *Polaritäts-Denken charakteristischen Modus der alten cusanischen und längst vor-cusanischen *coincidentia oppositorum (WDobbek), überdies auf dynamisch-energetische Weise durch die gegeneinander gerichteten Bewegungen der *vis centrifuga* und der *vis centripeta*, dh. im Verhaltungsmoment rhythmischer Balance und virtueller Aktualität. So versteht es sich, daß Goethe nunmehr in besonderer Weise gleichnishaft („wie") vom lebendigen *Ur-Ei spricht und außerdem einen so betont mythologischen Ausdruck dabei verwendet *(I/41^I, 224)*. Und ebendeswegen versteht es sich, daß man den Terminus „Primitivität" – wenn überhaupt – nicht unbedacht abschätzig, sondern goethenah (II/6, 12 f.) im ehrfürch-

tigen Sinne des Ur-Sprünglichen anwenden soll. Denn für den naturwissenschaftlich forschenden Biologen, sogar für den Geologen Goethe ist es eine seiner Grundüberzeugungen, daß das Archaische weniger chronologisch als vielmehr morphologisch das Ur-Sprüngliche ist. Imgrunde gilt dies aber nicht nur für den naturwissenschaftlichen Forscher, sondern auch für den dichtenden Künstler. Goethe hat mindestens sechzig Jahre gebraucht, um seine Vorstellung von der B. in vier Anläufen und Schaffens-Perioden mutatis mutandis zu erfüllen. Er hat sich gegen Ende mit einem *widerspenstigen* Approximativ zufrieden gegeben, dem er am Neujahrstage 1817 – die *wichtige Neuigkeit* dem vertrauten Freunde CF*Zelter meldend – endgültig (oder nur aus Verlegenheit?) die paradigmatische Bezeichnung *Ballade* lieh *(IV/27, 302)*.

Daß gerade Zelter der erste Adressat dieser *Neuigkeit* war, hat seinen Grund nicht nur in einem einfachen, sozusagen äußerlich bleibenden Mitteilungsbedürfnis. Vielmehr gehört es in den inneren Zusammenhang der Freundschaft und zugleich des Begegnungsgesetzes beider, das Goethe schon bei den ersten Annäherungen als Muster für das Verhältnis von Poesie und Musik erfaßte: *Das originale seiner [Zelters] Compositionen ist, so viel ich beurtheilen kann, niemals ein Einfall, sondern es ist eine radicale Reproduction der poetischen Intentionen (18. VI. 1798: IV/13, 184)*. Eine solche Äußerung ist nicht nur lebensgeschichtlich für Goethe persönlich, sondern durchaus auch gattungsgeschichtlich für sein eigenes, eindringliches und vielfältiges Ringen um die B. als dichterische Gattung exemplarisch und in seinem Sinne bedeutungsvoll. Es tut sich ein Zusammenhang mit einer Vielzahl von Formulierungen auf, in denen sich das Blickfeld über die B. hinaus auf die *Lyrik überhaupt erweitert, zwischen den folgenden Polen ausgespannt: 1. Dem Komponisten PhChr*Kayser, um den er sich so sehr bemühte, legt er am 20. VI. 1785 mahnend nahe: *Folgen Sie übrigens Ihrem Herzen und Gemüthe. Gehen Sie der Poesie nach wie ein Waldwasser den Felsräumen, Ritzen, Vorsprüngen und Abfällen und machen die Cascade erst lebendig (IV/7, 69)*; 2. dem Freunde CLv *Knebel sagt er am 15. V. 1810: *Das Verdienst der schönen menschlichen Rede übertrifft weit das des Gesanges. Es ist ihm nichts zu vergleichen; seine Abwechslungen und Mannigfaltigkeiten sind für das Gemüt unzählig. Ja, der Gesang selbst muß auf die simple Sprache zu-

rückkehren, wenn er höchst bedeutungsvoll und rührend werden soll; dies haben auch schon alle großen Komponisten bemerkt (Bdm. 2, 78). Wenn auch beide Äußerungen nicht unmittelbar zu den Problemen der B. Stellung nehmen, so zielen sie doch auf das Zentrum des Verhältnisses von Poesie und Musik. Ihr vermeintlicher Widerspruch ist nur die Formel für den innigen Wechselbezug beider, der biographisch als Freundschaft zwischen Goethe und Zelter (ganz unabhängig von dessen wirklichem Rang als Musiker) erschien.

Man kennt den Reichtum der Goethe-Zeugnisse dafür, daß ihm schon in Jugendjahren *Schreiben* als ein *Mißbrauch der Sprache, stille für sich lesen* als ein *trauriges Surrogat der Rede* galt. Wohl keineswegs nur, weil ihm vom *Vater eine gewisse lehrhafte Redseligkeit angeerbt war (1811/12: I/27, 373; 377); sondern* vielmehr weil überhaupt *nach alter Überzeugung . . . Poesie durch das Auge nicht aufgefaßt werden könne* (1794, vgl. IV/10, 208 f.; 1796?, vgl. I/35, 68; 1824: III/9, 304–316; Goethe-Jb. 19, 15; I/42^{II}, 455; JubA 25, 253; 335). Hier ist der Ansatz verborgen für die breite Fülle solcher Äußerungen wie: *Nur nicht lesen! immer singen! | Und ein jedes Blatt ist dein. | Ach, wie traurig sieht in Lettern, | Schwarz auf weiß, das Lied mich an* (wohl 1789 an *Lina* / JMChr Gräfin *Brühl?: I/1, 104*). Erst indem es gesungen wird, ereignet sich das Lied im Menschen und wird sein innerster Besitz, wie man denn grundsätzlich *von der Tonkunst* gar nicht anders als von *dem wahren Element woher alle Dichtungen entspringen und wohin sie zurückkehren* reden darf und *ohne Ahnung von dem eigentlichen Gesang* unmöglich ein wahrer Dichter sein kann (1805: I/35, 240). Erst durch die reproduzierende Aktivität des Nachvollzugs im singenden Menschen wird das Wort des Dichters wirklich. Man denke an den Satz Wv*Humboldts: „Denn der Mensch . . . ist ein singendes Geschöpf, aber Gedanken mit den Tönen verbindend . . . Die Sprache ist gerade insofern objektiv einwirkend und selbständig als sie subjektiv gewirkt und abhängig ist. Denn sie hat nirgends, auch in der Schrift nicht, eine bleibende Stätte, ihr gleichsam toter Teil muß immer im Denken aufs neue erzeugt werden, lebendig in Rede oder Verständnis, und folglich ganz in das Subjekt übergehen" (WvHumboldt: Über die Verschiedenheit des menschlichen Sprachbaus . . . hg. HNette, S. 61; vgl. dazu BLiebrucks S. 471). Systematisch zusammengefaßt und auf ihren prinzipiellen Ort im Rahmen der *Naturformen der Dichtung* bezogen (1816/18: I/7, 118), verdichtet sich diese ebenso rezeptiv wie produktiv wirkende Wesensverfassung Goethes in der hochberühmten Formel: *schwarz auf weiß sollte durchaus verbannt seyn; das Epische sollte rezitirt, das Lyrische gesungen und getanzt und das Dramatische persönlich mimisch vorgetragen werden* (30. XII. 1824, also im Zeit-Zusammenhang mit dem Weiter- oder Zu-Ende-Denken mancher Probleme der Poetik; I/42^{II}, 456).

Gesungen und getanzt soll *das Lyrische* werden: Goethe geht mit dieser im wesentlichen letzten seiner poetischen Grundforderungen (3 Jahre nach seiner theoretisch abschließenden *Betrachtung und Auslegung* der *Ballade, I/41^{I}, 223*) und überhaupt mit seiner geisteswissenschaftlichen Grundeinsicht noch bedeutend weiter. Er zielt auf eine für Lyrik in seinem Sinne unabdingbare Einheit von Wort-Ton-Bewegung, auf eine innere Verschmelzung des Dichterischen mit dem Musikalischen und zugleich mit dem Tänzerischen, auf eine künstlerische Gesamtform aus den Elementen des Sagens, des Singens, des Tanzens: auf ein *Gesamtkunstwerk. Zumindest zielt es auf die Grundstufe einer solchen, die in den Intentionen wohl mit der *Oper, aber in der Art des *Barock, auch mit der *Operette, mit dem *Singspiel, mit der *Kantate usw. korrespondiert, imgrunde aber bedeutend tiefere Wurzeln hat – Wurzeln, die auch hier weniger chronologisch als vielmehr morphologisch im Archaischen und insofern im Ur-Sprünglichen haften: *Übrigens ließe sich an einer Auswahl solcher Gedichte die ganze Poetik gar wohl vortragen, weil hier die Elemente noch nicht getrennt, sondern wie in einem lebendigen Ur-Ei zusammen sind, das nur bebrütet werden darf, um als herrlichstes Phänomen auf Goldflügeln in die Lüfte zu steigen (I/41^{I}, 224).*

Goethes eigenes B.-Schaffen bietet dem ersten, nicht tief genug eindringenden Blick wohl deswegen ein so vielformiges, ja bisweilen zufallsbedingtes, verwirrendes und sogar widerspruchsvolles, zumindest unausgeglichenes Bild, weil der Dichter durch die mannigfach verhüllenden und ablenkenden Überlieferungsschichten nicht ohne Mühe, auch wohl nicht ohne Konzessionen hindurchfand. Aber selbst diese Mühe lebt von der Kraft seiner sonstigen und oft so sehr betonten, höchst fruchtbaren Intention, „alte, schon halb verblaßte bildliche Ausdrücke so zu gebrauchen, daß ihr ursprünglicher Sinn wieder hervortritt" (GootheJb. 19, 247). So verfuhr Goethe mit der B. als ganzer Gattung. Die Witterung eben für das Ur-Sprüngliche und in diesem *(morphologischen)* Sinne für das Archaische drängte ihn immer weiter und immer tiefer an den mehr oder weniger deutlich vorempfundenen Wurzelgrund. Maßgeblich war in jedem Falle der schließlich auch theoretisch bewußt gewordene, längst praktisch regsame Zug, neben – mehr noch: in dem Poetischen wie im Musikalischen auch und gerade für die B. als gleichgewichtiges Gattungselement das Tänzerische nicht nur zu postulieren, sondern zu realisieren. Die Folgezeit hat diesen Ansatz nicht entsprechend durchgehalten. Sie hat ihn wohl gar nicht oder kaum wahrgenommen. Nur bedingt darf man also sagen, daß das Konzentrat, besser: das Selektat der B.-Leistung Goethes – verbunden mit dem ohne eine derartige Partnerschaft kaum so intensiven Wirken Schillers und mit dem der *Romantik sowie der Späteren – noch immer mitspricht. Zwischen dem ,,Neuen", das weniger durch Goethe selbst als vielmehr in der Zeit Goethes vorbereitet und geschaffen wurde, und der bloßen ,,Erweckung der alten Kräfte, aus denen die erste Ballade erwuchs" (HBestian) liegen schärfere Grenzen (WKayser: Ballade; WKayser: Kunstwerk). Allzu oft übersehen oder doch empfindlich vernachlässigt, fordert die goethesche B. in ihrer veranlagten oder angestrebten Drei-Einheit von Wort-Ton-Bewegung eben für das Tänzerische darin Aufmerksamkeit. Unter allen poetischen, zumal lyrischen Gattungen und Einzel-Formen scheinen der B. die *velociferischen (MuR:* Hecker *Nr 479),* mehr und mehr usurpierenden Literarisierungs-, Verschriftungs- und Verbuchungstendenzen am schlechtesten bekommen zu sein. Im Sinne einer sehr schnell fortschreitenden betriebsamen Auslieferung an das seelenlose *Schwarz auf Weiß* bloßer Verstofflichung entfremdeten sie die B. am meisten sich selbst. Sie verödeten sie bis zur Deformierung, wo nicht gar bis zur Denaturierung (vgl. dazu etwa auch WMuschg). Sie sind Symptome einer allenthalben um sich greifenden Despotie des Artistischen über das Produktive, des Amusischen über das Musische und einer nicht mehr nur metaphorischen ,,Erosion" unserer Wesenswelt und Lebenslandschaft: ,,Die Wüste wächst: weh dem der Wüsten birgt" (FNietzsche; vgl. dazu GGötsch: Musische Bildung 1, S. 23; auch FWerfel: Realismus und Innerlichkeit, S. 26; vgl. ferner JPieper über die acedia: Muße und Kult, S. 48–51). –

Die Altersformel (Erstdruck 1829) der *Betrachtungen im Sinne der Wanderer* gehört unmittelbar in diesen Zusammenhang: *Unbedingte Thätigkeit, von welcher Art sie sei, macht zuletzt bankerott (I/42ᴵᴵ, 168).* Wer sich nicht so weit versteigen will, wird immerhin zugeben müssen, daß Goethe das für die B. als Dichtungsart durchaus konstitutive Einsbleiben des Poetischen mit dem Musikalischen und ebenso mit dem Tänzerischen sehr viel ernster genommen hat, als man vom Standpunkt der späteren oder gar der heutigen Entwicklung oft auch nur zu vermuten sich geneigt fühlen möchte. Die Destruktionen des *Tanzes, in denen wie in anderen Erscheinungen sich das 20. Jahrhundert endlich überschlug, waren dem 18. Jahrhundert noch keineswegs vorstellbar, nicht einmal in den Bildern von W*Hogarth (1697–1764); allenfalls spuken sie in den französischen Revolutionswirren oder in gewissen Bildkompositionen und in den satirischen Graphiken von FGoya (1746–1828).
Den extremen Ausdruck einer extremen Konsequenz, die für die B. als Gattung gewiß am gefährlichsten ist, findet JStrawinsky 1957: ,,Die zeitgenössische Epoche bietet nun das Beispiel einer ... Kultur, in der sich der Sinn für die Kontinuität und das Gefühl für die Gemeinsamkeit von Tag zu Tag mehr verlieren. Die individuelle Laune, die intellektuelle Anarchie, die unsere Welt zu beherrschen suchen, isolieren den Künstler von seinesgleichen und verdammen ihn dazu, in den Augen des Publikums als Monstrum zu erscheinen: als ein Monstrum der Originalität, als der Erfinder seiner Sprache, seines Vokabulariums und seiner Mittel. Die Verwendung des erprobten Materials und der feststehenden Formen ist ihm schlechthin verboten. Er kommt so weit, daß er ein Idiom ohne Beziehung zu der Welt spricht, die ihm zuhört. Seine Kunst wird wirklich einmalig, und zwar in dem Sinn, daß sie unmitteilsam und nach allen Seiten hin verschlossen ist" (Festschrift Nationaltheater Mannheim). Diese extreme Einmaligkeit der ,,Originalität" steht in extremem Gegensatz zu dem archaisch Ur-Sprünglichen der goetheschen B., und darin verbirgt sich wohl der tiefere Grund, weshalb es bisweilen Schwierigkeiten bereitet, die B. Goethes und die B. überhaupt als dichterische Gattung, dh. nach ihrem legitimen Platz in der *Poetik systematisch und historisch zu bestimmen.
C. Systematische Bestimmung der goetheschen B.: Prinzip des Rhythmus,

Wesen und Bedeutung; Praxis des Tanzens; Poetisch-dichterische Ein- und Mitwirkung des Tänzerischen; *Hermann und Dorothea:* chronologische und intentionale Zusammenhänge; Tänzerische Interpretation des Gesanges *Terpsichore;* Goethes Stellung in der Tanztradition und Kenntnis der traditionellen Tanzterminologie; Tänzerische Interpretation des Gesanges *Erato;* Vertiefung der intentionalen Zusammenhänge; Tanz und kulminierendes Hochgefühl: Wesen und Bedeutung des Festlichen; Janusköpfigkeit der Kulmination; Höhepunkt und *Vorgefühl* (*Schwebende Pein*/Antizipation); B. als Gefäß und Ausdruck des *Vorgefühls:* Vor-Freude, Vor-Leid; B.-Beispiele; Verhältnis des Archaischen zum Archetypischen.

Systematisch einen besonders guten Platz dürfte hier die so sehr schwer zu interpretierende *Maxime* Goethes finden können: *Der *Rhythmus hat etwas Zauberisches, sogar macht er uns glauben, das Erhabene gehöre uns an (MuR:* Hecker Nr *248;* vgl. auch FTrojan, ferner HWeihs, besonders Literaturverzeichnis S. 32 f.; vgl. außerdem *Lautcharakter, *Metrum, *Strophe, *Taktform, *Tonlehre, *Vers). *Es ist wirklich beinahe magisch, daß etwas, was in dem einen Silbenmaße noch ganz gut und charakteristisch ist, in einem andern leer und unerträglich scheint. Doch eben so magisch sind ja die abwechselnden Tänze auf einer Redoute, wo Stimmung, Bewegung und alles durch das Nachfolgende gleich aufgehoben wird* (6. VI. 1797 [!]: *I/34^I, 210 f.*). Für seine *Tonlehre* notiert sich Goethe: *Gegen das Auge betrachtet ist das Hören ein stummer Sinn. – Nur der Theil eines Sinnes. Dem Ohr müssen wir jedoch als einem hohen organischen Wesen, Gegenwirkung und Forderung zuschreiben; wodurch der Sinn ganz allein fähig wird, das ihm von außen Gebrachte aufzunehmen und zu fassen. Doch ist bei dem Ohr die Leitung noch immer besonders zu betrachten, welche durchaus erregend und productiv wirkt. Die Productivität der Stimme wird dadurch geweckt, angeregt, erhöht und vermannichfaltigt. Der ganze Körper wird angeregt ... Der ganze Körper wird angeregt zum Schritt (Marsch), zum Sprung (Tanz und Geberdung). Alle organischen Bewegungen manifestiren sich durch Diastolen und Systolen. Ein anders ist den Fuß aufheben, ein anders ihn niedersetzen. Hier erscheint Gewicht und Gegengewicht der Rhythmik. Arsis, Aufschlag. Thesis, Niederschlag. Tactarten: Gleiche, Ungleiche. Diese Bewegungen können für sich betrachtet werden; doch verbinden sie sich nothwendig und schnell mit der Modulation* (1810/15: *II/11, 289 f.;* dazu I/36, 55; 100).

Goethe hatte eine zu wenig beachtete, aber sehr bemerkenswerte Neigung zum Tanzen, zu tänzerischen Formen und Festen aller Art, wie sie die *Gesellschaft, besonders die *höfische Welt forderte: nicht nur zum *Ballet, zur *Redoute, zum *Masken-Aufzug, zur *Pantomime usw., sondern selbstverständlich auch zu den geselligen Tanzformen seiner Zeit (aus der Unzahl der Belege vgl. dazu etwa *Frankfurt, noch vor 1760: I/27, 280; *Straßburg, April 1770: I/27, 282; *Sesenheim, Oktober 1770: I/28, 21 f.; *Volpertshausen, Juni 1772: Morris 2, 317 f.; *Ems, Juli 1774: I/28, 276 f.; *Weimar- *Eisenach, Dezember 1776, Oktober 1777: III/1, 29; 31; 45; 46; 48; 50 uvö. – bis *Karlsbad, August 1823: III/9, 93; 102).

So wirkt das Tänzerische häufig (man möchte fast sagen: immer) untergründig, bisweilen sehr wesentlich in der dichterischen Schaffensarbeit Goethes. Gewiß nicht allein und doch maßgebend wird dadurch mit der Sinn-Einheit zugleich die Sprech-Einheit, insofern Auswahl und Sprechart, dh. der Lautcharakter des einzelnen Wortes mitbestimmt. Auch die Ordnung der Worte, ihre Folge und ihren Fluß im Satz, die Gliederung von Einzelabschnitten und deren Zusammenhänge verstehen sich daraus: das fließende Auf und Ab von Taten und Leiden, von Gestalten und Ereignissen, Räumen und Zeiten oä., mithin die Strukturen der Gesamtkompositionen und aller einzelnen Formen, Fakten und Figuren. Dies allerdings hat man erst sehr spät und noch zu wenig bedacht Die Schwierigkeiten sind groß, weil das Tänzerische sich fast allein im (intuitiv) unmittelbaren Tun, fast gar nicht im (diskursiv) mittelbaren Denken erschließt. Der Forscher ist also gezwungen, für das (re-)produzierend) nachvollziehende Verständnis ganz neue, ihm meist sehr fernliegende und überdies recht unbequeme Voraussetzungen bereitzuhalten.

In diesem Zusammenhang genügt ein Beispiel aus dem Anfang der dritten Entwicklungsstufe: *Die Spinnerin: Als ich still und ruhig spann* (Frühjahr? 1795: *I/1, 184 f.:* seit dem Erstdruck 1800 in der Gruppe *Balladen und Romanzen*). Als Goethe in einer Anwandlung von *Aberglauben und keineswegs in den wirklichen *Abgründen der *Ahndung (II/3, 121)* mit dem Lotteriegewinn eines schlesischen Gutes (Schockwitz) durch Wahl einer bestimmten Losnummer *(7666)* spekulierte (WKrogmann S. 231), entstand in zeitlicher

Folge das zweite Zeugnis *Der Schatzgräber:
Arm am Beutel, krank am Herzen* (Mai 1797:
I/1, 181 f.; seit dem Erstdruck in Schillers
Musen-Almanach 1798 und seit der Aufnahme
in die *Neuen Schriften* 1800 ebenfalls eindeutig als *Ballade* gekennzeichnet; vgl. dazu
Schillers Brief an Goethe vom 23. V. 1797:
„Dies [Gedicht] ist so musterhaft schön und
rund und vollendet, daß ich recht dabei gefühlt habe, wie auch ein kleines Ganze, eine
einfache Idee durch die vollkommene Darstellung einem den Genuß des Höchsten geben kann. Auch bis auf die kleinsten Forderungen des *Metrums ist es vollendet. Übrigens belustigte es mich, diesem kleinen
Stücke die Geistesatmosphäre anzumerken,
in der Sie gerade leben mochten, denn es ist
ordentlich recht *sentimentalisch schön!").
Genau zwischen diesen beiden Zeugnissen
(Spinnerin – Schatzgräber) steht das letzte
vollendete epische Werk der goetheschen
*Klassik: *Hermann und Dorothea.* Es steht
damit an ausgezeichneter Auftaktstelle eines
sehr produktiven Jahres, in dem Goethe und
Schiller, hinter gelegentlicher Selbst-*Ironie
wie so oft den eigentlichen Ernst verbergend,
durch das *Balladenstudium* mehr und mehr
auf den Dunst- und Nebelweg gebracht (22. VI.
1797: *IV/12, 167*), im *Balladenwesen und Unwesen* zunehmend sich *herumtreiben* werden
(20. VII. 1797: *IV/12, 199*) und das Schiller
zum „Balladenjahr" (22. IX. 1797) erklären
wird. An der Schwelle, wo nicht gar schon
im Zuge einer solchen Schaffens-Periode
wird die Gleichzeitigkeit zu einem Problem,
das auf alle Fälle befragt werden muß, ehe
man es ignorieren darf. Zeugen die B.n ihrerseits für die keineswegs stillschweigende Präsenz des *nordischen Erbteils* (16. II. 1826:
Bdm. 3, 258; vgl. auch *Aura*) in einem solchen Reim- und Strophendunst *(IV/12, 168)* –
zeugt das antikisierende *Epos Hermann und
Dorothea* ganz besonders (vgl. EStaiger 2,
S. 247–249) für das sogar deutlich ausgesprochene Programm, *unter dem modernen Costum
die wahren ächten Menschenproportionen und
Gliederformen erkennbar und anerkennbar
werden zu lassen* (28. IV. 1797: *IV/12, 109*).
Von den bedrängenden Zeitumständen abgesehen (*Koalitionskriege), deretwegen Goethe sich *nicht im besten Humor* fand *(IV/12,
110),* vermag *Hermann und Dorothea* aus sich
selbst heraus und in sich selbst das Verständnis der problematischen Gleichzeitigkeit
durch einige besonders auffällige Momente
förderlich anzuregen. Diese zeigen, daß und
worin ein spezifischer, aber völlig legitimer

Zusammenhang zwischen diesen scheinbar
so unwillig benachbarten Dichtungsarten gesucht werden darf. Noch mehr: Sie weisen
zumindest in einen Vorhof derjenigen – bisweilen von Goethe selbst wohl absichtlich
bagatellisierten – Tiefe, aus der sich nach
sehr langen Jahren *Faust* und *Helena* als
Repräsentanten der modernen und der antiken Welten erheben und zu profunder Kommunikation einander begegnen werden. Endlich: sie knüpfen das Band zwischen dem
epischen Werk *Hermann und Dorothea* und
dem B.-Schaffen Goethes intentional sehr
viel enger, als meist zugebilligt wird: „Das
Klassische wurde nicht mehr aus der blauen
Luft herabgezaubert und als seltsam schönes
Bild in eine ihm fremde Umgebung versetzt;
es trat aufrichtig in Erscheinung, wie es im
Norden und in später Stunde noch erscheinen
konnte, als Aufgabe nämlich, die jeder Einzelne und womöglich die Gemeinschaft immer
neu zu bewältigen haben, als Geschenk, das
ein gütiges Schicksal hin und wieder dem
unbeirrten, redlich wandelnden Menschen gewährt. Der Apotheker verfehlt es ganz. Den
Vater rührt es manchmal an. Der Pfarrer
weiß darum Bescheid. Der Mutter und dem
Sohn ist es beschieden unter dem alten
Baum; so auch dem fremden Richter, der
wie Josua und Moses waltet; so Hermann und
Dorothea am Brunnen, wo uns das deutsche
Liebespaar an Jakob und Rahel, Odysseus
und Nausikaa, Daphnis und Chloe erinnert
und wo wir uns fast darüber verwundern, daß
Dorothea zwei Gefäße an den Henkeln mit
Händen trägt und nicht den Krug auf er-
hobenem Haupt" (EStaiger 2, S. 251 f.).
Bereits am dritten Arbeitstage, am 13. IX.
1796 *(III/2, 47 f.) fertig . . . versificirt,* erhält
der zweite Gesang – bewußt von der antik-
hesiodisch überlieferten Reihenfolge (*Hesiod)
abweichend – später den *Musen-Namen
Terpsichore, also den Namen der Tanz-Muse
(der „Tanz-Frohen") über dem Namen *Hermann.* Anzunehmen, daß uns *Hermann* damit
als ein vorzüglich Tanz-Tüchtiger oder auch
nur als ein besonders „Tanz-Froher" vorgestellt werden soll, dürfte kaum ausreichen.
„Etwas Herbes, Strenges, Sprödes, Nordisches ist ihm beigemischt, das zugleich rührt
und imponiert und ihn davor beschützt,
ein unglaubwürdiges Ideal zu sein" (EStaiger 2, S. 248). Doch mag es gelten, daß *Hermann* (1796!) von vornherein in eine gewisse
Gegenbildlichkeit gerückt werden soll zu der
auffällig untänzerischen, dh. zumindest wenig bewegten, mehr ruhenden, überwiegend

pittoresken, ja statuarischen, außerdem *verteufelt humanen* (1802!: IV/16,11) **Iphigenie* (dazu III/1, 306: Goethe bestätigt am 19. X. 1786 den bewußt starken Bildbezug dieses Werkes, der ohnedies in dem fünf Akte hindurch unverändert bleibenden Szenar Ausdruck findet: es handelt sich um eine zurzeit nicht mehr nachweisbare Darstellung der Heiligen Agathe, die man fälschlich *Raffael zuschrieb). Der zweite Gesang des Epos weist den Betrachtenden wesentlich weiter. Auf neuer Stufe exponierend und antizipierend, führt er das Jugendpaar (*Hermann/Dorothea;* V. 21–81) und das Elternpaar (*Vater/Mutter;* V. 108–157) in dem sinnreichen Wechselbezug eines kontrapungierenden Figuren-Tanzes aufeinander zu und nebeneinander her, überrundet einen durchaus untänzerischen, einspännig beschränkten Hagestolz (*Apotheker;* V. 83–96) und läßt einen früheren, mehr von außen als von innen angebotenen Bezug (*Minchen;* V. 216; 221; 240–244), sogar gegen den nachdrücklichen Wunsch des *Vaters,* unwiderruflich sich lösen (V. 187–273), wie eben die Bewegungen der Tänzer – als eine Vergleichs- und Erscheinungsform der *Analogie – und nicht anders die der Schicksale in fließendem Auf und Ab die Paare einen oder scheiden – dies alles in unaufhörlicher, und doch sich ordnender, von geheimer Mitte her (wie durch eine *vis centrifuga* im Verein mit einer *vis centripeta*) geordneter Bewegung. So gesehen kann der Tanz zum Selbstausdruck der Gesellschaft und um so vieles gesteigert als Kunst der „Beziehungen" zur Spiegelung des *Lebens selbst werden. Denn es ist Goethes fundamentales Motiv, daß die *Bezüge* selber und eben nur diese das *Leben* selbst sind (1830: *IV/46, 223*) und daß man diesen Satz überdies auch umkehren kann. Die Gesänge *Terpsichore* und *Erato* verbinden sich unter diesem Aspekt bedeutungsvoll durch die Brunnenzene. In der doppelten Analogie der bildlichen wie der rhythmischen Entsprechung, in vollendet tänzerischer Anmut, ein jeder vor sich selbst wie vor dem andern den vorempfindbaren Ernst noch unschuldig *heiter* verschweigend, ganz ohne Arg und Harm: begegnet das liebende Paar gleichsam sich selbst und fast noch fremd in der Spiegelung des Brunnens. Es grüßt sich – auch das „Grüßen" erfolgt hier im Sinne, in dem Namen und in der Form einer uralten Tanzgebärde. Goethes dichterische *Sprache übernimmt an dieser und nicht nur an dieser Stelle einen sehr bildhaften Ausdruck aus der *Tanzterminologie. Auch damit rückt er, mit

heutigen Augen gesehen, vor den Hintergrund des *Barock.

Hinsichtlich ihrer Antriebskräfte und Ausdrucksmittel steht die goethezeitliche Situation der europäischen Tanzentwicklung in einer verhältnismäßig leicht nachweisbaren, reich bezeugten Überlieferung. Ein kontinuierlich entwickeltes System von Tanzformen bewegte die vorbarocke und barocke, keineswegs nur höfisch bestimmte Geselligkeitskultur mehrere Jahrhunderte, wie es anhand einer betont traditionellen Tanzterminologie aufweisbar ist. Diese ist wie auch manche andere *Sondersprache und sogar oft viel weitergehend als motivisches oder metaphorisches Element in der Sprache überhaupt, zumal in der Sprache Goethes wirksam. Die genauen Kenntnisse vermittelte am nachdrücklichsten JA*Aulhorn, den Goethe alsbald in Weimar noch als Hoftanzmeister (bereits seit 1766) traf; wohl in einer ausführlichen Privatunterweisung ließ Goethe sich im Mai 1780 *von Aulhorn die Tanz Terminologie erklären (III/1, 117),* die Rolle des *Vaters* in der *Fischerin* wurde im Sommer 1781 Aulhorn auf den Leib geschrieben und sogleich mit ihm geprobt (III/1, 129), in Angelegenheiten der *Theaterleitung bestand enger Kontakt (vgl. etwa Oktober 1789: IV/30, 66; Oktober 1807: III/3, 284), zumal beim Heranziehen des erforderlichen Schauspieler-Nachwuchses. Man muß für die Jahre 1791–1815 natürlich auch an die weimarer Ballettmeister JJ*Mattstedt, C*Morelli, J*Uhlich denken. Andererseits hat sich die Tanzliteratur gern goethescher Dichtung bemächtigt. Chronologisch und systematisch besonders bedeutsam ist hier zB. der „Neue Tanz- und Ballkalender" (1801; Unger/Fischer) mit dem Nachdruck (S. 233) von Goethes *Wechsellied zum Tanze* (um 1780! entstanden, und zwar frühestens zweite Hälfte 1780, also in bereits nachgewiesener Verbindung mit Aulhorn): *... Wandeln der Liebe ist himmlischer Tanz (I/1, 28).* In der Spiegelung des Brunnens finden sich *Hermann* und *Dorothea,* sie grüßen sich in diese hinein wie aus ihr heraus. Diese Spiegelung ist so genau „wie" die Wirklichkeit und verlangt doch noch den ganzen Mut zur wirklichen Wirklichkeit. Sie erlaubt der Begegnung, noch schwerelos schwankendes Spiel zu sein, noch Tanz. Aber sie weiß, daß sie in diesem *Tanz,* der doch auch schon *himmlisch* ist und vor der *Bläue des Himmels* sich bewegt, bereits das *Wandeln der Liebe* besagt: *Und sie sahen gespiegelt ihr Bild in der Bläue des Himmels | Schwanken, und nickten*

sich zu, und grüßten sich freundlich im Spiegel ... *| Also standen sie auf und schauten beide noch einmal | In den Brunnen zurück, und süßes Verlangen ergriff sie (I/50, 245; 248).* Auch die Bewegung, die dem Liebenden zum ersten Male die Geliebte in die Arme trägt, ist trotz der ganz anderen, Äußeres und Inneres bedeutungsvoll einfach verbindenden Ursache (und gerade durch diese Gegensätzlichkeit beredter gemacht) imgrunde wie das „Grüßen" eine uralte tänzerische Gebärde. Sie geschieht aber nun nicht mehr in der überindividuellen Unbefangenheit der Tanzfügung („naiv"), sondern in Wahrheit gegen diese und damit gegen-, ja außerrhythmisch: *Aber sie* ... *| Fehlte tretend, es knackte der Fuß, sie drohte zu fallen (ebda 255).* So wird die Geliebte und mit ihr *Brust an Brust* ... *Wang' an Wange* der liebende Tänzer in der individuellen Befangenheit der Schicksalsbindung durch das tiefe Erschrecken des Herzens *starr wie ein Marmorbild.* Am stärksten vielleicht durch dies noch zu selten gewürdigte Abgrundwissen um die feinste, aber festeste Grenze bekundet Goethe, daß er der „archaischen" Wirklichkeit des Tanzes (WF Otto: Gestalt/Sein, S. 415–417), die eine ursprüngliche eben nicht so sehr im chronologischen als vielmehr im morphologischen Sinne ist, auf eine allerdings geheimnisvolle Weise wenn nicht inne, so doch sehr nahe war. Näher als viele andere.
Eine systematische Überlegung darf in diesem Zusammenhang nicht übersehen, daß für die „archaische" Wirklichkeit des Tanzes – auch in der barock vermittelten und weiterentwickelten Form – zwei Momente wesentliche Bedeutung haben. Ohne diese dürfte ein ausreichendes Tiefenverständnis des goetheschen B.-Schaffens, seiner Vielgestalt und seiner inneren Logik kaum zu erreichen sein. Jeglicher Tanz ist unter den mannigfachen Manifestationen und Objektivationen menschlicher Daseinserfüllung ausgezeichnet nicht nur dadurch, daß man in ihm eine besondere „facultas ludendi" (JHuizinga) unter anderen Spielformen der Kulturen sehen kann, sondern weit mehr dadurch, daß er unmittelbarer Ausdruck eines kulminierenden Hochgefühls, einer Feier, eines Festes ist und daß ihm also maximal und optimal der Charakter des Festlichen eignet. Indem dies aber zutrifft, stellt sich endlich das „archaische" Moment des Kultischen wieder her. Alles in allem führt der Weg dann weiter in den Bereich dessen, was auch zu Goethes Zeit noch *Re*präsentation heißen konnte, um *bedeutend*

volle Form, nicht aber leere Förmlichkeit zu intendieren. Hier dürfen wir Wesenswurzeln Goethes vermuten, in denen *nordisches Erbteil* und klassische Daseinsdeutung *an den Tischen der Griechen* (1826: *Bdm. 3, 258*), *nord- und südliches Gelände* (1815: *I/6, 10*), *Hexenküche* und *Garten Borghese* (Frühjahr 1788!: *Bdm. 4, 106*) problematisch und doch intentional benachbart ihre Nahrung suchen, ehe die **Klassische Walpurgisnacht* anbricht und ehe *Faust* und *Helena* sich finden.
Dieser Wurzelgrund – nicht daß er diese selbst und ganz schon wäre! – gehört zu einer Schicht, wo der homo faber zurücktritt und der homo ludens sich in den homo religiosus verwandelt. Der „kreatürlich" vergängliche Mensch selbst als Leib- und Geistwesen bildet das „Material", in dem das „Erhabenste" Gestalt wird: „Was er später dem Gotte zu Ehren aus Steinen (ua.) erbaut hat, wovon die Dome uns noch heute erzählen, das war er einst selbst, mit zum Himmel gestreckten Armen, wie eine Säule aufrecht stehend oder auf Knien liegend ... Ehe die Gläubigen sich das Bild ihres Gottes vor Augen stellten und sein Leben und Wirken in Worte faßten, ist er ihnen so nahe gewesen, daß ihr Geist von seinem Hauch berührt, zu heiligem Schaffen aufgeregt wurde" (WFOtto: Dionysos, S. 23 f.). Die antike **Religion*, von der hier zunächst gesprochen wird, ist in ihrer charakteristischen Verknüpfung von **Mythos* und **Kultus* exemplarisch „Festreligion": „Man wird auf eine Ebene erhoben, wo alles ist ‚wie am ersten Tage', leuchtend, neu und ‚erstmalig'; wo man mit Göttern zusammen ist, ja selbst göttlich wird; wo der Schöpfungsodem weht und man an der Schöpfung teilnimmt. Das ist das Wesen des Festes, und das schließt die Wiederholung nicht aus. Im Gegenteil: sobald auch nur die Gewohnheit daran erinnert, ist man immer wieder fähig, eines ungewöhnlichen Seins und Schaffens teilhaftig zu werden. Zeit und Mensch werden festlich. Et renovabitur facies terrae" (KKerényi: Antike Religion, S. 60 f.). „Die höchste Form der Bejahung aber ist das Fest ... Ein Fest feiern heißt: die Bejahung des Sinngrundes der Welt und die Übereinstimmung mit ihm, ja die Einbeschlossenheit in ihm, auf unalltägliche Weise darleben und vollziehen. Das Fest ist der Ursprung, der innere und innebleibende Ursprung von Muße. Es ist der Feier-Charakter, durch den es der Muße zukommt, nicht allein mühelos zu sein, sondern das Gegenteil von Mühe! [Vgl. das etymologische und definitorische Verhältnis

von lat. otium zu lat. neg-otium!] In der Muße ... wird das wahrhaft Menschliche dadurch gewahrt und gerettet, daß der Bezirk des ‚eigentlich Menschlichen' immer wieder einmal verlassen wird – und nicht in einer äußersten Anstrengung des Auslangens, sondern wie in einer Entrückung; welche Entrückung freilich ‚schwerer' ist als die äußerste aktive Anspannung; ‚schwerer', weil weniger verfügbar; der Zustand äußerster Angespanntheit ist leichter verwirklichbar als der Zustand der Entspannung und Gelöstheit, wiewohl dieser mühelos ist: unter solcher Paradoxie steht die Verwirklichung von Muße, die ein zugleich menschlicher und übermenschlicher Zustand ist" (JPieper: Muße und Kult, S. 56–59). Die Worte JHuizingas gehören unmittelbar hierher: „Die heilige Handlung ist ein Dromenon, dh. etwas, das getan wird. Was dargestellt wird, ist ein Drama, dh. eine Handlung, gleichviel ob die Handlung in der Form einer Aufführung oder eines Wettkampfes vor sich geht. Sie stellt ein kosmisches Geschehen dar, aber nicht bloß als Repräsentation, sondern als Identifikation; sie wiederholt das Geschehene. Der Kult bringt die Wirkung zustande, die in der Handlung bildhaft vorgeführt wird. Seine Funktion ist nicht lediglich ein Nachahmen, sondern ein Anteilgeben oder Teilnehmen" (S. 24). Mit EPeterich (Theologie der Hellenen, S. 271) darf und muß auch Goethe und zwar von einer ganz anderen Seite her *(*Myrons Kuh)* zum Zeugen aufgerufen werden: *Der Sinn und das Bestreben der Griechen ist, den Menschen zu vergöttern, nicht die Gottheit zu vermenschen* (19. XI. 1812: *I/49^{II}, 12*). Um den Gedanken abzurunden, kann man mit JPieper auf **Aristoteles* verweisen: *Οὐ γὰρ ᾗ ἄνθρωπός ἐστι οὕτω βιώσεται, ἀλλ' ᾗ θεῖόν τι ἐν αὐτῷ ὑπάρχει* (JBekker II, 1177b). Oder soll man sich auf den Ausspruch beziehen, den Athenaios (XIV, 620) als von **Sokrates* stammend überliefert hat: *Οἳ δὲ χοροῖς κάλλιστα θεοὺς τιμῶσιν, ἄριστοι ἐν πολέμῳ*? – vgl. auch Xenophon Symp. II, 15; 17; 19; Plutarch Quaest. conviv. VII, 711–712; Lukian De Saltatione XXV; zu Goethes im einzelnen noch wenig gewürdigter Athenaios-Kenntnis werden folgende Daten wichtig: 1770 *(Ephemerides: Morris 2, 38)*; 1799 (!): *Fing ich an den Athenäus zu lesen* (vor 14. IX. 1799: *III/2, 258*, bemerkenswert der Zusammenhang: *1. Sammlung meiner kleinen Gedichte. 2. Bey dieser Gelegenheit Studium der Rhythmik. 3. Winckelmanns Briefe wurden abgeschrieben*

und revidirt. 4. Bey dieser Gelegenheit Studium seiner schon gedruckten Briefe so wie seiner ersten Schriften. 5. las ich Herders Fragmente als auf die Litteratur damaliger Zeit sich beziehend; zwischengestellt als *Nr 6* nur die Mond-Experimente *mit Hülfe des *Auchischen Telescops und der Schröderischen Selenotopographie, Nr 7* dann die *Athenäus*-Lektüre; vgl. auch Keudell Nr 174: Entleihung der *Athenäus*-Ausgabe von JCasaubonus 26. VIII. 1799 bis 5. VII. 1800); 1803: Rückgabe des Athenäus-Buches an HCA*Eichstädt (IV/16, 343); 1827: *Abends Hofrath Meyer. Den Prachtzug des Ptolomäus Philometer aus dem Athenäus vorlesend* (26. II. 1827: *III/11, 26*). Der letztgenannte Beleg überschreitet die Grenzen unseres Zusammenhangs. Die anderen führen ganz unmittelbar zum Tanz, und zwar zur archaischen, antiken Wirklichkeit des Tanzes, wie sie auch für die Ur-Sprünglichkeit der B. in Goethes Sinne anzunehmen ist. Es gilt in ebendiesem Sinne, daß eine Situation zu einem Höhepunkt gekommen sein, daß sie sich über das Alltägliche hinausgesteigert, daß sie den Charakter des Feiertäglichen, des Festlichen und dergestalt des Kultischen gewonnen haben muß, damit „aus den reifgewordenen Takten" Wort-Ton-Bewegung zum Tanze schmelzen und hinreißen können. Goethe wußte und warb darum. Er trachtete eh und jeh und auf sehr wechselvolle Weise nach dem Nah- oder Fernziel solcher Höhepunkte, solcher Daseinsaufgipfelungen. In deren verweilensunfähiger Kulmination (*Sisyphus; *Zenith) ist die *Ewigkeit augenblicklich.

Diese Augenblicklichkeit aber ist janusköpfig zugleich die Entscheidung zwischen Ankunft und Abschied, zwischen Erwartung und Verzicht, zwischen Zukunft und Vergangenheit. Nur insofern ist sie unwiderrufliche, wenn auch hocherfüllte Gegenwart. Des Menschen ganze Menschlichkeit kann nur als Freiheit zum Zwange dieses Entscheidens bestehen. Goethe erfuhr und genoß diese Kulminationen *freudvoll* oder *leidvoll* nie anders als transitorisch und oft *in schwebender Pein (I/8, 237)*, auch wenn es ihm gelang, sie in der Idealität vollendeter Form zu gestalten. Meist aber und bis in die letzte Tiefe gilt ihm allein die Realität des *Vorgefühls: Im Vorgefühl von solchem hohen Glück | Genieß' ich jetzt den höchsten Augenblick* (nach 1825: *Faust II, V. 11585 f.; I/15^{I}, 316*). In diesem *Vorgefühl* braucht und kann man gar nicht sagen: *Verweile doch, du bist so schön* (1788: *Faust I, V. 1700; I/14, 82*), denn zu diesem

Vorgefühl gehört wesentlich das Moment des Noch-Nicht-Entschiedenen, dessen hohes Glück (oder aber tiefes Leid) allein besagt, daß ein höheres, ein höchstes, ein letztes zu erwarten sei und in diesem *Vorgefühl* schon als gesichert oder unausbleiblich gleichsam antizipiert werden könne. Die Antizipation geschieht oft betont willentlich als Leistung durch das Mittel der Ahnung *("Ich ahne")*. Folgendes gibt besonders zu denken: die B. ist in Goethes dichterischer Produktion wie auch in seiner poetischen Theorie die durchaus noch nicht entschiedene, also umfassende, noch unspezialisierte, also universale Gattung schlechthin, in ihr sind *die Elemente noch nicht getrennt, sondern wie in einem lebendigen Ur-Ei zusammen, das nur bebrütet werden darf, um als herrlichstes Phänomen auf Goldflügeln in die Lüfte zu steigen* (1821: *I/41^I, 224*). Weiterhin: die goethesche B. wird in allen vier Entwicklungsstufen und in sehr symptomatischen Einzelformen durch ein solches *Vorgefühl* hervorgerufen oder in ein solches einbezogen, oftmals ist sie Gefäß wie Ausdruck einer durchaus, ja genau entsprechenden Antizipation späterer, bisweilen viel späterer Entscheidungen, Taten und Leiden, Stationen und Konsequenzen. Man ist versucht, paradox zu formulieren: in der goetheschen B. wird die noch nicht entschiedene Dichtungsart zur Dichtungsart des noch nicht Entschiedenen. Dies wird nur durch die Organe des *Vorgefühls*, der Ahnung wahrnehmbar. Darin zeigt sich aber doch eine Kulmination an, die entelechal schon ein Ganzes ist – wie denn auch längst vor der reifen Hochform sichtbar und spürbar eine *geheime Verwandtschaft* auch die *verschiedenen äußern Pflanzentheile, als die Blätter,* den *Kelch,* die *Krone,* die *Staubfäden, welche sich nach einander und gleichsam aus einander entwickeln,* zusammenhält – von dem Augenblicke an, wo die *Pflanze … sich aus dem Samenkorn entwickelt* (1807: *II/6, 26; 29*). Dieses quasi vegetative Kompositionsgesetz wird 1807 unter dem Gesichtspunkt der *Bildung und Umbildung organischer Naturen* ausführlich als *Morphologie* dargelegt. Es schließt schon ganz früh auch die problematische Szenenvielfalt und -fülle des oft und eindringlich balladesken *Götz* zu ebenso *geheimer* Ordnung zusammen (weshalb es eigentlich ein Mißverständnis ist, dieses Jugenddrama allzu nahe an *Shakespeare heranzurücken). Hinsichtlich des B.-Schaffens aber deuten Entstehungsart und -zeit nicht nur einiger weniger Einzelformen, sondern ganzer Ent-

wicklungsstufen darauf hin, daß Goethe mit der Witterung für das Archaische auch den Spürsinn für die gewissermaßen vor-kulminierende und dennoch adäquate Ausdrucksmöglichkeit verband. Dergestalt besaß er zugleich das Organ für die morphologisch intendierte, aber noch nicht realisierte Endform. Er war in der Lage, sie in festlichen Augenblicken des *Vorgefühls,* der Vor-Freude wie des Vor-Leides anteilnehmend wie anteilgebend beredt zu machen, eben kraft jener *unbekannten geahnten Regel* – in deren Notwendigkeit es vielleicht außerdem gelegen war, schließlich mit einem *widerspenstigen* Approximativ zufrieden sein zu müssen. Als letztes gehört zu dem *Vorgefühl* das Abgrundwissen um die hauchzarte Grenze zwischen den Wirklichkeitsebenen der – überindividuellen – Lebens-Spiegelung im Tanz und der – individuellen – Lebens-Führung in den Alltagsfunktionen des Einzeldaseins – denn dieses Abgrundwissen ist dem Spürsinn für den unentrinnbaren Entscheidungscharakter der wirklichen Kulmination verschwistert; die wirkliche Kulmination nämlich ist es, die der unendlichen Süße der Ankunft die unendliche Bitternis des Abschieds beimischt und die schon in der Vorwegnahme dessen die *Kerzen* nur *leuchten* läßt, *indem sie vergehen*.

Für den dichterischen Vollzug dieser poetischen Intentionen in Goethes B.-Schaffen hier nur einige wenige Beispiele und Hinweise, die spezieller Interpretationsarbeit freilich nicht vorgreifen sollen.

I. Aus der ersten Entwicklungsstufe: 1. *Das Veilchen*. Nach früheren Anregungen (1772, Leipziger Musenalmanach, vBißmark: „Lalage"; vgl. Morris 6, 544; außerdem das *Heidenröslein* I/1, 16; auch zB. *Gefunden* I/1, 25; *Blumensymbolik) im Winter 1773/74? für das kleine *Singspiel *Erwin und Elmire* (vgl. Ballade, Vicar of Wakefield, Kap. 8: Each hour a mercenary crowd . . .) unter der Bezeichnung *Romanze (Morris 4, 3)* entstanden, im Text selbst aber als *Liedchen* oder *Lied* angekündigt *(Morris 5, 48; I/11, 294)*, läßt *Das Veilchen (ebda; auch I/1, 164)* die *Vorgefühl*-Situation in zumindest zweifachem Bezug erkennen. Erstlich wird *Das Veilchen* eingeführt als ein *Liedchen,* das *Erwin* als Ausdruck seines Vor-Leides und *in so einem Augenblick* gedichtet hatte, als ihm *sein Herz mit Füßen getreten* wurde. Es wurde Gefäß und Ausdruck eines schmerzlichen *Vorgefühls,* dessen Höhepunkt allerdings als sofortige Vernichtung erahnbar war und dessen empfindsamer Ernst *mit schwebender Pein* noch leichtfüßig als schäferliches Spiel verkleidet, damit aber tänzerisch entschwert werden konnte *(Morris 5, 46–48/49)*. Auch steht es kompositionell an einer so betonten Anfangsstelle, wo es nicht nur für *Erwin* (rückwärtsschauend), sondern auch für *Elmire* (vorwärtsweisend) eine Antizipation der quälendsten Konsequenzen ausdrücken und dennoch der Wende ins befreite Liebesglück wirksam vorarbeiten konnte (Morris 5, 49–52). Zweitens bekundet sich die *Vorgefühls*-Situation durch die Wiederaufnahme des Singspielchens und seine Umarbeitung im Januar/ Februar 1775 für JG*Jacobis „Iris" (März-heft), indem *Das Veilchen* nunmehr in die biographische Parallele mit Goethes Lili-Begegnung tritt und sowohl die *schwebende Pein* dieser Liebe wie auch die Antizipation ihrer inhaerenten Spannung und Lösung besagte (vgl. die Widmung dieser Fassung: *Den kleinen Strauß, den ich dir binde, / Pflückt' ich aus diesem Herzen hier. / Nimm ihn gefällig auf, Belinde! / Der kleine Strauß, er ist von mir: Morris 5, 39*); auch die Ausdrücklichkeit der szenarischen Bemerkung: *Der Schauplatz ist nicht in Spanien* machte die neue Aktualität und Intensität deutlich anspielend beredt. Die völlige Neugestaltung für den Erstdruck 1788 tilgte die biographischen Bezüge und objektivierte die Form, hob aber die kompositionellen Bezüge umso stärker heraus und musikalisierte sie als (wahrlich mimisch wirkendes) Terzett: *Ich bitte, laßt uns jenes Lied / Zusammen singen, das Erwin so oft / Des Abends sang, wenn unter meinem Fenster / Er seine Cither rührte, hoch und höher / Die Nacht sich über seinen Klagen wölbte (I/11, 294)*. Besonders auffällig und zugleich sinnvoll ist dabei die Rollen-Verteilung. Gleichviel aber, ob mehr vom (empfindsam-schäferlichen) *Rokoko-Geist *bukolischer Poesie angeweht oder aus der archaischen Tiefe einer noch *unbekannten geahneten Regel* auftönend, ist *Das Veilchen*, hier fast schon Ballett, nicht nur *Ballade* [oder *Romanze*] und in Goethes tänzerisch betonter Haltung durchaus ein echtes, wenn auch sehr frühes, freilich nicht das früheste Zeugnis der viel- und langumworbenen Dichtungsart. Als solches steht es denn auch fest in allen selbstveranstalteten *Editionen seit 1800. WA*Mozart hat das spezifisch Dramatische dieses sinnbildlichen Dromenons wahrgenommen und ihm auf seine besondere Weise musikalisch entsprochen (KV 476).

2. *Der König in Thule.* EBeutler hat uns bereits 1945/47 feinfühlig belehrt (II, S. 312), daß eine Beziehung zu *Shakespeare besteht: Desdemona spricht (Othello IV, 3), in einem ahnungsvollen-ahnungslosen *Vorgefühl* tiefbanger Verlorenheit in *schwebender Pein* zwischen Liebessehnsucht und Sterbenseinsamkeit, kurz ehe ihr eigenes sich erfüllt, von fremdem Schicksal, von dem einer Magd, die sie kannte: „My mother had a maid call'd Barbara: / She was in love; and he she loved proved mad, / And did forsake her: she had a song of ‚willow'; / An old thing 't was, but it express'd her fortune [!], / And she died singing it: that song, to-night, / Will not go from my mind; I have much to do / But to go hang my head all at one side / And sing it like poor Barbara." Dann singt Desdemona selbst dies Lied, während sie sich zur freilich noch nicht wissentlich erwarteten Nacht des Sterben-Müssens entkleiden läßt: „The poor soul sat sighing by a sycamore tree; / Sing all green willow; / Her hand on her bosom, her head on her knee; / Sing willow, willow, willow ..." Wenig später erwürgt sie der Tod von Othellos Hand (V. 2). Das Weiden-Lied ist ein Lied von falscher Liebe und von der Untreue des Mannes; für Goethe konnte es eben nach *unbekannter geahneter Regel* in jeder Hinsicht, und nicht allein am *Wiederkehren ebendesselben Schlußklanges*, am Kehrreim, kenntlich *(I/41¹, 223)*, Beispiel einer echten B. werden. Vielleicht war es dies schon, als in den Tagen 18./24. VII. 1774 unter Burg *Lahneck (RV S. 12) und noch ohne bezeugten Bezug zum *Faust* Goethes gewissermaßen antwortendes Lied von wahrer Liebe und von der Treue des Mannes, eben der *König in Thule (Morris 4, 41 f.; 6,351)* entstand. EBeutler spürt der geistig-seelischen Situation nach und betont, daß Goethe „auf jener Lahn- und Rheinreise im Grunde innerlich allein gewesen, liebelos und doch liebebedürftig ... Wem der Sinn schwer ist, dem antwortet selbst die heiterste Stromlandschaft mit Trauer. Und so ist das schwermütige Lied vom greisen König ... am Rhein entstanden und ist, vom Dichter aus gesehen, die Sehnsuchtsklage eines einsamen Herzens" (Beutler II, S. 315). Persönlich-biographisch ist es ebenso sehr Nachgefühl wie *Vorgefühl* schon erlittenen und noch zu erleidenden Leides. Das Unwiderrufliche ist äußerlich wohl bereits geschehen, aber innerlich ist es in dem vollen Ausmaß seiner Unwiderruflichkeit noch immer nicht ganz Ereignis geworden. Welches Unwiderrufliche? Der „halbverwelkte liebe Blumenbusch" (JC*Lavater:

Morris 4, 112), ein Liebespfand am Hute, vielleicht an Lottes Hochzeit mit erinnernd, ist Sinnbild der *schwebenden Pein* (Beutler II, S. 320). Auch die Entrückung nach *Thule* ins räumlich und zeitlich Unbestimmte, ins Ferne und Frühe, aber Mystische eines *„Es war"* zeugt für dieselben geistig-seelischen, dh. auch poetischen Intentionen. Impulse JG *Herders melden sich mit. Dieses *„Es war"* steigt auftaktisch mit der Oberdominante als Unterquarte gleichsam aus dem unergründlichen Tiefen- und Weitenraum des Archaischen, des Ur-Alten weil des Ur-Sprünglichen herauf. Es will die Tonika in höherer Lage erreichen und dadurch festen Boden gewinnen – unbeständig allerdings, denn der Tiefen- und Weitenraum saugt die Bewegung in sich zurück (intentional wohl schon in der sonst noch zu sehr entwurfsartigen Erstfassung; vgl. bereits dazu CFZelters wesentlich spätere Vertonung der Endform, für die Goethes Gesamturteil von 1798 besonders zuzutreffen scheint: *es ist eine radicale Reproduction der poetischen Intentionen, IV/13, 184*). Mehr wird sich vorläufig kaum sagen lassen, wenn man die Frage stellt, wie es dazu kommen konnte, daß sich etwa ein Jahr nach seiner Entstehung (Juli/August 1775) *Der König in Thule* in die *Gretchen*-Tragödie einfügen ließ (Beutler II, S. 324). Die poetischen Intentionen der *Romanze*, seit 1800 *Ballade* (vgl. auch *DuW* 1812: *I/28, 286 f.*) und der *Gretchen*-Szene in diesem Sinnzusammenhang sind urverwandt, wahrscheinlich sind sie identisch in dem Augenblick, wo *Der König in Thule* durch Umgestaltung (kaum früher als 1787 wahrscheinlich erst 1788 oder 1789) in seine ganz reine Endform gebracht werden konnte (1790: *Faust. Ein Fragment;* vgl. *I/1, 171*). Diese Endform ist melodisch und rhythmisch von höchster Ausdruckskraft durchblutet, die Struktur tänzerisch in jeder Einzelfigur wie in der Gesamtfolge, jede Gebärde beseelt und ausgewogen. Es ist ein langsam schwingender, trauriger Tanz, aber sein Bewegungszentrum liegt wohltuend in der Leibesmitte, an jener Stelle, die die Griechen φρήν genannt haben. Übrigens trat auch in dieser Umgestaltungsphase das Desdemona-Lied noch einmal sehr nahe: JGHerder veröffentlichte in seinen „Stimmen der Völker in Liedern" (1778/79) das „Lied der Desdemona. Aus dem Französischen" (nach JJ*Rousseau: Les Consolations des Misères de ma Vie. Paris 1781, S. 125 Nr 65) – das shakespearesche Original nimmt sich in dieser zweifachen Übertragung aus dem Englischen ins Französische, aus

dem Französischen ins Deutsche freilich etwas seltsam aus und hat seine schwermütigschöne Herbheit verloren, um sie durch sentimentales oder sentimentalisches Gefühl zu ersetzen (Herder/Suphan 25, S. 632: „An einem Baum, am Weidenbaum saß sie, / Gedrückt die Hand zum Herzen schwer von Leide, / Gesenkt das Haupt, auf ewig fern der Freude, / So weinte sie, so sang sie spät und früh: / Singt alle Weide! / Singt meine süße, liebe, grüne Weide. / Liebe, grüne Weide"). Für das Moment des Tänzerischen aber wichtiger als diese Reminiszenz ist Goethes Bekanntschaft mit dem alten Wassermann-B., die zur selben Zeit durch Herders Sammelwerk angeregt und belebt wurde. Zeugnis dessen ist *Die Fischerin* (1782: *I/12, 95 f.*). Selbst in der von Herder mitgeteilten, von Goethe übernommenen dänischen Fassung ist das Tänzerische nicht nur Inhalt, sondern auch Form, formende Kraft. Es erscheint in der Tourigkeit der Einzelstrophen wie in deren Folge. Hinweise dafür, daß Goethe auch die deutsche, vornehmlich die ost- und ostmitteldeutsche Fassung (Böhmen, Mähren, Schlesien, Lausitz, Uckermark, Prignitz, Pommern) kannte, fehlen. Die meist überlieferte 6-Tourigkeit des deutschen Wassermanns, die auffällig ist, muß deswegen nicht zufällig als vergleichbar mit der 6-Strophigkeit des *Königs in Thule* erscheinen. Von innen her gesehen ist nach der ersten jede weitere Strophe „ein Dramolett ins Epische übersetzt, eine Handlung für sich" (Beutler II, S. 321) – das ist tänzerisch im spezifischen Sinne einer archaischen Einheit von Wort-Ton-Bewegung, Poesie-Musik-Tanz und in hier gültigen Sinn Goethes: *Gesungen und getanzt soll das Lyrische werden (I/42^{II}, 456)*. *Der König in Thule* ist fast paradigmatisch ein Singtanz, der das ahnungslose-ahnungsvolle Mädchen, wer weiß aus welcher Erinnerung heraus, noch durchschwingt. Aber auch die kompositionelle Stelle, die Goethe seinem *König in Thule* schon im Ur-*Faust* zuweist, entspricht durchaus dem, was ihm auch nach seinen anderen poetischen Intentionen wesensbestimmend für die B. als Gattung war. Man erinnere sich: „An old thing 't was, but it express'd her fortune." Obwohl erst oder gerade weil noch im Aufsteigen der *Gretchen*-Tragödie, handelt es sich um eine Situation, deren Höhepunkts-Charakter nur im *Vorgefühl* erfahrbar ist. In dieser Situation ist das Ganze des *Gretchen*-Geschicks, aber auch des *Faust*-Weges schon da, allerdings in der Vorbereitung und in der Vorwegnahme, in der Antizipation, in *schwebender Pein* zwischen Vor-Freude und Vor-Leid. Nichts kann schon ausgesprochen werden, noch ist für nichts der letzte Name gefunden, und doch braucht nichts mehr gerufen zu werden, denn es steht schon bereit, es läuft an und es kommt. Höher noch als in der Desdemona-Szene und weiter reicht hier der Spannungsbogen des Augenblicks – wohl auch ins Vergangene, vor allem ins Zukünftige gewendet, aufs Positive gerichtet, auf die Liebe, die durchhält, auf die Treue, die im Vergänglichen das Unvergängliche stiftet. „Das Lied ist die Achse der Szene" (Beutler II, S. 318), und die Szene hält den Atem der Handlung an, um sich von Grund auf mit *Vorgefühl*, mit aktiver Ahnung zu füllen, leuchtend in einer Liebe jenseits von Zeit und Tod (FAvenarius) – in der Realität dieses *Vorgefühls* liegt potentiell die späte Kulmination der idealen Gewißheit: *Der früh Geliebte, | Nicht mehr Getrübte | Er kommt zurück (Faust II, V. 12073 bis 12075; I/15¹, 336)*. Die Zeile: *Faust (nach einigem Stillschweigen): Ich bitte dich, laß mich allein (V. 2685; I/14, 132)* schlägt die Brücke zu einem letzten Faktum, in dem sich das Sachliche unmittelbar mit dem Menschlichen Goethes verbindet. Auch die Regie-Bemerkung: *nach einigem Stillschweigen* ist wichtig. EBeutler hat bemerkt (II, S. 324), daß die Worte dieser Verszeile dieselben sind, die sich in einem Briefgedicht an JG und JRd'*Orville finden (30. VII. 1775?; Morris 5, 286). Damit stellt sich der engste Bezug zur eigenen Person dar. Biographisch wird das Einfügen des *Königs in Thule* in die *Gretchen*-Tragödie sinnvoll durch die den Vorgang auslösende Gleichzeitigkeit der Lili-Krise. Ebendadurch gilt nun alles über das *Vorgefühl* Gesagte nicht mehr allein für die Dichtung als (quasi) Sache, sondern für den Dichter als Menschen: Goethe löste sein Verlöbnis mit Lili *Schönemann während der Herbstmesse 1775 (I/29, 177–179: vgl. *Alexis und Dora*). – Diese erste Entwicklungsstufe zeigt Goethes B.-Schaffen in bemerkenswertem Wechselbezug mit dramatisch-theatralischen Werkformen, mit Werkformen der mimisch darstellenden Kunst. Die B. dieser Jahre steht trotz aller biographischen Konfessionsbedeutung gern im Sinn-Zusammenhang anderer, mehr umfassender, ja weit ausladender Entwürfe oder Groß-Kompositionen; sie schützt sich dort, aber sie steigert sich durch den doppelten Bezug. Sie antizipiert die entelechale Erfüllung in der Form des *Vorgefühls*, sie genießt oder erleidet

diese – und gibt sie preis. Jugendliche Wesensart spielt dabei mit. Deutlich erscheint die B. als Grundstufe des Gesamtkunstwerks im dargelegten Sinn.

II. Aus der zweiten Entwicklungsstufe: 1. *Der Fischer.* Diese B. eröffnet die zweite Entwicklungsstufe der goetheschen B.-Dichtung. Sie wird aber zunächst noch als *Lied* bezeichnet (JGHerder 1779; CSv*Seckendorf 1779), 1789 ordnet sie Goethe in der Göschen-Ausgabe (Bd 8) unter die *Vermischten Gedichte*, erst 1800 findet sie in der Unger-Ausgabe (Bd 7) unter den *Balladen und Romanzen*, seit 1815 mit Beginn der zweiten Cotta-Ausgabe (Bd 1) unter den *Balladen* ihren Platz. *Der Fischer* ist in dieser Entwicklungsstufe eine der wenigen, abgesehen vom *Gesang der Elfen* (Briefgedicht; *Erlkönig*-Vorstufe!) die einzige B., die nicht in eine andere, übergreifende und umfassende, dichterische Werkform eingebettet ist. Sie steht für sich allein. Kann sie aber in solcher Isolierung befragt werden und antworten? Zur Entstehungsgeschichte: Christiane v*Laßberg hatte in Liebesleid den Tod gesucht und gefunden, sie war durch Goethes Diener am nächsten Tage, 17. I. 1778, aus der *Ilm geborgen worden, ihrer Leiche hatte ChvStein kurzes Obdach in ihrem Hause gegeben. Zur Situation: Goethe war erst seit dem 16. XII. 1777 von seiner winterlichen Harz-Reise zurück und hätte eigentlich noch in Hochstimmung leben müssen; aber er hatte bereits Tage vor dieser Katastrophe mit düsteren Stimmungen und Ahnungen zu kämpfen gehabt: *Hatte traurig in mich gezogne Tage* (16. I. 1778: *III/1, 60*). Dann ruft er sich, um nicht allein sein zu müssen, *Knebeln herüber*, verbringt mit dem Freunde die Nacht: *Viel über der Christel Todt. Dies ganze Wesen dabey ihre lezten Pfade pp.* (18. I. 1778: *III/1, 61*). Das soll doch wohl heißen: Goethe nimmt den Gesamtvorgang des Todesentschlusses und dann des unwiderruflichen Todesschrittes, er nimmt oben das *ganze Wesen* eines Liebestods in sich selbst hinein. Das „Objektiv-Einwirkende" macht er zum „Subjektiv-Gewirkten", indem er es im eigenen Wesensgrunde nachvollzieht und dergestalt aufs neue erzeugt, aber verwandelt. Zur Intention: Man erinnere sich der anfangs zitierten *Maxime: Mein ganzes inneres Wirken erwies sich als eine lebendige Heuristik, welche, eine unbekannte geahnete Regel anerkennend, solche in der Außenwelt zu finden und in die Außenwelt einzuführen trachtet (MuR: Hecker Nr 328).* Was Goethe durch diesen Fall hindurch von der *Außenwelt* her ansprach und was er in ihr fand, war nicht der mehr oder weniger beispielhafte, mehr oder weniger rührende, ergreifende Sonderfall eines Liebestodes, denn er hatte längst lernen müssen, daß ohne Liebestode – wie immer durchstorben – ein menschliches Dasein, zumindest seines, in Wahrheit nicht möglich ist. Was ihn wirklich ansprach und bewegte, formulierte er ganz unmittelbar in einem Briefe an ChvStein: *ich erfand ein seltsam Pläzgen wo das Andencken der armen Cristel verborgen stehn wird. Das war was mir heut noch an meiner Idee misfiel, dass es so am Weeg wäre, wo man weder hintreten und beten, noch lieben soll. Ich hab mit Jentschen ein gut Stück Felsen ausgehölt, man übersieht von da, in höchster Abgeschiedenheit, ihre lezte Pfade und den Ort ihres Tods. Wir haben bis in die Nacht gearbeitet, zulezt noch ich allein bis in ihre Todtes Stunde, es war eben so ein Abend. Orion stand so schön am Himmel als wie wir von Tiefurth fröhlich heraufritten. Ich habe an Erinnerungen und Gedancken iust genug, und kan nicht wieder aus meinem Hause. Gute Nacht Engel, schonen Sie sich und gehn nicht herunter. Diese einladende Trauer hat was gefährlich anziehendes wie das Wasser selbst, und der Abglanz der Sterne des Himmels der aus beyden leuchtet lockt uns. Gute Nacht, ich kans meinen Jungen nicht verdencken die nun Nachts nur zu dreyen einen Gang hinüber wagen, eben die Saiten der Menschheit werden an ihnen gerührt, nur geben sie einen rohern Klang* (19. I. 1778: *IV/3, 208*). Diese sehr wichtigen Worte enthalten die Hinweise dafür, daß Goethes B.-Schaffen in seiner zweiten Entwicklungsstufe (1778–1783) andere Themenkreise sucht, dh. daß die *lebendige Heuristik* andere Fragen aus der *Außenwelt* heraus vernimmt und andere Antworten in die *Außenwelt* hinein zurückgibt, um zugleich die *unbekannte geahnete Regel* der B. zu erfahren und zu erfüllen. Die *Saiten der Menschheit*, der Daseinsweise des Menschen schlechthin, wurden in einer neuen Dimension angerührt, neue Intentionen bewegten sich heran. Dabei geht es zunächst um den Daseinsbezug des Menschen zur ursprünglichen *Natur, wohl durchaus schon im Sinne der natura naturans (*Diana) und zu dem Kosmos ihrer Kräfte (vgl. besonders *Biologie, *Botanik, *Geologie, *Medizin, *Mineralogie, *Morphologie, auch *Naturphilosophie, *Vergleichende Anatomie, *Zoologie, mehr aber im Sinne der elementaren Natur, der vier „natürlichen" *Elemente, insbesondere des *Wassers als Element. Es ist ein sehr tiefenwirksames

Motiv des goetheschen Denkens, daß jede Seelenmonade dahin geht, wohin sie gehört: ins Wasser, in die Luft, in die Erde, ins Feuer, in die Sterne, daß der geheime Zug dahin das Geheimnis ihrer zukünftigen Bestimmung enthält, daß der Mensch das erste Gespräch ist, das die Natur mit Gott hält, daß insofern also ohne diesen ganz engen Bezug zur Natur und zu Gott menschliches Dasein als menschlich nicht möglich ist. Dieser Daseinsbezug gilt gelegentlich in seiner unbewußten Form als verloren und soll in bewußter Form wiedergewonnen werden, weil *alle natürlichen Dinge in einem genauen Zusammenhange stehen* (18. I. 1784: *II/9, 173*). Die alte Psalmenfrage der Luther-*Bibel (8, 5) „Was ist der Mensch, daß du seiner gedenkest und des Menschen Kind, daß du dich seiner annimmst" (schon im *Werther* anklingend: *Was ist der Mensch, der gepriesene Halbgott! I/19, 140*), erscheint am 7. XI. 1776 [!] im Tagebuch: *Was ist der Mensch dass du sein gedenckst und das Menschenkind, dass du dich sein annimmst (III/1, 26 f.);* am 8. XI. 1777 [!] wiederholt er sie brieflich an ChvStein: *Was ist der Mensch dass du sein gedenckst pp. (IV/3, 184),* bei der *Brocken-Besteigung am 10. XII. 1777 ist sie wieder gegenwärtig und findet Platz inmitten der wortkargen Notizen: *Was ist der Mensch dass du sein gedenckst (III/1, 57).* In der Häufigkeit seiner Wiederholungen und in der Eigenart der Gelegenheiten dazu wird dieses Wort zum Symptom für eine tiefgreifende, wenn auch konzentrisch verlaufende Metamorphose Goethes in seinem Verhältnis zur Außenwelt, insbesondere zur Natur. Abgesehen von dem Anklang im Werther (1774) findet sich der Psalmenvers genau zitiert erst in Verbindung mit den Jahrestagen der Ankunft in Weimar (1776; 1777) oder mit dem winterlichen Gipfelerlebnis auf dem Brocken (*Granit; vgl. auch Goethes Aufsatz *Über den Granit* vom 18. I. 1784: *II/9, 171–177*): *Ich fürchte den Vorwurf nicht, daß es ein Geist des Widerspruches [!] sein müsse, der mich von Betrachtung und Schilderung des menschlichen Herzens, des jüngsten, mannichfaltigsten, beweglichsten, veränderlichsten, erschütterlichsten Theiles der Schöpfung zu der Beobachtung des ältesten, festesten, tiefsten, unerschütterlichsten Sohnes der Natur geführt hat . . . In diesem Augenblicke, da die innern anziehenden und bewegenden Kräfte der Erde gleichsam unmittelbar auf mich wirken, da die Einflüsse des Himmels mich näher umschweben, werde ich zu höheren Betrachtungen der Natur hinauf gestimmt, und* *wie der Menschengeist alles belebt, so wird auch ein Gleichniß* [!] *in mir rege, dessen Erhabenheit* [!] *ich nicht widerstehen kann. So einsam* [!] *sage ich zu mir selber, indem ich diesen ganz nackten Gipfel* [!] *hinab sehe, und kaum in der Ferne am Fuße ein geringwachsendes Moos erblicke, so einsam sage ich, wird es dem Menschen zu Muthe, der nur den ältesten* [!], *ersten* [!], *tiefsten* [!] *Gefühlen der Wahrheit* [!] *seine Seele eröffnen will (ebda 173 f.).* Die Quintessenz dieser Formulierungen erblicken wir in folgendem: Goethe sucht in diesen ersten Weimar-Jahren, die zumindest von (1776)/1778 bis 1783 auch die Jahre seiner zweiten B.-Schaffensperiode sind, den Wissens- und Wesensgrund dessen, *was ist der Mensch*, zunächst in einem neuen Daseinsbezug zur ursprünglichen, vornehmlich und wohl erstmals auf solche Weise zur elementaren: zur archaischen Natur wiederum in morphologischem Sinn (vgl. FJvRintelen S. 65–138). In einem Brief aus *Ilmenau an JGHerder lesen wir: *ich führe mein Leben in Klüfften, Höhlen, Wäldern, in Teichen, unter Wasserfällen, bey den Unterirdischen, und weide mich aus in Gottes Welt* (9. VIII. 1776: *IV/3, 95*). Im September 1777, auf der *Wartburg hatte er verzagt, dem nächtlich und täglich verzaubernden Andrang der elementaren Naturgewalt *In dem grausen linden* [man beachte die dialektische Janusköpfigkeit dieser Beiwörter!] *Dämmer des *Monds* standhalten und wahrhaft antworten zu können: *Liebste ich hab eine rechte fröhlichkeit dran* [auch diese *fröhlichkeit* ist ein Hochgefühl oder doch das *Vorgefühl* eines solchen!] *mit dem ächten Gefühl von Danck, wie der Durstige ein Glas Wasser nimmt, und die Heiligkeit des Brunnens, und die Liebheit der Welt, nur nebenweg schaut* ... aber noch findet dieser Daseinsbezug den rechten Namen nicht, er ist namenlos, er ist wortlos, er ist bloße Bewegung: *In uns ist Leben und – ich weis wohl was ich will aber wie* [!] *sagen* [!] *(IV/3, 175–177).* Dem langvertrauten Freunde JH*Merck gelten die Zeilen: *Das Element, in dem ich schwebe, hat alle Ähnlichkeit mit dem Wasser; es zieht jeden an und doch versagt dem, der auch nur an die Brust hereinspringt, im Anfange der Athem; muß er nun gar gleich tauchen, so verschwinden ihm Himmel und Erde. Hält man's dann eine Weile aus und kriegt nur das Gefühl, daß einen das Element trägt und daß man doch nicht untersinkt, wenn man gleich nur mit der Nase hervorguckt, nun so findet sich im Menschen auch Glied und Geschick zum Froschwesen, und man lernt mit wenig Bewegung viel thun*

(5. VIII. 1778: IV/3, 237 f.). Überwiegend gleichnishaft, wenn auch gewiß nicht nur scherzend, ist hier vom *Wasser*-Element die Rede. Die tiefen Untertöne sind überspielt, aber sie bleiben vernehmlich. Die Wirklichkeits- und Tatnähe, mehr noch die Wahrheitsliebe des goetheschen Daseins (vgl. 1827: *MuR:* Hecker Nr 382) wehrten sich oft gegen die Unwahrhaftigkeit und gegen die Verfälschung der Wesensverhältnisse, wenn man – zB. auch Carl August – sich darin gefallen wollte, *das natürliche zu was abenteuerlichem zu machen, statt dass es einem erst wohl thut wenn das abenteuerliche natürlich wird* (9. XII. 1777: *IV/3, 196*). Schon am 2. XII. 1777 hatte Goethe an ChvStein geschrieben: *Wie doch nichts abenteuerlich ist als das natürliche, und nichts gros als das natürliche und nichts ppp als das natürliche (IV/3, 189).* Und am 5. VIII. 1778 wiederholt er für JHMerck: *Du weißt, daß so sehr ich hasse, wenn man das Natürliche abenteuerlich machen will, so wohl ist mir's, wenn das Abenteuerlichste natürlich zugeht (IV/3, 238).* Im Zusammenhang damit steht das dithyrambische Gedicht *Harzreise im Winter (I/2, 61–64): Und Altar des lieblichsten Danks | Wird ihm des gefürchteten Gipfels | Schneebehangner Scheitel, | Den mit Geisterreihen | Kränzten ahnende Völker.* Unmittelbar folgt die berühmte Zwieformel: *Geheimnißvoll offenbar (1/2, 63 f.),* eine der *mysteriosen, schwer zu deutenden Spuren,* die das Gedicht enthält (1821: *I/41[I], 337*). Goethe war am 16. XII. 1777 von seiner ersten Harz-Reise *gegen mittag* in Weimar wieder eingetroffen *(III/1, 58).* Die Erhobenheit wie die Erhabenheit der Gipfelstunde auf dem Brocken sind vorüber. Vielleicht allzu flüchtig war das winterliche Wanderglück gewesen, bei dem *das Abenteuerlichste natürlich* wurde und Goethe eines neuen und neu kulminierenden Daseinsbezuges zur natura naturans (FWJ*Schelling) innezuwerden vermochte. Dem Hochgefühl, kraft dessen auch Sinn und Zweck des *seltsamen Unternehmens* völlig eins wurden *(I/41[I], 337),* folgt alsbald eine Depression: *Hatte traurig in mich gezogne Tage* (16. I. 1778: *III/1, 60*). Die Tiefe, in die ihn dann am 17. I. 1778 die Katastrophe der *Cristel* stürzt, verwahrt wie tröstlich ein Gefühl anderer Gewißheit, ein *Vorgefühl: Die Saiten der Menschheit* werden angerührt, sie klingen auf und tönen fort. Die Elementarwelt selbst, die archaische Rätselkraft der Natur machen sich vernehmlich, aber ihre Stimmen sind gefährlich wie der Gesang von Sirenen, und wenn das Was-

ser die Sterne widerspiegelt, heben sich zwischen Himmel und Erde die Grenzen auf, sie verschmelzen zu betörender Einheit: *Der Abglanz der Sterne . . . der aus beyden leuchtet lockt uns (IV/3, 208).* Wir fragen jetzt nicht, ob es mit Absicht geschieht, wenn selbst hier noch und mit dem Blick auf Himmel und Erde gesagt wird, daß nur der Schein, nur der *Abglanz der Sterne . . . aus beyden leuchtet,* nicht aber die Wahrheit des Sternenlichtes selbst. Wir bemerken nur, daß Goethe der elementaren Einheit der Natur ansichtig wird und daß sie ihn lockt, tief hineinzutauchen, sich hineinzuversenken oder hineinsinken zu lassen, um wie in liebender Umarmung dieser Einheit selber sich zu einen. Er weiß, daß diese Einung – wie jeder echte Höhepunkt – unmittelbarstes Leben und zugleich unmittelbarster Tod, *lind* und *grause*, ist, daß die Lockung dahin gefährlich, ja tödlich sein kann. Er weiß außerdem, daß eine solche äußerste Daseinsaufgipfelung die Grenze des Sagbaren (jetzt) noch allzu weit übersteigt. So wagt er sich denn immerhin bis zu jener letzten, noch betretbaren Stelle, um im *Scheide Blick (Morris 5, 499)* zur Kulmination hin sich ganz mit dem *Vorgefühl* zu füllen und Vor-Freude wie Vor-Leid des Eins-Werdens mit der elementaren Natur vorwegzunehmen, an jener Stelle, wo in höchster, trunkener Hingabelust das Leben gerade noch Leben bleibt, ehe es versprüht oder ehe der Lebenstanz zum Todestaumel wird. Goethe wirft sich selbst in die Woge, um dieses *Vorgefühl* gewissermaßen an der unwiderruflichen Wendemarke zu erfahren und zugleich zu genießen, *daß einen das Element trägt und daß man doch nicht untersinkt (IV/3, 237 f.).* Daß hier nicht nur Nuancen, sondern neue Impulse gegenüber der ersten Entwicklungsstufe rege werden, läßt sich nunmehr mit Händen greifen. Die goethesche B. hatte in ihren spezifischen Intentionen bisher im engeren, fast intimen Bereich der Liebe, dh. der Menschen-Liebe verweilt und sich verwirklicht. Jetzt sucht sie im *Fischer* die Eins-Werdung mit der elementaren, mit der archaischen, morphologisch ursprünglichen, mit der schaffenden *Natur,* die – wahrscheinlich verstecken sich hierin nicht nur Gedanken, sondern auch Worte Goethes – uns *in den Kreislauf ihres Tanzes* aufnimmt, die *ewiges Leben, Werden und Vergehen* und deren *Krone* die *Liebe* ist (1781/83: *II/11, 5–8).* Wieder vollzieht sich diese Eins-Werdung in der Vorwegnahme, im Vorgefühl, in der Vor-Freude wie im Vor-Leide, gleichsam im

Schutze des noch nicht Entschiedenen, und wieder als *Liebes*-Fest. Gefäß und Ausdruck dessen ist zunächst *Der Fischer.* Zwar gehört diese erste B. der zweiten Entwicklungsstufe nicht in den kompositionellen oder strukturellen Zusammenhang einer übergreifenden und umfassenden, dichterischen Werkform – aber völlig isoliert ist sie deshalb doch nicht. Man muß sie in sehr enge Nachbarschaft zu dem *Wald und Wasser Drama* stellen (16./22. VII. 1782: *IV/6, 8),* das Goethe für *den natürlichen* [!] *Schauplatz zu Tiefurth an der Ilm* gestaltete: *Die Fischerin (I/12, 87–115).* Nicht nur die Titel entsprechen sich, wie Männliches und Weibliches sich entsprechen – auch die Themen sind verwandt: außer dem *Erlkönig* findet hier die wörtlich von Herder übernommene dänische Fassung der *Wassermann*-B. ihren Platz. Endlich gibt die Tatsache, daß Goethe dieses *Wald und Wasser Drama* für einen *natürlichen Schauplatz* schuf, zu denken. Nur dieses eine Mal hat Goethe auf diese ganz besondere Weise gleichsam einen Innenbezug aus dem Äußeren gemacht und in der realen Natürlichkeit des Gegebenen mitspielend die dichterische Natürlichkeit des Gestalteten entwickelt. Deutlich genug bekundet *Die Fischerin,* daß sie als Ganzes und völlig legitim in Goethes Bemühung um einen neuen Daseinsbezug zur *Natur* hineingehört und zwar durchaus der damaligen Entwicklungsstufe gemäß. *Der Fischer* ist ihr auf ihrem Wege vorangegangen. Die Form dieser B. kann man in ihrer melodisch und rhythmisch einschmeichelnden, gewinnend tänzerischen Beschwingtheit allein unter diesem Gesichtspunkt würdigen, obwohl ein Kehrreim fehlt. Die Reprise in der Endstrophe fügt alle übrigen mit ihrer vierhebig-vierzeiligen Doppelform zumindest drei-, wahrscheinlich vier-tourig wie im *Kreislauf* fest zueinander, schließt sie und rundet sie wie im Reigen ab. Auch diese Eigenheit ist nicht nur musikalisch, sondern in hohem Grade tänzerisch. Selbst verwöhnte italienische Ohren entzückten sich verwundert am betörenden Wohllaut und am schwerelos gleitenden Fluß dieser Verse. Weit distanziert von dem erschütternden, auslösenden Anlaß gibt sich diese B. als echte B. im goetheschen Sinne, wenn sie, den ernstesten Ernst zu anmutigster Anmut entschwerend, *bloß das Gefühl des Wassers ausdrückt, das Anmutige, was uns im Sommer lockt, uns zu baden* (3. XI. 1823: *Bdm. 3, 35),* und wenn sie sich dergestalt mit dem Wesen des Elementes und wiederum in der Form eines tänzerisch beschwingten kleinen Dramoletts, dh. wiederum als Grundstufe des Gesamtkunstwerks verbindet.

2. *Mignon.* Man kann es für verwunderlich halten, dieses lyrische Gebilde: *Kennst du das Land, wo die Citronen blühn (I/1, 161)*, mit dem *Mignon* das vierte Buch von *Wilhelm Meisters theatralischer Sendung* (1783), später das dritte Buch von *Wilhelm Meisters Lehrjahren* (1794) eröffnet, nach Goethes eigenstem Entschluß (1815) ausdrücklich nicht nur unter den *Balladen*, sondern sogar an deren Spitze zu finden. Man kann diese Anordnung zum Problem machen. Dann wird man zu dem Schluß geführt, daß eine solche „Spitzen"-Stellung – übrigens folgt unmittelbar danach *Der Sänger* – vielleicht doch nicht zufällig ist und gleichsam den Charakter eines erweiternden Mottos etwa als *Prooemion* (in Sinnverbindung mit dem *Sänger?*) verleihen soll. Erst dann fängt mit dem *Veilchen* die mehr oder weniger zeitliche Folge der B.n faktisch an. Wir werden bei genauerer Prüfung auch die Frage einer Sinnverbindung mit dem *Sänger* bejahen müssen. Als Kennzeichen der zweiten Entwicklungsstufe in Goethes B.-Schaffen erschien bisher und sehr eindringlich die Bemühung um einen neuen Daseinsbezug zur *Natur*. Mit *Mignon* und dem *Sänger* meldet sich das entsprechende Verlangen in der Richtung auf die *Kunst*. Auch dies bedrängte Goethe in den Jahren 1778/83 ganz besonders. Es sind die Jahre drückender Beanspruchung durch die *amtliche Tätigkeit, die ihn gelegentlich empfinden ließ, daß sein Dasein als Künstler zu kurz kam, wo nicht gar zu verkümmern drohte: *In meinem Kopf ist's wie in einer Mühle mit viel Gängen wo zugleich geschroten, gemahlen, gewalckt und Oel gestossen wird. O thou sweet Poetry ruf ich manchmal und preise den Marck Antonin glücklich, wie er auch selbst den Göttern dafür danckt, daß er sich in die Dichtkunst und Beredsamkeit nicht eingelassen. Ich entziehe diesen Springwercken und Caskaden soviel möglich die Wasser und schlage sie auf Mühlen und in die Wässerungen aber eh ichs mich versehe zieht ein böser [!] Genius den Zapfen und alles springt und sprudelt. Und wenn ich dencke ich sizze auf meinem Klepper und reite meine pflichtmäsige Station ab, auf einmal kriegt die Mähre unter mir eine herrliche Gestalt, unbezwingliche Lust und Flügel und geht mit mir davon* (*Kaltennordheim, 13. IX. 1780: IV/4, 291). Wir übergehen die Tatsache, daß auch hier das Wasser als elementare Lebenskraft und Lebensspeise, eben

selbst als (produktives) Element, gleich wirksam in *Natur* und *Kunst*, zum Gleichnisträger, ja seinem wirklichen Wesen nach zum Sinnbild, wenn nicht zum *Symbol insbesondere des Produktiven wird. Wir betonen jetzt nur, daß das *Lied* (so etwa 1780/82 und 1794 von Goethe bezeichnet), dh. die *Ballade* (so 1815 eingeordnet) *Mignon* in chronologischem und in intentionalem Zusammenhange mit dem *Fischer* und mit der *Fischerin* steht, daß aber das Verlangen nach einem neuen Daseinsbezug in der *Kunst* um noch sehr vieles intensiver und aktiver gewesen sein muß. Imgrunde ging es Goethe um die eigentliche Erfüllung seines ganz persönlichen Daseins als Künstler, durch und in der Kunst, besonders in der Dichtung. Es ging um die Erfüllung seiner künstlerischen Existenz, spezifisch s e i n e r künstlerischen Existenz. *Mignon* als *Ballade* wird in diesem Zusammenhang zur Antizipation. Sie nimmt die Wirklichkeit einer solchen Erfüllung in einer sehr sehnsüchtig erschauten Möglichkeit, in der Möglichkeit eines Wunsch- und Traumgeländes vorweg. Es ist *Arcadien*, das hier im *Vorgefühl* aufleuchtet und in aktiver Ahnung sich aussagt und ereignet. In diesem *Arcadien* allein sind Himmel und Erde und das Haus bereitet, wo Kunst und Künstler Heimat haben können, wo dem Menschen, zumindest Goethe, und zwar dem vor-italienischen Goethe, durch die Kunst die tiefste und höchste Erfüllung seines Daseins verheißen ist: *So manche Jahre wohn' ich hier unter euch verborgen, und immer bin ich wie im ersten fremd, denn mein Verlangen steht hinüber nach dem schönen Lande der Griechen, und immer möcht' ich über's Meer hinüber, das Schicksal meiner Vielgeliebten theilen* (Februar/März 1779: I/39, 323). In zweiter Fassung: *So manche Jahre wohn' ich | Hier unter Euch verborgen! | Und immer bin ich, wie im Ersten fremd ... | Denn mein Verlangen steht ... | Hinüber nach dem schönen Lande | Der Griechen! | Und immer mögt' ich über's Meer hinüber | Das Schicksal meiner vielgeliebten theilen* (Frühsommer 1780: I/39, 484; vgl. Brief an JC*Lavater vom 24. VII. 1780: IV/4, 258). In der Endfassung: *Und es gewöhnt sich nicht mein Geist hierher. | So manches Jahr bewahrt mich hier verborgen | Ein hoher Wille, dem ich mich ergebe; | Doch immer bin ich, wie im ersten, fremd. | Denn ach mich trennt das Meer von den Geliebten, | Und an dem Ufer steh' ich lange Tage | Das Land der Griechen mit der Seele suchend; | Und gegen meine Seufzer bringt die Welle | Nur dumpfe Töne brau-*

send mir herüber (Herbst 1786: *I/10, 3*). Das *Arcadien*, im Munde *Iphigeniens* als *Land der Griechen ... über's Meer hinüber ... mit der Seele* gesucht, ist im Munde *Mignons* zu *Italien geworden. Die Erstausgabe der *Italiänischen Reise* (1816/17) trägt das Motto: *Auch ich in Arcadien (I/30, 283)*. Eben darin drückt sich aus, daß Goethe in jedem Falle die „geistige Landschaft" (BSnell) meint, und zwar diejenige, in welcher der Mensch nicht *friert (I/21, 235)*, wo er nicht nach innen mühsam zusammengezogen und abgeschlossen, sondern nach außen mühelos entfaltet und aufgetan ist, wo „alles ist ‚wie am ersten Tage‘, leuchtend, neu und ‚erstmalig‘ ... wo der Schöpfungsodem weht und man an der Schöpfung teilnimmt" (KKerényi: Antike Religion, S. 60). Von *Mignons* Gesang selbst sagt Goethe: *Sie fing jeden Vers mit Feier, mit einer Pracht an, als wenn sie auf etwas Merkwürdiges* [!] *aufmerksam machen, etwas Wichtiges erzählen wollte. Bei der dritten und vierten Zeile wurde der Gesang dumpfer und düsterer. Das Kennst du es wohl? druckte sie geheimnißvoll und bedenklich aus, in dem Dahin! dahin! lag eine unwiderstehliche Sehnsucht, und das Gebieter, laß uns ziehn! wußte sie, so oft sie es sang, zu modificiren, daß es bald bittend, dringend, treibend, hastig und vielversprechend war (I/52, 4). Mignon* wiederholt [!] den Gesang, und sie bestätigt [!], daß *Italien* gemeint sei, in den *Lehrjahren* bestätigt sie dies *bedeutend* [!]. Als *Wilhelm* fragt, ob sie selbst schon dort gewesen sei, heißt es (vielleicht nach einer Pause): *Das Kind war still und nichts weiter aus ihm zu bringen (I/52, 4;* genauso: *I/21, 235)*. Der uns mitgeteilte Text wird von Goethe überdies als Übersetzung (aus dem Italienischen) fingiert, die das Ursprüngliche nur *nachahmt (I/52, 4)* oder, wie es in den *Lehrjahren* dann heißt: *die Originalität der Wendungen ... nur von ferne nachahmen* konnte. *Die kindliche Unschuld des Ausdrucks verschwand, indem die gebrochene Sprache übereinstimmend, und das Unzusammenhängende verbunden ward. Auch konnte der Reiz der Melodie mit nichts verglichen werden (I/21, 234)*. Die kindliche Unschuld des Ausdrucks ist keineswegs nur eine Eigenschaft *Mignons*, sie gehört ebensosehr und vielleicht noch mehr zu der „geistigen Landschaft", zu der Landschaft wahrer geistiger, zumal künstlerischer Wiedergeburt und Existenz, die Goethes Nah- und Fernweh ist, wenn *auf einmal die Mähre unter* ihm *eine herrliche Gestalt, unbezwingliche Lust und Flügel kriegt und mit* ihm *davon geht (IV/4,*

291). Die Fiktion einer Übersetzung aus dem Italienischen versteht sich als eine Art von Sicherung oder von Abschirmung, die Goethe um seiner *Mignon*-Gestalt, außerdem aber und mehr noch um seiner selbst willen brauchte; ihr Zeugniswert dafür, daß Goethe *nach* seiner *Gewohnheit* sich gern *hinter ein Bild flüchtete (I/29, 174)*, zählt deswegen hier doppelt. Italien als die „geistige Landschaft", wo *Natur und Kunst* sich festlich vereinigen, wo sie längst vereinigt sind, wo man um sovieles dem *Geheimniss* näher, ja dessen mächtig wäre, *den Punckt der Vereinigung des manigfaltigen zu finden* (14. VII. 1779: *III/1, 89*), und sein Zentrum *Rom sind für Goethe, zunehmend bis 1786, das Geistes- und Seelen-Land, wohin er aufbrechen will und muß, um eben *den Mittelpunct zu suchen, nach dem* ihn *ein unwiderstehliches Bedürfniß* hinzieht (1. XI. 1786: *I/30, 197*): *Nun bin ich hier und ruhig und wie es scheint* [!] *auf mein ganzes Leben beruhigt* (1. XI. 1786: *IV/8, 37*). Diese Briefworte an die Freunde in Weimar sind Ausdruck höchster Bejahung – das janusköpfig Transitorische des *„wie es scheint"* kann hier außeracht bleiben. Es sind Worte festlich kulminierenden Hochgefühls und feierlicher Eins-Werdung mit dem Sinngrund der Welt (JPieper). *Mignons* Gesang ist *Vorgefühl* dessen über lange Jahre hin, unter noch dichterem Geheimnisschleier winkend und wogend, *bald bittend und dringend, bald treibend und vielversprechend*, und in diesem *Vorgefühl* ist das *arcadische* Wunschland Italien sich selbst voraus schon da. Verhaltener scheint das Tänzerische, aber die rhythmische Fein-Analyse läßt bemerken, wie sich gerade hier unter dem Metrum ein lebensvoll, aber leicht wechselnder Fluß bewegt. Der Kehrreim selbst weist das Gedicht nach Goethes eigener Definition, verbunden mit dem *Merkwürdigen, Sonderbaren* (oder *Mysteriosen*), das jeden Vers durchwebt, als B. in seinem Sinne aus *(I/52, 4; I/21, 234 f.; I/41¹, 224)*. Auch die kompositionelle Stelle und die Funktion im Romanganzen der *Lehrjahre* entsprechen der *unbekannten geahneten Regel*, wie sie uns aus Goethes B.-Schaffen immer deutlicher entgegenscheint.

3. *Der Sänger. Mignon* und der *Harfner* sind zumindest seit *Wilhelm Meisters Lehrjahren* engstens als Tochter und Vater verbunden. Was beide singen, gehört in entsprechend enger Weise ebenfalls zusammen, und zwar chronologisch wie intentional bereits seit *Wilhelm Meisters theatralischer Sendung*. Auch *Der Sänger* wird zunächst als *Lied* bezeichnet

(Erstfassung 1783: *I/52, 66;* Endfassung 1794: *I/21, 207*), seit 1800 unter *Balladen und Romanzen* eingereiht, was aber bereits in der *theatralischen Sendung* vorbereitet war: *Haben Sie bemerkt, wie richtig der dramatische Ausdruck seiner Romanzen war? Gewiß, es lebte mehr Darstellung in seinem Gesange als in unsern Personen auf der Bühne. Man sollte die Aufführung mancher Stücke eher für eine Erzählung halten und diesen dichterischen Erzählungen eine sinnliche Gegenwart zuschreiben* (1783: *I/52, 67;* vgl. auch 1794: *I/21, 207: Er sang noch einige Romanzen*); seit 1815 erscheint das Gedicht eindeutig als *Ballade,* und zwar in der bis heute gültigen Folge nach dem Vorspruch: *Mährchen, noch so wunderbar, | Dichterkünste machen's wahr* und nach *Mignon* als Drittes und mit beiden wohl in gewollter Sinnverbindung: gleichsam als Musen-Anruf zur Beschwörung der Dichterkunst in idealer Landschaft und in idealem Leben, insofern auch noch auf besondere Weise als Antizipation aller dann zusammengestellten *Balladen* sub specie der ganzen Gattung *(I/1, 159–230).* Diese Anordnung weist dem Sänger eine Stelle zu, die programmatische und prinzipielle Bedeutung für Goethes B.-Auffassung erkennen läßt. Wir können diese jetzt ganz kurz formulieren. Wenn *Mignons* Gesang im *Vorgefühl* das Erreichen der geistigen Heimat aller Kunst antizipierend erfährt und genießt, das Eins-Werden mit der Landschaft, die allein die Wirklichkeit künstlerischer Existenz möglich macht, so preist *Der Sänger* ebenfalls und auf seine Weise im *Vorgefühl* eben diese künstlerische Existenz selbst. Eine solche Antizipation ist durch das Sich-Selbst-Voraus-Sein inbezug auf die Wirklichkeit stets mehr als die bloße Sehnsucht; das *Vorgefühl,* sei es Vor-Freude, sei es Vor-Leid, ist in dieser Hinsicht stets und mindestens virtuelle Vorwegnahme, es ist aktive Ahnung. Die Beobachtung: *es lebte mehr Darstellung in seinem Gesange als in unseren Personen auf der Bühne,* verbunden mit der melodisch und rhythmisch so besonders reichen Strophe, läßt auch den *Sänger* sogleich in seiner Intention als Grundstufe des Gesamtkunstwerks erscheinen. Die Nähe zum Tanz ist evident, denn der *Harfner ... erregte immer mehr Munterkeit in der Gesellschaft,* bis „aus den reifgewordenen Takten" dann endlich, wenn auch verhalten die Bewegung übersprang (1783: *I/52, 66 f.;* vgl.: *Der Schäfer putzte sich zum Tanz ...* wohl noch vor 1800 in der *Faust*-Szene *Vor dem Tor: I/14, 51 f.;* dazu EBeutler, Faust

S. 541). Die Schlußzeile jeder Strophe des *Sängers* verdichtet die Intention und leitet sie von Mal zu Mal gesteigert weiter.

III. Aus der dritten Entwicklungsstufe: Hier finden sich so mannigfaltige und vielschichtige Themen und Formen, außerdem so zahlreiche Zeugnisse des goetheschen B.-Schaffens, daß es schwierig ist, den Überblick zu einem Gesamteindruck zu komprimieren und die intentionalen Zusammenhänge sichtbar werden zu lassen. Schon die von Goethe selbst gewählten oder doch geduldeten, redaktionellen Erstbezeichnungen noch während der Schaffensarbeit oder für den ersten Druck sind sehr wechselvoll: *Lied* (?WvHumboldt, 18. VIII. 1795; dazu HViehoff S. 230), *Gedicht* (Goethe, 23. V. 1797: *IV/12, 127*), *Elegie, Idylle* (Goethe, 22. V./12. VI. 1797, dazu *I/35, 71;* IV/12, 153; aber durch Schillers Druck im Musen-Almanach 1798 zeitweilig als „Ballade" aufgefaßt?), *Legende* (Goethe, Ende Mai/Anfang Juni 1797; aber durch Schillers Druck im Musen-Almanach 1798 ebenfalls zeitweilig als „Ballade" aufgefaßt?), *Romanze, Gespensterromanze, Vampyrisches Gedicht* (Goethe 3./6. VI. 1797: *III/2, 72; IV/12, 145*), *Indische Romanze, Indische Legende* (Goethe 9. VI. 1797: *III/2, 73;* ?Schiller im Erstdruck), *Romanze* (?Goethe, Ende Juni/Anfang Juli 1797: (?) *III/2, 72*), *Scherz, Lied* (Goethe, 12. IX. 1797: *IV/12, 302*), *Lied* (Goethe, 14. X. 1797: *IV/12, 330*), *Gedicht* (Goethe, 10. XI. 1797: *IV/12, 355*), *Romanze* (Goethe, 24. VI. 1798: *IV/13, 194*), *burleske Romanze* (Goethe, Spätsommer 1807: *I/24, 78*), *Lied des gefangenen Grafen* (Goethe, 16. VI. 1798: Erstdruck Musen-Almanach 1799; vgl. *I/1, 172*), *Lied* (Goethe, 29. IX. 1798: *IV/13, 278;* Schiller 5. X. 1798: Art. A 20, 635), *Balladen/Balladen und Romanzen* (Goethe, 6. VIII. 1799: *III/2, 256;* Edition 1800), *Der Geselligkeit gewiedmete Lieder* (Goethe, Winter 1802/1803, gemeinsam mit ChrM*Wieland: Taschenbuch auf das Jahr 1804).

Mit Ausnahme allerdings der *Elegie: Der neue Pausias und sein Blumenmädchen (I/1, 272 bis 280)* und der *Legende* (vom Hufeisen), die Goethe selbst niemals mit einem bezeugten Hinweis als B.n charakterisiert hat (vgl. *TuJ* für 1797: *elegische Form, I/35, 71;* Ausgaben 1808, 1817, 1828: *Legende;* 1798: *Vermischte Gedichte*?), mit Ausnahme ferner des aus dem Nachlaß erst 1836 gedruckten, 1798 als *Anfangslied* (29. IX. 1798: *IV/13, 278;* vgl. dazu *I/5^{II}, 241*) für „Wallensteins Lager" bestimmten Gedichtes *Die Zerstörung Magdeburgs (I/5^{I}, 41 f.)* sind alle anderen Fälle trotz der Mannigfaltigkeit und Vielschichtigkeit ihrer Themen und Formen durch Goethe selbst schließlich und eindeutig als B.n gekennzeichnet und eingeordnet worden. Weniger chronologisch, als vielmehr intentional lassen sich vier Gruppen unterscheiden.

Am Anfang stehen, hervorgerufen durch neuere oder neuste biographisch-literarische Anregungen und nach Motiven oder Themen noch merklich isoliert drei Einzelzeugnisse: *Die Spinnerin,* angeregt durch JHVoß: ,,Ich saß und spann vor meiner Thür, / Da kam ein brauner Mann gegangen'' (einem schottischen Vorbild nachempfunden und nachgebildet, Musen-Almanach 1792; vgl. Volkslieder-Sammlung von LErk, auch das dortige Lied der Brombeersammlerin 2, 55; 4, 47), entstanden Frühjahr 1795 (?), bestimmt für Schillers Musen-Almanach 1796, darin dann aber nicht erschienen; *Der Schatzgräber,* angeregt 1796 durch die *Cellini-Biographie (Beschwörungsszenen, vgl. I/43, 184–189), insbesondere durch JJ*Eschenburg (Leihvermittlung der englischen Cellini-Übersetzung von ThNugent 1771; vgl. dazu zB. Goethes Brief an G*Hufeland, 1. VII. 1796: IV/11, 113), ferner durch F*Petrarca: De remediis utriusque fortunae (1358–1366; Goethe las die zweite Hälfte Mai 1797 eine alte, illustrierte Übersetzung dieses Werkes und fand bei den Ausführungen über Schatzgraben und Finden ein Bild: *Artige Idee, daß ein Kind einem Schatzgräber eine leuchtende Schale bringt,* 21. V. 1797: *III/2, 69),* endlich durch den mit besonderen Gewinnspekulationen verbundenen Loserwerb *in der hamburger Stadtlotterie . . . No 7666* (vgl. dazu Goethes Brief an GHufeland, 20. V. 1797: *IV/12, 126);* Der Zauberlehrling, angeregt durch ChrMWielands *Lukian-Übersetzung (1. Bd 1788, S. 191–194) in Verbindung mit Lukian-Erinnerungen aus der Knabenzeit (vgl. JG*Albrecht, vor 1765: I/26, 199; November 1784: *Wilhelm Meisters theatralische Sendung, I/52, 153 f.,* auch Dezember 1794: *Wilhelm Meisters Lehrjahre, I/21, 298 f.),* endlich durch den Zusammenhang mit der Wiederaufnahme der Arbeit am *Faust* (vgl. *Ausführlicheres Schema zum Faust* vom 23. VI. 1797: *III/2, 74)* und durch den Besuch bei ChrMWieland in *Oßmannstedt (?19. VI. 1797: III/2, 74; vgl. auch die fast wörtlich mit der Anfangszeile übereinstimmende Anspielung auf H*Meyer: *Kommt der alte Meister* in Goethes Brief an Schiller vom 21. VI. 1797: *IV/12, 164).* Mit dieser Gruppe beginnt Goethes erneutes Bemühen um die B. als dichterische Gattung, bezeichnender

weise von außen her und nicht einmal ausdrücklich von Schiller in Gang gesetzt.

Dann folgen als klar scheidbare Sondergruppe Goethes Bemühungen um das neue *poetische Genre* der *Gespräche in Liedern,* das Goethe auf der Hinfahrt seiner dritten *Schweiz-Reise in den Sinn gekommen ist: *Wir haben in einer gewissen ältern deutschen Zeit recht artige Sachen* von *dieser Art und es läßt sich in dieser Form manches sagen, man muß nur erst hineinkommen und dieser Art ihr eigentümliches abgewinnen (31. VIII. 1797: IV/12, 280;* vgl. dazu Schillers Antwortbrief vom 15. IX. 1797: ,,Von diesem neuen Genre erwarte ich mir etwas sehr Anmutiges und begreife schon im voraus, wie geschickt es dazu sein muß, ein poetisches Leben und einen geistreichen Schwung in die gemeinsten Gegenstände zu bringen.'' Art. A 20, 424). Auf zweierlei Weise hat sich Goethe der Form solcher *Gespräche in Liedern* gewidmet:

Als Gruppe entstanden die *Romanzen von der schönen Müllerin,* angeregt unmittelbar durch eine frankfurter Aufführung der graziösen Paesiello-Operette [!] ,,Die Müllerinn'' (8. VIII. 1797: *III/2, 80),* angeregt vielleicht auch durch mancherlei Volkslieder (altenglisch, altdeutsch, altfranzösisch, altspanisch?). Als Einzeldichtung entstand *Das Blümlein Wunderschön. Lied des gefangenen Grafen,* angeregt durch die Lektüre der Schweizerchronik (Druck 1734/36) von Aegidius Tschudi (9., 10., 18. X. 1797: *III/2, 186–188):* Tschudi berichtet über die Erhebung der alten städtischen Adelsfamilien und des Grafen Johann von Habsburg-Rapperswil gegen den bürgerlich-revolutionären Bürgermeister Rudolf Brun, von der Mordnacht (23. II. 1350) in Zürich, von der Niederschlagung des Adelsaufstandes und von der Einkerkerung des Grafen Johann, der ,,in der Gefänknuß das Liedli gemacht'' habe: ,,Ich weiß ein blawes Blümelein . . .'' (vgl. dazu LUhland, Abhandlung ,,Über alte hoch- und niederdeutsche Volkslieder''. 1868). Fertig erst am 16. VI. 1798: *Das BlümleinWunderschön (III/2, 212),* Erstdruck in SchillersMusen-Almanach 1799 ohne andere Bezeichnung als die Angabe: *Lied . . . im Untertitel.* Weiter: *Die erste Walpurgisnacht,* vorbereitet durch sehr frühe Lektüre: *vor vielen Jahren einmal irgendwo (3. XII. 1812: IV/23, 191;* wahrscheinlich JPChrDecker: ,,Historische Muthmassung, wie alt die Fabel von der jährlichen Zusammenkunft der Hexen auf dem Blocksberg sey'', in: Sammlung kleiner Ausführungen aus verschiedenen Wissenschaften. Zugabe in den Hannoverschen Gelehrten Anzeigen. 1752, S. 267–276, vgl. die Weiterführung dieser Gedankengänge in: Der Harzbote. Halberstadt 1833, S. 124–126, dazu FNork: Etymologisch-symbolisch-mythologisches Realwörterbuch 1843 Bd 1, S. 271 f.), unmittelbar angeregt aber durch Lektüre des Epos „La Guerre des Dieux anciens et modernes. Poème en dix chants" von Évariste Désiré de Forges, Vicomte de Parny. Aufschlußreich ist, daß Goethe in einer und derselben Sendung Schiller am 27. VII. 1799 zu wechselseitiger Spiegelung (vgl. auch *Ariosto, Sp. 367, dazu IV/19, 188) *ein Paar sonderbare Producte* als gleichsam feindliche Brüder übermittelt, nämlich FH*Jacobi: An JG*Fichte, Hamburg 1799, und eben ÉD de Parny: La Guerre des Dieux, Paris 1799. Ganz so zufällig ist es außerdem vielleicht nicht, wenn auch *Miltons verlornes Paradies* gerade jetzt als Lesestoff mitgenannt wird. Diese Gleichzeitigkeit läßt sich zum Problem machen. Alles in allem stoßen wir auf einen Zusammenhang, der Goethe, vielleicht sogar noch stärker, schon 1792 erfüllte (vgl. 1812: *Groß ist die Diana der Epheser*) und der auf der inneren Linie der Auseinandersetzung mit FH Jacobi sowie des programmatischen Besuches bei der Fürstin AAv*Gallitzin in *Münster lag: Goethe findet am 31. VII. 1799, daß *der äußere Entzweck,* Parnys, *die christkatholische Religion in den Koth zu treten, offenbarer* sei, *als es sich für einen Poeten schicken will,* und daß *dieses Büchlein* daher den Eindruck bestellter Arbeit macht *(IV/14, 137; 138; 142;* vgl. für 1792 besonders auch *I/33, 244 f.: Die bedeutenden Puncte des Lebens und der Lehre kamen abermals zur Sprache, ich wiederholte mild und ruhig mein gewöhnliches Credo, auch sie* [die Fürstin Gallitzin] *verharrte bei dem ihrigen. Jedes zog nun seines Weges nach Hause; sie mit dem nachgelassenen Wunsche: mich wo nicht hier doch dort wieder zu sehen. Diese Abschiedsformel wohldenkender freundlicher Katholiken war mir nicht fremd, noch zuwider, ich hatte sie oft ... vernommen, und ich sehe nicht ein, warum ich irgend jemand verargen sollte, der wünscht mich in seinen Kreis zu ziehen, wo sich nach seiner Überzeugung ganz allein ruhig leben, und, einer ewigen Seligkeit versichert, ruhig sterben läßt).* Der Schlußvers wiederholt das eigentliche Thema zu nachhallendem Schlußakkord: *Dein Licht, wer kann es rauben (I/1, 214)!* Indem Goethe, wie er wenige Tage nach: *Groß ist die Diana der Epheser* [!] am 3. XII. 1812 an CFZelter schrieb, *diese fabelhafte Geschichte wieder zur poetischen Fabel* machte *(IV/23, 191),* schuf er etwas,

das *im eigentlichen Sinne hoch symbolisch intentionirt war: Denn es muß sich in der Weltgeschichte immerfort wiederholen, daß ein Altes, Gegründetes, Geprüftes, Beruhigendes durch auftauchende Neuerungen gedrängt, geschoben, verrückt und, wo nicht vertilgt, doch in den engsten Raum eingepfercht werde. Die Mittelzeit* (*Mittelalter), *wo der Haß noch gegenwirken kann und mag, ist hier prägnant genug dargestellt, und ein freudiger unzerstörbarer Enthusiasmus lodert noch einmal in Glanz und Klarheit hinauf* (9. IX. 1831: *IV/49 67*). *Die erste Walpurgisnacht* wächst als B. über den Umkreis der anderen *Gespräche in Liedern* intentional weit und bedeutungsvoll hinaus. Insofern steht sie innerhalb dieser Gruppe bemerkenswert allein und überragt sie. Für *Wanderer und Pächterin* trifft das nicht zu. Vielleicht schon zu dem *etwa ein halb Dutzend Märchen und Geschichten* gehörig, *die* Goethe, *als den zweyten Theil der Unterhaltungen* seiner *Ausgewanderten, bearbeiten* wollte (3. II. 1798: *IV/13, 52*), könnte diese B. aber auch durch die Lektüre der Memoires historiques de Stéphanie-Louise de Bourbon-Conti, écrits par ellemême. Paris, an VI (1798) in Jena mitveranlaßt (18./19. IX. 1799: III/2, 270) und kraft dessen der *Natürlichen Tochter* thematisch verwandt sein. Als paradigmatischer Abschluß der *Gespräche in Liedern,* die alsdann zu keiner Sonderform in diesem Sinne mehr erwachsen, gehört *Wandrer und Pächterin* nach dem Ort und Zusammenhang der Erst-Veröffentlichung zu denjenigen *Liedern,* die ausdrücklich *der Geselligkeit gewiedmet* sind (Taschenbuch auf das Jahr 1804). Allerdings entstand diese B. örtlich wie zeitlich unabhängig vom *Cour d'amour (aufgelöst bereits Anfang März 1802: I/35, 127), wahrscheinlich während der Tage 5./11. IV. 1802 in *Ober-Roßla (Goethes Gut; III/3, 54). 1806 noch unter der Doppel-Bezeichnung *Balladen und Romanzen,* erscheint *Wandrer und Pächterin* seit 1815 als *Ballade* eingeordnet.

Zusammengefaßt: Goethe sucht und öffnet mit dem neuen poetischen Genre dieser Sondergruppe *Gespräche in Liedern* neue Zugänge zur B. als Grundstufe des Gesamtkunstwerks. Nach langer Schaffenspause (1783/1797) wirkt die *unbekannt geahnte Regel* intentional von den dialogischen Ansatz aus. Sieben sehr betonte Beispiele bezeugen die äußere und innere Reichweite und deren Intensität. Von diesen scheint eines: *Die erste Walpurgisnacht* der *lebendigen Heuristik* Goethes auf dem Entwicklungswege seines B.-Schaffens besonders eindringlich zu entsprechen.

Die später jeweils als B.n bezeichneten *Der Geselligkeit gewiedmeten Lieder* (so genannt beim Erstdruck im Taschenbuch auf das Jahr 1804. Herausgegeben von Wieland und Goethe) wird man hier sehr nahe anschließen müssen. Nicht nur, weil im selben Zusammenhang auch das Gesprächslied *Wandrer und Pächterin* erscheint. Vielmehr, weil die freilich etwas gekünstelte, fast fiktive Situation des Cour d'amour mit ihrer quasi nach *Minnesänger-Sitte gestalteten, für manchen bisweilen zu betonten oder gar erzwungenen Geselligkeit (vgl. Henriette Gräfin v*Egloffstein, Bdm. 1, 310 f.) die intentionalen Antriebe des B.-Schaffens gewissermaßen spielerisch und doch ernsthaft genug praktizieren wollte: *Schon im Lauf des vergangenen Winters hielt sich, ganz ohne speculative Zwecke, eine edle Gesellschaft zu uns, an unserm Umgang und sonstigen Leistungen sich erfreuend. Bei Gelegenheit der Pikniks dieser geschlossenen Vereinigung, die in meinem Hause, unter meiner Besorgung, von Zeit zu Zeit gefeiert wurden, entstanden mehrere nachher in's Allgemeine verbreitete Gesänge ... Ferner ward ich noch andere durch Naivetät vorzüglich ansprechende Gesänge dieser Vereinigung schuldig, wo Neigung ohne Leidenschaft, Wetteifer ohne Neid, Geschmack ohne Anmaßung, Gefälligkeit ohne Ziererei und, zu all dem, Natürlichkeit ohne Rohheit, wechselseitig in einander wirkten ... Unsere kleine Versammlung trennte sich, und Gesänge jener Art gelangen mir nie wieder (I/35, 126 f.).*

Die Bezeichnung *Lieder* oder *Gesellige Lieder* bleibt den meisten dieser *Gesänge* auch für später erhalten, wegen der biographischen Sonderbezüge (Sv*Ziegesar) selbst dem sonst so leicht b.-haft anmutenden *Bergschloß (I/1, 93 f.).* Nur drei finden sich seit 1806 unter *Balladen und Romanzen,* seit 1815 unter *Balladen.* Zunächst: *Der Rattenfänger.* Reminiszenzen der Kinderzeit (Leseerinnerungen aus JL*Gottfrieds/JPhAbelins historischer Chronik, vgl. zB. I/26, 24) erneuten sich während des Bade-Aufenthaltes in *Pyrmont (1801; RV S. 38): *Durch Unterhaltungen solcher Art, gesellt zum Lesen von so mancherlei Heften, Büchern und Büchelchen, alle mehr oder weniger auf die Geschichte von Pyrmont und die Nachbarschaft bezüglich, ward zuletzt der Gedanke einer gewissen Darstellung in mir rege, wozu ich nach meiner Weise sogleich ein Schema verfertigte. Das Jahr 1582, wo auf einmal ein wundersamer Zug aus allen Weltgegenden nach Pyrmont hinströmte, und die zwar bekannte aber noch nicht hochberühmte Quelle mit unzähligen Gästen heimsuchte ... ward als prägnanter Moment ergriffen und auf einen solchen Zeitpunct, einen solchen unvorbereiteten Zustand vorwärts und rückwärts ein Mährchen erbaut (I/35, 104 f.).* Der allgemeine *Entwurf,* als kleiner Aufsatz unter den *Biographischen Einzelnheiten* zu finden, enthält nichts Einzelnes über den Rattenfänger von Hameln: *Weil aber, um dieses* [im Schema skizzierte] *Werk gehaltvoll und lehrreich zu machen, gar manches zu studiren war und viel dazu gehörte dergleichen zersplitterten Stoff in's Ganze zu verarbeiten, so daß es würdig gewesen wäre von allen Badegästen nicht allein, sondern auch von allen deutschen, besonders niederdeutschen Lesern beachtet zu werden; so kam es bald in Gefahr Entwurf oder Grille zu bleiben (I/36, 261).* Jedenfalls entstand im Winter 1801/02 für den Cour d'amour, also aus und für den Geist einer *edlen Gesellschaft,* insofern durchaus festlich *intentionirt* und tänzerisch beschwingt (man beachte die Da Capo- oder Ring-Form!) der *wohlbekannte, gut gelaunte, vielgewandte ... Rattenfänger (I/1, 183).* Mit diesem anerkannt starken Moment des Tänzerischen verbanden sich (vielleicht) die abenteuerlich-spielerischen Reminiszenzen der frühen Knabenjahre. Goethe verwandte diese *Rattenfänger*-B. bei einem Kinder-Ballett, das Cosmus *Morelli wohl noch im selben Winter an einem seiner Ballett-Abende und zwar nach einem ausdrücklich von Goethe stammenden, aber nicht erhaltenen „Programm" in Weimar aufführte; er legte also das Tänzerische der *Rattenfänger*-B. in einem eindeutig für die weimarische Aufführungspraxis und für die dortigen Bühnenzwecke bestimmten „Programm", dh. in einer (mehr oder weniger) detaillierten Choreographie fest: „Seiner Programme zu Kinderballetten erwähnte Goethe mehrmals gegen mich, aus der frühern Theaterzeit von *Bellomo und Morelli, welche bei ihrem Weggange sie mitgenommen haben müßten. Eins waren die Weiber von Weinsberg, ein anderes der Rattenfänger, aus welchem noch die Romanze: ‚Ich bin der wohlbekannte Sänger usw.' sich erhalten hat. Auch in den Briefen des Herzogs an Knebel wird ein Komedieballett erwähnt und vom Fräulein v Göchhausen in den Briefen an Merck beschrieben. Bei der Herausgabe seiner Schriften seit 1800 gaben wir uns alle Mühe, nächst den Gedichten zu Maskenzügen auch diese Programme zu den Balletten aufzufinden oder aufzutreiben; doch glückte es nicht einmal vollständig mit jenen, mit letzteren aber gar nicht" (Riemer/Pollmer S. 219). In diesen Fakten spricht sich das Tanzartige der goetheschen B.-Konzeption in ganz besonderer Weise aus. Das Taschenbuch auf das Jahr 1804 mit seinen anderen *der Geselligkeit gewidmeten Liedern* Goethes enthält auch noch andere Tanzdichtungen, zumindest den *Maskentanz* (später *Maskenzug*) *Zum 30. Januar 1802* (S. 94–96; als Ankündigung gedacht; vgl. Dramatisches Journal für Deutschland Nr 8. Fürth 1802, S. 121: „Dieses Gedicht wurde bei einem feierlichen Aufzuge, auf der Redoute von Weimar, von einem Amor der regierenden Frau Herzogin zur Feier ihres Geburtsfestes überreicht"; I/16, 455). In derselben chronologischen und intentionalen Zusammenhänge, zunächst vielleicht weniger nach außen als vielmehr nach innen gewandt, gehört auch das *Hochzeitlied* vom *Grafen* und den *Zwergen (II/11, 60)*. Dessen hochgesteigerte *Strophenform und unerhörte Reimfülle (a b a b c c c d d) sind goethesch virtuos. Aber gerade in dieser Verbindung von wogendem Dreiertakt und vieltönigem Klangzauber (*Alliteration, Annomination, *Assonanz, Binnenreim, Mittelreim, Endreim) sind sie nicht nur höchst gesanglich, sondern ebenso, und zwar ausdrücklich tänzerisch: *So rennet nun alles in vollem Galopp | Und kürt sich im Saale sein Plätzchen; | Zum Drehen und Walzen und lustigen Hopp | Erkieset sich jeder ein Schätzchen. | Da pfeift es und geigt es und klinget und klirrt, | Da ringelt's und schleift es und rauschet und wirrt, | Da pispert's und knistert's und flistert's und schwirrt; | Das Gräflein, es blicket hinüber, | Es dünkt ihn, als läg' er im Fieber (I/1, 179 f.)*. Mag man auch meinen, daß Goethe mit dieser spielend souveränen und virtuosen Meisterung aller sprachlichen Mittel den Impulsen der ihn umgebenden jüngeren Generation, dh. der *Romantik mit ihrer Vorliebe für „Klingende Farbigkeit" durchaus überlegen antworten, sie gleichsam mit ihren eigenen Waffen schlagen will (vgl. JPetersen: Wesensbestimmung, S. 95 f.; aus HViehoff 1, S. 225), so trifft man damit gewiß etwas Wesentliches und Richtiges. Aber die unzweifelhafte Relation zur Romantik erfaßt und erschöpft hier wie auch sonst das spezifisch Goethesche nicht. Dies nämlich liegt auf anderer Ebene. Man kann es in der dreifachen Analogie bildlicher, klanglicher und rhythmischer Entsprechung und in vierfach wechselseitiger Spiegelung, also in der überaus kunstvollen Symbolik einer Außen/Innen-Verknüpfung

finden, wie sie sogar bei Goethe vereinzelt ist – so vereinzelt wie die kunstvolle Strophenform selbst mit der schwebenden, schwingenden Beziehungsvielfalt ihrer Klangfiguren. Damit entspricht sie derjenigen der (realen oder irrealen) Tanzfiguren, sie ist Selbstausdruck der Gesellschaft, wie Goethe sie verstanden wissen und in dem Modell seines Cour d'amour darstellen wollte – für diesen Cour d'amour entstand das *Hochzeitlied* (Februar 1802, vor oder bei CFZelters Besuch?: III/3, 51 f.; vgl. auch IV/16, 153). Indem wir in dieser Beziehungsvielfalt einen Selbstausdruck der Gesellschaft erblicken, wird die Kunst solcher Beziehungen im *Entwickeln* und *Vereinen* (15.VI.1825: *Bdm.3, 212*) goethesch zur Spiegelung des Lebens selbst: *Natur und Kunst sind zu groß um auf Zwecke auszugehen, und haben's auch nicht nöthig, denn Bezüge gibt's überall und Bezüge sind das Leben* (29. I. 1830: *IV/46, 223*). So versteht sich dann auch die möglicherweise vierfach wechselseitige Spiegelung: *A* (Fiktion einer gegenwärtigen Hochzeitsfeier, zumindest Intention einer solchen): *B* (Hochzeit *des Enkels des seligen Herrn*): *C* (Zwergenhochzeit im Schlosse): *D* (Ahnenhochzeit in ausgesprochener Analogie der Zwergenhochzeit: *Denn was er, so artig, im Kleinen gesehn, | Erfuhr er, genoß er im Großen; I/1, 180*): *A* (*So ging es und geht es noch heute*). So umschlösse diese (etwaige) vierfache Spiegelung durch den (fiktiven) Anlaß einer wirklichen Hochzeit (A–A) oder durch die beabsichtigte Anwendbarkeit bei einer solchen die poetische Bilderdreiheit (B:C:D) in einer virtuosen Da Capo- oder Ringform, wie sie der Spielwirklichkeit des Cour d'amour nicht nur nahelag, sondern kunstvoll entsprach (EvdHellen). Um dieser Relationalität A:B:C:D (:A) willen weicht Goethe von dem alten und altbekannten *Sagen- und *Märchen-Motiv in so charakteristischer Weise ab (II/11, 60). Aber auch und gerade diese Abweichung erlaubt ihm, intentional völlig in dem Kraftfeld dessen zu bleiben, was für ihn systematisch die B. bedeutete. Was das *Vorgefühl* (der festlich zu begehenden Hochzeit und der darin beschlossenen Daseinserfüllung) anlangt, so bedarf es keiner Worte, daß das Heitere, die Vor-Freude hier der allein maßgebliche Modus ist. Die Bezeichnungsweise des *Hochzeitliedes* entwickelt sich von *Gedicht* (1802: IV/16, 153) oder von *Lied* (1804, Taschenbuch), über *Balladen und Romanzen* (1806, erste Cotta-Ausgabe 1, S. 236–238) eindeutig zur *Ballade* (seit 1815). Endlich: *Ritter Curts Brautfahrt*. Seine Entstehung muß man ebenfalls in das Frühjahr (auch Februar?) 1802 legen, die Zusammenhänge mit dem Cour d'amour und seiner Vorstellungswelt sind offenkundig. Die Fabel nahm Goethe aus den längst bekannten und auch schon anderswann (1795) benutzten Mémoires des Marschalls François de *Bassompierre (,,Journal de ma vie", 1598–1631; vgl. auch 23. V. 1814: IV/24, 286 f.). Aber er steigert das parodistische Element, obwohl er das Faktische mildert. Dadurch gewinnt er im Sinn des Geselligen, jedoch durchaus gegenbildlich, also auch in einer Form der Spiegelung um so wirksamer die Schwerelosigkeit fröhlich befreiten Spielens. Höchst aufschlußreich werden *Hochzeitlied* und *Brautfahrt* durch den Gebrauch des Wortes *Behagen* an bedeutungsvoller Stelle aneinandergerückt *(I/1, 176 V. 1; 179 V. 35)*. Die Entwicklung der Bezeichnungsweise geht bei beiden B.n parallel.

Durchaus eine Sonderstellung inmitten des goetheschen B.-Schaffens auf dieser dritten Entwicklungsstufe nehmen die beiden zunächst als *Romanzen* (3. VI. 1797: *III/2, 72*) angekündigten Schöpfungen ein: 1. *das Vampyrische Gedicht (III/2, 72)*, die *große Gespensterromanze (IV/12, 145)*: *Die Braut von Corinth* (beim Erstdruck in Schillers Musenalmanach 1798, S. 88–99, auch noch als *Romanze* untertitelt, 1800 unter *Balladen und Romanzen* eingereiht, seit 1815 eindeutig als *Ballade* eingeordnet); 2. die *Indische Romanze (III/2, 73)*: *Der Gott und die Bajadere* (beim Erstdruck in Schillers Musenalmanach 1798, S. 188–193, als *Indische Legende* untertitelt, 1800 ebenfalls den *Balladen und Romanzen* zugewiesen, seit 1815 auch nur noch als *Ballade* gekennzeichnet). Zeitlich fallen diese beiden B.n noch in die Anfangsjahre der dritten Entwicklungsstufe. Sie stehen mit dem *Zauberlehrling* (?) und mit den *Romanzen von der schönen Müllerin* dadurch in einem gewissen, rein äußerlichen, formalistischen Zusammenhang, daß nur diese jeweils als *Romanze* bezeichnet werden – nicht nur, weil sie chronologisch dicht beieinander entstanden sind, sondern auch, weil sie motivisch außerhalb des eigentlich deutschen, insbesondere auch altdeutschen Kulturbereiches wurzeln: Griechenland, Indien, Syrien (Samosata), Alt-England, Alt-Spanien, Alt-Frankreich, insofern also nach Impulsen und Intentionen benachbart zu sein scheinen, ohne freilich von innen her als verwandt gelten zu können. Goethesche Zeugnisse dafür, daß derartige chronologische oder auch motivische Nachbarschaften interpretatorisch von Bedeutung

sind und auf innere Bezüge schließen lassen, sind häufig genug. Im Frühsommer 1797 dürfte es sich zunächst darum gehandelt haben, den Wieder-Anfang des B.-Schaffens und zwar die Wiederaufnahme zutiefst hintergründiger B.-Themen aus relativ entlegener, zeitlicher oder örtlicher Ferne her zu beziehen. Das geschieht noch aus Gründen der Not und unter dem Zwang des Selbstschutzes. Auch hat es etwas Vor-Läufiges an sich. Denn beide: *Die Braut von Corinth*, aber auch *Der Gott und die Bajadere* haben schlechthin Ungeheures zum Thema. Die Grenze zwischen Leben und Tod wird je auf besondere Weise überschritten, fast als wäre sie nicht da oder aber der Mensch besäße doch wohl zuzeiten die Gewalt, sie aufzuheben und unwirksam zu machen.

In diesem Sinne also Ungeheures und Unerhörtes, zugleich vom Thema her ganz und gar Archaisches ist die Mitte, um die sich *Die Braut von Corinth* bewegt: *Ich suchte mich vor diesem furchtbaren Wesen zu retten, indem ich mich nach meiner Gewohnheit hinter ein Bild flüchtete (I/29, 174)*. Mit *diesem furchtbaren Wesen* meint das Zitat an originaler Stelle freilich das *Dämonische. Das ist durchaus ein besonderes Kapitel goethescher Welterfahrung. Aber in eben seinem weiten Raum bildet auch und gerade das *Vampyrische eine Provinz. Manche, wenngleich keineswegs alle Grenzen hat sie mit Ahnung und Aberglauben gemeinsam. Sie *ruht* (ähnlich wie die *Astrologie) *auf dem dunkeln Gefühl eines unheuren Weltganzen (8. XII. II. 1798: IV/13, 331)*. In dessen Dimensionen koinzidieren Lebendes und Totes, Heimliches und Unheimliches, Geheures und Ungeheures virtualiter wie realiter (*coincidentia oppositorum). Außer dem Gewinn von den *Tischen der Griechen* ist es das *nordische Erbtheil* Goethes *(Bdm. 3, 258)*, das sich in solchen Tiefenschichten rührt. Es ließ sich bisweilen und allenfalls überdecken oder verdrängen, niemals aber auslöschen (HOppel; WEmrich): *Inzwischen fand ich noch manche Hindernisse, und konnte meine nordische Natur nur nach und nach beschwichtigen* (28. XI. 1826: *Zum Kyklops des Euripides, I/42ᴵᴵ, 467 f.)*. Hier sind Wesenswurzeln Goethes verborgen, die *nord- und südliches Gelände* letztlich miteinander doch nicht nur versöhnen, sondern verschmelzen wollen. So verschmelzen auch *Faust* und *Helena* zu *Euphorion etwa im Sinne des goetheschen Wunsch- und Leitbildes einer so wesentlich wie wirklich modernen Dichtung, aber wohl kaum um ihrer selbst willen (vgl. ETrunz: HbgA 3, 593 f.). Davon war schon einmal die Rede (Sp. 612). – Man muß etwas weiter ausholen. Thematisch handelt es sich um eine (sogenannte) Wiedergänger-Geschichte. Philinnion, Goethes spätere *Braut von Corinth*, ist eine Tote, die (nach den Quellen: von sich aus) wiederkehrt, weil – so scheint es und so würde es eine nichtgoethesche Formel der Goethe-Zeit (FHölderlin, 1799) deuten – ihrer Liebe im Leben das göttliche Recht nicht wurde. „Namentlich von Toten, die auf besonders unglückliche Weise gestorben waren – von Gemordeten, säugenden Müttern, Liebenden – hat man immer geglaubt, daß ihre Leichen nicht ruhig bleiben können. Das verstehen wir auch heute unmittelbar, aber nicht mit unserem rationalen Denkvermögen, sondern mit dem Teil unseres Wesens, der eine ganz andere Richtung und Einstellung hat, der die Rede des Dichters als wahr empfindet und mit der Denkweise des Primitiven verwandt ist" (WFOtto: Die Manen, S. 40 f.). Selbst in der Mitte des 20. Jahrhunderts wollen sogar uns noch manche Erfahrungen bedeuten, daß wie immer der Gemordete seinen friedlos gewordenen Mörder, die stillende Mutter den hilflos hungernden Säugling, der Liebende die Geliebte, die Geliebte den Liebenden sehnsüchtig „nachzuziehen" vermögen und daß viele auf diese Weise längst gestorben waren, ehe sie sich endlich aufs Totenbett legten (vgl. HwbAberglauben IX, Sp. 570–578; VI, Sp. 812–813; *Geheimwissenschaft). Die Wiederkehr Philinnions galt dem jungen Machates, der so lange schon in ihrem Herzen wohnte und den sie nach dem Gebot der Umstände nicht hatte offen lieben dürfen. Wie im Märchen kam sie dreimal. Alsbald nach der Entdeckung erlitt Machates den Tod, wenn nicht alles trügt: seit eh und je von eigener Hand. Ihn, im exakten Sinne ihn allein ging der Besuch an. Darum ist doch wohl er der Held der Geschichte, nicht aber Philinnion. Die bitterlich süße Begegnung brach Machates das Herz: infolge („unter"!) Entmutigung (Entseelung) ὑπ' ἀθυμίας führte er sich selbst aus dem Leben ἑαυτὸν ἐξήγαγεν τοῦ ζῆν (Phlegon περὶ θαυμασίων Cap. I, ed. OKeller 1877, S. 62); sein Lebensmut nicht nur, sondern seine Lebensseele (θυμός; vgl. WFOtto: Die Manen, S. 33 f.), dh. die Lebensmöglichkeit überhaupt und als solche war ihm ganz und gar erloschen. Sein bisheriges Leben war ohne Kraft und ohne Sinn vor dieser anderen, stärkeren und höheren Wirklichkeit, die ihn der κοινωνία (Mitsammensein, Gemeinschaft) gewürdigt, aufblitzend aber zugleich ihr Doppelantlitz mit

dem janusköpfigen Aneinander und Ineinander von Leben und Tod enthüllt hatte. Alle Dinge in der Welt haben ihren Preis, das höchste aber den höchsten. Das Geschehen ist gewiß ein inneres. In durchaus griechischer Weise wird es jedoch als ein äußeres gestaltet und zugleich gedeutet. Es wird objektiviert. Der subjektive Mensch erfährt es nun so, daß außer- und übermenschliche Mächte höheren, ja erhabenen Ranges in sein Einzeldasein eingreifen und in der Identität von göttlicher Wirkung und natürlichem Vorgang sich selber *geheimnißvoll offenbar* machen (1777: I/2, 64). „An die Existenz der Götter ‚glaubt' der Grieche nicht, sondern er weiß, daß es Götter gibt, weil er sie mit seinem geistigen Auge ‚sieht' und sie erlebt. Er verspürt es ja ständig, daß er von Wesen mit übermenschlicher Kraft umgeben ist" (MPohlenz: Der hellenische Mensch, S. 39). In dem Beispiel Machates/Philinnion aber bezeugt sich diese Auffassung noch auf besondere Weise. Abgesehen von der Geschlechter-Begegnung in der Trunkenheit des Liebesfestes und in engster Verknüpfung damit geht es um Leben und Tod. Die keineswegs ganz beiläufige Frage, ob die Namen Machates und Philinnion als redende gemeint sind, lassen wir hier beiseite. Man darf gewiß überzeugt sein, daß die *Antike, insbesondere das *Griechen-, aber auch das *Römertum über das Leben/Tod-Rätsel nicht weniger tief gedacht haben, als es die anderen Objektivationen ihres Daseinsverständnisses und ihrer Daseinsleistung bekunden. In der Realität des Seins manifestierte sich ihnen das Leben, so zwar, daß zu seinem „Sein" wesentlich das Nichtsein des Todes gehörte. In der Realität des Nichtseins manifestierte sich ihnen der Tod, so zwar, daß zu seinem „Sein" wesentlich das Nichtsein des Lebens gehörte (KKerényi: Antike Religion, S. 220–248). Das Eine war jeweils das Andere des Anderen und insofern durchaus vom Anderen als Eines bestimmt. Daher konnte das (wirkliche!) Leben nicht „alles" und der (wirkliche!) Tod nicht „nichts" sein. Der Grieche vermochte die Vorstellung eines Nichts überhaupt nicht zu vollziehen; seine Mathematik kannte keine Null (MPohlenz: Der hellenische Mensch, S. 38). Goethe ist dieser Auffassungsweise mehr als nur nahe gekommen (vgl. etwa *Eins und Alles,* 1829, in Verbindung mit *Vermächtniß,* 1821, I/3, 81–82; *Bedeutung; *Gegenständliches Denken; ESpranger S. 217–252; FJvRintelen S. 65–138). Eine solche *Dialektik als Ausdruck der Relationalität alles bestimmten Wirklichen sagt: Erst der

Tod macht das Leben, erst das Leben den Tod. Beide bestimmen sich, nicht nur indem sie sich gegeneinander begrenzen, sondern indem sie sich miteinander verbinden. Für Heraklit ist dies das Geheimnis (nach Goethe/Tobler, also 1781/83, der *Kunstgriff: II/II, 7*) des immerwährenden Feuers, das nach Maßen aufflammt, nach Maßen erlischt und so die „Ein- und Dasselbigkeit" des Lebendigen und des Toten, des Wachenden und des Schlafenden, des Jungen und des Alten darstellt, indem das Eine in das Andere umschlägt und das Andere in das Eine (Heraklit, ed. BSnell 1926, S. 11 f.). Die spätere, insbesondere die platonische Philosophie und zwar die des alten Platon kennt diese Relationalität als κοινωνία (= Mitsammensein, Gemeinschaft, Wechselbeziehung, Verschlungenheit, Einung; auch Liebesbund im – welt- und weltenschaffenden – Sinne der Leibes- und Lebenseinung), die eben als solche die polaren Hemisphären erfaßt, aufeinander bezieht und zu einer einzigganzen Wirklichkeit verschmilzt (vgl. BLiebrucks: Platons Entwicklung, S. 155 f.). Auf diese κοινωνία kommt es daher entscheidend an. In unserem Zusammenhang interessiert es nicht, wie verschieden jeweils die philosophischen und die religiösen Intentionen des hellenischen (oder auch des italisch-römischen) Altertums diese κοινωνία anvisierten und sich ihrer zu vergewissern trachteten (lat. communio oder communicatio vermögen nicht ohne Sonderproblematik zu entsprechen). Es genügt zu bemerken, daß Logos und Mythos gleichen Impulsen verpflichtet waren, daß sie in denselben Grunderfahrungen und Ursituationen wurzeln (JStenzel: Metaphysik des Altertums, S. 3 f.; S. 14–31; 125–151; WNestle: Vom Mythos zum Logos, S. 17–20; KKerényi: Antike Religion, S. 69–133). So gesehen, so verstanden wird die Begegnung Machates/Philinnion zur κοινωνία zwischen Mann und Weib, zwischen Leben und Tod, und zwar auf der Ebene des Mythos. Dies geschieht zunächst in der festlichen Form des Liebes-*Opfers, dessen flammende Feier die Weltpolarität der Geschlechterzweiung aufhebt, indem sie dieses Aufgehobensein als äußerste Daseinssteigerung im Sinne wohl einer Unio, aber nicht mystica, als ekstatische Kulmination vollzieht. Anders kann es mythisch (dh. in der „Wahrheit" eines Einsseins von Bild und Wort) gar nicht geschehen, zumindest sind abweichende Beispiele ungemein selten und außerdem befremdlich. Man müßte wohl, wie es JGHerder damals tat, in besonderer Weise persönlich oder pastörlich mit Goethe hadern,

um darin nichts als eine grobe Priapisierung zu sehen; vgl. Herders Brief an CLvKnebel, 5. VIII. 1797; dazu ESchmidt in: GoetheJb 9 (1888), S. 229. Die zweite Form der κοινωνία ist hier die innige Begegnung von Leben und Tod, in der das Wirklichkeits-Ganze seinem Wesen und seiner Würde nach als Relationsgefüge ergreift, in der es ergriffen sowie seine „Ein- und Dasselbigkeit" von Lebendigem und Totem im Umschlag des Einen in das Andere, des Anderen in das Eine erfahren wird. In beiden Formen manifestiert sich dieselbe Dialektik, für die die Griechen zu allen Zeiten ein besonderes Organ besaßen und deren Unausweichlichkeit sie eh und je gelehrt hat, daß dem (antiken) Menschen imgrunde keine andere Existenzmöglichkeit zugestanden ist als die tragische (vgl. WSchadewaldt: Sophokles und das Leid, S. 29–31). Die Mitte und die Höhe, der „Nabel" (ὀμφαλός) der hellenischen Welt gaben ihr kultisch Namen und Weihe: „In Delphi kam in höchster Symbolisierung das Wunder zum Ausdruck, wie die von rasendsten Spannungen erfüllte Dämonie des Griechen sich in den Dienst einer heiß erstrebten Harmonie und Durchleuchtung stellt und erst in dieser Begattung zweier sich fast ausschließender Welten die ungeheure Schöpferkraft gewann, deren Potenz heute noch die Welt spürt" (ThvScheffer: Mysterien, S. 151 f.; WFOtto: Dionysos, S. 187–195). Wem das Wagnis nicht zu groß ist, der sollte annehmen dürfen, daß die Geschichte von Machates und Philinnion rechtens und noch für Goethe auch von dieser Luft durchatmet ist und daß sie sehr wohl mehr und durchaus anderes ist als eine jener abstrusen, absurden Spuk- und Schauermären, mit denen man auch schon in alten Zeiten gern wichtigtat, um andere und um sich selber anzugruseln. Herkunft und Überlieferung – so kann man mit mancherlei Gründen vermuten – setzen nicht erst in frühhellenistischer, dh. nachalexandrinischer Zeit ein. Ältere, älteste hellenische Tradition scheint fast schwermütig widerzutönen. Zeugnis dessen ist die erstaunliche, überdies kaum faßbar weit verzweigte Motivverwandtschaft von Märchen, auf die man durch HvBeit aufmerksam gemacht wird (HvBeit: Symbolik des Märchens, S. 66, insbesondere 77, bis 95; zum „tragischen Märchen" vgl. auch AJolles: Einfache Formen, S. 240–246). Zeugnis sind die literarischen Verbindungsfäden, die über Phlegon aus Tralles (!) und über dessen Gewährsmänner hinaus und zurück die Begebenheit mit einer gewissen Vorliebe im Grenzgebiet von Makedonien und Thrakien, dh. in der volkreichen Verkehrsstadt Amphipolis am Strymon lokalisieren wollen [vgl. EFrank in: Pauly-Wissowa 39 (1941), Sp. 261–264]. Diese Lokalisierung verweist aufschlußreich auf einen Ort, der nicht nur als athenische Kolonie schon lange Rang und Namen hatte (vgl. Thukydides IV, 102–108), sondern auf einen in der dortigen Landschaft durchaus betont entwickelten Kultur-, vielleicht auch Kultmittelpunkt (?), wo dionysische und orphische Kräfte intensiv sich zu berühren vermochten: Pieria, die vielberühmte makedonische Heimat des *Orpheus ist unmittelbar benachbart; die Kultorte Aineia und Methone liegen nicht allzu weit entfernt; das Pangaion-Gebirge mit seiner Tradition, wonach die Musen gerade dort die von thrakischen Mänaden zerrissenen Gebeine des Orpheus gesammelt und in Obhut genommen haben sollen, steigt fast von den Mauern an östlich über der regen Stadt empor und füllt breithingelagert den Horizont gegen Sonnenaufgang zu. Ein dichtes Gespinst örtlicher Sagen heiligt jede Spur. Erst in späterer, nach-alexandrinischer Zeit, unter den Ptolemäern, verschiebt sich der Schwerpunkt etwas mehr nach Osten ins Ismaros-Gebiet (Zone, Maroneia, Serrhion). So deutet selbst und gerade die Lokalisierung auf eine Chronologie hin, die über die Ptolemäer und wahrscheinlich auch über die Alexander-Zeit beziehungsreich hinausführt, dann allerdings sich im Dunkel schriftloser Phasen verliert. Dies alles bliebe und bleibt durchaus in vor-logischer Sphäre, so zwar, daß alles Erzählte Begründung und Gründung zugleich und daß es zudem Einweihung ist in einem Sinne, der an keiner Stelle die Horizonte des antiken Wirklichkeitsverstehens ὑπὲρ μόρον verläßt, dieses vielmehr erfüllt und stets die chthonischen wie die olympischen Gottheiten verehrt, ohne freilich die Welt, dh. die Wirklichkeit je „überwinden" zu wollen (KKerényi: Antike Religion, S. 248). Über die Affinität Goethes zu dieser Welthaltung kann man sich zB. durch KJaspers und durch ESpranger belehren lassen. Über das, was ihn zumal im Hinblick auf *Die Braut von Corinth* davon trennt, muß man sich auf besondere Weise Klarheit verschaffen. Man kann nicht urteilen, daß „Goethe die vollständig verdunkelte Sage, die der antiken Erzählung zugrunde lag, nicht erfaßt und . . . das mythische Element, das doch nicht zu verkennen war, durch das vampyrische ersetzt" habe (StHock: Vampyrsagen, S. 70). Aber man darf in diesem Urteil den Hinweis auf einen allerdings sehr wesentlichen Zusammenhang wahrnehmen.

Das Wiedergänger-Thema erscheint in der Form des *Vampyrischen,* sogar in einer spezifisch goetheschen. Schon beim ersten *Anfang* der Niederschrift ist in Goethes Notizen von dem *Vampyrischen Gedicht* die Rede. Für die unmittelbar folgenden Tage wiederholt sich dieser Ausdruck (4./5./6. VI. 1797: *III/2, 72*). Dann aber wird er mehr und mehr zurückgedrängt und geht unter. Man muß folgern, daß der Gedanke an das *Vampyrische* 1797, etwa um die Jahresmitte, für Goethe neu- und hochaktuell gewesen ist. Schwerlich, weil *Schiller,* der *immer etwas Neues für seine* Musenalmanache *brauchte, dazu trieb (Bdm. 4,230).* Auch kaum allein und nur sehr bedingt, weil es besonders von 1732 bis 1755 (ACalmet) Literaturmode gewesen war, Berichte über südosteuropäische, mährische, böhmische, schlesische Vampyrsagen zu diskutieren, sogar vor dem Forum wissenschaftlicher Akademien (*Berlin). Eher, weil das Thema selbst, durchaus ein goethesches Tiefenthema, in der Entwicklungs- und Lebensstufe nach dem *glücklichen Ereignis* der Spätjulitage 1794 (II/11, 13–20) und kraft dieser sehr im M ä n n - l i c h e n gegründeten, nunmehr beginnenden und am 9. V. 1805 jäh endenden Freundschaft mit Schiller eben der Gegenkraft des We i b - l i c h e n bedurfte und eine solche Hypertrophie geradezu forderte: „Erst jetzt erkennen wir, daß wir das Epos [‚Hermann und Dorothea'], ‚Alexis und Dora', ‚Der neue Pausias und sein Blumenmädchen', nicht nur dem innig gefühlten Glück der reinen Gegenwart zu verdanken haben, sondern nicht minder einer Selbstzucht, einer ästhetischen Sittlichkeit, die, unter Dichtern wenigstens, nicht ihresgleichen haben dürfte. Solche dämonischen Schauer regten sich im Grunde des Gemüts, das dem erfüllten Augenblick, der Jugendschönheit Hermanns und Dorotheas und dem Gespräch herzlich Liebender hingegeben war. Ähnlich überrascht uns in den ‚Wahlverwandtschaften' das Tragische, das seit der ‚Iphigenie' aus der Kunst und dem gültigen Leben verbannt ist [vgl. dazu EStaiger 1, S. 388–425], und in der ‚Klassischen Walpurgisnacht' die von den ‚Zahmen Xenien' verwünschte untermenschliche Sphäre. Daß Goethe die Ballade als eine immerhin mögliche Form entdeckte gerade in einer Zeit, da lang im Zaum gehaltene Meisterschaft, die Kunst der Strophe und des Reims, gebieterisch tätig zu sein begehrte und der Stoff der Vampyrsage innerlich durchgearbeitet war, das ist in der Dichtungsgeschichte wohl eins der verblüffendsten Beispiele dessen, was Hegel als ‚List der Ver-

nunft' bezeichnet hat" (EStaiger 2, S. 314).
Diese „List der Vernunft" betrifft noch vor
dem *Vampyrischen* zunächst das Weibliche.
Im gelebten Leben mit Christiane vermochte
es nur bedingte, vielleicht allzu bedingte und
beschränkte, wenn auch eine für sich gültige
und insofern ganz wahre Wirklichkeit zu
werden. Tatsächlich finden sich in dem Zeitraum zwischen 1794 und 1805 keine unmittelbaren und gewiß keine welthaltigen lyrischen
Liebesaussagen Goethes. Allein diese könnten
zählen. Die Phase der *Römischen Elegien* und
der *Venezianischen Epigramme* ist vorüber.
Nur mittelbar entstand nach dem unzulänglichen Vorbilde von FSChr*Brun: *Ich denke
dein* (April? 1795; aufschlußreich als Frauen-
strophen [!] gedichtet: *Nähe des Geliebten, I/1,
58*). In andrer Weise mittelbar hergehörig, stofflich wohl schon seit 1783/84 aus PSonnerats
indischem Reisebericht bekannt, kann auch
und allenfalls die *Indische Romanze (III/2,
73): Der Gott und die Bajadere* mitgenannt
werden. Mehr Lehr- als Liebesgedicht, *kleine
Probe . . . eines Naturgedichts in unsern Tagen,*
ist *Die Metamorphose der Pflanzen* (I/1, *290
bis 292;* abgeschlossen am 17. VI. 1798, III/2,
212; vgl. auch den Brief an CLvKnebel vom
Juni-Ende 1798: IV/13, 200, sowie vom
16. VII. 1798: IV/13, 213; zum Zitat: 22. I.
1799: *IV/14, 9 f.;* der Gegenstand ist nicht
die Angeredete, sondern das geheime Gesetz
des Pflanzenhaften, seiner Wuchs- und Wan-
delformen in der Natur – und wenn es die
Angeredete wäre, wer wäre es wirklich?).
Läßt man die gleichzeitigen Frauengestalten
großer dichterischer Werke oder Entwürfe
dieser Jahre beiseite, so bleiben nur *Alexis
und Dora* (1795/96), daneben eher Nach- als
Vorklang *Der neue Pausias und sein Blumenmädchen* (1796), alsdann *Hermann und Dorothea* (1796/97), endlich *Amyntas* (1797), und
die unvollendete *Achilleïs* (1797/98), in einiger
Ferne vielleicht auch *Euphrosyne* (1797/98;
I/1, 281–286; vgl. besonders V. *139–140: Bildete doch ein Dichter auch mich; und seine Ge-
sänge, | Ja sie vollenden an mir, was mir das
Leben versagt*). Abgesehen von dieser *Elegie,*
die Christiane *Neumann/Becker beschwört:
Auffällig wirksam ist zumindest in zweien und
zugleich in den bedeutendsten der genannten
Dichtungen *(Alexis und Dora; Hermann und
Dorothea)* die Er-Innerung an Lili *Schönemann. Sie wirkte auslösend, bestimmend oder
doch tiefinnen mitbestimmend. Ebendadurch
zeugt sie aber noch immer überwältigend für
die Einmaligkeit und für die Lebensfülle der
Lili-Liebe (5. III. 1830: *vous réveillez tous mes*

*anciens souvenirs et me faites revivre dans un
autre âge, auprès de celle qui la première fut
aimée par moi d'un sentiment aussi profond
que véritable, qui . . fut peut-être aussi la der-
nière; car les intérêts du même genre qui m'ont
occupé dans la suite étaient bien légers à côté
de celui là; Bdm. 4, 222;* vgl. dazu auch Goethes letzten Brief an Lili vom 14. XII. 1807:
IV/19, 472; außerdem Beutler II, S. 1–160).
In dem Raum dieser Liebe hätten (oder haben?) die Dimensionen des Weiblichen Möglichkeit und Anspruch einer nicht ausdenk-
baren Bewegungsfreiheit entfalten können –
gegenüber dem (mit Schiller gelebten) Männlichen – als etwas / als das ganz andere und
in ständiger Liebes-Spannung zu diesem,
schreckensfern und flammennah (vgl. etwa
auch *Selige Sehnsucht,* 31. VII. 1814 in Wiesbaden: *I/6, 28*). Das atmende *Stirb- und Werde*-
Wissen um das Eigentliche dieser Weltpolarität war in Goethe frühwach. Es lebt fast
überdeutlich in den paradigmatischen Paaren
Alexis und Dora, Hermann und Dorothea, es
lebt aus dem Erfahrungsvorrat der zwischen
Goethe und Lili gelebten Liebe – es lebt auch
in Machates und Philinnion, wie Goethe sie
1797 aus dem heimlichen Bilderreich seiner
Traumvertrauten entließ (10. III. 1830: Bdm.
4, 230), freilich ohne daß er ihnen diese oder
überhaupt *Namen gegeben hätte; bedurfte
es denn hier der Namen – oder bedurfte es
durchaus der Namenlosigkeit? Aber das *Stirb-
und Werde*-Wissen lebt in ihnen unter einem
ganz besonderen Aspekt. Da wäre denn wohl
die Stelle, wo sich das missing link versteckt,
mit dem Goethe das (antik) Mythische und
das (modern) *Vampyrische* aneinander und
ineinander fügt. Daß ebendies zusammen in
der Tat eine der Wesenswurzeln und zugleich
eine der tiefsten Intentionen des goetheschen
B.-Schaffens anrührt, fordert keine sonderliche Erläuterung mehr. Ebensowenig, daß es
Goethe etwa auf das *Vampyrische* in der mo-
dischen Weise und um seiner selbst willen
angekommen wäre (vgl. dazu die scharfen
Absagen in der *Mummenschanz,* vielleicht
schon 1797/99 konzipiert, aber erst 1826/28
vollendet; da aber in den *Helena*-Zusammen-
hang gehörig, verdient Goethes Briefmittei-
lung an S*Boisserée Beachtung: *Die Helena
ist eine meiner ältesten Conceptionen, gleichzeitig mit Faust, immer nach Einem Sinne,
aber immer um und um gebildet,* 22. X. 1826,
IV/41, 209; vgl. außerdem die Bemerkung zu
JPEckermann: *Die Darstellung edler Gesinnungen und Taten fängt man an für langweilig
zu erklären, und man versucht sich in Behand-*

lung von allerlei Verruchtheiten. An die Stelle des schönen Inhalts griechischer Mythologie treten Teufel, Hexen und Vampyre, und die erhabenen Helden der Vorzeit müssen Gaunern und Galeerensklaven Platz machen. Dergleichen ist pikant. Das wirkt! 10. III. 1830: *Bdm. 4, 231*). Was aber bedeutete ihm das *Vampyrische* dann?

Man sollte Goethes Alterswort aufs neue bedenken: *Ich hatte sie alle* [dh. betontermaßen *Die Braut von Corinth; Der Gott und die Bajadere*] *schon seit vielen Jahren im Kopf, sie beschäftigten meinen Geist als anmutige Bilder, als schöne Träume, die kamen und gingen und womit die Phantasie mich spielend beglückte. Ich entschloß mich ungern dazu, diesen mir seit so lange befreundeten glänzenden Erscheinungen ein Lebewohl zu sagen, indem ich ihnen durch das ungenügende dürftige Wort einen Körper verlieh. Als sie auf dem Papiere standen, betrachtete ich sie mit einem Gemisch von Wehmut; es war mir, als sollte ich mich auf immer von einem geliebten Freunde trennen (Bdm. 4, 230).* Selbst die Quellenfrage vereinfacht sich erheblich, wenn man mit StHock (Vampyrsagen, S. 68) Goethes Worte nicht auf die antike Sage, sondern auf den modernen Vampyrglauben bezieht, der gerade in Goethes Knabenjahren (zB. 1755 erneut ACalmet; vgl. ferner die Untersuchungen von Olmütz, auch die diesbezügliche Verordnung der Kaiserin Maria Theresia) die Gemüter so heiß erregte und höchstwahrscheinlich nicht weniger lebhaft in Goethes Elternhause diskutiert wurde (vgl. Götting S. 39). Wir wissen außerdem, daß es zu Goethes Schaffensgeheimnissen gehörte, Themen lange mit sich herumzutragen und sie dabei immer wieder umzugestalten, ohne jedoch im Kerne sie zu verändern: *immer nach Einem Sinne, aber immer um und um gebildet (IV/41, 209)* – so lange, bis sie einer mehr und mehr reinen Form und einer entschiedeneren Darstellung entgegengereift waren (vgl. StHock: Vampyrsagen, S. 69). Der Prozeß dieser Geistes-Beschäftigungen so viele und so lange Jahre hindurch betraf in der Tat das *Vampyrische*. Er veränderte es nicht eigentlich im Kern, aber er gestaltete es völlig um, indem er seine Aktionsarten vertauschte, dh. die Wechselbeziehung von Passiv und Aktiv umkehrte. Das ist freilich keine völlig neue Intention Goethes (vgl. Ahnung, Sp. 94). Sie war nicht immer gleich stark am Werke, wenn Goethe mit Wiedergänger- oder Vampyr-Motiven in Berührung kam, sie lief wohl auch lange an – vgl. zB. 1771: Volkslieder *aus denen Kehlen der ältesten Müttergens (Morris 2, 110)*,

insbesondere Nr 9 *Das Lied vom Grafen Friederich: Ein groses Wunder auch da geschah? / Das mancher Mensch glaubhäftig sah, / Seine Lieb er mit Armen umfieng, / Eine Red aus seinem Munde ging* (Morris 2, 80); 1774/75: *Der untreue Knabe: Auf einmal steht er hoch im Saal, / Sieht sizzen hundert Gäste, / Hohläugig grinsen allzumal / Und winken ihm zum Feste, / Er sieht sein Schäzel unten an / Mit weisen Tüchern angethan, / Die wendt' sich –* (Morris 5, 170), wobei Anregungen durch GA Bürgers Lenore (1773) spürbar sein mögen; ferner 1782: *Die Fischerin* mit dem *Erlkönig* (?), besonders aber mit der uralten Wiedergänger-B. vom Wassermann [für eine Kenntnis der vielleicht noch älteren Wiedergänger-B. von den beiden Königskindern findet sich vor Februar/März 1808 (zB. III/4, 10; 17; 18; 19; 78) kein ernst zu nehmender Hinweis], aber: *es ist eher lächerlich als grauslich* (! I/12, 89 f.; 99 f.); 1797/98–1806: *Walpurgisnacht* (besonders: V. 4195–4205, I/14, 210 f.), weiter 1813: *Der getreue Eckart* und seine Warnung vor dem *nächtlichen Graus (I/1, 206)*, auch *Der Todtentanz (I/1, 208 f.)* usw. In solchen Zeugnissen bestimmt Goethe die Grenzen dessen, was er von der Wiedergängerei und von dem *Vampyrismus* weiß oder hält mehr negativ: durch die unmißverständliche Absage an den Apostel einer mehr und mehr ins Triviale, Banausische und Philiströse abgleitenden *Aufklärung, nämlich an F*Nicolai (Proktophantasmist: I/14, 208 f.; vgl. dazu Aberglaube). Sehr viel *ernster* geben sich diese und solche *Scherze (IV/49, 283)*, wenn man den Blick möglichst unvoreingenommen und möglichst genau auf die Mai- und Juni-Wochen des Jahres 1797 richtet. Wir geraten dabei in das Kraftfeld von Benvenuto *Cellini. Zumindest seit dem Sommer 1795 (vgl. IV/18, 68) beschäftigt sich Goethe intensiver mit ihm und mit seiner Vita. Im Februar 1796 fing die Übersetzungsarbeit an *(einige interessante Stellen: IV/11, 19). Im Mai 1797 ergibt sich ein nun allerdings sehr bemerkenswertes Nebeneinander: *Benvenuto Cellini, Hermann und Dorothea, Moses*, und kurz danach im Juni gesellt sich auch *Faust* hinzu, wobei mindestens *Cellini, Moses, Faust* (überdies als Repräsentanten des Männlichen) in unterirdischer Verwandtschaft zueinander finden. Am 27. V. 1797 schreibt Goethe: *Die beyden handfesten Pursche Moses und Cellini haben sich heute zusammen eingestellt, wenn man sie neben einander sieht, so haben sie eine wundersame Ähnlichkeit. Sie werden doch gestehen, daß dieß eine Parallele ist, die selbst Plutar-*

chen nicht eingefallen wäre (*IV*/*12, 130*). Gewiß wäre *Plutarchen* auch die Möglichkeit einer *Parallele* zwischen *Cellini* und *Faust* nicht eingefallen, so nahe diese vornehmlich im Juni 1797 – freilich unausgesprochen – nicht nur im Sinne bloßer Zeitgenossenschaft (15./16. Jahrhundert!) gelegen haben mag, sondern auch im Sinne partieller Wesensverwandtschaft (vgl. die Notiz: *Cellini Character und Talente. Handwercks Kunst frey Sinn | Visionen | Erscheinungen Verwechseln der Gefühle der Träume und Wircklichkeiten Vorauswissen Ahndung | Schein um den Kopf | Haariger Wurm | Gefühl der Antike | Variiren in der Arbeit | Geschicklichkeit im Schießen | Ordnung in Geschäfften | Freund aller Talente | Seine Tochter er spricht nicht wieder von ihr | Seine Schrifft | Falsche Ursache des Gusses des Fußes*: *I/44 411 f.*). Hinter Goethes Beschäftigung mit *Cellinis* Vita steht impulsierend nicht allein die Formensuche für den keimenden Gedanken einer *Autobiographie, sondern auch die Brudersuche für seinen, damals ihn neu bedrängenden *Faust* – auf einem schon früh (*Leipzig, Straßburg) vertraut gewordenen Wege (zum Autodafé solcher thematischen Knabenverwandtschaften vgl. Morris 1, 178). Ins Zentrum dieser Zusammenhänge leuchtet dann am 25. III. 1798 das *Schema zum Cellini* (*III/2, 202*), dh. das *Schema zur Betrachtung über Cellinis Character* (*I/44, 417 f.*). Hier findet sich der Schlüssel: *Subjective* [!] *Gewalt sich die Erscheinungen zu realisiren* (ebda *418*) vgl. dazu die Nekromantie im Colosseum: I/43, 184–189, deren anregende Wirkung auch im *Schatzgräber* zu bemerken war (hier Sp. 635). Das Vor-Läufige zum *Faust* tritt stark hervor. Mag es so vorläufig sein, wie es der damaligen Situation entsprach, so ist eben die *Subjective Gewalt*, mit der sich *Cellini* durch sein *Vorauswissen* und durch seine *Ahndung*, auch durch ein *Verwechseln der Gefühle, der Träume und Wircklichkeiten* zu *Visionen* erhebt und zum Herrn von *Erscheinungen* macht, zugleich in einem *Gefühl der Antike*, die Verbindungsklammer, die diese *beyden handfesten Pursche: Cellini* und *Faust* aneinanderrückt. Auch in diesem Fall zeigt sich eine *wundersame Ähnlichkeit:* nekromantisches Sinnen, Trachten, Tun, antikisches Fühlen, Gebaren – dissonierendes, destruktives Verwechseln von Traum und Wirklichkeit; man bedenke, wie *Faust* durchaus noch v o r der Einweihung durch die *Klassische Walpurgisnacht*, eben als noch Un-Eingeweihter Gefühl, Traum und Wirklichkeit verwechselnd *Helena* mit allzu *subjectiver* Ge-

walt an sich reißen will: *Wer sie erkannt der darf sie nicht entbehren (I/15¹, 88 V. 6559)*. Ehe noch die *Faust/Helena*-Begegnung *immer nach Einem Sinne, aber immer um und um gebildet (IV/41, 209)*, schließlich zur letzten Form ausgetragen ist, erscheint sie durchaus vor-läufig und als Ausdruck einer in *Gestaltung, Umgestaltung* voranschreitenden *ewigen Unterhaltung* des *ewigen Sinnes (I/15¹, 73)* in der allerdings (und doch wohl absichtsvoll?) namenlosen Machates/Philinnion-Begegnung der *Braut von Corinth*. Für Goethes Umbildung des *Vampyrischen* ist damit als neues Moment (vorbereitet seit den siebziger Jahren; vgl. Ahnung, hier Sp. 94) endgültig das gewonnen, was (wenn auch nicht völlig durchgeklärt und imgrunde noch weiterer Reifung fähig) als *subjective Gewalt* die *Erscheinung* aktiv ruft und *realisirt*, nicht aber passiv wer sich heimsuchen läßt: *Bleibe, schönes Mädchen! . . . | Hier ist Ceres, hier ist Bacchus Gabe; | Und du bringst den Amor, liebes Kind (I/1, 220 V. 43–46).* Goethe hat die Paradoxie, die Paralogie des *Vampyrischen*, das gewissermaßen Widersinnige oder Über- und Außersinnige ent-anonymisiert. Er hat es aus der Sphäre des Unpersönlichen in die des Persönlichen überführt. Er hat das, was die antike Erzählung aus guten Gründen als äußeres Geschehen mythisch gestalten mußte, in moderner Erneuerung als inneres Ereignis (man so will:) psychisch verwirklicht. Er hat es in den goetheschen Rang dichterischer *Wahrheit erhoben, hat ihm die Würde, eine moderne Form der antiken κοινωνία zu werden, überhaupt erst erschlossen. Das *Vampyrische der Braut von Corinth* hatte sich somit von seinen entstehungsgeschichtlichen Ausgangspunkten in dem *vampyrischen* Literatur- und Diskussions-„Lärm" der Kinderzeit weltenweit entfernt. Der Wortgebrauch kehrte sich außerdem mehr und mehr vom Diaphorischen ab, er schlug ins Metaphorische um: *Aus dem Grabe werd' ich ausgetrieben, | Noch zu suchen das vermißte Gut, | Noch den schon verlornen Mann zu lieben | Und zu saugen seines Herzens Blut. | Ist's um den geschehn, | Muß nach andern gehn, | Und das junge Volk erliegt der Wuth (I/1, 225 V. 176–182).* Die drei letzten Zeilen, Restbestand einer sonst durchweg überwundenen Umbildungsstufe, werden apotheotisch annulliert durch die *letzte Bitte: Bring' in Flammen Liebende zur Ruh! (ebda 226, V. 190; 193)*. Sie hatten ihren Sinn verloren. Sie vermögen die echte Ekstatik der echten κοινωνία zunächst des festlichen Liebes-Opfers nicht mehr rein widerzuspiegeln: *Wechselhauch und Kuß! | Liebesüber-fluß! | Brennst du nicht und fühlest mich entbrannt? | – Liebe schließet fester sie zusammen, | Thränen mischen sich in ihre Lust; | Gierig saugt sie seines Mundes Flammen, | Eins ist nur im andern sich bewußt (ebda 223 V. 117 bis 123).* Männliches und Weibliches erfahren und erfüllen sich in gesteigerter Wirklichkeit, in glücklichstem Genuß. Die Zeit steht still, so lange die heimliche Stunde nicht gestört und in der Zeugenschaft der anderen nicht zur unheimlichen verkehrt wird. Aber Leid und Lust *mischen* sich in *Thränen.* Das „*ihre*" des Verses *(121)* ist Plural. So wird dieser κοινωνία sogleich die andere einverwoben, die nicht nur aus Mann und Weib, sondern in ihnen und mit ihnen aus Leben und Tod die ganze Wirklichkeit macht, indem sie das Eine ins Andere, das Andere ins Eine umschlagen läßt: *Meine Kette* [!] *hab' ich dir gegeben; | Deine Locke* [!] *nehm' ich mit mir fort (V. 185 f.).* Das Sich-Geben-Lassen (V. 86) steht dem Sich-Nehmen-Lassen (V. 90 f.) perspektivisch für Machates voran. Der erneut beschwörende Imperativ lautet: *Liebchen, bleibe hier (V. 82)!* Diese goethesche Wendung, die als Forderung und Leistung *subjectiver Gewalt* zu gelten hat und eben kraft dieser, dh. zugleich durch das Medium der *Kunst,* nicht der *Natur* für sich selbst *die Erscheinungen zu realisiren* vermag, ist so antik, wie sie es modern, so *südlich,* wie sie es *nördlich* damals zu sein vermochte. Das Geschehen ist freilich weniger als ein äußeres gestaltet, es ist als inneres betont. Dergestalt ist es, wenn nicht (oder weil) psychisch virtuell, sehr wohl mythisch und nicht mehr *vampyrisch.* Die Wirklichkeit hat sich nicht nur zu der Aufhebung der Geschlechterpolarität, sondern zu der noch tieferen κοινωνία von Leben und Tod emporgesteigert. Diese auszeichnende Erfahrung überwältigt den Liebenden, aber seine κοινωνία, von der Goethe ebendeswegen nicht spricht, wird zum funkelnden Fest: *Wenn der Funke sprüht, | Wenn die Asche glüht, | Eilen wir den [alten] Göttern zu (V. 194–196).* Die *[alten] Götter* sind die Formel für die gesteigerte, andere, stärkere Wirklichkeit, in der alle Zweiungen, auch die von Leben und Tod, im Wechselspiel ihrer Gegensätzlichkeit sich „aufheben". Sind solche Zweiungen (gewissermaßen) Naturwerk wie die von Mann und Weib und von Leben und Tod oder sonst *Magnetes Geheimniß (I/2, 218)* analog, so ist damit alles gesagt und eine Wahrheit von urbildlichem Range ausgesprochen. Hat sich aber *hinter des Menschen alberner Stirn (I/2, 195)* das (gewissermaßen)

Kunstprodukt einer anderen Zweiung ergeben, so vergiften sich die Spannungen und werden tödlicher als der Tod: *Opfer fallen hier, | Weder Lamm noch Stier, | Aber Menschenopfer unerhört (V. 61–63).* Goethe bezieht auch diese dritte Gegensätzlichkeit ein und bereitet dadurch den Liebenden das schlimmste Trennungsschicksal. Er setzt sie einem immer wieder neu zu bestehenden Antagonismus der Weltalter aus und läßt sie durchaus im Sinne eines klassischen Gastes an *den Tischen der Griechen (Bdm. 3, 258)* leiden unter der Götter-Entfremdung, dh. unter der Diskrepanz zwischen (antikem) Heidentum und (modernem) *Christentum.* Er läßt sie wohl leiden, aber nicht zugrunde gehen, denn sie entfliehen und *eilen . . . den alten Göttern zu (V. 196),* sei es auch in der Flammenumarmung des Feuerstoßes. Hier spricht nicht nur motivisch, sondern thematisch die *Klassik. Die erste Walpurgisnacht* (vgl. hier Sp. 636–638) bedient sich einer milderen Tonart. Man denke aber auch an die zeitgenössischen Auflehnungen gegen Konvenienzehen, gegen Klosterzwang, gegen Gewissensknechtung, gegen Pfaffenunwesen usw.; Goethe kannte zB. den Briefroman D*Diderots: „La religieuse" seit 1781 (IV/5, 69), 1795 wurde eine deutsche Übersetzung für Schillers Horen erwogen (IV/10, 348 f.), 1796 erschien die erste französische Buchausgabe in Frankreich, 1797 wirkte die Geschichte dieser „Nonne wider Willen" in Goethes *Braut von Corinth* deutlich mit (HLichtenberger S. 294 f.). „Der weiße Schleier, das weiße Gewand und das schwarzgoldene Band um die Stirne bilden das Kleid der Himmelsbraut, als die das Mädchen im Kloster gelebt hat und, nach christlichen Gebräuchen mit Weihwasser – ‚Salz und Wasser' – besprengt, beerdigt worden ist. Bedeutsamkeit umwittert auf der Tafel auch der Ceres und des Bacchus Gaben, Brot und Wein. ‚Die sich vom Brote Nährenden' werden die Lebenden von Homer genannt. Die Toten aber, die sich um Odysseus drängen, schlürfen Wein. Zu ihnen gehört der ‚seltene Gast'. Wenn der Jüngling ihr, der Abgeschiedenen, eine Locke gibt und eine Kette aus ihrer Hand empfängt, so ist er ihr verfallen. Erst allmählich wird es klar, daß in der weltgeschichtlichen Stunde dieser Nacht kein Ding mehr schlicht in seinem eigenen Wesen ruht, daß die Wohnlichkeit des irdischen Raumes aufgehoben ist und Götter nun Dämonen sind" (EStaiger 2, S. 309). Die Flamme aber wird zur Reinigerin, zur Retterin, zur Repräsentanz des echten, alten, freien Glaubens, insofern zur (vor- oder nachläufigen) Form der *κοινωνία* mit diesem inmitten der Feindschaften zwischen griechischem Heidentum und pfäffischem Christentum, zwischen großzügiger *Humanitätsgesinnung und kleingeistiger Kanzeldoktrin. Seit wann die *anmutigen Bilder,* die *schönen Träume,* die *so lange befreundeten glänzenden Erscheinungen* im Verlauf solcher *immer um und umbildenden* Geistes-Beschäftigung begannen, die Züge, wenn schon nicht die Namen von Machates und Philinnion anzunehmen, ist nicht festzustellen. „Wir können nicht erraten, welches krause Sammelwerk des 17. Jahrhunderts ihm [Goethe] so früh zuerst von Machates und Philinnion, des Demostratos und der Charito verstorbener Tochter, erzählt hat" [ESchmidt: Goethe Jb 9 (1888), S. 230]. Namhaft gemacht worden sind verschiedene Kompilationen verschiedener Autoren (zB. PLe Loyer de la Brosse; MA del Rio; MZeiller; „Der persianische Robinson"). Für 1797 kommt auf alle Fälle infrage JPraetorius: Anthropodemus Plutonicus, das ist eine Neue Weltbeschreibung von allerley Wunderbaren Menschen. Magdeburg 1668. Cap. VII: Von gestorbenen Leuten. Denn Goethe zog dieses Werk damals auch für seine Vorarbeiten zur *Walpurgisnacht* heran (vgl. I/14, 300). Später, vom 23. II. bis zum 9. V. 1801 benutzt er (nochmals?) NRemigius: Daemonolatria oder Beschreibung von Zauberern und Zauberinnen. Der bösen Geister und Gespenster wunderseltzame Historien. Hamburg 1693 (Keudell Nr 249). Alle diese Kompilationen gehen hinsichtlich der *Braut von Corinth,* dh. hinsichtlich der Geschichte von Machates und Philinnion zurück auf Publius Aelius Phlegon, den Freigelassenen Hadrians aus Tralles. Aber die Verschmelzung des antik-überlieferten Mythischen mit dem angeblich variierten *Vampyrischen* und die thematisch verdreifachte *κοινωνία* sind in Goethes *Braut von Corinth* dichterisch nicht selbstzwecklich da. Das Zusammentreffen von chronologischen wie systematischen Beziehungen zu Cellinis *subjectiver Gewalt, sich die Erscheinungen zu realisiren,* ereignet sich in der Zentralsphäre der gleichzeitig neu anlaufenden *Faust-*Arbeit. Nach *vierzig bis fünfzig Jahren* waren goethesche Tiefenthemen, *in der Einbildungskraft . . . immer umgestaltet, doch ohne sich zu verändern einer reineren Form, einer entschiednern Darstellung entgegen* gereift *(II/11, 60).* Im Hinblick auf den *Faust* als das letzte und eigentliche *Hauptgeschäft* (18. V. 1827: *III/11, 58*) und insofern im Hinblick auf die end-

liche und doch wohl mehr als nur klassische *Ausgleichung* der *Gegensätze* zwischen *Christlicher* und *Heidnischer Religion* (6. VI. 1824: *Aber eigentlich* [das heißt hier in echtem Polaritätsdenken doch wohl: jede für sich allein!] *taugten beyde Nichts: UKM S. 118:*), zwischen *nord- und südlichem Gelände* (1815: *I/6, 10*), exakt im Hinblick auf die *Faust/Helena-*Begegnung kann die in den Junitagen 1797 gewonnene Form, also ein rundes Menschenalter vor der vollendeten *klassisch-romantischen Phantasmagorie* (10. VI. 1826: *I/15^{II}, 213*), wenn es auch schon eine *reinere Form,* eine *entschiednere Darstellung* ist, nur eine Vor-Form sein. Das von Goethe namenlos gelassene Paar Machates und Philinnion intendiert und antizipiert *Faust* und *Helena.* Die *Braut von Corinth,* als B. durchaus im Sinne des goetheschen B.-Schaffens, wird zum Gefäß dieser Antizipation, sie nimmt in Vor-Leid und Vor-Freude die Kulmination dieser (spät erst ganz ausgereiften) Begegnung vorweg, sie läßt sie zu einer Zeit, wo Goethe die endgültigen Konturen für den *nord-südlichen* Liebesbund plant, wenigstens im Vorgefühl wirklich sein, auch oder gerade weil der Schluß eine Art von Flucht (oder Ausflucht?) ist, – sie ist das *lebendige Ur-Ei,* in dem die *Elemente* aller Dichtarten *noch nicht getrennt, sondern . . . zusammen sind* und *das nur bebrütet werden darf,* um als *herrlichstes Phänomen auf Goldflügeln in die Lufte zu steigen (I/41^{I}, 224).* Sie kann dies nach Goethes B.-Auffassung nur sein, indem sie sich *freudvoll und leidvoll* im Vorgefühl verhält – bebend in der Bängnis des Vorgefühls, *in schwebender Pein.* Daher die vielbedeutsam kunstvolle Form der Gesamt-Komposition, der Strophe, des Einzelverses, das oft fast unterirdisch Klingende und Schwingende in langen wie in kurzen Zeilen. EStaiger betont, daß „alle metrischen Zäsuren unfehlbar mit denen des Geschehens zusammenfallen" (2, S.310 f.). Das ist eine eminent tänzerische Qualität, ein tiefgehendes Zeugnis für die Wesenserfassung tänzerischer Touren. Ebenso und vielleicht noch stärker das elektrisierende Wechselspiel zwischen Fünfhebigkeit und Dreihebigkeit und zugleich zwischen klingenden und stumpfen Reimen. Endlich die Fügung und Ordnung der Reime: a b a b c c b. „In erster Linie ist es aber doch die Strophe selbst, die Folge der vier längeren und zwei kürzeren Zeilen, denen eine letzte, wieder auf die zweite und vierte gereimte längere Zeile folgt, was uns das ganze Gedicht hindurch, achtundzwanzigmal, in immer neue, ja sich gegen

Schluß noch steigernde Erregung versetzt. Goethe hat in den über sechzig Jahren seines dichterischen Schaffens unzählige Strophenformen erfunden, unzähliger schon bestehender sich in einem neuen Geiste bedient. Aber der höchste Preis gebührt der in dem einen metrischen Schema erzielten Mannigfaltigkeit der lautlich-rhythmischen Magie in der Ballade: Die Braut von Ḳorinth" (EStaiger 2, S. 311). Und wenn es denn in der Tat so ist, so muß es verwunderlich sein, daß man die Wiederkehr gerade dieser Strophe noch nicht beachtet und daß man die absichtsvolle, beziehungsreiche Bedeutung dieses Faktums noch nicht bedacht hat. Das Schluß-Terzett *Euphorion – Faust/Helena – Euphorion (I/15¹, 236, V. 9870–9890)* bedient sich – in charakteristischer Abwandlung – derselben Strophenform. Es erwählt unter vielen, vielen gerade diese und bekennt sich dergestalt zu der Parallele mit Machates und Philinnion. Das Charakteristische der Abwandlung liegt zunächst darin, daß die in der *Braut von Corinth* wirksamen Intentionen sich 1797 also noch in der erst halben Form einer (einzigen) heimlichen und unheimlichen Liebes-Nacht und einer (gemeinsamen) Flammenflucht realisieren mußten (vgl. 10. VI. 1797: IV/12, 192), daß 1827 aber die ganze, wenn auch in *klassisch-romantisch-phantasmagorischem* Sinn: ganze Form eines (zeitlich nicht begrenzten, fruchttragenden) Liebes-Bundes zwischen *Faust* und *Helena* mit *Euphorion* als beider Sohn erreicht und sogar behauptet, dh. *mit dauernden Gedanken ... befestiget (I/14, 23, V. 349)*, nicht bloß „ausgesagt" wird: *Zurückgegeben sind wir dem Tageslicht, | Zwar Personen nicht mehr, | Das fühlen, das wissen wir, | Aber zum Hades kehren wir nimmer. | Ewig lebende Natur | Macht auf uns Geister, | Wir auf sie vollgültigen Anspruch (I/15¹, 241, V. 9985–9991). Vollgültigen Anspruch:* zwar nicht auf die Personen, aber auf die Wesenheiten (auf das *Allgemeine* im *Besonderen*) und auf deren unverlierbare Gegenwart erhebt nunmehr die *ewig lebendige Natur* – dies aber nicht allein: auch das Umgekehrte gilt zugleich. Die dreifache Thematik der Machates/Philinnion-Begegnung: die wirkliche und wesentliche, wahre Einung (κοινωνία) des Männlichen und des Weiblichen, des Lebendigen und des Toten, des Heidnischen und des Christlichen (dh. des Antiken und des Modernen, des Südlichen und des Nördlichen) geschieht mit der *Faust/Helena*-Begegnung nicht nur als Postulat, sondern als Resultat, nicht nur als Intention, sondern als Finale und

Extrakt einer lebenslangen Bemühung vor unseren Augen. Die Wirklichkeit einer geistigen Existenz, die sich keiner contradictio in adiecto schuldig machen will, ist nunmehr begründet und gegründet. Sie ist auf diesem Grunde (nur für Goethe?) auch gleichnisweise anders nicht mehr möglich. Die zunächst bemerkbare, charakteristische Abwandlung liegt auf der Grenzscheide zwischen Vorgefühl und Hochgefühl, zwischen der B. als derjenigen Form, die sich mehr nach jenem, und der Bühnendarstellung (*Oper) als derjenigen Form, die sich mehr nach diesem hinorientiert. Aber auch in Strophe, Gliederung und Eingliederung zeigen sich auch Varianten. Sie sind hier wichtig, weil sie der systematischen Bestimmung der goetheschen B. von der gleichsam anderen Seite her dienen. Die Strophenform des Schluß-Terzetts hat gewiß dieselbe hoch-charakteristische Fügung und Ordnung der Reime a b a b c c b. Doch jede einzelne Zeile ist um eine rhythmische Einheit kürzer. Diese Verkürzung ist Ausdruck einer bewegten, sich beschleunigenden und eben in solcher Bewegtheit dramatisch aufgipfelnden Endphase – eines echten Finale vor *Völliger Pause (I/15¹, 239)*, das kein Andante sostenuto (EStaiger 2, S. 310) mehr ist, sondern eher ein Allegro, vielleicht nicht molto, aber doch wohl con brio oder con fuoco, besser gar ein echtes Presto, bedrängend und bedrängt. Der Eindruck wird gesteigert durch den auf *Euphorion* (auftaktisch) – *Faust/Helena* (volltaktisch) – *Euphorion* (auftaktisch) verteilten Wechsel zwischen Auftakt und Volltakt. Nicht nur die langen, auch die kurzen Zeilen geraten in diese gewitternde Bewegung, wiederum verschieden in den Strophen *Euphorions* gegenüber der *Faust/Helena*-Strophe: *Nun fort – Nun dort || Sind denn wir – Gar nichts dir? || Und der Tod – Ist Gebot (I/15¹, 236).* Auch sollte man die Dreizahl der Strophen nicht übersehen, die in Goethes *Zahlen-Verständnis eine so bedeutungsschwere Stelle hat. Ferner hat *Euphorion* stets Solo-Strophen. *Helena und Faust* (sic!) aber haben gemeinsam eine, und zwar eine einzige Duett-Strophe: ihrem „*wir*", das Ich und Du nicht mehr unterscheiden läßt, steht schmerzlich bewußt und betont nur das „*du*", „*dich*", „*dir*" des angesprochenen Sohnes gegenüber. Die Frage: *Ist der holde Bund ein Traum?* betrifft die Dreiheit, nicht die Zweiheit. Eben die Dreiheit, auch die Dreiheit der Strophen, stürzt ikarisch aus der Höhe in die Tiefe – sie ist freilich immer in Gefahr, aber ihre Dauer ist die Stiftung der Wiederkehr durch die bewahrte Möglichkeit der Einweihung (WEmrich S. 412; 413–415). Endlich umschließen die Solo-Strophen *Euphorions* die eine Duett-Strophe *Fausts* und *Helenas*. So ist die Zweiheit auch kompositionell in den Kern gerückt, die Dreiheit aber so gestellt, daß ihr Sinnbezug als Ausstrahlung und Erfüllung zugleich vernehmlich werden kann. Im phorkyadisch-mephistophelischen *„Halte fest"* und in dem *„Hier bleibt genug" (V. 9945; 9948; 9958)* tönt es nach der *völligen Pause* ins Musiklos-Ungewisse, ja Leere, so bewahrt wie verloren fort: ortlos, zeitlos. Goethe hat die beredten Gesetze der *Komposition stets mit Sicherheit gewahrt. Als abschließende Form zeigt das *Faust-Helena-Euphorion*-Terzett auf der end-möglichen Kulmination rückleuchtend die Intuition der Machates/Philinnion-B. in so strahlendem Lichte, daß man sich gezwungen fühlt, die Namenlosigkeit der Beteiligten doch für absichtsvoll zu halten. Auch die Namenlosigkeit gehört mit zu dem Vor-Läufigen der B., für die goethesche B. ist sie geradezu gattungstypisch. Hier besonders, wo *Faust* und *Helena* gleichzeitig schon im Stadium des Gestaltwerdens sind und ihre Namen als (letzthinnige) Repräsentanz dieser Intentionen Konturen gewinnen, die sonst niemand mehr beanspruchen kann und darf. Diese Intentionen sind auch und gerade im Sommer 1797 etwas so Ungeheures und Unerhörtes, morphologisch, nicht aber chronologisch, so ganz und gar Archaisches, weil sie imgrunde auf den Ursprung jeder geistigen, dh. poetisch-dichterischen Existenz zielen, indem sie deren wirkliche und wesentliche Relationen (κοινωνίαι), Schrecklich-Schönes festlich sagend, festlich singend, festlich tanzend durch Wort-Ton-Bewegung offenbar machen und im Vorgefühl des kulminierend Wirklichen vollziehen. Kraft dieser Intention gilt die *Braut von Corinth* (nicht JGHerder; auch nicht Schiller, vgl. seine Briefäußerung an ChG*Körner: „Im Grunde war's nur ein Spaß von Goethe, einmal etwas zu dichten, was außer seiner Neigung und Natur liegt"; Anfang Juni 1797: ArtA 22, 254) vielen als Gipfel des goetheschen B.-Schaffens. Auf alle Fälle ist sie Vorstufe und Antizipation des *Faust/Helena*-Geschehens der *Klassisch-romantischen Phantasmagorie* (eingeschlossen die *Klassische Walpurgisnacht*, auch die erste *Helena*-Beschwörung im *Rittersaal*) und damit einer der wesentlichsten Wesensteile der ganzen *Faust*-Tragödie, so wie der *König in Thule* Vorstufe und Antizipation des *Faust/Gretchen*-Geschehens war – Vorstufe und Antizipation

durchaus eines „Gesamtkunstwerks". Wenn Goethe sogar Schiller gegenüber so stark betonte, daß die *Braut von Corinth* nur ein „Spaß" wäre, so bekundete er damit um so kräftiger, wie groß sein „Ernst" bei dieser Sache war (vgl. dazu das Gespräch über den Humor, in dessen Zusammenhang gerade die *Braut von Corinth* besprochen wird: 6. VI. 1824, UKM S. 116–118; vgl. auch WE*Weber). Er *entschloß sich ungern dazu, diesen, ihm seit so lange befreundeten glänzenden Erscheinungen ein Lebewohl zu sagen . . .; es war ihm, als sollte* er sich *auf immer von einem geliebten Freunde trennen*. Tatsächlich dauerte es ein rundes Menschenalter, bis Machates und Philinnion endlich als *Faust* und *Helena* wiederkehren und nunmehr in gültigerer Form zueinander finden konnten. Doch auch diese Kulmination ist, wie alle, janusköpfig. Sie verzehrt sich im Licht.

Die *Indische Romanze* (so im Tagebuch am 9. VI. 1797: *III/2, 73*), bzw. die *Indische Legende* (so 1798 bei der Erstveröffentlichung in Schillers Musenalmanach S. 188): *Der Gott und die Bajadere (I/1, 227–230)* gehört ebenfalls in den Zeit- und Sachzusammenhang der wieder beginnenden *Faust*-Arbeit. Auch sie hat Ungeheures und Unerhörtes zum Thema, freilich in ganz anderen Bereichen als die *Braut von Corinth*. Genau wie diese (und noch einige andere: II/11, 60) zählt Goethe den *Gott und die Bajadere* am 10. III. 1830 in erster Linie zu denjenigen B.n, die er *schon seit vielen Jahren im Kopf* getragen, ehe er sie aufgeschrieben hätte (Bdm. 4, 230). Den Stoff vermittelte ihm spätestens PSonnerats Bericht über eine Reise nach Ostindien und China (1774–1781), der 1783, verdeutscht von JPezzl, in Zürich erschienen war. Goethe las das Werk 1783/84, und hauptsächlich wegen des *Paria-Stoffes auch später wieder (1810; 1821; vgl. Keudell Nr 652; 1413). Die Lektüre des Stoffes ließ sich mit Intentionen verbinden, die immer wieder themenbildende Kraft entwickelten, etwa und zunächst insofern als es dabei um Ausdruck und sogar um Rechtfertigung der *Liebe* Goethes *zu der Classe von Menschen* ging, *die man die niedre nennt! die aber gewiss für Gott die höchste ist* (1777: *IV/3, 191;* vgl. **Adel/Adelung*, Sp. 51–53). Mit einem spiegelbildlichen Rollentausch – wohl auch als eine jener goetheschen *Spiegelungen (I/42^{II}, 56 f.)* gemeint – wird nach 1782/83 im Zuge der *delikaten und gefährlichen Arbeit* an der *Werther*-Neufassung *(IV/6, 96)* der liebende Mann zum Vertreter der *niedren Classe*, die geliebte Frau zur Angehörigen einer sozial höheren Schicht. Goethe fügt gerade diese Episode bei der weimarer Umgestaltung ein: *Lies, mein Geliebter, und denke dabei, daß es auch die Geschichte deines Freundes ist. Ja, so ist mir's gegangen, so wird mir's gehn, und ich bin nicht halb so brav, nicht halb so entschlossen als der arme Unglückliche, mit dem ich mich zu vergleichen mich fast nicht getraue (I/19, 119;* vgl. AkA *Die Leiden des jungenWerthers I, 93–96).* Dieser Zusatz stellt in der Tat eine *wiederholte Spiegelung* dar. Es spiegelt sich nicht allein *Werthers* Situation (A), es spiegelt sich auch Goethes eigene Schicksalslage (B), außerdem spiegelt sich zumindest in gewissen, blassen Reflexen die unmittelbar parallellaufende Sonnerat-Lektüre (C), wenn auch infolge des Rollentauschs nur verhüllt und keimhaft. Die hier (1797) vorwaltende Spiegelung A:B:C zeigt freilich noch bei weitem nicht die späteren Möglichkeiten (1802) des *Hochzeitliedes* A:B:C:D(:A). Aber die dergestalt analogienbildende Gleichniskraft des Vorwurfs läßt doch schon ahnen, was im Verborgenen sich zu entwickeln vermag. In ebendieser Verborgenheit ist der Umgestaltungsprozeß an und in der Sonnerat-Erzählung weitergegangen. Er betraf nun erst das für Goethe Eigentliche. Die Rollen werden zurückgetauscht, um das Thema, *in der Einbildungskraft . . . immer umgestaltet (II/11, 60),* doch im Wesenskern unverändert, *reiner* und *entschiedner* darstellen zu können. Die Sonnerat-Erzählung berichtete von „Dewendren", dem Herrn der indischen Halbgötter, und von der „Devadasi", die ihm in der Liebe ihrer *Classe,* dh. in der Form der sogenannten Tempel-Prostitution dient, in dieser aber und durch diese zu ihrer wirklichen Liebes-Berufung erwacht. Seit PSonnerat, wesentlich durch Goethe, ist das französische (bayadère), ursprünglich portugiesische Wort (bailadera/balhadera/balliadera: Tänzerin, Freudenmädchen) im deutschen Wortschatz heimisch und hat bis heute den Glanz nicht verloren, den erst Goethe ihm gab, um ein nach abendländisch-christlicher Moral verachtetes Geschöpf zu benennen, das allein (aber doppelpolig) durch die Himmelsgewalt der Liebe geadelt und das durch ebendiese Himmelsgewalt von allen Erdenlasten dann erlöst wurde. Mit der originalen Wirklichkeit indischer Denk- und Daseinsformen hat das alles freilich wenig oder nichts zu tun (vgl. ETrunz: HbgA 1, S. 537 f.; besonders EMButler: Pandits and Pariahs. In: German Studies, presented to LAWilloughby. 1952, S. 26–51). Völlig außerindisch: Die *Erlösungs-Idee, und zwar in einem ganz spezi-

fischen Modus, ist hier das für Goethe Eigentliche, das von innen her Bewegende, das ihn je und je erfüllte, am frühesten wohl im Lichte des Lukas-Evangeliums (VII, 36–50; vgl. *Magna Peccatrix: I/151, 334).* Sie ist auch das Ungeheure, das Unerhörte. Die (vermeintliche) Affinität der indischen Legende eben zu dieser Erlösungs-Idee machte Goethe die Sonnerat-Erzählung (in Verbindung mit dem *Paria*-Thema) lieb vor anderen: *Denn du hast den Bajaderen | Eine Göttin selbst erhoben; | Auch wir andern, dich zu loben, | Wollen solch ein Wunder hören (I/3, 9).* Der legitime Raum für die Erlösungs-Idee aber ist die *Faust*-Dichtung. Am 6.VI. 1831 erläutert Goethe seine *Faust*-Verse: *Gerettet ist das edle Glied | Der Geisterwelt vom Bösen, | „Wer immer strebend sich bemüht | Den können wir erlösen." | Und hat an ihm die Liebe gar | Von oben Theil genommen, | Begegnet ihm die selige Schaar | Mit herzlichem Willkommen (V. 11934–11941)* in einem Gespräch mit JPEckermann: *In diesen Versen . . . ist der Schlüssel zu Fausts Rettung enthalten: In Faust selber eine immer höhere und reinere Tätigkeit bis ans Ende, und von oben die ihm zu Hilfe kommende ewige Liebe. Es steht mit unserer religiösen Vorstellung durchaus in Harmonie, nach welcher wir nicht bloß durch eigene Kraft selig werden, sondern durch die hinzukommende göttliche Gnade (Bdm. 4, 374).* Man darf annehmen, daß die Erlösung *Fausts* schon mit der *Conception . . . jugendlich von vorne herein klar . . . vorlag (17. III. 1832: IV/49, 282;* vgl. EBeutler in: ArtA 5, 707–709). EGrumach gelingt es glaubhaft zu machen, welche Konturen für die Erlösungs-Idee aus den Zeugnissen eines *alten noch vorräthigen Manuscriptes (5. V. 1798: IV/13, 136)* für die entscheidungsvollen Früh-Sommerwochen 1797 erschließbar sind: „In keinem Fall kann das, was wir als die leitende Idee des Ganzen empfinden, sich erst im Laufe der neunziger Jahre unter dem Einfluß Schillers gebildet haben. Der Gedanke, Faust als d e n Menschen in das große Spiel zwischen Gott und Teufel zu stellen, muß wesentlich älter sein, als die Faustforschung gewöhnlich annimmt" (EGrumach: Prolog und Epilog, S. 70 f.). In diesem Zusammenhang erhält ein „gern übersehenes Paralipomenon" (ebda S. 80) alsdann seine besondere Bedeutung: *Siehst du er kommt den Berg hinauf | Von Weitem steht des Volckes Hauf. | Es segnen staunend sich die Frommen | Gewiss er wird als Sieger kommen* (Paralip. 49: *I/14, 305).* „Die Verse gehören, was bisher nicht beachtet ist, zu den *Spähnen,* die Goethe auf den Außenseiten des Prologentwurfs [also nicht für die Satanszenen und nicht als ‚Parodie Christi'; vgl. ESchmidt, MHecker, HJ Weitz] gesammelt hat. Sie müssen daher vor 1797 entstanden sein und lassen sich schon deshalb nicht, wie Morris annimmt, dem *Epilog im Chaos auf dem Wege zur Hölle* [*I/14, 287*] zuweisen … Soviel wird aber richtig sein, daß es sich um einen Sieg Christi handelt, der auch für den Ausgang der Fausthandlung von Bedeutung ist, obwohl dieser Sieg … nicht nur im Kampf um Fausts Seele errungen sein kann. Denn schon das gläubige Staunen der wartenden Menge zeigt, daß hier von einem größeren Sieg die Rede ist. Der Sieg, zu dem *sich staunend die Frommen segnen* und den *des Volckes Hauf von Weitem* erwartet, kann nur der Sieg Christi über die Hölle und Lucifer sein … Trifft dies zu, dann haben wir im Paralip. 49 den einzigen uns erhaltenen Rest des ältesten Schlußplans vor uns, nach dem die der Hölle schon verfallene Seele Fausts mit allen andern sündigen Seelen durch Christus aus der Hölle gerettet wurde, um in einem abschließenden Prozeß zwischen Christus und Lucifer ihre endgültige Begnadigung zu finden" (EGrumach: Prolog und Epilog, S. 80f.; vgl. dazu auch Morris 2, 28). Man muß daraus mit EGrumach folgern, daß schon erheblich vor dem *Schema* vom 23. VI. 1797 *(III/2, 74)* Prolog und Epilog, dh. Eingang und Ausgang, also auch die Erlösung konzipiert waren; Goethe wollte damit die *Ausführung des Plans, der eigentlich nur eine Idee ist,* näher vorbereiten und schrieb weiter: *Nun habe ich eben diese Idee und deren Darstellung wieder vorgenommen und bin mit mir selbst ziemlich einig (IV/ 12, 167).* „All das schließt eine grundlegende Änderung des Planes in den Junitagen 1797 aus, die sich auch schon deshalb verbietet, weil das Schema ganz offensichtlich nicht neu geschaffen, sondern aus der Ordnung des alten Manuskripts entwickelt wurde … Die frühen Prolog- und Epilogfragmente … lassen … wenigstens die Konturen des alten Planes ahnen: Faust sollte ein Spiel werden von der neuen Versuchung Adams, von dem letzten vernichtenden Anschlag Lucifers gegen den Menschen, der durch Christus gerettet wird" (EGrumach: Prolog und Epilog, S. 81; 107). Wir erinnern uns aufs neue der eindringlichen Wiederkehr jener Psalmenfrage: „Was ist der Mensch, daß du seiner gedenkest und das Menschenkind, daß du dich seiner annimmst" (8, 5; 1774, 1776, 1777 zweimal, 1784?; wegen ihrer Bedeutung für Goethes B.-Schaffen auch in anderer Entwicklungsstufe vgl. Sp. 624 f.).

Wenn die *Faust*-Arbeit in den Frühsommerwochen 1797 wieder ingang kommt, so muß und wird die Frage des Schlusses, dh. nicht die: ob „Verdammnis" oder „Erlösung", sondern die: „Erlösung in welcher Form" akut geworden sein. Diese Frage ist es, die unter der anderen nach *Helena* das Ganze wieder fließen macht. Cellini und seine *subjective Gewalt,* dh. Goethe und seine durchaus aktive Wesensart haben gerade um diese Zeit mehr Anteil des Menschen am Erlösungswerke gefordert – im Sinne der berühmten, freilich späteren Formel: *Wer immer strebend sich bemüht … (V. 11936;* vgl. dazu auch Paralip. 196: I/15[II], 244; vgl. ferner die *Maxime* aus dem Nachlaß: *Es ist keine Kunst, eine Göttin zur Hexe, eine Jungfrau zur Hure zu machen; aber zur umgekehrten Operation, Würde zu geben dem Verschmähten, wünschenswerth zu machen das Verworfene, dazu gehört entweder Kunst oder Charakter,* MuR: Hecker *Nr 855).* Mit dieser Forderung, den Anteil des Menschen am Erlösungswerke angemessen zu aktivieren, beginnt eben in den Frühsommerwochen 1797 eine neuorientierte Arbeitsphase, die von der alten, bzw. älteren Christus-Lucifer-Version fortführt. Als Antizipation des neuen Ausgangs der *Faust*-Tragödie, als vor-läufige Form der Erlösungs-Idee, als *Vorgefühl* dieses nun wirklich allerhöchsten, aber auch allerletzten Augenblicks entsteht – noch sehr in statu nascendi – aufgrund der Sonnerat-Erzählung die B. *Der Gott und die Bajadere,* in der freilich der Erlösungs-Akt doppelpolig ist. Die *Bajadere* wird durch die *subjective Gewalt* ihrer sehr wohl durch einen Gott: durch den höchsten Gott ausgelösten, aber sie als Menschen erstmals und ganz irdisch betreffenden, überwältigenden, verwandelnden Liebe erlöst. Sie wird erlöst ebensowohl wie sie sich selbst erlöst: *Und sie weint zum erstenmal (I/1, 228, V. 48)* – wir wissen, was die *Träne für Goethe als Realität und zugleich als Symbol bedeutet hat. Diese Doppelpoligkeit von Aktivität *(subjective Gewalt)* und Passivität *(Unsterbliche heben verlorene Kinder / Mit feurigen Armen zum Himmel empor: V. 98),* von Reue und Gnade ist in dieser Dualität Ausdruck doch nur des einen, einzigen, großen, weltenschaffenden und welterhaltenden Gefühls der Liebe, einer Liebe, die nicht Agape, sondern Eros ist in allen Stufen: „Die Bewegung des Eros ist eine allgemeine" (FJvRintelen, S. 296). Goethe kräftigt diese Dualität, diese Doppelpoligkeit. Er steigert sie, indem er die Pole mit ungeheurer und unerhörter Geistes- und Seelenanstrengung extrem auseinanderzieht, so extrem, daß letzte Reserven aufgeboten werden müssen, um die Spannung überhaupt und sei es nur: bestehen zu können. So wird aus „Devendren", dem Herrn der Halbgötter, „Maha Deva" (Goethe: Mahadöh, nach der französischen Schreibung Mahadeu, die er ebenfalls dem Werke P Sonnerats entnahm): der höchste Gott („Śiva"); aus der „Devadasi" oder „Daatseri", dh. aus der kultisch legitimen Angehörigen des höheren oder niederen Tempeldienstes, bzw. aus der „Nartagui", die alle als irdische Abbilder der himmlischen Tänzerinnen galten und in ursprünglich ordensähnlichen Bindungen lebten, wurde – schon in der seinerzeit maßgeblichen *Indien-Literatur (noch nicht bei Marco Polo, 1271–1295) mißverstanden – die Prostituierte im abendländisch christlichen Sinn, die Tänzerin und Dirne, die bailadera/balhadera/balliadera im schnellfertig abschätzigen Wortgebrauch der dorthin gelangten portugiesischen Kolonisten, Missionare und Matrosen. P Sonnerat hatte sich in seinen Äußerungen wenigstens noch so weit zurückgehalten, als er die Möglichkeit offenließ, daß diese „nach allem Anschein) so verworfen käuflich tanzenden und liebenden Bayadèren eigentlich doch echte Hierodulen („Devadasis" oder „Daatseris") gewesen und daß deren sakrale Liebes- und Leibeshingabe doch wesentlich anders geartet wäre als das profane Unzuchtsgewerbe, das die abendländischen Kulturen in ihrer Prostitution so vielförmig entwickelt haben. Noch gegen Ende der Goethe-Zeit, vornehmlich 1837 konnte man solche Bajaderen auf Europa-Tourneen in den großen Hauptstädten treffen. Man konnte dabei sein (vielleicht etwas zu pharisäisch) gutes Gewissen wieder einmal bestätigt finden. Man konnte aber die Fremden entwurzelt und verführt auch im Zwielicht oder im Dunkel untergehen sehen. Dieser Interpretation in Richtung auf das durchaus *Huren*hafte und *Verworfene (mit gemahlten Wangen | Ein verlornes schönes Kind . . . Bajadere, | Und dieß ist der Liebe Haus; I/I, 227 V. 14 f.; 18 f.)* folgte Goethe, nicht um ihr zu folgen, sondern um im Sinne seiner zeitlich kaum exakt fixierbaren *Maxime* eine *Operation* zu wagen, die vermöchte *Würde zu geben dem Verschmähten, wünschenswerth zu machen das Verworfene* und die ein Beispiel der Erlösung des Verlorenen und Verdammten werden sollte. Nicht nur die Spannung zwischen den Polen des Erhabenen und des Verworfenen steigert Goethe superlativisch – er macht auch mit dem Sterben ganzen Ernst, er bringt seine *Paare in das*

Feuer und aus dem Feuer und spielt dabei nicht nur zum Scherz auf das *Element an (IV/12, 152): Und mit ausgestreckten Armen | Springt sie in den heißen Tod (V. 91 f.).* Diese, sagen wir, κοινωνία zwischen Leben und Tod, dh. die Einsicht in das Wirklichkeits-Ganze als in ein dialektisches Relationsgefüge trat schon in der *Braut von Corinth* hervor, paradigmatisch auf die heraklitisch wechselweise umschlagende „Ein- und Dasselbigkeit" des Männlichen und des Weiblichen, des Lebendigen und des Toten, des Heidnischen und des Christlichen, des Südlichen und des Nördlichen und insofern durchaus auf die *klassisch-romantische Phantasmagorie* der *Faust/Helena*-Begegnung (thematisch) gerichtet. Hier, und zwar sub specie der Erlösungs-Idee verlangt und entworfen, ereignet sich die κοινωνία zwischen den superlativischen Extremen der höchsten Höhe und der tiefsten Tiefe: *Der Göttliche lächelt; er siehet mit Freuden | Durch tiefes Verderben ein menschliches Herz (V. 32 f.).* Der Gedanke war schon (nicht vor 1790) goethesch vorgeformt, aber seinerzeit (1796! und später) unterdrückt: *Wundern kann es mich nicht daß unser Herr Christus mit* [unleserlich] *| Gern und mit Sündern gelebt, gehts mir doch eben auch so (I/53, 9);* gedruckt wurde 1796 die mildere Fassung: *Heilige Leute, sagt man, sie wollten besonders dem Sünder | Und der Sünderin wohl. Gehts mir doch eben auch so (I/I, 324 Nr 71;* vgl. dazu auch Nr 72). An solchen Formulierungen hat gewiß Christiane ihren rührenden und bewegenden Anteil, der so lebensvoll ist, daß er erhalten bleibt (vgl. E Staiger 2, S. 308). Aber er hat und ist nicht das letzte Wort. Im Fortgang bis zum *Gott und der Bajadere* geht die κοινωνία zwischen dem Höchsten und Tiefsten auf das Wirklichkeits-Ganze. Sie begründet es und gründet es im Sinne des *Faust*-Prologs (I/14, 23; V. 346 bis 349). *Kunst oder Charakter,* imgrunde beide *gehören dazu,* dieses Wirklichkeits-Ganze durch die Vereinbarung des Unvereinbaren, durch die *Ausgleichung* superlativisch extremierter *Gegensätze (UKM S. 118)* zu vollziehen und die geheimnisvolle Verknüpfung des *dunklen Dranges* mit dem *rechten Wege (I/14, 22 V. 329 f.)* sichtbar herzustellen. „Der Liebesakt ist die Transsubstantiation des menschlichen Wesens, seine Verwandlung ins Höhere. Er zeugt nicht nur physisch, er zeugt die Zeugenden. Und ebenso verrät sich, wie im Divan, welchem Grund die vergötternde Kraft entsteigt, die in den Frauen Urbilder menschlicher Anmut und menschlichen Wertes verherrlicht: das ewig Weibliche, das hinanzieht, ist nicht das Weib, sondern die Liebe zu ihm, und so folgt hier dem männlichen Gott und Erwecker die Seele in seinen Himmel" (MKommerell S. 371). „Die Liebesvereinigung von Gott und Geschöpf, von Ich und All ist hier verherrlicht als das Mysterium, das den Kern aller großen Erlösungs-Religionen bildet" (KViëtor S. 158). Die „Erlösung" wird zur „Wandlung". Goethes Antwort auf das Verhängnis des Tragischen ist die Verheißung der Metamorphose. Diese Antwort wird in einem Sinne gegeben, der hier eigentlich weder christlich noch heidnisch ist und der vielleicht mehr als nur nominell mit „Indien" zu tun hat (MKommerell, S. 366–371). Thematisch entspricht Goethes B. *Der Gott und die Bajadere* den *Faust*-Intentionen der Sommerwochen 1797, und zwar denen, die von einer vorerst noch mehr gesuchten als schon gefundenen Neu-Konzeption der Erlösungs-Idee bewegt wurden. Das Ungeheure und Unerhörte dieser Thematik betraf (analog dem Umgestaltungsprozeß des *Vampyrischen* in der *Braut von Corinth*, vgl. Sp. 651) die Subjektivierung, die Aktivierung des menschlichen Anteils am Erlösungswerk, das nunmehr nicht anders entworfen und vollbracht werden konnte als in aktivisch-passivischer Doppel- und Wechselwirkung. Es ging auch und hier um eine Überführung aus der Sphäre des Unpersönlichen (Christi Kampf mit Lucifer um die Rettung aller sündigen Seelen aus der Hölle) in die des Persönlichen *(immer strebend sich bemühen)*. Formal entspricht Goethes B. dieser ungeheuren und unerhörten Thematik durch den rhythmisch unvermittelten Umschlag von trochäischer in daktylische Bewegung. Beide Bewegungscharaktere sind so ungleichartig, daß der Schreitende und Darstellende gewissermaßen erst nach einer leichten, aber unerläßlichen Verhaltung (vgl. Tanzterminologie) von der einen in die andere Gangart findet, durch die nachhallende Reimbindung sogar an diese Verhaltung noch einmal (überdies fermatisch) erinnert wird. Kein Zweifel: Die *Kunst* gerade dieser B.-Strophe ist außerordentlich. Sie ist so außerordentlich wie der *Charakter*, ohne deren beider Außerordentlichkeit es schon in der B. nicht hätte *Ereigniß* (bereits im Sinne des *Chorus mysticus*) werden können, *Würde zu geben dem Verschmähten, wünschenswert zu machen das Verworfene,* das Verdammte zu erlösen, das Verstoßene aus dem Dunkel ins Licht zu führen. Durchaus einmaliger und durchaus adäquater Ausdruck dessen ist die Ungleichartigkeit, ja die Gegensätzlichkeit der Bewegungscharaktere in einer

und derselben Strophe, die ebendadurch das Geheimnis ihrer thematisch geforderten Struktur im (scheinbar) Äußeren ihrer Form offenbart. Man vergegenwärtige sich Hall und Widerhall der nach- und zusammentönenden Reimbindung: a (klingend) – b (stumpf) – a – b – c (klingend) – d (stumpf) – c – d – e (klingend) – e – d. Die (gemessene und durch unstrophische Doppelung elegischer gemachte) Liedartigkeit der zweimal vierzeiligen geraden Viertakter (mit insgesamt also 32 geradschrittigen Takten), deren trochäischer Bau volltaktig und darum eher fest als flüssig ist, wirkt mehr schwer als schwebend. Man höre den (nur nach entsprechender Verhaltung) nachvollziehbaren Umschlag in den auftaktischen, dreizeiligen Viertakter mit seinen insgesamt 12 dreischrittigen Takten, deren daktylischer Bau durchaus tänzerisch wirkt und auch so tänzerisch schwingend wirken soll, weil die *Bajadere* ja eine Tänzerin ist. Der auftaktische Einsatz, auch hier gleichsam aus dem Irgendwo und Irgendwann, aus dem Vielgeübten und Langvertrauten kommend, fängt die Bewegung ein, deren Wesen es ist, keinen Anfang und kein Ende zu haben: *Sie rührt sich die Cymbeln zum Tanze zu schlagen; | Sie weiß sich so lieblich im Kreise zu tragen, | Sie neigt sich und biegt sich, und reicht ihm den Strauß (I/I, 227 V. 20–22). Schmeichelnd (V. 23)* geschieht das, tändelnd, schlendernd wird die Einladung befolgt: *Und des Mädchens frühe Künste | Werden nach und nach Natur (ebda 228 V. 36 f.).* In diesem Augenblick aber beginnt die Metamorphose, so daß Goethe die Bewegungscharaktere funktional vertauscht. Episch erzählende, dramatisch erregende, untänzerisch lehrhafte, tänzerisch lebhafte Elemente wechseln die Gangarten. Das Ganze gerät dadurch in eine Schwingung, die bei dem schwellenden Spiel ihrer bildlichen und rhythmischen Überraschungen keine Monotonie duldet. Diese Überraschungen aber sind Entsprechungen, und indem wir uns ihnen hingeben und sie nachvollziehen, werden wir selbst nicht nur in den Tanz eingeschwungen, wir werden in ihm und durch ihn über die (superlativisch extremierten) Gegensätze hinausgehoben, wir erfahren die „Ein- und Dasselbigkeit" des Höchsten und Tiefsten und sind es selbst und sind es nicht, indem wir beide Pole zugleich in uns realisieren. In allem aber ist auch Goethes B. *Der Gott und die Bajadere* Antizipation. Sie ist nicht und vielleicht noch um vieles weniger als andere selbstzwecklich da. Und doch ist sie es als B. gerade deswegen: Sie nimmt im Vorgefühl die *fausti-*

sche Erlösung vorweg. Insofern ist sie durchaus eine goethesche B., sie ist Vorstufe eines (oder des) „Gesamtkunstwerkes". Sie entwirft und enthält (balladesk) alle die Grundmomente, die der Schlußakt des *Faust II*, vornehmlich die Apotheose in den *Bergschluchten* (I/15^I, 327–337) quasi als Oper ausführt. Übrigens sind dabei Anklänge an den Strophenbau (an den geradschrittigen Doppelvierer des trochäischen ersten Strophenteiles) bemerkbar, volltaktisch aber nur in dem Achtzeiler der *Maria Aegyptiaca* *(I/15^I, 335 V. 12053–12060)*. Man darf wohl fragen, warum nur dieser einen (sie ist von den dreien die schlimmste) die unabgewandelte Strophenform gewidmet ist: a (klingend) – b (stumpf) – a – b – c (klingend) – d (stumpf) – c – d – und warum außerdem nur diese drei beispielhaften Sünderinnen mit einem Gedankenstrich, vielleicht mit einem Gedankenschritt abbrechen, als bliebe der Tanz, der Umschlag in den auftaktischen, dreizeiligen Viertakter, in den schwingenden Dreischritt absichtsvoll fort – allenfalls in der Verhaltung aufgefangen, weil nun fehl am Platze?

Die dritte Entwicklungsstufe des goetheschen B.-Schaffens gestaltet in ihren beiden ungeheuersten und unerhörtesten Zeugnissen Antizipationen der neuen *Faust*-Arbeit: *Die Braut von Corinth* nimmt als Gefäß und Ausdruck im *Vorgefühl*, in Vor-Freude und Vor-Leid die *Faust/Helena*-Begegnung vorweg. *Der Gott und die Bajadere* gibt den Intentionen und den Konturen, in denen sich über ein Menschenalter später das Erlösungswerk in und an *Faust* ereignen darf, eine vor-läufige, erste Form. In beiden Fällen kehrt die für diese Antizipationen 1797 gefundene B.-Strophe charakteristisch modifiziert und an thematisch wie kompositionell jeweils hervorragender Stelle wieder, um dem Aufmerkenden die Zusammenhänge bedeutsam zu bekunden. Goethe bedient sich der B., wie er sie selbst als das *lebendige Ur-Ei* aller *Dichtarten* systematisch (und historisch), dh. archaisch im morphologischen Sinn begriff und beschrieb, wie er sie in einer *lebendigen Heuristik* und nach einer *unbekannten geahnten Regel* in immer neuen Ansätzen schuf. Auffällig, daß die bedeutendsten Paradigmata des goetheschen B.-Schaffens Antizipationen seiner *Faust*-Dichtung sind: *Der König in Thule* nimmt die *Gretchen*-Tragödie, *Die Braut von Corinth* die *Helena*-Tragödie, *Der Gott und die Bajadere* die *Faust*-Erlösung vorweg. Jedes dieser Paradigmata zeugt sowohl durch seine jeweils spezifische Eigenqualität wie durch seine funktionale oder morphologische, auch kompositionelle Stelle zum und im Ganzen für Goethes besondere B.-Auffassung. Jedes dieser Paradigmata verharrt in der Realität des *Vorgefühls, freudvoll und leidvoll* noch *in schwebender Pein*. Denn das Hochgefühl ist real und irreal zugleich. Man müßte ihm befehlen stillzustehen wie der Sonne im Zenith, aber mit der Ankunft ist immer auch der Abschied da. Man entrinnt dieser Diskrepanz nicht, wenn man sie negiert. Goethe negierte sie nicht – er hielt sich im *Vorgefühl*. Goethe liebte nicht eigentlich die Ehe, aber er liebte die Liebe. Darum wurde es ihm bei den beiden B.-Beispielen *Die Braut von Corinth* und *Der Gott und die Bajadere* so ganz besonders schwer, selbst aus solchem, bloßem *Vorgefühl* herauszutreten und *diesen... seit so lange befreundeten glänzenden Erscheinungen ein Lebewohl zu sagen, indem* er *ihnen durch das ungenügende* [!] *dürftige* [!] *Wort einen Körper verlieh. Als sie auf dem Papiere standen betrachtete* er *sie mit einem Gemisch von Wehmut; es war* ihm, *als sollte* er *sich auf immer von einem geliebten Freunde trennen (Bdm. 4, 230).*

IV. Die vierte Entwicklungsstufe, die erst nach dem Einschnitt durch Schillers Tod beginnt, wirkt verglichen mit solchen Anstrengungen fast nur noch wie ein Nachspiel. Aber sie ist ein Nachspiel, das nicht nur Abschluß, sondern auch Aufschluß bedeutet. Man sollte erwarten, daß Goethes Vor-Leistungen im B.-Schaffen seit – zumindest – 1773/74 (vgl. hier Sp. 616 f.), also seit über dreißig Jahren die Erwartungen und Vorstellungen, die intentionalen und formalen Wesenszüge dieser *Dichtart* geklärt und gefestigt haben könnten. Aber es macht eben gerade das Besondere in Goethes Haltung aus, daß es zu einer solchen „Klärung" und „Festigung" nicht gekommen ist und daß es dazu gar nicht kommen konnte. Wenn nämlich die B. in Goethes dichterischer Produktion wie in seiner poetischen Theorie die durchaus noch nicht entschiedene, also umfassende, die noch unspezialisierte, also universale Gattung schlechthin ist, würde sie durch eine „Klärung" oder „Festigung" sich mit sich selbst in Widerspruch setzen. Goethes B. ist als Antizipation nicht nur prinzipiell in sich selbst beschlossen und begründet *(vis centripeta)*, sie ist auch und besonders intentional sich selbst voraus und über sich selbst hinaus *(vis centrifuga)*, weil sie sich im *Vorgefühl*, zwischen Vor-Freude und Vor-Leid *in schwebender Pein* verhält und Situationen darstellt, die paradigmatisch dafür sind oder zu sein vermögen. In allen entscheidenden Fällen handelt es sich bei solchen Situationen um Erscheinungsweisen goethescher Tiefen- oder Ur-Themen, zumal im Sinne des Nord-Süd-lichen. Goethes B. bevorzugt deshalb kompositionell im Struktur-Zusammenhang größer angelegter, mehr umfassender, ja weit ausgreifender Entwürfe oder Werk-formen die entsprechend beredte Antizipa-tions-Stelle (zB. *Das Veilchen; Der König in Thule*), ebenso in der Entstehungsgeschichte, insofern im Sinn-Zusammenhang, großer Dichtungen, insbesondere im *Faust* (zB. *Die Braut von Corinth; Der Gott und die Bajadere*), endlich im eigenen Lebensgang (zB. *Der Fi-scher; Mignon; Der Sänger*). Auch von da aus muß sich der noch nicht entschiedene, un-spezialisierte Charakter dieser *Dichtart* be-sonders empfehlen. Nach dem Maß ihrer Gip-felleistungen, aber auch nach den mancherlei geringeren Entwicklungsgraden ist die B. Goethes diejenige poetische Gattung, in der jeweils die betreffende Antizipations-Stelle beredt wird oder die Möglichkeiten eines Be-redt-Werdens entwirft und erprobt. Sie ist Vorstufe eines (erst in statu nascendi befind-lichen) Gesamtkunstwerkes und muß als sol-ches notwendig alle seine *Elemente:* Wort-Ton-Bewegung / Poesie-Musik-Tanz *noch nicht getrennt* in sich enthalten als Wirkungs-Ein-heit der redenden und darstellenden Künste. Am 13. XII. 1807 gehörte wohl auch die B. zu den *kleinen poetischen Dingen*, mit denen sich Goethe außer *sonstigen Betrachtungen beschäftigte (III/3, 307;* vgl. besonders *So-nett). Als sie mit der *Wirkung in die Ferne (I/1, 202 f.)* Anfang 1808 erstmals wieder Gestalt wurde, hatte sich das *Mächtige Über-raschen (I/2, 3)* soeben ereignet. Die Titulatur weist aber mehr auf das Gesellige, Heitere und Spielerische, das vor Jahren (Winter 1801/02) schon den goetheschen Cour d'amour gekennzeichnet hatte und auch jetzt den Um-gangston zu bestimmen vermochte. Man konnte durchaus ernste Probleme wie eben die *Actio in distans* (3. VIII. 1808: *III/3, 367),* eine schon traditionell und aktuell vieldisku-tierte Frage der *Naturphilosophie (FWJ v*Schelling, 1798), scherzhaft entschweren, diese und zugleich sich selbst dabei ironisie-ren. Ob außerdem noch eine Spitze gegen Z*Werners damals (nach gerade gelöster, drit-ter Ehe) aus Ressentiment wie aus Romantik aufbrennenden Mystizismus mitbeabsichtigt war, kann vermutet werden (EvdHellen). Doch hält sich diese B. Goethes durchaus in den Regionen, die von den *Geselligen Liedern*

(vgl. hier Sp. 639–642) erschlossen waren. Sie blieb lange unveröffentlicht liegen. Erst in der Cotta-Ausgabe von 1815 wurde sie in der Gruppe *Balladen* mitgedruckt. Bei dieser Zu-ordnung blieb es. *Johanna Sebus,* die poetische Feier der *naivgroßen Handlung eines Bauern-mädchens (IV/20, 341),* nach einem *französi-schen Blättchen* (Extrait du rapport du Sous-Préfet sur la débâcle du Rhin du mois de Janvier 1809; *IV/20, 330,* dazu III/4, 367) und auf ausdrücklichen Wunsch des Unter-Prä-fekten Baron vKeverberg entstanden (III/4, 366 f.; GoetheJb. 18, S. 127 f.), dem *An-denken der Siebzehnjährigen Schönen Guten aus dem Dorfe Brienen* gewidmet, *die am 13. Ja-nuar 1809 bey dem Eisgange des Rheins und dem großen Bruche des Dammes von Cleverham Hülfe reichend unterging (I/2, 36)* trug zwar zunächst die Bezeichnung B.: *Schön Suschen Ballade* (11. V. 1809: *III/4, 28).* Namenwahl und Bezeichnung sind durch das Beispiel GABürgers (1773: ,,Des armen Suschens Traum"; 1776: ,,Schön Suschen") angeregt, durch Goethes Rücksicht auf ,,Die Jungfrau von Orléans" Schillers veranlaßt (EvdHellen), nicht aber durch die historische Faktizität gefordert. Goethe ließ es zunächst noch da-bei: *Herr Professor Zelter ... hat die Ballade componirt. Solostimmen für die Erzählung und Chor für den Refrain. Wir haben nur erst die Partitur beym Clavier durchgegangen; man erkennt jedoch sogleich, daß sie, wie alle Ar-beiten dieses außerordentlichen Mannes, von großem Werthe sey* (28. II. 1810: *IV/21, 200).* An CFZelter selbst schrieb er ein paar Tage später: *Nur Eins will ich erwähnen, daß Sie auf eine sehr bedeutende Weise von demjenigen Gebrauch gemacht, wofür ich keinen Namen habe ... Es ist eine Art Symbolik fürs Ohr, wodurch der Gegenstand, insofern er in Bewe-gung oder nicht in Bewegung ist, weder nach-geahmt noch gemalt, sondern in der Imagination auf eine ganz eigene und unbegreifliche Weise hervorgebracht wird, indem das Bezeichnete mit dem Bezeichnenden in fast gar keinem Verhält-nisse zu stehen scheint. Daß auf einem ganz natürlichen Wege in der Musik der Donner rollen und die Wellen brausen können, versteht sich von selbst. Wie glücklich Sie aber die Ne-gation ‚kein Damm, kein Feld‘ durch den ab-gerissenen unterbrochnen Vortrag ausgedrückt haben, ist überraschend, so wie die Antizipation des Gefälligen vor der Stelle ‚Doch Suschens Bild‘* (6. III. 1810: *IV/21, 204;* vgl. die Neu-ausgabe von JMüller-Blattau 1931; ferner HJMoser: Goethe und die Musik. 1949, S. 73 f.). Dieses Urteil scheint sich alsdann in

Goethe verfestigt und die Dichtung nach der Seite der Musik und musikalischer Formen (*Kantate) hin spezialisiert zu haben. Von dem Zeitpunkte an, wo diese musikalische Form auch das Gefühl für den Text und sein Urteil über ihn dominierend zu bestimmen begann, eben wo aus der Dichtung gleichsam ein „Text" wurde, dh. spätestens mit Vorbereitung und Anordnung für die Aufnahme in die Cotta-Ausgabe 1815, wird *Johanna Sebus* endgültig zur *Cantate*. Goethe bejaht damit eine Entwicklung, die Zelter eingeleitet hatte, obwohl oder weil (!) dessen besondere Originalität die Fähigkeit zu *einer radicalen Reproduction der poetischen Intentionen (IV/ 13, 184)* war und JF*Rochlitz ihm 1832 ins Grab nachrufen konnte: „Zelter ... wollte gar nichts als das (an und für Musik) wahrhaft bedeutende und schöne Gedicht im Mittelpunkt des in ihm waltenden Gefühls auffassen und in Tönen ausdrücken; darin aber zugleich die Form, worin der Dichter sich ausgesprochen, möglichst nachbilden oder doch bemerklich bleiben lassen: dies wollte er aber auch einsichtsvoll, ernstlich, und ließ nicht ab, bis er es erreicht hatte" (Allgemeine Musikalische Zeitung 1832; vgl. HJMoser: Goethe und die Musik, S. 91). Goethe hatte sich überzeugen lassen. Die Grenzen zwischen B. und Kantate sind ohnedies fließend, das Tertium comparationis, das die Merkzeichen verschiebt, ist das mit beiden intendierte Gesamtkunstwerk. Zelters einsichtsvolles, ernstliches, nicht ablassendes Bemühen erspürte in der Form der goetheschen Dichtung, daß sie ihrem Wesen nach mehr Kantate als B. war. Dieser Erspürung gab er so überzeugend Ausdruck, daß Goethe folgen konnte und folgte. Thematisch ist das Gedicht übrigens längst vorbereitet, zB. auch durch Verse *Antiker Form sich nähernd* (1785): *Dich ergriff mit Gewalt der alte Herrscher des Flusses, | Hält dich und theilet mit dir ewig sein strömendes Reich (I/2, 123)*. Formal kam der Anlaß, *Johanna Sebus* ein Gedicht zu widmen, nicht ursprünglich und weniger als sonst aus Goethe selbst. Es war ein *von ihm verlangtes Gedicht (IV/21, 199)*, aber es wurde dennoch bedeutend in seiner Wirkung. *Groß ist die Diana der Epheser (I/2, 195 f.)*, am 23. VIII. 1812 in Karlsbad nach dem Bericht der Apostelgeschichte (19, 23–40) entstanden (III/4, 314) und deutlich genug als (innere und äußere) Antwort an FH*Jacobi (Polemik gegen die Naturphilosophie FWJvSchellings: „Von den göttlichen Dingen und ihrer Offenbarung". 1811) geschrieben (vgl. IV/22, 254; IV/23, 6 f.), ist

von Goethe selbst nie ausgesprochen als B. bezeichnet, vielmehr schon beim Erstdruck 1815 in die Gruppe der *Kunst*-Gedichte, und zwar als deren Abschluß (unmittelbar vor der Gruppe *Parabolisch;* vgl. ETrunz: HbgA 1, 532) aufgenommen. Die zeitlich dann folgenden drei Paradigmata: *Der getreue Eckart (I/1, 206 f.), Der Todtentanz (ebda 208 f.), Die wandelnde Glocke (ebda 204 f.)* sind demgegenüber auch goethesch echte B.n, aber doch eben nur *kleine poetische Dinge (III/3, 307)*. Von diesen dreien entstehen *Der getreue Eckart* und *Der Todtentanz* zeitlich in unmittelbarer Aufeinanderfolge. Goethe nennt sie zunächst *Legenden: Mein Begleiter* [ECChr*John] *erzählte mir eine alte Geisterlegende, die ich sogleich als wir zu Eckartsberge still hielten, rhythmisch* [!] *ausbildete* (17. IV. 1813: *IV/23, 317;* im Tagebuch heißt es am selben Tage nur kurz *Eckartsberge. Gedicht gemacht. Der treue Eckart: III/5, 34); Dagegen schrieben wir zu unserer Lust* [!] *die von August erzählte Todtentanzlegende in paßlichen Reimen* [!] *auf* (18. IV. 1813: *IV/23, 321)*. Für und seit dem Erstdruck 1815 erscheinen sie als *Balladen,* so ebenfalls in den Mitteilungen FW*Riemers (Riemer/Pollmer S. 221), innerhalb der Jahre 1822/25 gebraucht Goethe für seine *Tu J* (vielleicht aber aufgrund von Notizen aus der Entstehungszeit) auch den Ausdruck *Romanzen: Poetischer Gewinn war dieses Jahr nicht reichlich,* wobei außerdem *die wandelnde Glocke* in gleicher Weise *einige Erwähnung* verdient *(I/36, 80). Der getreue Eckart* (a a b c c d) und der *Todtentanz* (a b a b c c d) erinnern sich zwar der virtuosen Beherrschung strophischer Künste, kraft deren Schweres beschwingt zu werden vermag.   Aber beide Paradigmata stehen auf den ersten Blick merkwürdig ohne Bezug da. Verglichen mit den großen Artgenossen der früheren Entwicklungsstufen antizipieren sie scheinbar nichts. Gibt es aber wirklich nichts, was in Goethes Sinne eine Antizipation gefordert hätte? In der Kindertümlichkeit des *getreuen Eckart* und der *wandelnden Glocke* – die ein Analogon zum *Todtentanz* ist (MKommerell S. 359) – spricht doch schon „der Weise, dessen sonorer Stimmklang uns unendlich liebenswert durch diese Kindergeschichten geleitet" (MKommerell S. 358), und allmählich in die *Pädagogische Provinz* (Winter 1820: *I/24, 231–259)* hinüberführt. Nur hält sich hier alles so betont im sicher Erworbenen, im Vertrauten und Gekonnten, im Unbedenklichen. Die Kraft, im eigentlichen Sinne schöpferisch zu konzipieren und zu intendieren, will sich damals wohl mehr und

mit bemerkbarem Vorzug der *Novelle zuwenden. Am 29. XII. 1813 jedoch deutet Goethe durch die Beilage *Die wackelnde Glocke*
CFZelter an, wie er sich *mit solchen Späßen
in der bedencklichsten Zeit hingeholfen (IV/24,
74)*. Hinter dem Ausdruck „*in der bedencklichsten Zeit*" verbirgt sich als eigentliches Motiv
der Horror vor den Aktionen des Freiheitskrie-
ges: Goethe „konnte die hier so abwechselnde
bald Lüge bald Wahrheit, ob Russen oder Franzosen uns zernichten würden, nicht ertragen,
war tiefsinnig darüber geworden. Ist auch lange
Zeit nicht mehr zu mir gekommen. Und kam
gestern seine Frau, mir ein Lebewohl von ihm
zu sagen, und er würde mir von Teplitz aus
schreiben" (ChvStein an ihren Sohn Fritz:
18. IV. 1813); Goethe „hatte sich vorgenommen, es diesen Sommer wo möglich, in Weimar auszuhalten . . . Auf inständiges Zureden
seiner Frau hat er sich schleunig entschlossen,
abzureisen, und das Glück hat ihm dadurch
gewollt, daß er die Szenen, die sich gleich
Tags darauf in Weimar durch Besetzung der
Franzosen und Vertreibung des preußischen
Pickets zugetragen, nicht daselbst mit erlebte" (CLvKnebel an seine Schwester Henriette: 22. IV. 1813). Die Reise nach Teplitz
kommt für dieses Jahr einer Flucht gleich.
Der *nicht reichliche poetische Gewinn* ist ebenfalls Flucht, wie angedeutet: Flucht aus dem
Bedenklichen ins Unbedenkliche, aus dem
Bedrohten und Fragwürdigen ins Unbedrohte
und Fraglose, ins Nicht-Bedrohbare, ins
Nicht-Fragbare. Rhythmen und Reime bieten
sich *paßlich*, dh. fast wie selbstverständlich
und (ausgleichend) *zu unserer Lust* an, und
zwar in virtuoser Könnerschaft und doch völlig spontan in der *Dichtart* der B., deren Ton
das Kindertümliche nicht nur sucht, sondern
verwirklicht – vielleicht „vorwegnimmt" als
immerhin einen Modus des Archaischen, in
dem noch Verheißungen ruhen, wenn „sonst
nichts hilflich will sein" (MLuther). Das Kindertümliche, in diesem Falle: das Zurücktreten Goethes auf den Standort, in die *Weltgegend* des Kindlichen und der Kindheit und
das dichterische Gestalten von da aus: ist es
nur ein Können des Weisen (MKommerell
S. 358), ist es nicht auch ein Wollen, möglicherweise ein geheimes Wollen und das Suchen nach einer Brücke ins Geborgene, in die
Geborgenheit? Goethes sogenannter *Quietismus hat viele Formen. Man deutet diese drei
B.n, entstanden auf dem Fluchtwege aus den
Ungewittern der kriegerischen Aktionen, psychologisch nicht falsch, wenn man gerade in
dem kindertümlichen Ton das Antizipierende

wahrnimmt – quasi: das *Vorgefühl* von etwas,
das sehnlich erstrebt wird, weil es trotz allem
verspricht, das Leben nicht zu zerstören, sondern zu erhalten. Auch diese *Späße* sind *ernst*
wie die anderen, größeren *Scherze*. Ihre Heiterkeit ist echte *Ironie. Darum sind sie kostbar,
und wir spüren, womit sie bezahlt wurden.
Sie *verdienten einige Erwähnung (I/36, 80)*. Sie
verdienen sogar mehr. Eben weil so ausdrücklich *in der bedencklichsten Zeit* und weil gerade
als B.n *paßlich* ausgebildet und aufgeschrieben, zeugen sie auf ihre Art für die *lebendige
Heuristik*, mit der Goethe die *unbekannte
geahnete Regel* in einer solchen äußeren und
inneren Notlage ergreift, um in der verschön-
ten Simplizität des Einfachen, des Elementaren die eigne Existenz wiederzufinden und
zu erhalten. Das thematisch und formal intendierte *Vorgefühl* als Grundmoment der
goetheschen B. verkleidet sich hier gleichsam
in das Fünfminuten-Glück des Kindertümlichen, der Kinderangst und des Kinderheiles.
Das Große wird klein, es läßt sich ertragen,
und man vermag es zu lieben. Mögen im
Todtentanz die Toten tanzen, mögen inneres
Grauen, Furcht und Schrecken noch wirksam
sein, ein wenig zu nah noch *von Schnörkel zu
Schnörkel hinanruckend, langbeinigen Spinnen
vergleichbar*, aber sie müssen mit dem Eins-
Donner der Glocke doch entmachtet zerschel-
len. Mögen hier Grauen, Furcht, Schrecken,
die Gespenster des Krieges noch peinigend
dicht an Haut und Haar herankommen, den
verfolgten Türmer errettet in letzter Minute
die stärkere Uhr. Weniger nah, mehr entschwert zeigt sich die gleiche Grundsituation
in der Verfolgung des Kindes durch die *wandelnde Glocke*, zumal die Verfolgung zu heil-
samem Zweck geschieht. Wie liedartig einfach
ist auch die Strophe geworden!
Das letzte eigene Gedicht, dem Goethe die
Bezeichnung B. sogar ausdrücklich im Titel
überschreibt, ist die *Ballade*, die er ebenfalls
(neben: *Die Braut von Corinth, Der Gott und
die Bajadere, Der Graf und die Zwerge, *Paria*)
als *den Sänger und die Kinder* seit langen,
langen Jahren *lebendig und wirksam im Innern*
getragen hat *(II/11, 60)*. Der *Paria* heißt
trotz seiner Nachbarschaft zu dem *Gott* und
der *Bajadere* 1807 nur das *indianische Mährchen* (27. V. 1807: *III/3, 215)*, [1810: PSonnerats Reisebericht in der Übersetzung von
JPezzl entliehen vom 5. bis 19. II. 1810, Keudell
Nr 652], 1821 die *indische Legende* (15.,
17. XII. 1821: *III/8, 146; 147)*, [1821: PSonnerats Reisebericht in der Übersetzung von
JPezzl entliehen, vom 16. XII. 1821 bis 4. I.

1822; Keudell Nr 1413]; 1824 *das Gedicht . . . nach einer indischen Legende gebildet (I/41^{II}, 101)*, auch: *diese höchst bedeutende Fabel* (5.VII. 1824: *IV/38, 187*) oder: *einen stillen Schatz (ebda)* – nie aber findet sich bei und von Goethe ein Hinweis, daß er die Kennzeichnung als B. gewünscht hätte, selbst nicht am 22.VI.1822 *(Sodann Griechische Balladen. Gebet des Paria u.s.w., III/8, 210)*. Goethe hat das Gedicht bei der Aufnahme in die *Vollständige Ausgabe letzter Hand* (3.Bd 1827) der Gruppe *Lyrisches* zugeteilt (nach *Ballade* und vor *Trilogie der Leidenschaft*): *Töne Lied aus weiter Ferne, | Säusle heimlich nächster Nähe, | So der Freude, so dem Wehe! | Blinken doch auch so die Sterne. | Alles Gute wirkt geschwinder; | Alte Kinder, junge Kinder | Hören's immer gerne (I/3, 1)*. Heißt das, daß dem Abschiednehmenden das Unterscheidende weniger wichtig geworden ist gegenüber dem Verbindenden und daß das *Lied* als die variabelste Form des *Lyrischen* erscheint, daß es die sonst schwerer wiegenden poetischen Differenzierungen übergreift? Ist es nur Lässigkeit (vgl. Zyklen)? Oder fehlt der Bezug, der intentional und formal für die goethesche B. konstitutiv war: die Antizipation, das Verhalten im *Vorgefühl* des Kommenden (sei es Leid oder sei es Freude), das Vorwegnehmen oder Vorausdeuten eines Erstrebten, Erhofften oder Befürchteten, das Entschweren der Last und das Umspielen der Lust, gewissermaßen ein Präludieren in ironisch-souveräner Gelassenheit kraft einer Haltung, die sich zu entheben vermag? Es gibt keinen authentischen Hinweis, der eindeutig Goethes Willen, den *Paria* als B. aufzufassen, belegte. Die Einbeziehung in die Gruppe *Balladen*, die 1836/37 (Q) sich findet, verantworten FW Riemer und JPEckermann als Redaktoren dieser zweibändigen Quartausgabe (vgl. JP Eckermann: Goethe. In: Brockhaus' Conversations-Lexikon der Gegenwart. 1839. Bd 2, S. 463).

Auch das zeitlich späteste Zeugnis goethescher Bemühung um die B.: *Gutmann und Gutweib* (*Good man and good wife) heißt in einem nicht verwendeten Briefentwurf an CFZelter wohl *Ballade (sie steht sehr hoch, die glücklich lebendige Verschmelzung des Epischen und Dramatischen in höchst lakonischem Vortrag ist nicht genug zu bewundern, 21.VI.1827: IV/42, 379)*, und zwar durchaus in Einklang mit der B.-Definition von 1821 (I/41^{I}, 223), aber beim Erstdruck liest man 1828 nur *Altschottisch* als Überschrift (*KuA* VI, 2, S.318); in die Werke wird das Gedicht 1833 aus dem Nachlaß aufgenommen und der Gruppe *Original und Nachbildung* eingefügt (*Übersetzung).

So bleibt denn das wirklich letzte Zeugnis eigenen B.-Schaffens Goethes *Ballade: Herein, o du Guter! du Alter herein* (Oktober/November 1813; I/3, 3–6; 378). Das Gedicht hat keinen Titel. In Goethes ersten Aufzeichnungen *(III/5, 81; 84)* finden sich wiederkehrend die Worte: *Die Kinder sie hören es gerne* (29. X. 1813), *Die Kinder pp.* (30.), *Es hörens die Kinder so gerne* (31.), *Riemer   Die Kinder sie hören pp.* (20. XI. 1813). 1823 gebraucht Goethe die Formel: *Der Sänger und die Kinder (II/11, 60)*. Beim Erstdruck 1820 (*KuA* II, 3, 7–12) hieß sie (wie dann später für die Dauer) *Ballade* (vgl. auch GoetheJb 22, S. 30); zu dem nachfolgenden Aufsatz *Ballade. Betrachtung und Auslegung* findet sich als (vielleicht nicht originale) Lesart: *Über die Ballade vom vertriebenen und zurückkehrenden Grafen (I/41^{I}, 488)*, diese Lesart setzten FWRiemer und JPEckermann 1836 für ihre posthume Quartausgabe in die Überschrift. Sonst aber bleibt es bei *Ballade*. Es ist nicht leicht zu sagen, ob dieser Titulatur paradigmatische Bedeutung zukommt oder ob sie nur Verlegenheitslösung war. Die unmittelbar im nächsten *KuA*-Heft folgende *Betrachtung und Auslegung* vermehrt freilich das Gewicht aller Argumente für die Seite paradigmatischer Bedeutung. In entsprechendem Maße macht sie eine bloße Verlegenheitslösung mindestens unwahrscheinlich (vgl. ETrunz: HbgA 1, 540). – Bemerkenswert ist zunächst folgendes: Goethe plant eine Oper *Der Löwenstuhl* (28. X. 1813: *III/5, 81*), gegen Abend desselben Tages tritt ihm sein eigenes altes Singspiel *Jery und Bätely* wieder vor Augen und Ohren *(ebda)*, die gestalterischen Probleme werden dadurch um so lebhafter angeregt, sowohl die poetischen wie insbesondere die musikalischen (vgl. auch PhChr*Kayser). Wir wissen nicht, wann der Gegenstand (Gdi *Boccaccio II, 8: Geschichte vom Grafen von Antwerpen; Th*Percy: Reliques of Ancient English Poetry: The beggar's daughter of Bednall Green) anfing, Goethe zu bewegen. Wir können aber mit guten Gründen vermuten, daß um den 28. X. 1813 ein neuer, akuter Impuls stattgefunden haben muß. Dieser neue Impuls läßt sich finden, er ist stark gewesen und hat angehalten. Er entsprang unmittelbar der zeitgeschichtlichen Situation, zumal in den letzten Oktobertagen 1813. Ausgelöst wurde er durch den österreichischen Heerführer Hieronymus II. Reichsgraf v*Colloredo-Mansfeld, der sich in diesem Herbst wiederholt, insbesondere durch die Einnahme von Probstheida (18. X.) als ungewöhnlich tatkräftig und tapfer, aber auch als rücksichtslos gegen andere wie gegen sich hervorgetan hatte. Colloredo traf am 23. X. 1813 in Weimar und zur Einquartierung im Haus am Frauenplan ein (vgl. in dem folgenden auch WBode: Goethe in vertraulichen Briefen 2, S. 400–405). *Denselben gesprochen (III/5, 80)* notierte Goethe im Tagebuch. Diese karge Notiz ist hier von entscheidender Bedeutung.

Das Entscheidende dieser Bedeutung wurde von den vertrauten, einsichtigen und eingeweihten Orts- und Zeitgenossen sofort verstanden (vgl. die diesbezüglichen, zT. ausführlichen Briefäußerungen von RLevin, CA Varnhagen, Carl August, ChvStein, die Goethes „unendliche Kränkung", „Verbitterung", seinen „Schmerz", seine „Empörung" deutlich bekunden und die „wütende Härte" des Grafen Colloredo, zugleich sein turbulentes Auftreten entsprechend be- und verurteilen). WvHumboldt, der unmittelbar nach Colloredo, dh. am Abend von dessen Abreise ins Haus kam, berichtet: „Wie Colloredo gekommen ist, hat Goethe noch die Legion getragen, und Colloredo hat ihm gleich gesagt: ‚Pfui Teufel, wie kann man So-etwas tragen!' Heute früh hat er mich ernsthaft konsultiert, was er tragen solle; man könne doch einen Orden, durch den einen ein Kaiser ausgezeichnet hat, nicht ablegen, weil er eine Schlacht verloren habe. Ich dachte mir, daß es freilich schlimm ist, wenn man für das Ablegen der Legion keinen besseren Grund hat, und wollte ihm eben einen guten Rat geben, als er mich bat, zu machen, daß er einen österreichischen Orden bekäme" (27. X.); „Ich muß aber die Sache mit dem Orden besser betreiben, als ich tat" (9. XI.). Humboldt hatte begriffen, daß nicht die Forderung, den „Napoleonsorden" abzulegen, allein, daß mehr noch die Form („Pfui Teufel"; „So-etwas"), in der Colloredo die Kontrolle über sich und über die Situation verlor, Goethe frontal und zentral attackierte. FWRiemer ergänzt das Bild (Tagebücher JbSKip 3, 54 f.). „Die Biwakfeuer brannten noch um 7 Uhr. Den ganzen Morgen in Spannung. Nach Tische etwas an Goethes 15. Buch. Gegen Abend zu ihm. Hatte er den Feldzeugmeister Coloredo und 14 Offiziere Einquartierung. Bei ihm auf seiner Stube" (23. X.); „Schöner Tag; Sonnenschein. Früh zum ersten Mal wieder das Vergnügen, allein zu sein.

Gegen Abend Einquartierung 2 preußische Offiziere. Ließ mich Goethe zu sich kommen. Allerlei Politica und die Revision 15 und 16 [Buch]" (27. X.). Um das Rencontre mit Colloredo völlig zu verstehen und die Zusammenhänge noch deutlicher zu machen, muß man an die hier durch Sperrung hervorgehobenen Hinweise anknüpfen: Kaiser; Napoleon; Allerlei Politica. Zur Ergänzung dienen Goethes weitere Eintragungen: *Sehr schöne Gesinnungen und Ansichten der älteren Österreichischen Officire (24. X.); Graf Coloredo noch im Haus. Große Unruhe (25. X.); Coloredo ab. Das Haus gereiniget (26. X.); Hr. v. Humboldt scheidet. Gespräch. Mittheilung und Auftrag. Dem Herzoge angezeigt. Wunderlicher Russe. Mittag für uns. Nach Tische lustige Unterhaltung zu drey. v. Laemel. Coloredischer Erzieher, Heß. Riemer (27. X.).* Wir finden den Impuls zum *Löwenstuhl*-Plan und damit auch zu der *Ballade vom vertriebenen und zurückkehrenden Grafen* in der Vehemenz und Turbulenz des Affronts, den Goethe durch die „wütende Härte" Colloredos erfuhr und der ihn in seinen Grundauffassungen von *Kaiser und *Reich, von Welt- und Menschenordnung betraf. · Diese goetheschen Grundauffassungen, deren Wesensverwandtschaft mit dem *Barock betont werden muß, waren in einem Wirklichkeitsverständnis zentriert, das mit Kaiser und Reich trotz oder auch wegen aller Kritik, wie sie zB. in den *Kaiser*-Partien des *Faust II* gestaltet erscheint, durchaus metaphysische Vorstellungen zu verbinden vermochte (vgl. auch *Adel/Adelung; *Mittelalter; *Orden). Ihr Wesen und ihre Würde in der Geschichte waren bei der Wahrung der Mannigfaltigen ohne Vergewaltigung des Einzelnen zu erblicken, sie manifestierten sich dadurch in *Analogie zum Bilde der Natur. Mit dem tiefen Erschrecken des Wissenden hatte Goethe in den Vordergründen das Hintergründige erfaßt. In jähem Schaudern hatte er wie Eiswind das Schicksal aller Vertriebenen erfahren. Es war nicht nötig, daß es noch gröber geschah. Er hatte urplötzlich (wieder?) von jenem bitteren Brote kosten müssen, das niemand ohne Tränen ißt. Mehr noch: In neuer Spiegelung (vgl. hier Sp. 690) hatte ihn der alte Schmerz der *Tasso/Antonio*-Spannung durchzuckt: *Verschwunden ist der Glanz, entflohn die Ruhe. – | Ich kenne mich in der Gefahr nicht mehr, | Und schäme mich nicht mehr es zu bekennen (I/10, 244).* Was in der Dichtung tragisch zur Kapitulation zwang, führt jetzt nicht weniger tragisch zum Kompromiß. Vor dem Auge der

Wahrheit (im Sinne des Wirklichen wie des Wesentlichen) kann sich aber niemand hinter Kompromissen verstecken. Auch die Flucht in ein Bild geschieht, weil die Wunde der Demütigung brennt. Man mag solche Kompromisse für „realistisch" halten, weil sie in der bedenklichsten Zeit hingeholfen (man verstehe recht: hin-! geholfen) haben. Aber welcher Preis wurde dafür bezahlt? *Ich . . . Schäme mich nicht mehr, es zu bekennen.* Schwerer als schwer kann es sein, zu Scham und Schande ja zu sagen, aber das weiß nur der, der weiterleben m u ß. Goethe hat Colloredos Auftreten als schlimmen Schlag empfunden. Noch einmal drohte ihm *Tassos* Schiffbruch.

Colloredo war nicht dieser und jener. Er vertrat in dem Augenblick der Begegnung mit Goethe die militärische Führung der Freiheitskriege, ihren „Geist" und ihre „Wahrheit", dh. ihre „Macht" und ihre „Gerechtigkeit". Er vertrat diese vor dem damals ersten Repräsentanten geistiger Führung, der in dem andern Freiheitskriege negativ gegen *Philister-Netze (I/5^I, 103),* dh. positiv für die geistigen und wahren Maßstäbe von „Macht" und „Gerechtigkeit" die Waffen regierte. Colloredo verlor schon auf der Schwelle des Hauses am Frauenplan, was er in der Feldschlacht bei Probstheida gewonnen zu haben glauben mochte. Er war kein guter Verlierer. War sein großer Gegner ein guter Gewinner? Wir wissen, was und wie er selbst geantwortet hat.

Napoleon repräsentierte in Goethes Augen durchaus hohen Grades das Herrscherliche, das Kaiserliche als eine *dämonische, entschiedene,* sogar *glückbringende Natur (Bdm. 2, 353; 4,338)* von produktiver Genialität. Das Kreuz der Ehrenlegion war das Unterpfand dieser Begegnung, zugleich eine Bestätigung der eigenen Existenz als Mensch (*Voilà un homme), besonders als Dichter, etwa wie die Würde des *Poeta laureatus. So ging es noch über den praktischen Zweck hinaus, *im Gedränge manchen Puff abzuhalten (Bdm. 3, 398),* obwohl diese berühmt gewordene Formel Goethes durchaus nicht nur den Nutzen, sondern auch den Wert von Titeln und Orden meint. Das zornige Auftreten des Grafen Colloredo quittierte Goethe vielfach: durch sofortige Absentierung „auf seiner Stube" (Riemer-Tagebuch, JbSKip 3, 54), wo er sich auch vor der *großen Unruhe* im Hause zu retten suchte *(III/5, 80),* alsdann durch den gewiß auch symbolischen, vielleicht fast rituell kathartischen oder gar exorzistischen, nachdrücklich

vermerkten Schlußakt nach dem Abzug Colloredos: *Das Haus gereiniget,* schließlich durch *Gespräch, Mittheilung und Auftrag* an Wv Humboldt. Humboldt sollte die Wiederherstellung der Existenzwürde, deren Wert mit der Geltung gerade *im Gedränge* so verletzlich befunden worden war, als preußischer Gesandter in Wien betreiben, indem er einen entsprechenden Akt des österreichischen Kaisers inaugurierte: Franz I., den Goethe freilich weder vor noch nach 1806 als „Kaiser" ganz ästimiert zu haben scheint (die Kaiserin Maria Ludovica aus dem Hause d'Este, seine dritte Gemahlin, ist absolute Ausnahme; *Barmekiden), sollte durch Verleihung eines „kaiserlichen" Ordens die geschehene Kränkung *ausgleichen* (vgl. zB. UKM S. 118). In deutlicher, demonstrativer Gestik sollte der „Vertreibung" die „Heimführung", der „Erniedrigung" die „Erhöhung" *mit köstlichen Siegeln* folgen *(I/3, 6).* Nach anfänglichem Unbehagen oder auch nach einem zunächst hinderlichen Mangel an tieferem Verständnis begriff Humboldt den existentiellen Sinn des goetheschen Anliegens: „Ich muß aber die Sache mit dem Orden besser betreiben, als ich tat" (9. XI. 1813; WBode). Am Ende dieser vielfachen Reaktionsphasen wird man Goethes lakonischer Schlußnotiz das befreite Aufatmen abhören können: *Mittag für uns. Nach Tische lustige Unterhaltung zu drey* (27. X. 1813: *III/5, 80). Mittag für uns* – das heißt: Goethe, Christiane, August. *Nach Tische lustige Unterhaltung zu drey* – diese *drey* waren dann doch wohl auch Goethe, Christiane, August? Goethes *kleine Welt,* zugleich der regenerative Innenbezirk hatten sich in Freiheit und Heiterkeit wiederhergestellt. Ein Seelenzustand war oder schien erreicht wie einige wenige Monate zuvor (beginnend mit dem 17. IV. 1813) durch die Fluchtreise *aus der bedencklichsten Zeit* in die *Weltgegend* des Kindlichen, des Kindertümlichen, der Kindheit. Der *nächtliche Graus,* das *von Schnörkel zu Schnörkel hinanruckende* Grabgerippe, *langbeinigen Spinnen vergleichbar,* die gespenstischen Verfolgungen durch kletternde Skelette oder durch *wackelnde Glocken* konnten damals schon entmachtet und überspielt werden. Jetzt zeigte sich diese Zone, der *Der getreue Eckart, Der Todtentanz, Die wandelnde Glocke* entstammten, winkend wieder schon nah und in ruhiger, reiner werdendem Licht. Sie war oder schien trotz allem wieder betretbar geworden zu sein: *Herein, o du Guter!* Wir wissen nichts Einzelnes über die *lustige Unterhaltung zu drey.* Die durchaus heitere Note befreiten Aufatmens wich in den Nachmittags- und Abendgesprächen, vor allem mit Riemer, ernsteren Tönen: „Allerlei Politica." Die erste Eintragung am nächsten Tage meldet dann den Beginn der Schaffensarbeit am *Löwenstuhl* (28. X. 1813: *III 5, 81*). Damit bekundet sich die Wirksamkeit zweier Impulse, die nur bei sehr oberflächlicher Betrachtung schwer vereinbar scheinen: Kaiseridee und *Patriarchenluft (I/6, 5)*. Metamorphosisch noch in Frühstadien, aber doch schon unverkennbar deutlich kündet sich die *Hegire* an, die Flucht in den *reinen* [!] *Osten (ebda)*, zunächst und ebenso absichtsvoll wie aufschlußreich als Oper konzipiert und projektiert.

Was ist der *Löwenstuhl?* Nach dem Alten Testament (1. Könige 10, 18–20) ist er der Thronsitz Salomos, der Hochsitz, der Herrschertum und Richterweisheit, Macht und Gerechtigkeit in der Einheit von König und Priester repräsentiert. In mittelalterlicher Fortführung dieser Tradition vertritt der Löwenthron Salomos bildlich den Alten Bund. Er steht für Jerusalem und für dessen irdische und himmlische Wirklichkeit. Er wird überhöht, um die Mutter Gottes *Maria mit dem Kinde als Zeichen des Neuen Bundes sinntragend über Salomon und mit allen Insignien dieser Würde ins Bild einzubeziehen (zB. *Straßburg, Münster, Westportal; vgl. *Aufsätze zur Baukunst I, II; auch EFirmenich-Richartz S. 115–247). Die Kaiser konnten an die exemplarische Weisheit salomonischer Urteilsfindung anknüpfen. Eins der eindrucksvollsten Beispiele für solchen nicht nur kaiserlichen, sondern überhaupt herrscherlich-fürstlichen Usus bietet gerade *Modena. 1209 bis 1231 erbaut, steht an der Südseite der Kathedrale als Eingang zu dem sogenannten Querschiff die Porta regia, das Fürstenportal. Es ist als Löwenportal, dh. als Löwen-Vorhalle gestaltet. In seiner gesamten Anlage wird immer wieder beziehungsreich das Löwenmotiv in verschiedenster Bedeutung verwendet und an höchster Stelle allen anderen der Christus-Löwe triumphierend überordnet. Das Kaiserlich-Herrscherlich-Fürstliche spricht sich im Sinne des salomonischen Herrschens und Richtens aus, überdies in Formen, die deutlich auf orientalische Ursprünge hinweisen sollen. Alttestamentarisch-christliche (insofern morgenländische) und langobardisch-vorchristliche (insofern abendländische) Impulse finden sich in einem beredten Synkretismus zusammen. Dieser Synkretismus ist hier um so mehr bemerkenswert, als die Bau-

zeit der Löwen-Vorhalle ungefähr mit dem Herrschaftsbeginn des Hauses d'Este in Modena zusammenfällt. Goethe war auf der Rückreise aus Italien Mitte Mai kurz in Modena. Wenn er auch damals die Porta regia nicht erwähnte (I/32, 455), so trat ihm die Stadt als Besitz und Residenz einer Linie des Adelshauses d'Este, als 1796 verlorene Heimat eben jener Linie, der die *Barmekiden*-Kaiserin Maria Ludovica zugehörte, neu und intensiver als je nahe. So gewann die Löwen-Vorhalle exemplarische Bedeutung. Goethe und Maria Ludovica begegneten sich im Juni 1810 bei der Kur in Karlsbad (III/4, 130), sie trafen sich erneut im Juli/August 1812 zu Teplitz; zwischen 16. VII. und 10. VIII. dieses Jahres sah Goethe die Kaiserin fast täglich, wurde oft zur Tafel zugezogen und las ihr regelmäßig vor (III/4, 303–309). Über die dabei geführten *Gespräche wissen wir fast nichts. – Ob und wie Erinnerungen an den *nordisch-gelehrten Antiquarius* MF*Arendt *(IV/20, 278)* und an dessen Untersuchung der Runeninschrift des venetianischen Beute-Löwen vor dem Arsenal (1809) oder an dessen Edda-Abschrift und den diesbezüglichen Briefwechsel mit W*Grimm (1811) in Goethes Konzeption einfließen, kann man auch nicht feststellen. Aus den Entwürfen und Vorstudien der *Löwenstuhl*-Oper aber erregt folgende Bemerkung hier gesteigerte Aufmerksamkeit: *Kinder. Greis Soll ihnen erzählen! sich setzen auf den Löwenstuhl. Greis. Beugt sein Knie davor. Kinder. Bringen einen Feldstuhl. Greis. Setzt sich und erzählt die Geschichte des Löwensessels. (Eddas Rhythmen). Kinder. Freuen sich der Gerechtigkeit (I/12, 305 f.).* Im Bilde eines durch usurpierende Gewalten Vertriebenen und kraft der Gerechtigkeit Heimgeführten verstecken sich in einer Zeit, wo *Nord und Süd und West zersplittern, Throne bersten, Reiche zittern (I/6,5)* die im *Reinen* und im *Rechten* waltenden Wesensbilder des Menschlichen nicht nur, sondern zugleich damit die des Herrscherlichen, des Kaiserlichen. In der Repräsentanz der *Barmekiden* und derjenigen, die „*wie"* die *Barmekiden* sind: Maria Ludovica, Carl August, traten sie lebhaft in Erscheinung. In der Arbeit an der *Tasso*-Aufführung (Maria Ludovica: *Prinzessin,* Goethe: *Tasso,* Carl August: *Herzog Alphons,* Fürst Lichnowsky: *Antonio,* Gräfin O'Donell: *Leonore*) verdichtete sich diese Erscheinung zur Spiel-Wirklichkeit – im *Löwenstuhl* sollte und konnte der Geist des Hauses d'Este, konnten das Vertriebenen-Schicksal Maria Ludovicas und Goethes eigene Erfahrung *in der bedencklich-*

sten Zeit wie wechselweise sich widerspiegelnd beschworen werden, in einem Symbol, dessen Ehrwürdigkeit Morgenland und Abendland beziehungsreich wie kein anderes verband. Für den enragierten Grafen Colloredo ist es wenig schmeichelhaft, daß er in diesem Stadium das „morsche Europa" vertreten muß und daß gerade ihm der beachtliche Exorzismus einer großen Säuberung im Hause gilt, um zunächst einmal so Reinheit, *goethesche Reinheit* in jedem Sinne wiederherzustellen. Aber der unliebsame Gast darf doch für sich in Anspruch nehmen, daß er wesentliche, starke und akute Impulse ausgelöst hat, um die goethesche Flucht aus etwas bloß Negativem zu etwas relativ Positivem werden zu lassen. Daß dies und wie dies gelang, ist freilich in keiner Weise mehr ein Verdienst nur Colloredos. Abgesehen von frühbewährten Kindheitsgewohnheiten (I/26, 221; vgl. dazu Beutler: ebda), abgesehen auch von dem unmittelbar vorangehenden Abendgespräch mit Riemer (27. X. 1813: Allerlei Politica), weist, wie erläutert, die *Barmekiden*-Kaiserin Maria Ludovica aus dem Hause d'Este-Modena den Weg zum *Löwenstuhl* (mitbeteiligt sind persönliche Erinnerungen an Straßburg und sachliche Vermittlungen durch SBoisserée seit 1811). Der 28. X. 1813 ist der Tag, der ganz dem *Löwenstuhl*-Plan gehört und abends musikalisch durch die Vergegenwärtigung der damaligen Mühen um *Jery und Bätely* neue Nahrung (zugleich aber eben wegen der Erinnerung an diese Mühen auch neue Hemmung) bringt. Mit dem *Löwenstuhl* als Oper war durchaus ein Gesamtkunstwerk intendiert. Vielsagend ist der *Prolog: Tanz* [!] *von Dämonen, leise fledermausartig. Pauken- und Trompeten-Schall außen. Dämon erwacht, tritt hervor und prologisirt (I/12, 294).* Aber es ging damit nicht sicher fort. Schon am nächsten Tage tritt der Plan in eine Vorstufe zurück. Nicht nur auffällig, sondern entscheidend ist es, daß in den Tagebuchnotizen (29., 30., 31. X.; 20. XI. 1813: III/5, 81; 84) ausschließlich der Kehrreim der entstehenden *Ballade* festgehalten wird. Der Kehrreim nämlich: *Der Refrain, das Wiederkehren ebendesselben Schlußklanges, gibt dieser Dichtart den entschiedenen lyrischen Charakter (I/41ᴵ, 223).* Er gehört wesentlich, dh. systematisch zu den Bestimmungen, die eine B. im Sinne Goethes erfüllen muß. Da das poetisch-musikalisch-mimisch/tänzerisch konzipierte, intendierte „Gesamtkunstwerk" des *Löwenstuhls* nicht wachsen und reifen will, sondern sich verhält, sich nicht *ausdehnt,* sondern

zusammenzieht, realisiert es sich als Vorstufe nach goethescher Art notwendig und zwangsläufig in einer *Ballade,* eben in jener *Dichtart,* die als das *Ur-Ei* aller anderen durch das Beredt-Machen von Antizipationen, von *Vorgefühlen* ausgezeichnet ist.

Goethe sagt 1821 in seiner berühmten *Betrachtung und Auslegung* gerade dieser *Ballade vom vertriebenen und zurückkehrenden Grafen* superlativisch, daß ihm der *Gegenstand sehr* [!] *lieb geworden war (I/41ᴵ, 227).* Es war und ist eine doppelte, aber durchaus eine Liebe, die ihn an diesen Gegenstand bindet. Seine eigene Existenz, eben diese und zugleich diese als Ganzes hatte im Oktober 1813 hochgradig aktuell auf dem Spiel gestanden. Die Vertreibung aus seiner Existenz, aus seinem „Reich" und aus seiner „Heimat" war *ungeheuer bedrohlich,* ja durch Colloredo bis in die Häuslichkeit hinein wirklich geworden; die „wütende Härte" dieses „echten Enragé" hatte ihn bis an den Rand seines Daseins gerissen. Schon die Vormonate über, *in der bedencklichsten Zeit,* hatte Goethe sich *hingeholfen.* Jetzt mußte er sich auf andere Weise behaupten. Er mußte seine Existenz bewahren, indem er sie neu begründete. Er mußte sie im *Reinen* und im *Rechten* gründen, mußte bis zu *des Ursprungs Tiefen dringen,* mußte *Patriarchenluft kosten,* mußte der echten, allein fruchtbaren Unmittelbarkeit und Unbedingtheit, dh. der Spontaneität wahrer Existenz innewerden: *Wie das Wort so wichtig dort war, | weil es ein gesprochen Wort war (I/6, 5).* Die alten Geschichten um den *vertriebenen und zurückkehrenden Grafen* werden wieder wach. Sie werden wach aus einer zweiten Liebe heraus. Diese Liebe ist die einer wechselseitigen Spiegelung. Die Kaiserin Maria Ludovica war durch ihre Mutter Maria Beatrix, dh. durch die letzte gebürtige Prinzessin d'Este-Modena seit 1796 konsequent im Bewußtsein ihres Vertreibungs- und Erniedrigungs-Schicksals, in dem Haß gegen die Schuldigen und in der Hoffnung auf die Wiederherstellung der angestammten, uralten Rechte erzogen worden. Sie ist in ihrer Eigenschaft als Vertriebene und Erniedrigte, als beggar's daughter, die *geheime, geheimste* Adressatin der Dichtung, die jetzt entstehen will. Mit seinem feinnervigen Organ für das herzenbewegende Spiel der Analogien war Goethe in der innigsten Verehrung *dieser außerordentlichen Dame,* die eine seiner großen Frauen-Begegnungen wurde, weit *mehr Glück und Gutes widerfahren,* als er zu *verdienen* glaubte: *Eine solche Erscheinung gegen das*

*Ende seiner Tage zu erleben, giebt die ange-
nehme Empfindung, als wenn man bey Sonnenaufgang stürbe und sich noch recht mit inneren
und äußeren Sinnen überzeugte, daß die Natur
ewig produktiv, bis in's Innerste göttlich, lebendig, ihren Typen getreu und keinem Alter unterworfen ist* (13. VIII. 1812: *IV/23, 58*). Es
gehörte zu den Formen der goetheschen Liebe,
Verehrung und Huldigung für die Kaiserin,
in der sich die *Familienbildung* und das Für-
stenwesen der d'Estes so beispielhaft wieder-
verkörperten *(IV/21, 323 f.)*, daß der Vertriebenen mit und kraft der Dichtung die
Zuversicht gegeben werden sollte, es werde
sich alles wieder ins *Reine* und *Rechte* stellen
lassen: *Und zwei goldne Löwen waren | Zeichen
der Gerechtigkeit (I/12, 299)*. Modena und
seine Löwen-Vorhalle erschienen in dichterischer Verklärung und zugleich in dichterischer Verheißung. Sollte der *Löwenstuhl* als
Oper die endliche, wirkliche Heimkehr der
angestammten Herrscher feiern und festlich
vollziehen – im Oktober 1813 und im folgenden Jahre konnte es politisch für möglich
gehalten werden? Zumindest sollte er Zuversicht erwecken, vorbereiten und ein *Vorgefühl*
der Freude vermitteln. Aber die Intention
hatte sich zu schnell vorausgewagt. Sie ver-
heimlichte sich wenige Stunden später in den
engeren, poetisch gleichsam zuständigen
Grenzen solcher Antizipationen. Im November 1813 blieb denn auch die *Ballade* mit der
neunten Strophe stecken. Im Juli 1814 kam
wohl noch *Der Plan zur Oper der Löwenstul...
zu Stande* und ward *abgeschrieben (IV/25, 3)*,
doch damit geriet er unter die Akten. Der
Weg nach Modena dehnte sich und zog sich
mehr und mehr in die Länge. Die *Hegire* nach
Medina war oder schien kürzer. Über die
Löwen-Vorhalle und den *Löwenstuhl*, über den
lombardisch-estischen Synkretismus morgen-
ländisch-abendländischer Impulse und Ideen
hinaus geht der Zug jetzt ohne Umweg in den
reinen Osten, in des Ursprungs Tiefe. Der
Bindebogen zwischen Orient und Okzident
mußte weiter und tiefer greifen. Im Grunde
wollte und sollte der *Löwenstuhl* diese *Hegire*
ins west-östliche Reich des *Reinen* und des
Rechten auf seine Weise, aber so intendieren
und antizipieren, wie die *Ballade* ihrerseits als
Vorstufe den *Löwenstuhl* intendiert und antizipiert. Es ergibt sich folgende Proportion A
(Ballade): B (Löwenstuhl): C (Hegire/Divan).
So ist auch im *Vorgefühl* Aufbruch und Ankunft, Weg und Weile im gelobten, im geliebten Land: *Die Kinder sie hören es gerne*, neunfach als Kehrreim wiederholt! Aber die *Bal-*

lade ist *widerspenstig (IV/27, 302)*. Wir sehen
es bereits an den noch schwankenden Kehr-
reim-Notierungen, die das Tagebuch gewissermaßen als Rohzustand festhält. Die Wider-
spenstigkeit aber liegt nicht eigentlich in der
Ballade, sondern darin, daß die intendierte
Schutz- und Heilsuche, die Pilgerschaft zu
Chisers Quell begonnen hatte, Modena weit
hinter sich zu lassen und Medina anzustreben.
Goethes *Hegire* ins gelobte Land der *Patriarchen*, der *West-östliche Divan*, will sich nicht
mehr mit nachgebildeten Symbolen ihrer
Würde, und seien es die *Löwen der Gerechtigkeit* oder der *Löwenstuhl*, zufrieden geben. Sie
will die ursprüngliche *Luft kosten*, in der die
Urväter selbst geatmet haben und ewig jung
geblieben sind. In den hochproduktiven Som-
merwochen 1814 fordert diese Wanderung unbedingten und ausschließlichen Gehorsam.
„Hinter dem Wandernden fällt das morsche
Europa in Trümmer. Reinheit und Jugend ist
dieser Osten, dessen Mythos und Gegenwart
in einer Fülle farbenreicher Bilder vor uns
aufsteigen wird" (EBeutler: Westöstlicher
Divan. S. 317). Weder im Plan zum *Löwenstuhl* noch in den neun fertigen Strophen der
Ballade ist die Bilder-Fülle etwa schon auf-
gestiegen, nicht einmal angedeutet. Sie ist
noch gar nicht entfaltet. Saat ist sie, Same
im Stadium des ersten Keimens. Sie ist noch
„wie" im *Ur-Ei* verborgen. Dies aber wartet
schon darauf, *bebrütet* zu werden, damit das
*herrlichste Phänomen auf Goldflügeln in die
Lüfte steigen kann (I/41^I, 224)*. Anachronistisch, aber erschütternd ist es zu sehen, daß
Goethe 1816 den Torso seiner *Ballade* wieder
vornimmt. Wir wissen nicht, wann genau beginnend – sicher nicht vor Mitte April –, wir
wissen auch nicht wie lange. Gewisse Wechselbeziehungen zur *Cantate* für das *Reforma-
tions-Jubiläum* sind vielleicht möglich, aber
undeutlich, wenn man in Goethes Skizzen
findet, daß er *in dem alten und neuen Testament das Symbol des großen sich immer wiederholenden Weltwesens* wie Luther erblicken will
und *diese Conceptionen in einem singbaren Gedichte auszusprechen*, dabei in das Zentrum des
ersten Teils Salomon zu rücken beabsichtigt
(IV/27, 233–237; vgl. auch I/16, 573–578). Wir
erfahren von Goethe nur, daß die *Ballade
widerspenstig ist (IV/27, 302)*. Der Anachronismus der Wiederaufnahme ist zwiefach. In
dichterischer Hinsicht: Inzwischen ist das *Ur-
Ei* längst *bebrütet*. Mehr als einhundertund-
fünfzig *Divan*-Gedichte liegen schon fertig
vor. In persönlicher Hinsicht: Die Aktion der
Wiederaufnahme ist eine Reaktion, und zwar

auf die – wohl längst gefürchtete – *Nachricht von dem Ableben der Kaiserin von Österreich* (16. IV. 1816: *III/5, 223*). Der Sommer 1816 war bis in den Herbst hinein schwer, sehr schwer von Schicksalsschlägen. Es entstand daher fast nichts Produktives. *Allschönster Tage* zu gedenken, ist wohl möglich, aber dem Gedenken Form zu geben, will nicht gelingen *(I/4, 22)*. Doch soll das Jahr nicht zu Ende gehen, ehe die so ungewöhnlich verehrte Tote noch mit einem Gruße gegrüßt war, der ihr mehr als anderen, der ihr recht eigentlich allein gehörte. Ihr Grab sollte nicht länger warten müssen auf jenen Kranz, den nur der Dichter binden konnte. Post festum und post mortem zwang sich Goethe dazu, die *Ballade* mit zwei neuen Strophen wenigstens abrupt abzuschließen, auf eine Weise, von der er 1821 etwas aufrundend meinte, daß sie dem Ganzen doch *ein erfreuliches Ende* gab. Aber die beiden Schlußstrophen wirken, beladen mit doppelten Anachronismen, wie angehängt. Das Ende kommt zu schnell. Man glaubt es nicht. Gewiß ist es dieser doppelte Anachronismus, der die *Ballade* Goethe so lange Monate und Wochen hindurch ganz *widerspenstig* machte. Es war nicht einfach, auf den Proportionsstufen zurückzuschreiten, als wäre noch gar nichts geschehen von C *(Hegire/Divan)* über B *(Löwenstuhl)* nach A *(Ballade)*. Noch weniger einfach war es, so zu tun, als ob der Vertriebenen und Erniedrigten die Heimführung und die Erhöhung in ihre uralte Fürstenwürde noch winkte. Die Kaiserin Maria Ludovica aus dem Hause d'Este-Modena war tot. Seit 1814 war ihr Bruder Franz wieder Herzog von Modena. Die Geistes- und Seelenhaltung konnte sich dichterisch nicht mehr als Antizipation, sondern nur noch Retrospektion, als Reminiszenz aussprechen. Derartiges läßt sich intentional und formal eigentlich überhaupt nicht mit dem vereinigen, was für Goethe die B. bedeutete. Auch und gerade insofern mußte seine *Ballade* von 1813/16 *widerspenstig* sein. Er selbst hat sie in einer seltsam anmutenden, aber nunmehr doch verständlichen Paradoxie gar nicht in die Gruppe *Balladen* eingeordnet – sie war es und sie war es nicht –, weniger doppeldeutig war der Kehrreim, der den *entschiedenen lyrischen Charakter* bekundete. So geriet das Gedicht in die Gruppe *Lyrisches*. Das ist nicht bloße Lässigkeit Goethes. Die *Ballade* ist nur ein Approximativ dessen, was Goethe in seinem rund sechzigjährigen B.-Schaffen intentional und formal, dh. in *lebendiger Heuristik* und *eine unbekannte geahnete Regel anerken-*

nend entwickelt hat. Sie ist sogar ein *widerspenstiges* Approximativ, weil das *Vorgefühl* wehmütig er-innert und vom Nachgefühl aus wachgerufen werden muß, „als ob" es noch da wäre. Über dies „Als ob" kann auch die Kunst der Strophen nicht hinwegtäuschen. Die Strophe nimmt den Bewegungscharakter des zweiten Strophenteils auf, den Goethe seinerzeit für den *Gott und die Bajadere* entwickelt hatte. Aber den dreizeiligen, auftaktisch-daktylisch-dreischrittigen, tänzerisch schwingenden Viertakter variiert sie, obschon die Reimordnung zunächst so bleibt (a–a–b), eben weil die Bewegung noch nicht abgeschlossen, sondern offengehalten und weitergetragen werden soll: ver-/schlie-/ßen = ♩ |

♪. | ♩ || und entsprechend weiter: zu /

schie-/ßen. – es / ler-/ne. – es / ger-/ne. – ver-/ gra-/ben. – denn / ha-/ben. – die / Fer-/ne. – es / ger-/ne. – Mithilfe dieser Variierung, die den vorher stumpfen Reim klingend macht, kann die Strophe sich ausdehnen. Sie wächst bis zur Neunzeiligkeit, dh. die fast liedartig in zweimal vier Zeilen mit je vier Takten fließende und tönende Grundstruktur bindet sich nur lose an das *Bajaderen*-Modell; dreizeiliger *Bajaderen*-Tanz und vierzeiliges *Kinder*-Lied sind zu eigener, neuer Ordnung verbunden, schon die Reimfügung läßt dies Eigene, Neue erkennen: a–a–b–a–b–c–d–c–d. Die neunte Zeile steht gleichsam voran, es folgen die regelmäßigen, liedverwandten Vierzeiler. In dem Voranstehen der neunten Zeile aber kann man die Anknüpfung an die *Bajaderen*-Thematik des Verstoßenseins und der Erhöhung aus schändlicher Erniedrigung in rhythmischer Analogie vernehmen. Hat das A Bielschowsky schon herausgehört, wenn er die *Ballade* einen „Hymnus" nannte, „einen Hymnus auf die großen Wohltäter, auf den ‚hohen Adel' der Menschheit ... Der Graf gehört zu dieser Gattung. Er ist ein zurückkehrender Christus, ein zurückkehrender Mahadöh. Ihn verstehen die Kinder am besten" (A Bielschowsky: Goethe. Bd 2, S.390)? Aber trotz allem verspürt man das Abrupte, das Widerspenstige, das Approximative, das fast Gewaltsame, nicht ganz Ausgereifte, das gewissermaßen nachträglich, post festum und post mortem „Vorweggenommene", aber nicht Nachgekommene. Man fühlt, wie das Unausgeglichene in allem dichterisch Ausdruck dafür ist, daß auch im wirklichen Leben der *Ausgleich* vom Schicksal nicht so wie damals (1813) erhofft, gewährt wurde. Der Tod hatte seine Schatten schon zu weit vorausgeworfen. Wehmut rührt sich in der Tiefe. Das *erfreuliche Ende* ist mehr Wille als Wirklichkeit. Was der Lebendigen Hoffnungsgruß und Huldigung entbieten wollte, verblieb der Toten nur als Abschiedsgabe und Nachruf. Daß Goethe sich unter solchen veränderten Vorzeichen überhaupt zur Wiederaufnahme und zum Abschluß, und sei es zu einem erzwungenen Abschluß, gedrängt fühlte, zeugt für die Wahrheit der Empfindung und für den Grad seines Betroffen-Seins. *Der Gegenstand war mir sehr* [!] *lieb geworden, auf den Grad, daß ich ihn auch zur Oper ausarbeitete, welche, wenn schon der entworfene Plan theilweise ausgeführt war, doch wie so manches andere hinter mir liegen blieb. Vielleicht ergreift ein Jüngerer diesen Gegenstand, hebt die lyrischen und dramatischen Puncte hervor und drängt die epischen in den Hintergrund. Bei lebhafter geistreicher Ausführung von Seiten des Dichters und Componisten dürfte sich ein solches Theaterstück wohl gute Aufnahme versprechen (I/41ᴵ, 227).* –

D. Folgerungen und Zusammenhänge. Goethes B.-Schaffen erweist sich in allen vier Entwicklungsstufen und in allen rd vierzig Zeugnissen zwischen 1767 und 1827 systematisch, dh. intentional und formal als durchaus gleichartig. Die Gleichartigkeit ist so groß, daß man den sicheren Eindruck eines konzentrischen Schaffens in vier Phasen gewinnen muß und daß das Ergebnis in allen Eigenschaften sich als ein echter, sogar sehr bedeutungsvoller Zyklus darbietet. Um es vorwegzunehmen: als ein *nord-südlicher* Zyklus. Dieses Zyklische erscheint in *lebendiger Heuristik* als eine anfangs und lange Zeit *unbekannte geahnte*, schließlich aber doch mehr und mehr bekannte *Regel*. Ihre, freilich nicht allein auf die B. beschränkte Eigenart, besteht in der Richtung auf das Archaische, dh. auf das morphologisch, nicht chronologisch Ursprüngliche. Goethe selbst definiert die B. mit besonderem Nachdruck als ursprüngliche, als ursprünglichste poetische Gattung. Sie ist ihm (quasi) das *Ur-Ei* aller anderen Dichtarten, die in ihr noch (elementar, *ei*-haft) vereint sich aus ihr entfalten und entfalten lassen, um *als herrlichstes Phänomen auf Goldflügeln in die Lüfte zu steigen.* Insofern ist die B. für Goethe Grund- und Vorstufe künstlerischer Groß- und Gesamtformen durchaus im Sinne des Gesamtkunstwerkes: der Oper, des Opern-Theaters. Insofern ist sie für ihn zugleich Antizipation des noch nicht Entschiedenen. Sie ist quasi Vor-Kulmination – *Vorgefühl* . . .

des höchsten Augenblicks (I/15ᴵ, 316). Sie ist es oft *in schwebender Pein* zwischen Vor-Freude und Vor-Leid, von beidem durchbebt. Die *schwebende Pein* wird häufig durch spielerische Entschwerung, durch tänzerische und durch ironische Überwindung im Sinne ernster, sogar *sehr ernster Scherze* bis zu anmutiger Heiterkeit allzu lastender Nähe enthoben und durchgeistigt. Schon von hier aus zeigt sich eine nicht geringe Affinität zwischen dem ganzen B.-Zyklus Goethes und dem *Faust*, den Goethe ja sehr betont *Tragödie* nennt. Die gemeinsame Nord-Südlichkeit beider ist in jenem Falle balladesk antizipiert, in diesem Falle dramatisch expliziert. Das wird noch deutlicher, wenn man sich die historische Stellung der goetheschen B. wenigstens in den Hauptzügen vergegenwärtigt. Goethe kennt keine doktrinär verschärfte und dergestalt fixierbare, auch national differenzierende Trennung von Kunstballade und Volksballade, wenn nur die maßstäblichen Forderungen der (morphologischen, nicht chronologischen, insofern archaischen) Ur-Sprünglichkeit erfüllt sind: *Hat man sich mit ihr* [mit der B.] *vollkommen befreundet, wie es bei uns Deutschen wohl der Fall ist, so sind die Balladen aller Völker verständlich, weil die Geister in gewissen Zeitaltern entweder contemporan oder successiv bei gleichem Geschäft immer gleichartig verfahren (I/41ᴵ, 224).* Historisch gibt es ein besonderes, überdies auch für die sonstige geistesgeschichtlich-dichterische Entwicklung des europäischen Abendlandes entscheidungsschweres Datum, an das man zumindest heuristisch für die Einsicht in die Verhältnisse des goetheschen B.-Schaffens anknüpfen kann. Es handelt sich um die Nahtstelle zwischen den „Vor-Läufern" der modernen, nördlich gerichteten B.-Entwicklung (repräsentiert durch die artesischen Trouvères) und den „Nach-Läufern" der antiken, südlich gerichteten Entwicklung (repräsentiert durch die provenzalischen Trobadors). Es ist die Stelle der ersten und zugleich ganz großen Originaldichtung des Abendlandes, in der sich die Kontinuität antiker und moderner Kultur künstlerisch manifestierte und exemplarisch aufrichtete. Auch Goethe ist ohne deren Vermächtnis, dessen Reich- und Tragweite für ihn noch wenig erforscht ist, nicht zu denken. Zugleich ist dies die Stelle einer für das ganze neuere Europa bedeutsam einschneidenden Zäsur, vornehmlich in allen Fragen, die die B. im allgemeinen und die goethesche B. im besonderen aufwerfen. Nur wenig förderlich und viel zu umständlich wäre es hier, die Verbindungsfäden Goethes mit den zeitgenössischen Vertretern und Vermittlern der B.-Dichtung aufzunehmen und zu verfolgen (JWL*Gleim; JF*Löwen; D*Schiebeler; J*Macpherson; Th*Percy; HWv*Gerstenberg; FG*Klopstock; LH Chr*Hölty; GA*Bürger; *Bänkelsang; *Bardenpoesie; auch JGHamann; JGHerder). Heuristisch müssen und dürfen wir uns mit wort- und sachgeschichtlichen Hinweisen begnügen. Auch dafür bietet die Scheide zwischen den artesischen Trouvères und den proprovenzalischen Trobadors einen charakteristischen Schnitt- und Wendepunkt. Der (moderne) Entwicklungsstrang: „Ballade" (Deutschland) – „ballad" (Schottland/England) führt bis zu „balade" (Frankreich). Den frühesten voll-literarisierten Beleg bietet Guillaume li Vinier d'Arras († 1245) dadurch, daß Gerbert de Montreuil ihn in seinem Roman de la Violete zitiert (1227; FGennrich schließt daraus auf ein noch bedeutend höheres Alter): „Balade, a celi te va faire oïr / Qui pour ce me het que j'aim sanz trahir...", aber dies Zeugnis erweist sich kraft seiner strophisch-musikalischen Struktur (Refrain ‖ Stollen: Gegenstollen | Strophenabschluß | Refrain) im Vergleich mit der strophisch-textlichen Bauweise, dh. kraft einer textlich unmißverständlich gemachten Emanzipation des Strophenabschlusses vom Refrain als Mischform zwischen balade und virelai (vgl. EUlrix Nr 1405). Guillaume li Vinier bezeichnet dergestalt den Anfang der allmählich so vieles andere aufnehmenden, neueren Entwicklung im Westen, im Norden, in der Mitte Europas. Gewissermaßen das Umgekehrte scheint die Balada der liebedurstigen Schönen anzudeuten. Kann sie als Nachwirkung aus dem Altprovenzalischen ins Französische hinüber gelten (wohl erst nach den Albigenser-Kriegen bezeugt), so lassen sich einige schon französische Elemente (Spinnlied) bemerken. Die reizvoll zwischen Solo und Chor singend und tanzend wechselweise spielende Form kann und wird auch im provenzalischen Stammland Wurzeln haben (vgl. FWellner S. XX; 54–57). Die ausdrückliche Bezeichnung als Balada spräche ebenfalls dafür. Sie deutet den Ausklang der früheren, dem Süden Europas verhafteten Entwicklung an. „Balada/ballada" („danza"), so Wort wie Sache, gelten in der provenzalischen, *occitanischen Kultur einem schon sehr früh verbreiteten, später gern dreistrophischen Tanzlied, einem Sing-Tanz von ursprünglich fast heidnisch-ausgelassenem, dann anmutig heiterem,

schließlich von mehr sublimiertem Charakter und von gefestigter Form mit Kehrreim (LOlschki S. 207). Damit stehen wir an der Stelle, wo wir den Blick gleichsam südwärts wenden müssen. Das Italienische („ballata"), auch das Lateinische („ballata"?, „ballatio") scheinen und sind imgrunde auch weniger produktiv als das Griechische. Warum? Dem Französischen gegenüber ist das Provenzalische materiell wie ideell durchaus eigenständig. Es ist eine charaktervolle Sondermischung aus Lateinisch und Burgundisch, mit mancherlei Spuren von Griechisch, aber fast ohne Keltisch und noch ganz ohne Fränkisch (vgl. RBorchardt: „Ein mit burgundischem Mund schnell ausgesprochenes Vulgärlatein", S. 66). Es war sich dieser Eigenständigkeit auch bewußt und dafür sogar bekannt (vgl. Wolfram v*Eschenbach um 1210, also noch am Anfang der mörderischen Albigenser-Kriege und vor dem blutigen Ende der altprovenzalischen Kultur-Autonomie, zB. Parzival XVI, 827, 1–14; vgl. ferner *Dante, etwa einhundert Jahre später, zB. Purgatorio XXVI, 117: „Fu miglior fabbro del parlar materno", womit der rätselhaft geniale Arnaut Daniel gemeint ist, dem Dante die ungewöhnliche Ehre erweist, ihm zur Antwort Verse in seiner altprovenzalischen Sprache zu dichten, 140–147: „... Ieu sui Arnaut, que plor e vau cantan: / Consiros vei la passada folor, / E vei jauzen lo jorn, qu'esper denan...". Stark sind die antiken Bindungen der provenzalisch-occitanischen Kultur, am stärksten die ins Griechische, in die Magna Graecia führenden Traditionen. Zentrum dieser Traditionen und ihrer vielen, dichten Nachwirkungen ist Marseille/Massilia/Massalia. OHirschfeld hat darauf hingewiesen, daß den einheimischen Steinmetzen in Marseille/ Massilia die lateinische Schrift stets fremd geblieben ist, weshalb die dortigen Inschriften eigentümlich gräzisierende Buchstabenformen zeigen. Auch in der Tracht hält sich der altgriechisch-altionische Habitus in Form und Farbe sehr lange völlig unverändert. Bis zum Ausgang der Kaiserzeit, ja durch die Epoche der (ostgermanisch milden) Goten- und schließlich Burgunder-Herrschaft hindurch halten sich hier Griechisch und Griechentum dominierend. Griechisch ist maßgebliche Stadtsprache gewesen und geblieben (vgl. zB. Plinius; Pompeius Trogus; Tacitus; Tabula Peutingeriana; Paulinus Nolanus; Notitia dignitatum). Allgemein zeichnete sich Marseille/Massilia durch ein besonders altertümliches, konservatives Grundwesen seiner weit ausstrahlenden Kultur aus – ob auch in religiös-kultischer Hinsicht (ephesische Artemis; delphischer Apollon) nach dem Eindringen des Christentums im 3. Jahrhundert nChr.? Man sprach in der früheren wie in der späteren Antike gern und nachdrücklich davon, daß die Stadt mitten in der Umwelt barbarischer Völker ihr altes Griechenwesen unverfälscht und kräftig zu bewahren wußte. Erst 536 nChr. mit dem Beginn der recht rücksichtslosen, deshalb wenig beliebten Franken-Herrschaft (Merowinger; Chlotar I.) änderte sich das offizielle Erscheinungsbild: νῦν ἐξ Ἑλληνίδος ἐστὶ βαρβαρική (Agathias Scholastikos, Hist. I, 2); über die inoffiziell bewahrten Denk- und Daseinsformen haben wir keine gleichzeitigen und gleichwertigen Zeugnisse. In der Kraft und in dem Stolz dieser Traditionen scheint die selbstbewußte Eigenständigkeit der Trobadors eine sehr wirksame Wurzel zu haben. Aus dieser ziehen sogar noch die jetzigen Tambourinäre (zB. in Arles/Rhône; Barjols/Varages; St. Rémy de Provence) einen nicht geringen Teil ihrer Energie und Existenz. Sie bieten dem verwunderten Besucher noch heute (13. IV. 1956) Gelegenheit, in offensichtlich jahrhundertelang überlieferter, fast handwerklich zünftiger Praxis die bewahrte und bewährte, noch immer tanzgewohnte Dreilochflöte, begleitet von der riesigen Handtrommel beim Spiel sehr alter Weisen zu hören. Diese Tambourinäre bezeichnen sich selber als quellengetreue Kenner und bewußte Hüter alter, wo nicht ältester Tanzüberlieferung bis ins 12. Jahrhundert und darüber hinaus zurück; sie geben ihr Wissen und Können in schriftloser Lehre weiter. Dergestalt hat vieles überdauert, was hohen Quellenwert besitzt. Literarische Lükken können sich verringern oder gar schließen. Subtile Tanzforschungen, angeregt durch GGötsch, sind noch im Gange. Die Zählebigkeit mündlicher, unmittelbar gesprochener und gelebter Überlieferungen darf nicht unterschätzt werden. Wenn auch in der und um die ehemalige Metropole Massalia/Massilia/Marseille im 6./7. Jahrhundert nChr. das Griechische verklang, in den südlichen Bereichen der Magna Graecia lebt es noch immer (zB. in abgelegenen Dörfern Apuliens und Calabriens; vgl. GRohlfs). Die Etymologie des Wortes B. führt jedenfalls über das Lateinische letztlich ins Griechische (wahrscheinlich aber darüber hinaus noch in ältere Schichten) zurück: βαλλίζειν: tanzen; βαλλισμός: Tanz; als Erweiterung von βάλλειν: werfen (sc. die Beine / die Schenkel, WPape/WSengebusch);

dazu gehört dann vielleicht auch βαλλητύς, der Name für ein attisches Volksfest (LDeubner S. 69), wenn dabei etwa auf besonders auffällige Weise die Beine im Tanze geschwungen und zugleich Steine „geworfen" worden sind (HFrisk möchte lieber ein volksetymologisiertes Lehnwort in βαλλητύς erblicken). Da βαλλίζειν in (späteren) Belegen, zumal bei Athenäus, gleichgesetzt wird mit den Bedeutungen von κωμάζειν und χορεύειν ist ein Zweifel an der kultischen Primär-Bedeutung nicht gut möglich. Außerdem heißt es betont, ὅτι βαλλίζουσιν οἱ κατὰ τὴν πόλιν ἅπαντες τῇ θεῷ oder man erfährt: βαλλίζοντες τὸν θάλαμον σκάτους ἐνέπλησαν (Sophron). Germanische Quellen bieten keine Entsprechung für die Lautlichkeit des Wortes und seiner Verwandten. Immerhin lassen auch diese und alle sonstigen Hinweise für Wort und Sache B. mit Sicherheit auf ein sehr hohes, vor- und durchaus unliterarisches Alter schließen. Man kann mit WWarnecke resigniert betonen: „Weder Schriftquellen noch Kunstbilder geben uns genügend Grundlagen, um die geschichtliche Typogenese des antiken Tanzes und seiner Haupteigenschaften festzustellen" (Pauly-Wissowa IVa, 2233. 2247; vgl. auch KLatte; FWeege). Man wird dennoch erkennen müssen, daß in der B. die freilich nicht näher bestimmbare, jedenfalls kultisch gebundene Form eines spezifischen Singtanzes von auffälligem, ausgelassenem Bewegungscharakter („Werfen" der Beine/Schenkel) entwickelt und bis in die Gebiete der Magna Graecia (Sizilien; Syrakus) verbreitet war. Wie den meisten mit wirklichen Texten oder partieweise nach Art einer Vokalise gesungenen, weniger instrumental begleiteten Tänzen (βαλλίζειν esse ... τὰ κύμβαλα κτυπεῖν καὶ τὸν ἐκείνων ἦχον ὀρχεῖσθαι, Suidas/Zonaras 378), oblag es dieser Singtanz-Form mit höchster Wahrscheinlichkeit, eine mythisch-mythologische Situation von entsprechender Bedeutung wiederverwirklicht darzustellen oder zu feiern. Vielleicht geschah das durch Ausdrucksmittel, die sich in archaischer (AGehlen) oder gar archetypischer (CGJung) Weise aus den „Urphantasien" hoher Zeiten des vegetativen Lebens, der substantia vegetans, zB. unter dem Aspekt des Kontaktes der Geschlechter verdichtet hatten und nunmehr als Dromenon erschienen: „Vermöge der Ergriffenheit verdichtet sich naturgemäß reflexmäßig zu einer poetischen Konzeption, zu einer Kunstform. Dies ist vielleicht die beste Annäherung in Worten, die wir für den Prozeß der schöpferischen Phantasie geben können;

eine Erklärung kann man sie freilich kaum nennen. Der Weg, der von dem ästhetischen oder mystischen, auf jeden Fall a-logischen Gewahrwerden einer kosmischen Ordnung zum heiligen Kultspiel führt, bleibt ebenso dunkel wie zuvor" (JHuizinga S. 27; vgl. auch WFOtto: Gestalt/Sein, Nr XIV).

Goethes Griechen-Sehnsucht ist keine Folge, noch weniger eine Wirkung angelernten oder gelehrten Wissens, wenn sie sich auch seiner bemächtigt und bedient. Sie ist eine der zentralen Kräfte *geprägter Form, die lebend sich entwickelt (I/3, 95)*. Insofern ist sie entelechalen Charakters: *Jeder sei auf seine Art ein Grieche! Aber er sei's (I/49I, 156)!* Kraft ihres entelechalen Charakters ist Goethes Griechen-Sehnsucht identisch mit seinem Verlangen nach Ursprünglichkeit. Diese Griechen-Sehnsucht reicht tiefer als die „historischen" Griechen und wohl auch als die „Griechen". Sie gibt sich ebensowohl archaisch (AGehlen) wie archetypisch (CGJung). Sie hat auch keinen Anfang und kein Ende. Sie innert und äußert sich unaufhörlich in lebendiger Heuristik. Sie wird zu einem Modus goethescher Daseinserfahrung und Daseinsbewältigung. Dieser Modus ist die *Nord-Südlichkeit. In diesem Modus, der über dreißig, fast vierzig Schaffenszeugnisse zu seinem sehr deutlichen Zyklus (cum grano salis:) wie zu einem „Nord-Südlichen Divan" zusammenbindet, sind sich Goethes B.-Dichtungen und sein *Faust* sehr verwandt. Man vergegenwärtige sich nochmals die beredtesten Verknüpfungen: Dem *Thule* des ahnungslos-ahnungsvollen *Gretchens* antwortet später, spät das *Arkadien* nicht so sehr der *Italienischen Reise*, sondern des *Helena*-Aktes. Die *Hexenküche* entsteht im *Garten Borghese*, und gerade, dh. nur in dieser Verbindung kann zauberhaft der verjüngende Trank gebraut und genossen werden. *Faust* (wie ein spiegelbildlich wiederkehrender Machates) vereinigt sich als Repräsentant des Nordens mit *Helena* (wie mit einer spiegelbildlich wiederkehrenden Philinnion) als Repräsentantin des Südens. Auf südlich salomonischem *Löwenstuhl* ertönen nördlich *Eddas* Rhythmen. Der *Flüchtende* aus dem agonal bedrohten europäischen Norden eilt in den arabischen Süden und Osten zu *Chisers Quell*, wieder: um sich zu verjüngen. Der Dichter hat *an der Homerischen wie an der Nibelungischen Tafel geschmaust (9. XI. 1814: IV/25, 76)*. Das Geheimnis der Verjüngung ist ihm der rinascimento, die rinascita in der Einswerdung von Nord und Süd. Die Erlösung gelingt, weil die Erlösten des Südens für den Verdammten des Nordens bitten und die Gottheit wie weiland *der Gott* für *die Bajadere* so auch hier dem *Nicht mehr Getrübten* den Weg öffnet: *Wenn er dich ahnet, folgt er nach (I/15I, 337)*. Für die *west-östliche* Begegnung hatte die B. Goethes keine, allenfalls partiell eine *widerspenstige* Form; im ganzen *Divan* ist sie nicht vertreten. Die goethesche B. ist die lyrische Antizipation, der *Faust* die dramatische Explikation der Nord-Südlichkeit. Nach Systematik wie Historie ist Goethes B. aus sich selbst und in sich selbst die *nordsüdliche* Dichtart schlechthin. Sie ist intentional und formal das poetische Organ, um Norden und Süden innig und im *Vorgefühl* des jeweils *höchsten Augenblicks* zu verschmelzen. Insofern begleitet sie Goethe sechzig Schaffensjahre hindurch, chronologisch wie biographisch dem *Faust* immer voraus, aber ohne Nah-Verbindung mit ihm weder möglich noch wirklich. *Thule* und *Arkadien* sind nicht so sehr die Pole als vielmehr die Potenzen, deren Gleichzeitigkeit und Gleichgewichtigkeit sie ei-haft archaisch umschließt und enthält. *Übrigens ließe sich an einer Auswahl solcher Gedichte die ganze Poetik gar wohl vortragen (I/41I, 224).* Jedenfalls die goethesche Poetik.

Za

Götting, – Pauly-Wissowa – MGG – RDK – RGG – BLiebrucks: Über das Wesen der Sprache. In: Zeitschrift für philosophische Forschung. V/4. – BLiebrucks: Platons Entwicklung zur Dialektik. 1949. – WvHumboldt: Über die Verschiedenheit des menschlichen Sprachbaues. Hrsg. von HNette. 1949. – HBestian: Balladendichtung und Weltgefühl. Bonn, Diss. 1935. – WKayser: Ballade. 1935. – WKayser: Das sprachliche Kunstwerk. 1954. – WMuschg: Tragische Literaturgeschichte. ²1953. – GGötsch: Musische Bildung. Zeugnisse eines Weges. Bd 1: Besinnung (o. J.). – FWerfel: Realismus und Innerlichkeit. 1931. – JPieper: Muße und Kult. 1952. – FTrojan: Sprachrhythmus und vegetatives Nervensystem. Eine Untersuchung an Goethes Jugendlyrik. Als: Beihefte zur Zeitschrift für Sprachwissenschaft, Die Sprache, Heft 2 (1951). – HWeiß: Die Beeinflussung der vegetativen Tonuslage durch komplexe akustische Reizfolgen In: Folia Phoniatrica. Bd 6, Nr 1 (1954). Mit Literaturverzeichnis. – EStaiger: Goethe. 2 Bde. 1952–1956. – KViëtor: Goethe. 1949. – WFOtto: Die Gestalt und das Sein. 1955. – WFOtto: Dionysos. Mythos und Kultus. Als: Frankfurter Studien zur Religion und Kultur der Antike. Bd 4 (1933). – WF Otto: Die Manen oder von den Urformen des Totenglaubens. 1923. – KKerényi: Die antike Religion. 1940. – JHuizinga: Homo ludens. ³o. J. – JTrier: Über die Herkunft einiger Wörter des sittlichen Bereiches (dort auch Nachweise der anderen einschlägigen Arbeiten desselben Verfassers: S. 104). In: Studium generale I/2 (1948). EPeterich: Die Theologie der Hellenen. 1938. – Beutler I; II. – EBeutler: Goethe Faust und Urfaust erläutert. Als: Sammlung Dieterich Bd 25 (1949). – EBeutler: Goethe Westöstlicher Divan. Unter Mitwirkung von HHSchaeder hrsg. und erläutert. Als: Sammlung Dieterich. Bd 125 (1943). – FJvRintelen: Der Rang des Geistes. 1955. – HViehoff: Goethes Gedichte erläutert und auf ihre Veranlassungen, Quellen und Vorbilder zurückgeführt. Bd 1 (1869). – HOppel: Studien zur Auffassung des Nordischen in der Goethezeit. 1944. – WEmrich: Die Symbolik von Faust II. 1943. – MPohlenz: Der hellenische Mensch. o. J. – ESpranger: Goethes

Weltanschauung. 1949. – JStenzel: Metaphysik des Altertums. In: Handbuch der Philosophie. Hrsg. von ABäumler und MSchröter. Abt. 1, Abschn. D. 1934. – WNestle: Vom Mythos zum Logos. ²1942. – WSchadewaldt: Sophokles und das Leid. 1944. – ThvScheffer: Hellenische Mysterien und Orakel. 1940. – HvBeit: Symbolik des Märchens. Versuch einer Deutung. 1952. – AJolles: Einfache Formen. Als: Sächsische Forschungsinstitute in Leipzig II. Heft 2 (1930). – StHock: Die Vampyrsagen und ihre Verwertung in der deutschen Literatur. 1900. – HLichtenberger: Etudes sur les poésies lyriques de Goethe. 1882. – EGrumach: Prolog und Epilog im Faustplan von 1797. In: Goethe 14/15 (1952/1953). – MKommerell: Gedanken über Gedichte. Neudruck 1956. – EFirmenich-Richartz: Sulpiz und Melchior Boisserée als Kunstsammler. Ein Beitrag zur Geschichte der Romantik. 1916. – LDeubner: Attische Feste. ²1956. – HFrisk: Griechisches etymologisches Wörterbuch 1954 ff. – EUlrix: Les chansons inédites de Guillaume le Vinier dArras. In: Mélanges Wilmoth. 1910. – FWellner: Die Troubadours. Leben und Lieder. Als: Sammlung Dieterich. Bd 104 (1942). – LOlschki: Romanische Literaturen des Mittelalters. HbLW. – RBorchardt: Die großen Trobadors. 1924. – APillet: Zum Ursprung der altprovenzalischen Lyrik. Als: Schriften der Königsberger Gelehrten Gesellschaft. Geisteswissenschaftliche Klasse. 5. Jahr, Heft 4 (1928). – OHirschfeld: Kleine Schriften. 1900. – AGehlen: Urmensch und Spätkultur. 1956. – CGJung: Von den Wurzeln des Bewußtseins. 1954. – FWeege: Der Tanz in der Antike. 1926. – GRohlfs: Dizionario dialettico delle tre Calabrie. Con note etymologice e un' introduzione sulla storia dei dialetti calabresi. 1933–1939. – WSchmidt: Die Entwicklung der englisch-schottischen Volksballaden. 1933.

Ballanche, Pierre-Simon (1776–1847), französischer Schriftsteller, der Hang zu mystischer Stellungnahme zeigt; er schickt 1830 Goethe einige seiner Werke mit handschriftlicher Widmung (Bdm. 4, 228), darunter die „Essais de palingénésie sociale", die dieser ein schwaches Werk nennt (ebda 254).   *Fu*

Ballenstedt, die alte Askanierstadt an der Nordostseite des *Harzes, durchfuhr Goethe auf eiliger Rückkehr von der vierten Harzreise mit FA*Wolf Ende August 1805 (IV/19, 50; vgl. RV S. 41).   *Za*

Ballenstedt, Johann Georg Justus (1756 bis 1840), evangelischer Prediger in Papstorf im Herzogtum Braunschweig und spekulativer Geologe, suchte nach einer rationalistischen Erklärung der biblischen Schöpfungsgeschichte und wollte den voradamischen Bestand der Erde beweisen; B. ist einer der ersten Vertreter der *Abstammungslehre, die Schöpfung Gottes erklärte er zum Mythos. In seinem Hauptwerk, einer Sammlung von Einzeluntersuchungen: „Die Urwelt oder Beweis von dem Daseyn und Untergange von mehr als einer Urwelt", das 1819 erschien und mehrere Auflagen erlebte, entwarf er die Grundlagen und behandelte mehrfach die Frage der Mammutfunde. Diese Arbeit setzte er in dem von ihm herausgegebenen „Archiv für die neuesten Entdeckungen aus der Urwelt. Ein Journal in zwanglosen Heften" (seit 1819) fort. Goethe las am 20. XI. 1821

Bis in die Nacht Ballenstedts Archiv der Urwelt. Besonders über den Urstier von Körte, 3. Bandes 2. Heft (III/8, 138) von 1821. Das Titelkupfer dieses Heftes zeigt den Schädel eines Urstiers im Vergleich zu dem eines Ochsen nach einer Zeichnung FHW*Körtes, der auch den Aufsatz „Urstier-Schädel" (S. 326–331) schrieb. Diesen Band sandte Goethe am 2. III. 1822 an den Museumsschreiber JM *Färber nach Jena und bestellte eine *Abzeichnung unseres Urstiers (III/8, 172).* Auf dem Titelblatt der Zeitschrift nennt sich B. korrespondiendes Mitglied der *Mineralogischen Gesellschaft zu Jena und anderer naturwissenschaftlicher Gesellschaften. *Lö*

ADB 2 (1875), S. 22. – NDB 1 (1953), S. 560.

Ballett, neuzeitlicher europäischer Schautanz, der im Zusammenwirken von Gruppen- und Einzeltanz zu Musikbegleitung eine Handlung durch Bewegung auszudrücken sucht. Das B. entwickelte sich am Ende des 16. Jahrhunderts, reicht aber mit seinen Wurzeln bis ins *Mittelalter und in die *Antike zurück. In *Frankreich formte sich das B. im 17. Jahrhundert in Gestalt des Ballet de Cour zu einer selbständigen vierteiligen Kunstgattung, bei der alle Künste zusammenwirkten und zu der bedeutende Dichter und Musiker Frankreichs beigesteuert haben. In *Italien dagegen war das B. mit der *Oper verknüpft, der es als Zwischenaktunterhaltung und Schlußeffekt diente. Im Zusammenhang mit der Oper faßte es über Wien in Deutschland Fuß, daneben entwickelten sich unter französischem Einfluß in Wien auch besondere Hofb.e, die häufig mit militärischen Paraden verschmolzen (geritten und gefochtene B.e) und sich zu einem großen Schauakt übersteigerten. Die Rückführung des B.s auf seinen pantomimischen Ausgangspunkt erfolgte im 18. Jahrhundert im Zuge der Wendung zum Natürlichen und zu den emotionellen Kräften der Künste durch die französische Tänzerin Marie Sallé (1711 bis 1756), die – noch vor dem Auftauchen des historischen *Bühnenkostüms –1734 erstmalig eine antike Tunika trug, dann durch den in Wien wirkenden B.meister Gasparo Angiolini (1723–1796), der das B. als mimische Deklamation auffaßte und ihm tragische Stoffe zuführen wollte, und vor allem durch den pariser B.meister Jean George Noverre (1727–1810), der den dramatischen Charakter des B.s betonte und unter dem Eindruck *Shakespeares mit den drei Einheiten brach Sein „Ballet héroï-pantomime" vollzog den Wandel zum *Klassizismus und trug schon

Ansätze zum romantischen B. in sich. Sowohl Angiolini wie Noverre verwirklichten ihre Pläne durch Zusammenarbeit mit *Gluck. Als Noverre auf dem Höhepunkt seines Schaffens war (um 1770) und die Reform des B.s sich durchgesetzt hatte, setzte Goethes Tätigkeit für das Theater ein. Der Realismus des *Sturm und Drang ließ sich mit dem Wesen des B.s, das bei aller zeitgemäßen Tendenz zur Natürlichkeit immer stilisierte Kunst blieb, nicht vereinen. Erst in der höfischen Sphäre Weimars nahm Goethe Balletartiges in sein Schaffen auf, bezeichnenderweise aber knüpfte er an die barocke Form des B.s an: die *Maskenzüge, die Goethe für die winterlichen Hoffestlichkeiten schuf und von denen zwar die *dieselben gewissermaßen erklärenden Gedichte (I/16, 187)*, aber nur in wenigen Fällen die regiemäßige bzw. choreographische Beschreibung erhalten ist, lassen erkennen, daß es sich meist nicht um starre Aufzüge, sondern um tänzerische Gruppierungen mit dem traditionellen Schlußballett handelte, so bei dem Maskenzug von 1784: *Doch auch sie [die Sonne] naht sich bald mit ihrem Gefolge, sendet ihre wirksamsten Strahlen der Fürstin zum Geschenke und der feierliche Tanz beginnt (I/16, 200)*. Das Arrangement für das Maskenfest zum 30. I. 1782 hat Goethe geradezu als *Pantomimisches Ballet, untermischt mit Gesang und Gespräch (I/16, 444)* bezeichnet. Es läßt mit seinen drei Akten, dem Schlußballett, *wie es hergebracht ist (I/16, 452)*, und den genauen choreographischen Angaben, die nur durch wenig Sprechtext unterbrochen sind, den Aufbau eines klassischen B.s erkennen. Den Text dieses pantomimischen Balletts, das nach CAHBurkhardt den Titel *Der Geist der Jugend* führt und nach Mitteilungen von Carl August und LEChrJv*Göchhausen als ,,Comédie Ballet'' bezeichnet wurde, hat Goethe nicht unter seine Werke aufgenommen, weshalb es in der Sophien-Ausgabe auch nur unter den Lesarten als Paralipomenon erscheint (I/16, 444–452). An solchen Arrangements dürfte der Hoftanzmeister *Aulhorn, der Goethe am 13. V. 1780 *Tanzterminologie erklärte (III/1, 117), mitgewirkt haben. Die Form des Maskenzuges gewinnt dann im Theaterschaffen des klassischen Goethe Raum und ist in *Regie und *Schauspielkunst eine starke Stilisierung anstrebte und das Wort durch Musik, Bildkunst und Tanz gestützt wissen wollte. Wo er zur bildhaften Bewältigung von Erfahrungen und Weisheiten sich die Form des allegorischen Festspiels schuf, wurde auch der Revuecha-

rakter der Maskenzüge zum Dramatischen weiterentwickelt, so in der *Pandora*, in der *Mummenschanz* und der *Klassischen Walpurgisnacht* von *Faust II* (schon die *Walpurgisnacht* im *Faust I* bezieht das B. ein), in Des *Epimenides Erwachen* und im *Prolog zur Eröffnung des Berliner Theaters im Mai 1821*. In diesen Werken spielt die Überführung der starren allegorischen Gruppen in den Tanz, der den oft schwierigen Texten die nötige Sinnfälligkeit verleiht, eine entscheidende, wenn auch dienende Rolle. Daß Goethe auch in seinen Singspielen, wie *Lila* und *Jery und Bätely* und den Opernfragmenten, wie in *Der Zauberflöte Zweiter Theil* oder in *Der Löwenstuhl* das B. benutzte, ist selbstverständlich. Wie sich Goethe in der Spätzeit des weimarer Stils die regieliche Bewältigung dieses Zusammenwirkens der Künste dachte, wissen wir von der Aufführung des *Monodramas Proserpina, das – bezeichnenderweise wohl auf eine Anregung Glucks zurückgehend – von Anfang an im Zusammenwirken mit Musik gedacht war. 1815 wurde es zum Anlaß, die von Henriette *Hendel-Schütz und Lady *Hamilton geübte pantomimische Verlebendigung antiker Plastiken in ein *Gesamtkunstwerk einzubeziehen, wobei durch die Musik *der eigentlich mimisch-tanzartige Theil mit dem poetisch-rhetorischen verschmolzen, und einer durch den andern gesteigert* wurde. Als Schlußeffekt, gegensätzlich zu der *in's Unendliche vermannigfaltigten Bewegung* der Einzelgestalt, öffnete sich im Hintergrund ein *Tableau* von unbeweglich verharrenden Gruppen in malerischen Positionen *(I/40, 113)* – ein Regieeinfall, der auch vom B. übernommen war. Überhaupt darf bei den goetheschen Regievorstellungen und Ansichten über Schauspielkunst nicht übersehen werden, wie nahe Schauspiel- und *Tanzkunst dieser Zeit einander noch standen, daß ein großer Teil der weimarer Schauspieler auch Tänzer waren. Goethes an den *Regeln für Schauspieler* abzulesende Lehre von der *Gestik fußte auf den seit Beauchamps gültigen fünf B.-Positionen, sein Gebot, immer dem Publikum zugewendet zu spielen, ist eine Grundregel des klassischen B.s, seine Tendenz, die Szene als Bild zu empfinden und die Symmetrie zu vermeiden, findet sich auch bei Noverre. Goethes grundsätzliche Stellung zum B. erkennt dessen Möglichkeiten, weist es aber gleichsam überlegen in eine untergeordnete Stellung zurück: *Die mimische Tanzkunst würde eigentlich alle bildenden Künste zu Grunde richten, und mit Recht. Glücklicherweise ist der Sinnen-*

reiz den sie bewirkt, so flüchtig, und sie muß, um zu reizen, in's Übertriebene gehen. Dieses schreckt die übrigen Künstler glücklicherweise sogleich ab; doch können sie, wenn sie klug und vorsichtig sind, viel dabei lernen (I/48, 181 f.). Auf dem weimarischen Theater unter Goethes *Theaterleitung hat das B. eine geringe und vor allem keine selbständige Rolle gespielt. Das dürfte erstens mit Goethes Auffassung von der nachgeordneten Rolle dieser Kunst, zweitens mit den wirtschaftlichen Begrenzungen seines Theaters zusammenhängen. Wo der Tanz gebraucht wurde, wurden dafür geeignete und ausgebildete Schauspieler eingesetzt, so haben Christiane *Neumann, Theresia *Mattstedt, Amalie und Caroline *Malcolmi getanzt. Eine Prima Ballerina oder einen ersten Tänzer gab es in Weimar nicht, auch der erste – notorisch schlechte – B.meister *Mattstedt (1791–1793) war Schauspieler, die ihm folgenden *Morelli (1801–1803) und *Uhlich (1811–1815) waren höchstens mittleren Maßes. Eigene B.-Abende gab es gleichfalls nicht, nur sehr gelegentlich wurde nach einem Lust- oder Singspiel ein halber Abend dem B. zur Verfügung gestellt, vor allem, um einem neu engagierten B.-Meister Gelegenheit zu geben, sein Können zu zeigen. So sind in den Jahren 1791 und 1792 an fünf Abenden drei B.e Mattstedts gegeben worden, an zwei weiteren Abenden wurde als Einlage ein Menuett und eine Allemande getanzt. In den Jahren 1801 und 1802 wurden an acht Abenden drei B.e von Morelli gegeben. Am stärksten ist das B. bezeichnenderweise in der Spätzeit des weimarer Theaters unter Uhlich hervorgetreten, der in den Jahren 1810–1814 an dreizehn Abenden zehn B.e aufführen konnte. An B.-Gastspielen gab es 1792 eines des berliner Hofoperntänzers Silani, 1812 eines der Familie Kobler, 1816 ein Kinderballett. Selbstverständlich dürfte das Hauptbetätigungsfeld des weimarer B.s die Oper gewesen sein. *EF*

JGregor: Kulturgeschichte des Balletts. 1944.–CAH Burkhardt: Das Repertoire des Weimarischen Theaters unter Goethes Leitung. ThF 1 (1891). – BTh Satori-Neumann: Die Frühzeit des Weimarischen Hoftheaters unter Goethes Leitung. SGesTh 31 (1922).

Ballhorn, Friedrich gen. Rosen (geb. 1774), Direktor der Regierungskanzlei zu Detmold und 1804 Beisitzer der juristischen Fakultät in *Göttingen (nicht der Altphilologe Ludwig Wilhelm B., dessen Schriften zwischen 1753 und 1765 erschienen), war Korrespondent der Monatsschrift „Berlinisches Archiv der Zeit und ihres Geschmacks". In der Mitarbeiterliste dieser Zeitschrift wird er 1798 als „Dr.

Ballhorn, Amsterdam" aufgeführt. B. reiste im Juli 1798 über Hannover nach Amsterdam und gab von dort aus unter dem 20. VII. eine „Nachricht von der Gräflich Wallmoden-Gimbornschen Antikensammlung zu Hannover, mit einigen eingestreuten Bemerkungen. An den Herausgeber dieser Zeitschrift", die in der Oktobernummer (nicht: *Novemberstück*) 1798 (2, S. 346–359) erschien und „Friedrich Ballhorn" unterzeichnet ist. Die *Wallmodische Sammlung,* für die sich Goethe aufgrund dieses Aufsatzes im Rahmen seiner Vorbereitungen für die *Propyläen* unter der Rubrik *Geographische Kunstbetrachtungen* interessierte, war 1798 wohl durch den in österreichischen Kriegsdiensten stehenden, 1809 zum Feldmarschalleutnant ernannten Ludwig Georg Thedel Grafen vWalmoden-Gimborn (1769–1862) für dessen Vater, den braunschweig-lüneburgischen Korpsbefehlshaber im zweiten Koalitionskrieg Johann Ludwig Grafen vWalmoden-Gimborn (1736–1811), in Italien zusammengebracht worden, so daß B. einige Figuren „noch in den festen Verschlägen, mit welchen sie aus Italien gekommen", vorfand. Der *Aufsatz* B.s *(I/47, 281)* enthält Beschreibung und Urteil über mehrere antike Skulpturen und einige Porträt-Büsten, sowie einen Hinweis auf die Gemälde der Walmodischen Sammlung, die teils 1815 in staatlichen Besitz gelangte, teils 1819 versteigert wurde. *Lö*

Hamberger-Meusel 10 (1829), S. 113.

Balme, französisches Dorf im Tal der *Arve (Département Haute-Savoie), von Goethe 1779 berührt, wie dieser auch in der Nähe die Grotte de Balme besuchte (etwa 300 m lang; im Innern ein natürlicher, sehr tiefer, in die Erde führender Schacht: I/19, 242–244; RV S. 19). *Fu*

Balsamo, kleinbürgerliche Familie des 18. Jahrhunderts in *Palermo, bekannt durch Giuseppe B., der sich Graf Alessandro Cagliostro *(Calliostro: IV/5,88)* nannte, hat zum Stammvater

–, 1) Antonio *(Antonin),* Bandhändler und *vermuthlich von jüdischem Geschlecht (I/31, 128 und 294, 328).* Seine Frau hieß Anna. Beider Sohn war

–, 2) Pietro *(Peter); dieser machte Bankerott und starb in seinem fünf und vierzigsten Jahre (I/31, 128).* Er war mit Felicitas Bracconeri verheiratet, einer Tochter des Giuseppe Bracconeri und der Maria *Martello und Schwester des Matteo Bracconeri, eines *Oberpostcommissarius (I/31,300).* Kinder dieses Pietro B. waren

–, 3) Giovanna Giuseppa Maria *(Josepha*

Maria; Marana: I/31, 128; 301 f.), verheiratet mit Giovanni Battista *(Johann Baptista)* Capitummino, dem sie drei Kinder – Giuseppe, Teresa *(Therese)* und Antoinetta *(Antoinette)* – schenkte *(I/31,* 128; *294)*, und der *berüchtigte* –, 4) Giuseppe *(Joseph;* 1743–1795). Jung noch trat B. in den Ordenskonvent der barmherzigen Brüder zu Cartagirone ein (vgl. I/31, 129; 328), zeigte *Geist und Geschick für die Medicin,* ward jedoch *wegen seiner übeln Aufführung fortgeschickt* und machte sich als *Zauberer und Schatzgräber* mehr mißliebig als erfolgreich bekannt. Wegen Urkundenfälschung vor Gericht gestellt, floh er nach *Rom, wo er Lorenza Feliciano, *die Tochter eines Gürtlers* (budàtore), heiratete. Bald darauf kehrte er als Marchese Pellegrini – wohl weil seine Frau nahe bei Trinità dei Pellegrini gewohnt hatte – über *Neapel nach Palermo zurück. Abermals *gefänglich eingezogen (I/31, 129),* befreite ihn die List seiner Frau. Beide gingen auf Reisen. B. legte sich von seiner Groß- und Patentante Vicenza Martello, die mit Giuseppe Cagliostro verheiratet war, den Namen Alessandro Cagliostro zu und stellte ihm den Grafentitel voran; doch hat er auch verschiedentlich unter anderen Namen gelebt, nur in London zeitweilig 1771 unter dem des Joseph B. Damit begann er das Leben eines Scharlatans, Betrügers und „Wundertäters", als den ihn seine Zeit bewunderte, vergötterte und verdammte. Er wußte den *Aberglauben und die Leichtgläubigkeit seiner Mitmenschen zu nutzen, die auf dem unsicher gewordenen gesellschaftlichen und religiösen Boden anstelle der *Aufklärung den Glauben an die physische und moralische Wiedergeburt, an das ewige Leben auf Erden und an das Eingehen in die Welt der Geister setzten. Derjenige, der diese Hoffnungen, der die Erfüllung dieser Wünsche in Aussicht stellte, mußte Verehrung und Bewunderung erhalten – Cagliostro erhielt sie. Von der verführerischen Grazie seiner Frau unterstützt und mehr darauf bedacht, sich des Geldes seiner „Gläubigen" zu versichern, als ihnen in Wahrheit den Stein der Weisen, die materia prima, und damit ewiges Leben, sowie Gold aus Quecksilber zu verschaffen, hatte B. seine Lehre aus den Manuskripten eines Georges Coston (oder Coftan) zusammengebraut. Diese „Geheimnisse", gemischt aus Mystizismus und gewöhnlichem Unsinn, machten keinen Anspruch darauf, von den Anhängern „verstanden" zu werden; E*Swedenborgs Einfluß ist nicht zu verkennen. Cagliostro nannte

sich den Groß-Kophta seiner Loge (bewußter Namensanklang an Coston/Coftan?); in einer Schwesterloge, als deren „Meisterin" seine Frau, genannt Seraphine, fungierte, wurden auch Frauen aufgenommen; ihre Anhänglichkeit wußte Cagliostro schamlos auszunutzen (Gesetze und Riten dieser ägyptischen Maurerloge zuerst in dem Bericht über den Inquisitionsprozeß 1791 beschrieben). Sich selbst zum Geheimnis zu machen, war notwendige Folge seines Geltungsdranges, der ihm die phantasievolle und unbedenklich vorgetragene, nur zu gern geglaubte Jugendgeschichte eingab, die in Medina und Mekka begann und über Rhodos nach Malta zu den Rittern des Malteserordens führte (gedruckt in den Verhören des Halsbandprozesses „Mémoire pour le comte de Cagliostro, accusé . . ." 1786, S. 6–12). In London, das er 1771/72 zum Aufenthalt wählte, traten er und seine Frau in eine damals schon bestehende ägyptische Loge ein, in der er als „DIVO CAGLIOSTRO" Anbetung forderte und genoß und sich als frommer Ritter der höchsten Tugend feiern ließ. Reisen führten ihn bald durch ganz Europa. Im Jahre 1779 war er unterwegs von Den Haag nach *Venedig und *Leipzig. Eine hier ausgesprochene Prophezeiung, die man ex eventu zu seinen Gunsten auslegen konnte, mag sein Ansehen gefestigt haben. Dann ging er über *Berlin, Danzig und Königsberg (vgl. LEvBorowsky: „Cagliostro, einer der merkwürdigsten Abenteurer unseres Jahrhunderts", 1790) nach Mitau in Kurland, in dessen Adelskreisen er alchemisierend und „hellsehend" gläubige Aufregung brachte; fast hätte man ihm die Würde eines Herzogs von Kurland angetragen. Evd*Recke ward seine Schülerin in der ägyptischen Loge; aber sie weigerte sich, mit ihm nach Petersburg zu gehen. Sie fertigte jedoch einen ausführlichen Bericht über die denkwürdigen, bald aufgeklärten und 1787 von ihr kritisch und warnend mitgeteilten Ereignisse an („Nachricht von des berüchtigten Cagliostro Aufenthalte in Mitau im Jahre 1779 und von dessen dortigen magischen Operationen", herausgegeben von F*Nicolai). Am Zarenhof Eingang zu finden, gelang Cagliostro nicht, denn Katharina die Große machte ihn durch drei selbstgeschriebene Lustspiele („Der Betrüger", „Die Verblendeten", denen später „Der sibirische Schaman" folgte, übersetzt und 1788 herausgegeben von FNicolai) lächerlich. So wandte er sich nach Warschau, mußte aber, als Betrüger und Scharlatan entlarvt („Cagliostro, demasqué à Varsowie", 1786, gleich-

23*

zeitig deutsch von FJ*Bertuch), von einem Tag zum andern fliehen, ohne sich als Goldmacher erwiesen zu haben. In *Straßburg, der entscheidenden Station seiner Gaunerlaufbahn, betätigte er sich als Wunderdoktor und fand wiederum, durch scheinbare Heilerfolge berühmt, Eingang in die Aristokratie, in deren Kreisen er mit dem Erzbischof-Kardinal und Großalmosenier von *Frankreich, dem Prinzen LREde*Rohan, einen nicht weniger zeittypischen Charakter als Gläubigen und Förderer fand.

JC*Lavater besuchte 1781 Cagliostro in Straßburg, der ihn mit den Worten: ,,Sind Sie von uns beiden der Mann, der am besten unterrichtet ist, so brauchen Sie mich nicht; bin ich's, so brauch ich Sie nicht" empfing und gehen ließ. Lavaters schriftliche Anfrage nach Cagliostros Kenntnissen und deren Inhalt, beantwortete der Wundermann: ,,In verbis, in herbis, in lapidibus" (Lavater: ,,Rechenschaft an seine Freunde", 1784, erstes Blatt). Durch Bäbe (Barbara *Schultheß) erfuhr Goethe von dieser denkwürdigen Begegnung und wünschte hierüber *ein Wort aus der ganzen Tiefe. Denn wird man nur darum älter um wieder kindisch zu werden* [?] (19. II. 1781: *IV/5, 55*), und wiederholte die Bitte im gleichen Brief, nachdem Lavater inzwischen über seine Reise berichtet hatte: ,,... ich war vor 14. Tagen in Straßburg; sahe die personifizirte Güte in Brankoni [MA *Branconi], die personifizirte Kraft in Calliostro" (BrLavater, S. 147). Begeistert schilderte Lavater auf Goethes Bitte hin die Natur Cagliostros, der ,,ein Parazelsischer Sternnarr, – ein hermetischer Philosoph – ein Arkanist – ein Antiphilosoph" sei, ,,das ist nun wohl das Schlimmste, was von ihm gesagt werden kann". Lavater glaubte ihm seine Geisterseherei: ,,Ohne Charlatanerie ist er gewiß nicht, – obgleich er dennoch kein Charlatan ist", und schloß: ,,Es ist doch scharfes Schicksal, daß alle großen Menschen solchen Zusatz von Rohheit oder Narrheit haben müssen, daß man ihnen nicht nahe kommen kan, ohne gedrückt, verwundet oder befleckt zu werden". Lavater hatte übrigens schon damals Kenntnis von der Erzählung der EvdRecke aus Mitau (BrLavater, S. 152–154; vgl. zu *Eckermann 17. II. 1829: Bdm. 4, 71). Nun wird Goethes Interesse zum Urteil: *Calliostro ist immer ein merckwürdiger Mensch. Und doch sind Narr mit Krafft, und Lump so nah verwandt. Ich darf nichts drüber sagen. ich bin über diesen Fleck unbeweglich* (18. III. 1781 an Lavater: *IV/5, 88*), wohl einmal, weil er in seiner Jugend dem Mystizismus

nicht ferngestanden hatte, und zum andern, weil er als Mitglied der Loge Anna Amalia die entschiedene Ablehnung B.s durch die *Freimaurer teilen mußte (vgl. ,,Etwas über Cagliostro", in: ,,Journal für Freimaurer", III, 1. 5786=1786). Es mußte Goethe schon verdächtig scheinen, daß so viele Frauen sich diesem magischen Humbug hingaben; selbst die schöne Branconi blieb nicht unbeeindruckt, an Lavater schrieb sie nur: ,,Meine Feder ist stumpf, ich darf nicht" (vgl. IV/5, 150). EvdRecke wurde erst 1784 in Weimar durch JJC*Bode, einem Führer der Freimaurerbewegung, von ihrem Irrglauben geheilt (vgl. 26. XII. 1784 an Carl-August: IV/6, 418; Bode ist vermutlich auch der Verfasser einer Schrift, die sich schon 1781 gegen B. wandte: ,,Ein paar Tröpflein aus dem Brunnen der Wahrheit. Ausgegossen vor dem neuen Thaumaturgen Caljostros"). Lavaters Berichte, die Goethe kurz vor dem Bruch der beiderseitigen Freundschaft erhielt, und sicher auch die Erzählungen anderer gaben ihm die Hellsicht über seine Zeit, die sich Cagliostro in trügerischer und betrügerischer Absicht anmaßte, die Lavater jedoch abging: *Was die geheimen Künste des Cagliostro* [die Änderung der Namensorthographie läßt auf die Lektüre von Zeitungsberichten schließen] *betrift, bin ich sehr mistrauisch gegen alle Geschichten, besonders von M.* [itau] *her. Ich habe Spuren, um nicht zu sagen Nachrichten, von einer großen Masse Lügen, die im Finstern schleicht, von der du noch keine Ahndung zu haben scheinst. Glaube mir, unsere moralische und politische Welt ist mit unterirdischen Gängen, Kellern und Cloaken miniret, wie eine große Stadt zu seyn pflegt, an deren Zusammenhang, und ihrer Bewohnenden Verhältniße wohl niemand denkt und sinnt; nur wird es dem, der davon einige Kundschaft hat, viel begreiflicher, wenn da einmal der Erdboden einstürzt, dort einmal ein Rauch aus einer Schlucht aufsteigt, und hier wunderbare Stimmen gehört werden* (22. VI. 1781 an Lavater: *IV/5, 149*).

Rohan mochte Cagliostro für seine Zwecke, die auf die Gunst der Königin Marie Antoinette gerichtet waren, nützlich finden und lud ihn nach Paris ein. Doch Cagliostro ging alsbald, sein gewöhnliches maurerisches Wesen treibend, auf Reisen – Italien, Bordeaux (vgl. BrLavater, S. 235), Lyon. Kaum anzunehmen, daß der Prinz Rohan die Buchstaben L. P. D. auf dem Kreuz der Meisterdiplome, die Cagliostro in Lyon austeilte, als ,,Lilium pedibus destrue" – eine Kampfansage gegen das Haus Bourbon – gekannt hat. 1784 verknüpfen sich die Fäden zur **Halsbandge-schichte*, die Goethe *wie das Haupt der Gorgone erschrecken sollte (I/33, 261)*. Die Gräfin Valois-La Motte, Hauptfigur in dieser hoch-politischen Kriminalaffäre und mit Rohan und Cagliostro im August 1785 verhaftet und auf der Bastille gefangengesetzt, beschuldigte B. während des Prozesses vor dem Parla-mentsgericht in Paris, die Unterschrift der Königin gefälscht und das Halsband aus den Händen Rohans empfangen und auseinander-genommen zu haben (,,Mémoire pour le Comte de Cagliostro, accusé contre M. le Procureur-Général, accusateur", 1786; vgl. ,,Réponse pour la comtesse de Valois-La Motte, au mé-moire du comte de Cagliostro", 1786, die erst-mals das Lügengespinst Cagliostros zerriß). Nur die Gräfin Valois wurde nach monate-langem Prozeß verurteilt, Rohan und Cag-liostro aber zum Jubel des pariser Volkes frei-gesprochen. Cagliostro mußte tags darauf Paris, in drei Wochen Frankreich verlassen; er fuhr nach London (vgl. I/31, 134). *In dem unsittlichen Stadt-, Hof- und Staats-Ab-grunde, der sich hier öffnete, erschienen mir die greulichsten Folgen gespensterhaft, deren Er-scheinung ich geraume Zeit nicht los werden konnte;* Goethe war zutiefst erschüttert *(I/35, 11)*. – Aber alles *was mich innerlich beschäf-tigte, erschien mir immerfort in dramatischer Gestalt (I/33, 263 f.);* alle Erfahrung, reflek-tiert auf das innere und beständige Sein, machte Goethe zum Teilnehmenden, Intui-tion und Sorge riefen in ihm den Dichter her-vor. So wurde der Halsbandprozeß mit kaum veränderten Rollen – *Der Abbé stellt den Car-dinal vor. M. de Courville die M. la Motte. Ihre Nichte die Oliva* [Nicole, genannt Baronesse Guay d'**Oliva]. Der Ritter einen jungen Men-schen der sein Glück machen will und der Conte di Rostro impudente den unverschämtesten aller Charlatane* (14. VIII. 1787 an PhC*Kayser: *IV/8, 245*) – zu dem erst als Oper geplanten Lustspiel *Der Groß-Cophta (I/17, 117–250),* darin dem Anteil Cagliostros am Betrug ein breiterer Raum als in Wirklichkeit zugemes-sen wurde (vgl. I/40, 403 und I/41^{II}, 193). Die Nachrichten und Veröffentlichungen über den Halsbandprozeß beunruhigten ganz Eu-ropa. Cagliostro, immer wieder genannt und für den Zeitgenossen zwielichtig und anzie-hend zugleich, erlangte eine kaum noch er-klärbare Popularität. Jetzt traten die Ent-hüllungsschriften in den Vordergrund: die erste ihrer Art wohl ,,Mémoires authentiques pour servir à l'histoire de comte de Cagliostro" (1785); EvdRecke veröffentlichte ihren Be-

richt aus Mitau, begleitete ihn mit berichti-genden Noten und ließ ihn von FNicolai her-ausgeben; FJBertuch übersetzte den war-schauer Augenzeugenbericht: ,,Cagliostro in Warschau, oder Tagebuch über Cagliostro's magische und alchemische Operationen da-selbst im Jahre 1780, von einem Augenzeu-gen; aus dem Französischen" (1786 gleich-zeitig in Straßburg und Königsberg erschie-nen). HGdeRiqueti, Comte de *Mirabeau gab seine ,,Lettre du Comte de Mirabeau à *** sur M. M. de Cagliostro et Lavater" (1786; gleich-zeitig auch deutsch) heraus. In der Flut der Tageschriften redet dagegen noch JG*Schlos-ser von Cagliostro ,,als von einem großen Manne, der nur von Alltagsmenschen unseres kraftlosen Jahrhunderts verkannt und ver-lästert" werde (,,Deutsches Museum", 1787, 4. Stück, S. 387–392). Aber Goethe sah über alles dieses aus einer tieferen Einsicht hinweg, so sehr er auch von Tatsachen im einzelnen unterrichtet gewesen sein wird: denn *die Menschen die sich bisher damit abgegeben sind mir verdächtig. Marcktschreyer, große Herren und Propheten lauter Menschen die gerne viel mit Wenigem thun, gerne oben an sind pp.* (August 1787 an ChvStein: *IV/8, 239*). Als Goethe dies schrieb, war er bereits am 14. und 15. IV. 1787 bei der Familie B. in Palermo gewesen. *Vivonas *Memoire, das er dort kennenlernte, endigte sich mit einem scharfsinnigen Beweise, daß Cagliostro und Balsamo eben dieselbe Person sei, eine These, die damals* [1787] *schwerer zu behaupten war, als sie es jetzt* [bei der Niederschrift der *IR* 1817] *ist, da wir von dem Zusammenhang der Geschichte vollkommen unterrichtet sind (I/31, 131)*. Man glaubte in Palermo auf einem Cag-liostro darstellenden Kupferstich [von einem unbekannten französischen Künstler, dazu ein deutscher qualitätloserer Nachstich im Gegensinne], *der bei uns bekannt genug ist und auch nach Palermo gekommen war (I/31, 126),* B. wiedererkannt zu haben. Die Familie B.s war von der Identität überzeugt. Goethe, nach Ursprung und Folge einer so ungemei-nen Existenz fragend – es ist die Zeit, in der ihm die Vorstellung der *Urpflanze entgegen-trat – verabredete daher mit dem Schreiber Vivonas einen gemeinsamen Besuch bei den B.s, denen gegenüber er sich als Engländer (mit dem Namen *Wilton: I/31, 300*) ausgeben wollte, da Cagliostro *eben aus der Gefangen-schaft der Bastille nach London gegangen war (ebda 134)*. Goethe traf die Mutter und die inzwischen verwitwete Schwester B.s, sowie zwei Kinder der letzteren *in einem kleinen*

Hause, wo sie mit der gebührenden Schicklich-
keit lebten (I/31, 302); es lag in dem Winkel
eines Gäßchens nicht weit von der Hauptstraße,
il Cassaro genannt. Goethe beschreibt diese
Begegnung (*I/31, 134–*140; vgl. I/41[II], 193)
nicht allein menschlich erregend und anschaulich (fast im Sinne eines niederländisch-
elsheimerischen Genrestückes), sondern gibt
auch durch umständliche Beobachtung des
Details einen Einblick in die sozialen und
wirtschaftlichen Verhältnisse einer palermitanischen Familie seiner Zeit. Die B.s beschlossen, dem „Engländer" einen Brief der
Mutter, den Goethe am folgenden Tag abholte,
für Cagliostro mitzugeben, der seinen Empfänger zwar nie erreichte, nichtsdestoweniger
aber ein erschütterndes Zeugnis mütterlicher
Liebe und gläubigen Katholikentums ist
(I/31, 300 f.). *Ich brauche nicht zu sagen, daß*
der Antheil, den ich an dieser Familie nahm,
den lebhaften Wunsch in mir erregte, ihr nütz-
lich zu sein und ihrem Bedürfniß zu Hülfe zu
kommen. Sie war nun durch mich abermals
hintergangen, und ihre Hoffnungen auf eine
unerwartete Hülfe waren durch die Neugierde
des nördlichen Europa's auf dem Wege, zum
zweitenmal getäuscht zu werden. Doch konnte
Goethe den B.s nicht sogleich helfen, da *ich*
mich selbst in Verlegenheit setzen würde, wenn
ich mir anmaßte, die Ungerechtigkeit eines fre-
chen Menschen durch eine herzliche Gutmüthig-
keit zu verbessern (I/31, 143 f.). Die Übersendung der 14 Unzen, die B. noch seiner Schwester schuldete, erfolgte daher erst von Weimar
aus, als *Verehrungswürdige Personen,* denen
Goethe *die Geschichte erzählte,* ihm die Möglichkeit gaben, *jener unglücklichen Familie*
meine Schuld abtragen zu können und ihr eine
Summe [von 400 Livres] *zu übermachen, die*
sie zu Ende des Jahres 1788 erhielt (I/31, 301
bis 303; die Quittung der GMCapitummino
noch in Goethes Papieren). Aber damit wollte
Goethe seine Hilfsbereitschaft nicht enden
lassen. Er war schon im Juni 1791 entschlossen, *Cagliostro's Stammbaum und Nachrichten*
von seiner Familie herauszugeben, damit über
diesen Nichtswürdigen gar kein Zweifel übrig
bleibe (1. VI. 1791 an FH*Jacobi: *IV/9, 270*).
Am 23. III. 1792 berichtete er in der *Freitagsgesellschaft über B. (Bdm. 1, 181–185).
Im gleichen Jahre erschien bei FG*Unger
seine Schrift: *Des Joseph Balsamo, genannt*
Cagliostro, Stammbaum. Mit einigen Nach-
richten von seiner in Palermo noch lebenden
Familie. In ihr äußerte Goethe den Wunsch,
jene kleine Summe, die noch bey mir liegt, durch
Beyträge zu vermehren ... und an dem Dank

und der Zufriedenheit einer guten Familie Theil
zu nehmen, aus welcher eins der sonderbarsten
Ungeheuer entsprungen ist, welche in unserm
Jahrhundert erschienen sind (I/31, 304; so
auch in der *Cottaschen Ausgabe von 1817.
Am 6. VII. 1817 kam Goethe zu dem *Ent-*
schluß das Abenteuer mit der Familie Caglio-
stro in den Palermitanischen Aufenthalt [der
IR] *einzuschalten: III/6, 73;* vgl. III/13,
247 f.). Lavater allerdings spottete über Goethes Sorge für des „Pseüdocagliostro verlaß-
ne Familie" (BrLavater, S. 246); er spottete, weil ihm das Verständnis dafür fehlte,
daß Goethe bei dieser wie bei anderen Gelegenheiten bereit war, eine in wesentlich tieferem Sinne christliche Verantwortung zu
übernehmen und sich dieser in der Kreatür-
lichkeit des Menschen liegenden *Schuld
nicht zu entziehen.
Cagliostros Stern war im Sinken. ChThéve-
not de Morande deckte in seiner Zeitschrift
„Le Courrier de l'Europe" B.s Betrügereien
auf, nachdem dieser von London aus das
französische Volk zur Empörung aufgerufen
hatte. Merkwürdig allerdings bleibt, daß Cagliostro den Sturm auf die Bastille vorauszusehen vermochte („Mémoire pour le Comte de
Cagliostro, demandeur contre Me Chesnon et
le Sieur de Launay", 1786). Seine Frau,
längst der Treibereien überdrüssig, überredet
ihn, nach Italien zurückzukehren. Nach
einem Aufenthalte in *Basel befindet sich
Cagliostro einige Zeit im nahegelegenen Biel,
wo er wieder mit Lavater zusammengetroffen
sein soll (Borowsky in der oben zitierten
Schrift) – weiter reist er, wie ein wahrhaftiger
Ahasver. Aber weder in Turin, in Rovereto
(vgl. „Journal von und für Deutschland",
1788), noch in *Trient ist seines Bleibens
lange. Im Mai 1789 trifft er in Rom ein, wird
am 27. XII. aufgrund seiner neuerlichen freimaurerischen Umtriebe verhaftet, auf der
Engelsburg gefangengesetzt und am 21. III.
1791 kraft der von Clemens XII. und Benedikt XIV. erlassenen Strafgesetze zum Tode
verurteilt (Dekret vom 7. IV. 1791 in Faksimile und Übersetzung bei JvGünther). Den
Auszug von seinem Prozesse ..., den man in
Rom hat drucken lassen („Compendio della
vita e delle gesti di Giuseppe Balsamo, denominato il conte Cagliostro, che si e strotto
del' processo contre dilui formato in Roma
l'anno 1790", 1791; gleichzeitig französisch,
deutsch von CJ*Jagemann, Weimar 1791) las
Goethe vor dem 1. VI. 1791. *Er enthält fast*
nichts, was man nicht schon wußte, aber wie
viele Menschen wollten es nicht wissen. Es ist

erbärmlich anzusehen, wie die Menschen nach Wundern schnappen um nur in ihrem Unsinn und Albernheit beharren zu dürfen, und um sich gegen die Obermacht des Menschenverstandes und der Vernunft wehren zu können (1. VI. 1791 an FHJacobi: *IV/9, 270;* vgl. I/31, 131). – Cagliostro, von Pius VI. zu lebenslänglicher Haft begnadigt, starb 1795 auf S. Leone bei Urbino, nach anderen Berichten beim Einmarsch der Franzosen eines gewaltsamen Todes.

Als „Ein durch große Einseitigkeit unbrauchbares Ungeheuer", wie ihn Lavater in einem Brief vom 16. VIII. 1781 an Goethe nannte (BrLavater, S. 190), war Cagliostro nur in einer ihm zugearteten Umwelt möglich, die ihn gleichsam als ein Produkt ihrer selbst hervorgebracht hatte, da denn *ein gewisser Aberglaube an dämonische Menschen niemals aufhören, ja ... zu jeder Zeit sich immer ein Local finden wird, wo das problematisch Wahre, vor dem wir in der Theorie allein Respect haben, sich in der Ausübung mit der Lüge auf das allerbequemste begatten kann (I/35, 230).* So ist es kein Wunder, daß die Zeit in einer kaum übersehbaren Zahl von Schriften, aber auch in Erzählungen und Bühnenstücken sich dieser dramatischen und unheilvollen Gestalt entledigen wollte. Am Anfang steht hier Katharina die Große; aber nicht allein F*Schiller („Der Geisterseher", 1789) und Goethe *(Der Groß-Cophta, 1791)* haben seine Gestalt beschworen und verdammt, sondern auch andere haben sich des dankbaren Stoffes angenommen. Gleichzeitig mit Goethes Lustspiel erschien in Italien „Il Cagliostro commedia di cinque atti in prosa" von NRoviglio, 1810 die komische Oper „Cagliostro, ou Les Illuminés" von JARévéroni de Saint Cyr und EDupaty, während bei ETA*Hoffmann der Zauberer Spalanzani Gestalt und Betragen Cagliostros erhält („Der Sandmann" in „Nachtstücke", erster Teil), der auch sonst der hoffmannschen Natur entsprechend „gegenwärtig" ist („Der Magnetiseur" in „Phantasiestücke in Callots Manier", zweiter Teil). JKvTrain schreibt 1833 eine „Criminalgeschichte" unter dem Titel „Giuseppe Balsamo, der berüchtigste Abentheurer und Betrüger seines Zeitalters, oder der entlarvte Graf Alexander von Cagliostro", KHildebrandt 1839 „Merkwürdige Abentheuer des Grafen Cagliostro"; AAdam vertont 1844 die Oper von EScribe und HdeSaint-Georges; FTrautmann läßt 1846 ein Schauspiel drucken. Immer freier und reicher gestaltet, geht die Gestalt Cagliostros schließlich in die

Operette (1875: JStrauß), in das Unterhaltungsstück (1922: HLilienfein) und in das expressionistische Drama (1931: EToller) über. Erzählungen und Romane haben die Erinnerung an Cagliostro und die Faszination, die einmal von ihm ausgegangen sein muß, wachgehalten: *Alle vereinten sittlichen Kräfte vermögen nichts gegen sie; vergebens, daß der hellere Theil der Menschen sie als Betrogene oder als Betrüger verdächtig machen will, die Masse wird von ihnen angezogen. Selten oder nie finden sich Gleichzeitige ihres Gleichen, und sie sind durch nichts zu überwinden, als durch das Universum selbst, mit dem sie den Kampf begonnen; und aus solchen Bemerkungen mag wohl jener sonderbare, aber ungeheure Spruch entstanden sein: Nemo contra deum nisi deus ipse (I/29, 177).*   *Lö*

JvGünther: Der Erzzauberer Cagliostro, die Dokumente über ihn nebst zwölf Bildbeigaben. 1919. – Ersch-Gruber: Encyclopädie der Wissenschaften und Künste 14 (1825), S. 73–75. – ThCarlyle: Das Diamantenhalsband. In: Ausgewählte Schriften, deutsch von AKretzschmar 1 (1855), S. 166–242. – HDüntzer: Cagliostro und Großkophta. In: Neue Goethe Studien. 1861. – ESierke: Schwärmer und Schwindler zu Ende des achtzehnten Jahrhunderts. 1874. – Hd'Alméras: Cagliostro, la Franc-Maçonnerie et l'occultisme du XVIIIe siècle. 1904. – La Grande Encyclopédie 8. S. 756 f. – Enciclopedia Italiana 8. S. 273 f. (italienische Literatur). – Winkler-Prins: Encyclopedie 5 (1949), S. 368 (neue Literatur). – TKellen: Cagliostro-Marie-Antoinette-Rohan – Der Halsbandprozeß. Ein bibliographischer Versuch. In: Börsenblatt für den deutschen Buchhandel 71 (1904), S. 7488 bis 7492, S. 7524–7530, S. 7573–7575. – AWolfstieg: Bibliographie der freimaurerischen Literatur. 4 Bde. 1911–1926.

Baltische Länder, als zusammenfassende Bezeichnung der Ostseeprovinzen Estland, Livland und Kurland ist in der Zeit Goethes noch selten (vgl. Eckermann/Houben: 23. X. 1828, S. 552 als Zitat eines Briefes von Av*Humboldt), der heute gebräuchliche Ausdruck „Deutsch-Balten" ist damals unbekannt. Man kennt Kurland – bis 1795 polnisches Lehnsherzogtum der Familie Biron, dann russisch – sowie Liv- und Estland (beide schon seit 1710/21 russisch) und die nach diesen Landschaften benannten Angehörigen der deutschen Oberschicht, außerdem das Mare balticum, die Ostsee. Erst im Verlaufe des 19. Jahrhunderts bürgerte sich die Bezeichnung „Balten" für die deutschen Bewohner der drei „Ostseeprovinzen" oder der „Baltischen Provinzen" Rußlands ein. Die Sprachwissenschaft dagegen bezeichnet als „baltisch" nur die letto-litauische Sprachfamilie. Im Zusammenhang mit den Kämpfen in Liv- und Kurland nach dem Zusammenbruch von 1918 begann man vom „Baltikum" zu sprechen. Zwischen den Weltkriegen verbreitete sich von England aus die Verwendung der Worte „baltisch" und „Balten" für die Randstaaten Estland, Lettland und Litauen. Dieser Brauch hat sich nach 1945 auch in Deutschland so gut wie ganz durchgesetzt. Zugleich hat man sich daran gewöhnt, die früher „Balten" Genannten als „Deutsch-Balten" zu bezeichnen. Damit ist die Terminologie bis auf den Widerspruch gegenüber der Sprachwissenschaft geklärt, die das Estnische als finno-ugrische Sprache ausschließt. Obwohl ein Anachronismus, wird das Stichwort hier als einzig mögliche Zusammenfassung verwendet.

Mit den b.L.n ist Goethe nur durch ihre deutschen Bewohner in Berührung gekommen, von denen er die ersten schon als Student kennenlernte: GFv*Lieven in Leipzig und vor allem JMR*Lenz, der zu Ostern 1771 nach Straßburg kam. Starke Anziehung hat von jeher Jena mit seiner Universität auf die Deutsch-Balten ausgeübt. Seit 1779 wirkte hier der in Riga geborene Mediziner C*Loder; zu den Studenten zählte seit 1791 A*Scherer, der zwar in St. Petersburg geboren war, jedoch in Riga die Schule besucht hatte; 1802 zog der revaler Th*Seebeck nach Jena. Von allen Deutsch-Balten blieb er Goethe am engsten verbunden. Wie Jena wurde auch *Göttingen von deutsch-baltischen Studenten gern besucht. Für das Jahr 1781 läßt Goethe durch PhF*Seidel einige Namen von Studenten gesondert in sein Tagebuch eintragen: *Walter* [und] *Gericke aus Riga haben in Göttingen studirt. von Berg von Wrangel von Schlaff aus Kurland gleichfalls in Göttingen studirt (III/1,362).* Wie sich aus den Matrikeln der göttinger Universität ergibt, handelt es sich dabei um Carolus Friedericus Walter aus Riga, immatrikuliert 1. IV. 1781 als stud. theol.; Johannes Christopherus Gericke aus Hildesheim (?: „Hildesiensis"), immatrikuliert 8. V. 1778; Jakob Erich vBerg aus Reval, immatrikuliert 1779 (nicht dagegen Balthasar Dietrich oder Friedrich August vBerg, beide stud. jur., aber erst am 18. X. 1783 immatrikuliert); Georg Johann vWrangel aus Reval, immatrikuliert 11. IX. 1779 als stud. jur.; Johann Karl vSchloff (für von Schlaff?) aus Wismar (?), bereits 1774 immatrikuliert.

Ob das Ehepaar vStachelberg, das Goethe am 11. II. 1799 in Jena traf (III/2, 233), dem estländischen Geschlecht vStackelberg angehörte, muß offenbleiben. In Weimar ist Goethe offenbar zunächst nur selten mit Deutsch-Balten zusammengetroffen. Der erste bezeugte Besuch ist der der Dichterin Evd *Recke, die Goethe in der Weihnachtswoche

1784 zusammen mit ihrer Freundin S*Becker bei Hofe traf. 1801 weilte der General Kasimir Freiherr vMeyendorff in Weimar (am 3. V. mit Goethe zusammen: III/3, 13). Mit zunehmendem Reiseverkehr nach den Kriegsjahren 1805/07 mehrten sich die Besucher aus den b.L.n in Weimar. Vor allem aber hatte Goethe in den *böhmischen Badeorten Gelegenheit, manchen Bewohner der b.L. kennenzulernen. Unter den *Diplomaten, mit denen Goethe auch dienstlich in Berührung kam, ist Av*Barclay de Tolly in *Dresden zu nennen. In *Stuttgart traf Goethe am 4. XI. 1797 einen russischen Gesandtschaftskavalier, den Sohn seines *academischen Freundes*, Cv*Lieven *(III/2, 121)*. In *Karlsbad (26. VII. 1807: III/3, 248 namentlich nicht genannt, jedoch aus der Kurliste zu ermitteln) und in *Teplitz begegnete Goethe dem Gesandten Rußlands am stuttgarter und karlsruher Hof, dem Livländer Peter Friedrich Freiherr vMaltitz (3. V. 1813: III/5, 41). Im Verlauf der Feldzüge 1813/15 sah Goethe mehrere durchreisende russische Generäle, darunter am 9. III. 1814 den Erzieher der jungen Großfürsten Gustav Matthias vLambsdorff (1745–1828; 1817 Graf) und den kaiserlichen Leibarzt Johann Georg vRühl (1769 bis 1846; III/5, 99), sowie am 21. X. 1815 einen *Gen. Sievers (III/5, 188)*, wohl den Grafen Karl Gustav vSievers (1772–1856). Infolge der Beziehungen der Höfe Weimar und St. Petersburg lernte Goethe 1818 die Oberhofmeisterin Gräfin *Lieven in Weimar kennen. Der Suite des Großfürsten Konstantin von *Rußland gehörte 1821 Kv*Harder an.

Schon am 13. VI. 1812 hatte der russische Kriegsminister MA*Barclay de Tolly Goethe aufgesucht (III/4, 294), den dieser 1815 von *Wiesbaden *nach Hause gelangt* in Weimar wiedersah *(I/36, 102)*. Am 24. III. 1807 erscheint in Weimar Karl Georg vKnorring (1773–1841; III/3, 200), der spätere Gatte der Sophie Tieck-Bernhardi. Unter den Badebekanntschaften sind zu nennen: 1808 in Karlsbad Graf Christoph vLieven (1774–1839; III/3, 360; 362; 364; 368), damals noch nicht Diplomat, und seine später so bekannte Frau Dorothea, geborene vBenckendorff (1785 bis 1857; III/3, 370), sowie deren Vater General Christoph vBenckendorff (1749–1823; III/3, 364); ferner die Frau des russischen Generals vBerg (wohl des Kommandanten von Reval Gregor v*Berg), Hedwig Dorothea, geb. von Sievers (1764–1828), mit der Goethe sich am 9. VII. auf der Fahrt nach *Zwotau *Über Lif-*

ländische und Russische Verhältnisse unterhielt *(III/3, 359)*. Mit der Herzogin Dorothea von *Kurland und ihren Töchtern war Goethe mehrfach zusammen. – Zu den karlsbader Bekanntschaften von 1811 gehörte der Kammerherr Friedrich vRoenne *(Renne: III/4, 211; Rönne: ebda 285)* aus Kurland, den Goethe im folgenden Jahr dort wiedersah (III/4, 285 f., 288 f., 292, 311, 314). 1812 waren außerdem in Karlsbad ein Kaufmann vBulmerincq *(Bulmering: III/4, 285)* und ein Herr vHolst (III/4, 310 f.), beide aus Riga, abermals Frau vBerg und ihre Nichte Wilhelmine vMengden, geborene vSievers, beide mit Familie; diese Damen erschienen auch 1813 in Karlsbad (III/4, 311; III/5, 57). 1818 erwähnt Goethe in Karlsbad einen Baron vReibnitz *(Reibniz: III/6, 232)* aus Kurland. 1821 gehörte GHv*Fölkersam zu den angenehmsten Bekanntschaften in *Marienbad und 1822 war es die Familie Ferdinand Baron Fircks aus Kurland (1771–1848; seine Gattin war Charlotte, geborene vKorff, 1779–1843), mit der Goethe mehrfach zusammentraf (III/8, 212; IV/36, 92 und 102); am 21. VII. erhielten die Söhne (Carl, geboren 1809, und ein jung verstorbener, dessen Name nicht bekannt ist) von Goethe ein Gedicht (III/8, 218). – In den Jahren nach den großen Kriegen kam es auch zu tiefergehenden Beziehungen zwischen Goethe und Deutsch-Balten. 1815 lernte er in *Heidelberg den jungen Maler GWv*Reutern – merkwürdigerweise *Der junge Russe* genannt *(III/5, 183)* – kennen. 1819 kam es zu einem Briefwechsel mit dem Lehrer und Schriftsteller BG*Wetterstrand in Reval, 1821 gingen Sendungen zwischen Goethe und JJD*Brockmüller hin und her, der als Hauslehrer bei Baron Karl vRoenne in Schloß Hasenpot in Kurland lebte. 1822 wandte sich der Dichter OCv*Budberg von *Mannheim aus an Goethe und legte ihm eigene Gedichte und solche von JP*Hebel vor. Es waren durchreisende Deutsch-Balten, die, in Weimar aufwartend, Goethe immer wieder in Berührung mit der deutschen Kulturinsel im Nordosten brachten: 1822 besuchte ihn *Ein junger Geistlicher aus Curland (III/8, 234)*, 1826 ein Herr vRapp aus Kurland (III/10, 294; vielleicht vRopp), 1827 war es der junge Dichter Ulrich Alexander Heinrich vSimolin (1800–1871), ein Freund W*Müllers, *aus Paris kommend*. *Manches verständig von den neusten Zuständen und Ereignissen erzählend (III/11, 110)* und ein *Herr von Sacken aus Kurland* (11. X.: *III/11, 123)*, 1830 *Ein junger Theologe aus*

Riga, Namens Temmler, verwandt mit unserm Zeichenmeister, ein besonders hübscher und angenehmer junger Mann (III/12, 333); es war der spätere Pastor in Oberpahlen/Livland Johann Karl Temmler (1804–1873). Schließlich berührten 1831 ein Fräulein vRosenbach (wohl Estländerin; III/13, 265) und am 5. I. 1832 der Mineraloge Ernst Hofmann (1801 bis 1871) Weimar, welch letzterer Begleiter Otto vKotzebues auf dessen Weltumsegelung gewesen war und später Professor in Kiew und St. Petersburg wurde (III/13, 200).

Trotz dieser vielen Berührungen mit Menschen aus den b.L.n ist bei Goethe doch nur selten von Gesprächen und Gedanken über diesen geographischen Raum die Rede; Urteile über den Menschenschlag und seine Leistung fehlen ebenso wie Erwähnungen der estnischen und lettischen Bewohner des Landes. 1808 verzeichnet Goethe die schon genannte Unterhaltung mit Frau vBerg über Livland, 1812 ein Gespräch *mit Seebeck* über *Russland. Curland. Liefl. pp (III/4, 253)*. Bei einem Besuch beim offenbacher Arzt Dr. B*Meyer am 30. VIII. 1815 erwähnt Goethe aus dessen Vogelsammlung besonders die Vögel Liv- und Estlands (III/5, 179). Neue Beziehungen zu den b.L.n haben ihm die Bekannten gebracht, die als Professoren nach Dorpat berufen wurden: der haller Jurist CC *Dabelow (1818), der junge Chemiker GW *Osann (1823) und der jenaer Pharmazeut KCTF*Göbel (1828), vor allem aber der schon seit 1802 in Dorpat wirkende K*Morgenstern.

Ar

OPetersen: Goethe und der baltische Osten. 1930.

Balzac, Honoré de (1799–1850), der große französische, realistisch-romantische Epiker der ersten Hälfte des 19. Jahrhunderts. Sein unter dem Gesamttitel „La Comédie humaine" zusammengefaßtes Werk entstand in kaum mehr als zwanzig Jahren besessener Arbeitskraft und -wut; nachträglich in „Scènes de la vie privée, parisienne, politique, militaire, de la vie de province, de la vie de campagne" eingeteilt, schildert es die französische Gesellschaft der Restaurationszeit vom Bagno-Sträfling bis zur Herzogin, vom Geldmenschen bis zum Hungerleider nach dem Absoluten, von der rückständigsten Provinz bis zu den raffiniertesten Zirkeln der Haupstadt; trotz stilistischer Vorbehalte, die sich manchmal aufdrängen, ist die Darstellungskunst von zwingender Gewalt, wie denn auch B., der „im breiten gelesen sein will" (HvHofmannsthal: Balzac, in: Gesammelte Werke, Prosa, Bd 2 [1951], S. 378), an Vielseitigkeit und Kraft vielleicht nur

*Shakespeare zum Rivalen hat, dessen hohe Poesie ihm allerdings abgeht. – Goethe konnte lediglich die Anfänge B.s kennen. Er spricht nur von der „Peau de chagrin" als dem *Product eines ganz vorzüglichen Geistes* (1831: *IV/49, 144*), das trotz einer Unzahl von Fehlern in den Einzelheiten fessele (Bdm. 4, 434); als Ausdruck der geistigen Lage der Nation sei es übrigens ein recht bedenkliches Symptom. B.s Porträtmedaillon von *David d'Angers und Werke B.s mit handschriftlicher Widmung befanden sich in der bekannten Huldigungssendung der französischen Romantiker (Bdm. 4, 230).   *Fu*

Balzac, Jean-Louis Guez de (1594–1654), französischer, zu seiner Zeit besonders als Briefschreiber hochgefeierter Literat; selbst einem *Richelieu schienen die Beziehungen zu ihm wertvoll. Als Stilist ermangelt B. der Natürlichkeit; da er aber trotz Pomp und Preziosität nach Harmonie und Korrektheit strebte, wurde er zu einem der Wegbereiter der Sprachform der französischen *Klassik. Goethe, der ihn einmal erwähnt, nennt ihn *hyperbolisch-complimentös* (1810: *II/3, 276*).   *Fu*

Bamberg, die fränkische Stadt an der sich hier in drei Arme teilenden *Regnitz, entstand neben dem 902 zuerst genannten Castrum Babenberg, dem Stammsitz des österreichischen Fürstenhauses der Babenberger (Graf Luitpold vBabenberg erhielt 974 nChr. die Ostmark; I/5^I, 275 Nr. 41; I/54, 59). Nach der Babenberger Fehde fiel die Stadt B. an das Reich, Kaiser Heinrich II. gründete hier 1004 den Dom und das Bistum B., das 1007 päpstlich bestätigt wurde. In seiner heutigen Gestalt stammt der b.er Dom aus dem 13. Jahrhundert und weist neben dem Grab Clemens II. (1043–1045 als Bischof Suidger von B.), dem einzigen Papstgrab in Deutschland, viele berühmte Bildwerke und Skulpturen auf (ua. Konrad III. [?] als „Bamberger Reiter", steinerne Schranken des Georgenchors, Statuen der Mutter Gottes Maria und der Elisabeth, Adamspforte und Fürstenportal sowie das Grabmal des Stifters Heinrich II. und seiner Gemahlin Kunigunde von Tilman Riemenschneider). Der bauliche Charakter der Stadt B. wurde zu Goethes Zeit – wie zT. auch heute noch – durch das *Barock bestimmt.

Das Mittelalter und die Renaissance, besonders das 15. und 16. Jahrhundert waren in B. immer wieder von Kämpfen der (Fürst-) Bischöfe gegen die Selbständigkeit der Stadt bestimmt (z. B. in den Bauernkriegen). Die 1507 ausgearbeitete „Bambergische Halsgerichts-

ordnung" (Bambergensis constitutio criminalis) diente als die mater Carolinae später zur Grundlage für die *C. C. C. Während des Dreißigjährigen Krieges fiel B. zusammen mit den umliegenden Gebieten und *Würzburg als schwedisches Lehen an den Herzog Bernhard von *Sachsen-Weimar, gewann jedoch nach der Schlacht von Nördlingen seine Freiheit wieder. 1647–1803 war B. Sitz einer jesuitischen Universität, an der um 1800 ua. die Professoren *Marcus und Roeschlaub als Mediziner wirkten (IV/15, 166); 1803 wurde B. bayerisch, 1817 durch das bayerische Konkordat Erzbistum.

Mit der Geschichte der Stadt B. ist Goethe durch Lektüre und Gespräche mehrfach in Berührung gekommen. Schon in der frankfurter Kindheit weckten die *symbolischen, das Alterthum gleichsam hervorzaubernden Ceremonien* des *Pfeifergerichts, bei dem auch ein Abgeordneter von Alt-Bamberg in Erscheinung trat, das Interesse des Knaben an den *Sitten, Gebräuchen und Gesinnungen unserer Altvordern (I/26, 33–36;* vgl. auch *I/33, 160: Tribut . . . von zollbefreiten Städten*). Neue Hinweise bot 1770/71 die Lektüre von JSt*Pütter: „Vollständiges Handbuch der Teutschen Reichshistorie", Göttingen 1762 (I/37, 110; I/38, 233), und ebendessen „Grundriß der Staatsveränderungen des teutschen Reichs", 1764 (WKayser in HbgA. 4, S. 483). Im *Götz* nimmt die b.er Hofwelt, wo die Fäden der Gegenspieler zusammenlaufen, einen breiten Raum ein. In den ersten weimarer Jahren muß die Beschäftigung mit dem Leben des Herzogs Bernhard *(I/35, 6 f.)* Goethe während *der jammervollen Iliade des dreißigjährigen Krieges* auch in die entsprechende Phase der b.er Geschichte geführt haben. 1782 taucht der Name der Stadt und ihrer Umgebungen in einem Gespräch mit dem Probst von *Zella, Herrn vWarnsdorf, wieder auf: *Unsre Diskurse führten uns nach Fulda, Würzburg, Bamberg, Maynz. Die Verfassung dieser Provinzen bildet ganz andre Menschen als die unsrige (IV/5, 304).* *Schelling sandte am 8. VIII. 1800 von hier an Goethe das zweite Stück der „Zeitschrift für speculative Physik" und erbot sich, Goethe von einem b.er Bürger „ein aus Holz geschnittnes sehr feines Bild von Hans Sachs" mit der Unterschrift „Megesteer Hans" zu beschaffen. Goethe antwortet am 27. IX.: *Grüßen Sie Herrn Schlegel und wenn das kleine Bild von Meister Hans um ein leidliches zu acquiriren ist, so wird es mir ein Vergnügen machen es zu besitzen (IV/15, 118; 327 f.).*

1813 wird im Rahmen einer Sammlung von *Münzen, deren keine ohne Bedeutung ist (IV/23, 249)*, das Abbild einer geschichtlichen Persönlichkeit aus B. erwähnt: *Hieronymus Fuchs, Domherr zu Bamberg und Würzburg, seines Alters 52 Jahre 1533. Auf der Kehrseite ist sein Wappen abgebildet (ebda 252;* vgl. Schuchardt 2, S. 140) und S. 153 die Medaille auf den b.er Domherrn HWilbalden vRedwitz).

Vier Reisewege führten Goethe durch B. (RV S. 27; 28 f.; 35): die Rückreise aus Italien im Juni 1788 (*Nürnberg, *Coburg: I/53, 385), die Hin- und Rückfahrt von und nach *Venedig 1790 (auf dem Hinwege Poststation, vielleicht Übernachtungsort für die Nacht vom 14. zum 15. III.: III/2, 2; für den Rückweg vgl. IV/9, 208 f.; dagegen 365), der Rückweg aus der *Schweiz am 16. XI. 1797. Nur für dieses letzte Mal findet die Stadt eine wirkliche Erwähnung: *durch Tannenwald nach Bamberg im Lamm Mittag die Stadt liegt sehr angenehm und heiter gegen Mittag ist sie mit einem Wald eingeschlossen – gen Norden hat man eine der schönsten Plänen vor sich auf welcher theils freundliche Dörfer theils fruchtbare Felder abwechseln (III/2, 194;* eine Bestätigung dieser letzten Beobachtung bietet sich ihm am 6. VIII. 1806: III/3, 154). B. lag für Goethe an dem *geraden Weg* von Nürnberg über *Erlangen bzw. von Frankfurt über Würzburg, *Kronach nach Jena, den er Freunden und Angehörigen öfter empfohlen hat (I/34^I, 445; IV/10, 108; IV/20, 182; 188) und selbst auch dann benutzt haben dürfte, wenn er keine näheren Notizen über seinen Reiseweg machte, wie auf der Rückfahrt aus Italien. Vielleicht tauchten Erinnerungen an die Stadt auf, vielleicht wurde ihm auch manches Ergänzende berichtet, als ihm am 3. X. 1800 gegen Mittag G*Hufeland *von seiner Bamberg. Reise erzählte (III/2, 308)*.

Während der *Koalitionskriege lag B. mehrmals für Goethe im Blickpunkt der Ereignisse (IV/11, 203; Bdm. 1, 448; I/53, 412; III/3, 378); im Alter wurden durch Gespräche mit *Grüner (6./7. IX. 1821: „wunderthätiger Fürst Hohenlohe und ... Erklärung des Stadtmagistrats von Bamberg gegen denselben" Bdm. 2, 552; III/8, 108) und mit *Coudray *(Neue Eisenbrücke [!] in Bamberg. – Nachricht von der Bamberger Hängebrücke III/12, 194 f.)* seine Gedanken nochmals nach dieser Stadt hingelenkt, die ihn im übrigen, als er sie auf seinen Reisen kennenlernte, weder städtebaulich noch künstlerisch, sondern eben nur als ein Punkt an seiner Reiseroute interessiert hatte.

Personen: FCGöbhardt, Buchhändler in B. (11. V. 1775 in einem Brief an PhE*Reich nach *Leipzig im Zusammenhang mit *Pfeffel erwähnt: Morris 5, 30); JG*Herder schreibt im August 1788 seinen ersten Brief von seiner Italienreise aus B. (IV/9, 11); GAWächter, Steinschneider, 1796 in Weimar angestellt, kam aus B. und mußte mehrfach dorthin zurück, um *seine Sachen* zu holen *(IV/11, 214; 220);* Carl Anton vObercamp, bambergischer Hofrat, 2. XI. 1791 in die ehem. fränkische Ritterschaft aufgenommen, November 1797 b.ischer Gesandter am Nürnberger Kreistag, am 11. XI. 1797 Goethes Tischgenosse im *rothen Hahn zu Nürnberg (III/2, 192): In dem freundlichen Cirkel der Kreisgesandten durchlebten wir einige frohe Tage (I/35, 75);* im Sommer 1800 war FWJvSchelling in B., wohl zusammen mit AWv*Schlegel und seiner Frau Caroline, deren Tochter Auguste Böhmer am 12. VIII. in Bad Bocklet bei B. starb (vgl. auch III/3, 305). N*Meyer wurde durch kriegerische Ereignisse (2. Koalitionskrieg) wohl von Dezember 1800 (IV/15, 336) bis Mitte 1802 in B. aufgehalten (25. XI. 1801: *Herrn Dr. Meyer, Bamberg, Post R; III/3, 41;* dagegen November 1802: IV/16, 133 f. wieder nach Bremen adressiert), seinen Aufenthalt dürfte er zur willkommenen Erweiterung seiner medizinischen Kenntnisse benutzt haben, vornehmlich im Umgang mit Adalbert Friedrich Marcus (1753–1816), der als bedeutender Arzt, Leibarzt des Fürstbischofs, Kliniker (Hebammeninstitut; Hospital mit 120 Betten), auch als Universitätsprofessor seit 1778 in B. tätig war; Roeschlaub *(Röschlaub)*, Andreas (1768 bis 1835), Arzt, Professor der Medizin in B., Landshut, München, Herausgeber des „Magazin für Physiologie und Medicin", Frankfurt 1804 (IV/17, 311); Goethe erkundigt sich bei NMeyer wie nach Marcus auch nach ihm und erwähnt am 14. IV. 1804 in einem Brief an KA*Eichstädt eine Rezension des Physikus Wenzel Alois Stütz über Roeschlaubs „Magazin": *dünkt mich ... sehr admissibel (IV/17, 122);* doch hat sich wohl kein harmonisches Verhältnis herstellen lassen: *Röschlaub aber trutzt mir vorne, | Und besonders diesen letzten | Hab' ich immer auf dem Korne (I/5^I, 167)*. *Hegel, 1807 in B., *um den Druck seiner Werke zu sollicitiren (IV/19, 283);* JChrv*Mannlichs *Plan der Vertheilung der königlich bayerischen Gemähldesammlung ... (IV/19, 286);* HEG *Paulus, zwischen seinem Weggang von Jena (1803) und seinem Antritt in *Heidelberg (1811) um 1808 in B. (vgl. IV/20, 200). A

Steinau, Schauspieler, 1817 Theaterdirektor in B., hatte am 19. II. 1817 bei Goethe um ein Gastspiel in Weimar nachgesucht; am 8. III. lehnte Goethe ab (vielleicht im Zusammenhang mit den zunehmenden Unerquicklichkeiten und dem unmittelbar bevorstehenden Ausscheiden aus der *Theaterleitung?): *es ist mir um so unangenehmer Ihren Wünschen nicht entsprechen zu können, als wir Ihnen für verschiedene Gefälligkeiten unsern Dank abzutragen haben (IV/28, 2);* ETA *Hoffmann, der zwar schon in den Jahren 1808/1813 als Theatermusikdirektor in B. gewirkt und längst die Stadt verlassen hatte, fand erst sehr spät (1821–1828) Goethes stärkere Aufmerksamkeit.   *Za*

Bamberger, Eva Justine Henriette, geb. Deumer/Däumer (31. III. 1744 bis 19. VIII. 1834), ist die Tochter des garbenheimer Schulmeisters Christian/Xian Däumer, der bereits 1760 für „Leute von Distinction aus Wetzlar ... Rothen" zapfte. Sie heiratete am 25. III. 1768 den Bierbrauer und Küfer Johann Jacob B. (1733–1810). Von den insgesamt zehn Kindern dieser Ehe lernte Goethe während seines Aufenthaltes in *Wetzlar und *Garbenheim *(Wahlheim)* wohl die drei ältesten kennen: 1. Johann Heinrich (1769–1842), 2. Johannes (1770–1772/73), 3. Xian Jacob (1772–1850). JChr*Kestner erzählt in seinem Tagebuch vom 12. IX. 1772 (dem Tag nach Goethes Abreise aus Wetzlar): „... ich sah sie [Ch*Buff] mit einer Bauersfrau unterwegs, die bey ihr still stand, reden. Es war des Dr. Goethe Freundin in Garbenheim, eine Frau, welche ziemlich gut aussieht, eine freundliche, unschuldige Miene hat, und gut, jedoch ganz ohne Kunst reden kann, sie hat drei Kinder, welchen Dr. Goethe oft etwas mitbrachte, daher sie ihn lieb hatten, die Frau sah ihn auch gern" (Morris 6, 246). Goethes Schilderung in den *Leiden des jungen Werthers* kommt den tatsächlichen Verhältnissen sehr nahe. Als *Werther* bei einem seiner Aufenthalte in dem *Wirthshause ... unter die Linden* kam, fand er zwei ihrer Kinder, einen Knaben *von ungefähr vier Jahren* und *ein ... etwa halbjähriges* und *zeichnete* sie. Die Mutter, die mit ihrem *Ältesten in die Stadt gegangen* war, kam abends, und durch ihre Erzählungen wird *Werther* mit dem Schicksal der Familie vertraut. *Seit der Zeit war er oft draußen. Die Kinder bekamen Zucker, wenn er Kaffee trank und teilten das Butterbrot und die saure Milch mit ihm des Abends (I/19, 17–20).* Nicht nur *Werther,* sondern wohl auch Goethe selbst findet in der Bekanntschaft mit diesen einfachen Menschen

etwas, was ihm hilft, die Spannungen seines eigenen Innern auszugleichen: *wenn meine Sinne gar nicht mehr halten wollen, so lindert all den Tumult der Anblick eines solchen Geschöpfs, das in glücklicher Gelassenheit den engen Kreis seines Daseins hingeht, von einem Tage zum andern sich durchhilft, die Blätter abfallen sieht, und nichts dabei denkt, als daß der Winter kommt (I/19, 20).* Als *Werther* späterhin das *gute Weib unter der Linde* noch einmal besucht, erfährt er, daß nicht nur er, sondern *alle Menschen ... in ihren Hoffnungen getäuscht, in ihren Erwartungen betrogen* werden *(I/19, 114).* Hans, im Roman das jüngste der Kinder, ist gestorben, und JJB., Henriettes Mann, ist aus der Schweiz, wohin er in der Hoffnung einer Erbschaft gegangen war, zurückgekommen, ohne etwas mitgebracht zu haben als Krankheit. Henriette B., eine „ausgesprochen mütterliche und herzensgute Frau in ihrer schlichten Klugheit erscheint bei sorgfältiger und verständnisvoller Ausdeutung aller verfügbaren Quellen als Beraterin, Helferin und Trösterin so manchen ungestümen Geistes, der in der *Natur,* dh. bei einfachen Menschen und in ländlichem Milieu, *in glücklicher Gelassenheit* Ruhe und Frieden für seine Seele suchte" (AGriessbach), im Roman wie im Leben. Ein Brief Johann Heinrich B.s, wohl des ältesten der Kinder, vom 12. XI. 1838 aus Braunschweig beweist, wie eng auch KW*Jerusalem mit der Familie B. verbunden war. „Nach ihm waren Bambergers die einzigen Menschen, die der schwer Verwundete an sein Sterbelager rief" (A Griessbach; vgl. ferner: SRösch: Aus Wetzlars klassischer Zeit, 1950), und es erscheint von hier aus gesehen sehr wahrscheinlich, daß auch Henriette B. als Übermittlerin von mancher Einzelheit aus Jerusalems Leben an Goethe infrage kommt. Die Verbindung zu der Familie Kestner wird in den späteren Jahren noch bewiesen durch die Eintragung von „Charlotte Archivsecretarii Kestners von Hanover Frau Eheliebste" als Taufpatin für die Tochter Charlotte Johannetta Henrietta B. (9. VII. 1778); auch FvBostel, advocatus camerarius und Hofrath zu Wetzlar, zählt späterhin zu den Paten der b.schen Kinder.   *JP*
Genealogische Angaben zu 1) bis 3) aufgrund der Forschungen von AGriessbach: Schreiben vom 18. XI. 1956.

Bancroft, Edward Nathaniel (1744–1821), londoner Arzt und Chemiker; in verschiedenen Tagebucheintragungen (28. II; 6. VI.: *Permanent Colours* und 25. VII. 1817: *III/6,* 17; *57)* und in den *TuJ* 1817 (I/36, 121) erwähnt

Goethe, nachdem er *Die vier englischen Schrift-steller* [außer B. J*Sowerby, J*Reade und D*Brewster] *durchgedacht und ihre Sinnes-art untersucht* hatte *(III/6, 82)*, B.s Werk: „Experimental researches concerning the phi-losophy of permanent colours, and the best means of producing them by dying, Callico printing, etc." (Bd 1, 1794).   *Sn*

Bancroft, George (1800–1891), amerikanischer Philologe, Historiker, Minister und Diplomat, aus Worcester/Mass.; B. studierte zunächst in Harvard. Durch Frau v*Staëls Buch wurde er auf Deutschland aufmerksam und studierte mit einer Gruppe von Harvard-Freunden von 1818 ab in Göttingen und 1820 in Berlin. Er berichtet über persönliche Besuche bei Goethe am 12. X. 1819, 7. und 12. III. 1821 (Bdm. 2, 448 f.; 500 f.; vgl. III/7, 102; 8, 26 f.; 14, 37; Goethe notierte den Namen *Beresford,* den B. vielleicht in der Zwischenzeit angenommen hatte) mit dem er eingehende Gespräche über literarische Fragen führte. B. machte *Ame-rika auf Goethe aufmerksam (ähnlich, wie Th *Carlyle *England) und veröffentlichte Okto-ber 1824 in der „North American Review" ei-nen Artikel „The Life and Genius of Goethe", den *Varnhagen v Ense Goethe am 22. III. 1825 übersendet. Goethe dankt Varnhagen am 3. IV.: *Ich mußte lächeln als ich mich in einem so fernen und überdieß republikanischen Spiegel zu beschauen hatte (IV/39, 167).* Auch *Calvert übersendet Goethe das gleiche Heft im Ok-tober 1824. B.s Hauptwerk begann erst nach Goethes Tod zu erscheinen: „History of the United States from the Discovery of the American Continent" (1834–1874).   *Sn*

Bandello *(Bandell: III/4, 239),* Matteo (1485 bis 1561), italienischer Schriftsteller und Alt-philologe, Dominikaner, vielfach in diploma-tischen Diensten und Parteigänger König Franz I. von *Frankreich, wurde von Hein-rich II. 1550 zum Bischof von Agen (Süd-frankreich) ernannt, gab sein kirchliches Amt jedoch auf (1553), um „für sich und die Mu-sen" zu leben. Seine *Novellen* sind eine an den „Decamerone" des G*Boccaccio gemahnende Sammlung von 214 meist eindeutig-zweideu-tigen Liebesnovellen in vier Teilen (die ersten drei Teile erschienen unter dem Titel „La prima parte de le novelle del Bandello", Lucca 1554; der vierte unter dem Titel „La Quarta parte de le novelle del Bandello nuovamente composte: nè per l'adietro date in luce", Lyon 1573; mehrere Ausgaben ua. London 1740 und 1791). Aus der neunten Novelle des zwei-ten Teils entnahm W*Shakespeare aufgrund verschiedener Überarbeitungen den Stoff zu seinem Schauspiel „Romeo und Julia" (ge-druckt 1597), aus einer anderen den zur Ko-mödie „Viel Lärmen um Nichts" (gedruckt 1601). Die Weiterentwicklung dieser Novel-lensammlung, teils Übersetzung, teils Er-gänzung durch Fde Belleforest vermittelte dem englischen Dramatiker die von Saxo Grammaticus stammende Hamlet-Erzählung. Die Geschichte von Romeo und Julia ging von B. aus auch zu Lope de Vega („Castel-vines y Montescos") und zu Fde Rojas Zorilla („Los bandos de Verona"); Lope de Vega ent-nahm B. noch mehrere andere Novellenmo-tive, P*Calderon de la Barca schrieb nach ihm „La española en Florencia". Die Bedeu-tung B.s, aus dem auch Wichtiges über die Arbeitsmethode *Leonardo da Vincis zu ent-nehmen ist, greift über das 17. Jahrhundert nicht mehr hinaus, so daß in einer verwan-delten Welt Goethe nach seiner Lektüre der *Novelle del Bandello* – vom 14. bis 22. XI. 1811 täglich, und dann noch einmal am 25. XI. *(III/4, 238 f.)* – nur schreiben konnte: *Die Abenteuer des Ritter Grieux und Manon l'Escot* [„Histoire du chevalier Des Grieux et de Manon Lescaut", 1731 von AF*Prévost, zube-nannt d'Exiles] *wurden als nahe verwandt her-beigerufen; doch muß ich mir zuletzt das Zeug-niß geben, daß ich nach allem diesem endlich zum Landprediger von Wakefield* [von O*Gold-smith] *mit unschuldigem Behagen zurück-kehrte (I/36, 73).*   *Za*

Bandiera, Giovanni Nicolò, Priester des Ora-toriums in Siena und Bruder des bekannteren Alessandro B., dessen Lebensdaten (1699 bis 1762) auch in etwa die des GNB. sein werden. Neben dem 1733 erschienenen Hauptwerk „De Augustino Dato libri II" schrieb er ein anonym 1740 in *Venedig herausgekomme-nes, 1749 in *Rom neu aufgelegtes Frauen-buch unter dem Titel „Trattato degli studj delle donne". Darin wird in einem aufgeklär-ten und modernen Geist nicht nur allerlei Wissenswertes für die „Frauenzimmer" mit-geteilt, sondern auch über das Stillen und Wickeln der Kinder, über Tanz und andere wenig priesterliche Dinge gesprochen. B. glaubt in einer höheren Schicklichkeit der Frauenkultur ein Heilmittel gegen die Ent-artung der neuen Zeit gefunden zu haben. Diese Einstellung mag Goethe bei seinen pädagogischen Einwirkungen auf die Schwe-ster Cornelia bewogen haben, ihr in einer Ant-wort auf ihren Brief vom 6. XII. 1765 B.s Buch zu empfehlen. Es muß bekannt genug gewesen sein, da er den Verfassernamen nicht mitschreibt. Doch solle sie dies nur *stückweise*

lesen, *das ganze möchte für dich zu lang seyn.*
Auch hier gilt Goethes Rat, *bey jedem auf die*
Sprache, die Sachen und die Wendungen womit
die Sachen gesagt sind, zu sehen *(IV/1, 28).*
Das Buch befand sich in der Hausbibliothek
des Vaters.   *JP*
GNatali: Storia Letteraria d'Italia, Il Settecento.
(1950), S. 143. – FGötting: Die Bibliothek von Goethes Vater. In: Nassauische Geschichtsblätter 64
(1953), S. 56.

Bandinelli, Baccio, eig. Bartolommeo Brandini – den Namen B. nahm er 1530 an – (1493
bis 1560), florentinischer Bildhauer, Sohn des
Michelagnolo (-angelo) di Viviano de' Brandini
da Gaiuolo, bei dem auch *Cellini zeitweilig
tätig gewesen war (I/43, 24). B. bildete sich
unter dem Einfluß der Schlachtenkartons
*Leonardos und *Michelangelos; doch ist der
Vorwurf, daß er den Karton des letzteren zer-
schnitten habe (I/44, 313), unberechtigt. B.
stand infolge seines unseligen Charakters bei
seinen Zeitgenossen in Ungunst. Insbesondere
Cellini behauptet, daß er *sein ganzes Leben*
lang von niemand Gutes gesprochen habe *(I/44,*
242), und urteilt über seine Werke gewiß parteiisch, wenn er schreibt, daß B. nur *häßliche*
Unformen geschaffen habe, aber wohl in Übereinstimmung mit seiner Zeit. Er hat sich mit
Cellini nach dessen Schilderung mehrfach
überworfen (I/44, 160 f.), ging es doch um die
Gunst des großen Kunstförderers Cosimos I.
Medici von Toskana (vgl. I/44, 259). Die Her-
kules- und Cacus-Gruppe – *übel gebildet und*
geflickt (I/44, 269) –, die B. aus einem 1508 an
Michelangelo vergebenen und für eine Sim-
songruppe bestimmten Marmorblock seit 1530
in Arbeit hatte und 1534 aufstellen konnte,
wurde allgemein getadelt (vgl. I/44, 291). –
Später war B. Leiter des florentiner Dombaus
und schuf hierfür Chorschrankenreliefs, wurde
jedoch von *Vasari verdrängt, und verfertigte
nur noch dekorative Arbeiten für den Bobo-
ligarten am Palazzo Pitti in Florenz. Cellini
behauptet, daß *außer seiner unordentlichen*
Lebensart, der Verdruß den Marmor verloren zu
haben, wohl die Ursache seines Todes gewesen
sei (I/44, 274).
Goethe hatte B. während seiner italienischen
Reise kennen und schätzen gelernt und lobte
vor allem den „Kindermord", von dem er
schon 1788 einen Stich besaß (IV/8, 349);
H*Meyer erwähnt dieses Relief neben der *Lao-
koongruppe und der Niobidengruppe in den
Propyläen (H. 1, S. 28) und Goethe fügt hinzu,
daß diese Werke *auf große Wirkung berechnet*
seien *(I/47, 332).* Goethe schloß sich dann im
Anhang zu *Benvenuto Cellini* dessen wenig
günstigem Urteil über die Herkulesgruppe an

(I/44, 331) und konnte B. aufgrund des Briefes
von Meyer vom 24. VI. 1796 nur unter Cellini stellen (I/44, 365).   *Lö*
Memoriale del Sig. Caval. Bartolomeo Bandinelli dell'
anno MDL Seg. Bandinelli, a figlivoli. Hrsg. von A
Colosanti. In: Repertorium für Kunstwissenschaft 28
(1905), S. 406–443. – BrMeyer 1, S. 174. – Schuchardt 1, S. 6. – MReymond: La sculpture Florentine.
Bd 4, 1900. S. 115–128. – ThB 2 (1908), S. 439 f.

Banfield, Thomas Collin (geb. vor 1795), englischer Wirtschaftstheoretiker, einige Zeit
Lehrer des Kronprinzen Ludwig von *Bayern,
besuchte nach seinem Aufenthalt in Göttingen am 11. IV. 1830 FW*Riemer in Weimar
und am nächstfolgenden Tage Goethe, dem
er die englische Übersetzung von Schillers
„Wilhelm Tell" (gedruckt 1831) überreichte:
Hernach Herr Banfield (III/12, 225). B. fühlte
sich von der Aufgabe durchdrungen, deutsche
Literatur seinen Landsleuten zu vermitteln,
insbesondere den Geist goethescher Dichtung,
damit „wir durch den Einfluß desselben die
von ihm so zart empfundene Toleranz uns
zueignen, deren Abgehen bei unserer Nation
viele gute Eigenschaften bisher entkräftet
hat" (an Riemer: 15. II. 1832). In Wien veröffentlichte B. 1832 eine Grammatik der englischen Sprache für Deutsche. Nach 1844 hielt
er an der Universität Cambridge Vorlesungen
über politische Ökonomie („The Organization
of Industry, explained in a course of lectures",
1848); ua. gab er zwei die rheinische Landwirtschaft und Industrie behandelnde Schriften heraus, die sich auch mit der sozialen
Lage der Land- und Industriebevölkerung be-
faßten („Industrie of the Rhyn", 2 Bde, 1846/
48).   *Za*
JbSKip 4 (1924), S. 58; 70 f.

Bankau, Dorf im Kreise *Kreuzburg O/S,
das Goethe auf dem Rückweg der gemeinsam
mit Carl August und dem Grafen FWv*Reden von *Breslau aus unternommenen Reise
nach Oberschlesien mutmaßlich am 9. IX.
1790 berührte (Hoffmann/Schlesien S. 63;
IV/9, 223; vgl. RV S. 29). Mit der Notiz: *In*
Schlesien das Kaltfrischen, was auch die Schwe-
den haben, ist nun das Harzfrischen als Ver-
besserung eingeführt (NS 1, 192) meint Goethe
offenbar die vom Grafen Reden, der Leiter
des schlesischen Oberbergamts war, seit 1783
besonders in den Eisenhütten Malapane und
Creuzburgerhütte eingeführte Harzer Warmfrischmethode (*Frischen). In dem damals
bergbaulich aufstrebenden B. befand sich ein
größeres privates Eisenwerk und Frischfeuer,
und es ist sehr wahrscheinlich, daß Graf
Reden die Gelegenheit benutzt hat, der Reisegesellschaft diese in *Schlesien neue Methode

der Eisenverarbeitung hier praktisch zu zeigen, die sich auch in den nicht-staatlichen Unternehmungen bereits verbreitet hatte. Kleinere Eisenwerke dieser Art gab es in den von Goethe durchreisten Kreisen *Lublinitz und *Rosenberg mehrere (Hoffmann/Schlesien S. 37–39).   *Za*

Banks, John (geb. um 1650; 1696 als noch lebend nachgewiesen), als Advokat in London tätig, beherrschte Ende des 17. Jahrhunderts die englische Bühne mit durchschnittlichen, aber theaterwirksamen geschichtlichen Tragödien. In einem Brief an Wv*Humboldt (4. XI. 1813) erwähnt Goethe einen Theaterabend mit B.s „Graf von Essex" (erste nachweisbare Aufführung 1682) in der seit 1777 vorliegenden deutschen Übersetzung von JG *Dyk und schreibt: *das alte, zwar interessante, aber schlecht geschriebene Stück (IV/24, 24).* Auf Wunsch der Schauspielerin A*Wolff, die die Elisabeth spielen soll und einen wirkungsvolleren Schluß haben möchte, schreibt Goethe einen Epilog dazu (I/13^I, 177–181; Tagebuchnotizen vom 17., 18., 19. und 20. X. 1813 vermerken diese Arbeit: III/5, 79; vgl. auch I/36, 80). Die Eile war geboten, weil Goethe, wie er Humboldt schreibt, am 17. abends damit begann, das Stück aber am 23. X. 1813 bereits aufgeführt wurde. In seinem Brief kontrastiert er die englische und deutsche Auffassung: *die Engländer lieben solche Epiloge, die Deutschen aber wollen gerührt und nicht verständiget nach Hause gehen; mögten diese Reime die doppelte Wirkung thun (IV/24, 25).* Am 3. XII. des gleichen Jahres trug Goethe den Epilog während einer Gesellschaft bei J*Schopenhauer „wie ein donnernder Jupiter" vor (Bdm. 2, 207).   *Sn*

Banks, Sir Joseph (1743–1820), englischer Naturforscher, Weltreisender, Begleiter J*Cooks auf dessen erster Weltumsegelung, war seit 1777 Präsident der Royal Society. Seine Verdienste, von denen auch Goethe Notiz nahm, betreffen zunächst die Wiederentdeckung *Australiens; durch seinen Reisebericht: „A Journal of a voyage round the World, in His Majesty's Ship Endeavour," 1771 (mit Erweiterungen 1774; 1775), trug B. wesentlich dazu bei, Australien als fünften Erdteil zu erkennen – noch vor Weimar (1774) konnte Goethe diese Schrift (vgl. *Sendschreiben:* I/2, 191) kennengelernt haben, wenn er nicht einfach die öffentliche Meinung wiederholte; der B. auf dieser Reise begleitende schwedische Botaniker DSolander (1736–1782) wird später nicht mehr erwähnt. Weiterhin und wohl mit mehr sachlichem Nachdruck fanden B.s botanische Leistungen Interesse; vor allem *Zizania palustris L. der wilde Reis von Canada, dessen Cultur der Ritter Banks in die englischen Gärten einführte und wovon Franz Bauer (Linn. Transact. VII.) eine vortreffliche Abbildung herausgab* (Auszug aus einem Briefe von LChr *Treviranus, an J*Sckell gesandt 3. XI. 1825: *IV/40, 117*) erregte Goethes Aufmerksamkeit (vgl. auch IV/40, 119; III/10, 121).   *Sn*

Bannatyne, George (1545–1608), sammelte alte schottische Lieder, die er 1568 veröffentlichte: „Ancient Scottish Poems, published from the Manuscript of George B." Goethe erwähnt die 1770 von Sir David Dalrymple herausgegebene Sammlung in den *Ephemerides* (I/37, 111). Sir Walter*Scott nannte einen 1823 von ihm gegründeten Klub, dessen Ziel die Veröffentlichung alter schottischer Dokumente war, zu Ehren B.s „Bannatyne Club".   *Sn*

Bansa, begüterte und kultivierte Kaufmanns-(Weinhändler-) und Bankiersfamilie in Frankfurt/Main, die während des dreißigjährigen Krieges von Hausbergen/Westfalen zugewandert war. Das Familienwappen – eine um einen Ring sich windende Schlange – geht auf den frankfurter Ahnherrn, den Apotheker Matthias B. zurück. Sein Enkel Johann Matthias B. (1686–1766), Bankier, Schöffe und jüngerer Bürgermeister der Stadt, schrieb eine Familienchronik. B.s, die mit Goethe und seiner Mutter in Beziehung traten, sind:

–, 1) Johann Conrad (1721–1800), Stammvater der noch jetzt in Frankfurt lebenden Nachkommen, Senior der Bürgerschaft und erfahrener Bankier. Er übernahm für Goethe als auch für dessen Mutter Bankaufträge der verschiedensten Art. Von Susanne Elisabeth *Schönemann geb. d'Orville, Lilis Mutter, hatte er die isenburger Mühle erworben, wohnte aber in seinem Geschäftshaus in der Fahrgasse.

–, 2) Johann Matthias (1758–1802), Sohn des Vorigen, ebenfalls Bankier und für Goethe geschäftlich tätig (vgl. IV/30, 198, vgl. III/4, 114), war vermählt mit

–, 3) Sophie, geb. Streiber (1762–1842), aus *Eisenach, einer Tochter von Klopstocks Cousine („Fanny") und Lorenz *Streiber, dessen Haus in Eisenach Goethe 1784 häufig mit dem Herzog Carl August besuchte (IV/6, 311; vgl. außerdem III/1, 49; 51; 69). Ernst, begabt und schön wie ihre Mutter, liebte Sophie B. kultivierte Gesellligkeit und zählte den Maler JG*Schütz, Goethes römischen Freund, A*Brentano geb. vBirckenstock, S *Boisserée und Marianne v*Willemer zu ihren nächsten Freunden. Ihr schenkte Frau Rat Goethe 1795, als sie das Haus am Großen Hirschgraben verkaufte, das alte *Puppentheater, „diese so poetisch merkwürdige Reliquie ihres großen Sohnes" (Brief von Sophie B. vom 18. III. 1833), das sich heute wieder im 3. Stock des Goethe-Hauses in Frankfurt befindet. Goethe besuchte mit Sophie B. am 3. VII. 1815 die *Nonnenmühle bei *Wiesbaden (III/5, 168), wo sie ihn mit „der schönen Müllerstochter ... als ein Gegenstück zu seiner *Dorothea"* bekannt machte (SBoisserée 17.IX. 1815: Art. A 22 Gespräche 1, S. 835). Zum Freundestreffen am 6. IX. 1815 auf der *Gerbermühle waren auch die B.s mit der ganzen Familie eingeladen (III/5, 180) und am 8. IX. 1815 stattete Goethe ihnen einen letzten Besuch in der Fahrgasse ab (ebda).

–, 4) August Christian (1792–1855), Sohn der Vorigen, Kaufmann, Freund von Brami Willemer, kannte und verehrte ebenso wie seine Gattin

–, 5) Maria Cleopha, geb. Schmid (1793–1875), den Dichter seit früher Jugend. Mit einem Widmungsvers hatte Goethe der jungen Frankfurterin das „Taschenbuch auf das Jahr 1804" mit dem Erstdruck der *Natürlichen Tochter* geschenkt.   *Rf*
Chronik der Familie Bansa. Hrsg. v. Otto Bansa. 1912.

Bantheville *(Bandeville)*, französisches Dorf in den *Argonnen, von Goethe in der *Campagne in Frankreich 1792 (I/33, 51; 359)* erwähnt, aber kaum persönlich berührt.   *Fu*

Banz, ehemaliges Benediktinerkloster, auf einer Jurahöhe über dem *Main, nahe *Lichtenfels gelegen (Kirche 1710–1718, wahrscheinlich von JDientzenhofer, Vollendung der Klostergebäude 1752–1772 nach Plänen Balthasar Neumanns) wurde 1802/1803 als Kloster aufgehoben und später Sommersitz der Herzöge in *Bayern; seit 1926 ist es wieder Benediktinerkloster. Goethe sah B. mutmaßlich auf der Rückfahrt aus der *Schweiz am 17. XI. 1797 liegen, nachdem er Lichtenfels passiert hatte: *Kloster rund gebaut (? III/2, 194; RV S. 35).*   *Za*

Baranius, 1) Schauspielerin, Tochter von Helena *Malcolmi aus erster Ehe, war in Weimar von 1796 bis Ostern 1801 und Dezember 1802 bis September 1806 engagiert, wurde aber nur in kleineren Opernrollen eingesetzt. Goethe erwähnt die *Dem. Baranius* in einem Brief an die Mitglieder der *Theaterkommission, aus dem hervorgeht, daß die B. auch als Tänzerin auftrat (29. V. 1805: *IV/19,6).* Auch bei den *Lesegesellschaften im Oktober 1803 und am 19. II. 1804 war *Dem. Baranius* beteiligt

(III/3, 99; vgl. 414); sie spielte in der ersten Zeit unter dem Namen ihres Stiefvaters Malcolmi.

–,2) Schauspielerin, Schwester von 1), in Weimar engagiert von Oktober 1795 bis Ostern 1800, spielte in Knaben- und Kinderrollen unter dem Namen ihres Stiefvaters Malcolmi, ging dann ganz vom Theater ab.   *EF*

Barante, Amable-Guillaume-Prosper Brugière, Baron von (1782–1866), französischer Politiker, Historiker und Schriftsteller, ist für Goethe vor allem der Verfasser des „Tableau de la littérature française pendant le XVIIIe siècle" (Paris 1809). Goethe kannte das Werk sofort nach dem Erscheinen. Er verwendete zwei Abende auf die Lektüre (1809: III/4, 10), zunächst wohl im Hinblick auf seine *Autobiographie, die eine Darstellung der französischen Literatur enthalten sollte, dann aber auch um der allgemeinen Aufklärung willen, die er darin über diese Literatur finden konnte. 1826 griff er nochmals zum „Tableau" und hatte, davon ausgehend, ein *bedeutendes Gespräch* (12. X. 1826: *III/10, 256;* aus der Bibliothek entliehen am 1. XI. 1826: Keudell Nr 1755). Es war die Zeit, wo er daran dachte, seine Ansichten *von dem Stande der neuesten französischen Literatur ... auszusprechen* (21. I. 1827: *Bdm. 3, 329).* Aber B. unterrichtete nicht nur über die französische Literatur, sondern auch über den französischen Geist in seinen sich wandelnden Bedingtheiten und Aspekten vom 17. Jahrhundert bis zur *französischen Revolution. Angesichts des Wertes, den Goethe dem Sachlichkeit atmenden Buche offenbar zuerkannte, dürfte eine eingehendere Analyse des „Tableau" ihre Berechtigung haben.

Das Werk, mehr Philosophie der Literaturgeschichte als Literaturgeschichte und ebensosehr Philosophie der Geistesgeschichte, Politik und Soziologie wie der Literatur, setzt sich und erreicht das Ziel, jenseits aller persönlichen Streitigkeiten zu untersuchen, welche Verantwortung die Autoren des 18. Jahrhunderts an der französischen Revolution hatten. Der Grundgedanke der Untersuchung ist die Überzeugung, die Literatur sei Ausdruck der *Gesellschaft – „expression de la société" (S. 9) –, Folge, nicht Ursache der gesellschaftlichen Zustände. B. will den Fehler vermeiden, in den Septembermorden die Frucht der Philosophie zu sehen (S. 11). Beleg für seine prinzipielle Auffassung weist er auf die Änderung der geistigen Haltung der Franzosen und der französischen Schriftsteller während der Regierung Ludwigs XIV.: zu

Beginn noch Kraft, Kühnheit, Unabhängigkeit –*Corneille,*Retz, B*Pascal,*Molière, der *Racine der Anfänge –; am Ende Skepsis, Gleichgültigkeit, Zynismus – *Fénelon als kritischer Beobachter des Absolutismus, Massillon in gleicher Haltung und ua. auch dadurch zum Verzicht auf *Bossuets grandioses oratorisches Verfahren gezwungen (S. 27). Unter dem Regenten Philipp von Orléans wird AR*Lesage in einer noch mehr veränderten Gesellschaft das Lasterhafte und Lächerliche darstellen, P*Bayle der Philosoph des systematischen Zweifels sein, der Dramatiker P Jde*Crébillon mit massiven Mitteln arbeiten, die nichts von Racines seelenbezwingender, nuancierter und wahrheitsgetreuer Kunst wissen (S. 35). JB Rousseau ist kein wirklich religiöser Dichter, denn er ist auch der Verfasser zweideutiger *Epigramme; als Sänger der Sinnlichkeit ist GAde *Chaulieu der Wortträger einer ausschweifenden großen Welt, der er entsprach und die er aussprach. In weiterem Ausdruck einer zweiflerischen, zersetzenden Epoche entsteht die Polemik über Gültigkeit oder Ungültigkeit der *Antike als Ideal und Muster, die „Querelle des anciens et des modernes" (S. 46). Folgt eine Diagnose des Zeitgeistes: eine schwach und verächtlich gewordene Staatsgewalt, eine *Religion, die keine allgemein anerkannte Schranke mehr bildet, Skepsis, vor der die Künste der Überredung versagen, eine *Aufklärung und Gedankenarbeit, die Boden gewinnen, erleichterte Urteilsfähigkeit, aber auch verminderte Besonnenheit und Zurückhaltung, Individualismus bei herabgesetztem Willen zur Erhaltung – und *Voltaire tritt auf, der diesen immerhin noch zögernden Strömungen Richtung und Entschiedenheit gibt. „Man könnte zeigen, daß der Gebrauch, den er von seinem Talente machte, fortwährend vom Zeitgeist eingegeben wurde" (S. 49), der ihn trug und ihm Sicherheit gab; er allein, der Geistesgewaltige, hätte den Fortschritt der bedrohlichen Gedankengänge etwas aufhalten können; beifallssüchtig und der Mode gehorchend tat er es jedoch nicht (S. 58). Trotzdem ist es ein eitles und lächerliches Unternehmen, dem Ruhm Voltaires allen Glanz nehmen zu wollen. Voltaire war in seiner Dramatik zunächst ein Epigone Racines und Corneilles; danach zeugt „Zaïre" von Selbständigkeit; dann bringt er als Neuheit, Schauspiele, die durch ihren ideologisch-propagandistischen Charakter an dichterischem und psychologischem Wert verlieren (S. 62). Der Epiker konnte nichts Dauerndes schaffen; zu sehr der Naivität der jungen Völker bar, besaßen weder er noch die Zeit Sinn

für das *Epos. Dagegen gelang ihm die Gelegenheitsdichtung, die „poésie fugitive". Die „Geschichte Ludwigs XIV." gibt ein zu dekorativ-brillantes Bild der dargestellten Epoche: „ein König hat andere Aufgaben, als Ruhm für sein Reich zu gewinnen" (S. 72); der „Essai sur les mœurs" ist von sektiererischer Neigung nicht frei, bleibt aber nützlich. Beabsichtigte Voltaire Umstürzler zu sein? Als Mann der Unabhängigkeit und der Opposition tadelte er Religion, Sittlichkeit und Politik in ihren unbestreitbaren Fehlern, ohne an die Folgen seiner Angriffe zu denken, blieb jedoch gemäßigter als manche anderen prinzipiellen Revolutionäre; er fürchtete das Emporkommen der ungebildeten Masse (S. 76); aber eine ganze Nation vermag eine derartige Haltung nicht einzunehmen. Auch *Montesquieu kennt die Versuchung durch den Geist extremistischer Kritik – „la témérité d'examen" –, besonders in den „Lettres persanes"; doch bleibt er der Mann des Rechten und Geziemenden – „le juste et l'honnête" (S. 78); reifer geworden wollte er ändern, nicht umstürzen; er war ein ehrlicher Sucher; da er aber auch ein Phantasiemensch war und in Zeiten der Ruhe und Ordnung lebte, sah er die politischen Probleme, besonders die einer Revolution, zu abstrakt und zu ideal: „il s'est fait une foule d'illusions" (S. 83). Neben den beiden Großen steht eine Reihe Kleinerer, die, dem Zeitgeist getreu, die psychologischen und ästhetischen Probleme ihrer Vorgänger abwandeln (A*Piron, PhN*Destouches, Nivelle de *La Chaussée, *Marivaux): „eine Szene Molières ist Wiedergabe der Natur, eine Szene Marivaux' ein Kommentar über die Natur" (S. 95). Dagegen gehört *Prévost d'Exiles, der in seinen *Romanen nur sachlicher Berichterstatter ist, einer früheren Geisteshaltung an. Die zweite Hälfte des Jahrhunderts ist, mehr als die erste, durch ideologische Propaganda gekennzeichnet; es gilt, deren Fortschritte, Erfolge und ungewolltes, revolutionär furchtbares Endergebnis zu zeigen (S. 99). Nachdem B., lobend, in Vauvenargues einen aus Tiefe, Güte und Gerechtigkeit zurückhaltenden, der Epoche nicht restlos verfallenen Menschentyp gezeigt hat, geht er zu den *Enzyklopädisten über. Sie entsprechen einem neuen Typus des Literaten, der von den politischen und sozialen Mächten, dem Hof und dem Adel, unabhängig geworden ist, sich aber als ungenügend geschätzt und geehrt erachtet; hier wirkt der Gleichheitsdrang, der übrigens jeder aufstrebenden Schicht eigen ist (S. 107). Nach Maßgabe ihrer sich mindernden tatsächlichen Berechtigung wurden die

Rangunterschiede als immer lastender empfunden. Die „Eitelkeit" war einer der Hebel
der Revolution, und Friedrichs II. Verhältnis
zu den Schriftstellern konnte diesen nur einen
erhöhten Begriff von ihrer Wichtigkeit geben
(S. 108). Moral, Politik, Religion wurden ihre
Betätigungsfelder. Alle Souveräne wollten die
kleinsten Einzelheiten jener Literatur kennen,
die der Gesprächsgegenstand des ganzen *Europa war. In *Frankreich, dem Lande einer
verkommenen *Monarchie, Sittlichkeit und
Religiosität wandte sich die öffentliche Meinung einer Philosophie zu, „welche die Verachtung einer Macht, die zu achten tatsächlich schwer war, zum System erhob" (S. 110).
Aber der politische, soziale, sittliche Zustand,
nicht die kritische Haltung der Literaten, waren die erschreckendsten Symptome. „Mehr
als die Enzyklopädie hat der Siebenjährige
Krieg die Katastrophe beschleunigt." Die Gerechtigkeit gebietet übrigens zuzugeben, daß
trotz aller Eitelkeit der ehrliche Reformwille
den Schriftstellern nicht fremd war; auch Zurückhaltung, Maß in der Kritik ist den Besten
unter ihnen eigen, aber den inferioren Nach-
betern und Nachtretern versagt. So beunruhigte die Enzyklopädie die Macht, die, tö-
richt, versuchte, den Lauf der Dinge aufzuhalten, statt ihn zu lenken (113). Im Gefolge
der Enzyklopädie triumphierte der seeleleug-
nende *Sensualismus, verdrängte die Haltung
der *Descartes, Pascal, *Malebranche, *Leibniz. Metaphysik wurde fast zur Physiologie
erniedrigt und Frankreich von *Deutschland
überholt. Kunst ward zur Nachahmung des
äußeren, da sie Aussprechen des inneren Lebens ist. In der enzyklopädistischen Tendenz
zur allgemeinen Anwendung der Methoden
der exakten Wissenschaften lag die Gefahr der
Zerstörung aller individuellen Verschiedenheit
der Menschen, da doch „die Prinzipien der
Religion, der Moral, der Politik, der Beredsamkeit, der Poesie, der Künste, die in der
Phantasie ihren Ursprung haben, nur bestehen
können, wenn sie die Ganzheit des eigensten
Denkens eines Individuums – la pensée intime et complète de chaque homme – ausdrücken" (S. 123). Alles dies wurde aber erst
durch *Condillac in ein Ganzes zusammengefaßt, dessen Klarheit vor allem Mangel an
Tiefe war. Diese Philosophie hat auch *Diderot
geschadet, der überzeugungslos – „sans persua-
sion arrêtée" – seine reichen Kräfte vergeude-
te. Er war ein Unglück für die Literatur so gut
wie für die Moral. Diese Philosophie, die infolge ihrer Wurzeln in den stets wechselnden
Sinneseindrücken keine feste Richtung hatte,

wurde von *Helvétius auf die Spitze getrieben. *Cabanis versuchte vergebens, sie auszubauen und zu unterbauen: „auf diesem Wege
dringt man nicht bis zur geistigen Natur des
Menschen vor" (S. 130). Das Zurückführen des
Wesens des Menschen auf das rein Physische
hatte in der Moralphilosophie den Eudämo-
nismus – „la science du bien-être" – zur Folge,
der, richtig verstanden, zur Tugend leiten
sollte, wie Helvétius es dachte, für den Selbstliebe nicht Synonym von Egoismus war; aber
der Sinn, den der Durchschnittsmensch dem
Wort Selbstliebe gibt, bedeutet für diesen
eine gefährliche Versuchung. Gewiß besaßen
die Philosophen dieser Schule mehr als eine
Tugend; aber sie waren eitel, von ihrem eigenen Wert überzeugt, und dadurch auf Abwege
gebracht, vor denen nur die Religion, als über-
persönliches Prinzip, bewahren kann. Diese
geistige Situation erklärt es auch, daß die
Philosophen des 18. Jahrhunderts, anders als
ihre Vorgänger, schnellfertig und oberflächlich
waren und kein bestimmtes, folgerichtig und
systematisch erstrebtes Ziel vor Augen hatten. Sie bildeten keine fest zusammenhaltende
„Sekte" (S. 143). „Die Philosophie des 18. Jahrhunderts ist ein in der Nation allgemein ver-
breiteter Geist, der sich in den Schriftstellern
wiederfindet ... Die Bücher wurden sozusagen vom Publikum diktiert" (S. 144). Nicht
das Was des Inhalts macht die Eigenart dieser
Philosophie aus, sondern das Wie der Darstellung. Das gilt auch für die Gegner der
Enzyklopädie, die ihre Epoche mißachteten,
auch nicht in der Vergangenheit Frankreichs
gedenkenswürdige Größe fanden, sondern bis
auf Rom und Griechenland zurückgingen
(S. 159). Daher entweder die antik inspirierten
oder aber rein spekulativ gegründeten politischen Gedanken, die in Umlauf gesetzt wurden (161). Aber in allem steht JJ*Rousseau,
auf dem der gesellschaftliche Zustand lastete,
ohne ihn mitzureißen, abseits und höher, war
aber vielleicht schädlicher als alle anderen
Autoren (S. 164). Durch Charakter und Schicksal wurde er ein Geist der Auflehnung; Pflichten gegenüber der Gesellschaft empfand er
immer als Beengungen, und so untergrub er
das Gefühl für *Pflicht; der Mensch sollte zur
Tugend nicht durch Pflichtgefühl, sondern
durch einen freien leidenschaftlichen Schwung
geführt werden. Daher Rousseaus Überzeugung, inmitten seines unreinen Lebens der
tugendhafteste der Menschen zu sein; daher
die nie entspannte pathetische Rhetorik seines
Stils, das fast schamlose Psychologisieren und
das Dogmatisieren in seinem Roman. Der

„Émile", das Bild einer Erziehung des Individuums gegen die Gesellschaft, ist künstlich, unanwendbar, wenn nicht schädlich (S. 175). Der „Contrat social" zeigt, wie Reiche gestürzt werden können; denn er geht von Abstraktionen aus, denen ein positives Aussehen gegeben werden soll; statt für die Demokratie arbeitet Rousseau für die Tyrannis. Er beging den Fehler, nach der Methode der exakten Wissenschaften zu arbeiten (S. 187). Die „Confessions" sind ein Paradox: es ist nichts Großes, aber viel Unreines in diesem Buch, durch welches ein Mensch sich Achtung und Nachruhm sichern möchte. Aber Rousseau bezwingt den Leser. – *Buffon will in die Prinzipien der Natur eindringen und zugleich „malerisch" wirken; er ist ein Meister der Form, die allem Leben zu verleihen vermag; als Mensch seiner Zeit läßt er *Gott außerhalb seiner Gedankengänge. Nach Buffon ändern sich die naturwissenschaftlichen Methoden: man stellt keine allgemeinen Theorien mehr auf, macht keinen Versuch zur Systematisierung, verzichtet auf die Zusammenarbeit von kombinierender *Phantasie – „imagination" – und *Beobachtung; man gelangt zu sichereren Ergebnissen, nimmt aber dem Forschergeist und -drang einen mächtigen, fruchtbar belebenden Antrieb; die Männer der Wissenschaft laufen Gefahr, zu Handlangern und Gehilfen der *Technik –„manipulateurs destinés à aider la pratique des arts mécaniques" (S. 200) – zu werden. – Nach Voltaire, Montesquieu, Rousseau und Buffon gibt es keine Großen mehr. In der Dramatik sind höchstens du *Belloy und AM*Lemierre, in der Poesie Malfilâtre und Gilbert zu nennen. Unter den Prosaisten ist AL *Thomas innerhalb seiner allzureichlichen, durch quälende Stilisierung verfälschten Produktion nur einmal zu einer wirklichen Leistung fähig gewesen. *Marmontel ist vor allem als Ästhetiker in den „Éléments de littérature"von Bedeutung; nach Fénelon, Montesquieu, *Dubos hat er, über eine technisch-formalistische Lehre hinaus, die Psychologie des künstlerischen Schaffens und Genießens untersucht (S. 211f.). Begabter, aber auch tyrannischer und manchmal unsachlich beschritt La Harpe den gleichen Weg; das erreichte Ziel ist im „Cours de littérature" sichtbar. Die Epoche hat keine Historiker von Rang hervorgebracht; sie war zu sehr von der eigenen Überlegenheit durchdrungen,um sich mit der *Vergangenheit zu beschäftigen. Die *Geschichtsschreibung verzichtete zu sehr auf das Konkrete oder mußte sich zu Propagandazwecken mißbrauchen lassen – so durch *Raynal. Die Kunst der

24*

Kanzelrede verschwand; dafür entwickelte sich die forensische Beredsamkeit; unter dem Einfluß des Zeitgeistes erweiterte sie ihren Gesichtskreis und behandelte auch prinzipielle Fragen der Philosophie des Rechts; damit verlor sie oft ihr eigentliches Ziel aus den Augen, gewann aber an beeindruckender Kraft; sie wurde ein Teil der Literatur. – In den Jahren vor der Revolution hat man nicht mehr die wechselseitige Einwirkung zwischen den Sitten und den Büchern zu zeigen; denn Sitten, Philosophie und Literatur sind ununterscheidbar vermengt (S. 234). Angesichts eines gewissen Willens Ludwigs XVI. zu Reformen glaubten die Philosophen, ihre Zeit sei gekommen, und Schriftsteller sein, hieß einen Rang im Staate besitzen (S. 238). In allen Gesellschaftsschichten gab es Autoren und Philosophen – meistens Opfer schlecht verstandener Schlagworte. Die *Zeitungen verloren viel von ihrem früheren wohl überlegten Gehalt, die Leser wurden oberflächlicher, schnellfertig; dazu kam der Gedankenaustausch im Gespräch; und überall war Mangel an Reife spürbar. Aber dieser allgemeine humanitäre und politische Eifer war selbstlos, wenn auch von Illusionen genährt,und man stand sittlich höher als in den letzten Jahren der Regierung Ludwigs XV. Man verlangte eine neue, bessere Ordnung (S. 241). Inmitten dieser Vorläufer des kommenden Gewitters entstand eine belebtere und wahrere Literatur: J*Delille, *Bernardin de Saint-Pierre mit „Paul et Virginie", Collin d'Harleville, der Fabeldichter *Florian, der Abbé *Barthélemy mit seinem „Anacharsis", der das gelehrte Wissen von der Antike lebensvoll popularisierte, dazu „eine große Zahl von Schriften, die verantwortungsbewußt – sérieux – und nützlich waren oder es wenigstens zu sein versuchten" (S. 244). Dies war der Geisteszustand vor der Revolution, die durch das Zusammentreffen einer ganzen Reihe von Ursachen ausbrach: das ganze alte Gebäude war baufällig. Die meisten der ersten Revolutionäre hatten reine und gute Absichten (S. 252), waren aber Theoretiker und Optimisten. Danach kam ein geistiger und moralischer Abstieg; die letzten Revolutionäre hatten nichts mehr mit Literatur und Philosophie zu tun. 1826 erwähnt Goethe B.s Schiller-Übersetzung („Oeuvres dramatiques de Schiller", 1821) in der in *KuA* veröffentlichten Übersetzung einer Rezension von JJ*Ampère über die *stapfersche Übersetzung seiner Werke (I/42^{II}, 198).   *Fu*

Barbaren nannten die Griechen alle nichtgriechisch sprechenden Völker; erst im Verlaufe der Perserkriege erhielt diese Bezeichnung bei gesteigertem Nationalgefühl einen abwertenden Begriffsinhalt und wurde gleichbedeutend mit Roheit und Grausamkeit schlechthin. Die Römer, für die Griechen auch zunächst B., übernahmen Wort und Inhalt; *Plautus sagt sogar in der Vorrede zu den „Asinaria", daß er die Übersetzung ins Barbarische, dh. ins Lateinische vorgenommen habe, und nennt in anderem Zusammenhang Latium ein B.land (vgl. auch *Ovid in seinen „Tristia" über Tomis: „barbarus hic ego sum, quia non intellegor ulli"). Dann aber bezeichnen die Römer alle nichtrömischen Völker außer den Griechen als B., verdichten diesen Begriff zu den inhumani und setzen ihn der humanitas, die Bildung ($\pi\alpha\iota\delta\varepsilon\acute{\iota}\alpha$) und Menschenfreundlichkeit ($\varphi\iota\lambda\alpha\nu\vartheta\varrho\omega\pi\acute{\iota}\alpha$) gleichermaßen umfaßt, entgegen. Die römische Staatskultur findet vielleicht erst gegen ihr Ende die schärfste Abgrenzung gegen das „Barbarische", das schon einmal in der späten Antike sogar idealisiert werden konnte; vgl. *Tacitus über die Germanen und ähnlich noch Goethe, *daß die unbestimmten, sich weit ausdehnenden Gefühle der Jugend und ungebildeter Völker allein zum Erhabenen geeignet sind, das, wenn es durch äußere Dinge in uns erregt werden soll, formlos, oder zu unfaßlichen Formen gebildet, uns mit einer Größe umgeben muß, der wir nicht gewachsen sind (I/27, 14)*, eine Wendung, die den goetheschen Begriff von B.tum mitbestimmt. Aber die Goten konnten sich „über alle B." erhoben fühlen, weil sie die römische Kultur zu beschützen Anspruch machten. In Byzanz allerdings war man davon überzeugt, „daß das ganze Abendland von der Adria bis zu den Säulen des Herakles, der ganze Umkreis des Alten Rom, der Unkultur der nordischen B. anheimgefallen sei".

Dort, wo das *Mittelalter sich die lateinische Kultur anzueignen vermochte, blieben alle nichtlateinischen Sprachen „barbarisch"; deutsch ist die lingua barbara und Walahfrid Strabo (gest. 849) nennt Deutschland „nostram Barbariam, quae est Theotisca, quo nomine domus Dei appeletur". An der pariser Universität wird 1215 – mit Ausnahme der Festtage – neben *Philosophie, Rhetorik und Ethik auch „Barbarismus" gelesen. Enea Sylvio (1405–1464) betont den Abstand seines Römertums von den deutschen B., und die italienischen Humanisten nennen sowohl die Spanier als die Franzosen und Deutschen B., wie denn die Bezeichnung des Mittelalters als eines b.ischen Zeitalters, in Verbindung

mit der verachteten Gotik und dem deutschen Kaisertum, hier seine Wurzel hat. „In der neueren Zeit bedient man sich des Wortes Barbar, um Völker zu bezeichnen, welche zwischen den Stufen der Wildheit und einer festen bürgerlichen Verfassung in der Mitte stehen ... Ein Feind der Gelehrsamkeit, sagt [G*]Berkeley, ist ein Barbar; und da die ächte Bildung neuerer Zeit vornehmlich von der Gelehrsamkeit erzeugt, gepflegt und erhalten wird, so kommt diese, auch in Deutschland am meisten übliche, Bedeutung des Wortes der ursprünglichen, obwohl viel weiteren, am nächsten; wenn man nur, wie sich gebührt, als Feind der Gelehrsamkeit nicht ihren Verächter allein, sondern auch denjenigen ansieht, der sie binden und zwingen will" (1814: FRoth). Dasselbe hatte Goethe von der Dichtung in seinem *Tasso* gesagt: *Und wer der Dichtkunst Stimme nicht vernimmt, | Ist ein Barbar, er sei auch wer er sei (I/10, 221).* Wo Goethe dem Ungewohnten und Fremden, dem Rohen und auch im sprachlichen Sinne Unverständlichen gegenübersteht, hat b.isch die traditionelle Bedeutung: *Nationalsylbenmaße ... mit der Nationaldeclamation vorgetragen*, wie er sie 1787 in der „Propaganda" zu Rom, dem Palazzo di Propaganda Fide an der Piazza di Spagna, hörte, brachten *barbarische Rhythmen und Töne hervor. Das Griechische klang, wie ein Stern in der Nacht erscheint. Das Auditorium lachte unbändig über die fremden Stimmen ... (I/30, 252* aus IV/8, 131 f.). Als herkömmlich kann man es auch bezeichnen, wenn Goethe sich in den *Römischen Elegien* als *Barbare* bezeichnet *(I/1, 235)* und damit zugleich seine dauernde Sehnsucht, in das klassische Land zurückzukehren, vorwegnimmt; ist es doch selbst dem Spätgeborenen angesichts der Kunstwerke *Roms unmöglich, in Barbarei zurückzufallen (I/32, 322).* Umgekehrt wird auch das Ungewohnte der lateinischen botanischen Namen b.isch genannt: *... und immer verdränget | Mit barbarischem Klang einer den andern im Ohr (I/1, 290;* vgl. I/37, 244 und *Rhingluff ... der Mensch, mit dem Barbarischen Namen: IV/1, 196;* ferner: *Barbarisch bunt in fremder Mundart; Ilmenau: I/2, 143).* Auch die deutsche Sprache kann als *barbarische Sprache* der italienischen gegenübergestellt werden *(IV/7, 171).*
B.tum ist synonym für *Unnatur ... Verderbniß*, für alle Arten des *Abgeschmacks;* diesem *Hassenswerthen* steht das *Liebenswürdige* gegenüber, das Leben *einer gesunden Natur, die sich ruhig entwickelt*, das Dasein *einer zweckmäßigen Bildung, eines treuen Ausdauerns, eines*

gefühlten Strebens nach Werth und Schönheit (I/18, 294 f.). Das Tyrannische ist dem B. eigentümlich (I/26, 162). Es ist die Welt einer (im ethischen Sinne) *unzulänglichen barbarischen Übergewalt (I/41[II], 21),* in der das Menschenopfer *zu großem unerläßlichen Nationalzwecke (IV/38, 234)* vollzogen und von den Göttern entgegengenommen wird. *In dem sanften, wahrhaft urväterlichen Charakter Abrahams konnte eine so barbarische Anbetungsweise nicht entspringen; aber die Götter, welche manchmal, um uns zu versuchen, jene Eigenschaften hervorzukehren scheinen, die der Mensch ihnen anzudichten geneigt ist, befehlen ihm das Ungeheure. Er soll seinen Sohn opfern, als Pfand des neuen Bundes (I/26, 215 f.).* Einer höheren Gesittung, einer vollendeteren Kultur entsprechen derartige Phänomene nicht: *der Ausspruch: „Er soll dein Herr sein" ist die Formel einer barbarischen Zeit, die lange vorüber ist (I/18, 306);* für die Frau um 1800 sollte sie keine Geltung mehr haben. Und *ist es nicht eine barbarische Anstalt, den Kindern Mord und Todtschlag zu verbieten,* wie es das fünfte Gebot fordert? *(I/20, 403).* Zwar: *In den ältesten Zeiten diente die Kunst jederzeit der Religion, indem sie gewisse strenge, trübe, seltsame und gewaltsame Vorstellungen ausbildete. Deßwegen fing die bildende Kunst nirgends vom Natürlichen an, sondern überall mit einer Art von barbarischem Sinn und Geschmack (I/48, 135 f.).*

Es entspricht dem traditionellen Bilde, wie es der *Humanismus des 15. und 16. Jahrhunderts vorgezeichnet hatte, daß auch Goethe mehrfach die Germanen, die das römische Reich, insbesondere *Italien eroberten, kurz B. nennt (I/44, 335; I/30, 136 aus III/1, 274; I/30, 206; *II/3, 144:* zwischen *Antike und Mittelalter *die durch Barbaren gerissene Lücke,* demgegenüber die oben mitgeteilte Stelle aus DuW I/27, 14). – *Traurig ist immer die Betrachtung, wie erst durch die Römer* [aufschlußreicher Beleg für das eigentlich „Griechische" der goetheschen Kultur, vgl. FSchiller an Goethe vom 23. VIII. 1794], *nachher durch das Eindrängen nordischer Völker, und durch die daraus entstandene Verwirrung das Menschengeschlecht in eine solche Lage gekommen, daß alle wahre reine Bildung in ihren Fortschritten für lange Zeit gehindert, ja beinahe für alle Zukunft unmöglich gemacht worden. Man mag in eine Kunst oder Wissenschaft hineinblicken, in welche man will, so hatte der gerade richtige Sinn dem alten Beobachter schon manches entdeckt, was durch die folgende Barbarei und durch die barbarische Art sich aus der Barbarei*

zu retten, ein Geheimniß ward, blieb und für die Menge noch lange ein Geheimniß bleiben wird, da die höhere Cultur der neuern Zeit nur langsam in's Allgemeine wirken kann. Vom Technischen ist hier die Rede nicht, dessen sich glücklicherweise das Menschengeschlecht bedient, ohne zu fragen, woher es komme, und wohin es führe (I/46, 40). Damit war die Vorstellung vom Mittelalter als einer *trüben und dunkeln (I/32, 36),* als einer *barbarischen Zeit* ausgebildet (I/30, 92; so auch die allgemeine Ansicht der zeitgenössischen Handbücher), in der allerdings noch die griechische Kunst und das römische Recht fortwirken konnten (III/13, 263; vgl. *Altertumskunde). *Eben so mußte sich der Deutsche aus einem mönchisch barbarischen Druck erst in seine eigene natürliche Liebenswürdigkeit, dann aber mit entschiedenem Geschmacksbedürfniß gegen* [eigentlich: an] *die lateinische Sprache wenden (IV/31, 158).* Im Hinblick auf das Mittelalter ist der Wandel in der Anschauung Goethes wichtig, der von der Begeisterung für das *straßburger Münster und der Konzeption des *Faust* – von der allerdings später als von einer *barbarischen Composition (IV/12, 169),* als eines Gegenstandes der *nordischen Barbarey (IV/13, 46;* vgl. I/15[I], 344) die Rede ist – in der Zeit der *Propyläen* zu dem Satz führt: *Wer fühlte wohl je in einem barbarischen Gebäude, in den düstern Gängen einer gothischen Kirche, eines Schlosses jener Zeit, sein Gemüth zu einer freien thätigen Heiterkeit gestimmt? (I/47, 333;* vgl. über S. Antonio zu *Padua und die Urteile RP*Knights I/46, 176 f.; ferner über eine *barbarische Nachahmung des Dornziehers vom Capitol* am Grabmal des Erzbischofs Friedrich [nicht Adelbert] im *magdeburger Dom: *I/48, 242).* Später wird unter dem Einfluß der jüngeren Generation eine positive Einstellung möglich, weil neben der Antike das deutsche Mittelalter als Bildungsmacht seiner Zeit nicht abzuleugnen war: *Dagegen muß ich dankbar erkennen, daß ich ohne diese dringende Nöthigung* [zur Herausgabe von *Kunst und Alterthum*] *niemals weder dem wichtigen Punct der Kunsterhaltung durch die barbarische Zeit hindurch, noch auch den Eigenthümlichkeiten nationeller und provinzieller Wiederherstellung Aufmerksamkeit hätte schenken können. Es ist da viel Zeug unserer geläuterten Sinnlichkeit zuwider, das man nur durch den Begriff zu etwas machen kann, denn das Absurde freut uns auch wenn wir uns darüber aufklären (IV/26, 288;* vgl. *Köln). Im Sinne *Ghibertis und der *Renaissancehumanisten erklärt auch *Cellini wie später

*Vasari, *daß Brunellesco der erste gewesen, der die Baukunst nach so vielen Jahren wieder aufgeweckt, nachdem sie unter den Händen barbarischer Handwerker völlig erloschen war (I/44, 392).* In Italien zündete sich froh das schöne Licht | Der Wissenschaft, des freien Denkens an, | Als noch die Barbarei mit schwerer Dämmrung | Die Welt umher verbarg *(Tasso: I/10, 108;* ähnlich IV/11, 22). Gegen das 16. Jahrhundert konnte die Kunst *immer höher und höher steigen, sich von der Erde heben und himmlische aber wahre Gestalten hervorbringen. So entwickelte sich die Kunst nach der barbarischen Zeit (I/30, 92;* vereinfacht aus der früheren Wendung: *Es ist das die Geschichte der Kunst und jedes der einzelnen grosen ersten Künstler nach der barbarischen Zeit: III/I, 240;* vgl. I/32, 414). Doch selbst im tieferen 16. Jahrhundert sieht Goethe Cellini im Dienst Franz I. von *Frankreich *ausschweifenden Unternehmungen *gegenüber, *wozu ihn der barbarische Sinn einer nördlicher gelegnen, damals nur einigermaßen cultivirten Nation verführte;* Goethe schließt diesen Gedanken mit dem für seine B.-Auffassung erhellenden Satz: *Er* [Cellini] *zog sich wieder in das rechte Maß zusammen, wendete sich an den Marmor (I/44, 353).*

Wie aber dem Gebildeten der Renaissance die vorangegangene, mehr oder weniger als Einheit empfundene Epoche des Mittelalters als unantik, b.isch und gemeinhin als „gotisch" – wozu gelegentlich auch die Bezeichnung „modern" im Gegensatz zu alt (= antik) tritt – erschien, so stellte auch bei Goethe sich in Rücksicht auf die vorangegangene Kulturepoche des *Barock im allgemeinen, weniger in bezug auf die barocke Kunst, der Begriff des B.ischen ein. Allerdings erhält die Kunst dieses Zeitalters oft ähnliche Charakteristika wie das B.tum (vgl. IV/11, 22 f. mit I/34^II, 193 = I/47, 330). Goethe entschuldigt manche „Barbarismen" der *bolognesischen Schule und ihrer Historienmalerei durch die Auftraggeber: *Der Mahler* [G *Reni], dem das Messer an der Kehle saß, suchte sich zu helfen, wie er konnte, er mühte sich ab, nur um zu zeigen, daß nicht er der Barbar sei (I/30, 165* aus III/1, 308). Als Goethe auf der Suche nach dem antiken Rom den *Spuren einer Herrlichkeit und einer Zerstörung *nachging, merkte er doch auch: *Was die Barbaren stehen ließen, haben die Baumeister des neuen Roms verwüstet (I/30, 206),* womit deutlich auf die Architekten des 17. Jahrhunderts angespielt wird, die das barocke Rom geschaffen hatten. Die Dichtkunst in

Rom hatte ebenso in dieser Zeit mit ihren *barbarischen Ausdrücken, unleidlich harten Versen, fehlerhaften Figuren und Tropen . . . ganz und gar das Anmuthige und Süße verscherzt (I/32, 215 f.),* so daß es denn Sache GM*Crescimbenis war, *das Barbarische immer mehr zu verdrängen (ebda 217).* Von einem anderen Punkte aus – in dem Sinne etwa, wie F*Voltaire über *Shakespeare urteilte – mußte Friedrich II. von *Preußen die deutsche Dichtung seiner Zeit für b.isch halten (I/27, 106). Von der *Aufklärung her gedacht mochte es zutreffen, daß *unsere Akademien* [die Universitäten] *noch barbarische Formen haben (1782: IV/5, 265;* vgl. auch IV/6, 324 über JK*Lavater).

Da Goethe die Kunst und mit ihr die Kultur als *ein Lebendiges (ζῷον) anzusehen *vermochte, *das einen unmerklichen Ursprung, einen langsamen Wachsthum, einen glänzenden Augenblick seiner Vollendung, eine stufenfällige Abnahme, wie jedes andre organische Wesen, nur in mehreren Individuen nothwendig darstellen muß (I/46, 41),* so ist es nur folgerichtig, wenn er mit zunehmenden Jahren auch seine Gegenwart – das frühe 19. Jahrhundert – mehr noch aber die Zukunft als ein neues b.isches Zeitalter heraufkommen sah. *Die Nationen steigen aus der Barbarei in einen hochgebildeten Zustand empor und senken sich später dahin wieder zurück (I/49^I, 182)* – ein Gedanke, der in nachgoethescher Zeit auch in den Bestand der allgemeinen *Bildung übergeht. Selbst die Mühen um die Wiedererweckung des Altertums sind vergeblich, da – wie Goethe es mit scharfen Worten geißelt – *ein ganz wahnsinniger, protestantisch-catholischer, poetisch-christlicher Obscurantismus es gern wieder mit frischen Nebeln einer vorsätzlichen Barbarey überziehen möchte (1812: IV/23, 65).* Schon 1796 heißt es während der Bearbeitung des Cellini im Hinblick auf das 15. Jahrhundert: *Der Barbar weiß die Kunst nicht zu schätzen, als in so fern sie ihm unmittelbar zur Zierde dient, daher war die Goldschmiedearbeit in jenen Zeiten schon so weit getrieben . . . Und sind wir nicht auch wieder als Barbaren anzusehen? da nun alle unsere Kunst sich wieder auf Zierrath bezieht (IV/11, 22).*

Die Zeichen der neuen Zeit sind Abkehr vom Schönen, das allein doch den Menschen aus der Barbarei retten kann (I/15^II, 185), sind Enge, Bedrängung und Hinwendung zum Mechanischen, *die Noth und das strenge Bedürfniß (III/I, 266);* Zeichen dieser so gesehenen Zukunft ist aber auch die Herrschaft des *Aberglaubens, der die Kunst zugrunde richtet (III/1, 308), und mangelnde Imagination, die den Roman *auf dem Theater* und *jede interessante Situation gleich in Kupfer gestochen sehen will ... Diesen eigentlich kindischen, barbarischen, abgeschmackten Tendenzen sollte nun der Künstler aus allen Kräften widerstehn, Kunstwerk von Kunstwerk durch undurchdringliche Zauberkreise sondern, jedes bey seiner Eigenschaft und seinen Eigenheiten erhalten, so wie es die Alten gethan haben und dadurch eben solche Künstler wurden und waren* (23. XII. 1797 an Schiller: *IV/12, 382 f.*). Ähnlich heißt es in einem von Goethe zitierten Brief Th*Bodleys in prophetischer Weitsicht, *daß wir uns jählings in eine Barbarei verlieren, aus der wir nach vielen Jahrhunderten, um nichts an theoretischen Hülfsmitteln reicher als jetzt, hervortauchen werden (II/3, 231;* vgl. zu Eckermann 22. III. 1831, *denn worin besteht die Barbarei anders als darin, daß man das Vortreffliche nicht anerkennt? Bdm. 4, 353,* und *IV/48, 169: die Wogen und Brandungen der zu befürchtenden Barbarey).* Die Erscheinungen des 20. Jahrhunderts bestätigen in bestürzender Weise diese Einsicht, denn es ist das Merkmal einer nur noch zivilisatorisch hochentwickelten Zeit, daß sie trotz ihrer Apparate und Automatismen, deren Zusammenhänge und ,,Funktion" der einzelne nicht mehr zu erfassen vermag, gerade der *theoretischen Hülfsmittel* entbehrt, dh. des erkennenden Urteils über die Werte und Notwendigkeiten des Menschen, des schauenden Denkens überhaupt.

Darum stellt sich dem B.ntum im Sinne Goethes allein wahre und reine Menschlichkeit entgegen. Sie ist Leistung und Tat, B.ntum letztlich Passivität. Die Frage des *Thoas: Du glaubst, es höre | Der rohe Skythe, der Barbar, die Stimme | der Wahrheit und der Menschlichkeit, die Artreus, | Der Grieche, nicht vernahm?* findet *Iphigeniens* (und Goethes) Antwort: *Es hört sie jeder, | Geboren unter jedem Himmel, dem | Des Lebens Quelle durch den Busen rein | Und ungehindert fließt (I/10, 84 f. = 39, 394).* Es ist – ganz im antiken Sinne gedacht – die Humanitas, die Vereinigung von Bildung und Menschenliebe, die Goethe als Gegenstand seines Bekenntnisses herausstellt, die sich aber in den Begriffen Kosmopolitismus und Universalismus verbürgerlichte und in dem propagandistischen Begriff der ,,abendländischen Kultur", wie ihn das 20. Jahrhundert brachte, vollends verflacht und entwertet hat. Denn Maß- und Grenzenlosigkeit sind eigentliches B.tum. Dagegen die Griechen: sie *fühlten ... ohne weitern Umweg, sogleich ihre*

einzige Behaglichkeit innerhalb der lieblichen Gränzen der schönen Welt. Hieher waren sie gesetzt, hiezu berufen, hier fand ihre Thätigkeit Raum, ihre Leidenschaft Gegenstand und Nahrung (I/46, 22). Dieses ,,Hier" und ,,Jetzt", dieses Tätigsein, dessen Korrelativ die *Behaglichkeit* ist, diese gegenstandsbezogene *Leidenschaft* ist der Kosmos, den Goethe dem B.tum entgegensetzt. Es ist der Kern seines klassischen Daseins, wie denn B.tum das Gegenbild seines erstrebten und gelebten Menschentums ist.   *Lö*

FRoth: Bemerkungen über den Sinn und Gebrauch des Wortes Barbar 1814. In: Sammlung etlicher Vorträge des Präsidenten von Roth in öffentlichen Sitzungen der k. Akademie der Wissenschaften zu München. 1851. – Neues Conversations Lexicon oder encyclopädisches Handwörterbuch für gebildete Stände, hrsg. von einer Gesellschaft rheinischer Gelehrten. Bd 2 (1826), S. 126. – Pierer 3 (1840), S. 396. – JJüthner: Hellenen und Barbaren. In: Das Erbe der Alten. 1923. – RWallach: Das abendländische Gemeinschaftsbewußtsein im Mittelalter. In: Beiträge zur Kulturgeschichte des Mittelalters und der Renaissance 34 (1928). – DuCange: Glossarium Mediae et Infimae Latinitatis 1 (1954), S. 570. – FJvRintelen: Der Rang des Geistes, Goethes Weltverständnis. 1955. – AJToynbee: A Study of History. 1946.

Barbaro, Daniele (1513–1570), Humanist, Koadjutor des Patriarchen von Aquileja, wird in den von J*Poleni herausgegebenen ,,Exercitationes Vitruvianae" (1739 bis 1741; Bd 1, S. 73) behandelt, in welchem Zusammenhang ihn auch Goethe mit dem Titelzitat des genannten Werkes in seinen Vorbereitungen zur zweiten Reise nach *Italien nennt (I/34^{II}, 188). B. ist Übersetzer und Kommentator *Vitruvs, dessen Werk über die *Architektur er in italienischer Übersetzung unter dem Titel ,,I dieci libri dell' architettura" (Venedig 1556) und lateinisch mit einem Kommentar versehen 1567 herausgab. P*Veronese malte sein berühmt gewordenes Porträt (Florenz, Pal. Pitti).   *Lö*

JvSchlosser: Die Kunstliteratur. 1924. S. 221; 368.

Barbault, Jean (1705–1766), Maler und Kupferstecher, zeichnete und radierte in Rom die Überreste antiker Architektur und Plastik und gab diese Blätter unter dem Titel ,,Les plus beaux monuments de Rome ancienne" 1761 heraus. Daraus lernte Goethe die *Laokoon-Gruppe kennen, wie aus seinen 1770 geschriebenen *Ephemerides* und der in ihnen enthaltenen Auseinandersetzung mit GE*Lessings Laokoon-Aufsatz hervorgeht: *Denn ich will gerne L[essing] zu Liebe glauben, dass der Kupferstecher /: ich habe es in Barbaults Wercke gesehen :/ einige Züge verdorben hat.* Dies besagt aber nur, daß Goethe die Laokoon-Gruppe in der Wiedergabe des b.schen Bandes betrachtete, nicht aber, daß auch er

der Meinung war, daß B. wie der von Lessing benutzte Kupferstich *einige Züge verdorben* habe. Einsichtsvoll heißt es daher: *ich weiss ohne das, dass ein Kupferstich ist wie eine Übersetzung, man muss die beste wieder in Gedancken übersetzen, um den Geist des Originals zu fühlen (I/37, 90).*   *Lö*
ThB 2 (1908), S. 465 f.

Barberini, Fürstengeschlecht Roms im 17. Jahrhundert, dem diese Stadt den Aufschwung ihrer barocken Kultur verdankt, ist durch Papst Urban VIII. (Maffeo B., 1568–1644, Papst seit 1623; fast alle auf ihn geschlagenen Medaillen, meist von der Hand des G*Molo, befanden sich in Goethes Kunstsammlung) in den Fürstenstand erhoben worden und zu Reichtum und Macht gelangt, bis mit dem Tode Papst Urbans ihr Ansehn rasch dahinschwand. Goethe hat nur gelegentlich eines jenaer Aufenthaltes am 17. VI. 1818, währenddem er *Medaillen betrachtet,* die *Gebrüder Barberini* in seinem Tagebuch verzeichnet (*III/6, 218;* sofern die handschriftliche Verbesserung aus „Barini" und die Tatsache, daß mit *Gebrüder* – voraufgeht *Leben Bessarions und* – das Diktat an CEF*Weller abschließt, keine andere Beziehung erlaubt. Diese *Gebrüder* wären demnach die Neffen Urbans VIII. Francesco B. (1597–1679) – als Kardinalnepot des Papstes war er Leiter der päpstlichen Außenpolitik und des Kirchenstaates, dem bei der Kränklichkeit seines Oheims die Auseinandersetzung mit dem französischen Jansenismus oblag und der als Beschützer G*Galileis gelten kann – dann Taddeo B. (gest. 1647), der nach dem Aussterben der Rovere 1631 Herzog von Urbino wurde, und Antonio B., der jüngste (1607 bis 1671), der die b.sche Bibliothek gründete (in der Überlieferung wird jedoch meist Francesco als Gründer bezeichnet; ihr erster Bibliothekar war der Deutsche LHolste [= Holstenius; 1596–1661]). Aus dieser Bibliothek, einer der bedeutendsten des barocken Rom, die erst 1902 mit der des Vatikans vereinigt wurde, hatte Goethe schon bei seiner Vorbereitung zur zweiten Reise nach *Italien 1795/96 ein Werk von M*Mersenne verzeichnet. Dem Pal. Barberini zu Rom, von C*Maderna (und F*Borromini) 1625 begonnen, von L *Bernini vollendet, hat Goethe wohl kaum Beachtung geschenkt, als er ihn am 22. VII. 1787 in Gesellschaft Angelika *Kauffmanns besuchte, um *den trefflichen Leonard da Vinci* [„Eitelkeit und Bescheidenheit", ein Bild der *Leonardo-Schule] *und die Geliebte des Raphael* [die „Fornarina", wahrscheinlich von

*Giulio Romano, jetzt im Pal. *Borghese], *von ihm selbst gemahlt, zu sehen (I/32, 36).* In der mit antiken Statuen (vgl. II/3, 105) geschmückten Exedra dieses Palastes, der an die von Pda*Cortona ausgemalte Galerie (II/3, 373) anschließt, fanden Versammlungen einer Akademie statt, die sich neben der Lobpreisung des Hausherrn, Francesco B., philosophisch-moralischen und ästhetischen Gesprächen widmete. FBacciolini hielt Vorträge über die Vorzüge des Altertums. Derartiges lernte noch Goethe, abgeschwächt und „verschärft" in der *Arcadia kennen. Im Garten des Pal. Barberini sah Goethe bei seinem Besuch eine *Egyptische Figur aus Granit (I/32, 438)* und trug in seine Vorbereitungen zur zweiten Reise nach Italien *Barberinische Vase* ein (*I/34^{II}, 198;* vielleicht erst nach dem 26. I. 1798: IV/13, 38); er wies damit auf ein kleines antikes Glasgefäß mit Reliefdarstellungen aus weißem Glasfluß hin, das sich damals in der b.schen Bibliothek befand (jetzt London, British Museum).   *Lö*
L Pastor: Geschichte der Päpste. 1886. Bd 13 und 14. – Enciclopedia Italiana 6, S.140. – HPosse: Das Deckenfresko des Pietro da Cortona im Palazzo Barberini und die Deckenmalereien in Rom. In: Jahrbuch der preußischen Kunstsammlungen 40 (1919), S. 93–118 und 126–173. – WRössler: Die Barberina. 1890. – IRv Einem S. 646. – Schuchardt 2, S. 86 f.

Barbieri, Paolo (Lebensdaten nicht ermittelt), Kustos am königlichen botanischen Garten in *Mantua. In seinen Studien über die Spiraltendenz der Vegetation führt Goethe einen übersetzten und mit *eingeschalteten und angefügten Bemerkungen* versehenen Auszug eines Aufsatzes von B. über Untersuchungen an *Vallisneria an. Diese tropisch-subtropische Wasserpflanze scheint ihm ein *glückliches Beispiel* für die beiderseitige Entwicklung von vertikalen und spiraligen Gewebeelementen zu geben (*II/7, 64–68*; 1./2. und 4. II. 1831: III/13, 22; 23; 24).   *Sl*

Barby, ein Städtchen mit Schloß an der *Elbe, stromabwärts hinter der *Saalemündung gelegen, suchte Goethe am 7. und 8. XII. 1776 zwischen *wörlitzer oder *dessauer Tagen der Schwarzwildjagd auf (III/1, 28; RV S.15).   *Za*

Barchfeld, das thüringische Kirchdorf an der *Ilm, könnte Goethe auf allen Wegen von und nach *Ilmenau (*Bergwerkskommission) seit 1776 passiert haben. Erst 1817 nahm er aber ausdrücklich Gelegenheit, das *Frühere Versäumniß* nachzuholen. Die *Gewohnheit,* seinen *Geburtstag im Freien und in der Einsamkeit zuzubringen,* gab ihm den Gedanken ein, die *Ruinen, dh. die *Überreste des Kirchengebäudes. Eigentlich keine Ruine* von *Paulinzella aufzusuchen. Dadurch gewann er die äußere und

innere Ruhe, von der sonstigen Route abweichend, schon am 27. VIII. 1817 das *Rationelle der örtlichen Zufälligkeiten* zu studieren,
den Reisewagen *Dreimal* [!] *durch die Ilm* fahren zu lassen und auf diese Weise wohl auch
B. einmal genauer zu betrachten. *(I/53,
391;* RV S. 54). Wir finden Spuren dessen nur im *Schema zum Aufsatz von Pau-
linzelle* (30. VIII. 1817: *III/6, 100),* das
leider nicht weiter ausgeführt wurde *(I/53,
390 f.).* Ungewiß bleibt, ob Goethe auf der
letzten Geburtstagsfahrt seines Lebens (1831)
die Enkel auch über B. geführt hat (RV S.
67 f.).   *Za*

Barchfeld, thüringischer Landflecken unweit
*Schmalkalden, dessen Schloß zu Goethes
Zeit (seit 1722) Sitz der Landgrafen von
*Hessen-Philippsthal-Barchfeld war. In Be-
gleitung des Herzogs besuchte Goethe das
Schloß am 9. XII. 1781 von *Eisenach-*Wil-
helmsthal aus, ihm *ward ... die Zeit sehr
Breit, um nicht zu sagen lang ... meine einzige
Beute von Barchfeld, ist eine köstliche Stufe,
die ich dir auf Verlangen vorzeigen und den
Werth erklären werde (IV/5, 234 f.).* Als er im
April 1782, verbunden mit einer Rekrutie-
rungsfahrt die Höfe in B. und *Meiningen
wieder besuchte, fand er am 8. IV. *die guten
Ehleute* (das Landgrafenpaar Adolf und Wilhelmine) *recht wacker und gefällig* und bei seinem zweiten Aufenthalt vom 13.–16. IV. *Die
Prinzessinnen ... lustig und artig ... Aber wie
wundersam, und wie auffallend wenn ich so ein
fremdes Völckgen wo gewissermassen kein Wort
auf eine Saite in mir trifft beysammen sehe und
mit ihm lebe* (an Chv*Stein: *IV/5, 303; 310;*
vgl. RV S. 21 f.).   *Za*

Barckhausen/Barkhausen, Barkhaus, alt-
frankfurter Kaufhaus- und Bankiersfamilie,
die 1653 aus Herford/Westfalen eingewandert
war. Im 18. Jahrhundert zählten die B., die
seit 1680 geadelt waren, zu den reichsten
Honoratioren der Stadt und nahmen im gesellschaftlichen und öffentlichen Leben eine
tonangebende Stellung ein. Mit Diplom vom
3. IV. 1753 wurde Heinrich Carl v*Wiesen-
hütten ermächtigt, Namen und Wappen der
vB. dem seinigen hinzuzufügen; am 14. III.
1789 wurde er in den Reichsfreiherrnstand
erhoben. Seine Gemahlin
–, 1) Helene Elisabethe Charlotte geb. vVelt-
heim (1736–1804), mütterlicherseits mit den
*Uffenbachs und mit *Lindheimers verwandt,
war eine begabte Malerin und ist bekannt
durch ihren geistreich-launigen Briefwechsel
mit dem Königsleutnant Grafen *Thoranc;
ihre Tochter

–, 2) Louise Friederike Auguste (1763–1844)
hatte das Talent ihrer Mutter geerbt und war
eine nicht unbedeutende Landschaftsmalerin.
Nach ihrer Vermählung mit Benjamin van
Panhuys, dem späteren Gouverneur von Su-
rinam (Niederländisch Guayana), begleitete
sie den Gatten auf seinen Reisen und brachte
wie Sibylla *Merian viele tropische *Tier- und
Pflanzenbilder mit. Zusammen mit JJv*Ger-
ning hat Goethe sie am 15. VIII. 1793 besucht
und sich Zeichnungen vorlegen lassen (Bdm.
1, 197: ,,Louisens Gemälde und Zeichnungen
bewundert"). Frau Rat Goethe, die ebenfalls
die junge Künstlerin kannte, spricht von ihr
als von einer Dame ,,vom gelehrten Thon"
(Brief vom 9. III. 1804). – Die in Gernings Bericht genannte ,,ältere Schwester ... eine
weiland Amasia Goethes ..., der er entgegen-
ging und welche ihm noch schmachtende
Augen zuwarf", dürfte identisch sein mit Loui-
ses älterer Schwester
–, 3) Charlotte Louise Ernestine (1756–1823),
die mit dem Reichskammergerichtsrat Eberhard Christoph Ritter vOetinger (1743–1850)
verheiratet war.   *Rf*

Barclay, John (1582–1621), schottischer Gelehrter, der verschiedene Dichtungen in lateinischer Sprache verfaßte. Die bekanntesten
sind ,,Argenis" (1621), eine politisch-histori-
sche Romanze, die Goethe durch die*Bibliothek
des Vaters bereits bekannt gewesen sein wird,
und ,,Euphormionis Satyricon" (1603? bis
1607), eine gegen die *Jesuiten gerichtete
satirische Dichtung in Form eines pikaresken
Romans. Goethe bringt in den *Ephemerides*
von 1770 den Titel *Le portrait du charactere
des hommes et des Siecles,* wahrscheinlich eine
sonst nicht überlieferte Umschreibung des
französischen Titels des ,,Icon" *(I/37, 92);*
nach erfolgter Lektüre des ,,Icon Animorum"
(Icon Anim.) trägt Goethe zwei Zitate aus
dem 3. bzw. 5. Kapitel dieses oft als vierten
Teil des ,,Satyricons" bezeichneten Werkes,
das 1614 erschien, ein *(I/37, 97 f.).* Goethe
entleiht das Werk noch 1825 von der herzoglichen Bibliothek.   *Sn*

FGötting: Die Bibliothek von Goethes Vater. In:
Nassauische Annalen 24 (1953), S. 44. – Keudell
Nr 1598.

Barclay de Tolly, Bürgergeschlecht der Stadt
Riga, schottischer Herkunft. Goethe hatte
Verbindungen zu:
–, 1) Michael Andreas (1761–1818), russischer
General der Infanterie, hatte 1807 Preußisch-
Eylau gegen den Angriff der Franzosen unter
*Napoleon verteidigt, 1810–1812 Kriegsmini-
ster, 1812 anfangs Oberbefehlshaber gegen
Napoleon, wegen seiner hinhaltenden Strate-

gie entlassen, 1813 wieder Armeeführer, 1814 Feldmarschall; 1813 Graf, 1815 Fürst. Am 13. VI. 1812 besuchte er Goethe in Weimar (III/4, 294), 1815 befand er sich in der Suite Kaiser Alexanders I. von *Rußland in *Wiesbaden (I/36, 102) und am 24. X. 1815 war er abermals in Weimar (III/5, 189).

–, 2) Andreas Otto Heinrich (gest. 1851 in Dresden), Neffe des Vorigen, führte wie sein Vater ohne Berechtigung den Baronstitel. Bereits 1818 und noch 1830 an der russischen Gesandtschaft in *Dresden angestellt, war er mehrfach als Geschäftsträger tätig. Da der Gesandte auch am weimarer Hof akkreditiert war, spielte B. den Übermittler von Sendungen zwischen Goethe und Rußland, hielt sich auch mehrfach dienstlich in Weimar auf. Am 1. VI. 1818 machte er Goethe einen Besuch, konnte jedoch nicht empfangen werden (IV/29, 188 f.); er wiederholte ihn am 27. IX. desselben Jahres mit größerem Erfolg (III/6, 247). Am 10. VII. 1822 besuchte ihn Goethe in *Karlsbad (III/8, 215). Eine Geschenksendung des russischen Finanzministers v*Cancrin, eine Gold- und eine Platinstufe, wurde über B. in Dresden geleitet (III/12, 286; 13, 255), so daß Goethe auch sein Dankschreiben vom 15. VIII. 1830 einem Brief an B. beischloß (IV/47, 184–187; 392 f.; vgl. III/12, 290).   *Ar*

Bardenpoesie. In Nachahmung des vielbewunderten *Ossian ist in Deutschland die sog. B. für etwa zwei Jahrzehnte (nach 1766) zu einer Modeform der Literatur geworden. Anstoß dazu erteilte die vollständige Übersetzung der ossianischen Gesänge, die der Wiener *Jesuit MDenis seit 1768/69 vorlegte. Es handelt sich dabei um eine Übertragung in Hexametern, die auch von *Herder lebhaft begrüßt wurde. Denis selbst huldigte dieser Kunstart, indem er aus eigener Produktion die „Lieder Sineds des Barden" (1772) folgen ließ. Mit dem „Gesang Rhingulphs des Barden" (1768) und „Rhingulphs Klage" (1771) war ihm schon KF Kretschmann auf dem gleichen Wege zuvorgekommen. Doch auch die Dichter des *Göttinger Hains (*Bürger, *Hölty, *Voß, F*Stolberg, KF*Cramer) beugten sich ausnahmslos dem „gälischen Homer", dessen Rang von keinem Geringeren als dem gefeierten *Klopstock bestätigt worden war.

Die Bezeichnung ‚Bardenpoesie' geht zurück auf den taciteischen Bericht im 3. Kapitel der „Germania", nach dem die Germanen Lieder kannten, „durch deren ‚Barditus' genannten Vortrag sie den Mut der Streiter beleben und aus deren Gesang selbst sie den Ausgang des

bevorstehenden Kampfes prophezeien". Durch diesen Passus sah sich Klopstock, der seit 1762 im Banne Ossians stand, dazu verleitet, in Vermischung keltischer und germanischer Überlieferung einen besonderen Sängerstand der Barden zu verkünden. Klopstocks Anmerkungen zur „Hermanns Schlacht" gehen sogar so weit, eine eigene Dichtungsgattung zum ‚Bardiet' zu erheben, um – nach seiner eigenen Formulierung – in Ermanglung eines „eigentlicheren und deutscheren Wortes ... eine Art der Gedichte zu benennen, deren Inhalt aus den Zeiten der Barden sein, und deren Bildung so scheinen muß". Zweifellos eine weittragende Ausdeutung des taciteischen Barditus, in dem man heute weder bloß unartikuliertes Gebrüll noch breit ausmalende Schlachtlyrik, sondern rhythmische, womöglich taktmäßige Wortbegleitung zu Marsch und Bewegung zu erkennen meint.

Auch der junge Goethe hat sich dem Eindruck der Bardenpoesie zunächst nicht entziehen können. Die Rezensionen in den „*Frankfurter gelehrten Anzeigen" bezeugen, wie willig Goethe die *Gedichte der alten Skalden und Celten* als *stark ... feurig* und *groß* verehrte – gemischt mit der wehmütigen Empfindung, *leider nichts Eigenes mehr aus jenen Zeiten* ... in der *die alte vaterländische Dichtkunst* blühte, zu besitzen *(I/37, 217; 243)*. So wollte er ob dieses Verlustes wenigstens die zeitgenössischen Barden gelten lassen. Jedenfalls sind die Besprechungen von Rhingulph (Kretschmann) und Sined (Denis) im ganzen recht wohlwollend gehalten, wenn Goethe auch die *bloße Dekoration und Mythologie* ihrer Sprache *(ebda 236)* zu tadeln hat. Noch 1773 konnte Goethe bekräftigen: *Wir sind wider die Bardenpoesie nicht eingenommen (ebda 243)*. Später (1781) hat allerdings das Knittelversspiel *Das Neueste von Plundersweilern* die Anmaßung und Selbstgefälligkeit der modernen Barden – *Ein Chor schwermüthiger Junggesellen, / Die sich gar ungebärdig stellen* – verspottet *(I/16, 49)*.

Erst der klassische Goethe, der sein *nordisches Erbteil argwöhnisch überwachte und der *Edda nicht länger mit freundlichem Auge begegnen konnte, hat die B. ausnahmslos zu den *fratzenhaften* Produkten gezählt, die ihm schon im *Süjet* als verfehlt erscheinen. So kann er nun im *Briefwechsel mit Schiller als Bestätigung der harten Kritik seines Freundes an Klopstocks Bardieten schreiben: *Herrmann und sein Gefolge hat sich also schlecht exhibirt. Das Goldene Zeitalter hat seine Nachkömmlinge nicht sonderlich versorgt (22. V. 1803: IV/16, 233)*. Auch der späte Goethe,

der mit der Arbeit an *Faust II* noch einmal
in überraschende Nähe zur nordischen Mythologie gerät, hat dieses Urteil keiner Revision
für bedürftig erachtet.   *Op*

Bardetti, Stanislao (gestorben vor 1769),
Geistlicher, historischer Schriftsteller des
18. Jahrhunderts in *Italien, schrieb „De
primi abitatori dell'Italia. Opera postuma",
das von GMontanori mit einer Biographie
und einem Porträt des Autors in Modena 1769
herausgegeben wurde. JDurandi kritisierte die
Ansichten B.s in seinem Werk „Dell'antico
stato d'Italia . . . in cui si esamina l'opera del
P. Bardetti sui primi abitatori d'Italia", 1772.
Noch im Nachgang zu den Vorbereitungen
zur zweiten Reise nach Italien beschäftigte
sich Goethe mit dem Werke B.s und notierte
sich den genauen Titel im August 1798 in sein
Tagebuch (III/2, 217).   *Lö*

Bardili, Christoph Gottfried (1761–1808),
Philosoph, ein Vetter FWv*Schellings und
dessen philosophischer Richtung nahestehend – für JG*Herder war B. ein Bundes-
genosse gegen I*Kant (vgl. RHaym: Herder,
1954, Bd 2, S. 741) – war seit 1790 Professor
an der Karlsschule in *Stuttgart, seit 1795
am Gymnasium dortselbst. Die Titel seiner
Hauptwerke sind gesucht kompliziert und
lassen bereits einen Teil seiner Denkweise ahnen: „Epochen der vorzüglichsten Philosophischen Begriffe, nebst den nöthigsten Beyla-
gen, Theil 1: Epochen der Ideen von einem
Geiste, von Gott und der menschlichen Seele.
System und Aechtheit der beiden Pythagoreer
Ocellus und Timäus", 1788; den „Grundriß
der ersten Logik, gereinigt von den Irrthü-
mern bisheriger Logiken überhaupt, der Kant'-
schen insbesondere, keine Kritik, sondern eine
medicina mentis, brauchbar hauptsächlich für
Deutschlands kritische Philosophen", 1800,
widmete er „Der Berliner Akademie der
Wissenschaften, den Herrn Herder, Schlosser,
Eberhard, jedem Retter des erkrankten Schul-
verstandes in Deutschland, mithin auch vorzüglich dem Herrn Friedrich Nicolai". B.
wollte die Vernunft, Kant kritisierend, weder als objektive noch als subjektive Tätig-
keits des Denkens erklären und „faßte zuerst
die Idee einer Logik, die zugleich Ontologie
ist, da sie das Denken selbst als das Sein der
Dinge betrachtet". Von hier aus gewann B.
Einfluß auf die *hegelsche Philosophie. Verschiedentlich trat er zusammen mit CL*Reinhold an die Öffentlichkeit. Die vielen Rezensionen philosophischer Schriften in der „Jenaischen *Allgemeinen Literatur-Zeitung" aus
der ersten Jahreshälfte 1804 – vor allem über

Schelling, über Köppen, einen Anhänger FH
*Jacobis, wahrscheinlich jedoch die über JA
Eberhards Schrift: „Versuch einer genauern
Bestimmung des Streitpunktes zwischen
Herrn Fichte und seinen Gegnern", 1799,
gezeichnet „RR", der sich als Kritiker Kants
zu erkennen gibt (JALZ, 15. VI. 1804, Spalte
515–519) – veranlaßten B. zu einem *Schreiben*
an den Herausgeber der JALZ, HKA*Eichstädt, das auch in Goethes Hände gelangte.
Dieser sandte es am 29. VII. 1804 an Eichstädt *mit Dank zurück;* es hatte ihm *viel Vergnügen gemacht . . . Der Effect, den wir wünschten, ist also erreicht. Lassen Sie uns ja mit den
Philosophen es so forthalten (IV/17, 168 f.).   Lö*

Bardolino, die kleine amphitheatralisch gebaute Ortschaft am Südost-Ufer des *Garda-
sees, war der Landeplatz, wo Goethe von *Malcesine kommend, am 14. IX. 1786 das Schiff
verließ und gleich nach *Verona weiterfuhr
(III/1, 171; vgl. RV S. 25).   *Za*

Bardua (eig. Bardois; *Pardois: III/11, 132)*
Caroline (1781–1864), Malerin aus *Ballenstedt
am Harz, wurde von W*Körte 1805 an Goethe
empfohlen, der sie zu Tische lud und später an
Körte schrieb, daß er in ihr *eine recht angenehme Bekanntschaft gemacht habe.* In richtiger
Einschätzung ihres begrenzten Talentes zweifelte er, *ob sie von den Spazierpfaden des Dilettantismus, auf denen sie bisher wandelte, auf die
Heerstraße der Kunst gelangen würde (IV/19,
63).* Sie wurde in Weimar Schülerin von H
*Meyer; gelegentlich berichtete Goethe noch
an Körte von ihrem Wohlergehen. Seit Februar 1806 war sie häufiger zu Gast bei
Goethe (III/3, 118*)* und begann im Dezember gleichen Jahres mit dessen Porträt (III/3,
182), das, obgleich kaum überdurchschnitt-
lich, Goethes Zufriedenheit fand. Er schrieb
an Körte: *Demoiselle Bardua macht ihre
Sache recht gut. Ich wünsche, daß sie noch ein
Jahr bey uns bleibt, damit sie noch einige
Stufen ersteige, und nicht, wie es oft zu geschehen pflegt, in der Etage verweile, wohin sie
gelangt ist (IV/19, 268 f.).* Ein weiteres Porträt Goethes begann die Künstlerin im März
1807 (IV/19, 294); auch ein „dilettantenhaf-
tes" Bildnis von Chr*Vulpius gehört in diese
Zeit (Weimar, Goethehaus). Ein Bild Augusts
v*Goethe entstand im Frühjahr 1808 (IV/
20,46).

Im Mai 1807 unternahm Caroline B. – von Goethe mit einem Stammbuchvers bedacht (I/4,
235) – eine Reise in den *Harz, während der,
*besonders in dem Cirkel von Madam Schopen-
hauer, Ihrer in allem Guten gedacht* ward, wie
Goethe an sie am 24. II. 1808 schrieb; er

wünschte ihr, sie möge *sich noch recht durch den Harz durchmalen* und lud sie wiederum nach Weimar ein *(IV/20, 20f.)*. Inzwischen entschloß sich die B., nach *Dresden, das Mittelpunkt der romantischen Dichtung und Malerei geworden war, zu gehen, um Schülerin von Gv*Kügelgen zu werden. Auch hierzu erhielt sie Goethes Glückwunsch, er hoffte, daß nach dem Aufenthalt in Dresden, *ihr manches ernste Erforderniß der Kunst wird deutlicher geworden seyn* (13. IV. 1808: *IV/20, 46*).

Bei Kügelgen war sie zusammen mit L*Seidler, die von beider gemeinsamer Arbeit in der Galerie erzählt. Die B. war so begeistert von den minutiösen Bildern Kügelgens, daß sie von da an viele verkleinerte Kopien nach den Arbeiten ihres Lehrers anfertigte, die sich vielen Beifall erwarben. Auch zu *Kaaz stand sie in enger Beziehung, durch den Goethe sie gelegentlich grüßen ließ (IV/20, 199). Mehrere ihrer Briefe scheint Goethe – obgleich am 4. I. 1810 ein Brief an die Künstlerin abgegangen war (III/4, 87) – jedoch nicht beantwortet zu haben, sodaß sein Interesse an ihr wohl gänzlich erloschen wäre, wenn nicht die Verbindung durch Dritte von Zeit zu Zeit wiederhergestellt worden wäre. Durch Madame *Hanbury gingen ihr im Mai 1810 einige nichtssagende Zeilen zu (IV/21, 273). In den folgenden Jahren griff Caroline B. der Zeit entsprechend religiöse Stoffe auf und malte eine Jungfrau mit dem Kinde (1812) und eine Heilige Cäcilie (1814). Größeren Erfolg hatte sie nach ihrer Übersiedlung nach *Berlin als Porträtistin, die 1821 den Auftrag erhielt, die Familie des Prinzen Wilhelm von *Preußen zu malen. Von 1822–1840 stellte sie verschiedentlich auf den berliner Akademie-Ausstellungen aus. Es ist nicht ausgeschlossen, daß auf sie die *Durchzeichnungen bedeutender Handzeichnungen von Ballenstedt* zurückgehen, die Goethe am 5. 1. 1827 betrachtete *(III/11, 3)*. Im November dieses Jahres war *Demoiselle Pardois* bei Goethe *(III/11, 132)* und am 1. VI. 1829 nochmals auf der Durchreise nach *Paris (III/12, 75); Anfang 1832 traf bei Goethe noch eine *Freundliche Sendung* der Künstlerin ein *(III/13, 218)*.

„Karoline B., eine tüchtige Porträtmalerin, deren Verstand und Treuherzigkeit ihre Häßlichkeit ausglich", (LSeidler S. 55), gehört zu den *Dilettanten um 1800, die von der Bereitschaft der Gebildeten gefördert wurden, wozu der malerisch wenig anspruchsvolle Stil des *Klassizismus die formale Voraussetzung war. Das Urteil Goethes war ihr gegenüber von Anfang an sicher, die Entwicklung der *Dem. B.* hat ihm recht gegeben.   *Lö*

Erinnerungen der Malerin LSeidler. Hrsg. von HUhde. 1922. – Jugendleben der Caroline Bardua. Hrsg. von WSchwarz. 1874. – BrMeyer 2, S. 187. – Nagler 1 (1835), S. 273. – ThB 2 (1908), S. 490. – ESchulte-Strathaus: Die Bildnisse Goethes. 1910. S. 45 f.; Tafel 85; 88.

Barenberg, *Harz-Erhebung (696 m) zwischen *Schierke und *Elend, trägt die *Schnarcherklippen (*Granit) und auf der Seite, die dem Tal zugewandt ist, weniger bedeutende, andere Klippen *(Jaspisschiefer)*. Goethe bestieg den B., um die Klippen zu untersuchen, während seiner dritten Harz-Reise mit GM *Kraus am 5. IX. 1784 *(NS 1, 72–73*; RV S. 23).   *Za*

Barensfeld *(Barnevelt: III/5, 135)*, Ulrich Jacob (Lebensdaten unbekannt), vielleicht identisch mit dem 1777 erwähnten Goldschmiedmeister gleichen Namens, um 1817 Bürgercapitain und Vorstand des zehnten Quartiers in der kleinen Sandgasse nahe dem Goethehaus in *Frankfurt/Main, ist vermutlich der Gastgeber der sonntäglichen Mittagstafel am 23. X. 1814, an der Goethe teilnahm (III/5, 135).   *Rf*

Staatscalender für das Grosherzogthum Frankfurt. 1817. S. 95. – Auskunft des frankfurter Stadtarchivs vom 1. IV. 1957.

Barentsz, Dirck (auch Theodor Bernard; 1534 bis 1592), Maler, als Einundzwanzigjähriger in *Tizians Atelier, seit 1562 in Amsterdam tätig, malte die beiden nicht mehr nachweisbaren Darstellungen: „das Leben der ersten Menschen vor der Sündflut" und „das Leben der Menschen vor dem Jüngsten Gericht", die Goethe in Kupferstichreproduktionen von J *Sadeler besaß.   *Lö*

Schuchardt 1, S. 149. – AvWurzbach: Niederländisches Künstlerlexikon 1 (1910), S. 59 f.

Baretti, Giuseppe (1719–1789), italienischer Schriftsteller und Sprachlehrer, zunächst in Turin, seiner Vaterstadt, in *Mailand und *Mantua tätig, ging 1751 nach London in die Direktion des italienischen Theaters und kam in persönliche Berührung mit Sir J*Reynolds, E*Burke und O*Goldsmith. B. widmete sich besonders der Einführung italienischer Dichtung und Sprache in *England, zu welchem Zweck er 1753 „A Dissertation upon the Italian Poetry" in der von ihm rasch erlernten Sprache seines Gastlandes herausgab; 1760 folgte das Wörterbuch „A Dictionary of the English and Italian Languages". Im Zuge seiner Bestrebungen lag es, daß er 1758 für ein Bündnis Piemonts und *Italiens mit England und *Preußen gegen das habsburgische *Österreich eintrat; eine diesbezügliche Denkschrift legte er dem älteren WPitt vor. 1760 ging er nach Italien zurück. Seine Erfahrungen und Beobachtungen im Ausland teilte er in dem „Lettere familiari ai suoi tre fratelli" (erster Band 1762) mit. B.s lebendige Schilderungen enthalten ua. einen Bericht vom *Erdbeben in Lissabon. Bald begann er mit der Herausgabe einer fast ausschließlich von ihm selbst geschriebenen literarischen Zeitschrift, der „Frusta letteraria" (1763–1765), in der er sich kraftvoll gegen die manierierten Formen der *Arcadia wandte. Doch trug ihm dies mancherlei Unglimpf ein. Wieder nach London zurückgekehrt schrieb er „An account of the manners and costums of Italy", das 1768 erschien und sogar ein gerichtliches Nachspiel für B. hatte. Diese Italienschilderung machte B. rasch überall bekannt, so daß man ihn zum Sekretär für ausländische Korrespondenz an der Akademie der Schönen Künste anstellte. Die deutsche Übersetzung – *Beschreibung der Sitten und Gebräuche in Italien. Aus dem Engl. Breslau, 1781, 8.* – notierte sich Goethe für seine Vorbereitungen zur zweiten Reise nach Italien (1795: *I/34^{II}, 185*). Eine weitere Reiseschrift B.s, „A journey from London to Genoa, through England, Portugal, Spain und France", 1770–1771, das eigentliche Hauptwerk, in dem besonders spanisches Denken und Dichten zu Worte kommt, wurde im *Magazin der deutschen Critik ... 1772* besprochen *(I/38 361;* 363). In späteren Veröffentlichungen behandelte B. auch politische Themen; von Interesse endlich ist seine Schrift „Discours sur Shakespeare et sur Monsieur de Voltaire", 1777, in der noch einmal B.s Bedeutung als Vorkämpfer für moderne Literatur und Sprache zum Ausdruck kommt. *Za* GNatali: Storia Letteraria d'Italia, il Settecento. (1950), S. 1145–1154.

Barizon, Claude, Leiter einer französischen Schauspielertruppe, die 1764 in Frankfurt/M. spielte und vor allem mit Tanzpantomimen hervortrat. *EF*

Barmekiden (*Barmeciden: I/6, 485;* I/7, 291). An sehr betonter Stelle als Motto des ganzen *West-östlichen Divans* und in sehr betonter Weise bezieht sich Goethe 1818 (?) auf die B.: *Zwanzig Jahre ließ ich gehn | Und genoß was mir beschieden; | Eine Reihe völlig schön | Wie die Zeit der Barmekiden (I/6, 3;* vgl. auch *I/6, 485: Schön wie das *Zeitalter der Barmeciden).* Die *Noten und Abhandlungen zum Divan* (vorbereitet seit 1814; gedruckt 1819) bringen an zwei Stellen nachdrückliche Erläuterungen, ohne jedoch die Namen aufzuschlüsseln. 1. Im Kapitel *Caliphen* heißt es: *Daher bleibt noch immer als die glänzendste Epoche berühmt die Zeit wo die Barmekiden Einfluß hatten zu Bagdad. Diese, von Balch abstammend, nicht sowohl selbst Mönche als Patrone und Beschützer*

großer Klöster und Bildungsanstalten, bewahrten unter sich das heilige Feuer der Dicht- und Redekunst und behaupteten durch ihre Welt-Klugheit und Charakter-Größe einen hohen Rang auch in der politischen Sphäre. Die Zeit der Barmekiden heißt daher sprichwörtlich: eine Zeit localen, lebendigen Wesens und Wirkens, von der man, wenn sie vorüber ist, nur hoffen kann, daß sie erst nach geraumen Jahren an fremden Orten unter ähnlichen Umständen vielleicht wieder aufquellen werde (I/7, 39). – 2. Im Kapitel *Ältere Perser* liest man: *Wie herrlich aber die Einrichtung solcher Anstalten müsse gewesen sein, bezeugen die außerordentlichen Männer die von dort ausgegangen sind. Die Familie der Barmekiden stammte daher, die so lange als einflußreiche Staatsdiener glänzten, bis sie zuletzt, wie ein ungefähr ähnliches Geschlecht dieser Art zu unsern Zeiten, ausgerottet und vertrieben worden (I/7, 24).* Gerade hier wird deutlich, daß die B. nicht eigentlich um ihrer selbst willen interessieren, sondern weit mehr um des Vergleichszusammenhangs willen, in den sie hineinführen. Goethe gibt brieflich an den Grafen CFv*Reinhard ein sehr viel weiter weisendes Zeugnis: *Die Barmeciden wäre ich neugierig zu sehen. Es ist nicht das erste Mal, daß jemand, von dem Interesse eines ganz besonderen Zustands penetrirt, sich gedrungen fühlt, dieses Complicirte, Unaussprechliche in dramatischer, theatralischer Form darzustellen. Aus diesem letzten Gesichtspunct betrachtet, kann die ganze Arbeit vielleicht nicht viel taugen, und doch hat der Mann uns wohl etwas überliefert, was er discursiv und narrativ nicht hätte geben können. Ich müßte mich sehr irren, wenn das Stück nicht von dieser Seite für mich einiges Verdienst hätte (IV/23, 150).* Diese Sätze beziehen sich unmittelbar auf Jv*Hammers historisches Schauspiel „Dschafer oder der Sturz der Barmegiden" (Wien 1812/13), das damals gerade als Neuerscheinung herausgekommen war. Hammer als Orientalist ist auch später (1818) neben KEOelsner (deutsch schon 1810 veröffentlicht, von Goethe aber erst 1815: Keudell Nr 970, gelesen) Goethes Gewährsmann für seine Kenntnis vom Wesen und Wirken der B.: Von dem berühmten priesterlichen Arzt Barmek aus Baktra/Balch abstammend, waren sie seit dem 8. Jahrhundert führend am Kalifen-Hofe der Abbasiden (Nachkommen von Abbâs I.), bis deren Fünfter, Harûn al Raschîd (Harûner-Raschîd), den B. Dscha'afer, Sohn seines Ministers Jahja, nach langen und ungetrübten Gunstbezeigungen 803 plötzlich hinrichten und alle B. enteignen, dh. völlig entmachten ließ. Die B. waren sprichwörtlich wegen ihrer Friedens-Verdienste um Kultur, Religion, Kunst, Wissenschaft, Gesittung und Bildung, wegen ihrer *Welt-Klugheit* und *Charakter-Größe;* ihre Erfolge auch im Kriege und als militärische Führer treten dahinter zurück. Das Sprichwort: „Schön wie das Zeitalter der Barmeciden" entnahm Goethe der deutschen Übersetzung des Buches von KEOelsner (E. D. M. Frankfurt 1810. S. 161), aber der Geist dieser gepriesenen Epoche war ihm längst durch das Märchengut des islamischen *Orients („*Tausend und eine Nacht")* vertraut, vielleicht auch durch den Jugendfreund M*Klinger und durch dessen Romanwerk „Geschichte Giafars des Barmeciden" (1792), kaum durch AWeißenbach und durch dessen Bühnenstück „Die Barmeciden" (1801). Von fern bieten sich auch die *Fanarioten zum Vergleich an. Goethes innerer Bezug zu den B., recht wachgeworden wohl erst 1810, entscheidend 1812, ist keineswegs nur historisch oder literarisch. Seine Vermutung, daß er in Hammers Schauspiel eine verwandte Intention finden könnte, ging fehl. Denn von dem, was Goethe als *Complicirtes, Unaussprechliches* bewegte, wußte nur er allein etwas. Der Brief an Reinhard versteckt die Zusammenhänge noch sehr tief, aber er läßt sie immerhin erraten. Nur und gewiß absichtlich unterbrochen durch die Anspielung auf das „*Abenteuer"* mit Reinhards Tochter Sophie *(Undankbarkeit gegen schöne Augen und Gefräßigkeit waren nie mein Fehler: IV/23, 149f.)* folgen die beiden wesentlichen Absätze aufeinander und verknüpfen die Begegnung mit der jungen Kaiserin von *Österreich, Maria Ludovica (Luigia), die als Tochter der Fürstin Maria Beatrix von *Este 1808 dritte Gemahlin des Kaisers Franz I. (II.) wurde, mit der Erinnerung an die B., wobei freilich das Tertium comparationis noch nicht an- oder gar ausgesprochen wird. KMommsen hat das Verdienst, die Fäden in glaubhaftester Weise entwirrt zu haben. In der Persönlichkeit Maria Ludovicas trat Goethe eine der letzten Vertreterinnen des fürstlichen Hauses von Este entgegen. Sie verkörpert ihm einen „fürstlichen Menschentypus" (KMommsen) höchster Prägung und einsamen Ranges, wie er im *Tasso* das *schöne Licht der Wissenschaft, des freien Denkens* angezündet und *Ferrara als Stätte, die ein guter Mensch betrat,* eingeweiht hat: *nach hundert Jahren klingt sein Wort und seine That dem Enkel wieder (I/10, 108).* Und so erschien mit und in ihr ein *ungefähr ähnliches Geschlecht* wie die B., das *zu unsern*

Zeiten, und zwar durch *Napoleon, *ausgerottet und vertrieben* worden *(I/7, 24). Ihr Aussehen ist zart ... Überhaupt ist sie höchst angenehm, heiter und freundlich. Stirn und Nase erinnern an die Familienbildung. Ihre Augen sind lebhaft, ihr Mund klein und ihre Rede schnell, aber deutlich. In ihren Äußerungen hat sie etwas Originelles. Sie spricht über die mannigfaltigsten Gegenstände, über menschliche Verhältnisse, Länder, Städte, Gegenden, Bücher und sonstiges, und drückt durchaus ein eigenes Verhältniß dieser Gegenstände zu ihr aus. Es sind eigene Ansichten, jedoch keineswegs sonderbar, sondern wohl zusammenhängend und ihrem Standpunkt vollkommen gemäß. Daß sie übrigens geübt ist, einem Jeden etwas Angenehmes aus dem Stegreife zu sagen, oder zu erwiedern, läßt sich denken. Ihr eigenes Betragen und das der Ihrigen nicht allein, sondern auch ausdrückliche Äußerungen fordern einen Jeden auf frey und ungezwungen zu seyn* (10.VI.1810: *IV/21, 323 f.).* Angesichts dieser Gestalt scheinen sich Vergangenheit und Gegenwart bedeutungsvoll zu verschwistern: 1812, wohl im August (?; I/5^{II}, 11), wurde für eine Liebhaber-Aufführung des ersten *Tasso*-Aufzuges gearbeitet, die Rollenverteilung sah für Maria Ludovica die *Prinzessin,* für Goethe selbst den *Tasso,* für Carl August den *Herzog Alphons II. von Ferrara,* für den Fürsten Carl v*Lichnowski den *Antonio* und für die Gräfin Josephine *O'Donell von Tyrconnel die *Leonore* vor. Die Realisierung dieser Rollen in einem solchen Personenkreis, insbesondere das Zusammenspiel Maria Ludovica/Goethe ist von einer ungewöhnlichen Ausdruckskraft, nicht so sehr aufzufassen als *heiße Leidenschaft zu einem verborgenen unbekannten Gegenstand,* sondern *nach orientalischer Weise auch* und gerade *geistig gedeutet (I/41^I, 87)* — und ebendieses: *Mir ist vergönnt an Ihr hinaufzuschauen, | Mich zu erquicken an dem frischen Flor, | Der jede Stunde neuen Werth bethätigt, | Und Frauenwürde ewiglich bestätigt (I/4, 11).* Nicht eigentlich eine Leidenschaftsform, sondern eine Verehrungsform ist ein *Geheimstes* dieses Wechselspiels *(I/6, 63).* Goethes bemerkenswerte Affinität zum *Barock, vielleicht auch zur *Renaissance hat ebendarin ihre wesenhafte, durchaus unbürgerliche Tiefe, daß sie in der Erscheinungswelt der *Höfischen Gesellschaft, ja der *Gesellschaft überhaupt die metaphysische *Ordnungskraft zu verspüren mochte, die Menschliches und Göttliches als *Universum erfahrbar werden ließ: *Der Begriff, den ich mir von dieser außerordentlichen Dame in dem Zeitraume* *von vier Wochen vollständig bilden konnte, ist ein reicher Gewinn für's ganze Leben. Ich darf nicht anfangen von ihr zu reden, weil man sonst nicht aufhört; auch sagt man in solchen Fällen eigentlich gar nichts, wenn man nicht alles sagt, und es ist nichts schwerer als ein Individuum zu schildern, welches Verdienste in sich hegt, die dem Allgemeinen angehören. Eine solche Erscheinung gegen das Ende seiner Tage zu erleben, giebt die angenehme Empfindung, als wenn man bey Sonnenaufgang stürbe und sich noch recht mit inneren und äußeren Sinnen überzeugte, daß die Natur ewig productiv, bis in's Innerste göttlich, lebendig, ihren Typen getreu und keinem Alter unterworfen ist* (an CF vReinhard, 13. VIII. 1812: *IV/23, 58*). Das metaphysische Pathos dieser Schlußworte – in Denk- und Zeitverbindung mit der ephesischen **Diana*, mit ihrer Idee von der **Natur* (14. XI. 1812: *IV/23, 154*) – scheint vernehmlich genug und spricht gegen eine bloße, allzu leichtfertige, spielerische Überhöhungstendenz, wohl aber für die Fähigkeit, im Besonderen ehrfürchtig das Allgemeine wahrzunehmen: *Dort ist mir mehr Glück und Gutes widerfahren als ich verdiene, und welches ganz überschwänglich gewesen wäre, wenn mich nicht die Sorge, meine Kräfte möchten nicht hinreichen es auszutragen, oft mitten im *Genuß an die menschliche Beschränktheit erinnert hätte (IV/23, 62).* Damit ist das *Complicirte, Unaussprechliche* des Vergleichszusammenhangs der B. mit den Estes, verdichtet in der Repräsentanz durch Maria Ludovica, auf sehr hoher, aber durchaus barocker Ebene gültig hergestellt. Nach KMommsen ordnet sich Carl August als heimlicher Adressat des *Divan*-Mottos ebenbürtig und gleichgewichtig ein: *Zwanzig Jahre ließ ich gehn | Und genoß was mir beschieden; | Eine Reihe völlig schön | Wie die Zeit der Barmekiden (I/6, 3):* Carl August, in der teplitzer *Tasso*-Aufführung neben Maria Ludovica *(Prinzessin)* und Goethe *(Tasso)* bedeutungsvoll als *Herzog Alphons II. von Ferrara* erscheinend, markiert nun den Endpunkt einer Linie, die von Bagdad *(Barmekiden)* über Ferrara (Este) nach Weimar führt, alle diese Stationen einer B.-Erfahrung in Goethes eigenem Leben zusammenfassend: *Ungezähmt so wie ich war | Hab' ich einen Herrn gefunden, | Und gezähmt nach manchem Jahr | Eine Herrin auch gefunden. | Da sie Prüfung nicht gespart | Haben sie mich treu gefunden, | Und mit Sorgfalt mich bewahrt | Als den Schatz, den sie gefunden (I/6, 88).* Auch in dieser bekennenden Huldigung klingt die für das Verhältnis Carl August/Goethe so

gleichnishafte Schacabac-Geschichte („Mille et une nuit", Paris 1747, Bd 3, S. 103) mit und damit die Preisung der B. als einer fast **urbildhaften* Erscheinung fürstlichen Wesens und Wirkens. Man bleibt gewiß in den Intentionen Goethes, wenn man solche Äußerungen indikativisch ebenso wie imperativisch versteht und rückblickend sich des **Fürstenspiegels* in dem großen Gedicht *Ilmenau am 3. September 1783* erinnert: *So wandle du – der Lohn ist nicht gering – | Nicht schwankend hin, wie jener Sämann ging, | Daß bald ein Korn, des Zufalls leichtes Spiel, | Hier auf den Weg, dort zwischen Dornen fiel; | Nein! streue klug wie reich, mit männlich stäter Hand, | Den Segen aus auf ein geackert Land; | Dann laß es ruhn: die Ernte wird erscheinen | Und dich beglücken und die Deinen (I/2, 147).*   Za

KMommsen: Die Barmekiden im West-östlichen Divan. In: Goethe 14/15 (1952/1953), S. 279–301.

Barocci (auch Baroccio), Federico, gen. Fiori da Urbino (1526/28–1612), Maler, gebildet unter dem Einfluß **Raffaels* und **Correggios*, 1560–1563 in Rom, malte gemeinsam mit F **Zuccari* Fresken im Casino Pius IV. 1563 nach Urbino zurückgekehrt, stand er bis zu seinem Tode im Dienst Francesco Marias II. della Rovere, Herzogs von Urbino. Im Geiste der Gegenreformation steigerte er den Ausdruck des Madonnenbildes („Madonna del Popolo") und malte religiöse Historien voll sanfter Farbigkeit und gelungener Komposition; auf die Malerei des **Barock* hat er stilbildend gewirkt. – Das von **Bury* in Rom für Goethe gekaufte Porträt Francesco Marias II. (nicht wie Bury annahm Friedrichs II.) von Urbino (1583), das er über seinen Wert hinaus schätzte – von den anderen römischen Freunden wurde es jedoch weniger emphatisch beurteilt – ist durch eine Zeichnung in den Uffizien zu Florenz wohl als eigenhändig anzusehen und gibt von dem wenig hochstehenden Charakter des Herzogs, den B. schon 1572 in einem wesentlich qualitätvolleren Gemälde dargestellt hatte, hinreichend Kunde. Die Anschaffung des Bildes wird mehr aus gegenständlichen als künstlerischen Gründen erfolgt sein. Goethe beschäftigte sich während und nach seiner italienischen Reise erneut mit dem *Tasso*-Stoff; und Torquato **Tasso* hatte am Hof des mit ihm befreundeten Francesco Maria gelebt. Im Hause am Frauenplan wurde das Bild in dem nach dem Dargestellten genannten Urbino-Zimmer aufgehängt, an dessen Stelle 1827 vorübergehend ein Porträt des Großherzogs von Jv**Egloffstein angebracht war (III/11, 151). 1805 wurde das Bild durch H**Meyer restauriert, der in seiner *Geschichte des Colorits seit Wiederherstellung der Kunst* über B. inbezug auf Farbe und Helldunkel schrieb (II/3, 364 f.; 370). Sicher hat Goethe bei seinem Besuch der *dresdener Galerie 1810 die dort B. zugeschriebenen Bilder, die damals in der Inneren Galerie hingen, gesehen, doch liegen über diese Abteilung keine Notizen Goethes vor; zum Vergleich zieht er B. heran (I/47, 384). Bei seiner Beschäftigung mit der Lebensgeschichte des hl. Philippo *Neri, die er in den Acta Sanctorum las, betrachtete Goethe auch das Bildnis Neris von B. in einem Stich von P*Fidanza (III/12, 62 und 13, 245).   *Lö*

OHarnack: Zur Nachgeschichte der italienischen Reise. SGGes 5, S. 23 – BrMeyer 2, S. 170. – ThB 2 (1908), S. 511. – MSchuette: Das Bildnis des Herzogs von Urbino im Goethehaus. In: Goethe 5 (1940), S. 251–265. – HOlsen: Federico Barocci, a Critical Study in Italian Cinquecento Painting. In: Figura, Bd 6. 1955 (mit Bibl.).

Barock/Barocke Kunst bezeichnet den letzten gemeinabendländischen Stil (etwa 1600 bis 1750/70), der, noch einmal das *Gesamtkunstwerk (Schloß, Park und *Oper) zu schaffen fähig, in allen Zweigen der *bildenden Kunst von der Raumerfahrung die entscheidende Formung empfing. In *Architektur, Plastik und Malerei galt die gleiche polyphone Vielfalt bewegter und durchdrungener Formen, von denen jede nur soweit selbständig war, als sie eine Funktion im Ganzen erfüllte. Auf der Suche nach der geistigen Grundhaltung dieses Stiles (CGurlitt: 1887; HWölfflin: „Renaissance und Barock", 1888, und „Kunstgeschichtliche Grundbegriffe", 1915; WPinder: 1921) gelangte man zu dem Begriff der *b.n Literatur (WStammler und FStrich: 1916), der b.n *Musik (CSachs: 1919) und des B.-Theaters (KDebus: 1925; vgl. HTintelnot: „Barocktheater und barocke Kunst", 1939), sowie zur Bezeichnung des ganzen Zeitalters als „Barock" (OSpengler: 1922; Goethe dem B. gegenüberzustellen, unternahm H*Bahr: 1920). Es gelang diesem Zeitalter trotz schwerster Europa umspannender Kriege und revolutionärer Krisen, den absolutistischen Staat auszubilden und philosophisch zu begründen (ThHobbes: 1588–1679). Aus der Staatsraison (zuerst 1589 in „Della Ragion di Stato" von GBotero: 1540–1617) heraus galt es, *Wirtschaft und *Politik – die Staatskunst (CStieler: 1691), das „Theatrum Europaeum" (M*Merian: 1635), das Konzert der Mächte („le concert européen" bei JDBossuet: 1627 bis 1704), man beachte die Ästhetisierung der Begriffe, ähnlich *Kriegsschauplatz* (so zuerst bei Goethe: *I/33, 304*) aus dem älteren

„théâtre de la guerre" – zu lenken und zu treiben. Der B. ist das Zeitalter der *Gegenreformation, die Kunst in weitem Maße Ausdruck ihrer religiösen Haltung (WWeisbach: 1921). Staat und *Religion formen sowohl im katholischen als im protestantischen Raum die neue *Gesellschaft. Die ständische Gliederung (*Adel, Klerus [*Geistlichkeit], *Bürger- und *Bauerntum) ist, wo sie nicht selbst staatstragend ist (*England), auf den Fürsten und seinen Hof bezogen (*höfische Welt). Sie läßt allerdings der Initiative des Einzelnen Freiheit zur Entfaltung; vielen gelingt der Aufstieg. Aus dem Bürgertum heraufkommende religiöse und profane Gemeinschaften, die sich militärischen (Niederlande: Doelen), wirtschaftlichen (Handelsgesellschaften) oder sozialen Aufgaben widmen (vgl. *Freimaurerloge), fügen das individuelle Interesse wieder in das Gruppeninteresse ein. See- und Völkerrecht werden durchdacht (H*Grotius: 1583–1645) und praktiziert. Die *Naturwissenschaft erkennt die elliptischen *Planeten-Bahnen (J*Kepler: 1609) und das Gravitationsgesetz (I*Newton: 1687), die *Medizin den Blutkreislauf (WHarvey: 1618). Das Bestreben, die Welt wieder im Zusammenhang zu sehen und die neue Erfahrung für die Vervollkommnung des Menschen und seiner Umwelt nutzbar zu machen, kann als geistige Voraussetzung dieser Zeit gelten. Die Wirklichkeit nach höherer Einsicht sinnvoll zu gestalten, ist der Wunsch und oft auch der machtvoll strebende Wille des b.n Menschen, dessen Intentionen sich ebenso in den Idealgrundrissen der Städte wie in den Utopien, in der *Gartenkunst ebenso wie in den hochgesteigerten architektonischen Plänen äußern. – Die Wiederentdeckung des B.s seit 1880 mit ihren Zentren in *Dresden, Wien und *München ist ein wichtiger Vorgang in der neueren Wissenschaftsgeschichte. Zunehmend wurde man sich der Einstimmigkeit der Phänomene bewußt, sah in der dem B. eigentümlichen *Repräsentation in Fest und pomphaftem Aufzug (*Maskenzug), die in der Apotheose des Fürsten gipfelte, eine Selbstdarstellung der Gesellschaft, erkannte im Theater die Schaubühne, auf der sich die Wirklichkeit des menschlichen Lebens und der Welt spiegelt, und deutete die *Zeremonie und den *Tanz (*Ballet) als Erscheinungsformen der leib-seelischen Dynamik des Menschen. In der fortwährenden Durchdringung jenseitiger und diesseitiger Kräfte (*Mystik und *Eros), in der Vergeistigung des Idyllischen, in der leidenschaft-

lichen Lebensverneinung (oft nur) um der
selbstbewußten Lebensbejahung willen, überhaupt in der Polarität des Denkens und Daseins glaubte man, die Kennzeichen b.n
Lebensgefühls zu finden. Am Ende steht die
Erkenntnis, daß die *leibnizsche „prästabilierte Harmonie" zwischen dem kausal bedingten Bereich des Mechanischen und dem
teleologischen Bereich des Lebendigen und
Geistigen, die beide aus einer einzigen wirkenden Ursache hervorgehen, und die Mona-
denwelt, die sich als „eine hierarchisch abge-
stufte Ordnung" darstellt, nur im Sinne der
b.n Formgestaltung erklärt werden können
(HBarth: „Barock und die Philosophie von
Leibniz", in: „Die Kunstformen des Barock-
zeitalters", herausgegeben von RStamm,
1956, S. 413–434). So gesehen erscheint der B.
als ein einheitlicher Stil, dessen Grund-
kategorien sinngebende Ordnung und eine
neue Bedingtheit zwischen Raum und Bewegung sind – Kategorien, die in den Bereichen des Lebens, des Denkens und des Schaffens gleichermaßen wirksam waren.

Die Ursprünge der b.n K. liegen in den Spätwerken *Raffaels, *Michelangelos und *Tizians, die über den *Manierismus hinaus stil-
und formbildend wirkten. Nach der Wiederentdeckung der Natur durch *Caravaggio findet die b. K. in Italien (Architektur: *Borromini, Guarini; Plastik: *Bernini; Malerei: bolognesische Schule, im 18. Jh. *Tiepolo) und
den Niederlanden (*Rubens und *Rembrandt)
ihren Höhepunkt; mit den deutschen Architekten (BFischer von Erlach, den Brüdern EQu
und CD Asam, B Neumann) und Malern (Maul-
pertsch), leitet sie in eine zwei Generationen
umfassende Spätphase über, die sich – teils
in volkstümlicher Umbildung, teils in höfi-
schem Machtausdruck – in der Innendekora-
tion (Cuvilliér) mit dem in Frankreich ausgebildeten *Rokoko (*Watteau und Fragonard)
verbindet. In ihm allerdings droht das Orga-
nisch-Repräsentative der b.n K. wieder in
eine naturferne Manier überzugehen. In Form,
Gehalt und Auffassung national unterschieden, zuweilen gegensätzlich, barg die b. K.
namentlich in Frankreich unter Ludwig XIV.
(Architektur: Perrault; Malerei: *Le Brun
und die in Italien tätigen N*Poussin und
Cl*Lorrain) Tendenzen in sich, die um 1800
zum *Klassizismus führen sollten.

Von den von BCroce („Der Begriff des Barock", 1925) zusammengestellten drei Theorien zur Herleitung des Wortes „barock" –
1. aus dem Merkwort baroco (4. Modus, 2. Figur) der scholastischen Philosophie mit dem
negativen Akzent für das Schwülstige,
Schlechte und Trügerische; 2. von dem portugiesischen Wort „barocco" für schiefe Perle
und 3. von dem Maler F*Barocci – wird keine
als endgültig angesehen werden können. Nachdem schon F*Blondel am Ende des 17. Jahrhunderts den hohen Stil im Sinne *Palladios
verteidigt und sich gegen Borromini und Guarini gewandt hatte, ist „barock" als wertendes
Adjektiv erst gegen die Mitte des 18. Jahrhunderts nachweisbar. In der *Enzyklopädie
von D*Diderot wird es 1751 auf die Malerei
adjektivisch und verbal (Bd1, S. 77:„barocher
les contures", was auf die Herkunft aus der
Sprache des Malerateliers deutet) und 1776
(Supplementband 1, S. 813) auf die Musik –
„une musique baroque est confuse, chargée
des modulations et dissonances ..." – angewandt (vgl. zum adjektivischen Gebrauch
„Le Grand Vocabulaire français", 1758, Bd 3,
S. 484). Von FAKrubsacius war es schon 1745
in den „Betrachtungen über den Geschmack
der Alten in der Baukunst" mit der Mahnung
aufgenommen worden, den „goût baroque" zu
überwinden. Eingedeutscht zu „Barockge-
schmack" kennt GE*Lessing den französischen Ausdruck und wendet ihn auf die Dichtungen *Klopstocks an („Hamburger Gelehrte Neuigkeiten", 1750), auch bei FW*Zachariä in den „Verwandlungen", 1754 – „Der
barockische Schmuck vielfarbiger Muscheln"–
und bei F*Nicolai in den Literaturbriefen
von 1759 kommt das Adjektiv vor.

Die Verwendung des Wortes „barock" bei
Goethe ist durchaus nicht eindeutig, sondern
kommt mehrfach in die Nähe stilcharakteri-
sierenden Gebrauchs. Zwar heißt es in *Dichtung und Wahrheit*, daß *Behrischs *Späße ...
durchaus barock* gewesen seien *(I/27, 134)* und
sich vom Rohen, Derben und Trivialen unterschieden hätten, und daß bei den Jugend-
spielen in Frankfurt *barocke Paarungen* entstanden seien *(I/28, 345);* sicherlich ist die
spätere Verwendung (*Ich dächte schon die barocke Inschrift Der Schutzgeist ein Schauspiel
von Goethe nach Kotzebue: IV/40, 8;* vgl. IV/21,
450) im gewöhnlichen Sinne gedacht, aber
schon die Bezeichnung, daß der Sprachstil des
Reichstages sich *auf die barockste Weise erhielt
(I/27, 100),* daß der Katholizismus *unförmli-
ches, ja barockes Heidenthum* sei *(I/30, 192,* und
die Wendung von *Beireis' barockem Zauberkreis* (1805: IV/19, 48) führen weiter. N*Meyer
wird empfohlen, *sich in seinen Gelegenheitsgedichten alles Barocken und Paradoxen zu
enthalten* (1804: IV/17, 20), und wenig später
meint Goethe von einem Rezensenten (Lukas)

der JALZ, daß *das Barocke seiner Constructio-nen* verwundern werde *(IV/17, 225);* die Sub-stantivierung des Adjektivs ist also bereits durchgeführt. Endlich findet sich in der be-kannten Stelle über *Oeser, der als *abgesagter Feind des Schnörkel- und Muschelwesens und des ganzen barocken Geschmacks (I/27,154)* Goethe bedeutsam war, die Verwendung des Adjek-tivs ganz neuzeitlich, doch kommt es in der Schrift über JJ*Winckelmann, dessen erstes Werk, das *so köstliche Grundstellen* enthält, Goethe *barock und wunderlich* fand *(I/46, 35),* wohl nur in der einfacheren Bedeutung vor (vgl. *I/26, 196 f.: das barocke Judendeutsche* sowie I/36, 108; II/3, 325 und IV/ 27, 310).

Die Zeitgenossen Goethes kommen über die äußerliche Verwendung des Wortes kaum hin-aus. In den Schriften über b. Bauwerke, die um 1800 verfaßt wurden (vgl. KWDaßdorf: „Be-schreibung der vorzüglichsten Merkwürdig-keiten der Churfürstlichen Residenzstadt Dresden und einiger umliegenden Gegenden", 1782, und desselben Verfassers „Dresden mit seinen Prachtgebäuden und schönsten Um-gebungen", 1809), ist es als Stilcharakteristi-kum für „den herrschenden Geschmack der damaligen Zeit", in der „man allzuviel Ge-künsteltes und Überhäuftes an den Verzie-rungen" anbrachte (Daßdorf, 1782, S. 46), nicht gebräuchlich. FSchiller kennt das Ad-jektiv „barock" und nennt so am 7. IV. 1797 die astrologischen Schriften des 17. Jahrhun-derts. Sowohl das „Allgemeine Fremdwörter-buch" von Heyse (1804) wie Campes „Wörter-buch zur Erklärung und Verdeutschung der unserer Sprache aufgedrungenen fremden Wörter", 1801, verzeichnen es. *Wieland, der das Adjektiv schon 1771 und 1773 verwendet, nennt 1808 den ersten Teil des *Faust* eine „barock-genialische Tragödie", Wv*Hum-boldt wendet es 1812 auf H*Memlings Bild von den „Sieben Freuden Mariae" an. H *Heine begegnet auf seiner .Harzreise (1825) einem Handwerksburschen, „eine volksthüm-lich barocke Mischung von Laune und Sehn-sucht", L*Spohr nennt *Beethovens IX. Sym-phonie „barock" und – um möglichst ver-streute Beispiele der Anwendung anzudeu-ten – 1832 spricht FKugler vor den Bildern Blechens noch von der „Barockheit der Vor-stellungsart". Doch erscheint das Wort hier schon substantiviert, wie es denn 1841 in Pie-rers „Supplement zum Universal-Lexikon oder Enzyklopädischen Wörterbuch der Wissen-schaften, Künste und Gewerbe" (Bd 1, S. 471) einmal als Bezeichnung der neuesten römi-schen Kunstschule, die dem italienisch-franzö-

sischen Geschmack gefolgt sei, zum andern in der ganz modernen Bezeichnung als Stilbegriff vorkommt: „Barocker Baustyl, der durch unorganisches Zusammenwirken antiker De-tails und Überladenheit mit nichtssagenden Gliedern und Zierrathen entstandene Ge-schmack in der Baukunst, wie er sich in der 2. Hälfte des 16. Jahrhunderts geltend zu machen anfing". Es war bereits möglich ge-worden, eine bestimmte Sonderart der b.n K., den bayerischen Dekorationsstil des 18. Jahr-hunderts, zusammenfassend zu charakteri-sieren, zwar abwertend, aber doch treffend und im Sinne der Zeit: „Mit eben so wenig Unmuth, ja mit spaßhafter Rührung, be-trachten wir die haarbeuteligen Schlösser der spätern Periode, die plump deutschen Nach-äffungen der glatt französischen Unnatur, die Prachtgebäude der Abgeschmacktheit, toll schnörkelhaft von außen, von innen noch putziger dekoriert mit schreiend bunten Alle-gorien, vergoldeten Arabesken, Stukkaturen, und jenen Schildereien, worauf die seligen hohen Herrschaften abkonterfeit sind: die Kavaliere mit rothen, betrunken nüchternen Gesichtern, worüber die Allongeperücken wie gepuderte Löwenmähnen herabhängen, die Damen mit steifem Toupet, stählernem Kor-sett, das ihr Herz zusammenschnürte, und ungeheurem Reifrock, der ihnen desto mehr prosaische Ausdehnung gewährte" (HHeine: „Italien, Von München bis Genua", 1828, Werke, hrsg. von Steinmann, Bd 2, S. 13). 1866 ist B. ganz allgemein bei Falke „Geschichte des modernen Geschmacks" (S. 142) zur Be-zeichnung des Kunststiles geworden, „welcher der Renaissance folgt". Damit war zugleich eine neue Bewertung der b.n K. überhaupt eingeleitet worden.

Um 1749 erlebt der deutsche B. seine schönste Entfaltung; eine Generation zuvor entstand der dresdener Zwinger, jetzt ist auch die würzburger Residenz vollendet, in der im folgenden Jahr Tiepolo schaffen wird. An der Wallfahrtskirche zu Vierzehnheiligen (geweiht 1772, ein Jahr vor dem Erscheinen des *Goetz*) und an derjenigen zu Neresheim wird erst seit wenigen Jahren gebaut. FMaulpertsch, „ein Mann von außerordentlichem und sehr feuri-gem Genie" (1803: ALZ 2, S. 475), hat seine Tätigkeit noch nicht aufgenommen. Von den rheinischen Residenzen in Karlsruhe, Mann-heim und Koblenz ausgehend, setzt sich aller-dings, bedingt durch die Tätigkeit französischer Architekten, allmählich ein rationalerer Stil durch. – Der heranwachsende Goethe sieht sich in einem kritischen Generationsverhältnis zum deutschen Spätbarock. Der neuen (bürgerlich-rokokohaften) Einrichtung des väterlichen Hauses, besonders der Treppenanlage, kann er um 1770 keinen Geschmack mehr abgewinnen, worüber sein Vater *in einen unglaublichen Zorn gerieth, der um so heftiger war, als ich kurz vorher einige schnörkelhafte Spiegelrahmen getadelt und gewisse chinesische Tapeten verworfen hatte (I/27, 229;* vgl. *I/46, 110* über *das damals* [um 1760] *in Berlin sehr übliche Laub- und Schnörkelwerk, mit bunten Blumen verwebt;* verwandt scheinen aus *Wilhelm Meister* I/21, 7 f. und 56). Das gleiche Empfinden drückt sich in seinem Urteil über das Empfangsgebäude auf der Rheininsel zu *Straßburg aus, das zu Ehren Marie Antoinettes errichtet worden war. Während seine Freunde die im Hauptsaal angebrachten, *von gedrängten Zierrathen umgebenen Hautelissen* [Wirkteppiche mit senkrechter Kette] als Dekoration betrachten, beurteilt Goethe sie vom Gegenständlichen der Darstellungen her und begreift, *daß Bilder auf Sinn und Gefühl wirken, daß sie Eindrücke machen, daß sie Ahnungen erregen ... wurden doch alle Maximen, welche ich in Oesers Schule mir zu eigen gemacht, in meinem Busen rege (I/27, 239–241).* Hier bei Oeser (und bei Winckelmann) liegen die Wurzeln des goetheschen Urteils, das in der straßburger Zeit – angesichts des Münsters – zur Reife und zum Bewußtsein kommt, in der *leipziger Zeit jedoch, trotz der anerkanntermaßen rokokohaften *Anakreontik und des ohne die literarischen Vorbilder der vorangegangenen Zeit nicht denkbaren Sprachstils (erst nach der leipziger Zeit nimmt der Fremdwortgebrauch in den Briefen ab) nur im subjektiven Umweltverhalten sich widergespiegelt hatte: Anmaßung, Temperament, Schroffheit und Selbstleiden sind Formen der vielleicht auch psychologisch begründeten Ablehnung der Vorgeneration. Doch glaubte Goethe schon damals *Noch eine andere Ursache* zu erkennen, *warum man mich in der grosen Welt nicht leiden kann. Ich habe etwas mehr Geschmack und Kenntniß vom Schönen, als unsere Galanten Leute und ich konnte nicht umhin ihnen offt in großer Gesellschafft, das armseelige von ihren Urteilen zu zeigen (IV/1, 81 f.)* – und später: ... *doch kann ich mich nicht enthalten den guten Geschmack zu predigen; richtet man gleich nicht viel aus, so lernt man doch immer dabey, und sollte man auch nur bey der Gelegenheit erfahren, dass weitausgebreitete Gelehrsamkeit, tiefdenckende spitzfündige Weisheit, fliegender Witz und gründliche Schulwissenschafften, mit dem Guten Geschmacke sehr heterogen sind*

(1768; *IV/1, 181 f.*). Denn sowohl in einer derart gekennzeichneten Geisteshaltung als auch im Stil seiner Zeit fand Goethe das Unnatürliche, das er zu überwinden trachtete und durch Empfindung und geniale Steigerung der eigenen Natur ersetzte. Das Urteil findet seinen Gegenstand zunehmend in der Bildkunst: *Ich dancke Ihrem Vater* – schreibt Goethe am 8. IV. 1769 an Friederike Oeser – *das Gefühl des Ideals; und die gedrehten Reitze des Franzosen, werden mich so wenig exstasiiren machen, als die platten Nymphen von Dietrich, so nackend und glatt sie auch sind (IV/1, 208).* Lehnt Goethe französisches Rokoko und den in seiner Folge aufgetretenen manieristisch-dekorativen Stil ab, so anerkennt er doch b. Architektur, sofern sie ihm in mehr klassizistischen, aus Frankreich herübergekommenen Formen entgegentritt. Lob und Bewunderung mischen sich mit der unbewußten Erfahrung, daß b. K. Ausdruck von Repräsentation und Macht ist, und daß b. Bauwerke in den umfassenden Bereich der Natur eingefügt sein können: *So eilten wir durch Zweibrücken, das, als eine schöne und merkwürdige Residenz, wohl auch unsere Aufmerksamkeit verdient hätte. Wir warfen einen Blick auf das große einfache Schloß* [erbaut 1720–30], *auf die weitläufigen, regelmäßig mit Lindenstämmen bepflanzten, zum Dressiren der Parforcepferde wohleingerichteten Esplanaden ... Alles dieses ... deutete auf ein Verhältniß in die Ferne, und machte den Bezug auf Paris anschaulich, dem alles Überrheinische seit geraumer Zeit sich nicht entziehen konnte (I/27, 336 f.).* Bestätigung findet dieses Urteil in der Beschreibung von *Zabern, wo uns, bei schönem Wetter, der kleine freundliche Ort gar anmuthig anlachte. Der Anblick des bischöflichen Schlosses* [der sog. Fürstenbergbau der Bischöfe Franz Egon und Wilhelm Egon, errichtet von 1670 bis nach 1680, abgebrannt 1779] *erregte unsere Bewunderung; eines neuen Stalles Weitläufigkeit, Größe und Pracht zeugten von dem übrigen Wohlbehagen des Besitzers. Die Herrlichkeit der Treppe überraschte uns, die Zimmer und Säle betraten wir mit Ehrfurcht, nur contrastirte die Person des Cardinals, eines kleinen zusammengefallenen Mannes, den wir speisen sahen. Der Blick in den Garten ist herrlich, und ein Canal* [der typische Bestandteil des französischen Gartens], *drei Viertelstunden lang, schnurgerade auf die Mitte des Schlosses gerichtet, gibt einen hohen Begriff von dem Sinn und den Kräften der vorigen Besitzer. Wir spazierten daran hin und wider und genossen mancher Partien dieses schön gelegenen Ganzen, zu Ende der herrlichen Elsasser Ebene, am Fuße*

der Vogesen (I/27, 323 f.). Bildhaft wird in dieser Beschreibung die Situation des späten B. Eine ausführliche Interpretation würde Goethes glückliches Einfühlen bekunden, im Vergleich zu anderen Äußerungen jedoch dartun, daß ebenso verschieden wie der B. selbst sich dem historischen Blick darstellt, auch Goethes Verhalten zur b.n K. überhaupt sein kann. Wo das Zusammengehörige und Organische, kurz das Natürliche (auch in dem Sinn, daß Bauwerk und Landschaft zusammengehören; vgl. 1786: III/1, 156 = I/30, 12 über *Benediktbeuren), ihm deutlich wird, weiß Goethe es vom Erlebnis her zu verstehen und auszudeuten. Das Unnatürliche, Hybride lehnt er ab: der Weißenstein im wilhelmshöher Park bei *Kassel, das Oktogon über den Kaskaden, ist *ein Nichts um Nichts, ein ungeheurer Confectaufsatz (I/30, 190).*
Mit der Übersiedlung Goethes nach Weimar begann eine bedeutende Epoche. Der am Rhein ausgebildete Klassizismus hatte schon vordem auf Mitteldeutschland übergegriffen (SLduRy, Kassel, Fridericianum, 1769–79) und traf hier mit dem von England herüberkommenden neuen Stil (FW*Erdmannsdorf, Schloß Wörlitz, 1769–73) zusammen (vgl. I/36, 41). Die Porzellanmanufakturen Thüringens bevorzugen seit etwa 1780 strengere Formen; Oeser arbeitet im Juni 1780 in Weimar und *brachte die Dekorations Mahlerey auf einen bessern Fus (III/1, 119;* vgl. schon 1762 GPh *Hackert im Hause des Baron Osthoff in Stralsund: I/46, 117; und dann 1779 die allerdings als Metapher verwendete Kenntnis über die notwendigen Voraussetzungen der spätbarocken Decken- und Dekorationsmalerei, daß *ein Dekorations Mahler schwerlich einen Platfond würde anzugeben wagen, wenn er nicht die Form des Gewölbes und die Weite des Standpunctes und andre Lokale Umstände bestimmt wüsste und beherzigt hätte: IV/4, 47;* siehe dazu die Anweisung an F*Hoffmann von 1804: IV/15, 256; die aus dem B. stammende Programm-*Allegorie fand sogar noch 1820 Nachfolge, als man daran dachte, *in den allzueinfachen, unverzierten, dem Auge wenig Ergötzliches bietenden Sälen der jenaer Universitätsbibliothek einige Erheiterung anzubringen . . .,* man plante *symbolische, die verschiedenen geistigen Thätigkeiten bezeichnende Bilder, welche sonst so beliebt, mit Sinnsprüchen begleitet, in allen wissenschaftlichen Anstalten dem Besucher entgegen leuchteten: I/36, 161 f.;* vgl. die b.n Klosterbibliotheken). Es ist das gleiche Jahr 1780, in dem Goethe in seiner neuen Heimat anfing, *dem Garten das Pacht-*

kleid auszuziehen. Die Veränderungen die ich nach und nach drinn gemacht habe liesen mich über die Veränderung meiner Sinnes art nachdencken. Es ward mir viel lebendig (III/1, 110).
Einem historisch gewordenen Stil trat Goethe in Italien gegenüber. Allerdings findet die Baukunst des b.n Zeitalters zunächst Goethes Lob nicht. Die Jesuitenkirche zu *Trient, *die sich von aussen gleich durch rothe Marmor Pilastres auszeichnet,* veranlaßt ihn zum Nachdenken *über die Bauart, die ich den bekannten Kirchen ähnlich fand (III/1, 178 = I/30, 37).* Doch brauchte Goethe aus dem ihm innewohnenden Proportionsgefühl heraus bei der Kirche Santa Maria della Salute in Venedig (1631 von Longhena) *das mittelste Gefäß worauf der Dom* [die Kuppel] *ruht als Höhe und Breite nicht zu verachten. Aber das Ganze bis in's einzelne Muster über Muster eines schlechten Geschmacks, eine Kirche die Werth ist daß Wunder drinne geschehn (III/1, 257).* Kritisch geworden durch die Kenntnis der Bauten Palladios in *Vicenza und *Venedig, aufgeschlossen dem Klassischen, das er suchte, blieb es bei dieser Einstellung, die ihn in Rom nicht veranlassen konnte, die Kirche Il Gesù (1568 beg. von GBdaVignola) oder die Bauten Borrominis (Sant' Ivo della Sapienza und San Carlo alle quattro fontane) näher zu betrachten. Daß Goethe in der Hackert-Biographie von *dem unglücklichen Borrominischen Geschmack* spricht *(I/46, 303),* braucht nicht auf Kenntnissen aus italienischer Zeit zu beruhen. Auch nach Sant' Andrea della Valle (1608–28 von CM*Maderna, dem Baumeister an St. Peter zu Rom) ging er wegen der Fresken von *Domenichino. Bei den b.n Kirchen *Palermos fand Goethe die *Prachtliebe der Jesuiten noch überboten . . ., aber nicht aus Grundsatz und Absicht, sondern zufällig, wie allenfalls ein gegenwärtiger Handwerker, Figuren- oder Laubschnitzer, Vergolder, Lackirer und Marmorirer gerade das was er vermochte ohne Geschmack und Leitung an gewissen Stellen anbringen wollte.* Denn: *Hier ist nicht, wie in Rom, ein Kunstgeist, welcher die Arbeit regelt; nur von Zufälligkeiten erhält das Bauwerk Gestalt und Dasein (I/31, 97 f.).* Und mit Verwunderung betrat Goethe das Heiligtum der hl. Rosalie (erbaut 1625), in dem natürlicher Felsen und architektonisch gegliederte Wände ein nur halb als Raum anzusprechendes Innere bildeten (I/31, 101 f.). Der *Unsinn des Prinzen Pallagonia,* Villa und Garten in La *Bagheria bei Palermo aus dem 18. Jahrhundert, verfiel Goethes harter Ablehnung: *und auch diese*

Thorheiten waren ganz etwas anders, als wir uns lesend und hörend vorgestellt. Denn bei der größten Wahrheitsliebe kommt derjenige, der vom Absurden Rechenschaft geben soll, immer in's Gedränge: *er will einen Begriff davon überliefern, und so macht er es schon zu etwas, da es eigentlich ein Nichts* [vgl. I/30, 190] *ist, welches für etwas gehalten sein will (I/31, 109).* Darum aber ging es Goethe, seit er italienischen Boden betreten hatte: es ging ihm um den Begriff der Kunst und um den Gegenstand in der Kunst, dh. um die inhaltlich gebundene, auf Erlebnis und Bildung wirkende Form, auch in der Architektur.

So erst wird es entscheidend, daß er b. Baukunst in Bewegung und damit als Raumkunst zu erleben vermochte, dazu beim Bauwerk die Mitwirkung des *Lichtes deutete und somit wesentliche Eigenschaften der b.n K. überhaupt erkannte. Schon bei der Villa Rotonda des Palladio, auf den Zusammenhang von Bau und Landschaft deutend, bemerkt er: *Die Mannichfaltigkeit ist groß, in der sich seine Hauptmasse zugleich mit den vorspringenden Säulen vor dem Auge der Umherwandelnden bewegt... (I/30, 82).* Weiter führt Goethes Einsicht in die besonderen Lichtverhältnisse des Südens, die er als integrierenden Bestandteil der b.n Architektur erleben und empfinden kann: *So muß man das Pantheon, das Capitol* [vom Mond] *beleuchtet sehn, den Vorhof der Peterskirche und andere große Straßen und Plätze. Und so haben Sonne und Mond, eben wie der Menschengeist, hier ein ganz anderes Geschäft als anderer Orten, hier, wo ihrem Blick ungeheure und doch gebildete Massen entgegen stehn (I/30, 266).* Die im Flugblatt *Von deutscher Baukunst* 1773 gegenüber *Erwin von Steinbachs straßburger Münsterfassade (bei der auch das Licht das Erlebnis steigert) hart getadelten Kolonnaden von S. Peter, *die nirgends hin noch her führen (I/37, 141),* werden jetzt vom südländischen Platz-„gefühl" her erlebt: *auf- und abgehend,* also in aktiver Bewegung und durch das Licht wieder empfänglich gemacht, sieht sich Goethe in die Architektur der Peterskirche ein (vgl. das Ergebnis der goetheschen baugeschichtlichen Studien über St. Peter: I/34II, 246–250) und kommt zu anerkennendem Urteil: *Wir* [Goethe und JHW *Tischbein] ergötzten uns als genießende Menschen an der Größe und der Pracht, ohne durch allzu eklen und zu verständigen Geschmack uns dießmal irre machen zu lassen, und unterdrückten jedes schärfere Urtheil. Wir erfreuten uns des Erfreulichen (I/30, 221).* Aus solchen Keimen entwickelte sich dann der 1795 niedergeschrie-

bene Gedanke, daß *die Baukunst ... vorzüglich, und worauf man am wenigsten Acht hat, für den Sinn der mechanischen Bewegung des menschlichen Körpers arbeiten soll; selbst mit verbundenen Augen müsse man beim Durchschreiten eines wohlgebauten Hauses eine angenehme Empfindung spüren. Hier tritt die schwere und complicirte Lehre von den Proportionen ein, wodurch der Character des Gebäudes und seiner verschiedenen Theile möglich wird (I/47, 68 f.;* dazu *328,* wo es heißt, daß der *Sinn der mechanischen Bewegung ... unter keinen andern gebracht werden kann;* verwandt erscheint aus *Wilhelm Meister* I/23, 198.) Angesichts der Tatsache, daß Goethes Interesse an der Baukunst wesentlich – sei es ablehnend oder zustimmend – von der nachrenaissancistischen Architektur mitbestimmt wurde, gewinnt der entwicklungsgeschichtliche Gedanke von 1797 epochale Bedeutung, weil er die besonderen Eigenschaften der b.n Baukunst hervorhebt und zugleich das Urteil von Generationen vorwegnimmt. Nachdem Goethe die Grundsätze architektonischer Gestaltung skizziert hat (I/47, 67 f.), beurteilt er den *Verfall* und führt ihn zurück auf den *Eindruck ohne Sinn für Charackter – Gemeines Erstaunen zu erregen* [im Gegensatz zum *Erstaunen des gebildeten Geistes* in der hohen Architektur]. *Menge der Säulen – Sinn für Pracht und Größe. – Gegenwart aller Manigfaltigkeit. – Daraus wird Zierrath als Zierrath – Verlust des Gefühls des schicklichen. – Mangel an Ficktion* [vgl. I/47, 71] *– Zuflucht zum Gegensatz zum Sonderbaren zum Unschicklichen (I/34II, 193 =* I/47, 330). Gleichzeitig ist die reizvolle Beschreibung des Gegensatzes von Rokoko und Klassizismus in *Hermann und Dorothea* (I/50, 211).

1797: es ist das gleiche Jahr, in dem Goethe, dem süddeutschen B. gegenüber zumeist interesselos, das *ludwigsburger Schloß bei *Stuttgart beschreibt: *das bekannte geräumige Schloß sehr wohnbar, aber sowohl das alte als das neue in verhältnismäßig bösem Geschmack ausgeziert und möblirt (I/34I, 281),* was Goethe auf den mangelhaften Geschmack des Herzogs Karl Eugen zurückführt, der sich bloß einheimischer Kräfte bedient habe (330). Und auch in dem berühmten Kloster *Einsiedeln in der Schweiz wird die *Unsinnige Verzierung des Chors* getadelt *(I/34I, 386).* Obgleich Goethe Dresden mehrfach besucht und die wichtigsten Barockbauten auch besichtigt (vgl. III/5, 37; 68; 70 und 335), wird dieser Eindruck nicht reflektiert. – Wie schon am Anfang kann unmittelbares Erlebnis zu positiver Wertung führen, die Form allein, insbesondere wenn sie durch Ornament und *Muster über Muster* nicht zum gebildeten Geiste sprechen kann, vermag Goethe nicht gutzuheißen; derartiges – so betont eine späte Äußerung – verstößt gegen die Gesetze der Baukunst überhaupt, denn ihr *ist aufgegeben, alles Willkürliche, Schiefe, Schwankende, Falsche und Formlose zu verbannen (I/53, 216).*

Bemerkenswert spärlich sind die Äußerungen Goethes zur b.n Plastik: doch die *Statue der heil Therese* in Santa Maria della Vittoria zu Rom, die Bernini 1644–47 schuf – auch heute noch Inbegriff hochbarocker plastischer Gestaltung – hat er zweifellos gekannt *(I/32, 439).* So kann Goethes Urteil durch dasjenige H*Meyers ergänzt werden, der die berühmte Skulptur Berninis und andere ähnliche Werke, zB. A*Algardis, als „merkwürdige Monumente der sonderbarsten Ausschweifung der Kunst" bezeichnet; „doch sonderbarer ist es noch, daß ein so unreiner Geschmack Nachahmer finden, ja die allgemeine Gunst erlangen und eine Zeitlang der herrschende bleiben konnte" („Entwurf einer Kunstgeschichte des achtzehnten Jahrhunderts", in: Goethe: „Winckelmann und sein Jahrhundert", 1805, S. 199; nicht WA). Meyer tadelt den „Hang zur malerischen Wirkung": „Berninis Arbeiten sind durchaus locker, abgerundet, ja, wenn man von plastischen Werken so sagen darf, unbestimmt. Bernini ist ein Undulist" (ebda). Damit fand er, der bei aller Ablehnung doch den Stil der hochbarocken Plastik gut zu charakterisieren wußte, den Anschluß an Goethes Theorie, mit der dieser eine Typologie der Künstler aufzustellen wünschte. Immerhin sind Goethe *die Zeiten von Bernini und Algardi (IV/27, 24),* wohl durch die Arbeit Meyers, ein Begriff.

Der Gedanke der Bewegung im Kunstwerk, sowohl im äußeren (physischen) als im inneren (psychischen) Sinne, sowie die Erkenntnis von der „Schaubarkeit" des Bildes – vgl. in der Architekturbetrachtung die Rolle des Lichtes –, endlich der entwicklungsgeschichtliche Gedanke bestimmen auch Goethes Stellung zur b.n Malerei. Um so intensiver Goethes Interesse jedoch dieser Kunstgattung sich zuwandte, um wieviel mehr Einzelkenntnis er auf diesem Gebiete besaß, ebensoviel komplizierter ist seine Stellungnahme, zumal Goethe und seine Zeit, weitgehend noch in der Folge der klassizistischen französischen *Kunsttheorie von der Vorbildlichkeit Raffaels und der *Antike überzeugt sein konnten.

Früh mit der *niederländischen Malerei des 17. Jahrhunderts, mit Rembrandt *(IV/2, 284: ich zeichne, und künstle p. Und lebe ganz mit Rembrandt),* aber auch mit Rubens vertraut (vgl. IV/5, 113), vor der italienischen Reise schon mit den Hauptmeistern des römischen Hochbarocks – Annibale *Carracci (IV/4, 313), Guido *Reni (IV/6, 153 f.) und *Guercino (IV/10, 160) – bekannt, empfängt Goethe doch erst in Italien die fruchtbare Kenntnis der Malerei des 17. Jahrhunderts und lenkt sogleich das Interesse auf das wichtige Problem, daß Form und Inhalt in ihr nicht mehr vollkommen harmonieren. Feiert er in Guercino die *zarte moralische Grazie, eine ruhige Freiheit und Großheit* (I/30, 159; man beachte die winckelmannsche Kennworte), so tadelt er heftig die *Gegenstände seiner Bilder: *man ist immer auf der Anatomie, dem Rabensteine, dem Schindanger, immer Leiden des Helden, niemals Handlung, nie ein gegenwärtig Interesse, immer etwas phantastisch von außen Erwartetes (I/30, 164;* vgl. I/41[I], 353 über *Calderon). Führt ihn die Ablehnung des Inhalts auf das Problem des Gegenstandes in der Kunst, so wird ihm das Verständnis für die Form anfänglich nicht leicht: *An diesem Himmel* [der Kunst] *treten wieder neue Gestirne hervor, die ich nicht berechnen kann und die mich irre machen: die Carracci, Guido* [Reni], *Dominichin, in einer spätern glücklichern Kunstzeit entsprungen; sie aber wahrhaft zu genießen, gehört Wissen und Urtheil, welches mir abgeht und nur nach und nach erworben werden kann (I/30, 163 f.).* Gegen 1790 war die Malerei des hohen B.s für die junge Künstlergeneration noch einmal vorbildlich geworden (vgl. I/49[I], 30), man suchte Bilder der Hauptmeister zu erwerben (vgl. ua. IV/9, 51 und das Verhältnis der Angelika *Kauffmann zu den neu erworbenen Bildern). Aufgrund dieses lebhaften Interesses entwickelte sich auch in der Kunstanschauung der Gedanke von der absoluten Vorbildlichkeit der bolognesisch-römischen Meister, die Goethe, wesentlich bestimmt durch seine Erlebnisfähigkeit, zur Begeisterung hinreißen können: *Ich aber kann nur mit wenig Worten das Glück dieses Tages bezeichnen. Ich habe die Frescogemählde von Dominichin in Andrea della Valle, ingleichen die Farnesische Galerie von Caraccio gesehen. Freilich zuviel für Monate, geschweige für einen Tag (I/30, 216 f.).* Hieraus erwächst dann die Einsicht, daß ACarracci – Goethe wählte als Beispiel die Darstellung mit „Odysseus und Circe" aus der farnesischen Galerie zu Rom – den eigentlichen Sinn des antiken Bildes erfaßt habe.

Doch schließt dieser Gedanke die Möglichkeit nicht aus, daß erst die Erfahrung b.r Bildkunst dem antiken Bilde diese Eigenschaften beilegt. Denn – so schreibt Goethe – *die Alten sahen das Bild als ein ab- und eingeschlossnes Ganze an, sie wollten in dem Raume alles zeigen, man sollte sich nicht etwas bey dem Bilde dencken sondern man sollte das Bild dencken und in demselben alles sehen* und in ihm den Vorgang, die *Succession . . ., denn unsre leiblichen Augen sollen das Bild sehen und genießen. – Das hat Carrache wohl gefaßt . . . Raphael hatte diese Sinnesart penetrirt, seine Verklärung ist ein deutlicher Beweiß (IV/9, 73 f.).* Die im b.n Bilde gestaltete Bewegung, das Transitorische, war einsichtsvoll erkannt, zugleich der hochbarocken Malerei Roms ihr entwicklungsgeschichtlicher Ort im höheren Sinne zuerteilt – Antike, Raffael und die Carracci – und damit alsbald Goethes Urteil über die eigene Gegenwart vorbereitet: *Ich leugne nicht daß eine anhaltende Betrachtung der Kunstwerke, die uns das Alterthum und die uns die Römische Schule* [nach dem goetheschen Sprachgebrauch die Malerei des frühen 17. Jh.] *zurückgelassen haben mich von der neuern Art, die mehr zum Verstande als zu der gebildeten Sinnlichkeit* [vgl. in der Architekturbetrachtung das *Erstaunen des gebildeten Geistes: I/34II, 193*] *spricht einigermaßen entfernt hat* – schreibt Goethe 1795 an GC*Lichtenberg *(IV/10, 345).*

Die positive Bewertung der Malerei des römischen Hochbarocks überträgt sich ganz im goetheschen Sinne auf H*Meyers ,,Entwurf einer Kunstgeschichte des achtzehnten Jahrhunderts", wenn er (S. 172 f.) den Carracci die geschichtliche Fähigkeit zuschreibt, ,,die Kunst von dem Beschränkenden, dem Einförmigen der Manier frey gemacht, der Natur, der Wahrheit, dem guten Geschmack wieder näher gebracht und mit neuen Darstellungsweisen erweitert" zu haben. (Das Urteil über die spätere b. Malerei: S. 227). – Auch Goethes Interesse blieb, namentlich durch die Besuche der dresdener Galerie, lange der b.n Malerei Italiens erhalten, in der er auch manches zweitrangige Talent in seiner Art zu schätzen wußte (vgl. I/47, 368–387).

Unabhängig von theoretischen Einsichten entwickelte sich, wieder entscheidend auf das einstimmende Erlebnis gegründet, Goethes bedeutsame Neigung zu Rubens: *Auch er ist kein Erdgeborner . . . Betrachtet man neben und nach ihm die Fülle niederländischer Meister des 17ten* [Jahrhunderts]*, deren große Fähigkeiten sich bald zu Hause, bald südlich,* *bald nördlich ausbilden, so wird man nicht läugnen können, daß die unglaubliche Sagacität* [= Scharfsinnigkeit]*, womit ihr Auge die Natur durchdrungen, und die Leichtigkeit, womit sie ihr eignes gesetzliches Behagen ausgedrückt, uns durchaus zu entzücken geeignet sei (I/49I, 155).* Rembrandt, der Denker, und Jv*Ruysdael, der Dichter, welch letzterem er die vorbildlichen Eigenschaften eines Künstlers überhaupt zuspricht, werden von Goethe als dem eigenen Wesen naturverwandt empfunden und betrachtet, wie denn das Naturhafte überhaupt Maßstab der Einsicht und des Urteils ist.

Dagegen konnte der letzte Höhepunkt der italienischen Malerei des Barock – Tiepolo – weder bei Goethe noch bei HMeyer eine günstige Beurteilung erfahren. Der historische Abstand war zu gering, der Stil in den Augen ihrer Zeit dem, den man abzulehnen alle Ursache hatte, zu nah und dem, den man anstrebte, allzu gegensätzlich. Tieferes Verständnis für den großen venezianischen Meister spricht nicht aus Goethes Reisenotizen von 1786 (III/1, 235 und 259). Unter der kritischen Norm HMeyers erscheint Tiepolos Kunst auf dem ,,Irrwege: . . . Schwache Gedanken, fehlerhafte Zeichnung, Mangel an Ausdruck Charakter und edlen Gestalten" (,,Entwurf einer Kunstgeschichte" S. 240). Das sind die gleichen ablehnenden Charakteristika, die Goethe für die französische Rokokomalerei bereit gehabt hatte.

So ergibt sich denn die bemerkenswerte Einstellung Goethes zur b.n K.: ihr Anfang und ihr Höhepunkt – ganz abgesehen von der selbstverständlichen Neigung zur ,,klassischen" *Landschaftsmalerei Frankreichs – geben ihm wesentliche Einsichten, ihr Ende und ihre Ausläufer finden seinen harten Tadel. In dieser Bevorzugung des Anfangs einer vorangegangenen Kulturepoche, von der sich die eigene Gegenwart bewußt abzusetzen vermag, steht Goethe gesamtgeschichtlich gesehen nicht allein. Es ist das gleiche Verhältnis, welches das 20. Jahrhundert zur *Romantik unter Ablehnung der Kunst vor und um 1900, das gleiche, welches die Romantik und diese schon historisierend zu den Anfängen der neuzeitlichen Malerei überhaupt einnahmen – nicht anders wie die Kunstlehre des 16. Jahrhunderts sich mit besonderer Neigung der heroischen Anfänge der Renaissance entsann. Liegt darin schon an sich ein historisches Verhalten, das Nachgeborenen eigen ist, so ist eine derartige Einstellung getragen von dem Glauben an den einmal gewesenen paradiesischen Zustand alles menschlichen Daseins, die sich für den Klassizismus um 1800 in der Antike symbolisierte, ein Zustand, den wiederzuerlangen Verstand und Bewußtsein nicht hinreichen, den wiederherzustellen kein Streben und keine Lehre fähig sind.

Mehr und mehr setzt sich in jenen Jahren das stets latente Gefühl durch, von der vorangegangenen Epoche abgeschnitten zu sein. Schon in Italien blieb Goethe manches von den Erscheinungen des 18. Jahrhunderts eigentlich fremd, und sein Streben nach Wahrheit und Natur – zwei Begriffe, die bei der Beurteilung des Barock häufig begegnen – mußte mancherlei ablehnen, was kein Erlebnis zuließ oder für ihn keinen inneren Beweggrund zu haben schien. Beim Anblick kirchlicher Zeremonien und Prozessionen, italienischer Opern- und Theateraufführungen erhebt er die Klage: *Auch da hab' ich wieder gefühlt, daß ich für alles zu alt* [!] *bin, nur für's Wahre nicht. Ihre Ceremonien und Opern, ihre Umgänge und Ballette, es fließt alles wie Wasser von einem Wachstuchmantel an mir herunter. Eine Wirkung der Natur hingegen, wie der Sonnenuntergang von Villa Madama gesehen, ein Werk der Kunst, wie die vielverehrte Juno* [Ludovisi], *machen tiefen und bleibenden Eindruck (I/30, 247).* Es ist die gleiche Einstellung, die zur Ablehnung des späten Barocks in Bild und Bauwerk führte und Goethe – wesentlich ein Mensch des Auges und der sinnlichen Erfahrung – zur Anerkennung des hohen Barocks veranlaßte, einer Epoche, deren Kunstwerke das Auge durch Vorgang und Bewegung und damit den ganzen Menschen in seiner leib-seelischen Einheit, insbesondere im architektonischen Gesamtkunstwerk, einstimmen und zum Erlebnis veranlassen sollte. Das aber konnte die Kunst um 1800 nicht mehr, *die mehr zum Verstande als zu der gebildeten Sinnlichkeit spricht (IV/10, 345).* Dieser Abstand von einer auf die Augen wirkenden Kunst, dieser die b. K. durchwaltende „Geist der Zeremonie" bleiben deutlich in Goethes Urteil über *Voltaires „Tancred": Es ist eigentlich ein Schauspiel; denn alles wird darin zur Schau aufgestellt (IV /15,91),* ein Urteil, dem Schillers Bemerkung über die *Iphigenie* gegenübergestellt werden muß und das sicher im goetheschen Sinne gedacht war: daß die Handlung darin „hinter den Kulissen vorgeht, und das Sittliche, was im Herzen vorgeht, die Gesinnung, darin zur Handlung gemacht ist und gleichsam vor die Augen gebracht wird ... das Sinnliche muß immer dem Sittlichen nachstehen" (an Goethe 22. I.

1802). – Ein Bewußtsein dämmert hier auf, aus einer Epoche sensualistischer Kunst in eine Epoche moralisch-ethisch wertender Kunst übergegangen zu sein.

Aus Italien klingt Goethes bekanntes, erkenntnisschweres Wort herüber, das von der Ahnung einer kulturellen Wende zeugt: *Auf dieser Reise hoff ich will ich mein Gemüth über die schönen Künste beruhigen, ihr heilig Bild mir recht in die Seele prägen und zum stillen Genuß bewahren. Dann aber mich zu den Handwerckern wenden, und wenn ich zurückkomme, Chymie und Mechanik studieren. Denn die Zeit des Schönen ist vorüber, nur die Noth und das strenge Bedürfniß erfordern unsre Tage (III/1, 266).* Um so prophetischer erscheint dieses Wort, als es aus einer Zeit stammt, in der wie im B. selbst die erfahrbare Wirklichkeit mit der denkbaren Möglichkeit noch analog war. Die Aufspaltung dieser *Analogie war geschichtliche Notwendigkeit, aus der Sicht des 20. Jahrhunderts rückt Goethes Gestalt daher vor den Hintergrund des B.

Im Bewußtsein seiner Gegenwart erkannte Goethe dann, daß mit der *französischen Revolution ein Kulturzeitalter zu Ende gegangen war, mit der Gewalt eines Naturereignisses zu Ende gehen mußte (IV/16, 49). Wie letzte Verzweigungen des goetheschen, organisch gewachsenen Lebenswerkes auf die noch im Spätbarock gelegten Wurzeln zurückdeuten, so überkommt Goethe angesichts des neuen Jahrhunderts gelegentlich ein Kulturpessimismus: *alles ... ist jetzt ultra, alles transcendirt unaufhaltsam, im Denken wie im Thun. Niemand kennt sich mehr, niemand begreift das Element worin er schwebt und wirkt, niemand den Stoff den er bearbeitet. Von reiner Einfalt kann die Rede nicht seyn; einfältiges Zeug gibt es genug* (1825: *IV/39, 215f.).* – *Übrigens ist das Weltwesen so groß und erstaunlich, daß ich mir auf meinem kleinen Boote durch die große Kriegsflotte wie mich durchwindend erscheine...*(1826: *IV/41, 159).* Gewiß kommt hierin auch die Resignation des Alters zu Wort. Aber dahinter steht das Gefühl, in der Zeit der *Communication (IV/39, 216)* und des Individualismus mit einem noch nicht abgestorbenen Gefühl für die gesellige Kultur, die der B. gezeitigt hatte und aus der Goethe mit seiner menschlichen und geistigen Haltung herangewachsen war, verlassen und vereinsamt zurückgeblieben zu sein. *Die reine Bildungslust, jedem einwohnend, auf eine friedliche Ausgleichung sittlicher Verhältnisse hinstrebend, wie ist's, die sich gesellig am freudigsten offenbart ... Jener Trieb war von Jugend an der meinige, und es ist ein eigen*

*ehrenwerthes Schicksal, daß ich gerade in ein
gleichsinnig wirkendes Jahrhundert eintraf.
Doch waren übereilte, gewaltsame, heimtücki-
sche Manifestationen* [Anspielung auf die französische Revolution] *ganz gegen meine Begriffe
und Einsichten, so daß ich sehr alt werden
mußte, um mich mit dem sogenannten Zeitgeist
einigermaßen wieder auszusöhnen und ihn von
seinen widerwärtigen Verkörperungen zu unterscheiden (IV/41, 147).* – So ist Goethes Verhältnis zum B. mit seinem Wachsen sich
wandelnd, ein Teil seines Lebensproblems
überhaupt: *Laß uns soviel als möglich an der
Gesinnung halten in der wir herankamen, wir
werden, mit vielleicht noch wenigen, die Letzten
seyn einer Epoche die sobald nicht wiederkehrt*
(1825: an CF*Zelter: *IV/39, 216*).   Lö

HBahr: Barock. In: Summula. 1921 (geschrieben
1920). S. 172 f. – EPaul: Die Beurteilung des Barock
von Winckelmann bis Burckhardt. Diss. Leipzig 1956.
–HTintelnot: Zur Bildung unserer Barockbegriffe. In:
Kunstformen des Barock. Sammlung Dalp. 1956. –
WWeisbach: Barock als Stilphänomen. In: DVjs 2
(1924), S. 225–256. – AHauser: Sozialgeschichte der
Kunst und Literatur. Bd 1. 1953. S. 455–466. – MGG
1 (1949–1951), Sp. 1275–1290.

Barocke Literatur. So einfach und exakt wie
die Ziffern lassen sich die Charaktere der
Jahrhunderte und damit der *Epochen* nicht
voneinander trennen. *Eine geschichtliche Darstellung nach Jahrhunderten einzutheilen, hat
seine Unbequemlichkeit. Mit keinem schneiden
sich die Begebenheiten rein ab; Menschen-Leben
und -Handeln greift aus einem in's andere;
aber alle Eintheilungsgründe, wenn man sie
genau besieht, sind doch nur von irgend einem
Überwiegenden hergenommen. Gewisse Wirkungen zeigen sich entschieden in einem gewissen Jahrhundert, ohne daß man die Vorbereitung verkennen, oder die Nachwirkung läugnen
möchte (II/3, 170).* Die Periodizität der Welthistorie verdichtete sich für Goethes Blick
imgrunde zu den Spannungsverhältnis zweier
gewissermaßen urphänomenaler *Epochen.* Er
nennt sie *Momente der Weltgeschichte* (*Geschichte). Er sieht sie *bald aufeinander folgen,
bald gleichzeitig, theils einzeln und abgesondert,
theils höchst verschränkt, sich an Individuen
und Völkern zeigen (II/3, 133).* Die Wirkungen
der einen *Epoche* richten sich mehr nach innen
*(Werden, Frieden, Nähren, Kunst, Wissen-
schaften, Gemüthlichkeit, Vernunft),* die der
anderen *Epoche* hingegen mehr nach außen
*(Benutzen, Krieg, Verzehren, Technik, Wissen,
Verstand; Entartung in Selbstsucht, Tyrannei*
durch *eine einzelne Person* sowie – *höchst gewaltsam und unwiderstehlich* – die *Tyrannei
ganzer Massen).* Goethe selbst zählt sich als
ein *Letzter* zur ersteren und weiß, daß sie
sobald nicht wiederkehr (IV/39, 216). Auf der

Scheide zweier Jahrhunderte stehend und
beide in sich aufnehmend, neigte er dazu, das
erste (18.) der ersten, das zweite (19.) der
zweiten *Epoche* zuzuweisen. Er empfand den
kalendarischen Wendepunkt sehr stark als
Zäsur zwischen Gestern und Morgen. Er hatte
Mühe, sich als ein Heutiger vor dem Janus-
kopf dieser Zeitenwende zu behaupten (vgl.
AZastrau: Technik und Zivilisation im Blickfeld Goethes. In: Humanismus und Technik
IV, 3. S. 133–156). Auch schwankte er hinsichtlich des genauen Termins. Am 31. XII.
1799 war er *im Stillen herzlich erfreut . . . mit*
Schiller *das Jahr und da wir einmal 99er sind
auch das Jahrhundert zu schließen (IV/15, 1),*
und Schiller begrüßte ihn gleichfalls „zum
neuen Jahr und neuen Säculum" (Art. A 20,
782). JF*Rochlitz erhält unter dem Datum
des 25. XII. 1800 einen Brief, in dem Goethe
mit dem Wunsche schließt: *Gehen Sie mit
völlig wieder erlangter Gesundheit ins neue
Jahrhundert hinüber und nehmen Sie, wie bisher, mit Geist und Talent an demjenigen Theil
was etwa den Menschen zunächst bescheert seyn
mag und erhalten mir ein freundschaftliches
Andenken (IV/15, 166).* Am 31. XII. 1800
sind Schiller und FWJv*Schelling Abend-
gäste bei Goethe (Weimar), aber das seit dem
Herbst geplante *Festum Saeculare (IV/15,
146)* war nach mancherlei Hin und Her an
dem „entschiedenen Mißfallen" des Herzogs
(Art. A 20, 833) gescheitert.

Dergestalt verlief die Zäsur zwischen den
Jahrhunderten und zwischen den *Epochen*
wie in einer Art von zeitlichem Niemandsland
und bemerkenswert unentschieden – durchaus bemerkenswert für einen Menschen, der
gerade als Naturforscher *einen hartnäckigen
Realismus* zu betätigen gewohnt war *(II/11,
18).* Es mag bloßer „Zufall", es mag eine Art
von Achtlosigkeit gewesen sein, es mag aber
bei dem außerordentlichen Bewußtheitsgrade
goethescher Daseinsführung auch eine entsprechende und echte *Bedeutung* haben. So
viel bleibt auf alle Fälle, daß Goethe diese
Zeitalter-Grenze wahrnahm. Man ist heute
durchaus geneigt, diese Wahrnehmung bestätigt zu finden, freilich nicht so, daß mit
den Jahrhunderten die Zeitalter und ihre Begebenheiten rein abschneiden, aber doch so,
daß eine echte Epochen-Schwelle sichtbar
wird. Indem Goethe sich als einen *Letzten* der
ersten, älteren, endenden *Epoche* empfindet,
indem er es als *schönes Glück* preist, *die zweite
Hälfte des vorigen* (18.) *Jahrhunderts durchlebt
zu haben (II/11, 299),* indem er der sogenannten *Aufklärung gegenüber deutlich Reserven

erkennen läßt und *Maschinenwesen, mehr noch *Revolutionen fürchtet, indem er die geheime Ordnung in der *höfischen Welt bejaht und sie als Analogon zum *Universum selbst versteht, indem er Beschränkung, Entsagung, Opfer, Pflicht, Verzicht zu Leitworten des Lebens macht und dadurch der *Freiheit des Individuums als ein echtes ζῷον πολιτικόν die Zügel des *Gesetzes anlegt, zugleich aber es für sich selbst und für andere grundsätzlich nicht bejahen kann, als ἰδιώτης existieren zu wollen, weil dies nach seiner Auffassung keine Existenzform ist, indem Goethe ein starkes Organ für die Würde der *Repräsentation und für den Wert des *Spieles hat, indem er dies alles und noch anderes erkennen läßt, zeigt er selbst eine starke Affinität zum *Barock. Aus der Fülle der fast unzähligen Zeugnisse hier nur einige wenige Beispiele: *Alle Gesetze sind Versuche, sich den Absichten der moralischen Weltordnung im Welt- und Lebenslaufe zu nähern ... Es ist besser, es geschehe dir Unrecht, als die Welt sei ohne Gesetz. Deßhalb füge sich jeder dem Gesetze ... Es ist besser, daß Ungerechtigkeiten geschehn, als daß sie auf eine ungerechte Weise gehoben werden (MuR:* Hecker Nr *831; 832; 833). Doch was der Mensch auch ergreife und handhabe, der Einzelne ist sich nicht hinreichend, Gesellschaft bleibt eines wackern Mannes höchstes Bedürfniß. Alle brauchbaren Menschen sollen in Bezug unter einander stehen (I/25^I, 189).* Nicht allein, daß Goethe die Wirklichkeit der Menschenwelt, sondern die der Welt überhaupt als Relationsgefüge versteht, sondern daß und wie dies dialektisch geschieht, ist entscheidend. So meint es die Briefwendung an CF*Zelter: *denn Bezüge gibt's überall und Bezüge sind das Leben (IV/46, 223).* So fügt sich Goethe auch in den Problemkreis der *coincidentia oppositorum ein. Auf dem weiten Felde der Literatur zwischen J*Böhme und GW*Leibniz ist die Tradition des Barock noch allenthalben für Goethe gegenwärtig, schon in der väterlichen, noch in der eigenen *Hausbibliothek, im Universitätsstudium, in den *Wissenschaften, am wenigsten in der poetischen Literatur (vgl. auch *Bukolik; *Kirchenlieder-, *Neulateinische und *Theater-Dichtung; *Wunderhorn). Goethe nennt als deutschsprachige Dichter oder Poeten dieser Epoche hauptsächlich: JV*Andreae; G*Arnold; JAyrer (Morris 2, 28; vgl. *Lucifer); Jv*Besser; BH*Brockes; FRL Frhr. v*Canitz; S*Dach; KF*Drollinger; P*Fleming; HJChrv*Grimmelshausen; A*Gryphius; JUv*König; P*Lauremberg (Acerra philologica); Fv*Lo-

gau; U*Megerle (Abraham a Santa Clara); B*Neukirch; G*Neumarck; M*Opitz; Chr *Reuter; J*Scheffler (Angelus Silesius); JG *Schoch; DW*Triller; JW*Zincgref (Nemo contra deum nisi deus ipse?); NL Graf v*Zinzendorf. Am nächsten fühlte Goethe sich aber JChr*Günther, *der ein Poet im vollen Sinne des Worts genannt werden darf ... er besaß im Gegensatz zu seinen Zeitaltersgenossen alles, was dazu gehört, im Leben ein zweites Leben durch Poesie hervorzubringen und zwar in dem gemeinen wirklichen Leben (I/27, 81 f.).* Mit dieser Auffassung: *in dem gemeinen wirklichen Leben ein zweites Leben durch Poesie hervorzubringen,* die auch und gerade eine goethesche Intention formuliert, weist Goethe in der Tat seine Affinität zum Barock aus. *Za*

Barometer, in seiner klassischen Form als Quecksilberbarometer, wie es auch Goethe zur Verfügung stand, von Torricelli 1643 erfunden, dient der Messung des Luftdrucks. Die in einem luftleeren Zylinder befindliche Quecksilbersäule hält durch ihr Gewicht demjenigen der Luftsäule das Gleichgewicht und ändert daher mit dem Luftdruck ihre Länge. Jedem Ort eignet ein durch seine Höhenlage bestimmter (mittlerer) B. stand, der heute für jeden Ort auf die Meereshöhe reduziert wird. Im übrigen schwankt dieser, dh. der Luftdruck, an einem und demselben Ort dauernd, ohne unmittelbar eine systematische Regelmäßigkeit erkennen zu lassen. Diese B.schwankungen sind dadurch bedingt, daß Temperaturverschiedenheiten Dichte-Unterschiede in der *Atmosphäre bewirken und dadurch Luftaustausch von Ort zu Ort auslösen, so daß an dem einen Ort Luft zu-, an einem anderen Ort Luft weggeführt wird (Winde) und dementsprechend auch der Luftdruck sich ändert. Die Luftdruckentwicklung ist daher für die Wetterentwicklung von entscheidender Bedeutung, und die Registrierung des B.standes für die Beurteilung der Wetterlage unerläßlich. In den Wetterkarten wird die Luftdruckverteilung zu einer bestimmten Zeit durch Isobaren, die Linien, welche die Orte gleichen Luftdrucks zu gleicher Zeit verbinden, dargestellt. Goethe hat unter der Vielzahl der meteorologischen Angaben den *Barometer-Stand als Grund des Ganzen angesehen (II/12, 59).* Bei dieser zentralen Bewertung des B. spielte wohl auch seine persönliche Empfindlichkeit für Luftdruckschwankungen eine gewisse Rolle. Da er *die Einwirkung der Sonne einstweilen nur als Wärme erregend* annahm, suchte er *die Ursachen der Barometer-Veränderungen nicht*

außerhalb, sondern innerhalb des Erdballes (II/ 12, 61); und zwar schrieb er *das Steigen und Fallen des Quecksilbers innerhalb gewisser Gränzen einer stetig veränderten Anziehungskraft der Erde* zu (1822: *I/36, 212*).
Nicht erst seit 1822 (vgl. II/12, 50 den gleichzeitigen Aufsatz über B.– Schwankungen) ist diese „Hypothese" bei Goethe nachweisbar (vgl. 8. IX. 1786: III/1, 165; I/30, 19 f.).
Schon die von Goethe 1779 beobachtete Erscheinung (I/19, 245; 271), daß sich die *Wolken bevorzugt an Berggipfel anlehnen, daß diese oft eine Wolkenkappe haben, während ringsum sonst der Himmel klar ist, führte 1786 zu der Annahme, daß die Anziehungskraft der *Erde die Wetteränderungen bedingt.
Als Goethe nach vielen Jahren erst systematisch meteorologische Untersuchungen aufnahm, knüpfte er an die alte Anschauung an und baute die Schwerkraft-Hypothese des B.s aus, zumal da er *die Witterungserscheinungen auf der Erde . . . weder für kosmisch noch planetarisch* hielt; *sondern wir müssen sie nach unseren Prämissen für rein tellurisch erklären (II/12, 77).* Denn der Erdkörper ist für Goethe eine organische Einheit, in der *die Anziehungskraft der ganzen Erdmasse von der uns unerforschten Tiefe bis zu dem Meeresufer, und von dieser Gränze der uns bekannten Erdoberfläche bis zu den höchsten Berggipfeln und darüber hinaus erfahrungsgemäß nach und nach abnehme, wobei aber ein gewisses Auf- und Absteigen, Aus- und Einathmen sich ergebe; welches denn zuletzt vielleicht nur durch ein geringes Pulsiren ihre Lebendigkeit andeuten werde (II/12, 80f.).*
Wenn diese B.-Hypothese richtig ist, wenn also ein pulsierendes Zu- und Abnehmen der Anziehungskraft erfolgt, dann müßte der B.-Gang in großen Zügen an verschiedenen Orten parallel laufen. Goethe fand das bestätigt durch die *vergleichende graphische Darstellung der Barometerstände verschiedener Orte während des Monats December 1822*, *gezeichnet von Ludwig Schrön (II/12, 69)* und die *von Dr. Schrön ausgearbeitete graphische Darstellung . . . wo die mittleren Barometerstände von Jena, Weimar, Schöndorf, Wartburg und Ilmenau vom Jahre 1823 übereinander gezeichnet sind . . . (II/12, 79)*, sowie in der *täglichen Oszillation des B.s in den Tropen. Hiernach werden also zwei Grundbewegungen des lebendigen Erdkörpers angenommen und sämmtliche barometrische Erscheinungen als symbolische Äußerung derselben betrachtet (II/ 12, 101).* So konnte Goethe die Schwerkraftschwankungen *einem Ein- und Ausathmen vom*

Mittelpuncte gegen die Peripherie vergleichen (II/12 102).
Im Rahmen dieser B.-Hypothese erfaßte Goethe auch das Problem der *Wolkenbildung; ferner bleibt auch *der Barometerstand in fortwährendem Verhältniß zu den Winden . . . (II/ 12, 65),* wobei es freilich nicht gelingt, eine kausale Beziehung zwischen der Vorherrschaft östlicher Winde bei höherem und westlicher Winde bei niederem B.stand herzustellen. Es bleibt bei der registrierenden Feststellung des regelmäßigen Zusammentreffens. Unabhängig von dieser allgemeinen Beziehung zwischen B.stand und Winden können nun freilich auch *speciell erwärmte Gegenden . . . Luftzug hervor* bringen *(II/12, 115);* solche temperaturbedingte Winde freilich betrachtet Goethe nur als lokale Erscheinungen.
Eine ganz analoge B.–Theorie hat 1823 auch JLG*Meinecke in *Halle entwickelt, als er die B.schwankungen auf ein Ein- und Ausatmen des Erdkörpers zurückführte; hierauf hat später übrigens Chr*Keferstein seine Theorie von den Quellen aufgebaut. Goethe hat diesen Aufsatz Meineckes mit Interesse aufgenommen. Wenn FKämtz 1830 die meineckesche Theorie als völlig unzulänglich ablehnt, die goethesche aber gar nicht erwähnt, so darf man darin auch ein nicht ausgesprochenes Urteil der zeitgenössischen *Meteorologie über Goethes B.-Hypothese sehen. In der Tat zeigt das reiche von Kämtz verarbeitete Material, ebenso wie das von HW*Brandes, daß der Gang des B.s an verschiedenen Orten völlig verschieden läuft und daß neben den täglichen Oszillationen, auf die Goethe großen Wert legte, doch die hauptsächlichen B.schwankungen ganz anderen Gesetzen gehorchen. Schon Brandes hatte betont, daß das B. „immer das Gewicht der ganzen über uns stehenden Luftsäule angibt" und daß die B.schwankungen durch Zu- bzw. Abnahme der über uns stehenden Luftsäule bedingt seien. Und Kämtz sieht den B.stand ebenfalls eindeutig als Maß des jeweiligen Luftdrucks. Beide Autoren zeigen, daß in den Winden sich das Bestreben ausspricht, Druckausgleich zwischen Gebieten höheren und niederen Luftdrucks herzustellen, so daß also die Winde stets von Gebieten hohen zu solchen niederen Luftdrucks wehen, in ihrer Richtung allerdings durch die Erdumdrehung abgelenkt werden.
Daraus geht hervor, daß die Meteorologie der goetheschen Zeit in den Grundlinien durchaus in der Richtung ging, die sich bis zur Gegenwart als richtig und fruchtbar erwiesen hat. Hingegen entsprach Goethes Theorie

der Neigung, auch im anorganismischen Bereich lebensanaloge Erscheinungen zu sehen (II/12, 101); dazu kam, daß die zeitgenössische Meteorologie (abgesehen von den lokalen, eindeutig temperatur-bedingten Winden, wie zB. dem Seewind) die Winde allgemein zwar aus den Luftdruckunterschieden ableitete, für diese selber aber keine befriedigende Erklärung wußte. Da Goethe die Witterungserscheinungen mit Recht als gesamt-irdischen Vorgang ansah, mußten ihm örtlich-zufällige Erklärungen, wie Luftzersetzung und dergleichen, als unzureichend erscheinen. Nachdem ihm aber schon früher die Anschauung im Gebirge die Vorstellung, daß die Berge die Wolken anziehen, aufgedrängt hatte, war die Annahme, daß der B.gang von der irdischen Anziehungskraft bestimmt würde, nur noch Verallgemeinerung eines scheinbar eindeutigen Anschauungsbefundes. Die Tabellen HLF *Schröns und der Aufsatz Meineckes schienen die Theorie zu bestätigen. Anschauung und Erfahrung boten Goethe im Gegensatz zu den theoretischen Aushilfen der zeitgenössischen Meteorologie einen einheitlichen Rahmen und gesetzmäßigen, sinnvollen Gesamtzusammenhang. Goethe fühlte sich nicht veranlaßt, sich mit Theorien auseinanderzusetzen, denen der innere Zusammenhang mangelte. Es ist eine ähnliche Entscheidung wie in der *Geologie für den *Neptunismus. Wenn er aber trotzdem unbefriedigt, sich immer wieder mit dem *Vulkanismus auseinandersetzte, so deshalb, weil dieser ihm auch in der Anschauung immer wieder als Phänomen entgegentrat, während die ihm entgegenstehenden meteorologischen Theorien nur aus unanschaulichen Zahlentabellen erwuchsen.   *Bn*

HWBrandes: Beiträge zur Witterungskunde. 1820. – LFKämtz: Lehrbuch der Meteorologie. 3 Bde. 1830 bis 1836. – PRaethjen: Einführung in die Physik der Atmosphäre. 1942. – KSchneider-Carius: Wetterkunde, Wetterforschung, Geschichte ihrer Probleme und Erkenntnisse in Dokumenten aus drei Jahrhunderten. 1955 (Orbis academicus). S. 62–74.

Barras, Paul François Jean Nicolas de, Vicomte (1755–1829), altem, provençalischem Adel entstammend, war zunächst Offizier in Ostindien, nahm dann an der *französischen Revolution aktiv teil, namentlich am Sturm auf die Tuilerien und stimmte als erklärter Gegner des Königs für dessen Hinrichtung ohne Aufschub. Nach dem von ihm herbeigeführten Sturz *Robespierres wurde er 1795 Präsident des Konvents, mußte allerdings 1799 der Konsularregierung weichen, obgleich er *Napoleon vor Toulon eingesetzt und ihm auch die Niederschlagung des Royalistenaufstandes in *Paris übertragen hatte; Napoleon

heiratete die Geliebte B.s, J*Beauharnais. Nach 1799 lebte B. in Brüssel, nach 1805 in *Rom im Exil; von dort aus versuchte er eine Verschwörung zugunsten der Bourbonen. ChDoris veröffentlichte unter dem Pseudonym M. le Baron de B*** „Amours et aventures du Vte de Barras, ex-membre du Directoire exécutif, avec mesdames Joséphine de B***, Tallien, la douairière Du Baillet, Mlle Sophie Arnault", 2 Bde (1816–1817), die Goethe am Abend des 4. I. 1817 las und am 8. I. der Großherzogin Louise *(Serenissimam)* zurückgab *(III/6, 2 f.).*   *Lö*

Barre, Jean Jacques (1793–1855), Generalmünzgraveur in *Paris, war Arbeiterkind und erhielt seine Lehre als Ziseleur in der pariser Münze, danach bildete er sich autodidaktisch weiter. Er lieferte Beiträge zu der „Galerie numismatique des grands hommes français" und war auch an den „Series numismatica universalis" beteiligt. 1843 wurde der früh Anerkannte Graveur général des monnaies de France (Generalmünzmeister) und schuf Medaillen in bezug auf die Hauptereignisse der französischen Geschichte und 1848 das Siegel der Nationalversammlung und des Staates. – Seine 1821 von Weimar aus bestellte Medaille des Großherzogs Carl August – Goethe nahm die Vermittlung des Geheimen Legationsrat KFA v*Conta in Anspruch (III/8, 39 f. und 52 f.; vgl. IV/35, 214) – war 1822 fertig und wurde mehrfach als Anerkennung und Dank *mit Serenissimi Vergünstigung* von Goethe verschickt, so an Rath *Grüner 1824 *(III/9, 213)* und an den Geh. Kirchenrath HEG*Paulus in *Heidelberg 1828 für das dem Großherzog übersandte Werk „Das Leben Jesu" (III/11, 288). Nach dem Tode des Großherzogs wurde die Medaille nochmals geprägt. Die neue Inschrift der Rückseite entsprach Vorschlägen Goethes, der sich um diese Neuauflage bemüht hatte (18. I. 1829 an CWFrhrv*Fritsch: IV/45, 129).   *Fr*

LFrede: Das klassische Weimar in Medaillen. 1957. Nr 26 und 33.

Barrière, Dominique (vor 1610 bis um 1678), Zeichner und Kupferstecher, tätig in Rom, fertigte Kupferstiche und Radierungen nach Werken Cl*Lorrains an, von denen Goethe sechs Blätter mit mythologischen und christlichen Gegenständen, sowie einige Hafen- und Seeansichten besaß. Zahlreich sind seine Ansichten von Rom, den römischen Feststraßen und Villen, unter denen die Villa Aldobrandini in *Frascati einen umfangreichen Band darstellt, der 1647 in Rom unter dem Titel „Villa Aldobrandina Tusculana, sive varii illius hortorum et fontium prospectus" erschien. Die 22 Blätter dieses Werkes erhielt Goethe durch den Buchhändler JAG*Weigel in *Leipzig. Er sah sie am 15. XII. 1821 an (schon am Vortage waren *römische Stadt- und Landgebäude* zur Sprache gekommen: *III/8, 146),* ließ sie jedoch wieder zurückgehen, weil das Werk, obgleich er es gerne angeschafft hätte, *durch Aufstich so ganz entstellt* war *(30. XII. 1821: IV/35, 217 f.).* 1828 entlieh er es mit anderen Werken dieser Art (G*Piranesi) auf der weimarischen *Bibliothek.   *Lö*

Schuchardt 1, S. 203. – Keudell Nr 1909. – ThB 3 (1908), S. 533. – PKristeller: Kupferstich und Holzschnitt in vier Jahrhunderten. ⁴1922. S. 430.

Barrow, Sir John (1764–1848), englischer Diplomat und Geograph, begleitete den 1. Gesandten Englands Macartney nach *China, wurde später Sekretär der Admiralität und bekannter Arktisforscher. Goethe erwähnt im Tagebuch vom 11. X. 1813 sein Werk „Reise durch China von Peking nach Canton im Gefolge der Groß-Britannischen Gesandtschaft in den Jahren 1793 und 1794", aus dem Englischen ... von Johann Christian Hüttner", 1804 (III/5, 78), das er am folgenden Tage von der *Bibliothek entlieh.   *Sn*

Keudell Nr 869.

Bartas, Guillaume de Salluste, Sieur du (1544 bis 1590), französischer, zu seiner Zeit hochberühmter Dichter, Hugenotte. Sein Hauptwerk, „La semaine ou création du monde" (1578), das in vier Jahren zwanzig Auflagen erlebte, in mehrere Sprachen übersetzt und von zahlreichen Gelehrten kommentiert wurde, will im Rahmen des biblischen Schöpfungsberichts das ganze Wissen der Zeit zusammenfassen; die unvollendet gebliebene Fortsetzung, „La seconde semaine", war als Weltgeschichte mit eschatologischem Ausblick angelegt; durch diese sittlich-religiöse Substanz unterscheidet sich B. von dem heidnischen Geist der gleichzeitigen Dichter um Pde*Ronsard. Trotz seiner unbestreitbaren Kraft ist B. bald überholt und vergessen worden. Eine oft provinziell, oft auch gelehrt beeinflußte Sprache, ein bald trivialer, bald preziöser Stil, der zu häufige Gebrauch von Neologismen haben ihn als unerträglich und lebensfern empfinden lassen, besonders nachdem um 1670 die *Klassik, wie *Boileau sie kodifizierte, durchdrang. „Es gibt schöne Stellen bei du B., aber nur Stellen", schreibt ein französischer Literaturhistoriker vom Range GLansons mit ausdrücklichem Bezug auf Goethes Rettungsversuch (1805: I/45, 173) in den Anmerkungen zu *Rameaus Neffen.*   *Fu*

Bartels, Johann Heinrich (1761–1850), Jurist und Reiseschriftsteller, studierte in *Göttin-

gen und reiste 1786 – also im gleichen Jahre wie Goethe – nach *Italien und kehrte über Frankreich und die Niederlande zurück. Natur- und kunstwissenschaftlich interessiert, gab er schon 1787 einen Teil seiner Reisebriefe („Briefe über Calabrien und Sicilien", 3 Bde, 1787–1792) heraus. In *Catania, wo er vor Goethe sich aufgehalten hatte (vgl. I/31, 189), war er Mitglied der Akademie geworden. Goethe kannte B. als *einen treuen und guten, aber etwas weitschweifigen* Reiseschriftsteller *(I/46, 327),* dem er als einem *Früheren Reisenden ... das Verdienst* lassen mußte, *die Aufmerksamkeit* auf die sizilischen Bauten aus griechischer Zeit *erregt zu haben (I/49^{II}, 147).* B. wurde 1798 Senator seiner Vaterstadt Hamburg, Geschick und Energie zeichneten ihn während der französischen Besatzungszeit aus; seit 1820 war er (1836 erster) Bürgermeister. Noch 1849 setzte er sich für die Beibehaltung der aristokratischen Verfassung von 1712 ein und lehnte Reformbestrebungen ab („Sendschreiben an meine vielgeliebten Mitbürger", 1849).

NDB 1 (1953), S. 597 f.   *Lö*

Barth, Christian Karl (1775–1853), Beamter, zuletzt Geheimrat in der bayerischen Finanzverwaltung, Historiker, veröffentlichte „Teutschlands Urgeschichte" (2 Bde, 1817 bis 1820; zweite Auflage in 5 Bdn, 1842–1846), in der er die Geschichte des deutschen Landes in der germanischen Zeit erzählt. Goethe machte sich am 14. X. 1817 vielleicht in Gesellschaft seines Sohnes mit diesem Werk bekannt (III/6, 122), fand jedoch, daß diese Beschäftigung im Gegensatz zu dem hochaktuellen „Mémorial de Sainte Hélène" von EA*Las Cases, der im gleichen Jahr 1817 erschienen war, *in unsere Studien der Zeit* nicht eingegriffen hätte *(I/36, 129).*   *Lö*

Barth, Johann August (1. VIII. 1765 bis 9. IX. 1818), Stadt- und Universitätsbuchdrucker in Breslau, übernahm 1799 die Stadtbuchdruckerei in Breslau und damit einen der ältesten deutschen Verlage von Grass (nachweisbar seit 1504). Unter ihm entwickelte sich der Betrieb zu dem angesehensten in *Schlesien, den Verlag baute er als Zeitungs-, Zeitschriften- und Schulbuchverlag aus. Seine vaterländische Gesinnung bewährte er in den *Freiheitskriegen durch hohe Geldspenden, für das Gemeinwohl der Stadt war er unermüdlich tätig und genoß hohe Achtung. Seinen Ruhm verdankt er den Bemühungen, die er der Druckerei zuwandte, und der Sorgfalt, mit der er seine Druckerzeugnisse ausstattete. Er verbesserte den Notendruck, errichtete eine Schriftgießerei und führte als erster den Stein-

druck (*Lithographie) in Schlesien ein. Bei
der Verlegung der Universität Frankfurt/Oder
nach Breslau (1811) druckte B. eine „Poly-
glotte von Glückwünschen" und sandte ein
Exemplar Goethe zu, der am 4. XII. 1811 für
das *polyglottische Heft* dankte *(IV/22, 209 f.;*
467; vgl. III/4, 246). B. stolzeste Druckleistung
war sein „Pacis annis 1814 et 1815 . . . monumentum" (1816), das 42 Siegeshymnen enthält, jedes Gedicht in einer anderen Sprache
und Schrift. Er verschenkte es nur an bevorzugte Persönlichkeiten (wie etwa an den ihm
befreundeten Präsidenten des Geistlichen Ministeriums und Senior in Breslau/St. Maria
Magdalena: CFZastrau), an Goethe am 18.
VIII. 1816; Goethe dankt ihm am 10. III. 1817
*für die Sendung des merkwürdigen und wohl-
gerathenen polyglottischen Friedens-Monumen-
tes (IV/28, 22* und 369; vgl. III/6, 19; 21; 290;
vgl. ferner III/5, 238; 317; 8, 319).   *St*
ADB 46 (1902), S. 219 f. – WErman und EHorn: Bibliographie der deutschen Universitäten. Bd 2 (1904),
S. 103, Nr 2027 f. – NDB 1 (1953), S. 604.

Barth, Johann Ernst, Buchhändler in *Leipzig, *Grimmaische Gasse Nr. 681*. Briefe und Expeditionen von Goethe an ihn am 24. VIII.
1819 *(III/7, 86)*, am 4. XI. 1819 (III/7, 109);
Goethe erhält 1823 eine Sendung von B.
(III/9, 380).   *St*

Barth, Johann Georg (1793–1852), Bauern-
sohn aus Eichelborn bei Weimar, wuchs bei
seinem Stiefvater JCHeinemann in *Troistedt
bei Weimar auf. 1816 trat er als Nachfolger
JH*Dienemanns in Goethes Dienste und war
hier überwiegend als Kutscher tätig. Am 30. III.
1817 wird er in Goethes *Tgb.* erwähnt: *Wunderbarer Fund von Versteinerungen an der alten
Löbstädter Straße* [bei Jena] *durch Stadelmann
und Barth (III/6, 28)*. Das Konzept eines
Dienstzeugnisses, das Goethe ihm bei seiner
Entlassung am 1. I. 1823 ausstellte, hat sich
erhalten. Darin spricht Goethe ihm seine Zufriedenheit aus und begründet die Entlassung
damit, daß sich *während dem Lauf der Jahre
unzubeseitigende persönliche Mißverhältnisse
unter den Mitdienenden hervorgethan* hätten
(IV/36, 432). B. heiratete 1823 in Weimar die
Tochter Caroline des Ratsziegeleipächters JA
Straßburg und lebte seitdem als Gastwirt,
Bedienter und Händler in Jena, wo er 1837
das Bürgerrecht erwarb und 1852 starb. Bei
seiner 1825 geborenen Tochter Johanna Luise
übernahm Goethe die Patenschaft.   *Hk*

Barth, Johann Matthäus (1691-1757), Stu-
dium: Wittenberg, Jena, Senior des geistlichen
Ministeriums, Assessor des Consistoriums und
Superintendent in Regensburg, verfaßte die
„Physica generalior, oder kurtze Sätze von

denen natürliche Cörpern überhaupt und der
daraus zusammengesetzten Welt" (1724).
In B. s Bericht über Johann Baier, *Professor
Theologiae zu Altorf, findet* Goethe *die
erste Spur . . ., daß ein Deutscher gegen
die Newtonische Lehre einigen Zweifel erregt.
B. war Ein . . . wohldenkender Mann,
der dem Aberglauben entgegen arbeitet, und
sich daher mit Naturlehre abgibt, doch nicht
sowohl selbst versucht, als das was andre geleistet zusammenstellt (II/4, 177)*.   *Sl*

Barth, Karl (1787–1853), Kupferstecher, war
anfangs Goldschmiedelehrling, bildete sich jedoch von 1805 bis 1812 an der Kunstakademie
in Stuttgart und seit 1814 in München aus.
Er schloß sich während seines römischen Aufenthaltes (1817–1821) „ohne Falsch . . . sogar
oft aufrichtig, und wahr bis zur Rücksichtslo-
sigkeit", wie ihn L*Seidler charakterisiert, der
Richtung JF*Overbecks und P*Cornelius' an,
deren Werke er in Kupferstichen kopierte,
die Goethe besaß. Geschult an der damals vorbildlich gewordenen Stecherkunst A*Dürers,
war er später in Freiburg und Frankfurt tätig.
Am 19. XI. 1828 besuchte er, *von Frankfurt a.M.
kommend*, Goethe, *einen Salvator nach Holbein,
von ihm sehr zart gestochen, bringend (III/11,
304)*, ein Blatt, das als eines seiner besten bezeichnet wird; Goethe gab es in seine Sammlung. Auch schriftstellerisch hat sich B. einen
Namen gemacht.   *Lö*
Schuchardt 1, S. 110; 127; 134. – Erinnerungen der
Malerin Luise Seidler. Hrsg. von HUhde. 1922. S.
137. –ThB 2 (1908), S. 545.

Barthélemy, Auguste-Marseille (1796–1867),
französischer, in Marseille geborener und ge-
storbener Dichter, der in engster Gemeinschaft
mit seinem Landsmanne J*Méry arbeitete; daher Goethes Wort von den *Zwillingsdichtern,*
die auch zusammen einen Beitrag – „Le Jardin
des Plantes" – zu „Le *Livre des Cent-et-un"
lieferten (1831: I/41^{II}, 368)*.   *Fu*

Barthélemy, Jean Jacques (1716–1795), gebürtig aus der Provence, Altphilologe, Numismatiker und Orientalist, 1755 bis 1757 in Italien, danach in Paris, wo er alsbald mit den
Vorarbeiten zu seinem Hauptwerk begann:
„Voyage du jeune Anacharsis en Grèce, dans
le milieu du quatrième siècle avant l'ère vul-
gaire" (4 Bde, 1788), das in Form von Reise-
erlebnissen eines Skythen das Privatleben der
Griechen in der Zeit vor *Alexander schildert.
Anacharsis beobachtet die Sitten und Gewohnheiten, nimmt an den Festen teil, unterrichtet sich über die politischen Verhältnisse
und belehrt sich über den Fortschritt des
menschlichen Geistes im Zeitalter des *Platon
und des *Aristoteles. Dieses bedeutende, wis-

senschaftlich sicher überholte, aber in der Zeit der *französischen Revolution viel gelesene und oft aufgelegte Werk entlieh Goethe mehrfach aus der herzoglichen *Bibliothek in Weimar (1800: Keudell Nr 219; 1813? vgl. III/5, 303; 1826 mit dem dazugehörigen Atlas „Recueil de cartes géographiques par Barbié Du Bocage": Keudell Nr 1709; 1827 die deutsche Übersetzung, 2 Bde, 1789/90 erschienen: Keudell Nr 1827), doch ist anzunehmen, daß die Entleihung der gesamten „Oeuvres" B.s (4 Bde und 1 Atlasband, 1821/22), nur der Reise des Anacharsis galt (1825: Keudell 1618), da am 9. IV. 1825 die *Reisen des Anacharsis, bezüglich auf den Peloponnes* von Goethe eingesehen wurden *(III/10, 41).* Außerdem benutzte Goethe den Atlas mehrfach (Keudell Nr 1709; 1760; 2079).   *Lö*

Bartholdy *(Bartoldi: III/5,81),* Jacob Ludwig Salomon (1779–1825), königlich preußischer geheimer Legationsrat und Generalkonsul zu Rom, studierte seit 1796 Rechtswissenschaft in Halle, reiste 1801 nach Paris, wo er sich bis 1803 aufhielt, und anschließend nach Italien und Griechenland. Ergebnis dieser Reise sind die Schriften: „Das heutige Griechenland und die jonische Republik" (1805) und „Das Löwenthor von Mycenä" in: Teutscher Merkur, 1805). B.s „Bruchstücke zur näheren Kenntnis des heutigen Griechenlands, gesammelt auf einer Reise im Jahre 1803–1804. Erster Theil. Mit neun illuminierten Kupfern mit Vignetten und Musikbeilagen" (1805), hatten *drey Blätter Druckfehler und man kann wohl sagen, daß dieser wackre Reisende von der Nachlässigkeit des Correctors mehr gelitten hat, als von allen Türken, Griechen und Arnauten zusammen* (25. XI. 1805 an JF*Cotta: *IV/19, 76).* 1805 kehrte B. nach Deutschland zurück und trat in Dresden zur protestantischen Kirche über. Den österreichischen Kampf gegen *Napoleon machte er als Oberleutnant der Landwehr mit und wurde wegen Tapferkeit vor dem Feinde ausgezeichnet. Mit seiner politischen Broschüre: „Der Kampf der tyroler Landleute im Jahre 1809", die B. 1814 herausgab, trug er zur nationalen Begeisterung der Jugend bei. Von 1813 bis 1815 arbeitet B. bei dem Staatskanzler KA Fürst von *Hardenberg und kommt in dessen Begleitung in den unruhigen Oktobertagen des Jahres 1813 auch nach Weimar. Am 29. X. 1813 besucht er Goethe, bei dem er *Medaillen besehen* kann. Am gleichen Tage macht Goethe *Beym Staatskanzler Visite* und bleibt *Bey demselben zu Tafel (III/5, 81).* Die persönliche Verbindung zu B. ist seitdem abgerissen. Nach

dem *Wiener Kongreß, an dem er teilnahm, ging B. 1815 als Generalkonsul (auch als Berichterstatter der *Heiligen Allianz) nach Rom, wo er als Kunstfreund und Kenner im Verkehr mit BG*Niebuhr und ChrKJFrhr v*Bunsen auf das deutsch-römische Kunstleben Einfluß gewann (*Nazarener). Er ließ sich 1817 ein Zimmer seines Hauses von P*Cornelius, JF*Overbeck, WSchadow und PhVeit mit der Josephsgeschichte ausmalen (seit 1887 in der National-Galerie zu Berlin), wodurch die Freskomalerei in Rom und bald darauf auch in Deutschland wieder aufgenommen wurde. 1819 förderte B. aus Anlaß des Besuches Kaisers Franz I. und seiner Gemahlin Carolina Auguste von *Österreich, in deren Begleitung sich F*Schlegel befand, eine Ausstellung deutscher Maler der spätklassizistischen, vor allem aber der nazarenischen Richtung im Amtssitz Niebuhrs, dem Palazzo Caffarelli. Zeitungsberichte („Morgenblatt", 1819, Nr 62; 76; 100; 107) und die anonyme kritische Besprechung B.s in der „Allgemeinen Zeitung" richteten das Interesse der Öffentlichkeit auf den strengen romantischen Stil, wenn die Urteile auch meist ablehnenden Charakters sind. Goethe schloß sich dieser Ablehnung in den *Zahmen Xenien* an: *Ich gönnt' ihnen gerne Lob und Ehre, | Können's aber nicht von außen haben, | Sie sehen endlich doch ihre Lehre | In Caffarelli begraben (I/5¹, 88;* eine von Goethe geplante Besprechung *Deutscher Künstler Ausstellung in Rom* für *KuA* Bd 2, 2 kam nicht zustande: *I/41¹, 461).* Auch fand Goethe unter denen, *die mit Kaiser Franz in Rom gewesen waren* und die er 1819 in *Karlsbad traf, *keinen . . ., der von der deutschfrommen Ausstellung im Palaste Caffarelli hätte ein Günstiges vermelden mögen (I/36, 149).* Im November 1822 veranstaltete B. aus Anlaß des Besuches König Friedrich Wilhelms III. von *Preußen im eigenen Hause eine Ausstellung preußischer Künstler, die kaum noch Interesse fand.

Nach Wegfall des preußischen Generalkonsulats in Rom (1825) starb B. bald. Er hinterließ eine beträchtliche Sammlung etruskischer Vasen, von Bronzen, Elfenbein, *Majolika, von Gemälden und antiken Gläsern, deren Katalog – *Beschreibung des Museums* von ThPanofka *(III/11, 95;* vgl. *IV/44, 379)* – Goethe am 9. VIII. 1827 durch A*Mendelssohn-Bartholdy erhielt. *Zeichnungen zu dem Bartholdyschen Museum von einem Durchreisenden* lagen Goethe am 14. VIII. 1827 vor *(III/11, 97; IV/43, 17).* Die Bitte Mendelssohns, in *KuA* werbend für den Verkauf der

Sammlung einzutreten, lehnte Goethe allerdings höflich ab, bat aber um Nachricht *von den literarischen Arbeiten des zu früh Hingeschiedenen* ("Der Liebe Luftgewebe", Lustspiel in 2 Aufzügen, in: Melpomene und Thalia, 1809; "Züge aus dem Leben des Cardinals Hercules Consalvi ... Mit dessen Bildniss", 1824). *Derselbige hat, wie ich vernomme, einiges über Kunst geschrieben – selbständige Schriften nicht nachweisbar – und gewiß dadurch seine Einsicht in dieses Fach bethätigt. Auch kann für irgendeine Sammlung nichts ein besseres Zeugniß geben, als wenn sich beweis't, daß der Besitzer selbst Kenner gewesen und mit Geschmack und Sinn die Gelegenheiten genutzt habe, die an Ort und Stelle in einer sonst glücklichen Lage hiebey günstig geworden* (18. VIII. 1827 an AMendelssohn-Bartholdy: *IV/43, 35*). Die Sammlung B.s wurde entgegen Goethes Vermutung geschlossen verkauft und gelangte in das berliner Museum.   *Lö*

Hamberger-Meusel 10 (1829), S. 125. – LvDonop: Die Wandgemälde der Casa Bartholdy. 1889. – FNoack: Das Deutschtum in Rom seit dem Ausgang des Mittelalters. 2 Bde. 1927.

Bartholinus *(Bartholin)*, Thomas dJ (1659 bis 1690), Sohn des berühmten kopenhagener Anatomen gleichen Namens, war Professor für Geschichte und Rechtswissenschaft in Kopenhagen, königlicher Archivar und Antiquar. Aus seinen historischen Quellenstudien erwuchs sein Werk "Antiquitatum Danicorum, de causis contemptae a Danis adhuc gentilibus mortis libri tres, ex vetustis codicibus et monumentis hactenus ineditis congesti", das 1689 herauskam. Goethe, der den Verfasser vielleicht schon aus dem Buch "De tibilis veterum" (1679) kannte, da dies in der *Bibliothek seines Vaters stand, notierte sich in bezeichnender Umbildung *(de contemtu mortis apud vet.: I/37, 108)* den Titel der "Antiquitatum Danicorum" in seine *Ephemerides. Lö*

FGötting: Die Bibliothek von Goethes Vater. In: Nassauische Geschichtsblätter 64 (1953), S. 42.

Bartholomä, Johann Heinrich Nikolaus (gest. 1806), Sohn des herzoglichen Hofbrauers Johann Michael B. in Weimar, 1802 *Amtsschreiber (IV/16, 155)*, 1804 *Rentamtsadministrator (IV/17, 319)* in Jena, hatte 1802 in Angelegenheiten der Immediat-Commission für den *botanischen Garten in Jena mit Goethe als deren Mitglied zu tun, als die zweite Kasse des botanischen Instituts nach dem Tode des AJGC *Batsch ihm übergeben werden sollte (IV/16, 155). 1803, als sich die *über die herzoglichen Bibliotheken zu führende Oberaufsicht auch über die Museen ... erstrecken* sollte, schlug Goethe B. als Kassenleiter vor, *dem man sowohl den Vorrath als das Michaelisquartal zu Kasse ge-*

ben könnte (7. XI. 1803 an ChrG*Voigt: *IV/16, 340*). Weitere Geschäftsvorfälle sind am 7. VIII. 1804 (IV/17, 185) und im Juni 1805 – Regelung der *einigermaßen aus dem Gleise geruckten Angelegenheit* bei der Neuverpachtung des unteren Teils des *Fürstengartens zu Jena an HKA*Eichstädt *(IV/19, 22)* – bezeugt. Obgleich sicher mehrfache Begegnungen anzunehmen sind, notiert Goethe nur am 18. V. und 10. VIII. 1806 Besprechungen mit B. in Jena (III/3, 128; 157). Am 13. X. 1806 starb B. "an einem Stiche in die Brust, den ihm ein Franzose beigebracht hatte".   *Ko*

Bartholomäi, 1) Wilhelm Ernst, gest. am 21. V. 1753 in Weimar, Sohn des herzoglich-weimarischen Kirchen-Visitationsrates, Oberpfarrers und Superintendenten in *Ilmenau, Bruder des JChrB. (2), war in Weimar als Konsistorial-Assessor und Hofprediger Lehrer des Erbprinzen August Constantin. Er erhielt 1743 zusammen mit Hofrat JFWagner die Oberaufsicht über die weimarer *Bibliothek, die nach dem Tode Foecklers (1743) versiegelt war. 1750 wurde ihm sein Bruder JChrB. beigegeben und dadurch eine neue Entwicklung der Bibliothek eingeleitet. Da B. durch sein Amt in der Kirchenverwaltung stark belastet und zudem kränklich war, konnte er sich der Bibliothek kaum widmen.

–, 2) Johann Christian (geb. 26. II. 1708 in Ilmenau, gest. 1. II. 1778), studierte in Jena Theologie und Humaniora. 1750 wurde er, nachdem er lange in Weimar privatisiert hatte, dort Bibliothekar und nach dem Tode WEB.s (1) Leiter der Bibliothek. Da er sich nicht durch andere Geschäfte abziehen ließ und sich nur der Bibliothek zur Verfügung stellte, war seine Tätigkeit überaus segensreich. Er legte einen Nominalkatalog in 37 Bänden und einen Realkatalog in 66 Bänden an und erschloß damit als erster den ganzen Reichtum der Bibliothek.   *St*

KGräbner: Die Großherzogliche Haupt- und Residenzstadt Weimar nach ihrer Geschichte und ihren gegenwärtigen Verhältnissen dargestellt. Ein Handbuch für Einheimische und Fremde. 1830. S. 114. – HBlumenthal: Älteste Verwaltungsgeschichte der Landesbibliothek Weimar (1691–1750). In: Aus der Geschichte der Landesbibliothek zu Weimar und ihrer Sammlungen. Festschrift. 1941. S. 50 f. – WDeetjen: Die Weimarische Bibliothek unter Ernst August und Ernst August Constantin. Ebda S. 87 bis 101. – EPaunel: Goethe als Bibliothekar. In: Zentralblatt für Bibliothekswesen 63 (1949), S. 238.

–, 3) Karl Friedrich Wilhelm (seit 1830: Kühne; 1790–1857), Sohn des weimarer Postverwalters JGB., wohl nur sehr weitläufiger Verwandter von 1) oder 2), Schulfreund August v*Goethes, in dessen Begleitung er am 14. XII. 1807 Goethe in Jena besuchte (III/3, 307). B.

studierte Jurisprudenz, promovierte zum Dr. jur. und erhielt 1813 die Genehmigung zur Ausübung der advokatorischen Praxis in Weimar; 1816 war er Hofadvokat. Im Jahr zuvor hatte er sich mit Antoinette Kühne verheiratet, der einzigen Tochter des wohlhabenden sachsenweimarischen Hofrats CJM*Kühne und Erbin des ehemals wielandschen Guts in *Oßmannstedt. Goethe schätzte B. als einen *ehrenhaften, wohldenkenden Mann (IV/35, 96)* und nannte ihn einmal einen *unserer vorzüglichsten Sachwalter von besonderer Thätigkeit (IV/34, 371)*. Auf Bitten von Angehörigen der Familie *Brentano verhandelte er mit ihm 1821 über eine würdige Neugestaltung und Erhaltung der vernachlässigten wielandschen Begräbnisstätte im Gutsgarten von Oßmannstedt, auf der auch Sophie Brentano begraben lag (III/8, 22 und 38; IV/34, 147, 192 und 370–372; 35, 95 f.). B., der 1822 selbst Eigentümer des Gutes Oßmannstedt wurde und 1823 das Amt eines Landrats übernahm, nannte sich seit 1830 Kühne, nachdem er bereits in früheren Jahren diesen Namen seiner Frau seinem eignen hinzugefügt hatte. Er war später Geheimer Landesdirektionsrat, Geheimer Regierungsrat und Mitglied der Generalkommission für die Ablösung grundherrlicher Rechte in Weimar. *Hk*

Bartholomäusnacht, die Bluthochzeit von *Paris: Im Anschluß an die Vermählung des damals noch protestantischen Heinrich von Navarra, des späteren Königs Heinrich IV., mit Margarete von Valois wurden auf Betreiben der Königin-Mutter Katharina von *Medici in der Nacht zum 24. VIII. 1572 rund 2000 Hugenotten *Frankreichs hingemordet, an der Spitze ihr Führer Graf Gaspard de Coligny (1519–1572). Dieses Gemetzel geschah, mit ausgelöst durch ein mißglücktes Attentat auf Coligny (22. VIII.), obwohl zwei Jahre zuvor in Saint-Germain-en-Laye (8. VIII. 1570) der Religionsfriede erneut bestätigt worden war – und setzte sich in den Provinzen fort. Goethe fand im März 1819 in Jena einen ,,herrlichen Schatz alter Brochuren aus dem sechzehnten Jahrhundert . . ., die von der Bluthochzeit und mehreren interessanten Begebenheiten aus früherer Zeit handelten und mit den allerwunderlichsten Holzschnitten verziert waren" (Bdm. 2, 432). Die B. ist für Goethe das Beispiel für *ein Blutbad, das eine Partei an der andern ausübt, um sie schneller aus dem Wege zu räumen* (1816: *I/34¹, 169*). In scharfer Gegenüberstellung zu der *Feier der Vernunft* (zu der Goethe seit 1824 sonst auch die *wohltätigen Folgen* der großen

*französischen Revolution zu rechnen geneigt ist: *Bdm. 3, 61*) ist die B. aber einer der Gründe, die ihn 1830 in einem Gespräch mit AE*Kozmian zu der unmutigen Äußerung führen: *Die französische Nation ist die Nation der Extreme; sie kennt in nichts Maß. Mit gewaltiger moralischer und physischer Kraft ausgestattet, könnte das französische Volk die Welt heben, wenn es den Zentralpunkt zu finden vermöchte, es scheint aber nicht zu wissen, daß, wenn man große Lasten heben will, man ihre Mitte auffinden muß (Bdm. 4, 270)*. Goethe ahnte noch nicht, zu welchen terroristischen Exzessen die europäischen Nationen, vorab die eigene, im ,,Jahrhundert des Kindes" würden herhalten müssen.   *JP*

Bartoli, Pietro Santi (1635–1700), Maler und Kupferstecher, Schüler Lemaires und N*Poussins, ,,Hauptvertreter der archäologischen Richtung des römischen Kupferstichs" (Kristeller), war Antiquar des Papstes und der Königin Christine von *Schweden und schuf vor allem Stiche nach den antiken Reliefs der Marc-Aurel- und der Trajanssäule und von Sarkophagen, auch nach *Raffaels Sockelbildern aus den Loggien des Vatikan und den Fensterlaibungen der Stanzen, sowie nach dem Fries im Pal. del Te in Mantua, den F*Primaticchio nach einer Erfindung des *Giulio Romano geschaffen hatte; diese 26 Blätter umfassende Folge besaß Goethe. Mit P*Bellori zusammen gab B. ein Werk der in Rom noch vorhandenen antiken Reliefs heraus, das um 1690 unter dem Titel ,,Admiranda Romanarum antiquitatum ac veteris sculpturae vestigia anaglyphico opere elaborata ex marmoreis exemplaribus quae Romae adhuc extant . . . A Petro Sancti Bartolo delineata . . . Notis Jo. Petri Bellorii illustrata" in Rom erschien: *Diese Bücher- und Blättersammlungen . . . vergegenwärtigen jene frühere Zeit, wo das Alterthum mit Ernst und Scheu betrachtet und die Überbleibsel in tüchtigem Charakter ausgedrückt wurden (I/32, 146)*. Jv*Sandrart gab 1690 mit dem falschen Datum 1642 eine deutsche Ausgabe: ,,Uebrig gebliebene Merkzeichen von den römischen Antiquitäten und Bild-Haur-Kunst der Alten in Basso relievo . . . abgedichtet von P. S. Bartolo, erkl. von Petro Bellorio", auf die Goethe schon in seiner Besprechung von Sandrarts ,,Teutscher Academie" in den ,,*Frankfurter Gelehrten Anzeigen" 1772 hingewiesen hatte (I/38, 381) und die er 1827, als der Bildhauer CW*Beuth ihm einige Werke gesandt hatte, entlieh und zum Vergleich heranzog (IV/43, 145); die lateinische Ausgabe erhielt Goethe 1828 von der Buchhandlung *Weigel

III/11, 210). Ein Werk, das der Comte de*Caylus 1783 in Paris herausgab, beruht ebenfalls auf Zeichnungen B.s und erschien unter dem Titel ,,Recueil de peintures antiques trouvées à Rome, imitées fidèlement" mit Erläuterungen von PJMariette und JJ*Barthélemy. Goethe notierte es sich auf seiner Heimreise von *Italien 1788 im Anschluß an die Besichtigung des Baptisteriums zu *Parma (I/32, 460).   *Lö*
Schuchard 1, S. 221. – Keudell Nr 1880. – PKristeller: Kupferstich und Holzschnitt in vier Jahrhunderten. 1922. S. 413.

Bartoli, 1) Taddeo di (1362/63–1422), Maler, Schüler des Bartolo di Fredi, tätig überwiegend in Siena und Pisa, malte 1397 die Fresken in S. Francesco (Capella Sardi) zu Pisa. H*Meyer behandelte B. in seinen 1797 in *Stäfa abgehaltenen Vorlesungen zur florentinischen Kunst, denen Goethe beiwohnte (I/34^{II}, 115; vgl. III/3, 187). Bei den gleichzeitig aufgenommenen *Vasari-Studien notierte sich Goethe aus der 1791 erschienenen Ausgabe der Viten Vasaris (Bd 2, S. 343–349) von den dort genannten Werken B.s einen ,,Tempelgang Mariä" in der Verkündigungskapelle des Domes zu Pisa (zerstört) und von den Fresken im Campo Santo in Pisa eine ,,Marienkrönung" über der Capella Aulla – in der Ausgabe von 1791 steht vollständig: *sopra la cappella una Nostra Donna* incoronata da Gesù Cristo con molti Angeli – ein Werk des Pietro da Puccio (von Orvieto) aus dem Ende des 14. Jahrhunderts *(I/34^{II}, 209).*

–, 2) Domenico di, eig. Domenico di B. Ghezzi (1400–1444), *besserer Mahler* – in der Ausgabe von 1791, S. 348: ,,. . . dipinse con maggiore e migliore pratica" – war nicht, wie Vasari angibt, ein Neffe des Taddeo di B., sondern nur sein Schüler, tätig in Siena, malte das inzwischen verschollene Hochaltarbild in S. Trinità in *Florenz mit einer ,,Verkündigung Mariä" *(I/34^{II}, 209).*   *Lö*
GVasari: Die Lebensbeschreibungen der berühmtesten Architekten, Bildhauer und Maler, deutsch von AGottschewski und GGronau Bd 1, 2 (1916), S. 197; 199. – ThB 32 (1938), S. 395–397; 13 (1920), S. 535 bis 537 (Ghezzi). – RvanMarle: The Development of the Italian Schools of Painting. Bd 2 (1924), S. 544 bis 569. – ROertel: Die Frühzeit der italienischen Malerei. 1953. S. 162.

Bartolommeo, Fra B. di S. Marco, gen. Baccio della Porta, eig. B. di Paolo del Fattorino (1472–1517), Maler, tätig in Florenz und Venedig, meist in Werkstattgemeinschaft mit Mariotto Albertinelli. Veranlaßt durch *Savonarolas Bußpredigten verbrannte er 1496/97 seine Bilder nichtreligiösen Inhalts; 1500 wurde er Novize am Dominikanerkloster zu Prato. Erst nach 1508 wieder künstlerisch tätig, überwindet B. die quattrocentistische Flächenkomposition zugunsten der renaissancehaften Raumkomposi ion und bereitet mit seinem architektonisch strengen Bildaufbau und der bewußten Gl ederung des Figurenensembles die Hochrenaissance vor, gerät jedoch am Ende seines Schaffens selbst unter den Einfluß *Raffaels und *Michelangelos. Von besonderer Bedeutung ist B. als Zeichner, der sich vorwiegend der Kompositionsskizze widmete; zwei Bände seiner *Handzeichnungen, untermischt mit solchen seiner Schule, befanden sich in Weimar. Obgleich Goethe auf seiner italienischen Reise Werke B.s nicht gesehen zu haben scheint, schrieb ihm H*Meyer schon am 22. VII. 1788 ausführlich über die ,,Himmelfahrt Mariä" (1507/08; Berlin, Kaiser-Friedrich-Museum): ,,Das Stille und Friedliche des Bildes müßt' Ihnen gefallen haben und vor allem die große Einfalt der Zusammensetzung", aber auch ,,die helle Mahlerey voll Wahrheit und Natur". Ebenso berichtete ihm *Bury am 2. IX. 1790 von einer ,,farbigen Zeichnung", die er nach einer ,,Darstellung Christi" des ,,Frate" gemacht habe (Weimar, Goethe-Museum), was Goethes Vertrautheit mit diesem Namen voraussetzt. Von dem gleichen 1516 entstandenen Gemälde (Wien, Hofmuseum) fertigte F*Jagemann eine *Copie* an, *sein erstes großes Bild in Öl, . . . an welchem wir uns noch erfreuen (I/36, 356).* 1825 beschäftigte sich Goethe noch einmal mit B. inbezug auf die *Nachahmung der Neugriechischen. Florentinische Schule* (12. VI.: *III/10, 67*), wohl in Verbindung mit dem Stich von A*Rahl nach der genannten ,,Darstellung im Tempel", von der Meyer in *Kunst und Alterthum* (Bd 5, 2, S. 69) wieder die ,,edle Simplizität der Komposition" hervorhebt.   *Lö*
BrMeyer 1, S. 2. – OHarnack: Zur Nachgeschichte der italienischen Reise. In: SGGes 5, S. 208. – ThB 2 (1908), S. 561–566. – HvdGabelentz: Fra Bartolommeo und die florentiner Renaissance. 2 Bde. 1922.

Bartolus de Saxoferrato (1314–1357), Professor der Rechte in Padua, Pisa, Perugia, seinerzeit erster Rechtslehrer Italiens, noch heute in den Begriffs-Fundamenten des internationalen Privatrechtes wirksam. Goethe notiert am 25. IX. 1786 in *Vicenza: *auf der Bibliotheck, die Büste des berühmten Juristen Bartolius zu sehen, die aus Marmor gearbeitet oben steht. Es ist ein festes, freyes wackres, schönes Gesicht von trefflicher Bildung und freut mich auch diese Gestalt in der Seele zu besitzen (III/1, 228).* Diese Notiz fehlt in der Buchform der *IR.* Goethe hatte sich geirrt. Die Büste war rd 300 Jahre jünger als B. und stellte Giovanni Maria Bertolo dar, ,,consultore legale della Repubblica veneta del sec. XVII, qui ricordato perché donò a Vicenza la sua ricca libreria che costituì il primo nucleo di questa biblioteca, la quale fu per questo intitolata Bertoliana".   *Fr*

RSohm: Institutionen, Geschichte und System des römischen Privatrechts. ¹³1908. – Biblioteca Civica Bertoliana Vicenza. Briefl. v. 11. III. 1958.

Bartsch, Johann Adam Bernhard Ritter von (1757–1821), Kupferstecher, Schüler der wiener Kupferstecherschule, Schreiber an der kaiserlichen Hofbibliothek in Wien, 1816 Kustos an der Kupferstichsammlung dortselbst, veröffentlichte seit 1794 kritisch-beschreibende Kataloge (,,Catalogues raisonnées") bedeutender Meister der Graphik und gab seit 1803 bis zu seinem Tode sein Hauptwerk ,,Le Peintre Graveur" in 22 Bänden heraus und begründete damit die moderne Kupferstichwissenschaft, die noch heute auf seinen Verzeichnissen aufbaut. Er schrieb eine Anleitung zur Kupferstichkunde. – Seine *Kupferstiche haben nur selten eigene Erfindungen zum Vorwurf, meist sind es Nachbildungen von *Handzeichnungen verschiedener Meister, so auch nach A*Dürer, von denen Goethe einen 1786 entstandenen Stich nach einem ,,Sündenfall" besaß. Goethe, der B. am 23. XI. 1817 empfing (III/6, 138), studierte seit 1813 die aus der *Bibliothek entliehenen Bände B.s häufig, so im Zusammenhang mit seinem Aufsatz über die *niederländische Malerei in *Kunst und Alterthum* (1816, Bd 1, 1; vgl. I/34ᴵ, 189) auch den Katolog der Stiche des *Lucas van Leyden, wozu er sich die in einer gesonderten Foliokapsel verwahrten Kopien nach seltenen Stichen verschiedener Meister kommen ließ. Goethe begutachtete eingehende Sendungen anhand der Ausgabe B.s (I/36, 146) und verglich die *Mantegna-Stiche mit den Nachweisungen bei B. (I/36, 165; vgl. I/49ᴵ, 270). *Kräuter mußte ihm einige Bände sogar nach Jena bringen (IV/32, 35), und mehrfach wurde B.s Werk für die Auslegung des Gemäldes der Diana *Ghisi nach *Giulio Romano benutzt (III/7, 113), worauf er CF Graf v*Reinhard (IV/40, 201) und CF*Zelter – wohl versehentlich zweimal (IV/40, 220 und 258) – brieflich aufmerksam machte. Für die Ordnung der großherzoglichen Kupferstichsammlung (IV/44, 75) wie für Goethes eigenes Kabinett (III/7, 259) war das Werk B.s ebenfalls unentbehrlich.   *Lö*

Keudell S. 360 (Register). – Schuchardt 1, S. 120. – JGMeusel: Das gelehrte Teutschland im 19. Jahrhundert 5 (1811), S. 86. – ThB 2 (1908), S. 583.

Bartshausen, das Dörfchen bei *Einbeck, hat Goethe auf der Reise nach *Pyrmont zweimal durchfahren, auf dem Hinwege am 13. VI. und

zurück am 18. VII. 1801 (III/3, 21; 27; vgl. RV S. 38).   *Za*

Barwies *(Parwis),* tiroler Dorf und Poststation am Südhang des mieminger Bergzuges über dem *Inntal durchfuhr Goethe 1790 auf dem Hin- (20. III.) wie auf dem Rückwege (Anfang Juni) der zweiten Italienreise (*III/2, 3*; IV/9, 209; vgl. RV S. 28 f.).   *Za*

Bary, Hendrick (um oder vor 1640–1707), Kupferstecher, tätig in Gouda/Holland, ist der Stecher des Blattes mit dem vom Rücken gesehenen Bauern, das sich in Goethes Kunstsammlung befand.   *Lö*

Schuchardt 1, S. 147.

Basaiti, Marco (gest. nach 1521), Maler, dessen griechische Herkunft umstritten ist, Schüler des A*Vivarini, später mehr sich der Form G*Bellinis nähernd, war von 1490 bis 1521 in *Venedig tätig. Das von Goethe am 22. IV. 1790 mit der großherzoglichen Reisegesellschaft in Venedig auf der Rückkehr vom Lido in der Certosa der Augustiner gesehene Altargemälde – gemeint ist die ,,Berufung des Ja obus und Johannes" in S. Andrea della Certosa – befindet sich jetzt in der Akademie zu Venedig (III/2,19).   *Lö*

Rvan Marle: The Development of the Italian Schools of Painting. Bd 17 (1935), S. 482–515 (Abb.).

Basalt ist ein dichtes, dunkles Ergußgestein, dessen kristalline Struktur erst unter der Auflösung im Mikroskop deutlich wird; er enthält oft größere mineralische Einschlüsse. Sehr kennzeichnend sind die häufig vorhandenen säuligen Absonderungsformen. B. ist als vulkanisches Förderprodukt in Deutschland weit verbreitet und bildet oft weit ausgedehnte horizontale Decken, die sich zwischen die sedimentären Gesteine einschalten, ihrer Lagerung nach also den Sedimentgesteinen zu entsprechen scheinen.

Der B. war im Zeitalter Goethes ein viel umstrittener und viel diskutierter Gegenstand. Er wurde auf der einen Seite, vor allem in der französischen und englischen *Geologie, dann auch später ähnlich durch Lv*Buch, unseren heutigen Vorstellungen entsprechend als vulkanisches Förderprodukt (*Vulkanismus), als dicht erstarrte *Lava gedeutet; auf der anderen Seite wurde auf die Ähnlichkeit des Gesteins mit dem älteren ,,Flöztrapp" hingewiesen, einem dem B. petrographisch nahe verwandten Eruptivgestein, das aber, in die Schichtfolge des Übergangsgebirges eingeschaltet, allgemein als aus dem Meer abgeschiedenes Gestein aufgefaßt wurde. Weiterhin berief man sich auf die Einschaltung der horizontalen B.decken in die Flöz-Schichtfolge, auf das Fehlen von Kratern usf., die eine vulkanische Deutung auszuschließen schienen. Deshalb wurde der B. als Ausscheidung aus dem Meere erklärt (neptunistische Deutung, die vor allem von AG *Werner in seinem Lehrgebäude des *Neptunismus eifrig verfochten wurde). Dadurch wurde die Theorie von der Entstehung des B.s in der Tat zu dem maßgebenden Kriterium für die Entscheidung zwischen den beiden die Zeit beherrschenden Lehrmeinungen.

So spielte verständlicherweise auch für Goethe die B.frage eine wesentliche Rolle (vgl. die vielfachen Beobachtungen von B.-Vorkommen auf seinen Reisen zB. ins *Fichtelgebirge und nach *Böhmen: NS 1, 102; 109; 286 f.; 323; 369; 377; NS 2, 3; 28 f.; 136; 138 f.; 141; 185; 212 f.; 283; durch *Sachsen [III/5, 67]; in Oberdeutschland: NS 1, 256; 267 und nach *Italien: NS 1, 128 f.; 195). So schlug er in *Catania aus dem alten Lavastrom im Hinblick auf den Streit um die Vulkanität der B.e *ein unbezweifeltes Stück des Geschmolzenen herunter (NS 1, 158)*. Auf der Reise nach *Schlesien fand er: die *Basalte von Stolpen sind die regelmäßigsten, weniger regelmäßige Säulen (III/2, 21; NS 1, 192)*. 1801 besuchte er *die Basaltbrüche von Dransfeld, deren problematische Erscheinung schon damals die Naturforscher beunruhigte (I/35, 112;* vgl. *NS 1, 275)*. Bei *Karlsbad besuchte er *die auf dem Granit aufsitzenden Basalte (NS 1, 291)*. Er schilderte die typischen Absonderungsformen des B.s an der *Kobes-Mühle und auf dem *Hornberg bei Karlsbad (NS 2, 125–127; 95; 151) und machte sich zahlreiche Auszüge aus den Veröffentlichungen anderer Autoren (zB. KW*Nose: NS 2, 163–171; S*Breislak: NS 2, 297–306; J*Nöggerath: NS 2, 259–267; vgl. auch Goethes Betrachtungen: NS 1, 312; 343; 346; 353; 373; 375; NS 2, 35 f.; 101 f.; 259; 330 und die Vorbereitungen zur 2. italienischen Reise: NS 1, 242 f.; 246; 248). Eigenartigerweise legte er auf die so typische säulenförmige Absonderung, die er im Rahmen seiner Vorstellungen über Gesteinskristallisation für die neptunistische Entstehung des B.s leicht hätte heranziehen können, in diesem Zusammenhang nur geringen Wert. Wenn Goethe, zunächst mehr dem Vulkanismus zuneigend, auch eine vulkanische Entstehung des B.s nicht so unbedingt ausschloß, versuchte er einmal einen Mittelweg zu gehen, indem er den B. als Abscheidung des siedend gewordenen Urmeers auffaßte *(Vergleichs-Vorschläge die Vulkanier und Neptunier über die Entstehung des Basalts zu vereinigen: NS 1, 189–191)*, eine Idee, auf die er allerdings nie mehr zurückkam.

Die Lagerungsverhältnisse der B.decken, das Fehlen nachweisbarer Krater bei diesen, dann vor allem seine Vorstellungen über die flache Lage der vulkanischen Herde, wonach die vulkanischen Produkte nicht aus der Tiefe gefördert, sondern durch die vulkanische Hitze veränderte Gesteine waren, ließen ihn schließlich bei der neptunistischen Deutung des B.s verharren, der, wie er zB. am *Kammerbühl annahm, durch die vulkanische Hitze zu Lava umgewandelt erschien: *wie sollten Basalte vulkanisch an allen Orten und Enden völlig gleichartig entsprungen sein, da das unterirdische Feuer verschiedenartige Grundlagen zu verkochen hatte (NS 2, 166)*. Das gelegentliche *pyrotypische Aussehen des Basaltes* ist kein Beweis; denn es könnte *manches basaltische Gestein, im großen und lagerweise ursprünglich feinklüftig, rissig oder löchrig gebildet worden sein (NS 2, 169)*. Goethe mußte schon zu seinen Lebzeiten erfahren, daß die neptunistische Auffassung von der Bildung des B.s allgemein aufgegeben wurde und gegen eine vulkanische Deutung stichhaltige Gründe nicht mehr beigebracht werden konnten. Wenn er also auch hier wie in der Frage des Vulkanismus sich resignierend zu bescheiden hatte, so gilt, was er in einem anderen ähnlichen Zusammenhang sagte: *es ist nicht das erste Mal . . ., daß ich das, was andern denkbar ist, unmöglich in meine Denk- und Fassungskraft aufzunehmen vermag (NS 2,394)*. Die geologische Vorstellung, die Goethe entwickelt hatte, war ein in sich geschlossenes System, aus dem nicht ein Einzelstück beliebig herausgenommen werden konnte, ohne daß das gesamte System von Grund auf neu zu bessern gewesen wäre. Goethe hätte einen solchen Neubau zweifellos versucht, wenn er zu der Zeit, da die vulkanische Deutung des B.s und sich endgültig klärte, jünger gewesen wäre. Wie seine wechselnde, eine befriedigende Lösung suchende Stellung zur Frage des Vulkanismus zeigt, war er keineswegs so starr dogmatisch wie etwa Werner. 1823 sagt er noch anläßlich der Beschäftigung mit Av *Humboldt: *Das fleißigste Studium dieser wenigen Blätter . . . soll mich fördern, wenn ich versuche, zu denken wie ein solcher Mann . . . Gelingt es, dann wird es mir nicht zur Beschämung, vielmehr zur Ehre gereichen, mein Absagen der alten, mein Annehmen der neuen Lehre in die Hände eines so trefflichen Mannes und geprüften Freundes niederzulegen (NS 2, 295f.)*. Immer kam es ihm auf ein der unmittelbaren Anschauung gemäßes Bild, nicht auf die spezielle Lehrmeinung an; allerdings verlangte er von diesem, daß es in all seinen Teilen einen geordneten Zusammenhang, eine sinnvolle Deutung des Ganzen vermittele. Die damaligen Vulkanismuslehren vermochten das nicht; der mehr als 70jährige Goethe aber konnte an eine solche Aufgabe nicht mehr gehen. So beschied er sich und hielt sich an die früher von ihm gebildeten Vorstellungen, die ihm wenigstens einen sinnvollen Zusammenhang vermittelten.   *Bn*

Symbolisch verkörpert der B. den Vulkanismus im ganzen, dessen volle Bedeutung hier nur umrissen werden kann. Neptunismus und Vulkanismus versteht Goethe einerseits als *Wasser- und Feuerglauben (NS 2, 298)*, die mit allen anderen, ebenfalls gegensätzlich gespannten Weisen menschlichen Erlebens, Wirkens und Seins (zB. in weiteren Bereichen der Naturforschung, in der *bildenden Kunst, *Religion und *Politik) korrespondieren und auf sie hindeuten. Andererseits aber versteht Goethe Neptunismus und Vulkanismus als Naturkräfte selbst, die wiederum mit allen anderen physisch-metaphysischen Gegensatzmächten übereinstimmen. In beiden Formen verkörpert sich auch hier ein *unbedingtes, humoristisches, sich selbst widersprechendes Wesen der Welt (II/11, 10 f.)*.

Die eigenartige Ambivalenz, die Goethe dem Neptunismus und Vulkanismus, damit auch dem *Granit und dem B. verleiht, gründet auf der geheimnisvollen *Analogie von Außen und Innen, Natur und Menschengeist. Die *ruhige Ansicht des Neptunisten (I/36, 156)* erfaßt und bestärkt das *ruhige und langsame* Wirken der Gott-Natur *(NS 2, 145)*, während der Vulkanist, *wild wie das Element das ihn beherrscht (I/15^{II}, 207)*, die satanisch-chaotische Gegenkraft ebenfalls nicht nur sieht, sondern auch steigert oder *Tumult, Gewalt und Unsinn (Faust II: I/15^I, 248: V. 10127)* gar erst einführt. So gewinnen die beiden geologischen Theorien wie alle wissenschaftlichen Überzeugungen für Goethe hohe ethisch-religiöse Wirkung. Nicht in erkenntnismäßigem Starrsinn, sondern in dem anhaltenden Bewußtsein jener sittlich-metaphysischen Funktion wurzelt Goethes Haltung in diesem geologischen Streit.

Aus der kosmischen Geltungsweite und -tiefe, die Neptunismus und Vulkanismus für Goethe besitzen, erwächst die umfassende *Symbolik von Granit und B. Sie stehen als reale und zugleich *hochbegeistigte (Bdm. 4, 446 f.)* Manifestationen der „Ursprünglichkeit" und „Verfremdung" (WEmrich) gegeneinander. Auch sie gelten in Natur und Menschengeist zugleich. Der Granit wird nicht nur nach

vulkanistisch-rebellierender Meinung, sondern auch in tatsächlicher Revolution durch den B. *abgesetzt . . . Wie man die Könige verletzt (I/3, 358)*. Amerika aber hat *keine Basalte*, und kein *vergeblicher Streit* mit den Vulkanisten, noch die vulkanische Naturkraft selbst erschüttern es *(I/5^I, 137;* NS 2, 132; 250).

Der Granit, dessen Bestandteile eine *trinitarische Einheit* bilden *(NS 2, 61 f.;* vgl. Bdm. 1, 84), repräsentiert die uranfänglich und dauerhaft gegründete, *edel-stumm (Faust II: I/15^I, 247 V. 10095)* heranwachsende Gott-Natur. Der *schwarze Teufels-Mohr* B. aber bricht scheinbar oder tatsächlich *Aus tiefster Hölle* hervor: *Mir sind sie alle gleich verhaßt, | Neue Götter und Götzen (I/3, 358 f.) – Des Chaos wunderlicher Sohn . . . Mephisto (Faust I: I/14, 69 V. 1384)* trägt dann auch die vulkanistische Lehre vor *(Faust II: I/15^I, 246 f. V. 10075–10094)*.

Der Granit ist *Anfang*, der B. *Ende (NS 2, 194), Omega (I/3, 358),* spätestes Naturerzeugnis *(NS 2, 164)*. So ist er des *menschlichen Herzens*, des *jüngsten, mannigfaltigsten, beweglichsten, veränderlichsten, erschütterlichsten Teiles der Schöpfung* geheimnisvolle Entsprechung *(NS 1, 58;* vgl. AGilg). Dem Granit, der Wesen und Schicksal mit den *Königen* teilt, steht der B., die *so subalterne Gebirgsart (NS 2, 299)*, als rebellierender Pöbel entgegen. Er ist häßlich mohrenschwarz und in sich amorph (die äußere, meist säulenförmige Bildung wägt Goethe auch hier kaum). Der Vulkanismus als Lehre und Naturkraft will dieses *Omega . . . zum Alpha* erheben und, wie jede Revolution, die Welt *auf den Kopf* stellen *(I/3, 358),* das *Oberste zuunterst (NS 2, 358), Das Unterste in's Oberste . . . kehren (Faust II: I/15^I, 247 V. 10090)*.

Aus der Alten Welt, *wo nichts mehr auf festem Fuße zu stehen scheint (NS 2, 250)*, richtet sich Goethes Blick auf das Wunschbild *Amerika*, das kein *unnützes Erinnern (I/5^I, 137)* und *keinen klassischen Boden (NS 2, 132)*, aber auch keinen *vergeblichen Streit* auf einem b.-isch-*untreuen Boden (NS 1, 60)* kennt und so die Neue, zugleich wahrhaft alte, ursprüngliche Welt zu sein verheißt.

Und doch deutet sich auch in der geologischen Symbolik die goethesche Zusammenschau der kosmischen Gegenkräfte an. *Basalt . . . auf dem Granit* findet er gelegentlich als Naturbildung (zB. *NS 1, 369),* und die gleiche Formation verleiht er in den *Wanderjahren* dem *Riesenschloß,* das abermals in bezeichnender Kongruenz als Natur- und Menschenwerk zugleich erscheint *(I/24, 59;* dazu 25^{II}, 16 und *217)*.

Die Nachbarschaft zum Granit versteht Goethe nicht mehr mit AWerner als Beleg für die Ursprünglichkeit auch des B.s (vgl. NS 2,164). Er weiß um die tiefe Antinomie der weltprägenden Mächte und weltspiegelnden Meinungen, die es als Polaritäten, als Dauer und Wechsel, Systole und Diastole, Kosmos und Chaos, Gott und Satan zusammenzuschauen gilt: *Basalt auf . . . Granit.* Von diesem polaren Uranfänglichen ist *uranfänglich . ., d.h. dichterisch* zu sprechen *(NS 2, 356).* So geht auch das B.-Symbol bedeutsam und aus innerer Notwendigkeit in Goethes dichterisches Werk ein.   *Bh*

WEmrich: Die Symbolik von Faust II. 1943. S. 314 bis 321, 340 f., 445–49. – AGilg: Wilhelm Meisters Wanderjahre und ihre Symbole. 1954. S. 35 f. und 71.

Basch, 1) Siegmund (1700–1771), Dr. theol., 1756 aus Hildburghausen nach Weimar berufen und dort als Oberhofprediger, Generalsuperintendent und Ephorus der eigentliche Amtsvorgänger J G*Herders, dürfte Goethe in dieser Eigenschaft, vornehmlich aber als spätpietistischer, in Weimar beliebter Kirchenlieddichter (zB. Lied beim *Aderlaß: ,,Jesu, Jehova, dein Blut ist geflossen'', ferner: ,,Immanuel, mein Bräutigam'', ,,Komm himmlisches Lämmlein'', ,,Wie wohl ist mir, mein Freund der Seelen'') durch den Sinn gegangen sein, freilich ohne Spuren zu hinterlassen. B.s Wirksamkeit für das Gymnasium in Weimar ist wohl seine positivste Leistung. Seine Witwe –, 2) Anna Gertraude, geb. Krause (gest. 1769), Frau des Vorgenannten, ist die Mutter des –, 3) Erdmann Siegmund (17. III. 1738–12. V. 1773), Diakon an der Stadt- und Pfarrkirche zuWeimar; dieser heiratete 1769 in zweiter Ehe –, 4) Anna Caroline, geb. Seidler (Lebensdaten unbekannt); Goethe lernte sie persönlich noch in Weimar kennen, und zwar bei Chv*Stein (25. III. 1780: III/1, 112). Nach ihrer Wiederverheiratung mit dem Buchhändler CW*Ettinger in *Gotha finden wir keine Zeugnisse einer weitergepflegten Bekanntschaft.   *Za*

Nova Acta Historico-Ecclesiastica. Bd 89 (1773), S. 793 f. – Auskunft des evgl.-luth. Kirchenarchivs vom 19. VII. 1957.

Baschkiren, ein tartarischer, ursprünglich finnischer Volksstamm aus dem europäischen *Rußland, von dem 1814 eine Abteilung mit den russischen Truppen auch nach Weimar gekommen war. Goethe mochte sich wundern *daß in dem Hörsaale unseres protestantischen Gymnasiums mahometanischer Gottesdienst werde gehalten und die Suren des Korans würden hergemurmelt werden, . . . wir haben der baschkirischen Andacht beygewohnt, ihren Mulla* [oder Molla: oberster Richter der B.]

geschaut, und ihren Prinzen im Theater bewillkommnet. Die Goethe von einem B.häuptling *Aus besonderer Gunst* geschenkten *Bogen und Pfeile* wollte er über den Kamin aufhängen, *sobald Gott* [!] *diesen lieben Gästen eine glückliche Rückkehr bestimmt hat* (5. I. 1814: *IV/24, 91;* vgl. 22. III.: *der kleine Baskir: III/5,100),* Am 1.V. 1825 machten Goethe und JP*Eckermann mit diesem Bogen Schießübungen im Garten (Bdm. 3, 199 f.; vgl. I/49[II], 361).   *Se*

Basedow, Johann Bernhard, auch: Bassedau, Pseudonym: Bernhard von Nordalbingen (1724–1790), *Vater Basedow,* der *Prophete* einer entschiedenen Schulreform aus dem Geiste der *Aufklärung *(Morris 4, 95),* wurde mit Goethe durch die Vermittlung JC*Lavaters, der bereits seit 1768 Briefverbindung mit B. hatte, am 15. VII. 1774 in *Ems persönlich bekannt (EStaehelin 2, S. 65). Es war auch Ems, wo damals das berühmte, aber fälschlich so überschriebene *Diné zu Coblenz im Sommer 1774 (I/2, 266 f.;* dazu Morris 6, 369) stattfand. Die gemeinsame *Geniereise* führte Goethe, Lavater, B. und deren Reisegesellschaft zu Schiff die Lahn hinunter bis zum Rhein, wo B. in *Neuwied als Gast des pädagogisch sehr interessierten, damals noch gräflichen, nicht reichsfürstlichen Schloßherrn (ChrM*Wieland) und am 25. VII. 1774 abends zur Rückfahrt nach Ems wieder abgeholt wurde (EStaehelin 2, S. 66), um dann in den ersten Augusttagen mit einem gemeinsamen Abschied zu enden. B. blieb zwar noch einige Zeit nach der Trennung von Lavater und wohl ohne sonderlichen Kontakt mit Goethe in Frankfurt. Er verbrachte sogar noch seinen Geburtstag dort und feierte die Vollendung des fünfzigsten Lebensjahres (11. IX. 1774) durch den Entschluß, unter dem Schutz des *Fürsten Leopold III. Friedrich Franz von *Anhalt-Dessau (1) in dessen Residenzstadt *Dessau als Musterschule der Menschenfreundlichkeit sein ,,Philanthropinum'' zu gründen. EW*Behrisch hatte hier für B. Stimmung gemacht. Seit 1771 bezog B. ein festes Jahresgehalt (1100 Taler) von dem ihm wohlgesinnten Landesherrn. 1773/74 vollendete und veröffentlichte er als Kanon seiner pädagogischen Theorie und Praxis und im Hinblick auf die Erfordernisse des ,,Philanthropinums'' sein längst erwartetes ,,Elementarwerk für die Jugend und ihre Freunde'' (4 Bde, 100 Kupfertafeln von D*Chodowiecki; 2. Auflage 1785). Das Jahresgehalt blieb ihm, auch nachdem er selbst 1778 sein ,,Philanthropinum'' verlassen hatte, um in Dessau überwiegend literarisch-theoretisch, kaum noch pädagogisch-praktisch (Mädchenschule in Magdeburg) zu wirken.

B. war ein sehr schwieriger Mensch. Er stammte aus kleinbürgerlichen Verhältnissen. Der Vater scheint die Familie von Lübeck nach Hamburg verpflanzt zu haben. B. litt unter der häuslichen Enge. Auch der elementare Schulunterricht quälte ihn. Er entfloh nach Flensburg und schlüpfte als Gehilfe bei dem dortigen Landarzt Dr. Boessel unter, dessen Wirken ihm nach den sozialen und schulischen Kinder- und Knabennöten ein Beispiel tätiger Menschenliebe wurde. Dies Beispiel wirkte sich für B. in Berufung und Beruf aus. Er kehrte nach 1741 nach Hamburg zurück, schloß seine Schulbildung ab (Müller, Hake; Richey, Reimarus), ging dann nach Leipzig zum Universitätsstudium (Crusius, Wolff), kehrte als Kandidat nach Hamburg zurück, wurde Privatzieher, begann die lange Reihe seiner Veröffentlichungen mit der kieler Dissertation 1752: „Inusitata et optima honestioris juventutis erudiendae methodus". Nach langjährigen und leidenschaftlichen, bisweilen höchst unerfreulichen Auseinandersetzungen mit der zeitgenössischen Pastoraltheologie (auch mit *Lessings Hauptpastor JMGoeze), der gegenüber er wortreich und wortstark für das Programm der Aufklärung auch in Christentum und Kirche eintrat, sowie nach wechselvollem, beruflichem Wirken als Professor der Ritterakademie Sorö (Seeland; 1753–1761), als Professor am Gymnasium Altona (1761–1768), als amtsenthobener Pensionär in Hamburg (1768–1771), faßte er seine schulreformerischen Grundgedanken, Leitsätze und Vorschläge in seinem maßgeblichen und entscheidenden Werke zusammen: „Vorstellung an Menschenfreunde und vermögende Männer über Schulen, Studien und ihren Einfluß in die öffentliche Wohlfahrt, mit einem Plane eines Elementarbuchs der menschlichen Erkenntniß" (1768). Sein Traum war, als Bahnbrecher nicht nur das deutsche, sondern auch das europäische Unterrichtswesen im Sinne der Aufklärung und mit dem Ziele der allgemeinen Glückseligkeit, der Gemeinnützigkeit und unvoreingenommenen Verständigkeit um- und neuzugestalten. Eine erstaunliche Resonanz in den Kreisen der Mächtigen und Maßgeblichen bestärkte ihn zunächst in seinem Tun und Lassen. Vergleichbar mit dem philosophischen Ansatz Kants will B. sein pädagogisches Bezugssystem von der objektiven Ordnung der Welt in die subjektive Ordnung des Menschen verlagern (NDB 2,

S. 619). Auch JJ*Rousseau gehört zu B.s Geistesverwandten. Leopold III. Friedrich Franz, selbst von aufklärerisch-humanem Denken erfüllt und pädagogischen Neuerungen aktiv aufgeschlossen, rief ihn daraufhin zu sich; er hielt ihm, wenn auch zunehmend reserviert, die Treue, nachdem er mit dem „Philanthropinum" in Dessau persönlich zumindest als Realisator, dh. weniger in der Theorie als in der Praxis seiner Reformen gescheitert war. Als Goethe im Winter 1776 erstmals in Dessau war, suchte er auch B. in seinem „Philanthropinum" auf (15. XII. 1776: III/1, 28), wahrscheinlich in Anwesenheit von *Gottes Spürhund* Chr*Kaufmann *(I/5^I, 162)*; EWBehrisch wird nicht erwähnt. Damals arbeitete aber JH*Campe schon in Kurator-Eigenschaft mit, 1778 wurde er nach B.s Ausscheiden alleiniger Leiter. In späteren Jahren (1778; 1781) hat Goethe keinen Wert mehr auf ein Zusammentreffen mit B. gelegt. Am 25. VII. 1790 starb B. bei einem seiner üblich gewordenen Unterrichtsaufenthalte in Magdeburg: „Ich will seziert sein zum Besten meiner Mitmenschen."

Sein „Philanthropinum" in Dessau überdauerte ihn bis 1793. Anderwärts (vornehmlich in *Schnepfenthal) bestanden diese Anstalten weit länger, zT. bis in die Gegenwart, wie denn der Philanthropismus unverwischbare Spuren noch in der heutigen *Pädagogik hinterlassen hat. Aber man hält sich dabei mehr an das Allgemeine als an das Besondere der b.schen Erziehungskunst, so etwa wenn man das Lernen durch Spielen, das Lernen durch anschauliches Vorführen und Beobachten sinnlicher Objekte, die Wechselwirkung zwischen physischer und psychischer Erziehung, die Zielsetzung in weltbürgerlicher Nächsten- und Menschenliebe, schließlich die Schulgemeinschaft betont. Die einseitige Überforderung der rationalen und die Verdrängung der irrationalen Wesensanlagen, die entstehende Unkindlichkeit und beziehungslose Vielwisserei, das fast blinde Vertrauen in die intellektuelle Unfehlbarkeit der dogmatisch fixierten und doch prinzipiell problematischen Methodik führte alsbald und zunehmend zu scharfer Kritik. JGHerder lehnte B.s „Philanthropinum" in einem freilich frühen Briefe an JCLavater (Düntzer A, II, S. 103) mit den härtesten Worten ab: „Mir kommt hier Alles schrecklich vor. Man erzählte mir neulich von einer Methode, in zehn Jahren Eichwälder zu machen; wenn man nämlich den jungen Eichen unter der Erde die Herzwurzel abschneidet, so schieße Alles

über der Erde in den Stamm und Äste; das
ganze Arkanum Basedows liegt, glaube ich,
darin, und ich möchte ihm kein Kalb zu erziehen geben, geschweige einen Menschen.``
Goethes weit späteres, zusammenfassendes
DuW-Urteil über Person und Sache zielt charakteristisch mehr auf den Menschen und auf
das ihm zugehörige Menschliche in seinem
Werk (wozu auch das vernachlässigte Äußere
gerechnet werden muß): *Basedow ward in
Frankfurt sehr gesucht, und seine großen Geistesgaben bewundert; allein er war nicht der
Mann, weder die Gemüther zu erbauen, noch
zu lenken ... Mit seinen Planen konnte ich
mich nicht befreunden, ja mir nicht einmal
seine Absichten deutlich machen ... mir mißfiel, daß die Zeichnungen seines Elementar-
werks noch mehr als die Gegenstände selbst
zerstreuten, ... weßwegen es auch jener sinn-
lich-methodischen Vorzüge ermangelt, die wir
ähnlichen Arbeiten des Amos *Comenius (Ko-
mensky; vgl. auch *Barock) zuerkennen müssen. Viel wunderbarer jedoch, und schwerer zu
begreifen als seine Lehre, war Basedows Betragen ... Er wußte von seinem Vorhaben groß
und überzeugend zu sprechen, und jedermann
gab ihm gern zu, was er behauptete. Aber auf
die unbegreiflichste Weise verletzte er die Gemüther der Menschen, denen er eine Beisteuer
abgewinnen wollte, ja er beleidigte sie ohne
Noth, indem er seine Meinungen und Grillen
über religiöse Gegenstände nicht zurückhalten
konnte (I/28, 272 f.).* In Goethes Paralipomenon zum *Faust (I/14, 303 Nr 40)* ist nicht
B., sondern sein Nachfolger JHCampe der
Rattenfänger von Hameln (vgl. auch HJWeitz:
Goethes Faust. Gesamtausgabe 1951, S. 640).
                                                      Za

EStaehelin: Johann Caspar Lavaters ausgewählte
Werke. 4 Bde. 1943.

Basel, Hauptstadt des gleichnamigen schweizer Kantons, ursprünglich keltische Siedlung,
zuerst im Jahre 374 nChr. unter dem Namen
Basilia erwähnt, gewann nach der Zerstörung
des nahegelegenen Augusta rauracorum im
5. Jahrhundert an Bedeutung und war schon
früh Bistum. Das ursprünglich romanische,
später gotisch umgebaute Münster wurde 1019
unter Heinrich II. gegründet. 1431 bis 1449
beherbergte die Stadt das Konzil von B.; 1459
stiftete Papst Pius II. (Aeneas Silvius) die
Universität, die 1460 geweiht und bald zu
einem geistigen Zentrum des *Humanismus
wurde. Die künstlerische Bedeutung der Stadt
wurde durch *Holbein mitbestimmt (1515 bis
1531 in B.); die Sammlung Amerbachs, die
den Grundstock der b.er Gemäldegalerie bil-

dete, enthält Zeichnungen des jungen Malers,
ua. die Köpfe der Familie Meier (das Gemälde
befindet sich seit 1844 in *Dresden; vgl. *I/47,
385: Fürtrefflich).* – Am 13. VII. 1501 schloß
sich B. als neunter Kanton der schweizerischen Eidgenossenschaft an. Besonders durch
seine berühmten Buchdruckereien war B. früh
den Ausstrahlungen der *Reformation geöffnet, seit 1519 erschienen hier lutherische
Schriften im Druck, und nach mancherlei in-
nerstädtischen Kämpfen gewann die neue
Glaubensrichtung 1529 die Oberhand in der
Stadt. B. folgte damit als dritte Stadt nach *Zürich und *Bern. Zahlreiche Reformationsord-
nungen und -dekrete gingen von B. aus: schon
1439 wurden im Zusammenhang mit dem
Konzil 26 b.er Reformationsdekrete in der
mainzer Acceptationsurkunde angenommen,
1534 erschien in B. die auch in Mühlhausen
angenommene Confessio Basiliensis Prior unter dem deutschen Titel ,,Bekanthnus unsers
heyligen Christlichen glaubens, wie es die
Kylch zu Basel haldt`` von Oswald Myconius,
die im Geiste Zwinglis abgefaßt ist, 1536 die
Confessio Basiliensis Posterior, auch Confessio
Helvetica Prior genannt. Viele der eigentümlich strengen, zT. engen Sitten noch im goe-
thezeitlichen B. mögen auf diese Ordnungen
des täglichen und bürgerlichen Lebens im
Geist der reformierten Kirche zurückgehen:
schwarze Kleidung beim Kirchenbesuch,
Frauen dürfen sich das Haar nicht von Männern ordnen lassen, nach 10 Uhr abends darf
kein Wagen in der Stadt fahren, auch reiche
Familien dürfen keinen Bedienten hinter sich
auf dem Wagen haben, strenge Kleider- und
Tischordnungen. (1770 *Ephemerides: Inhalt
der Baselischen Reformations Ordnung zu
Pflanzung der Erbarkeit und Ausreutung allerley Misbräuche. 1. Theil 1769 ... Wie sich
während den Predigten aufzuführen ... Wie
leichtfertigem Schwören zu steuern ... 2. Theil
... Officiers und andre von ausserhalb anhero-
kommende Bürger ... Fremde in Handlungs-
Handwercks oder andern Diensten stehende Personen ...: I/37, 109 f.).* Der industrielle Aufschwung der Stadt beruhte besonders auf der
schon seit 1470 dort heimischen Papierfabri-
kation (besonders Velinpapier; vgl. IV/10, 53;
57) und auf der Herstellung von Stoffen (Kat-
tun, Seidenfabrikation, von den Hugenotten
eingeführt, Bleichereien, Färbereien). B. war
eine Stadt wohlhabender Kaufleute, die zu
Goethes Zeit auch in ihrem Aussehen noch
etwas durchaus Altertümliches zeigte. Zu ihren Sehenswürdigkeiten zählte man außer
dem Münster die große Rheinbrücke, die das

linksrheinische Groß-B. mit Klein-B. verband, und die Uhren, die eine Stunde vor den Uhren der übrigen Welt vorgingen. Diese Eigentümlichkeit schreibt sich nach der einen Überlieferung von der beabsichtigten und gelungenen Täuschung der Belagerer B.s her, nach der anderen von der Mahnung an das Konzil im Jahre 1431, sich zu beeilen. Sie wurde 1797 abgeschafft. Wir finden bei Goethe keine Notiz darüber, auch nicht über den „Lallenkönig", trotz seiner sonst bekundeten Aufmerksamkeit für Uhren (*Aalen). B.s Blütezeit hatte im 15. bis 17. Jahrhundert gelegen, für das Jahr 1825 werden nur 15000 Einwohner angegeben.

Als Goethe im August 1771 auf dem *Ottilienberg stand, wollte man ihm *am Horizont . . . sogar Basel zeigen; daß wir es gesehen, will ich nicht beschwören (I/28, 20)*. Aufgehalten hat er sich in der am Zusammenfluß von *Birs und *Rhein liegenden Stadt zweimal: am 8./9. VIII. 1775 auf der Rückfahrt und vom 1.–3. X. 1779 auf der Hinreise in die *Schweiz (RV S. 12; 19). Bei dem zweiten Besuch wohnten die Reisenden in dem Gasthof „Zu den drei Königen" und suchten, wie auch 1775 schon (I/29, 228), den Kupferstecher und Kunsthändler Chrv*Mechel auf: *bei ihm interessante Wiener Portraits pp*. In demselben Brief an *Merck erwähnt Goethe am 17. X. 1779 in Rückerinnerung an B. *Gegend, Bibliothek, Holbeins pp., Antiquitäten, *Fabriken pp. (IV/4, 86)*. Der 1795 geschlossene *baseler Frieden beschäftigte Goethe noch in den *TuJ.* und an seinem letzten Lebenstage (Bdm. 4, 452). 1797 wollte er über B. zurückkehren: *So hat Basel wegen der Nähe von Frankreich einen besonderen Reiz für mich; auch sind schöne Kunstwerke, sowohl ältere als ausgewanderte, daselbst befindlich (I/34^I, 418; vgl. 431; 435; IV/12, 323)*. Jedoch, *die Jahrszeit, Wetter und Weg sind nun nicht mehr einladend (IV/12, 352)* und so wurde dieser Plan *aufgegeben* (vgl. IV/12, 353; I/34^I, 440). Ein letztes Mal weilten Goethes Gedanken wohl 1830 *in dem Landwinkel, . . . den der bei Basel gegen Norden sich wendende Rhein macht (I/40, 298)*, in der Stadt *die bei der grossen Bergkette, die von Basel biss Genf, Schweiz und Frankreich scheidet (IV/4, 97)*, als am 9. V. 1830 *ein Brief von* seinem Sohn aus B. und drei Tage später AvGoethes *Tagebuch vom 1. May bis 4. ej., von Basel bis Lausanne eintraf (III/12, 239; 241)*.

Personen: 1775 Besuch bei I*Iselin (ArtA 23, S. 873f.); 1775 und 1779 bei ChrvMechel(n); Gedeon Bur(c)khardt, wohlhabender Handelsmann in B., der sich 1782 sein Haus zum Kirschgarten im Stile Ludwigs XVI. gestalten ließ; Goethe besuchte ihn 1779 zusammen mit Carl August, läßt seine *Packete* an ihn *adressiren (IV/4, 88)*, wickelt Geldgeschäfte über ihn ab (ebda 317) und empfiehlt ihn als *gefällig* 1780 an CLv*Knebel auf dessen Schweiz-Reise *(IV/7, 361)*; bei Burckhardt der Maler Fr*Schütz; ebenfalls 1779? *ein junger Mann* aus B. als Wegbegleiter durch das *Münstertal (IV/4, 71)*; Haase jun., Verleger in B., 1794 Vermittler einer Zahlung an ChL*Clérisseau in *Paris für neun über Haase für die *Schloßbaukommission nach Weimar gelieferte Zeichnungen (IV/18, 57f.); ? *ein Schweizer* [Lücke] *aus Basel* als Besucher am 1. IV. 1823 *(III/9, 31)*; WML*De Wette, seit 1822 Professor der Theologie in B., am 22. X. 1828, *ein Programm von Roeper bringend (III/ 11, 294); ein Schweizer Theologe* [Johannes Lindner? vgl. ArtA 23, S. 724f.], *Decan im Bezirk von Basel*, der reiste, um *zu eigener Beruhigung den Zustand der Theologie in Deutschland kennen zu lernen (III/12, 292)* am 21. VIII. 1830 als letzter Besucher aus B. Za

Baseler Frieden vom 5. IV. 1795 zwischen der Französischen Republik und *Preußen; Preußen schied dadurch aus dem ersten Koalitionskrieg gegen das revolutionäre *Frankreich aus und versprach seine linksrheinischen Besitzungen gegen Entschädigungen auf dem rechten Rheinufer abzutreten, falls Frankreich beim zukünftigen Reichsfrieden das linke Rheinufer erhalten sollte. Alle Reichsstände, die die Vermittlung Preußens in Anspruch nehmen würden, sollten von Frankreich nicht mehr als Feinde betrachtet werden. Zur Sicherung der Neutralität Preußens und derjenigen norddeutschen Staaten, die sich durch Vermittlung Preußens ebenfalls vom Kriege zurückziehen würden, wurde durch einen Zusatzvertrag vom 17. V. 1795 eine Demarkationslinie vereinbart, die nördlich des *Mains ganz West-, Nord-, Mittelund Ostdeutschland umschloß. Dieses Gebiet sollte nicht von französischen und österreichischen Truppen betreten werden dürfen. *Hardenbergs Versuch, den b.F. zum Reichsfrieden zu erweitern, scheiterte an der Haltung *Österreichs. Am 22. XI. 1796 erklärte der Kurfürst von *Sachsen für sich, die sächsischen Herzöge, dh. auch *Sachsen-Weimar, *Anhalt und Schwarzburg förmlich seinen Beitritt zum „preußischen System". Der b.F. ist von den groß- und kleindeutschen Historikern des 19. Jahrhunderts einhellig als „Verrat am Reich" verurteilt worden. Dagegen hat Lv*Ranke mit entschiedenem Nachdruck die 1795 durch den BF. geschaffene Neutralität als Voraussetzung für den vollen Durchbruch der Kultur der ganzen Goethe-Zeit in Deutschland erklärt und dabei auch die vorausschauende Initiative Carl Augusts stark betont (LvRanke: Hardenberg und die Geschichte des preußischen Staates von 1793–1813, Bd 1, S. 287).

Daß Goethe selbst der Epoche bewußt diese geistesgeschichtliche Bedeutung beigemessen hat, läßt sich seinen Äußerungen nicht direkt entnehmen. Aber es geschah natürlich im Hinblick auf den Fortgang der *ruhigen Bildung*, wenn er den Frieden als solchen (abweichend von einer weitverbreiteten Publizistik) – wenn auch sorgenvoll – bejahte und sein Zustandekommen mit Spannung verfolgte: *Nun verlauteten die Baseler Friedens-Präliminarien und ein Schein von Hoffnung ging dem nördlichen Deutschland auf. Preußen machte Frieden, Österreich setzte den Krieg fort, und nun fühlten wir uns in neuer Sorge befangen; denn Chursachsen verweigerte den Beitritt zu einem besondern Frieden. Unsere Geschäftsmänner und Diplomaten bewegten sich nun nach Dresden, und unser gnädigster Herr, anregend alle und thätig vor allen, begab sich nach Dessau. Inzwischen hörte man von Bewegungen unter den Schweizer Landleuten, besonders am oberen Zürichersee; ein deßhalb eingeleiteter Proceß regte den Widerstreit der Gesinnungen noch mehr auf; doch bald ward unsere Theilnahme schon wieder in die Nähe gerufen. Das rechte Mainufer schien abermals unsicher, man fürchtete sogar für unsere Gegenden, eine Demarcationslinie kam zur Sprache; doppelt und dreifach traten Zweifel und Sorge hervor (TuJ 1795: I/35, 51 f.). Der König von Preußen, bei einiger Veranlassung, schreibt von Pyrmont an den Herzog, mit diplomatischer Gewandtheit den Beitritt zur Neutralität vorbereitend und den Schritt erleichternd. Furcht, Sorge, Verwirrung dauert fort, endlich erklärt sich Chursachsen zur Neutralität, erst vorläufig, dann entschieden, die Verhandlungen deßhalb mit Preußen werden auch uns bekannt. Doch kaum scheinen wir durch solche Sicherheit beruhigt, so gewinnen die Österreicher abermals die Oberhand. Moreau zieht sich zurück, alle königisch Gesinnte bedauern die Übereilung zu der man sich hatte hinreißen lassen, die Gerüchte vermehren sich zum Nachtheil der Franzosen, Moreau wird zur Seite verfolgt und beobachtet, schon sagt man ihn eingeschlossen; auch Jourdan zieht sich zurück, und man ist in Verzweiflung daß man*

sich allzufrühzeitig gerettet habe (ebda 67 f.). Die *königisch Gesinnten* sind hier die Anhänger Friedrich Wilhelms II., der im Gegensatz zu seinen Diplomaten und Militärs den Frieden bis zuletzt widerstrebt hatte; angesichts der französischen Mißerfolge glauben sie nun, daß man einen sichereren und umfassenderen Frieden hätte erreichen können. Daß für Goethe der volle Friede nur ein Friede war, der auch Oesterreich mit einschloß, zeigt der auf Leoben und Campo Formio (1797) zielende Vers aus *Hermann und Dorothea: Müde schon sind die Streiter, und alles deutet auf Frieden (I/50, 196).* Das Bewußtsein des Problematisch-Vorläufigen der Epoche kommt besonders deutlich 1806, an ihrem Ende, zum Ausdruck: *Die Interims-Hoffnungen mit denen wir uns philisterhaft schon manche Jahre hingehalten, wurden so abermals im gegenwärtigen genährt. Zwar brannte die Welt in allen Ecken und Enden, Europa hatte eine andere Gestalt genommen, zu Lande und See gingen Städte und Flotten zu Trümmern, aber das mittlere, das nördliche Deutschland genoß noch eines gewissen fieberhaften Friedens, in welchem wir uns einer problematischen Sicherheit hingaben. Das große Reich in Westen war gegründet, es trieb Wurzeln und Zweige nach allen Seiten hin. Indessen schien Preußen das Vorrecht gegönnt sich in Norden zu befestigen (I/35, 245).* Die große Bedeutung, die Goethe gleichwohl dem b.F. für sein Leben beigemessen haben muß, kommt darin zum Ausdruck, daß er seine Bestimmungen und seine Geschichte bis in die Einzelheiten hinein beherrschte und diese noch am Abend vor seinem Tode in seinem letzten Gespräch mit Ottilie entwickelte: „Er sprach viel von seiner *Farbenlehre;* den letzten Abend erklärte er der Tochter noch den ganzen Baseler Friedensschluß mit allen diplomatischen Verhandlungen, wollte den Knaben ins Theater schicken, hoffte, sein Übel werde nicht von Bedeutung sein, die Medizin tue ihre Wirkung, der Atem werde leichter" (21./22. III. 1832 L*Seidler: Bdm. 4, 452).   *CH*

KThHeigel: Deutsche Geschichte vom Tode Friedrichs d. Gr. bis zur Auflösung des alten Reiches. 1911. Bd 2. – WReal: Der Friede von Basel 1794. In: Basler Zeitschrift für Geschichte und Altertumskunde. Bd 50 (1951), S. 27–112; 51 (1952), S.115–228. – LvRanke: Hardenberg und die Geschichte des preußischen Staates von 1793–1813. 3 Bde. 1877–1880.

Basilius Valentinus. Goethe war noch überzeugt von der Existenz eines Autors dieses Namens. Es hieß von ihm, daß er um 1413 als Benediktinermönch im St. Peterskloster zu *Erfurt oder in Walkenried gelebt und gewirkt, daß er sich als Alchemist, als Chemiker, als Natur- und Heilkundiger, auch als Schriftsteller einen Namen gemacht habe (Wismut/Zink; Quecksilber; Antimon; Salzsäure; Ammoniak; Knallgold; Bleizucker). Zumindest unter diesem Namen scheint er aber gar nicht existiert zu haben. Auf Betreiben des Kaisers Maximilian I. soll man bereits 1515 ohne Erfolg nach Anhaltspunkten für Person und Werk des BV. geforscht haben. Auch widerlegen inhaltliche Einzelheiten seiner Schriften die Mutmaßungen oder Behauptungen ehr- und glaubwürdigen Alters. Neuerdings vermutet man in Johann Thölden (*Rosenkreuzer), dh. in ihrem Erstherausgeber, auch ihren wirklichen Verfasser (1602–1626). Aber man kann noch nicht erklären, wie Thölden auf den Namen BV. gekommen ist. Nach der Rückkehr aus *Leipzig und noch im Zusammenhang mit seiner Krankheit in *Frankfurt wurde Goethe 1768/69 durch die Lektüre von Gv*Wellings „Opus Mago-Cabbalisticum et Theosophicum"(1760; Götting S. 31) auch zu BV. geführt. Wir wissen aber nicht, welche seiner damals besonders aktuellen Schriften Goethe las oder ob es sich sogar um alle handelte, die seit 1740 dreibändig erneut aufgelegt waren und (auch) *deren mehr oder weniger auf Natur und Einbildung beruhende Lehren und Vorschriften wir einzusehen und zu befolgen suchten* [*I/27, 204;* auch 396f.; vgl. ferner ABWachsmuth: „Die Magia naturalis im Weltbilde Goethes". In: Goethe 19 (1957), S. 3f.; außerdem ChrLepinte: „Goethe et l'occultisme". Publication de la Faculté des Lettres de l'Université de Strasbourg. Fascicule 134. 1957].   *Za*

Basire *(Basine: I/38, 382),* James (1730 bis 1802), Kupferstecher der Society of Antiquaries und (seit 1770) der Royal Academie in London reproduzierte ua. das Bild „Orestes und Pylades" von B*West, das dem Rezensenten (Goethe?) der „*Frankfurter Gelehrten Anzeigen" 1772 zur Begutachtung vorlag; er fand es *Männlich gestochen (I/38, 382).* Goethe selbst kannte diese Reproduktion, wie die Beschreibung einzelner Köpfe für *Lavaters „Physiognomische Fragmente" erweist (I/37, 333).   *Lö*
ThB. 2 (1908), S. 598f.

Bassano, 1) Jacopo da Ponte, gen. B. (1510 bei 1592) Maler, Mitglied einer verzweigten Künstlerfamilie aus Bassano bei *Vicenza, deren Name im 17. Jahrhundert auch auf Schüler und Nachfolger überging; tätig in Bassano und *Venedig. Unter dem Einfluß *Tizians und später in Anlehnung an *Tintoretto malte B. religiöse und mythologische Historien und genre-

haft-häusliche Szenen in unruhigen Kompositionen mit starken Hell-Dunkelkontrasten. Seine Vorliebe für Tierdarstellungen veranlaßte ihn, einen Hühnerhof, auf dem im Hintergrund die „Flucht nach Ägypten" zu sehen war, als Altarbild abzuliefern. Goethe sah am 20. IX. 1786 in der Scuola del Santo in *Padua eine *Abnehmung vom Kreuz ... recht brav und so edel als er etwas machen konnte (III/1, 237)* – wohl die „Grablegung", die sich noch dort befindet, und von der Goethe neben mehreren anderen Reproduktionen nach Werken B.s drei Stichnachbildungen besaß.
–, 2) Leandro (1557–1622) Sohn von 1), Maler; von ihm befand sich eine Kupferstichlandschaft in Goethes Kunstsammlung.   *Lö*
Schuchardt 1, S. 10 f. – ThB 3 (1909), S. 4–8. – BBerenson: Die italienischen Maler der Renaissance. 1952. S. 31–34.

Basse (Basset), Detmar Friedrich (1762–1836), Sohn eines iserlohner Kaufmanns, im Tuchgewerbe auch in *Frankfurt/M. tätig, wurde von Friedrich Wilhelm II. von *Preußen 1788 zum preußischen Hof- und Commerzienrat ernannt. Seine Handelsbeziehungen führten B. auch nach Paris; 1796 war er nach der Einnahme Frankfurts durch Kléber bei der französischen Regierung tätig und im gleichen Jahre am Zustandekommen des Neutralitätsvertrages zwischen Frankreich und Frankfurt maßgeblich beteiligt. 1802 flüchtete er nach dem Konkurs seines pariser Geschäftes nach Amerika, wo er in Pennsylvanien ua. als Ackerbauer und Städtegründer (Bassenheim und Zelianopel) wirkte. 1817 kehrte er nach Mannheim zurück.
Im Jahre 1808 kaufte George v*Brentano ein Haus in *Rödelheim, dessen Plan Goethe auch nach den Erinnerungen LE*Grimms in seiner frankfurter Zeit entworfen und dessen Bau er zusammen mit B. besorgt haben soll. „Ich freu' mich gar sehr über seine schönen Verhältnisse, ich meine, Dein Charakter, Deine Gestalt und Deine Bewegungen spiegeln sich in ihnen", schreibt Bettina am 15. III. des gleichen Jahres an Goethe. Es ist dasselbe Landhaus, das Goethe am 19. IX. 1814 dann selbst *beim schönsten Wetter* besuchte: von der Terrasse aus war ein *Herrlicher Sonnenuntergang hinter dem Taunusgebirge* zu beobachten *(IV/25, 40).* Vielleicht handelt es sich auch um den kleinen, noch heute bestehenden klassizistischen Gartenpavillon. In Goethes eigenen Notizen weist nichts auf das Zustandekommen dieses Baues und seine Beziehungen zu B. hin; mit dem Werdegang seiner Auffassungen über *Architektur, auch *Archi-

tekturtheorie, lassen sich diese Angaben aber sehr wohl verbinden (vgl. I/47, 68f.). *JP*

BvArmin: Goethes Briefwechsel mit einem Kinde. 1923. S. 186. – FBothe: Goethe und seine Vaterstadt Frankfurt. 1948. S. 311; 389; 419; 468; 481. – Alt Rödelheim, ein Heimatbuch. Hrsg. von EHartmann und PSchubert. 1921. – LEGrimm: Erinnerungen aus meinem Leben. ¹1911, S. 321–323; ²1950. S. 184. – ADB 46 (1902), S. 230 f.

Basse, Gottfried (1778–1825), in Halberstadt geboren, widmete sich dem Buchhandel. 1806 ließ er sich als Buchhändler und Verleger in Quedlinburg nieder, wo er auch starb. Sein Name hat keinen guten Klang. B. verdiente sein Geld als Verleger zahlreicher schlechter Romane oft noch unter bloßem Unterhaltungsniveau. Er trat aus Schriftstellerehrgeiz oder aus Gewinnrücksichten zugleich auch publizistisch hervor. Durch ein wechselvolles Versteckspielen mit beredten Pseudonymen zeugte er für den heutigen Betrachter deutlicher wohl als ihm lieb von seinem vielleicht nicht unhumorigen, aber doch recht unbedenklichen auf- und geldschneiderischen Geschäftssinn. Solche Pseudonyme sind: Jocosus Federkiel, Emilie Gleim (!), JCHagen, Ilsegarthe Klatschrose, Pastor Lachemann, Cyriacus Nießwurz, Gabriele Schlegel, Uriel a Costa. Im Zusammenhang mit Goethe bedeutet es den Gipfel seiner literarischen Falschmünzerei, daß er 1821/28 JFW*Pustkuchens *Pseudo-Wandrer* (*I/3, 344*) anonym veröffentlichte. Ohne diese „Leistung" freilich wäre B. versunken und vergessen wie seine sonstigen Produktionen auf dem weiten Felde literarischer Niederjagd oder gar Unterwelt. *Za*

Bassenheim, Johann Maria Rudolf Waltbott, Reichsgraf von und zu (1731–1805), katholischen Bekenntnisses, war von 1763 bis 1777, also zur Zeit, als Goethe in *Wetzlar war, erster Präsident des dortigen *Reichskammergerichts. Von geselliger Natur, hielt er großes Haus. Im Gegensatz zu seinen adligen Kollegen war er frei von Standesdünkel und -vorurteilen. Er versuchte gern, das fatale Verhältnis zwischen den Angehörigen des *Adels und des *Bürgertums zu bessern, aber ohne Erfolg. So endeten gemeinsame Schlittenfahrten, die er veranstaltete, gewöhnlich in neuen Händeln (Brief JA*Günthers vom 1. I. 1779: Goethe Jb 18, S. 55f.). Goethe hat von ihm in den *Leiden des jungen Werthers* als dem *Grafen C.* ein sympathisches Charakterbild gegeben und ihn als einen Menschen, *den ich jeden Tag mehr verehren muß*, geschildert. Er rühmt seinen *weiten großen Kopf, und der deßwegen nicht kalt ist, weil er viel übersieht; aus dessen Umgange so viel Empfindung für Freundschaft und Liebe hervorleuchtet . . . Auch kann ich sein offnes Betragen gegen mich nicht genug rühmen* (*I/19, 90f.*). Dabei geschah in seinem Hause jene unheilvolle Brüskierung des als einziger Bürgerlichen anwesenden Legationssekretärs *Werther* (= KW*Jerusalem), bei welcher der Graf, was auch historisch überliefert ist (I/28, 232), sich nicht gerade als starker Beschützer zeigte (I/19, 101–103). Aber bei Goethe-*Werther* geschieht dadurch der Verehrung für den Grafen kein Abbruch. CAv*Hardenberg berichtet zwar etwas maliziös: wenn B. nicht schlecht votiere, so rühre das nur daher, daß er als Präsident sich zuletzt äußere. Aber das kann auch auf seine rasche Auffassungsgabe (*viele Leichtigkeit zu arbeiten: I/19, 92*) deuten, mit der er den jeweils vorliegenden Fall schnell zu durchschauen vermochte. – Nach Niederlegung seines Präsidentenamtes war B. bis zu seinem Tode kaiserlicher Burggraf auf Burg *Friedberg in der Wetterau. *Fr*

Bassianus, Alexander „der jüngere", war nach JHZedler „ein Philologus aus Padua, der sich sonderlich auf Antiquität geleget und zu denen Inscriptionibus großes Belieben gefunden". Über seine Lebensdaten weiß Zedler nichts, als daß er „im 16. seculo floriret". Er wäre vergessen, wenn er nicht seinen Freund, den Goldschmied und Stempelschneider *Cavino bei diesen schönen Nachbildungen (nicht Fälschungen!) antiker römischer *Münzen beraten und ihm vor allem die Inschriften geliefert hätte. Es handelt sich hierbei um die sogenannten „Paduaner" oder, wie Goethe sie nach ihrem Urheber bezeichnete, um die *Cavineischen Arbeiten* (*I/41ᴵᴵ, 314*). Cavino hat des Freundes und sein eigenes Bildnis auf einer Medaille vereinigt, die Goethe in zwei Exemplaren mit verschiedenen Rückseiten besaß (Schuchardt 2, S. 48 Nr 46 und 47). Mindestens eine davon wird er von G*Cattaneo erhalten haben, den er am 30. XII. 1817 um *die kleine Medaille, worauf Johannes Cavinus und sein Mitarbeiter* [Al]. *Bassianus vorgestellt sind*, bat (*IV/28, 346*). *Fr*

JHZedler: Großes Universallexicon aller Wissenschaften und Künste 1 (1733), Sp. 633.

Bassompierre, François de (1579–1646), in Lothringen geborener Edelmann, in französischen militärischen und diplomatischen Diensten stehend, 1631 bis 1643 Gefangener *Richelieus in der Bastille, schrieb dort seine Erinnerungen nieder, die allerdings wertvoller für die Kenntnis ihres Verfassers als für die der geschilderten Zeit sind. Goethe webt in die *Unterhaltungen deutscher Ausgewanderten* (1795: I/18, 151–157) zwei Geschichten aus B.s Me-

moiren ein (die Erzählung von der schönen Krämerin und die vom Schleier); *Ritter Curts Brautfahrt* (um 1802: I/1, 176f.) geht in den verwendeten Motiven ebenfalls auf B. zurück; ein Brief an CL*Knebel spielt 1814 (IV/24, 286) humoristisch auf Verlegenheiten an, in die B. sich gebracht hatte. Goethe entlieh 1795 die 1666 in Köln herausgegebene Ausgabe: „Mémoires contenant l'histoire de sa vie", 2 Bde, aus der weimarischen *Bibliothek für die Unterhaltungen;* *Ballade.   Fu*
Keudell Nr 53.

Bastberg *(Baschberg: I/27, 327),* bei *Buchsweiler im Unterelsaß; die Einbruchszone zwischen den *Vogesen im Süden und dem Saargebiet im Norden, die in der Hauptsache von mesozoischen Sedimenten (Trias und Jura) ausgefüllt ist, gehört geologisch der *zaberner Senke an. Zum Teil ist auch noch eine sedimentäre Bedeckung des Mesozoikums vorhanden; das gilt speziell für den B., wo über einer Basis, die dem mittleren Jura angehört, eine tertiäre (mitteleozäne bis oligozäne) Schichtfolge liegt. Vor allem die Süßwasserkalke des oberen Mitteleozän enthalten zahlreiche fossile Schalen.

Der Ausflug Goethes nach *Saarbrücken von Straßburg aus (1770; vgl. RV S. 10), der auch nach dem brennenden Berg von *Dudweiler geführt hat, ging über Buchsweiler auf den B., dessen Reichtum an Fossilien von Goethe schon in dieser frühen Zeit, ein Jahrzehnt vor dem Beginn speziellerer naturwissenschaftlicher Interessen und geologischer Studien, sehr wohl beachtet wurde. Gegen *Voltaire, der *alle versteinten Muscheln leugnete und solche nur für Naturspiele gelten ließ,* betonte Goethe ausdrücklich die Fossilnatur: *Ob vor oder während der Sündflut, das konnte mich nicht rühren, genug, das Rheintal war ein ungeheurer See, eine unübersehliche Bucht gewesen (NS 1, 2).* Obgleich erst viel später niedergeschrieben, ist Goethes Bericht: *Ich gedachte vielmehr in Kenntnis der Länder und Gebirge vorzuschreiten, es möchte sich daraus ergeben was da wollte (NS 1, 2),* Grund genug anzunehmen, daß schon in diesen, sonst vorwiegend vom Gefühlsmäßigen her bestimmten Jahren, angesichts des B.s die späteren auf eine Erfassung der Naturwirklichkeit gehenden naturwissenschaftlichen Interessen aufblitzten, auch wenn sie zunächst noch keine unmittelbaren Folgen hatten.

Wesentlicher war für Goethe, der immer bemüht war, Turm und Berg zu besteigen, um Überschau über sein Äußeres und Inneres zu gewinnen, auch auf dem B., daß man von dort *die völlig paradiesische Gegend überschaute.* Goethe beschreibt den Umblick in einer allerdings seinem *Altersstil angehörenden panoramaartigen Weise *(I/27, 326 f.). Bn*

Basterra, Ramón de (1888–1928), spanischer Dichter, bemühte sich ernsthaft wie viele andere seiner Landsleute um die Nachfolge Goethes. Er besuchte Weimar und kehrte von dort „mit der Steifheit eines Goethe-Lehrlings" zurück (GDiaz-Plaja). Für ihn ist Goethe das Vorbild der Selbstvollendung und – dank steter Arbeit an sich selbst – der Ausgeglichenheit. Goethe „schwebt über dem Werk B.s in seiner Klarheit, Kraft und Strenge" (ebda). In der Gestalt des „Virulo", der Hauptfigur in B.s autobiographischem Roman, finden sich deutliche Anklänge an *Faust.   Ru*
GDiaz-Plaja: La Poesia y el Pensamiento de Ramón de Basterra 1941.

Batacchi, Domenico (1748–1802), seinerzeit ein vielgelesener, nicht ganz zu Recht vergessener Modeschriftsteller des späten italienischen Rokoko, aus verarmter Adelsfamilie stammend, gebürtiger Toskaner (Pisa) und dem Genius dieser Landschaft (*Florenz; Boiardo; *Ariosto) durchaus nahe, machte sich einen Namen durch seine Novelle galanti, deren *Verslein (IV/22, 57)* er vorsichtig genug hinter einem Pseudonym versteckte und einem Padre Atanasio da Verocchio aus der gewandten Feder fließen ließ („Novelle galanti del Padro Atanasio da Verocchio", Pisa 1791). Es ist etwas übertrieben, B. mit F*Berni (poesia bernesca) oder mit Jde*La Fontaine zu vergleichen. Aber wenn Goethe 1811/12 so intensiv B.s *komische Erzählungen las* (1811: Februar: 18., 20., 24., 27., 28.; März: 5., 9., 24., 29.; September: 17., 18.; 1812: Juni: 25.; *III/4,* 186–194; 234; *297),* dann dürften ihn wesentlich zwei Gründe dazu bestimmt haben. Es war keineswegs nur die Sache einer bloßen Zufallsvermittlung (I/36, 73), eher eine [wenn auch kleine] goethesche *Gelegenheit:* Prinz Friedrich von *Sachsen-Coburg-Gotha sandte aus „des guten Maestro Bibliotheck" [dh. aus dem Buchbesitz des gothaischen Musikdirektors Decesaris; vgl. CSchüddekopf: Goethe Jb 18 (1897), S. 276 f.], ohne „geradezu die Verantwortlichkeit für den Inhalt übernehmen" zu wollen, die B.-*Bändchen* als ein auch „den Olympiern annehmliches Opfer". Goethe dankte für das *große Vergnügen,* das ihm *durch die Mittheilung der Bändchen … gemacht* worden war: *Ich wünsche die Erlaubniß sie noch einige Zeit zu behalten: denn verschiedenes muß nothwendig*

*daraus abgeschrieben werden. Die Gewürze wer-
den jeden Tag theurer; deswegen ist es ganz
angenehm dergleichen Verslein statt Pfeffers und
Ingwers, ja vielleicht noch als stärkere Ingredienzien unserer Genüsse zu gebrauchen. Denken Ew. D. nicht darum übler von mir* (6. III.
1811: *IV/22, 57*). Die beiden Gründe des
goetheschen Interesses: 1810/11/12 lag die
*Novelle als eine eigene dichterische Gattung
noch immer und wiedei einmal auf besondere
Weise im Kraftfeld mancher Mühen Goethes.
Außerdem aber gab es die mehr innere Verbindung einer Art von Geistesverwandtschaft.
B. war nämlich eine jener Naturen, von denen
es gut heißen kann, daß sie so anmutig-heiter,
ja unbeschwert-ausgelassen und fast frivol
zu plaudern vermögen, weil anders sie ihren
Schmerz nicht ertragen könnten, sondern
daran sterben müßten. Von dieser durchaus
narrenhaften Haltung bis zur *Ironie der *sehr
ernsten Scherze* Goethes *(IV/49, 283)* ist gar
nicht weit. Am 15. I. 1814 (wohl durch CL
v*Knebel angeregt) hat Goethe eine einzelne
der Novelle galanti besonders vorgehabt: La
vita e la morte di prete Ulivo (III/5, 92): *Von
einer ganzen Sammlung ähnlicher Gedichte ist
dieß das einzige producible, die übrigen sind
ein bißchen gar zu lustig (IV/24, 99)*. Am
16. VII. 1816 erinnert Goethe den Freund:
*Die dritte Gabe, die der Dechant verlangte, war
ein Spiel Charten, das nie verlöre; mit diesem
gewinnt er dem Teufel die zwölf Seelen ab, die
er zuletzt in den Himmel bringt (IV/27, 75)*.
Diese Teufels-Überlistung (1816 [!], im Jahre
der *DuW*-Plan-Skizze für *Faust II*, I/15[II],
173–177) ist die letzte ganz deutliche Spur
B.s in Goethes Aufzeichnungen. Übrigens
wurde der erste Teil des b.schen Werkes für
Goethes Hausbibliothek angeschafft.   *Za*

RKöhler: Goethe und der italienische Dichter Domenico Batacchi. In: SB Leipzig 42 (1890), S. 74–78.
– BvArx: Novellistisches Dasein. Als: Zürcher Beiträge zur deutschen Literatur- und Geistesgeschichte
Nr 5. Herausgegeben von EStaiger. 1953.

Batalha, Ort ın der portugiesischen Provinz
Estremadura, berühmt durch das dort gelegene (gotische) Dominikanerkloster Santa Maria da Vitória, ein Werk verschiedener Architekten des 14. und 15. Jahrhunderts. Goethe
kannte durch Carl August die Abbildungen
des Baus aus JCMurphy: „Plans, elevations,
sections and views of the Church of Batalha"
mit einer Geschichte und Beschreibung des
Klosters von Fr. Luís de Sousa, London 1795.
Er schreibt darüber an Carl August: *Das
portugiesische Kloster und die Ruinen von
Spalato nebeneinander zu sehen ist sehr interes-*

*sant da jenes die gotische Architektur auf seiner
höchsten, dieses die römische auf seiner nied-
rigsten Stufe zeigt* (29. VI. 1797: *IV/12, 174*;
dazu IV/17, 117; IV/50, 115).   *Be*

Bataviaasch Genootschap van Kunsten en
Wetenschappen wurde in Nachfolge gelehrter
Gesellschaft des späteren 18. Jahrhunderts in
Batavia auf Java im damaligen Niederländisch Indien am 24. IV. 1778 von JCMRade-
macher gegründet. Unter der Oberdirektion
des jeweiligen Generalgouverneurs und ihrem
Sinnspruch „ten nutte van het gemeen"
stellte sie sich die Aufgabe „al wat de natuur-
lijke historie, Oudheden, Zeden en Gewoon-
ten der Volken aangaat ... tot voorwerp van
zijn enderzoek te laaten dienen, zulke zaaken,
die ten nutte van Landbouw, Koophandel
en bijzandere Welvaart dezer Volksplantinge
kunnen strekken". Auch sollte eine Sammlung „van allerlei Naturalia en Zeldzaam-
heden in deze Lande verkrijgbaar" angelegt
werden. – In den zwanziger Jahren des
19. Jahrhunderts war van de Vienne Direktor der B.G., der 1826 Ehrenmitglied der jenaer *Mineralogischen Gesellschaft wurde. Als
Dank hierfür sandte er mit einem Schreiben
vom 1. II. 1827 die bisher erschienenen Teile der
„Verhandlungen der Batavischen Gesellschaft
von Künsten und Wissenschaften" an Goethe
(der seine Unterschrift nicht entziffern konnte: IV/44, 173; vgl. ebda 194 und 421). Die
angekündigte Sendung – *sechs Paquete* – la-
gerte *im Haag bey der Canzley des Ministeriums der Marine und der Colonien*, und Goethe bat C*Jügel diese mit erteilter Vollmacht
in Empfang zu nehmen (*IV/44, 253*; 256
und 456).   *Lö*

THderKinderen: Gedenkboek, Het B.G. van Kunsten en Wetenschappen, gedurende de eerste eeuw
van zijn bestaan. 1878. – Winkler-Prins: Encyclo-
paedie 1 (1947), S. 141 und 3 (1948), S. 361.

Batiste, den französischen Schauspieler, der
zusammen mit anderen Mitgliedern des Théâtre français auf Befehl *Napoleons von Ende
Juni bis Mitte August 1813 in Dresden gastierte, traf Goethe auf der Durchreise in
Dresden bei *Talma am 11. VIII. 1813 (III/
5, 67).   *EF*

Batoni *(Battoni: I/47, 371)*, Pompeo Girolamo (1708–1787), Maler, tätig in Rom; in Abkehr von dem Virtuosentum römischer Künstler des 18. Jahrhunderts widmete er seine Studien *Raffael – besonders dessen Werken in
der Farnesina – und den antiken Statuen. So
bildete er, der nach anfänglicher Tätigkeit als
Miniaturmaler erst später mit Aufträgen für
Altarbilder bedacht wurde, mit seinen detail-
liert ausgeführten Gemälden von strenger

Komposition den Übergang vom dekorativen Spätbarock zum *Klassizismus und nahm in seiner Wendung zu Raffael die Tradition der römischen frühbarocken Malerei z. B. eines A*Carracci und *Domenichino wieder auf; er wollte ganz im Geiste JJWinckelmanns die „verbesserte, mit Auswahl kopierte Natur" in seinen Bildern wiedergeben. In der Klarheit und Kühle seiner Form fand er in AR*Mengs einen stilverwandten Rivalen, demgegenüber er als der bessere Kolorist gelten kann (vgl. H*Meyer: II/3, 378f.).

Goethe sah in *Dresden 1810 das Bild „Johannes der Täufer", das als Gegenstück zu der im späten 18. Jahrhundert berühmten „Büßenden Magdalena" (Goethe kannte dieses ebenfalls in Dresden befindliche Bild durch eine Aquarellnachbildung von AF*Oeser) gedacht war. Die sitzende, stark in den Vordergrund geschobene Gestalt des Täufers, der auf den im Hintergrund sichtbaren Christus zeigt, und die konstruierte Diagonalkomposition rechtfertigen Goethes Urteil *nicht sonderlich gut (I/47, 371)*. Dennoch beabsichtigte Goethe für die *Propyläen,* vielleicht durch die Schriften Mengs' („Opere di Antonio Raffaello Mengs publ. dal Cav. d'Azaro, corrette aumentate dalle avv. C. Fea", Roma 1787; vgl. I/48, 236) angeregt, aufgrund der Nachbildungen der *Chalkographischen Gesellschaft in *Dessau (I/47, 46) auch über B. eine Charakteristik zu schreiben. Die Stichworte: *Bestimmung seines Talents. In welchen Theilen der Kunst er excellirt. Worin er sich besser als seine Vorgänger und Zeitgenossen bewiesen. Rivalität mit Mengs* (I/47, 296) deuten auf eine kritische, historisch würdigende Beurteilung von klassizistischer Grundhaltung.   *Lö*

Schuchardt 1, S. 254. – WHTischbein: Aus meinem Leben. Hrsg. von KMittelstädt. 1956. S. 244–246. – ThB 3 (1909), S. 35–37. – EEmmerling: Pompeo Batoni, sein Leben und Werk. 1932.

Batsch, 1) Georg Laurentius (1728–1798), gebürtig aus Riga, studierte in Jena Rechtswissenschaft und wurde 1753 Hofgerichtssekretär, 1770 Stadtschreiber, 1775 Universitätsgerichtssekretär und 1777 Sekretär der Regierungskanzlei in Weimar, wo er bis zu seiner Pensionierung lebte; Goethe bezeichnet ihn als einen *in Weimar durchaus geliebten und geschätzten* Mann *(II/6, 108)*. B. war mit einer Tochter des Universitätssekretärs JCFrancke, Johannetta Ernestina Margaretha (1734 bis 1802), verheiratet. Nach 1796 lebte er wieder in Jena.   *Hk*

–, 2) August Johann Georg Carl (1761–1802), Sohn des Vorigen, Botaniker, 1787 Professor an der Universität Jena, seit 1794 Direktor des botanischen Instituts (*Botanischer Garten), hatte in Jena Medizin und Naturwissenschaften studiert *und es so weit gebracht, daß er nach Köstritz berufen wurde, um die ansehnliche gräflich Reussische Naturaliensammlung zu ordnen und ihr eine Zeitlang vorzustehen.* Goethe lernte ihn im Winter 1785/86 beim *Schlittschuhlaufen kennen: *höhere Ansichten der Pflanzenkunde und . . . die verschiedenen Methoden dieses Wissen zu behandeln* wurden besprochen. B.s *Denkweise war meinen Wünschen und Forderungen höchst angemessen, die Ordnung der Pflanzen nach Familien, in aufsteigendem, sich nach und nach entwickelndem Fortschritt, war sein Augenmerk (II/6, 108;* vgl. 247). Als Zeitgenosse ALde*Jussieus betrieb er wie dieser den Ausbau des natürlichen Systems der Pflanzen (vgl. II/6, 169 f.). Goethe sah sich daraufhin veranlaßt, mit einem Schreiben vom 4. II. 1786 JFv*Fritsch die Gründung eines botanischen Gartens auf dem Gelände des Fürstengartens in Jena zu empfehlen, als dessen Leiter B. mit einem Jahresanfangsgehalt von 200 Talern angestellt werden sollte. Seinem Antrag fügte Goethe einen Aufsatz B.s bei (wohl: „Dispositio generum plantarum Jenensium secundum Linnaeum et familias naturales, quam speciminis inauguratis loco extulit", 1786, oder: „Naturgeschichte der Bandwurmgattung überhaupt und ihrer Arten insbesondere", 1786) und hoffte, *einen wahrhaft guten und brauchbaren Menschen aus dem Drucke eines ängstlichen Lebens herauszuziehen und ihn in eine Laufbahn zu versetzen wo er sich zum Vortheile der Akademie für die soviel geschieht bilden könne (IV/7, 177).* Die Anstellung erfolgte 1787. Das durch weitere Gespräche – *über Pflanzen, Infusionen usw. (IV/7, 207)* – vertiefte Interesse blieb während Goethes Abwesenheit in *Italien erhalten, verstärkte sich durch Goethes Beschäftigung mit der *Metamorphose der Pflanzen und veranlaßte letzteren, B. am 18. XII. 1789 *den botanischen Versuch* mitzuteilen *(IV/9, 169)*. B. habe *die Sache sehr gut aufgenommen,* schreibt Goethe an CLv*Knebel (22. XII. 1789: *IV/9, 170); er ging auf seine eigne Weise darauf ein und war dem Vortrage nicht ungeneigt. Doch scheint die Idee auf den Gang seiner Studien keinen Einfluß gehabt zu haben (II/6, 247;* vgl. IV/9, 293).

Unter den zahlreichen Schriften B.s, darunter die „Analyses florum e diversis plantarum generibus omnes", lateinisch und deutsch (1790), machten die „Botanischen Unterhaltungen für Naturfreunde" (2 Bde, 1793), Goethe *ganz besondere Freude . . . Die Beschrei-*

bungen sind so bestimmt und klar, und dabey so zierlich und gefällig als man nur wünschen kann. Auch gibt die große *Mannichfaltigkeit der Behandlung dem Werke einen vorzüglichen Reiz.* Goethe vermißte jedoch, wie er in seiner kritischen Auseinandersetzung andeutet, in dem Werke ein Eingehen auf die Fragen der Metamorphose (26. II. 1794: *IV/10, 143f.*). Als B. sein „neues System der Naturlehre" schrieb – „Einleitung zum Studium der allgemeinen Naturgeschichte" (mit Anmerkungen und Ergänzungen von CCHaberle und LF*Froriep; 1805), – kündigte FJ*Bertuch diese als seine Idee an: „da er selbst nicht Zeit habe, werde Batsch seine, Bertuchs, Ideen dem Publicum vorlegen" (18. V. 1821 zu Fv*Müller: UKM S. 49). 1796 erstellt B. *ein kleines Gutachten . . . über die Nothwendigkeit der unmittelbaren Aussaat des Weidensaamens (IV/11, 96 f.).* Von anderen botanischen Schriften – „Botanik für Frauenzimmer und Pflanzenliebhaber welche keine Gelehrte sind" (1795, vierte Auflage 1818), mehrfach übersetzt – mineralogischen und zoologischen Arbeiten erwähnt Goethe *einen Aufsatz* über das *Phänomen* der mikroskopischen Wurmförmigkeit der Oberfläche; *doch weiß ich nicht ob er je gedruckt worden ist* (8. V. 1811: *IV/22, 92*). Entscheidend für die Gemeinsamkeit der Gesinnungen und Anschauungen Goethes und B.s ist jedoch das Zitat in dem *Versuch die Metamorphose der Pflanzen zu erklären . . . Die Beobachtungen, worauf er sich gründet, sind schon einzeln gemacht, auch gesammlet und gereihet worden;* und Goethe weist auf B.s „Versuch einer Anleitung zur Kenntnis und Geschichte der Pflanzen" (1787), *1. Theil, 19. Capitel* hin *(II/6, 89).* Die schon 1788 von Goethe erhoffte und beantragte Anlage eines botanischen Gartens kam erst nach Rückkehr des Herzogs Carl August aus dem Kriege gegen Frankreich zustande, wurde nun aber von ihm, der mit ChrG*Voigt die vom Herzog eingesetzte *Immediat-Commission* bildete *(I/53, 290),* tatkräftig unterstützt. Am 29. I. 1794 bewilligte der Herzog einen Jahresetat von 200 Talern für das neue Institut. Goethe forderte von B. *Anschläge und Risse* und *Gedancken . . . wie man am füglichsten zum Wercke schreiten könnte;* denn ihm, Goethe, sei *die Leitung des Geschäftes anbefohlen (IV/10, 135;* gutachtlicher Antrag Goethes, B. als einen *geschickten und thätigen Mann* die Aufsicht und wissenschaftliche Benutzung gedachten Institutes auf seine Lebzeit anzuvertrauen vom 11. II. 1794: *IV/10, 137–140).* Der Garten wurde nach dem

natürlichen System angelegt (IV/28, 391). Mancherlei Schwierigkeiten durch den im Fürstengarten angestellten Hofgärtner *Diezel (I/35, 33), durch die Verpachtung des unteren Gartenteils (nach Ablehnung Diezels an den *Bürger Patschke* für jährlich 170 Taler; 1805 an HCA*Eichstädt: *IV/10, 150;* IV/19, 22 f.) und durch die Tatsache, daß B. im Hause im Fürstengarten zunächst Mieter seines Untergebenen Diezel (vgl. IV/10, 273; 291 bis 293) war (I/35, 33; vgl. IV/10, 148 f.), konnten erst nach und nach beseitigt werden. *Batsch war denn im Wirklichen doch schrittweis zufrieden zu stellen, er empfand seine Lage, kannte die Mittel die uns zu Gebote standen, und beschied sich in billigen Dingen* (1795: *I/35, 54;* 1796: I/35, 69). Auch die anfangs noch ungeregelte Rechnungsvorlage (vgl. IV/10, 148; 197; 207) kam durch Goethes Nachsicht trotz mehrfacher *Monita* in Ordnung *(IV/10, 214;* 227; 235; 302; zuletzt 26. XI. 1796: IV/11, 268). Die Übersendung der bewilligten Etatmittel ist nicht immer bezeugt (15. III. 1795: IV/10, 243; 24. III. 1796: IV/11, 51; 16. V. 1801: III/3, 13 und 18. XII. 1801 *mit dem Kammerwagen gegen Postschein: III/3, 44).* Selbständige Einnahmen durch Erlöse von Obst und Gras, sowie aus der Verpachtung des unteren Gartens wurden von dem Bauinspektor GChr*Steffany verwaltet. So wurden *zwey Kassen geführt, eine war . . . für den Gang des Instituts bestimmt. Die andere Casse für Baulichkeiten und was sonst außerordentliches vorkam (IV/16, 154 f.).* *Zu gleicher Zeit hatte Batsch durch unglaubliche Regsamkeit eine naturforschende Gesellschaft in Thätigkeit gesetzt . . . Ihren periodischen Sitzungen wohnte ich gewöhnlich bei; einstmals fand ich Schillern daselbst, wir gingen zufällig beide zugleich heraus, ein Gespräch knüpfte sich an (II/11, 16 = I/36, 250), und die schicksalhafte Freundschaft beider Dichter begann;* das war im Juni 1794 (vgl. HDüntzer: Goethe-Jb 2, S. 180 f.). Der vorzeitige Tod B.s, der allerdings das *botanische Institut . . . in dem besten Zustand zurückgelassen* hatte, *so daß sein Nachfolger* [1803–1807: FJ*Schelver] *es mit Vergnügen fortsetzen kann* (3. XI. 1802: *IV/16, 129 f.*), brachte für die Gesellschaft vielerlei Schwierigkeiten. Die Auseinandersetzung mit den Erben machte die Teilung der Sammlungsbestände notwendig, wobei die Regierung *mit bedeutendem Aufwande die Schulden der Societät bezahlte (I/35, 138;* I/53, 295; vgl. IV/19, 273; die Verhandlungen zogen sich lange hin, 1805: IV/19, 169 f., 1806: III/3, 131 f.; I/35, 254). Noch 1810 wurde *im ehe-*

*maligen Batschischen Hause dreyßig Thaler
Miethzins für die freylich nicht zu verachtenden
Besitzungen der naturforschenden Gesellschaft*
bezahlt *(IV/21, 267)*. Obgleich seit 1804 Goethe der Gesellschaft als Präsident vorstand
(IV/17, 202), war die Gesellschaft 1805 *aus
mehreren Ursachen ihrer Auflösung nahe (IV/
19, 16)* und sollte dann 1816 wieder *weniger
ängstlich und liberaler ins Leben gerufen werden (IV/26, 311)*. Hingegen war die sorgfältige Anlage des Gartens noch lange nach B.s
Tode vorbildlich; nach dem Kriege sollte
Bergrat FS*Voigt, der damalige Direktor des
Gartens, *die botanische Anstalt in die erste,
vom Professor Batsch, mit wissenschaftlicher
Genehmigung Herzoglicher Commission, bestimmte Ordnung zurückbringen* (19. IV. 1815
an ChrGv*Voigt: *IV/30, 185*). So wurde *Das
Abscheiden des verdienstreichen Batsch* von
Goethe *als Verlust für die Wissenschaft, für die
Akademie, für die naturforschende Gesellschaft,
tief empfunden (I/35, 137 f.)*. Noch 1804
wollte Goethe anläßlich einer Sitzung der Gesellschaft *mit Rührung das Andenken eines
Mannes feyern, der von den Wissenschaften und
seinen Freunden zu früh geschieden* sei (26. IX.
1804 an WCF*Succow: *IV/17, 203*). Später
gedachte Goethe B.s in dem von *Villain angeforderten Bericht für Marschall A*Berthier
(1806: I/53, 244), auch in den *Tag- und Jahres-
heften* über die Jahre 1794 bis 1796 und 1802,
die er in den zwanziger Jahren niederschrieb:
*Der treffliche, immerfort thätige, selbst die klein-
sten Nachhülfen seines Bestrebens nicht verschmähende Batsch (I/35, 33) - der geistig
strebende und unaufhaltsam vordringende (ebda
54) - Der edle, reine, aus sich selbst arbeitende
Mann, der seine Vorsätze vertraulich mittheilte,
nicht weniger seine Hoffnungen mit bescheiden-
der Zuversicht vortrug (ebda 69)*. Mit diesen
wenigen, aber klaren Charakterstrichen
spricht Goethe von B., der mit *seinen ausgebreiteten Kenntnissen und seinem unermüde-
ten Fleiße (I/53, 290)* eine wichtige und mitwirkende Persönlichkeit innerhalb des klassischen Weimar/Jena war.

JGünther: Lebensskizzen der Professoren der Universität Jena seit 1558 bis 1858. 1858 (mit zum Teil
falschen Daten). - FChemnitius: Die Botaniker an
der Universität Jena. 1930, S. 14. - MVollert: Der
botanische Garten in Jena. In: Zeitschrift des Vereins für thüringische Geschichte und Altertumsforschung 28 (1929), S. 460-481. - JSachs: Geschichte
der Botanik vom 16. Jahrhundert bis 1860. 1875. -
NDB 1 (1953), S. 628 f.

-, 3) Sophie Carolina Amalie (1765-1847),
Tochter des Hoffaktors Johann Jacob Pfün-
del in Jena, heiratete am 29. IV. 1787 in Flur-
stedt den Vorgenannten, der im Hause ihrer
Eltern gewohnt hatte. CLvKnebel schrieb es

Goethe nach Italien. *Ich fürchte* – antwortete
Goethe lakonisch – *der Heuraths Versuch wird
mißlingen. Es ist freylich der schönste den ein
Naturkundiger machen kann, nur will er nicht
immer gerathen* (3. X. 1787: *IV/8, 269*). In
ihre Wohnung zog 1789 Knebel ein (IV/9,
102). Daß ihr Mann *eine reinliche Haushaltung
geführt hat (IV/16, 215)*, darf man wohl ihr
zuschreiben. In den langwierigen Verhandlungen wegen des Nachlasses (am 30. XI. 1802
erhält sie eine *Quittung: III/3, 67;* am 20.VIII.
1806 spricht *Dr. Heiligenstät, wegen der Batschischen Abfindung* bei Goethe vor: *III/3,
161*) hatte Goethe mehrfach mit Frau B. zu
tun. Am 13. X. 1805 war er bei ihr, um *zu
sehen was man der Batsch herausgegeben, und
bin erschrocken wie die Lage des ganzen Geschäftes dadurch verschoben worden (IV/19,
69)*. Auch am folgenden Tage war er *im Batschischen Hause ... Ich halte die Sache noch
für curabel, alles kommt darauf an ob die Batsch
sich billig finden läßt. Hab ich von ihren Forderungen einige Kenntniß; so will ich ihr weitere
Vorschläge thun (ebda 70;* vgl. I/35, 137).
Erst im Oktober 1807 ist die Abfindungs-
summe vereinbart. *Sie ist einer früheren Abrede gemäß, wie es auch in den Acten verzeichnet ist. Ich will mit Ew. Excellenz Beystimmung eine Verordnung an den Rentamtsverwal-
ter zur Bezahlung aufsetzen* (17. X. 1807 an
ChrGvVoigt: *IV/19, 435*). - Später war SCA.
zweite Gouvernante - sie und APallard *stehen
gar zu hübsch in ihren Rollen* (29. X. 1817:
IV/28,292)-bei den Prinzessinnen Maria Luise
Alexandrine und Maria Luise Auguste Catharina von *Sachsen-Weimar, den Enkelinnen
Carl Augusts. Im Januar 1824 war sie krank
(IV/38,302), betreute dann im Sommer des gleichen Jahres den kleinen Wolfgang v*Goethe
(IV/38, 196) und war mit den *jungen Herrschaften, auch der kleine Prinz* Carl Alexander am
8. X. 1824 im Hause Goethes *(III/9, 279)*.

HKoch: Das Pfündelsche Haus in Jena. In: Wissenschaftliche Zeitschrift der Universität Jena. 1953/54,
S. 479-486.

-, 4) Johann Georg Friedrich (1789-1834),
Sohn des AJGC. (2), Kaufmann, *an seinen
Vater durch freundliches, thätiges Benehmen,
sowie durch übereinstimmende gefällig geistreiche Gestalt erinnernd,* kehrte 1817 aus *Kairo
zurück, wohin er in Geschäften europäischer
Kaufleute gegangen war.* Am 24. IX. 1817
zeigte er Goethe *Zeichnungen von dortigen Gegenden ... auch kleine Alterthümer ägyptischer
und griechischer Abkunft (I/36,134f.;* III/6,112)
und war mit Bergrat JG*Lenz am 12. X. 1871
sonntäglicher Mittagsgast bei Goethe (ebda 121).
-, 5) Georg Friedrich Carl (geb. 1792),

1824 *Lieutenant, (III/9, 295)*, später Direktor der Kommission für Chaussee und Wasserbau, *erzählte* am 8. VI. 1829 *von seinen Reisen in Sicilien und Calabrien und dortigen Staats- und Handelsverhältnissen (III/ 12, 79)* – eine Notiz, die auf GFC. bezogen werden müßte, da er von Goethe als *der jüngere Batsch* im Gegensatz zu seinem Bruder JGF. *(ein junger Batsch: I/36, 134)* bezeichnet wird. Sein Sohn ist der militärisch und militärpublizistisch hervorgetretene preußische Admiral Karl Ferdinand B. (1831–1898).   *Ko*

Batteux, Charles, Abbé (1713–1780), bekannt durch den ,,Cours de belles-lettres" (1750), ,,Les quatre poétiques d'Aristote, d'Horace, de Vida et de Boileau" (1771), vor allem aber durch den ,,Traité des beaux-arts réduits à un seul principe" (1746), welchen JA*Schlegel unter dem Titel ,,Einschränkung der schönen Künste auf einen einzigen Grundsatz" kritisch bearbeitend ins Deutsche übersetzte (1751). B. suchte dem schöpferischen, enthusiastischen Drang im Künstler mehr Freiheit zu verschaffen, als die Ästhetik seiner Zeit diesem zugestand, konnte sich aber vom Empirisch-Sensualistischen und Rationalistisch-Reflektierenden nicht bis zur Anerkennung des souverän ein organisch geschlossenes, selbständiges Kunstwerk schaffenden Genies durchringen. Für das Kunstwerk jeder Art ist Nachahmung der Natur der leitende Grundsatz, zwar nicht immer in dem wörtlichen Sinn, den manche Kritiker B. vorgeworfen haben, aber doch noch zu sehr in der Richtung auf die Auslese eines Schönen, das idealisierende Typik nach dem Kanon des französischen 17. Jahrhunderts bleibt. Das Schöne, dessen Merkmale Einheit und Mannigfaltigkeit, Regelmäßigkeit und Proportioniertheit sind, ist nicht nur mit dem Angenehmen, sondern auch mit dem Guten verbunden. So bleibt B.s Ästhetik trotz neuernder Ansätze in ihrem Vertrauen zum Genie ängstlich, in ihrer Stoffwahl beschränkt, in ihrer Wertsetzung moralisierend. Doch waren B.s Gedanken mehr als, nach *Herders Wort, ,,eine belle Phrase"; denn sie waren die wenn auch,,unvollkommene Umschreibung der idealisierenden Kunstauffassung", wie sie, allerdings viel vertiefter, auch für die kommende deutsche *Klassik gelten sollte. Die ,,*Frankfurter Gelehrten Anzeigen" anerkannten 1772 eher die scharf gehaltene Rezension Herders in der ,,Allgemeinen Deutschen Bibliothek" (1772, Bd 16, 1, S. 17–31) als die zugrunde liegende B.-Übersetzung JASchlegels. Die Anmerkungen zu *Rameaus Neffe* lassen 1805 wenigstens B. als *Apostel des halbwahren Evangeliums der Nachahmung der Natur* gelten *(I/45, 164)*; allerdings hebt die gleiche Stelle hervor, daß B. vom Schöpferischen jenseits des Sensualismus nichts wisse (vgl. Goethe 28. II. 1798 an Schiller: IV/13, 81 f.).   *Fu*

Batthyányi *(Bathiany: III/8, 215)* von Német-Ujvár, die berühmte altadlig-ungarische Grafen- (1603/1630) und Fürsten-Familie (1763), die sich von Georg Kis de Kővágó-Eörs (um 1400) herschreibt und auf stolze Verdienste um die Geschichte Europas (zB. in den Türkenkriegen) zurückblicken kann, trat Goethe persönlich näher oder nahe durch

–, 1) Vincenz Johannes de Deo Erhard Aloys (1772–1827), Obergespan des Honter Komitats (Slowakei), k. u. k. Kämmerer, Geheimer Rat und Vizepräsident der Allgemeinen Hofkammer in Wien, auch Reiseschriftsteller mit scharfer und gründlicher Beobachtungsgabe (1802/03, 1805, 1810),

–, 2) Josephine, geb. Rudnyák von Bátsfa (1778–1847), Gemahlin des Vorgenannten. – Goethe verzeichnet die Bekanntschaft erstmals am 24.VII. 1808 im Tagebuch (III/3, 363) während der gemeinsamen Kur in *Karlsbad. Der Umgang erneute und vertiefte sich am 5. X. 1810 in Weimar (III/4, 157 f.) und schließlich in *Marienbad 8./10./11./16. VII. 1822 und 6. VII. 1823 (III/8, 215–217; III/9, 73). B. und seine Gemahlin vermittelten Goethe 1822 ua. wertvolle Einsichten in den *Zeit-Conflickt überhaupt, besonders in Böhmen und der Monarchie überhaupt* (zB. *Heilige Allianz; Kongreß zu *Verona; III/8, 215).   *Za*

Battisti di San Giorgio de Scolari, Eduige de (1808–1868), einer erbländisch-österreichischen Adelsfamilie (Diplom von 1772) entstammend, in Görz/Istrien, also in zweisprachiger Heimat geboren, infolge dieser geschichtlich tiefbedingten Zweisprachigkeit ebenso beweglich wie eindringend gebildet und anpassungsfähig, trat schon als neunzehnjähriges Mädchen mit einer beachtenswerten Übersetzung hervor (FJH Graf *Soden: ,,Inez de Castro", entstanden 1784). Sie veröffentlichte auch eigene lyrische Dichtungen, die sie landesüblich ,,strenna" = kleines Geschenk, Trinkgeld, Handgeld nannte. Ihre wirklichen Erfolge aber blieben Übersetzungen ins Italienische (nach Schiller; GA*Bürger; HJv*Collin) und besonders diejenigen goethescher Werke; nach einem Versuch mit einem Stück aus der *Italiänischen Reise* übertrug sie als erste anerkennenswert verständnisvoll die *Iphigenie* in italienische Verse (1832). Alle diese *Übersetzungen liegen in ihrer ersten Lebenshälfte, sie sind auch unter ihrem Mädchennamen veröffentlicht. Durch ihre Ehe mit dem Stadtgerichts-Adjunkten Conegliano Gaetano Scolari wurde sie literarischer Wirksamkeit größeren Stiles entfremdet. Sie empfing verschiedene Ehrungen durch gelehrte oder künstlerische Institutionen (*Rovereto; Rovigo; Bergamo; *Leipzig).   *JP*

Batty *(Baty: III/1, 105; Bätty: IV/4, 41)*, George (gest. 1821), Engländer, *Landkommissair (IV/6, 417)*, der von *Merck nach Weimar empfohlen worden war (IV/4, 307; erste Begegnung mit Goethe 8. VI. 1779: IV/4, 41), um für Verbesserungen der Kammergüter zu sorgen, insbesondere, um eine neue Art der Berieselung *(Wiesewässerung: IV/4, 289)* einzuführen. Goethe schätzte ihn außerordentlich als einen Menschen, der sein Fach gründlich verstand. In zahlreichen Tagebucheintragungen 1779/1780 erwähnt er B. und ist immer wieder voll des Lobes für diesen tüchtigen Mann. So heißt es am 13. V. 1780: *Brief von Baty. das ist mein fast einziger lieber Sohn an dem ich Wohlgefallen habe, so lange ich lebe solls ihm weder fehlen an nassem noch trocknem (III/1, 118;* wichtige Zusammenkünfte 14. VII. 1779: III/1, 88; 19. VIII.: ebda 95; 11./ 12. III. 1780 im *Amt Gros-Rudstädt: ebda 110;* 13. IX. 1780 in *Kaltennordheim: IV/4, 289* und 21. VI. 1784: IV/6, 307). Goethe urteilt: *Außer seinen 300 Rthlrn. hat B. . . . Quartier und Essen frei, welches die Gemeinden tragen, wo er sich aufhält. Ich will auch noch sonst für ihn sorgen. Er wird auch gar honnorable behandelt, und hat eine große Freude an seiner eignen Sache (IV/4, 307).*
Goethes Freude über diese Bekanntschaft erklärt sich durch die Polarität von *Theorie und Praxis, weil nämlich *meine Theorie mit seiner richtigen Praxis immer übereinstimmt* (17. IV. 1782 an CLv*Knebel: *IV/5, 311*). Aus B.s Nachlaß (Auszug aus B.s Testament: III/ 8, 346) wurden einige *Münzen für das großherzogliche Münzkabinett erworben (III/8, 73; 152).   *Sn*

Baubo ($\beta\alpha\nu\beta\acute{\omega} = \varkappa o\iota\lambda\acute{\iota}a$: Bauch, Unterleib; Mutterschoß), dem männlichen *Phallos entsprechend die Repräsentation der weiblichen Geschlechtssphäre, eine Metastase der Demeter (*Ceres), soll – wie die Sage berichtet – mit ihrem Gatten Dysaules gemeinsam die auf der Suche nach der verlorenen Persephone (Proserpina; *Kore) trauervoll umherirrende Demeter mit dem Knaben Iakchos in Eleusis aufgenommen haben. Als die Göttin in apathischem Schmerz verharrte und den dargebotenen Labetrunk (Gerstenbräu) ablehnte, hob B. ihr Gewand auf, um vor den Augen der

Verzweifelten ihren Mutterschoß zu entblößen und sie dadurch sinnfällig wie sinnbildlich an den wiederkehrend sich erneuenden Rhythmus des Empfangens und Gebärens zu erinnern. Man erzählte auch, daß der Knabe Iakchos die Trauernde aus dem Schoße der B. heraus anlachte. Demeter gewann kraft dieser starken Geste ihre Zuversicht und ihre Heiterkeit wieder, sie genoß den Labetrunk. In der B. manifestieren sich dergestalt wahrscheinlich längst vorgriechische, muttergöttliche Vorstellungen, die in unverkennbaren Kultsymbolen der eleusinischen Mysterien ausgedrückt und verehrt wurden (Wilamowitz 2, S. 52). Wie auch immer variiert, ist ,,das Sich-Darstellen der gebärenden Frau oder der Göttin als einer Gebärenden und die Darstellung des Schoßes bei gespreizten Beinen ein Ritual-Geschehen" (ENeumann S. 139 f.), das allenthalben in der frühen und noch späten Antike (Hathor; Isis) kultisch nachgebildet wurde, oftmals in Verbindung mit dem Mutterschwein als dem spezifischen Opfertier der Erdgöttin. Nichts berechtigt uns dazu, in diesen Handlungen bloße *Obszönitäten zu sehen. Die Heiterkeit des *Lachens der Demeter hat wesentlich andere und tiefere Wurzeln. Diese Heiterkeit ist nicht Verdrängung, sondern Überwindung. Freilich stammt das göttliche Lachen hierbei aus titanischem Grund (KKerényi S. 167–173). Als Goethe *Das Römische Carneval* (1787/1788) erlebt und beschreibt (1789), hat er zum ersten Male mit der B. in spätesten und doch erstaunlich echten Traditionsformen zu tun: *Wenn uns während des Laufs dieser Thorheiten der rohe Pulcinell ungebührlich an die Freuden der Liebe erinnert, denen wir unser Dasein zu danken haben, wenn eine Baubo auf öffentlichem Platze die Geheimnisse der Gebärerin entweiht, wenn so viele nächtlich angezündete Kerzen uns an die letzte Feierlichkeit erinnern, so werden wir mitten unter dem Unsinne auf die wichtigsten Scenen unsers Leben aufmerksam gemacht (I/ 32, 270).* Etwa zehn Jahre später heißt es in der *Walpurgisnacht* des ersten *Faust*-Teiles, eben wegen dieses Zusammenhanges, freilich nicht mehr ganz so heidnisch bejahend: *Die alte Baubo kommt allein; | Sie reitet auf einem Mutterschwein. | So Ehre denn, wem Ehre gebührt! | Frau Baubo vor! und angeführt! | Ein tüchtig Schwein und Mutter drauf, | Da folgt der ganze Hexenhauf (I/14, 200).* Mit diesen Versen hat die B. dann ihren endgültigen Platz in Goethes Welt angewiesen erhalten. In der *Klassischen Walpurgisnacht* kommt sie bemerkenswerterweise nicht mehr vor. *Za*

27*

UvWilamowitz-Möllendorf: Der Glaube der Hellenen. 2 Bde. ²1955. – ENeumann: Die große Mutter.
1957. – KKerényi: Die antike Religion. 1940.

Bauchredner üben die schon den Griechen
bekannte Kunst, ohne Mundbewegung zu
sprechen und dabei den Anschein zu erwecken, als käme die Stimme von einem anderen Orte her. Die der Bezeichnung innewohnende Vorstellung, die Stimme werde im
Bauche gebildet, ist irrtümlich. Goethe hat
B. wiederholt mit Interesse gehört, so den in
Weimar und Jena auftretenden Dr. Alexander *Valtemare (Baltimore), und war der
Meinung, daß man die Rollen *Wagners* und
des *Homunculus* in *Faust II* von einem B.
spielen lassen könne, dessen Stimme klingen
müsse, *als wenn sie aus der Flasche käme* (20.
XII. 1829 zu Eckermann: *Bdm. 4, 183). EF*

Baudissin, Wolf Heinrich Friedrich Karl Graf
von (1789–1878), seit 1827 ständig in *Dresden lebend, wo L*Tieck seit 1819 wirkte und
1825 Dramaturg des Hoftheaters geworden
war, hauptsächlich literarisch tätig, vorzüglich als *Molière-, mehr noch als *Shake-
speare-Übersetzer bekannt: „Schon im Jahre
1818 gab er eine Übersetzung Heinrichs VIII.
mit seinem Namen heraus, die ich, mit Veränderung von meiner Hand, in diese Fortsetzung der Schlegelschen Herausgabe Shak-
spear's aufgenommen habe. Von ihm ist ebenfalls die Übersetzung des Troilus, wahrhaft
con amore übertragen, Maaß für Maaß, die
Widerspenstige, wo die Sprache leicht und
zierlich, der Irrungen, wo dem Übersetzer die
Anmuth und der Spaß vorzüglich gelungen
sind, Ende gut, Titus Andronikus, Viel Lärmen um Nichts, Antonius und Cleopatra, die
lustigen Weiber, Othello, Lear und Liebesleid
und Lust. Der leichte Kritiker, der Kenner des
Dichters ist und diesen studirt hat, wird ohne
meine Lobpreisung sehn, wie viel in diesen
Arbeiten geleistet worden ist, was namentlich
für den höchst schwierigen Troilus und Antonius gethan ist. Die Leichtigkeit der Irrungen ist glücklich dem Original nachgespielt"
(L*Tieck 1840). – B. kam in Begleitung von
G*Hugo und HFTH*Kohlrausch als junger
Mann und göttinger Student am 23. V. 1809
zu Goethe nach Jena *(alsdann Graf Baudissin: III/4. 30 f.)* und hielt den Überschwang
seines Eindrucks in einem Brief vom 1. VII.
1809 an seine Schwester fest: „Ich schwöre,
daß ich nie einen schöneren Mann von sechzig
Jahren gesehen habe. Stirn, Nase und *Augen
sind wie vom olympischen Jupiter, und letztere ganz unmalbar und unvergleichbar. Erst
konnte ich mich nur recht an den schönen
Zügen und der herrlichen braunen Gesichts-

farbe weiden; nachher aber, wie er anfing lebhafter zu erzählen und zu gestikulieren, wurden die beiden schwarzen Sonnen noch einmal
so groß, und glänzten und leuchteten so göttlich, daß, wenn er zürnt, ich nicht begreife,
wie ihre Blitze nur zu ertragen sind. Mehrere
Fremde haben über seine Härte und Steifig-
keit geklagt, gegen uns ist er äußerst human
und freundlich gewesen. Er hatte einen blauen
Überrock an und gepudertes Haar ohne Zopf.
Seine ehemalige Korpulenz hat er verloren,
und seine Figur ist jetzt im vollkommensten
Ebenmaß und von höchster Schönheit. Man
kann keine schönere Hand sehn als die seinige,
und er gestikuliert beim Gespräch mit Feuer
und entzückender Grazie. Seine Aussprache
ist die eines Süddeutschen, der sich in Norddeutschland gebildet hat, welche mir immer
die vorzüglichere scheint; er spricht leise, aber
mit einem herrlichen Organ, und weder zu
schnell noch zu langsam. Und wie kommt er
in die Stube, wie steht und geht er! Er ist
ein geborner König der Welt" (ESchaeffer
S. 21; WVictor S. 14 f.). *Za*

Baudouin, Pierre Antoine (1723–1769), Maler
in Gouachefarben, Schüler F*Bouchers, ist der
Zeichner einer gebirgigen Landschaft in Goethes Kunstsammlung. *Lö*
Schuchardt I, S. 316.

Bauer (Vorname und Lebensdaten archiva-
lisch nicht feststellbar), Hofgraveur in *Dresden, *Zeigte* am 30. XI. 1812 im Haus am
Frauenplan *seine Siegelabdrücke vor, sowie die
von ihm geschnittenen Köpfe und Figuren; nicht
weniger gepreßte Sachen (III/4, 348).* Am
1. XII. sprach er nochmals bei Goethe vor.
Seine Besuche boten am darauffolgenden
Abend Anlaß zur Unterhaltung mit H*Meyer
(ebda 349). Die vorgezeigten Arbeiten lassen
sich nicht mehr nachweisen. B. war in Dresden vom *Adel als bester Wappenkenner geschätzt und als geschickter Schneider für Sie-
gelringe gesucht. *Fr*

Bauer, Carl Friedrich (3. IV. 1776 bis 27. VI.
1842), geboren und gestorben in Jena, zweites uneheliches Kind der Lehrerstochter Susanna Regina Johanna B., war seit 1807 verheiratet mit Johanna geb. Knäfler, von der er
am 10. VII. 1816 geschieden wurde. B. erhielt
am 31. V. 1805 von Carl August die Erlaubnis, in Jena das Fechten und Voltigieren zu
lehren. Er wurde am 23. I. 1812 der Regierung vom Kurator als Nachfolger des 1809
verstorbenen Fechtmeisters vd*Brincken vorgeschlagen. 1839 wurde er pensioniert. B. war
der letzte der sogenannten „Kreußlerschen
Schule". Sein Porträt (von Ries) befindet sich

in der Universität Jena. Als 1828 die Porträts
der früheren Fechtmeister aus dem Fecht-
boden an die Universitäts-Bibliothek abgegeben werden sollten, wandte sich B. an
Goethe, der das Gesuch der Bibliotheksver-
waltung an den Großherzog weiterleitete (14./
17. XI. 1828: III/11, 302 f.).   *Ko*
ChrSeemann-Kahne: Die Kreußler in Jena. 1912.

Bauer, Charlotte von (Lebensdaten unbekannt, möglicherweise identisch mit der
Witwe Friedrich-Wilhelm vB.s (später verheiratete vWeinheim, vgl. III/3, 23; *Bauers
Landgut), Malerin, nur bekannt durch eine
um 1792 entstandene Kreidezeichnung mit
dem Porträt Goethes, das sich in der Sammlung Zarncke befand (Weimar, Landesbibliothek). Es macht ,,einen eigenthümlichen, fast
befremdenden Eindruck ... und besitzt allzu
geringe Ähnlichkeit''.   *Lö*
ELehmann: Goethes Bildnisse in der Zarnckeschen
Sammlung. In Zeitschrift für bildende Kunst 5 (1894),
S. 284. – ThB 4 (1909), S. 66. – ESchulte–Straat-
haus: Die Goethe-Bildnisse. 1910, S. 41; Tafel 79.

Bauer, Ferdinand Lukas (1760–1826), österreich'scher Maler und Kupferstecher, Illustrator botanischer Publikationen, wurde schon
früh durch seinen Gönner, den Prior des Bene-
diktinerklosters Felsberg, zu genauem Natur-
studium angehalten, so daß auch später seine
künstlerische Tätigkeit kaum über das bota-
nisch genaue Nachzeichnen des Objektes hinausging. Seine londoner Tätigkeit, bei der er
AB*Lamberts und SilthorpsWerke bebilderte,
wurde durch eine Weltumseglungsexpedition
unterbrochen, von der er 1806 zurückkehrte.
1812 wieder in seiner Heimat bei Wien, legte
er eine umfangreiche Pflanzen-und Zeichnungs-
sammlung an, die nach seinem Tode vom Naturhistorischen Museum in Wien übernommen
wurde.
Goethe scheint Zeichnungen B.s um 1817 kennengelernt zu haben; Carl August vermittelte
durch ihn den Auftrag für einige Kopien nach
Zeichnungen B. 5 in Lamberts ,,A description
of the genus Pinus'', London 1803 (IV/28, 4).
Dieses Buch entlieh Goethe 1826 von der *Bibliothek. Doch schon 1818 schrieb er sehr lobend
in seinem Aufsatz über die *Blumen-Mah-
lerei* von B.: *Daher wird man bei'm Anblick dieser Blätter bezaubert, die Natur ist offenbar, die
Kunst versteckt, die Genauigkeit groß, die Ausführung mild, die Gegenwart entschieden und befriedigend (I/49^I, 382).*   *Lö*
CNissen: Die botanische Buchillustration. Bd 2. 1951.
S. 9. – Keudell Nr 1708.

Bauer, Johann Gottfried, bedeutender Buchhändler in Straßburg (mit Buchdruckerei und
Verlag). Die Firma erscheint in den Messe-
katalogen unter folgenden Namen: 1750 bis

1768 JGBauer; 1770–75 JGBauer & Comp.;
1776–83 Bauer & Treuttel; 1784–94 Treuttel;
1796–1846 Treuttel & Würtz. 1770 hatte JG
Treuttel (1744–1826) das Geschäft übernommen, später trat sein Schwiegersohn JGWürtz
(1768–1841) ein. Unter ihnen gelangte das
Unternehmen zu großem Ansehen; 1795
erfolgten Filialgründungen in Paris, 1817 in
London. Goethe ließ sich durch das Sorti-
ment wiederholt Bücher besorgen (1781: IV/5,
91; 182; Brief aus Weimar vom 29. X. 1827:
IV/43, 139; vgl. III/11, 130; ferner die Mahnung wegen einer Zahlung für Jeanette *Bros-
sard vom 20. XI. 1779: IV/4, 138f.).   *St*
JGoldfriedrich: Geschichte des Deutschen Buchhandels. Bd 3 (1909), S. 70. 515. – KBauer in: Lexikon
des gesamten Buchwesens. Bd 3 (1937), S. 429.

Bauer, Johann Jakob, Buchhändler in Nürnberg (nach Biographie universelle, S. 554:
1772; nach Goldfriedrich Bd 3, S. 292 1767 gestorben). In den Krisenjahren des deutschen
*Buchhandels beim Übergang vomChangieren
zum Konditionssystem ist B. durch seine Schrift
,,Gespräche im Reich der Todten zwischen
dem Buchhändler Johann Jacob Bauer und
dem Kaufmann L*** von den vielerley Arten
des Buchhandels ...'' (Nürnberg: Martin
Jacob Bauer [Sohn von JJ] 1770) hervorgetreten. Goethe benutzte JB.s ,,Biblio-
theca librorum rariorum universalis'' 1795
bei der Vorbereitung zu einer zweiten
Reise nach Italien (I/34^II, 215). B.s ,,Biblio-
theca'' gehörte zu den zahlreichen Titellisten,
die mit zunehmender Buchproduktion seit der
Mitte des 18. Jahrhunderts herauskamen. *St*
JJBauer: Bibliotheca librorum rariorum universalis.
Th. 1–4 [nebst] Suppl. Bd 1–3. Nürnberg: MJBauer
1770–91. – JGoldfriedrich: Geschichte des Deutschen
Buchhandels. Bd 3 (1909), S. 197 f., 282 f., 292, 503,
654 Anm. 134. – KSchottenloher: Bücher bewegten
die Welt. Bd 2 (1952), S. 363.

Bauer, Johann Martin Jakob (1793–1867),
Buchbinderssohn aus Jena und Stiefsohn des
Hofbuchbindermeisters JG*Müller in Weimar,
erledigte seit 1826 Buchbinderaufträge für
Goethe, wie Binden und Heften von Büchern,
ua. der Werke Goethes (III/11, 128; 144; 237;
12, 262; 13, 18; 38), Heften von Korrespondenzen, zB. mit Schiller (III/12, 100) und
CF*Zelter (III/12, 258), Aufziehen von Karten,
Tabellen, *Kupferstichen und Skizzen, Anfertigung von Kästen für Sammlungsgegen-
stände. Die außerordentlich zahlreichen Aufträge, die in den Tagebüchern erwähnt werden (III/10–13), und einzelne Bemerkungen
Goethes, wie *sauber (III/12, 58)* und *war
geglückt (III/13, 151),* beweisen, daß er mit
der gelieferten Arbeit zufrieden war. B. starb
als Hofbuchbinder in Weimar.   *Hk*

Bauernberg/Bauersberg *(Bauerberg),* die
*Harz-Erhebung (517 m) östlich von *Grund,
untersuchte Goethe Mitte August 1784 während seiner dritten Harz-Reise, hauptsächlich
aus bergbaulichen Gründen: *Am Bauerberg
Halde des 3. Lichtlochs (NS 1, 79; RV S. 23;
*Frankenscharrer Hütte; *Bergwerke und
Hüttenbetriebe).*   *Za*

Bauernkrieg. Allem Gewaltsamen in der *Natur wie in der *Geschichte war Goethe entschieden abhold. So konnte er für die zT.
tiefbegründeten sozialen Bewegungen in
Stadt und Land, die schon seit dem 15. Jahrhundert (also wohl nach John Wiclif, insbesondere aber nach J*Huß und nach dem
Konzil von *Konstanz, jedoch durchaus vor
M*Luther und der eigentlichen *Reformation)
begonnen hatten, die *niedren Classen* des
*Bauerntums wie auch des *Bürgertums aufzurühren, und etwa seit 1476 (Hans Böhm/
Böheim: Pauker von Niklashausen im Taubertal) als B. (Goethe 1771: *Bauern Rebellion,
I/39, 148*) zusammenfassend bezeichnet werden, kein eindeutig positives und vornehmlich
kein konstantes Interesse aufbringen (*Adel/
Adelung, *Bettler, *Gesellschaft). Nicht einmal für Thomas Münzer (1489–1525), den
philologisch und theologisch hochgebildeten,
wiedertäuferischen Feuerkopf, der gerade in
Thüringen, dh. in altem, wettinisch-ernestinischem Herrschaftsbereich (*Allstedt; *Mühlhausen; J*Becherer) unter Bauern und Bergleuten als „ein Knecht Gottes wider die Gottlosen", als der wort- und tatgewaltige Verkünder
einer neuen, theokratischen Glaubens- und
Lebensordnung, auch einer ausnahmslosen
Gütergemeinschaft gewirkt hatte und in den
blutigen Wogen von Aktionen und Reaktionen, mit seinem Bauernheer bei Frankenhausen (Kyffhäuser) vernichtend geschlagen,
untergegangen war (Hinrichtung: 27. V. 1525
vor den Toren von Mühlhausen). Es gibt kein
Zeugnis, daß sich Goethe außer in der Zeit
seiner Krankenmuße in *Frankfurt sowie seiner rechtsgeschichtlichen Studien vornehmlich in *Straßburg, besonders aber während
seiner Quellenarbeit für die *Geschichte Gottfriedens von Berlichingen* (*Götz von Berlichingen*) eindringlich mit dem B. beschäftigt
habe. Manche Hilfe bot die Hausbibliothek
des Vaters (vgl. Götting zB. S. 44–49), auch
die „Lebensbeschreibung des Herrn Gözens
von Berlichingen, zugenannt mit der Eisernen
Hand", die in der Pistorius-Ausgabe (Nürnberg) von 1731 vorhanden war und in der
zweiten Auflage von 1775 nochmals beschafft
wurde (ferner auch HChrSchmidt: Über Götz

von Berlichingen. Leipzig 1774). Im Zuge
schon der ersten Dramen-Niederschrift (1771)
hatte Goethe *Götzens* (und wohl auch sein
eigenes) Verhältnis zum B. betont so dargestellt, daß *Götz* (auch geschichtlich seit
Mai 1525 oberster Führer der Aufständischen)
nur unter Druck und Androhung von Gewalt
sich an die Spitze der Bewegung hat stellen
lassen: *Wir wollens ihn lernen. Bring ihm den
Dolch an die Haut. Und den Feuerbrand ans
Dach, er wird sich geschwind entschließen
(I/39, 153).* Bald danach schon hört man es
anders aus dem Mund der Bauern: *Denn wir
sind deiner Herzlich müd, wir hielten Dich für
einen edlern freyern Mann, für einen Feind
der Unterdrückung, nun sehen wir dass du ein
Sclave der Fürsten bist, und kein Mann für
uns. Wenn deine Zeit um ist sollst du fort (ebda
161).* Götz selbst wußte, daß seine *Zeit,*
die Zeit der Beschwichtigungen, Ermahnungen, der Einlenkungen und des Zurückrufens
zu ende ist, ein *Unbekannter* hatte ihn gewarnt
(ebda 161; 159). In der späteren Fassung
(1773) werden diese Zusammenhänge verdeutlicht. Damit verschärft sich der Ausdruck des Abstandes und der Ablehnung gegenüber dem B. (I/8, 144–146; 149–151). Die
bittersten Wahrheiten, die *Götz* den Rebellen
sagt, sind imgrunde eben die, die Goethe
selbst und mit zunehmendem Alter schärfer
werdend an Revolutionen und Revolutionäre
zu richten liebte: *Es ist besser, daß Ungerechtigkeiten geschehn, als daß sie auf eine ungerechte Weise gehoben werden (MuR:* Hecker
Nr 833). Goethe stand auf der Seite der Evolutionen und der Evolutionäre; er war – vergleichsweise – mehr Neptunist als Vulkanist.
                                                           Za

Bauernregeln. Als Goethe, von *Wiesbaden
kommend, am 16. VIII. 1814 in *Bingen das
*St. Rochusfest mitfeierte, kam er im *Gespräch mit ländlichen Wallfahrern auch auf
die Überlieferung bäuerlicher Wetterregeln.
*Verschiedene Bauernregeln und sprüchwörtliche
Wetterprophezeiungen, welche dieß Jahr eingetroffen sein sollten, verzeichnete ich in's Taschenbuch, und als man* meine *Theilnahme bemerkte, besann man sich auf mehrere, die denn
auch hier Platz finden mögen, weil sie auf Landesart und auf die wichtigsten Angelegenheiten
der Bewohner hindeuten (Sanct Rochus-Fest zu
Bingen: I/34^I, 34).* Die bis in die Gegenwart
hinein lebendig gebliebenen B. stellen eine
Verschmelzung von Beobachtungen lokaler
Witterungserscheinungen und antikem Traditionsgut dar, das im frühen *Mittelalter
durch die Kirche verbreitet wurde und be-

sonders in der „Bauernpraktik" vom Jahre 1508, einem der meistverlegten Volksbücher des 16. Jahrhunderts, ihren Niederschlag fand. Die typische B. beginnt mit einem Bedingungssatz, aus dem die Wettervoraussage abgeleitet wird. Fast alle Grundformen sind in den von Goethe aufgezeichneten 17 B. enthalten *(I/34ᴵ, 34 f.)*: auf astrologische Wetterschau, die bereits eingehend in *Vergils* „Georgica" behandelt wird, gehen die beiden folgenden Sprüche zurück: *Je näher das Christfest dem neuen Monde zu fällt, ein desto härteres Jahr soll hernach folgen; so es aber gegen den vollen und abnehmenden Mond kommt, je gelinder es sein soll. – Wenn die Milchstraße im December schön weiß und hell scheint, so bedeutet es ein gutes Jahr.* Während die B. *Nicht zu kalt und nicht zu naß, füllt die Scheuer und das Faß – Trockner April ist nicht der Bauern Will'* und *Kühler Mai gibt guten Wein und vieles Heu* lediglich Formulierungen allgemeiner bäuerlicher Erfahrungsgrundsätze sind, tauchen in anderen Wettersprüchen Überlieferungen aus dem Wirkungskreise der sog. Lostage, jener kritischen Perioden der heiligen zwölf Nächte zwischen *Weihnachten und Dreikönig (Wintersonnenwende) und des Sommeranfanges (Walpurgisnacht), auf: *Wenn die Zeit von Weihnachten bis drei König neblicht und dunkel ist, sollen das Jahr darauf Krankheiten folgen. – Wenn in der Christnacht die Weine in den Fässern sich bewegen, daß sie übergehen, so hofft man auf ein gutes Weinjahr ... Wenn es in der Walpurgisnacht regnet, so hofft man ein gutes Jahr.* Vielfach werden auch aus Erscheinungen der Pflanzen- und Tierwelt Wettervorhersagen abgeleitet: *Wenn die Bohnen übermäßig wachsen und die Eichbäume viel Frucht bringen, so gibt es wenig Getreide ... Reife Erdbeeren um Pfingsten bedeuten einen guten Wein ... Wenn die Rohrdommel zeitig gehört wird, so hofft man eine gute Ernte ... Wenn die Grasmücke singt, ehe der Weinstock sproßt, so verkündet es ein gutes Jahr.* Eindeutig antike Traditionen treten uns in jenen mantischen Sprüchen entgegen, die auf Überlieferungen priesterlicher Eingeweide- und Knochenschau beruhen: *Die Fischer haben von der Hechtsleber dieses Merkmal, welches genau eintreffen soll: wenn dieselbe gegen dem Gallenbläschen zu breit, der vordere Theil aber spitzig und schmal ist, so bedeutet es einen langen und harten Winter.* Gemeint ist von Goethe die B. „Ist die Hechtsleber der Galle zu breit / vorn spitz / nimmt harter Winter lange Zeit / in Besitz" (Hwb Aberglauben 4, Sp. 639). Es handelt sich da-

bei um die in *Babylon bereits geübte und von *Plinius eingehend beschriebene Leberschau, deren spielerische Ausprägung als später Nachklang in den scherzhaften „Leberreimen" fröhlicher Tischrunden des 18. und 19. Jahrhunderts erhalten geblieben ist. Ähnlich verhält es sich bei den Wetterprognosen aus Tierknochen: *Ist das Brustbein von einer gebratenen Martinsgans braun, so bedeutet es Kälte; ist es weiß, Schnee.* Wie gewichtig diese antiken Überlieferungen noch im 15. Jahrhundert genommen wurden, geht aus dem von Johann Hartlaub verfaßten „Buch aller verbotenen Künste" vom Jahre 1456 hervor. JHartlaub, dessen erlauchter Protektor Markgraf Johann von Brandenburg eine sonderliche Schwäche für das „genspain" gehabt hat, berichtet dort, daß die Herren vom Deutschen Orden in Preußen sich in allen ihren Kriegen nach dem Wettervorzeichen des Gänsebeins gerichtet hätten (HwbAberglauben 8, Sp. 128). – Die altüberlieferten B. erregten als Ausdruck volkstümlicher Spruchweisheit Goethes Teilnahme im Zusammenhang seiner seit 1807 rege betriebenen Studien alter *Sprichwörter-Sammlungen des 16. und 17. Jahrhunderts (G*Agricola, J*Gruter, JW*Zincgref). Sie interessierten ihn als Wettersprüche wohl auch im Rahmen seiner *meteorologischen Forschungen, denn *Da die alten Sprichwörter meist auf geographischen, historischen, nationellen und individuellen Verhältnissen ruhen, so enthalten sie einen großen Schatz von reellem Stoff* (an Schiller 16. XII. 1797: *IV/12, 378*). *Hn*

OvReinsberg-Düringsfeld: Das Wetter im Sprichwort. 1864. – AYermoloff: Der landwirtschaftliche Volkskalender. 1905. – GHellmann: Über den Ursprung der volkstümlichen Wetterregeln. In: Sitzungsberichte der Preußischen Akademie der Wissenschaften, Phys.-math. Klasse 1923, S. 148–162 (mit Anhang bis S. 170). – HwbAberglauben 1 (1927), Sp. 948–954.

Bauerntum. Goethe selbst hat in der *Geschichte seiner botanischen Studien* den Beginn seiner praktischen Hinwendung von einer gepflegten bürgerlich-häuslichen Umwelt und Ausbildung zum Landleben, zum B., auch zum *Jagd- und Forstwesen des Thüringer Waldes, auf das Jahr 1775 festgelegt: *In das thätige Leben jedoch sowohl als in die Sphäre der Wissenschaft trat ich eigentlich zuerst als der edle Weimarische Kreis mich günstig aufnahm; wo außer andern unschätzbaren Vortheilen mich der Gewinn beglückte, Stuben- und Stadtluft mit Land-, Wald- und Garten-Atmosphäre zu vertauschen* (1817: *II/6, 99*). – Der erste wirkliche Bauer, dem der junge Goethe auf seiner ersten *Schweiz-Reise begegnete, war J*Gujer, genannt Kleinjogg, auf dem *Katzenrütihof am Katzensee bei *Zürich, der durch Hans Kaspar Hirzels Buch „Die Wirthschaft eines philosophischen Bauern" (1774) im Zuge der damaligen Begeisterung für den Physiokratismus und die Landbewegung des 18. Jahrhunderts Berühmtheit erlangte. Goethe besuchte ihn am 12. VI. 1775 und schrieb unter dem Eindruck des unmittelbaren Besuchs im Hause seines Gastgebers JC*Lavater an Sophie v*Laroche: *Ich komme von Klijog, wo ich mit Lavater den Stolberg Haugwiz und andern guten Jungens war. Dass ich dort an Sie gedacht habe, hier ein Stück Brodt an seinem Tische geschnitten. „Man kann frisch zuschneiden, wenn man sieht dass es vollauf ist." Sagte er, freylich in seinem Ton und Sprache. Ich ging ohne Ideen hin von ihm, und kehre reich und zufrieden zurück. Ich habe kein aus den Wolcken abgesencktes Ideal angetroffen, Gott sey Danck, aber eins der herrlichsten Geschöpfe, wie sie diese Erde hervorbringt, aus der auch wir entsprossen sind. Ade! Ade! (IV/2, 267 f.).* Fünf Monate später traf Goethe in Weimar ein (7. XI. 1775). Weimar war um diese Zeit, nach einem Ausdruck WBodes, selbst noch eine Dorfstadt, in der zwanzig Jahre vor Goethes Eintritt rd 150 Scheunen zeigten, wieviele Einwohner noch bäuerlich lebten. Das Land des Herzogs Carl August umfaßte 383 Ortschaften mit etwa 90 000 Einwohnern. Die Bauern konnten – wir folgen Hartungs Darstellung – ihre Güter in der Regel beliebig bewirtschaften und meist auch frei darüber verfügen. Die Gründe für ihre damalige wirtschaftliche Notlage lagen im Versagen der Dreifelderwirtschaft, in dem Mangel an Ausfuhrmöglichkeiten bei guten Ernten, endlich in der Lässigkeit der Bauern selbst, die in einer patriarchalischen Lebensordnung alles Heil vom *Adel erwarteten. Die Frondienste der Bauern sowie das Abgabensystem für ihre Gerichtsherren bestanden in den weimarischen Landen bis zum Jahre 1821 (1813 studiert Goethe JGKlingner: „Sammlungen zum Dorf- und Bauern-Rechte", 4 Bde, 1749 bis 1755: Keudell Nr 816). In diesem Jahr brachte das Gesetz über die Ablösbarkeit der Hand- und Spannfrondienste und das Gesetz über die Aufhebung der Steuerfreiheit für Rittergutsbesitzer den Wandel, nachdem seit 1816 zehn Vertreter der Bauernschaft Mitglieder des Landtags geworden waren. Diese Sozialstruktur muß man sich vor Augen halten, will man Goethes Verhältnis zum Landbau und seinen Willen, die Lage des B.s zu verbessern,

richtig verstehen. Goethes Tätigkeit in den thüringischen Landen, speziell seine Auseinandersetzung mit dem Wesen des Feldbaus und dem wirtschaftlichen Schicksal der Bauern spiegelt sich in den sich oft widersprechenden Brief- und Tagebuchstellen des Jahres 1779 höchst aufschlußreich. Hieß es im ersten Teil einer Tagebuchstelle vom 14. VII. 1779 vor der Durchführung der zweiten Schweiz-Reise, auf der er diesmal mit dem Herzog Kleinjogg besuchte: *Wills Gott dass mir Acker und Wiese noch werden und ich für dies simpleste Erwerb der Menschen Sinn kriege ...* so schrieb er im zweiten Teil dieser Stelle bereits: *Gar schön ist der Feldbau weil alles so rein antwortet wenn ich was dumm oder was gut mache, und Glück und Unglück die primas vias der Menschheit trifft. Aber ich spüre zum voraus, es ist auch nicht für mich. Ich darf nicht von dem mir vorgeschriebnen Weeg abgehn, mein Daseyn ist einmal nicht einfach, nur wünsch ich dass nach und nach alles anmasliche versiege, mir aber schöne Krafft übrig bleibe die wahren Röhren neben einander in gleicher Höhe aufzuplumpen ... (III/1, 88 f.).* Nach der Beendigung der zweiten Schweiz-Reise verfaßte Goethe aus Aufzeichnungen einen „von Ahnungen und Erinnerungen geheimnisvoll umspielten Bericht" (vgl. EStaiger 1, S. 336), den er „für Freunde zum Kunstwerk gestaltet hat". In ihm heißt es: *Der Ackerbau gefällt mir nicht, diese erste und nothwendige Beschäftigung der Menschen ist mir zuwider; man äfft die Natur nach, die ihre Samen überall ausstreut, und will nun auf diesem besondern Feld diese besondre Frucht hervorbringen ... Der arme Landmann harrt das ganze Jahr, wie etwa die Karten über den Wolken fallen mögen, ob er sein Paroli gewinnt oder verliert (I/19, 205).* Die tätige Mitwirkung Goethes bei den Meliorationsarbeiten des Landkommissars G*Batty, der seit 1779 auf *Mercks Empfehlung hin in Weimar wirkte, zeigte, wie stark sich Goethe damals mit Fragen der *Landwirtschaft beschäftigte. So schrieb er am 17. IV. 1782 an CLv*Knebel: *Du erinnerst dich noch mit welcher Sorgfalt ich die Gebürge durchstrich, und ich die Abwechslungen der Landsarten zu erkennen mir angelegen seyn lies. Das hab ich nun, wie auf einer Einmal eins Tafel, und weis von iedem Berg und ieder Flur Rechenschafft zu geben. Dieses Fundament läßt mich nun gar sicher auftreten, ich gehe weiter und sehe nun, zu was die Natur ferner diesen Boden benutzt und was der Mensch sich zu eigen macht. Ich kan dir versichern daß wenn ich mit Bätty um-*

herreite, der keine Theorie hat, meine Theorie mit seiner richtigen Praxis immer überein- stimmt, worüber ich denn wie du dencken kannst grose Freude habe (IV/5, 311). Vorher, am 6. IV. 1782, schrieb er aus *Tiefenort an Frau v*Stein: *Mit Batty hab ich mich diesen Abend vom Detail der Landwirthschafft unter- halten. Wie richtig und sicher der Mensch ist! In Beurtheilung des Bodens und der Landsart nehme ich immer zu. Besonders da ich mir nicht einbilde etwas zu wissen, noch mir ein- fällt darinne ie zu pfuschen (ebda 298f.).* Goethe widerstand der Versuchung, selbst Landwirt- schaft zu treiben; er wußte, *Man muß ganz nah an der Erde gebohren und erzogen seyn um ihr etwas abzugewinnen* (12. IV. 1782: *IV/5, 307*) und schrieb am 19.V.1783 an CLvKnebel: *Auch werde ich niemand, der nicht von der Erde gebohren ist rathen, sich mit der Erde einzulassen. Es ist schweer ihr etwas abnehmen und thörig ihr noch gar hingeben. Das letzte thut ieder der nur einige Immagination zum Feld- bau und zur Landwirthschafft bringt (IV/6, 163).* Deswegen war die Erwerbung des kleinen Gutes *Oberroßla im Jahre 1798 an die Be- dingung geknüpft, daß er es nicht selbst be- wirtschafte: *Auch muß ich dir melden,* schrieb er am 18. III. 1798 an Knebel, *daß ich das kleine Gut zu Ober Roßla erstanden habe, wo- durch noch ein neues Kapitel in die Mannig- faltigkeit meiner Existenz eingeschoben wird. Ich werde mir zwar nie einfallen lassen es zu administriren, aber wenn ich nur deutlich wis- sen will was ich eigentlich besitze? so muß ich mich in das geheimnißvolle Feld der Land- wirthschaft wagen, das mehr als man glauben sollte von denen die im Besitz sind sorgfältig verwahrt wird, damit kein Laye diese offenbaren Geheimnisse kennen lerne, da ich aber einmal festen Fuß habe so will ich ihnen wohl bald auf die Sprünge kommen (IV/13, 99).* ADoebbers Aktendarstellung zeigt jedoch, wie Goethe dabei gescheitert ist. Seine engen Beziehun- gen zur weimarer Regierung und zum wei- marer Hofleben hinderten ihn, sich in einer ländlichen Abgeschlossenheit ganz und gar festzusetzen. Auch traten wirtschaftliche Schwierigkeiten hinzu. So schrieb er, etwas verbittert nach dem Entschluß, das Gut wie- der aufzugeben, am 28. XI. 1804 an Frau vStein, daß er sich *für immer von der Erde im ökonomischen und ästhetischen Sinne losgesagt habe (IV/17, 224).* Auf seine Weise versuchte Goethe nun aber auch, die Not des thüringischen B.s sei- nem Herzog bewußt zu machen. Am be- kanntesten wurde sein Gedicht, das er im

Oktober 1780 als Bauer verkleidet dem Her- zog in *Kochberg vortrug, und zwar unter dem Namen *Sebastian Simpel* (I/4, 205; vgl. dazu HWahl in: Goethe 11 [1949], S. 62–77). In vielen Briefen dieser Zeit äußerte er sich ähnlich. So an CLvKnebel am 17.IV.1782: *So steig ich durch alle Stände aufwärts, sehe den Bauersman der Erde das Nothdürftige abfor- dern, das doch auch ein behäglich auskommen wäre, wenn er nur für sich schwizte. Du weißt aber wenn die Blattläuse auf den Rosenzweigen sitzen und sich hübsch dick und grün gesogen haben, dann kommen die Ameisen und saugen ihnen den filtrirten Safft aus den Leibern. Und so gehts weiter, und wir habens so weit gebracht, daß oben immer in einem Tage mehr verzehrt wird, als unten in einem organisirt beygebracht werden kann (IV/5, 311 f.)* In seiner Eigenschaft als Minister konnte er dazu beitragen, die Steuerlasten der Bauern zu vermindern, Pachttermine zu verlängern, Kleeanbau und Stallfütterung zu fördern, an Güterzerschlagungen mitzuwirken, endlich dem Herzog dringend die Beseitigung der Wildschweine zu empfehlen, die den Bauern so viel Schaden zufügten. *Man beschreibt den Zustand des Landmanns kläglich und er ist's gewiß, mit welchen Übeln hat er zu kämpfen – Ich mag nichts hinzusetzen was Sie selbst wis- sen. Ich habe Sie so manchem entsagen sehn und hoffe Sie werden mit dieser Leidenschafft den Ihrigen ein Neujahrsgeschenck machen (IV/6, 417).* Bekannt ist außerdem, daß Goe- thes Tagebücher eine große Menge von land- wirtschaftlichen Reisebeobachtungen ent- halten, und daß er dem großen, ja wohl größ- ten landwirtschaftlichen Theoretiker seiner Zeit, AD*Thaer, zum fünfzigjährigen Doktor- jubiläum ein Festgedicht verfaßte (I/4, 40f.), seine beiden engen Mitarbeiter *Riemer und *Eckermann ebenfalls zu Festgedichten an- regte und in einem Brief an *Zelter am 11. III. 1824 sein Gedicht selbst auslegte (IV/38, 73–75). Zu erwähnen ist schließlich Goethes Anteilnahme an dem Werke S*Grüners „Über die ältesten Sitten und Gebräuche der Eger- länder" (1825; hrsg. von AJohn 1901), das sich mit den Trachten und Sitten der eger- länder Bauern beschäftigt. – Betraf die bis- herige Darstellung den persönlichen und so- ziologischen Bereich, so ist abschließend noch auf die Darstellung des B.s in Goethes Dich- tungen hinzuweisen. JWeinhebers Spruch: „Wo der Dichter anfängt, hört der Bauer auf" ist wohl für diesen Aspekt entscheidend. Hier beginnt die Welt des Geistes und der Kunst, die sich von der Zufälligkeit der soziologischen

Relation zugunsten der Erfassung und Gestaltung menschlicher Grundsituationen befreit. Nur in einem Stück, in der *Posse *Hanswursts Hochzeit* (1775), trägt Goethe im jugendlichen Übermut des *Sturmes und Dranges eine Überlieferung weiter, in der das B. herabgewürdigt wird. Die dichterischen Stellen im *Götz von Berlichingen* und im *Egmont,* die sich mit der Lage des B.s in den *Bauernkriegen und mit der Eigenständigkeit der flandrischen Bauern beschäftigen, wurden in der Literatur auf den Einfluß J*Mösers zurückgeführt, dessen „Patriotische Phantasien" bekanntlich am 11. XII. 1774 das Gesprächsthema zwischen Goethe und Carl August waren (I/28, 317–320; vgl. auch ABergmann S. 10–12). Noch spät hat Goethe Mösers Schriften hoch geschätzt, *indem die Äußerungen eines solchen Geistes und Charakters gleich Goldkörnern und Goldstaub denselben Werth haben wie reine Goldbarren und noch einen höheren als das Ausgemünzte selbst (I/41^{II}, 52).*

Unter einem anderen Aspekt, den des Verhältnisses von B. und Adel, läßt Goethe die Bauern in seinen *Revolutionsdramen erscheinen. In ihnen macht er den Adel dafür verantwortlich, daß die Bauern nicht zu ihrem Rechte kommen. Besonders in den *Aufgeregten* (I/18, 1–76) ist die ungenügende Rechtlichkeit des Denkens und Handelns Goethes Thema. Auch in *Wilhelm Meisters Lehrjahren* nimmt Goethe Stellung zugunsten der Wiederherstellung bäuerlicher Grundrechte. Er folgt hier den Gedanken des PhAFrhrv*Münchhausen, der die alte Lehnsverfassung aufheben wollte: *Was hat der Bauer in den neuern Zeiten, wo so viele Begriffe schwankend werden, für einen Hauptanlaß, den Besitz des Edelmanns für weniger gegründet anzusehen als den seinigen? nur den, daß jener nicht belastet ist, und auf ihn lastet (I/23, 146).* Ebenfalls in den *Lehrjahren* hat Goethe übrigens auch das alte ilmenauer Bergmannsspiel „Bauer und Bergmann" geschildert (I/21, 148; I/51, 188 f.). Schließlich ist darauf hinzuweisen, daß auch *Hermann und Dorothea* als Dichtung der Auseinandersetzung mit der *französischen Revolution im noch ländlich bestimmten Ackerbürgertum eine vorbildliche Lebensform schildert.   *Sz*

WHBruford: Die gesellschaftlichen Grundlagen der Goethezeit. 1936. – ADoebber: Goethe und sein Gut Ober-Roßla. In: JbGGes. 6 (1919), S. 195–239. – AEichler: Die Landbewegung des 18. Jahrhunderts und ihre Pädagogik. 1933. – FErnst: Kleinjogg, der Musterbauer. 1935. – FHartung: Das erste Jahrzehnt der Regierung Carl Augusts. In: JbGGes. 2 (1915), S. 59–139. – FHartung: Das Großherzogtum Sachsen unter der Regierung Karl Augusts. 1923. – ABergmann: Carl Augusts Begegnungen mit Zeitgenossen. 1933. – EStaiger: Goethe. 1952.

Bauers Landgut in *Bockenheim bei Frankfurt war seit 1763 im Besitz des in diesem Jahre geadelten, seit 1769 jedoch in russischen Diensten stehenden Generalleutnants und -ingenieurs Friedrich Wilhelm vBauer (1731 bis 1783; *Bauer, Charlotte von), der schon im *siebenjährigen Kriege ein Pionierkorps unter dem Herzog Ferdinand von *Braunschweig befehligt und 1770 am russischen Feldzug gegen die Türkei siegreich teilgenommen hatte. Nach dem russisch-türkischen Krieg blieb er als Inspektor der Wasserbauten in Petersburg, wo er zuletzt Leiter des deutschen Theaters war. Sein Gut in Bockenheim, der freiadelige Ritterhof Schönhof (Vorbesitzer: Isaak d'*Orville), war mit einem Billard- und Theatersaal (1939 abgerissen) ausgestattet, besaß einen weitläufigen Garten und ansehnliche Stallgebäude. B.L. war das Ziel eines von Goethe und JC*Lavater in Begleitung zahlreicher Freunde unternommenen Ausflugs am 26. VI. 1774, einem Sonntag; die Spaziergänger kühlten sich „auf einer Altane, zu der man durch einen kurzen, bis zur Begeisterung angenehmen Irrweg geht. – Goethe zeichnete geschwind u. mit viel Fertigkeit den Plan zu einem Irrgarten" (Tagebuch Lavaters: Morris 4, 85 und ArtA 22, 48). Der noch im Stil der französischen *Gartenkunst angelegte Garten muß öffentlich zugänglich gewesen sein, was kulturgeschichtlich wichtig ist, vor allem, weil der Hausherr abwesend war.   *Rf*

HLudwig: Geschichte des Dorfes und der Stadt Bockenheim. 1940.

Bauhin, Johann (12. II. 1541 Basel bis 27. X. 1613 Mömpelgard), studierte in Basel bei Conrad Gesner und kurze Zeit in Tübingen bei Leonhard Fuchs Botanik. Nach seiner Promotion 1562 führten ihn botanische Reisen, zT. mit CGesner, dem er später freundschaftlich verbunden war, durch Deutschland, Frankreich (privater botanischer Garten in Lyon) und Italien. 1566 folgte er einem Ruf als Professor der Rhetorik nach Basel, wo er außerdem eine medizinische Praxis unterhielt. 1571 wurde er Leibarzt des Herzog Friedrich von Württemberg in Mömpelgard (Montbéliard). Auf dessen Verlangen untersuchte er die damals neu entdeckten boller Schwefelquellen und veröffentlichte seine Ergebnisse in dem Buch „Historia novi et admirabilis fontis balneique Bollensis in ducatu Wirtembergico ad acidulas Goepingenses" (1598, deutsch von David Förster 1599), später unter dem Titel „De aquis medicatis nova methodus" (1605). Goethe erwähnt dieses Werk 1820 (24. VII.?: III/7, 320). Auch nach der Übersiedlung von Herzog Friedrich 1593 nach Stuttgart, blieb B. bis zu seinem Tod in Mömpelgard, wo er einen der ersten botanischen Gärten nördlich der Alpen begründete und mit der Herausgabe des später von anderen fortgesetzten Werkes „Historia plantarum" begann.   *Sl*

Bauland, offene Landschaft östlich des *Odenwaldes, durchreiste Goethe am 8. X. 1815 von *Neckarelz bis *Hardheim mit S*Boisserée auf der Heimfahrt von *Heidelberg (III/5, 186; vgl. RV S. 52).   *Gu*

Baum, Ernst August (22. I. 1781 Prießnitz bei *Camburg/Saale bis 22. V. 1856) wollte Lehrer werden, gab diese Absicht aber auf, als ihm 1808 eine Bibliotheksschreiberstelle in Jena angeboten wurde. Goethe war anfangs bedenklich gegen ihn (1813: IV/23, 259). Seine Arbeiten für die Neuordnungen der akademischen *Bibliothek haben ihm aber manches Lob eingetragen (*mit dem Einzelnen sehr wohl bekannt, schreibt gut und ist höchst brauchbar: IV/31, 133;* vgl. 218). Goethe zog ihn auch für Arbeiten in den Museen heran und ordnete 1818 mit ihm die Gemälde Philostrats (17. V.: III/6, 209). Gicht und andere Beschwerden zwangen B., am 17. VII. 1820 um seine Entlassung einzukommen (vgl. 7. IX. 1820 an CFAv*Conta: IV/33, 204; vgl. 30. IX.: III/7, 229), die ihm am 20. Oktober gewährt wurde (*habe ich . . . den guten Baum, den seine Stelle zuletzt äußerst drückte, ab- und Comptern antreten lassen: IV/33, 324 f.*).   *Ko*

Baum, Marie geb. Schmidt (8. IX. 1808 Weimar bis 12. III. 1875 Weimar), Tochter eines Musikers, Sängerin, trat am 30. VIII. 1823 als Ännchen im „Freischütz" zum ersten Mal auf dem weimarer Theater auf, dem sie bis 1858 angehörte. Goethe übersandte der 15-jährigen Künstlerin im Frühjahr 1824 durch seinen Sohn August das Gedicht *Das holde Thal hat schon die Sonne wieder . . . (I/4, 35 Nr 43).* Zu ihren späteren Rollen gehörte ua. Konstanze, Donna Elvira, Martha, die *Olympia* in *Erwin und Elmire (I/38, 463)* und die Florentine in Walter v*Goethes Oper „Anselmo Lancia" (1839). Walther vGoethe widmete ihr die sechs Lieder des Opus 14 (1841).   *EF*

Baumann, Franz Sebastian Gottfried (gest. 1872), zuerst Gärtnergeselle in *Belvedere (III/7, 43), ab August 1819 (18. VIII. *Instruction übergeben: ebda 84*) Hofgärtner *(Kunstgärtner: I/36, 210)* am *Botanischen Garten in Jena. 1824 wurde ihm auch die Aufsicht

über den Prinzessinnen-Garten übertragen (III/9, 250; 256). Ständig in dienstlichem Verkehr mit Goethe, wurde er darüber hinaus zur Erfüllung botanischer Wünsche und zu Mitteilungen über botanische Fragen herangezogen (nach der 1821 erfolgten Reise nach Berlin 17. X.: III/8, 125; vgl. ua. 10. IX. 1829 B. *theilte die schöne Blüthe der Clarkia pulchella mit: III/12, 124*). So besprach Goethe im Sommer 1828 in *Dornburg mit ihm *die neue von Kecht vorgeschlagene Methode den Weinbau zu behandeln. Er zeigte mir an den vorhandenen Stöcken, worauf es eigentlich ankomme (III/11, 255).* Bei einem der letzten Besuche B.s in Weimar besprach Goethe am 6. I. 1830 mit ihm *die Jenaischen Zustände in Absicht auf Botanik und Gartenkultur (III/12, 177).*   *Ba*

Baumannshöhle bei *Rübeland im *Harz, eine Tropfsteinhöhle am linken Ufer der *Bode, auf 300 m befahrbar, mit seltsamen, aus Stalaktiten und Stalagmiten zusammengewachsenen Grotten und Wölbungen, war schon seit dem 16. Jahrhundert bekannt, 1712 sogar von Zar Peter dem Großen von *Rußland aufgesucht worden. Die B. zog auch Goethe wie so manche andere *Höhle an. Er war am 1. und 2. XII. 1777, von *Elbingerode kommend, zunächst mehrere Stunden, dann den ganzen Tag darin (III/1, 55); am 12. IX. 1783 führte er Fv*Stein hinein (IV/6, 197; vgl RV S. 17: 22) und zeigte ihm die wunderlichen Naturspiele. Das Erlebnis solcher Höhlen wirkt in Goethes dichterischer *Symbolik nach.   *Za*

Baumbach, 1) Karl Ludwig Friedrich August von (1772–1844), aus althessischem Adel, zuerst in sachsen-altenburgischen Diensten, seit 1808 Chef des Ministeriums in *Sachsen-Hildburghausen, das er auf dem wiener Kongreß vertrat, später bis 1821 Erzieher des Herzogs Bernhard Erich Freund von *Sachsen-Meiningen. 1821 wurde er Oberhofmeister und Wirklicher Geheimer Rat in *Meiningen und war Mitglied des Geheimen Ministeriums (bis 1829), seit 1832 Präsident des Geheimen Ratskollegiums. In diesen Eigenschaften begleitete er seinen Zögling bei dessen Aufenthalten in Weimar und Jena. Er traf 1818, 1819 und 1823 mit Goethe zusammen oder besuchte ihn (III/6, 273; 7, 47; 49; 9, 49; IV/31, 223). Der einzige an B. gerichtete Brief Goethes bezieht sich auf die Porträtierung des meininger Herzogs durch G*Dawe (III/7, 50; IV/31, 156 f.). –, 2) Sophie, Tochter eines hessischen Obersten, wurde 1808 Hofdame der Herzogin Luise von *Sachsen-Weimar und im gleichen Jahre mit Goethe bekannt. *(14. XI. *camera obscura III/3, 399).* Unsicher ist es, ob sich Goethes

Tagebucheintrag vom 23. XII. 1814 . . . *Streli-zia. v. Reizenst. v. Baumb. Eberstein. Brasilien . . . (III/5, 145)* auf sie oder auf ihren Vater bezieht, der sich nach Aussage der Hoffourierbücher häufig in Weimar aufhielt. Besuche, die S. in Begleitung der Großherzogin abstattete, vermerkt Goethe am 9. XI. 1817 und 1. VI. 1824 (III/6, 106; *9, 224: Frau von Eschwege*). S. heiratete 1823 den portugiesischen Ober-sten WLv*Eschwege, und verließ Weimar im November 1824 (IV/39, 7).

–, 3) ?Wilhelm Lebrecht von (1757–1826), Herr auf Kirchheim b. Kassel, Verwandt-schaft mit 1) und 2) nicht eindeutig, zunächst hessen-darmstädtischer Obristleutnant, dann hessen-nassauischer Oberstallmeister, schließ-lich auch Obervorsteher der althessischen Ritterschaft. Goethe-Kontakt: im Gefolge des Erbprinzen Ludwig (II.) April/Mai 1797, Weimar, zusammen mit FChr*Lerse (III/2, 65; 67). Gerade dadurch wird auch eine ganz frühe Beziehung Goethes nicht unmöglich: Sendung vom 8. VII. 1775 (Ph*Seidel, Aus-gabebüchlein; Morris 6, 493; vgl. 29. VIII. 1775 an FChrLerse, ebda 494).   *Hk*

AHuman: Die Adelsgeschlechter des Herzogtums Sachsen-Meiningen. In: Schriften des Vereins für Sachsen-Meiningische Geschichte und Landeskunde, H. 73, 1915.

Baumgarten, Alexander Gottlieb (1714–1762), zu Berlin geboren, in Frankfurt/O. als Pro-fessor der dortigen Universität gestorben, einer der hervorragendsten Schüler von Chri-stian *Wolff und demzufolge ein echter Ver-treter der *Aufklärung. B. hat ein nicht nur zeitgeschichtliches Verdienst durch zweierlei. Er hat achtbaren Anteil an der Entwicklung der auch heute noch gebräuchlichen philo-sophischen Fachsprache. Mehr noch gilt er – angeregt durch GBBilfinger (Dilucidationes philosophicae) – als Schöpfer der deutschen Ästhetik, die er aus der Logik seines Lehrers Wolff entwickelte, wenn er die ganze Breite seiner Entwürfe auch nicht mehr selbst zu systematisieren vermochte. Zusammen mit seinem Schüler Georg Friedrich Meier (1718 bis 1777) war er seiner eigenen und noch der vorklassischen Generation in Deutschland Autorität und richtungweisender Anreger auf diesem Gebiet (*Geschmackslehre). „Das Ziel der Ästhetik ist die Vollkommenheit der sinnlichen Erkenntnis als solcher, diese aber ist Schönheit; zu verhüten dagegen ist die Unvollkommenheit sinnlicher Erkenntnis, diese ist Häßlichkeit. Richtig, sage: richtig denken zu lehren, ist die Aufgabe der Logik als der Wissenschaft des oberen Erkenntnis-vermögens, als der gnoseologia superior;

schön, sage: schön denken zu lehren, ist die Aufgabe der Ästhetik als der Wissenschaft des unteren Erkenntnisvermögens, als der gnoseo-logia inferior. Die Ästhetik ist die ars pulchre cogitandi, ist Kunstlehre, Theorie der schö-nen Künste" (nach HHettner II, 1928, S. 54). Auch der junge *Kant der vorkritischen Zeit folgte B.s Ansätzen. Später distanzierte er sich. In der „Critik der Urteilskraft" (1790) hat er B. überwunden. In der Praxis des künstlerischen Schaffens, insbesondere in der Dichtung der *Klassik spielt B. keine Rolle mehr. Goethe urteilt in seinem dritten *Winckelmann-Aufsatz (1804/05) über die *Geschmackslehre* B.s und Meiers, daß diese *nicht weit über unsere Gränzen gekommene Wissenschaften . . . seitdem in Deutschland so viel Papier gefüllt, und so viel Köpfe leer gemacht, daß die Anfänge derselben wohl ein beiläufiges Andenken verdienen (I/46, 91).* B. betreffend ist dieses Andenken eigentlich noch weniger als nur *beiläufig*, weil Goethe an dieser Stelle nicht einmal B.s Namen, sondern nur den GFMeiers nennt. Es ist nicht erweisbar, aber auch nicht ganz unmöglich, daß die Anschaf-fung von B.s „Metaphysica" für die väter-liche Hausbibliothek (6. Ausgabe, 1768) einem Wunsch des jungen Goethe entsprach (Göt-ting S. 40).   *Za*

Baumgarten-Crusius, Ludwig Friedrich Otto (1788–1843). Er war seit 1812 jenenser Pro-fessor der protestantischen Dogmatik, die er in verschiedenen Werken behandelt hat (ua.: „Einleitung in das Studium der Dogmatik", 1820). Mit Goethe stand er in gelegentlicher Beziehung (18. I. 1824: III/9, 168; vgl. Bdm. 3, 479).   *Ko*

Baur *(Bauer: I/32, 452),* Johann Wilhelm (1600–1640), Miniaturmaler und Kupferste-cher, 1631 bis 1637 in *Italien, tätig in Wien; fertigte für das Geschichtswerk des Franz de Strada (1520–1584) „De bello belgico" elf figurenreiche Darstellungen und in seinen letz-ten Lebensjahren insgesamt 151 Blätter zu den Metamorphosen *Ovids an, welch letztere 1641 unter dem Titel „Le Metamorfosi d'Ovi-dio" in Wien erschienen. Diese Radierungen lernte Goethe schon während der italieni-schen Reise kennen (I/32, 452), bestellte sie am 28. XII. 1817 bei C*Weigel in Leipzig (IV/ 28, 355) und betrachtete sie auch am 26. III. 1818 bei CLv*Knebel (III/6, 188). 1829 wa-ren bei einem Zusammensein mit FW*Riemer neben GWv*Reuterns *Aquarellen und J*Ammans Handwerkerbuch die b.schen Ra-dierungen Gegenstand der Unterhaltung, wo-bei *über Kunst und Kunstwerke überhaupt gute*

Betrachtungen angestellt wurden (1. II.: *III/ 12, 16*).   *Lö*
Grumach S. 382; 384 f. – PKristeller: Kupferstich und Holzschnitt in vier Jahrhunderten. ⁴1922. S. 454.

Bause,1) Johann Friedrich (1738–1814), Kupferstecher und Radierer, erhielt seine künstlerische Bildung zunächst in Halle und seit 1759 in Augsburg. JF*Oeser berief ihn 1766 als Professor an die leipziger Kunstakademie. Damals hat ihn Goethe kennengelernt, der 1772 in den „*Frankfurter Gelehrten Anzeigen" ein von Oeser gezeichnetes und von B. radiertes Blatt mit drei Aposteln nach einem Gemälde von MMda*Caravaggio bespricht (I/38, 348). B., mit A*Graff befreundet, entfaltete in *Leipzig eine umfangreiche Tätigkeit und reproduzierte nach Gemälden die Porträts einer Reihe von geistigen Größen seiner Zeit. Ein Porträt *Bodmers, das auf Graff zurückging und von B. gestochen wurde, erfreute Goethe noch während der Niederschrift seiner schweizer Reiseerinnerungen da es *vollkommen den Mann darstellt, wie er auch uns erschienen, und zwar mit seinem Blick der Beschauung und Betrachtung (I/29, 109 f*). Bei seinem Aufenthalt in Leipzig 1782 war Goethe bei B., der in seinem Hause eine vielseitige Gesellligkeit entfaltete (IV/6, 112). Auch 1800 war er wieder bei B. und besichtigte seine Kunstsammlung (III/2, 289), die neben Gouache-Landschaften von *Kaaz *ein Portrait von einem Mahler* – gemeint ist *Mosnier – *der sich jetzt in Hamburg aufhält . . . von einem unglaublichen Effect (IV/15, 62)* aufwies. – Die Kriegswirren veranlaßten B. 1813 nach Weimar überzusiedeln, wo er das Jahr darauf starb.
–, 2) Vorname unbekannt (geb. 1766/67), Tochter des JFB. und der Henriette Charlotte, geb. Brünner (1742–1818), *die besonders schön ist,* war musikalisch begabt (27. XII. 1782: *IV/6, 112*);
–, 3) Juliane Wilhelmine (1768–1837), Malerin und Kupferstecherin, war mit dem leipziger Bankherrn Karl Eberhard Löhr verheiratet; sie begleitete, inzwischen verwitwet, 1813 ihren Vater JFB. (1) nach Weimar. Goethe ließ durch sie *Zeichnungen an Rochlitz* gelangen (28. XII. 1813: *III/5, 89*).   *Lö*

Bautzen (Budissin), der Hauptort der westlichen Oberlausitz, lag an Goethes Reiseweg nach *Schlesien. Goethe durchfuhr B. nach den Aufzeichnungen seines Dieners JGP *Goetze am 31. VII. 1790 auf dem Hin- und am 24. IX. auf dem Rückwege, jedesmal mit etwa halbstündigem Aufenthalt, der wahrscheinlich zum Pferdewechsel diente (vgl. RV S. 29). 1813 kam Goethe in *Teplitz mit Fv*Schwanenfeld auf die Schlacht von B. zu

sprechen, in der *Napoleon am 20./21. V. des gleichen Jahres die Verbündeten besiegt hatte (Bdm. 2, 189).   *Za*

Bauwesen/Baustoffgewinnung. Goethe verstand im Gegensatz zum Begriff der Baukunst oder *Architektur, den er für die großen Bauten der Vergangenheit anwendete, unter B. alles, was an Bauvorhaben seiner Tage, vom weimarer Schloß bis zur kleinsten Veränderung an einem bereits bestehenden Gebäude, einschließlich aller Arbeiten für den Wege- und Wasserbau, auszuführen war, und somit das Handwerksmäßige, „Mechanische", nicht weniger die Lösung der damit verbundenen künstlerischen Fragen. Das B. machte den praktischen Teil seiner Beschäftigung mit der Architektur aus und erstreckte sich von der Leitung der *Schloßbaukommission und der Zusammenarbeit mit den Architekten bei anderen Bauunternehmungen im Großherzogtum, einschließlich der Sorge um Künstler und *Handwerker und das zu beschaffende Material, bis zu seinen eigenhändigen Entwürfen für Gesimse im Schloß. Daß dieses in seinen Tagebüchern und Briefen so oft zitierte *Bauwesen (III/1, 70)* ihn sehr in Anspruch nahm, ihn aber auch mit tiefer Befriedigung erfüllte, beweisen die häufigen abendlichen Gespräche mit *Coudray, die über die aktuellen Baufragen im Herzogtum hinaus sich auch auf das B. anderer Gegenden Deutschlands und des Auslands erstreckten. Fast wie ein Fachmann an den praktischen Arbeiten der in Weimar tätigen Architekten und Handwerker geschult, konnte Goethe 1797 nicht ohne Stolz Schiller schriftlich anbieten: *Wenn Sie etwas zu bauen haben, so steht Ihnen mein Gutachten zu Diensten (IV/12, 36).*
Abgesehen von den großen Unternehmungen wie Theater- und Schloßbau, der Errichtung des *römischen Hauses und der *Fürstengruft, bei denen Goethe den Architekten zur Seite stand und die, einmal vollendet, die Architektur des derzeitigen Weimar repräsentieren sollten, – zeigen die kleineren Bauvorhaben in Weimar den Umfang des von Goethe hier helfend und beratend Geleisteten. Durch die Vergrößerung von Plätzen, den Bau neuer Privathäuser und öffentlicher Gebäude, durch die Niederreißung und Neubebauung des sogenannten Scheunenviertels und die Veränderung oder Abtragung von Toren (vgl. Goethes amtliche Teilnahme bei der Niederlegung des Löbder Tores in Jena 1818: IV/29, 234–236), die allmähliche Beseitigung der verfallenden Stadtbefestigungen und der davor liegenden

Gräben und Teiche, wurde das Stadtbild Weimars entscheidend umgestaltet und erweitert. Hv*Gentz errichtete das Schießhaus im *Webicht, das Reithaus an der *Ilm; das aus der Renaissance stammende Stadthaus wurde 1802 umgebaut und zu einem Gesellschaftshaus hergerichtet, die Bibliothek im Grünen Schloß mußte einen Anbau erhalten, sowie auch die Unterbringung der 1781 gegründeten *Zeichenschule oder der Museumsstücke erwogen und bewerkstelligt werden. Da für die Errichtung neuer Gebäude meist nicht genügend Geldmittel zur Verfügung standen, waren bei den vorhandenen sehr oft größere bauliche Veränderungen erforderlich. Vor den Toren wurden neue Straßen angelegt. Daß Goethe wegen der geringen finanziellen Bewegungsfreiheit mit dem Ausgeführten oft nicht einverstanden war, geht aus einem Brief von 1795 an H*Meyer hervor: *Des Bauens und Anlegens aus dem Stegereife und ohne Riß und Plan ist kein Ende, man fürchtet sich vor einer großen Idee, die auszuführen und vor einer großen Summe, die auszugeben ist; aber eben diese Summe nach und nach für Anstalten zu verzetteln die man am Ende gern wieder wegkaufte, muß unglaublich reizend seyn (IV/11, 1 f.).* So wurde ihm, wie beim Landschaftshaus, das B. gelegentlich zum *Bauunwesen (III/1, 70).* Unter Coudray, der in dauernder Tätigkeit auf längere Sicht und in umfassenderer Weise zu planen verstand, wurde das für Weimar Entscheidendste geleistet, wenn auch ihm finanziell oft die Hände gebunden waren. Und so klangen die 1827 an F*Soret gerichteten Zeilen Goethes um vieles zufriedener: *Gebaut wird freylich viel, von Architektur wüßt ich wenig zu sagen; doch werden Sie manches reinlicher und freundlicher finden, als Sie es verlassen haben . . . (IV/43, 2).* Außerhalb Weimars umfaßte Goethes mitplanende und -gestaltende Tätigkeit im B. in erster Linie die zahlreichen Bauvorhaben in Jena, gelegentliche Veränderungen an den Schlössern der Umgebung, dann den Wiederaufbau abgebrannter Dörfer und die Errichtung von vielen gemeinnützigen Gebäuden (Schulen, Pfarreien) und Kirchen in verschiedenen Ortschaften des Großherzogtums und den Wege- und Wasserbau mit der Anlage von Chausseen und Brücken wie der Regulierung von Wasserläufen (*Wegebaukommission, *Wasserbaukommission).
Goethes dauerndes Interesse galt neben der ständigen Erweiterung seiner Materialkenntnisse allgemein allem Handwerksmäßigen, besonders aber allen mit dem Bauhandwerk verknüpften Berufen und ihrer Ausübung, die er deshalb zusammen mit Coudray besonders zu fördern unternahm. Es lag ihnen daran, hochqualifizierte Bauhandwerker für die Arbeiten im Großherzogtum heranzubilden (vgl. 3. IV. 1829: Bdm. 4, 83f.); einen besonderen Erfolg in dieser Richtung konnten sie mit der von ihnen geplanten und 1829 eröffneten Baugewerkschule verzeichnen.   *Wt*

Baustoffe/Baustoffgewinnung:
Goethes Bemühung um die Fragen der Baustoffgewinnung erstreckte sich hauptsächlich auf folgende Betriebe, Betriebsverfahren und Beobachtungen:

I. Unmittelbare Kenntnis:

1778, Ende Juli/Anfang August: alter Steinbruch bei Weimar (*. . . hab ich einen alten Steinbruch wieder aufgeführt: IV/3, 240*).

1780 erwähnt, sicher schon länger bekannt: Sandsteinbruch bei *Oettern (NS 1, 14; vgl. auch 2. XI. 1779 *vom Etterischen Steinbruche: IV/4, 119*).

1781, vor 5. VII.: Marmorbruch bei *Döschnitz (IV/5, 166).

1782, 15. V.: Steinmühle (*Marmelmühle*) bei Oeslau nahe *Coburg (*BrCharlotte 1^II, S. 455;* 643).

—, 16./17. V.: *Sandsteinbruch ohnweit *Limbach in einer Höhe an dem Tonschiefer . . . Es liegen, wie in allen dergleichen Brüchen, verschiedene Lagen übereinander; . . . einige darunter stehen gut im Feuer und werden zu Glas- und Porzellanöfen gebraucht (NS 1, 29).*

—, nicht datiert, aus wahrscheinlich schon früherer Kenntnis mitgeteilt: *Schwarzburgische Schneidemühle* in *Ilmenau (NS 1, 31).

1784, August: Gipsbrüche bei *Osterode (NS 1, 68); ferner *Küttelstaler Gipsbrüche* (NS 2, 344, Zeichnung von GM*Kraus: ebda Taf. XXVII, 2).

—, Steinbruch zwischen Osterode und *Wildemann (NS 1, 69).

—, 1./2. IX.: Steinbruch am *Rammelsberg (NS 1, 69; 80).

—, 2. IX.: Schieferbruch bei *Goslar (NS 1, 69; 80).

—, Sandgrube und Kalkbruch bei *Clus (NS 1, 70).

—, 7. IX.: Schieferbruch zwischen *Susenburg und *Neuwerk/Harz (*schwarzglänzend, sehr dünnblättrig, aber auch ins Unendliche rhombisch zerspringend: NS 1, 75*).

—, 7. IX.: Schieferbruch am *Kuhberg (NS 1, 75).

1786, 5. IX.: Steinverarbeitung in *Regensburg (*Ein sonderbar Gestein wird hier ver-

arbeitet, zu Werkstücken, eine Art Totliegen-
des: NS 1, 123).

—, 9./10. IX.: Marmorbruch am *Brenner
(NS 1, 127).

—, 19./26. IX.: *Kalksteine, woraus sie in
Vicenz schöne Platten arbeiten . . . Kalkstein,
den sie nach Belieben sägen und zuschnei-
den . . . Basalt, aus dem sie schöne Platten
hauen, die Hallen zu pflastern . . . Eine
Lava, die sie auch zu Platten zuhauen . . .
Das Pflaster der Stadt *Padua pp. Es ist
Lava von den Estischen Bergen (NS 1,129 f.).*

—, Art Travertin, bei *Terni . . . wahrscheinlich von einem Gebäude (NS 1, 137).*

—, 18. X.: *Bologna: Backsteinschichten . . .
bindender Kitt . . . eiserne Anker (I/30, 163).*

—, 28. X.: *Otricoli von Lava gebaut, die jenseits des Flusses hergeholt sind . . . Die Chaussee, die von der Höhe nach Citta Castellana
geht, ist von ebendieser Lava (NS 1, 136).*

1787, 19. II.: *Malziana aus der Gegend von
Rom. Wird zu Herden und Kaminen gebraucht, weil er im Feuer hart wird (NS
1, 139).*

—, 24. II.: Beobachtungen der bei *S. Agata
gefundenen Steinarten: *am häufigsten die
gewöhnlichen Kalksteine, sodann aber auch
Serpentin, Jaspis, Quarze, Kieselbreccien,
Granite, Porphyre, Marmorarten, Glas von
grüner und blauer Farbe. Die zuletzt genannten Steinarten sind schwerlich in dieser Gegend erzeugt, sind wahrscheinlich Trümmern
alter Gebäude, und so sehen wir denn, wie die
Welle vor unsern Augen mit den Herrlichkeiten der Vorwelt spielen darf (NS 1, 140).*

—, Lavabrüche bei *Neapel/Vesuv (Lava,
welche in Neapel vorzüglich zu Gebäuden
gebraucht wird: NS 1, 148).*

—,4. IV.: Muschelkalkbrüche bei *Palermo:
Die in der Gegend des Monte Pellegrino sind
an einem Ort über 50 Fuß tief (NS 1, 151).*

—, 10. IV.: Kalkbrennerei und Tongruben
auf dem Wege nach *Monreale: *Man zertrümmert die Felsen und brennt Kalk daraus, der sehr weiß wird . . . Bis an die steil-
sten Höhen liegt roter Ton angeschwemmt . . .
Ich sah in der Entfernung eine Grube fast
wie Zinnober (NS 1, 152 f.).*

—, 13. IV.: Steinschleiferei und Kalköfen in
Palermo (NS 1, 153).

—, Beobachtungen über die Verwendung
des Muschelkalks in *Agrigento als Baumaterial *(Tempel und alle Mauern sind davon: NS 1, 164)* und als Mühlsteine *(Von
Terranuova. Man bedient sich dessen in Girgent als Mühlstein: ebda).*

—, 19. V.: *Pozzuoli, Serapeum: *Die Säulen

sind von griechischem Cipollin-Marmor (NS
1, 165).*

1789 (?), Juli/August: *Merkwürdiger Steinbruch auf dem Wege nach *Wilhelmstal
(schon von früheren Aufenthalten bekannt?: NS 1, 188).*

1790, März: *Von *Dietfurt feiner Kalkstein an
der Chaussee bis *Donauwerth. Platten davon und Fenstergewände (NS 1, 194 f.).*

—, Ende Juli: *Granite in Säulen lagen am
Wege von *Stolpen nach *Schmiedefeld, auch
waren viele am Weg als Prellsteine, sogar
eine Reihe am Zaun angebracht (NS 1, 192).*

—, August: bei *Reichenbach/Schlesien (?)
Brüche, woraus auch Silberberg gebaut ist
(NS 1, 193).*

1792, 25. VIII.: *römisches Mauerwerck . . . Ziegeln und Bruchsteine wechsels weise (*Trier;
IV/10, 9).*

1797, 17. IX.: Kalksteinbrüche bei *Hattingen *(zum Behuf der Chaussee: I/34^I, 351).*

—, Ende September: *Rote schiefrige Breccie
vom Zürcher See, wird zu Stufen in den
Weinbergen gebraucht (NS 1, 269).*

—, 28. IX.: Baumaterial in *Richterswyl
*(. . . mehrere neue Häuser. Am Wege fanden
wir die grauen und rothen Platten . . . zum Gebrauche hingeschafft: I/34^I, 382).*

—, 29. IX.: Schneide- und Sägemühle im
Alpthal (I/34^I, 387).

—, 30. IX.: Sägemühle zwischen *Schwyz
und *Brunnen; in derselben Gegend auch
*Granitblöcke in den Mauern (I/34^I, 390);
Plattenweg zwischen *Flüelen und *Altdorf
(ebda 392).*

—, 1. X.: *Sägemühlen im Tal der *Reuß
(I/34^I, 394);* am nächsten Tage Beobachtung: *Brücke. Die Steine derselben, die Felsen, besonders die, welche das Wasser bei
hohem Strome bespült, hellgrau (ebda 395 f.).*

—, 7. X.: Sandsteinbruch am Ufer des *Zuger Sees, nördlich *Immensee (I/34^I, 408).*

1801, 12. VI.: Beobachtung von sandstein-
gedeckten Häusern in *Einbeck: *Der Stein
bricht bei Arholzen und an mehrern Orten.
Diese Art, die Häuser mit Sand zu decken,
dauert fort bis einen guten Strich über die
Weser hin (NS 1, 274).*

—, 13. VI.: bei *Eimen: *Ausgebrannte hohle
Bäume benützen sie um Brücken über Kanäle
damit zu bauen (III/3, 21).*

—, 14. VIII.: Basaltbrüche bei *Dransfeld
(besucht: III/3, 31; vgl. I/35, 112).*

1802, 20./21. V.: Steinbrüche bei *Lauchstädt
(besucht: III/3, 56 f.).*

—, 21. V.: *sogenannte Kiesgrube *bei *Scha-
dendorf (III/3, 56).*

1806, 22. VII.: Basaltbruch am *Grasberg (NS 1, 287).

—, 25. VII.: Steinbrüche bei *Hohendorf: *merkwürdige Übergänge des Quarzgesteins in scheinbare Breccia und dieser, indem sie sehr feinkörnig wird, in eine Thonart (III/3, 145).*

—, 7. VIII.: Marmorbruch in *Hof: *gleich vor der Stadt, von weitem Umfang. Der Stein wird zum Bauen und Kalkbrennen, nach seinen verschiedenen Eigenschaften gebraucht. Auch sind schon größere Blöcke zu Säulen und andern architektonischen Gliedern angewendet worden. Nicht weniger wurde davon nach Bayreuth geschickt, der daselbst besonders zu Tischplatten verarbeitet wird. Ich sah die Bausteine aus den großen Massen durch Schießen gewinnen (III/3, 154 f.);* erneute Besuche 26. V. 1807: *Daselbst gezeichnet (ebda 214)* und 17. V. 1810 (III/4, 120); übertuschte Zeichnung von Goethe NS 2, Taf. XXXII; S. 438.

1807, Juli: Kalkofen bei Karlsbad (schon länger bekannt, jetzt notiert: NS 1, 330).

—, 18. VII.: Feldspatbruch bei *Dallwitz (Rohstoffgewinnung für *Porzellan an architektonischen Werkstücken? III/3, 243).

—, 9. IX.: Beobachtung zwischen *Gefell und *Schleiz: *In der Nähe muß auch Serpentin brechen, indem die Chaussee mit dieser Gesteinart überschüttet ist (NS 1, 323).*

1808, Juli: Steinbruch *zum Gebrauch des Chausseebaues* am *Kammerberg bei Eger, desgl. *frühere Steinbrüche . . . Denn der alte viereckte Turm auf der Zitadelle von Eger, . . . ist aus diesem Stein gehauen (NS 1, 360; 363).*

1810, 31. V.: Steinbruch bei *Karlsbad *(besucht: III/4, 128).*

1811: Erwähnung des sicher schon früher bekannten Ilmenauer Ratssteinbruches (NS 1, 385; vgl. auch 2, 97).

1812, 13. VII.: zwischen *Karlsbad und *Libkowitz *kommt weißer Quarz in ziemlich scharfkantigen Bruchstücken auf den Feldern vor. Die Chaussee wird damit gebessert, auch sah ich Deckplatten von Tonschiefer auf kleinen Brücken (NS 2, 3).*

1813, 4. V.: *Pseudovulkanische Grube, woraus die Chaussee beschüttet wird* bei Teplitz *(NS 2, 27).*

—, 5. V.: Kalkgrube bei Teplitz (NS 2, 27).

—, Mai: Mühlsteingewinnung bei *Arbesau und *Osseg: *ein wichtiges Bedürfnis (NS 2, 34;* vgl. auch *50 f.: Zu Mühlsteinen . . . zu Baulichkeiten).*

1814, 18. V.: Steinbrüche bei *Berka/Ilm (schon früher bekannt): *Als ich die Ber-*

*kaischen Steinbrüche besuchte und die Arbeiter beschäftigt fand, gedachte ich deiner Anregung: daß man *Färbern ein kleines, aber artiges Denkmal setzen sollte (IV/24, 279).*

—, 30. VII./1.: VIII. Steinbrüche bei *Wiesbaden (III/5, 121 f.); dazu: 9. IX. *Kalksteinbrüche des Mühlthales* bei Wiesbaden (III/5, 131); erneuter Besuch 17./19. VI. 1815: III/5, 166 f.; auch NS 2, 72).

1815, 22. VII.: Dachschieferbrüche an der *Langen Hecke bei *Limburg (III/5, 171).

—, 28. VII.: Steinbruch bei *Niedermendig: *Bruch der sog. Rheinischen Mühlsteine (III/5, 173).*

1816, 14. VII.: *Steinbruch am Kieferhölzchen* bei *Oberweimar *(III/5, 253).*

—, 1./2. VIII.: Tuff- und Sandsteinbrüche bei *Tennstedt besucht (III/5, 260).

—, 4. VIII.: *Sandstein Brüche* bei *Urleben (III/5, 261).

—, 25. VIII.: *Sandstein Bruch* bei *Klein Vargula (III/5, 266).

—, 24. X.: Steinbrüche bei Weimar (III/5, 280; vgl. auch schon 6. X. *August in die Steinbrüche: ebda 276).*

1817, 9. X.: Ziegeleyen, Thon- und Steingruben bei Weimar *(III/6, 120;* vgl. Gräbner S. 4).

1820, wohl als Extrakt langjähriger Beobachtungen formuliert: *In flachen Gruben oder Gefäßen erweichter Lehm spaltet sich beim Eintrocknen in fünf- und vierseitige Tafeln . . . Ziegelsteine, einem allzuheftigen Feuer ausgesetzt, trennen sich in säulenförmige Bildungen (NS 2, 175).*

1821, 29. VII.: Bei *Treunitz *mächtige Aufschwemmungen von Quarztrümmern und wenigem Ton; gibt vortreffliche Chausseen (NS 2, 184;* vgl. schon 1819 *Asch: IV/32, 2).

—, 8. VIII.: *Granitbrüche hinter und über der Apotheke* in *Marienbad (III/8, 88; NS 2, 195; 197; 216).*

—, 21. VIII.: Schneidemühlen bei *Unter-Gramling (III/8, 93).

—, 21. VIII.: Kalkbrüche bei *Wischkowitz: *welche die ganze Gegend versehen. Von dem brauchbaren Kalk und dessen Übergängen in's Nebengestein einiges abgestuft (III/8, 93).*

1822, 26. VII.: Tongrube bei *Pograd (NS 2, 209; vgl. 230: nur? Flaschenfabrikation; Wiederholung 23. VIII. 1823: ebda 313).

—, 27. VII.: Kalksteinbruch bei *Dölitz (NS 2, 209).

—, Juli: Steinbrüche bei Karlsbad und Marienbad (vermutlich längst bekannt; NS 2, 215; auch 196; vgl. 31. V. 1810).

—, Juli: *Gneis, aus dem Steinbruche, rechts*

an der Straße aufwärts nach Tepel (*Tepl; NS 2, 219) . . . Grauer, feinkörnig-salinischer Kalk, den Bauleuten besonders angenehm . . . Tropfsteinartiger Kalk mit unreinen Kristallen gleichfalls von daher [Wischkowitz; vgl. 21. VIII. 1821] *den Bauleuten beliebt (NS 2, 220) . . . Wer zwischen dem Stifte Tepel und Marienbad reist, kommt über den Abhang dieses Berges und findet einen bis jetzt freilich höchst beschwerlichen Weg über Basaltklumpen, welche, dereinst zerschlagen, sich zur bequemsten Chaussee fügen werden (NS 2, 222).*

—, 15. VIII.: Herstellung von Bauglas in der Glashütte von *Brand: *Es werden große Fenstertafeln gefertiget; wir sahen die ganze Manipulation mit an, die wirklich furchtbar ist . . . Auf dem Böhmerwald . . . liegen viele Glashütten . . . sie blasen Walzen zu Spiegeltafeln von 4 Fuß Länge und verhältnismäßiger Breite (III/8, 294 f.; 299 f.).*

1827, 24. IX.: Steinbruch am *Ettersberg (NS 2, 358; sicher seit der ersten weimarer Zeit bekannt).

1828: *Ohngefähr 10 Minuten südlich von Weimar und rechts der Chaussee, welche nach dem Großherzoglichen Lustschloß Belvedere führt, finden sich mehrere Steinbrüche, in welchen sehr vorzügliche Bausteine gebrochen werden (NS 2, 372; sicher seit den ersten weimarer Jahren bekannt).*

1831, 15. VII.: *Schenksche Ziegelei bei Weimar: *Ich fuhr mit Wolf auf die Schenkische Ziegeley über Gaberndorf. Gewann einige hübsche naturhistorische und technische Bemerkungen (III/13, 124).*

II. Mittelbare Kenntnis:

1785, Ende Juni: Granitbruch und -verarbeitung am *Kornberg bei Kirchenlamitz: *ohngefähr eine halbe Stunde links von der Straße, liegt der Turmberg, wo der Granit zu Tierstöcken, Fenstergesimsen, Brunnentrögen pp. verarbeitet wird (NS 1, 103);* wiederholte Beobachtung 25. IV. 1820: *wo die von *Rehau ihren Granit holen;* unmittelbare Beobachtung des verarbeiteten Granits in *Kirchenlamitz (III/7, 163).

—, Anfang Juli: Steinbrüche bei *Thiersheim: *ist mit schwarzen Steinen gepflastert, sui generis . . . Der schwarze Stein findet sich immer am Wege . . . müßte sich . . . irgendwo anstehend entdecken lassen . . . Granit . . . hier und da als Steige über Graben gelegt . . . im Ort lagen einige aufgesetzt herum . . . Er muß auch in der Nähe brechen (NS 1, 105).*

1795/96 bei den Vorbereitungen zur zweiten Reise nach Italien:

Marmor- und Alabasterbrüche hauptsächlich in der Toskana (NS 1, 244); Verwendung des Granits als Baumaterial: *Früher als in der Mitte des 16. Jahrhunderts finden sich keine Gebäude davon. Carl Borom. scheint ihn zuerst gebraucht zu haben. Große Reihen roter Granit-Säulen am schweizerischen Colleg. und am Seminar zu Mailand . . . Unter Verkleidung der Wände und der Fußboden in der Capella di San Lorenzo (NS 1, 247) . . . Breccien . . . Aus Kalkstein, Sand und Quarz bei Genua zu Mühlsteinen (NS 1, 247);* Steinbrüche im *Großherzogtum *Florenz (NS 1, 248 f.).*

1795, 3. VII.: Granitbrüche in Trieb *bey Bäringen* (Bergen/Vogtland); Mühlsteinbrüche bei *Neukirchen* (*Markneukirchen; III/ 2, 35; vgl. 335 f.).

1796, 31. V.: Steinbruch bei *Zwätzen *(zu Türsturzen und ähnlichen überbindenden Bedürfnissen nötige Steine: BrVoigt 1, S. 256).*

1797, August: Steinbrüche bei Frankfurt, möglicherweise Goethe aus seiner Jugend selbst bekannt? *Gestern war ich . . . auf einem Bethmannischen Gute . . . ist wegen der Steinbrüche bekannt . . . Die roten Sandsteine, mit denen man in Frankfurt baut, kommen zu Wasser aus Franken . . . Die Höhe, die sich von Bockenheim über das Bethmannische Gut . . . erstreckt, besteht ganz aus Basalt . . . In Bockenheim hat man ihn seit langen Zeiten her gebrochen, zu Grenz- und Ecksteinen und zu Pfeilern verschiedner Art bearbeitet, auch die kleineren Stücke zu Pflastersteinen gebraucht, allein nur wenige Lagen haben die gehörige Stärke, . . . deswegen zum Pflastern der Stadt der Steinheimer vorgezogen wird (NS 1, 255 f.).*

—, 25. VIII.: Basaltbrüche zwischen *Sachsenhausen und *Langen (NS 1, 256).

1801, 27. VI.: Mergelgrube bei Wendlinghausen (NS 1, 274).

1813, 18. III.: Schneidemühle in Gera (III/5, 71).

—, Sommer: Kalksteinbrüche am Marienberg bei *Aussig (NS 2, 50 f.; vgl. auch IV/23, 372).

—, 20. XII.: Steinschleiferei in Jena (selbst besucht? Evtl. auch schon früher?; NS 2, 61).

1814: Verfallener Steinbruch am Schneckenhügel bei Ilmenau (selbst gesehen bei früheren Ilmenau-Besuchen?; NS 2, 69).

—, September: Kalksteinbrüche auf dem linken Rheinufer gegenüber *Winkel (NS 2, 68).

1815, September: *verlassener Steinbruch am*

Wege nach Roßdorf bei *Darmstadt *(NS
2, 76)*.

1816, vor 7. IX.: Kenntnis von Mühlstein-
brüchen bei Grauwinkel zwischen Ohrdruf
und *Arnstadt *(Der vorzüglichste in ganz
Thüringen)* bei Ichstedt, Klein-Ballhausen
und *Halle *(Friedrich II., der alles im
Lande haben wollte [*Merkantilismus] litt
auch nicht die Einfuhr fremder Mühlsteine.
Diese inländischen sind sehr schlecht, und es
ward zum Scherze ausgerechnet, wieviel Kie-
sel- und Tonerde man jährlich mit dem Brot
in Halle verzehrt: NS 2, 85 f.)*.

1819: Marmorbrüche bei Carrara (NS 2, 133).

1819/20: in den Aufzeichnungen JChr*Sachses: ,,Im Blankenburgischen . . . ist ein
Steinbruch, dessen Steine ineinander-
stehende Schüsseln bilden, deren sich die
Nachbarn zu Viehtrögen bedienen" (,,Der
deutsche Gil Blas", Neuausgabe 1951,
S. 153); Erkundigungen Goethes nach dieser Erscheinung (vgl. *Gestalteter Sandstein,
NS 2, 133 f.)*.

1821: Granitbrüche bei *Sandau und Sangerberg bei *Petschau: *Aller Granit, welcher
zu Platten verarbeitet werden soll, wird von
Sandau geholt . . . Eine andere höchst fein-
körnige Granitart aber, welche zu Fenster-
gewänden, Gesimsen und sonst verarbeitet
wird, kommt von Sangerberg bei Petschau
(NS 2, 196)*.

—, Mühlsteinbrüche *zu Drachau, Kamen-
ahora (Steinberg), Bothstuhra; sie liefern seit
langer Zeit Mühlsteine für einen großen Teil
von Böhmen, auch werden solche in das Ausland verführt (NS 2, 203;* vgl. 5. VII.
1822: *III/8, 214).* Bei demselben Anlaß
von *Kefersteins geologischer Karte: *In
Sandau ist eine Niederlage frischer Mühlsteine. Ferner sollen in Rokitzan auch Mühlsteine gefördert werden von einer Gebirgsart,
welche auch zu Schrittplatten an den Häusern her gelegt werden (NS 2, 203 f.)*.

—, 24. XII.: *Gespräch über den Zustand des
Bauwesens, besonders auch über russische
Öfen (III/8, 149)*.

1822, 28. VII.: Durch JS*Grüner Kenntnis von
den rossenreuther Steinbrüchen (NS 2,
233).

—, 31. VII.: durch JSGrüner und Graf
*Sternberg Kenntnis von den Steinbrüchen
von Haslau (NS 2, 237).

—, Steinbruch bei Cerhovic (Böhmen):
*Czerchowitzer Steinbruch, Herrschaft Zlirow
(NS 2, 248)*.

—, Verarbeitung von norddeutschen Findlingsblöcken und Geschiebe in Mecklen-

burg und Berlin (NS 2, 254; erneute Beschäftigung damit 1828: ebda 375 f.).

—, *Basaltsteinbrüche am Rückersberge bei
Oberkassel am Rhein . . . Unkeler Steinbruch
bei Oberwinter (NS 2 259–267)*.

1824: Marmorbrüche bei Altdorf (NS 2, 352).

—, Marmorbrüche bei *Bayreuth (Ludus
Helmontii; NS 2, 353).　　　　*JP/Za*

Bayer *(Beyer: III/8, 251)*, Johann Theophilus
(1802–1881), wurde am 17. X. 1822 nach *Verordnung an Güldenapfel* und nach den üblichen
Formalitäten seitens der *Oberaufsicht als
Bibliotheksdiener an der jenaischen Universi-
täts-*Bibliothek angestellt *(III/8, 251;* vgl.
9, 216). Goethe kümmerte sich auch 1824 um
B.s persönliche Angelegenheiten inbezug auf
seine Einziehung zum Militär, so daß B. *zur
Verloosung ging, durch Obrist von Lyncker er-
muthigt (III/9, 300;* dazu 2. XII. 1824 Goethes dieserhalb gepflogene Besprechung mit
CWFv*Lyncker: ebda 302). 1827 wird B. als
Hauslehrer von Knebels genannt, 1828 als dessen *Hofmeister (III/11, 121; 284); *erst dann
hat er offenbar sein Studium an der Universität Jena begonnen (7. X. 1828 *Studiosus
Bayer: ebda 288)*. B. war später Amtsaktuar
in Jena; in seiner Zeit als Bibliotheksdiener
hat er Goethe gelegentlich Dienste als Sekretär geleistet.　　　　*Ko*

Bayer, Joseph Wilhelm, trat 1793 mit dem
Werk ,,Das Zeitalter der ägyptischen, griechischen und römischen Mythen und Helden,
zur Erläuterung der deutschen und lateinischen Classiker" und 1796 mit einer staats-
wissenschaftlichen Arbeit hervor. 1823 war
er laut *karlsbader Kurliste ,,Doktor der
Rechte, Hof- und Gerichtsadvokat" in Wien,
aber schon 1811 war er in Karlsbad gewesen
und hatte Caroline Ulrich, die spätere Frau
FW*Riemers und Christiane vGoethe kennengelernt. Goethe sah B. während seines karlsbader Aufenthaltes 1812 (6. VIII.: III/4, 308)
und sprach noch einmal am 2. IX. 1823, wiederum in Karlsbad, mit ihm, *der an alte Carlsbader Geschichten erinnerte und sich besonders
nach Demoiselle Ulrich erkundigte (III/9, 107)*.
　　　　Lö

Bayerischer Erbfolgekrieg. Nach dem Tode
des kinderlosen Kurfürsten Max III. Joseph
von Bayern (gest. 30. XII. 1777) schloß Kaiser
Joseph II. am 3. I. 1778 mit dessen Nachfolger Kurfürst Karl Theodor von der Pfalz
einen Vertrag, wonach Karl Theodor, dem
*Bayern unkultiviert erschien und daher un-
sympathisch war, Teile des bayerischen Erbes (Niederbayern, Mindelheim ua.) im Austausch gegen vorderösterreichische Gebiete

an *Österreich abtrat. Joseph gedachte so den Verlust *Schlesiens zu ersetzen und die Vorherrschaft *Habsburgs in Süddeutschland aufzurichten. Das Gelingen des Plans hätte eine Schwächung deutscher Klein- und Mittelstaaten, zugleich eine Verschiebung der Machtverhältnisse zuungunsten *Preußens zur Folge gehabt. Es erhob sich Widerspruch von der Seite des nächsten Agnaten und Erben des Kurfürsten: des Herzogs Karl II. August von Pfalz-Zweibrücken. Dieser protestierte beim Reichstag und bat König Friedrich II. von Preußen um Hilfe, der ihm volle Unterstützung bei der Wahrung seines Erbes zusicherte. Die somit aufkommende Gefahr eines neuen preußisch-österreichischen Krieges bedrohte, wie andere Länder, so auch *Sachsen-Weimar-Eisenach mit der Wiederkehr aller Unannehmlichkeiten des siebenjährigen Krieges: Truppendurchzug, Einquartierung, Zwang zu Rekrutenstellung und Kontributionsleistung, Raub und Verwüstung.

Goethe wurde als engster Vertrauter des Herzogs Carl August und (seit 1776) Mitglied des *Geheimen Consiliums bald mit den politischen Fragen befaßt, die sich aus dieser Lage für Sachsen-Weimar ergaben. Noch vor jenem Hilferuf des Herzogs von Zweibrücken hatte Friedrich der Große den vormaligen Erzieher Carl Augusts von Weimar, den Grafen JE v*Görtz, der nach verstimmtem Ausscheiden aus dem Hofdienst noch in Weimar in Pension lebte, ohne Wissen seines Herrn nach Zweibrücken entsandt, damit er die Stimmung am dortigen Hof angesichts der Tauschpläne erkunde und den Herzog von Zweibrücken zum Widerstand ermutige. Als Görtz den Herzog von Weimar von Zweibrücken aus nachträglich von seiner Mission unterrichtete und um Verständnis für sein Verhalten bat, erwiderte Carl August am 19. III. 1778, ihm verursache Görtz' Wirken für Preußen „mancherlei unangenehme Empfindungen", denn in einer Zeit, „da sich das Interesse der Mächtigen des Deutschen Reichs gegeneinander neigt", könne er nur „die Krise in der Stille abwarten" und strenge Neutralitätspolitik treiben (PolBrCarl-August Bd 1, S. 55). Dies Schreiben, das erste politische des jungen Herzogs von Weimar, ist im Landeshauptarchiv Weimar nur in der Handschrift Goethes (Entwurf? Abschrift?) erhalten. So ist das Schriftstück aller Wahrscheinlichkeit nach inhaltlich, wo nicht auch in den Formulierungen, mit Goethe abgestimmt, der also bezeichnend genug mit einem Votum für unbedingte Neu-

tralität in die weimarische Politik eintritt. Daß Goethe die Gefährlichkeit der Lage durchschaute, zeigt sein Brief vom Vortage (18. III. 1778) an *Merck: *Jezt macht uns aber der Eindringende Krieg ein ander Wesen. Da unser Kahn auch zwischen den Orlogschiffen gequetscht werden wird (IV/3, 215).*

Im Tagebuch heißt es am 27. III.: ♃ [dh. Carl August] *war viel in Milit. gedancken, und ich ganz fatal gedruckt von allen Elementen (III/1, 64),* Anfang April: *Unruhe des ♃. erwachend Kriegsgefühl (III/1, 64),* beim 21. IV. *Nach Erfurt. Kriegsgeschwäz (III/1, 65).*Wenn aus diesen Äußerungen vielleicht geschlossen werden darf, daß der Herzog nun doch von kriegerischen Ambitionen ergriffen wurde und daß Goethe dies mit Sorge beobachtete, so bestärkte die berliner Reise Carl Augusts und Goethes (Aufenthalt in *Potsdam und *Berlin 15.–23. V. 1778), trotz imponierender militärischer Eindrücke, die weimarische Staatsleitung eher in ihrer vorsichtig abwartenden Haltung. König Friedrich befand sich bereits im schlesischen Feldlager, aber *von der Bewegung der Puppen kan man auf die verborgnen Räder besonders auf die grose alte Walze FR gezeichnet mit tausend Stiften schliesen die diese Melodieen eine nach der andern hervorbringt (IV/3, 225).* In dem frondierenden Zirkel um den Prinzen Heinrich, zu dessen Tafel Carl August und Goethe am 17. V. geladen waren, geschah es wohl, daß Goethe *über den großen Menschen seine eignen Lumpenhunde räsonniren* hörte *(IV/3, 239).*

Nach dem Scheitern preußisch-österreichischer Verhandlungen in Berlin (Mai/Juni 1778) rückten im Sommer 1778 preußische Truppen, verstärkt durch Sachsen, in *Böhmen ein, von wo sie sich freilich im Oktober wieder zurückziehen mußten. Es kam zu jener Form bewaffneter Unterhandlung, die mit dem Namen BE. eigentlich zu hochgreifend benannt wird. Doch schien Preußen den bisher lässig betriebenen Feldzug im Frühjahr 1779 verstärkt aufnehmen zu wollen.

Im Dezember 1778 und im Januar 1779 ersuchte der preußische General v*Möllendorff den Herzog von Weimar, ebenso wie mehrere andere Fürsten, wiederholt darum, in seinem Land die Anwerbung von Rekruten für den preußischen Dienst zu gestatten oder selbst solche auszuheben und sie Preußen zu überlassen. Carl August versuchte, dieser Forderung, welcher die preußische Seite bereits durch gewaltsame Entführung einiger junger Leute und andere Übergriffe Nachdruck verliehen hatte, durch ein persönliches Bittschreiben an König Friedrich II. (Ende Januar 1779) ledig zu werden und so seinem Lande die Neutralität zu erhalten, die angesichts der im benachbarten *Erfurt liegenden österreichischen Garnison besonders wichtig war. Diese Sachlage charakterisierte Goethe: *Beunruhigt das Amt Grosen Rudst*[edt] *durch die Preußen, Wiederkunft Reinbabens* [des preuß. Werbeoffiziers], *fatale Propositionen. Zwischen zwey übeln im wehrlosen zustand. Wir haben noch einige Steine zu ziehen, dann sind wir matt. Den Courier an den König. in dessen Erwartung Frist* (14./25. I. 1779: *III/1, 78*). Die schroff ablehnende Antwort Friedrichs II., die am 7. II. 1779 in Weimar einging (PolBr Carl-August Bd 1, S. 58f.), versetzte Carl August und sein Geheimes Consilium, dh. die Geheimen Räte v*Fritsch, *Schnauß und Goethe, in die Notwendigkeit, darüber zu beraten, wie man sich in Anbetracht der wiederholten preußischen Zumutung und der wachsenden Unsicherheit in den Grenzorten zu verhalten habe. Goethe wurde von der Angelegenheit dienstlich deshalb noch besonders berührt, weil er seit dem 5. I. 1779 die *Kriegskommission leitete, der die Geschäfte der Militärverwaltung, also auch die Aushebungsfragen unterstanden.

Dieser Situation entstammt ein umfangreiches, undatiertes, aber mit Sicherheit auf den Abend des 9. II. oder den Morgen des 10. II. 1779 anzusetzendes politisches Gutachten Goethes, das in erschöpfender Weise die Folgen erörtert, die sich sowohl aus der Annahme des preußischen Antrages wie andererseits aus seiner Ablehnung ergeben mußten. Es kam Goethe offensichtlich darauf an, vor dem Herzog alle nur erdenklichen Überlegungsunterlagen unparteiisch auszubreiten, die dieser benötigen konnte, um seine Entscheidung zu treffen. Dabei äußerte Goethe ua. den Gedanken, daß man sich mit *wohlgesinnten Mitständen (IV/4, 7)* wie Hannover, Kurmainz und den sächsischen Vettern zu wechselseitiger Hilfe gegen solche Zumutungen zusammentun solle. Das Schriftstück (letzte Drucke: AS 1, 52–56 buchstabengetreu; PolBrCarl-August Bd 1, S. 60–63) wurde in seiner politischen Bedeutung von der Forschung zeitweilig überbewertet. So glaubte OLorenz, daß man es hier mit der „eigentlichen Ursprungsidee des Fürstenbundes" zu tun habe („Goethes politische Lehrjahre", 1893, S. 59). Nachdem bereits der Historiker PBailleu („Karl August, Goethe und der Fürstenbund", HZ 73 [1894], S. 14–32) und der Goethe-Philologe H*Düntzer („Goethe, Karl August und Otto-

kar Lorenz", 1895) dieser Übertreibung entgegengetreten waren, haben jetzt zwei im Erscheinen begriffene Editionen (AS und PolBr Carl-August) die Möglichkeit geschaffen, das Gutachten Goethes in seinen geschichtlichen Zusammenhang einzuordnen und es zutreffend zu beurteilen.

Am 9. II. 1779 beriet das Geheime Consilium in Weimar unter Vorsitz des Herzogs über die durch die Absage Friedrichs II. eingetretene Lage (Protokoll des Geheimen Referendarius JChr*Schmidt in AS I, 46–52). Dabei entwickelte v*Fritsch die beiden denkbaren Verfahrensweisen (Annahme oder Ablehnung des preußischen Antrags) und die jeweils zu erwartenden Konsequenzen. Nachdem Schnauß und Goethe sich im allgemeinen zustimmend zu Fritschs Bericht geäußert hatten, kam es zu einem Wechselgespräch zwischen Carl August und den Mitgliedern des Conseils, bei dem aus dessen Mitte der Vorschlag gemacht wurde, daß man zwecks besserer Abwehr derartiger Zudringlichkeiten „durch eine mit andern neutralen, sowohl protestantischen als catholischen, Höfen zu treffende Verbindung während des jetzigen Kriegs gleichsam einen Parti mitoyen formirte". Das Protokoll verrät leider nicht, ob dieser wichtige Gedanke, der Carl Augusts Billigung fand und zu einer freilich wenig ergiebigen Korrespondenz mit Gotha, Hannover und anderen Regierungen führte, von Fritsch, von Schnauß oder von Goethe ausgesprochen wurde. Am Abend des gleichen oder am Morgen des folgenden Tages hat Goethe sein vielbeachtetes Gutachten geschrieben, offenbar als eine private und zusätzliche Überlegungsgrundlage für den fürstlichen Freund. Das Schriftstück folgt in seinen Grundzügen den Gedankengängen Fritschs, arbeitet jedoch einige weitere während der Sitzung noch zutage geförderte Momente mit hinein. Wirklich neue, dh. über das Ergebnis der Session hinausführende Ideen finden sich nicht. Doch zeigt die Arbeit Goethes gegenüber dem amtlichen Protokoll hohe Vorzüge der Gestaltung und geistigen Durchdringung: sie ist ebenso vollkommen im klaren und vorsichtigen Abwägen des Für und Wider der möglichen Entscheidung wie überlegen im allseitigen Erfassen und Durchdenken der Gesichtspunkte. Auch berührt den Leser der menschliche Ton, der bei aller Sachlichkeit das Schriftstück durchwaltet. So bleibt Goethes Niederschrift das bedeutendste politische Zeugnis aus dem Weimar jener Krisenzeit des BE.

Ergänzend muß noch hinzugefügt werden, daß Carl August sich entgegen den Wünschen des Geheimen Consiliums nicht für eine der beiden Alternativen entschied. Er nahm eine abwartende Haltung ein und traf damit schließlich das Richtige. Zwar hielten die „Plackereien" durch preuß. Werbekommandos noch einige Wochen an und veranlaßten am 21. II. auch Goethe noch einmal zu einem kurzen Votum in der Frage der Desertion. Da es jedoch nicht zu der erwarteten Wiederaufnahme des Feldzuges durch König Friedrich II. kam, dieser vielmehr die französisch-russische Friedensvermittlung annahm, fanden im Laufe des März 1779, also schon zwei Monate vor dem Friedensschluß von Teschen (13. V. 1779), welcher dem Kaiser Joseph II. von jenen bayerischen Erwerbungen nur das Innerviertel ließ, die Störungen der Friedensruhe in Sachsen-Weimar-Eisenach ein Ende. Zur späteren Wiederaufnahme der Idee eines „parti mitoyen" zwischen Österreich und Preußen siehe den Artikel *Fürstenbund. *Tü*

Goethes Amtliche Schriften. Hrsg. von WFlach. Bd 1. 1950. – Politischer Briefwechsel des Herzogs und Großherzogs Carl August von Weimar. Hrsg. von WAndreas, bearb. von HTümmler. Bd 1. 1954. – HTümmler. Aus Goethes staatspolitischem Wirken. 1952. – HTümmler: Goethes politisches Gutachten aus dem Jahre 1779. In: Goethe 18 (1956), S. 89–105.

Bayern, begünstigt durch seine Lage zwischen *Alpen und Böhmerwald, hat sich im Gegensatz zum deutschen Südwesten, dessen geographische Struktur die Ausbildung großräumiger Territorien während des *Mittelalters verhinderte, als ein weitgehend geschlossener Herrschaftsbereich schon früh zu einem entscheidenden Bestandteil des alten Deutschen Reiches herangebildet.
1. Geschichte B.s bis 1806. – Die im 6. Jahrhundert aus *Böhmen einströmenden Bajuwaren, an deren Schicksal in der Völkerwanderung sich noch die Sänger des *Nibelungenliedes erinnerten (vgl. I/42^{II}, 437 bzgl. *Fierabras 440), siedelten sich um das alte Castra Regina (*Regensburg) bis hinauf in die münchener Ebene an. Von diesem Kernland her, das alsbald Teil des Frankenreiches, dann des karolingischen Reiches wurde, entwickelte sich, von zahlreichen Bistümern durchsetzt, das Herzogtum der Luitpoldinger, die in Gegensatz zu den sächsischen Kaisern standen. Kaiser Otto I. (936–973) teilte das Land und gab den Nordgau seinem Bruder Heinrich (vgl. Av*Kotzebue: „Der Schutzgeist", IV. 1: I/13^{II}, 73). Heinrich von B. wurde 1002 deutscher König, der letzte Herrscher des sächsischen Hauses (gest. 1024); Heinrich III. verband B. fest mit dem Reich. Die bewegten

Jahrzehnte der staufischen Geschichte, die 1170 zum Sturz Heinrichs des Löwen (seit 1156 auch Herzog von B.) führten, zerschlugen auch das alte b.sche Stammesherzogtum und legten mit der Übertragung des restlichen Herrschaftsbereiches an den Pfalzgrafen Otto von Wittelsbach 1180 den Keim zum späteren Territorium. In diese Zeit (1209) fällt die Goethe durch ein Zitat aus der „Cronica S. Petri Erfordensis moderna" bekannt gewordene Ermordung Ottos von Wittelsbach, eines Neffen des Vorgenannten, der zuvor (1208) König Philipp von Schwaben getötet hatte (vgl. I/34^{II}, 222). Nach mehrfacher Erweiterung (1214 kam die Pfalzgrafschaft bei Rhein an B.) wurde das Herzogtum wieder geteilt. Die weitere Ausdehnung verhinderten die geistlichen Territorien (Erzstift Salzburg an der Salzach – die in den *Xenien* so köstlich spottet: *Aus Juvaviens Bergen ström' ich, das Erzstift zu salzen, | Lenke dann Bayern zu, wo es an Salze gebricht: I/5^{I}, 221* – Bistum Chiemsee, Fürstpropstei Berchtesgaden, die Bistümer Augsburg, Freising, Regensburg, Passau und Eichstädt, dieses zum Erzbistum Mainz gehörig), sowie im Norden die Markgrafschaft Hohenzollern und die Reichsstadt *Nürnberg. Mehrfache Teilungen – so diejenige von 1329, mit der die Pfalz einer eigenen wittelsbachischen Linie zugesprochen wurde (seit 1349 Kurpfalz) – und der Verlust Brandenburgs (1373) und der niederländischen Grafschaften hatten zur Folge, daß 1433 nur noch die Stammlande B.s ein gemeinsames gut verwaltetes Gebiet darstellten, bis es Albrecht V. 1503 gelang, die altb.schen Lande durch ein Gesetz der Primogenitur und der Unteilbarkeit zu festigen. Unter seiner Regierung blühte an der Universität zu Ingolstadt der *Humanismus auf (*Aventinus). Von hier aus, einem Zentrum des *Jesuitenordens, begann der Kampf gegen die *Reformation, der aber ein Teil des Adels und die Reichsstädte treu blieben. München wurde unter der Regierung Wilhelms V. Pflegestätte einer späthumanistischen und spätmanieristischen Kultur, die durch viele niederländische Maler und Bildhauer getragen wurde; neben ihnen als Hofkapellmeister Orlando di Lasso (1532 bis 1594). Während des dreißigjährigen Krieges herrschte Maximilian I.; seine Feldzüge in Böhmen brachten ihm wieder die Kurwürde ein. Im Übergang zum 18. Jahrhundert sah sich B. im verschärften Gegensatz zum *habsburgischen Kaiserhaus, doch gelang es Maximilian II. Emanuel (seine Medaille: Schuchardt 2, S. 155, Nr 1272) nicht, die spanische Erbfolge anzutreten. Fast schon tragisch war die geschichtliche Situation, in der, unterstützt von *Frankreich, *Spanien und *Preußen Karl Albrecht 1742 während des *österreichischen Erbfolgekrieges zum Kaiser gewählt wurde, um das Kaisertum von der habsburgischen Hausmacht zu trennen. Nach Karl Albrechts Tod mußte sein Sohn Maximilian III. Joseph auf alle Ansprüche verzichten; B. ist nicht wieder zum Kernland des Reiches geworden. Es war dies die Ursache, daß B. bei der Wahl Josephs II. zum deutschen König in *Frankfurt nicht vertreten war (I/26, 299). Die Regierungszeit Maximilians III. umfaßt jedoch die große Epoche des b.schen Rokokos, nicht weniger die von Klöstern ausgehende *Aufklärung – vielleicht meinte Goethe dies, als er auf der Fahrt nach *Italien dem *Stift Waldsassen entgegen* fuhr: *köstliche Besitzthümer der geistlichen Herren, die früher als andere Menschen klug waren (I/30, 5).* Mit Maximilian III. endete 1777 die altb.sche, wilhelminische Linie des Hauses Wittelsbach, Erbe war Karl Theodor aus der rudolfinischen Linie, der nach mehr als fünfhundertjähriger Trennung die wittelsbachischen Lande wieder vereinigte. Der *bayerische Erbfolgekrieg konnte diese Entwicklung nicht hindern. Mit seinem Nachfolger Maximilian IV. Joseph von Pfalz-Zweibrücken, der 1799 die Regierung übernahm, wurde B. dem *Klassizismus erschlossen, der schon zwei Generationen zuvor die Rheinlande erreicht hatte, und zugleich unter dem Staatsminister M Graf vMontgelas aus heterogenen Teilen bei konfessionellen Gegensätzen zu einem einheitlichen Staatsgefüge.

Durch Anlehnung seiner Politik an *Napoleon konnte Maximilian IV. B. erheblich vergrößern. 1802/03 fielen ihm die säkularisierten Bistümer *Bamberg, *Augsburg, Freising, Teile von Passau, Eichstädt und *Würzburg zu. Letzteres wurde im Frieden von Preßburg 1805 dem Großherzog Ferdinand III. von Toskana als selbständiges Kurfürsten-, später Großherzogtum, welches *sich von einem Geheimrath Seyffert herschreibt* (18. VIII. 1807: III/3, 261), zugesprochen, so daß dieses Gebiet erst 1814 endgültig b.sch wurde. 1806 kamen dann große Teile Schwabens mit einer Vielzahl mediatisierter Herrschaftsgebiete, sowie Ansbach-Bayreuth, das 1791 noch preußisch geworden war, und das reichsstädtische Territorium Nürnberg an B. Im gleichen Jahr wurde nach den Bestimmungen des preßburger Friedens Maximilian IV. König; er trat dem Rheinbund bei.

2. Goethe in B. – *In Bayern stößt einem sogleich das Stift Waldsassen entgegen,* heißt es 1786 am Anfang der *IR. Auch hat dieses Kloster im Lande weit umher Besitzungen (I/30, 5 f.).* *Waldsassen war damals reichsunmittelbare Abtei und kam erst 1802 an B. Trotz seiner Eile macht Goethe Beobachtungen geologischer, mineralogischer und geographischer Art: *Bis gegen Tirschenreuth* [zur Reiseroute vgl. Kartenwerk, Teilkarte 6] *steigt das Land noch. Die Wasser fließen einem entgegen, nach der Eger und Elbe zu. Von Tirschenreuth an fällt es nun südwärts ab, und die Wasser laufen nach der Donau. Mir gibt es sehr schnell einen Begriff von jeder Gegend, wenn ich bei dem kleinsten Wasser forsche, wohin es läuft, zu welcher Flußregion es gehört. Man findet alsdann selbst in Gegenden, die man nicht übersehen kann, einen Zusammenhang der Berge und Thäler gedankenweise (I/30, 6).* Aber Goethe achtet auch auf das Wetter, das das ganze Jahr über schlecht gewesen war, auf den Straßenbau, den er im besten Zustande findet, und unterläßt es nicht, nachdem er durch die oberpfälzischen Orte *Weiden, *Wernberg, *Schwarzenfeld, *Schwandorf, *Ponholz und Regensburg (damals freie Reichsstadt, b.sch 1810), dann durch die niederb.schen Orte *Abach, *Saal, *Neustadt, *Geisenfeld, *Pfaffenhofen, *Unterbrück gereist ist, in *München kunstgeschichtliche Studien anzustellen. Die Fahrt geht weiter durch Oberb.: über *Wolfratshausen und *Benediktbeuren nach *Mittenwald (damals in der Grafschaft Werdenfels gelegen, b.sch 1803) und in die gefürstete Grafschaft *Tirol nach *Scharnitz und über *Seefeld nach *Innsbruck (1703 kurze Zeit von b.ischen Truppen besetzt, b.isch 1810–16).

Während Goethe auf dieser Reise durch ein weitgehend einheitliches Territorium gefahren war, trat ihm auf der weiter westlich erfolgten Rückfahrt aus Italien 1788 ein politisch reichgegliedertes Gebiet mittlerer und kleinerer Besitzungen entgegen – ohne daß er Näheres über seinen Eindruck dieser Erfahrung mitteilt, die für einen Reisenden des späten 18. Jahrhunderts auch nichts Ungewöhnliches gewesen sein wird. Zudem ist auch der Reiseweg zwischen *Konstanz (freie Reichsstadt, *badisch 1810) und Augsburg (freie Reichsstadt, b.sch 1806) nicht bekannt. Von hier aus fuhr Goethe über *Gundelsdorf, *Donauwörth (im 13. Jahrhundert Residenz des Herzogs von Oberb., dann Reichsstadt und mehrfach zwischen Schwaben, B. und Reich umkämpft, b.sch seit 1782), *Gunzenhausen (Markgrafschaft Ansbach-Bayreuth, preußisch 1791, b.sch 1806), *Wassermungenau und *Schwabach (die das gleiche Schicksal teilten) über *Reichelsdorf in das Gebiet der freien Reichsstadt Nürnberg, in dem *Eibach und *Schweinau lagen, und nach Nürnberg selbst. Dann ging es wieder durch *bayreuthisches Gebiet über *Erlangen nach *Forchheim (Grenzfeste des Bistums Bamberg) und über *Strullendorf in die Bischofsstadt Bamberg (Stadt und Bistum b.sch 1802), um endlich über die bambergischen Orte *Hallstadt, *Breitengüßbach, *Rattelsdorf und *Gleussen in *Coburg (b.sch erst 1920) das Gebiet der *thüringischen Kleinstaaten zu erreichen.

Bis Schwabach verfolgte Goethe auf seiner Reise nach *Venedig 1790 den gleichen Weg wie 1788; um *bis Augsburg nicht aus der Chaise zu steigen*, vermied er Ansbach: *Es macht gleich so viel Umstände, wenn man sich aufhalten und umziehen soll* (15. III. 1790: *IV/9, 196*). Der Weg führte ihn über *Roth (Ansbach-Bayreuth, b.sch 1806), *Pleinfeld (Bistum Eichstädt), *Dietfurt und *Monheim (das damals als ehemals fürstlich neuburgischer Besitz Karl Theodor gehörte, 1799 an Maximilian IV. Joseph kam, b.sch jedoch erst 1808 wurde) in das schon bekannte Donauwörth. *Von Donauwerth sind die Chausseen schlecht weil der Kies, den sie darauf führen, zu sehr mit Erde vermengt* ist. Lechaufwärts ging es über *Meitingen (im Besitz der Fugger) nach Augsburg. *Es war die Saat und alles hier noch sehr zurück, die Dörfer sind schön gebaut, und die Leute reinlich und rechtlich (III/ 2, 5)*. Zum Bistum Augsburg gehörten *Schwabmünchen und *Buchloe, durch die Goethe *Kaufbeuren (freie Reichsstadt mit ansehnlichem Eigenterritorium, b.sch 1803) erreichte, um abermals bischöflich-augsburgisches Gebiet mit *Stötten und *Füssen (beide b.sch 1803) durchquerend, in *Reutte die Grafschaft Tirol zu betreten. Die Rückreise erfolgte auf dem gleichen Weg.

Als Goethe 1797, von der *Schweiz kommend, durch das Gebiet der Probstei *Ellwangen und das Fürstentum Oettingen-Spielberg gefahren war, erreichte er in *Dinkelsbühl (freie Reichsstadt, 1803 preußisch, b.sch 1806) das jetzige Staatsgebiet B.s. Ein *Sandiger Weg* führte ihn an *Oberkemmathen vorbei *Durch Fichtenwald nach Matzmannsdorf und Burk, Königshofen (III/2, 191 f.)*, über *Bechhofen (sämtlich damals preußische Orte) nach *Großenried (das zum Bistum Eichstädt gehörte). Goethe notierte in seinem Tgb. diesmal auf-

merksamer auf Landschaft und Landwirtschaft: *Feldbau, kleine Waldparthien*. Die weitere Fahrt über *Leidendorf und *Breitenbronn ging wieder durch ehemals ansbachisches, damals preußisches Gebiet; *Eschenbach war reichsritterschaftlicher Besitz: *Viel Hopfenbau. Einige Mühlen*. Dagegen gehörten *Ismannsdorf, *Windsbach, *Moosbach, *Rudelsdorf, *Haag und *Schwabach, *in einem ganz flachen fruchtbaren Thale (III/2, 192)* gelegen, ehemals zu Ansbach, derzeit aber zu Preußen. Bis *Nürnberg ... auf dem bösesten Wege (IV/12, 354)* und über Erlangen hielt er sich an die schon bekannte Wegstrecke ... *die Wege von Erlangen bis Baiersdorf sind wegen des sandigen Bodens sehr schlecht ... Man komt von hier aus auf Chaussee das Feld wird fruchtbarer Thon misct sich unter den Sand. Zwetschchenbäume auf Saatfeldern*. Über Forchheim und *Sassanfahrt *(Sasselfort gehört zu Anspach)* kam Goethe *durch Tannenwald nach Bamberg ... die Stadt liegt sehr angenehm und heiter gegen Mittag ist sie mit einem Wald eingeschlossen – gen Norden hat man eine der schönsten Plänen vor sich auf welcher theils freundliche Dörfer theils fruchtbare Felder abwechseln ... Weiter reiste er *durch Hallstadt. Rechts sieht man auf etwas entfernten Bergen 2 Schlösser [Schloß *Giech und Schloß *Seehof] Man komt dem Mainufer nah*, an das Goethe über Breitengüßbach gelangte ... *durch Zapfendorf und Staffelstein ... durch Lichtenfels, schöne Saat Nebel, der Main komt auf der linken Seite herunter. man steigt berg auf, Fichtenwald bergab, Fischteiche Kloster rund gebaut [mutmaßlich *Banz oder *Vierzehnheiligen], links Seilen (*Marktzeuln, das man liegen sah); es folgten *Hochstadt, *Oberzettlitz, dann Marktzeuln; bey Unterlangstadt [*Unterlangenstadt] komt die Rodach herunter man fährt durch guten fruchtbaren Boden durch Oberlangenstadt angenehmes Thal Schneidemühlen, an der rechten Seite der Rodach hinauf nach Kronach (III/2, 193 f.)*, das wie die vorgenannten Orte noch zum Bistum Bamberg gehörte. Von dort aus erreichte Goethe in *Gräfenthal thüringisches Gebiet.

Erst kürzlich (1814) war das Großherzogtum Würzburg an B. gefallen, als Goethe 1815, von *Heidelberg zurückkehrend, ein letztes Mal b.sches Land durchfuhr, um es über das kaum beachtete Würzburg, über *Werneck, *Poppenhausen und *Münnerstadt in Richtung auf *Mellrichstadt wieder zu verlassen.

3. Goethe und B. – Die vielfache Berührung mit B. (*Mineralogie, *Mundarten, *altdeutsche Malerei, JCv*Mannlich, *Lithogra-

phie, *Münzen und Medaillen, *Autographen), die Bedeutung, die Staat und Land B. innerhalb der damaligen politischen und kulturellen Welt hatten, nicht zuletzt Goethes allseitige Aufgeschlossenheit für Vergangenes und Gegenwärtiges bewirkten einen bleibenden Bezug zu diesem Land, der in dem Besuch König Ludwigs I. bei Goethe (1827) ihren sichtbaren Ausdruck fand (vgl. Sp. 898-900). Der monarchischen Repräsentation verdankt B. die Konzentrierung seiner geistigen und künstlerischen Kultur, doch konnten sich die neuen Impulse nur erst langsam durchsetzen (vgl. 2. X. 1810 den Bericht des Schuldirektors FJ*Niethammer an CLv*Knebel: Bdm. 2, 93); auch Goethes Hoffnung war in dieser Beziehung nicht groß (13. XI. 1825 zu E *Förster: Bdm. 3, 239). Doch als die 1800 von Ingolstadt nach Landshut verlegte Universität auf Befehl Ludwigs I. in München neu konstituiert wurde (1826) und bedeutende akademische Lehrer an ihr zu wirken begannen, griff fördernd die b.sche Akademie der Wissenschaften ein; ihre Preisaufgaben (1807 wurde ein *Preis auf eine deutsche Sprachlehre* ausgesetzt) beschäftigen Goethe auch in amtlicher Eigenschaft (*III/3, 281*; 1818: III/6, 157;*Preisaufgaben). Nun sprach Goethe ,,mit großer Anerkennung über das Verdienst vieler edlen Männer in Bayern und die sichtbaren Fortschritte des Volkes zu einer allgemeinen Ausbildung, wünschte auch für Unternehmungen, die solche Ausbildung befördern können, ein gemeinsames Band der Kräfte wirksam werden zu sehen und schloß mit der Zusicherung seines lebhaften Anteils an allem, was in dieser Beziehung sich hervortun möge" (1826 zu Fv*Elsholtz: ArtA 23, 539; dazu 925). Als dieses Band der Kräfte erkannte Goethe in den letzten Jahren mehr und mehr den König Ludwig, mit dessen Regierungszeit eine spätklassizistische Kunstblüte einsetzte; P*Cornelius wurde an die Akademie berufen, Lv*Klenze zum *Ober-Baudirektor* ernannt *(I/49I, 387)*. KJ*Stieler, Hofmaler seit 1812, lernte Goethe 1828 kennen. Voraussetzung all dieser Bestrebungen und wichtigen Erfolge, die die Kultur des 19. Jahrhunderts wesentlich mitbestimmt haben, war die Sparsamkeit der Verwaltung, mit der es Ludwig schon 1827 gelang, das Defizit des Staatshaushaltes zu tilgen. So konnte sich Goethe bald dahin äußern, daß B. *wie alle Jugend, nicht zu berechnen sei (IV/42, 80): es sind und werden dort so vielerlei Elemente versammelt, deren Einigung, Verkörperung und Gestaltung sich niemand denken kann* (12. III.

1827: *IV/42, 84*). Durch seine zahlreichen brieflichen Verbindungen nach München erhielt Goethe bis zu seinem Tode häufige Nachrichten über die kulturelle Entwicklung in B. Als im Herbst 1827 der Kanzler Fv*Müller nach München reiste, beauftragte ihn Goethe zu eingehenden Studien der neuen kulturellen Situation: *Durchdringen Sie sich von allem dem was dort geschieht, damit wir in der Ferne immer mehr einen klaren gründlichen Blick dorthin wenden, wo so vieles geschieht was den größten Einfluß auf unsre hochbewegte Zeit hat und haben muß* (27. X. 1827: *IV/43, 129*). Mit dem Blick auf die künstlerischen und wissenschaftlichen Bestrebungen, die in B. enthusiastisch gefeiert wurden (F Frhr v Künsberg: ,,Panorama der grossartigen, die Fürsten Grösse, des Volkes-Glück und Ehre aussprechenden Schöpfungen des Königs Ludwig I. von Bayern. Ein Versuch zur Aufstellung der wichtigsten Regierungs-Momente in der segensreichen Regierung", 1835), behielt Goethe Einsicht und Urteil über die inneren Verhältnisse des b.schen Staates – ein Kontakt, der durch die diplomatische Tätigkeit des b.schen Gesandten an den sächsischen Höfen FCJ Graf v*Luxburg (vgl. III/6, 263; seinen Besuch verzeichnet Goethe am 30. V. 1821: III/8, 62) auch offiziell aufrechterhalten wurde (*Bundestag, *Nachdruck). – Goethe vermerkt mit Interesse, daß ihm ein *Königl. Bayerischer Mautpaß mit Anspruch auf Rückvergütung ausgestellt wurde (III/4, 205)*, und staunt über ein *Wunderliches bayrisches landesherrliches Zeichen in Form einer Lanze, nicht zu dechiffriren, vor Zedtwitz* und führt darüber eine *Unterhaltung mit dem bayrischen Mauthvorstanden in Töpen* (30. VI. 1811: *III/4, 216*). Dies sind, wenn auch nur am Rande, Auswirkungen der durchgreifenden und zukunftweisenden, gleichwohl aufklärerisch bedingten Verwaltungsmaßnahmen des Staatsministers Montgelas, die mit ihren zentralistischen Tendenzen den neugewonnenen Norden B.s naturgemäß stärker berührten als den altb.schen Süden. Ihre positve, in soziale, kulturelle und kommunalpolitische Verhältnisse (vgl. die Verordnungen von 1803/04 und 1808) eingreifende Wirkung machte sich schon in der gegenüber den anderen süddeutschen Staaten *verschiedene Behandlungsart der Vasallen* (den ehemals reichsunmittelbaren Besitzungen) bemerkbar *(III/3, 261)*, ebenso aber in der weitgespannten, allerdings auch dem späten 18. Jahrhundert nicht mehr fremden Brandversicherungsanstalt (die in dem Gespräch zwischen Goethe und KHRitter v*Lang 1828 eine heitere Rolle spielte: Bdm. 3, 514) wie in der Fürsorge bei Brandkatastrophen: Goethe berichtet, *daß das vor einigen Jahren abgebrannte Rehau, nach einem wohlüberdachten und weitläufigen Plane, meist aufgebaut steht ... Freylich konnte das nur durch höhere Leitung, Befehle und Unterstützung geschehen. Der König gab das Holz alles umsonst; wie man denn die bayerische Regierung, in solchen Fällen, wegen großer Freygebigkeit und klarer Umsicht rühmt, wovon denn auch die Chausséen das beste Zeugniß geben (III/8, 83).* Einen weiteren wichtigen Einblick in innerb.sche Verhältnisse vermittelt Goethes letzter Aufenthalt *auf Königl. Bayrischem Grund und Boden (IV/36, 124),* sein Besuch in *Markt-redwitz, einer ehemals böhmischen Enklave: *Man scheint mit der bayerischen Regierung wohl zufrieden und sucht sich, was Handlung und Gewerbe betrifft, nach und nach, da Böhmen gesperrt ist, andere Connexionen in dem Reiche selbst* (14. und 15. VIII. 1822: *III/8, 297;* vgl. ebda 290; 294). Ein vergleichendes Interesse wird es auch gewesen sein, mit dem Goethe die innenpolitische Entwicklung B.s verfolgte. Die allerdings erst nach dem Sturz des Staatsministers vMontgelas nach dem Vorbild der Charte Ludwigs XVIII. von Frankreich (1814) im Jahre 1818 eingeführte *Verfassung bildete im Gegensatz zu den Verfassungen der mitteldeutschen Kleinstaaten das Zweikammersystem aus. Sie war geschaffen worden, um die Anteilnahme des Volkes am Staatsleben und das Staatsbewußtsein zu festigen, ohne damit dem Wesen und der Form der Monarchie Abbruch zu tun. ,,Erst mit dieser Verfassung", schrieb AvFeuerbach am 27. X. 1819, ,,hat sich unser König Ansbach und Bayreuth, Würzburg und Bamberg usw. erobert. Jetzt sollte man einmal kommen und uns zumuthen, eine andere Farbe als blau und weiß zu tragen." Die Verhandlungen des b.schen Landtages verfolgte Goethe 1819 (III/7, 20 und 54), besonders auch 1828 die *Treffliche Rede des Ministerialraths von Wirschinger, alle bisherige Vota wieder aufnehmend und prüfend (III/11,263f.)* und wünschte gar, den Kanzler FvMüller an einer solchen Stelle tätig zu sehn. Allerdings trug die Verfassung auch dazu bei, innerhalb des damaligen Deutschen Bundes den Partikularismus zu fördern. Die *Umständlichere Nachricht von den neusten Veränderungen in Bayern,* die Goethe am 12. XI. 1825 erhielt *(III/10, 124)* betraf Ludwigs I. Bestrebungen, bei Aner-

kennung der Verfassung die königlichen Vorrechte strenger zu wahren. – Nicht weniger wurden an Goethe Fragen der kirchlichen Verwaltung herangetragen (vgl. für 1807 die Schrift von JBStürmer: ,,Gutachtlicher Entwurf zu einer gesetzlichen Bestimmung des Verhältnisses zwischen Staat und Kirche mit besonderer Rücksicht auf die baiersche Monarchie", 1807: Keudell Nr 502). Über das 1817 abgeschlossene Konkordat zwischen B. und dem Vatikan, das die b.sche katholische Landeskirche mit zwei Erzbistümern (München und Bamberg) und sechs Bistümern – Erzbischöfe und Bischöfe zu ernennen, war dem König vorbehalten – schuf, wurde Goethe durch die Schrift A*Müllers: *Preußen und Bayern im Concordate mit Rom* [,,Preußen und Baiern im Concordat mit Rom, im Lichte der 16 Artikel der deutschen Bundesacte und nach den Grundsätzen der heiligen Allianz dargestellt", 1824] unterrichtet (*III/9, 170* und 333). Dieses Konkordat scheint sich auch auf die Verhältnisse in den Nachbarländern ausgewirkt zu haben (vgl. III/12, 318 f.). Aufgrund eines Briefes von FJNiethammer, den Goethe am 3. III. 1826 erhielt und in dem er eine *Betrachtung über die Preußischen Episcopal- und die Münchner Synodalanstalten* las, lernte er auch die Probleme der evangelischen Kirche in B., deren summus episcopus der Monarch selber war, kennen (III/10, 167).   *Lö*
Rössler-Franz: Sachwörterbuch zur deutschen Geschichte. 1955. S. 79–81. – BGebhardt: Handbuch der deutschen Geschichte. Hrsg. von RHoltzmann. ⁷1931. Bd 2. S. 209. – BGebhardt: Handbuch der deutschen Geschichte. Bd 2: Von der Reformation bis zum Ende des Absolutismus, 16. bis 18. Jahrhundert. Hrsg. von HGrundmann. 1955. S. 504–506. – FHartung: Deutsche Verfassungsgeschichte vom 15. Jahrhundert bis zur Gegenwart. ⁶1954. S. 205. – ROschey: Die bayrische Verfassungsurkunde vom 26. Mai 1818 und die Charte Ludwigs XVIII. vom 4. Juni 1814, ein Beitrag zur Lehre des monarchischen Prinzips. 1914.

Bayern, Landesherren und Fürsten aus dem Hause Wittelsbach, die aus Vergangenheit und Gegenwart für Goethes geschichtliche Kenntnis oder durch persönliche Bekanntschaft wichtig waren, sind

–, 1) Ludwig der Strenge (1253–1294), der 1295 bei der Verwaltungsteilung der alten wittelsbachischen Lande die Pfalz und Oberbayern erhielt. Auf ihn als einen *edlen bayerischen Fürsten* bezog sich ein Gedicht aus *dem Manessischen berühmten Codex,* von dem in *Jena eine Abschrift aufbewahrt wurde (*Jenaisches Liederbuch). Dieses Gedicht wurde mit zwei anderen aus der Handschrift von JDG*Compter faksimiliert, um König Maximilian I. von Bayern bei seinem Besuch in Weimar 1823 überreicht zu werden (18. V.

1823 an Carl-August: *IV/37, 48; Sp. 891 f.*).
GoetheJb 24 (1903), S. 62 f.

-, 2) Maximilian I. (1573-1651), der 1595 die
Regierung übernahm, war *jesuitisch erzogen worden und wurde, getreu seinem Wahlspruch: „Der Fürst muß einer Kerze gleichen,
die sich selbst verzehrt, indem sie andern
vorleuchtet", ein unerbittlicher Vorkämpfer
der *Gegenreformation, die ihn zu einem
selbstlosen Asketen machte und die in seinem
Lande unbarmherzig durchgeführt wurde.
Nach der Eroberung der protestantischen
und reichsfreien Stadt *Donauwörth gründete er 1609 die katholische Liga. Im Innern
widmete er sich vor allem der Förderung des
Rechtes und der Wirtschaft, führte als erster
deutscher Fürst für seine Beamten regelmä-
ßiges Gehalt und Urlaub ein und veranlaßte
eine allgemeine Volksbewaffnung, so daß er
dem Feldherrn der Liga, dem Grafen JTv
Tilly (1559-1632), ein schlagkräftiges und
zahlenmäßig starkes Heer im Kampf gegen
den *Protestantismus zur Verfügung stellen
konnte. Nach der Eroberung *Böhmens und
dem Sieg von Prag (1620) wurde ihm die
pfälzische Kurwürde, die der „Winterkönig"
Friedrich V. von der Pfalz innegehabt hatte,
zugesprochen (bestätigt 1648); M erhielt
außerdem die Oberpfalz. Er setzte 1630 auf
dem regensburger Kurfürstentag (vgl. dazu
Schillers: „Geschichte des Dreißigjährigen
Kriegs". In: Schillers sämmtliche Schriften,
hrsg. von HOesterley, Bd 8, 1869, S.
137-139) zur Rettung der Liga und als
Gegner Kaiser Ferdinands I. die Entlassung *Wallensteins durch, verlor Bayern daraufhin nach der Schlacht am *Lech
(15. IV. 1632) fast ganz an König Gustav
Adolf von *Schweden und konnte erst nach
der Wiedereinsetzung Wallensteins (April
1632) sein Land zurückgewinnen. M war
Wallensteins erklärter Gegner; ihre Feindschaft schildert Goethe in der geschichtlichen
Einleitung zur Inhaltsangabe des schillerschen Schauspiels „Die Piccolomini": Wallenstein *läßt den Churfürsten von Baiern und
die Spanier, alte Widersacher seiner Person*
[vgl. Herzogin zu Wallenstein: „Die Spanier,
der Baiern stolzer Herzog, / Stehen auf als
Kläger wider Sie –": „Die Piccolomini" II,
V. 694 f.], *auf jede Art seinen Haß empfinden,
achtet die kaiserlichen Befehle wenig und führt
den Krieg auf eine Weise ... (I/40, 37 f.)*. Seine
Versöhnung mit M in *Eger verhüllte nur das
wahre Verhältnis. Mit Recht konnte man
Wallenstein am kaiserlichen Hof vorwerfen,
nach der erfolgreichen Verteidigungsschlacht

von *Nürnberg gegen Gustav Adolf nicht im
Sinne der katholischen Kriegsziele gehandelt
zu haben, als er „Nach Böheim floh, vom
Kriegesschauplatz schwand, / Indeß der junge
weimarische Held [Herzog Bernhard von
*Sachsen-Weimar] / In's Frankenland unauf-
gehalten drang, / Bis an die Donau reißend
Bahn sich machte, / Und stand mit einem Mal
vor Regenspurg, / Zum Schrecken aller gut
kathol'schen Christen. / Da rief der Baiern
wohlverdienter Fürst / Um schnelle Hilf' in
seiner höchsten Not, – / Es schickt der Kaiser
sieben Reitende / An Herzog Friedland ab
mit dieser Bitte, / Und fleht, wo er als Herr
befehlen kann. / Umsonst! Es hört in diesem
Augenblick / Der Herzog nur den alten Haß
und Groll, / Giebt das gemeine Beste preis,
die Rachgier / An einem alten Feinde zu vergnügen. / Und so fällt Regenspurg!" („Die
Piccolomini", II, V. 1067-1082, wobei der
kaiserliche Abgesandte Questenberg wohl
bewußt die zwischen beiden Ereignissen
stattgefundene Schlacht bei Lützen unerwähnt läßt; vgl. „Geschichte des Dreißigjährigen Kriegs", S. 264-321). Erst die Ermordung Wallensteins (24. II. 1634) und der
Sieg über die Schweden bei Nördlingen (September 1634) gaben M die Handlungsfreiheit
wieder. Durch die Unterstützung *Frankreichs gelang es jedoch den protestantischen
Truppen wiederholt nach Bayern vorzudringen, so daß sich M in den letzten Jahren
enger an Frankreich anzuschließen versuchte.
Wie alle Wittelsbacher war auch M (seine
Medaille: Schuchardt 2, S. 144, Nr 1184)
Freund und Förderer der Kunst, er sammelte
bereits Bilder von A*Dürer; ihm ist die anhaltende Blüte des *münchener Goldschmie-
dehandwerks zu danken. Noch in seinem
Todesjahr lieferte ihm Caspar Ernst, ein
Goldschmied, für beträchtliche Summen
Handbecken, Kannen und vergoldete Becher.
Vielleicht war es einer von diesen, den Goethe
am 19. VIII. 1822 in Eger JS*Grüner zeigte
(III/8, 229). Goethe entlieh daraufhin von
Grüner ein Exemplar von Schillers „Wallenstein", dessen Lektüre ihn tief bewegte und
an die Freundschaft mit Schiller denken ließ
(19. VIII. 1822 zu Grüner: Bdm. 2, 598-600).
BGebhardt: Handbuch der deutschen Geschichte 2.
⁸1955, S. 146-148. – MFrankenburger: Die Alt-Mün-
chener Goldschmiede und ihre Kunst. 1912, S. 357.

-, 3) Karl Albrecht, als deutscher Kaiser
Karl VII. (1697-1745), Sohn Maximilians II.
Emanuel (1662-1726) aus dessen zweiter Ehe
mit Therese Kunigunde, einer Tochter Johanns III. Sobieski von *Polen. KA folgte
seinem Vater bereits 1722 in der Regierung

und wurde 1726 Kurfürst von Bayern. 1722 hatte er Maria Amalia, eine Tochter Kaiser Josephs I. geheiratet, die nach Anerkennung der *Pragmatischen Sanktion auf alle Erbansprüche verzichten mußte. Durch einen Vertrag von 1727 politisch von *Frankreich unterstützt, strebte KA trotzdem nach Erwerb der habsburgischen Lande und der deutschen Kaiserkrone. Der Versuch, seinen Sohn mit Maria Theresia zu vermählen, scheiterte. Nachdem *Preußen mit dem Sieg bei Mollwitz (10. IV. 1741) den ersten schlesischen Krieg für sich entschieden hatte, glaubte KA mit der Besetzung Passaus am 31. VII. 1741 seine politische Situation günstig beeinflussen zu können. Seit der Eroberung Prags am 26. XI. 1741 König von Böhmen, wurde KA, von Preußen, eigentlich dem Kurfürsten von Brandenburg, unterstützt, als Exponent der Alliierten gegen *Österreich am 14. I. 1742 in *Frankfurt zum deutschen Kaiser gewählt. Am 12. II. (nicht *24. Jan.: I/26, 349*) vollzog KAs Bruder, der Erzbischof Clemens August von Köln, die Krönung, bei welchem Anlaß *besonders der französische Gesandte* [Louis-Charles-Armand Fouquet comte de Belle-Isle: 1693–1747], *mit Kosten und Geschmack, herrliche Feste gegeben (I/26, 29)* – war es doch das Ziel Frankreichs, Karl VII. und seine Verbündeten zu stärken, um damit Habsburgs Macht am Rhein und in den Niederlanden zurückzudrängen. Noch Jahre später erzählte man sich in Frankfurt von der Pracht dieser Krönung und von dem *großen Eindruck ... den die ernste würdige Gestalt und die blauen Augen Karls des Siebenten auf die Frauen gemacht hatte (I/26, 29)*, und im goetheschen Familienkreise von JMJ *Melber, einer Tante Goethes, wie *sie dem vorbeifahrenden Kaiser Karl dem Siebenten, während eines Augenblicks, da alles Volk schwieg, auf einem Prallsteine stehend, ein heftiges Vivat in die Kutsche gerufen und ihn veranlaßt habe, den Hut vor ihr abzuziehen und für diese kecke Aufmerksamkeit gar gnädig zu danken (I/26, 61)*. Genötigt, durch Zugeständnisse Macht und Anerkennung zu erringen, bildete KA einen neuen Reichshofrat und gab der Reichshofkanzlei und dem *Reichskammergericht größere Vollmachten. Im Zuge dieser Maßnahmen wurde auch Goethes Vater *zum kaiserlichen Rath ernannt (I/26, 70)*. Er *Vicarirte 1743 just die 3 Jahr, als Carl der 7te hier verlebte, bei welchem Er alle Tage die Parole abholen mußte. Dieser schenkte ihm den Von Titel, wovon Er niehmals gebrauch machte (I/26, 365)*. Trotz dieses endlich erreichten Zieles

der bayerischen Politik *war doch die Folge für den guten Kaiser desto trauriger, der seine Residenz München*, freilich nur vorübergehend nach den siegreichen Feldzügen Seckendorffs, nach den am 11. VI. 1742 erfolgten breslauer Präliminarien jedoch länger *nicht behaupten konnte und gewissermaßen die Gastfreiheit seiner Reichsstädter anflehen mußte (I/26, 29)*. 1744 gelang es dann KA aufgrund der frankfurter Union und des zweiten schlesischen Krieges, in dem Preußen ein Offensivbündnis mit Frankreich geschlossen hatte, nach München zurückzukehren, wo er am 20. I. 1745 starb (I/26, 349). Die Bindung der goetheschen Familie an KA bewirkte auch in der folgenden Zeit die politische Einstellung des Vaters; denn dieser, *an dem Schicksale dieses unglücklichen Monarchen gemüthlich theilnehmend, neigte sich mit der kleinern Familienhälfte gegen Preußen (I/26, 70)*, wodurch zeitweilig sogar während des *siebenjährigen Krieges der verwandtschaftliche Friede in der weiteren Familie gestört wurde. *Und so war ich denn auch preußisch, oder um richtiger zu reden, Fritzisch gesinnt (I/26, 71)*.

Ueber Teutschland, Kaisertodesfall, Trauer, Reichsvikarien, Wahltag, Wahlkapitulation, Wahl, Krönung, Gerechsame des teutschen Kaisers. 1790. – ChHäutle: Die Wittelsbacher als Herzöge, Kurfürsten und Könige von Bayern. 1880. S. 107–114. – ADB 15 (1882), S. 219–226. – FWagner: Kaiser Karl VII. und die großen Mächte. 1938. – BGebhardt: Handbuch der deutschen Geschichte, Bd 2. ²1955, S. 274 bis 276.

–, 4) **Karl Theodor Philipp** (1724–1799), Sohn des Pfalzgrafen Johann Christian von Sulzbach (1700–1733) aus dessen erster Ehe mit Marie Henriette de la Tour d'Auvergne, folgte 1733 seinem Vater als Pfalzgraf von Sulzbach und wurde durch Erbgang nach dem Tode Karls III. Philipp Kurfürst von der Pfalz. Damit war das Amt des Reichserztruchsesses verbunden, der bei der Krönung dem Kaiser den Reichsapfel vorantrug. In Verfolg der 1744 geschlossenen frankfurter Union widersetzte sich KTh gleich Frankreich und *Chur-Brandenburg* der Wahl Franz I., des Gatten der Maria Theresia, *und fast wären die von Aachen heraufkommenden Reichs-Insignien von den Pfälzern weggenommen worden (I/26, 307)*. Das Verhältnis zum Kaiserhof blieb weiterhin gespannt. Bei der Wahl Josephs II. ließ sich KTh wie die anderen *abwesenden weltlichen Churfürsten (ebda 299)* durch einen *Wahlbotschafter (302)* vertreten. Auch bei der am 18. VIII. 1765 erfolgten Krönung Josephs und bei dem darauffolgenden Krönungsmahl fehlte er, so daß *die zwar prächtig aufgeputzten aber herrenleeren Büffette und Tische der sämmtlichen weltlichen Churfürsten an das*

Mißverhältniß denken ließen, welches zwischen ihnen und dem Reichsoberhaupt durch Jahrhunderte allmählich entstanden war (ebda 327 f). Aber Goethes bis dahin so lebhaftes Interesse an allen Vorgängen bei der Wahl und der Krönung des deutschen Kaisers erlosch unter dem Einfluß der *Gretchen-Katastrophe: *Der Churfürst von der Pfalz mochte kommen um den beiden Majestäten* [Kaiserin Maria Theresia und Joseph II.] *aufzuwarten, diese mochten die Churfürsten besuchen, man mochte zur letzten churfürstlichen Sitzung zusammenfahren, um die rückständigen Puncte zu erledigen und den Churverein zu erneuern, nichts konnte mich aus meiner leidenschaftlichen Einsamkeit hervorrufen (I/26, 340).*

Inzwischen blühte *Mannheim, die Residenz der pfälzischen Kurfürsten, zu einem Vorort der frühklassizistischen Kultur auf. In den vierziger Jahren entwickelte sich unter JStamitz und FXRichter die Mannheimer Schule, deren Leistung ein bedeutsamer Schritt auf dem Wege zur klassischen Musik um 1800 bildete; ChrW*Glucks Oper „Cythère assiegée" wurde 1759 schon im Uraufführungsjahr in *Schwetzingen, der Sommerresidenz des kurpfälzischen Hofes, gespielt. 1763 wurde die Academia Theodoro Palatina gestiftet, der alsbald GE*Lessing angehörte; die Gemäldegalerie und die berühmte, für den *Klassizismus der siebziger und achtziger Jahre so einflußreiche *Antikensammlung entstanden in dieser Zeit (1767). Das Hof- und Nationaltheater wurde 1775 gegründet. Doch konnte es auch vorkommen, daß Stipendiaten des pfälzischen Kurfürsten, wie der Maler-*Müller, im Stich gelassen wurden und „entweder gar keine oder doch keine zulängliche Pension" erhielten (ChrM*Wieland im Februar 1780: Bdm. 1, 105). Der kulturgeschichtlich so bedeutsame Aufschwung Mannheims macht es daher verständlich, daß sich Goethe, als er 1775 dort auf der beabsichtigten Reise nach *Italien weilte, überlegte, ganz am kurpfälzischen Hofe zu bleiben; war doch *die Absicht eines gewissen Kreises, sich durch mich und meine mögliche Gunst bei Hofe zu verstärken, nicht ganz zu verkennen (I/29, 189). Und gerade weil der Hof katholisch, das Land aber protestantisch war, so hatte die letztere Partei alle Ursache, sich durch rüstige und hoffnungsvolle Männer zu verstärken (ebda 188).* Aber die Einladung nach Weimar, die schnelle Reise nach dem unentschiedenen Warten in *Heidelberg bestimmten Goethes Leben und in fernerem auch die deutsche Kultur. Mannheim war nach 1777 keine Residenz mehr.

Aufgrund des 1724 geschlossenen wittelsbachischen Familienvertrages wurde KTh Nachfolger des am 30. XII. 1777 ohne männlichen Erben verstrobenen Kurfürsten Maximilian III. Joseph von Bayern. Dadurch wurden gemäß den Bestimmungen des westfälischen Friedens von 1648 pfälzische und bayerische Kurwürde wieder vereinigt. Die Bekanntgabe eines Vertrages mit Kaiser Joseph II., dem KTh das Herzogtum Bayern-Straubing überlassen wollte, löste den Protest seines präsumtiven Nachfolgers, des Herzogs Karl von Pfalz-Zweibrücken-Birkenfeld aus. Friedrich II. von Preußen unterstützte Herzog Karl und eröffnete durch seinen Einmarsch in *Böhmen am 5. VII. 1778 den bayerischen Erbfolgekrieg, der Österreich nur das Innviertel einbrachte. Seine bayerischen Untertanen hatte KTh durch dieses „unpatriotische" Vorgehen empfindlich verletzt, zumal sich mit dem pfälzischen auch der jesuitische Einfluß in München durchzusetzen begann. Die Unlust KThs an Bayern bewog ihn zu abermaligen Verhandlungen mit Österreich über die Abtretung Bayerns zugunsten eines Königreich Burgund, das aus den habsburgischen Besitzungen in den Niederlanden gebildet werden sollte. Wiederum protestierten Pfalz-Zweibrücken und Preußen, unter dessen Führung nunmehr der *Fürstenbund zustande kam (1785). Durch KTh (für 1786 vgl. I/30, 14 = III/1, 157) wurde auch das Schicksal Bayerns in den Revolutionskriegen mitbestimmt. Der Kurfürst zeigte sich aus freundnachbarlicher Gesinnung zu Frankreich als wenig reichstreu, was nicht hinderte, daß die von den Franzosen besetzte Pfalz in der Revolutionierung der Gesellschaft am weitesten fortschritt und daß in München radikal gewordene Elemente sich zu dem – allerdings folgelosen – Entschluß hinreißen ließen, ganz Bayern aus Haß gegen den landesfremden Herrn in eine Tochterrepublik Frankreichs umzuwandeln. So wird die Formulierung verständlich, die Goethe anläßlich seiner zweiten Reise in die *Schweiz 1797 in Heidelberg fand: *Die Statue des Churfürsten, die hier mit doppeltem Rechte* [Heidelberg war die alte Residenz der Kurpfalz gewesen] *steht ... wünscht man um einen Bogen* [der Neckarbrücke] *weiter nach der Mitte zu, wo sie am Anfang der horizontalen Brücke, um so viel höher, sich viel besser und freier in der Luft zeigen würde (I/34^I, 261 f. = III/2, 87).*

Ueber Teutschland, Kaisertodesfall, Trauer, Reichsvikarien, Wahltag, Wahlkapitulation, Wahl, Krönung, Gerechsame des teutschen Kaisers. 1790. – ChHäutle: Die Wittelsbacher als Herzöge, Kurfür-

sten und Könige von Bayern. 1880, S. 119–123. –
ADB 15 (1882), S. 250–258. – Politischer Briefwechsel
des Herzogs und Großherzogs Carl August von Weimar. Hrsg. von WAndreas, bearbeitet von HTümmler. Bd 1. 1954.

–, 5) Maximilian IV. (als König Maximilian I.)
Joseph (1756–1825), Sohn des Herzogs Friedrich Michael von Pfalz-Zweibrücken und der
Maria Franziska Dorothea von Pfalz-Sulz-
bach, wurde in Mannheim bei Karl Theodor
und in Frankreich erzogen und mochte sich
für einen Franzosen halten. Er trat 1777 als
Oberst des Regiments Royal-Alsace in französische Dienste und blieb bis zur *französischen Revolution in *Straßburg, lebte dann
in Mannheim, später in der Nähe von *Darmstadt. Von hier aus nahm er an der *Belagerung von Mainz teil, traf mehrfach als dessen
vieljähriger vertrauter Freund (I/41^II, 330)
mit Carl-August von *Sachsen-Weimar und
dadurch auch mit Goethe zusammen, der ihn
seinen *immer gnädigen Herrn* nennt *(I/33,
272; 372). Den 8. Juni 1793 Abends kam
Prinz Maximilian von Zweibrücken mit Obrist
von Stein zu Serenissimo; da ward manches
durchgesprochen; zuletzt kam das offenbare Geheimniß der nächstkünftigen Belagerung an
die Reihe (I/33, 284 f.).* Obgleich nicht zum
Regenten erzogen, übernahm M nach dem
Tode seines Bruders Karl-August 1795 das
Herzogtum Pfalz-Zweibrücken (für 1797:
III/2, 72), das inzwischen von den französischen Truppen besetzt worden war. Damit
wurde er Erbe Karl Theodors und übernahm nach dessen Tode (1799) unverzüglich
die Regierungsgeschäfte in München. Im
zweiten Koalitionskrieg zunächst aufseiten
*Österreichs, zwangen ihn die Franzosen zur
Aufgabe weiter Teile seines Landes. Er gewann jedoch Bayern mit dem Frieden zu
Luneville (9. II. 1801) zurück. Bedrängt von
den österreichischen Wünschen auf Landher-
gabe, schloß M am 24. VIII. 1801 einen Vertrag mit Frankreich, dem er die Pfalz endgültig abtrat; dagegen wurde ihm der rechtsrheinische Besitz garantiert und für die ab-
getretenen Gebiete Entschädigung in Aussicht gestellt. Durch den *Reichsdeputationshauptschluß wurde dann Bayern auch erheblich vergrößert, ebenso durch den Frieden zu
Preßburg (26. XII. 1805). Letzterer brachte
M, der seit August 1805 mit *Napoleon ver-
bündet war, den am 1. I. 1806 verkündeten
Königstitel ein. Zwar blieb sein Land noch
im Reichsverbande, aber es war nur eine
Frage der Zeit, wann das Heilige Römische
Reich deutscher Nation aufgelöst würde.
*Indessen war der Deutsche Rheinbund geschlos-

sen und seine Folgen leicht zu übersehen; auch
fanden wir bei unserer Rückreise [von *Karls-
bad] durch Hof in den Zeitungen die Nachricht: das Deutsche Reich sei aufgelös't (I/35,
268).* M war durch diese Vorgänge neben
Österreich und Preußen der mächtigste
deutsche Souverän geworden (vgl. 27. VI.
1806 an JCv*Mannlich: IV/50, 28). Wie die
meisten Fürsten des *Rheinbundes nahm
auch M am *erfurter Kongreß zwischen Napoleon und Zar Alexander von *Rußland teil
(I/36, 269; vgl. I/53, 389) und weilte mit den
anderen Gästen des weimarischen Hofes am
6./7. X. 1808 in Weimar (vgl. UKM S. 285 f.).
Da die bayerische Armee im Rußlandfeldzug
1812 aufgerieben worden war, trat M erst im
Oktober 1813 aus dem *Rheinbund aus und
verbündete sich unter Zusicherung seiner
Souveränität mit Österreich und *Preußen. –
Auf dem *wiener Kongreß konnte sich M
unter *Die fünf mächtigen deutschen Regenten*
[neben Österreich, Preußen, *Sachsen und
England/Hannover], die *die Häupter bilden,*
zählen; wogegen *Die Mindermächtigen* in
Kreise jener eingeschlossen waren *(I/53, 415).*
Nur zögernd trat Bayern dem Deutschen
Bunde bei. Die Jahre nach den *Freiheitskriegen sind innenpolitisch bestimmt durch
den Kampf um die Einführung der *Verfassung (26. V. 1818), durch das Konkordat mit
dem Vatikan (1817) und durch die *karlsbader Beschlüsse, die in Bayern jedoch weniger streng als in anderen Ländern gehand-
habt wurden.

Aus der ersten Ehe Ms mit der hessen-darmstädtischen Prinzessin Wilhelmine Auguste
(1765–1796) waren der Kronprinz Ludwig
Karl August und Amalie Auguste hervorgegangen, welch letztere seit 1807 mit Eugen
*Beauharnais, dem König von *Italien und
späteren Herzog von Leuchtenberg, verheiratet war. – Schon im Jahre nach dem Tode
seiner ersten Frau heiratete M Maximiliane
Karoline (1776–1841), eine Tochter des Erbprinzen Karl Ludwig von *Baden. Beider
Tochter Amalie (1801–1877) heiratete zu
Ende des Jahres 1822 König Johann I. von
Sachsen (vgl. *„In nuptias Joannis Principis
et Amaliae Bavarae"*, 1822; eine Festschrift,
die durch JGJ*Hermann auch in Goethes
Hände gelangte: *III/9, 325).* Während eines
Aufenthaltes der bayerischen Königsfamilie
in *Baden-Baden hatte der preußische Kronprinz Friedrich Wilhelm die Zwillingsschwe-
ster Amalies, Elisabeth Ludovika (1801–1873),
kennen und lieben gelernt, doch stand dieser
Verbindung zunächst der Konfessionsunter-

schied entgegen. Seit 1822 wurde über diese auch von beiden Höfen gewünschte Heirat lebhaft, teils durch Vermittlung des Prinzen Georg von *Sachsen-Hildburghausen, verhandelt. Die Verbindung der Häuser Wittelsbach und Hohenzollern kam endlich durch Betreiben des bayerischen Kronprinzen Ludwig zustande, der in ihr einen sinnfälligen Ausdruck der geistigen Einheit Deutschlands erblickte (Hochzeit am 29. XI. 1823; vgl. „La Fête de L'Hymen à l'occasion du mariage de S.A.R.Mgr Le Prince Royal de Prusse avec S.A.R.Elisabeth Princesse Royale de Bavière. Par M. Théaulon". Berlin 1823: III/9, 332; Medaillen auf die Hochzeit gelangten in Goethes Besitz: Schuchardt 2, S. 179–181, Nr 1429; 1433; 1436).

Im Frühjahr 1823 unternahm das bayerische Königspaar in Begleitung der vier damals noch unverheirateten Prinzessinnen – außer Elisabeth die Zwillingsschwestern Sophie (1805–1872) und Marie (1805–1877), sowie Ludovika (1808–1877) – eine Reise nach *Dresden zu den dortigen Verwandten und fuhr über Weimar zurück. – In einem Briefe an Carl August hatte M auch Goethe Grüße und Glück zur Genesung von der schweren Erkrankung vom Februar dieses Jahres übermitteln lassen (Carl August an Goethe 20. III. 1823), wofür Goethe sich am 21. III. bedankte (III/9, 26). Der gleichzeitig angekündigte Besuch des bayerischen Königs ward am 3. IV. 1823 durch eine Besprechung Goethes mit Rat ChrA*Vulpius über Bibliotheksangelegenheiten vorbereitet (III/9, 31 f.); JG *Lenz sollte als Direktor der *mineralogischen Gesellschaft ein schriftlich Diplom für Ihre Majestät den König von Bayern entwerfen, um es diesem Wissenschaft liebenden Herrn ... bey seiner Anwesenheit in Jena zu überreichen. Auch sollte Lenz zur Ankunft Ihro Majestät des Königs und wahrscheinlich aller hohen Herrschaften gewiß alles in der schönsten Ordnung bereit halten (16. IV. 1823: IV/37, 15 f. und 23). Bibliotheksschreiber JDG*Compter faksimilierte zu Ehren Ms einige Lieder aus dem jenaischen Liederbuch (IV/37, 48).

Nachdem am 15. V. 1823 Drey Herren aus dem Gefolge des Königs den hohen Gast angemeldet hatten, waren am darauffolgenden Tage Ihro Majestät der König von Bayern und der Großherzog K.H. im Hause am Frauenplan (III/9, 49). Es muß ein etwas unruhiger Tag gewesen sein, denn Goethe schrieb schon am 17. an CFv*Reinhard, daß er sich den zuströmenden Fremden nicht ganz entziehen konnte, welche, durch die Gegenwart Ihro

Majestät des Königs von Bayern und Familie hierher gelockt, nicht unterlassen die Genesung unserer herrlichen Fürstin zu feyern, wobey aber ein solches Geschwirre entsteht, daß man sich der Freude kaum erfreuen kann (IV/37, 45). Goethe, eigensinnig zu Hause bleibend, empfing am gleichen Tage den Grafen KThF v*Pappenheim, den Generaladjutanten des Königs. Darauf folgte am 18., einem Sonntag, ein Empfang in Goethes Hause, bei dem Um 11 Uhr die Königin von Bayern, Erbgroßherzog und Erbgroßherzogin Hoheiten und Um 12 Uhr die bayerischen und hiesigen Prinzessinnen mit Gefolge erschienen (III/9, 50). Der hohen Ehrung war sich Goethe bewußt, wenn er sich auch nicht verhehlen konnte, es seinerseits als eine Gnade gelten zu lassen, daß er den Prinzessinnen – schöne liebe Kinder – für eine Sonntagsvormittagsstunde Audienz erteilt hatte (vgl. 23. VII. 1823 zu L*Parthey: Bdm. 2, 649).

Nach dem Besuch Ms glaubte Goethe, von Bayern die Erteilung des Privilegs für die Ausgabe letzter Hand vorzugsweise erhalten zu können, da doch Ihro des Königs von Baiern Majestät seit vielen Jahren meine allerunterthänigste Devotion mit allergnädigster Aufmerksamkeit anhaltend zu beglücken geruht habe (1. X. 1825 an FChrJ Graf v*Luxburg: IV/40, 81). Obgleich Goethe schon am 25. VII. 1825 eine besondere Begründung seines Antrages dem König vorgelegt hatte (IV/39, 258 bis 260), verzögerte sich die Gewährung [gegen eine Gebühr von neunundvierzig Gulden an das geheime Expeditions-Amt des königlich baierischen Staats-Ministeriums des Innern; eingezahlt am 28. I. 1826: IV/40, 266] bis nach dem Tode Ms (12. X. 1825), über den Goethe am 19. Nähere Nachricht erhielt (III/10, 116). „Der Tod des guten Königs von Baiern hat hier grose Trauer erregt. On peut s'attendre à bien de culbutes à Munnic!" (FvMüller 21. X. 1825 an CF vReinhard: UKM S. 322). Dem Plan eines *Denkmals für den Völkervater Maximilian, mit dessen Ausführung ChrD*Rauch beauftragt wurde, brachte Goethe Aufmerksamkeit entgegen (16. XII. 1825 an Rauch: IV/40, 175; IV/44, 21). Das Denkmal wurde 1835 auf dem Max-Josephs-Platz in München enthüllt.

G Frhr vLerchenfeld: Geschichte Bayerns unter König Maximilian Joseph I. 1854. – ADB 21 (1885), S. 31–39. – ELewalter: Friedrich Wilhelm IV., das Schicksal eines Geistes. 1938. S. 187–189; 222–227; 240–257.

–, 6) Ludwig I. Karl August (1786–1868), Sohn Maximilians I. Joseph aus dessen erster

Ehe mit Wilhelmine Auguste von *Hessen-Darmstadt (6. VII. 1823 an L kann sie nicht gemeint sein: IV/39, 240 f.), wurde in *Straßburg geboren, bei welchem Anlaß ihm König Ludwig XVI. das Patent eines französischen Obersten ausfertigte. L wuchs in der Pfalz auf, der er zeitlebens als Heimat zugetan blieb: „Immerhin schlagen getreu / Ihrem Wittelsbacher, getrennt auch, die pfälzischen Herzen; / Flüchtig im Uebrigen wohl, nur in Anhänglichkeit stät. / Dich vergesse ich nicht, die du Aufenthalt warst meiner Kindheit, / Pfalz! und auch, Pfälzer, euch nie" (1809, in: „Gedichte" Bd 3, S. 131 f.). Seine Heimat für Bayern zurückzugewinnen, war sein politisches Ziel, doch blieb die rechtsrheinische Pfalz bei *Baden. L studierte 1803 in Landshut und im Winter darauf in *Göttingen. Damals vermittelte G*Sartorius, ein Lehrer des bayerischen Kronprinzen (IV/40, 431), eine der *Arbeiten* Goethes an L (29. XII. 1825: *IV/40, 210*). Unter dem Einfluß J*Müllers entwickelte L seine deutsche und nationale Emphatik, die ihn allerdings nicht davor bewahren konnte, als Kronprinz eines rheinbündischen Fürsten 1807 aufseiten Napoleons gegen Preußen und 1809 gegen *Österreich zu kämpfen. Seine kaum zurückgehaltene Sympathie für Österreich trug ihm den Unwillen des französischen Kaisers ein. 1805 war L in Paris gewesen. Um in Berlin mit Napoleon zusammenzutreffen und in Polen ein militärisches Kommando zu übernehmen, eilte er im Spätjahr 1806 von Südfrankreich aus in die preußische Hauptstadt. Er muß damals in Weimar gewesen sein, sah im Theater Goethe und ließ sich noch nachts den Sarg Schillers zeigen (vgl. L 4. V. 1808 an Chv *Schiller). – Am 12. X. 1810 heiratete L Therese (1792–1854), die Tochter des Herzogs Friedrich von Sachsen-Hildburghausen (Silbermünze auf dieses Ereignis: Schuchardt 2, S. 190, Nr 1506). Auf seiner ersten Reise nach Italien (1804), der noch viele „Römerzüge" folgen sollten (vgl. 1829: III/12, 52; IV/45, 181 und 8. IV. 1829 zu JP*Eckermann: Bdm. 4, 96 f.), gewann er seine kunstgeschichtliche Bildung und seine romantische Kunstbegeisterung, die ihn zum Förderer und Beschützer der spätklassizistischen Baukunst (Lv*Klenze) und Plastik (B*Thorvaldsen, LvSchwanthaler), der Bildnismalerei („Schönheitengalerie"; KJ*Stieler), aber auch der *Nazarener (P*Cornelius; vgl. „Bayerns siebzehn vorzüglichste Künstler", in: „Gedichte" Bd 4, S. 164–168), sowie zum eifrigen Sammler von Antiken (*Aegineten, für die Klenze

die Glyptothek in München baute) und zum Käufer der Sammlung *Boisserée werden ließen (vgl. 4. III. 1827: III/11, 28). Die Vereinigung des späten *Klassizismus in der Plastik (schon 1807 bestellte L in Berlin bei JG*Schadow eine Büste Friedrichs des Großen) und des aus *altdeutscher und früher *italienischer Malerei hervorgewachsenen Bildstils der *Romantik ist für die Kunstwelt Münchens unter L bestimmend geblieben. Während ersterer der Ausdruck der Griechenbegeisterung um 1800 war, kann die Neigung zum Nazarenertum nicht ohne die Mitwirkung des neuaufbrechenden Katholizismus im frühen 19. Jahrhundert gedacht werden. Verbunden mit der Neigung zur deutschen Vergangenheit und der Bewunderung für alles Heroisch-Monarchische in ihr war dies der Grund für den schon 1807 in Berlin gefaßten Plan, eine Walhalla zu errichten (vgl. 19. XII. 1810 an FH*Jacobi über eine aus Weimar zu liefernde Büste L*Cranachs für *eine Sammlung von Portrait-Büsten vorzüglicher Männer, der gegenwärtigen und vergangenen Zeit: IV/21, 446 f.;* dazu 16. I. 1815 an FWv*Schelling: IV/25, 159 f.; die Walhalla errichtete Klenze nach 1830 bei *Regensburg).

Goethe konnte glauben, daß Ls *Einfluß auf die Zukunft sich nicht berechnen läßt,uns andern aber, die wir vom Schauplatze abzutreten uns anschicken, höchst erfreulich und segenreich erscheinen muß* (28. III. 1829: *IV/45, 217*). Ob sich daraus der Schluß ziehen läßt, daß Goethe in der späteren Tätigkeit Ls einen Teil seiner eigenen Kultur Gestalt annehmen sah (vgl. FWvSchelling, von dem Goethe als „Mitgenosse, Mitverbündeter der ganzen neuen Periode rühmlicher Bestrebungen" gefeiert wird: UKM S. 171), muß angesichts der Einzelurteile fraglich bleiben.

Aus seiner national-humanistischen Einstellung heraus forderte L auf dem wiener Kongreß, daß Frankreich *Elsaß und Lothringen an das wieder zu errichtende und von ihm erhoffte deutsche Kaiserreich zurückgeben sollte. Auch verlangte er die Auslieferung der geraubten Kunstschätze (vgl. Ls Gedichte „Klage der römischen Kunstwerke zu Paris", 1814, und „Roms Antiken zu Paris", 1815, in: „Gedichte" Bd 1, S. 141 f. und 178); nur die Wiedergutmachung des *Kunstraubs wurde erreicht. L bewirkte zu gleicher Zeit durch ein ausführliches Memorandum die Zurückweisung des von Graf vMontgelas ausgeführten Verfassungsentwurfes. In einem Brief an seinen Vater vom 23. I. 1817 forderte er dann die Entlassung des allmächtigen

Staatsministers, dessen „unteutsches, franzosenfreundliches System" ihm unerträglich geworden war. Auch warf L Montgelas das Bestreben vor, sich zum Nachteil des Staates zwischen ihn und seinen Vater gestellt zu haben. Montgelas wurde gestürzt. Nun wurde auf der Grundlage eines Entwurfes, den L als Kronprinz vorgelegt hatte, eine neue *Verfassung ausgearbeitet und am 26. V. 1818 verkündet. Zu ihr hat sich L stets rückhaltlos, namentlich 1822 auch gegen *Metternich eingesetzt, wodurch er die deutschen Fürstenhöfe nicht wenig beunruhigte. Doch lag ihm, dem „turbulent liberalen Prinzen" (Metternich), bei der Auseinandersetzung mit dem Vatikan vor Abschluß des Konkordates (vgl. III/9, 170 und 333) an einem friedlichen Ausgleich zwischen Staat und Kirche. Den *griechischen Freiheitskampf unterstützte er mit großartigen Spenden.

Die geistige Lebendigkeit, das Temperament in politischen Fragen, unermüdliche Tätigkeit, Kunstinteressen und das nationale Ziel deuten auf einen Menschen, der sich bei allem Gefühl doch aus Grundsatz und Überzeugung begeistert, eingedenk der Aufgabe, die ihn als Thronfolger erwartet. Aber diesem weitausgreifenden Geist, *der die Thätigkeit des Jahrhunderts zu beschleunigen und zu benutzen* wußte (26. X. 1827 an Schelling: *IV/43, 125*), entsprach ein angespannter Charakter: „Seine Stimme, seine Sprache und seine Gebärden haben etwas Angestrengtes, wie ein Mensch, der sich mit großem Aufwand von Kräften an glatten Felswänden hinaufhalf, eine zitternde Bewegung in den noch nicht geruhten Gliedern hat" (B*Brentano 1809: „Goethes Briefwechsel mit einem Kinde", 1835, in: BvArnim: Sämtliche Werke, hrsg. von W Oehlke, 1920, Bd 3, S. 316). Und daß er später in Abwandlung des barock-absolutistischen Wortes Ludwigs XIV.: „L'état c'est moi!" ausrufen konnte: „Ich, ich, der König, bin die Kunst von München", ist die Übersteigerung eines Spätgeborenen; „... er ist eigensinnig und despotisch, aber er will mit Gewalt das Rechte und Bessere; ... er liebt nicht die Soldaten und die Uniformen, er selbst geht sehr schlicht, zu schlicht" (GSartorius 17. X. 1825 an Goethe: *IV/40, 431*). Goethe antwortete: *deshalb ich denn auch mit einiger Sorge dem so raschen Regierungsantritt zusehe. Freylich erinnert er an Kaiser Joseph: eben so wie dieser mußte er als Zuschauer der unseligsten Mißbräuche allzulange sich still verhalten. Möge ihm glücken was er vorhat!* (29. XII. 1825 an Sartorius: *IV/40, 210*). An

anderer Stelle nennt Goethe L einen Charakter, *der uns immer problematisch vorkommen muß (IV/45, 260)*.

In der Bildungswelt Ls war die weimarer Kultur, wie sie Goethe und Schiller heraufgeführt hatten, wesentlich und wirksam. Als Angehöriger der in den achtziger Jahren des 18. Jahrhunderts geborenen Generation, die das von den Vorangegangenen Bereitete in einfachere Formen übertrug, blieb auch bei Nachbildung dieser Kultur stehen; Schöpfung wurde sie trotz des ebenso generationsbedingten Anteils an romantischem Sentiment nicht mehr. Und was zB. bei Goethes Romerlebnis gegenständlich bildende Erfahrung war, wurde bei L, wie seine mehr zahl- als gehaltreichen Elegien („Erinnerungen aus Italien im Jahre 1805", in: „Gedichte" Bd 1, S. 8–34; „Distichen an die Geliebte", ebda S. 189–200; „Rom im Oktober 1834. Elegie", Bd 3, S. 164) dartun, zum blassen Nachklang vorgebrauchter Wortpartien, welche die Einheit von Bild, Rhythmus und Ausdruck, wie sie das Vorbild, die *Römischen Elegien*, gezeitigt hatten, nicht einmal ahnen lassen. In den „Distichen an die Geliebte" wird Goethe sogar zitiert: „Ohne Liebe ist Rom nicht Rom, und bey dir nur die Liebe; / Also in Rom bin ich nur, bin ich mit dir es zugleich." („Gedichte" Bd 1, S. 189 nach I/1, 233); „Die Unvermeidlichen" weisen auf das Malbrough-Lied (vgl. I/1, 234) hin: „Wie einst das Liedchen Malbrough der Reisende überall hörte / Sieht er Akazien jetzt, Sinnbild des Geistes der Zeit" (ebda 3, S. 143). Bei alledem steht der Vers Ls unlebendig zwischen den Begriffen, von denen er ausgeht, ohne daß das Gegenständliche und Erlebte aus Angeschautem zur Anschauung und von dort her zur mitteilbaren Vorstellung wird; daß es wie bei Goethe sinnlich wahrnehmbarer Vorgang ist, ist nicht möglich, weiß doch nur *der Poet aus geringen Anlässen was Gutes zu machen* (8. IV. 1829 zu Eckermann: *Bdm. 4, 97*). – Goethe und Schiller einander gegenüberzustellen, ist ein Lieblingsgedanke Ls; stets findet dabei Schiller den Vorzug: „Wenn ich erwache, bevor ich betrete den Kreis der Geschäfte, / Les' ich in Schiller sogleich, daß mich's erhebe den Tag; / Aber nach geendigtem Lärmen, in nächtlicher Stille, / Flücht' ich zu Goethe und träum' fort dann den lieblichen Traum" (zitiert nach HReidelbach S. 124). Schiller genießt die superlative Verehrung Ls: „... wie Du spricht keiner zum Herzen! du fühlst mit dem Hörer, / Ziehest mich seelvoll an, immer zu-

rücke zu dir." („Gedichte" Bd 1, S. 122; vgl.
S. 143 f., dann die Schiller-Nachahmung „Die
drey leeren Erwartungen in einem gewissen
Lande, im Jahre 1821", S. 299 f., „An Max
und Thekla in Schiller's Wallenstein" S. 308,
„In Schillers Album" Bd 3, S. 152: „Immer
doch erneuet sich der Schmerz, / Den um
deinen Heimgang wir empfinden, / Dauer-
hafter als geprägt in Erz"; endlich die
„Schiller betreffenden Antwort" Bd 4, S. 147
mit dem Schluß: „Wo die Ideale leben / Hat
der Dichter sein Gebiet, / Das sich niemals
läßt erstreben, / Und das Auge niemals
sieht"). Auch in solchen Versen kehrt der
Wortausdruck den gemeinten Sinn oft geradezu um, wenn er nicht vordem schon den
unmerklichen Schritt vom Erhabenen zum
Lächerlichen getan hat.

Durch seinen Vater hatte L mittelbaren Kontakt mit der weimarischen Welt, wie ihn umgekehrt auch Goethe suchte. Doch erst am
3. VII. 1825 ist ein *Schreiben des Kronprinzen
von Bayern* an Goethe bezeugt *(III/10,74)*, der
ein Geschenk Ls, die *Medusa Rondanini im
Gipsabguß, ankündigte. Goethe hatte darum
bitten lassen und erhielt den Abguß zu Weihnachten 1825 (24. XII. 1825: IV/40, 196 f.
und UKM S. 327). Aus dem Briefe entnahm Goethe auch, daß L die in *Rom *im
Kinderzustande zurückgelassenen Pflanzen gnädigst zu beachten und einen frohen Wachsthum
mit unschätzbarem Maaßstabe zu messen geruht
habe (IV/39, 240); sie waren nämlich bis zur
Manneshöhe herangewachsen, wie ein erhabener
Reisende mir zu versichern die Gnade hatte
(I/32, 326;* vgl. III/10, 74 und die Ergeben-
heitsadresse vom Dezember 1825: IV/40,
193–196 anläßlich des Empfangs der Medusa;
vgl. III/10, 139; dazu das Aquarell von EA
Frhr vMandelsloh). Goethes Hoffnung, München zu besuchen und *Ihro Königlichen Majestät, dem erhabenen Kenner, Sammler und Förderer, für bisherige gnädigst erwiesene unschätzbare Huld einen allerunterthänigsten Dank persönlich zu Füßen zu legen,* blieb, bedingt durch
Goethes Gesundheitszustand und Alter, uner-
füllbar (16. I.1826 an FJv*Streber: IV/40, 263;
vgl. aufgrund einer Einladung Klenzes nach
München 26. XII.1825: IV/40,425), auch nachdem eine sehr persönlich gehaltene Einladung des Königs an Goethe, „auf den mein
teutsches Vaterland mit vollstem Rechte so
stolz ist", am 1. II. 1826 ergangen war: „Mit
offenen Armen soll der Erhabene in München
empfangen werden." (Der Eingang des Briefes ist nicht durch Goethe bezeugt.)
L, der oft in Bad Brückenau zur Erholung

weilte, traf dort am 26. VII. 1826 mit dem
weimarischen Kanzler Fv*Müller zusammen:
„Langes Auf- und Abgehen mit dem König
bis zur Erschöpfung und Hustkrampf. Über
Luden, Griechenland, Schiller, Göthe, Verfassung, Deutschthum"; auch mit Königin
Therese führte Müller eine „Intereßante Unterhaltung ... über Goethe: ‚Wer nie sein
Brod mit Thränen aß" (UKM S. 148 f.).
Unter dem 28. VII. teilte Müller Goethe mit:
„Bey Tafel brachte er [L] mir feyerlich Euer
Excellenz Gesundheit zu und wiederholte
beym Abschied, daß ich es zu berichten ja
nicht vergessen sollte. Sie persönlich kennen
zu lernen, sey sein lebhaftester Wunsch und
hin und her meditire er schon lange, wie es
anzufangen" (UKM S. 330). *Daß es Ihnen
dort so wohl gegangen,* antwortete Goethe,
*freut mich von Herzen, ob sich gleich einige Be-
trübniß dazu mischt, daß meine Immobilität
mich abhält, dem wohlwollenden Fürsten und
Herrscher mich gleichfalls zu nähern und für
so viel Gnade mich dankbar zu erweisen* (3.
VIII. 1826 an Müller: IV/41, 105). Auch Großherzog Carl August wünschte, die seinerzeit
mit Maximilian langjährig eingegangenen
Verhältnisse mit L *fortzusetzen und zu erneuern.*
Er reiste nach Brückenau, *um in den anmuthigen Gegenden ... einer freiern und gemüthlichen Zusammenkunft zu genießen (I/41^{II},
331)* und traf dort am 3. VIII. ein (IV/41,
105). So war denn beiderseits die Verbindung
eng genug geknüpft, um Ls Besuch in Weimar,
der gleichzeitig ein Gegenbesuch beim Großherzog war, als eine Krönung dieser Beziehung erscheinen zu lassen – für Goethe dennoch überraschend und wunderbar, *eine Epoche ... glänzend wie die, welche ihm,* dem
König von Bayern, *in der Weltgeschichte bereitet ist* (26. X. 1827 an Schelling: IV/43,
126).
L war am Tage zuvor, von Brückenau kommend, auf der *Wartburg gewesen, wo er
sich *unerkannt dem Zudringen bedeutender
alterthümlicher Betrachtungen hingab, sodann
aber dem eigentlichen Ziel ungesäumt entgegen
eilte, seine erlauchten Wirte in Weimar zu
begrüßen (I/41^{II}, 332;* vgl. III/11, 102; dazu
Ev*Schenk zu FvMüller über die „Empfindlichkeit am Dresdner Hof darüber": UKM
S. 170). Am Morgen des 28. erklärte der
König, daß er einzig wegen Goethes Geburtstag hergekommen sei (IV/43, 41; vgl. FvMüller am 28. VIII. 1827 an Goethe: UKM
S. 340). An seinem Geburtstag hatte Goethe
morgens *Fortgearbeitet,* dann erklang *Musik.
Glückwünschende kamen (III/11, 102).* „Ge-

gen 11 Uhr mittags fuhren Seine Majestät der König und unser Serenissimus, der Großherzog, bei Goethen vor. Goethe war den Tag besonders gut gelaunt, er war froh und heiter, und wie verjüngt erschien er der Gesellschaft, die sehr zahlreich war, denn er nahm alle Besuche an, sprach mit jedem und freute sich der vielen Teilnahme, die wir an ihm nahmen; da traten der Großherzog und der König ein, schon angemeldet; die Anwesenden traten zurück. Der König ging auf ihn zu, bezeugte durch huldvolle Worte seine Freude, ihm diese Überraschung vorbehalten zu haben, und zog aus seiner Rocktasche ein rotes Kästchen hervor, worin der Zivilverdienstorden der königlich bayrischen Krone, Großkreuz und Stern, sich befanden, welches er Goethen mit den Worten überreichte: Hier (auf Goethes Brust deutend), wird sich wohl noch ein Plätzchen finden, wo Sie dieses anheften können [,,Ergreifender Moment der königlichen Umarmung": FvMüller]. Alles bezeugte seine Teilnahme und Freude, Goethe war sehr überrascht, unterhielt sich dann über eine Stunde noch mit den fürstlichen Personen, die sich teilweise auch zu den Anwesenden gewendet hatten" (MJ*Seidel: Bdm. 3, 425). ,,Die Menge bewegte sich in den Vorderzimmern hin und her, während die Fürsten mit Goethe konversierten. Der König trank aus dem Rubinbecher auf sein Wohl" (FvMüller: Bdm. 3, 428). ,,Durch die geöffnete Tür sahen wir ihn [den König im Junozimmer] bei Goethe, heftig perorirend über Kunst und dergleichen, auch selbst darstellend, wie die Statuen aussähen, von denen er sprach, sonst costümiert, daß man ihn für einen Studio angesehen hätte, mit altem Oberrock und Hut, schwarzes Halstuch umgeknüllt, Haare schlicht zurückgestrichen und hinten wie mit der Gartenscheere beschnitten, und großem Schnurrbart" (ETh*Henke: ERedslob S. 149; dazu seine karikaturähnliche Zeichnung: ebda S. 150). FvMüller berichtet weiter, daß der König dem Dichter ,,vielerlei Fragen und Singularitäten" vorgelegt habe. ,,Auf manche derselben habe Goethe ausweichend, zweideutig antworten zu müssen geglaubt ... Auch darüber, warum man Goethe den letzten Heiden genannt, habe er gesprochen, worauf G. geäußert: Man müsse sich doch den Rücken frey halten und so lehne er sich an die Griechen" (UKM S. 160). Müller erinnerte sich noch später, daß Goethe aus dem Gespräch ,,auf einige Minuten abgeschlichen (sei), um schnell für seinen *Faust* [an dem er seit dem 27. VII.

dieses Jahres fast täglich arbeitete] eine eben in ihm aufgetauchte Idee niederzuschreiben" (UKM S. 280). Man sprach auch über die *Eisenbahn (L: Bdm. 3, 426). So *Nach allen Seiten umsichtig, am Vergangenen wie am Gegenwärtigen theilnehmend, unterhielt er sich vielfach über Weimars jüngste Vorzeit (I/41II 332).* Der König erwies *sich überhaupt so vollständig theilnehmend, bekannt mit meinem bisherigen Wesen, Thun und Streben, daß ich es nicht dankbar genug bewundern und verehren konnte. Ihro Majestät gedachten meines Aufenthaltes zu Rom mit vertraulicher Annäherung* – nach am 8. IV. 1829 zu Eckermann gegebenen Zeugnis war es die Frage Ls nach dem Inhalt der *Römischen Elegien: ich sollte ihm sagen, was an dem Faktum sei, weil es in den Gedichten so anmutig erscheint, als wäre wirklich was Rechtes daran gewesen (Bdm. 4, 97)* – woran man denn freylich den daselbst eingebürgerten fürstlichen Kunstfreund ohne weiteres zu erkennen hatte (IV/43, 41f.). ,,Der König war über alles entzückt, was er sah und hörte, und nach 12 Uhr beurlaubten sich die fürstlichen Personen" (MJSeidel: Bdm. 3, 425). Nachdem Goethe dann noch weitere Besuche angenommen hatte, waren *zu Mittag blos Frauenzimmer als Gäste. Die Männer hatten Tafel auf dem Stadthause (III/11, 102).* So beschließt Goethes Tagebuch das denkwürdige Ereignis.

Von dem am nächsten Tage erfolgten Besuch in *Belvedere wollte sich L ,,baldmöglichst zu entfernen suchen, um noch einen Besuch bei Ihnen zu machen" (FvMüller 29. VIII. 1827 an Goethe: UKM S. 340; gleichzeitig Carl August an Goethe), so daß sich *Ihro Majestät der König von Bayern und Ihro Königliche Hoheit der Großherzog* nochmals bei Goethe einfanden. Sie blieben *bis gegen 1 Uhr (III/11, 103;* nicht einwandfrei ist der gemeinsame Besuch der *Bibliothek bezeugt, vgl. UKM S. 158). Abends vor dem Theater begleitete Kanzler vMüller den König in Schillers Haus auf der Esplanade. *Hier, von der bürgerlich umfangenden Enge gerührt, hörte man ihn betheuern: es sei zweifach bewundernswerth, wie Schiller in so eingeschlossenen Räumen so großartig freie Schöpfungen habe hervorrufen können; er würde diesen trefflichen Mann, hätt' er ihn noch am Leben gefunden, sogleich nach Rom in die Villa di Malta* [den römischen Wohnsitz Ls, angekauft 1827; nicht widersprechend 8. IV. 1829 zu Eckermann: Bdm. 4, 96] *versetzt und ihm zur Pflicht gemacht haben, das so herrlich angefangene Drama die Malteser in den classischen Räumen* *auszuführen und Roms Geschichte unter Roms Ruinen zu schreiben (1/41^{II}, 332 f.;* vgl. UKM S. 159). Doch war eben dies nicht im schillerischen Sinne gedacht; denn in dem Gedanken des Königs drückt sich eine Haltung inbezug auf das Verhältnis des Künstlers zu seiner Umwelt aus, die für das spätere 19. Jahrhundert typisch werden sollte (vgl. zu FvMüller 30. VIII. 1827: UKM S. 159 f.). Goethes Freude über den Besuch des Königs, für ihn weit wesentlicher als der Maximilians I., leidet keine zweifelhafte Interpretation: *Einem solchen außerordentlichen Manne an irgend einem Orte, auf irgend eine Weise persönlich aufzuwarten, wäre jederzeit ein erwünschter Vorzug gewesen. Die Art aber, wie ich mich Seiner Gegenwart erfreute, übertrifft doch alles was die kühnste Hoffnung und der verwegenste Wunsch sich hätten ausdenken können* (24. X. 1827 an F*Cotta: *IV/43, 120;* dazu die gleichlautenden Berichte Goethes an Cv*Levetzow, CF*Zelter, EJd'*Alton und S*Boisserée: IV/43, 41 f.; 50; 53). Nun erst, erklärte Goethe, „könne er sich dieß merkwürdige, viel bewegliche Individuum auf dem Throne allmählig erklären und construiren. In derselben Zeit zu leben und dieße Individualität, die mit aller Energie seines Willens so mächtig auf die Zeitgestaltung einwirke, nicht durchschaut zu haben, würde unersezlicher Verlust gewesen seyn" (zu FvMüller: UKM S. 160). – Das Echo, das diese Begegnung in der Öffentlichkeit fand, steht im Einklang mit seiner historischen Bedeutung. R*Varnhagen schrieb aus Berlin: „Die ganze Stadt spricht von nichts Anderem. Lange zündete Nichts so. Ich bin stolz drauf: gegen England und Frankreich: daß sie sehen, was bei uns vorgeht. Bald wird man Das von einem Könige verlangen" (4. IX. 1827 an KA Varnhagen vEnse; dazu letzterer 7. IX. 1827 an seine Frau: WBode Bd 3, S. 286 f.). Die Zeitungen brachten ausführliche Berichte („Allgemeine Zeitung", 10. IX. 1827 und Beilage vom 7. X. 1827; „Morgenblatt für gebildete Stände", 1827, Nr 254; den Bericht im „Journal des débats, politique et littéraire", 1827, erhielt Goethe durch HCE*Peucer: IV/43, 127). Av*Platen-Hallermünde, der als Knabe Page bei der Hochzeit Ls gewesen war, dichtete eine Ode (Platens Werke, herausgegeben von CAWolff und VSchweitzer, 1895, Bd 1, S. 183).

Dennoch begegneten sich in L und Goethe Personen zweier verschiedener geistiger Bereiche, nicht nur in ihrer Eigenschaft als Fürst und Dichter unterschieden; vielleicht nur

hier standen sich *Klassik und *Romantik gegenüber, Überlieferung und Neubeginn, 18. und 19. Jahrhundert. Das wurde alsbald deutlich, als Kanzler von Müller ein Gedicht Ls auf den 28. VIII. – „Nachruf an Weimar" hatte es der König nicht eben sinnreich betitelt – vorwies, das dieser aus *Fulda zugeschickt hatte; standen doch in dem Gedicht, das die Welt Weimars als schon untergehend, wenn nicht schon vergangen schildert, so bedenkliche Zeilen: „Hab' es noch gesehn, das geist'ge Regen, / Dieses froh ergreifende Bewegen, / Sah August und Größern als Virgil [vgl. aus den *Venezianischen Epigrammen:* I/1, 316]; / Doch wenn Hermes Stab denselben winket, / In das Schattenreich mit ihnen sinket / Dieses heit're Weben, es wird still" („Gedichte" Bd 2, S. 73). Goethe schalt das Gedicht „subjektiv; es sei gar nicht poetisch, die Vergangenheit so tragisch zu behandeln, statt reinen Genusses und Anerkennung der Gegenwart, und jene erst totzuschlagen, um sie besingen zu können. Vielmehr müsse man die Vergangenheit so wie in den römischen Elegien behandeln". Daraufhin entstand der „Plan des Gedichtes, das ich an den König machen müsse" (7. IX. 1827 FvMüller: Bdm. 3, 439; vgl. 1. X. 1827: III/11, 118; das Gedicht, „Dem Könige die Muse", von Goethe am 10. X. 1827 als *Fürtrefflich* bezeichnet, wurde dem König anläßlich eines Besuches Müllers in München überreicht: UKM S. 170; gedruckt in *KuA* 6/2, 1828, S. 217 bis 232; vgl. Goethes Kommentar I/41^{II}, 330 bis 333 und IV/43, 200; 202 f.; 251; 259; 272; an CFZelter 16. II. 1828: IV/43, 278; den späteren Abdruck im *Damenkalender* von 1831 wünschte Goethe, *ob ich gleich solche untergeordnete Productionen ganz von freyen Stücken nicht rühmen noch dazu rathen möchte: IV/47, 227).* In den Jahren 1829 (IV/46, 36) und 1830 schrieb auch Eckermann Gedichte, eins davon auf das Goethe-Bildnis Stielers, das mehrfach besprochen wurde (III/12, 177; 204 f.; 220, 224–226; vgl. Eckermann 20. III. 1830 an JBertram: WBode Bd 3, S. 348; dazu IV/46, 282; 289 und den Brief Goethes vom 14. *IV.* 1830 an Ev*Cotta bei Übersendung des Gedichts, das *in Bezug auf Ihro Majestät zu naiv und in Bezug auf den Abgebildeten zu enthusiastisch* gefunden werden dürfte: IV/47, 20). – Die anfängliche Mißstimmung Goethes über den „Nachruf an Weimar" wäre sicher noch ärger geworden, wenn Goethe Ls Gedicht „Auf Goethe und Schiller im Jahre 1827" kennengelernt hätte, in dem zum Preise Schillers Goethe jene merkwürdigen Zeilen erhält: „Mit Bewund'rung blieb ich vor ihm stehen, / Horcht' der Rede, die dem Mund entquoll, / Zu dem Herzen wollt' es doch nicht gehen, / Des Genie's allein denn war sie voll; / Nur dem Geist bracht' ich des Geistes Zoll. / Unerreichbar, gleich dem höchsten Berge, / Ragt er, eine schroffe Felsenwand, / Gegen Göthe sind die Menschen Zwerge, / G'en den unermeßlichen Verstand, / Doch Befriedigung ich nicht empfand. / Aber dich, mein Schiller, Edler, Reiner, / Hätt' dich, Herzlichen, an's Herz gedrückt ..." („Gedichte" Bd 3, S. 239). Ls Verse sind goethefern (vgl. das unveröffentlichte Gedicht „Goethe und Schiller" im wittelsbachischen geheimen Hausarchiv zu München); in ihrer konventionellen Starre und Formenschwäche, mehr noch in ihrer menschlichen Haltung entsprechen sie kaum der höfischen, aber doch echten Ergebenheit des Dichters für den König. So darf man denn Goethes Interesse für die *Gedichte des Königs* (erstmals gedruckt 1829; dritte Auflage in drei Bänden 1839, denen ein vierter 1847 folgte) und seine Urteile nur mit Bedenken als seine wahre Meinung ansehen. Am 28. V. 1828 ließ er eine *Abschrift des Königlichen Gedichtes an die Künstler* (wahrscheinlich „Den teutschen Künstlern zu Rom. Im Jahre 1818": „Gedichte" Bd 1, S. 234) anfertigen *(III/11, 225)*. Im Jahre darauf las Goethe dann *Die Gedichte des Königs von Bayern* (20./31. V. und 1. VI. 1829: *III/12, 70* und *75*). Bald beachtete er auch eine Rezension dieser Gedichte in den *Berliner Jahrbüchern* für wissenschaftliche Kritik" (Juni 1829, S. 817–832 mit Einschluß eines Abschnitts über den Gebrauch antiker Versmaße in der deutschen Dichtung um 1800 von KA Varnhagen; 5. VIII. 1829: *III/12, 106*). Über die *von Duchett* (WDuckett: 1768–1841) veranstaltete Übersetzung der Gedichte („Poésies du roi Louis de Bavière, traduites par William Duckett", 1829) erschien eine „hämische Kritick im Universel" („L'universel. Journal quotidien de la littérature, des sciences et des arts", 1829), die Goethe alsbald zur Kenntnis nahm (22. X. 1829: III/12, 143) und FvMüller (vgl. UKM S. 183 f.) veranlaßte, *einen sehr einsichtigen Aufsatz gegen die Franzosen zu Gunsten der Königl. Bayerischen Dichtungen zu schreiben* (22. II. 1830: *III/12, 200 f.;* vgl. Goethe 26. II. 1830 an Müller: IV/46, 251). Müller fand die Gedichte Ls als „Seelen-Journal bedeutend genug" (23. V. 1829 an Graf vReinhard: UKM S. 356). Demgegenüber bleibt Goethes Lob im Bereich des Rhetorischen, hatte er doch die Veröffentlichung der Gedichte schon kritisch erwartet (28. IV. 1829 an Zelter: IV/45, 259). L gegenüber fühlte er sich glücklich, *Wenn wir Höchstdemselben, geleitet durch die gnädigst mitgetheilten Gedichte, auf Schritten und Tritten des Lebens bescheidentlich folgen dürfen ...* (26. VI. 1829 an Stieler: *IV/45, 306;* vgl. 241) – ein Gedanke, der ein anderes Mal wiederkehrt und zeigt, daß Goethe in diesem Falle das Menschliche über die dilettantische Form stellte; doch wurde dieses Urteil über *die poetischen, d. h. treuherzigen, freysinnigen Äußerungen eines Mannes von solchem Streben, solcher That in den höchsten Verhältnissen* vom Ende März 1829 nicht abgesandt *(IV/45, 411)*. L war bescheiden genug, öffentlich zu bekennen: „An mich in Betreff der Aufnahme meiner beyden ersten Theile gedruckter Gedichte: Daß dich nicht täusche das reichliche Lob; denn was du gedichtet, / Ungepriesen bliebs, säßest du nicht auf dem Thron" („Gedichte" Bd 3, S. 88). H*Heine spottete frech und unergeben (vgl. Sämtliche Werke, hrsg. von OWalzel Bd 3, S. 362). Illustrationen zu Ls Gedichten verzeichnet Goethe 1831 und 1832; EN*Neureuther hatte sie in der Art von A*Dürers Gebetbuch-Illustrationen gefertigt (IV/49, 159 und 256).

Goethe wünschte, weil *man für eine bedeutende Gabe erst nach einiger Zeit würdig danken könne* (28. VII. 1829 an Stieler: *IV/46, 29*), seinen Dank für den Besuch Ls *öffentlich zu bekunden* (2. III. 1828 an SBoisserée: *IV/44, 3*). Schon damals dachte er daran, den von ihm herausgegebenen *Briefwechsel mit Schiller dem bayerischen König zu widmen, doch wurde dies erst in einem Brief vom 8. X. 1828 an den Verleger F*Cotta ausgesprochen (IV/45, 19), nachdem in diesem Jahre L Goethes Geburtstag durch einen Atelierbesuch bei seinem Hofmaler Stieler und in Betrachtung des Goethe-Bildnisses begangen hatte (22. IX. 1828 an FvMüller: IV/44, 318; vgl. 30. XI. 1828: IV/45, 67). Als L zum Geburtstag 1829 abermals den Abguß eines antiken Kunstwerks – *Der Niob Sohn (III/12, 118;* vgl. IV/46, 71) – und ein Glückwunschschreiben, das beim festlichen Empfang im Haus am Frauenplan „namentlich bei den Damen von Hand zu Hand ging" (AE*Odyniec: Bdm. 4, 154; Dankschreiben Goethes 29. VIII. 1829: IV/46, 64 f.; III/12, 119), Goethe gesandt hatte, wurde endlich dem sechsten Bande („Briefwechsel zwischen Schiller und Goethe in den Jahren 1794 bis 1805. Sechster Theil vom Jahre 1801 bis 1805", 1829) das

Widmungsschreiben beigefügt (an Cotta am 27. X. 1829 gesandt: III/12, 145; GSchwab fand die „Dedikation ... im servilsten Kanzleistil" abgefaßt: WBode Bd 3, S. 340). Goethe knüpfte darin an Ls Äußerung im Schiller-Hause an und malte aus, welche Vorteile der Freund von dem königlichen Wohlwollen hätte erhalten können; *... so dürfen wohl auch diese Briefe, die einen wichtigen Theil des strebsamsten Daseins darstellen, Allerhöchstdenenselben bescheiden vorgelegt werden.* Goethe bedauert zwar, der münchener Kunstwelt nicht angehören zu dürfen, ihr aber auch durch *die bisher zugewandte Gnade* des Königs *nicht fremd geblieben zu sein* (*I/42¹, 183-184* = IV/46, 105-107: vgl. IV/50, 62).

Goethe konnte nicht ahnen, daß diese Widmung in Berlin auf Befremden stoßen würde. CFv*Beyme veröffentlichte in der „Hallischen Literatur-Zeitung" (Intelligenzblatt vom April 1830) eine „Berichtigung" des Inhalts, daß König Friedrich Wilhelm III. 1804 Schiller großzügige Angebote gemacht, daß jedoch Schillers Krankheit und Tod die Verwirklichung dieses Planes vereitelt habe, „wodurch unser engeres Vaterland um den Vorzug gebracht" wurde, „in Schiller einen ausgezeichneten Preußen mehr zu zählen". Ein *Zweytes Schreiben von Varnhagen mit dem preußischen Manifest* traf am 19. IV. 1830 bei Goethe ein, der von der *Unbegreiflichkeit eines solchen Schrittes* tief betroffen war (*III/ 12, 228;* Zelter schickte gleichfalls die Berichtigung). Goethe antwortete Varnhagen mit zurückhaltender Höflichkeit (25. IV. 1830: IV/47, 38 f.), Zelter offener, die weimarer Verhältnisse erklärend (29. IV. 1830: IV/47, 43 f.). Als dann FJ*Niethammer am 29. IV. 1830 an FvMüller geschrieben und vBeyme Ungenauigkeit seiner Angaben vorwarf, kam am 15. V. 1830 *die Berliner Berichtigung im Namen des Herrn Niethammers zur Sprache, worüber viel hin und wieder gesprochen wurde in Gegenwart Hofrath Meyers, welcher dazu kam (III/12, 242 f.; dazu 245).* Der Zorn, der in Goethe durch diesen Angriff aufkam, beruhigte sich nur in Resignation. Goethe bat FvMüller und durch ihn Niethammer, *es für recht zu halten, wenn ich auf jene Berichtigung schweige, und dem Publicum überlasse, was es darüber denken und urtheilen will. Ich benutze diese Tage was an mir noch zu berichtigen möglich ist, zu berichtigen, und glaube so der mir durch mein ganzes Leben höchst geneigten Vorsehung nach Absicht und Willen zu handeln* (21. V. 1830: *IV/47, 70*).

Die Vielfalt der Beziehungen Goethes zu Bayern und zu München, durch Freundschaftsbriefe in den zwanziger Jahren lebhaft und eng, gipfelte in den letzten Jahren seines Lebens in den wenigen aber inhaltsreichen Briefen des Dichters an den König. Ls *allergnädigstes Schreiben (IV/45, 238)* aus Rom vom 26. III. 1829 (III/12, 52 und 18. IV. 1829 zu Eckermann: Bdm. 4, 96 f.) beantwortete Goethe am 9. IV. (IV/45, 239-242; abgegangen am 14. IV.: III/12, 53-55). Er ward dadurch während der Redaktion des *Zweyten römischen Aufenthalts* lebhaft angeregt, seine Gedanken *an der vielleicht einzigen Stelle in der Welt zu finden, wo zugleich so viel übersehen wird, was war, verging, geworden ist und vergeht: Betrachtungen des höchsten und schönsten Geistes würdig (IV/45, 241).* Nebst dem Dankbrief für das Geschenk zum 28. VIII. 1829 (29. VIII. 1829: IV/46, 64 f.; dazu III/12, 119) schließt der Briefwechsel mit dem großen goetheschen Schreiben vom 17./27. XII. 1829 (abgegangen 12. I. 1830: III/12, 180), das fast die Grenzen der (für den Dichter notwendigen *Konvenienz* 12. IV. 1829 zu Eckermann: *Bdm. 4, 108*) sprengt. Denn *Wie man diesem hochverehrten Herrn sich auch nur im Gedanken nähert, so schließt sich das Vertrauen alsbald auf und da weiß man denn nicht immer das rechte Maaß zu finden* (13. II. 1830 an Cotta: *IV/46, 235*). Mehrfach betont Goethe L gegenüber den Gesprächscharakter seines Briefes, der so wichtige Aufschlüsse zum *Gros-Cophta,* zum Titel von *DuW,* zur *IR* und zu den Memoiren des *St. Simon enthält: ein wahrhaftes und würdiges Denkmal des späten Briefstiles und der Einsicht des alten Goethe (IV/50, 59-65; vgl. III/12, 179 f.).

Ls Königtum, monarchischer akzentuiert als das seines Vaters, aber gleichwohl auf Verfassung und Liberalität gegründet, erlitt durch die *Juli-Revolution in Frankreich und ihre Folgen in den deutschen Ländern eine Tendenz, die den König wie einst den seinerzeit gestürzten Montgelas in die Reaktion zurückzwang. Trotz seiner Äußerung: „Ich möchte nicht unumschränkter Herrscher sein" (1831) mußte er erleben, daß seine „zu große Nachsicht, welche er früher mit der Presse gehabt ... ihm jetzt bitter gelohnt würde" (SBoisserée 8. VII. 1831 an Goethe). Goethe verfolgte die Geschehnisse der letzten Jahre mit lebhaftem und sorgendem Anteil (22. VII. 1831 an Boisserée: IV/49, 16). Doch blieb es Goethe erspart, Ls Thronverzicht nach den Unruhen vom Februar und März 1848 mit anzusehen, die sich gegen Lola Montez wandten und den Schöpfer des modernen

München und des neuen bayerischen Staates zum Privatmann machten, der in Nizza allein seinen künstlerischen Neigungen noch leben durfte. In Gedanken an L mochte Goethe bis zuletzt die Hoffnung verbinden, daß *Die Dauer dieser höchsten Gesinnungen ... mich über die mir noch gegönnten Stunden hinausbegleiten und mich vor der Vergänglichkeit sichern, da mein Daseyn in der Erinnerung eines solchen Geistes fortgeführt zu werden das Glück hat* (28. XII. 1830 an FAv *Conta: *IV/48, 59*). Man darf von einem geistesgeschichtlichen Standpunkt aus sagen, daß nicht diese nachgoethesche Generation, der auch L angehörte, Goethes *Daseyn in der Erinnerung* bewahrt, sondern den Geist einschränkender Philologie gefördert hat. Goethes Werke waren lebendiger. Doch wird man sich aus der Summe des letzten Lebensjahrzehnts, das Goethe gegönnt war, L nicht wegdenken dürfen; in seiner Beziehung zu Weimar und zu Goethe liegt etwas Symptomatisches, nahe daran, ein Symbol zu sein.

Gedichte Ludwigs des Ersten, Königs von Bayern. Erster bis Dritter Theil. ³1839. Vierter Theil 1847. – Ludovici, regis Bavariae augustissimi, Carmina, quibus Italia et Sicilia celebrantur. Latine reddidit F Fiedler. 1831. – Walhalla's Genossen, geschildert durch König Ludwig den Ersten von Bayern, den Gründer Walhalla's. 1842, S. 267: Johann Wolfgang von Göthe, Dichter und Gelehrter. – FFrhrvKünsberg: Panorama der grossartigen, die Fürsten Grösse, des Volkes-Glück und Ehre aussprechenden Schöpfungen des Königs Ludwig I. von Bayern. 1835. – Sulpiz Boisserée Bd 2: Briefwechsel mit Goethe. 1862. – Kanzler von Müller: Unterhaltungen mit Goethe. Kritische Ausgabe besorgt von EGrumach. 1956. – WBode: Goethe in vertraulichen Briefen seiner Zeitgenossen. Auch eine Lebensgeschichte. Bd 3. 1923. – HPallmann: Goethes Beziehungen zur Kunst und Wissenschaft in Bayern und besonders zu König Ludwig I. In: JbHochstift 1902, S. 182–198. – C Schüddekopf: Ein Nachspiel zum Briefwechsel mit Schiller. In: GoetheJb 20 (1899), S. 94–105. – ERedslob: „Mein Fest", Goethes Geburtstage als Stufen seines Lebens. 1956, S. 146–150. – ADB 19 (1884), S. 517–527. – HReidelbach: König Ludwig I. von Bayern und seine Kunstschöpfungen zu allerhöchstdessen hundertjähriger Geburtstagsfeier. 1888. – EC Conte Corti: Ludwig I. von Bayern. Ein Ringen um Freiheit, Schönheit und Liebe. 1937. – WRehm: Griechentum und Goethe-Zeit. 1952, S. 253.

–, 7) **Therese** (1792–1854), Tochter des Herzogs Friedrich von *Sachsen-Hildburghausen und der Charlotte von *Mecklenburg-Strelitz, heiratete trotz des Konfessionsunterschiedes am 12. X. 1810 den damaligen bayerischen Kronprinzen Ludwig Karl August. Sie begleitete ihren Gemahl selten auf Reisen und war dadurch auch 1827 nicht mit in Weimar, als Ludwig zum 28. VIII. 1827 bei Goethe war. Allerdings fuhr Carl August nach *Leipzig, um Th zu treffen (20. IV. 1827: IV/42, 154). Th.s Bildnis lernte Goethe durch die *Porträte der Höchsten Herrschaften lithographirt* kennen, die JC*Stieler gefertigt

hatte (6. XI. 1828: *III/11, 299*). Als die Königin im Sommer 1831 *nach Doberan reiste*, um dort ihre mecklenburgischen Verwandten zu sehen, besuchte *Herr Geh. Rath und Leibarzt Walther aus München* (vgl. 16. I. 1830: IV/46, 214) Goethe in seiner Eigenschaft *als Begleiter der Königin von Bayern* (20. VII. 1831: *III/13, 111*). Damals wird ein Besuch der Königin bei Goethe verabredet worden sein, denn auf der Rückreise war am 17. IX. 1831 *Gegen Abend ... Geh. Rath von Walther angekommen, hatte Ihro Majestät die Königin von Bayern angemeldet, welche auch bald darauf mit ihrem zweyten Prinzen* [dem nachmaligen König Otto I. von *Griechenland], *unserm Großherzog und beyderseitigen Umgebungen eintraf. Schillers Zustände und mein Verhältniß zu ihm dienten zu bedeutender Unterhaltung (III/13, 140)*, die wohl kaum ohne Hinweis auf König Ludwig und den diesem gewidmeten Briefwechsel Schillers und Goethes geblieben sein dürfte (vgl. IV/49, 97). *Lö*

Bayle, Pierre (1647–1706), französischer Historiker und Philosoph, der Mensch eines strengen und reinen Lebens, den die geistige Redlichkeit vom *Protestantismus zum *Katholizismus und dann wieder zum Protestantismus führte, trotzdem dies Landesverweisung bedeutete. In der Geschichte des europäischen Geistes ist B. wesentlich der Verfasser des „Dictionnaire historique et critique" (4 Foliobände, 1. Auflage 1697), der bezeichnenderweise im ersten Entwurf lediglich eine Reihe Berichtigungen des früher erschienenen Morérischen „Dictionnaire historique" bringen sollte. Die eigentlichen Artikel sind knappe Zusammenfassungen des behandelten Stoffes, welcher sodann in Randbemerkungen und Anmerkungen von großer Ausdehnung und erstaunlichem Wissen allseitig und oft vernichtend beleuchtet wird. Eine ganze Reihe theologischer, philosophischer, historischer Fragen wird auf diese Weise von einem protestantischen, aber noch mehr von einem geistig absolut freien Standpunkt aus behandelt. Der „Dictionnaire", als Ganzes plan- und formlos, im Einzelnen scharf blickend und scharf formulierend wie die anderen Werke B.s, erweist, daß die Textkritik sehr oft zur Zerstörung von als unangreifbar betrachteten Meinungen und Lehren führen kann: hier wird B. der Begründer der historischen Kritik, einer der großen Vorkämpfer der Gedankenfreiheit und Toleranzbewegung und der Vertreter der Überzeugung, daß *Sittlichkeit ohne positiven religiösen Glauben möglich ist. Das Werk hatte Erfolg: Bis 1760 zählt man etwa zehn Auflagen. Es war weitgehend mitbestimmend für den

Geist des 18. Jahrhunderts. Hier lernte zB. die „*Encyclopédie" ihre Technik des durch die Zensurverhältnisse gebotenen Verschleierns, und *Voltaires Gedanken und Formeln sind sehr oft nur leichtverdauliches Gebäck aus b.schem Mehle. - Goethe las B.s „Dictionnaire" zum ersten Male 1764 und verlor sich in dem Werk wie in einem *Labyrinth (I/27,39)*, das er später *wegen Gelehrsamkeit und Scharfsinn eben so schätzbar und nützlich, als wegen Klätscherei und Saalbaderei lächerlich und schädlich* nennen sollte (*I/29, 8;* vgl. die Entleihung 1813: Keudell Nr 860). 1770 nahm er kritisch Stellung zu einer Äußerung B.s über G*Bruno (I/37, 82 f.). Vor allem aber vermittelte 1774 B. die entscheidende nähere Bekanntschaft mit *Spinoza: Den sittlichen Wert der Lebensführung des Philosophen aufzeigend, ließ er Goethe die damals allgemeine Verurteilung Spinozas bezweifeln und leitete ihn ernstlicher *zu den Werken, denen er bereits so viel schuldig geworden (I/29, 9).*   *Fu*

Bayreuth, die oberfränkische Markgrafschaft, zunächst Güterbesitz und Hoheitsbereich der Babenberger, dann über Zwischenherrschaften der Herzogshäuser von Franken sowie von Meranien (Andechs), seit 1382 Besitz der Burggrafen von Nürnberg aus dem Hause Hohenzollern und auf diesem Wege (Dispositio Achillea, 1473) Sekundogenitur der Brandenburger (*Preußen). B. bildete, nur zeitweilig abgeteilt, mit dem mittelfränkischen Ansbach eine dynastische Einheit. Durch die napoleonischen Kriege und deren Folgen (1806; 1807; 1810) kam es an *Bayern.

Goethe besuchte oder durchquerte diese Gebiete auf seinen Reisen ins *Fichtelgebirge (1785; 1820), von und nach Italien (1788; 1790) sowie aus der *Schweiz (1797). Da sich während der Passagen keine Schwierigkeiten ergaben, findet sich keine besondere Notiz. Erst der Aufenthalt in *Marktredwitz (13.–18. VIII. 1822) bietet im Hause des Fabrikanten WK*Fikentscher Gelegenheit, sich landeskundlich und geschichtlich näher zu unterrichten: *Ich beschaue mit dem Vater von den Höhen über der Stadt die Gegend. Er unterrichtet mich von alten und neuen Zeiten. Fruchtbarkeit und Bevölkerung (III/8, 227).* Der nächste Tag, Napoleons Geburtstag, veranlaßt oder ermöglicht, ChHannbaums *Karte von Bayreuth* zu studieren, zunächst, um sich *in der Gegend zu orientiren (III/8, 297),* alsdann aber geht das Gespräch erneut auch auf die *Staatsverhältnisse* über: *Von vergangenen und gegenwärtigen Dingen. Man scheint mit der bayerischen Regierung wohl zufrieden und sucht sich…nach und*

nach, da *Böhmen gesperrt ist, andere Connexionen in dem Reich selbst;* wiederum am nächsten Tage - wohl ein Zeichen für die Lebhaftigkeit des Interesses - wird das Thema abermals aufgegriffen, dabei wird *die frühere markgräfliche Regierung* als *dem Lande sehr günstig* dargestellt, auch *rühmt*(e) *man die preußische: Des Geldes war soviel, daß Freunde es einander zu 1½ Procent borgten und 3 Procent für wucherlich angesehen wurde; die Invasion der Franzosen machte diesem utopischen Zustand ein Ende (III/8, 297 f.).* Beim Abschied (18. VIII. 1822) wird noch einmal die *Erinnerung vergangener Zeiten* wach: *Die Alten können sie nicht vergessen, die Jungen finden sich behaglich in's Neue. Auf den Vorwurf, daß Redwitz niemals eine Polizey gehabt, erwiederte man scherzend, daß eben deßhalb Bier, Fleisch, Brod ohne Tadel, Coffeebrödchen wie nirgends (III/8, 298f.).*

Goethe verweilt bei diesen Eindrücken mit einer gewissen Breite, die sich nicht allein aus den Lebensjahren (73), sondern auch aus den Kalenderjahren (1822) verstehen läßt und die seine Skepsis gegenüber allem *Veloziferischen auch in der *Politik bekundet. In demselben Geiste - *allem Guten und ächten empfohlen* - schließt Goethes Brief an CF*Zelter: *Laß uns soviel als möglich an der Gesinnung halten in der wir herankamen, wir werden, mit vielleicht noch wenigen, die Letzten seyn einer Epoche die sobald nicht wiederkehrt (6. VI. 1825?: IV/39, 216).*

Den Urteilen der oberfränkischen Gastgeber kann man eine gewissermaßen unentschiedene, vielleicht auch verbindlich-unverbindliche, alles in allem mehr kaufmännische als staatsbewußte Haltung und eine ebenso bewegliche wie zweckbestimmte Anpassungsfähigkeit abmerken - vielleicht auch die Tatsache, daß die relativ weite Entfernung den jeweils Mächtigen nur wenig ganz unmittelbare Wirkungen erlaubte. Die Auffassung Goethes (1822!) erblickte in den *vergangenen und gegenwärtigen Dingen* symptomatisch die Vorzüge eines echten Haus- und Landesvatertums gegenüber den Nachteilen einer durchaus ungewissen, weil mehr und mehr andersartig werdenden Zukunft *(*Belagerung von Mainz).* In dieser Denkweise werden Impulse vernehmlich, die seinerzeit und bahnbrechend J*Möser aufgewiesen hatte und deren Quintessenz auf die nicht nur im 18. Jahrhundert so beliebte Meinung hinauslief, „daß gerade die Mannigfaltigkeit der deutschen Staatswelt die deutsche Kultur fördere und daß gerade diese Zerspaltung die Freiheit des

Einzelnen in Kunst und Wissenschaft möglich mache" (WMommsen: Die politischen Anschauungen Goethes. 1948. S. 61). Mit Goethes Worten: Die *alte Verfassung* gestattete dem *Einzelnen, sich so weit auszubilden als möglich und ... nach seiner Art beliebig das Rechte zu thun* (27. VII. 1807: *IV/19, 377; 378*). In einer solchen Formel äußert sich imgrunde mehr der Naturforscher als der Geschichtsdenker Goethe, wie denn überhaupt und recht eigentlich dieser nur ein Sonderfall jener Geisteshaltung ist. 1807: *Die Natur kann zu allem, was sie machen will, nur in einer Folge gelangen. Sie macht keine Sprünge. Sie könnte z. B. kein Pferd machen, wenn nicht alle übrigen Tiere voraufgingen, auf denen sie wie auf einer Leiter bis zur Struktur des Pferdes heransteigt. So ist immer eines um alles, alles um eines willen da, weil ja eben das Eine auch das Alles ist. Die Natur, so mannigfaltig sie erscheint, ist doch immer ein Eines, eine Einheit, und so muß, wenn sie sich teilweise manifestiert, alles übrige diesem zur Grundlage dienen, dieses in dem übrigen Zusammenhang haben* (19. III. 1807: *Riemer/ Pollmer S. 270*; Bdm. 1, 479); 1831: *Die Natur spielt immerfort mit der Mannichfaltigkeit der einzelnen Erscheinungen, aber es kommt darauf an, sich dadurch nicht irren zu lassen, die allgemeine, stetige Regel zu abstrahiren, nach der sie handelt. Ihr andren habt es gut, ihr geht in den Garten, in den Wald, beschaut harmlos Blumen und Bäume, während ich überall nur an die Metamorphosenlehre erinnert werde* (27. II. 1831: *UKM S. 201*). So wurde gerade B. für Goethe zu einem Exempel des Positiven in der sogenannten Kleinstaaterei, zugleich aber damit auch des Positiven einer ganzen, endenden Epoche, in der Besonderes und Allgemeines *gesund* ausbalanciert waren (vgl. GHager S. 41, 3a; besonders auch S. 46, Ia; 47c und d).

Zum Fürstenhaus von B. waren die persönlichen Beziehungen Goethes nur in wenigen Fällen unmittelbar wirksam und nie sehr intensiv. Als rein historisch-literarisch (*Berlichingen; *Götz) kann Goethes Bezugnahme auf den Markgrafen Friedrich d. Ä. (1460/ 1486/1495–1515/1536), auch auf dessen Gemahlin Sophie († 1512) hier außeracht bleiben. 1) Die Lieblingsschwester des Preußenkönigs Friedrich d. Gr., Wilhelmine Sophie Friederike (1709–1758), seit 1731 unfreiwillige Gemahlin des Markgrafen Friedrich von B.-Kulmbach († 1763) hatte Goethe 1809 im ältesten Schema zu *DuW* für das Jahr 1774 wohl erwähnt (I/26, 357), aber wir wissen nicht, was

alles mit dieser Notiz gemeint war. In vielgelesenen Denkwürdigkeiten (Mémoires) berichtete die Markgräfin, nicht immer exakt und diskret, über die Ereignisse ihrer (und ihrer Brüder) Kindheit, Jugend sowie ihres ersten Ehejahrzehnts. Diese Denkwürdigkeiten erschienen erst 1810, als B. längst nicht mehr preußisch war, sondern gerade endgültig bayerisch wurde. Goethe scheint diese Mémoires sogleich und noch in französischer Sprache gelesen zu haben; der durch seine Freundschaft mit R*Levin bekannte Avd *Marwitz berichtete Mitte August 1810, daß Goethe diese Aufzeichnungen sogar gelobt habe (III/4, 146 f.; Bdm. 2, 85).

2) Die Großmutter des Herzogs Carl August von *Sachsen-Weimar-Eisenach, Charlotte Albertine (1713–1747), eine geborene Markgräfin von B., kannte Goethe nur aus der Tradition des Hauses; in seinen eigenen Aufzeichnungen spielt die Frühgestorbene jedoch keine Rolle.

3) Die Tante Carl Augusts, Sophie Caroline Marie (1737–1817), ältere Schwester der Herzoginmutter Anna Amalia, Gemahlin des Markgrafen Friedrich Christian (1769) von B. sah Goethe am 14. IX. 1775 in Frankfurt (*Morris 5, 300;* dazu 6, 502; ebenso IV/2, 289) und hatte sie *lieb und werth;* auch am 22. IX. 1775: *Gestern lauter Altessen* (*Morris 5, 311;* dazu 6, 505; auch IV/2, 305); sicher sah und sprach man sich bei ihrem Besuch in Weimar 1781; in dem Nachruf für die soeben (19. IV. 1807) verstorbene Herzoginmutter Anna Amalia gedachte Goethe ihrer, die noch lebte, nur im einzeln nicht genannten großen Kreise von *Geschwistern und Verwandten (I/36, 303)*.

Man wird durch diese Fakten zu der Auffassung geleitet, daß Goethes Kontakt mit dem Fürstenhaus von B. überwiegend, wo nicht ausschließlich durch die Herzogsfamilie von Sachsen-Weimar-Eisenach vermittelt oder bedingt wurde, und zwar am meisten durch Anna Amalia, um deren Tante oder Schwiegermutter oder Schwester es sich jeweils handelte. Der in diesen Jahren (1775–1791) gerade noch regierende Markgraf von B., Christian Friedrich Carl Alexander (seit 1769 als Nachfolger für den kinderlos verstorbenen Friedrich Christian Herr des Fürstenhauses) war und blieb für Goethe ohne nennenswerte Bedeutung; seine Persönlichkeit erfüllte sich in ihren kleinen Grenzen und entfaltete darüber hinaus kein Format, wofür auch die Abdankung 1791 zeugt, wenn sie nicht als Hinweis darauf betrachtet werden darf, daß er das damals schon Unzeitgemäß-Werden solcher kleinstaatlichen Gebilde erkannt hatte. Die ihn ablösenden Preußen- oder Bayernkönige hatten ihre Schwerpunkte naturgemäß anderswo.

Zur S t a d t B., die Goethe selbst nicht kannte, bestanden auch nur untergeordnete oder gar zufällige Beziehungen. Publizistisch hat die ehemals so geachtete „Bayreuther Zeitung" nach ihrem politischen Lapsus (Verunglimpfung Friedrichs d. Gr.) stark und konsequent an Geltung verloren; sie hat diesen Verlust nie mehr aufgeholt (vgl. 1796: IV/11, 179; 1807: IV/19, 295; 1819: IV/32, 13); die Ende 1807 in der „B. Z." erschienene Anzeige der gegen ihn gerichteten Schmähschrift von Z*Werner erwähnt Goethe nicht.

P e r s o n e n : 1785 (wahrscheinlich schon früher beginnend sowie noch weit später wirkend und wieder aufgefrischt, zB. 1797; 1805): CLv*Knebel (vgl. etwa IV/7, 90; I/34^I, 217 = IV/12, 192), dazu dessen ältester (Stief-) Bruder Geheimer Landesregierungsrat Chr FWvKnebel nebst Frau Eleonore, geb. vPlotho (?) und drei Töchtern Charlotte, Henriette, Caroline; wohl durch Knebel vermittelt: JF*Zehelein: „An Sami", später irrtümlich Goethe zugeschrieben; zeitlich ungefähr parallel: Familie *Deahna, vermittelt durch den Geheimen Legationsrat, zuletzt Kammerpräsidenten in Weimar JChr*Schmidt („Bayreuther Emigrantengeschichte"), dessen Ehefrau Maria Sibylle eine geborene Deahna aus B. war, ferner durch ChrA*Vulpius, dessen Ehefrau Sophie Helene Christiane ebenfalls eine Tochter des Hauses Deahna war, weiter durch RvGeymüller, Witwe eines Bankherrn aus Wien, geb. Deahna, außerdem durch deren Vater JHDeahna und wohl auch durch den herzogl. sachsen-meiningischen Kammerkonsulenten JChrEDeahna (vgl. dazu zB. III/6, 162; 190; III/8, 215; III/9, 270 f.?); 1794: JG*Schlosser (14. VIII. an Fv*Stein: *Am Rheine ist Alles in Furcht und Sorgen, auch meine Mutter hat eingepackt und ihre Sachen nach Langensalza geschickt. Würde es übler, so kann sie zu mir. Schlosser ist nach Baireuth; IV/10, 181;* vgl. auch 191); 1794/95: Av*Humboldt, damals Oberbergrat in B. (I/35, 32; 46), und in beständiger Verbindung mit diesem (wie überhaupt mit den Brüdern vHumboldt), auch als Reisebegleiter der Secondelieutnant, später Stabskapitän im Regiment von Unruh Reinhard vHaften (Haeften; 1773–1803), außerdem dessen Schwester (?; vgl. dazu 5. III. 1824: UKM S. 104; ferner auch Henriette Herz am 25. XII. 1798 an Carl Gustav Freiherr vBrinkmann: „Haeftens interessie-

ren mich nur Alexanders halber, der den Menschen immer mehr absterben und den Wissenschaften lebendiger werden wird ...", Auswahlausgabe von RFreese S. 348); KF v*Schuckmann, 1795-1807 Kammerpräsident in B.; 1797: AN*Scherer (14. III. 1797: *Doctor Scherer ... würde alsdann durch das Bayreuthische zurückkehren und daselbst sowohl eine große Gebürgsreihe als auch manches technische kennen lernen; IV/12, 69*); 1804 (-1825): JP*Richter, über dessen Ergehen – Goethe war ihm gegenüber abwartend, ja ablehnend *(Philister: Bdm. 4, 359)* - gelegentlich CLvKnebel berichtete (zB. 1805); 1808: GAGv*Hardenberg, kgl. preußischer Kammerherr und fürstl. b.ischer Landjägermeister, den Goethe als Kur- und Tischgast in *Karlsbad traf (III/3, 268); 1809: Brüder JSChr und AF*Schweigger [nicht: Schweizer!], davon der eine [JSChr] damals noch *beym Gymnasium in Baireuth, Lehrer der Mathematik,* während eines Besuches in Jena (10. VIII.: *III/4, 51*); 1810: Professor A*Schumann als Kurgast in Karlsbad, *wird das physische Journal herausgeben* (25. VII.: *III/4, 142*); 1812: ThJ *Seebeck, nur zu einem kurzen Zwischenaufenthalt mit Postadresse in B. (29. IV.: III/4, 275); 1818: inzwischen als Professor in Erlangen: JSChr*Schweigger betr. *Schleifanstalt des Bayreuther Marmors* (?; 2. X.: *IV/29, 302*); 1819: LC Freiherr v*Welden, damals *Regierungs-Präsident zu Bayreuth, so sehr wie jeder Vorgesetzte von akademischer Turbulenz beunruhigt, besuchte mich, und man konnte sich über die damals so dringenden Angelegenheiten nichts Erfreuliches mittheilen* (*Burschenschaft; 12. V. 1819: *III/7, 46; I/36, 152*); 1825: Rücksendungen an den Buchhändler *Seitz nach Bayreuth* (Begleitbrief nicht erhalten; 23. II.: *III/10, 22*).   *Za*

Bayrhofer (oder Bayerhofer), Druckerverleger und Sortimentsbuchhändler in Frankfurt/Main und Herausgeber einer Zeitschrift „Die Sichtbaren", von der sich nur Nr 12 des Jahres 1766 in Goethes weimarer Privatbibliothek erhalten hat. In dieser Nummer gelangten ohne Goethes Kenntnis die *Poetischen Gedanken über die* *Höllenfahrt Jesu Christi zum Abdruck; Goethe an seine Schwester aus Leipzig vom 12. X. 1767: die Höllenfahrt *drucken sie mir in eine vermaledeyte Wochenschrifft, und noch dazu mit dem J. W. G. Ich hätte mögen Toll darüber werden (IV/1, 114).*   *St*

I/38, 214 f. – JGoldfriedrich: Geschichte des Deutschen Buchhandels. Bd 2 (1908), S. 448. – CDiesch: Bibliographie der germanistischen Zeitschriften. 1927, S. 348, Nr 751 a.

Bazin, Anaïs de Raucou, gen. (1797–1850), französischer Literat („L'époque sans nom", 2 Bde, 1833, Szenen aus dem *Paris nach der Juli-Revolution) und Historiker („Histoire de France sous Louis XIII", 1837); Goethe kennt ihn als Mitarbeiter am „*Livre des cent-et-un", zu dem B.,,Le bourgeois de Paris"(1831; I/41^II, 366) und später (2. Bd) „La Chambre des Députés") beisteuerte. *Fu*

Beamtenschaft der weimarischen Zentralbehörden vom 12. VI. 1776 bis 24. VII. 1786. Mit diesem Tage schied Goethe aus der aktiven Mitarbeit im *Geheimen Consilium und insofern aus dem unmittelbaren Pflichtenkreise einer das Staatsganze überschauenden Beamten-Wirksamkeit definitiv aus.

Die *amtliche Tätigkeit, die Goethe in seiner Eigenschaft als Mitglied des *Geheimen Consiliums in den Jahren 1776 bis 1786 ausübte und die sich auf alle Gebiete des staatlichen Lebens und noch nicht, wie in späterer Zeit, auf bestimmte spezielle Aufgaben beschränkte, brachte ihn in dienstliche Berührung mit zahlreichen Beamten, die in jenem Jahrzehnt in den Behörden des Herzogtums tätig waren. Ihre Zahl ist mit Sicherheit größer gewesen, als seine Briefe und Tagebücher erkennen lassen. Das gilt vor allem für die Beamten der in der Stadt Weimar residierenden zentralen Behörden des Herzogtums (Geheimes Consilium, Geheime Kanzlei, Geheimes Archiv) und des weimarischen Landesteils (weimarisches Regierungskollegium und Regierungskanzlei, weimarisches Kammerkollegium und Kammerkanzlei, weimarisches Landschaftskassedirektorium und dessen Expedition), die daher in nachstehendem Verzeichnis mit ihren Dienststellungen und Amtsbezeichnungen nach ihrer Rangfolge aufgeführt werden, soweit sie in den Jahren 1776 bis 1786 dort tätig gewesen sind. Diese Übersicht vermittelt zugleich ein Bild von der damaligen Stellenbesetzung in diesen Behörden. Für alle Beamten, die keinen Sonderartikel im GHB erhalten haben, wurden auch über das Jahr 1786 hinaus Angaben über ihre Berufslaufbahn in die Übersicht aufgenommen.

1. Geheimes Consilium, Geheime Kanzlei und Geheimes Archiv.

1) Jakob Friedrich Frhr v*Fritsch(1731–1814), Wirkl. Geh. Rat und Exzellenz; 2) Christian Friedrich *Schnauß (1722–1797), Geh. Assistenzrat, 1779 Geh. Rat; 3) Johann Christoph *Schmidt (1727–1807), Geh. Referendar und Geh. Legationsrat, 1784 Geh. Assistenzrat; 4) Johann Ludwig Schnauß (1727–1807), Geh.

Sekretär, erhielt 1785 den Titel Legationsrat; 5) Johann Friedrich Schwabhäußer (1713 bis 1780), Geh. Kanzleisekretär; 6) Johann Wilhelm Machts (1721–1805), Sekretär, 1785 Geh. Kanzleisekretär; 7) Carl *Kirmß (1741–1821), Sekretär, 1785 Geh. Sekretär; 8) Johannes Schmidt (1749–1811), Geh. Registrator, 1780 Sekretär und Archivar, 1785 Geh. Sekretär, 1800 Legationsrat; 9) Johann Wilhelm Friedrich Steinhardt (gest. 1794), 1786 Geh. Kanzleisekretär; 10) Jakob Bernhard Burckhardt (ca 1727–1802), Geh. Kanzlist, 1785 Geh. Registrator; 11) Christian Friedrich Wilhelm Roth (1726–1807), Geh. Kanzlist, 1785 Geh. Registrator; 12) Johann Heinrich Witzel (ca 1722–1794), Geh. Kanzleidiener; 13) Simon Heinrich Burkhart (ca 1735–1794), Geh. Kanzleibote; 14) Jakob Heinrich Neuberger (1718–1778), Geh. Archivar und Legationsrat; 15) Martin Schamelius (1710–1779), Archivsekretär; 16) Johann Christian Meyer (1747–1807), Akzessist, 1778 Archivregistrator, 1785 Archivsekretär.

2. Regierungskollegium und Regierungskanzlei.

1) Achatius Ludwig Carl Schmid (1725–1784), Wirkl. Geh. Rat und Kanzler (IV/8, 374; vgl. *III/1, 15* Sitzung des *Colleg* vom 20. VI. 1776 und ebda 120), zuvor 1766–1776 Mitglied des Geheimen Consiliums, aus dem Carl August ihn entfernte, um Goethe an seine Stelle zu setzen; 2) Christian Gottlob Müller (1711 bis 1786), Geh. Hofrat, 1778 pensioniert; 3) Wilhelm Emanuel Gottlieb Hetzer (1734–1794), Geh. Regierungsrat und Oberkonsistorialrat, verwaltete seit 1784 kommissarisch das Kanzleramt, 1789 Geh. Regierungsrat in *Eisenach (vgl. 6. II. 1790: IV/9, 175); 4) Johann Friedrich Kobe v*Koppenfels (1738–1811), Geh. Regierungsrat; 5) Ernst Carl Constantin v*Schardt (1744–1833), Geh. Regierungsrat; 6) Johann Ludwig *Eckart (1732–1800), Hof- und Regierungsrat, 1778 Geh. Archivar, o. Prof. der Rechte in Jena; 7) Friedrich Hildebrand v*Einsiedel (1750–1828), Hof- und Regierungsrat und Assessor am Hofgericht in Jena, trat 1776 in die Dienste der Herzogin Anna Amalia; 8) Franz Paul Christoph Frhr vSeckendorff (1750–1823), Regierungsrat, 1779 Hofrat, trat 1785 in die Dienste des Reichs (vgl. 11. IX. 1785 *Seckendorff ist fort. Mir ist auch lieber er ist Reichshofrath* [in Wien], *als daß ich's seyn sollte:* IV/7, 91), zuletzt Präsident des *Reichskammergerichts; 9) Friedrich Carl Frhr vRotenhan (1750 bis 1792), Regierungsrat, 1778 auf eigenen Wunsch entlassen (III/1, 46; vgl. IV/4, 262);

10) Christian Gottlob *Voigt (1743–1819), 1777 Regierungsrat, 1783 außerdem Geh. Archivar, 1784 Hofrat; 11) Friederich Carl Frhr vDürckheim, Regierungsassessor, 1778 auf eigenen Wunsch entlassen; 12) Carl Friedrich Wilhelm v*Mandelsloh (1762–1818), 1782 Regierungsassessor, 1785 Regierungsrat (6. III. 1785: IV/7, 22); 13) Traugott Lebrecht *Schwabe (1737–1812), 1783 Regierungsassessor, 1785 Regierungsrat; 14) Christian Heinrich Wiedeburg (1727–1804), 1785 Regierungsrat; 15) Wolfgang Gottlob Christoph Frhr v*Egloffstein (1766–1815), 1786 Regierungsassessor; 16) Johann Christian Tripplin (1731 bis 1787), Lehnssekretär, 1783 pensioniert; 17) Christoph Heinrich Krüger (1745–1796), Gerichtssekretär, 1785 Rat; 18) Christian Erdmann Conta (1740–1815), Regierungssekretär, 1777 Rat und Obergleitsmann in *Erfurt (III/2, 281 f.; den an Conta gerichteten Brief vom 29. I. 1800: IV/15, 17 f.); 19) Heinrich Ludwig Neuber (1733–1777), Kommissionssekretär, 1777 Regierungssekretär; 20) Georg Laurentius *Batsch (gest. 1798), 1777 Regierungssekretär, 1783 Lehnssekretär; 21) Johann Heinrich Franz Seyffarth (1748 bis 1832), 1776 Akzessist, 1777 Kommissionssekretär, 1783 Regierungssekretär; 22) Johann Nikolaus Wickler (1732–1804), Botenmeister mit dem Titel Kanzleisekretär; 23) Johann David Paul Harz (1743–1799), Kanzleiarchivar; 24) Christian Gottlieb Lippold (1724–1801), Regierungsregistrator; 25) Johann Wilhelm Unruh (vor 1715–1778), Regierungskanzlist; 26) Johann Heinrich Gülicke (1730–1789), Regierungskanzlist mit dem Titel Registrator; 27) Carl Friedrich Alexander Seyffarth (1736 bis 1819), Regierungskanzlist, erhielt 1783 den Titel Registrator; 28) Carl Johann Christoph Eichelmann (1736–1787), Regierungskanzlist, erhielt 1783 den Titel Registrator; 29) Johann Valentin Trott (1735–1800) Regierungskanzlist; 30) Friedrich Theodor Georg König (1749 bis 1786) Regierungskanzlist, 1777 wegen Geisteskrankheit ausgeschieden; 31) Johann Heinrich Koch, 1778 Regierungskanzlist, im gleichen Jahr an die Kammer in Eisenach versetzt; 32) Georg Friedrich Henschel, 1778 Regierungskanzlist, 1779 als Registrator an die Kammer in Eisenach versetzt, dort zuletzt Regierungsrat; 33) Johann Thomas Konrad Hauenschild (1753–1807), Akzessist, 1777 Lehnsregistrator, 1783 Kommissionssekretär, später Amtmann in Hardisleben; 34) 1776 Regierungskanzlist Ernst Weidner (1749–1809), vorher Akzessist in der Renterei, 1792 in das Hofmarschallamt versetzt,

zuletzt Hofsekretär; 35) Gottlieb Jakob Rüdiger (ca 1726–1802), 1779 Regierungskanzlist; 36) Georg Gottfried Theodor Burckhardt (1756–1819), 1780 Akzessist, 1783 Registrator; 37) Jakob Wilhelm Andreas Heydemann (1740–1798), Regierungsdiener; 38) Johann Daniel Schlott (1699–1776), Kanzleibote; 39) Johann Michael Eckardt (1729–1776/86), Kanzleibote, 1776 geflüchtet und entlassen; 40) Gottlieb Wilhelm Pfeffer (ca 1739–1813) Kanzleibote; 41) Johann Valentin Dittmar, 1776 Kanzleibote, erst aushilfsweise, dann bestätigt, 1781 wegen Unterschlagung entlassen; 42) Johann Heinrich Wilhelm Kirscht (ca 1736–1809), Kanzleibeibote, 1776 Kanzleibote; 43) Christian Gottlieb Weißig (1711 bis 1781), Kanzleibeibote; 44) Johann Friedrich Gräfe (ca 1728–1811), 1781 Kanzleibote.
3. Kammerkollegium und Renterei (Kammerkanzlei).
1) Johann August Alexander v*Kalb (1747 bis 1814), Kammerpräsident, 1782 entlassen; 2) August Christian Kirmß (1703–1778), Kammerrat, 1776 pensioniert; 3) Christian Friedrich Günther vGriesheim (1716–1792), Kammerrat, 1776 pensioniert (III/1, 24; IV/10, 16); 4) Ludwig Daniel *Büttner (ca 1712–1786), Geh. Kammerrat; 5) Johann Christian Gülicke (1724–1797), Geh. Kammerrat (sollte 1786 die *Pachtsachen* und die *Aufsicht über das* [Geheime] *Archiv* übernehmen: IV/7, 175 f., vgl. IV/8, 87 und 201); 6) Lorenz Heinrich Wetken (1737–1787), Kammerrat *(Von Wetkens Tod wird wohl zu profitiren seyn: IV/8, 333)*; 7) Carl Siegmund Emil vÜchtritz (1754 bis 1849), Landkammerrat, 1777 auf eigenen Wunsch entlassen (III/1, 71 und 76); 8) Franz Ludwig v*Hendrich (1754–1828), Landkammerrat, 1781 Kammerrat; 9) Heinrich Ludwig Wilhelm Frhr vNiebecker, 1785 Landkammerrat, 1787 auf eigenen Wunsch entlassen; 10) Johann Friedrich Schwabhäußer *(Schwabhäuser;* 1740–1799), Kammerkonsulent *(Ich habe ihn* [nach Darmstadt] *abgeschickt, damit er euer* [*Güter-]Zerschlagungswesen in der Nähe besehe: IV/7, 56)*; 1785 Amtmann in *Allstedt; 11) Friedrich Heinrich Gotthelf *Osann (1753–1803), 1785 Kammerkonsulent; 12) Johann Adolf Prätorius (ca 1709–1789), Kammermeister, 1786 pensioniert (24. III. 1779: III/1, 84); 13) Wilhelm Balthasar Heinrich *Bachmann (1724–1797), Kammerverwalter, später Kammerkommissionsrat; 14) Ernst Egydius Eichler (1728–1779), Kammerrevisor; 15) Johann Christian Ludwig Löschner (1735–1799), Kammermeister (IV/6, 118; 7, 253; 8, 87); 16) Friedrich Carl *Büttner (1743

bis 1822), 1. Kammersekretär, 1780 Kammer-assessor, 1785 Landkammerrat; 17) Carl Friedrich Gottlieb Kirmß (1746–1793), 2. Kammersekretär; 18) Johann Daniel Bahn (1698–1781), Kammerarchivar; 19) Johann Friedrich Adolf Kirmß (1742–1792), substituierter Kammerarchivar, 1781 Kammerarchivar; 20) Michael Ludwig Neuber (vor 1708–1781), Forstsekretär; 21) Johann Emanuel Prätorius (1740–1808), Kammersteuereinnehmer, 1791 Obersteuerverwalter; 22) Christian Tobias Bleymüller (ca 1718–1787), Steuerrevisor, zugleich bei der Expedition des Landschaftskassedirektoriums (5. IX. 1783: IV/6, 193); 23) Gustav Julius (ca 1732–1789), 1785 Kammerrevisor (5. IX. 1783: IV/6, 193); 24) Johann Georg Karl Jordan Neuhauß (1748–1790), Kammerregistrator, 1780 Kammersekretär; 25) Johann Friedrich Kley (1720 bis 1784), Kammerkanzlist, erhielt 1780 den Titel eines Registrators; 26) Franz Ludwig *Güssefeld (1744–1808), Kammerkanzlist, 1776 Kammerregistrator, erhielt 1780 den Titel eines Sekretärs, 1782 Forstsekretär; 27) Christian Gottlieb Winzler (ca 1724–1789), 1785 Postsekretär, im Kanzlistenkabinett tätig; 28) Siegmund Friedrich Steinbrück, 1780 Akzessist, 1782 Kammerregistrator, 1790 Kammersekretär, 1793 Rat, 1796 als Landkammerrat nach Eisenach versetzt; 29) Johann Friedrich *Lossius (1735–1796), Kammerkanzlist, 1785 zugleich Kammerregistrator; 30) Johann Gottlieb *Eckart (ca 1745 bis 1800), Kammerkanzlist, erhielt 1778 den Titel Kalkulator, 1785 Kammerrevisor, *Rentsecretär (IV/33, 264);* 31) Johann Wilhelm Siegmund *Treuter (1744–1803), Kammerkanzlist, erhielt 1778 den Titel Kalkulator, 1785 Kammerrevisor; 32) Huldreich Daniel Wenzel, 1780 Kammerkanzlist, 1785 Wegebaukommissar in Tüttleben; 33) Franz Wilhelm Schellhorn (1751–1836), Akzessist, 1776 Kammerkopist, 1780 Kammerkanzlist, im gleichen Jahr Kammerregistrator, 1789 Kanzleisekretär, später *Rath* und Kammerarchivar *(III/9, 303;* Gedicht auf sein *Jubiläum: I/4, 267)*; 34) Johann Heinrich Gottlob Eichler (1757–1791), Akzessist, 1780 Kammerkanzlist; 35) Georg Christoph *Steffany (1749 bis 1807) Akzessist, trat 1777 in die Bauverwaltung über; 36) Christian Gottfried Theodor *Ortmann (1755–1815), Akzessist, 1780 Kammerrevisionskanzlist, 1785 Kammerkalkulator; 37) Johann Daniel *Binder (1755 bis nach 1827), Akzessist, 1780 Kammerrevisionskanzlist, 1785 Kammerkalkulator; 38) Friedrich Philipp *Seidel (1755–1820), 1785 Kammer-kalkulator; 39) Johann Gottfried Böttner (1760–1833), 1780 Akzessist, 1785 Kammerrevisionskopist, 1791 Kammerkalkulator, 1796 Kammerrevisor, seit 1817 außerdem Postmeister; 40) Erdmann Friedrich Ludwig Rudolph, 1780 Akzessist, 1785 Kammerrevisionskopist, 1789 Kammerrevisionskanzlist, 1791 Kammerkalkulator, 1795 als Forstkommissar nach Zillbach versetzt, später Forstrat in Eisenach; 41) Heinrich Philipp Friedrich Burckhardt (1761–1817), 1780 Akzessist, 1785 Kammerkopist, 1789 Kammerkanzlist, 1796 Registrator, 1798 Kammerkanzleikommissar; 42) Carl Gottlieb Heinrich Wetken (1764–1835), 1785 Akzessist, 1789 Kammerkopist, 1796 Kammerkanzlist, später Kammerregistrator; 43) Samuel David Wendel Exius (1756–1834), 1785 Akzessist, 1789 Kammerrevisionskopist, 1796 Kammerkalkulator, zuletzt Kammerrevisor; 44) Johann Gottlob *Treuter (ca 1711–1808), Rentereidiener; 45) Georg Heinrich Gülicke (1794–1779), Rentereibote; 46) Johann Andreas Dennstedt (ca 1737–1790), Rentereibote; 47) Johann Gottfried Krähmer (ca 1734–1812), 1780 Rentereibote.

4. Oberkonsistorium und Oberkonsistorialkanzlei.

1) Carl Friedrich Ernst Frhr v*Lyncker (1727 bis 1801), Oberkonsistorialpräsident, erhielt 1779 den Titel Geh. Rat; 2) Wilhelm Emanuel Gottlieb Hetzer, Geh. Regierungsrat (s. o.) und Oberkonsistorialrat; 3) Johann Wilhelm Seidler (vor 1720–1777), Oberkonsistorialrat; 4) Johann Gottfried *Herder (1744–1803), Oberkonsistorialrat und Kirchenrat, Oberhofprediger und Generalsuperintendent; 5) Johann Sebastian Gottschalg (1722–1793), Oberkonsistorialassessor und 1. Hofdiakonus, 1776 Oberkonsistorialrat; 6) Wilhelm Heinrich Schultze (1724–1790), Oberkonsistorialassessor und 2. Hofdiakonus, 1776 Oberkonsistorialrat; 7) Christian Wilhelm Schneider (1734–1797), Oberkonsistorialassessor und Archidiakonus, 1776 Oberkonsistorialrat, 1781 nach Eisenach versetzt; 8) August Gottlob Zinßerling (1733 bis 1797), Archidiakonus, 1782 Oberkonsistorialassessor, 1791 Oberkonsistorialrat; 9) Johann Sylvester List (1725–1802), Oberkonsistorialsekretär, 1780 Oberkonsistorialassessor; 10) Johann Heinrich Temler (ca 1732–1807), Oberkonsistorialbotenmeister, erhielt 1780 den Titel Oberkonsistorialsekretär; 11) Johann Heinrich Scharff (1734–1810), Oberkonsistorialkanzlist mit dem Titel eines Registrators, 1788 Botenmeister; 12) Heinrich Friedrich Wilhelm *Seidler (1750–1819), Ober-

konsistorialarchivar, erhielt 1780 den Titel eines Oberkonsistorialsekretärs; 13) Christian Friedrich Wilhelm Roth (1761–1798), 1779 Akzessist, 1785 Oberkonsistorialkopist, 1789 Oberkonsistorialkanzlist; 14) Wilhelm Philipp Buhler (1741–1805), Oberkonsistorialdiener (vermutlich Zeichenmodell für GM*Kraus und Goethe, der am 16. III. 1780 *bey Kraus nach Bulern gezeichnet hat: III/1, 111*).
5. Landschaftskasse-Direktorium und dessen Expedition.
1) Johann Siegmund v*Oppel (1730–1798), Landschaftskassedirektor, Wirkl. Geh. Rat und Exzellenz; 2) Friedrich Gottlieb Schmied (ca 1712–1792), Steuer- und Akzisrat; 3) Johann August *Ludecus (1741–1801), Rat und Geh. Sekretär der Herzogin Anna Amalia, 1781 außerdem Beisitzer bei dem Landschaftskassedirektorium, 1785 Steuer- und Akzisrat; 4) Wilhelm Gotthilf Friedrich Helmershausen (1727–1783), Landschaftskasseprokurator, Rat und Landschaftssyndikus, 1777 Amtmann in *Thalbürgel; 5) Johann Maximilian Lübeck (gest. 1796), 1778 Landschaftskasseprokurator und Landschaftssyndikus; 6) Gottfried Matthias Ludwig Schrön (1732 bis 1811), Kassesekretär, 1792 Rat, 1801 Steuer- und Akzisrat; 7) Christian Ludwig Ortmann (1722–1804), Kasserevisor; 8) Johann Christian Carl Götze (1744–1797), Landrentmeister und Landschaftskassierer; 9) Christian Tobias Bleymüller, Steuerrevisor bei der Renterei (s.o.) und der Landschaftskasseexpedition; 10) Lebrecht Traugott Claußen (ca. 1730-1813 Kassekopist, 1778 Kassekalkulator, 1786 wegen Nachlässigkeit im Dienst entlassen, 1796 Kammerkalkulator; 11) August Gottlob Friedrich Dehne (1739–1779), Kaufmann, Steuereinnehmer des Stempelpapiers und der Personensteuer; 12) Christian Traugott Bleymüller, 1779 Steuereinnehmer, 1780 Obereinnehmer des Stempelpapiers und der Personensteuer, 1784 Steuerverwalter, später Amtssteuereinnehmer in Hardisleben und *Buttstädt; 13) Christian Gottfried Schrön (1758–1801), 1777 Akzessist, 1786 Kassekanzlist; 14) Johann Ernst Gottlob Gering (Göring; 1761–1831), 1778 Akzessist, 1786 Kassekanzlist, später Rat und Stadtsteuereinnehmer in Weimar (IV/35, 394); 15) Johann Gottfried Premßler (ca 1722–1798) Zuchthausinspektor; 16) Johann Michael Sänger (ca 1738–1811), 1780 Akzisekontrolleur; 17) Johann Bartholomäus Meyer (ca 1712–1786), Kassediener; 18) Leonhard Bartholomäus Meyer (1738–1802), Kassediener; 19) Johann Engelhardt Meyer (1752–1825), Kassebote. *Hk*

WHuschke: Die Beamtenschaft der weimarischen Zentralbehörden beim Eintritt Goethes in den weimarischen Staatsdienst (1776). In: Forschungen aus mitteldeutschen Archiven, Festschrift für H Kretzschmar. 1953.

Beatrizet *(Bratrizet: IV/21, 66)*, Nicolaus, auch Beautrizet, latinisiert als Beatricius, ital. Beatricetto, ein zwischen 1540 und 1565 in Rom tätiger Kupferstecher aus der Schule des A*Veneziano, reproduzierte Werke *Raffaels, *Michelangelos und 1548 bis 1553 antike Bild- und Bauwerke für ALafrerius, dessen „Speculum Romanae magnificentiae" (Rom 1574) Goethe 1828 und 1829 in der Ausgabe von 1594 aus der weimarischen *Bibliothek entlieh. Die schon 1809 an H*Meyer geschriebene Bemerkung, daß ihm B. *merkwürdig geworden sei (IV/21, 66)*, ist wohl durch Reproduktionen B.s veranlaßt, von denen Goethe mehrere besaß.　　　　　　　　　　　　　　　*Lö*

Keudell Nr 1923; 2014. – Schuchardt 1, S. 11 f. – ThB 3, 113.

Beatushöhle. Goethes Besuch der B. ist uns nur in dem Tagebuch seines Amanuensis und Reisebegleiters PhF*Seidel bezeugt; danach (IV/4, 82) berührte Goethe diese reizvolle Stelle am *Thuner See, wo der Beatusbach oberhalb der Uferstraße aus einer Felsenhöhle hervorbricht, am 14. X. 1779 auf dem Wege über *Thun nach *Bern (RV S. 19).　　*Za*

Beauchamps, Alphonse de (1767–1832), geboren in Monaco, gestorben in Paris, wurde zunächst Berufssoldat (1784, Militärdienst bei der Marine in Sardinien), geriet aber 1792 in die Strudel der französischen Revolutionsereignisse, deren Wogen ihn hin und her warfen, auf und ab trugen, bis er erst in der Restaurationszeit nach 1815 ruhigere Jahre und den Genuß einer kleinen Pension erlangte. B. war kein bedingungsloser Parteigänger der Revolution, er war sogar ein offener Gegner Robespierres. Weniger durch seine wechselvollen, meist subalternen militärischen, politischen, polizeilichen, administrativen oä. Funktionen noch durch seine wiederholten Internierungen als vielmehr durch seine publizistischen, insbesondere historiographischen, meist zeitgeschichtlichen Arbeiten hat er sich einen Namen gemacht. Goethe las 1819 die [angeblich] von B. herausgegebenen, hinsichtlich der Autorschaft aber überhaupt umstrittenen „Mémoires secrets" des schriftstellerisch begabten Napoleon-Bruders Lucien *Bonaparte (17./18. II. und 12. IX.: III/7, 17; 93); in diesen Mémoires werden insbesondere die Rechte der Napoleoniden auf den französischen Thron begründet und verteidigt. 1824 ließ sich Goethe durch H*Meyer B.s „Histoire du Brésil [*Brasilien] depuis sa conquête en 1500 jusqu'en 1810" (1815) in der Fassung von *Brans Minerva* vorlesen (21. IX.: *III/9, 272*). 1829 werden die „Mémoires de Fauche-Borel" (4 Bde, (1825) bis 1829) erwähnt, hinter denen man B. vermutete, weil Fauche-Borel ein Bourbonen-Anhänger war und B. damals besonders gern für diese eintrat (21. II.: UKM S. 354).   *Za*

Beauharnais, die französische Adelsfamilie aus der (ehemaligen) Provinz Orléanais (jetzt Département Loiret) in Mittelfrankreich, wurde für Goethe (und für die französische Geschichte) erst mit ihren zeitgenössischen Repräsentanten, überdies fast ausschließlich durch den Zusammenhang mit den Ereignissen der französischen Revolution und mit der Person des Kaisers *Napoleon *Bonaparte bedeutsam. Mag Goethe auch von François, Marquis de B. (1756–1846) oder von Claude, Comte de B. (1756–1819) gehört haben, so trat ihm doch erst deren jüngerer Bruder und Neffe

–, 1) Alexandre François Marie, Vicomte de B. (1760–1794) deutlicher ins Bewußtsein. AFM war Offizier und Politiker wie seine beiden Verwandten. Er hatte aber infolge seiner erlebnisreichen Beteiligung an den nordamerikanischen Unabhängigkeitskämpfen (unter dem Befehl des Grafen Jean Baptiste Donatien de Rochambeau sowie durch den Kontakt mit George *Washington) mehr Zugang zu den Freiheitsbewegungen, insofern auch zur französischen Revolution, deren Nationalversammlung er zweimal als Präsident vorstand und deren Armeen zunächst im Norden, dann am Rhein (1793) er befehligte. Als er den Adel durch immer schärfere Anwendung der Revolutionsgesetze als endgültig attackiert und diffamiert empfand, zog er sich im Zorn auf seinen Landbesitz (La Ferté-Imbault de Beauharnais) zurück. Man klagte ihn an, dadurch den Fall der Festung *Mainz (*Belagerung) fahrlässig verschuldet zu haben und guillotinierte ihn am 23. VII. 1794. Seine aufrechte Haltung vor dem Tribunal und auf dem Schafott wird gerühmt. AFM war seit 1779 mit

–, 2) Josephine Marie Rose, geb. Tacher de la Pagerie (1763–1814) vermählt. JMR hatte nach ihrer Verwitwung eine Zeitlang dem revolutionär sehr maßgeblichen PJFN*Barras ihre Frauengunst geschenkt. Ehrgeizig, wie sie war, ließ sie sich durch diesen am 9. III. 1796 mit Napoleon verheiraten. Barras glaubte, Napoleon mithilfe gerade dieser Ehe fester an sich zu binden. Er irrte sich aber. JMR hatte aus ihrer ersten Ehe zwei Kinder:

–, 3) Eugène de B. (1781–1824), den Napoleon 1807 adoptierte und der hauptsächlich als Herzog von Leuchtenberg (1817), weniger als Vizekönig von Italien (1805; vgl. I/49^I, 221) bekannt wurde und blieb. Goethe traf ihn 1823 in *Marienbad (III/9, 75 f.; 20. VII. 1823 *umständlich gesprochen: ebda 79;* vgl. IV/37, 125 f.; 141; Bericht über einen Tanztee an Ottilie: *der Herzog von Leuchtenberg nahm keinen Anstand sich auch etwas Hübsches auszusuchen: IV/37, 149*).

–, 4) Hortense Eugenie de B. (1783–1837), die gegen ihre Mädchenneigung 1802 Napoleons Bruder Louis, den späteren (5. VI. 1806) König der *Niederlande heiraten mußte; der jüngste ihrer drei Söhne wurde nachmals als Napoleon III. Kaiser. Die Nichte der JMR (2)

–, 5) Stephanie Louise Adrienne de B. (1789 bis 1860), die Napoleon ebenfalls adoptiert hatte (über den leiblichen Vater schwanken die Angaben), wurde am 8. IV. 1806 in erzwungener Ehe dem Herzog, späteren Großherzog Carl Ludwig Friedrich von *Baden (5) angetraut.   *Za*

Beaujour, Louis Auguste Félix Baron de (1763 bis 1836), französischer Diplomat und Wirtschaftstheoretiker, war 1794 Konsul in Griechenland, später in Schweden, in den USA und in Smyrna. Seinen zweibändigen „Tableau du commerce de la Grèce, formé d'après une année moyenne, depuis 1787 jusqu'en 1797" (1800) las Goethe vom 30. XI. bis 2. XII. 1812 (III/4, 348), nachdem er das Werk am 23. X. 1812 aus der weimarischen *Bibliothek entliehen hatte (Keudell Nr 794). 1835 war B. Mitglied der französischen Chambre des Pairs.   *Lö*

Beaulieu-Marconnay, Freiherren von, altes französisches Adelsgeschlecht, dessen reformiert gewordene Zweige nach der Aufhebung des Edikts von Nantes (1685) auswanderten. Einige Mitglieder des Zweiges, der in Hannover eine neue Heimat gefunden hatte, wurden mit Goethe bekannt.

–, 1) Wilhelmine geb. Freiin von Lindau, Gattin des 1808 verstorbenen königlich großbritannischen und hannoverschen Oberjägermeisters Friedrich Georg vB. und Schwester des mit Goethe bekannten Barons HJv*Lindau, der ein Legat für die Erziehung des schweizer Bauernjungen P*ImBaumgarten ausgesetzt und für den Todesfall Goethe zum Legatsverwalter bestimmt hatte. Bei der Nachlaßregulierung nach Lindaus Tod kam Goethe 1779 mit ihr in Verbindung (IV/4, 30; 34; 178–180; 191; 217; 342–346); das Konzept eines Briefes an sie hat sich erhalten (IV/4, 33 f.). Als sie

später zu Besuch nach Weimar kam, lernte
Goethe sie *Bey Egloffsteins* auch persönlich
kennen (11. X. 1807: *III/3, 283;* 9. X. 1808
mit ihrer *Nichte. Kartenschlagen: ebda 392;*
vgl. *Kartenschlägerinnen und Träume ... wollen mich in Furcht und Sorge setzen: IV/20,
173).*

–, 2) Carl Wilhelm (1777–1855), ältester Sohn
der vorigen, hannov. Forstmeister in Misburg
b. Hannover, war seit 1804 mit der von Goethe sehr geschätzten Gräfin Henriette v*Egloffstein in kinderloser Ehe verheiratet und
blieb durch seine Beziehungen zu den in Weimar lebenden Mitgliedern der Familie vEgloffstein mit Weimar eng verbunden. 1810 von
der Regierung des Königreichs Westfalen seines Postens enthoben und nach Ülzen versetzt, stellte er 1812 ein Korps freiwilliger
Jäger gegen die Franzosen auf („Harzer
Schützenkorps"; vgl. auch JbGGes. 13, S.
238), an dessen Spitze er 1813 und 1814 in
Norddeutschland focht. Nach dem Friedensschluß wurde er zum General ernannt, trat
jedoch 1815 als Oberforstmeister in den Forst-
dienst zurück und lebte mit seiner Frau und
ihren 3 Töchtern aus erster Ehe in Hildesheim, seit 1818 in dem nahebei gelegenen Marienrode. Bei späteren Aufenthalten in Weimar besuchte er in Begleitung des Kanzlers
v*Müller Goethe am 24. XI. 1821 und am 1.
IV. 1827 (III/8, 139; 11, 40).

–, 3) Wilhelm Ernst (1786–1859), dritter
Sohn von 1), Bruder des vorigen, Zögling
ChrGSalzmanns in Schnepfenthal, studierte
in Leipzig und Heidelberg. Er besuchte von
dort kommend die egloffsteinschen Verwandten in Weimar, bei denen ihn Goethe am 11. X.
1807 zusammen mit seiner Mutter kennenlernte (III/3, 283). An den beiden folgenden
Tagen war er bei Goethe, der sich mit ihm
*über Heidelberg und die dortige Art zu leben
und zu studiren (III/3, 284)* unterhielt. WE
reiste nach Hannover weiter. Die Einverleibung Hannovers in das französische Kaiserreich zwang ihn zum Ausscheiden aus dem
Justizdienst. 1810 trat er in oldenburgische
Dienste, in denen er zum Kammerherrn, Ober-
schenken und Wirklichen Geheimen Rat aufstieg und sich besonders durch die für Oldenburg günstige Beendigung der Jeverschen
Erbfolgeverhandlungen mit Rußland Verdienste erwarb. Spätere Weimarbesuche führten ihn am 2. I. 1829 in Begleitung des Kanzlers FvMüller (III/12, 1 f.) und am 23. IV. 1830
im Gefolge des Großherzogs PFA von *Oldenburg (III/12, 230) in Goethes Haus.

–, 4) Carl Heinrich Friedrich Olivier (1811

bis 1889), Sohn des vorigen und dessen erster
Frau Johanna geb. Meng (1793–1850), studierte in Heidelberg, Jena und Göttingen
Rechtswissenschaft und verkehrte während
seiner jenaer Studentenzeit viel in Weimar,
wo er auch von Goethe zu einem Besuch empfangen wurde: *Herr Beaulieu, ein junger angenehmer Mann in Jena studirend, besuchte
mich gleichfalls und gab mir genugsame Unterhaltung* (21. X. 1831: *III/13, 159).* Nach längerer Beamtentätigkeit in Oldenburg erhielt
er 1843 den Posten eines Geheimen Referen-
dars für die auswärtigen Angelegenheiten im
sachsen-weimarischen Staatsministerium, den
er eingedenk seiner Begegnung mit dem greisen Goethe gern annahm. Nach den revolutionären Vorgängen im Jahre 1848 gab er
diese Stellung zugunsten des Hofdienstes auf,
in dem er zunächst als Hofmarschall, seit 1853
als Oberhofmeister der Großherzogin Sophie
tätig war. In den Jahren 1850 bis 57 nahm er
außerdem mehrfach die Geschäfte des Hof-
theaterintendanten wahr und kam dadurch in
engere Verbindung mit Franz Liszt. Er sorgte
für die Errichtung des *Denkmals für Goethe
und Schiller von Rietschel, war seit 1864 Ehrenmitglied, seit 1879 Meister des „Freien
Deutschen Hochstifts" und wurde 1885 in
den Vorstand der *Goethe-Gesellschaft gewählt. 1864 wurde er zum Bundestagsgesandten in Frankfurt a. M. ernannt, schied aber
aus dieser Stellung schon 1866 aus und lebte
seitdem in Dresden seinen literarischen und
historischen Neigungen, die vor allem dem
18. Jahrhundert galten. Für die Geschichte
der Goethezeit besonders wertvoll ist seine
Arbeit „Anna Amalia, Carl August und der
Minister von Fritsch" (1874).   *Hk*

Kneschke Bd 1, S. 244 f. – Gothaer Freiherrliche Taschenbücher 1859; 1939. – H Frhr vEgloffstein: Alt-
Weimars Abend. 1923. – ADB 2 (1875), S. 192–194;
46 (1900), S. 290–293. – AMirus: Carl Olivier Freiherr von Beaulieu-Marconnay. 1889. – Ahnentafel des
Carl Olivier Frhr von Beaulieu-Marconnay. In: Thüringer Heimatspiegel 9 (1932), S. 199 f.; 267–270.

Beaumarchais, Pierre-Augustin Caron de (1732
bis 1799), verfaßte, während eines bewegten,
oft abenteuerlichen Lebens, in dem Geldgeschäfte, Prozesse, Liebeshändel, politische Intrigen, buchhändlerische Unternehmungen an
sich schon große Ansprüche an die Lebenskraft stellten, neben funkelnden Denkschriften
in eigener Sache (den vier „Mémoires" gegen
den Parlamentsrat VGoëzman), die sich aber
als Schriften von politischer Tragweite aus-
weisen sollten und deren einer der *Clavigo-
Stoff entstammt, einige dramatische Werke:
„Eugénie" (1767), ein gutgebautes „bürgerliches Drama" im Sinne *Diderots; „Le barbier

de Séville" (1775), ein geistsprühendes Liebes-
intrigenstück, in dem er abgegriffenen Situationen und Psychologien seine eigene federnde
Verve einhaucht; „Le mariage de Figaro"(1778
vollendet, trotz des Widerstrebens Ludwigs
XVI. 1784 aufgeführt), noch ein Liebesintri-
genspiel, das durch die Gabe der Formulierung
und die Kühnheit – besser vielleicht: Unver-
frorenheit – des Verfassers zusammen mit der
vorrevolutionären Lage in *Frankreich zur gefährlichen sozialen Satire und Anklage wird
und trotzdem einen ungeheueren Erfolg hat,
und zwar gerade bei den darin angegriffenen
Adelskreisen; die Fortsetzung des „Mariage",
„La mère coupable" (1792), ist ein schwaches
Stück. – Goethe lernte „Eugénie" sehr schnell
kennen (1768: IV/1, 182), die er später als *dem
ehrbaren Bürger- und Familiensinn gemäß* definiert *(I/28, 194);* dem Verfasser der „Mémoires", diesem *avanturier françois,* fühlt er sich
durch *romantische Jugendkraft* merkwürdig
nahe, so daß der Wahl des *Clavigo*-Stoffes
mehr als ein stoffliches Interesse zugrunde
liegt; B.s *Charackter seine Taht ... amalgamirten ... sich mit Charackteren und Thaten*
Goethes (1774: *IV/2, 187);* 1776 heißt es:
Barb v Sev gelesen (III/1, 27); 1785 liest er
„Figaros Hochzeit" (IV/7, 11); 1796 die
„Mère coupable" (IV/11, 141): Der Mensch
B. hat Goethe durch seine Kraft, mochte sie
auch Starrköpfigkeit sein, gefesselt (Bdm. 4,
103f.); der Schriftsteller ist mit seinem durchsichtigen, geschliffenen Stil für ihn der Vorläufer eines PL*Courier (Bdm. 4, 349f.); die
Gesamterscheinung B.s, *Solche humoristische
Kühnheiten mit Geist und Sinn auf das Theater
gebracht,* sind ihm etwas wie ein Spiegelbild
seiner selbst in den Jugendjahren: ein Überschuß von unbekümmerter Lebenskraft und
-freude, der keinen *Zweck ... in der Ferne*
hat (1812: I/27, 115). So wirkt es symbolhaft,
wenn im Operntext „Tarare" (1786) zwei
Verse – „En désirant, je sens que je jouis, /
En jouissant, je sens que je désire" – an die
berühmten *Faust*-Verse vom Taumel zwischen
Begierde und *Genuß* erinnern (I/14, 164 V.
3249f.; gedichtet um 1788, doch ohne Beeinflussung durch B.: GoetheJb. 6, S. 398). Noch
1808 erinnert Goethe sich mit Bewunderung
an den funkelnden Polemiker B. (IV/20, 50),
der an Goethes *Clavigo die „Überladung
durch einen Zweikampf und ein Begräbnis"
tadelte, „additions qui montraient plus de
vide de tête que de talent" (GoetheJb. 2, S.
507).   *Fu*

AHallays: Beaumarchais. 1897. – JAAFrantzen:
Goethe und Beaumarchais. In: Neophilologus, 1
(1916), S. 44–72.

Beaumont, Christophe de (1703–1781), Erzbi-
schof von Paris, an den JJ*Rousseau seine
„Lettre à Christophe de Beaumont, archevê-
que de Paris" richtete (1763). Rousseau ver-
teidigt darin die religiöse Stellungnahme der
„Profession de foi du vicaire savoyard" im
„Émile", dh. den im Gefühl gegründeten Deis-
mus und Glauben an die Unsterblichkeit der
Seele, welche der Offenbarung durch heilige
Schriften nicht bedürfen; der *Lett a Mr. de
Beaumont* tritt außerdem mit überzeugter
Beredsamkeit für Gedankenfreiheit und Toleranz ein. – Goethes *Ephemerides* geben eine
Stelle dieser Schrift wieder (1770: I/37, 98).
                                               Fu
Beaumont, MmeLeprince de (1711–1780), französische Jugend-Schriftstellerin, deren Werke
zu lesen Goethe seiner Schwester Cornelie erlaubt (IV/1, 27: 32).   *Fu*
Beaumont-Fletcher, Francis Beaumont (1585–
1616) und John Fletcher (1579–1625), zwei
englische Autoren, deren Werke kaum voneinander zu trennen sind. Sie schreiben zahlreiche bühnenwirksame Stücke, vor allem Komödien (teils burlesken Charakters), waren in
ihrer Zeit auch führend auf dem Gebiet der
Tragikomödie. Im Rahmen des elisabethanischen Theaters (*Shakespeare) gehörten sie zu
den namhaften Zeitgenossen der jüngeren Generation und repräsentierten zu ihrem Teile
die damalige Blütezeit englischer Kultur mit,
selbst da, wo ihre Kunst „nur" eine Kräftig-
keit im Derben oder gar bloße Kraftmeierei
zu sein scheint. Für derlei gab es seit den Tagen der *Aufklärung, insbesondere seit der
gottschedschen *Harlekin-Verbrennung (1737)
in Deutschland kein ganz unbefangenes Organ
mehr.
Während der Zeit seiner *Theaterleitung notiert Goethe am 5. IV. 1796 *Probe* und am
21. IV. Vorstellung *Stille Wasser* (erste Vorstellung schon am 5. IV.?; III/2, 42; die Titel-
angabe hat zu manchen Zweifeln Anlaß gegeben); das Stück scheint sich bis 1798 auf
dem Spielplan gehalten zu haben und auch
1812 wieder gespielt worden zu sein (vgl. III/
2, 54; 206; III/4, 348). Wohl im Zusammenhang mit der Arbeit am dritten Teil von DuW
und an den ersten beiden Teilen von *Shakespeare und kein Ende!* entlieh Goethe am
13. III. 1813 das Buch: Englisches Theater.
Herausgegeben von ChrSchmid, 4 Bde, aus
der weimarer Bibliothek (Keudell Nr 841).
Bei der Tagebuch-Eintragung: *Englische Lustspiele. Der beste Mann von Beaumont und Flet-
scher* (17. III. 1813: III/5, 24) dürfte es sich
um eine Notiz aus diesem Werk handeln. In-

wieweit Goethes Kenntnis von Stücken dieser beiden Autoren sein Urteil über die von FL *Schröder bearbeiteten und in Hamburg aufgeführten englischen Lustspiele in *DuW* beeinflußt hat, läßt sich schwer feststellen (I/28, 194; 370; vgl. auch *MuR:* Hecker Nr 1341; Goethe Jb 12, S. 14).   *Sn*

Beaunoir, eigentlich Alexandre Louis Bertrand Robineau, bekannter unter dem anagrammatischen Pseudonym B. (1746–1823), französischer, sehr fruchtbarer und zu seiner Zeit recht beliebter Dramatiker, Verfasser des 1792 in Weimar in deutscher Bearbeitung („Das Muttersöhnchen oder Junker Fritz") aufgeführten „Fanfan et Colas" von 1784 (1792: I/36, 244).   *Fu*

Beauvais, Guillaume (1698–1773), Numismatiker, seinerzeit geschätzter Münzkenner, der in meist mehrbändigen Werken griechische und römische *Münzen und Medaillen behandelte. Goethe beabsichtigte, zur Vorbereitung seiner zweiten Reise nach Italien B.s *La manière de discerner les medailles antigues de celles gui sont contrefaites* bei seiner Beschäftigung mit Nachahmungen antiker Münzen zu benutzen *(I/34^{II}, 200)*. Es handelt sich dabei um einen Anhang zu B.s „Traité des finances et de la fausse monnaie des Romains auquel on a joint une Dissertation sur la manière de Discerner les médailles antiques d'avec les contrefaites", (1740) und um das von Goethe ebenfalls zitierte spätere dreibändige Werk „Histoire abrége des empereurs romains et grecs . . . pour lesquelles on a frappé des médailles" (1767).   *Lö*

Beauvais de Preau, Charles Nicolas (1745 bis 1794), französischer Arzt, Mitglied der Assemblée nationale, ist Gegenstand einer Gedächtnisrede GLChrFD Baron de *Cuviers, die Goethe vor dem 19. IX. 1826 in dem „Recueil des éloges historiques lus dans les séances publiques de l'Institut royal de France" (3 Bde, 1819–1827) las (IV/41, 168).   *Lö*

Beccafumi, Domenico, gen. Mecarino (1496 bis 1551), Maler, Bildhauer und Kupferstecher, fertigte 1517 bis 1525 Entwürfe für den Mosaikfußboden des Domes in Siena mit Szenen aus der Geschichte des Elias, König Ahabs und des Moses an, von denen LCosati 1739 drei Blätter reproduzierte; diese und eine neutestamentliche Darstellung befanden sich in Goethes Kunstsammlung.   *Lö*
Schuchardt Bd 1, S. 12. – ThB 3 (1909), S. 128–130.

Beccari, Agostino (1510?–1590), aus Ferrara, hat weniger als Jurist, mehr als Dichter Bedeutung. Im weiteren Rahmen der Bukolik

und der *Schäferspiele ist er derjenige, der hauptsächlich, und zwar durch seine favola pastorale „Il sacrificio" (1555), für die seit Matteo Maria Boiardo Graf von Scandiano (1434–1494) entwickelte Hirtenkomödie ein verbindliches Muster schuf. Es handelt sich dabei um die seinerzeit übrigens sehr geschätzte Form eines mehr lyrischen als dramatischen Idylls. Goethe las B.s Werkchen beschaulich am 30. XII. 1807, beim Abschluß eines Jahres also, das ihm während der karlsbader Sommerkur am Beispiel des *Longus (Daphnis und Chloe) erneut sowohl den *Reichthum von Motiven der Pastoralwelt* wie die *höchst geschickte Weise* eines alten Meisters in Erfassung und Gestaltung dieser Motive gezeigt und den Geschmack daran wieder erweckt hatte *(III/3, 244f.; 311)*.   *Za*

Beccaria, Baptista Giacomo (3. X. 1716 Mondovi bis 27. V. 1781 Turin), war zunächst Ordensgeistlicher, dann Professor der Philosophie in Rom, später in Palermo und ab 1784 Professor der Physik in Turin. Von Bedeutung sind seine Untersuchungen über die *Elektrizität und die von ihm 1759 begonnenen Gradmessungen in Piemont, bei denen er ua. den Einfluß der Alpen auf die Pendelabweichungen feststellte (1768). Im Zusammenhang mit seinen Untersuchungen über die Elektrizität wurde Goethe mit den Arbeiten B.s bekannt: *Pater Beccaria stellte einige Versuche an über die Wetterelektricität, wobei er den papiernen Drachen in die Höhe steigen ließ (II/I, 12)*. Goethes Ergebnisse über die *Wirkung farbiger Beleuchtung auf verschiedene Arten von Leuchtsteinen . . . will Beccaria anders gefunden haben (II/4, 323; 329)*. 1770 begann B. mit künstlich gefertigten Leuchtsteinen neue Versuche, deren Ergebnisse jedoch von verschiedenen Physikern nicht bestätigt werden konnten und die er, da sie auf einem Irrtum beruhten, später widerrief (ebda 330–334).   *Sl*

Beccaria, Cesare, Marchese de Bonesana, in Mailand 1738 geboren und 1794 gestorben, hier an der Akademie seit 1768 Professor des Staatsrechts, auf den verschiedensten Gebieten literarisch tätig, hat sich mit 26 Jahren weltweiten, noch heute anhaltenden Ruhm erworben durch sein 1764 – zunächst anonym – erschienenes Werk „Dei delitti e delle pene". Er hat damit eine neue Epoche kriminologischen Denkens und auch gesetzgeberischen Handelns eingeleitet. Der von ihm geführte Kampf galt der sinn- wie zwecklosen Grausamkeit der damaligen Strafrechtspflege und der Anwendung der Folter; der religiöse Vergeltungsgedanke wurde abgelehnt, statt dessen ein präventives *Strafrecht gewünscht und erstmals – was besonders kühn war – mit unwiderlegbaren Vernunftgründen die Abschaffung der *Todesstrafe gefordert. B. hat mit diesem kämpferischen Werk, das in 22 Sprachen übersetzt wurde, auf die *Aufklärung, zumal die französische (so auf d'*Alembert, *Diderot und besonders *Voltaire, der einen Kommentar dazu schrieb) eingewirkt. Auch in Deutschland hat das Buch vielfach begeisterte Zustimmung gefunden. Goethe läßt in bezug auf diesen *Humanitätslehrer* (I/ 53, 384), über den er sich in Neapel mit B.s Bewunderer *Filingieri unterhalten hat (I/31, 27), in den *Wanderjahren* (I/24, 96) Juliette *die Maximen einer allgemeinen Menschlichkeit* rühmen. Als der Dichter für seine Sammlung eine schon längst gewünschte Medaille mit dem Bildnis B.s von dessen Sohn erhalten hatte (1. Schuchardt II S. 134 Nr 1137), nannte er ihn in einem Brief an H*Mylius vom 11. X. 1829 einen *ausgezeichnet wirksamen und verehrten Mann* (IV/46, 103). Seine Einwirkung *in unsere Criminaljustiz* bezeichnete er in dem Brief an Zelter vom 15. II. 1830 *(IV/46, 244)* mit seinem hier vielleicht überraschenden Lieblingswort (JNickel: Goethe 19, 179-195.) *anmuthig*. Hat Goethe sich doch stets als Anhänger der Todesstrafe bekannt und oft sein Bedauern über fortschreitende Milderung des *Strafrechts geäußert.   *Fr*

Enciclopedia Italiana di sciente, lettere ed arti. Bd 6 (1938), S. 464.

Becherer, Johannes (gest. 1617), Rektor in der seinerzeitigen Reichsstadt (1251–1802) Mühlhausen, verfaßte für und neben seiner Wirksamkeit als praktischer Schulmann grammatische und etymologische Schriften. Sein ausgebreitetes, polyhistorisches Wissen dokumentierte er 1601 durch eine große Arbeit (Mühlhausen; Spieß): „Newe thüringische Chronica. Das ist: Historische Beschreibung, aller ihrer Könige, Hertzogen, Fürsten, Graffen und Stätte Ankunfft, Veränderung der Religion, und weltlichen Regierung: Auch gedenckwirdige Sachen der thüringischen Kriege ... Mit angeheffter warhaffter Genealogi und Stammlini der fürnembsten Keyser und königlichen Geschlechter, auch churfürstlichen Häuser, wie dieselben ... im gantzen Römischen Reich, biß auff dieses 1601. Jahrs [!], von Carolo Magno und König Widekindt auß Sachsen herkommen und erwachsen." – Goethe studierte B.s Werk während seiner Badekur in *Tennstedt hauptsächlich in der ersten Augusthälfte (1.–16./18. ?) 1816: *Dort interessirte*

mich nach meiner Gewohnheit Localität und Geschichte: denn eigentlich bewegt sich die thüringer Vorwelt viel an der Unstrut. Ich las daher die Thüringische Chronik, die an Ort und Stelle gar manches in deutlicher Localität erscheinen ließ (TuJ: I/36, 113). Briefentwurf an die Großherzogin Louise: *Die thüringischen alten Chroniken liest man hier recht an der Stelle, obgleich es immer schmerzhaft genug ist zu sehen wie das so schöne, über die Maßen frucht- und bewohnbare Land mehrere Jahrhunderte durch von Rohheit, Unverstand, Unzulänglichkeit und Verirrung auf das schrecklichste leiden mußte. Freylich giebt die übrige Welt in diesen Epochen auch keinen tröstlichen Anblick (7. VIII. 1816: IV/27, 136).* Brief an S*Boisserée: *Hier aber ist der eigentlichste classische Boden grenzenloser Absurditäten jeder Art. Religiöse, revolutionäre, fürstliche, städtische, edelmännische; dahingegen hört man von tüchtigen Menschen meist nur insofern sie zu Grunde gehen (7. VIII. 1816: IV/27, 139).* Der Ortsbezug, daß B. Rektor in Mühlhausen war und seine Chronica auch dort erschien, legt es nahe, daß Goethe dabei auch an den *Bauernkrieg und vor allem an das blutige Ende Thomas Münzers (27. V. 1525) vor den Toren Mühlhausens erinnert wurde; eine diesbezüglich nähere Notiz findet sich bei ihm aber nicht. Die Aufzeichnungen im Tagebuch vermerken sprachliche Eigentümlichkeiten (Miten *für Pfennig*; anfärben, den Rocken, *für anlegen*; das unruhe Weib; Der untreue Hatzen; Nobis Krug; wuschte er in Polen; Steuber); ferner einige anekdotische Kuriositäten (Bonif. fragt wann man Speck essen solle; Kays. Heinr. 1. lässt seinen Sieg über die Hunnen zu Merseburg mahlen; Fiel ein großer Stein wie ein Menschenkopf aus den Wolcken; Johannes de Temporibus stirbt 361 Jahr alt; welche jederzeit zwischen Maynz und Thüringen allerley Unwillen geseet und erwecket, auch oft auf der Straße Plackerey getrieben; Ao 450 circa werden die Juden in Creta durch einen falschen Moses ins Meer gesprengt; 1594 zu Spandau solcher Teufelsspuck verirrend viele Menschen; endlich einige Varianten zur Rattenfänger-Sage (*Ballade Sp. 639–641): Ziehen mehr denn tausend Kinder aus Erfurt nach Arnstadt, richten Tanz und Spiel an. Wer sie geführt hätte weiß man nicht. 1237. NB. Hameln in Sachsen 1378. NB. Die zahllos wandernden Schüler aus der Schweiz nach Deutschland, besond. Schlesien. Anfangs 1500. *1800 circa, zogen 800 Kinder aus dem Kanton Glarus auf gleiche Weise ohne Anführer durch Kriegsunruhen angeregt, aus, durch die*

Schweiz, wurden hie und da einzeln aufgenommen. Verlohren sich zuletzt im Elsas (III/5, 260 bis 262).   Za

WVulpius: Goethe in Thüringen. Stätten seines Lebens und Wirkens. 1955. S. 174 f.

Bechhofen (Pechhofen), mittelfränkisches Dorf, durchfuhr Goethe, aus der *Schweiz heimreisend, am 4. XI. 1797 (III/2, 192; RV S. 35).   Za

Bechtolsheim, 1) Johann Ludwig vMauchenheim, genannt Frhr vB. (22. I. 1725–1. IX. 1806), seit 1757 als Assessor bei der fürstlichen Regierung in *Gotha tätig, wurde 1759 zum Regierungsrat, 1764 zum Hofrat und schließlich im Oktober 1765 zum Oberamtshauptmann in *Georgenthal ernannt. Hier wirkte er bis zu seinem Ausscheiden aus dem Staatsdienst des Herzogtums *Sachsen-Gotha im Sommer 1776. Zur gleichen Zeit (Juli 1776) wurde er als Vizekanzler zur fürstlichen Regierung in *Eisenach berufen, 1781 zum Kanzler und Oberkonsistorialpräsidenten, 1784 zum Geheimen Rat und 1802 zum Kammerpräsidenten ernannt, so daß er, nachdem ihm 1778 noch die *Oberaufsicht über das Polizeiwesen im Landesteil Eisenach übertragen worden war, praktisch als fürstlicher Statthalter in Eisenach wirkte und residierte. Seine streng an herrenhuter Auffassungen sich anlehnende Lebenshaltung sowie sein temperamentvolles, keinen Widerspruch duldendes Wesen erleichterte den Umgang mit ihm keineswegs. Goethe kam mit B. durch dessen Ehefrau (2) in Verbindung. Am Neujahrstag 1776 traf er beide erstmals im Schloß *Stedten bei *Erfurt, wo ChrM*Wieland ihn in die Familie der Gräfin *Keller, die ihm gut bekannt war, einführte (vgl. Wielands Gedicht: „An Psychen"). In der Folgezeit waren es vornehmlich amtliche Fragen (*Amtliche Tätigkeit), die beide Männer zusammenführten (IV/30, 10), so zB. die Tagung der eisenacher Landstände im Sommer 1777, an der Goethe teilnahm (III/1, 46–51), oder der zwischen dem *meininger und dem weimarer Fürstenhaus schwebende Prozeß um die Besitz- und Nutzungsrechte an den *zillbacher Waldungen (WFlach in: Goethe 16 [1954], S. 86–88). Aufenthalte in Eisenach waren auch weiterhin ein willkommener Grund, um die freundschaftlichen persönlichen Beziehungen zur Familie des Kanzlers zu pflegen (III/1, 98), die allerdings nach Goethes Rückkehr aus Italien allmählich verblaßten.

–, 2) Juliane Auguste Christiane, genannt vB., geb. Gräfin Keller (21. VI. 1751 Stedten bei Erfurt bis 12. XII. 1847 Eisenach), seit 1774

30*

mit JLvB. (1) vermählt, war durch die Freundschaft, die ihre Mutter, die Gräfin AvKeller, mit dem von 1769 bis 1772 als Professor in Erfurt tätigen Wieland verband, mit dem weimarer Kreis um Anna Amalie ebenso wie mit dem Freundeskreis um Carl August, also auch mit Goethe, in Berührung gekommen und vertraut geworden.

Die erste Begegnung mit Goethe erfolgte während der ersten Tage 1776, als Wieland den Freund in das kellersche Haus einführte; diesen Besuch hat er selbst in seinem noch im Januar 1776 im „Teutschen Merkur" gedruckten Gedicht „An Psychen" festgehalten. JvB. meinte ihrerseits, daß Goethe „vielleicht eines der größten Genies ist, die jemals erschienen sind" (an ihrem Bruder DChrvKeller, 17. II. 1776). Schon zwei Wochen darauf, am 17. oder 18. I., weilte Goethe wieder in Stedten, diesmal in Begleitung einer Jagdgesellschaft unter der Anführung Carl Augusts, dem er als Bauer verkleidet die in Knittel-Versen verfaßte Bittschrift des *Sebastian Simpel* überreichte und damit den Herzog auf die Bedeutung des *Bauerntums hinwies (Goethe Bd 11, S. 62 bis 77). Während der folgenden Jahre verkehrte Goethe, wenn er sich in Eisenach aufhielt, regelmäßig im Hause der Familie B. (III/1, 46–51; 58). Besonders vertraut waren die Beziehungen während der letzten Jahre vor der *italienischen Reise. Im Oktober 1784 übersandte Goethe die Manuskripte zur *Iphigenie, zum *Tasso und zum *Wilhelm Meister und beteuerte, daß er *nur Danck und Danck sagen könne (IV/30, 32–34).* Nach der Rückkehr aus Italien lockerte sich die Verbindung; während der Kanonade von *Valmy erinnerte sich Goethe beim Anblick ihres Sohnes, der als Fahnenjunker am Feldzug teilnahm (3), der Freundin (I/33, 69), und aus dem *mainzer Lager versuchte er sie zu einem Brief zu ermuntern (IV/30, 50); eine nähere Bindung folgte jedoch nicht wieder. Erst fünfundzwanzig Jahre später kam es noch einmal zu näherem Umgang. JvB. hatte schon frühzeitig ihrer poetischen Begabung stärkere Aufmerksamkeit geschenkt. 1788 veröffentlichte sie eine Serie von Beiträgen im „Vossischen Musenalmanach". Seit Beginn des neuen Jahrhunderts, namentlich seitdem sie verwitwet war (1806), widmete sie sich immer mehr dieser Beschäftigung, wobei sie immer um den Anschluß an den weimarer Kreis bemüht blieb. Im März 1805 übersandte sie Proben ihres Schaffens an Wieland und Schiller, ohne sich entmutigen zu lassen, daß keine Rückantwort erfolgte.

Zu Beginn des Jahres 1819 wandte sie sich mit einigen ihrer dichterischen Versuche, einem Gedichtzyklus unter dem Titel „Weimars Meistersänger", an Goethe, der sie nicht abwies, sondern selbst Hand anlegte und korrigierte. Als er die Blätter zurücksandte, fügte er noch *einige* wenige eigene *Stanzen* bei, in denen er ihrer Bekanntschaft und insbesondere Wielands Gedicht „An Psychen" gedenkt (*III/6, 177*; 189; I/5^I, 120; vgl. I/5^{II}, 265; GoetheJb 15 [1894], S. 248–251). Als Goethes Schwiegertochter Ottilie 1829 die Zeitschrift „*Chaos" für Weimars literarische Liebhaber ins Leben rief, gehörte auch JvB. zu ihren Mitarbeitern. In der dem Gedächtnis der verstorbenen Großherzogin Louise gewidmeten Stück dieser Zeitschrift veröffentlichte JvB. eine Elegie, die Goethe *sehr artig* fand (*Bdm. 4, 258*). Trotz solcher gelegentlichen Bemerkungen beschränkte sich das gegenseitige Verhältnis auf die konventionell gebräuchlichen Formen, ohne daß die während des Jahrzehnts zwischen 1776 und 1786 vorherrschende Herzlichkeit wieder in Erscheinung getreten wäre. Auch die leider nicht erhaltenen *Briefe, von Goethe in späteren Jahren an JvB. gerichtet (III/7, 3; 76), dürften an diesem Bild kaum etwas ändern.

–, 3) Karl Emil, genannt Frhr vB. (1779–1811), Sohn von 1) und 2), 1792 Fahnenjunker im Kürassierregiment Weimar, trug in der Schlacht *In dem ersten Gliede der Eskadron . . . die Standarte . . .; er hielt sie fest, ward aber vom aufgeregten Pferde widerwärtig geschaukelt* (*I/33, 69*; vgl. Bdm. 2, 301). Goethe erinnerte sich bei seinem Anblick dessen Mutter, JvB. (2).

–, 4) Katharina Helene Alexandria, genannt vB., geb. du Roux Gräfin de Bueil (1787 bis 1825), Frau des Vorigen, lernte Goethe vor Oktober 1801 in Gotha kennen (Bdm. 1, 307).
Ha

Beck, Christian Daniel (1757–1832), philologischer Polyhistor, seit 1779 (1785 Prof.) an der Universität *Leipzig für griechische und lateinische Sprache, daneben auch in zahlreichen anderen Ämtern tätig. B.s *Euripides-Ausgabe benutzte Goethe zu Arbeiten über den euripideischen „Phaethon" (I/41^{II}, 245; IV/19, 460). In der Eigenschaft als Bücherkommissar unterzeichnete B. das Verbot der leipziger Bücherkommission gegen einen angeblichen *Nachdruck der cottaschen Ausgabe letzter Hand durch die hamburger Buchhandlung *Schubarth und Niemeyer und seine Aufhebung (1830: IV/47, 292; 295 f.).   *Rt*
Beck, Heinrich Valentin (1698–1758), seit 1735

städtischer Vizekapellmeister in *Frankfurt; Klavierlehrer der Mutter Goethes. Die ihm von BWolf zugeschriebenen Kantaten stammen von GPhTelemann (1681–1767).   *MB*
Beck, Johann Heinrich (1788–1875), Porträt- und Historienmaler, Schüler des F*Hartmann in *Dresden, fertigte eine Kopie nach *Raffaels sixtinischer Madonna an, an der ihn Goethe am 11. VIII. 1813 beschäftigt sah (III/5, 68). Seit 1818 war B. Hofmaler in *Dessau und Konservator der herzoglichen Kunstschätze.   *Lö*
ThB 3 (1909), S. 139.

Beck, Schauspielerfamilie des 18./19. Jahrhunderts, von der Goethe folgende Mitglieder kannte:

–, 1) Hans (eigentlich: Johann Christoph; geb. 1754 in Gotha), debütierte 1778 und kam nach Engagements bei der *seylerschen und *großmannschen Truppe und in *Mannheim im April 1793 nach Weimar, wo er bis Ostern 1800 engagiert war (vgl. 20. IV. 1800: IV/15, 61). Seine Begabung für das *Rollenfach des Niedrig-Komischen zeigte sich in der Darstellung des Schnaps in „Die beiden Billets" von A*Wall und veranlaßte Goethe, ihm die Rolle des Schnaps in *Der Bürgergeneral* auf den Leib zu schreiben (I/33, 264 f.; vgl. 369; 1793: I/35, 24). In „Wallensteins Lager" spielte B. den Bauern (I/40, 12), in „Die Piccolomini" den Astrologen Seni (ebda 65).

–, 2) Heinrich (19. II. 1760–6. V. 1803), gebürtig aus *Gotha, Bruder des Vorigen, Schauspieler, Regisseur und Bühnenschriftsteller, ging 1777 von der Schule zum Theater. Durch HKD*Ekhof und FW*Gotter angeleitet und gefördert, kam B. nach Ekhofs Tod mit JD*Beil und *Iffland als jugendlicher Liebhaber an das Nationaltheater in Mannheim und wurde dort der vorbildliche Darsteller dieses Faches (Hamlet, Ferdinand). Als „denkender" Künstler tat er sich in seinen Berichten für den von WHv*Dalberg geschaffenen Theaterausschuß hervor. Im September 1790 trat man wegen Übernahme der Bühnenleitung in Weimar an ihn heran, was sich nach seinem erfolgreichen Gastspiel im Dezember 1790/Januar 1791 wiederholte (4. I. 1791: III/2, 25; vgl. 1. I. 1791 *ein interessanter Ackteur, der denckt und sich Mühe giebt: IV/9, 239*; Goethe Stammbuchvers für B.: I/4, 229). B. lehnte jedoch ab. 1797 übernahm er nach Ifflands Abgang die *Regie, wurde 1799 nach *München berufen, hatte hier jedoch keinen Erfolg und kehrte 1801 nach Mannheim zurück. Nach Zwistigkeiten mit Dalberg wurde er 1803 pensioniert. B. war einer der ersten, der den Begriff Regie im modernen Sinne aufgefaßt hat. Er trat auch als dramatischer Autor hervor, dessen Lustspiele mehrfach unter Goethes *Theaterleitung in Weimar aufgeführt wurden: vor allem „Die Schachmaschine" (gedruckt 1798), die insgesamt 36mal in Weimar über die Bühne ging (ua. 11. XII. 1799: III/2, 274; 14. XI. 1803: III/3, 87; 8. II. 1808: ebda 317; 10. X. 1808: ebda 392; 5. II. 1816: III/5, 205), das 1793 herausgegebene Lustspiel „Alles aus Eigennutz" (29. II. 1808: III/3, 320; 2. XI. 1808: ebda 396), das nach *Shakespeares „Much Ado about Nothing" bearbeitete Stück „Die Quälgeister" (gedruckt 1797; aufgeführt am 17. IV. 1809: IV/ 4, 22; 6. III. 1811: ebda 189; 6. I. 1812: ebda 251; 25. I. 1817: III/6, 7), und schließlich „Rettung für Rettung" (1803; aufgeführt am 14. X. 1807: III/3, 285; 22. II. 1808: ebda 319).

HKnudsen: Heinrich Beck. Theatergeschichtliche Forschungen 24 (1912).

–, 3) Henriette, geb. Zeitheim, verwitwete Wallenstein (1744–24. II. 1833), gebürtig aus Greiz, Schauspielerin, Frau des Hans B. (–, 1), debütierte 1769 und war in Gotha, Mannheim, Hamburg, *Frankfurt/M. und *Mainz engagiert. Sie wurde auf Wunsch ihres Mannes, der 1793 nach Weimar gegangen war, (7. VII. 1793 aus dem Lager *Marienborn: VI/10, 90) Ostern 1794 in Weimar engagiert. Sie *füllte das in Ifflandischen und Kotzebue'schen Stücken wohlbedachte Fach gutmütiger und bösartiger Mütter, Schwestern, Tanten und Schließerinnen ganz vollkommen aus (I/35, 30; vgl. I/13ᴵ, 96)* und war als hervorragende realistische Vertreterin dieses Faches der zärtlichen, vor allem aber der komischen Alten Partnerin von CF*Malcolmi. Sie spielte bei der Uraufführung von „Wallensteins Lager" die Gustel von Blasewitz *(Marketenderin: I/40, 33)* und in *Was wir bringen* die *Mutter Marthe* (I/13ᴵ, 38), aber auch die Isabella in „Die Braut von Messina". Zur Abdeckung ihrer Schulden beantragte sie schon 1796 ihre Entlassung, um ein besseres Engagement annehmen zu können. Goethe lehnte ab, bewilligte ihr jedoch eine bedeutende Zulage zu ihrer Gage (IV/11, 330 f.; IV/12, 148), die er 1804 abermals erhöhte, wobei ihr die Hoftheaterkommission zugleich ein Kapital zur Tilgung ihrer Schulden vorschoß (IV/30, 79) und *dieser brauchbaren beliebten Schauspielerin* eine Pensionszusicherung gab *(IV/16, 375!)*. 1807 trat sie in Verhandlungen mit dem wiener Burgtheater, doch gelang es ihr nicht, sich aus den in Weimar eingegangenen finanziellen Verbindlichkeiten zu lösen (IV/19, 289;

III/3, 211 u. 276). Henriette B. wurde 1823 pensioniert und starb zehn Jahre später im Irrenhaus in Jena.

–, 4) Luise, eigentlich Schmidt, Schauspielerin, Tochter eines *lauchstädter Chirurgen, war eine Pflegetochter der Henriette B. (–, 3) und von Ostern 1812 bis Ostern 1827 am weimarer Theater engagiert. Am 30. I. 1816 spielte sie in *Des Epimenides Erwachen* einen der beiden *Genien (I/16, 333),* in der *Stella* das *Annchen* (vgl. I/40, 95 f.). Sie heiratete 1821 den Musiker CE*Hartknoch, mit dem sie 1827 nach Petersburg ging. Während der Zeit von Goethes Theaterleitung war sie wiederholt in dessen Hause zu Gast (1807 und 1809: III/3, 276; III/4, 38; 92; 93; 159; 174). *EF*

Beckenkamp *(Beckenkammp),* Kaspar Benedict (1747–1828), Landschafts- und Porträtmaler. Als Schüler des JZick noch lose mit der großen *Barocktradition verbunden, ist er in *Köln zu einer Zeit tätig, als man *bei der Freude an der altdeutschen Kunst ... Nachbildungen von Gemählden dieser Art* verlangte, so daß er St*Lochners Dombild mehrfach kop:erte und für seine Reproduktionen auch Käufer und Liebhaber fand. Goethe hoffte, *daß ein freithätiges uneingeschränktes Kunstleben in diesen Gegenden sich aus einer niemals ganz ausgestorbenen Vorzeit fröhlich entwickeln werde (I/34ᴵ, 80 f.).* *Lö*
ThB 3 (1909), S. 143.

Beckenried *(Beckerrieth),* schweizer Dörfchen am Südufer des *Vierwaldstätter Sees, bekannt als ehemaliger Versammlungsort der Waldkantone zu gemeinsamen Beratungen, erreichte Goethe nach einer Fahrt auf dem See, von *Altdorf kommend, am 6. X. 1797 *(III/2, 180;* RV S. 34). *Za*

Becker, Carl August (7. X. 1765 bis 19. XI. 1838), herzoglicher Geleitseinnehmer, dann großherzoglicher und fürstlich thurn- und taxisscher Postmeister in Jena. Am 30. XI. 1810 war er gemeinsam mit dem jenenser Stadtkommandanten (seit Frühjahr 1810) Oberst FLAv *Hendrich, mit dem (damals noch) Geheimen Regierungsrat (später Kanzler) ThAHF (v)*Müller, mit Hendrichs Haushälterin Fräulein Huber und mit Goethes Sohn August Tischgast zum Abendessen bei Goethe in Weimar (III/4, 169; vgl. auch UKM S. 213). *Ko*

Becker, Carl Wilhelm (1772–1830), als Sohn eines Weinhändlers in Speyer geboren, gestorben in Offenbach, ursprünglich Kaufmann, 1815 vom Fürsten von Isenburg zum Hofrat (vgl. III/5, 114) ernannt, war ein sehr gebildeter Kenner, Sammler und Amateurhändler auf allen Gebieten der Kunst und besonders der Numismatik. Goethe stand mit ihm von 1814(Besuch B.s bei Goethe in *Berka 21. VI.: III/5, 114) bis 1816 (letzter Brief an B. 16. IX.: III/5, 271) in lebhafter persönlicher und brieflicher Verbindung und erwarb von ihm (Brief Goethes vom 20. III. 1816 an JChr*Ehrmann mit der Bitte um *Münzen von Bronze auch vom 15. und 16. Jahrhundert: IV/ 26, 298) sehr bedeutende Münzen aus der besten neueren Zeit (IV/27, 65)* für seine Sammlung. Er erwähnt ihn anerkennend in *KuA (I/34I, 109f.: B.s Sammlung von Münzen, aller Zeiten . . . Gemählde . . . Bronzen und alterthümliche Kunstwerke;* vgl. 1. IX. 1815: III/5, 179) und in den *TuJ* (I/36, 97; 105; vgl. I/49I, 10). Mit einem Brief vom 6. VII. 1816 übersandte er ihm als Zeichen seiner Dankbarkeit die *Biographie Hackerts* und *Eine Kupfertafel von bedeutenden Münzen, die in . . . meinem Besitz sind (IV/27, 74;* vgl. III/5, 249). Am 7. V. 1816 werden die *Medaillen-Doubletten aufgezeichnet um sie an Herrn Becker nach Frankfurt zu schicken (III/5, 228),* die am 11. V. 1816 zusammen mit einem Exemplar des *Cellini abgeschickt wurden (ebda 230; eine Sendung, die versprochenen Abdrücke der alten Münzen: ebda 254).* B. war auch als *Medailleur höchst schätzenswerth (I/34I, 109),* er war nämlich ein unglaublich geschickter Stempelschneider, dessen Spezialität es war, seltene Münzen, vor allem antike, mit einem für jene Zeit geradezu bewundernswerten Stilgefühl, manchmal mit einigen erfundenen Änderungen, nachzuschneiden. Eine gefährliche Kunst! Goethe ahnte damals nicht, daß B. seine geradezu geniale Begabung auch zu einem schwunghaften betrügerischen Handel ausnützte. Er prägte seine Stempel nach alter Art mit dem Hammer aus, wobei er als Schrötlinge minder wertvolle alte Münzen verwendete, und gab seinen Erzeugnissen auf raffinierte Weise ein altes Aussehen. Seltsam und (kriminal-)psychologisch schwer erklärbar ist es, daß B. selbst gegen 1825, noch bevor seine Fälscherkünste durch Sestini 1826 allgemein bekannt geworden waren, ganz harmlos eine Liste seiner Prägungen als „Beckersche Suiten" mit beigesetzten mäßigen Preisen für Lehrzwecke erscheinen ließ, dabei aber weiterhin andere derartige Produkte, die nicht in seinem Katalog standen, als echt zu Liebhaberpreisen durch Mittelsmänner vertrieb. Ob Goethe von all dem erfahren hat – ihm selbst scheint B. keine Fälschungen aufgehängt zu haben – ist nicht überliefert. Man möchte es eigentlich annehmen, da noch zu seinen Lebzeiten in Deutschland ein Aufsatz „Über des Hofrat Becker Münzfälscherei" in „Archäologie und Kunst" (Breslau 1828) mit einem Brief von G*Cattaneo erschien. *Fr*

MPinder: Die Beckerschen falschen Münzen. 1843. – GFHill: Becker the Counterfeiter. 2 Bde. '1924, *1956. – BPick: Goethes Münzbelustigungen. In: JbGGes. 7 (1920), S. 195–227.

Becker, 1) Heinrich, eigentlich von Blumenthal (1764–21. V. 1822), gebürtig aus Kurland, Schauspieler, war in Weimar von Ostern 1791 (vgl. I/33, 249) bis Ostern 1809 engagiert, spielte jugendliche und ältere Charakterrollen, komische Rollen, im Anfang auch Liebhaber (I/36, 245). Er war Jago im „Othello", *Antonio* im *Tasso,* Truffaldino in „Diener zweier Herren" von C*Goldoni, Domingo in „Don Carlos", der *Weltgeistliche* in *Die natürliche Tochter,* der *Marquis* im *Groß-Cophta* (vgl. I/33, 263), *Vansen* im *Egmont,* Franz Moor in „Die Räuber" und Graf Burleigh in „Maria Stuart", sowie der *Wirt* in *Die Mitschuldigen* (1805: IV/17, 235) und bei der ersten Aufführung von „Wallensteins Lager" der zweite Jäger (I/40, 33; vgl. III/2, 247): Goethe fand, daß er *nicht an seinem Platze* war: *IV/14, 85).* In den „Piccolomini" *stellte B. uns den kaiserlichen Abgesandten im Lager mit Anstand und Würde dar, und glücklich wußte er die Klippe des Lächerlichen zu vermeiden, dem diese Höflingsfigur unter dem Hohn einer übermüthigen stolzen Soldateska leicht ausgesetzt war (I/40, 65).* Die Besetzung des Dorfrichters Adam in „Der zerbrochene Krug" mit B. (vgl. 28. VIII. 1807: IV/19, 403) trug allerdings wesentlich zum Mißerfolg des kleistschen Lustspiels bei. Anläßlich des leipziger Gastspiels 1807 (*Abstecherbühnen) zeigt B.s naturalistische Art, „Details zu malen", den Abstand von der jüngeren weimarer Schauspielergeneration. Er war seit 1796 auch Regisseur *(Wöchner)* und als solcher in vielseitigem persönlichen Verkehr mit Goethe. Mehrfach ist B. in späteren Jahren, gelegentlich mit Frau, Tischgast bei Goethe (13. und 20. XI. 1803: III/3, 87; 5. II. 1804: ebda 98; 13. IX. 1807: III/3, 275; 25. XII. 1807: III/3, 310). B. heiratete 1793 Christiane *Neumann, nach deren Tode 1803 Amalie Miller, geb. *Malcolmi, wurde von dieser 1805 geschieden (*Wolff) und heiratete 1807 Karoline *Ambrosch (Lebensdaten unbekannt). Während der Krise von Goethes *Theaterleitung 1808 tauchte vorübergehend der Plan auf, Schauspiel und Oper zu trennen und B. die Opernregie zu überlassen (IV/20, 262 f.). Nach Überwindung der Krise mußte jedoch B., der im Konflikt Goethes mit der Schau-

spielerin C*Jagemann auf seiten der letzteren
gestanden hatte, Ostern 1809 gehen, war aber
von 1818 bis 1820 erneut in Weimar engagiert.
–, 2) Corona (9. VI. 1794–7. V. 1825), Sängerin und Schauspielerin, Tochter des Heinrich
B. aus seiner ersten Ehe mit Christiane Neumann. Sie debütierte in Weimar 1804 und
übernahm seit November 1805 Kinderrollen
auf dem weimarer Hoftheater. Sie spielte in
„Das Ende des Cevennen-Krieges" von
Jv*Sinclair (III/3, 127). Als Tochter der unvergessenen Christiane Neumann und als Pa-
tenkind von Corona *Schröter zog Goethe sie
in seine Nähe (1806: III/3, 120; 125; 168).
1806 verließ sie die weimarer Bühne und heiratete 1808 vierzehnjährig den Sänger F*Werner. 1811 bis 1816 hatte sie zusammen mit
ihrem Mann ein Engagement in *Mannheim,
1817 bis 1825 am leipziger Stadttheater, wo
CB. als erste Sängerin, ihr Mann als Theater-
kassierer tätig war.   *EF*

Becker, Johannes (1769–1833), Botaniker in
*Offenbach, ab 1816 beim Senckenbergischen
Institut in *Frankfurt/M. Goethe lernte ihn
1814 bei seinem Aufenthalt in Frankfurt und
in Offenbach als Reorganisator des *Botanischen Gartens in Frankfurt kennen. Damals
war gerade ein Teil des Gartens *mit Beihülfe
des sehr geschickten Botanikers, Herrn Beckers
aus Offenbach, der aus Liebe zur Wissenschaft
mitwirkte, in systematische Ordnung gebracht
worden (I/34^I, 134f.).*   *Ba*
Becker, 1) Rudolf Zacharias (1759–1822), Zei-
tungsverleger und Tagesschriftsteller, in jungen Jahren Erzieher der dacherödischen Kinder (unter ihnen die spätere Caroline v*Humboldt), gab ua. das weitverbreitete und vor
allem in osteuropäische Sprachen übersetzte
„Not- und Hülfsbüchlein für Bauersleute" (2
Bde 1787/1798; BrMeyer 2, S. 44) sowie ein
„Mildheimisches Liederbuch" (1799) heraus;
B.s Sammlung alter deutscher Holzschnitte
entlieh Goethe 1814 (Keudell Nr 902). Er redigierte seit 1791 den „Anzeiger der Deutschen",
ein Tagblatt zum Behuf der Justiz, der Policei
und anderer bürgerlicher Gewerbe", ein *Edles
Organ, durch welches das deutsche Reich mit
sich selbst spricht! / Geistreich, wie es hinein
schallet, so schallt es heraus (I/5^I, 241;* vgl. ebda
246 gegen den Vorwurf der Fremdnamen in
Wilhelm Meister; ferner 250 f. und I/5^{II}, 352).
B. veröffentlichte 1811 einen Artikel „Der
deutsche Bund, eine geheime Gesellschaft",
der ihm eine siebzehnmonatige Gefängnis-
strafe durch die französische Besatzung eintrug („Leiden und Freuden in siebzehnmonat-
licher französischer Gefangenschaft", 1814).

Als „Allgemeiner Anzeiger der Deutschen"
(seit 1807) von seinem Sohn Friedrich Gottlieb B. (1792–1865), der sich als Hofrat und
Hofbuchhändler in *Gotha allgemeine Anerkennung errang, weitergeführt, nahm die Zeitung 1819 den Kampf gegen Av*Kotzebue
auf, indem sie sich für FL*Lindner einsetzte.
In den kotzebueschen Streit griff energisch
–, 2) Hans, der „Schwarze Becker", ein; vermutlich mit RZB. identisch, vertrat er in
seinen Beiträgen zum „Allgemeinen Anzeiger
der Deutschen" 1819, gegen den Geburtsadel
(*Adel/Adelung) heftig polemisierend, eine
betont patriotische Gesinnung mit dem Ziel,
ein einiges deutsches Reich wiederherzustellen (Nr 69, S. 737–744: „So fühl' ich und
denke, / So sprech' ich und lenke / Für Wahrheit und Treue / Im Alten und Neue / Nie
blöder! nein immer kecker, / Denn so ziem's
dem schwarzen Becker"). Nach der Ermordung Kotzebues durch KL*Sand am 23. III.
1819 fand letzterer in HB. einen unerschrok-
kenen Fürsprecher. Denn der „Schwarze
Becker" wollte, wie er am 25. V. 1819 im
„Allgemeinen Anzeiger" ankündigte, „ein
Werkchen betitelt: Auch meine Betrachtung
über Kotzebue und Sand. Mit beider Bildnisse . . . Unter Sand's Bildniß lieset man
seine eigenen Worte: Helfe mir die ewige
Wahrheit! Amen. Und unter Kotzebue's Bild
auch seine eigenen Worte: Die edle Lüge"
herausgeben (Nr 140, S. 1503), wahrscheinlich
in Jena. Dort hielt er sich nach dem Bericht
des jenaer Stadtrats vom an den Regierungs-
präsidenten PhWv*Motz 5. VI. 1819 seit Ende
Mai auf. Motz empfahl, ihn sofort zu entfernen, was am 6. VI. zu seiner Abreise führte;
Studenten steinigten ihn. Am 10. VI. 1819
kam *Hofrath Meyer* aus Jena, durch den
Goethe eine *Erzählung der Jenaischen Aben-
teuer in Betreff des schwarzen Beckers* erhielt
(III/7, 56). Da verschiedentlich – ua. in
Grimma („Allgemeiner Anzeiger", 1819,
Nr 245, S. 2634) – andere sich für den
„Schwarzen Becker" ausgaben, legte B. diese
Bezeichnung ab (ebda Nr 242, S. 2593).   *Lö*

Mitteilung des jenaer Stadtarchivs vom 31. VIII.
1956. – KSchottenloher: Flugblatt und Zeitung, ein
Wegweiser durch das gedruckte Tagesschrifttum.
1922, S. 342; 351. – PKummer: Sippen um Rudolf
Zacharias Becker. 1938.

Becker, Sophie (17. VI. 1754 Neu-Autz/Kur-
land bis 26. X. 1789 Halberstadt), Tochter
eines hochkultivierten protestantischen Pa-
storenhauses, in dem literarische, poetische,
musikalische Interessen fruchtbar und durch
steten Kontakt mit allen maßgeblichen Kräften der *baltischen Länder, aber auch der

deutschen und europäischen Bildungselite, überwiegend unter dem Zeichen der *Aufklärung, gepflegt wurden. SB. war in Kindheits- und Jugendfreundschaft verbunden mit den einige Jahre jüngeren Gräfinnen Elisa und Dorothea vMedem zu Alt-Autz (vd *Recke; *Kurland), besonders mit Elisa. Ihr ältester Bruder Bernhard mit seinen poetischen Anlagen und Erfolgen sowie ihre ausgedehnte deutsche, englische, französische Lektüre ließen auch sie zur Feder greifen. Ihre Stärke aber war gar nicht die Dichtung, sondern eher der Brief und am meisten der Bericht. Sie verstand es, gut zu beobachten. Tatsächlich machte sich SB. unter diesem ihrem Mädchennamen bekannt, indem sie selbdritt mit ihren Freundinnen Elisa vdRecke (seit 1776 geschieden) und Dorothea (seit 1779 verheiratet als Herzogin von Kurland) bahnbrechend für die Bildungsfreiheit der baltischen Frau wirkte, vornehmlich aber indem sie – eng verbunden mit diesen Bestrebungen – 1784–1786 als Begleiterin Elisas vdRecke eine Deutschland-Reise machte, über diese Reise Tagebuch führte (nicht ganz abgeschlossen) und dieses Tagebuch für die Publikation als „Lesebuch zur Bildung des Herzens für junge Frauenzimmer" zu überarbeiten begann. Diese Fassung erschien 1791 in Berlin als „Briefe einer Kurländerin auf einer Reise durch Deutschland". In ursprünglicher Gestalt, aber durch passende Briefe ergänzt, gaben GKaro und MGeyer das Werk erst 1884 in Stuttgart (Spemann) heraus: „Vor hundert Jahren, Elisa von der Reckes Reisen durch Deutschland 1784–86, nach dem Tagebuche ihrer Begleiterin Sophie Becker." SB. hatte keine Zeit mehr, diesem als Quellenwerk zur zeitgenössischen Geistesgeschichte (ChrA *Tiedge; JWL*Gleim; CE*Klamer-Schmidt; GA*Bürger; F*Nicolai; M*Mendelssohn) wertvollen Reisebericht weitere Veröffentlichungen größeren Umfanges folgen zu lassen. Sie heiratete 1787 Johann Ludwig Schwarz (1759–1830) und zog zu ihm nach Halberstadt, dort starb sie schon 1789 im Kindbett.
Goethe selbst, der sich *glücklich* pries, einer Einladung am Tage zuvor nicht gefolgt zu sein (28. XII. 1784: *IV/6, 421*), traf sie nur zufällig und ganz kurz bei Chv*Stein am 29. XII. 1784 bei einem konventionellen Diner (BrCharlotte Bd 2, 2 S. 661). SB.s Bericht läßt erkennen, daß Goethe sich bei dieser Gelegenheit, unlustig wie er war, nicht eben von seiner gewinnendsten Seite zeigte: „Er hatte etwas entsetzlich Steifes in seinem ganzen Betragen und spricht gar wenig. Es war mir immer, als

ob ihn seine Größe verlegen machte. Indessen behaupten Alle, die Goethe in der Nähe kennen, daß er in seinem Amte gewissenhaft und redlich ist, auch Arme heimlich unterstützt. Sein neuer Standort hat aber nach Derselben Zeugnis etwas Fremdes in sein Wesen hineingebracht, das Manche Stolz, Manche Schwachheit nennen" (WBode: Zeitgenossen Bd 1, S. 326). SB. war nicht klug genug, die Situation ganz zu durchschauen. Bei ihrem zweiten Aufenthalt in Weimar Anfang März 1785 als Gast der Gräfin ChEv*Bernstorff (1) sah sie Goethe ein „Viertelstündchen"; im Sommer 1785 auch in Karlsbad: „Er ist bloß an seinen schönen Augen aus dem großen Haufen auszufinden." *JP*

Becker, Theophilus Christian (in Wanfried 1709 geboren und 1780 gestorben), Dr. jur. und Advokat, daneben – wie damals viel vorkommend – Patrimonialrichter adliger Patrimonialgerichtsherren, mit den schönen Titeln Kommissionsrat und Reservatkommissar geschmückt, war Herausgeber einer mehrbändigen „Sammlung merkwürdiger Rechtsfälle aus verschiedenen Theilen der Rechtsgelehrsamkeit mit ihren Entscheidungsgründen" (Eisenach 1772–1779). Sie war für „angehende Rechtsgelehrte" bestimmt, die „bey Mangel eines Büchervorrathes wenigstens die erforderlichen Rechtsstellen daraus extrahieren mögen". (Heute kennt man etwas Ähnliches für Studierende in Gestalt von „Praktischen Rechtsfällen mit Lösungen"). Goethe hat die erste, 13 Fälle umfassende Sammlung des 1. Bandes in den FGA *(Morris 2, 311–313)* in jugendlichem Übermut mit einer recht boshaften Kritik zerrissen, wobei er die in der damaligen Jurisprudenz noch übliche barockschwulstige, mit lateinischen Zitaten und Belegstellen gespickte Schreibweise des Herausgebers ironisch nachgeahmt hat. Er meint zum Schluß, daß *diese Bogen . . . ungedruckt hätten bleiben können* und *ihre Fortsetzung, ne malum serpat, durch gütliche Wege zu decliniren sey.* Trotzdem hat es das heute rechts- und kulturhistorisch ganz interessante und amüsante Werk in wenigen Jahren auf 5 Bände gebracht. *Fr*
FWStrieder: Grundlage zu einer Hessischen Gelehrten und Schriftsteller Geschichte. Bd 1 (1781), S. 325 bis 327.
Becker, Wilhelm Gottlieb (1753–1813), Hofrat, Archäologe und Schriftsteller, Leiter der *Antiken-Sammlung in *Dresden, Verfasser des „Augusteum, Dresdens antike Denkmäler" (1804–1811), das Goethe mit H*Meyer durchging (III/3, 73), und des „Taschenbuches zum geselligen Vergnügen" (1791–1814),

war Goethes Kurgenosse im Sommer 1807 in
*Karlsbad: *Am Schloßbrunnen mit Hofrath
Becker, der von dem Unternehmen des Augu-
steums und von verschiedenen Medaillen-Cabi-
netten, auch von dem vorgewesenen Handel, das
Cabinet antiker Münzen in Smyrna betreffend,*
sprach (13. VIII. 1807: *III/3, 257 f.*). Schon
am 11. VIII. hatte Goethe B. und am 12. ihn
auch *mit seiner Familie* getroffen; am 13. ging
er *zu Hofrath Becker, dessen Frau ich fand
(ebda).* Über die von B. herausgegebene
Schrift mit den „schönen Abbildungen" („Das
Seifersdorfer Thal", 1792) unterrichtete Schiller am 23. XII. 1795 (Art A. Bd 20, S. 140);
doch Goethe nannte die dort entwickelte
*Gartenkunst das *Seifersdorfer Unwesen (IV/
10,355).* Vgl. JbSKip 9, S. 179–197. *Hm/Lö*

Beckmann, Johann (4. VI. 1739 Hoya/Han-
nover bis 3. II. 1811 Göttingen), studierte in
Göttingen zunächst Theologie, später Naturwissenschaften und Ökonomie. Von 1763 bis
1765 war er Lehrer für Mathematik, Physik
und Naturgeschichte am lutherischen St. Peter Gymnasium in St. Petersburg. Anschließend bereiste er Schweden, wo er von
Cv*Linné viele Anregungen erhielt. 1766
folgte er einem Ruf als Professor für Philosophie nach Göttingen und war daselbst ab
1770 Professor für Ökonomie; 1784 wurde er
Hofrat. B. begründete 1772 die Technologie
als Wissenschaft („Anleitung zur Technologie", 1772). Goethe traf B. am 9. VI. 1801
*Abends bey Eichhorn in großer Gesellschaft
(III/3, 20).* Von den zahlreichen Veröffentlichungen B.s über Landwirtschaft, Technologie, Warenkunde ua. war Goethe die Schrift
„De Historia naturali veterum libellus pri-
mus" (Petersburg und Göttingen 1766) bekannt (I/34[II], 167; 175; 189; 214; 232). *Sl*
ADB 2 (1875), S. 238. – NDB 1 (1953), S. 727.

Becquer, Gustavo Adolfo (1836–1870), der
bedeutendste spanische Lyriker des 19. Jahrhunderts – der „Erneuerer der spanischen Lyrik" (JRJimenez) – hat wichtigen Impulsen
der goetheschen Dichtung als erster die für
die hispanische Welt gültige Form gegeben.
Er wurde mit Goethes (und H*Heines) Werken durch EFSanz und AFerrán bekannt und
sah im goetheschen Lied den Beginn einer
neuen lyrischen Epoche. In seinen „Rimas"
finden sich Anklänge an goethesche Gedichte.
Werther findet ein Echo in seinen „Cartas de
mi celda", und auch die *Zueignung* des *Faust*
klingt in seiner „Introducción sinfonica"
nach. Wenngleich B. Heine näbersteht, so hat
er sich auch an Goethe orientiert und die
„Erlebnisdichtung" für die Hispania frucht-

bar gemacht. In der liedhaften Lyrik hat er
die Musikalität mit Rhythmus und Klang des
Verses nach eigener Aussage als neue Möglichkeit erkannt und ist damit zum Vorläufer
der modernen spanischen Dichtung geworden. *Ru*
JPDiaz: Gustavo Adolfo Becquer, Vida y Poesia.
1954. – DAlonso: La originalidad de Becquer. In:
Ensayos sobre poesia española. 1946.

Bedemar, Graf Edward Vargas (1768–1847),
geb. in *Magdeburg als Carl Grosse, studierte
1786 bis 1791 in *Göttingen Medizin, kam
später nach Dänemark und wurde als Graf
Vargas-B. königlicher Kammerherr. Verschiedene Reisen nach Skandinavien und Island
fanden ihren Niederschlag in einer Schrift
„Om vulcaniske Producter fra Island" (1817)
und der Beschreibung einer „Reise nach dem
Hohen Norden durch Schweden, Norwegen
und Lappland" (2 Bde, 1819/20). Mit Goethe
kam er in Berührung durch gelegentlichen
Mineralientausch. 1820 *verehrte mir . . . Graf
Bedemar, königlich dänischer Kammerherr,
schöne Opale von den Farö-Inseln (NS 2, 174
= I/36, 159),* wofür ihm *Serenissimi Medaille
(III/7, 202)* und ein *Diplom* zugesandt wurde
(16. VIII. 1820: *ebda 209).* Wegen B.s Aufnahme in die *mineralogische Gesellschaft
erbat Goethe ein *curriculum vitae des nordischen Freundes* bei JG*Lenz (11. X. 1824:
III/9, 280). *Bn*
DBL 25 (1943), S. 128–130.

Bedeutende Fördernis. Am 29. X. 1822 erhielt
Goethe von JChrFA*Heinroth, Professor der
„psychischen Heilkunde" und kgl.sächsischem
Hofrat in *Leipzig, dessen soeben erscheinen-
des „Lehrbuch der Anthropologie" als Geschenk (in der *Bücher-Vermehrungsliste* unter
dem Monat Dezember aufgeführt: III/8, 325).
Die Lektüre dieses inhaltlich für ihn nicht
durchaus erfreulichen Werkes (vgl. I/41[II], 163)
gab Goethe doch *Bedeutende Förderniß durch
ein einziges geistreiches Wort,* indem sie eine
*Verfahrungsart in Naturbetrachtungen (I/36,
218)* durch den Ausdruck „gegenständliches
Denken" charakterisierte. Goethe übernahm
diesen Ausdruck in sein sprachliches Eigentum. Wenn er nun selbst von seinem *gegenständlichen Denken* spricht, so regt er in seinem Aufsatz über die *Bedeutende Förderniß
durch ein* solches *einziges geistreiches Wort*
mit Gründen, die er bemerkenswerterweise nur
seinem *Balladen-Schaffen entnimmt, an,
ebendieses geistreiche Wort *auch ebenmäßig
auf eine gegenständliche Dichtung zu beziehen
(II/11, 60).* Er weist dadurch auf seine morphologisch konzipierte *Poetik hin, kraft deren er die Formen der *Dichtung* als *Naturfor-*

men versteht *(I/7, 118)*, mehr noch: verstehen lehrt und gerade die *Ballade* (gleichsam) als deren *lebendiges Ur-Ei* erfaßt und gestaltet (1821: *I/41^I, 224*). Heinroths Buch erreicht Goethe in einer Lebens- und Arbeitssituation, als er *eben bemüht war sein naturwissenschaftliches Heft zu Stande zu bringen (I/36, 218)*. Der Zeitzusammenhang zwischen 1821 und 1822 ist durchaus auch ein Problemzusammenhang. In der Weiterführung des Aufsatzes bespricht Goethe seine *Neigung zu Gelegenheitsgedichten*, seine *gränzenlose Bemühung*, vornehmlich *die französische Revolution, ... dieses schrecklichste aller Ereignisse in seinen Ursachen und Folgen dichterisch zu gewältigen*, sein Ringen um die *Idee der Pflanzenmetamorphose*, um die Schädellehre, um die Fragestellungen seiner *geognostischen Studien* – kurz um Probleme ebenso geistes- wie naturwissenschaftlicher und in dieser Doppeleigenschaft spezifisch goethescher Art: *Nun aber, durch das Wort gegenständlich ward ich auf einmal aufgeklärt, indem ich deutlich vor Augen sah, daß alle Gegenstände, die ich seit fünfzig Jahren betrachtet und untersucht hatte, gerade die Vorstellung und Überzeugung in mir erregen mußten, von denen ich jetzt nicht ablassen kann (II/11, 60–63).*   *Za*

Bedeutung, bedeuten, bedeutend. Diese Wortgruppe erhält zuerst in den *Wahlverwandtschaften* ihre eigentümliche goethesche Prägung. Ihre später dann immer häufigere Verwendung verleiht ihr einen besonderen Rang unter den Elementen von Goethes *Altersstil. Dort hat sie ihren Platz ganz in der Nähe des goetheschen *Symbol-Begriffs, diesen umschreibend und ergänzend oder auch zuweilen ersetzend. Zugrunde liegt das Wort ‚deuten‘ in seinem umfassenden Sinne als: zeigen, Zeichen geben, hinweisen, verweisen, auslegen. Jedoch im Gegensatz zum gebräuchlichen zeitgenössischen Doppelsinn von ‚bedeuten‘ allgemein als: ‚bezeichnen‘ (significare: den Sinn von etwas bedeuten wie noch bei GE*Lessing) und ‚auslegen‘ in rein begrifflicher Fixierung (interpretari) verleiht Goethe dem Wort ‚bedeuten‘ vornehmlich den Sinn von ‚ahnen lassen‘ und von ‚verweisen‘ auf das dem rationalen Begriff gerade sich Entziehende. B e d e u t u n g ist ihm der Gehalt, das Gewicht, die Kraft, die Macht, die einer Persönlichkeit, einem Geschehen, einer Sache als Erscheinung im ganzen zukommen können, und hat allgemein für ihn den Charakter einer exemplarischen, schlechthin überzeugenden Lebens- und Geisteskraft. So gehören ihm *Bedeutung und Kraft (I/47, 200)* und *höhere Be-*

deutung und kräftigere Wirkung (I/41^I, 367) zusammen. Zu *Wahl, Ordnung* und *Harmonie* muß als deren Bedingung *Bedeutung* treten *(I/46, 29)* und statt von ‚Inhalt und Form‘ spricht Goethe im analogen Sinne von *Bedeutung und Form (I/48, 118)*. Was Bedeutung hat, wem Bedeutung zukommt, das ist sich selber ausprägende, ausformende, sich zur Geltung bringende Wesensmacht und steht im Gegensatz zur flachen *Unbedeutenheit* bloßen unfreien Daseins und dessen Gewöhnlichkeit und toter Ordnung *(I/10, 270; Faust I: I/14, 88 V. 1861)*. *Bedeutung* ist das Ausgezeichnete, zu dem auch das *Dämonische* gehören kann, das mit dem Stigma der Größe, der *Bedeutenheit* überhaupt Versehene und deshalb mit dem Verstand nicht Meßbare, rational nicht Auflösbare. Hierin ist Goethes Begriff der *Bedeutung* seinem Symbol-Begriff eng verwandt und zugleich deutlich unterschieden vom Begriff der *Bedeutsamkeit*, der seinerseits mehr dem Allegorischen nahesteht. *Bedeutsamkeit* kommt etwas zu inbezug auf anderes. *Bedeutung* aber ist *Bedeutung* schlechthin wie das absolut Große Größe schlechthin ist im Gegensatz zur mathematischen stets komparativen Größe. Das Symbolische ist *bedeutend*, das Allegorische *bedeutsam*.

Auch das Verbum *bedeuten* benutzt Goethe außer in dem überlieferten gebräuchlichen Sinn des bloßen Bezeichnens und des Anweisens (jemandem etwas bedeuten, anbefehlen) mit dem Akzent des über das begrifflich Faßbare Hinausverweisenden: *Nur was bedeutet, läßt der Dichter sich gefallen (I/5^I, 110)*. In der Verwendungsart des Partizipiums *bedeutend* und dessen substantivierter Form: des *Bedeutenden*, der Lieblingsworte des alten Goethe, bestimmen sich zuletzt am deutlichsten Sinn und Charakter der ganzen Wortgruppe in der goetheschen Neuprägung: *Der Mahler ahmte die Natur offenbar nach; warum der Dichter nicht auch? Aber die Natur, wie sie vor uns liegt, kann doch nicht nachgeahmt werden: sie enthält so vieles Unbedeutende, Unwürdige, man muß also wählen; was aber bestimmt die Wahl? man muß das Bedeutende aufsuchen; was ist aber bedeutend? (I/27, 78)*. Das Neue, das Wunderbare sei es, so haben JJ*Bodmer und JJ*Breitinger geantwortet. Für Goethe aber ist das *Bedeutende* wie das Symbolische stets alldeutiges Zeichen für das nicht mit dem Verstand erkennbare Ganze, dieses beispiel- und gleichnisweise antizipierend (*Ballade), es ahnen lassend. Es ist das, was *an sich bedeutend* ist (26. VII. 1826: *Bdm. 3,*

280), aus dem anderes folgt oder zu erwarten ist. Es ist das, was *Nebengedanken* erregt *(I/27, 155)*, ‚was viel zu denken Anlaß gibt' (Kant) und im Denken von ihm doch nie bewältigt werden kann. Es zeigt sich als das Allgemeine im Besonderen, als das Überzeitliche im Zeitlichen. In der zeitlichen besonderen Gestalt des Neuen, Unerwarteten tritt es in Erscheinung. Das ‚Ungewöhnliche' ist sein Merkmal: sei es in der Gestalt eines *bedeutenden Mannes* *(I/33, 171)*, jener *bedeutenden Zustände* (29. X. 1823: *Bdm. 3, 32*) oder geschichtlich bedeutender Augenblicke wie *eines bedeutenden Gesprächs (I/23, 298)* bis zur *bedeutenden Förderniß durch ein einziges geistreiches Wort (II/ 11, 58)*. Was derart *bedeutend* ist, verweist zugleich stets über sich hinaus und rührt zuletzt an das Ganze des Seins als Leben in seiner ursprünglichen Macht: *Wir spielen mit Voraussagungen, Ahnungen und Träumen und machen dadurch das alltägliche Leben bedeutend. Aber wenn das Leben nun selbst bedeutend wird, wenn alles um uns sich bewegt und braust, dann wird das Gewitter durch jene Gespenster nur noch fürchterlicher (I/20, 192)*. Freilich: *gewöhnliche Menschen . . . sehen im Bedeutend-Ungewöhnlichen nur das Seltsame, im Seltenen . . . das Bedeutende zu erblicken dazu gehört schon mehr (I/25^I, 95 f.)*. Das wird nur dort erreicht, wo das Bedeutende und die Deutung sich ineinanderschlingen (vgl. auch IV/12, 244), wo der Deutende selber *bedeutend* ist und wo das Leben Geist und der Geist Leib wird. *Bedeutend* ist in Goethes Denkart also letztlich der Verweis auf das, worin *Subjekt und Objekt koinzidieren und ihren gemeinsamen Ursprung haben – ist der Verweis auf die unerkennbare Einheit allen Seins.   *Ro*

Beelen, westfälisches Dörfchen, das Goethe am 11. XII. 1792 auf der Rückreise von der *Campagne in Frankreich* durchquerte (RV S. 30). B. war einer der ersten Orte an der unbequemen Strecke zwischen *Münster und *Kassel: *Gar oft kein gebahnter Weg, man fuhr bald hüben, bald drüben, begegnete und kreuzte sich. Heidegebüsch und Gesträuche, Wurzelstumpfen, Sand, Moor und Binsen, eins so unbequem und unerfreulich wie das andere (I/33, 245;* Beisenherz).   *Za*

Beer *(Bär: III/9, 282)*, Michael (1800–1833), Sohn des Bankiers Jacob Herz B., jüngerer Bruder des Komponisten J*Meyerbeer, entstammte den aufstrebenden, schöngeistig interessierten und kultivierten Kreisen des berliner *Judentums. Bereits im Elternhaus stand er in regem Verkehr mit Theaterleuten. Außer *Berlin sind *Bonn, Wien, *München,

*Paris die Hauptstationen seines kurzen Lebens. In Berlin und Bonn war er noch Student, in München (1826) bereits ein so geschätzter Autor, daß er mithilfe seines dortigen Freundes Ev*Schenk durch König Ludwig I. ausgezeichnet wurde. Einen ersten Achtungserfolg als Theaterdichter errang er neunzehnjährig mit einer Aufführung seiner „Klytämnestra" durch die berliner Hofbühne (vgl. 25. VI. 1819: III/7, 61). Aus seinem späteren Schaffen ragen die Trauerspiele „Der Paria" (1823) und „Struensee" (1827; vgl. 3. III. 1828: III/11, 187) hervor. Seine Lustspiele fanden kaum Resonanz; als Lyriker wie als Epiker hat er überhaupt kein Gewicht. Literargeschichtlich gehört er zur Epigonengeneration zwischen *Klassik und *jungem Deutschland. Am 16. I. 1824 besuchte B. Goethe in Weimar; er wollte ihn für seinen „Paria" interessieren: „Die Erscheinung des Paria auf der Berliner Bühne ist von Ihnen... nicht unbemerkt geblieben, und so glaubte der schüchterne Autor . . . Ew. Excellenz mit dem Manuscript bekannt" machen zu dürfen (III/9, 392; vgl. 167). Aufgrund der Lektüre veranlaßte Goethe eine Rezension für *KuA* durch JP*Eckermann (22. II. 1824: Bdm. 3, 70; vgl. III/9, 182) und fügte selbst noch einen Anhang hinzu, in dem er neben dem b.schen Werke, das mit der Pariastellung des Judentums *den gedrücktesten aller Zustände bis zum tragischen Untergang* schildert *(I/41^{II}, 100)*, und neben einer französischen Tragödie (*Delavigne) auch seines eigenen Gedichtes *Paria* (1821/22: I/3, 7–16) zusammenfassend gedenkt: *Wundern darf es uns nicht, daß in unsern so manchem Widerstreit hingegebenen Tagen auch milde Stimmen sich hie und da hervorthun, welche, genau betrachtet, auf ein Höheres hinweisen, von wo ganz allein befriedigende Versöhnung zu hoffen ist (I/41^{II}, 102;* vgl. 23. II. 1824: III/9, 183). Am 15. X. 1824 war B. auf der Durchreise nach Bonn abermals bei Goethe in Weimar (III/9, 282). Goethe sorgte für eine Aufführung des Stückes am 6. XI. 1824 (III/9, 292), der er selbst beiwohnte (für 1831: III/13, 186); den Theaterzettel schickte er über Chr GD*Nees v Esenbeck: *Herrn Beer, den ich schönstens zu grüßen bitte, interessirt wohl unmittelbar mit Augen zu sehen, wie man sein Trauerspiel in Weimar vorbereitet und aufgeführt hat; man wünscht die Wiederholung, und frische Bemühungen der Schauspieler werden sie immer noch wünschenswerther machen; die Decoration durch Gunst des Herrn Grafen Brühl, völlig nach der berlinischen, verdiente zu Anfang und zu Ende allen Beyfall*

(IV/39, 11f.; vgl. 15. V. 1824: III/9, 218). Zu Eckermann äußerte sich Goethe über diese Aufmerksamkeit: *Das Leben ist kurz ... man muß sich einander einen Spaß zu machen suchen (9. XII. 1824: Bdm. 3, 147).* Das Leben B.s war wirklich kurz. Von seinen späteren Werken hat Goethe keine Notiz mehr genommen; der „Paria" interessierte ihn vornehmlich seines Themas wegen, dichterisch war er immerhin erlebnisstark genug, um echt wirken zu können: „Nur sei es uns erlaubt, anzudeuten, daß die Sprache ..., obgleich getränkt in Poesie, doch immer noch etwas Theatermäßiges an sich trägt und hie und da merken läßt, daß der Paria mehr unter berlinischen Coulissenbäumen als unter indischen Bananen aufgewachsen ... ist" (H*Heine: „Michael Beers Struensee", 1828). Tatsächlich hat sich keines der b.schen Werke wiederbeleben lassen.   *Za*

Beethoven, Ludwig van (1770–1827), geb. in *Bonn, gest. in *Wien, war der weitaus bedeutendste Musiker, mit dem Goethe persönlich Umgang gehabt hat – wenn man von der flüchtigen Begegnung mit dem Kinde *Mozart absieht (1763: I/28, 359). „Beethoven war klein und untersetzt. Stärke sprach aus dem ganzen Bau seines Körpers. Das Gesicht war breit, ziegelrot, erst gegen sein Lebensende wurde die Gesichtsfarbe kränklich gelb, besonders im Winter, wenn er ans Zimmer gebannt war, nicht mehr im Freien sich erging. Die Stirn war mächtig und zeigte seltsame Höcker. Tiefschwarzes, außerordentlich dichtes Haar, durch das scheinbar kein Kamm je einen Weg sich gebahnt hatte, sträubte sich nach allen Seiten, wie Schlangen um das Gorgonenhaupt (J*Russel, 1822). Das Leuchten der Augen war so außergewöhnlich, daß alle, die ihn sahen, davon ergriffen waren. Die meisten täuschten sich in ihrer Farbe. Da diese Augen von düsterem Glanz in einem dunklen, tragischen Antlitz strahlten, sah man sie gewöhnlich schwarz, sie waren indessen graublau (AvKloeber, 1818). Klein und sehr tiefliegend, öffneten sie sich plötzlich weit in der Leidenschaft, im Zorn, rollten wild und spiegelten alle Gedanken mit wunderbarer Wahrheit (WCMüller, 1820). Häufig suchten sie mit traurigem Blick den Himmel. Die Nase war kurz und eckig, breit, der eines Löwen nicht unähnlich, der Mund zart, aber die Unterlippe schob sich über die obere vor. Die mächtigen Kinnbacken hätten Nüsse zermalmen können. Ein tiefes Grübchen im Kinn, rechtsseitig, gab dem Antlitz eine seltsame Asymmetrie. Sein Lächeln sei gütig gewesen und

Beethoven selbst im Gespräch häufig liebenswürdig und ermutigend, sagt JMoscheles. Aber sein Lachen sei unangenehm, heftig und wie eine Grimasse, übrigens stets kurz, gewesen. Es war das Lachen eines Menschen, dem die Freude ungewohnt ist. Sein gewöhnlicher Ausdruck war Melancholie, ‚unheilbare Trauer'. HFL*Rellstab sagte im Jahre 1825, daß er seine ganze Kraft aufbieten müsse, um nicht zu weinen beim Anblick dieser sanften Augen und ihrem Ausdruck von Schmerz. Sein Gesicht veränderte sich indessen in den Augenblicken der plötzlichen Inspiration, die ihn unvorhergesehen, sogar auf der Straße überfielen, mitten unter den Vorübergehenden, die ihn anstarrten. Wenn er phantasierend am Klavier saß, schwollen die Muskeln in seinem Gesicht an, die Adern traten hervor, die ohnehin wilden Augen rollten noch einmal so heftig, der Mund zuckte, und Beethoven hatte das Aussehen eines Zauberers, der sich von Geistern überwältigt fühlt, die er selbst beschwor" (RRolland 1903; deutsch 1926; vgl. dazu die zeitgenössischen Äußerungen von KCzerny, JMoscheles, AvKloeber, DAAtterbohm, WCMüller, JRussel, JBenedict, JFRochlitz). „Zwischen 1796 und 1800 beginnt die Taubheit ihr Zerstörungswerk an ihm, Tag und Nacht litt er an Ohrensausen, dabei war er von Darmbeschwerden unaufhörlich geplagt. Sein Gehör nahm zusehends ab. Während mehrerer Jahre gestand er seine Schmerzen nicht einmal den besten Freunden. Er vermied die Berührung mit der Umwelt. Damit sein Gebrechen unbemerkt blieb, verschloß er das furchtbare Geheimnis in sich selbst. Erst im Jahre 1801 kann er es nicht länger verschweigen, verzweifelt gesteht er es seinen besten Freunden FGWegeler und KAmenda. Im Testament von 1802 sagt Beethoven, das Übel habe vor sechs Jahren begonnen, das würde also 1796 heißen. Der Katalog von Beethovens Werken bezeichnet nur op. 1, drei Trios, als von vor 1796 entstanden, op. 2, die ersten drei Klaviersonaten, erscheint im März 1796! Man kann also fast sagen, Beethoven habe sein ganzes Werk als ein Tauber geschrieben. Die Taubheit nahm zu, ohne je vollständig zu werden. Beethoven nahm die tiefen Laute besser wahr als die hohen. Man sagt, er habe sich in seinen letzten Jahren eines Holzstäbchens bedient, dessen eines Ende im Klavierkasten auflag, während er das andere zwischen seine Zähne nahm" (RRolland nach CGKunn, WNagel, ThvTrimmel). Die erste ganz lebendige Vorstellung dieser außergewöhnlichen Persönlichkeit gewann

Goethe 1810 aus einem Brief von B*Brentano, die B. in Wien besucht und nicht nur bei der Vertonung von *Kennst du das Land,* sondern auch bei der Arbeit an der großen *Egmont*-Musik angetroffen hatte – welche Gefühle mochten in Goethe bei dieser Kunde wach werden, nachdem Ph*Kaysers gleiches Unternehmen voreinst steckengeblieben war?! Anfang Mai 1811 kam als Besuch ein b.scher Intimus zum weimarer Dichter, Baron FvOliva, und spielte ihm Kompositionen (zB. „Gesang der Clärchen": *Freudvoll und leidvoll,* Tgb. SBoisserée) seines großen Freundes vor (III/4, 202f.). S*Boisserée hat die bezeichnenden Äußerungen Goethes über das Gehörte auf uns gebracht: „Er trat zu mir und wir kamen gleich in das angelegentlichste Gespräch über die alles zersprengende ins unendliche sich verliehrende Sehnsucht und Unruhe in der Musik, in diesen Malerischen Versuchen [PhO*Runge], in der Philosophie und in allem ... *Freilich das will alles umfassen und verliert sich darüber immer ins Elementarische, doch noch mit unendlichen Schönheiten im einzelnen* – gewissermaßen ein *Teufelszug* in halsbrecherisch-gnadenlosem Wechselspiel mit *Anmut und Herrlichkeit* (Firmenich-Richartz Bd 1, S. 386; *Bdm. 2, 122f.*). *Teplitz brachte im Juli 1812 (III/4, 304f.) die unmittelbare Begegnung beider Großen: Goethe suchte am 19. VII. den Musiker auf, der 63jährige den 42jährige!, und rühmte gegen Christiane: *Zusammengefaßter, energischer, inniger habe ich noch keinen Künstler gesehen. Ich begreife recht gut wie er gegen die Welt wunderlich stehn muß* (19. VII. 1812: *IV/23, 45;* vgl. III/4, 304). Am nächsten Abend fuhren der Dichter und B. zusammen spazieren, auf *Bilin zu (III/4, 304), und wieder einen Abend später saß Goethe in B.s Stube und lauschte seinen Klavierfantasien: *Er spielte köstlich,* trug Goethe ins Tagebuch ein *(ebda 305).* Am 23. VII. war er noch einmal bei B., und es könnte sein (ist aber für das Wesentliche belanglos), daß bei dieser Gelegenheit der Musiker dem Dichter tatsächlich die Rührungstränen als seiner nicht würdig verwiesen hat (wie später gefabelt worden ist) – derlei wäre aus beider Wesen verständlich, besonders wenn B. durch etliches Scherzogepolter die eigne Rührung hätte niederschlagen wollen, wie es seine Art war. Noch elf Jahre später hat Goethe gleichfalls *Den Götter-Werth der Töne wie der Thränen* zur Einheit gepaart *(I/4, 32).* Ende der Woche ging der Komponist nur *auf einige Tage,* wie er meinte, nach *Karlsbad *(IV/23, 47),* hielt sich dort aber länger auf, als es geplant gewesen war. Aus *Franzensbad berichtete er am 12. VIII. an seinen Schüler Erzherzog Rudolf: „Mit Goethe war ich viel zusammen." Drei Tage vorher hatte er an seine Verleger *Breitkopf und Härtel geschrieben: „Goethe behagt die Hofluft zu sehr, mehr als es einem Dichter geziemt. Es ist nicht viel mehr über die Lächerlichkeit der Virtuosen hier zu reden, wenn Dichter, die als die ersten Lehrer der Nation angesehen werden sollten, über diesem Schimmer alles andere vergessen können." Goethe schreibt: *Beethoven habe ich in Töplitz kennen gelernt. Sein Talent hat mich in Erstaunen gesetzt; allein er ist leider eine ganz ungebändigte Persönlichkeit, die zwar garnicht Unrecht hat, wenn sie die Welt detestabel findet, aber sie freylich dadurch weder für sich noch für andere genußreicher macht. Sehr zu entschuldigen ist er hingegen und sehr zu bedauern, da ihn sein Gehör verläßt, das vielleicht dem musicalischen Theil seines Wesens weniger als dem geselligen schadet. Er, der ohnehin laconischer Natur ist, wird es nun doppelt durch diesen Mangel* (2. IX. 1812 an CF*Zelter: *IV/23, 89).* Trotz einer hier aufklingenden gegenseitigen Enttäuschung suchte B. am 8. IX. den Dichter in Karlsbad wieder auf, am 12. fuhr Goethe nach Weimar zurück (III/4, 320f.; vgl. LA*Frankl in: „Wahrheit aus Goethes Leben": Bdm. 2, 154). Jedenfalls scheint B. nicht gemerkt zu haben, daß er durch sein Benehmen Goethe persönlich befremdet hätte, sondern hat 1822 dem ihn besuchenden Rochlitz nur Goethes rührende Fürsorge für ihn in jenen Tagen gerühmt.

B. wäre, wenn die allzuviel bemühte Szene, in der er Goethe den devoten Gruß vor dem Kaiserhofe verwiesen haben soll, tatsächlich in derartiger Grobheit stattgefunden hätte, 1823 nicht so zutrauensvoll dem Dichter wegen der Subskription zur „Missa solemnis" brieflich genaht (was dann wegen Goethes *Krankheit unerledigt blieb). Gewiß zeigt sein Gebrumm an Breitkopf und Härtel von 1812, daß er damals über Goethes höfische Gebundenheit gereizt war – aber das kann schon geschehen sein, wenn der Dichter etwa dem Vorschlag einer Verabredung mit ihm eine Einladung zur jungen kränkelnden Kaiserin Maria Ludovica vorgezogen haben sollte; mit dieser und mit deren Hofdame Gräfin *O'Donell verbanden Goethe intensive Verehrungsformen (*Barmekiden). Goethe wieder mag B.s *ungebändigte Persönlichkeit* durch Hörensagen oder aus dem Augenschein gegen Dritte *(detestable Welt!)* kennengelernt haben, ohne daß der Musiker dem abgöttisch verehrten Dichter persönlich zu nahe getreten zu sein brauchte. „Alle übrigen Geschichten gehören der Legende an, die eine Zeitlang bis zur unfreiwilligen Parodie auf das Wesen beider Männer ging und das ganze Zusammentreffen zu einem grotesken Disput zwischen einem flegelhaften Republikaner und einem empfindlichen aristokratischen Formenwächter herabwürdigte" (HAbert: „Goethe und die Musik", 1922).

Für B.s Geltung in Weimar zeugt überdies die Tatsache, daß seine Oper „Fidelio" am 25. IX. und am 9. XI. 1816 mit Erfolg aufgeführt wurde (III/5, 273; 285; IV/27, 226).

Besonders aber verdient noch jener Passus an CF*Zelter Erörterung, in dem Goethe bemerkt, daß B.s zunehmende Taubheit *vielleicht dem musicalischen Theil seines Wesens weniger als dem geselligen schadet.* Denn gegenüber dem seit damals üblichen Geseufz über das Martyrium des gehörlosen Musikers, in dem man den „Unglücklichen" der *Romantik bis auf den heutigen Tag zu feiern liebt, erkannte er scharfsichtig, wie wenig das versagende physische Ohr in die schöpferische Sphäre des Musikers einzugreifen vermocht hat – es ist, als hätte Goethe bereits HRiemanns „Lehre von den Tonvorstellungen" (1915/16) vorausgeahnt, nach der fast alles auf das innere Hören, auf den gestaltenden Willen des Musikers, und kaum etwas auf den realen Klangeindruck von außen her ankommt. Spätere Äußerungen Goethes gegenüber dem berliner Musiker F*Foerster (1821 über *Egmont:* Bdm. 2, 517 f.) oder HFLRellstab (1821: Bdm. 2, 556) oder Mv*Willemer (12. VII. 1821: IV/35, 8) zeigen, daß ihm eine deutliche Ahnung von dessen immenser Größe vorschwebte – aber es galt zugleich, was Zelter 1812 nachgesprochen hatte: „. . . ich bewundere ihn mit Schrecken" (vgl. 1819: IV/31, 45 und IV/32, 131).

JN*Hummel war ein ‚Beethovener'; auch von andern Seiten kam stets erneute Kunde ins Goethehaus über Ludwig van B.: der weimarer Reg. Rat ChrF*Schmidt verstand seine Klaviersonaten vorzüglich zu spielen (Bdm. 2, 558); die Österreicherin MvWillemer rühmte wiederholt als perfekte Musikerin das Genie des Tondichters (vielsagend zumal wegen seines Liederkreises „An die ferne Geliebte"). Obendrein hat Goethe dem Violinvirtuosen A*Boucher einen Empfehlungsbrief an B. mitgegeben, den dieser im April 1822 in Wien abgab, zunächst ohne den Tonsetzer anzutreffen. B. lief dann alle Hotels ab, um des Künstlers habhaft zu werden, den ihm „sein

lieber Goethe" empfohlen hatte, und behandelte den endlich Gefundenen mit Auszeichnung, was auch ein damaliger Brief F*Mendelssohns bestätigt. Als letzterer zwölfjährig (1821) zu Goethe kam, mußte er ua. ein b.sches Notenautogramm am Klavier entziffern (Bdm. 2, 562), und neun Jahre später suchte er Goethe durch Vorspielen von B.s c-moll-Sinfonie Nr 5 zu überzeugen. Er schrieb seinen Eltern: „Das (erste Stück) . . . berührte ihn ganz seltsam. Er sagte erst: *Das bewegt aber gar nichts, das macht nur staunen; das ist grandios!* Und dann brummte er so weiter und fing nach langer Zeit wieder an: *Das ist sehr groß, ganz toll! Man möchte sich fürchten, das Haus fiele ein. Und wenn das nun alle die Menschen zusammenspielen!* – Und bei Tische, mitten in einem andern Gespräch, fing er wieder damit an" (21.–25. V. 1830: *Bdm. 4, 274).* Das scheint ungefähr Goethes letztes B.-Erlebnis gewesen zu sein.

Innerhalb von B.s Schaffen hat Goethe eine schier beherrschende Rolle gespielt. B. kannte Goethes dichterische Werke von früh auf, und (wie MFriedlaender nachgewiesen hat), klingt sein berühmtes Heiligenstädter Testament von 1802 in mehreren Wendungen wörtlich an *Werthers Leiden* an. Seine schon 1796 entstandene Vertonung des Mailiedes *Wie herrlich leuchtet mir* wurde in sein op. 52 aufgenommen; von *Nur wer die Sehnsucht kennt* veröffentlichte er 1808 gleich vier Vertonungen. Vor allem versammelte er in op. 75 und 83 Goethe-Lieder, dazu trat die gesamte *Egmont*-Musik, aus der neben der Ouvertüre besonders die zwei Klärchenlieder berühmt geworden sind. B. schuf folgende Kompositionen zu Worten Goethes:

Mailied op. 52 Nr. 4. – Marmotte *Ich komme schon durch manches Land* op. 52, 7 (vor 1793). – *Nur wer die Sehnsucht kennt* 1–4 (um 1808). – *Mignon. | Kennst du das Land* op. 75, 1. – *Neue Liebe, neues Leben. | Herz, mein Herz* op. 75, 2. – *Wonne der Wehmuth. | Trocknet nicht* op. 83, 1. – *Sehnsucht. | Was zieht mir das Herz so* op. 83, 2. – *Mit einem gemahlten Band. | Kleine Blumen* op. 83, 3. – *Die Trommel gerühret* op. 84, 1. – *Freudvoll|Und leidvoll* op. 84, 4. – *Mephistos* Flohlied *| Es war einmal ein König* op. 75, 3. – *Erlkönig* (ohne op. Bruchstück, im „Kunstwart" um 1905 veröffentlicht). – Aus *Claudine: Mit Mädeln sich vertragen* (um 1790, MFriedlaender SGGes. Bd 11, S. 139, zu Nr 35). – *Ich denke dein* (Lied mitVeränderungen für Pianoforte 4-hdg.1799). Ist es zu bitter, wenn man mit RRolland zusammenfaßt und schließt:

„So gehen die Menschen aneinander vorbei und sehen sich nicht. Der eine, der Liebwerte, hat den andern nur zu kränken gewußt. Der andere, der zutiefst Verstehende, hat niemals den erkannt, wer ihm der Nächste war: den Größten, den Einzigen, der seinesgleichen, der seiner würdig war" (JbSKip. 7, S. 74)? *Mr*
Um die Begegnung beider Großen hat sich eine weiträumige Spezialliteratur gebildet. Hervorgehoben seien: RKoegel: Goethe und Beethoven. 1894. – WNagel: Goethe und Beethoven. 1902. – RRolland: Goethe und Beethoven. (Aus dem Französischen übersetzt von AKippenberg). In: JbSKip. 7 (1927/28), S. 9–74. – WNohl: Goethe und Beethoven. – OE Deutsch: Beethovens Goethe-Kompositionen. In: JbSKip. 8 (1930), S. 102–133. – WEngelsmann: Goethe und Beethoven. 1931; ²1936. – RBenz: Goethe und Beethoven. 1944 (zieht die weitesten kulturphilosophischen Folgerungen, die aber insofern auf unsicherem Boden stehen, als auch allen fragwürdigen Erzählungen der BBrentano-vArnim ein zu hoher Quellenwert beigemessen wird). – Ein besonderes Verdienst um die Feststellung des wahrscheinlich Wirklichen besitzt die B.-Biographie von GErnest (1920; ²1926). – RRoland: Beethoven (deutsch von LLangnese-Hug). 1926.

Beffroy de Reigny, Louis Abel (1757–1811; Pseudonym: Cousin Jacques), französischer Literat und Dramatiker; die meisten seiner Stücke sind form- und geistlose Schwänke, die aber für kurze Zeit sehr beliebt waren; B. ist am bekanntesten geworden durch sein „Dictionnaire néologique des hommes et des choses ... de la Révolution francaise" (1799), das die Konsulats-Regierung jedoch nicht bis zum Ende des Buchstabens C gelangen ließ. Goethe las es nach Entleihung aus der weimarischen *Bibliothek am 31. I. 1801 (III/3, 4).
Keudell Nr 239.   *Fu*

Befreiung des Prometheus. Nachdem der jugendliche Plan eines *Dramas *Prometheus* lange aufgegeben war, beschäftigte sich Goethe in den Jahren 1795 (bei einem Aufenthalt in Jena) und 1797 gelegentlich erneut mit dem Stoff, diesmal aus einer neuen Schau heraus und mit der Absicht, ein klassizistisches Werk „im alt-griechischen Geschmack" (Schiller an ChrG*Körner am 10. IV. 1795) zu schreiben. Erhalten sind von dieser Bemühung nur drei kleine Fragmente: ein *Chor der Nereiden,* drei Verse aus dem Munde des *Prometheus* und drei Verse, vermutlich dem *Helios* in den Mund gelegt, insgesamt nur 23 Verse. Das Drama sollte die B. d. P. darstellen und war als eine unmittelbare Fortsetzung zu dem „Gefesselten Prometheus" des *Äschylus gedacht, dessen eigene Fortsetzung verloren ist. Vermutlich ist die Arbeit über die erhaltenen Fragmente hinaus nicht gediehen. Der *Chor der Nereiden,* den Goethe 1797 Wv*Humboldt als Stilprobe für Schiller übergab, zeigt, daß sich das Werk formal sehr eng an das antike Vorbild anlehnen sollte. Über den Inhalt ist aus den erhaltenen Teilen nichts Wesentliches zu entnehmen, auch sonst nichts bekannt geworden (I/11, 333 f.).   *So*
Schillers Briefwechsel mit Körner. Hrsg. von KGoedeke. Bd 2. ²1878, S. 149.

Befruchtung, der Vorgang der geschlechtlichen Fortpflanzung oder Zeugung, ist für Goethe der Ausdruck einer inneren *Polarität des organischen Lebens. Die B. bei den Blütenpflanzen erscheint ihm als eine Art des Zusammenwachsens der *Einflüsse* der weiblichen und männlichen Teile. Er ist daher *nicht abgeneigt, die Verbindung der beiden Geschlechter eine geistige *Anastomose zu nennen;* hierdurch werden *die Begriffe von Wachsthum und Zeugung einander näher gerückt (11/6, 57f., § 63),* die Wesensgleichheit von *Fortpflanzung und Wachstum wird von neuer Seite bestätigt. In der *Analogie der weiblichen und männlichen Teile und der Auffassung der *Begattung* als *Anastomose* bestärkt ihn die Ähnlichkeit vieler Griffel mit Staubgefäßen und die vermeintliche Entstehung beider aus *Spiralgefäßen (ebda 61, § 69).* Bezüglich der Einzelheiten des B.svorgangs bei Pflanzen und Tieren ist zu berücksichtigen, daß das *Ei* als weiblicher Fortpflanzungskörper zunächst nur bei den Vögeln und einer Reihe von Insekten bekannt war, bei den Säugetieren als zur Fortpflanzung gehörig nur die Samentierchen und das Menstrualblut, erst seit CEv*Baers Entdeckung 1827 auch das Ei. Die Fortpflanzungsvorgänge – geschlechtliche wie ungeschlechtliche – der niederen Pflanzen und Tiere waren kaum erforscht, und der Schlüssel für ihre Klärung und für die Auffassung der B. als Verschmelzung zweier verschieden „polarisierter" Elementarteilchen, die Zellenlehre, wurde erst 1838 durch MSchleiden für die Pflanzen (noch mit falschen Vorstellungen über die Zellbildung), 1839 durch ThSchwann für die Tiere gefunden. Eine Hindeutung auf die Zellenlehre (im Zusammenhang mit der Fortpflanzung) findet sich bei Goethe insofern, als er einem Zitat aus einer *Rezension* über GWF*Wenderoths „Lehrbuch der Botanik" (1821) *in den Göttinger Anzeigen 22. Stück, 1822,* zustimmt, das dem Botaniker auferlegt, *Von dem ersten Bläschen an, woraus Pilz und Alge, wie das Samenkorn der höchsten Pflanze hervorgeht, den Gang der Entwicklung zu verfolgen (11/6, 224 f.).* Von einem Pflanzenei, einem Ei oder Eichen der Blütenpflanzen, spricht man schon zu Goethes Zeiten; und über R*Browns, Brognards und Michels Untersuchungen über die Entwicklung dieses „Eies" berichtet ChrGD*Nees vEsenbeck an

Goethe am 5. XI. 1830 (ThBratanek S. 171 bis 173). Doch handelt es sich hier nicht um die Eizelle, sondern um den mehrzelligen Komplex der Samenknospe aus Samenanlage und Integumenten. Goethes Auffassung der B. als einer Anastomose war zweifellos die damals bestmögliche Form der Vorwegnahme der wirklichen Verhältnisse. Diesen Vorgang der pflanzlichen B. denkt sich Goethe als die Einwirkung eines Saftes, dessen *Gefäße* die *Staubkügelchen* (Pollenkörner) sind, und der von den *Pistillen* (Stempeln), *an denen sich die Staubkügelchen anhängen, eingesogen* wird *(II|6, 58, § 64)*. (Die Nektarien erscheinen ihm daher als eine Art vorbereitende Werkzeuge hierfür, indem sie eine noch *nicht völlig determinirte Befruchtungs-Feuchtigkeit* absondern, die möglicherweise von den Staubgefäßen eingesogen und völlig ausgearbeitet werde: *II|6, 52, § 53;* vgl. 58, § 65; *Säftelehre). Die von Cv*Linné und Koelreuter in der *Botanik durchgesetzte Überzeugung von der geschlechtlichen Fortpflanzung der Blütenpflanzen, die Goethe teilte, wurde vorübergehend unter dem Einfluß FJ*Schelvers erschüttert. Schelver war ein begeisterter Anhänger der goetheschen *Metamorphosenlehre. Er faßte (seit 1812) die Bildung des Blütenstaubs als einen Vorgang der *Verstäubung auf, der nicht zu einer B. führe, sondern nur Ausdruck der Verfeinerung und Vergeistigung sei, die nach Goethes Säftelehre zu seiner physiologischen Erklärung der Vorgänge der Metamorphose gehört. Es schien Goethe möglich, daß die Verstäubung der Blütenpollen eine *Befreiung sei vom lästigen Stoff, damit die Fülle des eigentlichst Innern endlich, aus lebendiger Grundkraft, zu einer unendlichen Fortpflanzung sich hervorthue (II|6, 190).* Dabei spielte seltsamerweise für Goethe auch das (von Gegnern Linnés öfter erhobene) Bedenken eine Rolle, daß *bei'm Vortrag* der Botanik *gegen junge Personen und Frauen … die ewigen Hochzeiten, die man nicht los wird, … dem reinen Menschensinne völlig unerträglich* bleiben *(II|6, 194)*. Aber über diese Sublimierungstheorie seiner Säftelehre siegte inbezug auf die Blütenpflanzen bald wieder Goethes Polaritätsgedanke, und 1831 spricht er wieder unbefangen über die *Befruchtungswerkzeuge (II|7, 48)* der Blüte, sowie im Zusammenhang mit der Schilderung des interessanten B.svorgangs bei der Wasserpflanze *Vallisneria spiralis (Sumpfschraube) über *Die bedeutende Veränderung, welche nach der Befruchtung in allen Pflanzen vorgeht, und welche immer etwas auf Erstarrung hindeutet (ebda*

67). Goethe bringt den Gegensatz der Geschlechter mit dem Gegensatz von *Verticaltendenz* und *Spiraltendenz der Vegetation* (vgl. auch *Organisation) in enge Verbindung: die erstere sei *männlich*, die letztere *weiblich*, so daß man sich *die ganze Vegetation von der Wurzel auf androgynisch ingeheim verbunden vorstellen* könne. Goethe sieht darin die Verwirklichung der Polarität des Lebens, jenes inneren Gegensatzes, der (durch Zeugung eines immer neuen Lebensanfangs) *in einem höhern Sinne* sich immer wieder vereinige *(ebda 67f.)*.   *Ug*

Goethes Naturwissenschaftliche Correspondenz 1812 bis 1832. Hrsg. ThBratanek. Bd 2. 1874.

Bega, Cornelis (1620–1664), holländischer Genremaler und Radierer, Schüler des Avan *Ostade, tätig in Haarlem; Goethe besaß von ihm zwei Originalradierungen und eine Zeichnung.

Schuchardt 1, S. 147; 300.   *Lö*

Begas, Carl (1794–1854), Porträt- und Historienmaler; nach Jugendjahren in *Köln genoß er den Unterricht von Philippart in *Bonn und ging 1813 nach *Paris in das Atelier des JA Gros (1771–1835), zuletzt als Pensionär FriedrichWilhelms III. von *Preußen. 1821 vollendete er das Altarbild des berliner Domes, eine „Ausgießung des Hl. Geistes''. Ein 1821 in Köln geschaffenes Familienbild läßt deutlich den Einfluß von Bildern der *boisseréeschen Sammlung erkennen. Während seines Italienaufenthaltes (1822–1824) schloß er sich dem Kreis um B*Thorvaldsen an, dessen von B. 1823 geschaffenes Porträt mit der Marmorstatue der Spes und dem Ausblick auf die Ruinen der römischen Kaiserpaläste (Berlin, National-Galerie) Goethe in der *Lithographie von FLegrand durch L*Seidler kennenlernte (III/9, 143). B. stand den *Nazarenern nahe; besonders die Fresken *Giottos in *Padua beeindruckten ihn. Danach war B. in *Berlin tätig, wurde 1826 Professor und 1829 Mitglied des akademischen Senats und Lehrer für Komposition und Gewandung an der Akademie. Sein Stil, der sich auf der Grundlage des französischen Spätklassizismus und des deutschrömischen Nazarenertums entfaltete, wandelte sich nach Abklingen der römischen Einflüsse durch die Neigung zur spätromantischen Ritterpoesie ab, um nach 1840 in den berliner realistischen Stil einzumünden. Diese Anpassungsfähigkeit kam seiner Leistung als Porträtmaler zugute, dessen Hauptwerk das Zelter-Porträt im Goethehaus zu Weimar ist. Goethe hatte, vielleicht durch Ottilie, von B. gehört und bat *Zelter am 8. III. 1824 um sein Urteil über die *im Königlichen Schlosse, im

Pfeilersaale ... ausgestellten Gemälde der Herren Schadow und Begasse. Goethes eigenes Urteil, daß es zwei *hoch ausgebildete Künstler* seien, *die aber in der modernen Deutsch-Narrheit, der Frömmeley und Alterthümeley ihre besten Jahre verlieren* und darum *wahrscheinlich zu Grunde gehen (IV/38, 71),* setzt Mitteilungen anderer voraus. Erst 1827 trat B. wieder in den Gesichtskreis Goethes, der am 13. VIII. Zelters Porträt zum Geburtstag erhielt; *glücklich in der Hauptsache (III/11, 97),* erfreute es ihn um so mehr, weil *der willkommenste Gast im Bilde glücklich angelangt* war *(IV/43, 15).* Uneingeschränkte Freude am Gegenstand ließ Goethe jedoch, nachdem das Bild zum Fest des 28. neben dem Besuch König Ludwigs von *Bayern ein Höhepunkt gewesen war, nicht die künstlerische Problematik verkennen, die seiner Ansicht nach darin lag, daß die neuere Kunst nicht wie die *Musik ein allseits anerkanntes Vorbild in der Vergangenheit besaß. *Daher kommt denn, wie es Begassen ja auch gegangen ist, daß sie* [die modernen Künstler] *sich in allen Arten und Weisen versuchen, wodurch sie denn nicht früh genug dazu gelangen, die rechte Weise auszubilden und sich mit ihr vollkommen zu einigen.* Obgleich *eine falsche Conception auf den natürlichen Menschen ohne Wirkung bleibt,* gelingt es Goethe, vom Gegenständlichen her die Vorzüge des Porträts zu würdigen, *scheint* doch *der dargestellte Meister* – der sich dem Genuß nicht hingibt, sondern zugleich Richter ist – *sich vorwärts zu neigen, und sich doch wieder zurückzuhalten, woraus wirklich für den Blick eine Art von Bewegung entsteht, ... hiezu harmoniren alle Glieder, Formen und Umrisse (IV/43, 46–48).* Noch zustimmender ist Goethes Urteil über das Bild dem Künstler gegenüber: *es überrascht, wir staunen bey'm ersten Anblick, es waltet in der Einbildungskraft nach, man erinnert sich dessen gern und lebhaft.* Besonders dankt Goethe B., weil er ihm *einen Freund vergegenwärtigt, von welchem entfernt zu leben mir höchst schmerzlich bleibt;* mit *wahrhafter Anerkennung* werde er künftig B.s Namen *auszusprechen alle Ursache haben (IV/43, 43 f.).* Diese am 1. IX. 1827 gegebenen Urteile klingen noch in Briefen an Zelter nach, auch in einem Schreiben an ChrD*Rauch (IV/43, 69); in Weimar wurde das Bild häufig von Besuchern betrachtet. So freute sich K*Stieler, der im Mai 1828 Goethes Bildnis begann, *von Herrn Begas, dessen Namen er wohl kannte, eine so verdienstliche Arbeit zu sehen (IV/44, 107).* Goethe schenkte B. ein Velinexemplar seiner Werke (III/13, 146) und bestätigte des-

sen Freude hierüber in einem Brief an Zelter (IV/49, 128).
Das Bildnis Zelters wurde von LHeine lithographiert und fand in Berlin zu Goethes Freude allgemeinen Beifall (IV/49, 227). H*Meyers Kritik des Blattes in *KuA* (Bd 6, H. 2, S. 307) charakterisiert erstmals auch den ,,fröhlich blühenden Farbenton", ,,die kräftigen Schatten" – also das Formal-Künstlerische –, dem Goethe hinzufügte, *daß es als ein willkommenes Bild bey jedem frischen Anblick den Freunden und Verehrern des vorzüglichen Mannes erscheint (I/49^{II}, 253).* *Lö*
ThB 3 (1909), S. 181 f. – PFSchmidt: Biedermeier-Malerei, Zur Geschichte und Geistigkeit der deutschen Malerei in der ersten Hälfte des neunzehnten Jahrhunderts. 1923, S. 71.

Begnadigung, Erlaß oder Milderung einer gerichtlich erkannten Strafe durch den obersten Gerichtsherrn, spielte im Strafrecht unter der Jahrhunderte dauernden Herrschaft der Peinlichen Hals-Gerichtsordnung Kaiser Karls V. aus dem Jahre 1532 eine besonders bedeutsame Rolle. Die angedrohten und oft auch die verhängten Strafen an Leib und Seele waren so hart, daß in zunehmendem Maße die Landesfürsten Korrekturen an den Urteilen vornahmen, wozu ihnen ihr Bestätigungsrecht, dem jedes Urteil unterlag, die jederzeitige Möglichkeit gab. Der Willkür war bei solcher Kabinettsjustiz Tür und Tor offen. Willkür aber war Goethe verhaßt. So war er ein grundsätzlicher Gegner von B.en, wobei aber zu beachten ist, daß zu seiner Zeit unter der Wirkung der *Aufklärung die Praxis der Strafjustiz im allgemeinen Mittel und Wege zu finden wußte, allzu anachronistische Härten der zum Teil ja uralten Strafgesetze zu umgehen oder zu vermeiden. Wo aber, zB. beim *Kindsmord, noch die Todesstrafe als einzige Sühne geblieben war, war Goethe entsprechend seiner ganzen Einstellung zur Strafjustiz gegen jede B. Bei politischen und ähnlichen Delikten war seine Haltung nicht anders. So berichtet Kanzler Fv*Müller unter dem 16. III. 1824: ,,Göthe billigte nicht, daß Oestreich die Mailänder Verschwornen begnadigt habe, daß der König von Preußen die zwei Hallischen Studenten, die als Militairs widerspenstig gewesen, begnadigen wolle. Solche Gnade sey thörichte Schwachheit." Dazu als Begründung nur: ,,Jeder künftige Verbrecher denke dann durchzukommen" (UKM S. 106).
Gegen Ende seines Lebens hat Goethe auch anders gedacht, und zwar, als sein früherer Sekretär *Kräuter sich im Bibliotheksdienst irgendeiner Unregelmäßigkeit schuldig ge-

macht hatte. Da trat Goethe recht eifrig für eine B. im Wege der Abolition ein. *Bewirken Sie,* schrieb er am 2. XII. 1827 an den Kanzler v*Müller, *daß die Untersuchung niedergeschlagen werde, – so verspreche ich nie wieder die neuen Criminalisten wegen Milde zu tadeln (IV/50, 56).*

Vielleicht gedachte Goethe solchen Versprechens, als bei einem Tischgespräch am 14. II. 1831 die Rede darauf kam, „daß man jetzt auch in der Zurechnungsfähigkeit der Verbrecher anfange, weich und schlaff zu werden, und daß ärztliche Zeugnisse und Gutachten oft dahin gehen, dem Verbrecher an der verwirkten Strafe vorbeizuhelfen" (Bdm. 4, 331). Eckermann erwähnt jedenfalls nicht, daß Goethe seinem Arzte Dr. K*Vogel, der Wortführer bei diesem auch den Kindsmord berührenden gerichtsmedizinischen Gespräch gewesen zu sein scheint, diesmal ausdrücklich beigepflichtet habe.　　　　　　　　*Fr*

Béguelin, Nicolas (de), 1786 geadelt: B. von Lichterfelde (1714–1789), gebürtiger Schweizer, Jurist und Naturwissenschaftler, trat nach vorübergehender Tätigkeit am *Reichskammergericht in *Wetzlar in preußische Dienste und war zunächst Legationsrat in *Dresden, dann Hofmeister und Erzieher des Prinzen Friedrich Wilhelm (II.) von *Preußen und Inspektor des französischen Gymnasiums in *Berlin. Die Deutsche Akademie der Wissenschaften berief ihn 1747 als Mitglied; seit 1786 war er Direktor der Philosophischen Klasse. Unter den zahlreichen Schriften, die B. in der „Histoire de l'Académie Royale des Sciences et Belles Lettres' und in den „Nouveaux Mémoires . . ." zwischen 1749 und 1787 veröffentlichte, fanden Goethes Interesse wohl der „Essai d'une conciliation de la métaphysique de Leibnitz avec la physique de Newton, d'où résulte l'explication des phénomèns les plus généraux et les plus intéressans de la nature" (1766, in: „Histoire", S. 365–380), vor allem aber – wenn auch reserviert – das „Mémoire sur les ombres colorées", 1767 (ebda S. 27–40): *es ist nichts besonderes in seinen Erfahrungen, nichts entscheidendes in seiner Meynung,* schrieb Goethe an GChr*Lichtenberg (Okt. 1793: *IV/10 121),* der ihn in seinem Brief vom 7. X. auf die Arbeit B.s aufmerksam gemacht hatte. B.s Porträt malte A*Graff (Berlin, ehemaliges Hohenzollernmuseum).　　　　　　　　*Sl*

Verzeichnis der Abhandlungen der Königlich Preußischen Akademie der Wissenschaften von 1710–1870. 1871, S. 18–21. – AHarnack: Geschichte der Königlich Preußischen Akademie der Wissenschaften zu Berlin, 3 Bde. 1900, Bd 3, S. 14–16. – Lichtenbergs Briefe, hrsg. von ALeitzmann und CSchüddekopf, 3

Bde. Bd 3 (1904), S. 93. – EAmburger: Die Mitglieder der Deutschen Akademie der Wissenschaften zu Berlin 1700–1950. 1950. – Historisch-biographisches Lexikon der Schweiz 2 (1924), S. 78.

Behaghel, Carl (1713–1780), aus ursprünglich westflandrischer Familie, Bürger und Handelsmann zu Frankfurt, 1745 verheiratet mit Rahel Elise, einer Tochter des lothringischen Adelshauses de *Bassompierre, vielleicht dadurch in angeborener Großspurigkeit bestärkt, erbaute 1746/47 das Prachthaus Gallusgasse 12, das bereits 1761 Goethes Großoheim JMv*Loen kaufte. Völlig bankrott wurde er schließlich *Parfümeur (Morris 5, 209)* und Arzneimittelhändler. Marktschreierische Reklame („Journal in Frankfurt am Mayn", zB. 1775) machte ihn zur stadtbekannten Figur. Auch Goethes Vater kaufte bei ihm. Goethe selbst verewigte ihn in *Hanswursts Hochzeit* (Morris 5, 205; 209). In der „ungeheuerlichen rabelaismäßigen Reihe von Spott- und Ekelnamen . . . aus der derbsten mündlichen und gedruckten Volkssprache" (Morris 6, 471) nimmt sich der bürgerliche Name B. zunächst „ganz unschuldig" aus, aber der junge Goethe stempelt ihn zum Schelmen und Narren im Sinne der *Commedia dell'arte (GoetheJb 28, S. 209 f.).　*Za*

Beham, Hans Sebald (1500–1550), Maler und Kupferstecher in Nürnberg in der Art des Albrecht *Dürer, fertigte Stiche und Holzschnitte mit biblischen und mythologischen, zT. aber auch derb aufgefaßte Genreszenen, von denen Goethe mehrere Blätter und eine Zeichnung besaß.　　　　　　　　*Lö*

Schuchardt 1, S. 107; 258. – ThB 3 (1909), S. 193 bis 195.

Behr, Isaschar Falkensohn (1746–1781), geb. in Salantin (Salanty?; Polen), gest. in dem Tebber-Städtchen Hasenpot (Distriktshauptstadt in Kurland), promovierter Doctor der Medizin und Pharmazie, Arzt, hatte zumindest örtlich und wohl auch noch darüber hinaus in den Nachbargebieten der *baltischen Länder eine gewisse aktive Bedeutung für Wert und Würde deutscher Kultur im Osten. 1771 veröffentlichte er zu Mitau eigene poetische Versuche: „Gedichte von einem polnischen Juden", 1772 ebenda: „Anhang zu diesen Gedichten". Damit hatte er seine schöpferischen Grenzen überschätzt und überschritten. Was in dem engeren Rahmen Kurlands oder allenfalls der baltischen Länder noch zu interessieren, vielleicht zu wirken und zu gelten vermochte, verlor dergestalt seinen funktionalen Sinn, sobald es mehr Licht beanspruchte. Goethe hat in einer nachweislich von ihm stammenden Rezension der FGA

1772 mit Entschiedenheit und sogar mit Schärfe gegen die allzu mittelmäßige und redselige *Selbstgefälligkeit* opponiert. Zugleich aber – und das ist wichtiger – meldet sich in Goethes Stellungnahme eine andere Generation zum Wort – eine wirkliche Jugend, die nichts mehr hält von den mehr oder weniger galanten Amouren anakreontischer Rokoko-Reminiszenzen. Einem solchen durchaus nicht mehr zeitgemäßen *petit volage,* und sei es *ein hübscher junger Mensch gepudert und mit glattem Kinn, und grünem goldbesetzten Rock* mit seinen *wichtigen Erfahrungen am weiblichen Geschlecht,* dieser *Göttern und Menschen verhaßten Mittelmäßigkeit,* hält der 23jährige Goethe in flammenden Worten das visionäre Bild eines jungen Mannes und eines jungen Weibes entgegen, in denen und zwischen denen die Liebe kein tändelndes Spiel *bunter Seifenblasenideale* mehr ist, sondern weltenschaffende Urgewalt, in der die Zweiung zu einem *Inbegriff von Glückseligkeit* verschmilzt und – verbrennt. Die Rezension schließt mit dem Wunsche an B., *daß er uns auf denen Wegen, wo wir unser Ideal suchen, einmal wieder, und geistiger begegnen möge (I/37, 221–225).* Goethe wußte damals noch nicht, wie sehr er mit seinem visionären Bilde eigentlich ein Selbstbildnis entworfen hatte. B. aber hat nie wieder ein Gedicht veröffentlicht.   *Za*

Behringer, ein Gerbermeister in *Winkel am *Rhein, Nachbar der *Brentanos. Goethe unterhielt sich mit ihm am 6. IX. 1814 über Einzelheiten seines Handwerks (Materialfragen und Arbeitsvorgänge); auch erfuhr er von ihm mit Interesse mundartliche *Sprichwörter und Redensarten (III/5, 130).   *Za*

Behrisch, angesehene und zumindest in einer Generation wohlhabende Bürgerfamilie aus und um *Dresden. Die B.s wurden wohl schon durch August den Starken (Friedrich August I.) in den königlich/kurfürstlich sächsischen Hofdienst hineingezogen. Sie arrivierten mit Ausdauer, Tatkraft, Geschick und zeigten bemerkenswerte Anlagen zu Kavaliers-Usancen. Friedrich August II. bestätigte und förderte sie weiter (seit 1733). Sein Einfluß bewirkte etwas stärkere Bemühungen im Sinne bildungsaristokratischer und damit auch höfisch-kultureller Repräsentationspflichten. Die B.s haben diesem (hoch- und spätbarocken) Lebensstil und seinen Anforderungen nicht auf die Dauer entsprechen können. Spätestens in der dritten Generation begann der Zusammenbruch. Gerade dieser Generation trat Goethe als junger Student in *Leipzig nahe. Er verband sich mit dem ältesten der jünge-

ren Brüder (4) in intensiver Jugendfreundschaft. Die Eltern kannte er jedenfalls vom Hören-Sagen, die Mutter (2) gewiß auch persönlich:

–, 1) Wolfgang Albrecht († 1768), königlich/kurfürstlich sächsischer Hofrat, pflegte und forderte „viel Rittersitte", kaufte gern verfallene Güter, brachte sie in zehn- oder zwölfjähriger Verwaltung wieder in die Höhe, verkaufte sie alsdann mit großem Gewinn und erwarb dergestalt ein erhebliches Vermögen: „Mit drey Gütern war es ihm gelungen: beim vierten hinderten die Verwüstungen des Siebenjährigen Kriegs und sein Podagra die Ausführung eines Plans, der wie alle Plane Glükk und Zeit erforderte" (KElze 1, S. 53). Die Kavaliers-Usancen äußerten sich vielfach, zB. im Gutsbetrieb, in Bauart und Ausstattung der Gutshäuser, in der Geselligkeit („Die Anwesenden pokulirten den guten Rheinwein aus goldenen oder vergoldeten Bechern; denn daran war wie an andern Humpen im großen Büffet kein Mangel": ebda S. 53), in der Erziehungsweise der Söhne, überhaupt in einer vielleicht etwas parvenuhaft hochgetriebenen, bisweilen bizarr erscheinenden, betont selbstherrlich, ja despotisch ausgelebten Quasi-Junkerlichkeit, dh. in einer zutiefst doch bürgerlich bleibenden und mit bürgerlichem Ordnungs-, Erwerbs- und Sparsinn betriebenen Kopie des Grafen Heinrich v*Brühl (1700 bis 1763). Der jüngste Sohn, Heinrich Wolfgang, hat den Autokratismus und Despotismus des Vaters nach Prinzip wie Instrument mit wenig liebevoller Kritik gekennzeichnet: „Die Geißelung mit dem Ochsenziemer war übrigens das probateste Hausmittel meines Vaters; er gründete die Rationalität seines Verfahrens auf die Stelle Jesaias I, 3: Ein Ochse kennt seinen Herrn und ein Esel die Krippe seines Herrn" (ebda S. 54). Die Hofmeister sollten sich gegenüber den Söhnen entsprechender Maximen und Methoden befleißigen: „Herr Magister, Sie müssen die Jungens nicht so viel herumhauzen lassen und sie besser in Disziplin halten. Des Tages eine Stunde, das ist genug. Überhaupt scharf halten, scharf: die Karwatsche muß nie aus Ihren Händen kommen: die Jungens haben zu viel Freiheit" (WHosäus S. 15). Dem solcherart gewiß leicht kritisierbaren, durchaus absolutistischen Vatergeist antwortete die Sohnesgeneration mit mehr oder weniger scharfem Protest im Sinne der sich geltend machenden *Aufklärung. Ihre Liebe gehörte ehrlicher, eigentlicher der Mutter

–, 2) Salome Charitas, geb. Lösche († 1790), mit der sich besonders Goethes Jugendfreund

(4) verbunden fühlte; auch sie scheint diesem unter ihren Söhnen am meisten zugetan gewesen zu sein und lebte seit 1774 bei und mit ihm in Dessau. – Goethe mag Februar/März 1768 auch das Haus B. während seiner Dresden-Reise aufgesucht haben (Morris 1, 206); –, 3) vermutlich beider ältester Sohn, Vornamen nicht bekannt, wegen seines höheren Alters vielleicht ohne wirklichen Lebenszusammenhang mit den anderen Brüdern (1732 bis 1767), Regierungsrat im Dienst des Landgrafen Carl von *Hessen-Philippsthal: „1767 den 25. Martij des Abends starb hier im Fürstenhauß der Fürstl. Herr Rath Behrisch und wurde den 28. begraben, alt 34½ Jahr 12 Tage" (Eintragung im Hofkirchenbuch Philippsthal); er folgte nach knapp einem Jahre seiner früh verstorbenen Braut: „1766 den 20. April starb Jgfer Philippine Christiana Cappin des Herrn Rath Cappens ehel. Jfer Tochter und Verlobte Braut des Herrn Rath Behrisch und wurde den 23. begraben, alt 18 Jahre 8 Monate" (Eintragung im Hofkirchenbuch Philippsthal). Goethe schickte seiner Schwester Cornelia schon am 11. V. 1767 die *Elegie auf den Tod des Bruders meines Freundes* (*Morris 1, 226–229*, vgl. auch I/37, 33–35; dazu Morris 1, 160). Die zitierten Eintragungen im Hofkirchenbuch Philippsthal sowie eine unmittelbar eingeholte Auskunft der Behörde in Philippsthal (Morris 6, 34) bestätigen die inhaltlichen Voraussetzungen der goetheschen *Elegie nicht. Die Verlobte starb vor dem Verlobten, sie kann also nicht als *Verlassene, ohne Trost, mit ängstlicher Gebehrde, zu Gott gekehrt, an der Erde* liegen und in verzweifeltem Gebet um sein Leben oder ihren Tod flehen *(Morris 1, 227)*. Auch wissen die Akten nichts, auch nichts Andeutendes darüber, daß der *Fürst* den Verlobten *tyrannisch von ihrer Seite riß* und durch eine solche despotisch-brutale Trennung den Liebenden verwehrte, *im hochzeitlichen Kleide zum Altar zu ziehen* (Morris 6, 34; *1, 227*). Beides sind Zutaten Goethes, die sich teils aus seinem damaligen Verständnis der Elegie als poetischer Gattung, teils aus der gleichzeitig impulsierenden In-tyrannos-Mentalität herleiten lassen (Morris 6, 34); nicht unmöglich, daß diese Zutaten durch den Freund in Erinnerung an die tyrannische Natur des Vaters (1) mitveranlaßt wurden und damit zugleich ein Zeugnis der Zuneigung zu seinem ältesten Bruder sind;

–, 4) Ernst Wolfgang (1738–1809), Goethes Jugendfreund aus der Studentenzeit in Leipzig, in der Reihe der an Lebensalter überlegenen, bedeutungsvoll gewordenen, auch lange gebliebenen Freunde Goethes der erste (vgl. dazu auch JD*Salzmann, JG*Herder, JH *Merck). EW war der älteste der jüngeren Söhne seiner Eltern und stand ihnen gebieterisch voran. Er „hatte ... nicht nur durch seine Jahre, sondern auch durch die leichtere Mitwissenschaft um die ausgelassenen Streiche der anderen ein Übergewicht über sie, und so gewöhnte sich Wolfgang schon im väterlichen Hause eine Art Führerschaft an, in der sich – nach des Bruders (6) Auffassung – nicht selten ein rücksichtsloser Egoismus geltend machte" (WHosäus S. 15). EW hatte mancherlei, darunter auch achtenswerte literarische Begabungen. In der Kindheit freilich zu wenig gefördert, betrieb er sein Universitätsstudium in Leipzig auch nicht mit genügend bestimmter Systematik und Konsequenz. Man „darf schließen, daß er ... sich mehr allgemeinen literarischen und ästhetischen Liebhabereien überlassen haben wird" (WHosäus S. 16). Das ergab keine tragfähige Vorbereitung für irgendein öffentliches Amt. Wohl für ein echtes Otium. Allenfalls eine Privatstellung ließ sich damit erreichen.

Zunächst blieb nicht viel anderes als die Tätigkeit eines Hofmeisters. EW übernahm ein solches Amt bei dem siebzehn Jahre jüngeren Sohn des Grafen HGv*Lindenau und verdankt diesen Auftrag außer der Vermittlung durch ChrF*Gellert nebenbei vielleicht doch auch einer väterlichen Beziehung, da der Graf vLindenau Oberstallmeister im königlich/kurfürstlich sächsischen Hofdienst war. Jedenfalls führte sich EW, als er um Ostern 1760 nach Leipzig zurückkehrte und seine Erzieher-Stellung antrat, als vollendeter Hofmann ein. Er „brachte alle Hofmoden mit nach Leipzig. Er sprach von nichts als Etikette und Mode" (WHosäus S. 16). Demgemäß legte er großen Wert auf seine äußere Erscheinung, auch auf sein Auftreten. *Schon sein Äußeres war sonderbar genug. Hager und wohlgebaut ..., eine sehr große Nase und überhaupt markirte Züge; eine Haartour, die man wohl eine Perrücke hätte nennen können, trug er vom Morgen bis in die Nacht, kleidete sich sehr nett und ging niemals aus, als den Degen an der Seite und den Hut unter dem Arm ... Alles was er that, mußte mit Langsamkeit und einem gewissen Anstand geschehen, den man affectirt hätte nennen können, wenn Behrisch nicht schon von Natur etwas Affectirtes in seiner Art gehabt hätte. Er ähnelte einem alten Franzosen, auch sprach und schrieb er sehr gut und leicht französisch ... So trug er sich beständig grau, und* weil die verschiedenen Theile seines Anzuges von verschiedenen Zeugen, und also auch Schattirungen waren, so konnte er Tage lang darauf sinnen, wie er sich noch ein Grau mehr auf den Leib schaffen wollte, und war glücklich, wenn ihm das gelang ... Übrigens hatte er gute Studien, war besonders in den neueren Sprachen und ihren Literaturen bewandert und schrieb eine vortreffliche Hand (I/27, 131 f.). Er war sogar ein passionierter Kalligraph, zugleich aber und ebendeswegen ein entschiedener, erklärter Gegner alles Gedruckten (I/27, 135 f.).

B. wohnte in Leipzig mit seinem Zögling, dem jungen, noch knabenhaften Grafen CHA vLindenau (geb. 1755) zusammen (Apels Haus, Auerbachs Hof, Besitz des Grafen vLindenau), wo sich alsbald ein Treffpunkt der Freunde herausbildete und von wo man auch, freilich nicht nur und nicht immer, sanfte Nachtgänge in der Mondendämmerung unternahm (Morris I, 240). Es entsprach der schon mehr aufklärerischen Haltung B.s, den anvertrauten Schüler in das Tun und Treiben des Freundeskreises, in deren unschädliche Thorheiten (I/27, 136) weitgehend und gleichsam symbiotisch hineinzuziehen. Sein positiver Einfluß auf den jungen Grafen wird durch den ständigen persönlich engen Umgang indes nicht gering, sein Lehrerfolg durchaus achtenswert gewesen sein, mag er auch in Unterrichtsfächern, die ihm eigentlich selbst oblagen, auf eigene Kosten andere Erzieher bestellt haben (WHosäus S. 22). Aber Unzufriedenheit und schließlich entschiedenen Widerstand erregte es, daß aus dem Kreise B.s aggressive Witze gegen den Universitätsprofessor ChrA*Clodius laut wurden, daß B. mit seinen Freunden und mit seinem Zögling in einem Garten verkehrte, dessen Besitzer oder deren Töchter besser waren als ihr Ruf [wodurch denn aber unser Ruf nicht gefördert werden konnte: I/27, 144; zur Wortwendung vgl. Ovid: Epistulae ex Ponto 1, 2, 143, insbesondere aber PACaron de *Beaumarchais: ,,Et si je vaux mieux qu'elle?", auch Schiller in: Maria Stuart V. 2426: ,,Ich kann sagen, ich bin besser als mein Ruf"], endlich daß B. ,,seinem Eleven ..., da er schon Uniform trug, eine Ohrfeige gab" (WHosäus S. 21). Dies ,,veranlaßte die ebenso schnelle als lächerliche Relegation und diese war wieder die Ursache der Promotion meines Bruders" nach *Dessau (WHosäus ebda). Den Stellungswechsel B.s hätte ausgerechnet Gellert gewiß nicht mit Rat und Tat gesegnet, noch weniger eine wesentlich bessere Berufung vermittelt, wenn an der wollüstigen flammengezüngten Schlange (Morris I, 240) boshaft-verleumderischer Hinterbringungen und Quertreibereien mehr gewesen wäre als neidischer Domestiken-Klatsch (WHosäus ebda). Im Vertrauen zu reden ich bin diesen Morgen sehr lustig ob gleich Behrisch diesen Abend fortgeht. Er ist endlich seine dumme Stelle loß geworden, und hat sich bey dem regierenden Fürsten von Dessau, als Hofmeister seines natürlichen Sohnes engagirt. Ich wünsche ihm viel Glück dazu (Goethe am 13. X. 1767: Morris I, 179). – Goethe lernte B. in den Tagen der Ostermesse 1766 kennen, als sein späterer Schwager JG*Schlosser ihn zum Mittagstisch der Weinwirtschaft von ChrG *Schönkopf führte. Hier fühlten sich alle Frankfurter heimisch (RAFleischer S. 20); außerdem hatte sich dort eine recht reputierliche Tafelrunde zusammengefunden. B. gehörte dazu. So ist die Ostermesse 1766 der Beginn der Freundschaft B.s mit Goethe. Sie wurde unter-, aber nicht abgebrochen anderthalb Jahre später im Oktober 1767. Innerhalb dieser Zeit war sie so intensiv, daß Goethe sie ein ganzes Leben lang nicht vergaß, auch wenn die Verbindung 1768–1776 pausierte und schon um die Jahreswende 1796/97 (nicht 1801!) das letzte persönliche Zusammensein stattfand, wo er schon alt war, aber immer noch in der besten Laune. Er bewohnte einige sehr schöne Zimmer im Schloß, deren eines er ganz mit Geranien angefüllt hatte, womit man damals eine besondere Liebhaberei trieb. Nun hatten aber die Botaniker unter den Geranien einige Unterscheidungen und Abteilungen gemacht und einer gewissen Sorte den Namen Pelargonien beigelegt. Darüber konnte sich nun der alte Herr nicht zufrieden geben, und er schimpfte auf die Botaniker. Die dummen Kerle! sagte er; ich denke, ich habe das ganze Zimmer voll Geranien, und nun kommen sie und sagen, es seien Pelargonien. Was tu' ich aber damit, wenn es keine Geranien sind, und was soll ich mit Pelargonien! So ging es nun halbe Stunden lang fort, und Sie sehen, er war sich vollkommen gleich geblieben (24. I. 1830: Bdm. 4, 194 f.). Goethe betonte mit diesen rückschauenden Altersworten das Kauzige in Erscheinung und Wesen seines Jugendfreundes (ähnlich DuW, zB. I/27, 131). Aber die Wirkung des Zusammentreffens hatte doch auch andere, weiter- und tieferreichende Dimensionen: Der Verlust eines Freundes, wie Behrisch, war für mich von der größten Bedeutung. Er hatte mich verzogen, indem er mich bildete, und seine Gegenwart war nöthig, wenn das einigermaßen für die Societät Frucht bringen sollte, was er an mich zu wenden *für gut gefunden hatte. Er wußte mich zu allerlei Artigem und Schicklichem zu bewegen, was gerade am Platz war, und meine geselligen Talente herauszusetzen (I/27, 145).* Außerdem war B. in literarischer Hinsicht eine Persönlichkeit von durchaus eigenem Gewicht, die eben kraft dessen Goethe nicht unwesentlich zu bestimmen vermochte (*Annette; *Leipziger Lyrik). B. bezog sich Anfang Dezember 1776 (am 7., 9. oder 15.?; vgl. III/1, 28) selbst darauf, als Goethe ihn in Dessau wiedersah und ihn dort fand *noch ganz wie sonst, als feinen Hofmann und von bestem Humor (Er war bei Hofe sehr gelitten, ich sah ihn immer an der fürstlichen Tafel):* ,,Hab' ich es dir nicht gesagt? ... war es nicht gescheit, daß du damals die Verse nicht drucken ließest, und daß du gewartet hast, bis du etwas ganz Gutes machtest? Freilich, schlecht waren damals die Sachen auch nicht, denn sonst hätte ich sie nicht geschrieben. Aber wären wir zusammengeblieben, so hättest du auch die anderen nicht sollen drucken lassen; ich hätte sie dir auch geschrieben und es wäre ebenso gut gewesen" (Bericht Goethes: *Bdm. 4, 194).* Auch philosophisch vermochte B. lange wirkende Impulse zu geben, die Goethes Denken auf eine spielerische Weise in durchaus unruhevolle Bewegung brachten. Goethe erzählt in *DuW,* daß dies hauptsächlich den für ihn allerdings ganz zentralen *Begriff von Erfahrung* betraf – B. hatte *possenhaft* formuliert: die wahre Erfahrung sei ganz eigentlich, wenn man erfahre, wie ein Erfahrner die Erfahrung erfahrend erfahren müsse *(I/27, 146).* Dies ist nicht pure Albernheit. Wenig später kommentierte ein Gesprächspartner diese Formulierung: ,,Wenn Sie mir erlauben, indem ich Ihren Freund commentire und supplire, in seiner Art fortzufahren, so dünkt mich, er habe sagen wollen, daß die Erfahrung nichts anderes sei, als daß man erfährt, was man nicht zu erfahren wünscht, worauf es wenigstens in dieser Welt meistens hinausläuft" (I/27, 149). Dieser *Begriff von Erfahrung* ist engverwandt mit dem, was man Ent-Täuschung nennen könnte; er erscheint Goethe auch so, als er mit JPEckermann am 24. I. 1830 das Beispiel des Salinendirektors KChrF *Glenck bespricht, und in ebendiesem Zusammenhang steigt die Erinnerung an B. wieder auf (Bdm. 4, 192 f.). Man verstehe aber recht: Erfahrung ist nach dieser Auffassung ganz ohne Ressentiment nicht etwas ,,persönlich", dh. für das Fühlen Enttäuschendes, sondern etwas ,,sachlich", also realiter und idealiter, dh. für das Denken Ent-Täuschendes, mithin

durchaus platonisch (ἀ-λήθεια) Positives, wohl das Positivste überhaupt: 1. *Man muß seine Irrthümer theuer bezahlen, wenn man sie los werden will, und dann hat man noch von Glück zu sagen* (1826: *MuR:* Hecker Nr *323);* 2. *Es gibt viele Menschen, die sich einbilden, was sie erfahren, das verstünden sie auch* (1828/29?: *MuR:* Hecker Nr. *889);* 3. *Wer kann sagen, er erfahre was, wenn er nicht ein Erfahrender ist* (1828/29?: *MuR:* Hecker Nr. *890).* Ein weiter Bogen spannt sich mit diesem Problem durch Goethes Denken und Dasein. An der Schwelle seines Wach- und Bewußtwerdens steht der Freund B.; diese Partnerschaft ist eine Auszeichnung – eine so große wie vielleicht die andere mit FOeser, der Goethe am 13. II. 1769 einen der bedeutendsten Briefe seines Lebens schreibt (Morris 1, 324). Im einen Fall ging es um die Erfahrung (EWB), im anderen um die Schönheit (FOeser). Auch Ernstes unernst zu sagen oder scherzend zu verstecken, konnte Goethe von B. gelernt haben; er hat es darin allerdings dann zu weit größerer Meisterschaft gebracht. Immerhin aber kommt B. für die Entwicklung, für Werden und Wachsen der goetheschen *Ironie eine nicht geringe Rolle zu; wenn Goethe im Alter (1830) besonders das Kauzige des einstigen Freundes fast überbetont, so dürfte dies seinen Grund in Goethes eigenem Lebensstatus haben, dem die Ironie der *sehr ernsten Scherze* (1832) nach lebenslangen Erfahrungsjahren zu reifster Reife gediehen und zu höchster Daseinsweise geworden war, denn: *Verwirrende Lehre zu verwirrtem Handel waltet über die Welt* (17. III. 1832: *IV/49, 283).* Diesen gewissermaßen ,,allgemeinen" stehen die ,,besonderen" Verdienste B.s um Goethes aufbrechendes Dichtertum kaum nach. Mit den *Oden an meinen Freund* (1767) regen sich nicht nur neue dichterische Darstellungs- und Ausdrucksmittel (*Beiwort), sondern die Sprachlichkeit der goetheschen Existenz entwickelt neue Organe der Daseinserfassung und Daseinsdeutung. Auch dies ist viel, und es ist eng verbunden mit dem Freund. Mehr noch ist es, daß Goethe in den Briefen an EWB (Oktober 1767 bis Mai 1768) den *Brief als dichterische Form (*Briefroman) erfaßt, umwirbt und ausbildet (HMeyer S. 68–72; vgl. außerdem zB. Av*Stolberg; *Werther). Schließlich ist auch die kritische Reserve B.s und die Abneigung gegen Druckveröffentlichungen imgrunde etwas Bejahenswertes. Alles in allem: Goethe hatte echte Gründe, B. die Freundestreue zu bewahren (Besuchsverbindungen: 1776; 1778; 1780 [B. in Weimar]; 1781; 1782; 1794; 1796/

97; nicht: 1801). Bei Gelegenheit solcher Besuche (15. XII. 1776: III/1, 28; 26. V. 1778: III/1, 67) ging Goethe (mit oder ohne dessen Mentor B.?) auch zu JB*Basedow, in dessen Haus (Zerbster Straße) B. nach seiner Pensionierung als Hofrat, anfangs gemeinsam mit seiner Mutter, wohnte. Die Pensionierung begann mit dem Eintritt seines letzten Schülers, des Erbprinzen Friedrich, ins preußische Heer, wohl 1789. B. widmete sich einer Art von geistreichem Müßiggang, als Gelegenheitsdichter für alle Anlässe bei Hofe, aber auch als Verfasser anderer literarischer Arbeiten (zB. 1779: Monodrama „Kolma“ mit Musik von FWRust; 1782: zwei Schauspiele „Fingal in Lochlin“ und „Inamorula“, ebenfalls mit Vertonung von FWRust; diese Ossian-Stücke lehnen sich an die Ossian-Partie in Goethes Werther an; 1785: eine Erzählung; 1796: eine [zweite] Gedichtsammlung; 1798: eine Oper „Bathmendi“ mit Musik von CA Freiherrn vLichtenstein); Arbeiten, die Stilgefühl und Gewandtheit verraten, wenn sie auch nicht eigentlich dichterischen Rang haben. B.s „kritische Befähigung war jedenfalls nicht unbedeutend. Daß er des jungen Goethe von Anfang an sich so hingebend annahm und in den schwachen Anfängen desselben sofort das Neue, Lebendige, Poetische erkannte, muß uns für seine Begabung und sein Urteil um so mehr einnehmen, als er sich sonst der dichterischen Production seiner Zeit gegenüber im allgemeinen abweisend verhielt" (WHosäusS. 164). Darf man, wie es eine nicht völlig gesicherte Anekdote will, EW so viel und fast ossianische Sentimentalität und Pietät zutrauen, daß er sich 1809 in seinen Sarg eine seiner kalligraphischen Abschriften der Annette-Lieder Goethes hineinlegen ließ? Wollte er auch und gerade noch im Tode das Dokument in der Hand haben, worin er vielleicht das eigentliche Zeugnis für den tieferen, heimlichen Sinn seines Lebens erblicken mochte – war es ein letztes, verstecktes, verschämtes und doch stolzes Wissen um die rechte Wegbereitung für ein Genie: „Hab' ich es dir nicht gesagt? War es nicht gescheit, daß du damals die Verse nicht drucken ließest" (Bdm. 4, 194)?
–, 5) Christian Georg Wolfgang (Lebensdaten nicht ermittelt), war Doctor der Arzneigelehrtheit, kursächsischer Bergrat, hatte 1765 bis 1767 zwei medizinische Abhandlungen geschrieben, praktizierte in Dresden – nach dem Bericht seines jüngsten Bruders – nicht so sehr medicinam, sondern artem fruendi, hielt sich gelegentlich in Rom auf und ging ohne sonderliche Spuren unter;

–, 6) Heinrich Wolfgang (1744–1825), war eine Abenteurernatur, vielseitig talentiert, aber ohne genügende Beharrlichkeit und ohne wirklichen Halt, hatte seit 1760 in Leipzig Rechtswissenschaft studiert, war 1766 in Wittenberg notarius publicus caesareus geworden, mußte nach dem Tode des Vaters (1768) die Verwaltung der gerade wieder zu rentabilisierenden Güter übernehmen, gab diese mühe- und verantwortungsvollen Pflichten aber 1773 auf, begann eine Art von literarischem Vagabundenleben, kam nach Jahren ins Anhaltische und starb schließlich in Dessau. Seine nachgelassene Selbstbiographie (KElze; WHosäus) ist als Quelle für die Familiengeschichte der B.s wertvoll.
Goethe traf die beiden jüngeren Brüder (5, 6) seines Jugendfreundes EW in Dresden Februar/März 1768 (Morris 1, 206). Damals muß dann wohl der Vater B. noch gelebt haben. Spätere Kontakte Goethes sind nicht bezeugt.
Za

KElze in: Deutsches Museum. 1857. S. 51–67; 1861. S. 913–922. – WHosäus in: Grenzboten. 1881. – GotheJb 7 (1886), S. 119 f. – HMeyer: Goethe. Das Leben im Werk. 1951.

Beich, Joachim Franz (1665–1748), Landschaftsmaler und Radierer, Hofmaler in München (Folge von Schlachten, an denen Max II. Emanuel von *Bayern in Ungarn 1683–1688 teilgenommen hatte), malte und radierte in der Art des Cl*Lorrain und S*Rosa. Goethe besaß eine große Anzahl seiner Blätter und eine Tuschzeichnung.
Lö

Schuchardt Bd 1, S. 108 f.; 258. – ThB 3 (1909), S. 207 f.

Beichte. Der junge Goethe hat noch die Einzel-B. erlebt. Senior JPh*Fresenius hatte die Ohren-B., wenn auch nur in allgemeiner Form, beibehalten; Einzelheiten brauchte man also im B.-Stuhle nicht zu bekennen. Die gemeinsame B. wurde erst 1785 in Frankfurt eingeführt. Fresenius hat 1746 ein „Buß-, Beicht- und Communionbuch" herausgegeben, das 1785 in 5. Auflage erschien. Da ist auf S. 62 vom B.-Stuhl die Rede: vom rechten Gebrauch desselben, von den Ursachen, welche diese Verordnung veranlaßt haben usw. Einer der Gründe ist: man wollte den Predigern Gelegenheit geben, an ihren Zuhörern mit großem Segen zu arbeiten. Dieses Buch wird wohl auch nach Fresenius' Tod (1761) dort weiter benutzt worden sein. Goethe berichtet in *DuW: Ich ward zu meiner Zeit* [soll wohl heißen: als ich für reif befunden wurde] *bei einem guten, alten, schwachen Geistlichen, der aber seit vielen Jahren der Beichtvater des Hauses gewesen, in den Religions-*

unterricht gegeben (I/27, 124), dh. in den Konfirmanden-Unterricht. Nach HDechent war dieser B.-Vater der 1694 geborene JG *Schmidt. Goethe fand sich in seinem *guten Willen* und in seinem *Aufstreben ... durch trocknen geistlosen Schlendrian ... paralysirt, als* er sich *nunmehr dem Beichtstuhle nahen sollte.* Um die mannigfachen religiösen Zweifel in angemessener Formulierung bereit zu haben, hatte er sich *eine Beichte ... verfaßt, die, indem sie meine Zustände wohl ausdrückte einem verständigen Manne dasjenige im Allgemeinen bekennen sollte, was* nach protestantischem Usus *im Einzelnen zu sagen verboten war. Aber als ich in das alte Barfüßer-Chor hineintrat, mich den wunderlichen vergitterten Schränken näherte, in welchen die geistlichen Herren sich zu diesem Acte einzufinden pflegten, als mir der Glöckner die Thür eröffnete und ich mich nun gegen meinen geistlichen Großvater in dem engen Raume eingesperrt sah, und er mich mit seiner schwachen näselnden Stimme willkommen hieß, erlosch auf einmal alles Licht meines Geistes und Herzens, die wohl memorirte Beichtrede wollte mir nicht über die Lippen, ich schlug in der Verlegenheit das Buch auf, das ich in Händen hatte, und las daraus die erste beste kurze Formel, die so allgemein war, daß ein jeder sie ganz geruhig hätte aussprechen können (I/27, 124–126).* Das erwähnte B.-Buch von Fresenius bietet hier drei Formulierungen: eine gemeine Beichte, die auf keinen besonderen Zustand gerichtet ist; die offene Schuld; eine andere gemeine Beichte. Vielleicht hat der Konfirmand Goethe diese dritte Formel aufgesagt, die da lautet: „Ich komme als ein mühseliger und beladener Sünder, welcher sein Verderben als schwere Last fühlt, und begehre Gnade durch Christum. Ich will durch Gottes Gnade mein Leben bessern und frömmer werden." *Ich empfing die Absolution und entfernte mich weder warm noch kalt, ging den andern Tag mit meinen Eltern zu dem Tische des Herrn* [*Abendmahl], *und betrug mich ein paar Tage, wie es sich nach einer so heiligen Handlung wohl ziemte (ebda 126).* In *Italien hatte Goethe einmal ein Gespräch mit einem päpstlichen Hauptmann über die B. Nachdem er ihm die protestantischen *Begriffe von der Beichte, und wie es dabei zugehe,* erklärt hatte, meinte jener; Das sei *sehr bequem und ungefähr eben so gut, als wenn man einem Baum beichtete (I/30, 180).* – JH*VoßdJ. berichtet aus einem Gespräch im Februar 1805, daß Goethe die protestantische Religion beschuldigt habe „sie hätte dem einzelnen Individuum zu viel zu

tragen gegeben. Ehemals konnte eine Gewissenslast durch andere vom Gewissen genommen werden, jetzt muß sie ein belastetes Gewissen selbst tragen und verliert darüber die Kraft, mit sich selber wieder in Harmonie zu kommen. Die Ohrenbeichte ... hätte dem Menschen nie sollen genommen werden" (Bdm. 1, 383 f.). – Im *Wilhelm Meister* (*Lehrjahre:* VIII, 9) spielt der B.-Vater eine große Rolle; und in den *Wanderjahren* ist *der Sonntag* allgemein der B. und Absolution gewidmet, *wo alles, was den Menschen drückt, in religioser, sittlicher, geselliger, ökonomischer Beziehung zur Sprache kommen muß ... ist es geistig, sittlich, was uns verdüstert, so haben wir uns an einen Freund, an einen Wohldenkenden zu wenden, dessen Rath, dessen Einwirkung zu erbitten: genug, es ist das Gesetz, daß niemand eine Angelegenheit, die ihn beunruhigt oder quält, in die neue Woche hinübernehmen dürfe (I/24, 123 f.).* So machte Goethe Ernst mit dem „allgemeinen Priestertum aller Gläubigen" und hat sich in diesem Sinne selber oftmals als weiser B.-Vater bewiesen und auch Absolution erteilt. Voß bekennt in dem bereits zitierten Gespräch, daß er jedesmal, wenn er zu Goethe kam und ihm sein ganzes Herz – selbst alle Schwächen seiner Innerlichkeit – wie einem B.-Vater ausgeschüttet hatte, wie mit neuem Mut gekräftigt in seine Einsamkeit zurückgegangen sei, und daß er Goethe diese ihm erwiesene Wohltat sein Leben lang danken wolle (Bdm. 1, 384). Im September 1785 hat er Caroline *Herder, die durch ihren Aufenthalt in *Karlsbad *auf das hypochondrischte gespannt* war, durch eine richtige B. beruhigt: *Ich lies mir alles erzählen und beichten, fremde Unarten und eigne Fehler, mit den kleinsten Umständen und Folgen und zuletzt absolvirte ich sie und machte ihr scherzhafft unter dieser Formel begreifflich, daß diese Dinge nun abgethan und in die Tiefe des Meeres geworfen seyen (5. IX. 1785: IV/7, 87;* vgl. IV/9, 40 f.; 68 f.). Einmal nennt Goethe sich *Eckermanns B.-Vater (Bdm. 3, 146). Und an Chv*Stein schreibt er in dem Briefe vom 23. I. 1776 (wo zum erstenmal das „Du" auftaucht? Datierung nach HDüntzer): *Denn es ist mehr als Beichte wenn man auch das bekennt worüber man nicht Absolution bedarf (IV/3, 26 f.).* So wird jene Stelle aus DuW erklärlich, in der Goethe sein jugendliches Schaffen nach dem Abschied und den Verzicht auf Friederike *Brion als *hergebrachte poetische Beichte* bezeichnet; denn er hoffte, *durch diese selbstquälerische Büßung einer innren Absolution würdig zu werden. Die* beiden Marien in Götz von Berlichingen und Clavigo, und die beiden schlechten Figuren, die ihre Liebhaber spielen, möchten wohl Resultate solcher reuigen Betrachtungen gewesen sein (I/ 28, 120).   Ml

HDechent: Die Seelsorger der Goetheschen Familie. In: GoetheJb 11 (1890), S. 159–164. – HvSchubert: Goethes religiöse Jugendentwicklung. 1925. – Morris 4, 85. – FBlanckmeister: Goethe und die Kirche seiner Zeit. 1923.

Beier, 1) Adrian (9. VIII. 1600 bis 23. IV. 1678) aus Glauchau, studierte 1614 in Jena, wurde hier 1622 Magister, 1626 Diakonus, 1630 Adjunkt der Philosophischen Fakultät, 1635 Archidiakonus. Seit 1641 schrieb er seine „Athenae Salanae", 20 Manuskriptbände mit ca 20000 Seiten (heute auf der Univ-Bibl. Jena), aus denen veröffentlicht sind: „Syllabus Rectorum et professorum jenensium" (1659), „Geographus Jenensis" (1661, 2. Aufl. 1672), „Architectus Jenensis" (1681, 1936 neu herausgegeben von HKoch), „Chronologus Jenensis" (1914 desgl.) und „Jenaische Annalen" (1928 desgl.). Goethe teilte am 15. IV. 1819 GF*Grotefend mit: *Beier hat voluminose Handschriften über Thüringen hinterlassen, die sich in der Jenaischen Universitätsbibliothek befinden, vielleicht geben die einigen Aufschluß,* ob Landgerichte in Heilsberg bestanden *(IV/31, 126).* B. starb in Jena.

–, 2) Adrian II. (29. I. 1634 bis 2. V. 1712), Sohn des Vorgenannten, geboren und gestorben in Jena, studierte Jura in Jena, *Leipzig, Wittenberg, Rostock und Leyden, promovierte 1658 zum Dr. jur., 1670 in Jena Hofgerichtsadvokat, 1678 Syndicus, 1681 Kammerprocurator, 1690 Professor der Pandecten, 1698 Hofgerichtsassessor. Goethe erwähnte am 26. IV. 1817 und las *Adrian Beiers Schriften über die Handwerker,* deren B. sehr viele geschrieben hat *(III/6, 42;* „Allgemeines Handlungs-, Kunst-, Berg- und Handwerks-Lexicon", 1722). Die gleichzeitige Entleihung der Dissertationes juridicae aus der weimarischen *Bibliothek (vom 18. I. 1816 bis 5. VII. 1817), deren 224. Band B.s „Repetitio" (1692) enthielt, wird dieses Interesse geweckt haben. *Ko*
Keudell Nr 1018.

Beil, Johann David (11. V. 1754 Chemnitz bis 13. VIII. 1794 Mannheim), Schauspieler und Dramatiker. B. war zunächst Student der Rechte in Leipzig, begann seine schauspielerische Laufbahn 1776 in Naumburg und kam über Erfurt zur Truppe A*Seylers nach Gotha unter den Einfluß HKD*Ekhofs. Nach dessen Tode folgte er 1779 mit AW*Iffland und H*Beck dem Ruf WHv*Dalbergs an das mannheimer Natio-

naltheater, zu dessen Hauptstützen er bis zu seinem frühen Tode gehörte. B. war realistischer Darsteller im Stile FL*Schröders und vertrat bei den mannheimer Uraufführungen der schillerschen Jugenddramen mit Schweizer in den „Räubern", dem Mohren in „Fiesko" und dem Musikus Miller in „Kabale und Liebe" das Charakterfach. Auch in seiner dramatischen Produktion herrscht das realistische bürgerliche Schau- und Lustspiel vor; es stellt ihn in die Nachbarschaft Ifflands und AvKotzebues. Einige seiner Stücke, die Lustspiele „Die Schauspielerschule" (III/2, 275) und „Die Spieler" und das Schauspiel „Die Familie Spaden" wurden daher in den neunziger Jahren auch in Weimar während der *Theaterleitung Goethes gespielt, dessen *Spielplangestaltung besonders in der ersten Zeit zur Erziehung der Schauspieler auf solche Stücke nicht verzichten konnte.   *EF*
EWitzig: Johann David Beil. 1927.

Beinheim, die kleine elsässische Ortschaft an der alten Rheinstraße zwischen *Selz und *Sesenheim – *eine glückliche Gegend –* durchquerte Goethe auf dem Wege nach und von *Straßburg dreimal: wenn Selz Übernachtungsort war, dann vermutlich am 2. IV. 1770 (Hinweg nach Straßburg), am 20. oder 21.VII. 1775 (Rückweg aus der Schweiz über Straßburg), am 25. IX. 1779 (Hinweg in die Schweiz, bei dem Abstecher nach Sesenheim; *IV/4, 65f.;* RV S. 10; 12; 19).   *Za*

Beireis *(Beyreis: IV/19, 35),* Gottfried Christoph (1730–1809), Professor der Physik und Medizin in *Helmstedt, *Polyhistor (I/35, 213)* und Kunstsammler, studierte in Helmstedt Rechts- und Naturwissenschaften und begann nach größeren Reisen 1756 mit dem medizinischen Studium, wurde 1759 Professor der Physik, 1762 Doktor und im gleichen Jahre Professor der Medizin, so daß er sich *anmaßen* konnte, *in den sämmtlichen Facultäten zu Hause zu sein, jeden Lehrstuhl mit Ehre zu betreten (I/35, 213).* 1803 wurde er noch Leibarzt des Herzogs Karl Wilhelm Ferdinand von *Braunschweig. Trotz umfassenden Wissens und bedeutender Talente blieb er ein Sonderling, der sein Publikum und seine Kollegen zu täuschen vermochte. Treffend hat Goethe diesen Menschen in seiner Zeitwelt erfaßt, diese *einzig merkwürdige Persönlichkeit, die auf eine frühere vorübergehende Epoche hindeutete (I/35, 206);* denn *Fünf und siebzig Jahre haben ihm noch alle Munterkeit gelassen, den lebhaftesten Antheil an allen seinen Besitzungen, die eine Art von barockem Zauberkreis um ihn herschließen (IV/19,48)* – das erstemal, daß das Wort *barock* in fast stilcharakterisierendem Sinne vorkommt. So kann die Begegnung Goethes mit B. als Begegnung des humanen *Klassizismus mit der sterbenden Welt des *Barock angesehen werden.

Nach mehrfachen Mitteilungen an den Herzog und die weimarer Freunde (IV/19, 35 und 38 ff.) besuchte Goethe von *Lauchstädt aus in Begleitung seines Sohnes und R*Wolfs auf seiner Reise nach *Magdeburg auch Helmstedt, das am 16. VII. 1805 erreicht wurde, um *daselbst den wunderlichen Beyreis in seinem Hamsterneste kennen zu lernen (IV/19, 35)*. Am folgenden *Sonnabend besahen* Goethe und seine Begleiter *die merckwürdigen Kunstwercke mit denen der Hofrath Beyreis sein Haus angefüllt hat, aßen bey ihm und blieben biß in die Nacht. Sonntag früh ging das Sehen wieder von vorne an.* Auch am Montag wurde der Besuch fortgesetzt *(ebda 45)*. *Altes und neues, Kunst und Natur, werthes und unwerthes, brauchbares und unnützes hat sein unbedingter Sammelgeist an sich gezogen (ebda 48)*. So war eine Sammlung noch im Sinne des barocken Kunst- und Raritätenkabinetts entstanden, in der das einzelne Objekt nicht nach dem ästhetischen oder wissenschaftlichen, sondern nach seinem wirklichen oder vermeintlichen materiellen Wert geschätzt wurde. B. glaubte, daß das Wertvollste ein Diamant sei, den er niemandem zeigte und der auch bei Goethe noch spät fast sprichwörtliche Bedeutung hat (IV/40, 226), während Goethe sich am meisten von der nach Leipzig gelangten Kopie des jetzt im Louvre in Paris befindlichen Selbstporträt *Dürers von 1493 beeindrucken ließ (IV/19, 48). Welten der Kunstauffassung und des Kunsterlebnisses trennten B. und seinen Besucher: War die Sammlung schon mehr eine Häufung von Dingen aller Art, nicht geschaffen, betrachtet und bewertet zu werden und Genuß zu vermitteln, so war auch bei B. *an irgend eine Art von Kritik … nicht zu denken (I/35, 216)*. Seine Gemälde vorzuzeigen war seine neueste Liebhaberei, *in die er sich ohne die mindeste Kenntniß eingelassen hatte (ebda 214)*. B., der durch die Säkularisation der Klöster insbesondere *altdeutsche Bilder und *Im kunstgeschichtlichen Sinne … mehr als Ein bedeutendes Bild gewonnen* hatte *(ebda 219)*, beurteilte seine Schätze im Stil der Laien des 18. Jahrhunderts nach dem Grade der bloßen Naturähnlichkeit und, sofern es um eine geschichtliche Betrachtung ging, daraufhin, wie *eine ununterbrochene Reihe aus dem fünften, sechsten u.s.w. bis in's funfzehnte* Jahrhundert herzustellen sei, die er dann *mit einer Sicherheit und Überzeugung* vorzutäuschen verstand, *daß ei-*

nem die Gedanken vergingen (ebda 219). Goethe hingegen, der schon damals die *entwickelnde… Methode* besaß und die *Filiation (I/36, 253)* der Erscheinungen aufgrund seines morphologisch gerichteten Denkens sich zugewandt hatte, fand bei der Niederschrift der B.-Episode, über die er Notizen in sein *Taschenbuch* gemacht hatte, *daß außer dem ersten vorgewiesenen, welches für echt byzantinisch zu halten wäre, die übrigen alle in's funfzehnte, vielleicht in's sechzehnte Jahrhundert fallen möchten. Zu einer genaueren Würdigung mangelte es mir an durchgreifender Kenntniß – schreibt er – und bei einigem was ich allenfalls noch hätte näher bestimmen können, brachte mich Zeitrechnung und Nomenclatur unseres wunderlichen Sammlers Schritt vor Schritt aus der Richte (I/35, 219)*.

Wie unmittelbar Goethe die morbide Situation einer sich auflösenden Kulturepoche, die für ihn B. verkörperte, empfand, ergibt sich aus der Schilderung des b. schen *Gartens. Dieser, einst mit *Vaucansonischen Automaten, mechanischen Flötenspielern und Hafer pikkenden Enten im Sinne der Garten-„kunst" des Barock versehen, war *in den jämmerlichsten Umständen (I/35, 211)*; und es ist sinnbildhaft, wenn Goethe von B. erzählt, wie dieser die schadhaft gewordenen Automatenwalzen, die er durch eigens herbeigeholte Orgelkünstler noch hatte verbessern wollen, vorzeigt und die Pracht seines alten Jahrhunderts durch ihre nun sinnlosen Rudimente heraufbeschwören möchte. Wohl nur aus dem Gegensatz zweier Zeiten, den Goethe erlebt hatte, ist die breite Erzählung zu erklären, die er vom 3. bis 7. VI. 1825 niederschrieb (III/10, 63–65; dazu die Entleihung aus der weimarischen *Bibliothek „Biographische Nachrichten über den zu Helmstädt verstorbenen Hofrath und Doktor G. C. Beireis" von JK Sybel, 1811: Keudell Nr 1638); Zeichen dafür ist auch die bewußte Entgegenstellung seiner Betrachtungsweise zu der allseitigen, alle Dinge unter einem Gesichtspunkt fassenden Weltvorstellung B.s, *die auf eine frühere vorübergehende Epoche hindeutete (I/35, 206)* und für die Goethe kein Verständnis mehr haben konnte. So steht am Ende eine *Unterhaltung über die Beireisischen Märchen* (23. VIII. 1825: *III/10, 95)*. B.s Sammlung ist nach seinem Tode unter den Hammer gekommen. *Lö*

BBecker: Katalog der Goethe-Beireis-Ausstellung im Juleum [zu Helmstedt]. 1930. – NDB 2 (1955), S. 20f.

Beiträge zur Optik nannte Goethe seine ersten Veröffentlichungen zur *Farbenlehre, vielleicht in Anlehnung an *Newtons Werk „Optics or

a treatise of the reflections, refractions, inflections and colours of light. London 1704." Jedoch erkannte er 1821, durch FS*Voigt aufmerksam gemacht (III/8, 29), diese Bezeichnung als einen *Fehler;* denn er wollte die Farbenerscheinungen ohne Mathematik behandeln und hätte durch angemessenere Titelwahl sie gleich *in die allgemeine Naturwissenschaft gespielt (II/5¹, 361 f.).* Seine Absicht war ursprünglich, den Gegenstand in kleineren Abhandlungen nach und nach zu entwickeln. So plante er in einem Briefe vom 25. VI. 1792 an JGA*Forster bereits sechs Stücke, von denen er vier schon abgerundet hatte und als weitere Gegenstände den Regenbogen und die Höfe ankündigt. Der Beiträge erstes und zweites Stück erschienen im Verlag des Industrie-Comptoirs, Weimar 1791/92; es sind die Prismatischen Versuche I. an Grenzen zwischen Weiß und Schwarz und II. unter Einbeziehung von grauen und bunten Flächen (NS 3, 6–37; 38–53). Die Abhandlung *von den *farbigen Schatten* (1792/93) bezeichnete Goethe noch als das *dritte Stück (NS 3, 64).* Das vierte, mit dem *sich der Ballon in die Luft heben* sollte *(NS 3, 94 f.),* hat er zwar nicht ausdrücklich als solches bestimmt; wir dürfen aber den *Versuch, die Elemente der Farbenlehre zu entdecken,* dafür halten *(NS 3, 190; *Polemik).* An GChr*Lichtenberg schickte sie Goethe der Reihe nach: das erste und zweite am 11. V. 1792, das dritte am 11. VIII. 1793 und das vierte am 29. XII. 1793.
Erstes Stück angezeigt 1791, 28. August, versandt Oktober. – Historisch liegt der Beginn der experimentellen Farbstudien nicht bei den **Physiologischen Farben,* die das Werk *zur Farbenlehre* von 1808/10 voranstellt; Goethe war vielmehr, als er aus *Italien zurückkehrte, bald zu der *Überzeugung* gelangt, *daß man sich an den Physiker zu wenden habe (NS 3, 362 f.).* So nahm er das *Prisma zur Hand. Die ersten Erfahrungen, die ihm 1790/91 das Prisma vor seinem Auge gebracht hat, schildert er 1800 in einem Entwurf zur *Geschichte der Arbeiten des Verfassers in diesem Fache (NS 3, 362–364): Weiße und einfärbige Flächen bleiben unverändert. Die Erscheinung ist bloß an den Rändern. In einem Gegensatze. Daß durch Verbindung der Gegensätze das Spektrum erst entsteht, wird klar, so wie daß hier eine Polarität im Spiele sei. Man erinnert sich an das Warme und Kalte der Maler, so wie auch klar wird, daß Refraktion wenigstens nicht allein hier wirke. Es werden diese Phänomene auf alle Weise vermannigfaltigt. Der Purpur wird gefunden ...*

(ebda 363). Diese erste gründliche Untersuchung der *physischen Farben* ließ ihn bereits die Bedingungen finden für die sechs Farben, die er in seinem **Farbenkreis* vereinigte: Rot/ Gelb, Blau/Violett, dazu Grün und Pfirschblüt (später Purpur genannt; §§ 8 u. 37). Auch bewährte sich hier schon die didaktische Meisterschaft Goethes, die dem Blick durchs Prisma zunächst verwickelte schwarze Schlingenzüge zeigt, die sich wie winterliches Baumgezweig von hellem Grunde abheben, um schrittweis zur einfachsten Bedingung eines prismatischen Farbphänomens vorzurücken. Der Weg führt über ein schwarzweißes Fliesenmuster und wiederholte Zickzackbänder zu geraden weißen und schwarzen Streifen sowie einzelnen Stäben, um an einer geradlinigen Grenze zwischen Weiß und Schwarz anzulangen. Hier genügt nun eine Umwendung der Anordnung, um auch die Farbenränder und Säume in ihr Gegenteil zu verkehren. – Da es Goethe um die Erscheinung ging, war er bestrebt, die Mittel zu schaffen, daß sich jeder Leser die Phänomene selbst vor Augen stellen könne. Geeignete Tafeln für die prismatischen Versuche handlich und billig zu machen, fand sich Gelegenheit in der Spielkartenfabrik, die Goethes ehemaliger Diener ChrE*Sutor erst kürzlich in Weimar eingerichtet hatte (§§ 63 u. 80). So entstand das originelle „optische Kartenspiel" mit 27 Karten. Weil auch die Farbensäume selbst, die das Prisma erzeugt, dargestellt werden sollten, wurde die Fertigung der 18 bunten Karten recht umständlich. Am 8. VII. 1791 schrieb Goethe an den Herzog, er habe *mit dem mechanischen der Fabrication den Patronen, Holzstöcken pp. viel Plage gehabt (IV/9, 278).* Da mußte schabloniert werden, um schwarze und bis zu sechs farbige Flächen anzulegen, es wurden verschieden geformte weiße Papierstücke aufgeklebt, um geschlossene weiße Flächen zu erzielen, und zuletzt waren noch Nummernschildchen anzubringen. Auf die Weise erforderte zB. die Karte mit dem bunten Kerzenbild nach Fertigung der Patronen noch wenigstens 12 Arbeitsgänge. Goethe unterzog sich indessen solchen Mühen in der Absicht, auch *Lehrern der Jugend ein Mittel zu angenehmer Unterhaltung ihrer Zöglinge in die Hände zu geben (NS 3, 5).*
Zweites Stück, angezeigt 1792, 20. II., versandt 11. V. – Bunte Flächen brachte Goethe mit weißen und schwarzen zusammen, um Newtons ersten Versuch zum Beweise einer *diversen Refrangibilität (II/2, 16)* zu widerlegen. Die Versuche mit verschiedenen Graustufen,

zu einander und mit Weiß oder Schwarz zusammengestellt, erscheinen uns heute bedeutsamer. Goethe fand darin leicht erzielbare experimentelle Bedingungen, um seine sechs ausgezeichneten prismatischen Farben nach Sättigungs- und Dunkelgrad (wie wir uns heute ausdrücken) beliebig abzuwandeln. Tatsächlich war damit schon die Grundlage eines eindeutigen und vollständigen Farbensystems vorweggenommen. Dieser Kunstgriff Goethes machte 1932 auch eine exakte Rekonstruktion seines Farbenkreises durch RMatthaei möglich.

Am 28. IV. 1792 schrieb Goethe: *Meine Absicht ist: alle Erfahrungen in diesem Fache zu sammlen, alle Versuche selbst anzustellen und sie durch ihre größte Mannigfaltigkeit durchzuführen, wodurch sie denn auch leicht nachzumachen und nicht aus dem Gesichtskreise so vieler Menschen hinausgerückt seien (NS 3, 295).* Für die Gegenwart ist es angezeigt, eine besondere Eigenart der ersten optischen Versuche Goethes hervorzuheben – ihren subjektiven Charakter. Dadurch, daß Goethe, einem natürlichen Vorgefühle folgend, zunächst nicht in die Dunkelkammer (*Camera obscura) ging, sondern das Prisma unmittelbar vor sein Auge hielt, um durch das Glas die Gegenstände zu betrachten (§§ 36, 37), gewann er, ihm gewiß nicht im einzelnen bewußt, einen dreifachen Vorteil: 1. Er beobachtete unter Bedingungen ausgeprägten Tagessehens. 2. Zwangsläufig führten sie ihn zu Farben größter Leuchtkraft („Optimalfarben": ESchrödinger), denen sich der optische Charakter der stärksten Farben nähert, die uns die Natur bietet (SRösch). 3. Die sechs Farben, die Goethes Versuche festlegen, fügen sich zu Paaren echter Komplementärfarben, deren Zuordnung derjenigen der physiologisch geforderten Farben entspricht, während diese Stimmigkeit noch ein Jahrhundert nach Goethe von den Sinnesphysiologen bestritten wurde (RMatthaei).

Die B. z. O. empfehlen sich (namentlich in ihrem ersten Stück) ihrer ursprünglichen und grundlegenden Darstellung wegen als Einführung in Goethes umfassendes Werk zur *Farbenlehre.*   Mt

Goethe: Beiträge zur Optik. Facsimile-Ausgabe von JSchuster. 1928. – ASchrödinger: Theorie der Pigmente von größter Leuchtkraft. In: Annalen der Physik und physikalischen Chemie 4. Folge. Bd 62/63 (1920), S. 603–622. – SRösch: Notiz über Optimalfarben. In: Die Naturwissenschaften 19 (1931), S. 615. – RMatthaei: Goethes Spektren und sein Farbenkreis. In: Ergebnisse der Physiologie 34 (1933), S. 191–219.

Beiwort (Adjektiv), diejenige Wortart, die ihrem grammatischen Charakter nach beson-

dere, haupt- oder nebensächliche Eigenschaften eines *Gegenstandes zu bezeichnen hat. – In Goethes *Sprache macht das B. eine Entwicklung durch, deren genauere Betrachtung lohnt, um aufschlußreiche Verständnishinweise auch für größere Zusammenhänge zu gewinnen. Breite und Fülle des Materials lassen freilich nur Andeutungen zu. Hilfsmittel fehlen fast ganz, solange der ungeheure Wortschatz Goethes in einem gründlichen *Wörterbuch noch immer nicht systematisch aufgearbeitet ist.

Das B. kann in der Sprache eines Dichters sehr verschiedenartige Aufgaben haben. Wer überwiegend von der *Romantik herkommt, wird, etwa mit *Novalis, geneigt sein, in den B.n „dichterische Hauptwörter" zu sehen, solche, in denen Empfindungskraft und Ausdruckswille des Dichters am stärksten, am reinsten wirken. Denn nicht die Gegenstände (Dinge oder Gedanken) selbst sind es, die dem romantischen Menschen wesentlich werden, sondern die Seelenbewegungen, die sie als Hall oder Widerhall, als Schein oder Widerschein in ihm erregen. Der Ausdruck dieser seelischen Erregungen und Bewegungen wird sprachlich als B. (Adjektiv) mit dem *Hauptwort (Substantiv) verbunden. Er wird dergestalt als maßgeblich dichterischer Anteil, als maßgebliche Menschenleistung an die Gegenstände herangetragen, ja: -geworfen. Es wird zum Hauptanliegen. So offenbart sich in dem Gebrauch des B.s tatsächlich eine der vielerlei möglichen Haltungen, die der Mensch, hier der romantische Mensch, zu den Gegenständen im einzelnen wie im ganzen, dh. zur „Welt" einnehmen kann (vgl. FStrich: Deutsche Klassik und Romantik. ³1928, ⁴1949). Goethes Haltung ist eine betont andere. Ihm ging es um die Gegenstände: die Dinge oder Gedanken selbst. JChr*Kestner überliefert aus der *wetzlarer Zeit (Mai/Juni 1772), daß Goethe schon damals von dem „uneigentlichen" Gedankenausdruck zum „eigentlichen" zu kommen, also „die Gedanken selbst, wie sie wären, zu denken und zu sagen" hoffte (Bdm. 1, 22). Weit über fünfzig Jahre später bekennt eines der *Zahmen Xenien: *Ein reiner Reim wird wohl begehrt, / Doch den Gedanken rein zu haben, / Die edelste von allen Gaben, / Das ist mir alle Reime werth (I/3, 338).* Mit einem Frühzeugnis (1773) von GFE*Schönborn, das erstaunlichen Tiefenblick in die noch wogende Geistesart des jungen Genies verrät, kann man sagen: „In der Tat besitzt er … eine ausnehmend anschauende, sich in die Gegenstände durch und durch hineinfühlende Dichterkraft" (Bdm. 1, 26). In einer dergestalt nur scheinbaren höchsten Subjektivität liegt höchste Objektivität und damit, wie es später (1792) heißt, das Maß für *Erfahrungen der höhern Art (II/11, 33),* auf die es Goethe lebend, wirkend, schaffend, forschend allzeit ankommt. Endlich ein Alterswort: *Der Geist des Wirklichen ist das wahre Ideelle* (1827 zu FW*Riemer: *Bdm. 3, 484).* Eben dieses Streben, die Gegenstände als solche, in ihrer Wirkung und in ihrem Wesen, transparent werden zu lassen, ist der Grundzug der goetheschen Haltung zur *Welt, und zwar durch alle Entwicklungsstufen hin. Ihm folgt, ihm dient die Sprache. So muß das Substantiv, wenn es denn Ding und Gedanken rein fassen will – so muß das B. von da aus Form und Sinn empfangen. Es kann wahrlich nicht mit dem wie Putz herangeworfenen Ausdruck irgendwelcher seelischer Erregungen und Bewegungen in willkürlicher, gedachter, gemachter, gesuchter, gesteigerter, übertriebener, bizarrer, fratzenhafter, karikaturartiger, schließlich ungesunder, ja durchaus kranker, hypochondrischer Weise (Riemer / Pollmer S. 295) die Gegenstände vergewaltigen. Es muß sie von innen her gleichsam mit ihrem eigenen Wesenslicht aufleuchten machen. Solcher Wesenserhellung gehorcht das goethesche B. Es hat immer unmittelbaren Anteil am Wesensganzen der Gegenstände selbst. Der „Totalität (ihrer) Anschauung" (ebda S. 351) entnimmt es einen, den jeweils wesentlichen Teil, um ihn zu betonen und in der Verbindung beider alles um so stärker zu beleben, als hätte der Blitz der Zeugung es eben getroffen.

Freilich: der geschichtlich überkommene, der *schlechteste Stoff* der Sprache bietet oft beklagte, sogar verhaßte und für unüberwindlich gehaltene Widerstände (1790: *I/1, 314;* 1795: IV/10, 348) – der eigene Werdegang fordert Ersteigung und Durchblutung immer neuer Daseinsstufen (1779). All dies wird auch dem Genie nicht geschenkt. Es will mit Mühe und Arbeit erworben sein und geschieht in flutendem Auf und Ab, mag es dann auch noch so „selbstverständlich" erscheinen. Es wird zur *Freiheit mehr des Innehaltens als des Ausschweifens, zur *Heiterkeit mehr der Überwindung als der Befriedigung, zum *Genuß mehr dessen, der sich führen als der sich treiben läßt. Alles in allem ist es der *Sisyphus-Gehorsam (1824: Bdm. 3, 66) eines Menschen, der hellwach hinhörend, hinschauend allein den *Phänomenen *der großen, leise sprechenden Natur (II/9, 173)* und ihrer Botschaft

zugewandt ist, nicht hinter, sondern in ihnen die Lehre sucht, um sie in wie außer sich rein und reiner zu realisieren. So baut sich ein wechselvolles Bild auf.

Die Anfangsjahre vor und in *Leipzig zeigen durchaus konventionelle Züge. Noch ist der Vorrat an B.n eine wie durch fast fossile Ablagerung längst kompakte, homogene Schicht. Der Zahl nach um Hunderte überwiegen die allgemein gebräuchlichen B.r in stiltypisch ebenso gebräuchlicher Verknüpfung: *erfreulich, schlecht, gut, stet, fest, günstig, zärtlich, wahr, kindlich, gehorsam, fremd, herrlich, finster, ehern, heiß, ewig, groß, böse, schwarz, fürchterlich* usw. Daneben liegen adjektivisch gewordene Formen (Partizipien) des Verbums (*Tätigkeitswort): *erhaben, geneigt, zertreten, nachgeahmt, abgesetzt, beschrieben, vergangen, entrissen, ausgestreckt, entwaffnet, gehörnt, bewaffnet, entbrannt, belebt, getrocknet, bestürzt, entkleidet, verschwiegen, gespalten, verlassen* usw. oder in anderer Zeitstufe: *rührend, singend, prahlend, schmachtend, atmend, seufzend, beseelend, bittend, summend, wachend, sterbend, grünend, hüpfend, brummend, tändelnd, zitternd, glühend, schluchzend, reißend, bewundernd* usw. Zusammensetzungen finden sich in dieser Schicht verhältnismäßig sehr wenig: *verehrungswürdig, sechsfüßig* (als verskünstlerischer Fachausdruck), *ehrfurchtsvoll, unschuldsvoll, schwermütig, lichtgrün* usw. Doch heben sich in der glatten Masse schon Stellen ab, von denen aus das Ganze in Bewegung geraten wird. Diese Bewegung geht ums Wesentliche. *Zustand* war für Goethe allezeit *ein albernes Wort; weil nichts steht und alles beweglich ist* (1812: *IV/23, 164).* Das dynamische Element pulst, zwar noch zart, aber doch spürbar unter allem Rokokopuder selbst der ersten, meist fremdförmigen Knabenäußerungen. Anzeichen bietet eine zunehmende Vorliebe eben für die adjektivisch gewordenen Verbalformen, wobei diejenigen der gegenwärtigen Zeitstufe (Präsens) den Vorrang haben vor denen der Vollendung (Perfekt). In ihnen vermag das bewegende Leben unmittelbar dazusein. Unter den ältesten Zeugnissen findet sich als erstes mit kühnerer Wendung ein solches, das auf Bewegung und Vorgang des Atmens zielt: *Da saugte mit athmenden Zügen / Annette das gröste Vergnügen (I/37, 42).* Die sinnbildlich übergreifende *Bedeutung des Atemholens, in seinen zweierlei Gnaden später zu einem welthaltigen Talisman (I/6, 11) emporgesteigert, hat früh empfundene Erlebniswurzeln. Zudem ist damit eines der Grundphänomene aller organischen Gebilde

in noch flüchtiger Vorwegnahme an- und ausgesprochen. Die sich „durch und durch hineinfühlende Dichterkraft" regt sich aber auch
in anderen Momenten, zunächst indem sie
mehr vom Wirken der Gegenstände her ihr
Wesen ins Wort, dh. ins B. zu bringen versucht. Es ist die Rede von *brennendem Verlangen,* von *der Erde aussaugendem Geize,* von
der Luft verderbenden Fäulnis, von *zuckenden
Kröten,* von *der wechselnden Libelle,* von *der
sehnenden Brust, der kommenden Welle,* dem
eilenden Leben, den *schäkernden Bräuten* usw.
Die Stilform der *Ode begünstigt, beschleunigt den Anstoß und trägt ihn weiter. Im
Zuge dieser bereits „erstaunlich originalen"
Entwicklungslinie, eher rhapsodisch als
odisch, trifft man 1767 eigenschöpferische Zusammensetzungen, die in der Folge eines der
auffälligsten Ausdrucksmittel werden, wie
etwa: *des Mädchens sorgenverwiegende Brust* ||
des Freundes elendtragender Arm – angekündigt durch die noch partizipiale Fügung vom
Vogel, der sich *Freiheit atmend* wiegt (1765).
Schon im ersten Ansatz nichts an die Gegenstände Heranempfundenes, sondern nur aus
ihnen Heraussprechendes, in dem sich für den
lebensvollen Augenblick die „Totalität ihrer
Anschauung" dynamisch verdichtet, also Wirkung und Wesen als tätige Bewegtheit, nicht
aber als starrer Zustand. Darum denn notwendig die Neigung zu präsentischen Verbal-
adjektiven. Als nächstes vermag Fluß ins konventionell Verfestigte die Steigerung zu bringen. Sie muß in weiteren Grenzen als in denen
der normalgrammatischen Komparation beobachtet werden. Denn diese spielt sogar eine
verhältnismäßig geringe Rolle. Komparative,
wie sie in beispielgebend absoluter Setzung
*Klopstock bevorzugt, finden sich gar nicht,
Superlative selten genug: *ein Krieger, den
stärkerer* [!] *Streitenden Macht in schimpfliche
Fesseln gebracht* (hier übersprudelt der Steige-
rungswille die grammatische Form), *glückli-
cheres Erdreich* (wobei stillschweigend das weniger glückliche mitgedacht wird); üblich
sind die *Liebste* (substantiviert), der *süßte
Weihrauch,* die *wärmsten Küsse,* das *geliebteste
Mädchen,* die *jüngsten Knaben* usw. – kaum
etwas Eigenes. Dies sucht nach anderen Formen, ist auf selbstempfundene Abstufung aus,
auch dieses gewissermaßen als Handlung vom
Gegenstande her erfahrend, als Dynamis,
nicht als Stasis: *Ewig finster, erschrecklich
breit, würklich schön, gleich entbrannt, halb auf-
geblüht, neu verstärkt, halblächelnd, vielgeliebt,
vielkünstlich, leichtbewegt, feuervoll, halbge-
raubt, hochgeehrt* usw. – solche Zusammen-

setzungen mit *halb-, voll-, viel-, hoch-* oä., in
denen graduelle Verhältnisse gröbster und
feinster Art ausgedrückt werden können, hier
erst im Keim erkennbar, bilden später ein
weites Feld in Goethes Sprache. Neben einer
Steigerung ins Positive meldet sich tastend
auch die ins Negative: *entrissen, ohnbewehrt,
kraftlos, unbestimmt, unbedauert, ohngebeten,
gefühllos, unzertrennlich, niegefunden.* Oft
kann ein derartig verneinter Ausdruck eben
wegen der Verneinung als wirksamer empfunden werden als der inhaltsgleiche unverneinte,
vor allem dann, wenn die negierende Vor- oder
Nachsilbe frisch angefügt ist. Auch dies ein
Frühansatz, dessen Wachstum in immer größeren Ringen schließlich allenthalben hinreicht. Ferner gehört zur Steigerung die Möglichkeit, den Ausdruck durch Doppelung oder
noch vermehrte Häufung zu kräftigen wie
gleichzeitig zu beleben: *aus rauhem wilden
Triebe* || *junges schönes sanftes Weib* || *belebt und
weich und warm* || *recht feurig* || *recht zärtlich* ||
immer zurückhaltend || *immer streng* || *verschwie-
gen kalt* || *ihr bestes größtes Glück* || *geliebte kleine
Lieder* || *mystisch heilig* usw. Weiterführen wird
hier weniger diese Art, sondern eine andere,
für die es freilich und einzig nur eben einen
bedeutsamen Frühbeleg (1767) gibt: *ihr furchtsam wilder Blick.* Die im Wesen der Erscheinungen selbst gelegene Lebensspannung *(Magnetes Geheimniß: I/2, 218)* wird in solcher Verknüpfung von widersprüchlichen, notwendig
adjektivischen Wortpaaren unmittelbar zum
Erscheinenden. Nicht allein die sich in die Gegenstände durch und durch hineinfühlende
Dichterkraft, sondern die geduldig schwere
Geistesarbeit eines langen Daseins läßt im
Alter diese Sprechweise zum angemessensten
Ausdruck für die in Wirkung und Wesen der
Gegenstände erfahrene Widersprüchlichkeit,
für ihren urgegeben dialektischen Charakter
sich emporbilden (*Altersstil). Aber man sieht
schon in den ersten Wachstumsjahren Anlage
und Ansatz, Vorgabe und Aufgabe der spezifisch goetheschen Haltung zur „Welt". Ebendiese Haltung impulsiert ständig das Bemühen, Fremdförmiges an Erfahrungs- wie Aus-
drucksmöglichkeiten anzuverwandeln oder ab-
zustoßen, um ins Ursprüngliche der Gegenstände im einzelnen wie im ganzen einzudringen und es „rein" zu haben. Man hat
längst bemerkt, daß dies auch der Sprache
selber gilt. Es ist aber mehr als Neigung, es
ist Zwang, wenn Goethe zunehmend der ursprünglich „sinnlichen" Bedeutung der Worte
innewird. Die konventionellen Schalen werden aufgebrochen, der lebensvolle Kern ver-

mag seine Keimkraft zu entfalten. Der Ausdruck atmet neue Frische, er gibt sein ersticktes Aroma wieder her. So kann denn sogar in die starr kompakte Schicht der anfangs wie tote Masse erscheinenden B.r Bewegung und Kraft kommen. Ihr feinfühlig erspürter, wurzelhafter Sinn vermag sich dem des Hauptwortes inniger zu vermählen, vermag dessen Wesenslicht heller aufblitzen zu lassen. Man denke an den eigentümlich goetheschen Gebrauch solcher B.r wie: *anständig, liebevoll, herzlich, wirksam, gerecht, bequem, endlich, vorläufig, gegenseitig, sonderbar, merkwürdig, ewig, edel, widerwärtig, widrig, sinnig, gemütlich* usw. (OPniower). Aber diese Entwicklung weist über die Knabenjahre vor und in Leipzig weit hinaus. Voraussetzung war die Ersteigung und Durchblutung der Jünglingsstufe in *Straßburg, die Begegnung mit urtümlich Volkhaftem in der *Landschaft, in der *Geschichte, besonders im Menschen, sei es durch Freundschaft (JG*Herder), sei es durch Liebe (F*Brion). Selbst die konventionell so fest gewordene syntaktische Stellung des B.s wird wieder beweglich, so beweglich wie in Urtagen unserer Sprache *(Röslein roth: I/I, 16)*. Der Heutige begreift kaum noch, wie heftig damals gerade für diese Dinge gestritten werden mußte.

Diesen im Entwurf der Frühstufen bereits regsamen Linien folgt die spätere Entwicklung. Sie zieht sie kräftiger, betonter durch. Eine zu starr schematische Einteilung in Jugend-, Mannes- und Altersprache ließe leicht die lebendig wachsende Einheit der *Persönlichkeit übersehen. Der Zug ins Ursprüngliche der Wortbedeutungen äußert sich besonders in den immer zahlreicher werdenden Bildungen mit -*haft: flügelhaft, musenhaft, sonnenhaft, taghaft,* auch *geizhaft, werkhaft, wimmelhaft, wogenhaft* usw. Mit wachem Sinn für das gegenständliche -*haft*/behaftet muß man diese B.r durchaus „eigentlich", nicht „uneigentlich" verstehen als „mit Flügeln behaftet" (Amoretten), „mit Musen behaftet" (ChrM *Wielands Wohnsitz), „mit Sonne behaftet" (*Auge) usw. Eine solche Behaftung gehört wirklich und wesentlich zur Totalität der Anschauung, sie wirft nichts an sie heran, fügt ihr nichts zu, was nicht längst in ihr mitenthalten ist. Ihre Nennung im B. dient der Transparenz des Gegenstandes im Sinne seiner Wesenserhellung. Man verspürt noch das Ursprünglich-Schöpferische in diesen Zusammensetzungen, obwohl „-haft" sonst schon wie eine sinnleere Nachsilbe hingenommen werden konnte. Überhaupt vermag sich die

sprachliche Produktionskraft, seitdem es im strengen Sinne kaum noch „Urschöpfung" gibt, stärker in Zusammensetzungen zu äußern. Das Innewerden von ursprünglichen Wortbedeutungen darf ja nur als reproduktive Leistung gewertet werden. Tatsächlich ergießt sich Goethes Sprachkraft auch überwiegend in Zusammensetzungen. Neben Bildungen wie: *morgenfreundlich, morgenschön, lampenhell, lebensrege,* auch *morgentaulich* usw., die der Dynamis zu wenig Freiheit lassen, sind es vornehmlich partizipiale Fügungen, zunächst präsentische (entsprechend den 1767 frühgefundenen Formen: *sorgenverwiegend* usw.) wie: *silberprangend, schlangewandelnd, wellenatmend, siegrückkehrend,* auch *reichhinstreuend, ringsaufkeimend* usw. Sie zeigen den Gegenstand im Augenblick beginnender oder eben noch andauernder Bewegung. Anders in der Mannes- und Altersprache, wo sich dieser Typus, wiederum anknüpfend an Frühformen (*freudbetränt, flammengezüngt* usw.) bevorzugter zum Perfektisch-Passiven umgestaltet: *sieggekrönt, prachtgebunden, liebeerwärmet, schöngeordnet, wohlgebildet.* Hier erscheint der Gegenstand in dem verhaltenen Augenblick entweder des Höheoder des Endpunktes einer Bewegung. Er steht mit fast betonter Ruhe da. Endlich klingt es fast karg aus: Goethe liebt es in späten Tagen einfach zu sagen: *edel, schön, groß, gut, würdig, mächtig* usw. Faßt man beide Typen unter dem Gesichtspunkt der „Bewegung" zusammen, so zeigt sich ein eigentümliches Pendeln zwischen Anstieg und Abstieg, zwischen dergestalt gegensätzlichen Momenten, die auch in anderen Bereichen seiner Sprache wiederkehren. Boten die bisherigen Beispiele überwiegend Anhaltspunkte dafür, daß ein Gegenstand gewissermaßen in den äußeren Wirkungen seines anhebenden oder aufhörenden Bewegtseins von getrennten Pendelpunkten her angeschaut wurde, so muß zunehmend gerade dem B. auch die Aufgabe zuwachsen, die inneren Wesensgründe solcher Wirkungen und damit auch die Gleichzeitigkeit der gegensätzlichen Bewegungsmomente als zur Totalität der Anschauung gehörig auszusagen.

Eine Zwischenstufe stellen die überaus häufigen, positiv oder negativ steigernden Zusammensetzungen mit *über-, ganz-, hoch-, tief-, viel-, voll-, ur-* oder andererseits mit *halb-, un-,* und *nicht-* dar. Auch diese setzen eine frühgefundene Linie fort. Hier wird die auf *Polarität und Steigerung beruhende Wesenserfassung der Weltdinge in einer ersten Innen-

schicht transparent, ohne sich freilich schon ganz sprachlich zu verleiben. Den letzten Schritt in dieser Richtung vollziehen dann erst die späten Schöpfungen der Alterssprache nach dem vereinzelten Jugendmuster *furchtsam wild: traurig heiter, wonneschaurig, dunkelhell, starrzäh, zartkräftig, schroffglatt, jungalt, siechgesund, stummlebendig, erlogenwahr* usw. Darin wird die dialektische Betrachtungsweise Goethes und zugleich das ihm immer tiefer aufgegangene Disparate der Erscheinungen in den knappen Wortkörper des B.s hineingepreßt und das B. somit geradezu zum Wesenswort, das seinen Gegenstand allerdings, Außen und Innen verbindend, in totaler Anschauung charakterisiert.   *Za*
Bibliographische Angaben vgl. unter *Sprache.

Bekker, Balthasar (1634–1695), reformierter Prediger in Westfriesland und Amsterdam, wurde abgesetzt und exkommuniziert, weil er die Macht des Teufels bestritt. Seine Schrift: „De betoverde Weereld, zijnde een grondig ondersock van 't gemeene gevoelen aangaande de geesten, deselver aart en vermogen; bewind en bedrijfd: als ook 't gene de menschen door derselver kraght en gemeinschaft doen" von 1691 erschien in mehreren Auflagen, auch schon von B. selbst in deutscher Übersetzung 1693, später in einer dreibändigen Ausgabe von JMSchwager, vermehrt von JSSemler. Wohl in dieser Ausgabe las Goethe am Abend des 16. XII. 1800 gleichzeitig mit Werken des E*Francisci („Lusthaus der Ober- und Niederwelt" von 1676 und „Der höllische Proteus" von 1703: III/2, 315), während er am 14. II. 1801 die deutsche Ausgabe von 1693 aus der weimarischen *Bibliothek entlieh (Keudell Nr 244).   *Lö*

Belagerung von Mainz. Goethe hat keine umfassende und abschließende *Autobiographie geschrieben. Nur einzelne, größere oder kleinere Abschnitte hat er dargestellt. In diesem Zusammenhang hat er auch der *Belagerung von Mainz* eine eigene Schrift gewidmet *(I/33, 272–329).* Die Arbeit daran beanspruchte längere Zeit (12. II. 1820: *Schema zur Belagerung von Maynz, III/7, 137;* 19. II. 1820: *Erste Tage in dem eroberten Maynz, III/7, 139 || 24. IV. 1822: Nach Tische Belagerung von Maynz vorgelesen, III/8, 189;* im Einzeldruck *Aus meinem Leben II, 6,* vgl. dazu I/33, 333 bis 336, neuerdings auch WHagen S. 122). In dieser Zeit (Ende 1822) bezieht sich Goethe auch anderwärts auf seine *gränzenlose Bemühung [die französische Revolution] dieses schrecklichste aller Ereignisse in seinen Ursachen und Folgen dichterisch zu gewältigen*

(II/11, 61). Seine *Belagerung von Mainz* ist scheinbar kein eigentlich dichterisches, allenfalls gilt sie als ein dichterisch intendiertes Zeugnis dafür. Besonders bemerkenswert aber ist es, daß Goethe die Formel: *dichterisch gewältigen* prägt und nutzt. Zwei ganz verschiedene Regionen sind darin verbunden, die künstlerische und die bergmännische. Der Bergmanns-Ausdruck „gewältigen" gehört primär in jenen Erfahrungsbereich, wo man mit Katastrophen (wie zB. mit Wassereinbrüchen) fertig zu werden hat, wo man Gewalt gegen Gewalt zu setzen und seine als die stärkere zu behaupten hat, wo man alle Kräfte zusammennehmen muß, um diese „Gewalt" über die Katastrophe zu erringen. In Goethes Formel wird die *dichterische* Leistung des Gestaltens/Umgestaltens und Darstellens als ein solches *Gewältigen* bezeichnet, weil es sich intentionsgemäß um das Fertigwerden durchaus mit einer Katastrophe (der *Geschichte wie der *Natur) handelt. Man verkenne nicht den ernsten Ton, mit dem Goethe vor sich selbst und vor anderen die Anstrengung seiner poetischen Produktion bezeugt – ausdrücklich und eindrücklich über den einmaligen Fall dieser Schrift hinaus. Wie weltenweit ist solche Haltung von jeder Schwarm- und Rauschgeisterei entfernt – wie ist sie erfüllt vom energischen Geist der Kraft, der Zucht, der Verantwortung, der Notwendigkeit, der Eindeutigkeit in äußeren und inneren Folgen alldessen, was Ereignisse „im Grunde" wirklich sind und was sie so wirklich wie wesentlich zu sagen haben. Das Gesetz der *Bildung* poetischer Formen kann für Goethe kein anderes sein als das der *Bildung und Umbildung organischer* oder *anorganischer Naturen* (*Biologie). In jedem Falle kommt es auf den *Bauplan* an, dh. auf jene geheimnisvoll offenbare Potenz, kraft deren auch und gerade Goethe in seinem großen *Gehorsam* gegen die Natur „alles Einzelne in die Stelle des Ganzen setzt, wohin es gehört" (FHölderlin; vgl. WFOtto: Gesetz, Urbild und Mythos. S. 23), zumindest unablässig darum ringt und wirbt als um die *allein fruchtbare* Wahrheit des Gesehenen und des Gesagten – durchaus ohne *wagnerische* Klügelei: *Getrost! Das Unvergängliche | Es ist das ewige Gesetz | Wonach die Ros' und Lilie blüht (I/4, 114).*
Als Zeitereignis hat die B. v. M. im Kreise der näher oder ferner Beteiligten ein bemerkenswert reichhaltiges Echo gefunden. Die militärische wie die politische Bedeutung wurden auch von Goethe für stärker gehalten, als

spätere Interpreten bisweilen zugestehen oder verstehen wollen. Immerhin wurden zwei namhafte Oberbefehlshaber auf französischer Seite – vielleicht mehr leidenschaftlich als rechtlich, vgl. OAubry: La révolution française II, 2 – relegiert, diffamiert, guillotiniert (APComte de *Custine † 28. VIII. 1793; AFM Vicomte de *Beauharnais † 23. VII. 1794). Andere, zB. AChrMerlin de Thionville, JB Kléber, auch JFRewbell, ferner AAubert-Dubayet und der bis 1794 kriegsgefangene FJd' Oyré (vgl. IV/10, 172) mit seinem Generalstab (Meusnier und de Blon fielen während der Belagerung) wußten in den Attacken der Kritik ihren Kopf zu wahren und sogar an Geltung noch zu gewinnen. Die Kopfstärke der Belagerten betrug etwa 23000 Mann. Die interventionistische Gegenseite hatte als obersten Befehlshaber der Koalitionstruppen (Preußen, Kaiserliche Österreicher, Sachsen, Hessen, Bayern-Pfälzer, anfangs insgesamt 33000, schließlich 43000 Mann) den König von *Preußen Friedrich Wilhelm II. aufgeboten, unter ihm als Befehlshaber der beiden Abteilungen: [Feldmarschall] Generalleutnant FA Graf v*Kalckreuth (linkes Rheinufer, sehr selbständig: schließlich 28000 Mann), Feldmarschalleutnant A Frhr vSchönfeld (rechtes Rheinufer: schließlich 15000 Mann). „Der Zwiespalt unter den Generalen [auch unter den übrigen] und zwischen Kalckreuth und dem König lähmte die Belagerungsarbeiten; es scheint erst einer ausdrücklichen Versöhnung zwischen dem König und dem General bedurft zu haben, ehe die Dinge in Fluß kamen" (EWeniger S. 26). Sie kamen dann aber doch in Fluß und beseitigten durch die Eroberung der Stadt den ersten Versuch der jungen französischen Republik, auf außerfranzösischem Boden Stützpunkte und Pflanzstätten der Revolution zu errichten. Custine hatte am 21. X. 1792 Mainz erobert. Am 21. III. 1793 wurde zum Frühlingsbeginn durch die sogenannten „Mainzer Clubbisten" die Republik Mainz und alsbald zugleich die Rheinische Republik gegründet. Schon zehn Tage später aber, am 31. III., wurde die Stadt isoliert, am 14. IV. blockiert, danach – vornehmlich seit Mitte Juni – in konzentrischem Vorgehen belagert, am 19. VI. erstmals und dann schnell zunehmend artilleristisch bombardiert (vgl. ChrG*Schütz: Nächtliche Beschießung von Mainz 1793. GNM), am 22. VII. übergeben, am folgenden Tage von den Belagerern besetzt: „Der Anblick der Stadt war schlimm genug. Acht Kirchen, viele Capellen, die meisten adeligen Höfe, das Comödienhaus

waren zerstört; die Wohnhäuser, wenn auch scheinbar unversehrt, wiesen durchwegs Spuren der fremden Gäste ... Noch waren viele Häuser und alle Lazarethe besetzt von den Kranken und Verwundeten, die sie zurückgelassen hatten, über 3000 an der Zahl; es waren von... der ursprünglichen Besatzung im ganzen 18675 übrig geblieben. Stärker war jedenfalls noch der Verlust der Alliierten, welcher ... auf 3–4000 angegeben wird ... Das Verhalten der Garnison war gewiß nicht vorwurfsfrei; ein competenter Kritiker wie Erzherzog Karl findet wohl die erste Epoche der Vertheidigung wahrhaft glänzend, die zweite dagegen um so schlechter, die Uebergabe vollends ganz ungerechtfertigt, und will diese durch Bestechung der Volksrepräsentanten erklären. Daß diese die Capitulation ... nicht hinausschoben, ist eine sichere Thatsache. Wenn später im Convent Merlin mit Emphase versicherte, er hätte nur unterzeichnet, weil drei Tage später 16000 tapfere Soldaten verloren gewesen wären, die so der Rache der Tyrannen entzogen wurden, so werden wir denn doch glauben, daß Besorgniß um die eigene Sicherheit bei ihm und vielen Collegen stärker gewirkt habe, als diese ganz plausibel klingende Erwägung" (VPollak S. 283 f.). Goethe hat das Zeitereignis nicht als Ganzes im Sinne faktischer Vollständigkeit wahrgenommen. Sein Verständnis der Geschichte bevorzugte andere Organe. Er kam rund sechs Wochen nach Blockade-Beginn. An den Aktionen war er nicht jedesmal beteiligt. Manche Einzelheit hat er falsch gedeutet. Er hielt sich willentlich und wissentlich zurück. Seine Aufzeichnungen sind lückenhaft. *Es widersteht mir etwas aufzuschreiben von dem was ich sehe und höre, sonst hätte ich ein schönes Tagebuch führen können* (27. VII. 1793: IV/10, 100). Das Fazit, das er formuliert, und das Urteil über die „Mainzer Clubbisten", das er spricht, vernimmt als erster, persönlich und sachlich durchaus sinnbezogen, wieder FH*Jacobi wie schon 1792 in *Pempelfort: *Das Unheil das diese Menschen angstiftet haben ist groß. Daß sie nun von den Franzosen verlassen worden, ist recht der Welt Lauf und mag unruhigem Volck zur Lehre dienen (IV/10, 101).* In diesen Worten wird Goethes wirkliche Intention schon bei seiner unmittelbaren Teilnahme wie später bei seinem nachträglichen Buch-Bericht vernehmlich.
Für Art und Weise der unmittelbaren Teilnahme sind nicht nur die Tagebuch-Aufzeichnungen und Brief-Äußerungen Goethes über die Geschehnisse kennzeichnend, sondern

auch der Umgang mit den recht unterschiedlichen, auch recht unterschiedlich behandelten Personen anderer Beteiligter oder Erwähnter.

Für die (quasi mittelbare) Gestaltung-Um-
gestaltung seiner ursprünglichen, vielleicht
nur knappen Notizen und Konzepte zum endlichen Buch: *Belagerung von Mainz* nützte
Goethe, Eigenes klärend oder mehrend, 1820/
1822 vornehmlich die „Mémoires posthumes
du général français Comte de Custine" (herausgegeben von Baraguay d'Hilliers, 1795), die
Schriften des abenteuerlichen „Magisters"
FChr*Laukhard sowie des herzoglichen „Käm-
meriers" JC*Wagner, möglicherweise auch
andere (vgl. VPollak S. 261 f.). Man kann es
für bemerkenswert halten, daß Goethe in der
darstellenden Verknüpfung von Personen und
Situationen einer Art von kompositioneller
Rhythmik zu folgen scheint. Diese läßt aus
einer bloßen Chronik seiner Teilnahme an der
B.v.M. tatsächlich nicht nur ein literarisches
Zeugnis, sondern eine dichterische *Gewältigung* der Ereignisse werden. Man spürt eine
Gesetzlichkeit, die Innen und Außen verbinden will. Dabei wird Wirkung durch Ordnung
auf eine Weise erstrebt, die „*Stoff*" und „*Gehalt*" überwindet und die auch Goethes dichterischem *Prosa-Schaffen zumal in den späteren Jahren (*Altersstil) seine besonderen
Strukturen, seinen Atem, seine Tempi, seine
Töne, seine Farben, kurz: seine „*Formen*" gibt.
Die Gesamtdarstellung der *BvM*. bietet in
spezifischer Verknüpfung von Personen und
Situationen mehr oder weniger scharf abgegrenzt 65 episch-szenische Bilder (Abschnitte:
Stationen, Aktionen, Episoden), die bisweilen
mit erhöhter Beschleunigung wechseln oder
ineinandergleiten. Diese 65 Bilder scheinen
fast schematisch gruppiert zu sein. Es ist uns
aber kein Schema erhalten (vgl. I/33, 335;
372–379; III/7, 137). Wir müssen es (nachträglich) aus dem Text herauslesen. Dabei
erschrecke man nicht vor dem Ausdruck
Schema, den Goethe selbst ja so häufig gebraucht. Doch ist es wahrscheinlich besser,
wiederum im Sinne goethescher Denk- und
Sprechweise, von *Bauplan* zu reden. Überdies
dürfte heuristisch-methodisch eine Bemerkung JBurckhardts nicht unnützlich sein:
„Gewisse Tragödien des Sophokles und Euripides bauen sich quantitativ, den Verszahlen
der Dialogpartien nach, so auf, daß die Mitte
eine Hauptszene ist, gegen welche die übrigen
Szenen gleichmäßig von der einen Seite an-
steigen und nach der anderen fallen, so daß
sie gegen die Mitte symmetrisch zusammen-

kommen wie die Figuren einer Giebelgruppe.
Das hat keines Menschen Ohr hören können,
und dennoch ist es nachgewiesen; es sind
Dinge, die uns einstweilen noch nicht erklärt
sind, die uns aber das supreme Vermögen der
Dichter zeigen" (Griechische Kulturgeschichte
Bd 2, S. 298; auf Goethe bezüglich vgl. besonders HFriedmann: Die Welt der Formen.
²1930. S. 54–56; außerdem: *Ballade, *Biologie, *Naturformen der Dichtung, *Poetik).
Goethe selbst: *Den Stoff sieht jedermann vor
sich den Gehalt findet nur der, der etwas dazu
zu thun hat, und die Form ist ein Geheimniß
den meisten* (1823/26: *MuR: Hecker Nr 289*).
Das Geheimnis gründet zumal in einem Wechselspiel eidetischer und rhythmischer *Analogien, die zu einem System von Bezügen sich
verflechten. Indem man sich dies System von
Bezügen vergegenwärtigt, öffnet man sich die
Einsicht in das Geheimnis der Form. Der
Bauplan der goetheschen *BvM* läßt in diesem
(keineswegs nur reflektorischen, sondern
durchaus produktiven) Sinne folgende Haupt-
momente erkennen.

Die *BvM* als Ganzes, als *dichterische Gewältigung* des *schrecklichsten aller Ereignisse*, also
einer echten geschichtlichen Katastrophe, als
Goethes Antwort darauf, ist eine Doppelantwort. Sie gibt sich in den umschließenden
Partien als solche zu erkennen – in den u m -
s c h l i e ß e n d e n Partien, weil in dieser Doppelantwort die Urmächte des Bergenden, Be-
wahrenden, Rettenden beschworen werden.
Anfang und Ende, Auftakt und Ausklang der
Darstellung Goethes sind die urmächtige Welt
der Mutter, des Mütterlichen (darum Beginn
in Frankfurt!) und die ebenso urmächtige
Welt des *Fürst-Menschlichen*, des *Landes*- und
Völkerväterlichen (darum sogleich im zweiten
Absatz die Begegnung mit Carl August sowie
auch mit dem Prinzen Maximilian Joseph),
die beide auch den Schluß bilden: nochmals
Durchgang durch die Welt der Mutter, nochmals Hinblick auf die nunmehr sich in sich
selbst verdichtende Sphäre des *einzigen Mannes und Führers*, des *Fürsten, Rathgebers,
Wohltäters und Vaters zugleich*. Zwischen diesen beiden – vielsagenden, für Goethe sehr
weit- und tiefbedeutsamen – Eckpunkten ist
die Vielfalt der Einzelabschnitte (Stationen,
Aktionen, Episoden) beziehungsreich ausgespannt.

30 Einzelabschnitte bis zu der *unruhigen
Nacht* [!] mit ihren *mannichfaltigen fern und
nah erregten Tönen*, in denen Krieg und Frieden ein verworrenes und verwirrendes Echo
hören lassen, von denen das schlaflose Ohr

viele *genau unterscheiden,* doch nicht mehr verbinden kann *(Ende Juni: 1/33, 296).*
Dann die Zäsur einer *Lücke* – es ist eine ganz echte *Pause, wie sie häufig und immer vielsagend in Goethes Dichtung sich findet: *Daß eine solche hier einfällt [!], möchte kein Wunder sein.* Der Atem stockt, das Blut gefriert. An dieser Stelle steht der in jedem Sinne zentrale, durchaus furiose Satz: *Von der wilden wüsten Gefahr angezogen, wie von dem Blick einer Klapperschlange, stürzte man sich unberufen in die tödlichen Räume, ging, ritt durch die Trancheen, ließ die Haubitzgranaten über dem Kopfe dröhnend zerspringen, die Trümmer neben sich niederstürzen (ebda 297).*
Anschließend wieder 30 Einzelabschnitte bis zu dem prophetisch ins Weite gerichteten, aber nicht tröstlichen Ausblick aus der eroberten Festung: *Man hegte daher die Vermuthung, daß die letzte Revolution in Paris, wodurch die Partei, wozu die Mainzer Commissarien gehörten, sich zum Regiment aufgeschwungen, eigentlich die frühere Übergabe der Festung veranlaßt. Merlin von Thionville, Reubel und andere wünschten gegenwärtig zu sein, wo nach überwundenen Gegnern nichts mehr zu scheuen und unendlich zu gewinnen war. Erst mußte man sich inwendig festsetzen, an dieser Veränderung Theil nehmen, sich zu bedeutenden Stellen erheben, großes Vermögen ergreifen, alsdann aber bei fortgesetzter äußerer Fehde auch da wieder mitwirken und, bei wahrscheinlich ferner zu hoffendem Kriegsglück, abermals ausziehen, die regen Volksgesinnungen über andere Länder auszubreiten, den Besitz von Mainz, ja von weit mehr, wieder zu erringen trachten (ebda 324).* Diesen zweimal 30 Einzelabschnitten ist dann eine kleine Coda von 5 letzten angehängt, die um das zwiespältige Herzstück der Schlosser-Begegnung in Heidelberg (wie entsprechend die *Campagne in Frankreich* mit der gleichartig uminterpretierten Jacobi-Begegnung in Pempelfort) zusammenfassend und betonend gruppiert sind, indem sie die Quintessenz des Ganzen in fast liebenswürdiger Verkleidung formuliert. Die Schlosser-Begegnung soll wiederum paradigmatisch und symptomatisch bekunden, welcher gefährlichen Verständnislosigkeit die innerste und ernsteste Mühe Goethes ausgeliefert war und ist, wenn sie es unternahm, in Natur und Geschichte (zumindest per analogiam und doch weit mehr als nur so) dieselben Lebensgesetze als verbindlich aufzudecken – ein *Unternehmen, das* ihn *so sehr beschäftigte, und das* er *der ganzen Welt nützlich und interessant* wähnte. In seinen *alten Tagen* muß sich Goethe

mit aller seiner Mühe *noch immer* wie *ein Kind und ein Neuling,* ja wie ein Fremdling vor dieser Verständnislosigkeit und Teilnahmslosigkeit fühlen. Darüber sollte auch der versöhnliche Schluß, dh. die erneute Beschwörung der Urmächte des Mütterlichen und des *Fürst-Menschlichen,* insofern das Vertrauen auf den endlichen Triumph der kosmischen über die chaotischen Gewalten nicht hinwegtäuschen. Denn es heißt: *Und so wollen wir schließen, um nicht in Betrachtung der Weltschicksale zu gerathen, die uns noch zwölf Jahre bedrohten, bis wir von eben denselben Fluthen uns überschwemmt, wo nicht verschlungen gesehen (ebda 326–329).*
Das dergestalt intendierte Thema wird nun durch eine innerlich, dh. hier symbolisch verbundene Folge von polaren, gegenbildlichwechselwirkenden Variationen und in regelmäßigen Fünfer-Abständen wachgerufen, wachgehalten und durchgeführt: 1. Szene mit dem ungenannten [!] *Geistlichen, revolutionärer Gesinnung verdächtig,* von dem man nicht weiß, ob er *toll* ist, weil er das Widernatürliche betont *(nie von einem Weibe geboren; durch das Wort alles gemacht);* 2. *Tod ohne Unterschied:* der *wunderliche Contrast* im Nebeneinander der hingemähten *riesenhaften wohlgekleideten Cuirassire* und der *zwergenhaften, schneiderischen, zerlumpten Ohnehosen;* 3. Exekution des *Bauern* Lutz aus *Oberolm;* 4. Satire/Ironie (Intermezzo): *Reinecke Fuchs* und die Unzufriedenen: Goethe mit Carl August im Darmstädtischen Lager; ernster: Zusammensein mit Carl August, Maximilian Joseph, JF vom und zum Stein; 5. Exportation: *Die Noth wehr- und hülfloser zwischen innere und äußere Feinde gequetschter Menschen ging über alle Begriffe;* 6. Zwischenschluß und Fazit: Operationen und Aktionen der BvM als bloßes Schauspiel, als *Lustpartie;* 7. Kapitulation: *Ankunft des französischen Commandanten d'Oyré: ein großer wohlgebauter Mann von mittleren Jahren, sehr natürlich in seiner Haltung und Betragen,* durchaus als Gegenbild hingestellt gegenüber Merlin, Rieffel, Rewbell; 8. Episode mit dem rückwandernden *Mainzer:* einem Perückenmacher und seinem Söhnchen; 9. Prügelszene: Volksrache an dem *Erz-Clubbisten;* 10. Goethes entschlossenes und wirkungsvolles Auftreten gegen die Volksrache an dem *Architekten* mit der Rückbeziehung auf die Perückenmacher-Episode; 11. Spiegelung der Geschehnisse im Blickfeld der *alten Frau;* 12. Vision der wiederkehrenden Revolutionäre und der Ausbreitung der *regen Volksgesinnungen* von dem wiedererober-

32*

ten Mainz noch weit *über andere Länder; 13. Tröstliches:* Verheißungsvoller Entschluß des Herzogs, aus dem Kriegsdienst auszuscheiden und sich künftig der Friedensarbeit hinzugeben. Abgesehen von den einzigen Bildern 7 und 13, dh. von Mitte und Schluß, die jeweils führende Figuren, aber durchaus in möglicher Beziehbarkeit zeigen (Goethe wird d'Oyré ein Jahr später in Erfurt treffen und sich im Gespräch mit ihm *der Mainzer und Marienborner Geschichten* fast freundschaftlich *erinnern: IV/ 10, 172;* d'Oyré ist für Goethe kein Repräsentant der französischen Revolution, sondern der französischen Nation), gelten alle übrigen, kompositionell markierten Szenen den mehr oder weniger Verführten und Unschuldigen, den gleichsam kreatürlich Betroffenen und Leidenden, den wohl auch Verwirrten, aber nicht eigentlich Verantwortlichen. An diesen, die nur die Folgen zu tragen haben, wird die Gesetzlichkeit der Geschichte offenbar, deren genaue Entsprechung in der Gesetzlichkeit der Natur zu zeigen Goethes wesentlichste Intention ist: *Die Verwirrung, die den Geist ergriff, war höchst schmerzlich, viel trauriger, als wäre man in eine durch Zufall eingeäscherte Stadt geraten (I/330, 316).* Goethes tiefste Antwort auf diese ihn außerordentlich bestürzenden und erschütternden Eruptionen menschlicher Vulkanität ist eine Doppelantwort. Er drückt sie am stärksten und verbindlichsten in der kompositionellen Struktur: im *Bauplan* aus und fordert dabei mehr durch das Bild als durch das Wort, am meisten durch Bezug und Folge, daß man sich halten solle an die Urmächte des Mütterlichen und des Fürstlichen in jenem Sinne, der für ihn immer der *wahre* gewesen ist, weil er der *fruchtbare* war. Ein anderer Weg in den Kern des Menschenwesens ist ihm die Farbenlehre, für die auch und gerade bei seinem Schwager JG*Schlosser kein Verständnis finden zu können, ihn weniger überrascht, tiefer enttäuscht. Es steckt viel Resignation in Goethes *Belagerung von Mainz.* Dennoch ist sie ein Zeugnis für seine *gränzenlose Bemühung, die französische Revolution zu* gewältigen.   *Za*

OAubry: La Révolution Française. 1942. – AChuquet: Les Guerres de la Révolution. 1892. – VPollak: Zur Belagerung von Mainz. In: GoetheJb 19 (1898), S. 261–286. – JKunz: Einführung. In: Biographische Einzelschriften. ArtA 12, S. 785–828. – EWeniger: Goethe und die Generale. Neue Aufl. 1959. – MMommsen: Entstehung von Goethes Werken. Bd. 2, 1958, S. 23–57.

Beleuchtung, dh. die künstliche B., insbesondere die zu seiner Zeit aufkommende Gas-B., ihre chemisch-technischen Voraussetzungen und ihre praktische Anwendbarkeit interessierten Goethe stark, wie überhaupt die Problematik des künstlichen *Lichtes, mit dem der Mensch die natürliche *Nacht zu überwinden trachtet, Wüßte nicht, was sie Bessers erfinden könnten, | Als wenn die Lichter ohne Putzen brennten* (vielleicht noch vor 1814/15: *I/2, 227;* „Putzen: nicht das Verbum, sondern Plural von „die Putze" = verkohlendes Docht-Ende, das übel riecht und die Leuchtkraft der Talgkerze mindert", JubA 4, S. 263, EvdHellen; vgl. auch ThHeinsius: Volksthümliches Wörterbuch der Deutschen Sprache. 1820. Bd 3, S. 993: = „das, was vom Lichte abgeputzt wird, die Schnuppe").

Die kulturgeschichtlichen Einzelheiten kümmerten Goethe nicht viel, obwohl er sich ähnlich wie bei den anderen *großen Entdeckungen der zweiten Hälfte des achtzehnten Jahrhunderts* auch hier *Schritt für Schritt folgend* und sorgfältig auf dem laufenden gehalten, dh. *so genau ... als möglich ... ums Phänomen erkundigt* haben dürfte (*MuR:* Hecker *Nr 401; Nr 1211;* vgl. auch „Naturwissenschaftlicher Entwicklungsgang" 11. IV. 1821: II/11, 299 bis 302; ferner: AZastrau: Technik und Zivilisation). Span und Fackel spielen – zumal in Innenräumen – praktisch kaum noch eine Rolle (vgl. aber die dringliche Frage der Fackel-B. in *Antiken-Sammlungen: IR*vEinem S. 658, dazu zB. I/32, 148–151), offene *Feuer auf dem Herde (vgl. zB. 1773: I/8, 5; 1786: I/30, 188; 1792: I/33, 108), im Kamin (zB. I/8, 52) oder gar unter freiem Himmel noch weniger (zB. 1783: I/2, 142; 1786: I/30, 265; 1792: I/33, 65); *Illuminationen und Feuerwerke sind festliche, kostspielige Repräsentations-Höhepunkte, daher (zB. 1764: I/26, 328–331; 1787: I/32, 8 f.; 1792: I/33, 247; auch 1802: *Was wir bringen,* I/13^I, 103; 1807: *Vorspiel zu Eröffnung des Weimarischen Theaters,* I/13^I, 28; 36). So blieb es zumeist bei Kerzen (allgemein üblich: Unschlitt/Talg; kostspieliger: Wachs; Stearin erst nach 1820, entdeckt durch MEChevreul; Paraffin erst nach 1830, entdeckt durch KvReichenbach) oder bei Lampen (Rüböl; seit Carcel, 1800, Uhrlampe mit mechanisch arbeitendem Pumpwerk, danach wesentliche Verbesserung durch andere, flüssigere, schneller saugbare Brennstoffe oder Brennstoffgemische: Solaröl/Braunkohle, Erdöl/Naphta, aber erst durch Franchot, 1836, neue Lampen-Konstruktion: Moderateurlampe mit Spiralfeder-Vorrichtung zum Hub des Brennstoffs). In jedem Falle war ein Docht nötig, wie schon in der Antike. Bei Kerzen wurden noch während der ganzen Goethezeit runde Volldochte verwandt, die langsamer verbrannten als das jeweilige Kerzenmaterial und in kürzeren oder längeren Zeitabständen „geschneuzt" werden mußten. Bei Lampen benutzte man zunächst noch dieselbe Docht-art, seit Leger, 1783, aber den Flachdocht, seit Argand, 1789, den runden Hohldocht mit alsbald auch verbessertem Zugzylinder (Glas) und Brenner (statt Flachbrenner oder Kronenbrenner nunmehr und in zunehmender Verbreitung Argandbrenner). Goethe widmet diesen einfachen, gewissermaßen altgewohnten, aus vertrauten Formen allenfalls weiterentwickelten Geräten des täglichen Gebrauches selten ein Wort, am seltensten in der Dichtung. Wenn es geschieht, so handelt es sich fast immer um Situationen, wo die benannten Objekte auf ihre eigene Weise sprachlich, dh. beredt und bedeutend werden, wo das Zufällige zum Notwendigen wird und in ihrem (jeweils) Besonderen das Allgemeine sich meldet (zB. 1769: I/9, 62; 64; 65; 68; 77; 1771/72: I/39, 225; 1786: I/30, 215; 1795: I/22, 193; 1800/01?: I/14, 61; 1809: I/20, 131; 1827/29: I/15^I, [22–58] = *Flammengaukel-spiel, 59;* 68; 75; 79; 89). Mehr noch als das gelegentliche Vorkommen solcher Situationen muß ihr Fehlen auffallen. Goethe bevorzugt durchaus das Natürliche, ja er macht es dichterisch entschieden zur Bedingung des Lichtes, der Dämmerung, der Finsternis, des Tages und der Nacht, so daß ihm das Dunkle, Düstere, das Fehlen des Hellen, Lichten bisweilen und aufschlußreich eine Wirklichkeit ist, die er nur durch die Negation bestimmt als das Fort-Sein oder Nicht-Sein von Licht: Nicht-Licht, höchst charakteristisch auch durch das halb und halbe „Zwischen", zwischen Dunkel und Hell (zB. 1771: I/39, 162: *Das Licht brennt dunckel;* 178–180, dazu 183: *Finsterniss hat Finsterniss gerichtet;* 1773/87: I/8, 280, auch AkA S. 131: *Gefängniß Durch eine Lampe erhellt, ein Ruhebett im Grunde;* 1789: I/10, 172: *Torquato Tasso.* Dritter Aufzug: es fehlen: Ortsangabe, Zeitangabe, Beleuchtungshinweis; die Komposition zeigt die Gründe für diese dreifache Negation Nicht-Ort, Nicht-Zeit, Nicht-Licht im zentralen Auftritt dieses zentralen Aktes S. 183–184: Intrige der Leonore Sanvitale; Nicht-Ort, Nicht-Zeit, Nicht-Licht sind Bestimmungen der Unwirklichkeit und Unwahrheit; ebenso 1807: Bühnenbearbeitung AkA S. 197–216; 1797/1831: *Tiefe Nacht* ... *Welch ein greuliches Entsetzen* / *Droht mir aus der finstern Welt!* / *Funkenblicke seh' ich sprühen,* I/15^I, *302 f.;* ferner: *Mitternacht. Vier graue* [!] *Weiber.* Fausts Er-

blindung, I/15^I, *306; 311*); vgl. dazu auch die innere Spannung, durch *Fernes Donnern* intoniert, 1814: *wohlerleuchtende* [!] *Lampe* || *Ein Brandschein verbreitet sich über das Theater (1/16, 340; 342).* So macht Goethe die B., insbesondere die künstliche B. beredt und läßt sie gar als *Abglanz höhern Lichts* zum dichterischen Symbol werden *(I/6, 241).*

In der alltäglichen Welt ist es weniger die Innen- als vielmehr die Außen-B., die den Weitgereisten und Vielerfahrenen, den Straßen-, Land- und Stadtkundigen, den Mitverantwortlichen für das öffentliche Wohl angeht. Der Werdegang der Außen-, zumal der Straßenbeleuchtung führte über manche (bisweilen auch in Gemälden dargestellte) Stationen: pflichtgemäße Unterhaltung brennender Kerzen in den Fenstern der Wohnhäuser wie etwa in Paris seit 1424, 1526, 1553, bzw. in London etwa gleichzeitig; oder Kerzenlaternen außerhalb der Häuser: London 1663, Paris 1666, Amsterdam 1669, Hamburg 1675, Den Haag 1678, Berlin 1679/82, Wien 1687, *Leipzig 1702, *Dresden 1705, *Frankfurt/M. 1711, *Kassel 1721 usw. – alles in allem: imgrunde eine noch verhältnismäßig junge Bemühung um zivilisatorisch-technischen „Fortschritt". Symptomatisch parallel laufen die Versuche und Unternehmungen, andere brennbare, für B. geeignete Stoffe zu gewinnen und zu nutzen. In dieser Parallelität drückt sich eine Intentionsverwandtschaft aus. Am Anfang stehen die Experimente von Johann Joachim Becher (1635–1682) aus Speyer, der in London (1680/81/82) brennbares Gas aus Steinkohle darstellte und sich sein Verfahren am 19. VIII. 1681 patentieren ließ. Es folgen 1726 Stephan Hales, 1739 John Clayton, 1767 Richard Watson, 1781 Archibald Blair Dundonald-Cochrane, 1783 Jan Pieter Minckelaers – diese alle wollen das Problem mit Steinkohlengas lösen; 1783/86 Johann Georg Pickel arbeitet mit Knochen, 1786 Philippe Lebon mit Holz, um Gas zu Brenn- und Leuchtzwecken darzustellen. 1792 setzt mit William Murdock eine neue Serie von Versuchen und Unternehmungen ein, hinter der Philippe Lebon mit seinem Holzgas und mit der Befeuerung des Leuchtturms von Le Havre, ebenfalls 1792, doch zurückbleibt. William Murdock beleuchtet 1798/1802 die Fabrikanlage von MBoulton und J*Watt in Soho/Birmingham, alsdann die Baumwoll-Spinnereien in Salford und Halifax mit 3000 Lichtflammen (noch einfache Lochbrenner, später Rund- oder Argandbrenner), seit 1807 auch Straßen in London. 1803 soll der Hofwerkmeister Abraham Wolf in *Kassel (Holländische

Straße 5) zu Ehren der Erhebung des Landgrafen Wilhelm IX. von *Hessen-Kassel in den Kurfürstenstand als Wilhelm I. eine Säule errichtet haben, auf der das erste Gaslicht Deutschlands brannte (GWentzel 1930; PA Kirchvogel, Hessisches Landesmuseum, Kassel, brieflich am 16. I. 1958). In England ging die Entwicklung zügiger und großzügiger voran. 1802 sicherte sich der Deutsche Friedrich Winzler/Windsor die erforderlichen Privilegien, um zunächst in London die Stadt- und Straßenbeleuchtung insgesamt zu organisieren, 1813 errichtete er zu diesem Zweck die erste Gasanstalt in London. Inzwischen hatten William Murdock und Samuel Clegg manche technische Verbesserungen in der Gaserzeugung und -reinigung erprobt und eingeführt. Weitere Gasanstalten folgten: 1815 Paris, 1825 Hannover, 1827 Berlin. Selbständig hatte 1811 WA*Lampadius in *Freiberg/ Sachsen die dortige Fischergasse mit Gas zu beleuchten versucht, 1816 erweiterte er seine Bemühungen, es entsteht dort die erste deutsche Gasanstalt (Nationalzeitung 1817, S. 78). „In Cassel ist seit Anfang Februar 1818 ein Caféhaus und die damit verbundene Leseanstalt durch Gas erleuchtet. Man bedient sich zur Bereitung des Gases eines vaterländischen Erzeugnisses, der Schaumburger Steinkohle" (Nationalzeitung 1818, S. 242).

Carl August, der genau wie Goethe die technischen Entdeckungen und Neuerungen des näheren und ferneren Auslandes aufmerksam verfolgte und möglichst nacheifern wollte (PWalden S. 35 f.), war 1814 von seiner *England-Reise mit mancherlei Anregungen und sogar mit überwältigenden Eindrücken zurückgekehrt. Er hatte am 1./2. VII. 1814 bei JWatt in Birmingham ua. auch die noch mit einfachen Lochbrennern arbeitende Steinkohlengasanlage WMurdocks kennengelernt. Er wollte sich für sein eigenes Land auf die manuelle und intellektuelle Leistungsfähigkeit von ChrG*Pflug sowie von KDv*Münchow stützen (Leuchtgasherstellung aus Steinkohle und aus Holz). Am 4. III. 1816 erhielt JW *Döbereiner den Auftrag, aus ilmenauer Steinkohlen Teer und Gas zu bereiten; er entdeckte dabei unser heutiges Wassergas (PWalden S. 36). Aber man kam auf keinem Wege zu einem wirklich überzeugenden Ergebnis, obwohl mit aller Gründlichkeit zu Werke gegangen wurde (vgl. IV/27, 253 f.; auch I/36, 111). Goethe hat in Sachsen-Weimar-Eisenach keine *Gasbeleuchtung* mehr erlebt. Weniger die technische als vielmehr die finanzielle Kraft des Landes versagte. Man

mußte sich mit kleineren Projekten begnügen. Auch zum 3. IX. 1825 (50jähriges Regierungs-Jubiläum Carl Augusts) hielt man sich an die herkömmlichen Formen. Döbereiner arbeitete indessen weiter. Nicht mit dem bestimmten Ziel großer Investierungen und Anstalten. 1818 machte er Goethe mit der *Sicherheitslaterne* (für Bergleute) des englischen Erfinders H*Davy bekannt (III/6, 158). 1823, 1825, 1831 folgte dann das *Döbereinische Feuerzeug* (III/11, 53; vgl. AMittasch S. 10), 1828 die katalytische *Duftlampe* (vgl. 16. III. 1828: IV/44, 30; 11. und 19. IV. 1828: III/11, 204; 207; dazu AMittasch S. 30–36). Damit enden Goethes Bemühungen um die seinerzeit (seit 1792) neuen Möglichkeiten auf dem Gebiete der künstlichen, dh. im modernen Sinne technischen B. Weder in Jena noch in Weimar, geschweige denn im ganzen Lande ließ sich aber von diesen Dingen allgemeiner Gebrauch machen.   *Za*

PWalden: Goethe als Chemiker und Techniker. 1932. – AMittasch: Döbereiner, Goethe und die Katalyse. 1951. – AZastrau: Technik und Zivilisation im Blickfeld Goethes. In: Humanismus und Technik IV, 3, S. 134–156.

Bell, Andrew, Dr. (1753–1832), Geistlicher der englischen Hochkirche, Oberaufseher der Central School, London. In *Wilhelm Meisters Wanderjahre* findet sich eine kurze Anspielung auf seine Methode, nämlich *den wechselsweisen Unterricht (I/25[I], 212;* vgl. 25[II], 174).   *Sn*

Bella, Stefano della (1610–1664), auch: Etienne de La Belle, italienisch-französischer Maler und Radierer, stand nach Goldschmiedelehre als Kupferstecher unter dem Einfluß J*Callots. Trotz klassischer Studien während seines römischen Aufenthaltes (1633–1639) stellte er meist aktuelle Ereignisse und Schlachten dar, aber auch Stadtansichten und dgl. Seine pariser Tätigkeit seit 1639 unterbrach er 1647 durch eine Reise nach Amsterdam, um *Rembrandts Kunst beeinflußte. Seine kleinfigurigen Darstellungen sind in der Zeichnung zart und von einer *geistreichen und bezaubernden Leichtigkeit (IV/49, 70),* die auch GF *Schmidt nachzuahmen suchte, in dessen Nachruf Goethe B. erwähnt (I/49[II], 248); er besaß dessen Ansicht von *Florenz in einem Nachstich von Lucini. Von B. erwarb Goethe eine „Ansicht von Florenz mit dem Kriegsfest von Pisa" (1634) und eine Zeichnung.   *Lö*

Schuchardt 1, S. 12; 234. – ThB 3 (1909), S. 228–230. – PKristeller: Kupferstich und Holzschnitt in vier Jahrhunderten. ⁴1922.–

Bellegarde, Pseudonym für Louis Des Bans (1650?–1720?), französischer, besonders durch die schamlose Art seines Plagiierens bekannter Schriftsteller. Um 1787 erwähnt Goethe B.s

„L'art de connoistre les hommes" (1702; I/32, 449), das auf „La Fausseté des vertus humaines" (1677/78) von J*Esprit, eines Vorläufers der französischen *Klassik, zurückgeht; Esprits Buch, eine Sammlung psychologisch-moralischer Nachdenklichkeiten, hat Verwandtschaft mit den „Maximes" F*La Rochefoucaulds, der ihn schätzte.   *Fu*

Bellini, venezianische Malerfamilie des 15. und 16. Jahrhunderts, deren Stammvater

–,1) Jacobo um 1400–um 1464) Schüler des Gentile da Fabriano war; von B. sind nur drei inschriftlich beglaubigte Bilder erhalten, um so wichtiger sind seine in London und *Paris verwahrten Skizzenbücher, die keimhaft die der Kunst großen Renaissance-Maler enthalten: Erzählerfreude, Sinn für die Wirklichkeit und die für *Venedigs Kunst bezeichnende Stille des Lebens im Bilde. Goethe wußte von ihm, daß er Schwiegervater A*Mantegnas war (I/49^I, 256). B.s ältester Sohn

–, 2) Gentile (1429–1507), von Goethe in seiner chronologischen Aufstellung von Künstlern an erster Stelle genannt, die mit *Cellini gleichzeitig lebten (I/44, 302), erhielt den ersten Unterricht von seinem Vater. Stilistisch durch Mantegna beeinflußt, arbeitete er wohl auch mit seinem Bruder Giovanni in Werkstattgemeinschaft. Berühmt wurde er durch seine Berufung an den Hof Mohameds II. von Konstantinopel, wo er sich 1479 bis 1480 aufhielt. Die wichtigsten Zeugnisse dieser Jahre sind ein Porträt des Sultans (Venedig, Gal. Layard), eine Profilzeichnung desselben und eine Porträtmedaille von *Bertoldo da Giovanni, ebenfalls im *Profil,* von der Goethe richtig vermutete, daß sie *nach einer vortrefflichen unmittelbaren Zeichnung* gemacht sei *(IV/49, 150).* In späteren Jahren war B. vorwiegend im Ratssaal des Dogenpalastes tätig. Neben ihm ist sein Bruder

–, 3) Giovanni (um 1430–1516) der Hauptmeister der venezianischen Malerei des späteren 15. Jahrhunderts geworden. GB. war Lehrer zweier Generationen venezianischer Künstler. Wie sein Bruder Schüler seines Vaters und von Mantegna und *Donatello – beide arbeiteten in *Padua – beeinflußt, ist er der eigentliche Schöpfer des venezianischen Andachtsbildes der Madonna mit Heiligen, der „sacra conversazione", dessen schönstes Beispiel die 1505 entstandene „Madonna mit vier Heiligen" in S. Zaccaria in Venedig ist; von früh an behandelte er auch die „Beweinung Christi". Erst gegen Ende seiner Schaffenszeit, die vom hart konturierten Stil des 15. Jahrhunderts zu der weichen, malerisch empfunde-

nen Form führt, für die seine großgewandeten organisch entwickelten Gestalten voll Stille und würdiger Anmut kennzeichnend sind, greift er auf Wunsch seiner Auftraggeber mythologische Themen auf und bildet damit den Übergang zu *Giorgione und *Tizian, seinen Schülern.

Als Goethe 1790 zum zweitenmal in *Venedig weilte und neben den Werken der älteren, sog. *byzantinischen Malerschule auch Gemälde B.s beachtete, war seine Aufmerksamkeit sogleich – und so darf das reizende Epigramm I/1, 316 verstanden werden – auf das „Lokalkolorit" der Kunst B.s gerichtet, das ihn zum Venezianer machte und ihn für den wesens-erkennenden, naturhaften Sinn Goethes mit *Veronese verband. Hieraus wächst die Vorstellung von der Entwicklung der venezianinischen Malerei, und Goethe versteht B. nicht nur in die große Zeitgenossenschaft der Renaissance um Cellini (I/44, 302), sondern auch in die geschichtliche Folge der venezianischen Künstler von den Neugriechen her einzustellen. In ihr ist B. derjenige, der den ersten Schritt zur Malerei der Renaissance tut, selbst aber noch *den Begriff von der Heiligkeit der Tafel aufrecht* erhält *(I/47, 212).* Noch ist *keines* seiner Bilder *historisch, und selbst die Geschichten sind wieder zu der alten Vorstellung zurückgeführt; da ist allenfalls ein Heiliger der predigt, und so viele Gläubige die zuhören (I/47, 213).* Während diese Betrachtungsweise Goethes, die auch auf H*Meyer und F*Bury gewirkt zu haben scheint, zum kunstgeschichtlichen Denken führte, wollte Meyer durch seine Kopie nach einem Engel B.s sich „der unschuldigen und bescheidenen Grazie des großen Johann Bellin" erinnern, wie er denn auch 1796, als er angesichts von *Tizians „Bacchanal" und B.s „Göttermahlzeit" (für den Herzog Alfonso d'Este 1514 gemalt, jetzt Alsewich Castle, Duke of Northumberland) „alle Augenblicke Manier mit Manier vergleichen" konnte, bestrebt war, das künstlerisch Besondere zu erfassen. So war er auch schon 1795 zu einer künstlerischen Würdigung B.s im Vergleich zu *Perugino und Mantegna gelangt, die unter dem Titel „Beyträge zur Geschichte der neueren bildenden Kunst" in Schillers „Horen" aufgenommen werden sollten. Goethe, der Schiller den meyerschen Aufsatz am 18. VI. 1795 ankündigte fand diese Darlegung *sehr schön, nur leider zu kurz (IV/10, 268);* der Aufsatz erschien im dritten Stück der „Horen".

In diese Gedankenkreise geriet Bury, als er in Venedig, wo er wie in *Mantua Goethe begleitete, *die Werke des Bellini und des Mantegna*

*fleißig aufgesucht, betrachtet, auch einige dersel-
ben nachgezeichnet* hatte *(I/49ᴵ, 31)*, so daß es
bei dieser mehrfachen Hinwendung zu B.
merkwürdig ist, daß Meyer ihm 1817 vorwarf, seine Studien des frühen Venezianers
hätten „auf den Gang des Geschmacks" Einfluß gehabt, während WH*Tischbeins Interesse
für B. *den wahren Geschmack* noch nicht verändert habe *(I/49ᴵ, 29)*. So ist Goethes geschichtliches Denken nur vorübergehend in der
Lage gewesen, seine Freunde in ihren künstlerischen Anschauungen zu beeinflussen; die
Stellung zu B. ist hierbei aufschlußreich. *Lö*

OHarnack: Zur Nachgeschichte der italienischen
Reise. SGGes. 5, S. 248. – BrMeyer 1, S. 194. – ThB
3 (1909), S. 252–265.

Bellomo, 1) Joseph, Schauspieler und Theaterprinzipal, war seit 1778 Mitdirektor einer italienischen Oper in Graz, ging 1779 von dort
fort, errichtete 1782 in *Dresden eine eigene Gesellschaft und gab Vorstellungen im „Linki-
schen Bade" bei Dresden. Auf Wunsch des
Herzogs Carl August zeigte er Ende 1783
nach Auflösung des weimarer *Liebhabertheaters Probevorstellungen in Weimar, die zu einer kontraktlichen Verpflichtung der „Deutschen Schauspieler-Gesellschaft des Direktors
JBellomo" führten; sie wurde jedoch nicht zu
einer förmlichen Hoftheatertruppe erhoben
(vgl. I/35, 17; 40, 72f.). Die Gesellschaft unterstand dem Hofmarschallamt, in den ersten vier Monaten v*Seckendorff, seit dem
29. IV. 1784 dem „Intendanten" Hofmarschall Lv*Klinkowström; für eine Reihe von
Angelegenheiten war die Kammer zuständig.
Seit 1786 führte das Hofmarschallamt allein
die Aufsicht. Von April 1788 ab wurde die
Truppe – vor allem inbezug auf das Rech-
nungswesen – durch den damaligen Assessor
des Hofmarschallamts F*Kirms betreut. B.
hatte das „Redouten- und Komödienhaus"
nebst Dekorationen, Heizung und Beleuchtung zur Verfügung und erhielt im ganzen
einen monatlichen Zuschuß von etwa 320
Thalern. Der Hof und sein Anhang hatten freien
Eintritt. Für die Annahme neuer Stücke, Engagements und Kündigungen war die Genehmigung des Hofmarschallamts, bzw. des Intendanten einzuholen. Spieltage waren Dienstag,
Donnerstag, Sonnabend; die Vorstellungen waren öffentlich bei käuflichen Eintrittskarten.
Im Sommer gab die Truppe Gastspiele in
*Eisenach, *Gotha, *Erfurt, *Magdeburg (IV/
11, 136f.) und vor allem in *Lauchstädt, wo
B. 1785 ein neues Theater bauen ließ (I/35,
132; vgl. IV/9, 242; *Abstecherbühnen). Die
Truppe begann ihre Vorstellungen in Weimar

am 1. I. 1784 mit Gotters „Marianne". Sie
brachte 282 Werke zur Aufführung, von denen
Goethe in seine Theaterleitung 84 übernahm.
Gepflegt wurde von B. in erster Linie das *Singspiel, ein Viertel aller Neuinszenierungen gehörten dem musikalischen Theater an. Im
*Schauspielstand das realistische Rührstück
an der Spitze, dazu kamen die Ritterstücke
und die Novitäten des *Sturm und Drang,
*Shakespeare meist in den Bearbeitungen von
FL*Schröder, die drei Jugendwerke Schillers
und von Goethe *Clavigo, Egmont, Die Geschwister*. Das Niveau der Truppe war kaum durchschnittlich; Goethe, der sich übrigens um B.s
Darbietungen nicht viel bekümmert hat, bezeichnete es als *Bellemoischen Schlendrian (I/
40, 404;* vgl. IV/6, 317). Der Stil B.s war der
des zeitgenössischen „Unternaturalismus".
Anna Amalia und Carl August, die sich schon
länger mit Reorganisationsplänen trugen, lö-
sten Ende 1790 den eben erst auf drei Jahre
verlängerten Vertrag (vgl. IV/9, 241) und
boten zunächst die Leitung dem mannheimer
Schauspieler H*Beck an, dessen Gastspiel um
die Jahreswende 1790/91 die Unzulänglichkeit
von B.s Truppe vollends deutlich gemacht
hatte. Diese und andere Absichten zerschlugen
sich jedoch. Seit dem 17. I. 1791 stand fest,
daß Goethe die Leitung der neuen „Hof-
Schauspielergesellschaft" übernehmen würde.
B. verabschiedete sich am 5. IV. 1791 (vgl.
I/40,403:2 Apr.) mit Av*Kotzebues „Das Kind
der Liebe", dem eine von ChrAulpius verfaßte
Abschiedsrede folgte. Aus B.s Truppe übernahm Goethe nur wenige Schauspieler: den Heldendarsteller *Einer, den Liebhaber JF*Domaritius, den Väterdarsteller KF*Malcolmi mit
seinen Töchtern und die vielversprechende
junge Chr*Neumann mit ihrer Mutter. Dieser
*Rest der Bellomo'schen Gesellschaft, also schon
an einander gewöhnter Personen, gab den Grund
zum neuen Theater (I/33, 249;* vgl. 35, 18).
B. ging von Weimar wieder nach Graz (IV/9,
242), wo er sich noch 1795 aufhielt.

–, **2)** Frau des Vorigen, Sängerin und Schauspielerin, *die mit einer leidlichen Stimme, einem
völlig oberdeutschen Dialect und einem unscheinbaren Äußeren mehrere Jahre die ersten
Liebhaberinnen vortrug (I/53, 268)*, ist namentlich nicht zu ermitteln. *EF*

HKnudsen: Goethes Welt des Theaters. 1949. –
BThSatori-Neumann: Die Frühzeit des weimarischen
Hoftheaters. Als: SGesTh, Bd 31. 1952. – LSchrickel:
Geschichte der weimarer Theaters von seinen An-
fängen bis heute. 1928.

Bellori, Giovanni Pietro (1615–1696), Kunstschriftsteller, schrieb als „Fortsetzung" der
Viten G*Vasaris „Le Vite de' pittori, scultori

et architetti moderni" (Rom 1672), das Goethe sich im August 1795 für seine *kunstgeschichtlichen Studien zur Vorbereitung der zweiten Reise nach *Italien durch ChrG*Voigt bestellte (IV/18, 68). Die für die dauernde Vorbildlichkeit *Raffaels wichtige „Descrizione delle immagini dipinte da Raffaelle d'Urbino nel palazzo Vaticano e nella Farnesina" (1. Aufl. 1695; 2. Aufl. Rom 1752), kannte Goethe wie auch die zusammen mit PS*Bartolo herausgegebene „Admiranda Romae" schon seit seiner italienischen Reise (I/32, 439; 146), letztere vielleicht von seiner Mitarbeit an den „*Frankfurter Gelehrten Anzeigen" her, in denen auch die „Veteres arcus Augustorum triumphis insignes, ex reliquiis quae Romae adhuc supersunt cum imaginibus triumphalibus restituti antiquis nummis notispuae [sic!]" (Rom 1690) erwähnt werden (I/38, 381).   *Lö*

Bellotti, Michelangelo (gest. 1744), Maler, tätig in Mailand; neben unbedeutenden Altarbildern ist er – *arm an Kunst, und zugleich, wie gewöhnlich, mit Anmaßungen überflüssig begabt (I/49ᴵ, 217 f.)* – auf eine unrühmliche Weise durch seine Restaurierung des *Abendmahls von *Leonardo bekannt geworden, mit der er 1726 beauftragt wurde. Er *rühmte sich eines besondern Geheimnisses, womit er das verblichene Bild in's Leben zu rufen sich unterfange (ebda 218);* er überstrich das Fresko mit Ölfirnis, wodurch die von außen eindringende Feuchtigkeit unter der starren Oberfläche die Farbschicht vernichtete.   *Lö*

Belloy, Pierre-Laurent Buyrette, genannt Dormont de (1729–1765), französischer Schauspieler und Dramatiker, der in der Form der klassischen *Tragödie nationale Stoffe behandelte; sein „Le Siège de Calais" (1755), der die Belagerung von Calais durch die Engländer unter Eduard III. und die heroische Opferbereitschaft von sechs der geachtetsten Bürgern der Stadt behandelt hatte, bedeutete durch die Wahl des nicht mehr antiken Stoffes eine Neuerung auf dem französischen Theater; der schon aus diesem Grunde große Erfolg des Stückes beruhte aber auch auf politischen Ursachen. 1763 hatte *Frankreich im Frieden zu *Paris ua. seine ausgedehnten Besitzungen in Nord-Amerika an *England abtreten müssen, nachdem es schon vorher schmerzliche Verluste in *Indien erlitten hatte. So konnten die Widerstandstendenzen des „Siège de Calais", welcher zum Kristallisationspunkt eines überhitzten Nationalgefühls wurde und jeder Kritik den Mund schloß, von Goethe als für die Franzosen *herz-*

erhebende Gegenstände bezeichnet werden (1812: *I/28, 63).*   *Fu*

Bellucci, Antonio (1654–1726), venezianischer Maler aus der Zeit vor *Tiepolo; befangen in einer dekorativ-manierierten Kunst, war er geeignet, den Höfen in Deutschland – er war am kaiserlichen Hof in Wien, am bayerischen und pfälzischen Hof, aber auch in London und in *Venedig tätig – und anderen fürstlichen Gönnern mythologische Liebesgeschichten italienischen Geschmacks zu vermitteln. Goethe sah 1810 bei seinem Besuch der *dresdener Galerie eine „Venus mit dem Liebesgott"; sein Urteil: *Geht an (I/47, 371).*   *Lö*
ThB 3 (1909), S. 272.

Belsazar, Tragödie in fünf Akten, vor 1765 von Goethe begonnen und noch in *Leipzig beendet, zusammen mit anderen biblischen Dramen verbrannt. Letzteres berichtet ein Brief an Cornelia vom 12. X. 1767 (IV/1, 115). Doch sind im Brief an Cornelia vom 7. XII. 1765 (IV/1, 25) 20 *Alexandriner vom ersten Auftritt des ersten Aufzuges erhalten. Der gleiche Brief enthält in fünffüßigen *Jamben die Mitteilung, er habe den fünften Aufzug in ebendiesem *Versmas das der Britte braucht,* geschrieben *(IV/1, 24);* frühes Beispiel einer beginnenden Wendung Goethes vom französischen zum englischen Vorbild. *Wilhelm Meisters theatralische Sendung* bringt im zweiten Buch einen Monolog *Belsazars* aus dem zweiten Aufzuge (44 Verse), sowie eine Charakteristik des Königs: *Eigentlich ist es ein Mensch, deren es viele in jedem Stande gibt. Er will das Gute, hat ein Gefühl für Rechtschaffenheit und Tugend, eine dunkele unbehagliche Ehrfurcht vor dem strengen Gotte der Hebräer, einen bequemen, hergebrachten Dienst seiner eignen Götter, leichtsinnig über sein Reich, beschäftigt durch seine Leidenschaften, eifrig bei Festen und Gelagen, am liebsten in der Zerstreuung, wozu seine Hofleute das Ihrige willig beitragen (I/51, 142;* dazu 132 f.; 144 f.). Das dritte Buch bringt die Inhaltsangabe aller fünf Akte (I/51, 241–246), wobei freilich dahingestellt bleiben muß – wenn von dem ursprünglichen Stück wirklich alles verbrannt war –, wieweit diese Erzählung mit dem früheren Werk übereinstimmt oder eine Neuschöpfung Goethes darstellt. Das gleiche gilt von den mitgeteilten Alexandrinern.   *So*

Belvedere, ein südlich von Weimar auf einer Anhöhe gelegenes Rokokoschloß mit zahlreichen Nebengebäuden (Kavalierhäuser, Orangerie, Gasthof) und einem großen Park, wurde von den Baumeistern Johann Adolf Richter und Gottfried Heinrich Krohne in den Jahren 1724 bis 1740 als Jagdschloß für den Herzog Ernst August von *Sachsen-Weimar erbaut und war jahrelang dessen bevorzugte Residenz. Herzogin Anna Amalia hielt sich ebenfalls gern dort auf, und ihrem Sohn Carl August und seiner Gemahlin Luise diente das Schloß von 1776 bis in die 90er Jahre als Sommerwohnung. Die Freundschaft zum Herzog, die Pflichten des Hofdienstes und eigene Neigung führten auch Goethe oft nach B., und mit dem Schlosse und seiner anmutigen Umgebung verbanden sich für ihn neben *Cour (III/1, 71)* und *Ennui (ebda 124)* auch Erinnerungen an schöne Stunden: *abends beym zurückfahren sehr lustig (ebda), Mittags Cr.* [Cronen]. *Abends gingen wir nach Belv. War ein überschöner Abend und Nacht (ebda 96)*. Im Park legte Goethe im Mai 1776 *eine Einsiedeley* an, *allerley Pläzgen drinn für arme Krancke und bekümmerte Herzen (IV/3, 65)*, aber er gab auch seinem Mißfallen an unschönen, halbverfallenen Statuen Ausdruck, die dort standen: *Die Ruinen ruinirt (III/1, 39)*. Das geschah etwa zur gleichen Zeit, als er mit Unterstützung des b.r Hofgärtners J*Reichert seinen Garten am Stern neu gestaltete. Sein gärtnerisches Wirken hat für B. jedoch nicht die gleichen Folgen gehabt wie für das *Ilmtal bei Weimar, wo aus ähnlichen Anfängen der weimarer Park entstand. Vielmehr nahmen in B. mehr und mehr die Pflanzenkulturen, die Reichert dort anlegte und mit denen er die seit Ernst Augusts Tod (1748) sehr dezimierte, einst reiche Orangerie neu aufleben ließ, sein Interesse in Anspruch. Bemerkungen in Briefen an Chv*Stein: *... nach Belvedere gehn und meine Botanische Augen und Sinne weiden (IV/7, 284)* und *... nach Belweder wo ich mit Reichardten allerley botanica zu tracktiren habe (IV/7, 161f.)* sind Zeugen dafür. In B., *unter blühenden Bäumen und bey dem Gesange der Nachtigallen (IV/9, 114)*, fand Goethe im Mai 1789 die Muße, den *Tasso zu vollenden; hier las er der Herzogin Luise aus diesem Werke vor. Möglich, daß manches aus der Welt, die ihn hier umgab, in das Werk einfloß. 1797 überließ Carl August das Schloß dem französischen Emigranten JJ*Mounier zur Einrichtung einer Erziehungsanstalt, die bis 1801 bestand; 1803 folgte die ebenso kurzlebige Militärakademie unter der Leitung des Barons ADGv*Groß. Schloß und Nebengebäude, besonders aber der Park gerieten in diesen Jahren zunehmend in Verfall, und als Carl August 1806 das Schloß seinem Sohn Carl Friedrich und dessen Gemahlin

Maria Paulowna als Sommersitz einräumte, war eine durchgreifende Erneuerung notwendig, die in den nächsten Jahren auch erfolgte. Damals wurde die unmittelbare Umgebung des Schlosses durch Beseitigung kleiner älterer Bauten gänzlich umgestaltet und erhielt das Aussehen, das sie im wesentlichen heute noch besitzt. Die gärtnerischen Anlagen am Schloß und an der Schloßauffahrt und den Park wandelten JC*Sckell und sein Sohn L*Sckell in vieljähriger Arbeit in einen Landschaftsgarten um; nur in einem kleinen Teil, dem russischen Garten, an den 1823 ein Naturtheater angefügt wurde, herrschte weiterhin der französische Gartenstil. Unberührt von diesen Veränderungen blieb lediglich die Orangerie mit ihren Gewächshäusern und dem Küchengarten, die Carl August seiner eigenen Verfügung vorbehalten hatte. Hier pflegte er seine botanischen Interessen, für die er nach Reicherts Ausscheiden (1796) in JC Sckell einen tüchtigen Nachfolger gefunden hatte. Unter dessen Pflege wuchs die Orangerie zu einer der bedeutendsten *Deutschlands heran. Goethe nahm daran stärksten Anteil und die zahllosen Besuche in B., von denen seine *Tagebücher und *Briefe in den nächsten Jahrzehnten zeugen, waren nicht nur Spaziergänge nach einem beliebten Ausflugsort, sondern galten häufig der Orangerie, wo sich regelmäßig über botanische Ereignisse unterrichten ließ, neuangekommene Pflanzen besichtigte und sich den großen Reichtum an Gewächsen aus aller Welt für seine eigenen botanischen Arbeiten zunutze machte. *Nach Tische nach Belvedere gefahren. Die dort blühenden Pflanzen besichtigt (III/4, 223), Den Park und die Treibhäuser besucht (ebda 234)* und ähnliche Bemerkungen finden sich in den *Tagebüchern immer wieder. Das erste Pflanzenverzeichnis der Orangerie hatte noch Reichert 1796 angelegt. Damals waren in B. einige hundert verschiedene exotische Gewächse neben etwa 2000 Orangenbäumen und Ananasstauden vorhanden. 1812 konnte FS*Voigt bei seiner Bestandsaufnahme bereits 38000 verschiedene Arten fremdländischer Gewächse feststellen („Catalogus plantarum quae in hortis ducalibus Botanico Jenensi et Belvederensi coluntur", Jenaer 1812): *die eifrige Vermehrung bedeutender Pflanzen, neben den immerfort ankommenden Fremdlingen, macht die Erweiterung in Belvedere, sowohl auf dem Berg als in dem Thal gegen Mittag gelegen, höchst nöthig. In der letzten Region werden Erdhäuser nach Erfindung Serenisimi angebracht; in der letzten Zeit ein Palmenhaus erbaut,* *von überraschender Wirkung. Häuser, worin fremde Pflanzen im Boden stehen bleiben, im Winter bedeckt werden, sogenannte Conservatorien, sind längst errichtet und werden erweitert (II/6, 233).* Durch die Reisen Carl Augusts nach *Frankreich, *England und in die *Niederlande, durch Pflanzenkäufe im In- und Auslande, durch Tausch- und Geschenksendungen anderer fürstlicher Gärten erhielt B. einen großen Zuwachs. Auch Goethe stellte seine weitreichenden Beziehungen zu Botanikern, Forschungsreisenden und einflußreichen Personen in den Dienst der b.schen Pflanzenanstalt. Um 1820 war der Reichtum B.s so groß geworden, daß die Herausgabe eines eigenen wissenschaftlichen Katalogs erforderlich wurde. Carl August betraute den Botaniker AW*Dennstedt mit dieser Aufgabe. Goethes Mitarbeit am Katalog beschränkte sich auf die *Vorrede, worin dasjenige was seit vierzig Jahren und drüber für Pflanzencultur, zu Forst-, Park-, Garten- und wissenschaftlichen Zwecken in ununterbrochener Folge geschehen, so gedrängt als möglich aufgeführt werden soll* (8. II. 1820 an Carl August: *IV/32, 166f.*). Der „Hortus Belvedereanus. Oder Verzeichniß der bestimmten Pflanzen, welche in dem Groß-Herzoglichen Garten zu Belvedere, bei Weimar, bisher gezogen worden, und zu finden sind, bis weitere Fortsetzungen folgen" erschien mehrsprachig in zwei Lieferungen 1820/1821 im *Landes-Industrie-Comptoir von FJ*Bertuch. Durch den Katalog wurde ein Bestand von 6300 verschiedenen Pflanzenarten und 1300 Varietäten nachgewiesen, wobei „die in diesem Verzeichnisse angegebenen Pflanzen bei weitem nicht den ganzen Reichthum" ausmachten (S. III), sondern nur solche aufgenommen wurden, die eine wissenschaftliche Bestimmung ermöglichten. Der b.sche Katalog wanderte in die ganze Welt an Gärten, Botaniker, Liebhaber und fürstliche Personen, wodurch ein umfangreicher Tauschhandel in Gang kam, der den Bestand noch erheblich vergrößerte. Der bekannte Botaniker JASchultes bezeichnete nach seinem Besuch im Sommer 1821 B. als den reichsten Garten des Festlandes. („Selbst der Garten zu Berlin übertrifft den Garten zu Weimar mehr durch die ungeheure Anzahl der Arten, als durch die Kostbarkeit und Seltenheit derselben, und durch die ausgesuchte Schönheit einzelner Exemplare", in „Flora", 5. Jg., Bd 1, Nr 9 vom 7. III. 1822). Umfangreiche Pflanzentransporte gelangten in den Jahren 1824 bis 1827 nach B. Fürst *Pückler, der die Pflanzenhäuser von B. als die „reichhaltigsten von Deutschland" bezeichnete, berichtete von

seinem Besuch im Sommer 1826: „Die ganze Masse der Pflanzen übersteigt sechzig Tausend. Auch die Orangerie ist prächtig, und ein Veteran von eineinhalb Ellen Umfang darunter, der bereits 550 nordische Sommer glücklich ausgehalten". Mit Carl Augusts Tod war der Höhepunkt der weimarischen Pflanzenkultur erreicht. Zwar gelang es der naturliebenden Großherzogin Maria Paulowna, B.s Ruf und Reichtum noch über Goethes Tod hinaus zu erhalten, aber der Niedergang war auf die Dauer nicht aufzuhalten und nach dem Tode der Fürstin endgültig. Um die Mitte des 19. Jahrhunderts wurde der b.r Park durch ESckell mit Unterstützung des Fürsten Pückler einer durchgreifenden Neugestaltung unterzogen. Nach 1918 ging das Schloß in Staatsbesitz über, 1923 wurde dort ein Rokokomuseum eingerichtet. Die Nebengebäude dienten seitdem – mit Ausnahme der Orangerie, die erhalten blieb, aber in ihren Beständen weiter stark zurückging – verschiedenen, nach 1945 schulischen Zwecken, denen auch das Schloß zeitweilig dienstbar gemacht wurde. Seine Wiedereinrichtung als Museum wird jedoch vorbereitet, und auch eine Erneuerung des stark verfallenen Parks ist vorgesehen.   *Hk*

WDeetjen: Schloß Belvedere. 1926. – WVollrath: Die Schloßanlagen bei Weimar. Ergänzungsheft zu Bau- und Kunstdenkmäler Thüringens. 1928. – OSckell: 200 Jahre Belvedere. 1928. – FVoigt: Die Entstehung der Jagd- und Lustschloßbauten des Herzogs Ernst August von Sachsen-Weimar. 1938. – WHuschke und WVulpius: Park um Weimar. Ein Buch von Dichtung und Gartenkunst. 1955.

Belzoni, Giovanni Battista (1775–1823), geboren in Padua, körperlich von herkulischer Größe und Kraft, jedoch ein ingeniöser Kopf, kam auf mancherlei wirren Umwegen 1803 nach England. Hier als Artist (Kraftakte, Wasserkünste) beginnend, meist auf ausgedehnten Zirkustourneen arbeitend, wurde er 1815 durch einen Auftrag des British Museum, der ihn in Kairo erreichte, zum Ägyptologen und Archäologen, aber in dem Sinne weit mehr des Abenteurers, dh. des Sensationssuchers, Attraktionsjägers, sogar Raubgräbers, als des wirklichen Forschers. Immerhin gelang ihm 1816 der Transport eines kolossalen Torsos (Ramses II.) von Theben nach London, seit 1817 in schneller Folge die Freilegung der beiden Felsen-Tempel (Amon-Rê; Hathor) von Abu Simbel, die Entdeckung der Königsgräber bei Biban el Muluk („Pforten der Könige"), die Öffnung der Grabanlagen Sethos I. („Belzonis Tomb") und des Chefren (Pyramide bei Gizeh), die Auffindung der antiken Stadt Euhesperides/Berenike (Benghâzi,

Kyrenaika). 1819–1823 war er in Europa (Padua; London), um seine Erfolge zu genießen, auch um Neues vorzubereiten. Dann brach er auf. Nach dem sagenhaften Timbuktu (Westafrika) wollte er. Aber auf dem Wege starb er am 3. XII. 1823 in Gwato bei Benin (Südnigeria).
B. hat 1820/21 über sich selbst und über seine Leistungen berichtet: „Narrative of the operations and recent discoveries within the Pyramids, Temples, Tombs and excavations in Egypt and Nubia, and of a journey to the coast of the Red Sea, in such of the Berenice, and another to the Oases of Jupiter Amon. 1820.“ Er lieferte so der damals noch spärlichen Ägypten-Literatur Englands eines der ersten und sogar illustrierten Werke von größerer Bedeutung. Er selbst erscheint dabei in einer Darstellung, die ihn als Orientalen mit starkem Bart und in selbstbewußter Haltung zeigt. Goethe hat dies Buch 1821 (französisch übersetzt und erläutert durch GBDepping, III/8, 331 f.) mit lebhaftem und anhaltendem Interesse studiert, er hat auch die Rezension von JChr*Hüttner zu Rate gezogen (III/8, 9; 11). Am 16. III. 1821 vermittelte er B.s Opus mit großherzoglicher Zustimmung (IV/34, 162) an FA*Bran (III/8, 28). Am 4. III. 1827: *Im Globe* [1827, 253; 261] *das Leben von Belzoni (III/11, 94)*. Goethes reserviert, bisweilen fast ablehnend gewordenes Urteil über *Ägypten, ägyptische Kultur und Kunst wurde durch die Kenntnis B.s nicht wesentlich umgestimmt.   *Za*

Bembo, Pietro (1470–1547), italienischer Humanist und Dichter, 1539 Kardinal. Seine Büste von D*Cattaneo mit lateinischer Inschrift beschreibt Goethe charakteristisch kurz: *ein schönes, wenn ich so sagen soll, mit Gewalt in sich gezogenes Gesicht und ein mächtiger Bart (I/30, 88;* vgl. III/1, 235). B*Cellini berichtet von der Aufnahme bei B. und über dessen Porträtierung für eine Medaille (I/43, 279–281).   *Rt*

Bemmel, Peter von (1685–1754), Mitglied einer verzweigten nürnberger Malerfamilie des 17. und des frühen 18. Jahrhunderts, malte und radierte Landschaften, von denen Goethe drei Blätter aus der von dem regensburger Verleger Ostertag herausgegebenen acht Blatt umfassenden Folge, sowie eine Federzeichnung besaß (vgl. IV/43, 205).   *Lö*
Schuchardt 1, S. 109; 258. – ThB 3 (1909), S. 287.

Benda, alte böhmische, vermutlich tschechische Musikanten- und Komödiantenfamilie aus Alt-Betanek/Iser in Nordböhmen, dort auf dem Wege über die Grafen Klenau, Gutsherren in Neu-Betanek erfaßt von der musikalischen Aktivität des benachbarten Grafen Franz vSporck (Lissa), „dessen Ideen ein neues Zeitalter einleiteten“ (RQuoika S. 78). Von drei Brüdern, die in diesem Sinne ihren Weg nach Norden und ins Preußische nahmen: Franz (1709–1786), Violinvirtuose, Konzertmeister, Komponist, seit 1733 am Hofe Friedrichs d. Gr. in Rheinsberg, dann in *Potsdam; Johann (1713–1752), Violinist, Kammermusiker, Komponist, ebendort, kannte Goethe den jüngeren:

–, 1) Georg (1722–1795), ebenfalls Violinist und Kammermusiker (1742 in Berlin), Kapellmeister (1750 in Gotha), mit herzoglich-gothaischem Stipendium 1765/66 studienhalber in Italien, danach besonders als Komponist, mehr im Stile der „Berliner“ als der „Mannheimer Schule“, tätig, zumal seit 1775 als Schöpfer des Melodramas. Auf diesem Gebiet sowie auch im Singspiel (mit der Sondergattung eines musikalisch gestalteten bürgerlichen Trauerspiels) leistete er das weitaus Bedeutendste vor Mozart, wurde durch diesen freilich ebenso weitaus überholt. Goethe kann ihn während seiner Kapellmeisterzeit in Gotha (bis 1778; Nachfolger: FAErnst, bis 1805, Violinvirtuose, auch in Böhmen ausgebildet) oder in seinem Ruhestand dort persönlich getroffen haben. Jedenfalls war ihm Wesentliches aus dem kompositorischen Werk, vornehmlich aus dem bühnenmusikalischen Schaffen vertraut: „Ariadne auf Naxos“ (Text: JChr*Brandes, 1775, erstes deutsches Melodrama); Goethe ließ das Stück aufführen 1793, 1798 *(IV/13, 315; Duodrama)*, 1800 (III/2, 295), 1810 (III/4. 13); außerdem „Pygmalion“ (Text: JJ*Rousseau, 1770, für B. bearbeitet von FW*Gotter, 1778); Aufführungen im Beisein oder auf Veranlassung Goethes 1782 (III/1, 139), 1798 (III/2, 206), 1811 (III/4, 180–183), 1816 (III/5, 289). In Goethes Urteil lassen sich Schwankungen und Widersprüche feststellen. Sie betrafen aber mehr die Texte als die Komposition, doch vermochte die Darstellungskunst eines AW*Iffland (1798) und eines PA*Wolff (1811) ihn und andere die inneren, poetischen Antiquiertheiten der Stücke vergessen zu lassen (1798: IV/13, 131; 1811: I/36, 63).   *Za*

–, 2) (Hermann) Christian (1759 Gotha bis 29. XI. 1805 Weimar), Sänger und Schauspieler, Sohn von 1). War nach Engagements in Hamburg (1778), bei Bondini (1785–86), am Berliner Nationaltheater (1786–1791), seit Oktober 1791 in Weimar als Liebhaberdarsteller für die Oper (I/36, 245) engagiert und blieb dort bis zu seinem Tode. Er debütierte am 13. X. 1791 als Belmonte in „Die Entführung aus dem Serail" (I/36, 246). Weitere Rollen waren Polidor in Cimarosas „Theatralische Abenteuer", König Richard in Grétrys „Richard Löwenherz", Basilio in „Figaros Hochzeit", Monastatos in „Die Zauberflöte", *Pedro* in *Claudine von Villa Bella*, Falkenstein in Cimarosas „Heimliche Heirat", Marquis Fanfarluki in Cimarosas „Bestrafte Eifersucht". Er besaß eine schöne Tenorstimme, jedoch sein steifes und unnatürliches Spiel beeinträchtigte die Wirkung (IV/16, 103), weswegen er im Schauspiel auch nur in Bedientenrollen und kleinen Nebenrollen Verwendung fand. Er sollte schon Ostern 1792 entlassen werden, aber vGöchhausen verwandte sich für ihn. So behielt man ihn. Er schrieb und arrangierte auch Bühnenmusiken. *EF*

–, 3) Demoiselle (Vornamen und Lebensdaten nicht ermittelt), wahrscheinlich eine Tochter des Vorgenannten (wir wissen hier nur, daß dieser 1805 bei seinem Tode eine Witwe und zwei Kinder hinterließ), konzertierte am 22 I. 1801 gemeinsam mit, dh. wohl vorgestellt durch den weimarer Kapellmeister JF*Kranz und eine ebenfalls böhmisch-tschechische, bereits arrivierte, also gewiß etwas ältere Landsmännin (in eigenhändiger Namensunterschrift beim Kontraktabschluß) Matiegzek (Pasqué 1863), besser aber Matiĉek, nicht Maticzeck (*III/3, 3;* vgl. auch I/12, 419). *Dem. Benda* wird in Goethes Aufzeichnungen nur an dieser einen Stelle erwähnt. *Za*

RQuoika: Die Musik der Deutschen in Böhmen und Mähren. 1956.

Bendavid, Lazarus (1762–1832), Verfasser mathematischer und erkenntniskritischer Schriften, Redakteur der spenerschen Zeitung und Mitarbeiter der „Horen", Direktor der jüdischen Freischule in *Berlin, schien CF*Zelter „unter Cynikern der aufrichtigste und leidlichste" zu sein. B. hatte diesem im März 1829 von B*Franklins *Beobachtungen (1762) über Nachbilder vom Fensterkreuz und Rotsehen beim Abnehmen einer grünen Brille erzählt, welche Erscheinungen er sich nicht erklären konnte. Zelter bat ihn, den Passus (II/4, 199–200) aufzuschreiben, damit er Goethe darüber befragen könne. Goethe erzeugte es *einigen Unmuth,* daß gebildete Menschen nun *sechzig, siebzig Jahre zurück an Problemen herumtasten,* die er längst gründlich abgeleitet, ausgelegt und erklärt hatte *(IV/45, 230f.).* Es waren damals 35 Jahre, daß er die Bedeutung der *Physiologischen Farbe* erkannt, an 20, daß er sie an der Spitze des *Didaktischen Teils*

seiner *Farbenlehre* jedermann zugänglich gemacht hatte (§§ 20; 29; 33; 50; 55), und erst vor zehn Jahren hatte er sie nochmals *als Norm und Richtschnur alles übrigen Sichtbaren* hingestellt (*II/5¹, 336).* So fühlte er seine *Farbenlehre* als *ein verbotenes Buch* und resignierte in einer Beilage zum Brief vom 2. IV. 1829 an Zelter mit dem persönlichen Gewinn aus seinen Studien: *Die Vortheile, die ich mir dadurch selbst verschafft habe, kenn ich, andere mögen für sich sorgen (IV/45, 231f.).* *Mt*

Bendemann, Eduard Julius Friedrich (1811 bis 1889), Historienmaler, Schüler W*Schadows in Berlin und Düsseldorf, Hauptvertreter der frühen düsseldorfer Schule; seine „Trauernden Juden im Exil", 1831 unter dem Eindruck von KF*Lessings „Trauerndem Königspaar" (dieses von Chr*Schuchardt unter B. registriert) gemalt, wurden Gegenstand des Enthusiasmus und der heftigsten Kritik. Die Reihe seiner melancholisch-sentimentalen Bilder wurde in seinen Monumental-Malereien in *Dresden und Düsseldorf fortgesetzt, wo er 1855 Direktor der Akademie als Nachfolger WSchadows wurde. *Lö*

Schuchardt 1, S. 109. – PFSchmidt: Biedermeier-Malerei, zur Geschichte und Geistigkeit der deutschen Malerei in der ersten Hälfte des neunzehnten Jahrhunderts. 1923, S. 144.

Bendixen, Siegfried Detlev (1784 bis nach 1864), Maler und Lithograph, tätig in Hamburg und – seit 1832 – in London, bildete sich in *Italien, *Dresden und *München und gründete 1815 eine Malerschule in Hamburg. Neben Altarbildern in Hamburg und Altona schuf er 1819 den Vorhang für das Apollotheater in Hamburg. Landschaftsaufnahmen, Frucht- und Blumenstücke und seine historischen Genrebilder zeigen in Verbindung mit seiner vielfältigen lithographischen Reproduktionskunst den relativen Reichtum seiner Tätigkeit. FChr*Perthes bot 1823 eine *Lithographie von dem *höchst kunstfertigen Herrn Bendixen* nach JF*Overbeck an, die Goethe jedoch ablehnte, da sich die weimarer Kunstfreunde *tagtäglich veranlaßt* sahen, sich *in einen engern Kreis zurückzuziehen (IV/36, 265).* Trotz dieser Ablehnung der jungen Gegenwartskunst (Overbeck!) nahm Goethe freundlich dankend eine Sendung B.s Ende 1825 entgegen – denn *Die Hamburger Steindrücke haben schon längst den Beyfall und die Bewunderung der Weimarischen Kunstfreunde erworben wie sie solches auch öffentlich gern gestanden (IV/40, 180;* vgl. KuA Bd 3, H.2, S.107 und Bd 6, H.1, S.30f.) – und willfahrte der Bitte, sein von B. lithographiertes Porträt nach einem Gemälde von KChr*Vogel mit einer *Handschrift mit Über-*

drucktinte zu versehen, die als Facsimile mit-gedruckt werden sollte (19. XII. 1825: *III/ 10, 137*). *Lö*

Bendorf *(Benndorf)*, die kleine *Rhein-Stadt, lernte Goethe auf der Reise mit JC*Lavater und JB*Basedow am 18. VII. 1774 flüchtig kennen und besuchte dort Herrn Remy (Morris 4, 111; RV S. 12). *Za*

Benecke, George Friedrich (1762–1844), Mit-begründer der neuphilologischen Wissenschaf-ten, insbesondere der Germanistik, angeregt durch GChr*Lichtenberg wohl auch der Ang-listik (vSelle S. 257), ursprünglich Theologe, dann Bibliothekar, schließlich Professor in *Göttingen. Goethe traf ihn während seines Aufenthaltes dort (Sommer 1801: IV/36, 204), dankt ihm aber in den Jahren seit und nach 1822 eine neue persönliche Verbindung zu *Byron, die B. – um Kontakte zwischen deut-schem und englischem Wesen stets und wieder im Geiste Lichtenbergs besonders bemüht – gestiftet hatte (vgl. auch IV/36, 201; ferner 405). *Za*

GvSelle: Die Georg-August-Universität zu Göttingen 1737–1937. 1937.

Benedetto da Maiano, eig. Benedetto di Leo-nardo (1442–1497), Baumeister und Bildhauer der florentinischen Frührenaissance, tätig in Faenza und Florenz, wo er den Palazzo Strozzi erbaute und die erst lange nach seinem Tode (1558) fertiggestellte Kanzel für Santa Croce schuf, wurde 1797 von H*Meyer in sei-nen Vorlesungen in *Stäfa behandelt (I/34^{II}, 115; vgl. III/2, 187). *Lö*

Benediktbeuren *(Benedickt-Beuern: III/1, 156)* Benediktinerkloster in Oberbayern. Die Kirche des 8. Jahrhunderts wurde nach meh-reren mittelalterlichen Umbauten wie auch die Klostergebäude in der zweiten Hälfte des 17. Jahrhunderts neu errichtet. Letztere sind mit der Sakristei und dem Mönchschor in bayerischen Spätrenaissanceformen erbaut worden, während die Kirche Formen des ita-lienischen *Barock in seiner strengeren Prä-gung zeigt. Begeistert äußerte sich Goethe bei der Hinfahrt nach Italien über die Lage des Klosters: *Benedictbeuren liegt köstlich und überrascht bei'm ersten Anblick. In einer frucht-baren Fläche ein lang- und breites weißes Ge-bäude und ein breiter hoher Felsrücken dahinter* (7. IX. 1786: *I/30, 12 f.* aus III/1, 156). Er fand bei B. die erste Gentiana (III/1, 167). Goethe hielt sich jedoch nicht in B. auf (III/1, 146; 159; RV S. 25). *Wt*

Bengel, Johann Albrecht (1687–1752), *ein ver-ständiger, rechtschaffener, gottesfürchtiger Mann ohne Tadel (I/27, 98)*, einer jener bedeutenden

Glaubensboten des Schwabenlandes, ein füh-render Kirchen- und Kanzelmann des Prote-stantismus, zuletzt in Stuttgart als Konsisto-rialrat. B. wurde für Goethe bedeutungsvoll dadurch, daß und weil er erstens als Erklärer sowie als Übersetzer der *Bibel, zumal des Johannes-Evangeliums, auch der Apokalypse und zweitens in einem Sinne bemüht war, der schon JG*Hamann angesprochen hatte. Er ließ einen *Zusammenhang, der in der *Ge-schichte vermißt wird*, erkennbar werden. „Die Bibel", meint Bengel, „schließe ein vollkomme-nes Weltbild ein, es sei an der Zeit, dieses aufzudecken. Er nimmt die Schrift somit als ein Ganzes ... als unum continuum systema" (HOBurger S. 149). Hier verspürte Goethe einen wesensverwandten Geistesimpuls. *Za*

Hermann: JAB. 1937. – HOBurger: Die Gedanken-welt der großen Schwaben. 1951. – Vgl. auch JNadler: Johann Georg Hamann. Der Zeuge des Corpus Mysti-cum. 1949. S. 117; 491.

Benner, Johann Hermann (1699–1782), gebo-ren und gestorben in Gießen, armer Leute Kind (Bäckerfamilie), widmete sich der Theo-logie, brachte es zu Wohlstand und Ansehen: 1730 Privatdozent der Philosophie, 1735 ao. Professor der Theologie, 1740 Ordinarius (nicht ganz ohne Ressentiment wegen seiner Herkunft) einer der Vorkämpfer, die das La-ger der Orthodoxie gegen die *Aufklärung, insbesondere gegen deren führende, oft genug souveräne, emanzipative und autoritative Köpfe, aufzubieten hatte. Eine seiner beson-ders aggressiven Streitschriften hieß „Ent-deckter Ungrund der sogenannten einzig-wah-ren Religion des Johann Michael von Loen" (1751; I/26, 115). JMv*Loen war Goethes Großoheim. Aufgrund dieser (und ähnlicher) Kontroversen gab vLoen seinen Wohnsitz bei Frankfurt auf und ging nach Lingen in preu-ßische Dienste. Als B. in Gießen starb, rief man ihm nach: „Der große Pan ist tot!" *Za*

Bennet, Abraham (1750–1799), englischer Na-turforscher, insbesondere geographisch inter-essiert. Goethe bezieht sich in einem Brief an JChr*Hüttner (London) auf *Bennet's letter on New South Wales etc.* (22. IX. 1820: *IV/33, 246*). *Za*

Bensberg, östlich *Köln, besuchte Goethe am 24. VII. 1774 mit den Brüdern FH und JG* Jacobi sowie mit W*Heinse, um das 1712 für den Kurfürsten von der Pfalz erbaute Jagd-schloß zu sehen: „Schloß und Dorf liegen auf einem hohen Berge, von welchem man viele Meilen voll Wälder, Äcker und Heiden, in der Fern' eine Strecke des Rheins und die berühm-ten sieben Berge sieht", schreibt JG Jacobi (Morris 4, 115). In der reichhaltigen Galerie wandte sich Goethe hauptsächlich Natur- und Jagdstücken meist *niederländischer Meister zu: *Was mich daselbst über die Maßen entzückte, waren die Wandverzierungen durch Weenix (I/28, 290; RV S. 12).*　　　　　　　　　　　　*Za*

Bensheim *(Bentzheim),* Stadt an der *Bergstraße, in Hessen, durchfuhr Goethe am 25. VIII. 1797 auf der Reise in die *Schweiz (*III/2, 85;* RV S. 33).　　　　　　*Gu*

Bentham, Jeremy (1748–1832), englischer Rechtsgelehrter und politischer Schriftsteller, Begründer der utilitaristischen Philosophie, versuchte 1817, durch seinen „Plan of Parliamentary Reform" eine radikale Reform des englischen Parlamentes zu erreichen.
In Gesprächen mit JP*Eckermann bezeichnet Goethe B. mehrfach als einen der höchst radikalen Narren. Als FJ*Soret bei einem solchen Gespräch einmal darauf hinwies, daß B. einige Wochen älter als Goethe sei und gleich diesem noch eifrig tätig, erwiderte ihm Goethe: *Das mag sein, aber wir befinden uns an den beiden entgegengesetzten Enden der Kette; er will niederreißen, und ich möchte erhalten und aufbauen. In seinem Alter so radikal zu sein ist der Gipfel aller Tollheit* (17. III. 1830: *Bdm. 4, 244).* Auch in Gesprächen mit Albertine v*Bogulawski (25. V. 1824) und mit Soret (3. II. 1830) erwähnt Goethe B. Soret wunderte sich, daß Goethe den Narren B. anscheinend bewundere, und stellte nach einem weiteren Gespräch vom 12. V. 1830 fest: „Goethe n'est pas edifié de l'enthousiasme qu'il a montré... pour les écrits de Bentham..." (Bdm. 4, 271).　　　　　　　　　　*Sn*

Bentheim, Johann Georg von (1739–1801), war als Major und später als Oberstleutnant *(Obrist Lieut.: III/2, 209)* Kommandant der jenaer Garnisonskompanie, die 1792 von fünfzig auf achtzig Mann verstärkt wurde. In dieser Eigenschaft hatte B. gelegentliche Ausschreitungen der Studentenschaft zu verhindern, die man insbesondere anläßlich eines Ständchens für Professor IG*Eichhorn befürchtete; *Bentheim wird ... nach seiner alten Pracktick und Studenten Tacktick, alles ordnen und leiten* (23. IX. 1788 an Carl August: *IV/9, 35).* Am 12. III. 1790 setzte Goethe JFv*Fritsch von einem Tumult in Kenntnis: *Vergebens habe ich biß auf diesen Augenblick gehofft die Sache hier nach einer von Major Bentheim abgefaßten Sentenz abzuthun, ... um nicht ... diese höchstverdrüßliche Sache ... vor Durchl. den Herzog und sein Ministerium zu bringen (IV/9, 185).* Dabei scheint es oft zu einem Mißverhältniß der Jägercompanie ... zum Commandanten gekommen zu sein, sodaß *Der gute*

Major ... ganz ausser sich war *(ebda 189; 193).* 1792 hat B. dann wesentlich dazu beigetragen, daß es bei dem „Auszug der Studenten nach Nohra" zu keinen tumultartigen Störungen gekommen ist. Goethe hat B. wahrscheinlich im März 1779 anläßlich einer Musterung kennengelernt (III/1, 80) und ihn auch noch 1789 aufgesucht (III/2, 203; 209). B. besaß südlich von Jena einen Garten, den er an v*Trützschler verkaufte; 1789 *hat das hiesige Fürstl. Amt auf Befehl Fürstl. Cammer ein Stück Alluvion dieses Gartens in Besitz genommen* (12. VII. 1789 an JChr*Schmid: *IV/ 9. 140).* Am 15. VII. 1800 wurde B. krankheitshalber pensioniert.　　　　　　*Ko*
vPfannenberg: Offiziersstammlisten 1911. – HKoch: Auszug der jenaischen Studenten nach Nohra. In: Wissenschaftliche Zeitschrift der Friedrich-Schiller-Universität Jena 5 (1956), S. 445f.

Bentheim-Steinfurth, Wilhelm Geldricus (nicht: Belgicus) Prinz von (1782–1839), ein in den napoleonischen Kriegen wiederholt ausgezeichneter österreichischer Offizier. Auch später trat er als Soldat ebenso wie als *Diplomat hervor, 1827 wurde er Feldmarschalleutnant. Goethe begegnete ihm in *Karlsbad 1818 (2./4. VIII.: III/6, 234).　　　　　　　　　　　　*Za*

Bentheim-Tecklenburg, Emil I. Friedrich Karl, Fürst von (1765–1837), regierender Fürst zu B., T. und Rheda (königlich-preußisches Fürstendiplom 1817), war am 8. V. 1819 Goethes Gast in Weimar. Am folgenden Vormittag suchte der Fürst, begleitet von Carl August und Goethe, das Schloß *Belvedere auf (III/ 7, 45).　　　　　　　　　　　　　　　*Za*

Bentinck, Charlotte Sophie Gräfin von (1715 bis 1806), entstammte der gräflichen Familie Aldenburg, die auf einen natürlichen Sohn des letzten oldenburger Grafen Anton Ulrich zurückgeht. Unglücklich verheiratet und viel unstet umherreisend, entwickelte sie eine bei Frauen seltene Sammelleidenschaft für antike, meist römische *Münzen, wobei sie freilich Gefälschtes von Echtem nicht immer unterscheiden konnte. Den Katalog ihrer Sammlung („Catalogue d'une Collection de Médailles antiques faite par la Csse. dovair. de Bentinck", 2 Bde, 1787/88) hatte sie – wohl gleich zu Verkaufszwecken – mit Hilfe eines in der Numismatik ebenfalls nicht ganz firmen Franzosen verfaßt, dessen Vorrede zum Katalog mit den bezeichnenden Worten beginnt: „Ce Catalogue est rempli de defauts et d'erreurs ..." So ist es nicht verwunderlich, daß sich kein Käufer fand. Goethe besaß diesen Katalog (Ruppert Nr 2478) und lieh ihn seinem Münzfreund und Amtskollegen ChrGv*Voigt (Br.Voigt 2, S. 324, Nr 356). Mit dem

Katalog hatte Goethe *einen Blick in die Breite des bessern vorhandenen thun können* (25. IV. 1803 an Mv*Eybenberg: *IV/16, 220*). Ob er aber selbst *das Cabinet der Gräfin Bentinck in Meinungen (ebda)* wirklich gesehen und studiert hat, scheint zweifelhaft, da Goethe nur vor 1786 zweimal (1780; 1782) in *Meiningen gewesen war. Noch zu Lebzeiten der B. in den Besitz des Regierungsrats und späteren Kanzlers Frhrn vDonop (der ihr natürlicher Sohn gewesen sein soll) gelangt, wurde die Sammlung auch nach dessen Tod (1845) noch lange vergeblich angeboten. *Fr*
ADB 2 (1875), S. 343. – Akten des ehemaligen Hofmarschallamtes IV 9, 1. Landesarchiv Meiningen.

Bentley, Richard (1662–1742), englischer Philologe, einer der besten Textkritiker des antiken Schrifttums, wurde Goethe durch FA *Wolfs Aufsatz in dessen ,,Litterarischen Analecten" nahegebracht (III/5, 264; Bdm 2, 371); Goethe hebt Wolfs *Ähnlichkeit mit Bentley* hervor (*III/, 10, 64*).   *Sn*

Benvenuti, Carlo (8. II. 1716 Livorno bis IX. 1789 Warschau), italienischer Jesuit (1732 Eintritt in den Orden), Physiker und Mathematiker, war zunächst Professor für Philosophie in Fermo, später Professor für Mathematik und Physik am Collège romain. Nach Auflösung des Ordens mußte B. seiner Schriften wegen Rom verlassen; er übersiedelte nach Warschau an den Hof König Stanislas Poniatowski. Goethe erwähnt B. im Zusammenhang mit der newtonschen Lehre (II/4, 469).   *Sl*

Benvenuti, Pietro (1769–1844), Maler, seit 1803 Direktor der Kunstakademie in Florenz; Schüler des ACavallini und Freund *Canovas, schloß sich später der *David-Schule an und blieb in seinen Porträts, in religiösen und heroischen Historien und in dekorativen Fresken der akademischen Konvention treu. GPh*Hakkert schrieb über ihn an Goethe (I/46, 385). B. erhielt 1815 den Auftrag, die nach *Frankreich verbrachten Kunstschätze nach Florenz zurückzuführen (*Kunstraub).   *Lö*

Benzel-Sternau, Christian Ernst Graf von (1767–1849), Staatsbeamter in Kur-*Mainz (zwei Briefe Goethes: 10. VII. 1791: IV/18, 44; Anfang Oktober 1793: *IV/10, 113* – dieser im Interesse der durch die *Belagerung 1793 *verunglückten Einwohner* von Mainz), dann in Baden, 1812 Finanzminister des – napoleonischen – Großherzogtums Frankfurt (1810); nach dessen Auflösung bereits 1813 privatisierte er nur noch auf seinen Gütern in der Nähe von Aschaffenburg oder meist am Züricher See (Mariahalden; vgl. CFMeyer:

Bdm. 1, 260; auch GoetheJb. 18, 293), 1827 wurde er Protestant. Neben seinen administrativen Ämtern hatte er schriftstellerische Ambitionen. Wenn auch nur flüchtig, trat B.-St. von beiden Seiten in das Blickfeld Goethes. Der frankfurter Verleger HL*Brönner sandte im Juli 1825 B.-St.s Übersetzung von *Youngs Nachtgedanken (Bücher-Vermehrungsliste III/10, 299), nicht wissend, daß die Zeit für dieses Werk bei Goethe längst vorüber war. Auch sonst hatte B.-St. mit seinen Jean-Paul-Manieren (Romane: 1804, 1808, 1819) Goethe wenig Anziehendes zu bieten; als politischer oder konfessioneller, wenn auch betont ,,freisinniger" Autor blieb er Goethe ganz fern. Ruppert Nr 1540.   *Za*

Benzenberg, Johann Friedrich (1777–1846), geb. bei Elberfeld, gest. bei Düsseldorf, Physiker, Geodät, war Lyzealprofessor in Düsseldorf (seit 1805), zeitweilig Chef der Landesvermessung in Bayern, seit 1815 wieder in der Heimat (Bilk bei Düsseldorf). Für Goethe bedeutungsvoll durch seine Schrift über das Fall-Gesetz (1806; III/3, 116), besonders aber durch seinen Bericht über eine Reise in die Schweiz (1810: *II/5^I, 357–361*), in dem sich B. als *Widersacher* der *Farbenlehre* bekundete (vgl. auch IV/26, 255).   *Za*

Benzler, Johann Lorenz (1747–1817), geb. in Lemgo, gest. in Herford (?), zunächst kaufmännisch, auch als Expeditionssekretär tätig, dann Übergang zu literarischen Studien (zB. 1772 aus dem Französischen übersetzte Erzählung: Die Vorzüge des alten Adels; Rezension FGA nicht sicher von Goethe, I/38, 387f.; nach 1778 *Petrarca-Übersetzung, RHaym 2, S. 66), zu bibliothekarischer (Wernigerode) und pädagogischer Wirksamkeit (Philantropinum, Hamburg, Herford), seit 1767 Kontakt mit JB*Basedow, 1771 mit GE*Lessing (betr. F*Logau), 1775 (?) mit JG*Herder, der B. einen ,,engelreinen . . . nicht schwärmenden Jungen" nennt (RHaym 1, S. 784). B. nahm an der *Genie-Reise 1774 teil, hielt sich aber seiner Wesensart gemäß zurück; vgl. seine damaligen Verse: ,,Lebe nicht allein zum Schein, / Sondern suche gut zu seyn" sowie das Gespräch über ,,Atheisten, Naturalisten, Christen überhaupt" (Morris 4, 110 f.).   *Za*

Beobachtung. ,,Ist es nicht beschämend, zu gestehen, daß Goethe das Prinzip der Beobachtung für die Naturwissenschaften retten mußte?" Dieser Ausruf des Begründers der Cellularpathologie, Rudolf Virchow, in seiner Gedächtnisrede auf Johannes Müller, der 1858 in *Berlin gestorben war, dürfte sachlich auf Aussagen eben des Altmeisters der Physiologie zurückgehen. Denn JMüller nennt in seiner bonner Antrittsvorlesung vom 19. X. 1824 B. und *Versuch als die beiden Formen wissenschaftlichen Umganges mit der lebenden *Natur, und fährt fort: „Die Beobachtung schlicht, unverdrossen, fleißig, aufrichtig, ohne vorgefaßte Meinung; – der Versuch künstlich, ungeduldig, emsig, abspringend, leidenschaftlich, unzuverlässig. Die Tugenden des beobachtenden Naturforschers sind sehr einfach, aber der rechte Sinn in der Beobachtung, die rechte Beobachtungsgabe und die Anwendung derselben sind seltener unter den Naturforschern geworden, welche sich mit der Ergründung des lebenden Organismus beschäftigen. Bei der getrennten Stellung der beschreibenden Disziplinen der Naturlehre kann man sogar Naturforscher sein und dafür gelten, wenn man garnicht zu beobachten versteht." Damit nähert er sich Gedankengängen, die Goethe in seinem Aufsatz über den *Versuch als Vermittler von Objekt und Subjekt* 1823 veröffentlicht hatte. Müller beruft sich gegen Ende der Vorlesung ausdrücklich auf „die naturforschenden Arbeiten Goethes". Um die Zeit der Klärung seines *Schemas der *Farbenlehre* (1799–1801) plante Goethe eine besondere Untersuchung über *Kautelen bei Beobachtungen und Versuchen.* Als wichtigste Voraussetzungen forderte er vom Subjekt eine unbefangene *Sinnlichkeit und gegenüber dem Objekt den Ausschluß jeder Gewalt: *In freister Welt müssen wir immer wieder unsere Belehrung suchen (II/5^I, 307). Fraunhofers Bemühungen kenn ich,* schreibt er am 12. I. 1823 an den Grafen CMv*Sternberg, *sie sind von der Art die ich ablehne, mehr darf ich nicht sagen. Gott hat die Natur einfältig gemacht, sie aber suchen viel Künste (IV/36, 271).* Goethes Äußerungen zur B. finden sich zerstreut: *Reine Begriffe* (1792: NS 3, 62) – *Der Versuch als Vermittler von Objekt und Subjekt* (1792: NS 3, 285) – *Beobachten und Ordnen* (1792: NS 3, 296) – *Entwurf einer allgemeinen Einleitung in die vergleichende Anatomie . . .* (1795: *II/8,7*) – *Das Reine Phänomen* (1798: NS 3, 306) – *Zur Einleitung* (1806: NS 3, 339) – Vorwort zur Farbenlehre (1807: *NS 4*). (*Auge 3; *Brillenträger; *Farbenlehre 4). *Mt* RVirchow: Johannes Müller. 1858. – JMüller: Von dem Bedürfnis der Physiologie nach einer philosophischen Naturbetrachtung. 1824. In: Zur vergleichenden Physiologie des Gesichtssinnes. 1826, S. 20. – RMatthaei: Goethe als Beobachter. In: Röntgen Photographie 2 (1949), S. 148.

Béranger, Pierre Jean de (1780–1857), der französische Liederdichter, führte bis 1809 ein kümmerliches Leben, bekleidete 1809 bis 1821 einen untergeordneten Posten im Unterrichts-

ministerium, lebte dann, wegen seiner liberalen Überzeugungen entlassen, vom bescheidenen Ertrag seiner Werke, wurde 1848 in die Volksvertretung gewählt und hielt sich unter dem zweiten Kaiserreich in würdiger Reserve. Seine Lyrik begann mit oft ziemlich leichtfertigen Liedern; aber die Invasion Frankreichs durch die Alliierten (1815) und die spätere royalistische Reaktion ließen ihn zum patriotischen, politischen, ja sozialen Dichter werden. Er hatte außerordentlichen Erfolg, bis in die kleinsten Hütten. Wenn sein volkstümlich stilisiertes Napoleonbild und sein Napoleonkult ungewollt das zweite Kaiserreich vorbereiten halfen, hat B. andererseits an der Verbreitung der liberalen Ideen mitgewirkt. Durch seine wenn nicht strenge, so doch verbindlich würdige Moral, durch seine Hingabe an Vaterland und Menschheit, durch die gefällige und doch präzise Form in Wortwahl und Rhythmus hat er seinen breiten Ruf verdient, der ihn zur geachteten, ja sogar gefürchteten Macht werden ließ. – In B., den er 1823 zum erstenmal erwähnt (III/9, 46), schätzt Goethe die gehaltvolle Selbständigkeit (1827: Bdm. 3, 350) eines großen Talents, um nicht zu sagen eines Genies, das allerdings *in einem prägnanten Zeitpunct auftritt* (1827: *IV/42, 72*) und zur reifen Bildung, zur Grazie, zum Geist und zur Kunstvollendung seiner Lieder durch den Kontakt mit der Weltstadt *Paris gelangt (1827: Bdm. 3, 386). Nie der Diener einer Partei (1831: ebda 4, 366), kann er sich zum Nationalinteresse erheben, das Volk nötigen, *edler und besser zu denken* und nach dem Sturze *Napoleons *den etwas gedrückten Franzosen ein Trost* werden (1830: *ebda 233*). Seine innerpolitische Opposition ist mehr als *unschuldige Opposition mit den Philistern* (1830: *IV/48, 3*); *sein Haß gegen die Herrschaft der Pfaffen und gegen die Verfinsterung, die mit den *Jesuiten wieder einzubrechen droht: das sind . . . Dinge, denen man wohl seine völlige Zustimmung nicht versagen kann* (1830: *Bdm. 4, 233*). Als freier Geist wie *Horaz oder *Hafis seiner Umgebung gegenübergestellt, hat er mit seinen Liedern das Beste in ihrer Art geschaffen (1827: ebda 3, 333), trotz mancher, in Paris, nicht aber in *Frankfurt oder Weimar möglicher Freiheiten (1831: ebda 4, 340) und *einer gewissen Neigung für das Liederliche und Gemeine,* das ihm, der *aus niederem Stande heraufgekommen, . . . nicht allzu verhaßt* ist (1827: *ebda 3, 333*). So ist er der Meister dessen geworden, was *die Franzosen . . . Poësies de circonstance* nennen, in denen sie nicht *eine vorübergehende Gelegenheit* behandeln,

sondern *etwas Beständiges zu Ehren ... bringen*
(1825/26: *I/42^{II}, 485*). Ungeachtet seiner
grundsätzlichen Ablehnung der *politischen
Dichtung liebte Goethe B.s Gedichte um
ihrer Vollendung willen so sehr (1830: Bdm. 4,
232f.), daß er deren manche bis zum Auswen-
digwissen kannte (1827: ebda 3, 381), was
ihn nicht hinderte, 1829 B.s Gefangensetzung
zu billigen: *Seine letzten Gedichte sind wirklich
ohne Zucht und Ordnung, und er hat gegen
König, Staat und friedlichen Bürgersinn seine
Strafe vollkommen verwirkt* (1829: *ebda 4, 81*).

Fu

G Jaffé: L'influence de Béranger en Allemagne. In:
Revue de littérature comparée, Jg. 1947, S. 334–354.

Beraun. Zu Goethes Art, Landschaft zu erfassen und zu beurteilen, gehört es wesentlich,
die Wasserläufe, das Aderwerk der Ströme,
Flüsse, Bäche genau zu beobachten: *Mir gibt
es sehr schnell einen Begriff von jeder Gegend,
wenn ich bei dem kleinsten Wasser forsche, wohin es läuft, zu welcher Flußregion es gehört.
Man findet alsdann selbst in Gegenden, die man
nicht übersehen kann, einen Zusammenhang der
Berge und Thäler gedankenweise (I/30,6).* Ein
Ausflug von *Marienbad nach *Tepl und zurück bietet Gelegenheit, die wasserbedingte
Gliederung dieser Landschaft am 2. VIII. 1821
wahrzunehmen: *Wir gelangten ... also aus der
Region der Töpel* (Tepl) *und Eger, in die Region der Beraun. Und so haben die beyden Tage,
gestern und heut, mehr für die Kenntniß des
Landes geleistet als die vergangenen drey Wochen (III/8, 94).* Die B. selbst, die sich erst
viel weiter südlich von Goethes böhmischen
Reisewegen und -zielen aus mancherlei Zu-
sammenflüssen, aus kleineren und größeren
Adern (zB. Mies, Radbusa, Angel) speist und
bildet (bei Pilsen), um dann bei Königsaal
(Zbraslav) südlich Prag in die Moldau einzumünden, hat Goethe nicht sehen, wohl aber
ihr fast 9000 qkm großes Stromgebiet wahrnehmen und sich bewußt machen können. *Za*

Berberis vulgaris, die Berberitze aus der Familie der Sauerdorngewächse, beschäftigte
Goethe 1817 bei seinen *Beobachtungen zu
den Erscheinungen der *Verstäubung, Verdunstung und Vertropfung bei den Pflanzen. *An
die Verstäubung der Berberisblume und der dorthin deutenden gelben Auswüchse älterer Zweig-
blätter wendete ich manche Betrachtung (I/36,
126f.).* Goethe kam zu der Ansicht, es müsse *in
dieser Pflanze, wie wir auch an der Reizbarkeit
der Antheren sehen, eine wunderbare Eigenschaft
verborgen sein; sie verstäubt sich selbst im Blühen nicht genug, auch nachher kommen aus den
Zweigblättern Staubpuncte zum Vorschein, die*

*sich sogar einzeln kelch- und kronenartig ausbil-
den und das herrlichste Kryptogam darstellen.
Dieses ereignet sich gewöhnlich an den Blättern
vorjähriger Zweige, welche berechtigt waren Blüthen und Früchte hervorzubringen. Frische Blätter und Triebe des laufenden Jahres sind selten
auf diese abnorme Weise productiv (II/6, 190 f.).*

Ba

Bercht, Johann Carl aus Barby, studierte
bis 1809 Oryctognosie (*Mineralogie) in Frei-
berg/Sachsen bei AG*Werner. Im September 1809 bewarb er sich um den Dr. phil. in
Jena, da er Aussicht hatte, Nachfolger CW
*Göttlings zu werden. Bereits am 4. X. 1809
meldete er Vorlesungen über Experimental-
chemie, Pharmacie, technologische Chemie
und Analyse der Mineralien in Jena an, was
ihm gestattet wurde, obgleich er noch nicht
disputiert hatte. Am 14. I. 1810 sandte er ein
Gesuch nach Weimar, das unauffindbar ist
und zu dem Goethe an ChrGv*Voigt schreibt:
*Herr Bercht ist nicht gut berathen, daß er in
diesem Ton auftritt. Er hätte das, was er dieses
Vierteljahr geleistet, seine Vorträge, die Art derselben, die Zahl seiner Zuhörer und dergleichen
erst aufführen, sich auf das Zeugniß einiger
wackern Männer in Jena berufen, und sich eine
baldige Entschließung erbitten sollen. Da er
aber so peremptorisch erscheint, so möchte man
wohl darauf resolviren: wie gebeten abgeschlagen!* (14. I. 1810: *IV/21, 168*). Am 24. V. 1810
erbat er erneut die Erlaubnis, ohne Disputation Kolleg über Chemie halten zu dürfen.
Weiteres ist unbekannt. *Ko*
Jena Universitätsarchiv M 225; 226.

Berendis, Hieronymus Dietrich (1719–1782),
Bürgermeisterssohn aus Seehausen (Alt-
mark), studierte Rechtswissenschaft in Halle
und war dann einige Jahre als Auditor im
preußischen Militärdienst tätig, den er mit
dem Titel eines Hauptmanns verließ, um
seine Studien in *Berlin fortzusetzen. Während
eines Aufenthaltes in Seehausen lernte er JJ
*Winckelmann kennen, mit dem er Freund-
schaft schloß und der ihm die Stellung eines
Hofmeisters bei einem Sohn des Grafen
Hv*Bünau, des späteren weimarischen Pre-
mierministers, verschaffte. 1756 wurde er
durch Bünaus Vermittlung als Assessor in das
Kriegskollegium in Weimar berufen und bald
darauf zum Kriegsrat befördert. 1761 trat er
in die weimarische Kammerverwaltung über,
wurde zunächst Landkammerrat, 1762 Kammerrat, erhielt 1765 den Titel eines Hofrats
und, nach seiner 1775 erfolgten Pensionierung,
1776 den eines Geh. Kammerrats. Seit 1765
verwaltete er außerdem das Amt eines jena-

ischen Landschaftskassedirektors, auch war er bis 1775 Schatullverwalter der Herzogin Anna Amalie. Goethe erwähnt B. in seinem Tagebuch der ersten weimarer Jahre nicht, obwohl beide Männer sich in Weimar, wo B. zumeist lebte und auch starb, gewiß begegnet sind, und obwohl ihm dessen Name nach einer Äußerung in *DuW* (I/29, 172) aus Berichten von GM*Kraus bereits bekannt war, ehe er nach Weimar kam. Briefe Winckelmanns an B. hatte Goethe schon 1799 abgeschrieben (III/2, 258); 1804 veröffentlichte er sie (I/35, 181; 40, 285; 42^I, 85) und fügte dem Vorwort dazu ein kurzes, in den Datenangaben nicht fehlerfreies Lebensbild von B. ein (I/46, 15).

Hk

Berends, Carl August Wilhelm (19. IV. 1759 Anklam bis 1. XII. 1826 Berlin) wurde nach seiner Promotion (1780) und Habilitation in Frankfurt/Oder 1786 Physikus des Kreises Lebus und zwei Jahre darauf Professor der Medizin in Frankfurt/Oder. Gemeinsam mit der Universität siedelte B. 1811 nach Breslau über, erhielt aber bereits 1815 einen Ruf als Professor der medizinischen Klinik nach Berlin. *Geheimerath Berends von Berlin, ein sogleich Vertrauen erweckender Medicus* war Goethe in *Karlsbad als Nachbar lieb und werth* (1819: *I/36, 150*), so daß er ihn *Unter die bedeutenden Bekanntschaften* rechnete (8. I.1819 an CLF*Schulz: *IV/31, 53*). B., *ein trefflicher Arzt ..., dessen Rath* Goethe *von Zeit zu Zeit auf rechte Wege leitet und beruhigt* (15. IX.1819 an Carl August: *IV/32, 11*), gab ihm *ärztliche Sicherheit und manche verständige Unterhaltung* (7. X. 1819 an Zelter: *ebda 51*). Während der Kuraufenthalte in Karlsbad in den Sommermonaten 1818 und 1819 war B. des öfteren Gast bei Goethe (am 23. IX. 1819 *bis 1 Uhr in medizinischen und Weltgesprächen: III/7, 96*), Besuche, die von Goethe gelegentlich erwidert wurden (III/6, 242; 7, 87–89; 92–94; 96; vgl. IV/32, 3–6; 12; 15 f.). *Sl*
BLÄ 1 (²1929), S. 470.

Berends *(Behrends),* Johann Bernhard Jakob (15. XII. 1769 Frankfurt bis 3. I. 1823 Frankfurt), hielt neben seiner praktischen Tätigkeit als Arzt Vorlesungen über Anatomie am Senckenbergischen Institut in *Frankfurt/Main, mußte diese jedoch 1816 wegen eines schweren Herzleidens wieder aufgeben: *Herr Dr. Behrends, ... ein würdiger Schüler Sömmerings, hat seine Entlassung genommen (I/34^I, 129 f.).* 1823 trieb ihn seine Krankheit zum Selbstmord. *Sl*

Berg bei *Stuttgart, damals ein Dorf, jetzt als Vorstadt eingemeindet, berührte Goethe auf

33*

einem Ausflug, den er am 3. IX. 1797 unternahm, um das dort befindliche kaiserliche Lager zu besichtigen (III/2, 120; RV S. 34). *Za*

Berg, Caroline Friederike von, geb. vHaeseler (1759/60?–1826), verheiratet mit Carl Ludwig vB., Domherrn und Senior des Stiftes *Halberstadt, lernte dort, vermittelt durch JWL *Gleim, JG und C*Herder kennen, als diese im Mai 1783 ihre Harz-Reise machten. Sie vertiefte diesen Kontakt zu einer aufrichtigen Freundschaft, die sich als dauerhaft erwies, auch als sie sich von ihrem Ehepartner getrennt hatte. CFvB., die Jean Paul (*Richter) eine „geistige Amazone" nennt, fand auch, und zwar sehr schnell, Zugang zu Goethe. Sie wurde zumal in *Berlin (etwa seit 1792), sogar am dortigen Hofe, eine seiner wirksamsten Verehrerinnen. Dergestalt beeinflußte sie ua. MSv*Clausewitz (geb. Gräfin *Brühl) nachhaltig. Nach dem Tode der Königin Louise von *Preußen (1810) schloß sie sich an deren Schwester Friederike an, die 1815 in dritter Ehe Ernst August, damals noch Herzog von Cumberland, erst 1837 König von Hannover, heiratete. CFvB. wurde Hofdame Friederikes. Höhepunkte im persönlichen Kontakt mit Goethe sind *Karlsbad August/September 1810 (zB. III/4, 149–151; 153) und Frankfurt August 1815 (III/5, 177). Die Erinnerung blieb unvergessen. Auch ihre Tochter Louise (1780–1865), seit 14. X. 1800 verheiratet mit dem Grafen AEv*Voß, folgte ihren Spuren und ließ sich nach Goethes Notiz (III/3, 158) schon am 13. VIII. 1806 durch Louise v*Göchhausen im Haus am Frauenplan einführen. Am 5. III. 1830 war sie zum letzten Male dort: *Ich sah sie in Erinnerung der Frau von Berg, Mutter der Frau Gräfin Voß (III/12, 207).*
Am 4. X. 1803 hatte CGv*Brinkmann, der schwedische Freund, über die von CFvB. bewirkte berliner Goethe-Verehrung geschrieben: „Sie kennen, hoff' ich, die Frau v. Berg, vielleicht auch ihre vortreffliche Tochter, die Gräfin Voß ... Ich möchte wohl sagen, daß Ihre Schriften der Mittelpunkt unserer echt religiösen Verbindung sind. Alle schöneren Seelen, die einer höheren Ausbildung wert sind, werden hier in jene heiligen Mysterien eingeweiht, und es heißt bei uns, in einem höheren Sinn, niemand ein Mensch, als wer durch den Geist Ihrer Schriften getauft ist" (EWeniger S. 189; vgl. auch IV/16, 333). *Za*
EWeniger: Goethe und die Generale. 1943.

Berg, Hedwig Dorothea von, geb. vSievers (1764–1830), aus bedeutender, 1798 gräflich gewordener baltischer Adelsfamilie (*Baltische Länder), war in erster Ehe mit dem Obersten Christian Wilhelm vB., in zweiter Ehe mit dessen Bruder, dem General Gregor vB. verheiratet. Dieser war Stadtkommandant von Reval. Stammsitz aber blieb das livländische Gut Heimthal. Goethe kam mit HDvB. hauptsächlich dadurch in Verbindung, daß ihre Tochter Anna Maria Eleonora (1786 bis 1821) als Hofdame der Großfürstin Maria Paulowna nach Weimar gekommen war und 1806 dort zweite Frau des Freiherrn Friedrich v*Ziegesar, also Schwägerin von Sylvie wurde. So traf man sich Juli 1808 in *Karlsbad (darauf bezugnehmend ein Widmungsgedicht, überreicht am 20. VII. 1809, I/4, 232; I/5II, 138), Oktober 1808 in *Jena (III/3, 356; 358; 359; 364; 365; 370; 371; 394), Juli 1809 in Weimar, auch in Jena, August/September 1810 in *Teplitz, Oktober 1810 in Weimar (III/4, 44; 45; 149; 150; 151; 153; 163), Juni 1813 in Teplitz (III/5, 57?). Nach EHoeppener (brieflich am 24. XII. 1921) hat Goëthe HDvB. auf ihr Drängen einen Ableger von einem Jasminstrauch des botanischen Gartens in Jena geschickt, und zwar mit einem Widmungsvierzeiler, der eigentlich (1806?) *An Silvien (I/2, 151)* gerichtet zu sein scheint (vgl. JbGGes 9, S. 259). Dieser Ableger gedieh zu einem kräftigen Strauch und stand in hohen Ehren. Als die Nachkommen der Familie durch die Revolutionsereignisse 1917 aus ihrer baltischen Heimat vertrieben wurden und zunächst nach Jena flohen, topften sie einen mitgebrachten Ableger ein und hielten ihn wie ein Unterpfand.   *Za*

Berg, Yngve (geb. 1887), schwedischer Maler, Graphiker und Kunstkritiker, tätig in Stockholm, schuf *Illustrationen zu den *Römischen Elegien*, die zuerst in der schwedischen *Übersetzung unter dem Titel „Goethes Romerska Elegier i svensk tolkning av Allan Bergstrand med teckningar av Yngve Berg", 1929 erschienen. B.s Originalzeichnungen wurden 1932 von einer schwedischen Abordnung dem frankfurter *Goethe-Museum überreicht und 1938 nochmals als Illustrationen zu der deutschen Bibliophilausgabe der *Elegien benutzt, welche die bauersche Gießerei in Frankfurt herausgab.

B., der sich auch sonst in seinem graphischen Werk besonders in den Stil des späten 18. Jahrhunderts eingelebt hat, besuchte 1928 Rom und Weimar. In seinen lavierten Federzeichnungen zu den Elegien schloß er sich dem klassizistischen Zeichenstil HW*Tischbeins an, blieb aber von JHFüeßlis expressivem Figurenstil nicht unbeeinflußt. In seinen Illustrationen vereinten sich Römisch-Klassizistisches und Modernes auf eine reizvolle, dem goetheschen Dichtwerk adäquate Weise.   *Fo*

Bergamo/Bergamasker Alpen. Die oberitalienische Provinz B., östlich vom *Comer See und bis zum Lago di Iseo reichend, nördlich von dem als „Bergamasker Alpen" bekannten Gebirgszug begrenzt, hat Goethe auf der Heimreise aus *Italien Ende Mai 1788 wohl nur sehr an ihrem Rande gestreift (I/32, 480; 53, 385; RV S. 27). Aber ihre Wesenheit war ihm nach dem Volksmunde früh deutlich, am frühesten vielleicht schon in *Leipzig/Frankfurt 1768 (an F*Oeser gerichtet: I/5I, 59); spätestens seit seinem Aufenthalt in *Neapel sieht er in B. die Heimat des *Harlekin (I/31, 63)*. Die Bergamasken reden, wenn man einem Lexikon des Jahres 1730 folgt, „die gröbste Sprache in Italien" (WDeer: „Vollständiges Lexicon der Alten Mittlern und Neuen Geographie", 1730). Goethe bemerkt bei der Rezension zweier Zeitungen aus B. im Jahre 1797: *Die Sprachwendungen haben etwas Originales und der ganze Ausdruck ist lebhaft, treu, naiv, so daß man den Harlekin im besten Sinne zu hören glaubt. Die Bergamasken-Manier, die giocondità … der Bergamasker* hat für ihn etwas Sprichwörtliches (I/34I, 224 f.; vgl. auch I/32, 480).

Personen: Johann Simon Mayr (1763–1845), geboren in Mendorf in Bayern, ausgebildet im Jesuitenseminar zu Ingolstadt, seit 1802 Kapellmeister an der Kirche S. Maria Maggiore und seit 1805 Kompositionslehrer am neubegründeten Musikinstitut in B., *der alte Mayer von Bergamo,* über dessen Leben und Wirken Goethe durch *Stendhals „Rome, Naples et Florence", 1817 unterrichtet wurde (18. I. 1818 erste Lektüre des Werkes: III/6, 159; 20. I. erste Erwähnung in einem Brief an Zelter: IV/29, 20; 8. III. *Brief an Zelter … mit Nachrichten vom alten Mayer zu Bergamo: III/6, 180,* d. i. auszugsweise Abschrift aus Stendhal: IV/29, 77–80); Mayrs Oper „Ginevra di Scozia" wurde schon früher (spätestens 1811: III/4, 241) in Weimar aufgeführt; ebenfalls aus Stendhal bekannt: Giacomo Davide (1750–1830), Tenor, tätig an der Scala in *Mailand und an Santa Maria Maggiore in B. (IV/29, 77–80); 1818, 2. X. Heinrich Bodmer aus *Zürich, Daniel Fiffel aus *Chur, *in Bergamo wohnhaft, Kaufleute* besuchen Goethe in Weimar *(III/6, 248);* 1830, 27. IX. die Brüder Johann und Friedrich Frizzoni, *zwey Fremde von Bergamo,* welche AvGoethe *in Mayland kennen lernte, … zum Besuch (III/ 12, 309).*   *Za*

Bergen, jetzt Bergen-Enkheim, der hessen-nassauische Ort im Nordosten von Frankfurt, Stammsitz der alten Adelsfamilie der Schelme von Bergen (um 1700 Neubau der Burg), Wehrgang und Turm weithin sichtbar, bekannt durch die Schlacht, die Ferdinand von *Braunschweig als General Friedrichs d. Gr. am *Charfreytag*, 13. IV. 1759 gegen die Franzosen unter Victor François de Broglie verlor. Goethe verzeichnet keinen Aufenthalt in B., aber im Landschaftsbild war es ihm vertraut (3. VIII. 1775: Morris 5, 291; I/26, 153–155; RV S. 12). Ein Folgeereignis der Schlacht war die Einquartierung im Vaterhaus Goethes (Fde*Thoranc): *Verdruß des Vaters (I/26, 351)*. Der Zufall wollte es, daß die Landschaft um B. 1825 noch einmal beredt wurde und nun in einem ganz anderen Lichte aufschimmerte: *Hudhud* zeigte sich *Suleika* (Mv*Willemer): „Unwillkürlich sagte ich: *Hudhud, fürwahr ein schöner Vogel bist du* – und da flog er fort, ich aber war überzeugt, er hätte mir Botschaft angezeigt, und so war's auch, Sie mögen immerhin lächeln" (Ende Juni 1825: BvMarianne. ⁴1922. S. 132; vgl. *I/6, 59*). *Za*

Bergen, Dirck van (1645 bis nach 1690), Maler in Haarlem, von dem Goethe bei seinem Besuch der *dresdener Galerie 1810 das 1682 datierte und signierte Bild des Hirten mit seiner Herde (Kat.-Nr. 1512) sah, malte *Gut in Berghems Geschmack (I/47, 384)* anspruchslose Motive in kleinformatigen Bildern. *Lö*

Berger, Anton, gab, wie Goethe berichtet, als *deutscher Buffo* mit seiner *hübschen, stattlichen, gewandten Frau ... in deutschen Städten und Ortschaften, mit geringer Verkleidung, und schwacher Musik, im Zimmer, mancherlei heitere aufregende Vorstellungen,* voran Intermezzi wie GB*Pergoleses „Serva padrona", wodurch sich Goethe zu *Scherz, List und Rache* unter Zusatz einer dritten Person angeregt fühlte (*I/32, 144;* *Singspiele). *Mr*

Berger, Christian Gottlieb (1787–1813), Sohn wohlhabender, geachteter Handwerker (Großbinder) aus *Breslau, eine regsame, aufgeschlossene Begabung, früh durch JF*Zöllner angeregt und gefördert, auch für Naturbeobachtung interessiert, begann sein Rechts-Studium 1805 in *Halle, wurde durch FA*Wolf wohl auch durch die lockende Nachbarschaft von *Lauchstädt alsbald auf den Weg zu Goethe gebracht: *Das Rasseln von Herrn Bergers Cabriolet war mir heute sehr erfreulich* (Lauchstädt, 1. IX. 1805?: *IV/19, 57*). B. suchte die Verbindung zu halten (1806: IV/19, 226; 1808: IV/20, 75). Er gehörte zu den Duz-freunden Augusts vGoethe, zwei Briefe (1808, 1812) fanden sich im Nachlaß. Mit Abschluß seines Rechts-Studiums kehrte B. nach Breslau zurück, unternahm aber von da aus weite Reisen nach Westdeutschland, Holland, Frankreich, Schweiz, Italien. Dabei entwickelte er eine zunehmende Vorliebe zum Naturforschen und -sammeln (besonders als Mineraloge und Botaniker) – mit Goethes scharfkritischem Wort: ein *ewig wandernder Halbstudent (IV/20, 75)*, ein unruhvoller, aber doch liebenswerter Mensch, der am 14. VII. 1812 an August schreibt: „Versichere deinen würdigen Vater meiner tiefsten Ehrerbietung und sage ihm doch gelegentlich, daß man sich noch recht viel in Italien an ihn erinnere, und mir sogar der alte Wirth vom Sibillentempel in Tivoli mehreres von ihm erzählt habe" (GoetheJb. 10 S. 76). Goethe hat B. aber trotz wiederholt bittender Mahnung keinen Vers für sein FW*Riemer dieserhalb anvertrautes Stammbuch geschrieben. Am 2. V. 1813 fiel er als Freiwilliger bei Großgörschen. *Za*

Berger, Daniel (1744–1824), Reproduktionskupferstecher, Direktor der Kupferstecherschule in Berlin (bekannt durch seine Kopien nach *Chodowieckis Illustrationen), 1778 Mitglied, 1787 Professor an der Kunstakademie, war Lehrer von GPh*Hackerts Bruder Georg, bevor dieser nach Rom ging (I/46, 140); B. stach 1790 den „Tod Schwerins" von JChr *Frisch. Goethe fand, daß B. dieser Stich *glücklich gelungen* war, so daß er wünschte, der Künstler möge *dieses Talent noch künftig bei schönen und reinen Formen anzuwenden Gelegenheit finden (I/47, 244).* *Lö*

Berger, Ferdinand (Lebensdaten unbekannt), Reproduktionskupferstecher, Lehrer an der berliner Akademie, auf deren Ausstellungen er von 1830 bis 1840 vertreten war. Er zeichnete und stach gemeinsam mit P*Anderloni für die „Vorbilder für Fabricanten und Handwerker", die den Kunstschulen der preußischen Monarchie als Muster dienen sollten und die Goethe in *Kunst und Alterthum* rezensierte (I/49ᴵᴵ, 129). B. stach auch die von CW*Kolbe gezeichneten Arabesken, die Goethe besaß. *Lö* Schuchardt 1, S. 220, Nr 52.

Berger, Ludwig (1777–1839), geboren und gestorben in *Berlin, Pianist und Komponist, Schüler bedeutender Lehrer (JAGürrlich; MClementi), Lehrer bedeutender Schüler (JB Cramer; F*Mendelssohn/Hensel; F*Mendelssohn-Bartholdy; WTaubert; AHenselt; HKüster), kam nach langjähriger Abwesenheit erst 1815 wieder nach Berlin, riskierte 1819 durch die Gründung der „jüngeren" Liedertafel (gemeinsam mit BKlein, GReichardt, LRellstab) das Wohlwollen CF*Zelters, trat schließlich 1822 doch in dessen Sing-Akademie ein, konnte aber die Gunst weder Zelters noch Goethes erringen; seine Goethe-Vertonungen (14) drangen nicht bis nach Weimar. Zur Totenfeier – sieben Jahre nach Zelters Tod – ehrten ihn seine Freunde und Schüler unter Führung von WTaubert, indem sie die Sing-Akademie zu der Aufführung eines Kyrie und Gloria von B. veranlaßten. Seine Goethe-Vertonungen aber waren nicht am Leben zu halten. LRellstab wurde B.s Biograph (1846). *Za*

Bergern, Rittergut mit kleinem Dorf an der Ostseite des sogenannten Hexenberges, 2 km nördl. von *Berka/Ilm (1822: 68 Einwohner). Nach einer Jagd wurde vom 7. zum 8. VIII. 1781 von Carl August, CLv*Knebel und Goethe *Vor Bergern kampirt (III/1, 129;* RV S. 21).
Kanzler v*Müller kaufte das Rittergut B. am 3. VIII. 1828 (belehnt am 1. IX. 1828). Goethe nahm dies mit zustimmender Teilnahme auf: *Mir ist sehr wohlthätig, Sie in einer anmuthigen ländlichen Umgebung zu denken (IV/ 44, 295).* Mit seinem Enkelkind Wolfgang stattete Goethe am 27. IX. 1829 einen Besuch in B. ab, wo er Frau Wilhelmine vMüller und Auguste Jacobi, Enkelin von FH*Jacobi, antraf und sich *der hübschen häuslichen Einrichtung, der heitern weit umsichtigen Lage . . . zu erfreuen hatte (IV/46, 99; III/12, 131; RV* S. 66). *Dl*

Bergfeld, Johann Georg Hektor (1781–1846), Sohn eines weimarer Kutschers und herzoglichen Wagenmeisters, wurde 1802 Unterkassierer am Hoftheater in Weimar, übernahm 1806 die gesamte Theaterrechnungsführung und erhielt 1811 den Titel Hoftheaterkassierer. *Hk*

Berggießhübel, sächsisches Städtchen im schönen Tal der Gottleuba, passierte Goethe, vom Bad in *Teplitz heimkehrend, am 16. VIII. 1813; er stieß dabei auf französische Truppenbewegungen (III/5, 67), wenige Tage später kam es hier zu einem Gefecht zwischen den Franzosen unter Saint-Cyr und dem rechten Flügel des böhmischen Heeres unter *Wittgenstein (RV S. 49). *Za*

Berghem, Claes oder Nicolaes (1620–1683), Maler in Haarlem, lernte unter dem Einfluß CMoyaerts, war vor seiner Aufnahme in die haarlemer Malerzunft 1642 wahrscheinlich in *Italien und siedelte 1677 nach Amsterdam über. Seine Landschaften und Hirtenszenen,

unter ihnen einige Heimatlandschaften, waren Vorbild eigenhändiger Radierungen, die die jahrzehntelang anhaltende Nachfrage nach seinen Werken befriedigten und die überall gesammelt wurden, wie es noch Goethe tat (IV/45, 243). Schon 1810 hatte B.s „Weidende Herde" in *Dresden (Kat.-Nr 1477), die sog. Sonnenuntergangslandschaft aus der Frühzeit des Künstlers, ihn erfreut (I/47, 385; vgl. H*Meyer 1794 an Goethe). B.s Wirkung auf die Künstler der zweiten Hälfte des 17. Jahrhunderts brachte zahlreiche Nachahmer hervor, unter ihnen Dv*Bergen (vgl. I/46, 113). Noch 1822 empfiehlt Goethe auf Vorschlag Meyers in einem Briefe an *Carus, F*Preller möge Jv*Ruysdael und B. kopieren, weil sie *sein Talent am fördersamsten entwicklen* würden: *Berghem vorzüglich wegen des trefflichen Vieh, womit er zu staffiren pflegt, wegen der Heiterkeit in den Farbentönen, und weil sich auch in seinen Entwürfen zuweilen eine poetische Großartigkeit findet (IV/36, 28 f.),* ein Urteil, in dem klassizistische Gesinnung mit der Liebhaberei des 18. Jahrhunderts für die *niederländische Malerei sich begegnen. *Lö*
BrMeyer 1, S. 90. – Schuchardt 1, S. 148 f. – ThB 3 (1909), S. 370–372.

Bergier, Nicolas Sylvestre (1718–1790), französischer Philolog und Theolog von großem gelehrtem Wissen und gewandter, genauer Dialektik, Verfasser eines „Dictionnaire de théologie" und eines „Examen du matérialisme" (1771, gegen PHDv*Holbachs „Système de la nature"), stand am Anfang seiner Laufbahn in recht gutem Verhältnis zur „*Encyclopédie". Goethe erwähnt ihn in *Rameau's Neffen* (1805: I/45, 29). *Fu*

Bergler, Joseph (1753–1829), Historienmaler, erhielt nach sorgfältigem Unterricht bei seinem gleichnamigen Vater (1718–1788) durch den Kardinal-Fürstbischof von Passau Grafen Firmian die Möglichkeit, sich seit 1776 in Italien aufzuhalten, wo er Studien nach Antiken, *Raffael und *Domenichino trieb und 1784 den großen Preis der Akademie von *Parma errang. 1786 nach Passau zurückgekehrt, wurde er bald Kabinettsmaler des Kardinal-Fürstbischofs Grafen von Auersperg und entfaltete auf der Grundlage seiner klassizistischen Studien eine meist dem Altarbild gewidmete umfangreiche Tätigkeit. Als die böhmischen Stände nach dem *Vorgang des würdigen Grafen Sternberg, der als ein edler Kunstfreund und Patriot seine eigene bedeutende Gemähldesammlung zur öffentlichen Betrachtung ausstellte . . ., ihre Kunstschätze zu demselbigen Zweck mit den seinigen vereinigt* und den Unterhalt einer Kunst-

und Zeichenschule durch jährliche Beiträge gesichert hatten (*I/34^I, 107;* nach dem Bericht von S*Boisserée vom August 1815) wurde B. – für B. *I/36, 173* irrtümlich *Langer* – 1800 nach Prag berufen und bald darauf Direktor der Akademie. Seine Tätigkeit in Prag hatte auf die Verhältnisse in *Böhmen weitreichenden Einfluß, doch wird man den Worten seines Nekrologschreibers Ritter von Rittersperg, daß „unser B. eine ausgezeichnete Stufe in der Kunst" erstiegen habe und seine Werke nicht „zu sehr gewürdigt werden" können, nur zögernd zustimmen. Goethe muß bei seinen häufigen Besuchen in den böhmischen Bädern gelegentlich mehr gehört haben, als sich nachweisen läßt, vielleicht sogar mit ihm bekannt geworden sein; B. hatte für Goethe eine *Abbildung von Wallenstein ... Auf dem Schlosse Friedland ... in ganzer Figur ... gezeichnet und sehr geistreich radirt* (4. VII. 1810: *IV/21, 348*). Goethe besaß neben zwei kleinen Kupfern eine 1801 datierte Federzeichnung „Tiresias und Oedipus".   *Lö*

Schuchardt 1, S. 109; 258. – Nagler 1 (1835), S. 439. – ThB 3 (1909), S. 408 f.

Bergman, Torbern Olof (1735–1784), schwedischer Naturwissenschaftler, besonders Chemiker, war seit 1767 Professor an der Universität Uppsala. Einen Ruf Friedrichs des Großen nach Berlin 1776 lehnte B. auf Drängen Gustavs III. von *Schweden ab. In seinen Schriften entwickelte er ua. als erster die quantitative und qualitative Analyse auf nassem Wege und beförderte wesentlich die Affinitätslehre (letztere in „De attractionibus electivis", 1775; deutsch unter dem Titel „Wahlverwandtschaften", 1785; enthalten auch in B.s Sammelwerk „Opuscula physica et chemica" 3 Bde, 1779–83, deutsch 1782–90).
Goethe entnahm B.s Affinitätslehre Leitgedanken und Titel der *Wahlverwandtschaften,* wo sich der Hauptmann sogar der B.schen Terminologie bedient: *Denken Sie sich ein A, das mit einem B innig verbunden ist, durch viele Mittel und durch manche Gewalt nicht von ihm zu trennen; denken Sie sich ein C, das sich eben so zu einem D verhält; bringen Sie nun die beiden Paare in Berührung: A wird sich zu D, C zu B werfen, ohne daß man sagen kann, wer das andere zuerst verlassen, wer sich mit dem andern zuerst wieder verbunden habe (I/20, 56).*
Mit diesem Beispiel chemischer Affinität wollte Goethe das Walten einer Naturnotwendigkeit demonstrieren, die sich ähnlich auch in menschlichen Verhältnissen geltend machen kann. Somit heißt es im Gespräch

mit FW*Riemer: *Die sittlichen Symbole in den Naturwissenschaften (z. B. das der „Wahlverwandtschaft" vom großen Bergmann erfunden und gebraucht) sind geistreicher und lassen sich eher mit Poesie, ja mit Sozietät verbinden, als alle übrigen (Riemer/Pollmer S. 308).*   *Fo*

SBL 3 (1922), S. 590–605. – OFWalzel: Goethes Wahlverwandtschaften im Rahmen ihrer Zeit. In: GoetheJb. 27 (1906), S. 197.

Bergmann, Benjamin Fürchtegott Balthasar (1772–1856), Pfarrer in Rujen/Livland, Historiker und Sprachforscher, veröffentlichte „Benjamin Bergmann's nomadische Streifereien unter den Kalmüken in den Jahren 1802 und 1803" (4 Bde, 1804/05), die Goethe am 12. X. 1812 und am 9. I. 1813 zur Hand nahm (III/4, 330; 5, 3), nachdem er sie aus der weimarischen *Bibliothek entliehen hatte (Keudell Nr 790).   *Lö*

Bergmann, Gustav (von), geb. 1749 in Neuermühlen bei Riga, der Großvater des Chirurgen Ernst vB., kam 1767 nach gymnasialer Vorbereitung in Weimar (Wilhelm-Ernst-Gymnasium) nach *Leipzig, um Theologie zu studieren. Die Familienüberlieferung der B.s will wissen, daß das Rencontre zwischen Goethe und B. beim Theaterspiel im Hause *Schönkopf stattgefunden habe. Grund für Goethes spitze Bemerkung über B. *(Hier stinkt's nach Füchsen, Morris 1, 290)* sei Eifersucht wegen Käthchens (Anna Katharina Schönkopf) gewesen. B. habe Goethe geohrfeigt, Goethe ihn gefordert, im *Zweikampf aber sei er am Oberarm verwundet worden. Die Redensart entstammt der Studentensprache: „Phui, quam hic beanus foetet" (GoetheJb. 16, 197 f.). Aufgrund des Zusammenseins mit Goethe während eines Universitätsfestes der Livländer und Kurländer (*Baltische Länder) in Jena erinnert Andreas Löwis of Menar den seit 1771 in der Heimat als Pfarrer amtierenden B. brieflich an den Vorfall (2. II. 1802: Bdm. 5, 4). Goethe hat über dies Zusammensein und auch über den Vorfall nichts notiert.   *Za*

Bergsträßer, Johann Andreas Benignus (1732 bis 1812), Rektor in *Hanau, also in dem Vatersort des Studienfreundes FChr*Lerse, fungiert in Ph*Seidels (?) Notizbüchlein nur als Adressat einer Sendung (1775: Morris 5, 451; dazu 6, 551).   *Za*

Bergstraße, nach der alten Straße zwischen *Darmstadt und *Heidelberg genannter fruchtbarer Landschaftsstreifen am Fuße des *Odenwaldes, durchfuhr Goethe auf seiner Rückreise von *Mannheim im Spätjahr 1769 und, in schon entscheidender Lebenssituation,

nach der endgültigen Trennung von Lili
*Schönemann im Herbst 1775, in der Erwartung des weimarer Freundes und in der Hoffnung, *Italien zu sehen: *Es war gerade die
Zeit der Weinlese, das Wetter schön und alle die
elsassischen Gefühle lebten in dem schönen
Rhein- und Neckar-Thale in mir wieder auf (I/
29, 187)*. Aber aus dem unmittelbaren Erlebnis des Tages heraus heißt es im *Reisetagebuch
1775*, das nur bis zum ersten Tage gedieh: *Die
Riesengebeine unsrer Erzväter aufm gebürg,
Weinreben zu ihren Füßen hügelab gereiht, die
Nußallee, und das Thal den Rhein hin. Voll
keimender frischer Wintersaat, das Laub noch
ziemlich Voll und da einen heitern Blick untergehender Sonne drein!* (Eberstadt 30. X.
1775: *III/1, 10*). Nach mehr als zwanzig Jahren kommt Goethe, ein anderer geworden, von
Weimar auf der dritten *Schweiz-Reise am
25. VIII. 1797 wieder durch die B. Jetzt sind
Feldbau und *Geologie, aber auch die *Farbenlehre sein Interesse, die sich im Erlebnis
widerspiegeln: *Auf der Chaussee finden sich
nun Steine des Grundgebirgs: Syenite, Porphyre, Thonschiefer und andere Steinarten in
dieser Epoche ... In dieser Gegend liegen sandige Hügel, gleichsam alte Dünen gegen den
Rhein; vor und hinterwärts gegen das Gebirg
ist eine kleine Vertiefung, wo sehr schöner Feldbau getrieben wird. Bis Zwingenberg bleibt der
Melibokus [im Odenwald] sichtbar, und das
schöne weitgebaute Thal dauert. Die Weinberge
fangen an sich über Hügel bis an das Gebirge
auszubreiten ... Man ist mit der Erndte in dieser Gegend wohl zufrieden ... Die Birnbäume
hingen unglaublich voll. Beym Purpurlicht des
Abends waren die Schatten besonders auf dem
grünen Grase wundersam smaragdgrün (III/
2, 84f.*; vgl. *Der Genuß der schönen Stunden, die
mich durch die Bergstraße führten: I/34^I, 325;*
253; 259f.). Dieser vielschichtigen Erinnerung
an die B. entspricht Goethes Wunsch 1813, als
sich seine Liebe zur Heimat in dem Wunsch
ausdrückte, wieder nach *Frankfurt zu fahren: *den lieben Rheinstrom, besonders die Bergstraße möchte ich wohl einmal wiedersehen*
(11. VI. 1813: *IV/23, 364*). Wenige Tage, nachdem Goethe Marianne Jung (v*Willemer) zum
erstenmal begegnet war, sieht er von Schloß
*Biebrich aus *Ganz in der Ferne ... die Berge
der Bergstrase, und den Melibocus* im Odenwald (8. VIII. 1814: *IV/25, 13*). Auf der Fahrt
nach Heidelberg kam Goethe am 24. IX. 1814
durch die B.: *der Himmel heiterte sich völlig
auf, so daß wir die Bergstrase in ihrem ganzen
Glanze genossen. Die Nüsse wurden eben abgeschlagen, die Birnen erwarteten ihre Reife*

(IV/25, 42f.), auch auf der Rückfahrt nach
Frankfurt am 9. X. (ebda 55f.) reiste Goethe
die B. entlang. Die im folgenden Jahre wiederholte Reise an *Rhein, *Main und *Neckar
führt am 20. IX. 1815 abermals durch *Die
Bergstraße; sie war über alle Begriffe schön und
herrlich (IV/26, 86)*. Goethe kannte die B.
also nur in spätsommerlicher und herbstlicher
Landschaftsstimmung, aber sie ist an entscheidenden Lebensstufen mitbestimmend
und mitbildend gewesen und hat dem Erlebnis Goethes ihre besondere Färbung mitgeteilt: denn vom Ostwind singt *Suleika*-Marianne: *Kosend spielt er mit dem Staube, /
Jagt ihn auf in leichten Wölkchen, / Treibt zur
sichern Rebenlaube / Der Insekten frohes Völkchen. / Lindert sanft der Sonne Glühen, / Kühlt
auch mir die heißen Wangen, / Küßt die Reben
noch im Fliehen, / Die auf Feld und Hügel
prangen. / Und mir bringt sein leises Flüstern /
Von dem Freunde tausend Grüße; / Eh' noch
diese Hügel düstern, / Grüßen mich wohl tausend Küsse (West-östlicher Divan: I/6, 182)*.
      Za

Bergwerke und Hüttenbetriebe. Goethes Beschäftigung mit Bergbau und Hüttenwesen
bildet zeitlich den Ausgangs- und durch sein
ganzes Leben hindurch einen der bedeutendsten Schwerpunkte für seine Anteilnahme an
den Fragen der *Technik und des *Maschinenwesens. Im Zentrum steht rund zwanzig
Jahre lang die Arbeit in der *Bergwerkskommission. So sind auch seine BuH-Besichtigungen im *Harz und in *Schlesien weitgehend von dem Bestreben geleitet, dort technische Neuerungen kennenzulernen, die den
Problemen und Arbeiten in *Ilmenau zugute
kommen könnten (vgl. etwa I/33, 214; IV/9,
225; 231). Nach dem Scheitern des ilmenauer
Unternehmens verschiebt sich Goethes Interesse im wesentlichen auf die Probleme der
*Geologie und *Mineralogie. Es sind fast immer Anliegen dieser Gebiete, die ihn späterhin noch in Verbindung mit Bergbau und
Bergwerken bringen (zB. die Zinnformation
in *Zinnwald und *Altenberg und die Flözbrandtheorie in *Dux). Unter diesen Voraussetzungen nennen die Quellen hauptsächlich
folgende BuH, die Goethe (I) aus unmittelbarer persönlicher Anschauung, Befahrung
oder Bereisung, bzw. (II) aus Mitteilung Dritter kannte, schließlich (III) die Literatur über
BuH, die er eingesehen hat:
I. – 1770, Ende Juni/Anfang Juli: Steinkohlengruben, Eisen- und Alaunwerke bei
*Dudweiler/Saarland (*DuW: Hier wurde
ich nun eigentlich in das Interesse der Berg-*

gegenden eingeweiht, und die Lust zu ökonomischen und technischen Betrachtungen,
welche mich einen großen Theil meines Lebens beschäftigt haben, zuerst erregt; I/27,
330–333).

Schmelzhütten unweit *Neukirch *(DuW:
Wir betraten bei tiefer Nacht die im Thal-
grunde liegenden Schmelzhütten, und vergnüg-
ten uns an dem seltsamen Halbdunkel dieser
Breter-Höhlen, die nur durch des glühenden
Ofens geringe Öffnung kümmerlich erleuchtet
werden; I/27, 335).*

1776, 3./7. V. (III/1, 12) bis (24. Bereisung)
30. X./8. XI. 1796 (III/2, 49): Steinkohlen-,
Kupfer-, Silber-, Bleiberg- und Hammer-
werke bei *Ilmenau (*Bergwerkskommission); über hierhergehörige goethesche
Handzeichnungen vgl. WVulpius S. 226.

—, 31. V. (?) Kyffhäuser, altes Kupfer-
schiefer-Bergwerk (?); vgl. Protokoll in
dem Aktenstück C VII 7c Nr 25 des rudolstädter Landesarchivs: Die Herren, darunter Carl August und Goethe, „bestiegen
sodann zu Fuße den Kyffhäuser, wo sie . . .
auch in den Grubengängen sich umsahen"
(WVulpius S. 216–218).

1777, 5. XII.: Eisenbergwerk *Rammelsberg
bei *Goslar *(den ganzen Berg bis ins tiefste
befahren: III/1, 56).*

—, 6. XII.: Hüttenwerke an der *Oker
(*Messinghütte; *Gesehn die Messing Arbeit
und das Hüttenwerck: III/1, 56).*

—, 8./9. XII.: Erzbergwerke (Blei, Zink,
Kupfer, Silber) bei *Clausthal-Zellerfeld
(8. XII.: *früh eingefahren in der Caroline
Dorothee und Benedickte, *und am 9. XII.:
früh auf die Hütten: III/1, 56).

—, 11. XII.: Erzbergwerk (Blei, Silber) bei
*Altenau, Grube Altenauer Glück (III/1,
57).

—, 12. XII.: Silberbergwerk bei *Andreasberg *(Abends eingefahren in Samson durch
Neufang auf Gottes gnade heraus: III/1, 57).*

—, 13. XII.: Eisenwerk Königshütte bei
*Lauterberg *(Auf der Königshütte während
Fütterns mich umgesehn: III/1, 57).*

1780, September: ?Steinkohlenbergwerk
*Goldlauter *(Es sind daselbst bei dem
Kupferflöz Steinkohlen . . . Braunsteingru-
ben. Fluß-Grube. Eisengruben: NS 1, 32).*

—, ?13./14. IX.: Steinkohlenbergwerk
*Kaltennordheim *(ohne Rücksicht auf das
ilmenauer Steinkohlenwerk wohl schwerlich
einiger Vortheil von dieser Unternehmung zu
erwarten: IV/30, 13; *vgl. IV/4, 289 f.).

1781, 4./5. VII.: Kupferbergwerk bei *Blan-
kenburg/Thüringen; Grube Hannchen?

*(Ich hab CLv*Knebel in die Klüffte der
Erde initiirt: IV/5, 164).*

1782, 10. V.: Schiefergruben (?) bei *Friedrichroda *(Kroch mit Bergrat Baum in den
Eingeweiden der Erde herum: IV/5, 324).*

1783, 20./24. IX.: Erzbergwerk (Blei, Zink,
Kupfer, Silber) bei Clausthal-Zellerfeld
(vermutlich nicht eingefahren; vgl. *IV/6,
199: Ich unterrichte mich so viel es die Ge-
schwindigkeit erlaubt, sehe viel, das Urtheil
giebt sich).*

1784, 10. VIII. (?): Eisenwerk Königshütte
bei *Lauterberg (NS 1, 68; vgl. 13. XII.
1777).

—, 12./13. VIII.: Erzbergwerke bei Clausthal-Zellerfeld *(Es wird in die Gruben eingefahren ein beschwerlicher Weeg der mir sehr
lehrreich sein wird: IV/6, 335. *Vgl. Dennert
S. 79; 8./9. XII. 1777).

—, 14. VIII. Eisenhütte *Frankenscharrer
Hütte bei *Grund *(Hohe Öfen, Rauchfange.
Schmelzen mit Eisen. Probierofen im Feuer:
NS 1, 79; *Bauernberg).

—, 14. VIII. (?): Erzbergwerk in Grund
*(Zu Grund tiefe Stollen-Maurung . . . Nach
dem Iberge. . . Halde um den Schacht nach
dem Magdeburger Stollen: NS 1, 79).*

—, 1./2. IX.: Eisenbergwerk Rammelsberg
bei Goslar *(Schwarze Höhle Erleuchteter K . . .
Flammen Geprassel Rauch, Zug, Glut Funken, Sprühen, Knall. Dumpfes Getöse der
springenden Felsen Zusammenstürzende
Flammen: NS 1, 79; 69; *vgl. 5. XII. 1777).

—, 2./3. IX.: Hüttenwerke an der Oker
*(Messinghütte: NS 1, 70f.; *vgl. 6. XII. 1777).

—, 5. IX.: Eisensteingrube *(Blanke Wormke)*
bei *Königshof *(von Tage hineingebaut: NS
1, 73; *vermutlich nicht eingefahren).

—, 6. IX.: Kupfer- und Silbergrube bei
*Elbingerode, Grube Kronprinz *(Vor dem
Städtchen eine alte Grube, der Kronprinz:
NS 1, 73; *vermutlich nicht eingefahren).

—, 6. IX.: Eisensteingrube Bomshai (Dennert S. 14: Bohmhaier Stollen; *der Eisenstein soll flözweise liegen: NS 1, 73; *vermutlich nicht eingefahren).

—, 6. IX.: Eisensteingrube *Büchenberg
*(Guter Eisenstein, 70 Pfd im Zent, streicht
den Gang hor. 5; so streicht der Eisenstein
bis gegen den Hartenberg Wernigerödisch
immer fort, und sind oft taube Mittel dazwischen. Der Eisenstein bricht 7 Lachter mächtig: NS 1, 73; *vermutlich nicht eingefahren).

—, 6. IX.: Eisenstein-Stollengrube bei Elbingerode *(Der Eisenstein ist sehr feste,
wird mit Bohren und Feuersetzen gewonnen.
Stollengrube. Die Bänke schießen gegen Mit-*

tag ein wie in dem Vorigen. Kuhriemen durch und durch mit dem Eisenstein: NS 1, 74: vermutlich nicht eingefahren).

—, 6. IX.: Eingestürzte Grube *(Binge)* bei *Gräfenhagensberg (Das Liegende und Hangende am deutlichsten zu sehen; NS 1, 74;* Dennert S. 96).

—, 8. IX.: Hüttenwerk *Ludwigshütte (nur flüchtig berührt: NS 1, 75).

1785, Ende Juni: Erzwäsche am *Seeberg/ Seehügel im Fichtelgebirge: *Seifenwerk, wo Zinnsand ausgewaschen wird (NS 1, 103;* auch *106: Zinnseifen Glück auf. Zinnseifen 40 Fuß hoch).*

—, Anfang Juli: *Alaunsiederei . . . bei* *Mühlbach (NS 1, 105).*

—, 16. VIII.: Erzbergwerk (Silber, Kobalt) in *Joachimsthal *(Angefahren Gabe Gottes. Rotgülden kristall. Gnade Gottes. Gewachsen Silber. Kobold: NS 1, 109).*

—, 18. VIII.: Erzbergwerk (Zinn, Eisen; Wismut, auch Schwefel) bei *Johann-Georgenstadt *(Morgen geh ich nach Schneeberg, sehe mich urter der Erde um, wie ich hier auch gethan habe: IV/7, 77).*

—, 19. VIII.: Eisenbergwerke (Silber, Wismut, Kobalt, Nickel, Kupfer und Blei) bei *Schneeberg *(nicht eingefahren; IV/7, 77; 80 f.: In Schneeberg ist wieder verboten Fremde unter die Erde zu lassen).*

—, 19./20. VIII.: Blaufarbenwerke (Schmalte) bei Schneeberg (als Extrakt 1785/86: NS 1, 117 f.).

1786, 16. VIII.: Erzbergwerk (Silber, Wismut, Kobalt, Nickel, Kupfer und Blei) bei Schneeberg *(Gewachsen Silber, Rotgülden, Glaserz brechen hauptsächlich auf* [den Gruben] *. . . Fürstenvertrag, Priester und Leviten und Adam Heber . . . Gewinnung der Erze in der Grube . . . geschieht mit Schießen . . . Pochen. NB. Es ist hier ein ungarischer Stoßherd angebracht . . . Leitung der Wasser auf die Grube. Pferdegöpel, Stollen . . . Tragwerk: NS 1, 116–121;* eingefahren in die Grube Fürstenvertrag). Planskizze Goethes „Lage der Bergwerke bei Schneeberg im Erzgebirge": NS 1, Taf. XI; 393.

1790, 27. VIII.: Arsenik-Förderung, auch Schwefel-Förderung in *Reichenstein (aus der Reichensteinischen Sammlung: *. . . der Arsenikkies ist, besonders am Hangenden und Liegenden des Ganges in dem Hornstein eingesprengt, mehr oder weniger derb zu finden: NS 1, 193;* vgl. FZarncke in: Goethe-Jb XI, S. 67; Hoffmann Schlesien S. 41).

—, 4. IX.: Blei- und Silberbergwerk, Hüttenwerk bei *Tarnowitz, Friedrichsgrube

(sie haben, zwar nicht aus so großer Tiefe, eine weit größere Wassermasse als in Ilmenau *zu heben und hoffen doch. Zwey Feuermaschinen arbeiten und es wird noch eine angelegt, dabey noch ein Pferde Göpel der aus vier Schächten Wasser hebt: IV/9, 225;* vgl. I/4, 122 Nr 2 und Hoffmann Schlesien S. 32; Eintragung in das Fremdenbuch der königlichen Berginspektion).

—, 4. IX. (?): Bleihüttenwerk Friedrichshütte bei Tarnowitz (Hoffmann Schlesien S. 37).

—, 5. IX.: (?) Steinkohlengruben, Erzbergwerk (Blei, Zink?) bei *Beuthen (nur durchreisend? Hoffmann Schlesien S. 36).

—, 5. IX.: Steinkohlengrube der orzegower Kohlengewerkschaft bei *Ruda (Hoffmann-Schlesien S. 36; ?NS 1, 193; vgl. 20. IX. Waldenburg).

—, 7. IX.: Salzbergwerk bei *Wielizka (IV/9, 225; vgl. *Schibiker Salz / Grünsalz / Gipsspat: NS 1, 192* und Hoffmann Schlesien S. 36; ferner Goethes Entleihung aus der weimarischen *Bibliothek am 14. XII. 1798: „Geographischer Durchschnittsriß über die Steinsalzflökke und Lager zu Wielicka" als Beilage zu KMartini: „Über das Salzbergwerk zu Wieliczka in Galizien": Keudell Nr 142; noch 1821: III/8, 92).

—, 9. IX.: Eisenberg- und Hüttenwerk bei *Bankau (Hoffmann Schlesien S. 39).

—, 9. IX.: ?Hüttenwerk bei *Kreuzburg.

—, 20. IX.: Schwefelofen in *Waldenburg: *Reine Glanzkohlen, im Ofen abgeschwefelt zu Koks, sind die besten* (FZarncke in: Goethe-Jb XI, S. 68; aber Hoffmann Schlesien S.36; *NS 1, 193*); auch Bergwerksbesichtigung?

1802, 19. VII.: Braunkohlenbergwerk bei *Langenbogen/Halle (III/3, 60).

—, 19. VII.: Steinkohlenbergwerke bei *Wettin (III/3, 60).

1806, 25. VII.: Ehemaliges Steinkohlenbergwerk bei *Hohdorf (III/3, 146).

1810, 27. IX.: Erzbergwerk (Silber, Kupfer, Blei) bei *Freiberg/Sachsen; Grube Beschert Glück *(Über Tage alles besehen: III/4, 156;* vgl. IV/21, 420).

1811, 21. VI.: Erzbergwerk (Zinn) bei *Schlaggenwald *(die Werke besehen: IV/22, 110;* nicht eingefahren: ebda 122; vgl. 1818: NS 2, 121; 1820: *Wichtigstes Zinnwerk zu Schlaggenwalde; NS 2, 140).*

1813, 17. IV.: *Kohlenwerk* (Abbau von Lettenkohle im Gebiet Apolda/Roßla/Mattstedt: *III/5, 33).*

—, 29. IV.: Erzbergwerk (Zinn) bei *Graupen (*Auf die Grube Regina: III/5, 39;* NS 2, 33; 121).

—, 5. V.: Braunkohlen- (nicht: *Steinkohlen-*) Bergwerk bei Dux (III/5, 42; *Die Kohle ist gleichfalls mit Schwefelkies durchzogen. Die größern Stücken Kohlen werden ausgesondert und zum Verbrennen nach der Stadt und den Dörfern verschickt, die kleinern dienen vorzüglich zum Kalk- und Ziegelbrennen. Selbst im Tiefsten dieser Grube geschieht es, daß die Lagen sich entzünden . . .: NS 2, 50*).

—, 15. V.: Silberbergwerk *Klostergrab (Die Gruben sind äußerst schwach belegt. Die Kayserlichen im Nickelsberg mit zwey Mann. Man regt die Bürgerschaft an, die untere, die ihnen gehört, wieder besser zu betreiben: III/ 5, 46).*

—, vor 22. V.: Steinkohlenlager in der Nähe von *Teplitz *(beachtet: NS 2, 34).*

—, 10. VII.: Erzbergwerk (Zinn) bei *Zinnwald; Grube Vereinigt-Zwitterfeld (*fand daselbst den Steiger mit seinen Leuten über Tage mit Ausklauben beschäftigt: NS 2, 37*).* 11. VII.: Grube St. Michael (*Den Stollen befahren: III/5, 62); dazu Reichentrost, Vereinigt-Zwitterfeld* (NS 2, 44; 47): *In Zinnwalde war ich zum erstenmal seit langer Zeit wieder unter der Erde, und habe mich daselbst an den glücklich entblößten uralten Naturwirkungen gar sehr ergötzt; IV/23, 405).*

—, 10. VII.: Erzgrubenanlagen (Zinn) zwischen *Geising und Altenberg; Große Binge (*zwar sieht man zuerst eine hohe steile Felsenwand, diese ist aber nicht durch Natur, sondern durch jenen großen Erdfall, Erdrutsch entstanden, wodurch so viele Gruben zugrundegegangen: NS 2, 39 f.).*

—, 10. VII.: Erzbergwerk (Zinn) bei Altenberg; „Großes Stockwerk"; (vgl. NS 2, 56); Pochwerk (*Von ihrem Schmelzprozeß wüßte ich wenig zu sagen; sie rösten die Schliche, um den Arsenik und Schwefel wegzutreiben; übrigens macht die Beimischung von Wolfram und Eisen ihnen viel zu schaffen: NS 2, 40 bis 44; 45; 122); allzu eiliger Besuch (IV/23, 40) ein Wagstück nicht ohne leichtsinnige Kühnheit (NS 2, 46) wegen der politischen Lage.*

—, 27. VIII.: Grenzhammer bei Ilmenau (*Auf den Hammer. Guss-Hammer Arbeit. Schlacken. Erhitzung des Wassers durch dieselben: III/5, 72 f.). 1. IX. nochmaliger Besuch.*

—, 28. VIII.: Eisenhammer *Günthersfeld/ Amt Gehren (*Nach Guntersfelde. Hammer Verkohlungs Ofen. 12 Arten Eisensteine: III/ 5, 72).*

1815, 22. VII.: Berg- (Eisen und Blei) und Hüttenwerk bei *Limburg/Lahn (*Lange Hecke. Eisen Hütte . . . Bleygrube. Dachschieferbrüche. Eisenguß . . . Eisensteingrube: III/5, 171;* vgl. IV/26, 58).

—, 23. VII.: Berg- (Eisen und Blei) und Hüttenwerk bei *Holzappel (*Gang nach der Schmelze: III/5, 171; Wichtiger Bau auf Bley und Silber: IV/26, 58).*

1818, 29. IV.: Zölestingewinnung in *Dornburg (III/6, 203: *Die Lage des Cölestins untersucht*), erneut 8. VII. 1828: *Über die Gewinnung des Coelestins (III/11, 241;* ebenfalls in Dornburg).

25. VIII.: Erzbergwerk (Zinn) bei Schlaggenwald (*Übersicht der Localität des Stockwerks pp: III/6, 238;* vgl. IV/29, 271; NS 2, 121; 123).

1822, 27. VI.:? Erzbergwerk (Zinn) bei *Königswart (*Zinngrube in der Nähe: III/8, 211).*

—, 26. VII.: Eisensteingrube bei *Pograd (III/8, 219; *wo das zu Eisen verwandelte Holz vorkommt: IV/36, 100).*

1828, 2. VIII.: Saline Sulza („Dornburger Tagebuch" . . . *wo wir der Bohrarbeit eine Weile zusahen: NS 2, 370 f.).*

1831, 27./28. VIII.: Bergwerksanlagen bei Ilmenau (JHChr*Mahr *führte die Kinder auf das Kammerberger Kohlenbergwerk . . . Ich war zu Haus geblieben und las in Herzogs altdeutscher Litteratur: III/13, 129.* Vgl. 4. IX. an *Zelter: *Nach so vielen Jahren war denn zu übersehen: das Dauernde, das Verschwundene. Das Gelungene trat vor und erheiterte, das Mißlungene war vergessen und verschmerzt . . . Eisen ward geschmolzen, Braunstein aus den Klüften gefördert, wenn auch in dem Augenblicke nicht so lebhaft gesucht wie sonst. Pech ward gesotten . . . Steinkohlen mit unglaublicher Mühseligkeit zu Tage gebracht . . . und so ging's denn weiter . . . wobey immer neue Probleme sich entwickeln, welche die neusten Weltschöpfer mit der größten Bequemlichkeit aus der Erde aufsteigen lassen; IV/49, 55 f.).*

(II). – 1780: *Die Erfurter Bemühungen nach Steinkohlen bei Hopfgarten sind zu untersuchen . . . Steinkohlenwerk zu Fischbach und Kreuzburg; das Werk zu Kupfersuhl (Instruktion für den Bergbeflissenen J. C. W. Voigt: NS 1, 13 f.; das Bergwerk in *Creuzburg möglicherweise am 5. IV. 1782 selbst besucht).*

1782/83: *Untersuchung aller Steinkohlenlagen in den Gebürgen. Untersuchung des Gold-*

lautrer Werks. NB. Es sind daselbst bei dem Kupferflöz Steinkohlen ... Braunsteingruben. Fluß-Grube. Eisengruben (NS 1, 32).

1786, 16. VIII.: Böhmische Blaufarbenwerke (*Es sind ihrer 11 in Böhmen. Des Schneeberger Kobolds wird viel veruntreut und von den Böhmen heimlich, sogar mit Gewalt, weggebracht und auf den dortigen Hütten bearbeitet. Der böhmische Kobold findet sich in Joachimsthal (NS 1, 119;* Berichterstatter KG*Baldauf? JF*Mende).

1790, während der *Schlesienreise: Schwedische Kaltfrischmethode, Harzer Warmfrischmethode: *In Schlesien das Kaltfrischen, was auch die Schweden haben, ist nun das Harzfrischen als Verbesserung eingeführt (NS 1, 192;* Berichterstatter FW Graf v*Reden; Hoffmann Schlesien S. 38 f.).

—, 16. VIII.: Hüttenwerke Kolonnowska, Cowolowska, Sandowitz, Alt-Zulkau Krs. Groß-Strehlitz/OS (Berichterstatter der Gründer dieser Anlagen Graf Colonna, mit dem Goethe am 16. VIII. bei Graf vReden zusammentraf: Hoffmann Schlesien S.18f.).

—, September: Staatsbetriebe Creuzburgerhütte und Malapane (Hoffmann Schlesien S. 38 f.).

1797, 10. XII.: Steinkohlenflöze bei *Gelmeroda (*Die ... gefundnen Flöze sind von keiner Bedeutung;* aus dem *Schema zu einer Vorarbeit die fossilen brennbaren Materialien im hiesigen Fürstentum betreffend: NS 1,271).*

1800, 2. V.: Steinkohlenbergwerke in *Preußen (*Über die verschiednen Arten Steinkohlen. Im preußischen haben sie das letzte Jahr so viel gefördert, daß es eine Million Klafter Holz aufwiegt: III/2, 289;* Berichterstatter FW Graf vReden).

1806, 3. VIII.: *Einiges über das Blau-Farbenwerk* (während des Aufenthaltes in *Karlsbad: *III/3, 151;* Berichterstatter Bergkommissionsrat SAWv*Herder).

1811, vor 28. XII.: Braunkohlenbergwerke in Zittau (*ein kleines Lineal ... aus der Zittauer Braunkohle geschnitten: IV/22, 228;* zugesandt durch FWHv*Trebra).

1812, 22. VIII.: Sächsische *Zinnwerke (Die Sachsen können Zinn nach *Böhmen verkaufen mit Vortheil, wenn der Gulden 8 Groschen steht: III/4, 313;* Berichterstatter Kommissionsrat v*Busse; vgl. auch undatiert: *Weiße Topase aus dem Zinnbergwerke bei Ehrenfriedersdorf; NS 2, 421).*

1813, vor 3. XII.: Sächsische Zinnbergwerke (IV/24, 60; Berichterstatter JFWTv*Charpentier; über sächsischen Erzbergbau allgemein vgl. auch undatiert NS 2, 423).

—, 14. V.: Böhmische Zinnbergwerke (*und was sonst in der Nähe bricht: III/5, 45;* Berichterstatter der Bergmeister von Graupen).

1814, 28. VII.: Gold- und Silberbergwerk Schemnitz/Slowakei (III/5, 120).

—, 4. VIII.: Nassauische Eisenbergwerke (I/34^I 103; vgl. I/36, 90; Berichterstatter LW*Cramer).

nach 6. VIII.: Steinkohlen- und Eisensteingruben nördlich von Birmingham/*England, „bey welchen auch gleich die Usinen, Hammer, und Ziehereyen befindlich waren; dorten brannten zugleich die Heerde von 250, sage zweyhundertfünfzig Feuer Maschinen, auf der Fläche von einer □ Stunde, welche aller einer Gewerckschaft gehörten. Und solcher Gewerckschaften waren dorten mehrere, die aneinander grenzten, dergestalt, daß ich nicht zu viel sage, wenn ich vermuthe, mehr wie tausend solcher Feuerschlünde zu gleicher Zeit rauchen gesehn zu haben. Die Sonne wird davon meilenweit verdunckelt, und die ganze Gegend ist mit einem schwarzen Staube, dem Niederschlage dieser Räuche, bedeckt. Dazu brennen an manchen Stellen Steinkohlenflöze und vermehren diese Gewölcke“ (Berichterstatter Carl August: BrCarlAugust 2, S. 111 f.; vgl. III/5, 127).

1821, 21. VIII. Bergwerk Dreihacken im Bezirk Marienbad (NS 2, 224; vgl. auch 198).

1822, 19. VII. Kohlenbergwerke des Grafen KMv*Sternberg in Böhmen: *Graf Sternberg ... Besonders Lage der Kohlenwerke, Bau auf denselben (NS 2, 208;* erste Kenntnis schon 28. IV. 1820: *die Grube liegt im Pilsner Kreis, zwischen Cerhowitz und Radnitz: III/7, 167;* vgl. auch *NS 2, 199: des ... Bezirkes ..., welcher die gräflich Sternbergischen großen Kohlenwerke ... in sich begreift).*

—, 4. VIII.: Erzbergwerke in Böhmen (*Ratiborschitz ... nunmehr aufgegebenes Werk ... Bleystadt; IV/36, 133;* Berichterstatter KJNEJGraf v*Auersperg).

—, *Seifen-Hügel an der Woltawa und den Ufern sämtlicher einströmender Bäche, Zeugnisse ehemaliger Goldwäschen. Prachiner Kreis. Dasselbige gilt auf der bayrischen Seite (NS 2, 248).*

1823, 18. VII.: Silberbergwerk in Sangerberg/Böhmen (Berichterstatter Cl Frhr v*Junker-Bigatto, *ward er gebeten, das was er mündlich erzählt, schriftlich abzugeben, damit davon öffentlicher schicklicher Gebrauch gemacht werde: III/9, 78; den erbetenen*

Aufsatz, ebda 80, druckte Goethe in *Zur Naturwissenschaft überhaupt:* NS 2, 290 bis 293).

—, 24. VII.: Bergwerks- und Hochofenanlage (später Flaschenfabrik) des Stiftes Tepl (NS 2, 291; Berichterstatter Cl Frhr v Junker-Bigatto).

—, 3. I. bis 1832, 7. I.: Salzwerk zu Buffleben und Stotternheim (NS 2, 363–369; *ingleichen von dem Vorhaben bey Kreuzburg: III/12, 39;* weitere Bohrungen in Thüringen vgl. III/11, 254).

1824, 2. XII.: Kohlenbergwerk in *Mattstädt/Thüringen (Überlegung wie aus dem Mattstädter eingegangenen Kohlenwerke einige Musterstücke zu erhalten: III/9, 302;* 306; Berichterstatter KF*Klein; vgl. auch 28. I. 1825 an WChr*Günther: IV/39, 93 f.).

1828, vor 10. I.: Erzbergwerk Altenberg/Erzgebirge (*Aufsatz über den jetzigen Zustand des merkwürdigen . . . Bergwerks: IV/43, 232;* Berichterstatter FA*Schmid; vgl. unmittelbare Kenntnis 1813).

—, vor 12. I.: Mexikanische Bergwerke (IV/43, 237; Berichterstatter *Deutsch-Amerikanischer Bergwerksverein in Elberfeld); 17. I. Übersendung der *mexikanischen Bergwerkscharten* an FJ*Soret (*IV/43, 249;* vgl. 27./28. I. 1829: III/12, 73).

—, 15. XII.: Braunkohlenbergwerk bei *Altenburg/Thüringen (III/11, 315; Berichterstatter unbekannt).

1830, 25. XI.: *Vorschlag . . . zu einem tiefen Stollen von der Elbe bey Meißen bis in's Freyberger Revier (IV/48, 91;* Berichterstatter SAWvHerder).

1831, vor 30. IX.: Antonshütte bei Schwarzenberg/Erzgebirge. *Die neue Antonshütte muß ein wohlüberdachtes zweckmäßiges Unternehmen seyn. Es ist Ihnen vielleicht nicht unbequem, mich etwas näher damit bekannt zu machen (IV/49, 97;* 348 f.; Berichterstatter SAWvHerder).

III. – vor 1775: Minerophilos, ,,Neues und curieuses . . . Bergwercks-Lexicon . . .'' (1730), erschien in der 2. Auflage unter dem Titel: ,,Neues und wohleingerichtetes Mineral- und Bergwercks-Lexicon, worinnen nicht nur alle und jede beym Bergwerck, Schmelz-Hütten, Brenn-Hause, Saiger-Hütten . . . vorkommende Benennungen, sondern auch derer Materien . . . Instrumenten und Arbeitsarten Beschreibungen enthalten, alles nach der gebräuchlichen bergmännischen Mund-Art . . . zusammengetragen und in alphabetischer

Ordnung . . . gebracht'' (1743); in der *Bibliothek des Vaters (Götting S. 65).

vor 1788: Johann Gottlob Lehmann ,,Kurtze Einleitung in einige Theile der Bergwerks-Wissenschaft, Anfängern zum Besten abgefasset'' Berlin 1751; in Goethes weimarischer Hausbibliothek bereits im frühesten Verzeichnis seiner Bücher von 1788 (HWahl: 1786) aufgeführt (vgl. Hoffmann S. 275; 345; Ruppert Nr. 4784).

1797, 30. V.: Johann Gottlieb Schneider, ,,Analecta ad historiam rei metallicae veterum'' (1788); *Schneiders von Frankfurth an der Oder . . . Programme desselben: de re metallicae (III/2, 71).*

1799, 27./31. XII.: JFWTvCharpentier, ,,Beobachtungen über die Lagerstätte der Erze hauptsächlich aus den Sächsischen Gebirgen, ein Beytrag zur Geognosie. Mit Kupfern'' (1799); 27. XII.: *Charpentier über die Lagerstätte der Erzte (III/2, 276);* 31. XII.: *. . . durchaus gelesen* und 1. I. 1800 *(ebda 277 f.);* 1810: Keudell Nr 677 14. VII. 1817 (III/6, 76 f.; auch I/36, 119); vgl. dazu Keudell Nr 887.

1800, 7. I.: ,,Journal des Mines, publié par l'Agence des Mines de la République'', Trimestre 2, an IV [1796], Nr 18, Ventôse; Trimestre 3, Nr 20, Floréal; von der weimarischen Bibliothek entliehen vom 7. I. bis 12. III. 1800 (Keudell Nr 189); ferner 5. V. 1809: *Journal des Mines (III/4, 26)* und 11. II. 1826: *Journal des Mines für Leonhard (III/5, 206).*

—, 24./25. I.: Sven Rinmann, ,,Anleitung zur Kenntniß der gröbern Eisen- und Stahlveredlung und deren Verbesserung (deutsch 1790); *Riemann vom Eisen . . . Riemann (III/2, 280).*

1806, 26. VIII.: G*Agricola, ,,De re metallica L. XII. Ejusdem de animantibus subterraneis liber'' (1561), mit Holzschnitten von Niklas Manuel Deutsch; Goethe in der Auflage von 1621 bekannt; entliehen vom 26. VIII. bis 2. IX. 1806 (Keudell Nr 455); 17. I. 1809: *Nachher Agricola De rebus metallicis (III/4, 5);* 25. I. 1817: *Agricola de re metallica (III/6, 7).* – Deutsche Übersetzung: ,,Bergwerck-Buch, darinn nicht allein alle Empte[r], Instrument, Gezeug und alles so zu diesem Handel gehörig, mit Figuren vorgebildet und klärlich beschrieben, sondern auch wie ein rechtverstendiger Berckmann seyn soll'' (1557; 1580); Goethe in der Auflage von 1621 bekannt (weitere Auflagen 1657; 1687); entliehen vom 28. XI. bis 2. XII. 1828 (Keudell Nr 1952). –

Bergwerke und Hüttenbetriebe

1051   *Bergwerke und Hüttenbetriebe*   1052

28. VIII. 1806: „De ortu et causis subterraneorum" (III/3, 166 vgl. I/35, 256).

1807, 22. IX.: Johannes Mathesius, „Sarepte oder Bergpostill, darinn von allerley Bergwerck und Metallen was ihr Eigenschafft und Natur guter Bericht gegeben wird, mit tröstlicher Erklärung aller Sprüche, so in heiliger Schrifft von Metall reden, sampt der Joachimsthalischen kurtzen Chroniken" (1562; 1564); Goethe in der 1679 gedruckten 5. Auflage bekannt (in einem der Diskurse findet sich bereits die Idee der *Dampfmaschine); entliehen vom 19. IX. 1807 bis 9. IV. 1808 (Keudell Nr 493); 22. IX. 1807: *Matthesis Sarepta zweyte Predigt (III/3, 278)*.

—, 27./28. XI.: JG*Lenz: *angewandte Mineralogie bezüglich auf Technik und sonstigen Gebrauch... Lenzens technische Mineralogie (III/3, 301)*.

1813 (?): Zinnvorkommen in *Frankreich, Dép. Haute Vienne, in der Nähe von St. Leonhard *(1795. Entdeckt man Wolfram in Quarz: NS 2, 57)*.

—, (?): Zinnbergwerke auf Sumatra/Hinterindien (NS 2, 58).

1814, 8. VIII.: WLCramer, „Vollständige Beschreibung des Berg-, Hütten und Hammerwesens in den Nassau-Usingschen Ländern" (1805); *Moltern. Bergm. Ausdruck. Siehe Cramers Beschreibung des Nass. Us. Berg pp. Wesens 1805 p 86 § 55. Mollkannten. Moll Maulwurf. Mollhubel Maulwurfshügel (III/5, 124; *Etymologie)*.

1815, 21. V.: JB*Tavernier „Les six voyages en Turquie, en Perse et aux Indes..." Utrecht 1712 (Keudell Nr 996, entliehen 21. V.–30. X. 1815). 13. VI.: *Tavernier Diamantgruben (III/5, 166)*, vgl. auch *I/7, 214: Tavernier gelangt nach Indien zu den Demantgruben... Dessen hinterlassene Schriften sind höchst belehrend*.

—, 15. VII.: Johann Christian Lebrecht Schmidt, „Theorie der Verschiebungen älterer Gänge, mit Anwendung auf den Bergbau" (1810); *Schmidt Verschiebung der Gänge 1810 (III/5, 170)*.

—, 16. VII.: AG*Werner, „Neue Theorie von der Entstehung der Gänge, mit Anwendung auf den Bergbau" (1791); *Werners Gangtheorie (III/5, 170)*; 4. IV. 1818: *Werners Gang-Theorie (III/6, 192;* vgl. I/36, 97; 119; 139; NS 2, 109–111).

1817, 24./25. XI.: J*Mawe: Aufsatz *über die Steinkohlen von Bovey* [Bovey Tracy in Devonshire/England] *III/6, 139 f.*; NS 2, 103–106; noch 26. XII. 1817 (ebda 152)? –

29. XI.: „Voyage dans l'intérieur du Brésil, particulièrement dans les districs de l'or et du diamant..." (1816); Goethe in der deutschen Übersetzung von 1817 bekannt; entliehen vom 27. XI. 1817 bis 4. VII. 1818 (Keudell Nr 1120; vgl. III/6, 141).

1818, 4. IV.: JK*Freiesleben, „Geognostische Arbeiten", 6 Bde, auch als „Beiträge zur mineralogischen Geographie von Sachsen" (1807–1818); *Freiesleben Sächsische Zinnformation (III/6, 192)*.

1820: *Beckers Bergmännische Reise durch Ungarn 2 Bände (NS 2, 140)*.

1821, vor 25. I.: JCW*Voigt, „Geschichte des Ilmenauischen Bergbaues, nebst einer geognostischen Darstellung der dortigen Gegend und einem Plane, wie das Werk mit Vortheil wieder anzugreifen" (1821); Goethe *vom Verfasser kurz vor seinem Tode zugedacht (III/8, 309;* vgl. IV/34, 115, 342); intensivere Lektüre dann 1829: entliehen am 24. VIII. kurzfristig; abermals entlehen vom 4. XI. 1829 bis 7. I. 1830 (6. XI.: III/12, 149); dritte Entleihung vom 16. II. bis 17. X. 1831 (Keudell Nr 2040; 2057; 2190).

—, Andr. Chr. Eichler: „Böhmen, vor Entdeckung Amerikas ein kleines Peru", Prag 1820 (NS 2, 200 f.).

1822, 23. IV.: (?) FLv*Eschwege, „Nachrichten aus Portugal und dessen Colonien, mineralogischen und bergmännischen Inhalts, ein Seitenstück zum ‚Journal von Brasilien'", hrsg. von JCLZincken (1820); *Eschweges Geologie von Brasilien gelesen (III/8, 189)*.

—, 6. XI.: CChr/JW?v*Langsdorf „Vollständige auf Theorie und Erfahrung gegründete Anleitung zur Salzwerkskunde". 5 Theile. Jena 1784–1796. Erstmalig entliehen 6. XI.–12. XI. 1822, dann wieder 10.–21. VI. 1824 (Keudell Nr 1444; 1544); vgl. III/9, 228 f.

1825, 29. III.: Av*Humboldt, „Selections from the works of the Baron de Humboldt relating to the Climate, Inhabitants, Productions and Mines of Mexico. With notes [und einer Einführung] by J. Taylor" (1824); entliehen vom 29. III. (veranlaßt durch CFFv*Nagler, mit dem Goethe an diesem Tage über die *Persönlichkeit des Nordamerikaners. Dortige Bergwerke. Schulanstalten* sprach: *III/10, 31*) bis 30. IV. 1825 (Keudell Nr 1611); 2. IV.: *Taylors Mexico;* 3. IV.: *Die mexikanische Bergwerksangelegenheit (ebda 38);* abermals entliehen vom 1. IX. bis 11. IX. 1827 (Keudell

Nr 1858); vgl. 3. IX.: *Interessante Gespräche über Natur, politisch-ökonomische Verhältnisse am Rhein, in Mexico, bezüglich auf die Elberfelder Gesellschaft ... (III/11, 105);* dritte Entleihung vom 26. II. bis 22. VI. 1831 (Keudell Nr 2194); 26. II.: *Kam eine Sendung von der Direction des Deutsch-Amerikanischen Bergwerksvereins in Elberfeld ... Mexikanische Bergwerks-Angelegenheiten näher betrachtet (III/13, 37).*

1828, 10./11. VIII.: OMLv*Engelhardt: „Die Lagerstätte des Goldes und Platin im Uralgebirge."

1829, 25. XI.: Karl Friedrich Selbmann, „Vom Erd oder Bergbohrer und dessen Gebrauch bey dem Bergbau und in der Landwirtschaft" (1827); entliehen am 25. XI. vielleicht in Vorbereitung auf die *Abhandlung über die artesischen Brunnen und dergleichen* von F*Garnier (III/12, 160), die Goethe am 28. XI. entlieh (Keudell Nr 2062; 2064).

1829/30: *Blei-Minen in Missouri 141 Deutsche Meilen sich erstreckend (NS 2, 391).*

—,: *Tiefer Schacht in den Cornwallischen Bergwerken (NS 2, 391).*   *JP/Za*

Vorstehende Angaben beruhen auf Goethes Briefen, Tagebüchern, Handzeichnungen, Gesprächen, autobiographischen Werken, naturwissenschaftlichen und amtlichen Schriften, Kunst- und Literaturschriften, dichterischen Aussagen sowie auf Aufzeichnungen begleitender oder anwesender Personen; außerdem auf den Fourierbüchern. Vgl. dazu besonders GHB Bd 4. Außerdem: JDürler: Die Bedeutung des Bergbaus bei Goethe und in der deutschen Romantik. 1936. – AZastrau: Technik und Zivilisation im Blickfeld Goethes. In: Humanismus und Technik. 1957. IV,3. S. 134–156. –

Bergwerkskommission. Die im Rahmen der Behördenorganisation des Herzogtums *Sachsen-Weimar erfolgte Einrichtung einer B. im Jahre 1777 war veranlaßt durch die Bestrebungen des Herzogs Carl August, das Bergwerk in *Ilmenau, das er bei seinem Regierungsantritt verfallen vorfand, wieder in Gang zu bringen. Dieses Bergwerk hat eine alte Geschichte. Bereits im 15. Jahrhundert ist dort nach Kupfer, Silber und Blei gegraben worden; schon in jenen alten Zeiten wird von den Schmelzhütten und den von *Manebach herkommenden Berggräben aus der *Ilm, die das für die Wasserhebungs-Künste in den Schächten benötigte Aufschlagwasser zu liefern hatten, gesprochen. Die älteste Nachricht über den ilmenauer Bergbau stammt von 1444 (alle darüber hinaus bis ins 12. Jahrhundert zurückreichenden Angaben in der Literatur, namentlich auch der Goethe-Literatur, sind unzutreffend); sie läßt erkennen, daß der Bergbau in Ilmenau damals erst aufgenommen worden ist, und schon zu Be-

ginn weist der ilmenauer Bergwerksbetrieb die für den älteren Bergbau überhaupt kennzeichnende Form der Gewerkschaft unter Beteiligung der Landesherren auf. Nicht ununterbrochen ist im ilmenauer Bergwerk gearbeitet worden, vielmehr wechseln Zeiten des Betriebes mit Zeiten des Stillstandes ab. An mehreren Stellen in der Umgebung Ilmenaus arbeiteten damals die Bergleute, nämlich unmittelbar westlich der Stadt im Werk an der *Sturmheide und nordwestlich davon beim Dorfe *Roda im rodaer Werk. Dieser ältere Bergbau, der besondere Blütezeiten vom Ende des 16. Jahrhunderts bis zum Beginn des 30jährigen Krieges und dann vom Ende des 17. Jahrhunderts bis in den Anfang des 18. Jahrhunderts hinein erlebt hat, wurde, wie der ältere Bergbau überhaupt, in zahlreichen kleinen Schächten vorgenommen, die man auf das erzführende Schieferflöz, vor allem aber auf dessen steilstehende, besonders ergiebige Gänge niederbrachte.

Von diesem älteren ilmenauer Bergbau, dessen Ablauf *so verworren und so traurig* ist, *daß wohl niemand eine ausführliche Geschichte davon, besonders bey ihrer Unnützlichkeit, würde lesen wollen (II/13, 343 f.)* – eine Auffassung übrigens, die wir heute keineswegs teilen, wo wir den Mangel einer brauchbaren Geschichte des älteren und neueren ilmenauer Bergbaus aus mehr als einem Grunde lebhaft empfinden –, sind für später vor allem zwei Einrichtungen wichtig geworden, die zur Gewältigung der in den Schächten seit alters auftretenden Grundwässer notwendig waren: die Berggräben und der martinrodaer Stollen. Die Berggräben mit den zu ihnen gehörenden, im Ilm- und im Freibachtal gelegenen Schutzteichen hatten das nötige Aufschlagwasser für die in den Gruben eingebauten Treibräder heranzuführen, mit denen zugleich die Wasserhebungsmaschinen verbunden waren. Der vom Dorfe *Martinroda nordwestlich von Ilmenau in mehreren Kilometern Länge zum Werke vorgetriebene Stollen aber hatte die Aufgabe, die Grubenwässer und mit ihnen zugleich die aus dem Ilm- und Freibachtal kommenden Aufschlagwässer in das tiefer gelegene Tal des Reichenbaches und damit in die Gera abzuleiten. Dieser martinrodaer Stollen, auch „Tiefer Stollen" genannt, war 1592 begonnen und bis Anfang des 17. Jahrhunderts an das rodaer Werk herangeführt worden; seit Beginn des 18. Jahrhunderts, wo parallel zu ihm etwa 20 m höher noch ein zweiter Stollen, „das Nasse Ort", zur Luftregelung als Wetterschacht angelegt wurde, hatte man ihn bis zu den Schächten des sturmheider Werkes fortgeführt. Mit solchen Einrichtungen hat das Bergwerk zu Ilmenau, dessen rodaer Werk 1715 stillgelegt worden war, aus den sturmheider Schächten noch in den dreißiger Jahren des 18. Jahrhunderts offenbar erhebliche Erträge gebracht.

Schuld daran, daß auch der Bergbau im Werk an der Sturmheide unterging, waren die Wasserverhältnisse, die von Anfang an sein Schicksal waren. Am 9. V. 1739 brach der Damm eines der großen und tiefen Schutzteiche im Freibachtal, die das Wasser für die Berggräben lieferten. Abgesehen davon, daß die Flut alles verwüstete und auch in die Bergwerke eindrang, fehlte damit den Grubenrädern das Aufschlagwasser, und daher ging überall infolge Ausfalls der Pumpen in den Schächten das Wasser auf, so daß der Bergwerksbetrieb zum Erliegen kam. Alle in den folgenden Jahren und Jahrzehnten angestellten Versuche zu seiner Wiederingangbringung waren erfolglos. Immerhin gab die weimarische Regierung den Gedanken an eine Wiederaufnahme des Bergbaubetriebes dort nie auf und ließ zu dem Zwecke den martinrodaer Stollen, der die unbedingte Voraussetzung für jeden Bergbau in Ilmenau war, unter Aufwendung sehr beträchtlicher Kammermittel dauernd erhalten.

Es war offenbar eine Lieblingsidee des im September 1775 zur Regierung gekommenen Herzogs Carl August, einer *der ersten Wünsche ... bei dem Antritte seiner Regierung (I/36, 367)*, den ilmenauer Bergbau wieder zu beleben und dadurch der wirtschaftlich arg leidenden Stadt, zugleich aber den Finanzen des Landes aufzuhelfen. Auf einen Bericht seiner Kammer vom 7. II. 1776 mit dem Antrag auf Untersuchung des Werks zum Zwecke seiner Wiederaufnahme verfügte er nach Beratung der Angelegenheit im *Geheimen Consilium, dem Goethe damals noch nicht angehörte, am 13. II. 1776, es solle das Bergwerk durch zwei erfahrene und bekannte Fachleute aus dem sächsischen Bergdienst, den Vizeberghauptmann FWHv*Trebra in Marienberg im Erzgebirge und den mit Sitz und Stimme in allen sächsischen Bergämtern ausgestatteten Kunstmeister JF*Mende, der als genialer Mechaniker galt, untersucht werden, und er begründete dies ausdrücklich so: ,,Wir sehen die Wiederherstellung dieses so alten als berühmten Bergwerks als eine Angelegenheit an, welche unserer ganzen Aufmerksamkeit würdig ist.''

Im März erwirkte Carl August bei Kursachsen für Trebra die Erlaubnis zu seiner Gutachtertätigkeit, im Mai gab Trebra aufgrund ihm vorgelegter Akten einen hoffnungsvollen Bericht über das Werk, und im Juni kam er mit Mende und dem Steiger JG*Schreiber aus Marienberg, einem guten Flözbergmann, der dann als Berggeschworener in Thüringen blieb, nach Ilmenau.

Die ersten Anstöße zur Neuaufnahme des ilmenauer Bergwerks sind also sicher nicht von Goethe ausgegangen. Aber er ist bald mit der Angelegenheit in Berührung gekommen. Bereits Anfang Mai 1776, als ihn ein Brandunglück nach Ilmenau führte, war er auch *Im Bergwerck* und *Auf den Hämmern (III/1, 12)* und hat *traurig die alten Ofen gesehen (IV/3, 57)*. Vor allem aber hat er, wie sein Signum zeigt, mitgewirkt an der Instruktion für Trebra, die in der ersten Sitzung des Geheimen Consiliums, an der er teilnahm, am 25. VI. 1776 verhandelt wurde. Das Gutachten Trebras, das er auf die ihm gestellten Fragen am 11. VII. 1776 nach Aktenstudien und Ortsbesichtigungen erstattete, war sehr günstig ausgefallen. Es bezeichnete die Beschaffenheit des ilmenauer Gebirges als äußerst vorteilhaft für den Bergbau, es empfahl die Wiederaufnahme aber nicht an der Sturmheide, sondern an dem zwischen den alten rodaer und sturmheider Werken gelegenen Johannesschacht im Norden der Stadt oder am Neuhoffnungsschacht im Osten, am besten aber an beiden Stellen; es nannte für die Niederbringung beider Schächte die Summe von 22 500 Reichstaler, und es stellte gewinnbringende Arbeiten bereits nach 3 Jahren in Aussicht. Zwischen dem 18. VII. und 2. VIII. 1776 hat Trebra sein Gutachten an Ort und Stelle dem Herzog und seinem Gefolge, zu dem auch Goethe gehörte, erläutert. Damals war Goethe schon ganz bei der Sache. *Wir sind hier und wollen sehn, ob wir das alte Bergwerk wieder in Bewegung setzen*, berichtet er an *Merck am 24. VII. 1776 (IV/3, 90)*, und dabei wird *Viel von Bergw[ercks]sachen geschwazt*, die *Henneb[ergische] Bergordn[ung]* von ihm vorgenommen, die *SilberProbe*, dh. der Nachweis des Vorhandenseins von Silber im Kupferschiefer, *bey Heckern*, dem Gold- und Silberschmied in Ilmenau, beobachtet und *selbst gemacht (III/1, 18)* und das alte Bergwerk mehrfach allein oder mit anderen befahren (ebda 16 bis 19).

Damals hat sich der Entschluß Carl Augusts, das ilmenauer Bergwerk wieder aufzunehmen, gefestigt, und damals hat Goethe die ersten Erfahrungen technischer und juristischer Art, nun schon in amtlicher Eigenschaft (*Amtliche Tätigkeit), dafür gesammelt. In jenen Juli- und Augusttagen 1776 wurde *so die nöthige präparatorische Arbeit (II/13, 345)* vollendet.

Dieses Bergwerk war dem jungen Herzog mit zwei wesentlichen rechtlichen und finanziellen Belastungen überkommen. Die erste war der Anteil, den neben Weimar das kurfürstlich albertinische Haus *Sachsen und die anderen sächsisch-ernestinischen Herzogslinien rezeßmäßig am ilmenauer Bergwerk hatten; denn Ilmenau war aus dem Besitz der 1583 ausgestorbenen Grafen von Henneberg bei der endgültigen Aufteilung von deren Erbe 1660 zwar zunächst an *Sachsen-Gotha und *Sachsen-Weimar gemeinsam, 1661 an Sachsen-Weimar allein gefallen, aber auch für Ilmenau galt die Bestimmung des § 22 des Haupteilungsrezesses von 1660, der die Gemeinschaft aller sächsischen Häuser an den Bergwerken im ehemals hennebergischen Gebiet unter Anerkennung des Direktoriums für den jeweiligen Landesherrn festlegte. Die zweite Belastung des Werkes waren die Schulden, die von früher her auf ihm ruhten und die jeder, der den ilmenauer Bergbau neu angriff, als Forderungen der Gläubiger zu erwarten hatte. Die bedeutsamste und am meisten drückende Forderung rührte aus dem hohen finanziellen Einsatz her, den der kursächsische Geheimrats-Direktor Frhr v*Gersdorff als Mitglied der ilmenauer Gewerkschaft für das ilmenauer Bergwerk zu Beginn des 18. Jahrhunderts geleistet hatte. Denn durch diese Aufwendungen waren zwar die Gewerkschaft und das Werk weitgehend in die Hände Gersdorffs und seiner Erben geraten, zugleich aber hatten diese an dem um die Mitte des Jahrhunderts zugrunde gegangenen Werk ihr Vermögen verloren. Die auf 65 000 Taler bezifferten Forderungen der Freiin Philippine Charlotte v Gersdorff in Görlitz, die weder das Werk selbst zu bauen noch jemanden an ihrer Stelle dafür zu finden imstande war, mußten also bei einer Ingangsetzung des Werkes berücksichtigt werden, wenn man, nach Carl Augusts Wunsch, mit den alten Gläubigern *lieber durch Vergleich als durch Strenge des Rechts sich aus einander zu setzen (II/13, 347)* suchte und einer neuen Gewerkschaft *ein reines, von allen Ansprüchen freies Werk anbieten zu können (ebda 351)* wünschte.

Mit dieser zweiten Belastung des ilmenauer Bergwerkes, mit der gersdorffschen Forderung, beginnt die Geschichte der B. Am 18. II. 1777 erhielten der Kammerpräsident JAAv*Kalb und Goethe, dessen *Tgb.*-Einträge vom 4. II. 1777 *übers Bergwerck gelesen die Deducktion Eckards (III/1, 32)* schon vorher die Beschäftigung mit der Materie erkennen lassen, den Auftrag, „zu Treffung eines gütlichen Abkommens mit der Freyin von Gersdorff wegen deren an das Ilmenauische Bergwerk formirenden Ansprüche mit dem Bevollmächtigten derselben, dem Churfürstlich Sächsischen Bergmeister Gläser zu *Großen-Camsdorf" zu unterhandeln, was am 25. II. geschah *(Conferenz mit Gläsern. Mit ihm und Eckardt bey Kalb gessen: III/1, 34).* Am 16. V. 1777 wurde beiden aufgetragen, diese Verhandlungen wieder aufzunehmen, und am 14. XI. 1777 wurde dieser Auftrag auf „sämtliche Bergwerksangelegenheiten" erweitert, wobei wiederum als nächste Aufgabe die Abfindung der gersdorffschen Ansprüche ausdrücklich genannt wurde. Für die Erledigung der erweiterten Aufgaben wurde Kalb und Goethe noch der Regierungsrat Dr. JL*Eckard beigegeben, der schon vorher mitgewirkt hatte, und diese drei erhielten so das „Commissorium zu Besorg- und Dirigirung der Ilmenauischen Bergwerksangelegenheiten". In den genannten Daten des Jahres 1777 liegt die Entstehung der B. beschlossen: die am 18. II. zur Erledigung der gersdorffschen Ansprüche geschaffene Spezialkommission wandelte sich im Laufe des Jahres 1777 in eine ständige Kommission um, als deren Gründungsdatum der 14. XI. 1777 anzusehen ist.

Der Name der Kommission ist nie ganz eindeutig festgelegt worden. In ausführlicheren Fassungen lautete er „Fürstlich Sächsisch-Weimarische zum Ilmenauer Bergwesen gnädigst verordnete Commission", oder „Seiner Hochfürstlichen Durchlaucht zu Sachsen-Weimar und Eisenach gnädigst verordnete Bergwerks-Commission", auch „Fürstlich Sächsische zu Dirigierung des Ilmenauer Bergwerks gnädigst verordnete Commission"; kürzere Fassungen waren „Fürstlich Sächsische" oder nur „Fürstliche Bergwerks-Commission". Wesentlich aber war, daß sich das Aufgabengebiet der Kommission stets auf den Kupfer- und Silberbergbau in Ilmenau erstreckte.

Die Aufgaben der Kommission, die am 14. XI. 1777 durch die Formulierung „sämtliche Bergwerksangelegenheiten" sehr summarisch umschrieben worden waren, haben sich mehrfach gewandelt und allmählich sehr erweitert. Zunächst erstreckten sie sich auf die Regelung der juristischen Fragen und die Klärung und Abfindung der finanziellen Forderungen, die längere Zeit in Anspruch nahmen, als man ursprünglich geglaubt hatte. Dann hatte die Kommission alle Angelegenheiten zu besorgen, die zur Errichtung einer neuen Gewerkschaft nötig waren und, nachdem sie „sich vorhin schon zur Pflicht gerechnet, sich die Kenntnis des Ilmenauer Gebirgs und der Erfordernisse eines in demselben zu führenden Bergbaues eigen zu machen", mußte sie die Vorbereitungen zur Eröffnung des Bergwerks treffen und diese veranstalten, nach der Wiederaufnahme des Bergbaues aber die Direktion über dessen planmäßigen Betrieb und seine Ökonomie ausüben. Dazu gehörte vor allem auch die Führung des Gewerkenbuches und der gewerkschaftlichen Hauptkasse. Erst nachdem diese Entwicklungsstufe erreicht war, erschien die Kommission ab 1785 im Hof- und Adreßkalender, in dem sie vorher überhaupt nicht erwähnt worden war, als formierte Behörde.

Die personelle Zusammensetzung der Kommission entsprach ganz den jeweiligen Aufgaben und hat sich daher mehrmals gewandelt. In den ersten Jahren, als es im wesentlichen um finanziell-rechtliche Fragen ging, stand Kalb im Vordergrund und neben ihm Goethe und Eckardt. Kalb wurde am 8. IV. 1780 von diesem Amte entbunden, so daß nun Goethe und Eckardt die Kommissionsgeschäfte weiter besorgten. Eckardt schied infolge seiner Berufung an die Universität Jena in der ersten Hälfte des Jahres 1783 aus. Dafür wurde, als man sich der Aufnahme des Bergbaues näherte, am 22. IX. 1783 auf Goethes Vorschlag Chr G*Voigt Mitglied der Kommission, und zugleich wurde dessen jüngerer Bruder, der im Bergfache auf der Akademie in *Freiberg gründlich ausgebildete JCWVoigt, Bergsekretär, dh. Sekretär der Kommission. Erst von da ab hat sich die Kommission, wie der umfangreiche von ihr hinterlassene schriftliche Niederschlag deutlich zeigt, auch organisatorisch endgültig gefestigt.

Für die umfangreichen Geschäfte, die ihr nach der Eröffnung des Bergbaues zufielen, ist eine Verstärkung des Personals erst nach und nach eingetreten. So wurde für die Sekretärsgeschäfte, nachdem der jüngere Voigt im November 1789 seinen Wohnsitz nach Ilmenau verlegt hatte, Bergrat geworden und zur „Mitaufsicht subdelegiert" worden war, seit dem 22. V. 1792 der Kammerarchivar Kruse bestimmt, während die Führung der gewerkschaftlichen Hauptkasse in Weimar seit 1786

durch den Kriegssekretär Johann Georg Seeger besorgt wurde. Als Carl August am 29. III. 1799 gemäß Vorschlag der Kommission selbst ihr den Regierungsrat FHG*Osann zuordnete, war dies nur scheinbar eine Vermehrung der Mitglieder, denn seit dieser Zeit zog sich Goethe mehr und mehr aus ihr zurück. Es ist also immer nur ein kleiner Personenkreis gewesen, der die Kommission bildete und ihre Geschäfte zusammen mit Goethe trug. Vorübergehend hatte sie in den achtziger Jahren für die niederen Kanzleigeschäfte in Johann Engelhard Meyer einen eigenen Diener gehabt.

Der B. untergeordnet war das am 23. II. 1784 zur „Unterdirektion des Bergbaues" eingerichtete, im Rathaus in Ilmenau untergebrachte Bergbauamt, das die Bergbauarbeiten im einzelnen anzuweisen und anzulegen, das Bergmaterial anzuschaffen und seine Verwendung zu überwachen, die Bergbaurechnungen, Zechenregister genannt, zu führen und quartalsweise mit der Kommission abzurechnen hatte. Auch das Bergbauamt in Ilmenau ist, wie die Kommission, mit verhältnismäßig wenig Kräften ausgekommen. Vorstand des Amtes war der bereits genannte Berggeschworene JGSchreiber, seit 1791 Bergmeister, bis zu seinem Tode Anfang 1798. Die schriftliche Expedition besorgte der Hofadvokat Johann Ludwig (v) Hager, Bergrechnungsführer war der Rentkommissar Johann Adolf Herzog. Hüttenverwalter war bis zu seinem Tode 1788 Johann Heinrich Siegmund Langer und dann von 1793 bis 1796 JF*Schrader. Vorübergehend gab es einen Bergchirurgen Johann Gottlob Bernstein, einen Werkmeister Johann Gottfried Otto und einen Knappschaftsältesten Johann Georg Paul. Es war also in der Kommission und dem ihr unterstellten Bergbauamt in Ilmenau nur ein kleiner Personenkreis, der die Amtsgeschäfte durch zwei Jahrzehnte hindurch getragen hat. Dem entsprach auch durchaus die kleine Belegschaft des Bergwerkes selbst, die sehr schwankend war, in der Regel weit unter 50 lag und nur einmal für kurze Zeit ganz knapp über 100 stieg.

Die B. und das ihr unterstehende Bergbauamt in Ilmenau waren der organisatorische Beitrag des Staates Sachsen-Weimar zur Wiederingangsetzung des Bergwerkes Ilmenau und der Ausübung des dortigen Bergbaues. Die Errichtung dieser ständigen Kommission erfolgte, weil es sich dabei um die Ausführung von Spezialaufgaben handelte, die im Rahmen der normalen Behördenorganisation nur schwer zu erledigen und zu überwachen waren. Daher wurde die B. auch als Immediatkommission eingerichtet, die unmittelbar dem Herzog unterstand, die nur an den Herzog bzw. an das Geheime Consilium, das beratende Organ des Landesherrn, berichtete und die mit den anderen zentralen Landeskollegien im Wege des dienstfreundlichen Kommunikats verkehrte.

Nicht so sicher wie ihr Anfang und ihre Wirksamkeit bis zum Ende der neunziger Jahre ist der Ausgang der Kommission. Solange es Akten von ihr und über sie gibt, im wesentlichen bis etwa 1807, erscheint sie wie immer als B. Aber in den Hof- und Adreßkalendern ist diese Bezeichnung ab 1803 nicht mehr bekannt. Dagegen treten dort von diesem Zeitpunkt an bis 1813 die Mitglieder der früheren Kommission, der Bergbau bzw. das Bergwerk zu Ilmenau und das Bergbauamt mit anderen Bergwerks- und Salineneinrichtungen des Landes als „Fürstlich (bzw. ab 1807 Herzoglich) Sachsen-Weimar und Eisenachisches Berg- und Salinendepartement" unter den Behörden der Kammer auf. Diese Umbenennung und Umstellung hängt zweifellos mit dem allmählich völligen Rückgang der Bergbauarbeiten in Ilmenau zusammen, in dessen Auswirkung auch die Kommission ihre Tätigkeit nach und nach, wie noch zu zeigen sein wird, einstellte. Die noch zu leistenden Arbeiten und Abwicklungen, im wesentlichen Finanzangelegenheiten, wurden von der Kammer mit beaufsichtigt und erledigt, und daher wurden auch die alten selbständigen Bergbaubehörden nunmehr mit den schon früher zur Kammer gehörenden Bergwerkseinrichtungen als ein besonderes Departement der Kammer vereinigt. In dieser Form ist die alte B. 1813 endgültig aufgelöst worden.

Die Wiederingangsetzung des Bergbaues in Ilmenau war von Anfang an in der Verfassung gedacht, in der das ilmenauer Bergwerk schon früher gearbeitet hatte, dh. in der Form einer unter staatlicher Leitung stehenden Gewerkschaft, die das zum Betrieb benötigte Kapital in Anteilen, Kuxen genannt, aufzubringen hatte. Schon im Sommer 1776 während des Aufenthaltes des Hofes in Ilmenau, der Besichtigung der alten Bergwerke und der Prüfung der Frage ihrer Abbauwürdigkeit war in der ersten aufwallenden Begeisterung über den in Aussicht stehenden Erfolg des geplanten Unternehmens am 20. VII. 1776 eine „Subskription auf die neue Gewerkschaft zu Ilmenau" erfolgt mit der Maßgabe, „die Untertanen hiesiger Fürstlicher Lande an dem

hiervon zu erwartenden beträchtlichen Vorteil vor andern Anteil nehmen zu lassen". Damals wurden 165 Kuxe zu je 25 Rthlr. gezeichnet, aber das war nur ein Vorspiel ohne Ernst und Wirkung. Ein Jahr später glaubte man den Zeitpunkt zum Aufruf für die Gründung der Gewerkschaft gekommen. Das Mitglied der Bergwerkskommission Eckardt hatte Ende 1777 eine „Nachricht von dem ehemaligen Bergbau bei Ilmenau in der Grafschaft Henneberg und Vorschläge ihn durch eine neue Gewerkschaft wieder in Aufnahme zu bringen" ausgearbeitet, die die Zustimmung der beiden anderen Kommissionsmitglieder Kalb und Goethe fand, und dann Anfang 1778 auf Veranlassung Trebras in einigen Punkten abgeändert wurde. Aus mannigfachen Gründen, vor allem deswegen, weil die Klärung und Abwicklung der alten Belastungen, die gersdorffsche Abfindung und die Einigung mit Kursachsen und Gotha, viel länger dauerte, als man annahm, und weil auch die unruhigen politischen Verhältnisse und Kriegsvorgänge Ende der siebziger Jahre dem Unternehmen nicht günstig waren, kam dieser Aufruf zunächst nicht zur Veröffentlichung. Erst im Herbst 1783, nachdem Trebra sein ursprüngliches Gutachten vom 13. VII. 1776 am 26. VIII. 1782 dahin abgeändert hatte, daß nur ein Schacht, der Neue Johannesschacht niedergebracht werden sollte, ging Eckardts Denkschrift, nunmehr auf diese Verhältnisse abgestellt, an das Publikum hinaus. Jetzt wurden die Kosten auf 20 000 Rthlr. geschätzt, und dementsprechend sollten 1024 Kuxe, davon 24 Freikuxe, zu je 20 Rthlr. ausgegeben werden, für den einzelnen Inhaber nicht mehr als 10 Kuxe. Das Kaufgeld sollte zur Hälfte sofort bei Übernahme des Kuxes und je zu einem Viertel am Anfang und am Schluß des zweiten Jahres nach Angriff des Bergwerks zu zahlen sein. Dabei wurde besonders jene Bestimmung eingeschärft, von der man später in ungeahntem Umfang Gebrauch zu machen gezwungen war: daß, wer „die beiden Nachzahlungen der Kaufgelder als eine Zubuße ... zur gesetzten Zeit, den Bergrechten gemäß ... nicht bezahlen läßt, seine Kuxe, zusamt den darauf schon gezahlten erstern Geldern unwiederbringlich verlieren wird". Den künftigen Gewerken wurden drei Agenten in Ilmenau zum Verkehr mit dem Bergamt und zur Abwicklung aller mit der Zeichnung der Kuxe zusammenhängenden Geldgeschäfte bestimmt. Es wurden den Gewerken ferner jährliche gedruckte Nachrichten und alle fünf Jahre ein Gewerkentag in Aussicht gestellt, an denen teilnahmeberechtigt jeder Gewerke, stimmberechtigt aber nur der sein sollte, der selbst 10 Kuxe besaß und 90 andere vertrat, also für 100 Kuxe sprach.

Diese Einladung zur neuen Gewerkschaft, die mit dem Datum des 28. VIII. 1783 und mit der Unterschrift der B. hinausging, war mit der 1776 und 1777 von dem freiberger Markscheider Johann Gottfried Schreiber (einem anderen als dem genannten Berggeschworenen) entworfenen, durch Friedrich Ludwig Güssefeld gezeichneten, 1780 und 1781 unter Vermittlung des freiberger Bergrates JFWT v*Charpentier (IV/4 255; 263; 5, 263) bei dem Kupferstecher A*Zingg gestochenen „Charte über einen Theil der Gebirge im Hennebergischen Herzoglich Sachsen-Weimarischen Antheils" ausgestattet, die noch heute die beste Anschauung vom alten ilmenauer Bergbau vermittelt. Die Einladung wurde ab September 1783 durch die B. verschickt.

Die Meldungen zur Gewerkschaft gingen nicht gerade stürmisch ein, denn Anfang 1784 waren erst 400 Kuxe gezeichnet, und noch 1788 mußte die Kommission darauf hinweisen, daß noch Kuxe zu haben seien. Immerhin hielt man die Zeichnung zu Anfang des Jahres 1784 für ausreichend, um den Bergbau, dh. die Niederbringung des Neuen Johannesschachtes, zu beginnen. Für die Gewerkschaft wurde das von Bergsekretär JCWVoigt geführte Gewerkenbuch angelegt, in dem unter Nr 100 der Kux, den Goethe persönlich gezeichnet hatte, eingetragen war. Weniger als die Hälfte der Gewerken waren im Herzogtum Weimar zu Hause; die größere Hälfte waren „Ausländer" und verteilten sich über weite Teile Deutschlands.

Es war also ein gewerkschaftlicher Bergbau unter der staatlichen Leitung der B., der in Ilmenau ins Leben gerufen worden war. Zwischen den Gewerken als Geldgebern und der B. als dem leitenden Organ mußten daher Verbindungen geschaffen werden. Das erste Band zwischen Kommission und Gewerkschaft waren die gedruckten Nachrichten, durch die die Gewerken über die Ausführung der Bergbauarbeiten, die Verwendung der Mittel, eingetretene Personalveränderungen und andere Vorgänge auf dem laufenden gehalten werden sollten, durch die man von ihnen aber auch weitere Zubußen verlangte. Zwar sind nicht, wie es in der Einladungsschrift von Eckardt versprochen worden war, jährlich solche Nachrichten erschienen, weil die tatsächliche Entwicklung des Bergbaues

dies nicht immer zuließ; dennoch sind von der Eröffnung des Bergbaus von 1784 an bis 1794 acht solcher Nachrichten herausgekommen: eine Nachricht vom Wiederangriff des Bergwerks und sieben über dessen Fortgang. Sie waren meist von Voigt abgefaßt, aber auch Goethe hat teilweise erheblich daran mitgewirkt. So findet sich in der „Nachricht von dem am 24sten Februar 1784 geschehenen feyerlichen Wiederangriff des Bergwerks zu Ilmenau" seine bei dieser Gelegenheit gehaltene Rede (I/36, 366–372). Die „Erste Nachricht von dem Fortgang des neuen Bergbaues zu Ilmenau" vom 24. II. 1785 ist von Voigt verfaßt, ebenso die zweite vom 1. II. 1787 und die dritte vom 18. III. 1788. Die *Vierte Nachricht* vom 24. II. 1791 stammt zur Hälfte mit der Darstellung des in den vergangenen drei Jahren Geschehenen ganz von Goethe (I/53, 314–319), während die fünfte Nachricht vom 1. VII. 1791 wieder zwei von ihm am 7. und 11. VI. 1791 zum Gewerkentag in Ilmenau gehaltene Reden (I/53, 161–174) enthält. Die sechste Nachricht vom 12. IV. 1793 und die siebente Nachricht vom 20. II. 1794 sind wieder Voigts Arbeit. Zwischen diesen Nachrichten und nach ihrer Einstellung gingen den Gewerken noch Avertissements und Publicanda zu, das letzte Publicandum am 2. IV. 1800.

Außer diesen Nachrichten bestand zwischen Kommission und Gewerkschaft die Verbindung der Gewerkentage. Nur zwei sind nach dem Modus abgehalten worden, wie er in der Einladungsschrift von 1783 vorgesehen war, und zwar vom 6. bis 11. VI. 1791 und am 9. und 10. XII. 1793, jedesmal in Ilmenau. Sie wurden dann einberufen, wenn wieder eine Krisis über das Bergwerk hereingebrochen war und wenn die Kommission die Überzeugung hatte, die Verantwortung für die Fortführung des Werkes nicht mehr allein übernehmen zu können. Bei der krisenhaften Entwicklung des Bergbaues beschloß man auf dem zweiten Gewerkentag, um ein festes Verhältnis zwischen Kommission und Gewerkschaft zu schaffen, jährlich Gewerkentage abzuhalten, aber mit ständigen von den Gewerken bevollmächtigten Deputierten, also Gewerkenausschußtage. Die erste dieser Versammlungen hat am 28. IV. 1794 stattgefunden; diese Entwicklung und diese Vorgänge meint Goethe, wenn er in den *TuJ* zu 1794 vom günstigen Einfluß des Zeitgeistes spricht (I/35, 36 f.). Noch einmal ist das Band zwischen B. und Gewerkschaft fester gezogen worden, als im Sommer 1796 das Unternehmen bereits der Katastrophe entgegentrieb; damals wurden im Juli monatliche Sitzungen der Kommission mit den Deputierten beschlossen und auch durchgeführt. Die letzte Zusammenkunft zwischen Gewerken und Kommission ist am 29. V. 1800 abgehalten worden.

Ist so die organisatorische Form für die Durchführung des Bergbaues in Ilmenau gekennzeichnet, dh. die Träger des Unternehmens, nämlich die B. und die Berggewerkschaft, und soll nunmehr von der Leistung gesprochen werden, die auf solcher Grundlage zustande gebracht worden ist, also vom Bergwerk selbst, so kann es sich hier nicht darum handeln, die schon mehrfach erzählte, nicht immer zuverlässig dargestellte, keineswegs ausgeschöpfte und einer abschließenden Behandlung noch immer harrende Tragödie des ilmenauer Bergwerkes in allen Einzelheiten vorzuführen. Nur große Linien können und sollen gezogen werden und zwar die Linien, die von der Kommission zum Bergwerk laufen.

Die ersten Jahre der Kommissionstätigkeit galten vor allem den Bemühungen, die genannten alten Belastungen des Bergwerks, besonders die Forderungen der Freiin v Gersdorff und die Ansprüche von Kursachsen und Sachsen-Gotha, zu beseitigen. Es hat jahrelanger Anstrengungen bedurft, um das ilmenauer Bergwerk davon freizumachen. Mit der Freiin v Gersdorff, die ursprünglich 200 Kuxe und 68 000 Rthlr. verlangte und deren Forderung Kursachsen unterstützte, konnte eine endgültige Einigung erst am 13. IX. 1784 erzielt werden, in der sie alle Ansprüche auf das Bergwerk gegen eine einmalige Abfindung von 6000 Rthlr. und eine jährliche Pension von 300 Rthlr. ab Anfang 1783 aufgab. Auch Kursachsen und Sachsen-Gotha, die zwar bald auf die Mitbeteiligung am Bergbaubetrieb verzichtet, sich ihre Rechte aus dem Bergregal aber vorbehalten hatten, machten erhebliche Schwierigkeiten. Mit ihnen mußte lange schriftlich verhandelt, vor allem aber Ende Juni 1781 eine Bergwerkskonferenz in Ilmenau abgehalten werden, bei der Goethe den Vorsitz führte und zu der er sich außerordentlich eindringend und ausführlich schriftlich durch die *Nachricht von dem Ilmenauischen Bergwesen, aufgesetzt im May 1781 (NS 1, 15–28)* vorbereitet hatte. Erst Ende 1783 gaben sie nach, indem sie unter Gewährung von drei bzw. sechs Freijahren vom ersten Schmelzen an gerechnet nur auf dem Bergzwanzigsten bestanden. So waren durch

diese langwierigen Verhandlungen wesentliche Hinderungen aus dem Wege geräumt, Hinderungen allerdings, die die eigentliche Aufnahme des Bergwerksbetriebes lange aufgehalten hatten.

Wie sehr man mit der Aufnahme des Bergwerks selbst immer wieder zögerte, wie unsicher also die Lage trotz des hoffnungsvollen Gutachtens von Trebra vom Juli 1776 eingeschätzt wurde, lehrt sehr deutlich die Beobachtung, daß Goethe zwischen 1776 und 1780 öfters in Ilmenau gewesen ist, ohne dort in Bergwerkssachen etwas gehandelt zu haben, daß sich aber ausdrücklich von ihm in jener Zeit Äußerungen finden, die Ungeduld und Sorge zugleich ausdrücken. So schreibt er JF*Krafft am 26. III. 1779: *Wir hoffen, daß das Bergwerk wieder in Umtrieb kommen soll (IV/4, 25),* und an Frau v*Stein am 7. IX. 1780: *Könnten wir nur auch bald den armen Maulwurfen von hier Beschäfftigung und Brod geben (ebda 283).* Von 1781 an zeigt sich dann mehr an eigentlichen Vorbereitungsarbeiten für die Ingangsetzung des Betriebes, so etwa die auf Veranlassung Goethes nach der Konferenz im Juli 1781 durchgeführte Untersuchung der alten Schächte durch den Bergmeister *Mühlberg aus *Blankenburg und dessen eingehende Befragung (IV/5, 162; 164; 168), die Abänderung des trebraschen Planes im August 1782, statt zweier Schächte nur einen Schacht in Betrieb zu nehmen, und im Herbst 1783 ist man endlich dem Ziele nahe, so daß man mit der Einladung zur Gewerkschaft herausrücken und Goethe am 3. IX. 1783 zuversichtlich dem Herzog sagen kann *Und Seil und Kübel wird in längrer Ruh | Nicht am verbrochnen Schachte stocken (I/2, 147).*

Aber erst nach der grundsätzlichen Einigung mit Kursachsen und Gotha im Dezember 1783 und mit der Sicherheit von 400 gezeichneten Kuxen Anfang 1784 war es so weit, daß nach dem Antrag der Kommission vom 7. II. am 24. II. in feierlicher Form mit Goethes Rede der Anfang zur Niederbringung des Neuen Johannesschachtes gemacht werden konnte. Goethe sprach dabei *von den Hindernissen ... die sich dessen Wiederaufnahme entgegensetzten, sich gleichsam als ein neuer Berg auf unser edles Flötz häuften und ... es in eine noch größere Tiefe druckten (I/36, 368).* Diese Hindernisse hoffte man nun überwunden zu haben.

In den nächsten drei Jahren ging die Arbeit am Absinken des Schachtes ruhig und stetig voran. Im April 1785 war man bei 42 Lachter

Tiefe mit einem Querschlag vom Stollen des „Nassen Ortes" durchschlägig geworden, im Juni 1785 bei 52 Lachter mit dem martinrodaer Stollen, und Ende 1786 waren 99 $^5/_8$ Lachter Tiefe erreicht. Daneben liefen, nachdem die Frage nach der Zuführung der Aufschlagwasser im Juli 1784 zugunsten des mittleren Berggrabens entschieden worden war, die Arbeiten zu dessen Wiederherstellung und Verlängerung, so daß im November 1786 das Treibwerk in Gang gesetzt werden konnte. Während bis zum Sommer 1787 bei der Absinkung des Neuen Johannesschachtes gar kein Wasser aufgetreten war, hieb man am 9. VIII. eine Wasserader an. Dieses Wasser konnte mit einem in den Monaten September und Oktober an den Krummzapfen des Treibrades angehängten Interims-Kunstgezeug bis zum 18. XI. gewältigt werden, so daß der Schacht wieder belegt werden konnte. Aber die Gewältigung der Wasser gelang auf solche Weise nicht mehr, als man, Anfang Dezember 1787 aus dem Gips im Zechstein angekommen, am 7. XII. in 115 Lachter Tiefe zwölfmal so starke Wasser anhieb, durch die der Schacht in kurzer Zeit bis zur Höhe des martinrodaer Stollens ersoff.

Damit begann ein fast fünfjähriges Bemühen, *den unterirdischen Neptun zu bezwingen (IV/9, 177);* während dieser Zeit lagen alle Arbeiten im Schachte darnieder. Zunächst wurde in schwierigen Unternehmungen seit Anfang 1788 ein wirkliches Kunstgezeug eingebaut, das im August 1788 angeschützt wurde, aber die Hebung des Wassers nicht schaffte. In diesem Zustand fand Goethe das Werk nach der Rückkehr aus *Italien vor, als er vom 24. bis 26. IX. 1788 das Kunstrad besichtigte und den Schacht bis auf die nur 25 Lachter unter dem Stollen hinab gewältigten Wasser befuhr (IV/9, 36). Brüche am Rad hielten die Wasserhebung auf, und ein strenger Winter ließ sie ganz zum Stillstand kommen. Berechnungen des Wasserzuflusses machten die Notwendigkeit einer zweiten Maschine klar. Um die Wasserverhältnisse sachgemäß regeln zu können, wurden zwei Kunststeiger aus Sachsen, David Süß aus Annaberg (IV/11, 104 und 231) und Johann Gottfried Schreiber (der dritte seines Namens) aus Marienberg, im September 1789 für Ilmenau gewonnen, und im November 1789 verlegte in diesem Zusammenhang der jüngere Voigt, zum Bergrat befördert, seinen Wohnsitz nach Ilmenau. Das notwendig gewordene zweite Kunstgezeug, das nach den Angaben des sächsischen Geschworenen KG*Baldauf, eines Schülers von Mende,

im Sommer 1790 gebaut und am 17. IX. 1790 angeschützt wurde, bezwang die Wasser aber ebenfalls nicht. Nach einem von Baldauf Anfang Februar 1791 abgegebenen Gutachten sollten daher noch zwei Maschinen eingebaut werden, für die er zugleich die Möglichkeit der Unterbringung in dem schmalen Schacht entwarf. Der im Juni 1791 abgehaltene Gewerkentag bewilligte die beiden Maschinen, mit deren Bau sofort begonnen wurde, und mit den nun vorhandenen vier Kunstgezeugen konnte endlich das Wasser am 28. VI. 1792 völlig gewältigt und der Schacht dauernd trocken gehalten werden.

In wenigen Monaten wurde nun durch den nur 2 Lachter mächtigen Zechstein hindurch das Schieferflöz bei 118 Lachter Tiefe ersunken, und am 3. IX. 1792 wurde in einem feierlichen Akt unter lebhaftester Anteilnahme der Bevölkerung die erste Tonne Schiefer gefördert. Wenige Tage später wurden unter dem Flöz auch die Sanderze angehauen, von deren Ergiebigkeit man sich besonders viel versprach. Mit drei Örtern, die man vorzutreiben begann, suchte man an den Rücken des Flözes, wo man hohen Erzgehalt erwartete, heranzukommen. Es wurde fleißig Erz gefördert.

Zum Ilmenauer Flöz können wir uns Glück wünschen wenn auch gleich das Geschäft gleichsam von vorne angeht (IV/10, 33). Mit diesen Worten vom 15. X. 1792 an Voigt schloß Goethe die Arbeiten an der Absinkung des Johannesschachtes ab und leitete den nächsten Abschnitt der Geschichte des ilmenauer Bergwerks, die Schmelzversuche, ein. Zunächst wurden sie von verschiedenen Sachverständigen im kleinen vorgenommen und lieferten zwiespältige Resultate, von denen man sich Hoffnung auf das Schmelzen im großen machte. Nach dem Bau der Schmelzhütte mit Poch- und Waschwerk in der ersten Jahreshälfte 1793 wurde Ende Mai 1793 der erste Schieferrost zum Rösten des Schiefers angesteckt und am 19. VIII. 1793 das erste Probeschmelzen im Großen mit geröstetem Schiefer vorgenommen. Der Schiefer erwies sich als fast taubes Gestein, so daß der Ofen bereits am 29. VIII. wieder ausgeblasen wurde. Ebensowenig Glück hatte man mit den seit Juni 1793 durch Pochen und Waschen zu Schlich aufbereiteten Sanderzen. Dem günstigen Probeschmelzen im kleinen entsprach zwar hier ein einigermaßen befriedigender, am 31. VIII. 1793 gemachter Anfang mit Schlichschmelzen im großen, nicht aber der auch hier unbefriedigende Fortgang. Mit der

Erkenntnis, daß die bisher erreichten und geförderten Erze keinen Ertrag lieferten, wurde Mitte Oktober 1793 der Schmelzbetrieb eingestellt; er ist seitdem niemals wieder aufgenommen worden. Die Beratungen mit dem in dieser kritischen Lage im Dezember 1793 einberufenen zweiten Gewerkentag führten, da man für eine aussichtsreichere Fortführung des Unternehmens Zeit und Grundlagen gewinnen wollte, zur Stillegung von Schacht und Hüttenwerk am 17. XII. 1793.

Die Jahre 1794 bis 1796 galten mannigfachen Versuchen, durch Verbesserung des Poch- und Waschwerkes, durch Vervollkommnung des Schmelzwesens, durch mehrfache Wiedergewältigung des Schachtes mit Verbesserung der Maschinen und, allerdings nur kurzfristige, Wiederbelebung der Örter endlich Ertrag aus dem Bergwerk zu ziehen. Im allgemeinen waren alle Bemühungen jener Jahre für die B. doch *ein böses Geschäft diese Danaiden Familie zu kontrollieren,* und alles mußte darauf ankommen, an bessere Erze als bisher heranzukommen. *Es ist schon vorauszusehen,* stellte Goethe am 2. IX. 1795 fest, *daß unsere Poch und Wasch Anstalt so wie unser nächstes Schmelzen betrübte Resultate geben wird, und daß sowohl Wäschen als Schmelzen nicht Proben des Ertrags, sondern nur Proben der Behandlung seyn werden. Alles ja alles kommt auf ansehnliche Verbesserung der Anbrüche an, man hat das lange gesagt, aber ich möchte sagen: man hat sichs noch nicht genug gesagt (IV/10, 296).* Die ganze Schwere der Sachlage drücken Goethes Worte vom 6. VII. 1796 aus: *Die Frage, die wir an die Natur zu tun haben, kann bloß dadurch beantwortet werden, daß wir uns dem Rücken [des Flözes] nähern und denselben erreichen (NS 1, 250).* Die daraufhin am 7. VII. gegebene Anweisung an das Bergbauamt, den Johannesschacht wieder zu gewältigen, hatte am 25. IX. 1796 zur Wiederbelebung der Örter geführt, die man nun vortrieb und die am 22. X. 1796 im Carl-August-Ort 66 Lachter nach Südwesten, im Luisen-Ort 59 $1/_3$ Lachter nach Südosten vom Schachte aus nach dem aufsteigenden Flöze zu vorgetrieben waren. In dieser Lage brach über das ilmenauer Bergwerk, von dem Goethe schon am 3. III. 1796 gesagt hatte: *leider sieht die Unternehmung einer auslöschenden Lampe immer ähnlicher (IV/11, 35),* das endgültige Unglück herein. In der Nacht vom 22. zum 23. X. 1796 trat ein Bruch im martinrodaer Stollen ein, der nach wie vor die durch die vier Kunstgezeuge gehobenen

Grubenwasser ableitete, so daß diese Wasser nicht mehr abfließen konnten. Sie wurden im Stollen nach rückwärts gestaut und gingen im Schachte rasch auf.

An den Ermittlungen über den Bruch und seinen Umfang und an der Vorbereitung der zu seiner Beseitigung einzuleitenden Maßnahmen hat Goethe während seines diesen Zwecken dienenden Aufenthaltes in Ilmenau vom 30. X. bis 9. XI. 1796 kräftig mitgewirkt. Schien nach seinen anfänglichen Berichten die Angelegenheit *weniger gefährlich* zu sein *(IV/11, 251)* und *keine Sorge (ebda 252)* zu bereiten, so mußte er doch schon am 3. XI. bekennen: *die Sache ... sieht sehr weitschichtig und zweifelhaft aus. Die Muthmaßung wegen des zweiten Bruchs –* die sich dann durchaus bewahrheitete *– ist das allerschlimmste ... es wäre in jedem Sinne gut, daß man eine vollständige Geschichte dieser Begebenheit erhielte, weil man die Folgen nicht übersehen kann ... denn niemand kann für den Event stehen (IV/11, 256–258).* Die Lage war vorerst höchst unübersichtlich und unklar; *über das, was zu thun ist, verändern sich die Meinungen nach den Umständen alle Tage ... es ist ein Kriegszustand und ich weiß noch nicht, was morgen räthlich und thunlich sein wird (ebda 258 f.).* Er konnte daher auch nur allgemeine Anordnungen treffen und kehrte, nachdem er *das Geschäfte theils aufzuklären theils seine weitere Behandlung vorzubereiten und zu bestimmen gesucht* (JVoigt: Ilmenau S. 264), nach Weimar zurück. Er hat später geurteilt, daß er bei diesem Besuch *nicht ohne Bedenken und Betrübniß ein Werk, worauf so viel Zeit, Kraft und Geld verwendet worden, in sich selbst erstickt und begraben gesehen habe (I/35, 43).*

Die damals eingeleiteten Arbeiten zur Aufräumung des Bruches haben sich durch die nächsten anderthalb Jahre hingezogen. Die Vorstöße vom Treuen-Friedrich-Schacht aus scheiterten trotz der Verwendung der humboldtschen Wetterlampe an den fehlenden Wettern; vom Johannesschacht her ging es nicht, weil die im Schacht aufgegangenen Wasser nicht unter Stollenhöhe zu halten gewesen waren und daher im Stollen standen. Den Gedanken an eine Umgehung des Bruches ließ man fallen. Erst unter Zuhilfenahme einer Wettermaschine konnte man durch ein vom „Nassen Ort" aus auf den Bruch niedergetriebenes Gesenke die Schuttmassen nach oben entfernen und im Mai 1798 den martinrodaer Stollen freilegen. Nunmehr hätte man den Bergbau fortsetzen und nach damaligem

Urteil in etwa einem Jahre mit erfolgreichem Schmelzen rechnen können. Dazu ist es nicht mehr gekommen, denn nunmehr fehlte dem Unternehmen das Geld. In einem Publicandum vom 29. V. 1798 mußte die B. feststellen: ,,Statt also, wenn sie [die Zubußen für 1798] richtig eingegangen gewesen wären, sofort zu der Gewältigung des Schachtes und alsdann zur Belegung der Arbeiten auf dem Flöze schreiten zu lassen, findet sich die Direction itzt in der Unsicherheit, die etwa anzufangenden Arbeiten aus Mangel der Zahlungsmittel wieder unterbrochen zu sehen.'' Damit endet praktisch der Bergbau in Ilmenau, der mithin von 1784 bis 1798 nichts als ein verunglückter Versuch gewesen war, an ergiebige Erze heranzukommen.

Die Hoffnungslosigkeit der Bemühungen um eine erfolgreiche Ingangsetzung und einen wirklichen Ertrag des ilmenauer Bergwerks hatte nach und nach die Gewerken stark ermüdet und viele von ihnen veranlaßt, von dem Unternehmen abzuspringen. Die Gewerkschaft war 1783 ins Leben gerufen worden auf der Grundlage der von 1784 bis 1786 in drei Raten vorzunehmenden Zahlung von 20 Rthlr. für jeden Kux und mit der Aussicht, daß für diese Einzahlungen bald Gewinn aus dem Bergwerk zu erwarten sei. Statt dessen hatte man den Gewerken infolge der zahlreichen unvorhergesehenen Zwischenfälle, die die vor Beginn der Arbeiten aufgestellten Kostenvoranschläge über den Haufen warfen, dauernd neue Zubußen zumuten müssen, so in den Jahren 1788, 1791, 1792, 1793, 1794, 1796 (zwei Termine) und 1798 (vier Termine). Diese Nachzahlungen, elf insgesamt, machten den Betrag von 51 $^1/_2$ Talern aus, überstiegen also die Grundeinzahlung fast um das Dreifache. Kein Wunder, daß bei solcher finanziellen Zumutung ohne irgendeine Gegenleistung und bei der immer schwächer werdenden Aussicht auf gewinnbringende Anlage des Kapitals viele Kuxinhaber die angeforderten Zuschüsse einfach nicht mehr zahlten. Bereits die erste Nachzahlung 1788 wurde von 40 Kuxinhabern nicht geleistet, bei der zweiten (1791) fehlten insgesamt 174 Gewerken, bei der dritten (1792) 203, bei der vierten (1793) 244, bei der fünften (1794) 286, bei der sechsten (1796) 481 und bei der siebenten (1796) 524. Schon vor dem Stolleneinbruch im Oktober 1796 war also die Gewerkschaft auf über die Hälfte ihrer Mitglieder zusammengeschmolzen. Erst recht schrumpfte sie weiter ein nach diesem Grundunglück, und so waren bei den vier zugemuteten Nachzahlungen des Jahres 1798 nacheinander insgesamt 799, 828, 850 und 872 Abgänge an Gewerken zu verzeichnen. So konnte sich die ursprünglich auf 1000 Kuxe aufgebaute Gewerkschaft jetzt nur noch auf wenig mehr als 10% ihres ursprünglichen Bestandes stützen. Den Schrumpfungsprozeß konnte auch die Tatsache nicht aufhalten, daß die Kuxe, auf die ihre Inhaber keine Zubußen mehr zahlten, ab 1793 öffentlich für caduc (d. h. verfallen) erklärt wurden. Bemerkenswert ist dabei, daß Goethes Kux unter den am 14. VII. 1797 für caduc erklärten aufgeführt wurde, was doch wohl nichts anderes heißen kann, als daß auch er von jener Zeit an kein Zutrauen mehr zu dem ilmenauer Unternehmen hatte.

Wollte man den Bergbau in Ilmenau, nachdem der Bruch des martinrodaer Stollens beseitigt war, wieder in Gang bringen, so konnte das also durch die alte Gewerkschaft nicht mehr geschehen, denn die war, wie die vorstehenden Zahlen zeigen, praktisch tot. Man faßte daher Anfang 1799 den Gedanken an eine neue Gewerkschaft, und in Voraussicht der Arbeit, die dadurch zu erwarten war, wurde der Regierungsrat Osann am 29. III. 1799 in die B. aufgenommen. Gleichzeitig übernahm der Herzog Carl August einstweilen die Kosten des Bergbaues auf die weimarische Kammer. Dabei ist es aber dann für immer geblieben, dh. die Kammer mußte die am Ende der 90er Jahre vorhandenen Schulden der Gewerkschaft in Höhe von rund 12 500 Rthlr. decken und dazu die von 1799 an entstehenden Kosten selbst übernehmen. Die alte Gewerkschaft war nicht zu retten, und neue Gewerken waren nicht zu gewinnen, insbesondere nicht bei den damaligen unsicheren politischen Verhältnissen. So ist die Gewerkschaft im Jahre 1800 allmählich eingeschlafen. Die letzte Ansprache der B. an sie war das Publicandum vom 2. IV. 1800, in dem ihr, typisch genug für die Untergangsstimmung, der Vorwurf gemacht wurde, die säumigen Gewerken allein trügen die Schuld daran, daß der Fortgang des Bergwerks gehemmt worden sei. Die letzte Lebensäußerung der Gewerkschaft war die Zusammenkunft ihrer Deputierten am 29. V. 1800, auf der die Unlust des kläglichen Restes der noch verbliebenen Gewerken zum Weiterbauen deutlich in Erscheinung trat und alle sonst erwogenen Pläne von vornherein zum Scheitern verurteilt waren. So endete die Gewerkschaft, deren Einnahmen an Kuxgeldern insgesamt 50 435 Taler, deren Ausgaben für das

Bergwerk aber 67 560 Taler betragen hatten. Deutlicher läßt sich das Fiasko dieses Unternehmens kaum ausdrücken.

Mit dem Untergang der Gewerkschaft ging auch, wie oben gezeigt, die Tätigkeit der B. allmählich zu Ende, vor allem aber der Bergbau selbst zugrunde. 1804 wurden erneute Untersuchungen angestellt, ob die Wiederingangsetzung möglich wäre, aber das umfassende Gutachten endete mit der Feststellung, daß durch den „Neuen Johannes und den daraus betriebenen Versuchsbau die Unbauwürdigkeit des Ilmenauer Werks hinlänglich bewiesen worden" sei, daß man daher nicht raten könne, weitere Kosten auf das Werk zu verwenden, da zu deren Ersatz keine Hoffnung bestehe. Dennoch hat die weimarische Kammer den martinrodaer Stollen auf ihre Kosten unterhalten lassen, und erst nach einem am 12. VII. 1812 erstatteten Bericht, daß es bei den zweifelhaften Aussichten des Bergwerkes nicht ratsam sei, ihn weiter zu erhalten, die Arbeiten daran eingestellt. Das war die endgültige Stillegung des Bergwerks in Ilmenau, an dem auch spätere Versuche der Wiederaufnahme ergebnislos verliefen.

Fragen wir nun nach dem besonderen Anteil Goethes an den Arbeiten der B. und nach der Bedeutung seiner Mitarbeit für das Unternehmen, so kommt die quellenmäßige Lage solcher Fragestellung sehr entgegen. Denn von der B. ist ein sehr geschlossener archivalischer Stoff an Akten, Rechnungen, Registranden, fast der vollständige schriftliche Niederschlag ihrer Tätigkeit, erhalten geblieben, und auch von der Registratur des Bergbauamtes ist vieles überliefert. So läßt sich verhältnismäßig günstig Art und Umfang von Goethes Mitwirkung in der Kommission fassen. Dabei muß, wie alle Betrachtung der amtlichen Tätigkeit Goethes, auch hier betont werden, daß die B. eine Behörde des 18. Jahrhunderts war, in der mithin die Arbeitsweise der Behörden jener Zeit angewandt wurde, nämlich die kollegiale Erledigung aller Geschäfte. Auch die Arbeit der B. hat sich daher in großem Umfang in Sessionen ihrer Mitglieder abgespielt, und erst aufgrund des dort gepflogenen Beratungsgeschäftes sind dann die schriftlichen Formulierungen der Beschlüsse hinausgegangen. Goethes Mitarbeit bestand also in erster Linie im mündlichen Beratungsgeschäft, für uns erkennbar in seinen Signaturen, mit denen er die Konzepte der Ausgänge abzeichnete, und nicht so sehr in der eigenen schriftlichen Betätigung; dennoch hat er gerade in dieser

Kommission auch vieles Schriftliche selbst erledigt. Diese eigenen schriftlichen Arbeiten Goethes bestehen in großen Ausarbeitungen geschichtlicher und geschäftlicher Art, in schriftlich formulierten Reden und Ansprachen, in Protokollen, Niederschriften, Tabellen, Notizen, Aufstellungen und Schemata, in Konzepten ausgehender Schreiben, in Berichten, in Prüfungsvermerken und Anerkennung von Rechnungen, ja sogar in Beschriftung von Aktenumschlägen in der Registratur der B. Hierher gehört schließlich auch sein ausgedehnter Briefwechsel mit Voigt.

Die gesamte vorhandene schriftliche Überlieferung läßt deutlich erkennen, daß Goethe das ihm übertragene Amt in der B. äußerst umfangreich, gewissenhaft und gründlich ausgeübt hat. Die Mitarbeit Goethes hat gleichmäßig angehalten vom Beginn der Tätigkeit der B. an bis 1799 hin. Sie ist in diesem Zeitraum immer nur dann unterbrochen gewesen, wenn Goethe auf Reisen war; selbst dabei aber weilten seine Gedanken, wie sich noch zeigen wird, auch immer beim ilmenauer Werk. Der Eintritt Osanns in die B. im März 1799 ist gleichzeitig der Beginn des allmählichen Rückzugs Goethes. Wir sehen ihn 1799 noch mehrfach tätig, auch im Jahre 1800 noch einige Male, aber dann hört seine Mitwirkung ganz auf.

Die lebhafte Anteilnahme Goethes an den Arbeiten der B. ist wohl in erster Linie auf das Interesse zurückzuführen, das er an den Bergbauarbeiten gewann, und auf den persönlichen Ertrag an Kenntnissen und Erkenntnissen wissenschaftlicher Art; nicht zuletzt ist der lebhafte Einsatz auch dadurch bedingt, daß ihm hier Gelegenheit gegeben war, über die sonst nur im Beratungsgeschäft sich vollziehende, ihn vielfach bedrückende Behördenarbeit hinaus mit den Dingen und Menschen unmittelbar in Berührung zu kommen, ganz anders *wie es bey mechanischer Papier Expedition wohl angeht* (18. X. 1784: *IV/6, 370*). Von der Freude an diesem Umgang zeugen die vielen Reisen nach Ilmenau, fünfundzwanzig bis 1796, von denen er viele in Dienstgeschäften ausführte und von denen ein großer Teil auch den Bergwerksgeschäften galt (vgl. RV S. 13; 14; 16; 17; 18; 21; 22; 23; 24; 25; 27; 28; 31; 32; 33).

Daß Goethe an die Bergwerksaufgaben vollkommen unvorbereitet herankam, hat er später selbst ausgesprochen. Aber es ist bemerkenswert, daß er sich seit Eintritt in die B. mit Eifer in die Bergbaufragen hineinarbeitete. Diesem Zweck diente beispielsweise seine erste *Harz-Reise im Dezember 1777, auf der er namentlich die alten bekannten Bergwerke dort besuchte. *Ich dachte mir unerläßlich vor allen Dingen das Bergwesen in seinem ganzen Complex, und wär' es auch nur flüchtig, mit Augen zu sehen und mit dem Geiste zu fassen, denn alsdann nur konnt' ich hoffen in das Positive weiter einzudringen und mich mit dem Historischen zu befreunden (I/33, 214).* Auch bei seinen späteren Harzreisen hat er sich bei dem inzwischen in den Harz übersiedelten Trebra immer wieder Belehrung auch in Bergwerksangelegenheiten geholt. Solcher Belehrung persönlich und amtlich diente etwa auch der Besuch in *Blankenburg Anfang Juli 1781, *wo ich die Kupferwercke befahren,* und die Einladung des blankenburger Bergmeisters Mühlberg nach Ilmenau, um sich auch *unterirrdisch überzeugen und unterrichten (IV/5, 162 f.)* zu lassen.

Namentlich seit Voigt in die B. eingetreten war und als man mit den praktischen Bergbauarbeiten in Ilmenau begann, ist Goethe mit Eifer bei der Sache, und aus seinen Worten spricht die Freude und die Hoffnung auf das gute Gelingen des Werkes. *Unsre Sachen werden gut gehen,* schreibt er schon am 21. II. 1784, kurz vor der Eröffnung des Johannes-Schachtes, an Frau vStein *(IV/6, 245),* und solche Äußerungen finden sich nun ununterbrochen bis zum Beginn der italienischen Reise. Da ist etwa am 3. III. 1784 von einer *frohen Reise, da ich das alte Ilmenauer Bergwerck wieder eröffnet (ebda 250)* die Rede. Da gibt Goethe am 15. III. 1784 seinen Gefühlen vollen Ausdruck: *Nicht leicht habe ich etwas mit soviel Hoffnung, Zuversicht und unter so glücklichen Aspeckten unternommen, als diese Anstalt eröffnet worden (ebda 254).* Am 18. IX. 1784 wird dem Herzog mitgeteilt: *Ich hoffe es soll Ihnen dieses Werck zur Freude wachsen (ebda 370).* Ende 1785 kann Goethe berichten: *Noch finde ich in meinen Angelegenheiten hier nichts als was mir Freude machen könnte (IV/7, 118),* und befriedigt kann er am 16. VI. 1786 an Frau vStein schreiben: *Hier ist so weit alles in Richtigkeit daß wir reisen können (ebda 230).*

Auch während des Aufenthaltes in Italien läßt ihn der Gedanke an Ilmenau nie los, zugleich auch die Sorge, es könne nicht nach Wunsch gehen. Beredtes Zeugnis ist seine Korrespondenz dieser Jahre mit Voigt. *Von unserm Bergwercke raunt mir ein böser Geist in's Ohr (IV/8, 27),* beginnt dieser Briefwechsel, aber er endet doch trotz der beiden starken Wassereinbrüche im Johannesschacht,

von denen Voigt ausführlich an Goethe berichtet hatte, Anfang 1788 mit dem Satz: *Aber nur getrost. Noch ist ein gutes Glück bey unserm Bergbau (ebda 339).* Goethes Wunsch bleibt in Italien rege, wieder an die Bergwerksarbeit *mit neuen Kräfften, bey altem Anteil zurückzukehren (ebda 165).* Dieses Interesse an Ilmenau hat Goethe auch auf seinen späteren Reisen beibehalten. So hat er von seiner Reise in *Schlesien 1790 den Mitarbeiter mit dem Vergleich aufgemuntert, daß er sich *In Tarnowitz ... über Ilmenau getröstet* habe, wo sie, *zwar nicht aus so großer Tiefe,* aber dafür *eine weit größere Wassermasse zu heben* hätte und es doch zu schaffen hoffte *(IV/9, 225),* und nach der Rückkehr aus Schlesien machte er Vorschläge für das Pochen und Schlemmen des Kupferschiefers, die Ergebnis dieser Reise waren (IV/9, 229 bis 231).

Diese von Anfang an vorhandene lebhafte Anteilnahme Goethes hat namentlich sein Mitarbeiter ChrGVoigt, dieser kenntnisreiche, gründliche und doch schnelle, vielseitige und fleißige Beamte, Goethes *bester Gefährte und Geleitsmann in den Tiefen (IV/8, 339),* zu schätzen gewußt. Ihm war, wie es der Briefwechsel immer wieder zeigt, besonders daran gelegen, Goethe mit Unannehmlichkeiten zu verschonen, damit er sich nicht vom Geschäft zurückzöge. Dabei war Voigt aber schon vor der italienischen Reise derjenige, der die Hauptlast der Arbeiten trug; Goethe hat ihm das Ende 1787 aus Italien selbst bescheinigt durch die Bemerkung: *Ihre Liebe und aufrichtige Neigung zu mir, erleichtern mir den Gedancken, daß ich Sie so lang in diesen Geschäften ganz allein laße, wenn Sie auch schon den größten Theil davon, bey meiner Gegenwart getragen haben (IV/8, 317 f.).* Nach der Rückkehr aus Italien bekräftigt er die Freude der Zusammenarbeit mit Voigt erneut durch das Geständnis: *Das Geschäfte in Ilmenau muß mir immer werth bleiben und Ihre Gegenwart dabey, Ihr Würcken macht mir alles doppelt interessant (IV/9, 11).* 1793 lobt er: *Was in Ihren Händen ist wird so gut den rechten Weg geführt (IV/10, 95).* 1794 weiß er, daß unter Voigts *Leitung in Ilmenau alles zum besten gehen und gedeihen wird (IV/10, 154).* Denkmal vieljährigen und mannichfaltigen Zusammenwirkens beider Männer aber ist Goethes Gedicht an Voigt von 1816, von dessen erster Strophe er sagt, sie *bezieht sich auf den Ilmenauer Bergbau, dem wir mit Fleiß und Studium mehrere Jahre vorstanden (I/4, 77),* von jener Strophe, die mit den Worten endet: *Und manches Jahr des stillsten*

Erdelebens | Ward so zum Zeugen edelsten Be-
strebens (I|4, 15).

Die hoffnungsvolle Beurteilung, die Goethe dem ilmenauer Bergbau in den ersten Jahren zuteil werden ließ, ist seit der Mitte der 90er Jahre dem Unmut über den allmählich sichtbar werdenden Mißerfolg des Unternehmens und der Unlust an den Arbeiten der Kommission gewichen. Der Verkehr mit den Gewerken, diesen *Herren Conscios und Complices* (15. IX. 1796: *IV|11, 199*) wird als *ein Ideal von einem verdrießlichen Geschäfte* bezeichnet (22. VIII. 1796: *ebda 170*), und am 26. IX. 1797 wünscht er Voigt *viel Glück zu allen Unternehmungen und Geduld mit dem Bergbau als dem ungezogensten Kinde in der Geschäftsfamilie (IV|12, 320)*. Auch über das Bergbauamt mit seinem *Schlendrian der Insubordination* ist er sehr unzufrieden (11. IX. 1796: *IV|11, 192*). Aus solchem Unmut mußte dann in den nächsten Jahren die Erkenntnis wachsen, daß man sich mit dem ilmenauer Bergbau zuviel vorgenommen hatte. Sie führte zum endgültigen Rückzug Goethes aus den Arbeiten der Kommission im Jahre 1800.

Die Abwicklung der letzten Arbeiten in der Kommission hat Goethe allein durch Voigt besorgen lassen. Damals hat er in seinem Brief an Voigt vom 11. IV. 1813 aus allen gemeinsamen Bemühungen mit Voigt und aus dem Mißerfolg des unglücklichen Unternehmens das Fazit gezogen mit dem Eingeständnis, daß man sich übernommen hatte. *Es ist freylich ein Unterschied, ob man in unbesonnener Jugend und friedlichen Tagen, seinen Kräften mehr als billig ist vertrauend, mit unzulänglichen Mitteln Großes unternimmt und sich und Andre mit eitlen Hoffnungen hinhält, oder ob man in spätern Jahren, in bedrängter Zeit, nach aufgedrungener Einsicht, seinem eigenen Wollen und Halbvollbringen zu Grabe läutet (IV|23, 311)*.

Diese goethesche Erkenntnis, daß man sich an ein Unternehmen gewagt hatte, das die Kräfte überstieg und das man mit unzulänglichen Kenntnissen von den tatsächlichen geologischen Verhältnissen und mit unzureichenden Mitteln zu bewältigen versucht hatte, findet sich auch in seinen späteren Äußerungen wieder. *Der Ilmenauer Bergbau,* so meint er am 31. III. 1824 im Gespräch zu Fv*Müller, *würde sich wohl gehalten haben wäre er nicht isolirt da gestanden, hätte er sich an ein Harz- oder Freyberger Bergwesen anschließen können (UKM S. 112)*. In den *TuJ* zu 1794 klingt der gleiche Gedanke auf: *An dem Bergbaue zu*

Ilmenau hatten wir uns schon mehrere Jahre herumgequält; eine so wichtige Unternehmung isolirt zu wagen, war nur einem jugendlichen, thätig-frohen Übermuth zu verzeihen. Innerhalb eines großen, eingerichteten Bergwesens hätte sie sich fruchtbarer fortbilden können; allein mit beschränkten Mitteln, fremden, obgleich sehr tüchtigen, von Zeit zu Zeit herbeigerufenen Officianten konnte man zwar in's Klare kommen, dabei aber war die Ausführung weder umsichtig noch energisch genug, und das Werk, besonders bei einer ganz unerwarteten Naturbildung, mehr als einmal im Begriff zu stocken (I|35, 36 f.). Das alles bestätigt aber eben nur die eine Tatsache, daß Goethes lange, umfassende und wertvolle Mitarbeit in der B. an ein Unternehmen gesetzt worden war, das ohne jeden Erfolg blieb, das zudem vielen auch schwere finanzielle Einbuße gebracht hat. Wie sehr er selbst darunter gelitten hat, läßt sich aus der Tatsache schließen, daß er Ilmenau nach 1796 erst wieder 1813 besucht hat.

Wenn abschließend die Frage nach der Bedeutung der Mitarbeit Goethes in der B. für ihn selbst gestreift werden soll, so läßt sich sagen, daß der ilmenauer Bergbau Goethe eine Quelle stärkster wissenschaftlicher Anregung geworden ist, denn durch ihn ist er zur *Mineralogie, zur *Geologie, zur Erdgeschichte und zu weiteren Naturstudien geführt worden. Bereits am 7. IX. 1780 schreibt er in diesem Sinne an Frau vStein: *Wir sind auf die hohen Gipfel gestiegen und in die Tiefen der Erde eingekrochen, und mögten gar zu gern der grosen formenden Hand nächste Spuren entdecken. Es kommt gewiss noch ein Mensch der darüber klar sieht. Wir wollen ihm vorarbeiten. Wir haben recht schöne grose Sachen entdeckt, die der Seele einen Schwung geben und sie in der Wahrheit ausweiten (IV|4, 283).* An Merck heißt es zur gleichen Zeit am 11. X. 1780: *Nun muß ich dir noch von meinen mineralogischen Untersuchungen einige Nachricht geben. Ich habe mich diesen Wissenschaften, da mich mein Amt dazu berechtigt, mit einer völligen Leidenschaft ergeben (ebda 309 f.),* und dann berichtet er, wie er durch den jüngeren Voigt das Land mineralogisch bereisen und aufnehmen läßt. 1784 erbittet er sich von dem weimarischen Gesandten *Isenflamm in Wien eine ungarische Erzstufe mit dem Bemerken: *Es ist eine Liebhaberey wozu mich die Aufsicht über unsern neuen Bergbau in Ilmenau berechtigt (IV|6, 313),* eine Liebhaberei, die Amtliches und Wissenschaftliches beispielsweise auch vereinigt in den Ausführungen

Goethes über das ilmenauer Flöz (II/10, 96). Der Zusammenklang zwischen Persönlichem und Amtlichem ist schon ausgedrückt an Charlotte vStein am 7. VI. 1785: *Ich habe . . . etwas an meiner Gebürgs Lehre geschrieben . . . Unsre Expeditionen gehen gut und unsre Liebhabereyen laufen so gätlich nebenher, es wäre Menschen und Geschäfften geholfen, wenn es immer so werden könnte (IV/7, 60 f.).* Zusammenfassend hat er später über den Zusammenhang seiner Naturstudien mit dem ilmenauer Bergbau so geurteilt: *Ich kam höchst unwissend in allen Naturstudien nach Weimar, und erst das Bedürfniß, dem Herzog bey seinen mancherley Unternehmungen, Bauten, Anlagen, practische Rathschläge geben zu können, trieb mich zum Studium der Natur. Ilmenau hat mir viele Zeit, Mühe und Geld geckostet, dafür habe ich aber auch etwas dabey gelernt und mir eine Anschauung der Natur erworben, die ich um keinen Preiß vertauschen möchte. Mit allen Naturlehrern und Schriftsteller[n] getraue ich mir es aufzunehmen, sie scheuen mich auch alle, wenn sie schon oft nicht meiner Meinung sind (16. III. 1824: UKM S. 107).*

Das dichterische Zeugnis der Bemühungen Goethes um den ilmenauer Bergbau und ihre Rückwirkung auf seine wissenschaftliche Tätigkeit steht in *Wilhelm Meisters Wanderjahren: Den besten Unterricht zieht man aus vollständiger Umgebung . . . Da wo Pygmäen, angereizt durch Metalladern, den Fels durchwühlen, das Innere der Erde zugänglich machen und auf alle Weise die schwersten Aufgaben zu lösen suchen, da ist der Ort, wo der wißbegierige Denkende seinen Platz nehmen soll. Er sieht handeln, thun, läßt geschehen und erfreut sich des Geglückten und Mißglückten. Was nützt, ist nur ein Theil des Bedeutenden. Um einen Gegenstand ganz zu besitzen, zu beherrschen, muß man ihn um sein selbst willen studiren (I/24, 49).*   Fl

JCWVoigt: Geschichte des Ilmenauischen Bergbaues. 1821. – JVoigt: Goethe und Ilmenau. 1912. – HEberhardt: Goethes Umwelt. 1951. – WHerrmann: Goethe und Trebra. 1955.

Berka, Dorf östlich von *Sondershausen an der Wipper, 1816: 385 Einwohner, Heimat der väterlichen Ahnen Goethes. Goethe selbst hat jedoch von seinem b.er Urahn Hans Goethe und der b.er Goethefamilie keine Kenntnis gehabt.   Eb

Berka/Ilm (seit 1911 Bad Berka), 12 km südlich von Weimar (1796: 774, 1830: 1053 Einwohner, bis 1850 Hauptort eines Amtsbezirks des Herzog-, bzw. Großherzogtums *Sachsen-Weimar) ist oberhalb von Weimar in einen breiten Talkessel der *Ilm eingebettet. *Der Kessel, worin Berka liegt, ist in der Urzeit, bei höher stehendem Wasserniveau, durch die aus der Münchner Enge hervorströmenden, durch den vorragenden Schloßberg aufgehaltenen, in sich wirbelweise zurückkehrenden Fluten gebildet . . . (NS 2, 12).* Es ist dies eine Erklärung, die der Vorstellungsweise Goethes und seiner Zeit entsprechend, die Wirkung der Abtragung und Verwitterung in der jüngeren erdgeschichtlichen Vergangenheit gering anschlug, zT. ganz vernachlässigte. Die Landschafts- und Gebirgsformen wurden vielmehr als Bildungen des *Urgebirges oder allenfalls auch noch des abfließenden und sich zurückziehenden Urmeers betrachtet. Nach heutiger Kenntnis handelt es sich um Erosionsformen der Ilm, wobei die kesselartige Talerweiterung Folge einer Aufwölbung der Schichten ist. Der im Zentrum der Aufwölbung ursprünglich gelegene Muschelkalk ist infolge seiner Höhenlage und Zerrüttung rasch abgeräumt und so der darunter liegende, weichere Buntsandstein freigelegt worden, der bei normaler Lagerung in der weiteren Umgebung durch den widerstandsfähigeren Muschelkalk geschützt ist. Das konnte in der Zeit Goethes, der tektonische Bewegungen noch fremd waren, nicht erkannt werden. Abgesehen davon hat Goethe die geologische Situation zutreffend erkannt. *Der Sandstein . . . endigt hier sein Reich und wird abwechselnd von Gips und Ton, diese aber sodann ein- für allemal von Flözkalk bedeckt (NS 2, 12).*

B. wurde von Goethe schon in seinen ersten weimarer Jahren häufig besucht (erster Besuch 17. VII. 1776 *Abends nach Berka. Lenz. Einsamkeit, Schweigen: III/1, 16),* meist allerdings nur als Durchgangsort bei seinen Fahrten und Ritten nach *Ilmenau und *Großkochberg (vgl. RV S. 13–17; 21–24). Zu mehrstündigen Aufenthalten kam es wohl nur dann, wenn Goethe GR*Lenz, der sich im Sommer und Herbst 1776 nach B. zurückgezogen hatte, oder dem Hofbildhauer MG *Klauer, der von 1773 bis 1778 in B. seine Werkstatt unterhielt, persönliche oder sachliche Besuche abstattete.

Ursache der näheren Beschäftigung mit B. durch Goethe war ein *Befehl Ihro Durchlaucht des Erbprinzen von Sachsen-Weimar* (1812: *NS 2, 10),* der die Frage der Möglichkeit der Errichtung eines Kurbades in B. geklärt haben wollte. Mit Recht wies Goethe auf *die Wichtigkeit und die Schwierigkeit eines solchen Unternehmens* hin *(ebda 11).* Während *An Plätzen, wie in Karlsbad, Töplitz, Pyrmont und so manchen anderen . . . die Natur mit entschiedenen*

Mineralquellen freigebig war (ebda 11), sind die *Schwefelwasser zu Berka ... keine Quell- sondern Schichtwasser (ebda 13).* Goethe verstand *unter Schichtwassern solche, die sich über gewissen Schichten oberflächlich erzeugen und sogleich nach ihrer Erzeugung an Ort und Stelle geschöpft werden (ebda 13).* Die Angabe des Vorkommens von Schwefelquellen in B. ging schon ungefähr 200 Jahre zurück. Tatsächlich handelt es sich, wie demgegenüber Goethe richtig betonte, nicht um Quellen, sondern um Oberflächenwasser, die im Zusammenhang mit den dortigen Moorbildungen stehen – als Moorbad ist B. späterhin gelegentlich besucht worden. Der Schwefelgehalt, auf den Goethe nach den Analysen JW*Döbereiners einen gewissen Wert legte, dürfte mit den Moorbildungen im Zusammenhang stehen, während die in dem Wasser enthaltenen Salze im wesentlichen auf die gips- und salzhaltige Schichtfolge des oberen Buntsandsteins bis mittleren Muschelkalks zurückzuführen sind, die an den Rändern des b.er Talkessels anstehen. Die *unter der Fläche des Berkaischen Teiches übereinander gelagerten Sandstein-, Gips- und Kalkschichten bringen diese mineralischen Wasser hervor, indem die Feuchtigkeit jenes Sumpfes, jenes Teiches auf sie wirkt (NS 2, 13).* Nach eingehender Darstellung der zu ergreifenden Maßnahmen, sofern ein Kurbad eingerichtet werden sollte, mahnte Goethe mit Recht zur Vorsicht, *daß es eine höchst wichtige, in gegenwärtigen Zeiten kaum rätliche Unternehmung sei (ebda 20;* weitere Gutachten erstatteten JWDöbereiner, DG*Kieser und FS*Voigt, sowie FWHv*Trebra). Als nach der 1813 erfolgten Errichtung einer Badeanstalt (III/5, 28) die Entwicklung des Badebetriebs, vor allem wegen des Fehlens der notwendigen Gelder, große Schwierigkeiten machte, bemühte sich auch Goethe, solche zu beschaffen (IV/24, 281–283), obwohl er von der Wirkung der b.er Quellen, die er selbst bei einem mehrwöchigen Kuraufenthalt im Mai und Juni 1814 benutzte (III/5, 107–115), nicht viel hielt und der Meinung Ausdruck gab, daß der Badebetrieb *mehr zur Zerstreuung und Hoffnung, als zu eigentlicher Heilung* dienen werde, *doch das ist ja auch schon was, und wo ist's denn in der Welt viel besser (IV/24, 250).* Wenn Goethe auch später das Bad in B. nicht wieder benutzt hat, so verfolgte er doch die Entwicklung des Städtchens zum Kurort mit lebhafter Anteilnahme, und mit dem als Bademeister eingesetzten Organisten HF*Schütz unterhielt er einen freundschaftlichen Verkehr. Seit der Erbauung eines Kurhauses

(1825) nahm B. als Kurort einen bedeutenden Aufschwung. Goethe fuhr das letzte Mal *Bey dem schönsten Wetter* am 28. X. 1831 *allein nach Berka. Speiste daselbst im neuen Badehause. Nach 5 Uhr kam ich zurück (III/13, 161;* RV S. 68). Es war Goethes letzte Fahrt.   *Bn/Hk*
HGGräf: Goethe in Berka an der Ilm. – Willrich: Bad Berka bei Weimar, seine Geschichte, Einrichtungen und Bedeutung. 1888.

Berka/Werra, Stadt westlich *Eisenach (1817: 982 Einwohner) an der damaligen Poststraße nach *Frankfurt, von Goethe auf der Reise dorthin am 26. VII. 1814 und am 25. V. 1815 berührt (III/5, 120; 162). Bereits am 6. IV. 1782 hatte Goethe B. passiert, um sich auf der Reise in die westlichen und südwestlichen Landesteile hier wieder mit dem Herzog zu treffen (IV/5, 297); das Treffen war für den Mittag verabredet, wahrscheinlich war B. also auch Rastort für diese Tageszeit (vgl. RV S. 22; 49; 51).   *Dl*

Berkeley, George (1685–1753), englischer Philosoph und Theologe, selbständiger Denker in der Nachfolge von John Locke, bekannt und bedeutend als Begründer und Verfechter einer eigenwilligen immaterialistischen Denk- und Lehrweise, die jegliche Materialität der Materie leugnet. Insofern ist B. allerdings Antipode goethescher Denkart, so weiß es auch das schillersche *Xenion* von 1796 *(I/5[I], 260 Nr 377;* *Barbaren).   Za

Berlepsch, alter Adelssitz auf einer der markanten Höhen der hessisch-südhannoverschen Berge (345 m) über dem *Werra-Tal gelegen, Schloßbau, in den ältesten erhaltenen Teilen bis 1369 (AvBerlepsch) zurückreichend, vielfach umgebaut, besonders nach der Eroberung durch Tillys Truppen (1623), sah Goethe vom Gipfel des *Hohen Hagens, die *schönste Aussicht* bei klarem Sommerwetter genießend (14. VIII. 1801: *III/3, 31;* RV S. 38). Erinnerte sich dabei, daß Martin Luther auf der *Wartburg von dem damaligen, dortigen Schloßhauptmann Hans vB. betreut wurde, dessen Stammschloß B. gewesen ist? Die mit dem Schloß namensgleiche, uradelige Familie eben aus dieser Landschaft (Leingau), wurde Goethe durch vier nur entfernt verwandte (freiherrliche) Mitglieder bekannt:
–, 1) Heinrich Moritz (1736–1809), auf *Urleben und Gang-Gottern, Erbkämmerer, Landkomtur (commendator provincialis) der Deutsch-Ordens-Ballei Thüringen, Goethe gewiß schon früher bekannt, wird erst am 4. VII. 1807 gelegentlich eines Zusammenseins in *Karlsbad erwähnt; Goethe sucht ihn auf (III/3, 234).   *Za*
–, 2) Friedrich Ludwig (1749–1818), Verwand-

ter von 4), hannoverscher Hofrichter und Land-Schatzrat, westfälischer Staatsrat, traf am 2. I. 1791 mit Goethe und Herder im Jägerhaus an der Marienstraße in Weimar zusammen und stellte Betrachtungen *über die Deutschen* an *(III/2, 25)*. 1795 wurde er als Landesverräter seiner Ämter als Hofrichter und Landrat enthoben, weil er den hannoverschen Ständen vorgeschlagen hatte, mit Frankreich ohne Wissen Englands über eine Neutralität zu verhandeln. Er strengte einen Prozeß in *Wetzlar an, gewann ihn auch, wurde aber verbannt. In einem sechsbändigen Werk schrieb er über seinen Prozeß. Später lebte er auf seinem Schloß B. in *Hessen. *Se* –, 3) Emilie Dorothea Friederike, geb. vOppel aus Gotha (1757–1831), seit 1771 Ehefrau des Vorgenannten, geschieden, seit 1801 wieder verheiratet mit Domänenrat Harmes, Redvin. KGräbner (1830): „Sie hielt sich lange in Weimar auf und wird . . . als eine der geistreichsten und gebildetsten Schriftstellerinnen Teutschlands genannt" (S. 114). Ihre Hauptwerke erschienen kurz vor oder um die Jahrhundertwende, gingen aber mit ihr unter, zumal ihre literarische Produktionskraft in der zweiten Ehe schnell erlosch. Goethe scheint sie geschätzt, ja eine Büste von ihr einige Zeit in seinem Hause gehabt zu haben (21. VI. 1828: IV/44, 145). *Za* –, 4) *ein wunderlicher aber schätzbarer Liebhaber aller Arten von Curiositäten*, ist wahrscheinlich der hessische Erbkämmerer Gottlob Günther August Heinrich Carl (1786 bis 1877), ein Verwandter (?) der Vorgenannten. Er besuchte Goethe am 17. X. 1831 und übersandte ihm tags darauf mit einem Begleitbrief (abgedr. III/13, 308) *ein Stammbuch eines seiner Vorfahren* (vielleicht von dem 1654 verstorbenen sächsischen Kornett Kaspar vB.) *aus der Mitte des dreyßigjährigen Kriegs* zur Ansicht *(III/13, 157)* und fügte sein eigenes Stammbuch bei, „in dem sich manch liebe Männer finden wie Kügelchen [Kügelgen], Grimm, Näke, Friedrich, Dahl, Klengel p.". *Lö*

Berlichingen, das alte, aber durch Taten in der Frühzeit nicht besonders hervorgetretene württembergische Adelsgeschlecht, erscheint erst durch die Persönlichkeit des historischen Gottfried *(*Götz)* mit der eisernen Hand (1480–1562) zu Hornberg auf Jagsthausen in geschichtlich hellerem, wenn auch nicht ganz ungetrübtem Licht. Gottfried vB. war weder ein glorioser Freiheitskämpfer noch ein dubioser Raubritter, sondern ein bisweilen skrupelloser Verfechter seiner reichsritterlichen Adelsrechte und -pflichten. In der Waffensammlung

seines Geburtsschlosses Jagsthausen (renoviert 1876) befindet sich ua. auch die berühmte Eisenhand. Die natürliche Kämpferfaust hatte 1504 schon der jugendliche Ritter vor Landshut fechtend verloren. Als aufgeschlossener Sohn seines ingeniös-energischen Zeitalters ließ er sich künstlichen Ersatz konstruieren, eine Tat, die Pioniergeist bekundet (*Maschinenwesen; *Mechanik) – wie auch die Darstellung des eigenen Lebens, kaum vor 1557 ernstlich begonnen, eine der frühesten deutschen *Autobiographien war. Das (inzwischen weiter verzweigte, 1859 in einer Linie gräflich gewordene) Geschlecht der B. verdankt seinen eigentlichen Namensruhm aber ausschließlich Goethe und Goethes Werk. Einen Frühkontakt zu den B.s könnte Goethe schon in *Leipzig gefunden haben. In der Universitätsmatrikel wurde am 11. IV. 1767 der (Freiherr) Eberhard Christoph vB. auf Jagsthausen (1745–1785) inskribiert; am 9. I. 1767 war bereits Johann Gottfried Liebetraut aus Leipzig eingetragen (vgl. GoetheJb 1886, S. 144). Immerhin ist Liebetraut (ohne Vornamen) schon 1771 eine Figur des Dramas. Muß man hier den Anstoß zur Lektüre der 1731 gedruckten Lebensbeschreibung des alten Götz suchen? Den Konsens zu dieser Druckausgabe darf man den B.s als Verdienst anrechnen. Die Neuauflage 1775 gehört bereits auf Goethes Konto. Zu den weiteren Zeugnissen für die *Wirkung Goethes zählt es, wenn sich der (damals schon) Freiherr Friedrich Karl vB. (1746–1797) bewogen fühlte, seinen Sohn (1782–1831) auf den Rufnamen „*Götz"* taufen zu lassen. Der Sohn dieses Götz wurde wiederum Götz gerufen (1811–1874), so verknüpft mit anderen familienüblichen Vornamen zunächst in der unmittelbaren Linie (1924 erloschen), aber auch noch heute in der eigentlichen (älteren) jagsthausener Linie. Seit 1949 werden im Burghof von Jagsthausen alljährlich im Sommer festspielartige Aufführungen des goetheschen *Götz von Berlichingen* veranstaltet. *Za*

Berlin, *die Residenz des Königs in Preusen* (18. X. 1766: *Morris 1, 154*), war zunächst und in der Knabenzeit für Goethe eine (allerdings nicht besonders genannte) Stätte der Verehrung, weil er jedenfalls während des Siebenjährigen Krieges nach dem autoritativen Beispiel seines Vaters *preußisch, oder um richtiger zu reden, Fritzisch gesinnt* war (I/26, 71). In den leipziger Studienjahren (1766) heißt es dann, daß *jetzo in ganz Europa kein so gottloser Ort* wie B. zu finden sein möchte *(Morris 1, 154)*. In der vorweimarer Zeit hatte

Goethe nur wenig persönlichen Kontakt mit B. Die Zufallsbegegnung mit Johann Friedrich Hofmann (Herbst 1766: Morris 1, 153) war ohne Bedeutung. Der Briefwechsel mit der „Deutschen Sappho" (1761) AL*Karsch, im Sommer 1775 von dieser begonnen, führte nicht weiter, da Goethes Sinn sich *nicht nordwärts* wandte, *ob* er *gleich gern Lot und seine Hausgenossen* in ihrem *Sodom wohl einmal grüssen möchte* (17./28. VIII. 1775: *Morris 5, 295*). Bemerkenswert, wie in diesen flüchtigen Frühäußerungen Konturen des späteren Urteils aufdämmern, obwohl die Perspektiven noch so unzulänglich sind und mehr als Vor-Urteile kaum zulassen. –

Goethe traf als Begleiter seines Herzogs Carl August (Inkognito: vAhlefeld), des Fürsten Leopold III. Friedrich Franz von *Anhalt-Dessau (1) und zusammen mit OJMv*Wedel am Freitag, 15. V. 1778, in B. ein. Die Reisegesellschaft passierte bei Tagesende die Wache am Potsdamer Tor/Platz (Achteckplatz: Leipziger Platz), erreichte durch die Leipziger und dann durch die Friedrichstraße ihr Quartier Unter den Linden 23: „L'Hôtel au Soleil d'or", den damals ganz neu eingerichteten, etwa hundert Jahre später (Passage) wieder eingegangenen „Gasthof zur goldenen Sonne": „Der Herr Legationsrat Göthe, und die Herren Kammerjunkers von Wedell, und von Ahlefeldt in Sachsen-Weimarischen Diensten, sind aus Weymar ... allhier angelangt" („Berlinische Nachrichten von Staats- und Gelehrten Sachen" – Spenersche Zeitung –, 1778, Nr 61). Andere Auffassungen besagen, daß es sich um das „Hôtel de Russie" (Unter den Linden 8 oder auch 23) gehandelt habe. Sogleich anschließend begab man sich zu dem Prinzen Johann Georg, dem Bruder des Fürsten von Anhalt-Dessau (4). Dieser war preußischer Oberst und Regimentskommandeur und als solcher wegen der Kriegsgefahr (*Bayerischer Erbfolgekrieg) gerade in B. Man wollte Vor-Informationen über die politische Lage, über Preußens voraussichtliche, vielleicht schon beschlossene und vorbereitete Entscheidung einziehen. Die mitteldeutschen Fürstentümer hatten allen Grund, neue kriegerische Verwicklungen zwischen Preußen und Österreich ernstlich zu fürchten. Für Carl August, auch für Leopold III. Friedrich Franz lagen in dieser Problematik die eigentlichen Zwecke der B.-Reise. Sie wollten und mußten Klarheit gewinnen, um ihr Verhalten danach einzurichten.

Für Goethe hatten die Tage in B. noch andere Bedeutungen. Er hatte nur vier volle Tage

zur Verfügung. Am Sonnabend (16.) fuhr man früh in die Leipziger Straße, um dort (Haus Nr 4) die Porzellan-Manufaktur (seit 1763 Staatsbesitz) zu besichtigen (1778 arbeiteten rd 600 Personen in der umfangreichen Anlage mit ihren verschiedenen Abteilungen). Dann ging es zum „Forum Friderici": Opernhaus (GWvKnobelsdorff, 1741/43), St. Hedwigskirche (JLegeay, 1747/73), Prinz-Heinrich-Palais (JBoumann d. J., 1748/53/64; Friedrich-Wilhelms-Universität / Humboldt-Universität), Bibliothek (JBoumann d. J., 1774/80). Die Mittagszeit verbrachte man in der Gesellschaft des Prinzen Johann Georg. Nachmittags machte Goethe Besuche bei A*Graff (der bei seinem Schwiegervater JG*Sulzer, Heiligegeiststr. 7, wohnte), bei J*Wegelin (im selben Hause), bei D*Chodowiecki (Behrenstr. 31), anschließend (5 = 17 Uhr) in das nah benachbarte Comödien-Haus (Behrenstr. Nr 55; erbaut für FSchuch: Parterre, Logen, Galerie, insgesamt Platz für 600 Zuschauer), zur Aufführung des Lustspiels „Die Nebenbuhler" (RBSheridan/JAEngelbrecht) durch CTh *Döbbelin, danach dann endlich ins Quartier. Am Sonntag (17.) besuchte Goethe J*André (1), damals Musikdirektor bei CThDöbbelin, vermutlich nahe beim Comödien-Haus (?), anschließend Fahrt durch die Stadt (ua. über die Königstraße, so daß man am anderen Ende die Königsbrücke mit Kolonnaden liegen sehen konnte; seit 1777 im Bau befindlich, entworfen von CvGontard, ausgeführt von JBoumann d. J.?) zur Nicolaikirche (Predigt: JJ*Spalding), danach in die Spandauer Vorstadt zwischen Hamburger Tor und Rosenthaler Tor nahe der Stadtmauer: Heidereuter Gasse zu JChr*Frisch (Sammlung von Gemälden, Kupferstichen, Handzeichnungen, Gipsabgüssen, insbesondere von antiken Köpfen) und auf Umwegen wieder zurück. Zur Mittagstafel hatte Prinz Heinrich, der „frondierende" Bruder Friedrichs d. Gr., in sein Palais geladen. Man vermutet, daß es hier war, wo Goethe *über den großen Menschen* [Friedrich] *seine eignen Lumpenhunde räsonniren hören* mußte (*IV/3, 239;* dazu EWeniger S. 19f., insbesondere GRitter: Friedrich der Große. 1936. S. 242–245); Prinz Heinrich opponierte gegen die Politik seines Bruders im Bayerischen Erbfolgekrieg; insofern war es für die mitteldeutschen Gäste durchaus wichtig, Art und Kraft dieser Meinung festzustellen (vgl. IV/3, 224f.). Über das Ereignis und den Verlauf dieses Essens haben wir den französischen Bericht eines – Goethe gegenüber wenig verständnisvollen oder -fähigen – Teilnehmers, des Grafen Ernst Ahasverus Heinrich vLehndorff (1921 deutsch herausgegeben von KESchmidt): „Dieser Herr Goethe ist bei der Tafel mein Nachbar. Ich tue mein Möglichstes, um ihn zum Sprechen zu bringen, aber er ist sehr lakonisch" (vgl. OPniower S. 50–55). Der Nachmittag blieb einem Weg in den Tiergarten vorbehalten (Neugestaltung des alten Waldreviers und Wildgeheges, über 250 ha, durch Friedrich d. Gr. veranlaßt und unter der Leitung von GWvKnobelsdorff vollendet; Interesse Goethes wegen der landschaftsgärtnerischen Anlage des Parks von Weimar; vgl. WHuschke/WVulpius: Park um Weimar. 1956): *Abends zu Hause,* dh. in der „Goldenen Sonne" [oder im „Hôtel de Russie"], wo Goethe an ChvStein berichtet: *Ich dacht heut an des Prinzen Heinrichs Tafel dran daß ich Ihnen schreiben müßte, es ist ein wunderbarer Zustand eine seltsame Fügung dass wir hier sind. Durch die Stadt und mancherley Menschen Gewerb und Wesen hab ich mich durchgetrieben. Von den Gegenständen selbst mündlig mehr. Gleichmut und Reinheit erhalten mir die Götter aufs schönste, aber dagegen welckt die Blüte des Vertrauens der Offenheit, der hingebenden Liebe täglich mehr . . . Es ist ein schön Gefühl an der Quelle des Kriegs zu sizzen in dem Augenblick da sie überzusprudeln droht. Und die Pracht der Königstadt, und Leben und Ordnung und Überfluß, das nichts wäre ohne die tausend und tausend Menschen bereit für sie geopfert zu werden. Menschen Pferde, Wagen, Geschütz, Zurüstungen, es wimmelt von allem. Der Herzog ist wohl, Wedel auch und sehr gut. Wenn ich nur gut erzählen kan von dem großen Uhrwerck das sich vor einem treibt, von der Bewegung der Puppen kan man auf die verborgnen Räder besonders auf die grose alte Walze FR gezeichnet mit tausend Stiften schliesen die diese Melodieen eine nach der andern hervorbringt (IV/3, 224f.).*

Am Montag (18.) wurde vormittags das Zeughaus (Arsenal) besichtigt, das damals noch keineswegs nur musealen Zwecken, sondern real als Rüstkammer diente, insofern Bewaffnungs- und Ausrüstungsstand der preußischen Armee (wiederum im Hinblick auf die Kriegsgefahr) zu illustrieren vermochte (Kanonen, Haubitzen, Mörser, artilleristische Gerätschaften, Gewehre, Degen, Säbel, Bajonette, Spontons, auch Trommeln). Überdies galt das Zeughaus architektonisch als ein besonders schönes Gebäude (JANehring/Ide Bodt 1694/1706). Mittagsmahlzeit gemeinsam mit OJMvWedel in der „Goldenen Sonne", nachmittags Visiten: ALKarsch (Wohnung:

Curtsches Haus Spandauer Str. 76 nahe am Spandauer Tor), die kurz zuvor im Hotel vergeblich versucht hatte, Goethe persönlich zu treffen und ihm ein Begrüßungsgedicht hinterließ (vgl. IV/3, 226; ferner OPniower S. 63 bis 66); MMendelssohn (Wohnung: Spandauer Str. 68, Besuch an diesem Tage nicht sicher verbürgt, Mendelssohn empfing aber Goethe nicht, wegen der Spannungen mit FNicolai); *Elisium* (Vergnügungsstätte?); JG Wegelys Wollenmanufaktur (an der Fischerbrücke, Etablissement größten Stiles: 372 Webstühle, Spinnerei, Wollenfärberei, Anfertigung wollener und halbwollener Zeuge; großes Versandgeschäft zB. auch nach Italien, Spanien, Portugal).

Am Dienstag (19.) konnten die mitteldeutschen Gäste, also auch Goethe, vormittags Ausbildung und Ausbildungsstand der preußischen Armee besichtigen. Truppen der Garnison Berlin manövrierten auf dem Exerzierplatz und demonstrierten dabei ihre Kampfstärke (etwa auf dem späteren Königsplatz, also auf dem Platz, der nach 1869/73 die Siegessäule trug und nachmals Platz der Republik wurde, ganz in der Nähe der heutigen Kongreßhalle). Diese Eindrücke rundeten das für die sachsen-weimar-eisenachischen Entschließungen erforderliche Bild ab. Mittags aß man (zumindest Goethe und Wedel) im Hotel. Nachmittags erfolgte der Besuch im Hause des preußischen Geheimen Staats- und Justizministers KA Freiherrn v*Zedlitz, der seit 1771 auch das Departement der Kirchen- und Schulsachen leitete; das oft und vielgerühmte Haus (Spandauer Vorstadt: Münzstr. 20) hatte CGLanghans entworfen. Gegen Abend fand das Konzert statt, das Goethe mit einem Prinzen von *Württemberg zusammenführte: „da hatt Ihm die ganze Versammlung sehr Stolz gefunden, weill Er nicht bückerling und handkuß Vertheilte" (27. V. 1778: ALKarsch an JWLGleim). Anschließend ging es unmittelbar ins Hotel zurück.

Am Mittwoch (19.) war nur noch der frühe Vormittag für B. frei. Goethe führte Carl August zu DChodowiecki. Schon um 10 Uhr fand die Abreise statt. Man fuhr abschiednehmend noch einmal durch die bekanntgewordenen Straßen B.s und dann (mutmaßlich) durch das Schönhauser Tor über Pankow, Nieder-*Schönhausen (königliche Sommerresidenz; ständiger Wohnsitz der seit 1740 von Friedrich d. Gr. getrennt lebenden Königin Elisabeth von Preußen), Reinickendorf nach *Tegel, dann durch die Jungfernheide über *Charlottenburg, Schmargendorf, Dahlem, *Zehlendorf nach *Potsdam, wo man kurz vor Mitternacht eintraf.

Die überwiegend wichtige, wesentliche und bis ans Lebensende wirksame Bedeutung, die B. in diesen wenigen Tagen für Goethe gewann: B. wurde Goethe zum Beispiel einer Großstadt durchaus schon im modernen, dh. für ihn in *velociferischem* Sinne (vgl. dazu *MuR:* Hecker Nr *479–481*). B. ist dieserart und vergleichsweise überhaupt die einzige moderne, *velociferische* Großstadt, die Goethe persönlich kennen gelernt hat. Dies Kennenlernen geschah kaum sehr viel anders als zufällig. Es wurde niemals wiederholt.

Aufschlußreich ist es, in diesem Zusammenhang die Einwohnerzahlen aller anderen, für Goethe besonders bedeutungsvoll gewesenen oder gewordenen Städte vergleichsweise zu betrachten. In der Reihenfolge, wie sie unmittelbar oder mittelbar in Goethes Blickfeld auftauchen, bzw. sich zur Geltung bringen (vgl. Kartenwerk und Routenverzeichnis Bd 4), handelt es sich hauptsächlich um Frankfurt (1749: ca 31000; 1800: ca 36000; 1823: 43918; 1837: 54037), Mainz, Leipzig, Dresden, Darmstadt, Mannheim, Straßburg, Karlsruhe, Heidelberg, Köln, Düsseldorf, Zürich, Weimar (1779: 6041; 1801: 7499; 1830: 10112), Jena (1785/86: 4334; 1814: 3918; 1834: 6615), Erfurt, Gotha, Berlin, Kassel, Basel, Bern, Lausanne, Genf, Stuttgart, Braunschweig, Karlsbad, Regensburg, München (1826: ca 70000), Innsbruck, Venedig, Rom, Neapel, Palermo, Messina, Mailand, Augsburg, Nürnberg, Breslau (1790: 54917), Münster, Halle, Eger. Soweit diese Städte nördlich der Alpen oder in der Schweiz gelegen sind, ist einzig Berlin mit damals rd 140000 Einwohnern (1740: 98000; 1763: 119200; 1784: 145000; 1786: 147000) nicht nur eine große Stadt, sondern auch und durchaus eine Großstadt, um ein Vielfaches größer als alle andern. Nur südlich der Alpen hätte Goethe Vergleichbares finden können, zB. Venedig, Rom, Neapel, Palermo, Messina (1783: Erdbeben; 1823: Überschwemmung), Mailand. Aber diese Städte unter dem südlichen Himmel und auf der südlichen Erde repräsentierten für Goethe eine andere Welt (*Arkadien), die von seiner täglich-alltäglichen im Norden empfindlich geschieden war (vgl. hier Sp. 701 f.). Die Metropolen Europas: Paris (1786: ca. 600000), London (1786: ca 800000), Wien (1786: ca 200000), auch Amsterdam (1786: ca 200000) kannte Goethe nicht aus eigener Erfahrung.

Jede der zahlreich erneuerten, späteren Ein-

ladungen nach B. ließ Goethe unbefolgt, er hielt sie hin, er wies sie ab (zB. 1790; 1797; 1800; 1805; 1806; 1807; 1815; 1816; 1817; 1818; 1820; 1821; 1827). Goethes Lebensgefühl neigte zur Kleinstadt, seine Lebenswelt war die Kleinstadt. Das besagt nicht, daß er die antipodische, magnetische Kraft der Gegensphäre nicht verspürt hätte (*Epochen). Im Gegenteil. Aber er verschanzte sich in der Distanz, weil er den Abstand brauchte und die Nähe fürchtete. Schon beim ersten Aufenthalt 1778 zeigen sich Symptome. In der gelegentlich betonten Zurückhaltung, lakonischen Wortarmut, steif wirkenden Förmlichkeit versteckt sich ein herausgeforderter Wille zum „bepanzerten" Selbstschutz (vgl. die zitierten Äußerungen von EAHvLehndorff und ALKarsch; ferner JCLavater; dazu OPniower 50–54). Die *Beute des Vertrauens der Offenheit, der hingebenden Liebe* welkt *täglich mehr*. Er bemerkt, daß die *Pracht der Königstadt*, ihr *Leben*, ihre *Ordnung*, ihr *Überfluß* nichts wäre: *nichts* ... ohne das jederzeitige oder doch jederzeit mögliche Opfer von *tausend und tausend Menschen* und daß alles Gewimmel (wie) von einem *großen Uhrwerck*, von einer *verborgenen* Walzenmaschinerie bewegt wird, die die Menschen zu Puppen macht und *mit tausend Stiften* unablässig mechanische Melodien produziert (IV/3, 224f.). Goethe guckt in den wenigen Tagen *nur drein wie das Kind in Schön-Raritäten Kasten (IV/3, 239)*. Aber er hat erfaßt, daß hier Außerordentliches im Gange, auf dem Wege und im Werden ist, wenngleich es ihn befremdet, mehr erschreckt als erheitert: die Heraufkunft eines neuen Zeitalters, das die Wechselbeziehungen zwischen Einzelpersönlichkeit und Staatsgesamtheit umwerten und dem zunehmenden *Wimmeln* mit neuen, aber mehr Organisations- als Ordnungsformen, dh. mit einem anderen Bilde und Begriff menschlicher *Gesellschaft antworten wird. In einem doppelten Sinne *wunderlich* mutet es ihn an, daß man 1800 den *Einfall* haben kann, ihn und Schiller *dorthin* [nach B.] *zu ziehen (IV/15, 110)*. Freilich ist diese *große Königsstadt* auch *an Unterhaltung reich* (9. III. 1801: *IV/15, 194;* auch *293*), aber diese *Unterhaltung* ist gefährlich, weil sie nicht sammelt, sondern zerstreut, *Abenteuer* hängen daran, *die ich zu bestehen nicht den Muth habe* (25. I. 1805: *IV/17, 250*). Schon in relativ ruhigen (weniger noch in unruhigen) Zeiten sollte man nicht nach B. streben: *Wer einmal darinn steckt, mag schwimmen und waten wie es gehen will* (19. VII. 1810: *IV/21, 252*). Bei aller Konzentration der Einzelkräfte stellen so *große Städte* das *Bild ganzer Reiche nur durch gewisse fratzenhafte Übertriebenheit* dem Besucher *vor Augen* (31. VIII. 1812: *IV/ 23, 84*). So liest man denn: *Bist du recht ehrlich gegen mich gesinnt, so wirst du mich nicht einladen nach Berlin zu kommen* (19. III. 1818: *IV/29, 90*). Das *neue Babylon* (1816), ein *solches Meer* (1816) bietet *artistische und technische Thätigkeiten* in Fülle, aber so verworren, *daß man sie nicht aus einander halten kann* (9. VIII. 1828: *IV/44, 260*). *Ich glaube gerne, daß du in der bewegten Stadt sehr zerstreut wirst; alles macht Forderungen an den, der etwas vermag, und darüber zersplittert er sein Vermögen; doch verstehst du gar wohl dich wieder zusammenzuhalten* (11. IV. 1820: *IV/33, 26*). Aber, so heißt es in spielerischer und dennoch in mehr als spielerischer Rollen-Metamorphose ironisch und paradox, *der letzte Heide* kann sich nicht entschließen, *nach Gethsemane zu wallfahrten* (3. IX. 1817: *IV/28, 237*). Er bleibt *Kleinstädter* (1817). Er bleibt *Einsiedler* (1821). Er weiß sich angewiesen auf seine *stille halb ländliche Wohnung* (1821), fern vom *stundstündlichen, sündlichen* (1821) Leben in B. Er wirkt in einem zwar *stillen, doch höchst geschäftigen Kreise* (1829). Er spricht antithetisch dazu von der *Berliner Trunkenheit* (1829). *Fürwahr der Bewohner einer großen Stadt ist wie zu einem ununterbrochenen Feste eingeladen, wo er nur zu naschen braucht um satt zu werden, indessen wir andern am ernsten Kamine uns zur Noth erwärmen und von Zeit zu Zeit nachsehen, ob die selbstgezogenen Kartoffeln, die wir beygesetzt, gar geworden; worauf die Enkel sehnsüchtig warten, sich und dem Ahnherrn die Ungeduld auf den Maultrommeln nicht ganz ungeschickt zu beschwichtigen suchend* (25. XII. 1829: *IV/46, 193*). Gegen die *Tugenden und Gebrechen* (1820), gegen die von außen andringenden *Genüsse in der Königsstadt* setzt er die *innere Thätigkeit* und *einige Späße, welche, obgleich offenbar, jedoch euch ein Geheimniß bleiben müssen* (26. IV. 1819: *IV/31, 155*). Über dies Orakelwort hinaus erscheint ihm B. schließlich – welch ein Ehrentitel! – als ein **Element*, gewiß nicht als das eigentlich Seine, und er nennt es *das entgegengesetzte Ende der socialen Welt* (10. XII. 1830: *IV/48, 41*). In summa: Das ist nicht der wohlfeile **Quietismus der Mediokrität. Niemand wird derlei vermuten. Das ist auf der Basis polaren Denkens Bejahung und Verneinung zugleich. Es ist die Balance zwischen den Polen. Es ist der *Ausgleich* zwischen Gestern und Morgen. Goethe faßt damit das Wirkliche und das Wesentliche seiner Haltung zu B. dialek-

tisch zusammen. Er versteht sich selbst mehr als Interpreten und Repräsentanten einer bestimmten, *sobald nicht wiederkehrenden* Epoche *(IV/39, 216)*, in der die *Werden, Frieden, Nähren, Kunst, Wissenschaften, Gemüthlichkeit, Vernunft* überwiegen. B. manifestiert in seinen Augen mehr eine neue, modernere, gelegentlich oder angelegentlich schon *velociferische* Epoche, in der die Akzente anders verteilt sind und *Benutzen, Krieg, Verzehren, Technik, Wissen, Verstand* als charakteristische Qualitäten betont oder gefordert werden. Aber beide *Epochen* sind (diesmal) gleichzeitig da und zeigen sich *höchst verschränkt* an *Individuen und Völkern (II/3, 133)*. Diese *Verschränkung* auszuhalten und darzuleben, erscheint als ebensowohl besondere wie allgemeine Aufgabe. In ihrem Zeichen gewinnt die Altersfreundschaft Goethe/Zelter eine eigene Nuance. Das „Du" hat auch hier eine und sogar eine tiefreichende Wesenswurzel. Etwas wie Verwunderung, vielleicht sogar wie Bewunderung scheint mit im Spiel zu sein: *ich begreife nämlich kaum, wie ihr, hastig lebend, so viel genießend, euch gränzenlos zerstreuend, doch noch nebenher auch wieder für's Leben sorgen könnt* (18. II. 1821: *IV/34, 129*). Dergestalt Tag für Tag in der Zerstreuung leben und doch Sammlung leisten zu müssen, verlangte wohl einen spezifischen Menschentypus. Zelter, den Goethe so oft mit seinem Ehrentitel „*tüchtig*" ausgezeichnet hat, verkörperte diesen Typus in reinerer Form. Aber: *Ich kenne kaum jemand, der zugleich so zart wäre wie Zelter* (4. XII. 1823: *Bdm. 3, 48*). Sonst bemerkte Goethe an den „Eingeborenen" B.s als hervorstechend das Derbe, *so derb als möglich, denn das kleidet euch Berliner doch immer am besten* (19. II. 1818: *IV/29, 88*). Dies Derbe konnte weniger oder mehr dominieren: *Es lebt aber, wie ich an allen merke, dort ein so verwegener Menschenschlag beisammen, daß man mit der Delikatesse nicht weit reicht, sondern daß man Haare auf den Zähnen haben und mitunter etwas grob sein muß, um sich über Wasser zu halten* (4. XII. 1823: *Bdm. 3, 48*). Bisweilen nahm der Verdruß so sehr überhand, daß Goethe *die Berliner, so wie er sie kannte, durchaus verfluchte* (31. X. 1831: *IV/ 49, 127*). Im allgemeinen ist der Tenor aber gemäßigt, meist mehr bejahend als verneinend, wenn auch selten genug ganz ohne die Reserve oder ohne das Befremden, das der überzeugte Kleinstädter (auch Kleinstaatler!) dem Großstädter (auch Großstaatler!) gegenüber damals zu empfinden pflegte und das Goethe wegen der Verwebung mit der Epochen-Polarität in noch höherem Maße und geradezu antipodisch belastete.

Goethe nahm an den (Größe und Wachstumsbeschleunigung B.s widerspiegelnd) zahlreichen Institutionen und Formen des königsstädtischen und großstädtischen Lebens konsequent und sorgfältig Anteil. Diese Anteilnahme vornehmlich an den Ereignissen in den verzweigten Bereichen Wissenschaft, Literatur, Kunst, Musik, Theater, Presse, Wirtschaft, Gesellschaft, weniger Verwaltung, Politik und Militär fand fast immer durch das Medium näher oder ferner stehender Menschen statt. Goethe erfuhr dadurch die ihn interessierenden Angelegenheiten in jeweils prismatischer Brechung. Deshalb sind die vermittelnden Personen in ganz besonderem Maße wichtig. Ihre Zahl ist groß.   *Za*

Personen: Um die zahlreichen Personen, die Goethe in B. bekannt waren, übersichtlicher darzubieten, wurde folgende Gruppierung vorgenommen:

I. Freunde Goethes, die hier wohnten und ihn mehrfach besuchten oder ihm auf Reisen begegneten.

II. Angehörige des Lehrkörpers der Friedrich-Wilhelms-Universität (einschließlich damit zusammenhängender wissenschaftlicher Einrichtungen), die Goethe unmittelbar oder mittelbar bekannt waren (in der Reihenfolge ihrer Berufung).

III. Alle übrigen Bekannten und gelegentlichen Besucher in chronologischer Reihenfolge (wenn nicht anders angegeben, fanden die Begegnungen in Weimar statt).

Angehörige der Gruppen I und II sind unter III nicht nochmals aufgeführt. Die Faktenfülle verlangt, daß Wiederholungen möglichst vermieden und Einzelheiten in den jeweiligen Personen-Artikeln aufgesucht werden müssen. Flüchtige Briefkontakte lassen sich mithilfe des Such-Registers ermitteln.

I. CFMP Graf v*Brühl, ChrWF*Hufeland, A und Wv*Humboldt, AW*Iffland, ChrD *Rauch, FCv*Savigny, G*Schadow, CF *Schinkel, ChrLF*Schultz, L und F*Tieck, CF*Zelter.

II. 1. Naturwissenschaften, a. Mineralogie: ChrS*Weiß; Gustav Rose (1798–1873; 5.VIII. 1822 *Lieutenant Eichler von Berlin . . . Erzählend von . . . Rose Gebrüdern: III/8, 224*); Friedrich Hoffmann (1797–1836; IV. 1823 *Beiträge zur geognostischen Kenntniß von Norddeutschland von Hoffmann: III/9, 325*). – b. Botanik: KA*Rudolphi; HF*Link; KH * Schultz-Schultzenstein; FJF*Meyen. – c. Zoologie: MKH*Lichtenstein; KA*Rudol-

phi (auch Botanik und Anatomie). – d. Medizin: Anatomie: JChr*Reil; KA*Rudolphi (auch Botanik und Zoologie); EJSd'*Alton; R*Froriep; JP*Müller; Physiologie: JF*Koreff; ChrG*Ehrenberg; Pathologie: FG*Hufeland; Karl Christian Wolfart (1778–1832; VII. 1823 *Die Rheinfahrt: III/9, 329,* vgl. 379); CAW*Berends; Karl Ferdinand Eduard Boehr (1793–1847; 27. I. 1818 *Mit Prof. Renner zwey aus Italien kommende Ärzte, Dr. Boehr und* [Lücke]*: III/6, 163;* 31. I. 1818 *Dr. Boehr aus Berlin, Abschied zu nehmen: ebda 165*); Johann Ludwig Casper (1796–1864; schon als Student bekannt? IV/28, 105; 24. VII. 1830 *Um 12 Uhr Herr Obermedicinalrath Caspers von Berlin und Gattin: III/12, 278*); Augenheilkunde: JChr*Jüngken; Chirurgie: Carl Ferdinand (v)Graefe (1787–1840; 21. XI.1815 *Preusischer Oberarzt Graefe aus den Niederlanden kommend: III/5, 192;* 1820 Geheimer Obermedizinalrat); JN*Rust; KAF*Kluge; Gynäkologie und Geburtshilfe: Nathan Friedländer (1776–1830; ,,Armen-Accoucheur'' und Geburtshelfer am jüdischen Lazarett; 12.VIII. 1821 in *Marienbad: Besuchte mich Dr. Friedländer: III/8, 89*); H*Kohlrausch; ChrF *Nasse; Pharmakologie: E*Osann; Philipp Phoebus (1804–1880; 6.VIII. 1828 *Dr. med Phöbus, ein Ostpreuße, von Berlin kommend, nach der Schweitz gehend: III/11, 256*); Geschichte der Medizin: JFC*Hecker; MEA *Naumann. – e. Tierheilkunde: JG*Langermann. – f. Physik: EG*Fischer; JG*Tralles; ML*Frankenheim; Georg Friedrich Pohl (1788–1849; 2. IV. 1828 an ChrGNees vEsenbeck: *. . . ein trefflicher Recensent, das Werk des Dr. Ohm* [besprechend]*: IV/44, 56,* vgl. ebda 352; auch III/13, 240; 248); Heinrich Gustav Magnus (1802–1870; 27.VIII. 1825 *Drey Berliner Naturforscher, Rose, Mitscherlich und Magnus, nach dem Rheine reisend: III/10, 96*); LFWA*Seebeck. – g. Chemie: Eilhard Mitscherlich (1794–1863; 11.VIII. 1822 an LDvHenning: *. . . gewinnen auch etwa Herrn Mitscherlich, der mir von Herrn Berzelius als ein vorzüglicher junger Mann gerühmt worden: IV/36, 119,* vgl. III/10, 96); Heinrich Rose (1795–1864; III/8, 224 zusammen mit seinem Bruder Gustav erwähnt; 27. VIII. 1825 Besuch in Weimar, 20. VIII. 1828 in Dornburg: III/10, 96; 11, 266); FF*Runge. – h. Land- und Forstwirtschaft: A*Thaer; Theodor Hartig (1805–1880; 13. X. 1831 *Besuch von Dr. Hartig und Froriep: III/13, 154*). – i. Geographie: JA*Zeune; Karl Ritter (1779 bis 1859; 5. X. 1810 an Engelmann: *für das übersendete Diplom den besten Dank, sowie*

Herrn Ritter, der es mir überschickte: IV/21, 389); Av*Humboldt. – k. Astronomie: Jabbo Oltmanns (1783–1833; 15. VIII. 1827: III/13, 240).

2. Geisteswissenschaften, a. Rechtswissenschaft: ThAH*Schmalz; FKv*Savigny; Karl Friedrich Eichhorn (1781–1854; 1. V. 1803 *Docktor Eichhorn: III/3, 72*); J*Hasse; Karl Gustav Homeyer (1795–1874; 15. VIII. 1827 *Homeyer Deutsches Recht: III/13, 240*); Georg Philipps (1804–1872; ebda); E*Gans. – b. Theologie: Johann August Wilhelm Neander (1789–1850; vgl. IV/45, 137; 378); PhK *Marheineke. – c. Geschichte: BG*Niebuhr; FChr*Foerster; FLGv*Raumer; PF*Stuhr; H*Leo; FW*Schubert; LFv*Ranke; F*Wilken. – d. Sprach- und Literaturwissenschaft: FA*Wolf; FHvd*Hagen; PhK*Buttmann; GL*Spalding; GH*Bernstein; JDWO*Uhden; AWv*Schlegel; FG*Osann; F*Bopp; FAG*Tholuck; JG*Radloff; Eduard Reinhold Lange (1799–1850; 4. XII. 1822 an HCA *Eichstädt: ... ausführlichen Recension der Schrift von Schubarth: Über Homer und sein Zeitalter: IV/36, 221*; vgl. 416); Karl Wilhelm Ludwig Heyse (1797–1855; vgl. IV/41, 194; 360). – e. Kunstgeschichte: EH*Toelken; HG *Hotho. – f. Philosophie: FED*Schleiermacher; JG*Fichte; KWF*Solger; JB*Schad; GWF*Hegel; E*Stiedenroth; A*Schopenhauer; LDv*Hennig. – g. Archäologie: AL *Hirt; ThS*Panofka.

III. 1788, 4. XII.–1. II. 1789: KPh*Moritz (IV/9, 77).

1789, 23. IV.–4. V. und XI.: JF*Reichardt (IV/9, 159–164).

1791, vor 30. V.: KPhMoritz (vgl. IV/9, 264). Vor 1792: Pv*Gualtieri (IV/15, 287).

1793, 16. III.: S und D*Veit (ESchaeffer S. 15 f.).

1795 in *Karlsbad: Die Schwestern Sv*Grotthuß und MMeyer, spätere v*Eybenberg, ferner RLevin, spätere *Varnhagen vEnse und FAKUnzelmann, spätere *Bethmann-Unzelmann, PvGualtieri (Bdm. 1, 234 f.).

1796 in Jena, 25. II.: DHv*Grolmann (III/2, 40).

1798, 26.–28. VI.: MMeyer, spätere vEybenberg (III/2, 213); in Jena 13. VIII.: F*Gedicke, *Ober Consist. R.* (1788) *im Ober-Schulcollegio (IV/13, 249*; 255).

1799 [vor 15. III.?: Dufour: III/2, 237]; 19. VI.–3. VII.: König Friedrich Wilhelm III. und Königin Luise von *Preußen (ebda 255); in Jena, 23. XI.: *Patzke aus Berlin (ebda 271*).

1800, 24. IV.: PvGualtieri (III/2, 288); zwischen 29. V. und 2. VI.: JD und Frau S*San-

der (ebda 297 f.); in *Leipzig, 3. V.: FH*Himmel (ebda 290); mehrfach zwischen 7. und 14. V.: JD und Frau SSander (ebda 293–296); 9. V.: *La Garde (ebda 294); 10./14. V.: JF *Unger (ebda 294–296); 10. V.: CL(v)*Woltmann (ebda 295).

1801, Frühjahr bis Ostern 1804: MF*Rabe, 15. II. 1802 auf der *Conferenz (III/3, 50)*; 10. V.–15. IX. 1803: H*Gentz (vgl. ebda 35 bis 39); 21. IX.–4. X.: FAKBethmann-Unzelmann (ebda 34; 56 f.); 10. X.: Wilhelm Friedrich Sack (1772–1854), *Kammergerichtsrath*, 1818 Geheimer Oberjustizrat im Ministerium der Justiz, später wirklicher Geheimer Rat und Präsident des Obertribunals *(ebda 38)*; 10. XI.–1. XII.: F(v)*Gentz (ebda 42f.).

1802, 28. I.: FHK Freiherr de la Motte-*Fouqué (vgl. Bdm. 2, 200 f.); Ende IX.: F und L*Catel, eingeführt durch GSchadow (Bdm. 1, 324 f.); nach 18. IX.: L*Fischer (BrMutter S. 445 f.); zeitlich nicht genau bestimmbar: Madame Dutitre, berliner Original (Bdm. 1, 553f.).

1803, 14. V.: Karl Ludwig Flöricke (1784 bis 1812), Zelters Stiefsohn (III/3, 73); vor 10. X.: Graf vLichtenberg (IV/16, 324); 18. X.: Frau vBreitenbauch, geb. Scholing (III/3, 84); 13. XI.: FJ*Beschort (ebda 87).

1804, [Ende II.: FW*Gubitz: Bdm. 1, 355 bis 357]; zwischen Anfang VIII. und 24. IX.: EFLLevin, genannt *Robert-Tornow (in *Lauchstädt, bzw. in Weimar: Bdm. 1, 389).

1805 in Jena, 15. XII.: Prinz Louis Ferdinand von Preußen (BrCarl-August Bd 1, S. 340); 15.–18. XII.: Av*Arnim (IV/19, 82).

1806, 8./9. II.: *Hauptm.* Andreas Carl Daniel vGualtieri, *Einquartiert (III/3, 118)*; 22. V.: LW*Wittich (ebda 129); 23. V.: MFRabe (ebda); 13. VIII.: Graf vVoß und Frau (ebda 158; vgl. 1830, 5. III.); 21./23.–25. IX.: FH Himmel (ebda 170 f.); IX.–9. V. 1807: G*Reinbeck (ebda 208); 11.–13. X.: König Friedrich Wilhelm III. und Königin Luise von Preußen (ebda 173); in Jena, 2. X.: ChrGALv*Massenbach (ebda 172); 3. X.: Prinz Louis Ferdinand von Preußen (ebda).

1807, 19. I.: FHHimmel (III/3, 188); 15./17. IX.: KFFreiherr vStein zum *Altenstein (ebda 276); [8.–10. XI. AvArnim: ebda 293 f.?].

1808, 2. V.: MHK*Lichtenstein (III/3, 331f.); 7./9. V.: JJOA*Rühle vLilienstern (ebda 333 f.); 30. IX.: Prinz Wilhelm von Preußen (ebda 390); in Karlsbad, 23.–27. VII.: F*Bury (ebda 363 f.).

1809, nach 8. IV.: JE*Hitzig (mit Empfehlungsbrief von WvHumboldt vom 8. IV.);

30. X.: ein Bruder des Schauspielers JF
*Lortzing (III/4, 74); 17./21. XI.: Waldhornist
Schneider und Frau *(Die Berliner Musici;*
21. XI. *Abends Waldhornconcert: ebda 79f.);*
in Jena, 25./26. VIII.: JFF*Delbrück (ebda
56).
1810, 22.–29. I.: JHR*Hendel-Schütz (III/4,
92f.); in Karlsbad, zwischen 19. V. und 3. VIII.:
Prinz August und Prinz Heinrich von Preußen; Herzogin Dorothea von *Kurland; PG
Graf v*Corneillan; 24. VII./14. IX.: Regina
Frohberg, geb. Rebecca Salomon (1783–1850),
Freundin der RVarnhagen (III/4, 142; 153);
FvGentz; SvGrotthuß; FHHimmel; JGCChr
*Kiesewetter; in *Teplitz, 10. VIII.: Anton
Wilhelm vL'Estocq (1738–1815), preußischer
Generalleutnant, Teilnehmer am *sieben-
jährigen Krieg und an den Kämpfen 1806/07
(ebda 146); Avd*Marwitz; JJOARühle vLi-
lienstern; Wilhelm Baron vReden, holländi-
scher Gesandter in B., wahrscheinlich Franz
Ludwig Wilhelm vReden (1754–1831), später
Gesandter in Dresden, auch als Geologe her-
vorgetreten (12. VIII. *Redenische Familie;*
28. VIII.: *ebda 147;* 150); 24. VII./14. IX.:
Mariane Saaling, ursprünglich Salomon,
Schwester der RFrohberg und Tante Paul
Heyses (III/4, 142; 153); 15. IX.: *Kriegsrath*
Carl Ludwig vHerff *(ebda 153);* in *Dresden,
17. IX.: M*Herz (ebda 154; vgl. EArnhold
S. 211f.); [mehrfach zwischen 20. und 26. IX.:
SvGrotthuß, die vorübergehend in Dresden
lebte: ebda 155].
1811, 25. VIII.–7. IX.: AvArnim und Frau
Bettina, geb. v*Brentano (III/4, 229–232); in
Jena, 23. VII.: GL*Walch (ebda 222); in
Karlsbad, 23.–25./27. VI.: FHHimmel (III/4,
214f.).
1812, 6./8. I.: JG*Gern (III/4, 251f.); 21. IX.:
AvdMarwitz (ebda 324); 30. XII.: Johann
Gottfried Pfund (1780–1852), aus *Schlesien
gebürtig, Dichter, Professor am Joachimsthalschen Gymnasium (III/4, 357), JGPfund war
seinerzeit mit M*Herzlieb verlobt; in Karlsbad, zwischen 3. V. und 13. VII., bzw. 12. VIII.
und 11. IX.: Prinz August von Preußen; Herzogin Dorothea von Kurland; PG Graf vCor-
neillan und Frau; 15. VIII.: *Dem. Herff (ebda
311);* 16. VIII./2. IX.: Mv*Alopäus (ebda 311;
318); in Teplitz, 14. VII./4.–8. VIII.: K und
EM Fürsten von *Lichnowski (ebda 303–309);
19. VII.: Friederike vBecker (ebda 304).
1813, zwischen 23. und 26. X.: F Freiherr de
la Motte-Fouqué (Bdm. 2, 200–202); 29. X.:
JGCChrKiesewetter; 29./30. X.: KA Fürst
v*Hardenberg; 30. X.: LS*Bartholdy; mehrfach zwischen 1. und 15. XI.: Prinz August

von Preußen (III/5, 81–83); 25. XI.: AH Fürst
*Radziwill (ebda 85); 1./3./25. XII.: F Frei-
herr de la Motte-Fouqué (ebda 86; 88; Bdm.
2, 205–209; 220f.); 9. XII.: JF*John (III/5,
87); 26. XII.: *Lieutenant* Nathan Mendelssohn
(1782–1852), Mechaniker, in den *Freiheitskriegen Landwehroffizier, später Revisor bei
der Haupt-Stempelverwaltung in B. *(IV/24,
73);* [in Dresden, 23./24. IV.: SvGrotthuß:
III/5, 37]; in Teplitz, 1. V.: MvAlopäus (ebda
40); 2. V.: v*Lützow (ebda 41); 17. VI.: JJOA
Rühle vLilienstern (ebda 55); mehrfach zwischen 21. VI. und 31. VII.: Friederike vBecker
und Töchter (ebda 56–65).
1814, 1. IV.: AH Fürst Radziwill (III/5, 101;
IV/24, 213); nach 9. IV.: NMendelssohn (Br
Zelter Bd 1, S. 385); 23. V.: A*Böhringer (III/
5, 109); 1. XI.: EFLLevin, genannt Robert-
Tornow (ebda 136); in *Berka/Ilm, 17. VI.:
GH*Reimer (nicht *Riemer: ebda 113*); 24./25.
VI.: BA*Weber und GFW*Duncker (ebda
114); in *Wiesbaden, 17. VIII.: Familie Unger
(ebda 126); in *Hanau, 24. X.: JKH*Schulze
(ebda 135).
1815, 16. IV.: NMendelssohn *(von Zelter gesandt: III/5, 156);* 4. XII.: KA Fürst vHar-
denberg (ebda 194); in Wiesbaden, 9. VII.:
HFK Reichsfreiherr vom und zum Stein mit
Frau und Tochter (ebda 169; anschließend gemeinsame *Rheinreise); in *Frankfurt, 20.
VIII./8. IX.: RVarnhagen vEnse (Brief Rahels an CAVarnhagen vom 20. VIII.; III/5,
180); 9. IX.: JJOARühle vLilienstern (? III/5,
180).
1816, 25. I.–10. II.: BAWeber mit GSchadow
(III/5, 202–206; IV/26, 234; 252f.); 8./9. II.:
JJOARühle vLilienstern (III/5, 205); 12. IX.:
Geheimer Kriegsrat Köls mit Familie (ebda
270); 15. IX.: JE*Hummel und FBury (ebda
270f.); 9. XI.: A*Mendelssohn-Bartholdy
(ebda 285); 21. XI./2. III.: L*Rebenstein
(ebda 288; 290f.); [in Jena, 16. V.: Frau
v*Müffling, geb. vSchele: ebda 231].
1817, 8. VII.: PA*Wolff (III/6, 74); 15./18,
VIII.: M*Püttmann in Begleitung von ChrLF
Schultz (ebda 94f.); 30. VIII.: WAF*Philippi
(III/6, 100); 19. XI.: CAVarnhagen vEnse
(ebda 137); in Jena, 2. IV.: CH*Scheidler
(ebda 29); 2.–5. VIII.: MPüttmann (ebda 87
bis 90).
1818, 26. IV.–8. VI. 1819: F*Nicolovius (III/6,
201–215); 18. VII.: Thv*Humboldt (ebda
230); 14. X.: Student Christ (ebda 253); 27.
XII.: JKHSchulze (ebda 276); in Jena, 27.
I.: ein nicht genannter Arzt (III/6, 163; vgl.
II. 1. d.); in Karlsbad, 27. VII.: AH*Müller
(ebda 232); 27. VII./17./30. VIII.: FvGentz

(ebda 232); 236; 239); 5./13. VIII.: KvF
Schuckmann (ebda 234; 236); [18. VIII.: *Gräfin Loeben,* geb. Gräfin vBresler, Gattin des
Dichters Otto Heinrich Graf vLoeben (1786 bis
1825), der unter dem Pseudonym Isidorus
Orientalis Dichtungen in der Art des *Novalis veröffentlichte: *ebda 236*].
1819, 9. II.: Philipp Ferdinand Wachsmuth,
Direktor der Königlichen Eisengießerei in B.
(III/7, 14); 25. VI.: PA*Wolff (ebda 61);
4. VIII.: CZR und FW*Schadow (ebda 77f.);
30. X.: EKChr*John (ebda 108); 7. XI.: FKF
v*Müffling (ebda 110); in Karlsbad, 30. VIII.:
AMüller (ebda 87); 4. IX.: ChrG Graf
v*Bernstorff (ebda 89); vor 23. IX.: Friedrich
Wilhelm Lemm (1782–1837), Schauspieler am
b.er Hoftheater, 1812 als *Antonio* im *Tasso*
(EArnhold S. 114 f.; 134).
1820, 4. XII.: AvArnim III/7, 255); in Jena,
25.–27. VI.: EKFvMüffling (ebda 188); 15.
VII./9. XI.: AAv*Helwig, geb. v*Imhoff (ebda
196; 225); 11. IX.: GLWalch (ebda 220); in
Karlsbad, mehrfach zwischen 9. und 27. V.:
Herzogin Dorothea von Kurland (ebda 171
bis 178).
1821, 24. IV.: A*Buttmann (III/8, 44); 1. bis
8. VII.: SO*Schultz in Begleitung ihres Vaters
(ebda 74f.); VII.–5. II. 1822: L*Rellstab (ebda
164; IV/35, 138; Bdm. 2, 555–563; 566); 4/.
21. XI.: HNicolovius (III/8, 132; 138); mehrfach zwischen 4. und 19. XI.: D*Zelter in Begleitung ihres Vaters (ebda 132–137); 8. XI.:
BvArnim (vgl. ebda 134; Bdm. 2, 557); 8.
XII.: JFJohn (III/8, 144); in Jena, mehrfach
zwischen 13. und 30. X.: HNicolovius (ebda
123–130); in *Marienbad, 14./19. VIII.: WAF
*Philippi (ebda 90; 92); 18. VIII.: *Major* Alexander Hans Friedrich Karl vWartenberg
(1778–1846), später Oberst *(ebda 92);* in
*Eger, 3. IX.: Carl Christoph Albert Heinrich
vKamptz (1769–1849), seit 1817 Geheimer
Oberregierungsrat im Polizeiministerium und
Kammerherr, 1832 Wirklicher Geheimer
Staatsminister, und Frau Hedwig Susanna
Lucia, geb. vBülow, mit Tochter (III/8, 106
vgl. IV/35, 69); in *Sandau, 25. VIII.: *einen
Berliner Herrn* [wahrscheinlich den Direktor
des b.er Mineralienkabinetts] *Weiß (ebda
96).*
1822, 7. IV.: FChrEv*Vaerst (III/8, 183; vgl.
IV/40, 112); 25. V. und mehrfach zwischen 5.
und 20. IX., 29./30. XII.: FNicolovius (III/8,
200; 236–242; 277); 2.–4. IX.: DZelter und
Madame Ploch (ebda 235f.); 10. IX.: EFL-
Levin, genannt Robert-Tornow, und Frau
F, geb. Braun (ebda 238); 30. IX.: W*Gedicke (III/8, 245); 7./8. X.: A*Mendelssohn

mit Frau L, Tochter F und Sohn F (ebda
247 f.); 16. XI.: MPüttmann (ebda 263; vgl.
IV/36, 207 f.); in Jena, 31. V.: FNicolovius
(III/8, 201); in Marienbad, 26. VI.; 1./8. VII.:
Lv*Buch (ebda 211: 213 f.); 8. VII.: *Frau von
Bülow,* wahrscheinlich die Witwe LL des Majors vBülow *(ebda 215);* 15. VII.: *Obrist Lieutenant* Friedrich vHorn *(ebda 216);* mehrfach
zwischen 22. VI. und 10. VII.: *Major . . . Obrist*
Friedrich vWartenberg (ebda 210–212; *v.War-
denberg: ebda 215);* in Eger, 5. VIII.: *Lieutenant Eichler . . . gegenwärtig in Franzenbrunn
(ebda 224);* 7./11.VIII.: GB*Loos (ebda 225 f.;
288); 25. VIII.: *Justizrath* Carl August Langer-
hans *(Langhans),* 1818 Mitglied der Kriegs-
schuldenkommission der Kurmark, und *Ju-
stizkommissair* Karl Heinrich Bode *(ebda
233).*
1823, 9. II./26. III.: JV*Teichmann (III/9, 14;
28); 28. IV.: *Drey Kaufleute aus Berlin auf
der Durchreise, der eine mit Namen Rauch*
(Rauchhändler SRauch?: ebda 43); mehrfach
zwischen 16. und 23. V., sowie 24./25. IX.
und 15. X.: FNicolovius (ebda 49–52; 120 f.;
129); 22./23. VI. DZelter und Recha Meyer,
geb. Mendelssohn (III/9, 65 f.); IX./X.: LRellstab (Bdm. 3, 33 f.); 12. X.: JGS*Rösel (III/9,
127); [25. X.: *Emaillemaler Müller von Berlin
kommend; Serenissimum wegen Unterstützung
anzugehen: ebda 134];* in Marienbad, zwischen
2. VII. und 20. VIII.: Fv*Elsholtz (EArnhold
S. 90); mehrfach zwischen 4. VII. und 14.
VIII.: FvWartenburg (III/9, 72; 82; 93);
mehrfach zwischen 21. VII. und 19. VIII.:
Wilhelm Karl Graf vSchack (1786–1831),
1818 Oberst, preußischer Generalmajor, Adjutant des Kronprinzen Friedrich Wilhelm von
Preußen, und seine Familie (ebda 80–96);
mehrfach zwischen 23. VII. und 3. VIII.: HVJ
Graf v*Bülow (III/9, 81–87); 23. VII.: Frau
*Parthey, geb. *Nicolai, mit Tochter L, sowie
Geheimrätin K. (*Berlinische Damen: ebda 81;*
vgl. Bdm. 2, 645–656); 29.–31. VII.: W*Hen-
sel (III/9, 84 f.); 29./31. VII.: PA*Wolff (ebda 84 f.); mehrfach zwischen 31. VII. und
29. VIII.: GChrFv*Heydebreck (ebda 85 bis
104); 13.–15./17. VIII.: AP*Milder, verehelichte Hauptmann (ebda 92–95); 19. VIII.
Frau CF und Tochter CvHumboldt (ebda 96);
in Karlsbad, 29. VIII.: GChrFvHeydebreck
(ebda 104); [29. VIII.: FvBülow und Frau:
ebda].
1824, 16. I./15. X.: M*Beer (III/9, 167; 282);
18. V.: Av*Boguslowka (III/9, 219); 19. V.:
Prinz Wilhelm und Sohn Prinz Adalbert von
Preußen (ebda); 28. V.: *Dr. Meyer von Berlin
(ebda 222);* 10. VI.: W*Stich und Frau A,

geb. Düring, spätere Stich-Crelinger (ebda 228); mehrfach zwischen 18. und 28. VI.: A*Rauch in Begleitung ihres Vaters (ebda 231 bis 236); 26./27. VII., 19./20. X.: BvArnim, geb. vBrentano (ebda 248 f.; 284 f.); 27. VII.: *Professor Rübecker ..., Mitglied der deutschen Sprachgesellschaft (ebda 249);* 3./5. VIII.: PA Wolff (III/9, 252 f.); [Mitte VIII.: ? SvGrotthuß: EArnhold S. 438]; 7. IX.: FChrFörster und Frau L, Frau Zimmermann (III/9, 265); 13. IX.: GWH*Häring, genannt Willibald Alexis (Bdm. 3, 128–130); 18. IX.: *Frau von Altenstein und Tochter,* Familie des Ḳ Freiherrn vStein zum *Altenstein? (III/9, 270); 26. IX.: CFFv*Nagler (ebda 274); 2./3. X.: *Baßsänger* Reichardt, wahrscheinlich Gustav Reichardt (1797–1884), auch als Komponist hervorgetreten *(ebda 277);* 11. X.: Ferdinand Deycks (1802–1867), *Philologe, empfohlen von Tieck (ebda 280;* vgl. 413 f.); 1. XII.: August Ludwig Kerll, 1818 Regierungsrat im Ministerium für Gewerbe, Handel und Bauwesen, 1823, Geheimer Regierungsrat, und GF*Waagen (ebda 302).

1825, 13. III./20. V.: A und FMendelssohn-Bartholdy (III/10, 29; 57 f.); 29. III.: CFF vNagler (ebda 36); 3. IV.: *Studiosus* Karl Friedrich Wilhelm Theodor (1865: v) Horn (1803–1871), ein Freund FMendelssohn-Bartholdys, Arzt, 1847 Mitglied des Medizinalkollegiums der Provinz Brandenburg, 1856 Vortragender Rat im Ministerium der geistlichen Unterrichts- und Medizinalangelegenheiten *(ebda 38);* 4. V.: GChrFHeydebreck und Frau (ebda 51); 28. V.: KJM*Seebeck (ebda 61); 23./24. VI.: Franz Hauser (1794 bis 1870), Opernsänger, später Gesangslehrer in Wien, mit Frau und Schwägerin (ebda 71); 3. VII.: GHReimer (ebda 74); 4. VII.: GLP *Spontini (ebda 75); 6. VII.: *Professor* Friedrich Wilhelm Valentin Schmidt, Philosoph, Kollaborator am Vereinigten Gymnasium zum Grauen Kloster *(ebda);* 8. VII.: CA und RVarnhagen vEnse (ebda 76 f.); 7. VIII./17. X.: MA*Schlesinger (ebda 88; 115); mehrfach zwischen 28. VIII. und 17. XI.: A*Nicolovius III/10, 96–126); 8. IX.: AACh*Wolff, geb. Malcolmi, *leider nicht gesehen* (ebda 100; *IV/40, 49);* 29. IX.: *Schwägerin?* von LDvHenning, gen. vSchönhoff (vgl. zum Jahre 1828, 21. VIII.; *ebda 107 f.);* 24. X.: Frau MKLKv Savigny, geb. vBrentano, und Sohn KF (ebda 118); 10. XI.: August Friedrich Leopold Gemberg (1797–1850), Domkandidat, *reisender Theolog ... Zurückkehrend von einer weiten Reise zu religiosen Zwecken,* 1827 Pfarrer in Seebeck/Prov. Brandenburg *(ebda 122).*

1826, 8. II.: AvArnim (III/10, 159); mehrfach zwischen 10. und 25. III.: HF*Brandt (ebda 170–176); 17. III.: ABöhringer (ebda 172); 17. IV.: PChrW*Beuth mit CFSchinkel (ebda 184); 26. IV.: Georg Friedrich Louis Stromeyer (1804–1876), *der Medicin Beflissener,* Chirurg, später Universitätslehrer in Hannover, Erlangen, München, Freiburg, erwarb sich vor allem Verdienste um das Militärsanitätswesen *(III/10, 186);* 23. V.: GJChr*Kunth (ebda 195); 12. VI.: der *Preußische Cammerherr* (seit 1816) vRex *(ebda 203);* mehrfach zwischen 7. und 19. VII.: DZelter in Begleitung ihres Vaters (ebda 213–219); 16./17. VII.: SH*Spiker (ebda 218); 15. VIII.: L*Abeken (ebda 230); 17. VIII.: *Königl. Württembergischer Envoyé in Berlin* August Ludwig Heinrich vBlomberg (1790–1857), später preußischer Kammerherr *(ebda 231);* mehrfach zwischen 27. VIII. und 11. IX.: BvArnim, geb. vBrentano (III/10, 235–241); 4. IX.: H*Sontag (ebda 238); 6. IX.: KE*Gedike (III/10, 239); 15.–19. IX.: HLH Fürst *Pückler-Muskau (ebda 244 f.); 20./27. X.: Fv*Elsholtz (ebda 259; 262); 30. X.: Ferdinand Theodor Hildebrandt (1804–1874, Maler, Schüler W* Schadows, stellte 1824 eine Szene aus *Faust I:* „Gespräch Fausts und Mephistopheles'" in der b.er Akademie aus, malte auch die Kerkerszene aus *Faust I*) und Rudolf Julius Benno Hübner (1806–1882, Maler, Schüler WSchadows), beide gingen 1826 an die düsseldorfer Akademie (ebda 263); 10./12./19. XI.: FWLKM Graf vBrühl in Begleitung seines Vaters (ebda 267; 271); 12. XI.: Prinz Wilhelm und Prinz Carl von Preußen *mit ihren beyden Adjutanten,* den Majoren vGerlach und Albert Wilhelm Theodor vSchöning (1785 bis 1864; *ebda 267);* 12. XI.: FKFFreiherr v*Müffling (ebda).

1827, 26. I.: *Maler* (Theodor?) *Gerhard von Berlin, das Miniaturbild der Prinzeß Marie* [von *Sachsen-Weimar] vorzeigend (III/11, 12 f.);* 30. I.: *Berliner Juweliere, ihre Waare vorzeigend (ebda 14);* 1./4. II.: Kronprinz Friedrich Wilhelm und die Prinzen Wilhelm und Carl von Preußen, am 4. auch FKF Freiherr vMüffling (ebda 15 f.); mehrfach zwischen 19. und 27. II.: L*Posch (ebda 23; 26); 20./27. III.: Karl Friedrich Gustav Lüderitz (1803 bis 1884), Kupferstecher, *zeigte seine hier gefertigten Porträte vor,* auf der Durchreise durch Weimar auch am 16. IX. *(ebda 34 f.;* 37; 111); 23./25. III.: GW*Krüger (III/11, 36 f.); 26. III.: Ch*Des Voeux (ebda 37); 8./28. IV.: CFFvNagler (ebda 42; 50); 5./15. V.: CE v*Holtei (III/11, 53; 56); 7./10. V.: Freiherr

HFK vom und zum Stein und Tochter (ebda 54; 55); 21. V.: *Major v. Wulffen, Adjutant des Prinzen Carl (ebda 59);* 28. V./2. VIII.: G *Pölchau (ebda 63; 93; ? 31. VII.: vgl. Bdm. 3, 420); 28. VII.: *der von Zelter angemeldete Königl. Preußische Geheime Rath Zschock,* wahrscheinlich Carl Friedrich Heinrich Zschock, 1818 Geheimer Oberfinanz-Rat im Finanzministerium oder (sein Bruder?) Albert Peter Heinrich im gleichen Rang und gleicher Dienststellung, *mit Gemahlin und Tochter (ebda 91);* 25.-30. VIII.: GFC*Parthey (ebda 101–103; IV/43, 39); mehrfach zwischen 7. und 15. IX.: WJC*Zahn (III/11, 107–110); 11. IX.: *Studiosus Barchewitz aus Schmiedeberg, in Berlin studierend (ebda 108);* 15. IX.: Salomon Munck (1803–1867), Orientalist, *der nach Bonn und Paris geht* (ebda 110); 19. IX.: CAVarnhagen vEnse, *Frau Staatsräthin Uhden,* die zweite Frau des JDWOUhden, und die schöne *Tochter* Luise, eine junonische Erscheinung (geb. 1798), aus Uhdens erster Ehe mit Maria Magnani, der späteren Geliebten B*Thorvaldsens, sowie *Ifflands Schwägerin* (bei vier vorhandenen Möglichkeiten nicht näher zu identifizieren; *III/11, 112);* 27. IX.: AFC*Streckfuß (ebda 116); 30. IX.: FvElsholtz (ebda 118); 31. X.–3. XI.: ANicolovius (ebda 131–133; IV/43, 144f.); 9. XI.: Friedrich Wilhelm Graf vBrandenburg (1792–1850), General der Kavallerie, 1848 preußischer Ministerpräsident (III/11, 135;); 12. XI.: HSontag (ebda 136); mehrfach zwischen 2. und 6. XII.: HNicolovius (ebda 143–145); 12. XII.: HUW Freiherr v*Bülow (ebda 147).
1828, 20. I.: Friedrich Adolf Trendelenburg (1802–1872), 1828 *Hofmeister bey Herrn von Nagler,* 1833 Professor für Philosophie an der Universität B. *(III/11, 168);* mehrfach zwischen 1. II. und 19. III.: CEvHoltei (ebda 174–194); 23./24./26. II.: FNicolovius (ebda 182 f.); mehrfach zwischen 15. IV. und 2. V.: ANicolovius (ebda 206–213); 17. IV.: ChrKJ Freiherr v*Bunsen (ebda 206); 9. V.: Prinz Wilhelm und Gattin Prinzessin Marie Anna, geb. Prinzessin von *Hessen-Darmstadt, sowie die Prinzen Adalbert und Waldemar und Prinzessin Elisabeth von Preußen (ebda 216); 30. V.: GJChrKunth und Tochter (ebda 226); [14. VI.: *Demoiselle Seebeck, bey Frau Gräfin Rapp angestellt: ebda 232*]; 23. IX.: ARauch in Begleitung ihres Vaters (ebda 281); 30. IX./2./3. X.: JGS*Rösel (ebda 284–285); 7. X.: Prinzessin Carl von Preußen, geb. Prinzessin Marie von Sachsen-Weimar (ebda 287); 17. X.: *Fräulein Faber aus Berlin,* wahrscheinlich die Kammerfrau der Prinzessin Carl (1828: vFa-

ber; *ebda 291 f.*); 20. X.: Auguste Gräfin vHarrach, Fürstin vLiegnitz (gest. 1873), seit 1824 morganatische Gattin König Friedrich Wilhelms III. von Preußen (ebda 293); 9. XI.: Prinz Wilhelm und Prinz Carl von Preußen *und Adjutantur,* dem Major i. G. vGerlach, dem Kapitän Friedrich (?) Freiherr vFalkenhausen, sowie dem Oberstleutnant Albert Wilhelm Theodor vSchöning (vgl. 1826, 12. XI.) und dem Major vWulffen *(ebda 300);* 10. XI.: F*Krüger (ebda 301); 27. XI.: *Die zwey Domcandidaten* Karl Friedrich Eduard Hohnhorst (*Honhorst,* gest. 1874), 1830 Pfarrer in B.-Rudow, und Johann Friedrich Wilhelm D. Arndt (1802–1881), später Pfarrer an der Parochialkirche zu B. *(ebda 307);* in *Dornburg, 21. VIII.: *mit Fräulein von Henning, einer schönen Schwester des chromatischen Freundes, Bekanntschaft gemacht (ebda 266f.).*
1829, 16. II.: Kronprinz Friedrich Wilhelm von Preußen (III/12, 24); 20. II./1. III.: Generalmajor vBrause, *attachirt an den Prinzen Wilhelm,* wahrscheinlich Johann Georg Emilius vBrause (gest. 1836), 1803 Oberst beim Kadettenkorps, zuletzt Generalmajor und Leiter der Kriegsschule, oder Friedrich August Wilhelm vBrause (1769–1836), zuletzt Generalleutnant und Divisionskommandeur; als Adjutant des Prinzen Wilhelm von Preußen bereitete er während seines Aufenthaltes in Weimar wahrscheinlich den Besuch des Prinzen diplomatisch und zeremoniell vor *(ebda 26; 31);* 11. III.: Prinz Wilhelm von Preußen mit Prinzessin Auguste von Sachsen-Weimar *(das fürstliche Brautpaar: III/12, 36);* 18. IV.: *Cammergerichts-Referendar* Gottfried Joachim Wilhelm Schnitter (1802–1887), Jurist und Schriftsteller (Dramen: „Polykrates" und „Die Braut von Syrakus"), später in Greifswald Direktor des Kreisgerichts *(ebda 55;* Bdm. 4, 112–114); 22. IV.: GJChr Kunth *mit Sohn (III/12, 57);* 23. IV.: LvBuch (ebda); mehrfach zwischen 30. IV. und 28. V.: AAChWolff, geb. Malcolmi (am 30. IV./15. V. mit Tochter: ebda 60–73); 6. VI.: *Dr.* Julius Rubo (1784–1866), seit 1824 Syndikus der jüdischen Gemeinde in B., beeinflußte das Judengesetz von 1847, *Bräutigam der Demoiselle Ulmann (ebda 78);* 10./[12. VI.]: Frau S [oder Henriette] vBardeleben, geb. Hübschmann (gest. vor 1840), und H*Solger, geb. vGroeben (10. VI. *Zu Mittagstisch,* 12. VI. *Mein Sohn gab den Berliner Damen im untern Garten ein Frühstück: ebda 80f.);* 12. VI.: *Zwey Dom-Candidaten* Karl Gustav Beneke (1800–1864), später Pfarrer an der Dreifaltigkeitskirche zu B., *und* [Lücke] ... *auf einer*

geistlichen Reisefahrt (III/12, 81); 21. VI.: Auguste Türrschmiedt, geb. Braun (geb. 1800), *angekündigt von Zelter,* „die angenehmste kleine Blondine ... unsre vorzüglichste Contraaltistin in der Singakademie" (CFZelter 19. VI. 1829 an Goethe: BrZelter Bd 5, 250; *III/12, 86);* [25. VI.: ECChr John: ebda 87]; 1. VII.: E*Rietschel *(Ritschel)* in Begleitung von ChrDRauch *(ebda 91);* 22./23. VI./ 19. IX.: CA und RVarnhagen vEnse (ebda 100 f.; 128); 25. VII.: Ludwig Cauer (1792 bis 1834), *Director einer Erziehungsanstalt zu Charlottenburg, empfohlen von Zelter (ebda 101 f.);* 12. VIII.: GWHHäring, genannt Willibald Alexis (ebda 110); 30. VIII.: CEvHoltei (ebda 119; Bdm. 4, 157); 4. IX.: JFC*Hecker (III/12, 121); [11. IX.: *Frau Generalin von Rosenhain: ebda 124];* [19.]/20. IX.: GW*Krüger und Frau W, geb. Meyen (ebda 128); 23. IX.: JJ*Ambrosch (ebda 129); 7. X.: ChDes Voeux (ebda 136); 14. X.: SHSpiker *mit noch einem Reisenden (ebda 139);* 16./30. X./7. XI.: Prinzessin Carl und Prinzessin Wilhelm von Preußen, geb. Prinzessinnen Marie und Auguste von Sachsen-Weimar, am 30. X. auch der Sohn der Prinzessin Marie, Prinz Friedrich Carl (ebda 140; 146; 150); 1. XI.: Friedrich Wilhelm Graf vRedern (1802–1883), Generalintendant der königlichen Theater in B., gab Goethe *Aufklärung über die dortigen Verhältnisse. Vortheile und Schwierigkeiten des Geschäfts (ebda 147);* 11. XI.: Prinz Wilhelm und Prinzessin Auguste von Preußen (ebda 152); 19. XI.: FKFvMüffling (ebda 155); 20. XI.: Prinzessin Carl, geb. Prinzessin Marie von Sachsen-Weimar (ebda 156).

1830, [5. III.: Graf August Ernst vVoß (gest. 1832), und Frau Luise, geb. v*Berg (geb. 1780), *und noch eine Dame. Ich sah sie in Erinnerung der Frau von Berg, Mutter der Frau Gräfin Voß: III/12, 207];* 13.–16. III.: WJC Zahn (ebda 211–213); 21. V.–3. VI.: FMendelsohn-Bartholdy (ebda 245–251); 30. V.: PChrWBeuth (ebda 249); 1. VI.: *Herr von Motz ... Sohn des Ministers* Friedrich Christian Adolf (1775–1830), seit 1825 preußischer Finanzminister, der vom 1.–4. VI. zur Unterzeichnung von Zoll- und Handelsverträgen zwischen Preußen und den sächsischen Staaten in Weimar war *(ebda 250;* vgl. 4. VI. *Über die Anwesenheit und Bedeutung des königl. Preußischen Präsidenten von Motz: ebda 252);* 16. VI.: GLSSpontini (ebda 257); 24./25. VI.: CEvHoltei und Frau F, geb. Holzbecher *(bey Ottilien: ebda 262);* 7. VII.: vNieszkowski, ein Freund AH*Niemeyers (ebda 270); 4. VIII.: *Zwey junge Leute aus Berlin (ebda 284);*

[7. VIII.: BvArnim, geb. vBrentano, ihre *Zudringlichkeit abgewiesen: ebda 285;* 17. VIII.: Henriette Hoße (1795 bis nach 1830), *in Berlin der Kunst sich widmend: ebda 290*]; 19. VIII.: *Baurath* Johann Carl Friedrich Moser, Mitarbeiter CGLanghans' am alten, 1817 abgebrannten Schauspielhaus am Gendarmenmarkt *(ebda 291);* vor 18. IX.: Gustav Julius (um 1810–1851), Theologiestudent, den Zelter ankündigte (BrZelter Bd 6, S. 515 f.), hielt sich einige Zeit in Weimar auf und erhielt am 18. IX. *seine Zeichnungen zurück (III/12, 304);* GJulius trat als Publizist hervor und starb in London; 23. IX.: Heinrich-Adolf vZastrow (1801–1875), preußischer Offizier, Festungsbauingenieur und -theorektiker, *ein wohlgestalteter und angenehmer Militär (ebda 307);* 28. IX.: FE*Benicke *(Beneke: ebda 309);* 2./ 6. X.: Prinzessin Wilhelm von Preußen. Prinzessin Auguste von Sachsen-Weimar *und Umgebung (ebda 312, 313);* 7. X.: APMilder, verehelichte Hauptmann (ebda 314); 20./23. XII. [bis 2. I. 1832]: L*Devrient und (am 20. XII.) Frau A, geb. Brandes (ebda 347 f.; III/ 13, 2).

1831, 6. IV.: Sohn des CD*Ilgen, *bey dem Joachimsthalschen Gymnasium angestellt (III/13, 58);* 13. IV.: *zwey Herren Schede* [der eine wahrscheinlich Regierungsrat, Justizkommissar und Notar], *ein Mitschke und ein Meyer, empfohlen von Zelter und Tieck (ebda 61);* 10. V.: CEvHoltei und Frau J, geb. Holzbecher (ebda 75); 18. VI.: ECChr John (ebda 94); 4. VIII.: FChrFörster (ebda 119; vgl. Bdm. 4, 381–383); 10. VIII.: *Demoiselle Schneider ... Sängerin,* wahrscheinlich Maschinka Schneider (geb. 1815), später Mitglied der dresdener Hofoper, heiratete 1837 den königlich sächsischen Kapellmeister Franz Schubert *(ebda 121);* 25. bis nach 28. VIII.: FChrFörster (vgl. hier II. 2. c) und Frau, mit Pflegesohn Karl Anton Florian Eckert (1820 bis 1879), *einem in höchstem Grade musikalisch gebornen Knaben ... Der musikalische Knabe spielte bedeutend auf dem Flügel (III/13, 119; 128),* Eckert war Schüler von Greulich, Hubert Ries, Rungenhagen, wohl auch Zelters und starb als Erster Hofkapellmeister in B. (vgl. Bdm. 4, 385–389); 4. IX.: Frau MKLK vSavigny und ihr Sohn CF mit Frau S [Henriette] vBardeleben, geb. Hübschmann (III/ 13, 133); 25. X.: *schöne Dame* (Schwester von LDvHenning, genannt vSchönhoff? vgl. 1828, 21. VIII.; *ebda 160*); 31. XII.: ANicolovius (ebda 197).

1832, 10.–18. II.: DZelter (III/13, 204–221); 17. I.: JFWMv*Olfers (ebda 207); 4. II.: FNicolovius (ebda 214); 12. II.; Frau MKLK vSavigny und Frau S [Henriette] vBardeleben, geb. Hübschmann (ebda 218); mehrfach zwischen 10. und 15. III.: LSv*Arnim (ebda 231–234).   *JP*

PPniower: Goethe in Berlin und Potsdam. 1925. – EArnhold: Goethes Berliner Beziehungen. 1925. – Goethe in Berlin (FMoser). 1949. – Goethe in Berlin (MKrammer). 1949. – RGlatzer: Berliner Leben 1648–1806. 1956, –

Berling, Thomas (10. XI. 1773 Malmö bis 1826 Wien), Schauspieler, war für jugendliche Rollen Ostern 1794 in Weimar engagiert, ging schon Ende Mai zur Truppe *Secondas, wo er bis 1800 blieb und war dann bis 1819 Souffleur am Burgtheater in Wien.   *EF*

Berlioz, Louis Hector (1803–1869), der romantische Komponist, übersandte Goethe am 10. IV. 1829 (Goethe Jb 12, S. 99 f.) zwei Exemplare der *sehr schön gestochenen Partitur* seiner acht *Faust*-Szenen, vertont nach der Übersetzung von Gde*Nerval. Goethe wandte sich am 28. IV. an CF*Zelter, *um ein freundliches Wort darüber zu hören (IV/45, 259)* und überließ dem Freunde am 11. VI. ein Exemplar der *im Anschauen so wunderlichen Noten-Figuren erb- und eigenthümlich (ebda 288)*. Zelter lehnte B.s Kompositionen ab: „Der Schwefelgeruch des Mephisto zieht ihn an, nun muß er niesen und prusten, daß sich alle Instrumente im Orchester regen und spuken" (5. VII. 1829: BrZelter S. 169 f.); dennoch wird zB. *Mephistos* Flohlied in seiner Komposition von manchen Beurteilern sogar der *beethovenschen Vertonung vorgezogen.
Auch sein *König von Thule* aus der „Damnation de Faust" (1838, op. 40) zeigt den eigentümlichen Reiz einer Chanson gotique (ersteres in MFriedländers Sammlungen, letzteres bei HJMoser: Goethe und die Musik, S. 201 bis 205). Sonst lockert aber dies geistreiche Oratorium vielfach die Beziehung zu Goethes Dichtung so weit, daß eigentlich nur noch der Auftritt in *Auerbachs Keller* hierhergehört – die Verlegung des Osterspaziergangs nach Ungarn(!) oder die Höllenfahrt *Fausts* mit einem triumphierenden Pandämonium der Höllengeister in quasi baskischem Kauderwelsch ist so goethefern wie denkbar geraten. Aus dem *Globe* entnahm Goethe die Nachricht von einem Konzert, in dem B. *seine Teufeleyen, wie es scheint, mit großer Energie vorgetragen* hatte. *Man muß dabei nicht aus den Augen lassen daß er zu den Neuen, Strebenden gehört, und also von den Liberalen durchaus freundlich wird behandelt werden* (undatiert: *IV/50, 122*). F*Liszt arrangierte 1852 in Weimar eine B.-Woche, in der „Benvenuto Cellini", „Romeo

et Juliette", sowie die „Damnation" mit großem Erfolg in Anwesenheit des Komponisten aufgeführt wurden.   *Mr*

MGG 1 (1949–1951), S. 1745–1764. – GoetheJb 12 (1891), S. 127–129.

Bern, der Hauptkanton der West-Schweiz mit der gleichnamigen Hauptstadt B., stand, als Goethe ihn zusammen mit Carl August im Jahre 1779 bereiste, noch auf der Höhe seiner Macht und Ausdehnung. Er umfaßte außer den B.er Alpen, die die Scheidemauer zum Kanton Wallis bilden, das B.er Oberland, den Ober- und Mittellauf der *Aare und die *Waadt. Goethe traf am 7. X. 1779 mit Carl August und beider Begleitung in der *fröhlichen, nahrhaften, reichen* Hauptstadt B. ein. *(IV/4, 77)*. Man nahm im „Falken" Quartier (ebda 73) und trat am nächsten Tage *Die merckwürdige Tour durch die Bernischen Gletscher an* (*Thun, *Lauterbrunnen, *Tschingelhorn, *Oberhorn, *Grindelwald, *Interlaken, B.er Oberland), in der Hand JS*Wyttenbachs „Kurze Anleitung für Diejenigen, welche eine Reise durch einen Teil der merkwürdigsten Alpgegenden des Lauterbrunner Tals, Grindelwald und über Meiringen auf Bern zurück, machen wollen" (1777). Auf dem Rückweg nach B. wollte „Der Herr Geh.Rath . . . auf der Aar bis Bern fahren, es gebrach an Gelegenheit und unterblieb" (IV/4, 83). Schon am 8. X. hatte Goethe mit freudiger Bewunderung geschrieben: *Die Stadt . . . ist die schönste die wir gesehen haben in Bürgerlicher Gleichheit eins wie das andere gebaut, all aus einem graulichen weichen Sandstein, die egalitaet und Reinlichkeit drinne thut einem sehr wohl, besonders da man fühlt, daß nichts leere Decoration oder Durchschnitt des Despotismus ist, die Gebäude die der Stand Bern selbst aufführt sind gros und kostbar doch haben sie keinen Anschein von Pracht der eins vor dem andern in die Augen würfe (IV/4, 76)*. Dann aber war vom 15./16. X. ab vier Tage Gelegenheit, B. gründlicher zu studieren und auf der aarumflossenen Quasi-Halbinsel herumzustreifen, Straßen, Promenaden, Plätze zu durchwandern, an vielen, unablässig rauschenden Brunnen vorüber, Bürgerhäuser und Staatsbauten zu betrachten, Besuche zu machen, in die Nachbarschaft vorzustoßen: *Gegend, Stadt, wohlhabend, reinlich, alles benützt, geziert, allgemeines Wohlbefinden, nirgend Elend, nirgend Pracht eines einzelnen[,] hervorstechend nur die Wercke des Staates an Wenigen Gebäuden kostbaar pp. (IV/4, 85)*. Als besondere Sehenswürdigkeiten notierte Goethe nur: *Schallen Werck* (Zeitglockenturm, 16./17. Jhdt., Uhrwerk mit Tierfiguren), *Zeughaus* (nicht mehr vorhanden), *Naturalien Cabinet* (Landhaus Sprüngli), *Bibliothek* (Universität), *Äußerer Stand* (Spielrathaus der jungen Leute), Landhaus *Kilchberger* (Kirchberger), Wohnsitz *Tscharner* (Landgut Kehrsatz) – *immer vollkommen Wetter (IV/4, 85–87).* So zeigte sich B. auch in diesen Tagen von seinen reizvollsten und schönsten Seiten. Als Goethe B. kennen und lieben lernte, war seine Geschichte noch eindrucksvoll lebendig.

Die Stadt B. war 1191 von Berthold V. vZähringen gegründet worden (erste urkundliche Erwähnung 1208 nach der Schlacht bei Grindelwald). Sie hatte ihren Namen nach Verona (Welsch-B.) und als Huldigung für Dietrich von B. erhalten. In der Zeit vom 13. bis zum 16. Jahrhundert vergrößerte B. seinen Besitz unmittelbar vor den Toren und in der nächsten Umgebung durch Erwerb auch der jetzigen Kantone Aargau und Waadt. Seit Zwinglis Disputation 1528 bekennt sich B. zur *Reformation. Als Abschluß der äußeren und inneren Entwicklung entstand im 17. Jahrhundert die b.ische Verfassung. An der Spitze der Stadt und des Staates wirkte eine kleine Gruppe regierender Familien, die aus dem größeren Kreise der seit 1651 auch urkundlich Patrizier genannten, regimentsfähigen Familien heraus zum Träger der Staatsgewalt geworden war. Diese Familien stellten die Mitglieder des Großen Rates, aus dem wiederum der Kleine Rat, dh. die Regierung sich ergänzte. Es war ein aristokratisch-patrizischer Musterstaat, dessen Bürgerrecht zu erwerben oder zu besitzen lange Zeit als Ehre galt. Aber es war ein dergestalt oligarchischer Musterstaat nicht nur mit bewundernswerten Vor-, sondern auch mit bedenklichen Nachteilen. Die Gemeinde der Stadt, dh. die regimentslosen Bürger und die Hintersassen, natürlich auch das Land, das von der Stadt als Eigentum betrachtet wurde, waren ohne jeden Einfluß auf die Führung der Regierungsgeschäfte. Die Konstanz, die dadurch möglich wurde, und die auch die Generationenfolge nicht unterbrach, war ein sehr gewichtiger Vorteil. Sie prägte sich im Äußeren der Stadt (IV/4, 76) und auch in vielen Einrichtungen des Kantons überzeugend aus, zB. im Straßenwesen, in einem gewissen ruhigen Wohlstand der Bewohner: *Über alles aber muß man die schönen Wege preisen, für die, in diesen entfernten Gegenden, der Stand Bern wie durch den ganzen übrigen Canton sorgt; die Bewohner der französischen Seite stehlen gelegentlich den Bernern Holz und verkaufen's wieder in's Land (I/19,*

234; 236). Die B.er bezahlen es gelassen mit ihrem guten Gelde. Aber die Gefahren einer gewissen Enge und Sterilität lassen sich doch auch nicht übersehen. Die Gemeinde der Stadt, dh. die regimentslosen, nicht regimentsfähigen Bürger, Bewohner, Hintersassen, natürlich auch das Land, das von der Stadt als Eigentum betrachtet und verwaltet wurde, waren ohne Einfluß, ja ohne die Möglichkeit eines Einflusses auf die Führung der Regierungsgeschäfte. Von hier aus mußte die Konstanz als Unelastizität erscheinen. An diesen Stellen lagen die Schwächen des Systems, die auf bedenkliche Weise zu Nachteilen werden konnten und sogar mußten. Der verschwörerische Reformversuch Samuel Henzis ließ sich 1749, in Goethes Geburtsjahr, noch von der Stadt bewältigen. Aber die Einheit zerbrach an den Loslösungsbestrebungen, die durch die französische Revolution ausgelöst und die besonders in der Waadt von Frédéric César La Harpe vorangetrieben wurden (Besuch bei Goethe am 9. VII. 1804: III/3, 105). Goethe hatte das Unzeitgemäße des Aristokratismus längst erahnt und erkannt. Inbezug auf die Schweiz überhaupt und auf B. besonders erfuhr er bereits 1797 in *Stäfa von den bevorstehenden Umwälzungen und von ihren Gründen: *Da ein Theil der ganzen Masse schon völlig demokratisch regiert wird, so haben die Unterthanen der mehr oder weniger aristokratischen Cantone* [wie eben die B.er], *an ihren Nachbarn, schon ein Beyspiel dessen was jetzt der allgemeine Wunsch des Volks ist; an vielen Orten herrscht Unzufriedenheit, die sich hie und da in kleinen Unruhen zeigt. Über alles dies kommt in dem gegenwärtigen Augenblicke noch eine Sorge und Furcht vor den Franzosen ... Die Lage ist äußerst gefährlich und es übersieht niemand was draus entstehen kann* (26. IX. 1797: *IV/12, 318;* vgl. auch 333). So konnte die Nachricht von der b.er Niederlage bei Neueneck und im Grauholz nicht sonderlich überraschen: *Die armen Berner haben also eine traurige Niederlage erlitten ... in ihrer Vorstellungsart sind sie immer noch die alten Schweizer, aber der Patriotismus so wie ein persönlich tapfres Bestreben hat sich so gut als das Pfaffthum und Aristokratismus überlebt* (17. III. 1798: *IV/13, 96).* Noch am 30. XII. 1823 beschäftigten Goethe in einem Gespräch mit *Soret ,,les rapports actuels entre Vaud et Berne" (Bdm. 3, 51). Damals war seit zehn Jahren die patrizische Verfassung wieder in Kraft gesetzt worden. Goethe mochte spüren, daß dies nicht von Dauer sein konnte, weil es anachronistisch war.   Za

Personen: Mitte Juli 1775: Schicksalhaftes Zusammentreffen mit JG*Zimmermann, gebürtig aus B., in *Straßburg (Morris 5, 284); 12. VIII. 1777: P*Im.Baumgarten (III/1, 44); 16. X. 1779 mehrere Besuche: bei JL*Aberli; bei ihm als Gehilfe Marquard Wocher (1760 bis 1830): *der junge Wocher wird recht brav (IV/4, 87 f.)*, er war später Mitgründer der Schweizerischen Künstlergesellschaft; Daniel Sprüngli(n) (1721–1801, verzichtete 1775 auf den Pfarrerberuf, um sich ausschließlich seinen naturwissenschaftlichen, insbesondere ornithologischen Studien zu widmen, 1789 Professor der Naturhistorien an der Akademie Bern, verzichtete auf Ausübung seines Lehramtes, bei dem Besuch Goethes *(Sprünglein: IV/4, 86)* Besichtigung von Sprünglis berühmten Sammlungen: ausgestopfte Vögel, Mineralien, *höchst interessant (ebda 87)*; Karl Ferdinand vSinner (1748–1826), *Sohn des Avoyérs* Friedrich vSinner (1713–1791, 1771 Schultheiß in B.), und damit im Sommer 1759 Zögling von ChrM*Wieland (vgl. I/36, 316; 1780 an *Knebel: IV/7, 362)*, Goethe besuchte ihn und möglicherweise auch seinen Vater, KFvSinner zeigte ihm den *Äuseren Stand (IV/4, 86)*, eine parlamentarische Übungsstätte der b.er Patriziersöhne (Hecker in JbS Kip 5, S. 11 f.), s. a. 20. I. 1780: *An Sinnern (III/1, 106)*; Johann Rudolf (?) vTscharner (1717–1789), 1776 Venner in B., Goethe besuchte ihn auf seinem Gute Lohn im Kehrsatz (?); *Prof. Wilhelmi (IV/4, 86)*,? Samuel Wilhelmi (1730–1796), Pfarrer und seit 1758 Professor des Griechischen und der Ethik; 17. X. 1779 bei Niklaus Anton *Kilchberger (1739–1800), Offizier in Holland, Mitstifter und zeitweilig Präsident der Ökonomischen Gesellschaft B., Schriftsteller, 1785 Landvogt nach Gottstadt: *Kirchbergern noch heute Abend spät, anderthalb Stunden auf seinem Landhaus gesprochen* vgl. 1780 an Knebel IV/7, 362; JS*Wyttenbach.
Spätere Besuche von B.ern in Weimar: 3. VI. 1817: *Hademann* (? irrtümlich für Heldmann, Friedrich, 1776–1838), *Prof. von Bern, Redacteur der Aarauer Zeitung (III/6, 56)*; 14. II. *Fellenbergischer Gehülfe, Lippe aus Braunschweig, kehrt nach Hofwyl zurück (III/6, 13)*; Herbst 1817: Carl August (Bericht *Obrist Tompson: III/6, 117)*; 27. I. 1818: *Studiosus Moeglich aus der Schweiz kommend, bey *Fellenberg und *Pestalozzi gewesen* (JKAG*Müglich, III/6, 163)*: 9. IX. 1820: *Herr von Fellenberg Sohn (III/7, 119)*, erneuter Besuch 18. IX. (ebda 224); 3. I. 1825: Johann August Christian Röper, Dr., Naturforscher, besonders Bo-

taniker, nur mittelbar (IV/39, 67; dazu: IV/45, 224; auch: IV/39, 174); 3./4. V. 1827 *Herr Stapfer aus Bern, Verwandter* [Vater] *des Übersetzers (III/11, 52 f.)*: ? Philipp Albert Stapfer (1766–1840), helvetischer Minister der Künste 3. II. 1831: *Herr Wilmot, einer der ältesten Weimar besuchenden Engländer nach der Mounierschen Epoche, Diplomat, gegenwärtig angestellt bey'm Stand Bern (III/13, 23)*.   JP

Bernard, 1) Nikolaus (6. I. 1709 bis 18. I. 1780), Goethes *Onkel Bernard (I/29, 42; 54; vgl. 210; 214)*, wurde in Straßburg als Sohn eines angesehenen Handelsmannes, Johannes B., geboren. Die Familie B. war Ende des 17. Jahrhunderts aus Altmorschen bei Bebra in das Elsaß eingewandert. NB., der jüngste Sohn des JB. kam um 1731 nach *Frankfurt, bis 1736 folgten weitere Brüder nach. Mit dreiundzwanzig Jahren machte er sich selbständig und gründete im nahegelegenen *Offenbach, das ihm mancherlei Vergünstigungen bot, auf dem fürstlich *isenburg-birsteinschen Besitz am *Main eine Schnupftabakfabrik, das erste groß-industrielle Unternehmen dieser Art, das bis heute besteht. Aus der Pfalz wurde mit eigenen Schiffen der *Tabak nach Offenbach gebracht und auch eine Zweigniederlassung in London geschaffen. Durch seine Nasenbeize „Marokko" wurde NB. zum reichen Mann, ebenso sein Bruder Heinrich (1713 bis 1766), der in den vierziger Jahren als Teilhaber eintrat. Die Gebrüder B. beschäftigten Hunderte von Arbeitern. NB. war sehr sozial eingestellt; seinen Angestellten gab er zu jeder frankfurter *Messe einen freien Tag und einen Taler dazu. Dieser Tag hieß im Volksmund nach NB. der „Nickelchestag". Von Herzog Friedrich III. von *Sachsen-Gotha zum Hofrat ernannt, heiratete NB. 1736 in erster Ehe die Frankfurterin Johanna Geit, 1776 in zweiter Ehe die vierzig Jahre jüngere Witwe Anna Katharina vHofen, geb. Lang. Aus der zweiten Ehe gingen Johann Matthias B. (1777 bis 1830), der spätere Bankier, der sich vergebens um Lili vTürckheims Tochter, die spätere Frau Brunck vFreundeck, bewarb, und Johann Daniel B. (1778–1845) hervor. – NB. führte in Offenbach ein großes Haus. Es lag Ecke Herrengasse, westlich des isenburgischen Schlosses; *weitläufige Fabrikgebäude schlossen sich an; d'Orville ... wohnte gegenüber (I/29, 42)*. Um 1750 hatten die B.-d'Orville große Gärten mit Terrassen bis zum Main anlegen lassen, die später Goethe mit Lili *Schönemann durchstreifte. In *Claudine von Villa Bella* hat Goethe diese Gartenszenerie als Hintergrund aufleben lassen. Das neue b.sche Gebäude wurde erst gegen 1773 begonnen; Goethe konnte noch 1775 den Aufbau verfolgen (IV/2, 241). Das Haus wurde 1900 niedergelegt, nur die kleinen Eckpavillons am Maingarten stehen noch.

Goethe hat den *Onkel Bernhard* in seinem Schauspiel *Erwin und Elmire* in der Person des *Bernardo* nachgezeichnet; klarer umrissen scheint jedoch sein Charakter in dem kleinen verlorenen Familienstück *Sie kommt nicht (I/ 29, 54)*. Dort ist NB. als der *musterhaft ruhige* Mann dargestellt, der in der allgemeinen Verwirrung den Kopf oben behält und durch *vernünftige Reden* alles ins Gleiche bringt *(ebda)*. Nach dem Tode des Bruders Heinrich (die Witwe vermählte sich mit Jean vButtler) hatte NB. die Vormundschaft über dessen beide Kinder JRB. (2) und PB. (3) übernommen.

–, 2) Jeanne Rachel (1751–1822), Nichte des Vorigen, heiratete 1769 den frankfurter Handelsmann JGd'*Orville, einen Vetter von Lili Schönemann. Bei diesem jungen Ehepaar war Lili oft zu Gast und auch Goethe während seiner Verlobungszeit (Morris 5, 295; vgl. IV/2, 241). Den d'Orville-B.s hat der Dichter 1775 den 90zeiligen Versbrief gewidmet (Morris 5, 285–288; 6, 492). Den Kindern dieses Paares stand Goethe nahe (IV/2, 243) und beschenkte sie nach seiner Rückkehr aus der *Schweiz (Morris 6, 439; GoetheJb 9, 1888, S. 125).

–, 3) Peter (1755–1805), Neffe des NB. (1), Bruder der Vorigen, war seit 1777 Teilhaber seines Schwagers d'Orville. Als Freund der Musen pflegte er Umgang mit JC*Lavater und AW*Iffland. In seinem offenbacher Hause, im buttlerschen Palais, das er seit 1782 zusammen mit der Familie der Schwester bewohnte, hatte er eine Privatbühne von 120 Plätzen, auch unterhielt er eine eigene Musikkapelle von 22 „Virtuosen" im sog. Musikhaus in der Bernhardstraße. Sogar ein Musikschiff gehörte ihm, wie aus Bettina *Brentanos „Frühlingskranz" (Sämtliche Werke, hrsg. von OOehlcke, Bd 1, S. 240) und ihrem Brief vom 10. VIII. 1805 hervorgeht (ebda Bd 2, S. 297). Seit 1792 war PB. Mitglied der frankfurter Theaterdirektion; um seinen Theaterplatz in der Loge Nr 9 stritt er mit Frau Rat Goethe (Brief der Frau Rat vom 27. VIII. 1780 an GFW *Grossmann: AKöster Bd 1, S, 83). Mit Goethe war er wohl durch J*André schon früh bekannt geworden, denn Goethes Mutter nennt ihn in ihren Briefen an den Sohn wiederholt den „alten Freund" (SGGes. 4, S. 124).

–, 4) Johann Friedrich (1744 bis um 1780), Neffe des NB. (1), Sohn des straßburger Bruders Johann Christoph B., wird zwar bei Goethe nicht namentlich genannt, doch ist anzunehmen, daß dieser wußte, daß JFB. Lili Schönemanns zweiter Bräutigam gewesen war (IV/3, 85). Nur kurz dauerte dessen Glück, da der Bankerott seines Hauses ihn bewog, schon im September 1776 ins Ausland zu fliehen. Wahrscheinlich starb er auf Jamaica.   *Rf*

EPirazzi: Bilder und Geschichten aus Offenbachs Vergangenheit. 1879. – WHeraeus: Nicolaus Bernard und sein Verwandtenkreis. In: Alt-Offenbach 9 (1933), S. 1–52.

Bernardi, Franz (1767 Unterösterreich bis 1808 Wien), Schauspieler, Debüt 1785, war in Weimar von Oktober 1800 bis Ostern 1801 für Väter- und Charakterrollen engagiert, ging dann von 1802 bis 1808 ans Burgtheater nach Wien. Wahrscheinlich war er es, der 1812 Goethe den Tod der Schwester der Cv*Eskeles mitteilte (IV/23, 173).   *EF*

Bernardin de Saint-Pierre, Jacques Henri (1737–1814), französischer Naturforscher und Schriftsteller, der weiche und schwächere Geistesverwandte und Freund JJ*Rousseaus, unternahm weite Reisen (Insel Martinique, Holland, *Rußland, Polen, *Deutschland) und gelangte durch den Erfolg seiner „Etudes de la nature" (1784) und des Romans „Paul et Virginie" (1787) zu Vermögen und Ruhm. Als Naturforscher und Naturphilosoph lehnte er die *Beobachtung und *Erfahrung ab, wie J*Newton, GLL*Buffon, AL*Lavoisier sie für fundamental hielten; B. gab sich, nur auf das Herz hörend, einer kindischen Philosophie der Vorsehung hin. Der Schriftsteller hat als erster die träumerisch-melancholischen Gefühle in die französische Literatur und, ein Vorläufer *Chateaubriands, den Sinn für das Malerische in die französische Prosa eingeführt. Wenn Rousseau die Natur als ergriffener oder gepackter Beobachter erlebt, so sieht B. sie als Kolorist. „Paul et Virginie", eine etwas fade *Idylle tragischen Ausgangs, mit der Ile de France (heute Ile Maurice) als Hintergrund, ist das erste Dokument des literarischen Exotismus in *Frankreich. – Goethe las (zum erstenmal?) 1826 „Paul et Virginie" (10./11. XII.: III/10, 279); er analysierte den *Roman eingehend, auch unter Berücksichtigung des sozialen und politischen Hintergrundes der Vorrevolution: *Kurz vor der Revolution geschrieben, ruht das Interesse der Verwickelung auf den schmerzlichen Mißverhältnissen, die in den neuesten Staaten zwischen Natur und Gesetz, Gefühl und Herkommen, Bestreben und Vorurtheilen so bang und so beängstigend sind und es mehr noch waren… Denn es weiß der Verfasser didactisch, und wenn man will, leidlich genug, alles das-*

jenige zur Sprache zu bringen was die Menschen damals in Frankreich bedrängen mochte ... und zuletzt die völlige Umwälzung des Reichs bewirkte. Das Werk ist im besten, wohlwollenden Sinne geschrieben und dieser Sinn hat noch lange während der Revolution in Frankreich durch gedauert. Und wenn Goethe *über die neueste französische Literatur* seine *Gedanken* sammelt, so wird er *immer auf Bernardin de St. Pierre zurückgeführt, welcher im Jahr 1789* [richtig: 1787] *Paul und Virginie herausgab (I/42^{II}, 489f.).* Für Goethe war B. der Vorläufer Chateaubriands (1829: Bdm. 4, 164): B.s Roman und Chateaubriands „Atala" könne man nach den großen Autoren des 18. Jahrhunderts allenfalls noch gelten lassen (1830: ebda 254).   *Fu*

Bernays, Michael (27. XI. 1834 Hamburg bis 25. II. 1897 Karlsruhe): Sohn eines Rabbiners, der unter dem Einfluß von Henriette Feuerbach am 21. VIII. 1856 in Mainz zum Protestantismus übertrat und durch diesen Schritt von seiner elterlichen Familie völlig getrennt wurde; er bekannte sich damit bewußt zu einer deutschen und protestantischen Bildung. Er studierte klassische und germanische Philologie in Bonn und Heidelberg, promovierte am 20. V. 1856 bei Gervinus in Heidelberg und habilitierte sich am 4. XI. 1872 unter Zarncke in Leipzig mit einer Schrift „Zur Entstehungsgeschichte des Schlegelschen Shakespeare". Im Mai 1873 wurde er als Extraordinarius für neuere Sprachen und Literaturen nach München berufen und bereits am 7. II. 1874 dort zum Ordinarius ernannt. Aus persönlichen und gesundheitlichen Gründen legte er im Februar 1890 sein Amt nieder, siedelte nach Karlsruhe über, wo er seine letzten Lebensjahre verbrachte.

B. gehörte zu den frühen Vertretern des neuen Faches der Literaturwissenschaft auf deutschen Universitäten, er habilitierte sich in dem Jahr, in dem Scherer von Wien nach Straßburg berufen wurde. Dichter und Literaturwerke in ihrer geschichtlichen Entwicklung zu erfassen, war das Ziel seiner wissenschaftlichen Arbeit. Philologische Sorgfalt bei der Betreuung literarischer Texte war ihm selbstverständlich und seinem Wesen so fest verwurzelt, daß sie ihn vor der Gefahr der Schwärmerei bewahrte. Die philologisch-historische Methode übte er stets sinnerfüllend, nie schematisch. Er ist einer der bedeutenden Goethekenner gewesen und gehörte zu den ersten, die in den Kreisen der Gebildeten tieferes Verständnis für den Dichter zu

wecken wußten. Bereits seine kleine Schrift von 1866 „Über Kritik und Geschichte des Goetheschen Textes" war bahnbrechend: indem er die himburgschen Nachdrucke als Quelle von Textverderbnissen in späteren, durch Goethe autorisierten Ausgaben nachwies, legte er den Grund zu einer Textkritik der goetheschen Werke. Seine Ausgabe „Goethes Briefe an Friedr. Aug. Wolf" (1868; zuerst in: Preußische Jahrbücher 20/21) galt in seiner Zeit als Muster. „Der junge Goethe" von S*Hirzel (3 Bde, 1875) zeichnete sich nicht so sehr durch die Einleitung von B. aus als durch die Zuverlässigkeit des Textes, den B. Zeile für Zeile mitredigiert hatte; die Edition wurde für die Sophien-Ausgabe in mancher Hinsicht eine Art programmatisches Vorbild. Für die ADB schrieb B. den Artikel „Goethe" (9, 1879, S. 413–448 q); dieser Artikel erschien, vereint mit dem über *Gottsched (ADB 9, S. 497–508), 1880 auch in Buchform (vgl. die Besprechung von FZarncke: „Goetheschriften", 1897, S. 24 f.). Gleich Scherer wagte er es, mit Vorlesungen über Goethe den Kanon der Germanistik auf Universitäten zu durchbrechen; in der Geschichte der wissenschaftlichen Beschäftigung mit Goethe soll ihm dies unvergessen bleiben. Er gewann Studenten und Zuhörer in Scharen durch die Macht seiner Rede, die Begeisterung weckend, von der er selbst erfüllt war. Seine ein gewaltiges Material umfassende Kenntnis der Weltliteratur stützte sich auf ein phänomenales Gedächtnis. Mit dem ihm eigenen Pathos rezitierte er ganze Dichtungen aus dem Kopf und kannte ebenso die wissenschaftliche Literatur fast auswendig. Gegenüber dieser kompilatorischen Präsenz seines Wissens trat eigene Stellungnahme zurück. Man kann ihn einen polyhistorischen Rhapsoden nennen. Er war Wagner-Enthusiast und spielte in dem München Ludwigs II. eine Rolle. Die ihn kannten, rühmten seine edle Natur hoch. Durch das Wort wirkte er auf seine Schüler, zu denen MKoch, HWölfflin, GWitkowski, EKühnemann, WGolther und FMuncker, sein Nachfolger in München, zählten. Schriftlich rang man ihm nie und er sich selbst nur schwer etwas ab; sein geplantes Lebenswerk über Homer in der Weltliteratur ist nicht zustande gekommen. Nach dem Tode von B. führten ESchmidt und GWitkowski die Herausgabe der „Schriften zur Kritik und Literaturgeschichte" (4 Bde, 1895 bis 1899) zu Ende. – Er war seit dem 4. XII. 1880 mit der Witwe des Schriftstellers Hermann Uhde in glücklicher Ehe verbunden.

Hermann Uhde-Bernays ist sein Stiefsohn, Sigmund Freud war sein angeheirateter Neffe.

St

LGeiger in: GoetheJb. 18 (1897), S. 297–302. – HUhde in: Biographisches Jahrbuch und Deutscher Nekrolog. 1 (1897), S. 17*–22*. – EPetzet in: Biographisches Jahrbuch und Deutscher Nekrolog. 2 (1898), S. 338–355. – LGeiger: Salomon Hirzel und Michael Bernays. In: GoetheJb. 21 (1900), S. 194–207. – ESchmidt in: ADB 46 (1902), S. 404–409. – Briefe von und an Michael Bernays. Hrsg. von HUhde-Bernays. 1907. – WSöderhjelm: Läroår i främmande länder. Helsingsfors (1928). S. 51–77. – HWölfflin: Kleine Schriften. 1946. S. 192 f. und 258. – HUhde-Bernays in: NDB 2 (1955), S. 104f.

Bernburg an der Saale, die kleine Residenz der gleichnamigen anhaltinischen Fürstenlinie (hier Sp. 275–277), dürfte Goethe, der Postroute von *Halle nach *Magdeburg folgend, am 14. VIII. 1805 zusammen mit seinem Sohn August und mit FA*Wolf durchquert haben (IV/19, 45; RV S. 41 quellenmäßig ungenannt). Die Gelegenheiten früherer Jahre (1776; 1778; 1781) scheint Goethe trotz der dynastischen Verbindung zu keinem Besuch B.s ausgenutzt zu haben. *Za*

Berneaud, Johann Daniel (1773–1861), Emailmaler, seit 1815 ordentliches Mitglied der kurfürstlich-hessischen Zeichenakademie in *Hanau, ist Goethe durch den Bericht KCv*Leonhards aus Hanau bekannt geworden; es werden ihm die *gerechtesten Ansprüche (I/34ᴵ, 147)* auf den Künstlernamen zuerkannt. B. lieferte für die Goldwarenfabriken in Hanau Emailschmuck und führte für den Sultan allegorische Bilder und Blumenstücke für Emaildosen aus.

ThB 3 (1909), S. 452. *Lö*

Bernhard von Clairvaux, (1091–1153), aus französischem Adelsgeschlecht, Gründer der Abtei Clairvaux, Kirchenvater und Heiliger, in die politischen und religiösen Streitigkeiten seiner Zeit eingreifend, einer der einflußreichsten Befürworter des Zweiten Kreuzzuges, ist vielleicht die geistig bedeutendste Gestalt seines Jahrhunderts. Er kennzeichnet die ideengeschichtliche Wende von „romanischer" zu „gotischer" Geisteshaltung (GWeber). Als Theologe huldigte er einer gemäßigten mystischen Haltung und widmete der Jungfrau Maria eine glühende Verehrung. Goethe erwähnt den heiligen B., von Philipp *Neri zu der seinen gemachten Maxime über die notwendige Geringschätzung alles Irdischen, einschließlich der Mißachtung, die man von der Welt erfährt (1810: I/32, 193), verarbeitet auch die Sentenz, mildernd, zu einem Zahmen *Xenion (I/3, 233 V. 82). Daß Goethe beim *Pater profundus* im *Faust II (I/15ᴵ, 328 f. V. 11866–11889)* an den heiligen B. gedacht hat, kann bezweifelt werden, trotz der Tatsache, daß dieser im *Mittelalter so benannt wurde; eher war B. Vorbild

für den *Doctor Marianus (ebda 337 V 12096–12103)*, und zwar unter *Dantes Einfluß. *Fu*

Bernhardi, August Ferdinand (1770–1820), Schüler FA*Wolfs, Grammatiker und Didaktiker, Gymnasialdirektor in Berlin, kam durch L*Tieck in immer engeren Kontakt mit der *Romantik, ohne selbst überzeugende Schaffenskraft als Dichter entwickeln zu können. Auch seiner wissenschaftlichen Arbeit fehlte es an impulsierender Denkenergie. Goethe kannte B. namentlich auf dem Wege über die Brüder *Schlegel, ferner als Leser des *Athenäum, wohl auch der „Bambocciaden" (1797–1800), die AWSchlegel ihm wiederholt schmackhaft zu machen suchte (SGGes. 13, S. 90; 111). Vielleicht hat sogar eine persönliche Begegnung stattgefunden (? 28. X. 1813: III/5, 81). Sonst erwähnt Goethe den Namen nirgends. B.s philosophisch-grammatische Arbeiten, ebenfalls empfohlen, blieben Goethe ganz fern. *Za*

Bernhardi, Felix Theodor (1802–1887), aus Berlin, führte bisweilen den Namen seines Stiefvaters vKnorring. Während seiner Studentenjahre in Heidelberg (1820–1825) besuchte er Goethe mit einer Empfehlung von ChrF*Tieck schon kurz zuvor in Marienbad, alsdann am 21. VIII. 1823 in Eger: *Conversation mit ihm über hunderterley Dinge.* Nachmittags durfte B. wiederkommen, und das Gespräch wurde fortgesetzt *(III/9, 96f.).* Goethe bezieht sich in einem gleichzeitigen Brief an den Freiherrn WMAv*Haxthausen auf diese *höchsterfreuliche Unterhaltung (IV/37, 188)*. Eckermann berichtet, Goethe habe B. unter jenen vorzüglichen Menschen genannt, deren Bekanntschaft ihn den Abschied von Marienbad schmerzlich empfinden ließ (Bdm. 5, 136). Alles in allem ungewöhnliche Worte über einen so jungen Menschen, der seinen Lebensweg noch vor sich hatte, alsdann aber ein namhafter Geschichtsforscher und Diplomat wurde und dergestalt die Vorschußanerkennung Goethes rechtfertigte. B. selbst schreibt: „Wenige Menschen habe ich noch getroffen, mit denen mir der Umgang so leicht geworden, und mehrere Tage verlebten wir ganz miteinander" (Bdm. 2, 658). Der Einladung nach Weimar ist B. freilich nicht gefolgt, denn die Zeit seiner weiten und langen Reise nach Rußland stand nahe bevor. *Za*

Bernhardi, Johann Jakob (1. IX. 1774 Erfurt bis 13. V. 1850 Erfurt), studierte und promovierte (1799) an der damaligen Universität Erfurt und war daselbst Professor der Botanik (ab 1805) und Direktor des botanischen Gartens. Seine botanischen Arbeiten betreffen vor allem die Systematik der Farnkräuter (1801), die Anatomie der Pflanzen (Gefäße) und die Bearbeitung der heimischen Pflanzenwelt. 1821 teilte er die Kristalle in die heutigen sechs Grundformen ein. Am 4. XI. 1823 hatte Goethe *In Schweigers Jahrbuch, Bernhardi's Abhandlung über krystallographische Bezeichnung im allgemeinen beschaut (III/9, 140)*. B. ist wahrscheinlich mit dem Übersetzer der Annalen des französischen Nationalmuseums der Naturgeschichte gleichen Namens identisch (vgl. IV/16, 421).   *Sl*

NDB 2 (1955) S. 124. – ADB 2 (1875) S. 461.

Berni, Francesco (1497/98–1535 – wirklich durch Gift?), gebürtiger Toskaner, überwältigender Spötter, Sohn einer verarmten Adelsfamilie, zunächst Sekretär bei mehreren Kirchenfürsten, dann in den geistlichen Beruf gedrängt (zuletzt Kanonikus in Florenz), aber ohne Neigung, dieses Metier ernst zu nehmen. B. wurde Parodist, und zwar mit solcher Meisterschaft, daß die parodistische Dichtung seiner Zeit und nach seinem schulemachenden Beispiel als poesia bernesca bezeichnet wurde. Weil ihm das Parodistische aber Lebensprinzip war, gelangen ihm Gipfelleistungen, die kein Nachahmer zu übertreffen vermochte und die eine hellsichtige Weisheit im Gewande der Narrheit feilhielten. Seine Formen waren die zeitüblichen, insbesondere Capitoli und Sonetti, deren petrarkistisch überzüchtete Strenge oder Würde er in anmutiger Frivolität, in unanständiger Trivialität, in spitzzüngiger Genialität spielerisch-spöttisch zu entarten und umzuarten wußte, weil er den falschen Kothurnen mißtraute und echten Grund unter den Füßen gewinnen wollte. Die Negation gelang, die Position mißriet. Von der Verneinung des Unnatürlichen fand er nicht zur schlichten Bejahung des Natürlichen. Doch sind die ernsten Untertöne nicht zu verkennen. In diesen versteckt sich die Möglichkeit, daß Goethe zu Dichtungen B.s greifen konnte, wobei er nur die Sonette, nicht aber die Bearbeitung des Rolands von Boiardo (*Ariosto) erwähnt (III/3, 286). Bemerkenswert: Goethe sucht B. in der kurzen Lebensphase, die ihn selbst Sonette dichten läßt (1807).   *Za*

Bernières Louvigny, Jean de (1602–1659), französischer Mystiker, Gründer der Gesellschaft vom Heiligen Sakrament in Caen, Gegner des *Jansenismus, schrieb ,,Le Chrestien intérieur, ou la Conformité intérieure que doivent avoir les Chrétiens avec Jésus-Christ'', das nach seinem Tode 1660 veröffentlicht wurde und schon 1661 die vierte Auflage er-

lebte. Die von GTersteegen 1728 herausgegebene Übersetzung ,,Das verborgene Leben mit Christo in Gott. Auf eine recht-Evangelische Weise entdecket, und nach seinen wesentlichen Eigenschafften und Wirckungen... beschrieben'' lernte Goethe schon 1770/71 kennen und trug den Titel in die *Ephemeriden* ein (I/37, 97).   *Fu*

Bernini, Giovanni (Gian) Lorenzo (1598 bis 1680), der bedeutendste Baumeister und Bildhauer Roms im 17. Jahrhundert, das er städtebaulich im Sinne des *Barocks formte, von stilbestimmender Wirkung auf seine Zeit (vgl. IV/27, 24), besonders in der Plastik (,,Hl. Therese'' in Sta. Maria della Vittorio: I/32, 439), war Goethe durch seine Studien zur Baugeschichte der Peterskirche in Rom näher bekannt geworden (I/34^II, 249 f.). B.s Kolonnaden, die der ersten Kirche der Christenheit ihre entscheidende Wirkung verleihen, hatte Goethe allerdings in *Von deutscher Baukunst* getadelt, weil sie *nirgends hin noch her führen (I/37, 141)*; doch wandelte sich dies Urteil beim Erlebnis des Platzes vor St. Peter (I/32, 8). Nach F*Bonanni kannte Goethe auch das Schicksal der b.schen Türme und bat H*Meyer 1795 brieflich, ihm Abbildungsmaterial aus Italien mitzubringen: *vielleicht findet sich eine Spur von den Thürmen welche Bernini aufsetzen wollte, ja wovon einer schon stand und wieder abgetragen werden mußte* (16. XI. 1795: IV/10, 330). Doch war die Beschränkung auf die pavillonartigen Eckbauten an der Fassade ebenso aus künstlerischen Gründen erfolgt, um die Wirkung der Kuppel des *Michelangelo nicht zu beeinträchtigen. Über die Skulpturen B.s war HMeyer gut unterrichtet; in seinem ,,Entwurf einer Kunstgeschichte des achtzehnten Jahrhunderts'' (1805) findet er ein treffendes Urteil: ,,Berninis Arbeiten sind durchaus locker, abgerundet, ja, wenn man von plastischen Werken so sagen darf, unbestimmt. Bernini ist ein Undulist.'' Meyer erkennt auch B.s ,,Hang zur malerischen Wirkung'', bezeichnet aber seine plastischen Werke, insbesondere die ,,Hl. Therese'' als ,,in der That merkwürdige Monumente der sonderbarsten Ausschweifung der Kunst'' (S. 199). B.s Aufenthalt in Paris (1665), während dem er neben den Entwürfen zur Umgestaltung des Louvre die berühmte Büste Ludwigs XIV. (Versailles) schuf, war Goethe offenbar nicht bekannt, so entscheidend dieses Ereignis – die Ablehnung der b.schen Pläne und die Errichtung der Louvre-Fassade durch ClPerrault - auch für die Geschichte der barocken Kunst war.

In Goethes Kunstsammlung waren zwei sicherlich nicht eigenhändige Handzeichnungen unter B.s. Namen einrangiert.   *Lö*
Mde Chantelou: Journal du voyage du Chevalier Bernin en France. Hrsg. von LLalanne, 1877–1885; deutsch von HRose; 1921. – FBaldinucci: Vita del Cavaliere Bernino. 1682. – Schuchardt 1, S. 234. – ThB 3 (1909), S. 461–468. – MReymond: Le Bernin. (Les Maîtres de l'Art). 1912. – HBrauer und RWittkower: Die Zeichnungen des Granlorenzo Bernini. 2 Bde. (Römische Forschungen der Bibliotheca Hertziana Bd 9/20). 1931.

Bernoully, Anton (1767–1830), Frankfurt, Sohn des Goldschmieds Johann Jakob B. und Nachkomme der Ende des 16. Jahrhunderts aus Antwerpen zugewanderten Handelsfamilie, war zuerst Juwelier, hatte aber später eine Zuckerbäckerei in der Töngesgasse 44; seit 1823 war er Mitglied des städtischen Revisionskollegs. Goethe bezog zu den Weihnachtsfesten der Jahre 1829, 1830 und 1831 *Zuckerwerk, Brenten und Sonstiges (IV/46, 178)* von diesem *berühmtesten Conditor in Frankfurt;* der Vermittler war zunächst C*Jügel (vgl. auch IV/46, 363; 48, 29; 47; 49, 170; III/12, 339; 343; 13, 182). Nach B.s Tode im September 1830 führte seine Witwe die Bestellungen aus.   *Rf*

Bernstein, Georg Heinrich (12. I. 1787 Cospeda bis 5. IV. 1860 Lauban), studierte in Jena seit 1806 Theologie und orientalische Sprachen. 1809: Promotion; 1810: Habilitation; 1812: außerordentlicher Professor in Berlin, 1820 in Breslau. Am 25. X. 1811 hatte er Goethe im Auftrage von Professor FA*Wolf um die „bewußten 12 Bücher" gebeten (III/4, 406), die ihm Goethe daraufhin am 31. X. sandte (ebda 240). 1816 ließ B. eine Übersetzung des arabischen Gedichtes des Szafieddin erscheinen, die er am 25. IV. Goethe überreichte (III/5, 226). Goethe las es am 31. V. (ebda 237). Eine Prachtausgabe erhielt Goethe am 1. VI. (ebda 237; vgl. IV/27, 42). Ein Besuch B.s bei Goethe fand am 29. VII. 1818 statt (III/6, 233). B. gehört also mit seinen philologischen Bemühungen in die Zeit des *West-östlichen Divan.* Als Verfasser seines „Lexicon linguae Syriacae" nahm er unbestritten den ersten Platz unter den Orientalisten ein.   *Ko*
ADB 2 (1875), S. 485. – Jena Universitätsarchiv A 647; M 226; 228; 360; 361.

Bernstein, Johann Gottlob (28. VI. 1747 Saalborn bis 12. V. 1835 Neuwied), avancierte vom Lakai und Feldschergesellen zum Universitätsprofessor in Berlin (1816) und Obermedizinalrat. Goethe empfahl ihm am 21. X. 1790, er solle in *Ilmenau den *Bergleuten assistiren* und *Curen unentgeltlich übernehmen (IV/9, 368 f.;* vgl. IV/8, 167), und schrieb am 22. VIII. 1796 an ChrG*Voigt: *Wenn man den*

kleinen Chirurgum nach Jena ziehen kann, so habe ich nichts dagegen. Übrigens sollte ich denken daß er hier, in der beweglichen Masse, besser als dort, in der stockenden, gedeihen werde (IV/11, 169). 1798/99 wurde B. Privatdozent (auch Vorlesungsassistent von JChr*Loder) in Jena, 1805 siedelte er als Assistent der chirurgischen Klinik nach Halle über.   *Ko*
ADB 2 (1875), S. 485 f. – v. Hagen: Geschichte der medizinischen Fakultät Jena. 1958. S. 378; 389.

Bernstein (lat. Succimit, griech. Elektron), ein Gemenge von mehreren fossilen Harzen, Bernsteinsäure und ätherischen Ölen, das sich vor etwa 35 bis 40 Millionen Jahren im älteren Tertiär (Eozän und Unteroligozän) auf dem finnisch-skandinavischen Festland von Nadelhölzern, vor allem ausgestorbenen Kiefern (Pinus succinifera) gebildet hat. Die Erscheinung, daß B. beim Reiben negativ elektrisch geladen wird und die Elektrizität daher ihren Namen erhielt (aus griech.: ἤλεκτρον), war bereits Goethe 1823 bekannt: *Elektricität erhielt vom Bernstein ihren Namen (II/11, 244;* 150; 192; vgl. auch II/1, 4). Über die Herkunft des B.s, den er durch ChrW*Hufeland erhielt (II/13, 392), findet man bei Goethe die Bemerkung: *Der Bernstein kömmt von grün in der Urzeit verschlemmten Bäumen (NS 2, 426).* Diese gelegentliche Notiz darf aber nicht darüber hinwegtäuschen, daß der B. an sich außerhalb der goetheschen Problemstellung in der *Geologie liegt, wenn er auch des öfteren erwähnt wird, wie etwa in seiner Farbenlehre (*Entoptische Farben: II/5ᴵ, 302 f.). Ebenso ist es mehr eine von der Gelegenheit veranlaßte Feststellung als das Ergebnis einer systematischen Beschäftigung mit der Materie, wenn bei der Besichtigung einer Sammlung von Arbeiten aus sizilianischem B. in *Catania anläßlich des dortigen Aufenthalts der Unterschied zwischen dem sizilianischen und dem nordischen B. in der Färbung gesucht wird (I/31, 188).   *Sl*

Bernstorff, alte mecklenburgisch-niedersächsische, seit 1767 gräfliche Adelsfamilie, trat mit Goethe durch folgende, in dänischen oder preußischen Diensten stehende Mitglieder in Verbindung:
–, 1) Charitas Emilie geb. vBuchwald (1733–1820), Witwe des dänischen Staatsmanns Johann Hartwig Ernst Grafen vB., des „dänischen Orakels" (1712–1772), lebte seit 1779 in Weimar, wo sie in dem von ihrer Nichte Sophie v*Schardt gekauften rentschischen Vorwerk (jetzt: Deinhardtsgasse 10) wohnte. Sie war reich und führte ein gastfreies Haus, hatte lebhafte geistige

und künstlerische Interessen und wirkte selbst im Liebhabertheater der Herzogin Anna Amalia mit, zu deren Kreis sie gehörte. Ihr Sekretär war der Schriftsteller JJ*Bode. Goethe war bei ihr in den ersten weimarer Jahren häufig zu Gaste (1779: III/1, 95; März 1780 *Ball bey d. Gräf. Bernstorf: ebda 110*, dazu IV/4, 188; 245; 1781: III/1, 127; 1783: IV/6, 186; 1803: III/3, 78; 1808: ebda 394). Einen Katalog ihrer Bibliothek erwähnt er im *Tgb.* am 29. X. 1820 (III/7, 242).   *Hk*

–, 2) Andreas Peter (1735 bis 1797), geboren in Hannover, Neffe des JHE Grafen vB. (vgl. 1) im dänischen Staatsdienst, wurde 1773 dänischer Außenminister; er war in erster Ehe mit Henriette Friederike Gräfin zu *Stolberg-Stolberg (1747–1782) und in zweiter Ehe mit deren Schwester Augusta Luise (1753–1835) verheiratet, mit der Goethe einen langjährigen Briefwechsel hatte, ohne sie zu kennen.

–, 3) Christian Günther (1769–1835), geboren in Kopenhagen, Sohn des Vorigen (2) aus seiner ersten Ehe. Von seinem Vater als sein Nachfolger erzogen, war B. schon mit zweiundzwanzig Jahren als bevollmächtigter Minister dänischer Gesandter in *Berlin, dann mit einunddreißig Jahren Minister des Auswärtigen in Kopenhagen und wurde, nachdem er 1817 wieder als dänischer Gesandter nach Berlin gekommen war, vom Staatskanzler CAv*Hardenberg in preußische Dienste als Minister des Auswärtigen gezogen. Diese Ministertätigkeit, sehr bald ganz im Zeichen der *Karlsbader Beschlüsse stehend, gestaltete sich sehr wenig erfreulich. Von den Zeitgenossen hat sich darüber besonders abfällig HFC Frhr v*Stein mit seiner scharfen Zunge ausgesprochen und B. als Kreatur des von ihm verabscheuten Staatskanzlers „Werkzeug des Bösen zum Bösen" genannt (10. XII. 1821 an BG*Niebuhr, noch schärfer 5. I. 1822 an Gräfin v*Reden). Goethe *erfreute sich eines Besuchs des Grafen Bernstorff* am 3. (*IV/32, 4*) und 4. IX. 1819 (III/7, 89 = IV/32, 7) in *Karlsbad, *nachdem ich ihn lange Jahre hatte vortheilhaft nennen hören, und ihn wegen inniger treuer Verhältnisse zu werthen Freunden auch schätzen lernen (I/36, 149)*, und erhielt B.s *Abschiedskarte* am 10. IX. (*III/7, 92 = IV/32, 15*). B. hatte *in früheren Zeiten meinen Produktionen gemüthliche Gunst geschenckt* und war Goethe *in Carlsbad ... mit anmuthiger Vertraulichkeit* entgegengekommen (2. I. 1825: *IV/39, 64*), so daß er, bei aller Schwäche seines Charakters, persönlich aber von echter Liebenswürdigkeit

und ohne Falsch, Goethe ebenso hilfsbereit wie verständnisvoll und innerlich teilnehmend beistand, als dessen Gesuche beim *Bundestag und dann bei den Einzelstaaten um Privilegierung der Ausgabe letzter Hand vorgelegt wurden (3. I. 1825 an B.: IV/39, 70–72; vgl. III/10, 2). Auf ihn wird es zurückzuführen sein, daß das *so kostbare als geschmackvolle* preußische Privileg dem Dichter nicht geschäftsmäßig zugestellt, sondern von einem Handschreiben des Königs Friedrich Wilhelm III. von *Preußen begleitet war. Goethe stattete seinen *verpflichtetsten Dank* an B. ab (15. III. 1826: *IV/40, 322f.*; vgl. 318 und III/10, 161; Antwort B.s eingegangen 4. V.: III/10, 187f.). August v*Goethe erhielt für seine italienische Reise von B. *Empfehlungsschreiben* an ChrCJ Frhr v*Bunsen nach *Rom und an H*Mylius nach *Mailand, die Goethe seinem Sohn nach Italien nachschickte (30. IV. 1830: IV/47, 50 und 11. V. 1830: *IV/47, 55;* vgl. III/12, 234).   *Fr*

ADB 2 (1875), S. 494–499. – NDB 2 (1955), S. 138 bis 140. – FrhrvStein: Briefwechsel, Denkschriften und Aufzeichnungen. 6. Bd. 1934.

–, 4) Joachim Frederik (1771–1835), dänischer Diplomat, *jüngerer Bruder des preussischen Ministers,* besuchte Goethe am 16. IX. 1827, wobei sich die Unterhaltung auf B.s Mutter bezogen haben wird, *mit welcher Goethe früh in näheren Verhältnissen gestanden (III/11, 111).*   *Lö*

Bernus, Jakob (1734–1816), sowohl bei Goethe als auch in den Briefen seiner Mutter stets ohne Angabe des Vornamens genannt, ist nur mit Wahrscheinlichkeit JB., der in den Jahren 1772 bis etwa 1806 eine Tabakfabrik in der Großen Sandgasse nahe dem Großen Hirschgraben in *Frankfurt betrieb. Er entstammte einer während des spanischen Erbfolgekrieges aus den Niederlanden zugewanderten Kaufmannsfamilie und war ein Neffe des Saalhofbesitzers, des reichsten Mannes der Stadt, des älteren JB. 1772 verheiratete sich der jüngere JB. mit der Witwe des JG*Sarasin, Emilie, geb. du Bosc (1741–1793), die mütterlicherseits durch Rapin-Thoyras eine Nachfahrin Karls des Großen war. Ihr Porträt, wohl anläßlich ihrer Vermählung von Anton Wilhelm *Tischbein 1772 gemalt, befindet sich heute im frankfurter *Goethe-Museum. Die früheste Erwähnung B.s findet sich bei Lavater am 26. VI. 1774, der in seinem Tagebuch über die fröhliche Tischrunde im Deutschen Haus zu *Bockenheim gemeinsam mit Goethe, *Deinet und B. berichtet, „der uns traktierte" (Bdm. 1, 34). Frau Rat Goethe berichtet zweimal von B. an ihren Sohn als dem Leidensgefähr-

ten bei der niederländischen Einquartierung
(Briefe vom 24. VIII. 1795 und 2. II. 1796:
SGGes. Bd 4, S.88; 98). Bei seinem Aufenthalt
in Frankfurt 1797 hat Goethe den alten
Freund besucht (I/34ᴵᴵ, 87 = III/2, 83). Das
Ehepaar B. hatte drei Söhne: Louis, Henry
und Alexander, welch letzterer 1807 Teilhaber
von Jean Noe du Fay, dem Schwiegervater
von JF*Schlosser, einem Freund des alten
Goethe, wurde. Alexanders Sohn, der Enkel
von JB., Senator Franz Bernus (1808–1884),
heiratete 1836 die Nichte Sophie Schlossers,
Marie du Fay, wurde 1863 geadelt und erbte
1865 das Stift Neuburg bei Heidelberg mit
all seinen Kunstschätzen.   *Rf*

Bersac, de, zusammen mit *L'Hôte Leiter einer
französischen Schauspielertruppe, die 1759 bis
1763 im Junghof in Frankfurt/M. spielte und
dem Knaben Goethe die erste Berührung mit
dem praktischen Theater brachte (IV/1,26). *EF*

Berthelsdorf in der sächsischen Oberlausitz
war seit 1722 die erste Kolonie der *Herrnhuter Brüdergemeinde auf dem Gut des Grafen JNv*Zinzendorf. Auch in Erinnerung daran (*Bibel, Sp. 1176) passierte Goethe den
kleinen Ort auf der Reise nach *Schlesien in
der Nacht zum 1. VIII. 1790; nach den Notizen JGP*Goetzes, Goethes Diener, wurde „in
Berthelsdorf . . . zum Plombieren des Gepäcks
gehalten". Auf dem Rückweg dürfte Goethe
B. am 23. IX. durchfahren haben, ehe er in
*Lauban sein Tagesziel erreichte (vgl. RV
S. 29).   *JP*
Hoffmann/Schlesien. S. 61; 63.

Berthier, Louis Alexandre (1753–1815), Fürst
und Herzog von Neuchâtel und Valangin,
Fürst von Wagram, französischer Marschall
und Kriegsminister, Freund *Napoleons, in
dessen Gefolge er nach der Schlacht bei Jena
vorübergehend, vom 15. bis 17. X. 1806, in
Weimar weilte, war bei Goethes bekannter
Unterredung mit Napoleon am 2. X. 1808 in
*Erfurt zugegen (I/36, 273) und nahm auch
an dem Besuch teil, den Napoleon und Kaiser
Alexander I. von *Rußland einige Tage später
Weimar abstatteten; die Liste der an der Hoftafel am 6. X. 1808 in Weimar anwesenden
Gäste nennt sowohl Goethes als B.s Namen.
Zu einer persönlichen Begegnung Goethes mit
dem hervorragenden Offizier ist es aber wohl
nicht gekommen. Immerhin war Goethe die
Nachricht von *Berthiers Tod* wichtig genug,
daß er sie am 4. VI. 1815 seinem *Tgb.* anvertraute *(III/5, 164).* Die bisher gewöhnlich als
„Bericht an den Marschall Alexandre Berthier" bezeichnete Niederschrift Goethes
„über die wissenschaftlichen und künstleri-

schen Institute in Weimar und Jena" (I/53,
243–249; 505–512) ist, wie WFlach neuerdings
nachgewiesen hat, nicht an B. gerichtet gewesen; sie entstand vielmehr im Rahmen
eines von dem französischen Intendanten *Villain von der weimarischen Regierung verlangten umfassenden Berichts über die inneren
Verhältnisse des Herzogtums.   *Hk*
WFlach: Betrachtungen Goethes über Wissenschaften und Künste in den weimarischen Landen. Archi-
valisches Material aus Goethes amtlicher Tätigkeit.
In: Archivalische Zeitschrift 50/51 (1955), S. 463–484.

Bertoldo di Giovanni (*Bartholdus: IV/47, 128;*
um 1420–1491), florentinischer Bildhauer und
Medailleur. Goethe kannte ihn durch den
ihm am 10. III. 1830 von dem Kanzlei-Se-
kretär EMüller überbrachten Abguß einer
Medaille auf den Sultan Mohammed II. nach
einer Zeichnung GBellinis – *auf alle Fälle ein
bedeutendes Stück (III/12, 210)* –, den er auch
am 9. IV. betrachtete (ebda 224) und seiner Sammlung einreihte. Sein Urteil über diese
Medaille steht in einem Brief an SBoisserée
vom 3. VII. 1830: *. . . von unschätzbar gemüth-
licher Arbeit; der Tyrann in Profil, stattliche
Züge aber den tristest-innigen orientalischen
Ausdruck des Auges! Auf der Rückseite führt
ein Triumphwagen Asien, Trapezunt und Griechenland heftig mit sich fort. Übrigens sehr gut
erhalten (IV/47, 128; vgl. 49, 150).*   *Lö*
Schuchardt 2, S. 44. – ThB 3 (1909), S. 505 f. – Wv
Bode: Bertoldo und Lorenzo de' Medici. Die Kunst-
politik des Lorenzo il Magnifico im Spiegel der Werke
seines Lieblingskünstlers Bertoldo di Giovanni. 2925.

Bertotti-Scamozzi, Ottavio (1719–1790), Architekt, durfte nach einer testamentarischen
Verfügung des Vincenzo Scamozzi als bester
vicentiner Architekt seinerTage den Beinamen
Scamozzi tragen. Palastbauten in *Vicenza und
Bauten in der Umgebung der Stadt zeugen von
seinem Schaffen. Goethe lernte ihn in Vicenza
persönlich kennen und schrieb unter dem 21.
IX. 1786 in der *IR: Ich ging zum alten Baumeister Scamozzi, der des Palladio Gebäude
herausgegeben hat und ein wackerer leidenschaftlicher Künstler ist. Er gab mir einige
Anleitung, vergnügt über meine Theilnahme (I/
30,80).* Auch später hat er B.s verdienstvolles,
1776 bis 1783 in Vicenza herausgegebenesWerk
„Le fabbriche e i disegni di A.Palladio raccolti
da O.B.S. con la traduzione francese", das er
nicht nur in *Italien eingehend studierte, öfter
erwähnt. So äußerte er 1795: *Als Buch ist des
Scamozzi Werk vielleicht eins der ersten die geschrieben worden sind. Eine Fülle, ein Umfang,
eine Nüchternheit, eine Methode die höchst erfreulich sind . . . Er hat gereist und studirt und
blickt frey und treffend in der Welt umher (IV/
10, 361).*   *Wt*
ThB 3 (1909) S. 511.

Bertram, Johann Baptist (1776–1841), Kunstsammler, Freund der Brüder *Boisserée, nach juristischen und philosophischen Studien von bestimmendem Einfluß auf SBoisserée und Mitbegründer der gemeinsamen Sammlung altniederländischer und altdeutscher Gemälde (I/34ᴵ, 73), deren „commentarius perpetuus" (JJv*Görres) er war. Von Goethe wurde er scherzhaft in Anspielung auf die Hl. Drei Könige – Melchior war der Vorname des Bruders des Sulpiz – *Balthasar* genannt *(IV/26, 110).* B. benutzte zu seinen Führungen den Aufsatz Goethes in *KuA* über die Sammlung Boisserée. Er war das Urbild des Junker Johannes in Av*Helwigs Novelle „Helena von Tournon" (1824). *Lö*

Sulpiz Boisserée. 1862. Bd 1, S. 347 uö. – Malla Montgomery-Silfverstolpe: Das romantische Deutschland, Reisejournal einer Schwedin 1825–1826. Hrsg. von Ekey. 1913. S. 52. – FFirmenich-Richartz: Die Brüder Boisserée. 1916. Bd 1.

Bertuch, 1) Friedrich Johann Justin (1747 bis 1822), Schriftsteller, Übersetzer und bedeutendster Wirtschaftsunternehmer Weimars in der Goethezeit, war Sohn eines weimarer Arztes. Er besuchte hier das Gymnasium und studierte seit 1765 in Jena, zuerst Theologie, später Rechtswissenschaft. 1769 erhielt er eine Hauslehrerstelle bei den Söhnen des schriftstellerisch tätigen Diplomaten LH Frhr*Bachoff von Echt auf Dobitschen, in dessen Haus er vielfältige geistige Anregungen empfing. Hier erlernte er die spanische Sprache und machte seine ersten schriftstellerischen Versuche. 1773 ließ er sich als freier Schriftsteller in Weimar nieder, wo er sich Wieland anschloß und Mitarbeiter von dessen „Teutschem Merkur" wurde. Er fand Zugang zum Hof der Herzogin Anna Amalia, übersetzte und bearbeitete auf ihren Wunsch für das Hoftheater französische Stücke, verfaßte 1775 ein Trauerspiel „Elfriede", das mehrfach aufgeführt wurde, und schuf eine Übersetzung des Don Quichote (*Cervantes 1775–1777).
Bereits damals zeigte sich neben der schriftstellerischen die organisatorische und kaufmännische Begabung B.s. Sein 1774 gefaßter Plan, gemeinsam mit Wieland einen Selbstverlag für Schriftsteller und Gelehrte zu gründen, um diese von den Buchhändlern unabhängig zu machen, kam zwar nicht zur Ausführung, doch verfolgte er 1781 mit der Beteiligung an der „Buchhandlung der Gelehrten" in Dessau ähnliche Zwecke. Indessen standen in beiden Fällen die schriftstellerischen Ziele noch vor den wirtschaftlichen.
Mit dem Regierungsantritt Carl Augusts trat neben B.s literarische Tätigkeit seine amtliche.

Seit 4. IX. 1775 war er Geh. Sekretär des Herzogs, später erhielt er die Titel eines Fürstl. Rats (1776) und eines Legationsrats (1785). Die Verwaltung der herzoglichen Schatulle war seine Hauptaufgabe, doch wurde er auch zur Erledigung der Korrespondenz herangezogen; ferner nahm er als Kenner der Landschaftsgartenkunst Anteil an der Gestaltung des weimarer Parks, dessen Leitung ihm 1787 übertragen wurde. Dieses Vertrauensverhältnis zu Carl August brachte einen ständigen persönlichen Verkehr mit Goethe mit sich; bereits 1776 verband beide das brüderliche „Du". Die charakterliche Verschiedenheit beider, die Goethes *Tgb.*-Eintrag vom 19. I. 1780: *Kam Bertuch. Entsezlich behaglicher Laps (III/1, 106)* erkennen läßt, daneben offenbar äußere Anlässe führten aber um 1780 zu einer Abkühlung des Freundschaftsverhältnisses, was wohl damit zusammenhing, daß B., obwohl er an dem geistigen Leben seiner Zeit stets lebhaft teilnahm und in Weimar auch zu den Darstellern des *Liebhabertheaters gehörte, dem „Genietreiben" der siebziger Jahre fremd gegenüberstand. Darauf deutet Goethes Mitteilung an JC*Lavater vom 28. VIII. 1780, *er möge B. höflich … doch nicht zu gut behandeln (IV/4, 275),* und der veränderte Ton der von Goethe an B. gerichteten Briefe, in denen er seit 1781 das „Du" durch das förmlichere „Sie" ersetzte (vgl. IV/4, 141 gegen 5, 69). Es entwickelte sich ein in höflichem Umgangston geführter gesellschaftlicher Verkehr, der im Laufe der Jahrzehnte mancherlei Schwankungen ausgesetzt war und der sich, wenn wir von B.s Mitarbeit in der *Freitagsgesellschaft absehen (IV/9, 291; I/42ᴵᴵ, 455), überwiegend – wie auch schon vor 1780 (zB. IV/3, 126; 133 und 214; 4, 19; 138; 140; 274; 298 und 317) – auf geschäftliche Dinge bezog. So besorgte B. für Goethe zB. Bücher, Karten und Radierungen, erledigte für ihn Geldgeschäfte (III/2, 249; IV/5, 91 und 160; 6, 122; 205 und 379; 9, 61; 10, 59 und 362 uam.), war Mitherausgeber (mit GJ*Göschen) der ersten Gesamtausgabe von Goethes Werken (IV/7, 233 f.; 8, 283–285; 319 und 343) und (mit GM*Kraus) von Goethes *Das Römische Carneval* (IV/9, 77, 79 und 168).
Denn inzwischen war der Schriftsteller in B. hinter dem gewandten und erfolgreichen Geschäftsmann zurückgetreten. Während der achtziger und neunziger Jahre nahm der Umfang seiner wirtschaftlichen Unternehmungen ständig zu und veranlaßte ihn, 1796 aus dem herzoglichen Dienst und damit auch aus der Leitung der Parkverwaltung aus-

zuscheiden. Schon 1782 hatte B. die geschäftliche Leitung von Wielands „Teutschem Merkur" übernommen. Um die gleiche Zeit richtete seine Frau Karoline (2) eine Fabrik für künstliche Blumen ein. Seine erste bedeutende und jahrzehntelang weit über Thüringen hinaus wirkende Schöpfung war jedoch die nach einer Idee Wielands 1784 ins Leben gerufene „*Allgemeine Literatur-Zeitung*". Sie gewann großes Ansehen und weite Verbreitung. Zwei Jahre später brachte B. eine weitere Zeitschrift heraus, das „Journal des Luxus und der Moden", das er gemeinsam mit GMKraus leitete und das ebenfalls großen Anklang fand. 1791 folgte die Gründung des Landes-Industrie-Comptoirs, das der Verbesserung und Erhöhung der heimischen Produktion durch Steigerung der Leistungen der *Handwerker- und Arbeiterschaft und durch Schaffung günstiger Absatzmöglichkeiten dienen sollte. Da sich dieses Ziel als nicht erreichbar erwies, beschränkte sich B. darauf, das Landes-Industrie-Comptoir zu einem Verlagsunternehmen mit eigener Druckerei (1800) auszubauen, das zusammen mit dem 1804 herausgelösten und zu einem selbständigen Unternehmen umgebildeten Geographischen Institut eine bedeutende Produktivität entfaltete und neben den schon erwähnten und einigen weiteren wissenschaftlichen und politischen *Zeitschriften („Magazin für Forstwesen", „Allgemeines Archiv für Ethnographie und Linguistik", „Allgemeine geographische Ephemeriden", „Allgemeines Teutsches Garten-Magazin", „London und Paris" „Nemesis, Zeitschrift für Politik und Geschichte", hrsg. von H*Luden, „Oppositionsblatt") vor allem wertvolle Reihenwerke geographischen, naturgeschichtlichen und medizinischen Inhalts herausgab.

B.s Unternehmergeist beschäftigte sich jedoch noch mit ganz anders gearteten, über die Grenzen des weimarischen Staates hinausgehenden Plänen, die er in Zusammenarbeit mit dem einstigen Kammerpräsidenten JAAv*Kalb zu verwirklichen strebte. 1791 machten beide den Versuch, die französischen Salzwerke von Nancy und Chateau-Salins zu pachten, doch vereitelte der Krieg dieses Vorhaben. Auch B.s Absicht, die Saline von Kissingen zu pachten und mit Hilfe neuer Bohrungen einen wirtschaftlichen Aufstieg dieses Bades herbeizuführen (1794–1796), mißlang. Trotzdem ließ er in den Jahren 1796 bis 1798 weitere bergmännische Unternehmungen in Ober- und Unterfranken folgen, nachdem er 1795 zu diesem Zweck die würzburgische Staatsangehörigkeit erworben hatte. 1797 gewann er ein Privileg der

würzburgischen Regierung für das Aufsuchen von Stein- und Braunkohlen, Eisen und Metallen in diesem Gebiet. Es kam aber lediglich zur Anlegung einiger neuer Salinen bei *Kronach und *Neustadt/Saale und vereinzelten Steinkohlenfunden in Oberfranken. Das letzte der gemeinsam mit Kalb begonnenen Unternehmen galt der Saline Clemenshall bei Offenau am *Neckar. Obwohl B. seinen fränkischen Unternehmungen alle Aufmerksamkeit zuwandte, worauf auch Goethes Äußerungen aus dem Jahre 1796, daß B.s *berühmtes Salzgeschäft sehr gut zu gehen scheint* und er *jetzt nur seine Fränkischen Eisenwerke im Sinne (IV/11, 39 und 100)* habe, hindeuten, brachten sie ihm keinen wirtschaftlichen Gewinn, sondern nur Verluste. Weitere Einbußen folgten in den Kriegsjahren 1806 bis 1813, doch konnten sie auf die Dauer B.s wirtschaftliche Stellung nicht erschüttern. Sein Unternehmen blieb nach wie vor das einzige bedeutende Wirtschaftsunternehmen des damaligen Weimar, und seine Inhaber – seit 1817 B.s Schwiegersohn LFv*Froriep – gehörten zu den wohlhabendsten Bürgern der Stadt, der B. seit 1811 auch als Mitglied des Stadtrats und später als Stadtältester bis zu seinem Tode gedient hat.

B.s Verhältnis zu Goethe war durch das Erscheinen der *Xenien*, durch die sich auch B. indirekt angegriffen fühlte, einer erheblichen Belastung ausgesetzt worden, und die von B. mitveranlaßte Verlegung der „Allgemeinen Literatur-Zeitung" von Jena nach *Halle (1803) hatte zu einem vorübergehenden Bruch zwischen beiden geführt. Die Ereignisse des Jahres 1806 und die gemeinsame freimaurerische Betätigung führten jedoch wieder zu einer Annäherung. Bei der Wiedereröffnung der Loge Anna Amalia 1808 trat Goethe für die dann erfolgte Wahl B.'s zum Meister vom Stuhl ein. B., der bereits 1776 bis 1782 der Loge angehört hatte, bekleidete dieses Amt bis 1810 (III/3, 319 und 332 f.; IV/20, 32). Zu einem engen Verhältnis zwischen beiden kam es aber nicht wieder, wenn auch Goethe 1816 sich mit B. über die Zustände in Weimar um 1775 unterhielt (III/5, 294 f.; IV/27, 273) und Goethes Mitarbeit an dem in B.s Verlag 1820 erscheinenden Katalog AW*Dennstedts über die im botanischen Garten von *Belvedere befindlichen Pflanzen einen Anlaß zu häufigen Besprechungen gab (III/7,128–131; 8, 18; IV/32, 146; 156; 172; 175; 34, 125). In Goethes Briefen, Tagebüchern und Gesprächen dieser Jahre wird B. nur gelegentlich erwähnt. B.s Eigenart, *aufs praktische zu gehn (Bdm. 4, 279)*, dh.

stets auch an den wirtschaftlichen Nutzen zu denken, berührte Goethe offenbar unangenehm, auch sagte er von B., er sei *Der größte Virtuos im Aneignen fremder Federn* und habe *nie eine Idee gehabt (Bdm. 2, 502)*. Aber er hatte doch – wie die von ihm mitverfaßte (III/8, 182 f.) Grabrede zeigt – eine hohe Einschätzung von B.s Willens- und Tatkraft, von seiner Gabe, die Erfordernisse der Zeit zu erkennen und danach zu handeln, und von seinem über den eigenen Vorteil hinaus dem Nutzen der Allgemeinheit dienenden unermüdlichen Wirken.

WFeldmann: Friedrich Justin Bertuch. 1902. – FFink: Friedrich Johann Justin Bertuch, der Schöpfer des Weimarer Landes-Industrie-Comtoirs. 1934. – AvHeinemann: Ein Kaufmann der Goethezeit. FJJ Bertuchs Leben und Werk. 1955. – FPischel: Friedrich Justin Bertuch, ein Unternehmer im klassischen Weimar. 1925. – LGeiger in GoetheJB 4 (1883).

–, 2) Friederike Elisabeth K a r o l i n e, geb. Slevoigt (1751–1810), seit 1776 Ehefrau von 1), eine Tochter des Wildmeisters Traugott Friedemann Slevoigt in *Waldeck bei Bürgel. Goethe lernte sie schon im Dezember 1775 kennen, als er gemeinsam mit FJJB. und GM*Kraus Waldeck besuchte (IV/3, 10). Eines Besuches von *Leg. Rat Bertuch Frau und Tochter* gedenkt Goethes *Tgb.* am 29. V. 1800 *(III/2, 297)*. Die Blumenfabrik in Weimar, in der zeitweilig auch Chr*Vulpius beschäftigt war, bezeichnete FJJB. als eine „Entreprise" seiner Frau.

–, 3) Karl (1777–1815), einziger Sohn des FJJB. (1), Buchhändler, studierte in Jena Kunstgeschichte, Geographie und Naturwissenschaften, machte 1803 eine Studienreise nach *Paris und trat 1804 in das Unternehmen des Vaters ein, wo er ua. die Schriftleitung des „Journal des Luxus und der Moden" und der Zeitschrift „London und Paris" übernahm. Besonders verdient machte er sich um das Zweigunternehmen in *Rudolstadt, wofür er den Titel eines schwarzburg-rudolstädtischen Landkammerrats erhielt. Im Winter 1805 bis 1806 hielt sich B. in Wien auf. Seine Eindrücke schilderte er in einer Schrift „Bemerkungen auf einer Reise aus Thüringen nach Wien" (2 Hefte, 1808/10). Mit Goethe, dem er am 23. II. 1806 *manches über Wien (III/3, 119)* berichtete, verbanden B. vielfache Beziehungen, die meist geschäftlicher Natur waren und mit seiner Tätigkeit im väterlichen Unternehmen in Verbindung standen (zB. IV/22, 201 und 204; 23, 249; 292 und 305–310). Aber auch die Beschäftigung mit dem Nachlaß von GMKraus (IV/19, 229) und der Erbschaftsangelegenheit von CL*Fernow (III/4, 3) boten Anlaß zu gemeinsamem Handeln. Gelegentliche Begegnungen in Jena (12. XII. 1807: III/3, 306) und Besuche B.s im Haus

am Frauenplan verzeichnet das *Tgb.* (16. XI. 1808: III/3, 399; 8. X. 1811: III/4, 237; 11. und 27. II. 1813: III/5, 15; 20; 23. VIII. 1813: ebda 71). B. nahm am geselligen Leben in Weimar lebhaften Anteil und verkehrte auch im Haus von J*Schopenhauer (IV/19, 294). Dem geistigen und politischen Leben seiner Zeit gegenüber war er aufgeschlossen. Die Ereignisse des Jahres 1813 begeisterten ihn. Schon am 19. X. 1813 stattete er dem leipziger Schlachtfeld einen Besuch ab, den er in einer Schrift „Wanderungen nach dem Schlachtfelde bei Leipzig im Oktober 1813" (1814) beschrieb. Ein „Aufruf zu Beiträgen für die Ausrüstung freiwilliger Jäger zu Pferd und zu Fuß" vom 20. XII. 1813, der binnen 14 Tagen 2500 Taler einbrachte, war von ihm mitveranlaßt. 1814 bis 1815 weilte er als Vertreter der deutschen Buchhändler auf dem *Wiener Kongreß, um an den Beratungen über die Pressefreiheit und das Verbot des Nachdrucks teilzunehmen. In einem Tagebuch hat er seine dortigen Erlebnisse beschrieben. Bald nach seiner Rückkehr aus Wien erlag er einem Nervenfieber. *Leider ist der verdienstvolle Land-Cammerrath Bertuch ... unerwartet, nur allzu früh mit Tode abgegangen. Seinen Verlust bedauern alle Freunde der Kunst und Wissenschaft, ja es ist nicht zu viel gesagt, daß die durch seinen Tod entstehende Lücke jedem gebildeten Deutschen empfindlich seyn wird (IV/26, 114)*.

–, 4) Charlotte (1779–1839), einzige Tochter des FJJB. (1), heiratete 1801 den Mediziner LF v*Froriep. *Bertuch Frau und Tochter* waren am 29. V. 1800 bei Goethe zu Gast *(III/2, 297)*.

–, 5) Christiane H e n r i e t t e, geb. Feder (1782 bis 1852), Ehefrau des KB. (3), Tochter des Professors ChrFFeder in *Dessau, machte mit ihrem Mann wenige Tage nach der am 22. III. 1807 in Dessau erfolgten Trauung einen Besuch bei J*Schopenhauer, wo sie mit Goethe zusammentrafen (IV/19, 294).   *Hk*

Bervisson, eine junge Schauspielerin aus Königsberg, wird auf Betreiben Goethes 1816 Mitglied des weimarer Hoftheaters. Goethe nahm an ihr Interesse (III/5, 209; 214; 216 und 223; IV/26, 207 und 340; 27, 260).   *EF*

Berzelius, Jöns Jacob (1779–1848), schwedischer Naturwissenschaftler, Professor in Stockholm, einer der bedeutendsten Chemiker seiner Zeit, arbeitete sich aus bescheidensten bäuerlichen Verhältnissen zum Wissenschaftler empor und stand durch Reisen und Korrespondenz im Gedankenaustausch mit vielen berühmten Zeitgenossen, ua. Av*Humboldt, JvLiebig und FWöhler. B. veröffentlichte 1813 seine Buchstabensymbole für chemische

Grundstoffe und Formeln, womit er der internationalen *Chemie erst eine brauchbare Sprache schuf. 1818 gab B. eine Atomgewichtstabelle heraus, die 50 Elemente enthielt und die Grundlage der modernen Entsprechung ist. Auch entdeckte er selbst die Elemente Cerium, Selen und Thorium. Wesen und Begriff der Katalyse wurde ebenfalls von B. zuerst bestimmt. Er betätigte sich auch auf dem Gebiet der organischen Chemie und *Mineralogie. Zufolge seiner kritischen, rein experimentalen Methodik kam B. in einen gewissen Gegensatz zu der von ihm sonst hoch geschätzten deutschen Naturwissenschaft, besonders zu vLiebig, den er der spekulativen Methode bezichtigte.

Außer umfangreichen wissenschaftlichen Schriften und dem in viele Sprachen übersetzten „Lehrbuch der Chemie" (6 Bde, 1808 bis 1830) verfaßte B., der ein scharfer Beobachter und guter Stilist war, auch selbstbiographische Aufzeichnungen, die aber erst 1901 im Druck herauskamen (deutsch 1903 in „Monographien aus der Geschichte der Chemie", H. 7).

B. war oft in Deutschland. Am 30. VII. 1822 kam er nach *Eger, „wo sich zur Zeit der berühmte Dichter und Naturforscher Excellenz von Goethe aufhielt". In Goethes *TuJ* 1822 heißt es nur: *Mit durchreisenden Fremden wurde das Gesammelte betrachtet, wie auch der problematische Kammerberg wieder besucht (I/36, 213).* Einer der Durchreisenden war B., der zusammen mit dem Botaniker JBE*Pohl von dem Naturforscher Kv*Sternberg bei Goethe im Wirtshaus „Zur Sonne" eingeführt wurde. B. hat Goethes Erscheinung in seiner Selbstbiographie und in Briefen anschaulich geschildert: „... seine ganze Haltung war die eines gut gekleideten, ehrwürdigen, altmodischen Inspektors. Er ist eher schweigsam als gesprächig ... Er ist auf seine alten Tage ein so eifriger Geologe geworden, daß er in den 3 bis 4 Tagen, die er in Eger war, schon ein paar hundert Tuffsteine gesammelt hatte." Gemeinsame mineralogisch-geologische Interessen führten die beiden Männer schnell einander näher. Man unternahm zusammen einen Ausflug nach dem nahen *Kammerberg, über dessen Entstehung Goethe einen Aufsatz *Der Kammerberg bei Eger* im „Taschenbuch für die gesamte Mineralogie" 1809 veröffentlicht hatte (II/9, 76–97). Goethe glaubte, daß dieser minimale Vulkan durch eine Eruption unter Wasser entstanden sei, während B. erklärte, daß die Eruption an der Luft während eines heftigen Sturmes stattgefunden haben

müsse, was er ua. durch das Vorhandensein von Lava bewies. „Goethe war über diesen Fund entzückt und besonders über die Art, wie man a priori dazu gekommen war. Er erklärte mir nun, er habe seine Überzeugung geändert und entwarf mit Sternberg einen Plan zu einem senkrechten Durchstich des Vulkans, womit sie im folgenden Sommer beginnen wollten."

B. mußte während des zweitägigen Aufenthalts in Eger auch mit dem von ihm konstruierten Lötrohr zahlreiche von Goethe gesammelte Mineralien bestimmen: „Als ich ihm zeigte, wie leicht sich Titan mit dem Lötrohr durch eine schöne Reaktion nachweisen läßt, bedauerte er herzlich, daß seine Jahre ihn hinderten, die Handhabung des Lötrohrs zu erlernen. Es wurde dunkel, bevor er es satt geworden war, Lötrohrversuche zu sehen ..."

B. hat dann 1822 und 1823 von *Schweden aus Mineralien für Goethes Sammlung nach Weimar geschickt (die Begleitschreiben bei SBratranek: „Goethes Naturwissenschaftliche Correspondenz", 1874, Bd 1, S. 34–37). Er hat den Dichter noch einmal, im Jahre 1828 in *Dornburg, aufgesucht, hatte dabei allerdings den Eindruck, daß Goethe „keine Erinnerung mehr an meinen Besuch bei ihm in Eger hatte".　　　　　　　　*Fo*

JBerzelius: Reiseerinnerungen aus Deutschland, übersetzt von GKlingemann. 1948, S. 14–15. – GoetheJb 32 (1911), S. 31–33.

Beschorner, Anton, Bergmeister in *Schlaggenwald und Mies in *Böhmen. Goethe lernte B. am 21. VI. 1811 kennen, als er von *Karlsbad aus mit seiner Frau Christiane, C*Ulrich und F*Riemer Schlaggenwald und die Zinnwerke besuchte (III/4, 213). Ein zweiter Besuch fand am 25. VIII. 1818 in Schlaggenwald statt, wobei sich Goethe besonders mit der *Zinnformation beschäftigte und B. ihm *Zu Completirung unsrer Zinnfolgen* schlaggenwalder Mineralien schenkte *(IV/29, 271).* Goethe drückte B. seine Freude darüber aus, *nach so manchen Jahren mein Andenken bey Ihnen so lebendig und Ihre Theilnahme so thätig zu finden! Jener frühere Besuch, in so werther, nun abgeschiedener Gesellschaft* [Christiane war 1816 gestorben], *ist mir unvergeßlich geblieben und wie sehr danke ich Ihnen daß Sie seit jener Zeit meiner gedacht und mich dergestalt bedacht daß mir auch von dem dießmaligen Zug eine höchst angenehme und belehrende Erinnerung bleiben muß (IV/29, 279f.).* B. versorgte Goethe auch in der Folgezeit mit schlaggenwalder Mineralien. Die letzte Begegnung fand am 22. VII. 1823 statt, als B. von Mies aus

Goethe in *Marienbad besuchte, *bedeutende Bleyspäthe von daher überbringend (III/9, 80).* Ba

Beschort, Friedrich Jonas (14. I. 1767 Hanau bis 5. I. 1846 Berlin), Schauspieler, debütierte 1786 in Worms, war dann in Regensburg, 1790 bis 1796 bei FL*Schröder in Hamburg und 1796 bis 1838 am königlichen Hoftheater in Berlin engagiert. Er nahm am 13. XI. 1803 in Jena an einem Essen bei Goethe teil (III/3, 87). *EF*

Besigheim, Städtchen zwischen *Neckar und *Enz, die sich unterhalb des Ortes vereinigen, berührte Goethe am 29. VIII. 1797 auf dem Wege in die *Schweiz: *Horizontale Kalkfelsen, mit Mauerwerk artig zu Terrassen verbunden, und mit Wein bepflanzt.* B. nennt er ein *Übelgebautes, schmutziges Landstädchen, (III/2, 105 f.).* Goethe erwähnte keines der mittelalterlichen Baudenkmäler, vermerkte aber: *Ein runder hoher Thurm auch mit Rustica gebauet (ebda).* Er meinte damit einen der beiden am südwestlichen und nordöstlichen Ende des Städtchens in Buckelquadern errichteten romanischen Rundtürme, die zu den schönsten Wehrtürmen der romanischen Zeit in Deutschland zählen und deren einer seinen Eindruck auf Goethe also nicht verfehlt hat. (RV S. 24) *Za/Wt*

Besitz, Urform menschlicher Teilhabe an irdischen Sachgütern, ist juristisch das bloße tatsächliche Haben einer Sache und begrifflich am deutlichsten im Gegensatz zum Eigentum als der vollen tatsächlichen und rechtlichen Herrschaftsgewalt über eine Sache zu verstehen. Die Juristen bedienten sich kaum vor dem 18. Jahrhundert des an sich alten, schon im *Sachsenspiegel (3. B. III Art. 83) vorkommenden deutschen Wortes. Es bedeutete ursprünglich ergreifen, sich auf etwas setzen, etwas „in B. nehmen". In diesem Sinne gebraucht es auch Goethe noch: *Wen ein guter Geist besessen . . . (I/4, 48),* wenn er nicht noch deutlicher den ursprünglichen Sinn wiedergibt: *Und er weiß von allen Schätzen / Sich nicht in Besitz zu setzen (Faust II: I/15ᴵ, 310 V. 11459 f.).* Im gewöhnlichen Sprachgebrauch wurde und wird zwischen B. und Eigentum nicht unterschieden und Eigentum unscharf auch als B. bezeichnet. Goethe verwendet ebenfalls beide Worte synonym, sogar wechselweise in einem Satz, wie in des alten *Faust* besitzgieriger Klage: *Die wenig Bäume, nicht mein eigen, / Verderben mir den Welt-Besitz (I/15ᴵ, 299 V. 11241 f.),* oder noch deutlicher in einem Gespräch mit *Eckermann: In der Jugend, wo wir nichts besitzen oder doch den ruhigen

Besitz nicht zu schätzen wissen, sind wir Demokraten; sind wir aber in einem langen Leben zu Eigentum gekommen, so wünschen wir dieses nicht allein gesichert, sondern wir wünschen auch, daß unsere Kinder und Enkel das Erworbene ruhig genießen mögen (15. VII. 1827: Bdm. 3, 412). Im allgemeinen zieht Goethe das urtümlichere, plastischere Wort „B." dem mehr abstrakten Begriff „Eigentum" vor, wobei es mitunter zweifelhaft bleiben mag, in welchem rechtlichen Sinn er das Wort gebraucht. Nach *römischem (und gemeinem deutschen) Recht gehörte auch zum juristischen B. ein B.wille, der animus domini. Bloßes Haben genügte also nicht, es ist noch kein B.n. Was juristisch gilt, hat seine Forderung auch in vertieftem Sinn für die inneren Beziehungen des Menschen zu dem, was er – zumal als Eigentümer – an äußeren Dingen besitzt. So klagt in *Künstlers Erdewallen* der Maler, der sein Bild schweren Herzens dem Reichen verkaufen muß: *Und er besitzt dich nicht, er hat dich nur (I/16, 144).* Nur *Eine liebevolle Aufmerksamkeit auf das was der Mensch besitzt, macht ihn reich (Wanderjahre: I/24, 222).* Deshalb auch die vielzitierte Mahnung *Fausts: Was du ererbt von deinen Vätern hast / Erwirb es* (auch innerlich) *um es* (innerlich wirklich) *zu besitzen (I/14, 39 V. 682 f.).* Wenn kein innerer Bezug zu ererbten Dingen gewonnen wird, dann bleiben diese tot, bleiben bloßes *alt Geräthe (ebda).* An sich *ist jeder Besitz nur eine plumpe Sache (MuR:* Hecker Nr 948).

Was für Goethe, selber der b.enden Klasse zugeboren, der B. bedeutete, hat er einmal Kanzler Fv*Müller gegenüber geäußert: *Mir ist der Besitz nöthig, um den richtigen Begrif der Objecte zu beckommen. Frey von den Täuschungen, die die Begierde nach einem Gegenstand unterhält, läßt erst der Besitz mich ruhig und unbefangen urtheilen. Und so liebe ich den Besitz, nicht der besessnen Sache, sondern meiner Bildung wegen, und weil er mich ruhiger [und dadurch glücklicher] macht (23. X. 1812: UKM S. 9).* Diese Sublimierung von B. und B.erglück ist nicht nur von dem großen Sammler Goethe geäußert. Immer gilt für ihn, gilt allgemein: *Was man nicht nützt ist eine schwere Last (Faust I: I/14, 39 V. 684).* Zu einer solchen wurde ihm bald sein *oberroßlaer Gut, weil er in der praktischen Landwirtschaft nicht bewandert war und es deshalb nicht recht *nützen* konnte (*Bauerntum). So läßt er denn auch *Therese* zu *Wilhelm* in den *Lehrjahren* sagen: *Wohlhabend ist jeder, der dem, was er besitzt, vorzustehen weiß; viel-*

habend zu sein ist eine lästige Sache, wenn man es nicht versteht (I/23, 42). Dennoch konnte sich Goethe *von dem hohen Werth des Grundbesitzes . . . überzeugen* und sah sich *genöthigt ihn als das Erste, das Beste anzusehen was dem Menschen werden könne*, wie *Lenardo* in seiner Ansprache an die Auswanderer sagt (*I/25ᴵ, 179*; vgl. *Auswanderung). Und durch *Jarno* rät Goethe weitschauend, nicht nur *an Einem Ort zu besitzen, nur Einem Platze sein Geld anzuvertrauen (I/23, 236)*. Aber niemals darf der B. im Egoismus des B.ers befangen bleiben, sondern muß immer einen sozialen Bezug durch das Verantwortungsgefühl des B.ers gegenüber der Allgemeinheit haben („Eigentum verpflichtet", heißt es im Art. 14 des deutschen Grundgesetzes!). So lautet, zur anfänglichen Überraschung *Wilhelms*, die Inschrift im Hause des Oheims *Besitz und Gemeingut (I/24, 99)*, die *Juliette* in ihrem nur scheinbaren inneren Widerspruch als Verpflichtung des B.ers gegenüber der Gemeinschaft deutet. Der B.er soll sich immer nur als *Verwalter (ebda 100)* seines B.s betragen! Unter dem Gesichtspunkt der Sozialgebundenheit allen persönlichen B.s erhält dieser seinen tiefsten, verpflichtenden Inhalt. Aber auch so gesehen bleibt seine Bedeutung immer nur relativ, wichtiger als a l l e r B. für den Menschen erscheint Goethe nun einmal die Tat: *Wenn das was der Mensch besitzt von großem Werth ist, so muß man demjenigen was er thut und leistet noch einen größern zuschreiben (Wanderjahre: I/25ᴵ, 180).*　　　　　　*Fr*

KvSavigny: Das Recht des Besitzes. ¹1803. – RSohm: Institutionen, Geschichte und System des römischen Privatrechts. ¹³1908.

Beskow, Bernhard Freiherr von (1796–1868), schwedischer Dichter, vornehmlich Dramatiker, kam auf der ersten seiner großen Europa-Reisen ua. auch zu Goethe, um durch diesen Besuch gleichsam die Dichterweihe zu erhalten. Goethe empfing ihn mit seinem Begleiter am 21. XI. 1819 in Weimar, aber die dürftige, außerdem lückenhafte Notiz verzeichnet nichts Näheres. Doch überreichte Goethe dem jungen Gast als Xenion den Abdruck seines Gedichtes (datiert vom 24. XI. 1819): *Sah gemahlt, in Gold und Rahmen, / Grauen Barts, den Ritter reiten (I/4, 42)*. Von den Werken B.s, die 1818 zu erscheinen begannen (Witterhets-Försök) scheint Goethe nichts beachtet zu haben. B. aber vergaß seinen Besuch nicht. Er erinnerte sich, gehört zu haben, daß eine goethesche Familien-Legende von schwedischer Herkunft fabelte. In Wandrings-Minnen (1833) berichtete er davon. Mit seiner Frau zusammen kam er 1834 nochmals nach Weimar.

Auch über diesen Besuch veröffentlichte er eine ausführliche Darstellung (Ord och Bild). Am bedeutsamsten ist seine Schilderung des Eindrucks, den Goethe auf ihn gemacht hat.　　　　　　*Li*

Svenska Män och Kvinnor I. 1942, Art. B. – Gräf: Sverige i Goethes Liv och Skrifter. 1921. S. 42–45. – Goethe Jb. 27 (1906), S. 124–127; 32 (1911), S. 34–42.

Besser, Johann von (1654–1729), aus Kurland gebürtiger, spätbarocker, frührationalistischer Hofpoet wirkte zunächst in Berlin, dann in Dresden. Völlig Epigone, repräsentiert er eine Vergangenheit, für deren durch B. vertretene Formen Goethe kein Organ mehr besaß. In *DuW* nicht namentlich genannt, aber bei einer Besprechung von Varnhagens Biographien deutlich formuliert, heißt es: B.s Werke *standen in Franzband ehrenvoll mit goldverziertem Rücken in meines Vaters Büchersammlung (I/41ᴵᴵ,267*; dazu I/42ᴵ, 226; Götting: nicht). Wenn Goethe in Kinder- und Knabenjahren angehalten wurde, an solchen Leitbildern wie B. und an der „wässerigen Klarheit seines Redeflusses" (Schneider: Epochen III/1, S. 50) lesen, schreiben, ja auch dichten zu lernen, so empfand er doch, *daß sie sämmtlich mit andern ihrer Zeitgenossen . . . wie ein Alp beschwerlich auflagen (ebda)*. Goethe hat in B. nicht die Zeit, dh. diese Epoche schlechthin, sondern den kleinen Epigonen und alle seinesgleichen abgetan, die selbst 1827 *bei'm Lesen* bloß ihrer Biographien *als das wiederaufsteigende Gespenst einer uralten Zeit auf dieselbe Weise lasteten (ebda)*. Darum findet sich B. in Goethes weimarer Hausbibliothek nicht. Goethe hat ihn aus des Vaters Bibliothek nicht in die eigene übernehmen wollen.　　　　　　*Za*

Bestattungen waren Goethe etwas Wesensfeindliches, dem er sich entzog. Auch Leichen mochte er nicht sehen: *Zwar ist das Ausstellen der Leichen eine uralte, gute Gewohnheit und sogar nötig fürs Volk und die öffentliche Sicherheit. Es beruht etwas darauf für die Gesellschaft, nicht nur, daß man weiß, daß ein Mensch, sondern auch wie er gestorben ist* (25. I. 1813 zu JD*Falk: Bdm. 2, 168; über egerländer Aufbahrungs- und B.ssitten vgl. 28. V. 1820 S*Grüner zu Goethe: Bdm. 2, 467 f.). Aber Goethe mochte sich sagen: *Warum . . . soll ich mir die lieblichen Eindrücke von den Gesichtszügen meiner Freunde und Freundinnen durch die Entstellungen einer Maske zerstören lassen? Es wird ja dadurch etwas Fremdartiges, ja völlig Unwahres meiner Einbildungskraft aufgedrungen. Ich habe mich wohl in acht genommen, weder Herder, Schiller, noch die verwitwete Frau Herzogin Amalia im Sarge zu sehen. Der Tod ist* *ein sehr mittelmäßiger Porträtmaler. Ich meinerseits will ein seelenvolleres Bild, als seine Masken, von meinen sämtlichen Freunden im Gedächtnis aufbewahren. Also bitte ich es Euch, wenn es dahin kommen sollte, auch einmal mit mir zu halten ... Die Paraden im Tode sind nicht das, was ich liebe* (25. I. 1813 zu Falk: *Bdm. 2, 167 f.*). Von einem der wenigen Fälle, in denen der junge Goethe an einer B. teilnahm, berichtet FW*Riemer, er habe dem Freunde den linken Handschuh ins Grab nachgeworfen. „Dies erregte äußerste Bewegung und Sensation unter den Anwesenden, die diese Äußerung jeder anders anklagten und entschuldigten" (*Bdm. 1, 464 f.*). – Chv*Stein kannte die Abneigung ihres Freundes gegen B. und ordnete daher an, daß ihr Leichenzug nicht an Goethes Haus vorüberziehen sollte. Zu ChrM*Wielands B. schickte Goethe seinen Sohn nach *Oßmannstedt. (*Bdm. 2, 168*). Der Tod Carl Augusts traf Goethe tief: *Bey dem schmerzlichsten Zustand des Inneren mußte ich wenigstens meine äußern Sinne schonen und begab mich nach Dornburg, um jenen düstern Functionen zu entgehen, wodurch man, wie billig und schicklich, der Menge symbolisch darstellt was sie im Augenblick verloren hat und was sie dießmal gewiß auch in jedem Sinne mitempfindet* (10.VII.1828 an CF*Zelter: *IV/44, 173*). Weder an den B.sfeierlichkeiten seines fürstlichen Freundes noch an denen der Großherzogin Luise nahm Goethe teil, die am 18. II. 1830 zu Grabe getragen wurde. Doch ließ sich Goethe am Tage nach ihrem Ableben die „Zeichnungen zum [Trauer-] Parade Saal vorlegen und sprach mit Ruhe und Intereße lange darüber. Er freute sich, daß die Beerdigung des Morgens seyn solle, er hasse die des Nachmittags; wenn man vom Tische aufstehe einem Leichen-Conduct zu begegnen sey gar zu widerwärtig" ... *Übrigens*, [setzte er sehr ernst hinzu], *imponiert mir ein Sarg nicht, das könnt ihr doch wohl denken.* [*Kein tüchtiger Mensch läßt seiner Brust den Glauben an Unsterblichkeit rauben*] (16. II. 1830 zu Fv*Müller: *UKM S. 182*). Müller und dessen Sohn mußten Goethe „alle Beerdigungsfeierlichkeiten genau erzählen"; letztere fanden morgens um 4 Uhr, wie es derzeit häufig Sitte war, statt, so daß Goethe „vom Heimfahren der Grosherzoglichen Beerdigungs-Equipagen früh nach 5 Uhr geweckt worden" war (18. II. 1830 FvMüller: *UKM S. 183*). Ergreifend und für die tiefere Natur Goethes so charakteristisch ist der *Tgb.*-Eintrag über Christianens Tod und B.: *Nahes Ende meiner Frau. Letzter fürchterlicher*

Kampf ihrer Natur. Sie verschied gegen Mittag. Leere und Todtenstille in und außer mir. Ankunft und festlicher Einzug der Prinzessin Ida und Bernhards [von *Sachsen-Weimar-Eisenach*]. *Hofr. Meyer. Riemer. Abends brillante Illumination der Stadt. Meine Frau um 12 Nachts ins Leichenhaus. Ich den ganzen Tag im Bett ... Meine Frau früh um 4 Uhr begraben ... Um 3 Uhr Collecte meiner Frau von Voigt gehalten* (6. und 8. VI. 1816: *III/5, 239 f.*).

Gerade aus dieser Haltung Goethes heraus wird die dichterische Schilderung von B.n in Goethes *Romanen in ihrer Abweichung vom bürgerlich-üblichen oder fürstlich-repräsentativen Brauch verständlich und für Goethes Einstellung zum Gestorbensein erkenntnisreich. Schönheit und Anmut geben der Beisetzung Ottiliens in den *Wahlverwandtschaften* ihren Charakter: *Man kleidete den holden Körper in jenen Schmuck den sie sich selbst vorbereitet hatte; man setzte ihr einen Kranz von Asterblumen auf das Haupt, die wie traurige Gestirne ahnungsvoll glänzten. Die Bahre, die Kirche, die Capelle zu schmücken, wurden alle Gärten ihres Schmucks beraubt ... Die Begleitenden drängten sich um die Träger, niemand wollte vorausgehn, niemand folgen, jedermann sie umgeben, jedermann noch zum letztenmale ihre Gegenwart genießen (I/20, 408 f.).* Die Überhöhung und Kontrastierung des Üblichen geschieht durch Motive, die dem Leben angehören: *Schmuck und Blumen*, die *traurige Gestirne* genannt werden können, ja, die *Begleitenden* wollen noch einmal der Toten *Gegenwart genießen*: der Tod, die B. ist nur ein Abschiednehmen, wie denn auch Eduard hoffen konnte, *daß Ottilie in jener Capelle beigesetzt, noch immer unter den Lebendigen bleiben und einer freundlichen stillen Wohnung nicht entbehren würde* (ebda). Auch die *Exequien Mignons* sind in ihrer Mischung üblicher B.sbräuche und deren Stilisierung mit goetheeigenen liturgieähnlichen Handlungen bezeichnend. Goethe mochte das farblose Schwarz nicht (vgl. 29. V. 1787 über einen *neapolitanischen Trauerzug mit der Grundfarbe rot: *I/31, 265 f.*), er nimmt als Farbe der Trauer das Blau des Himmels: *Mit himmelblauen Teppichen waren die Wände fast von oben bis unten bekleidet, so daß nur Sockel und Frieß hervorschienen. Auf den vier Candelabern in den Ecken brannten große Wachsfackeln, und so nach Verhältniß auf den vier kleinern, die den mittlern Sarkophag umgaben. Neben diesem standen vier Knaben, himmelblau mit Silber gekleidet, und schienen einer Figur, die*

auf dem Sarkophag ruhte, mit breiten Fächern von Straußenfedern Luft zuzuwehn. Die Gesellschaft setzte sich, und zwei unsichtbare Chöre fingen mit holdem Gesang an zu fragen: *Wen bringt ihr uns zur stillen Gesellschaft?* Die vier Kinder antworteten mit lieblicher Stimme: *Einen müden Gespielen bringen wir euch; laßt ihn unter euch ruhen, bis das Jauchzen himmlischer Geschwister ihn dereinst wieder aufweckt.* Dann folgt ein Wechselgesang zwischen Chor und Knaben, der Goethes Sinn und Begabung für liturgische Vorgänge beweist. Der Abbé hält eine Parentation [Abdankung im Hause des Verstorbenen], in der es heißt: ... *für die Lebensdauer ist kein Gesetz. Der schwächste Lebensfaden zieht sich in unerwartete Länge, und den stärksten zerschneidet gewaltsam die Schere einer Parze, die sich in Widersprüchen zu gefallen scheint.* Darauf wird, *Durch den Druck einer Feder,* der *Körper in die Tiefe des Marmors* versenkt. Vier Jünglinge, bekleidet wie jene Knaben, traten hinter den Teppichen hervor, hoben den schweren, schön verzierten Deckel auf den Sarg und fingen zugleich ihren Gesang an: *Wohl verwahrt ist nun der Schatz, das schöne Gebild der Vergangenheit! hier im Marmor ruht es unverzehrt; auch in euren Herzen lebt es, wirkt es fort. Schreitet, schreitet in's Leben zurück! Nehmet den heiligen Ernst mit hinaus, denn der Ernst, der heilige, macht allein das Leben zur Ewigkeit (I/23, 253–258).* Mit merkwürdiger Feierlichkeit wird auch hier das Todsein in dreifacher Weise als Leben beschrieben: als Hoffnung auf das ewige Leben, als unverzehrbares Dasein des Körpers und in der Fortwirkung des Toten in den Herzen der Lebenden, deren teilnehmender Ernst sogar das Leben zur Ewigkeit machen soll (vgl. die unten zitierte Stelle aus *Hermann und Dorothea* und: *eine Grabschrift ist ja eigentlich eine Lebensschrift, indem sie die Grabstätte durch die Erinnerung an das Leben beleben soll.* 3. I. 1812 an Friederike Caroline Sophie Prinzessin von *Solms-Braunfels: *IV/ 22, 233;* *Grabdenkmal).
Bedeutsam ist in der Reihe der B.sschilderungen in Goethes Dichtungen *Fausts* Ende: *Faust* feiert den Augenblick des höchsten Glücks, nur *Mephistopheles* weiß, daß es der Tod ist. *Fausts* B. folgt unmittelbar darauf; denn die Erde ist das Reich der Lebenden, der Tote darf auf ihr nicht bleiben. Im Augenblick des Todes ist der Mensch seiner Macht beraubt, jetzt genügt *das Haus so schlecht gebaut, | Mit Schaufeln und mit Spaten* ... Doch auch in diesem Haus ist der Tote nur ein *dumpfer Gast im hänfnen Gewand,* das Grab für ihn *viel zu gut*

gerathen (I/15[I], 317). Feierlichkeiten ereignen sich hier bei *Fausts* B. nicht, weil sie den Augenblick des Todes und damit die Machtlosigkeit und in Hinblick auf *Fausts* Glücksaugenblick die Täuschung des Menschen verherrlicht hätten. Hier mag der tiefere Grund für Goethes Abneigung gegen B. liegen und vielleicht auch die Erklärung der Tatsache, daß er beim Tode Nahestehender (Schillers, Christianens, Carl Augusts und seines eigenen Sohnes) sogar physisch litt. Der Augenblick des Todes und die Zeit, in der der Tote noch im Reich der Lebenden „wirkte", war seinem Lebensgefühl fern und fremd. Das Ende dieser Zeit, die B., bestenfalls eine dem Leben dienende Notwendigkeit.
Über Goethes B. und Totenfeier liegen keine einheitlichen Berichte vor. FJ*Frommann berichtet, daß der Tote im Hofraum aufgebahrt war. Der Flur war schwarz ausgeschlagen. Es brannten 42 Lichter auf silbernen Armleuchtern. Sechs Zypressen umgaben den Katafalk. Goethes Orden waren ausgestellt. Der Körper war in weißen Samt gekleidet, mit Halskrause, auf dem Haupte einen Lorbeerkranz. Die Bettdecke war schwarzer Samt. Über dem auseinandergeschlagenen Vorhang, der den Sarg Goethes von den Zuschauern trennte, standen in goldenen Buchstaben auf einem Transparent die Verse aus *Hermann und Dorothea:* ... *Des Todes rührendes Bild steht, | Nicht als Schrecken dem Weisen, und nicht als Ende dem Frommen. | Jenen drängt es in's Leben zurück, und lehret ihn handeln; | Diesem stärkt es, zu künftigem Heil, im Trübsal die Hoffnung; | Beiden wird zum Leben der Tod (I/50, 257 f.).* Ergänzt wird diese Schilderung durch W*Schütze, die unter dem 26. III. 1832 schrieb: „Heute morgen war Goethe auf dem Paradebett zu sehen: vor Menschenandrang aber konnte Niemand von den Honoratioren dazu kommen, bloß das Volk. Sie kletterten bei Hagens über die Mauer und betrugen sich roh und ausgelassen. Nachmittags gegen 4 Uhr bei Hasens, um den Zug zu sehen. Er erschien höchst unordentlich geordnet und wunderlich untereinander gemischt. Die Equipagen – die Minister – die Leiche selbst in dem alten Leichenwagen [des Großherzogs] ohne Blumen und nur zwei Kränze. Nicht einmal die goldene Lyra schmückt seinen Sarg. Sonderbar genug ward er ohne alle christliche Zeichen bis zum Kirchhof getragen. Das Vortragen des Kreuzes fehlte ihm ganz, denn es war der Generalsuperintendent schon voraus zur Gruft gefahren, und auch dort empfingen ihn zuerst

die Chorschüler [sie sangen ua. den Vers: *So lös't sich jene große Frage / Nach unserm zweiten Vaterland; / Denn das Beständige der ird'schen Tage / Verbürgt uns ewigen Bestand (I/3, 68)*; nach anderer Überlieferung ist am Tor des Friedhofs „Jesus, meine Zuversicht" gesungen worden]. Vor dem entsetzlichen Menschenlärm hörte man kein Glockengeläute, alle Gesichter kalt und teilnahmslos, genug, nirgends eine Spur von Rührung. – So ward Deutschlands größter Dichter beerdigt" (W Bode 3, S. 401). Bei Goethes B. amtierte JF *Röhr, der Goethe noch wenige Tage vor seinem Tode besucht hatte. Anläßlich literarischer Kritik, die Goethe erfahren hatte, sprach er über *das Präludium zu unserer Leichenrede (Bdm. 4, 449)*. Wenn nicht mehr, so ergibt sich doch aus dieser Äußerung vom 17. III. 1832, daß Goethe jedenfalls annahm, daß Röhr die Leichenrede in seiner Eigenschaft als Generalsuperintendent halten würde, und das heißt nichts anderes, als daß Goethe ein christliches Begräbnis für selbstverständlich hielt. Um so mehr wird der Schluß der Leichenrede, wie sie Röhr hielt, problematisch und ungoethesch: „Was irdisch an Dir war, geben wir der Erde wieder, und mit der sinnlichen Hülle, mit welcher Du unter uns wandeltest, begraben wir zugleich die menschlichen Schwachheiten und Gebrechen, durch welche Du auch an Deinem Teile der Natur ihre Schuld bezahltest. *Wenn der Mensch*, sprachest du selbst, *wenn der Mensch über sein Physisches oder Moralisches nachdenkt, findet er sich gewöhnlich krank. – Wir leiden alle am Leben; wer will uns, außer Gott, zur Rechenschaft ziehen? Tadeln darf man keinen Abgeschiedenen; nicht was sie gefehlt und gelitten, sondern was sie geleistet und gethan, beschäftige die Hinterbliebenen. An den Fehlern erkennt man den Menschen, an den Vorzügen den Einzelnen; Mängel und Schicksale haben wir alle gemein, die Tugenden gehören jedem besonders [MuR: Hecker Nr 98 und I/36, 363]*. Durch diese Deine eigenen Worte auf den Gerechten und Heiligen hingewiesen, vor welchem Du jetzt stehst, um von dem Gebrauche des Dir verliehenen großen Pfundes Rechnung abzulegen, und eingedenk des ernsten Spruches unseres göttlichen Meisters: ,Wem Viel gegeben ist, von Dem wird man Viel fordern' empfehlen wir Deine Seele der Gnade und Erbarmung Dessen, von welchem wir alle Erbarmung und Gnade hoffen, und beten über Deiner Asche: Vater unser ..." (WBode 3, S. 404). Die schon hierin zutage tretende Einstellung Röhrs unterstreicht seine briefliche

Äußerung vom 29. III. 1832 an Reil: „Gott ist tot, denn Goethe ist gestorben – rufen unsere Goethekoraxe mit einem Munde, Verehrtester. Was ich dazu gesagt habe, sehen Sie aus der Beilage [der gedruckten Leichenrede] ... Urteilen Sie aber gnädig und mild über mein Gesagtes, denn ich hatte dazu nur ein paar Stunden Zeit, indem der Abgeschiedene sich selbst zwar, nicht aber mir zur bequemen Stunde starb. Von dem Brillanten seines Leichenbegängnisses werden Sie wahrscheinlich bald in allen Zeitungen lesen ... Ich selbst bin über seinen sittlichen Wert mit möglichstem Glimpf hinweggegangen und habe mich damit begnügt, ihn mit seinem eigenen Fette zu beträufeln. Wer die nicht-gesprochenen Worte aus den gesprochenen herauszulesen versteht, wird nicht im Zweifel sein, was ich meinte" (WBode 3, S. 403 f.; vgl. Fv*Müller an CF*Zelter 14. IV. 1832: JbGGes 14, S. 227). In der Fürstengruft, in der Goethe neben Carl August und Schiller beigesetzt wurde, sang der Theaterchor unter K*Eberwein: *Laßt fahren hin das allzu Flüchtige!* (Ottilie v*Goethe 5. IV. 1832 an CFZelter: JbGGes. 14, S. 224).   *Ml*

FJFrommann: Goethes Tod und Bestattung. In: GoetheJb 12 (1891), S. 133–138. – CSchüddekopf: Goethes Tod, Dokumente und Berichte von Zeitgenossen. 1907. – Gerhard: Goethes letzte Stunden und seine Bestattung. In: Leipziger Zeitung 18. III. 1897. – MHecker: Goethes Tod und Bestattung. In: JbGGes. 14 (1928), S. 208–229. – WBode: Goethe in vertraulichen Briefen seiner Zeitgenossen. 3 Bde, 1918–23. – FBlanckmeister: Goethe und die Kirche seiner Zeit. 1923. – FKoch: Goethes Stellung zu Tod und Unsterblichkeit. SGGes. 45 (1932), S. 188–246.

Bethmann, eine der reichsten und angesehensten frankfurter Bankiersfamilien des 18. Jahrhunderts, war in vier Generationen den Goethes freundschaftlich verbunden. Für Goethes Interesse an der Familie spricht auch die von ihm aufgestellte Stammtafel (I/34[II], 65). Ursprünglich im Harz ansässig, hatten die B.s seit dem frühen 15. Jahrhundert in Goslar als wohlhabende Bürger Ratsstellen inne und zählten zwei Jahrhunderte lang zu den Mitgliedern der vornehmsten Kaufmannsgilde der Stadt. Im Jahre 1683 verließ der Münzwardein Konrad B. (1652–1701) die Heimat, siedelte zunächst nach Cramberg über und 1692 nach Aschaffenburg, später nach Mainz als Münzmeister des dortigen Kurfürsten. Von seinen elf Kindern wurde

–, 1) Simon Moritz (1687–1725) fürstlich-idsteinischer Amtmann, Stammvater des frankfurter Zweiges der B.s. Seine Witwe Elisabeth geb. Thielen zog 1725 auf Wunsch ihres Schwagers Jakob Adami (gest. 1745) nach Frankfurt, wo schon seit Jahren Verwandte ihres Gatten lebten. 1731 vermählte sich die Schwester des verstorbenen Amtmanns, Eva Maria B. (1694–1750) mit dem Archivar Dr. jur. D*Clauer. Sie ist die erste, die nachweisbar mit der goethe-textorschen Familie in Verbindung trat. Kurz vor ihrem Tode hat sie in ihrem Testament, dessen Zeugen der Stadtschultheiß JW*Textor und HJGoethe waren, den Stiefbruder des letzteren, Dr. jur. JC*Goethe, zum Vormund ihres einzigen, in Göttingen studierenden Sohnes Johann David Clauer bestimmt.

In der zweiten Generation wurden von den vier Kindern des SM die Brüder
–, 2) Johann Philipp (1715–1793), verheiratet mit Katharina Margaretha Elisabeth geb. Schaaf (1741–1822; vgl. Ruppert Nr 30), und Simon Moritz (1721–1782), verheiratet mit Sophie Elisabetha geb. Rummel (1733–1771), die Begründer des mächtigen frankfurter Bankhauses, das bis heute besteht. Nach dem Tode ihres Onkels Adami hatten sie zunächst dessen Handlung im Bleydenhaus übernommen, später, am 2. I. 1748, schufen sie ihr eigenes Bankhaus „Gebr. Bethmann", das so erfolgreich war, daß sie 1763 den Baseler Hof, Ecke Buch- und Schüppengasse – heute Bethmannstr. 7/9 – zu ihrem Wohn- und Geschäftshaus machten. Der rasche wirtschaftliche Aufstieg erlaubte es JPh, 1783 das ehedem gemietete Landhaus vor dem Friedberger Tor zu erwerben, ein kleines Palais mit ausgedehntem Park, das bis zur Zerstörung 1944 wiederholt Stätte des regsten geistigen Lebens war. Johann Philipp und Simon Moritz waren ebenso wie ihr in Bordeaux lebender Bruder (3) Mitglieder der „Niederländischen Gemeinde Augsburger Confession" und haben als solche in dieser mildtätigen Anstalt für die Armen und Notleidenden viel Gutes gewirkt. Mit Sicherheit ist anzunehmen, daß der junge Goethe und seine Schwester Cornelia, die mit den Kindern der B.s befreundet waren, im Baseler Hof aus- und ein gingen. Dort lernte Goethe im Jahre 1769 den aus Corsika vertriebenen Präsidenten P*Paoli kennen (I/29, 68). Zu den *alten Bekannten,* die Goethe auf seiner *Lahnreise mit JC*Lavater 1774 in Bad *Ems fand, zählt wohl auch Simon Moritz B., der damals dort zur Kur war *(I/28, 276;* vgl. GvLoeper in HA 22, 416). Mit dem Bankhaus Gebr. Bethmann hat Goethe (und späterhin auch sein Sohn August) mehrfach geschäftlichen Kontakt (zB. P*Im Baumgarten: IV/ 4, 170; 180–182; 191; AKöster S. 540), verdankte ihm auch gelegentlich finanzielle Hilfe, so zu seiner Italienreise, als ihm *die Bethmänner . . . ohne es selbst zu wissen unter einem*

fremden Nahmen Credit gemacht (IV/8, 44; vgl. AKöster S. 93; *Incognito) hatten.
–, 3) Johann Jakob (1717–1792), der zweite Sohn von 1), Kaufmann und kaiserlicher Konsul in Bordeaux (1776 geadelt) und seine Frau Elisabeth geb. Desclaux treten wohl erst in der nächsten Generation als die Eltern von
–, 4) Katharina Elisabeth (1753–1813) in Goethes Blickfeld. KE, zuweilen Simonetta genannt, war häufig im Hause der frankfurter Verwandten und als fast Gleichaltrige zählte sie seit ihren Kindertagen zum Freundeskreis der Geschwister Goethe. Ihr Name findet sich sowohl bei Goethe als auch in den Briefen seiner Mutter und Schwester. Sie nahm an den kleinen Hausgesellschaften teil, wirkte bei den „Preparationen zum *Puppenspiel" mit und noch in einem Brief vom 19. I. 1795 entsinnt sich Frau Rat, wie damals „die Elise Bethmann brügel vom ältesten Mors kriegte (SGGes. 4, 71; FM*Moors). Auch in *Leipzig traf Goethe wieder mit KE zusammen, als sie vom April bis August 1766 mit ihrer Tante Sophie Elisabeth (2) bei deren Verwandten zu Besuch war. Dorthin hatte man auch den Studenten Goethe empfohlen, doch scheint er selten das Haus des Senators Rummel aufgesucht zu haben (vgl. Rummel 22. II. 1775 an seinen Schwager: CHelbing S. 14), da ihn das streng religiöse Haus kaum in seinen liberalen Ideen bestätigte. *Mdlle Bethmann fait ici une figure tres mediocre,* schrieb Goethe der Schwester (31. V. 1766: *IV/I, 55)* und änderte auch später sein hartes Urteil nicht. Ihr Umgang mit *Counts, Barons, Nobles and Doctors* (12. X. 1766: *ebda 74)* ließ wohl den Studenten nicht zur rechten Geltung kommen. Dagegen schloß sich Cornelia der Freundin in Frankfurt herzlich an und erwähnt deren Vorbereitungen zur Hochzeit am 21. VIII. 1769 in Briefen an den Bruder (14. VIII. 1769). Ob Cornelia an der Vermählung KE.s mit Peter Heinrich Metzler (1744–1800) teilnahm, ist nicht gewiß, aber anzunehmen. Metzler, der als Teilhaber der Gebr. B. den Namen B.-Metzler angenommen hatte und am 15. I. 1776 geadelt wurde, stammte wie KE aus Bordeaux. Die kleinen Zwistigkeiten, die sich für Goethes Mutter mit den B.-Metzlers wegen der Miete der Theaterloge ergaben (vgl. AKöster S. 97; 108), konnten die guten Beziehungen auf die Dauer nicht trüben (an Anna Amalia 7. II. 1783: SGGes. 1, 97). So verkaufte die Mutter im Februar 1793 an den Bankier zwei Wiesen, eine am Ginnheimer Steg und eine am Asmusweg, nachdem sie vom Sohn im September 1792 die Erlaubnis dazu eingeholt hatte (vgl.

CHelbing S. 14f.). Vom Erlös der Übereignung erhielten Goethe und die schlosserschen Kinder je 1000 fl. Das schöne Baumstück auf einer sanften Anhöhe lag unmittelbar neben der „Grüneburg", jenem Besitz vor dem Eschenheimer Tor, den die B.-Metzler und ihre Nachkommen bewohnten (vgl. I/34^I, 227). Als Frankfurt zum Operationsgebiet der französischen Truppen wurde, war es KE, die „im Nachthabit, außer Odem" zum Hirschgraben „gerent" kam, um Goethes Mutter über die bedrohliche Lage zu informieren (Frau Rat 13. I. 1794 an Goethe: SGGes. 4, S. 39). Man teilte Freud und Leid und mit Vorliebe verbrachte KEGoethe ihre Sonntage auf dem metzlerschen Landhaus an der Windmühle (Dezember 1795 an Goethe: SGGes. 4, S. 95). So erfährt man auch, daß „die Elise Bethmann ... verschiedenen großen Musick Künstlern eine Dine" gab, „nach Tische setzt sich der eine an's Forto piano und singt mit der herrlichsten Stime: kents du das Land wo die Citeronen blühn?" (AKöster S. 333f.) und wie „gantz" bezaubert die B.-Metzlers vom *Wilhelm Meister* waren (17. XII. 1796) und daß die Elisa „eins von den theuresten Exemplaren" von Hermann und Dorothea erworben hatte (4. XII. 1797: SGGes. 4, S. 123; 145). Für ihren Garten ließ sich die Freundin von Goethes Mutter „ein Kistgen Nordamerikanischer Holtzarten" vom weimarer Hofgärtner besorgen (10. V. und 20. VII. 1799: SGGes. 4, S. 175; 180).

Kaum weniger herzlich war das Verhältnis der Goethes zu KE.s Cousine

–, 5) Susanna Elisabeth (1763–1831), der erstgeborenen Tochter von JPh (2) und Schwester des Folgenden. Diese hochgebildete, allgemein geschätzte Frau heiratete am 15. VIII. 1780 Johann Jakob Hollweg (1748–1808), der sich als Teilhaber der Gebr. B. den Doppelnamen B.-Hollweg zugelegt hatte. Beider Sohn war der Gelehrte und spätere preußische Kultusminister August vB.-Hollweg (1795 bis 1877). Auch die B.-Hollweg waren gern gesehene Besucher am Großen Hirschgraben, wie umgekehrt Frau Rat in deren Heim zu Gast war (10. XII. 1785; 17. XII. 1796). Bei Goethes Aufenthalt in *Wiesbaden 1814 suchte ihn *Mad Holweg* am 7. VIII. auf *(III/5, 124)* und ein Jahr später, als Goethe auf der *Gerbermühle wohnte, war sie es, die den Dichter zu seinem Geburtstag mit einem Morgenständchen des frankfurter Theaterorchesters überraschen ließ (Tagebuch SBoisserée, hrsg. von MRapp, 1862. Bd 1, S. 271 f.). Begegnungen in Frankfurt und Weimar folgten

(III/5, 177; 180; III/7, 133; III/8, 22). SE hatte sich der Pflege des wielandschen Grabes in *Oßmannstedt angenommen und erhielt ua. am 28. II. 1821 einen Brief Goethes in dieser Angelegenheit (IV/34, 147 f.). Ihr einziger Bruder

–, 6) Simon Moritz (1768–1826) stand Goethe von allen B.s am nächsten, er war auch der hervorragendste Vertreter der frankfurter Familie. Als Staatsrat und „roi de Francfort" wie er genannt wurde, stand er wie kein anderer neben seiner Tätigkeit als Bankherr im öffentlichen Leben. Er hatte eine glänzende Erziehung genossen, war weit gereist und seit 1791 Teilhaber des Bankhauses, das er durch sein Mitwirken zum ersten der Stadt machte (vgl. „einige gute Frankfurter Späße ... zwischen Rothschild und Bethmann, wie eine dem andern die Spekulationen verdorben": 11. IV. 1829: Bdm. 4, 106 f.). Im November 1807 vom Kaiser Alexander zum russischen Generalkonsul bei den Rheinbundstaaten ernannt, 1808 durch Franz I. in den erblichen Ritterstand erhoben, hat er sich durch seine Intelligenz und diplomatische Geschicklichkeit bleibende Verdienste um Staat und Stadt erworben. Seinen Bemühungen gelang es 1802, die im Bereich des frankfurter Territoriums gelegenen geistlichen Güter der Stadt zurückzugewinnen, seiner taktvollen Fürsprache dankt Frankfurt, daß *Napoleon, der im Oktober 1813 auf SM.s Landgut am Friedberger Tor wohnte, die Einstellung der Beschießung befahl. Als Reformator des Schulwesens – er gründete die Musterschule und unterstützte das *Philantropin –, als Förderer der Wissenschaft [JChrv*Senckenberg] und als aktivem Kunstmäzen ist ihm Frankfurt Unendliches schuldig. Er war befreundet mit Hortense Eugenie de *Beauharnais, mit Mme de *Staël-Holstein, mit dem Fürsten *Metternich, mit Ev*Dalberg und Av*Humboldt. Am 18. VI. 1803 war Louise von *Preußen mit König Friedrich Wilhelm III. Gast in seinem Landhaus, zugleich mit dem Herzog Carl August von *Sachsen-Weimar und den Prinzen Heinrich und Wilhelm von Preußen. Im Herbst 1813 wohnte Alexander I. bei seinem Konsul und 1814 gab SM dem Kaiser auf seinem Landgut Louisa im Stadtwald ein Fest. Diesen 1812 erworbenen Walddistrikt hatte er nach seiner Gattin Louise (geb. vBoode aus Amsterdam 1792–1869) benannt und im Stil des Parks von Zarskoje-Selo angelegt.

Die Kinderfreundschaft zwischen Goethe und SM (vgl. hier 2) lebte im Winter 1796/97 in Leipzig wieder auf (29. XII. 1796; 1. I. und

7. I. 1797: III/2, 50 f.; ebda am 30. XII. 1796 auch Zusammentreffen mit MBusmann, der zweiten Schwester SM.s) und vertiefte sich bei Goethes frankfurter Aufenthalt im August 1797 (13./15. VIII.: III/2, 81 f.; vgl. auch IV/12, 229; 237; 248). SM seinerseits versäumte nie, bei seinen Reisen über Weimar den Dichter aufzusuchen (erstmals 6. II. 1797: III/2, 55; dann 26. I. 1801: III/3, 3; 9. VIII. 1804: ebda 107; 18. XI. 1809: III/4, 79; Zusammentreffen in *Teplitz 1812: III/4, 79). Als Goethes Sohn in Frankfurt war, hat SM sich in dessen Stammbuch eingetragen (Frau Rat 11. V. 1805: AKöster S. 489) und später (22. IV. 1808) ihm ein Billet zum Fest der bürgerlichen Offiziere verschafft. Im September/Oktober 1814 besuchte Goethe den Freund mehrmals (IV/25, 39; 41; 62); damals besichtigte der Dichter auch das im Park vor dem Friedberger Tor neuerbaute Museum, in dem SM wertvolle Abgüsse von Antiken aufgestellt hatte und *Danneckers ,,Ariadne" erwartete (eingetroffen 1816): *Und was läßt sich nicht alles von einem Manne erwarten, dessen Neigung und Thätigkeit durch ein so großes Vermögen in lebhafter Bewegung erhalten wird (I/34^I, 115)*. SM hat sich auch vor allen anderen Frankfurtern bemüht, SBoisserées Vorschlag (28. VIII. 1819) zur Errichtung eines *Denkmals für Goethe in der Vaterstadt zu verwirklichen. Bis zu seinem Tode (1826) hat er sich mit Energie und Großzügigkeit trotz aller Schwierigkeiten dafür eingesetzt. Daß die jahrelangen Verhandlungen mit Goethe selbst, mit Thorwaldsen, ChrD *Rauch, Bv*Arnim und Dannecker am Ende scheiterten, war nicht seine Schuld (vgl. IV/43, 143). Noch Anfang 1826, nach seinem *Contract wegen der zu fertigenden Statue (III/10, 132)* mit Rauch, schrieb Goethe ihm: *Nehmen Sie daher meinen verpflichteten Dank, daß Sie mich durch Ihre Geneigtheit meiner Vaterstadt ganz eigentlich wieder geben und mir dort einen so erfreulichen als würdigen Sitz auch für die Zukunft bereiten* (Anfang 1826, in diesem Wortlaut aber vielleicht nicht abgesandt: IV/40, 435).

–, 7) Die letzte frankfurter Generation der B.s, die Goethe noch persönlich kannte und verehrte, waren zwei Nichten des Staatsrates (6): die schöne Sophie vB.-Metzler (1774–1806), die schon als junges Mädchen ,,die Woche etliche Mahle" mit ihrer Mutter (4) Frau Rat Goethe besuchte, und Marie de Flavigny (1805–1876), Tochter aus der zweiten Ehe von Marie Elisabeth B. (1772–1847), der dritten Schwester von 6). Sophie hatte vor ihren Geschwistern die besondere Zuneigung von Goe-

thes Mutter, da sie in unvergleichlicher Weise Goethes Mignonlied vorzutragen wußte (vgl. AKöster S. 334). War Sophie unterwegs, so ,,correßpondirte" sie mit ihr, ,,daß es eine Lust ist" (17. IX. 1796: AKöster S. 353). Beim Einzug König Friedrich Wilhelms II. hatte Sophiens Anmut die Aufmerksamkeit des Monarchen erregt (vgl. AKöster S. 310 f.). aber mit Takt und Stolz wies das junge Mädchen alle Bewerbungen zurück. Im Jahre 1796 vermählte sie sich mit dem Residenten Joachim vSchwartzkopf (1766–1806) und bewohnte mit ihm das b.sche Besitztum, die Grüneburg. Dort hat Goethe am 9. VIII. 1797 das junge Paar besucht (III/2, 80) und sich des elterlichen Baumstücks erinnert, das zur Erweiterung des Parks erworben worden war (I/34^I, 227; vgl. hier 4).

Marie Katharine Sophie de Flavigny, verehelichte Gräfin D'Agoult (Schriftstellername Daniel Stern), Freundin FLiszts und Mutter Cosima Wagners, lernte Goethe bei seinem letzten frankfurter Aufenthalt im Hause ihres Onkels kennen. Marie hat diese Begegnung in ihrem Buch: ,,Mes Souvenirs 1806–1833" festgehalten: ,,Ses deux prunelles énormes qui flamboyaient son beau front ouvert et comme lumineux, me donnèrent une sorte d'éblouissement . . ." (vgl. Bdm. 2, 341 f.).

Rf

BSuphan: Briefe von Goethes Mutter an ihren Sohn, Christiane und August v. Goethe. SGGes 4 (1889). – BSuphan: Briefe von Goethes Mutter an die Herzogin Anna Amalie. SGGes 1 (1886). – AKöster: Die Briefe der Frau Rath Goethe. Gesammelt und herausgegeben.⁷1956. – HPallmann: Simon Moritz von Bethmann und seine Vorfahren. 1898. – CHelbing: Die Bethmanns, aus der Geschichte eines alten Handelshauses zu Frankfurt am Main. 1948. –

Bettler. Nicht nur der *Besitz, auch die Besitzlosigkeit ist eine Urform, dh. eine Urmöglichkeit des menschlichen Daseins – ein Grenzfall am äußersten Rande, etwa an der Stelle, wo es im Frühjahr 1773 für den todwunden, verfolgten *Götz dichterisch notwendig *Nacht* wird und wo der *wilde* [!] *Wald* (der gesetzlose, anarchische *Wald*) zigeunerisch fern und jenseit der bewohnten, wohlgeordneten Tageswelt eine letzte Zuflucht bei dem Bettelvolke der Verlorenen verspricht, aber nicht bewirken kann, weil *Götz* längst und um vieles verlorener als die Verlorenen, weil er schon hinter und unter ihnen ist (I/8, 152; *Ballade Sp. 684 f.). Der negative Modus der Besitzlosigkeit ist [objektiv!] *gränzenlose Noth,* der positive ist [subjektiv!] *Bedürfnislosigkeit,* insofern: die mehr oder weniger personale Entscheidung, einen solchen *Zustand* zu besetzen, *sich darein geschickt zu haben* (1821: I/41^I, 260) oder nicht. In Goethes *Gesellschafts-

Bild hat neben *Adel, *Bürgertum, *Bauerntum auch der B. dergestalt seinen Platz. Die ständische Struktur, wie Goethe sie sieht, speist sich in hohem Grade aus der Relationalität von Geben und Nehmen. So ist Goethes Gesellschafts-Bild grundsätzlich ein kommunikatives. *Nur der ist froh, der geben mag,* singt der *Bettler* werbend *Vor dem Thor* (1798: *I/14, 47*). Er singt es nicht nur, weil das Klappern wie zu jedem so auch seinem Handwerk gehört. Das ‚*mag*‘ ist sprachlich doppelsinnig. Es reicht in Goethes *Sprache noch ebenso, ja mehr in die Sphäre des Könnens als in die des Wollens. Es drückt ein ‚*Vermögen*‘ im Sinne des Wollen-Könnens aus. *Nur der ist froh,* der über alles, was zum *Geben* nötig ist, verfügt: über das Können wie über das Wollen. Dieses Verfügen ist Freiheit. *Zu nehmen, zu geben des Glückes Gaben / Wird immer ein großVergnügen sein* (1815: *I/6, 145*). *Groß* kann dieses *Vergnügen* – ein *Vergnügen* überhaupt kann nur sein, wenn es „frei“ ist. So entspräche der „Frei-Gebigkeit“ eine (sprachlich damals wie später gewiß nirgend bezeugte) „Frei-Nehmigkeit“. Im Bilde gesagt: *Was willst du untersuchen / Wohin die Milde fließt! / In's Wasser wirf deine Kuchen, / Wer weiß, wer sie genießt* (1815: *I/6, 126;* vgl. dazu die Metamorphose der *Kuchen* zu Liebesgrüßen, dadurch die paradigmatische Überhöhung des Gebens und des Nehmens zum Schenken und zum Empfangen, wie denn *Liebende* wechselweise und beiderseits Reiche zugleich und B. sind: *IV/26, 99*). Das heißt: Geben ist Nehmen, Nehmen ist Geben. Die soziale Situation verlangt immer eine durchaus personale Leistung und ist immer eine solche. Bezogen auf spätere, insbesondere moderne (massen- und wohlfahrts- oder versorgungsstaatliche) Erfahrungs- und Denkformen ist eine solche auf Zwischen-Menschlichkeit gegründete Interpretationsweise zumindest überholt. Unwahr ist sie darum nicht, auch nicht unwirklich, aber vielleicht zu anspruchsvoll in der Hinsicht auf die sittlichen Voraussetzungen. Für Goethes Deutung der Lebenswirklichkeit hat der B. mehr als *Typus,* weniger als Individuum gerade die Funktion, den Wechselbezug Geben/Nehmen ad oculos demonstriert zu verursachen. Der Reiche nimmt vom B. die Gelegenheit zum Geben – dem B. gibt er die Gelegenheit zum Nehmen. Goethes Formel dafür: *Die Freigebigkeit erwirbt einem jeden Gunst* [!], *vorzüglich wenn sie von Demuth* [!] *begleitet wird* (1821: *MuR:* Hecker *Nr 84*). Darin liegt jedenfalls das Doppelpostulat der

*Ehrfurcht sowohl für den Gebenden wie für den Nehmenden und zugleich das der *Dankbarkeit gegeneinander – in summa: die Bejahung der Relationalität als nicht allein menschenwürdig, sondern –nötig. Kraft dieser Relationalität ist es möglich, auf die (objektiv) *gränzenlose Noth* der Besitzlosigkeit (subjektiv) mit Bedürfnislosigkeit zu antworten oder den Nehmenden zu bitten, daß er nimmt, wie den Gebenden zu bitten, daß er gibt, von beiden Polen her aber zu danken, daß sie in Wechselwirkung zueinanderstehen und eben nur in dieser selbst wirklich sind. Dankende und solche, die danken müssen, sind wir alle: *Begegnet uns jemand, der uns Dank schuldig ist, gleich fällt es uns ein. Wie oft können wir jemand begegnen, dem wir Dank schuldig sind, ohne daran zu denken* (1809: *MuR:* Hecker *Nr 4*)!
In diesem „allgemeinen“ und keineswegs „modernen“ Rahmen entfaltet sich für Goethe die B.-Problematik, aber „besonders“ erfüllt sie sich in noch anderen Formen. In diesen Formen äußert sich zunächst Goethes höchst eigenes Bemühen um einen persönlich unmittelbaren Zugang zu dem Phänomen selbst. Von Goethes Neigung zum *Inkognito sehen wir hier ab. Ungestüm heißt es im Herbst 1771: *Armuth, Keuschheit und Gehorsam! Drey Gelübde deren iedes einzeln betrachtet der Natur das unausstehlichste scheint; so unerträglich sind sie alle (I/39, 12)!* Scherzhaft vorgetragen hört man 1784/85: *Armuth ist eine böse Krankheit (I/12, 123).* Da es aber *die Krankheit* ist, die *erst bewähret den Gesunden* (1808/10: *I/5^{II}, 350*), so wird der Tausch der Aspekte dringlich. Besitzlosigkeit muß als Bedürfnislosigkeit gelebt werden. Zumindest muß ein Möglichstes dazu erlebt werden. Derartiges widerfuhr Goethe beispielhaft in *Neapel: *Der zerlumpte Mensch ist dort noch nicht nackt; derjenige der weder ein eigenes Haus hat, noch zur Miethe wohnt, sondern im Sommer unter den Überdächern, auf den Schwellen der Paläste und Kirchen, in den öffentlichen Hallen die Nacht zubringt und sich bei schlechtem Wetter irgendwo gegen ein geringes Schlafgeld untersteckt, ist deßwegen noch nicht verstoßen und elend; ein Mensch noch nicht arm, weil er nicht für den andern Tag gesorgt hat.... Man würde alsdann im Ganzen vielleicht bemerken, daß der sogenannte Lazarone nicht um ein Haar unthätiger ist als alle übrigen Classen, zugleich aber auch wahrnehmen, daß alle in ihrer Art nicht arbeiten um bloß zu leben, sondern um zu genießen, und daß sie sogar bei der Arbeit des Lebens froh werden wollen.... Man bemerkt bei ihnen...,*

daß sie zwar ihr Geschäft verrichten, aber auch zugleich einen Scherz aus dem Geschäft machen. Durchgängig ist diese Classe von Menschen eines sehr lebhaften Geistes und zeigt einen freien richtigen Blick (1787/1817: I/31, 261–263). Mag das auch in Goethes Augen zunächst eine Entdeckung sein, die wesentlich *Arkadien gilt – aus dem Zusammenwirken von südlichem Traumland und nördlicher Erbwelt erbildet sich als eine Art von Gleichnis des eigenen Daseins die Gestalt des *Diogenes. Jugendliche Vorformen (1775/76) werden dabei metamorphosisch erneuert. Ein *protestantischer Diogenismus* wird motivisch (1787/1816) in der Lebenshaltung markiert (1/30, 247). In der unruhigen Zeit nach der *französischen Revolution, nach der *Campagne in Frankreich, nach der *Belagerung von Mainz steigert sich die Gleichung Goethe = Diogenes metaphorisch (fast) zur Höhe des *Symbols: Für meine Person finde ich nichts Räthlicheres, als die Rolle des Diogenes zu spielen und mein Faß zu wälzen (1794: IV/10, 181 f.; vgl. dazu 1795: IV/10, 303; 1796: IV/11, 134). Die Kulmination ist am 26. [!] X. 1813 erreicht, als der Reichsgraf Hieronymus II. v*Colloredo-Mansfeld nach seinem Siege bei Probstheida-Leipzig Goethe in seinem eigenen Hause das B.-Schicksal aller Entrechteten und Vertriebenen bereitete und gerade an den Tagen 25./26. Oktober besonders große Unruhe verursachte (III/5, 80; *Ballade Sp. 682–690): „Seine Stube [der Fluchtort: sein Asyl] kommt ihm vor wie Diogenes' Faß" (Riemer/Pollmer unter dem 26. X. 1813, S. 346); hier hatte er (relativ) Ruhe (vgl. dazu WMuschg S. 399f.). Aber das Gefühl der Bedrohung durch die zeitlichen oder überzeitlich-tieferen Ereignisse, die Bitternis der Entrechtung, Vertreibung, Verlorenheit, alles in allem (gleichnisweise objektiv) der Besitzlosigkeit hielt an. Goethe suchte (gleichnisweise subjektiv) das Gefühl der Bedürfnislosigkeit zu kultivieren: Ich mag mich sehr gern regieren und besteuern lassen, wenn man mir nur an der Öffnung meines Fasses die Sonne läßt (Mitte Januar 1815: IV/25, 152; vgl. dazu BrSartorius S. 150; ähnlich IV/25, 193; auch noch am 16. I. 1818: IV/29, 9). Das Bild verblaßte, als die Ballade (vom vertriebenen und zurückkehrenden Grafen) im Winter 1816/17 widerspenstig, mehr willentlich als wirklich abgeschlossen wurde. Symbolisch entspräche das Faß der für Goethe viel beziehungsreicheren, ausdrucksstärkeren *Höhle. Diogenes aber lieh ihm seine Gestalt, nicht um als Kyniker erscheinen zu können, sondern um einen spezifischen Aspekt zur Deutung des eigenen Daseins zu haben. Dieser spezifische Aspekt richtet sich auf die höchste Gunst eines rechten Verhältnisses zwischen Herrschenden und Dienenden (I/6, 88), zugleich auch zwischen Mäzenen und Poeten. Durch eine solche höchste Gunst wird Armuth ein ehrlich Ding. Man kann sagen: Besser betteln als borgen, und Goethe schließt den Gedanken: Erlauchte Bettler hab' ich gekannt, / Künstler und Philosophen genannt; / Doch wüßt' ich niemand, ungeprahlt, / Der seine Zeche besser bezahlt (1827: I/3, 306). Die Währung, in der eine solche Zeche bezahlt werden muß, war Goethe auch besser bekannt als anderen, ungeprahlt.

In diesen Konturen verbirgt sich das Spezifische seiner Haltung gegenüber dem Phänomen des B.s schlechthin. Im Zentrum steht das menschliche Daseins-Gebot kommunikativer und sozialer Bezugnahme, dh. das Gebot der Mit-Menschlichkeit und Partnerschaft, das für Goethe der konsequente Ausdruck einer gelegentlich ebenso modern wie mittelalterlich anmutenden kreatürlichen Gesamtverantwortung des einen für den anderen war. Bedingung bleibt eine gute Art zu nehmen und zu geben. Das Gute dabei besteht in der aktiven Wechselseitigkeit von Nehmen und Geben. Wer aber aus der gränzenlosen Noth seiner Besitzlosigkeit einen Zustand macht und sich passiv darein schickt, der tritt aus der aktiv geforderten und zu leistenden Wechselseitigkeit heraus. Er fällt dem Gesindel („landschädliche Leute") anheim, und gegen derlei Gesindel zumal wenn es überhand nahm, hatte auch Goethe für zeitüblich drastische Maßnahmen das gebotene realistische Verständnis (*Polizei). Für Goethe ist es eine Selbstverständlichkeit des Menschenwertes und der Menschenwürde, daß jeder In-Not-Geratene aktiv bemüht bleibt, aus zeitweiliger Bedrängnis herauszukommen. Der Gebende hilft durch seine Gabe heraus, der Nehmende lohnt diese Hilfe, indem er zeigt, daß und wie er herauskommt oder doch herauskommen kann und will. In diesem Sinne sind alle Hilfeleistungen Goethes an Bedürftige und Bittende zu verstehen. Die dafür regelmäßig aufgewendeten, zT. langlaufenden ideellen wie materiellen Mittel sind sehr erheblich. Beispiele wie P*Im-Baumgarten, JF*Krafft ua. zeigen das besonders eindrucksvoll. Auch die Gelegenheits-Spenden oder momentanen Hilfsgaben, soweit überhaupt verbucht, erreichen bisweilen eine unverhältnismäßige Höhe (dazu zB. *Geld; Ph*Seidel). Enttäuschungen und Irrtümer

konnten nicht ausbleiben, wie etwa mit JChr *Sachse: *Sachsens Untergang . . . ist merkwürdig genug; er hat als Vagabund zu Fuße angefangen und endigt als Vagabund im Einspänner. Eigentlich habe ich ihn durch Herausgabe seiner Lebensgeschichte tot geschlagen; er wußte nicht wo er mit dem wenigen Geld hinsollte* (16. VII. 1822: *IV/36, 95*). Im Zusammenhang mit der Herausgabe der sachsesehen Aufzeichnungen finden sich Formulierungen Goethes, die über den Einzelanlaß hinaus grundsätzlich Stellung nehmen. Wir erfahren noch einmal, daß Goethe *eigentlichen Bettlern, gebrechlichen alten Leuten,* solchen, die aus ihrer *gränzenlosen Noth* einen (rein passiven) *Zustand* gemacht hatten, *niemals gern gegeben,* daß er es für *Anmaßung* gehalten hat, daß er aber, *einem Thätigen, im Augenblick Bedürftigen dagegen fortzuhelfen,* es *nie* hat *an Beisteuer mangeln lassen.* Er schaltet einen kurzen, geschichtlichen Überblick über die B. *in älteren Zeiten* ein, spricht über *Pilger,* über die *stromartigen Wanderungen der wilden Studirenden,* über die *Handwerker* bis auf seine Tage und schließt den Bericht einer Begebenheit an, die ihn lehrte, wie falsch es sei, sich in diesen Dingen *selbst zum Werkzeug der Vorsehung zu berufen und mit einem so wichtigen Auftrag Scherz zu treiben:* er mußte schließlich *die ganze kleine Summe beschämt wieder einstecken und dem höheren Wollenden das Künftige überlassen* – echter Ausdruck eines Wissens um kreatürliche Gesamtverantwortung und um die rechte, *gute Art zu nehmen* und *zu geben* (*I/41ᴵ, 260–263*).
Za

Beulwitz, thüringisches Adelsgeschlecht, vielleicht sorbischer Herkunft, das nach seinem Stammsitz B. bei Saalfeld benannt ist.
Goethe stand mit folgenden Familienmitgliedern in unmittelbarer Verbindung:
–, 1) Friedrich Wilhelm Ludwig (1755–1829), schwarzburg-rudolstädtischer Beamter und Staatsmann, seit 1774 Mitglied des Regierungskollegiums in *Rudolstadt, später auch des Geheimen Ratskollegiums als Hof- und Legationsrat, 1797 Wirklicher Geheimer Rat, 1798 Vizekonsistorialpräsident, trat in der napoleonischen Zeit auch außenpolitisch, als erfolgreicher Verfechter der bedrohten Selbständigkeit des Fürstentums *Schwarzburg-Rudolstadt, hervor und wurde 1814 Kanzler und Konsistorialpräsident. B., der in erster, 1794 geschiedener Ehe mit Kv*Lengefeld, später verehelichten v*Wolzogen, der Schwester Ch v*Schillers, verheiratet war, hatte starke geistige und künstlerische Interessen und stand in näherer Verbindung mit zahlreichen geistig

führenden Persönlichkeiten seiner Zeit. Mit Goethe wurde er schon in dessen ersten weimarer Jahren bekannt (IV/6, 147), und in seiner Wohnung in Rudolstadt (heute Schillerstraße 25) fand am 7. IX. 1788 die erste Begegnung Goethes mit Schiller statt, ohne daß jedoch eine Annäherung zwischen ihnen erfolgte. Auf Anregung Goethes wurde B., in seiner Eigenschaft als Meister vom Stuhl der rudolstädter *Freimaurerloge, zu den Beratungen über die Reformierung (IV/20, 32) und die Wiedereröffnung der weimarer Freimaurerloge herangezogen, die schließlich im Mai und Juni 1808 zustande kam; am 7. V 1808 hatten zwischen B., Goethe und FJJ*Bertuch in Goethes Haus Besprechungen über diese Frage stattgefunden (III/3, 333; IV/30, 112).
ADB 2 (1875), S. 584. – HTrinckler: Entstehungsgeschichte und Häuser-Chronik von Alt-Rudolstadt. 1939. – HWernekke: Goethe und die königliche Kunst. 1923.

–, 2) Heinrich Emil Friedrich August (1785 bis 1871), aus Stöben bei *Camburg/Saale, weimarischer Offizier, 1806 als Sekondeleutnant in der Schlacht bei Jena verwundet, nahm an den Feldzügen in Tirol (1809) und *Spanien (1810) teil, geriet 1812 in russische Gefangenschaft und machte den Feldzug von 1814/15 als Hauptmann und Adjutant mit, wurde 1815 Major, später Oberst und Chef des weimarischen Truppenkontingents (1834) und Generalmajor (1840). Carl August, der B. bereits 1811 zum Kammerherrn ernannt hatte, gab ihn 1816 seinem jüngeren Sohn Bernhard als Kavalier bei. Da dieser in B. jedoch einen Aufpasser seines Vaters vermutete, kam kein Vertrauensverhältnis zustande. Daher trat B. 1821 in die Dienste des Erbgroßherzogs und späteren Großherzogs Carl Friedrich, dessen Generaladjutant er jahrzehntelang war und der ihm 1845 den Titel eines Wirklichen Geheimen Rats mit dem Prädikat Exzellenz verlieh. Auch unter Carl Friedrichs Sohn und Nachfolger Carl Alexander behielt er sein Amt bei. Aus der Vertrauensstellung B.s bei Carl August, besonders aber bei Carl Friedrich entwickelten sich Beziehungen amtlicher und persönlicher Art zu Goethe, in dessen Haus B. bereits im Januar 1809 zu Gast war (III/4, 5; 8f.). 1810 traf Goethe mit ihm in *Teplitz zusammen (III/4, 154), und in den Jahren 1811 bis 1831 bezeugt Goethes Tgb. zahlreiche Begegnungen mit ihm in Weimar und Jena (1811: III/4, 231; 1814: III/5, 101; 140; 143; 1816: ebda 199; 210; 1822 unter *Einzuladende: III/8, 306;* 1823: III/9, 23; 1825: III/10, 108; 1826: ebda 286; 1827: III/11, 110; 1828: ebda 292; 1829: III/12, 13; 19; 1830: III/12, 278;

1831: III/13, 63). 1821 und 1823 begegneten sich beide in *Marienbad (III/8, 86; 88; 9, 85; IV/37, 153). Eine besondere Freude machte B. Goethe mit dem Geschenk der *Trümmer eines köstlich geschriebenen Korans, der sich wahrscheinlich seit Vertreibung der Mauren noch in Spanien verhalten hat, in dem letzten Kriege aber blätterweis in alle Welt zerstreut worden (IV/26, 282).* Gelegentlich spielte B. die Rolle eines Mittelsmannes zwischen seinen Dienstherren und Goethe. So bat Goethe B. 1820 um die Vermittlung eines Besuches bei Herzog Bernhard und dessen Gemahlin Herzogin Ida (III/7, 249; IV/34, 16), und an B. war jener Brief aus *Dornburg vom 18. VII. 1828 gerichtet, den Goethe selbst einen *Monolog des wunderlich nachsinnenden Einsiedlers zu einer Epoche (IV/44, 211)* nannte, eine Antwort auf einen vor der Hand B.s, des *so werthen, längst geschätzten, geliebten Mannes (ebda)* im Auftrag des jungen großherzoglichen Paares in Pawlowsk geschriebenen Brief, *der mich in den traurigsten Augenblicken höchlich erquickte* (18. VII. 1828 an FvMüller: *IV/44, 212).* Aus Goethes letzten Lebensjahren sind einige Briefe und Billets an B. – meist amtlicher Natur und oft verbunden mit Ergebenheitsbezeugungen gegenüber Carl Friedrich – bekannt und *Tgb.*-Notizen gleicher Art vorhanden (IV/44, 322f.; 47, 12f.; 48, 97; 49, 52; III/11, 284f.; 12, 13; 19; 224; 13, 17; 132), und 1830 ließ Goethe von JJ *Schmeller ein Porträt B.s schaffen (III/12, 253), damit, wie er an ihn schrieb, *auch Ihr Bildniß der würdigen Sammlung von einheimischen und auswärtigen schätzbaren Zeitgenossen … eingefügt und das Andenken eines so bedeutenden Zusammenlebens um desto vollständiger unsern Nachkommen hinterlassen werde (IV/47, 89).*					Hk

Beust, altmärkisches Adelsgeschlecht, seit dem 17. Jahrhundert in mehreren Linien auch in den kurfürstlich und herzoglich sächsischen Landen ansässig, ua. in Sachsen-Weimar, wo der kurpfälzische Kammerherr Carl Leopold Frhr (seit 1777 Graf) vB. (1701–1778) 1774 die Rittergüter Stadt- und Bergsulza erwarb. Mit einigen seiner Nachkommen wurde Goethe bekannt, doch gestatten die *Tgb.*-Notizen nicht immer eine klare Unterscheidung der einzelnen, inzwischen gräflichen Familienangehörigen.

–, 1) Leopold (1740–1827), Sohn des CLFrh vB., Herr auf Stadt- und Bergsulza, Mitglied der weimarischen Landstände, königlich polnischer und kurfürstlich sächsischer Kammerherr, Geheimer Rat und General-Berg-

und Salinendirektor, kurfürstlich mainzischer Geheimer Rat, später Konferenzminister des Großherzogtums *Frankfurt, zuletzt Landschaftsdirektor in Altenburg, begegnete Goethe im August 1797 in Frankfurt (I/34^{II}, 86; III/2, 80f.; IV/12, 234) und nahm am 23. V. 1800 an der Mittagstafel teil, die Goethe zu Ehren der damals tagenden Landstände in seinem Hause gab (III/2, 296). Als B. während des *erfurter Fürstentags am 6. X. 1808 im Gefolge KThFrhv*Dalbergs in Weimar weilte, beabsichtigte Goethe vermutlich, mit ihm über seinen *Aufsatz wegen des Nachdruckes und der Anonymität (III/3, 392)* zu sprechen, ein Thema, das später in der Korrespondenz Goethes mit B.s Neffen KL Grafen vB. (4) eine wichtige Rolle spielen sollte.

–, 2) Friederike Karoline, geb. vReitzenstein (1785–1847), Schwiegertochter des Vorigen, Witwe des kurfürstlich mainzischen Kammerherrn und Regierungsrats Friedrich August Leopold Grafen vB. (1776 bis 1802) in Erfurt, 1805–1815 Hofdame der weimarischen Erbprinzessin Maria Paulowna, traf mit Goethe im Januar und März 1808 in Abendgesellschaften in Weimar zusammen (III/3, 313f.; 324), begegnete ihm im April und Mai 1813 in *Teplitz (III/5, 39; 2. V. 1813 *bey den Hofdamen: ebda 41*, 43), besuchte ihn am 15. V. 1817 in Begleitung des Kanzlers v*Müller und der Gräfin Cv*Egloffstein in Jena (III/6, 48; *IV/28, 88: im Geleit so schöner Damen),* nahm am 27. II. und 17. VII. 1818 an Abendgesellschaften in Goethes Haus in Weimar teil (III/6, 177; 230); sie steht auch in den Jahren 1819, 1821, 1823 und 1829 einige Male auf den Besucherlisten der Tagebücher (III/7, 18; 8, 20; 9, 5; 12, 78). Am *Maskenzug von 1818 beteiligte sie sich als *Hauptmännin (I/16, 483).* Auch ihre einzige, nach Carl Augusts Worten „hübsche Tochter"

–, 3) Flavie (1802–1851) war 1821 und 1823 in Gesellschaft ihrer Mutter in Goethes Haus (III/8, 20; 9, 5); außerdem stattete sie Goethe am 15. I. 1823 allein (III/9, 6) und am 26. I. 1824 zusammen mit ihrem späteren Gatten, dem damaligen preußischen Major Hv*Staff (III/9, 171) Besuche ab. Auch sie nahm am Maskenzug von 1818 teil und zwar als *Gretchen (I/16, 484).*

–, 4) Karl Leopold (1780–1849), Sohn des *sachsen-gotha-altenburgischen Geheimen Rats und Konsistorialpräsidenten Gottlob Grafen vB. (1739–1796); Neffe von 1), trat nach juristischem Studium in sachsen-gotha-altenburgische Dienste, war zunächst Regierungsrat, später außerdem Konsistorialrat und darauf Vizepräsident des Konsistoriums in Altenburg, übernahm 1811 noch dazu das Amt eines Assessors am Hofgericht in Jena und wurde 1820 von Großherzog Carl August und den Regenten der anderen thüringischen Herzogtümer zum Gemeinschaftlichen Gesandten und Bevollmächtigten Minister beim deutschen *Bundestag in Frankfurt ernannt. Er dürfte der *Graf Beust d. j.* gewesen sein, der Goethe am 5. XI. 1803 in Jena einen Besuch machte *(III/3, 85)* und dessen weitere Besuche in Jena am 18. XI. 1807 (III/3, 297) und Weimar am 31. VIII. 1811 (III/4, 230) und 6. IX. 1822 (III/8, 237) Goethes Tagebücher erwähnen. Zu einem regen Briefwechsel zwischen Goethe und ihm kam es in den Jahren 1825 und 1826, als B. Goethes Antrag beim Bundestag in Frankfurt auf ein Privileg für den Druck der Ausgabe seiner Werke und auf Schutz vor unberechtigtem *Nachdruck mit Erfolg vertrat. Eine im September 1830 aufgenommene briefliche Verbindung bezog sich ebenfalls auf den unberechtigten Nachdruck (III/12, 302f.; 321; IV/47, 224–226; 242).

– 5) Ernst August (1783–1859), Bruder des Vorigen, königlich preußischer Oberbergrat in *Bonn, später Geheimer Rat und Oberberghauptmann, Herr auf Neusulza und Pangel/Schlesien, sandte Goethe 1828 geologische Karten über mexikanische *Bergwerksgebiete und veranlaßte wohl auch eine Geschenksendung von mexikanischen Steinen, die Goethe damals vom elberfelder *deutsch-amerikanischen Bergwerks-Verein erhielt. Goethe freute sich sehr darüber (IV/43, 249f.; 253f.; 258; 263; 277). Im August 1828 besuchte Goethe von *Dornburg aus *eine Beustische Saline* in *Großheringen *(IV/44, 241)*. Seinem Neffen A*Nicolovius empfahl er, sich dem *Berg- und Hüttendirector Grafen Beust* vorzustellen und diesem dabei mitzuteilen, *daß* er *vor einigen Tagen die Saline bey Großheringen besucht (IV/44, 248)* habe.

–, 6) Das von Goethe 1798 und 1810 erwähnte *Fräul. von Beust (IV/13, 36;* 21, 333) gehörte wohl einer anderen, freiherrlichen Linie der Familie an; vielleicht handelt es sich um die 1811 mit Lv*Schardt in eine Scheinehe eingetretene und schon 1812 wieder geschiedene Friederike Karoline Freiin vB., über die sonst nichts bekannt ist.   *Hk*

Beuth, Peter Christian Wilhelm (1781–1853), preußischer Staatsbeamter, war bis 1845 in *Berlin als Ministerialdirektor bei der Abteilung für Handel, Gewerbe und Bauwesen im Finanzministerium tätig und erwarb sich um die Förderung der Industrie in *Preußen größte Verdienste. 1831 wurde er außerdem Direktor des neugegründeten Gewerbeinstituts, der späteren Gewerbe-Akademie. B. war mit F*Schinkel befreundet und gab von 1821 bis 1827 mit ihm die von Goethe so sehr geschätzten „Vorbilder für Fabrikanten und Handwerker" heraus. Wegen dieser Handwerk und Gewerbe fördernden Veröffentlichung wandte sich Goethe gelegentlich brieflich an B. und sparte nicht mit ehrlicher Bewunderung *welche mir zugleich alles vor die Seele ruft was in Berlin für die Künste geschieht und was Kunst und Technik Ew. Hochwohlgeboren hiebey zu danken haben (IV/47, 52)*. B. erfreute seinerseits Goethe verschiedentlich mit der Übersendung von im Gewerbeinstitut hergestellten Abgüssen und von Terrakotten der Königlichen Porzellanmanufaktur Berlin für seine Sammlung.   *Wt*
PORave: Die Kunstsammlung Beuths. In: Zeitschrift des Deutschen Vereins für Kunstwissenschaft 2 (1935), S. 475–495.

Beuthen, oberschlesische Industriestadt, seit 1697 freie Standesherrschaft der Grafen Henckel vDonnersmarck, seit 1740 und damit in der Goethezeit preußisch. Auf dem Wege zwischen *Tarnowitz und *Krakau dürfte Goethe die Stadt am 5. IX. 1790 durchfahren und die dortigen Steinkohlen- und Erzbergwerke zumindest gesehen haben (Hoffmann Schlesien S. 36; RV S. 29; *Bergwerke und Hüttenbetriebe; FW Graf v*Reden).   *JP*

Beuther 1) Friedrich Christian (22. IV. 1777 Cleeburg bei Weißenburg bis 21. IV. 1856 Kassel): Dekorationsmaler. B. begann etwa 1793 als Buchhändlerlehrling in *Frankfurt/Main und betätigte sich dort gleichzeitig als Schauspieler an einem Liebhabertheater, seit 1796 unter dem Einfluß von G*Fuentes auch als Theaterdekorateur. Er konstruierte sich zur Erprobung der perspektivischen Wirkungen eine etwa vier Fuß hohe Modellbühne, die er später mit nach Weimar brachte (III/5, 159). 1804–1810 war er bei Wandertruppen tätig, so 1808 bei Xaver Krebs in Darmstadt und 1810 bei Döbbelin in *Wiesbaden, und heiratete während dieser Zeit AEBachmann (2). Zwischen 1810 und 1812 führte er Dekorationsaufträge für das wiesbadener, 1812/13 für das bamberger und 1813/14 für das würzburger Theater aus. 1814 traf er wahrscheinlich in Wiesbaden mit Goethe zusammen, der ihn für Weimar gewann, wenn auch für das erste Jahr (5. III. 1815 bis 7. I. 1816) nur als Gast. Der Umbau des Komödienhauses im Sommer 1815 ist auf B.s Rat zurückzuführen, dem sowohl die Bühnenhöhe wie die Höhe des Schnürbodens nicht genügte. Sonst beschränkte sich B.s Tätigkeit zunächst auf eine Auffrischung der alten, von JFK*Heideloff stammenden Dekorationen. Eine Besichtigung von B.s wiesbadener Dekorationen bestätigte Goethe im Sommer 1815 (7.VI.: IV/26, 6 f.; vgl. 8. VI. an AvGoethe: ebda 9; dazu 15; 38) die den eigenen Vorstellungen adäquate Stilrichtung des Malers. B. legte am 30. X. 1815 ein Gutachten über eine Reform des Dekorationswesens dem weimarischen Hoftheater vor (vgl. IV/26, 129–131), wurde am 8. I. 1816 als Hoftheatermaler fest angestellt und brachte nun eigene Entwürfe zur Ausführung. Seine wichtigsten weimarer Dekorationen (vgl. über Entwürfe und Aufbewahrung: IV/25, 290) sind die zu „Titus", „Der Bergsturz bei Goldau", „Wilhelm Tell", *Des Epimenides Erwachen* (I/16, 334), „Der 24. Februar" (vgl. 23. II. 1817: III/6, 16), „Der Schutzgeist" (vgl. 27. II. 1817: III/6, 17), „Die Schweizerfamilie" (vgl. 23. II. 1817: IV/27, 352 f.; III/6, 20) und die zur „Zauberflöte", deren Planung und Vorbereitung noch auf Goethe zurückgeht, wenn die Aufführung auch erst nach Goethes Rücktritt stattfand. In der nachgoetheschen Ära folgten noch einige Opernausstattungen, dann kündigte B. im Herbst 1818 seinen Vertrag aus finanziellen Gründen und auch, weil seine Frau in Weimar nicht den gewünschten Erfolg hatte. B. hatte schon während seiner weimarer Anstellung Gastverträge mit Altenburg, Leipzig und *Braunschweig gehabt, war dann 1818/24 bei AKlingemann in Braunschweig engagiert, arbeitete während dieses Engagements auch für Hamburg und *Kassel, war 1824/25 ohne festes Engagement für Kassel und nach dem Brande des weimarer Theaters auf Goethes Anraten (2. IV. 1825 an ChrW*Schweizer: IV/39, 163) noch einmal in Weimar tätig (als Mittagsgast bei Goethe am 31. VII. 1825: III/10, 85; vgl. *eine Decoration von Semiramis: ebda 75*). Er wurde schließlich im Dezember 1825 auf Lebenszeit als Hoftheatermaler in Kassel angestellt (vgl. XI. 1827 an H*Meyer: IV/43, 169). B. ließ drei Bildermappen seiner Dekorationen erscheinen, die erste von sechs Dekorationsentwürfen (1816: besprochen in *KuA* 1820, S. 122 f.), die zweite von acht Blättern als „Dekorationen für die Schaubühne nebst einem Vorworte über Theatermalerei" (1824: besprochen in „Journal für Literatur, Kunst, Luxus und Mode" Bd 40, 1825), die dritte von zwanzig Blättern als „Neue Theaterdekorationen" (1836). Außerdem schrieb er

theoretische Abhandlungen: „Bemerkungen und Ansichten über Theatermalerei" (in „Allgemeiner deutscher Theateralmanach auf das Jahr 1822", hrsg. AKlingemann), „Kurze Anweisung zur Linearperspektive" (1833/²1842); „Über Licht und Farbe, die prismatischen Farben und die Newtonsche Farbenlehre" (1833). – B. war ein durchaus zweitrangiger, nur auf dem architektonischen, nicht auf dem landschaftlichen Gebiet versierter Dekorationsmaler, der in einem deutlichen Abhängigkeitsverhältnis zu Fuentes und später auch zu F*Schinkel stand und der über wenige Grundeinfälle, die er mit anderen Stilelementen immer wieder zu variieren verstand, nicht hinauskam *(von veränderter Behandlung bey seiner Arbeit* sprach B. 1825 bei einem Besuch: *III/10, 53*). Er repräsentierte jedoch den klassizistischen Stil mit seiner hellen gelbbraunen Farbgebung und seiner klaren Linienführung bei Herausarbeitung des Vordergrundes, auf dessen schmalem Spielfeld sich die Schauspieler vor einem räumliche Tiefe nur vortäuschenden Schlußprospekt bewegen mußten, in einer Goethes *Regie entgegenkommenden Weise. Goethe sah so in den beiden letzten Jahren seiner *Theaterleitung seine Stilabsichten auch auf dem Gebiet der *Bühnendekoration verwirklicht, und wandte ihr verstärkte Aufmerksamkeit zu. B. gelang es, *durch perspectivische Mittel unsere kleinen Räume in's Gränzenlose zu erweitern, durch charakteristische Architektur zu vermannichfaltigen, und durch Geschmack und Zierlichkeit höchst angenehm zu machen . . . (I/36, 101).* Die weimarer Jahre waren der Höhepunkt in B.s Schaffen.

–, 2) Anna Elisabeth, geb. Bachmann (1787 Frankfurt/Main [?] bis 15. II. 1837 Kassel), Schauspielerin, Ehefrau des Vorgenannten. Sie war von Ostern 1815 (vgl. III/5, 160) bis Herbst 1818 zusammen mit ihrem Mann in Weimar engagiert, gefiel nicht und fand nur in Nebenrollen Verwendung. 1818 bis 1823 vertrat sie in Braunschweig das Fach der zärtlichen und tragischen Mütter, 1825 ging sie mit ihrem Mann an das kasseler Hoftheater.

EF

EItzenplitz: Friedrich Beuther und die Theaterdekoration des Klassizismus. Diss. Göttingen 1953. – OJung: Friedrich Christian Beuther. In: Pfälzische Heimatblätter 4 (1956), S. 70–72.

Bex, Dörfchen am Avançon, einem kleinen Nebenfluß der oberen *Rhone. Goethe ging am 7. XI. 1779 *auf dem Weg nach Bex zu über die große Brücke . . . wo man gleich in's Berner Gebiet eintritt,* als er zusammen mit dem Herzog in *Saint Maurice OJMv*Wedel erwar-

tete: *es war eine allgemeine Freude sich wieder
zu sehen (I/19, 261;* RV S. 19).   *JP*

Beyer, Adolf (geb. 1746), Bergmeister in
*Schneeberg, eifriger Mineraliensammler. An-
läßlich der Besuche und Besichtigungen des
schneeberger Bergbaus 1785 und 1786, worüber Goethe ausführlich berichtete (NS 1,
116), besuchte er auch B., dessen Mineraliensammlung *höchst interessant* wàr. *Speckstein,
Hornstein, Feldspatkristallen in Menge du würdest nicht weggekonnt haben. Und er eine
sehr redliche Seele, wie es scheint guter Beamter
und wohl unterrichtet* (1. IX. 1785: *IV/7, 81).*
                                                    Ba

Beyer, Friedrich Günther (1768–1832), Advokat und 1793 Hofadvokat in Eisenach, wurde
dort 1798 Mitglied des Stadtrats, war seit
1799 Bürgermeister der Stadt, um die er sich
besonders in den Kriegsjahren 1806–13 verdient machte. Auch nach der Einführung der
neuen Stadtordnung (1813) blieb er bis zu
seinem Tode im Bürgermeisteramt. Carl August verlieh ihm 1804 den Titel eines herzogl. Rates, 1822 den eines großherzogl.
Hofrates. Am 16. X. 1807 stattete B. mit
seiner Frau in Begleitung von CL*Stieg-
litz und dessen Frau und Schwiegervater JH
*Reinhardt Goethe in Weimar einen Besuch
ab (III/3, 285). In späterer Zeit kam es vereinzelt zwischen beiden zum Briefwechsel, so
1814, als Goethe B. bat, nach dem Verbleib
eines Kästchens mit Mineralien zu forschen,
das KCv*Leonhard in Frankfurt durch den
eisenacher Fuhrmann LKraus an Goethe gesandt hatte, das aber nach 7 Wochen noch
nicht bei ihm eingetroffen war (III/5, 106;
IV/24, 229 u. 231f.; Brief B.s v. 29. IV. 1814
im GSA Weimar), und um die Jahreswende
1829/30, wegen der Versendung von Handzeichnungen der eisenacher Gewerkenschule
(III/12, 171 u. 176).   *Hk*

Kühn: Ratsfasten Eisenach 1635–1812, in: J.Ber. d.
Carl-Friedrichs-Gymn. Eisenach 1903/04; Weim.
Wöch.Anzeigen 1793 Nr 98; Weim.Wochenb att 1804
Nr 60; S.-weim.-eis. Reg.bl. 1822 Nr 9; S.-weim.eis.
Wochenbl. 1832 Nr 15.

Beyer, Rudolf von (25. V. 1803 Sydow/Mark
Brandenburg – 23. III. 1851 Lüttich), aus alt-
märkischer Adelsfamilie. B. war von 1818 bis
1824 Mitglied der Berliner Sing-Akademie und
soll 1820, auf einer Reise nach Italien, in Bad
Berka, wo er dem Bademeister und Organisten Schütz in Zelters Auftrag Musikalien
überbrachte, mit Goethe zusammengetroffen
sein (vgl. RvBeyer: Meine Begegnungen mit
Goethe und anderen großen Zeitgenossen.
Nach unveröffentlichten Tagebuchblättern
hrsg. von seinem Enkel Rudolf Schade. 1929;

neuerdings wiederpubliziert von WReich.
1949).Nach bisher noch ungedruckten Forschungen von Hans vMüller sind diese Tage-
buchblätter eine Fälschung des Herausgebers.
B. führte ein abenteuerliches und unstetes
Leben und endete als Emigrant in Belgien.
                                                    Ev

Beyerisches Grundstück. Goethe unternahm
am 9. VI. 1798 einen *Spaziergang bis an die
Mühllache.* Das Wegziel – gemeinsam mit
Schiller – war ein *Beyerisches Grundstück,* dessen Lage, nicht allzuweit von Schillers Garten, heute nicht mehr zu bestimmen ist *(III/
2, 211).*   *Ko*

Beza, Theodor (französisch Bèze Théodore;
1519–1608), Anhänger der Lehre *Calvins; er
flüchtete unter Aufgabe seines Vermögens nach
Genf, wirkte dort als Lehrer des Griechischen,
als Pfarrer und Theologieprofessor und, nach
Calvins Tode, als dessen Nachfolger. Mutig,
rastlos tätig, in hohem Grade selbstlos, war
er doch Gegner aller Duldsamkeit in religiösen Fragen. Er dichtete „Psaumes" (1554),
„Abraham sacrifiant" (1576; eine Tragödie),
schrieb (1580) eine Geschichte der reformierten Kirchen in *Frankreich und verfaßte dogmatische Werke, in denen er den Calvinismus
in seiner reinsten Form darstellte; unter seinen polemischen Schriften ist die bekannteste
„De haereticis a civili magistratu puniendis"
(1554), die den weltlichen Behörden die Verfolgung und Bestrafung der Irrgläubigen zur
Pflicht macht. 1825 spielt Goethe vermutlich
auf diese Schrift des *bösen Geistes* an, die ihm
der genfer FJ*Soret vermittelt haben mag:
*es ist völlig derselbe Sinn und Ton wie ihn die
Deutschen zu jener Zeit in ähnlichen Productionen vortrugen. Haß und Partheygeist bedienten
sich damals zu ihren Absichten auch wohl eines
geistreichen Spaßes (IV/39,263);* im gleichen
Jahre liest Goethe auch den „Abraham" (29.
X.: III/10, 97).   *Fu*

Bibel.

I. Allgemeines.

Als Jv*Egloffstein ihn einmal fragte, ob er
auch in der B. lese, antwortete Goethe: *O ja,
meine Tochter, aber anders als Ihr* (nach 1815?:
Bdm. 4, 461). Die B. ist für Goethe durchaus
ein Lebensbuch gewesen. Er kannte sie gründlich und bezog sich so oft auf sie wie kaum ein
anderer unserer großen Dichter. Darin bekundet sich mehr als eine bloße Nachwirkung seiner intellektuellen oder religiösen Erziehung
(*Schule; *Pietismus; auch *Altdeutsche Poesie; *Geschichte; *Mittelalter; *Hausbibliothek). Goethe war *bibelfest (I/27, 193;* vgl. zB.
auch IV/34, 10). Er hatte die B. *wie bei dem*

Religionsunterrichte der Protestanten geschieht, mehrmals durchlaufen, ja sich mit derselben sprungweise von vorn nach hinten und umgekehrt, bekannt gemacht (I/28, 102). So in der Jugend, so im Alter. Er konnte sich daran *wie an einer zweiten Welt versuchen, ... verirren, aufklären und ausbilden (I/7, 9).* Jener Freund aus Kindertagen: *Die große Foliobibel mit Kupfern von* M*Merian war ihm unvergeßlich (I/26, 49 f.; vgl. dazu ETrunz: HbgA 9, 644). In der väterlichen Hausbibliothek befanden sich 7, in der eigenen 3 vollständige B.-Ausgaben neben zahlreichen, zT. fremdsprachigen Teil-Editionen (Götting S. 35 f.; Ruppert S. 384–386). Zum Bildungsgut des Knaben gehörte auch das große englische B.-Werk von Teller, Baumgarten, Dietelmair uam., dessen erste 9 oder 10 Bände bis 1763 vorlagen und das Goethe bei seinem Lehrer JG*Albrecht einsehen durfte. Dies Werk brachte eine vielfach revidierte Übersetzung des Grundtextes nebst Erläuterungen, in denen *die Auslegung schwerer und bedenklicher Stellen auf eine verständige und kluge Weise unternommen war (I/26, 203).* Später hat Goethe dann auch ausgesprochen wissenschaftliche Kommentare benutzt. Der Katalog seiner weimarer Hausbibliothek weist 137 theologische Werke nach (Ruppert Nr 2603–2739). *Jene große Verehrung, welche der Bibel von vielen Völkern und Geschlechtern der Erde gewidmet worden, verdankt sie ihrem inneren Werth. Sie ist nicht etwa ein Volksbuch, sondern das Buch der Völker, weil sie die Schtcksale eines Volkes zum Symbol aller übrigen aufstellt, die Geschichte desselben an die Entstehung der Welt anknüpft und durch eine Stufenreihe irdischer und geistiger Entwicklungen, nothwendiger und zufälliger Ereignisse, bis in die entferntesten Regionen der äußersten Ewigkeit hinausführt (II/3, 138 f.).* Goethe verband Heilsgeschichte und Weltgeschichte durch einen *Zusammenhang, der in der Geschichte vermißt wird* (JA*Bengel), er knüpfte diesen *Zusammenhang* alsdann an den Gedanken der Palingenesie (Bdm. 4, 444). Er sah in und mit der B. nicht nur auf den Buchstaben, der tötet, sondern auf den Geist, der lebendig macht (2. Kor. III, 6). Ihm kam es *auf den Grund, auf das Innere, den Sinn, die Richtung des Werkes an (I/28, 101).* Wie er überhaupt meinte: *Eigentlich lernen wir nur von Büchern, die wir nicht beurteilen können (MuR:* Hecker Nr 334), so fand er auch, daß die *Bibel ein ewig wirksames Buch sei, weil so lange die Welt steht* [vgl. dazu 1. Mose VIII, 22], *niemand auftreten und sagen wird: ich begreife es im Ganzen und verstehe es im Einzelnen. Wir aber sagen*

bescheiden: im Ganzen ist es ehrwürdig und im Einzelnen anwendbar (ebda Nr 335). Anwendbar heißt hier so viel wie *fruchtbar* und ist in dem (quasi) Pragmatismus des goetheschen Welt- und Wirklichkeitsverständnisses durchaus Wahrheitskriterium. Scheinbare Widersprüche, mit denen sich schon der Knabe quälte (vgl. I/26, 202 zu Josua X, 13) und die noch den Fünfzigjährigen beschäftigten *(die Confusion und die Widersprüche der fünf Bücher Mosis: IV/12, 86),* ändern daran nichts. Der Mensch ist angehalten, *Denken und Thun, Thun und Denken (I/25*[I]*, 30)* zu verbinden, dh. hier: Das *Verstehen* ist ein Annähern an ein *Begreifen im Ganzen* und, weil alles Geschehen der B. einen *unmittelbar individuellen Bezug* gehabt hat, für den Lesenden und Glaubenden ebenfalls *unmittelbar individuell* und *anwendbar.* Aus diesem Wechselverhältnis zwischen *Denken und Thun, Thun und Denken,* in das Goethe die B. wie alles Lebendig-Wirkende stellt, wird ihm deutlich: *Ich bin überzeugt, daß die Bibel immer schöner* [sc. vollkommener im Sinne seiner Naturanschauung; *Biologie] *wird, je mehr man sie versteht, das heißt, je mehr man einsieht und anschaut, daß jedes Wort, das wir allgemein auffassen und im Besondern auf uns anwenden, nach gewissen Umständen, nach Zeit- und Ortsverhältnissen einen eignen, besondern, unmittelbar individuellen Bezug gehabt hat (MuR:* Hecker Nr 672 vgl. I/37, 168). Er konnte neben anderem tägliches B.-Lesen als *eine würdige Gewohnheit* bezeichnen (1814: *UKM S. 14). Fast ihr* [der B.] *allein war ich meine sittliche Bildung schuldig; und die Begebenheiten, die Lehren, die Symbole, die Gleichnisse, alles hatte sich tief bei mir eingedrückt und war auf eine oder die andere Weise wirksam gewesen (I/27, 97). Ich hatte überhaupt zu viel Gemüth an dieses Buch verwandt, als daß ich es jemals wieder hätte entbehren sollen. Eben von dieser gemüthlichen Seite war ich gegen alle Spöttereien* [zB. *Voltaire: I/28, 61] *geschützt, weil ich deren Unredlichkeit sogleich einsah (I/28, 103).* Goethe konnte sich andrerseits *nie genug über Männer wundern, ... die sich hinsetzen ein ganzes Buch, ja viele Bücher unsrer Bibel, an einem Faden weg zu exegisiren, da ich Gott danke, wenn mir hier und da ein brauchbarer Spruch aufgeht (I/37, 178).* Kritische Behandlung des eigentlich Historischen in der B. hat Goethe stets befürwortet und selbst wiederholt betrieben (vor allem: *Zwo biblische Fragen* und *Israel in der Wüste): Kein Schade geschieht den heiligen Schriften ..., wenn wir sie mit kritischem Sinn behandeln (I/7, 182;* vgl. IV/12, 94; auch Bdm.

4, 323; 441 f.). Doch soll nur das Historische untersucht und kritisiert werden. In den Bereich dessen, was für Goethe *Glauben* ist und was er dem *Unglauben* so stark entgegensetzt (vgl. I/7, 157), darf die Kritik nicht eindringen wollen: *So rütteln sie jetzt an den fünf Büchern Moses; und wenn die vernichtende Kritik irgend schädlich ist, so ist sie es in Religionssachen* (1. II. 1827: *Bdm. 3, 347*). Die B. ist so *voller Gehalt (I/27, 96)*, daß auch die Frage nach den Verfassern zurücktritt: *echt oder unecht sind bei Dingen der Bibel gar wunderliche Fragen. Was ist echt, als das ganz Vortreffliche, das mit der reinsten Natur* [!] *und Vernunft in Harmonie steht und noch heute unserer höchsten Entwickelung dient* (11. III. 1832: *Bdm. 4, 441 f.*)*!* In einer charakteristischen Frühformel hat Goethe 1774 sein Verhältnis zum Offenbarungscharakter der B. ausgesprochen und damit schon oder noch jugendlich sein *Begreifen im Ganzen* entworfen: *Nur so schäz, lieb, bet ich die Zeugnisse an, die mir darlegen, wie tausende oder einer vor mir eben das gefühlt haben, das mich kräftiget und stärcket. Und so ist das Wort der Menschen mir Wort Gottes es mögens Pfaffen oder Huren gesammelt und zum Canon gerollt oder als Fragmente hingestreut haben (IV/2, 156)*. Die B. allein genügte, meinte Goethe, einen trefflichen Menschen herauszubilden, ohne dabei ein anderes Buch zu brauchen (vgl. I/27, 252). Sie soll *nicht dogmatisch und phantastisch gebraucht, sondern didaktisch und gefühlvoll* aufgenommen werden, um den Menschen höchsten Segen zu spenden *(MuR: Hecker Nr 373)*. Von dogmatischen Spitzfindigkeiten wollte er nichts wissen. Wohl aber wären ihm gewisse „Zusätze" zur B. willkommen gewesen, zB. ein *Auszug aus Josephus (II/3, 139)*. – Wenn Goethe auch Lateinisch und Griechisch konnte, sogar etwas Hebräisch (vgl. I/28, 100), so lebte er doch in der deutschen B. M*Luthers. Primär wirkte die *Sprache auf ihn Luthers Bibeldeutsch in der Hauptsache, dann aber auch die „rhapsodische Sprache Hamanns und Herders, die Prosa Mösers, der Stil der in Frankfurt gelesenen Bücher aus dem 16. und 17. Jahrhundert ... und die heimische Mundart" sind die Kräfte, deren Goethe sich bedient, um „sich einen eigenen altertümlich-volkstümlichen Ton" zu schaffen, wie er seit 1770 von den Entwürfen für sein Caesar-Drama an immer wieder vernehmlich wird und bleibt bis in späteste Altersworte über die *Bürgerpflicht: So wird es gut im Rathe stohn* (6. III. 1832: *I/5ᴵ, 153* nach Jeremia XXIII, 18; WKayser HbgA 4, 491 f.). Luthers Bibeldeutsch steht in Goe-

thes Sprache tatsächlich an erster Stelle, wie denn überhaupt Kraft und Saft dieser Wortgewalt es sind, die Goethe magnetisch an die B. binden (vgl. auch I/28, 74). Sekundär erst läßt sich von Wirkungen auch des b.schen Gehaltes reden, und manche erstaunliche oder befremdliche Sonderheit der goetheschen B.-Rezeption findet hier Grund oder Ursache. Das Gradverhältnis solcher Wirkungen ist aber auch wegen noch anderer Bezüge schwer zu bestimmen. Neben die B. nämlich stellte Goethe *Platon und *Aristoteles. Diese drei geistigen Kräfte *(Hauptmassen)* hätten die *größte, entschiedenste, ja oft eine ausschliessliche Wirkung hervorgebracht (II/3, 138)*. Die B. ist ihm verehrungswürdig durch ihre *Selbstständigkeit, wunderbare Originalität, Vielseitigkeit, Totalität, ja Unermeßlichkeit ihres Inhalts.* Bei ihrer *Erklärung, Erweiterung* und *Benutzung* sieht Goethe platonische Vorstellungsart und aristotelische Behandlungsweise sehr unterschiedlich wirksam werden. Aber diese Unterschiedlichkeit betrifft nicht die B.-Wertung allein *(II/3, 142–145)*. In der Kultur der Wissenschaften kommt man *auf diese drei Fundamente . . . Bibel, Aristoteles und Plato . . . immer wieder zurück (Bdm. 1, 520).*

Als religiöse Urkunden differieren die Teile der B. in Goethes Urteil. Das AT, der *ethnischen* Religion zugewiesen, steht fragloser neben den anderen *heidnischen Religionen* – denn eine solche ist die israelitische gleichfalls *(I/24, 247)*. Diese Fraglosigkeit ist vielleicht beides zugleich: Vorliebe und Vorurteil. Jedenfalls drückt sie sich in Goethes Haltung mannigfach aus. Das NT, der *christlichen* Religion zugewiesen, dh. einer Religion, in der sich die *Sinnesart* einer Bejahung des Leides und des Leidens *am meisten offenbart* – es ist ein *Letztes, wozu die Menschheit gelangen konnte und mußte (I/24, 243)* – bedurfte langwieriger Um-Deutung und Um-Wertung. Das Nacheinander der drei Religionen *(Ehrfurchten)* hat System-Charakter, historisch-genetisch für die Gesamtmenschheit wie für die Einzelpersönlichkeit. In Goethes Werdegang deutet sich das dadurch an, daß er erst im letzten Lebensdrittel NT-Studien intensiver betreibt. So spiegelt sich in den Belegen und Bezügen Goethes eine wechselnde NT-Wertung, die bisweilen wie eine Krisis anmutet.

II. Altes Testament (AT).

Goethes B.-Festigkeit erstreckt sich überwiegend auf das AT. Besonders in jüngeren Jahren sind Kernstellen des B.-Textes gegenwärtig und auf die verschiedensten Situationen *anwendbar,* oft in schweren, tief erlebten Entscheidungen, manchmal in gelöster, sogar heiter-launiger Diktion, immer aber aus der Lebenskraft des *geliebten* Lutherdeutsch und insofern aus dem Geiste der ganzen B. verstanden. Es ist kein pharisäischer Wortverstand, sondern protestantisches Binden des eigenen Lebens und seiner Zufälle an die unmittelbar *individuelle* Situation des jeweiligen Verses, Buches oder der b.ischen Gestalt, die ihm im Augenblick des Schreibens vorschwebt. Solch ein Interesse am AT ist gewiß Geistesanlage. Es hat aber auch starke Wurzeln in Erziehung und Umwelt. Das Elternhaus bevorzugte das AT. Besonders Goethes Mutter war *eine Frau, die, in alttestamentlicher Gottesfurcht, ein tüchtiges Leben voll Zuversicht auf den unwandelbaren Volks- und Familiengott zubrachte* (9. I. 1824 an Zelter: *IV/38, 12;* *Bibelstechen; *Stechorakel). Ihre Briefe weisen an zahlreichen Stellen B.-Zitate auf: „Jetzt sitzt Mutter Aja gantz allein in den Hütten Kedar, und ihre Harpfe hengt an der Weide – Einsam wie im Grabe, und verlaßen wie ein Käutzlein in verstöhreten Städten" (18. I. 1780 an Anna Amalia: SGGes. Bd 1, S. 50; Anspielungen auf Psalm CXX, CXXXVII und CII). Neben die Merian-B., die sein *junges Leben schnell genug mit einer Masse von Bildern und Begebenheiten . . . angefüllt hatte,* trat der Schul- und Religionsunterricht. Seine Lehrer waren zT. Theologen. Zum Übersetzen in fremde Sprachen wurden gern Stellen des AT.s gewählt. Umfangreich war auch der b.ische Spruchschatz, den damals die Kinder, zumal im Konfirmandenunterricht, sich aneignen mußten: *von den kräftig beweisenden biblischen Sprüchen fehlte mir keiner (I/27, 124).* Gleichwohl rechnete Goethe sich kaum zu den Leuten, *die eine große Fertigkeit hatten auf alles was vorkam biblische Sprüche anzuwenden und die heilige Schrift in der Conversation zu verbrauchen (I/7, 129).* – Auch die jüdische Umwelt, die Goethe in *Frankfurt kennenlernte (I/26, 235–237),* hat seine Neigung zum AT mächtig gefördert; *ich konnte* [in früher Jugend!] *gar nicht begreifen, wie dieses Volk das merkwürdigste Buch der Welt aus sich heraus geschrieben hat . . . Erst später, als ich viele geistbegabte, feinfühlige Männer dieses Stammes kennen lernte, gesellte sich Achtung zu der Bewunderung, die ich für das bibelschöpferische Volk hege, und für den Dichter, der das hohe Liebeslied gesungen hat* (7. VI. 1811 zu Sv*Laemel: *Bdm. 2, 132).* Der junge Goethe beschäftigte sich eingehend mit dem Judendeutsch (*Judenpredigt: I/37, 59 f.;* Übungen in den *Labores juveniles:* REberhard, nach

S. 71). Er hat außerdem hebräischen Unterricht bei JGAlbrecht genommen, aber kaum sehr ergiebig *(mein weniges Hebräisch: I/28, 100).* Wenn er an H*Merck schreibt: *ich habe das Hohelied Salomons übersetzt* (1775: *IV/2, 294),* so ist diese Äußerung wohl mit Vorsicht aufzunehmen; wahrscheinlich hat als Vorlage, mindestens als Hilfe das *englische Bibelwerk* gedient, in dem ua. auch das Hohelied Wort für Wort unter Berücksichtigung des hebräischen Textes erklärt wird. Schon als Zehnjähriger *beschrieb* Goethe *die Geschichte Josephs in zwölf Bildern (I/26, 140).* Damit beginnt die Reihe ernster Versuche, b.ische Stoffe als Grundlage dichterischer Gestaltung zu verwenden, was nicht zuletzt aus der Oratorien-Tradition des Barock her verständlich wird. So arbeitet Goethe in *Leipzig an einem *Belsazar,* der ebenso wie *Jesabel* (der Fenstersturz dieser Königin in der merianischen B. hatte auf den Knaben tiefen Eindruck gemacht: I/51, 140) und der Plan zum *Thronfolger Pharaos* unvollendet blieb: *Riesen Arbeiten . . . die ich als ein ohnmächtiger Zwerg unternommen habe (IV/1, 90).* Er verbrannte diese Versuche zusammen mit *Ruth, Selima* und *Joseph (ebda 115).* Als Quelle hatten neben dem *englischen Bibelwerk* die „Jüdischen Altertümer" des *Flavius Josephus gedient (vgl. WBerendsohn: „Goethes Knabendichtung", 1922). Der Urmeister hat Stellen aus dem *Belsazar* aufbewahrt.

In *Straßburg war es JG*Herder, der Goethes Verhältnis zum AT für die Folgezeit bestimmte. Der „Geist der hebräischen Poesie" kam noch stärker über ihn und beeinflußte auch seinen Stil, zB. im *Werther.* Ein großer Teil des AT.s ist *mit erhöhter Gesinnung, ist enthusiastisch geschrieben, und gehört dem Felde der Dichtkunst an (I/7, 7),* wie denn Goethe selbst gerade unter diesem Zeichen die stärkste B.-Wirkung erfährt. Gleichzeitig wird aber auch die kritische Begabung gegenüber dem AT geweckt. Die erste Frage der Schrift *Zwo wichtige, bisher unerörterte biblische Fragen, zum ersten Male gründlich beantwortet von einem Landgeistlichen in Schwaben* (datiert 6. II. 1773) untersucht, was auf den Tafeln des Bundes gestanden haben kann. Goethe kommt zu dem Ergebnis, daß nicht *Universalverbindlichkeiten* (denn das seien die meisten der zehn Gebote), vielmehr Sonderbestimmungen (2. Buch Mose Kap. XXXIV, 14–26) auf den Tafeln gestanden haben müssen. Aus dieser Einstellung ergibt sich Goethes Kritik an den Auslegern. Eine Attacke wie die [vielleicht gar nicht goethesche] Rezension von

KF*Bahrdt: „Eden, das ist: Betrachtungen über das Paradies, und die darinnen vorgefallenen Begebenheiten" (1772; I/37, 250) versteht sich aus dem angelegentlichen eigenen Bemühen um ein adäquates B.-Verständnis. Aus dieser kritischen Einstellung Goethes, seiner Suche nach Wahrheit und wahrer Einsicht und der noch später wiederholten Benutzung wissenschaftlicher Kommentare jedoch eine Ablehnung des AT.s insgesamt zu konstruieren, ist verfehlt. LDeutschländer stellt mit Entrüstung fest, daß es „recht umfangreiche Gesamtcharakteristiken des Lebenswerkes Goethes [gibt], die das AT kaum einmal erwähnen, allerdings nur Vereinzelte, die eine feindliche Tendenz Goethes zum AT konstruieren". HLaube berichtet ohne ausreichende Gewähr, daß KA*Böttiger einen Ausspruch des Dichters festhält: „Hätten wir die Sodomitereien und ägyptisch-babylonischen Grillen (?) nie kennen lernen und wäre Homer unsere Bibel geblieben, welch' eine ganz andere Gestalt würde die Menschheit dadurch gewonnen haben!" (Bdm. 1, 202). Auch die Bemerkungen *Mittlers* in den *Wahlverwandtschaften*, namentlich über das fünfte und sechste Gebot *(I/20, 403–405)* erhärten diese Ansicht nicht. Goethes Zitate, seine biblischen Szenen und die Anregungen, die er gerade aus dem AT für seine großen Werke erhalten hat, bezeugen, wie er zu diesem Kanon stand. Und nicht nur zu den eigentlichen „kanonischen" Büchern, sondern auch zu den Apokryphen. Auf JP*Eckermanns „Bedauern über die höchst enge Ansicht, wonach einige Schriften des AT.s als unmittelbar von Gott eingegeben betrachtet werden, andere gleich treffliche aber nicht; und als ob denn überhaupt etwas Edles und Großes entstehen könne, das nicht von Gott komme", antwortete Goethe: *Ich bin durchaus Ihrer Meinung. Doch gibt es zwei Standpunkte, von welchen aus die biblischen Dinge zu betrachten ...: den Standpunkt einer Art Ur-Religion* und den Standpunkt der *Kirche, ... der christlichen Priesterschaft,* die immer nur an den Sündenfall und an die Erlösung durch Christus denke und denken müsse: *Sie sehen also, daß für solche Zwecke und Richtungen und auf solcher Wage gewogen so wenig der edle Tobias als die Weisheit Salomonis und die Sprüche Sirachs einiges bedeutende Gewicht haben können* (11. III. 1832: *Bdm. 4, 441;* vgl. dazu auch *MuR: Hecker Nr 822*). So muß Goethes Haltung zum AT inbezug auf die Vielseitigkeit, Unterschiedlichkeit und inbezug auf den fragmentarischen Charakter, den Goethe annahm,

gesehen werden. Er bevorzugt einzelne Bücher, einige gehören zu seinen Lieblingsschriften; so das 1. Buch Mose, der Prophet Jesaia, die Psalmen und das Hohelied, vor allem aber das Buch *Hiob: Ich habe meine eigne Gedanken darüber, die ich aber nicht aufdringen will* (26. I. 1825: *UKM S. 130*).

Gegenüber solchen Beispielen von Bejahung oder gar Bewunderung steht die Ablehnung einzelner Schriften, einzelner Begebenheiten. So fand er als leipziger Student die *Hurengeschichten* des Buches Esther „für junge Mädchen unpassend" und stellte sie der Bergpredigt gegenüber (*Bdm. 1, 11 f.;* vgl. auch die ausführlichen Szenen zwischen Haman, Ahasverus, Esther und Mardochai im *Jahrmarktsfest zu Plundersweilern* gegenüber der kurzen Behandlung der Schöpfungsgeschichte durch den *Schattenspielmann*). Auch das Eingangswort des Prediger Salomo: „Eitelkeit der Eitelkeiten" mußte Goethe befremden; er nannte es einen *falschen, ja gotteslästerlichen Spruch (I/29, 10)*. Vor Simson, den er zeitweilig wohl auch als dramatischen Stoff zu gewinnen meinte, ist Goethe dann doch zurückgeschreckt: *Zu dem Simson hätte ich im Augenblick kein Zutrauen; die alte Mythe ist eine der ungeheuersten. Eine ganz bestialische Leidenschaft eines überkräftigen, gottgabten Helden zu dem verfluchtesten Luder, das die Erde trägt, diese rasende Begierde, die ihn immer wieder zu ihr führt, ob er gleich, bey wiederholtem Verrath, sich jedesmal in Gefahr weiß, diese Lüsternheit, die selbst aus der Gefahr entspringt, der mächtige Begriff, den man sich von der übermäßigen Prästanz dieses riesenhaften Weibes machen muß, das im Stande ist auf den Grad einen solchen Bullen zu fesseln* (19. V. 1812: *IV/23, 24*).

Wiederholt hat Goethe, nach den ersten entscheidenden Jugendeindrücken, seine B.-, besonders seine AT-Studien wieder aufgegriffen, so in den neunziger Jahren. Im Verkehr und im *Briefwechsel mit Schiller lebten auch diese Interessen wieder auf. *Da ich biblische Stoffe in Absicht, poetische Gegenstände zu finden, wieder aufnahm, so ließ ich mich verführen, die Reise der Kinder Israel durch die Wüste kritisch zu behandeln (I/35, 72;* vgl. hierzu *Tgb.*-Eintragungen vom 9./10., 13., 15./16.VI. 27., 29. V. 1797; auch 12. IV. 1797 an Schiller: *IV/12, 86*). Der Aufsatz *Israel in der Wüste* wurde 1813 in den *Noten und Abhandlungen zu besserem Verständnis des West-östlichen Divan* veröffentlicht *(I/7, 156–182).* Ihm geht eine Einleitung *Alt-Testamentliches (ebda 154 f.)* voraus, in der auf frühere Arbeiten verwiesen wird (hierzu gehört auch die vorbereitende Sammlung von *Bemerkungen über das erste Buch Mose* (*I/7, 311–335;* vgl. REberhard S. 119 f.). Im Zuge der Arbeit am 4. Buch von *DuW* widmete sich Goethe 1811 erneut dem AT. Er studierte am 3. und 5. VII. *Hezels Biblisches Real-Lexicon* (*III/4, 217 f.;* Ruppert Nr 2631) und endlich am 12. VIII. den ersten Teil des englischen Bibelwerks (Keudell Nr 718; vgl. auch HgbA 9, S. 664 f.). 1812 verzeichnet dann das *Tgb.:* 29. V. *Das Buch Job,* 30. V. *Abends das Buch Josua,* 31. V. *Buch der Richter,* 1. VI. *Buch der Richter und Ruth,* 7. VI. *Abends Anfang von Jesaias,* 8. VI. *Jesaias,* 17. VI. *Abends ein paar kleine Propheten,* 4. VII. *Prophet Daniel* (*III/4, 289 f.; 292 f.; 300*). Diese Arbeit mündet ein in die Ausarbeitung der *Noten und Abhandlungen;* so heißt es unter dem 21. VIII. 1816: *Bibel, Buch der Könige . . . Psalmen. Vergleichung mit neuerer Orient. Poesie;* 22. VIII. *Psalmen. Luthers Vorreden. Vergl. Neuere Orientalische Poesie* (*III/5, 265 f.*). Weiter: 23. VIII. *Jesaias,* 3. IX. *Bibel. Esdra. Nehemia. Judith. Job.;* 7. IX. *Buch Samuelis.* Besonders im Kontakt mit JGW *Kosegarten (10. XI. 1818: III/6, 265; 30. VI. 1820: III/7, 204 f.) und JG*Eichhorn (20. bis 22. V.; 27. V. 1819: III/7, 49; 51) bildet sich das Hauptanliegen dieser Jahre heraus: Vergleichung des AT.s mit der *orientalischen Poesie. Am 15. IV. 1819 entleiht Goethe von der weimarischen Bibliothek das „Reißbuch des heyligen Lands . . .“ (2 Tle, Frankfurt 1609; Keudell Nr 1229). Die letzten eingehenderen Studien gehen dann vom Jesaias-Kommentar HFW*Gesenius' und von der Übersetzung des Hiob (1824) durch FWK*Umbreit aus (29. X. 1823: III/9, 137; 19. XI. ebda 146; 1. I. 1825: III/10, 1; 16. IX. 1820: *Lied der Liebe, III/7, 223*). Und noch in der Agenda zum Juni 1831 steht *Regum I, 21* mit Bezug auf *Philemon und Baucis* (*III/13, 270*). Zu einer dichterischen Gestaltung eines b.ischen Stoffes ist es allerdings nicht mehr gekommen. Doch waren diese fortdauernden Lesungen und Betrachtungen geeignet, Goethes Plan einer *Reformations-Cantate* zu bestimmen, die er für die Dreihundertjahrfeier der *Reformation auszuführen gedachte (vgl. IV/27, 235; 260–262). Während seiner *Theaterleitung hat Goethe auch Dramen mit alttestamentlichen Stoffen aufführen lassen; so 1811 das Trauerspiel „Jephtas Tochter“ von L*Robert-Levin, ferner Graf V*Alfieris „Saul“ (vgl. I/41[I], 236). Später wurde G*Rossinis „Mose“ gegeben. Auch GF*Händels Oratorium „Judas Macca-

bäus“ war Goethe wichtig, nicht weniger *Byrons Dramen, die b.ische Stoffe behandeln: „Cain“ und „Heaven and Earth“: *By-ron should have lived to execute his vocation . . . „To dramatise the Old Testament“* (16. VIII. 1829: *Bdm. 5, 167 f.*). – In den Bereich der christlichen *Ikonographie gehören Goethes Schilderungen aus den *Wanderjahren,* in denen er Bilder zum AT entworfen hat, ähnlich wie seine kindlichen Vorstellungen zur *Josephsgeschichte,* doch nun durchdacht und *anwendbar* in pädagogischem Sinne, den NT-Szenen typologisch gegenübergestellt (I/24, 246–249). Noch 1830 trägt er ähnliche Ideen vor für Statuen b.ischer Gestalten: *Christus, nebst zwölf alt- und neutestamentlichen Figuren den Bildhauern vorgeschlagen (I/49[II], 89–98).* Aus dem AT wurden Adam, Noah, Moses, David, Jesaia und Daniel ausgewählt. Sie beziehen sich paarweise aufeinander und auf die Gestalten des NT: Adam auf Noah, Moses auf Matthäus, Jesaia auf Paulus, Daniel auf Johannes, David und Magdalena unmittelbar auf Christus selbst. Jeder einzelnen Gestalt gibt er eine Charakteristik mit, die dem Bildhauer Form und Ausdruck andeuten sollen.

So hat sich an Goethe erfüllt, was er – unter *Alttestamentliches* in seinen *Noten und Abhandlungen* zum Divan – gesagt hat: *Wie alle unsere Wanderungen im Orient durch die heiligen Schriften veranlaßt worden, so kehren wir immer zu denselben zurück, als den erquicklichsten, obgleich hie und da getrübten, in die Erde sich verbergenden, sodann aber rein und frisch wieder hervorspringenden Quellwassern (I/7, 154 f.).* Ähnlich rühmt er in den *Wanderjahren* das AT: *Ein Hauptvortheil . . . ist die treffliche Sammlung ihrer [der Juden] heiligen Bücher. Sie stehen so glücklich beisammen, daß aus den fremdesten Elementen ein täuschendes Ganze entgegentritt. Sie sind vollständig genug, um zu befriedigen; fragmentarisch genug, um anzureizen; hinlänglich barbarisch, um aufzufordern; hinlänglich zart, um zu besänftigen; und wie manche andere entgegengesetzte Eigenschaften sind an diesen Büchern, an diesem Buch zu rühmen (I/24, 248 f.).* Ml

OMehl hat durch seine umfangreichen Sammlungen reichlich 300 Schriftstellen des AT.s in über 600 unmittelbaren oder mittelbaren Zeugnissen, Entlehnungen oder Bezugnahmen Goethes nachgewiesen, die für Goethes dichterischen wie außerdichterischen Sprachgebrauch besonders charakteristisch sind. Viele solche Entsprechungen werden alsdann, mehr oder weniger variiert, von Goethe in seine eigene Sprache aufgenommen und weiterentwickelt. Etwa 250 dieser Zitierungen oder Bezüge entfallen auf den Pentateuch, etwa 125 auf die übrigen Geschichtsbücher (Josua, Richter, Ruth, Samuel, Könige, Esra, Nehemia und Esther), etwa 130 auf die Lehrbücher (*Hiob, *Psalmen, Sprüche *Salomos, Prediger Salomo und *Hohes Lied), etwa 65 auf die Propheten (Jesaia, Jeremia, Hesekiel, Daniel, Hosea, Joel und Amos, Jona, Micha und Zephanja) und etwa 50 auf die Apokryphen (Judith, Weisheit Salomos, Tobias, Jesus Sirach, Makkabäer, Susanne und Daniel, Bel zu Babel, Drache zu Babel und das Gebet Manasses). Besonders bevorzugte Motive aus dem Pentateuch sind die Schöpfungsgeschichte, die Sintflut, *Babylon, Isaaks Opferung, Elieser am Brunnen, das Linsengericht, Jakobs Leiter und sein Ringen mit dem Engel, die Josephsgeschichte, das Land Gosen, die Wendung „Da kam ein neuer König auf in Ägypten", die ägyptischen Plagen, der Zug durchs Rote Meer, die Gesetzgebung am Sinai, Bileams Fluch und die Gestalt des Mose. Aus den übrigen Geschichtsbüchern bevorzugt Goethe besonders die Gestalten Simsons, Sauls, Davids, Salomos und Elias, die Motive: Hexe von Endor, Baal (insbesondere als Fliegengott) und Arbeiter im Weinberge. Außer vielen Entsprechungen zu Motiven des Buches Hiob, der Psalmen und des Hohen Liedes finden sich bei Goethe mehrfach Beziehungen zB. zu dem „Siehe, da war alles eitel" des Predigers Salomo. Unter den Motiven, die den Propheten entnommen sind, finden wir am häufigsten „Wenn ihr . . . stille bliebet, so würde euch geholfen" und „Ich trete die Kelter allein" bei Jesaia, „Du sollst wiederum Weinberge pflanzen auf den Bergen Samarias, pflanzen wird man, und dazu pfeifen" bei Jeremia, „Ein weites Feld, das voller Totengebein lag" bei Hesekiel, die Löwengrube und Belsazer bei Daniel, „Die große Stadt Ninive" bei Jona. Die häufigsten Motive aus den Apokryphen schließlich sind Asmodi, Tobias' Blindheit und Alter, das tugendsame Weib, die Vertreibung Heliodors und der Engel des Herrn, der Habakuk beim Schopfe faßt.   *JP*

III. Neues Testament (NT).

Bei dem AT ist es die *derbe Natürlichkeit,* bei dem NT die *zarte Naivetät,* die Goethe schon als Knaben *im Einzelnen* [!] angezogen hatten: *als ein Ganzes wollten sie* [die heiligen Schriften] *mir . . . niemals recht entgegentreten (I/28, 102).* Den Grund dafür wird man in fundamentalen Formen gerade der damaligen kirchlichen Praxis suchen dürfen, dh. in der pastoral-seelsorgerischen wie in der familiär-erbaulichen, oft übertriebenen Auflösung des B.-Ganzen, also des singularischen Wortes Gottes in gemeindlich anwendbare pluralische Gottesworte, Predigttexte, Wahrsprüche, Tageslosungen, Einzelweistümer oä. Das Ergebnis eines so sich vollziehenden Vertrautwerdens, der innere Eindruck kann demzufolge zunächst kaum ein wesentlich anderer als der eines Compositum, nicht eines Totum gewesen sein. Goethe berichtet in *DuW,* daß er das NT in seiner *Grundsprache . . . ganz bequem* las und daß die *sogenannten Evangelien und Episteln, damit es ja auch Sonntags nicht an Übung fehle, nach der Kirche recitirt, übersetzt und einigermaßen erklärt werden mußten (I/26, 297;* vgl. dazu Goethes Mitteilung, daß seine *Kenntnisse* des Griechischen *sich nicht über das NT hinaus erstreckten: I/27, 39;* vgl. ferner die griechischen Zitierungen in: *Zwo biblische Fragen: I/37, 186–189).* Von Haus aus mehr für das AT und gelegentlich fast gegen *das allzu leichte, und durch Predigten und Religions-Unterricht sogar trivial gewordne* NT *voreingenommen (I/26, 48),* gewann Goethe erst in Leipzig durch ETh*Langer und anschließend in Frankfurt durch die „Herrnhutische Schwester auf eigene Hand" SKv *Klettenberg (JP*Fresenius; *Abendmahl; *Beichte) freieren Zugang. Was daran episodisch war, zB. die pietistisch-aufklärerische oder die sektiererisch-herrnhutische Frömmigkeit, auch die später wirksam werdende „neue Kreatur in Christo": JC*Lavater, ferner verwandte Strömungen im evangelischen Bereich, verblich mehr oder weniger rasch (*Aufklärung; *Berthelsdorf; *Darmstadt; *Herrnhuter Brüdergemeinde; JH*Merck; *Pietismus; LCv*Schrautenbach; *Theologie/Theologen; NLv*Zinzendorf). Es mündete in einer Religiosität (*Religion), die viele Elemente aufnahm und von den engeren historischen wie institutionellen Voraussetzungen des *Christentums (*Katholizismus; *Protestantismus) einigermaßen entfernt war (zB. *Sakrament). Es mündete endlich und exemplarisch in dem Bilde der *Person* *Jesu Christi, das Goethe aufschlußreich gleichrangig neben das Bild der *Sonne* auf den Altar des *Höchsten* stellt *(Bdm. 4, 442),* um das In-der-Welt-Sein und um das In-der-Welt-Wirken, um die pragmatische/pragmatistische Wirklichkeit des *Göttlichen* und *Höchsten,* der *göttlichen Offenbarung des höchsten Prinzips der Sittlichkeit* und zugleich der *Offenbarung [der mächtigsten Offenbarung, die uns Erdenkindern vergönnt ist]* des *Lichtes* als der *zeugenden Kraft Gottes,* *wodurch allein wir leben, weben und sind* (*Biologie), in mächtigen, vermächtnisartigen Worten auszusprechen (11. III. 1832: *Bdm. 4, 442*), ähnlich wie seinerzeit in den gegen FH*Jacobi gerichteten berühmten Versen: *Was wär' ein Gott, der nur von außen stieße* (nach 1812: *I/2, 215; I/3, 73*). Gegenteiliges begann Goethe schon lange vor seiner Italien-Reise abzustreifen, wo nicht abzuwehren: *Tobler* [hat] *mir deine Offenbarung Johannis* [!] *gegeben, an der ist mir nun nichts nah als deine Handschrifft . . . das Ganze ist mir fatal . . . ich bin ein sehr irdischer Mensch, mir ist das Gleichniss vom ungerechten Haushalter, vom Verlohrnen Sohn, vom Saemann, von der Perle, vom Groschen ppp. göttlicher (wenn ia was göttlichs da seyn soll) als die sieben Bischoffe Leuchter, Hörner Siegel Sterne und Wehe. Ich dencke auch aus der Wahrheit zu seyn, aber aus der Wahrheit der fünf Sinne und Gott habe Geduld mit mir wie bisher* (28. X. 1779 an JCLavater: *IV/ 4, 111 f.*); oder drei Jahre später und an denselben Empfänger: *Du hältst das Evangelium wie es steht für die göttlichste Wahrheit, mich würde eine vernehmliche Stimme vom Himmel nicht überzeugen, daß das Wasser brennt und das Feuer löscht, daß ein Weib ohne Mann gebiert* (exemplarisches Zeugnis der Widernatürlichkeit: **Belagerung von Mainz* Sp. 998; 1820/22!), *und daß ein Todter auferstebt; vielmehr halte ich dieses für Lästerungen gegen den großen Gott und seine Offenbarung in der Natur. Du findest nichts schöner als das Evangelium, ich finde tausend geschriebene Blätter alter und neuer von Gott begnadigter Menschen eben so schön, und der Menschheit nützlich und unentbehrlich* (9. VIII. 1782: *IV/6, 36*); und abermals um Jahre später, an FHJacobi adressiert: *Dagegen hat dich aber auch Gott mit der Metaphisick gestraft und dir einen Pfal ins Fleisch gesezt, mich dagegen mit der Phisick geseegnet, damit mir es im Anschaun seiner Wercke wohl werde* (5. V. 1786: *IV/7, 213 f.*). Derartige Äußerungen, die überaus zahlreich sind und bis weit ins hohe Alter reichen (vgl. zB.: *Wer die Natur als göttliches Organ läugnen will, der läugne nur gleich alle Offenbarung: MuR:* Hecker *Nr 810;* 1811/14; ferner: *,,Ich glaube einen Gott!" dieß ist ein schönes löbliches Wort; aber Gott anerkennen, wo und wie er sich offenbare, das ist eigentlich die Seligkeit auf Erden: MuR:* Hecker *Nr 809;* 1829), lassen sich nicht wegdisputieren, denn sie markieren die Bahn der goetheschen Geistesbewegung. Auf ebendieser Bahn lag es aber auch, zu erfahren und auszusprechen, das mit dem Verstand nicht Meßbare, rational nicht Auflös-

bare sei kraft seiner *Bedeutung zu erspüren, in dieser *Bedeutung,* im *Bedeutenden* schlechthin sei der ,,Verweis auf die unerkennbare Einheit alles Seins" (hier Sp. 949) aufbewahrt. In dieser Region (etwa seit der Zeit der **Wahlverwandtschaften*; vgl. auch *Ahnung) wird ein neuer Zugang zum NT bemerklich und für die *Pädagogische Provinz* (nach 1820) fruchtbar, indem sie das goethesche *Credo* der *Ehrfurchten entbindet und in deren Pluralismus eine Folge geistig-seelischer Entwicklungsstufen (ETrunz HbgA 8, 654f.), ein System psychologischer Dispositionen entwirft als Stationen des Weges zur *Weltfrömmigkeit (I/24, 378).* Diese ist ,,nicht hellenischer Aufblick zu den Göttern, auch nicht christliche Demut, sondern Weiterbildung aus beiden, ein Bild des Menschen, der in seinem Innern den Weg zu dem Absoluten findet, das ihm gleichnishaft in der Welt erscheint . . . zu der einen *wahren Religion . . .* die drei *Ehrfurchten* vereinigen sich zu der *Ehrfurcht vor sich selbst . . .,* dh. vor dem Gott ins uns und dem Geheimnis des Lebens" (ETrunz HbgA 8, 657 f.). Insofern vermag die *Weltfrömmigkeit* in ihren Dimensionen dem NT tatsächlich einen neuen Sinn zu geben. Goethe gelangt auf dem Wege seiner *Ehrfurchten* dorthin. Dabei kommt derjenigen *Ehrfurcht* eine besondere Bedeutung zu, die sich alldem gegenüber erweist, was *unter uns ist:* Wir nennen sie die christliche, weil sich in ihr eine solche Sinnesart am meisten offenbart; es ist ein Letztes, wozu die Menschheit gelangen konnte und mußte. ,,In der Entwicklung der weltgeschichtlichen Religionen wie in der des Einzelmenschen ist das Heiligtum des Schmerzes derjenige Bereich, welcher als letzter Erkenntnisse hergibt" (ETrunz ebda 659). Ohne den jasagenden Durchgang durch die Welt der Qual, mit der Gebärde *auf dem Rücken gefalteter, gleichsam gebundener Hände,* mit auf die Erde *gesenktem,* aber *lächelndem Blick,* dh. sehr wohl mit der Gebärde der Gebundenheit, Hilflosigkeit und dennoch mit dem wissenden Lächeln überwindender *Heiterkeit,* sind die Bedingungen der wahren Religion nicht zu erfüllen: *Aber was gehörte dazu, die Erde nicht allein unter sich liegen zu lassen und sich auf einen höhern Geburtsort zu berufen, sondern auch Niedrigkeit und Armuth, Spott und Verachtung, Schmach und Elend, Leiden und Tod als göttlich anzuerkennen, ja Sünde selbst und Verbrechen nicht als Hindernisse, sondern als Fördernisse des Heiligen zu verehren und liebzugewinnen (I/24, 240; 243 f.;* ETrunz aaO 657; vgl. außerdem hier Sp. 664–674, auch

678–695). Dergestalt erfährt das Evangelium
Jesu Christi, somit das NT als Ganzes in Goethes Glauben und Wissen eine neue Sinngebung, die in religiöser Dimension durchaus
entsprechend denen der Forschung und Dichtung die innerste Verbindung des *Nördlichen*
und des *Südlichen* intendiert (vgl. hier Sp.
701 f.), um den geheimen Sinn des *Credo* goethesch umzuinterpretieren, *so daß der Mensch
zum Höchsten gelangt, was er zu erreichen fähig
ist, daß er sich selbst für das Beste halten darf
was Gott und Natur hervorgebracht haben, ja,
daß er auf dieser Höhe verweilen [!] kann, ohne
durch Dünkel und Selbstheit wieder in's Gemeine gezogen zu werden (I/24, 244).* Entsprechend formulierte Goethe am 11. III. 1832,
nachdem er betont hatte, wie notwendig es
sei, die *reine Lehre und Liebe Christi* zu *begreifen* und *in sich einzuleben, sich als Mensch groß
und frei zu fühlen, auf ein bißchen so oder so
im äußern Kultus nicht mehr sonderlichen Wert
zu legen,* Gottes Wirkung *in großen Menschen*
aller Vergangenheit unter *Chinesen, Indiern,
Persern, Griechen, Juden* frei von den *Fesseln
geistiger Borniertheit* zu verehren: *Gott hat sich
nach den bekannten imaginierten sechs Schöpfungstagen keineswegs zur Ruhe begeben, vielmehr ist er noch fortwährend wirksam wie am
ersten. Diese plumpe Welt aus einfachen Elementen zusammenzusetzen und sie jahraus jahr-
ein in den Strahlen der Sonne rollen zu lassen,
hätte ihm sicher wenig Spaß gemacht, wenn er
nicht den Plan gehabt hätte, sich auf dieser materiellen Unterlage eine Pflanzschule für eine
Welt von Geistern zu gründen. So ist er nun fortwährend in höheren Naturen wirksam, um die
geringeren heranzuziehen (Bdm. 4, 443f.).* Man
versteht: Goethe hat dem NT, dem Christentum, der Person Jesu Christi die kirchlich-
konfessionelle Absolutheit im Sinne sowohl
des Protestantismus wie des Katholizismus
genommen. Er hat sie in historische und systematische Relationen hineinprojiziert und dadurch relativiert. Auch von Sünde und Erlösung ist im traditionell oder konventionell
christlichen Sinne nicht die Rede. Aber alle
diese Relativierungen hat Goethe selbst wieder aufgehoben um einer neuen, jedoch „nur"
exemplarischen Absolutheit willen (die con-
tradictio in adiecto ist nicht unwichtig; vgl.
I/24, 244). Er wählt dafür den Ausdruck: *Christentum der Gesinnung und Tat (Bdm. 4, 443;*
vgl. dazu auch *Faust I:* I/14, 67, V. 1337).
„Der Bereich, aus welchem heraus Goethe
und der neuzeitlich-abendländische Mensch
eigentlich lebt, ist aber nicht die Meditation
über den Schmerz, sondern die Verwirkli-

chung des Sittlichen" (ETrunz HbgA 8, 659).
Goethe sagt: *Wo ich aufhören muß, sittlich zu
sein, habe ich keine Gewalt mehr (MuR:* Hekker *Nr 678).* So steht es in *Makariens* [!] *Archiv* 1829.
Ähnlich wie bei dem AT, nur dem eigenen Eingeständnis entsprechend (Sp. 1176) schwächer, hat Goethe auch da oder dort im NT gelesen, bzw. studiert. Im Zeichen *Wilhelm Meisters* und seiner *Wanderjahre,* insbesondere in
der Intention der *Pädagogischen Provinz*
scheint sich Goethes NT-Lektüre zu beleben.
Aufzeichnungen der Jahre 1800, 1810, 1812,
1813, 1817, 1818, 1819, 1822, 1824, 1825, 1826,
1828 zeugen in unterschiedlichen Graden davon. Gleichzeitig mehren sich die theologischen Zugänge in Goethes Hausbibliothek
(mehr als 80 Akzessionen nachgewiesen: Ruppert S. 385–404). *Ml/Za*
In den Sammlungen von OMehl finden sich
aus dem NT 285 Schriftstellen in über 500 Bezügen und Entlehnungen, die oftmals (wiederum mehr oder weniger variiert) von Goethe
in seine eigene Sprache aufgenommen und
metamorphosisch weiterentwickelt wurden.
Der weitaus größte Teil davon, reichlich 200,
entfällt auf das Evangelium des Matthäus:
*Wir betrachten überhaupt diesen dem Sinne
nach als das Gegenbild von Moses (I/49[II], 94).*
Etwa 15–20 Entlehnungen entstammen dem
Evangelium des Markus, je etwa 70–75 dem
Lukas- und dem Johannes-Evangelium, etwa
20 der Apostelgeschichte, etwa 90 den Paulus-
Briefen mit einer starken Bevorzugung der
Korinther-Briefe (reichlich 50 Bezugnahmen),
knapp 20 den nicht-paulinischen Briefen, etwa 25 der Offenbarung des Johannes. Besonders bevorzugte Motive aus den Synoptikern
sind: Die heiligen drei Könige; die Flucht
nach Ägypten; die Versuchung Jesu Christi;
das Wandeln auf dem Meer; die Begegnung
mit der Sünderin; der Einzug in Jerusalem;
Tod, Höllenfahrt und Auferstehung; das
Pfingstwunder mit dem Zungenreden; ferner
mehr im einzelnen die für Goethe fast unerschöpfliche Bergpredigt; die Gestalten des
Hauptmanns von Kapernaum, des Sämanns,
der Arbeiter im Weinberge; die Heilung der
Besessenen; die Gleichnisse vom verlorenen
Schaf, vom verlorenen Groschen und vom
armen Lazarus; dazu kommen Worte wie das
von dem Rohr im Winde und vom Propheten,
der wenig in seinem Vaterlande gilt; „Die
Lästerung wider den Geist wird dem Menschen nicht vergeben"; „Wes das Herz voll
ist, des gehet der Mund über"; „Lasset die
Kindlein zu mir kommen" und „Es sei denn,

daß ihr . . . werdet wie die Kinder"; „Ist's möglich, so gehe dieser Kelch von mir"; „Eins aber ist not"; „Und es wird ein Schwert durch deine Seele dringen". Aus dem Johannes-Evangelium bevorzugt Goethe die Erzählung von Jesus und der Samariterin; das Gleichnis vom guten Hirten; das Exemplum vom Teiche Bethesda und Worte wie: „Wer unter euch ohne Sünde ist, der werfe den ersten Stein"; „Ich muß wirken . . . solange es Tag ist, es kommt die Nacht, da niemand wirken kann" (erscheint siebenmal bei Goethe!); „In meines Vaters Hause sind viele Wohnungen" und „Mein Reich ist nicht von dieser Welt". Gern wiederholte Motive aus der Apostelgeschichte sind die Gestalt des ephesischen Goldschmieds und das Wort „Und es alsbald fiel es von seinen Augen wie Schuppen". Die häufigsten Entlehnungen und Bezugnahmen aus den Paulus-Briefen gelten den Worten „Darum feget den alten Sauerteig aus, auf daß ihr ein neuer Teig seid"; auch dem Kapitel 13 des 1. Korinther-Briefes und dem Bild vom Pfahl im Fleisch ist Goethe mit häufigen Anklängen oder Wendungen nahverbunden; dem Brief an die Philipper entnimmt er gern die Worte „Der Friede Gottes, welcher höher ist denn alle Vernunft", dem 1. Brief an die Thessalonicher die Mahnung „Prüfet aber alles, und das Gute behaltet". Goethes vielgebrauchte, väterliche Rede „Kindlein liebt euch" entstammt dem 1. Johannes-Brief; seine Bezugnahme auf den Streit um den Leichnam Mosis hat im Brief des Judas ihre Quelle. Die wiederkehrend verwandten Bilder aus der Offenbarung des Johannes finden sich in den Begrüßungs- und Segensworten des Anfangskapitels: „Gnade sei mit euch und Friede von dem, der da ist, der da war, und der da kommt" sowie „Ich bin das A und das O, der Anfang und das Ende".   *JP*

VHehn: Goethe und die Sprache der Bibel. In: Goethe Jb 8 (1887), S. 187–202. – HHenkel: Goethe und die Bibel. 1890. – EKarpeles: Goethe als Bibelforscher. 1890. – REucken: Heilsgeschichtliche Bedeutung der Bibel. 1917. – FBlanckmeister: Goethe und die Kirche seiner Zeit. 1923. – GJanzer: Goethe und die Bibel. Heidelberg. Diss. 1929. – RHermann: Die Bedeutung der Bibel in Goethes Briefen an Zelter. 1948. – HFischer-Lamberg: Das Bibelzitat beim jungen Goethe. In: Gedenkschrift für FJSchneider. 1956. S. 201–221. – BBadt: Goethe als Übersetzer des Hoheliedes. In: Jb. f. Philol. u. Pädag. II. Abt. Bd 124 (1881). – OM.: Goethe und das Alte Testament. In: Leipziger Zeitung, 23. IX. 1897. – AEttlinger: Goethe und das Alte Testament. 1923. – HTeweles: Goethe und die Juden. 1925. – REberhard: Goethe und das Alte Testament. 1935. – PAlthaus: Goethe und das Evangelium. 1952. – Actes du Colloque International sur Goethe et l'esprit français. 1959. – PPiper: Joseph. 1930. – Priebe: Goethes theologische Bibliothek. In: Christl. Welt. 1930.

Bibliographie. Eine Geschichte der Goethe-B. gibt es bisher nicht. Bei dem unübersehbaren Schrifttum kann es sich hier nur um knappe Hinweise auf die wichtigsten B.n handeln, die dem Suchenden als erste Anhaltspunkte weiterer Forschung dienen können. Man hat zunächst grundsätzlich zwischen Katalogen und B.n zu unterscheiden; die ersteren verzeichnen die in einer oder mehreren Sammlungen (Bibliotheken) vorhandenen Exemplare, die letzteren stellen das Schrifttum, unabhängig von ihrem Aufbewahrungsort, mit erstrebenswerter Vollständigkeit zusammen.

I. Kataloge. Verzeichnisse großer privater *Goethe-Sammlungen knüpfen sich vor allem an die Namen *Hirzel, FMeyer und *Kippenberg. Schon im Jahre 1825 hatte aber bereits der Enkel von Goethes Schwester Cornelia, A*Nicolovius (1806–1890), aufgrund der von ihm zusammengebrachten Sammlung ein Verzeichnis der Schriften von und über seinen Großoheim veröffentlicht, nachdem er seit 1825 mehrmals in Weimar weilte und von Goethe gern gelitten war. Nicolovius gab drei Jahre später diesen *sehr artigen poetisch-historisch-kritisch bildlichen Katalog* (28. III. 1826: *IV/40, 339, 16*) in ergänzter Fassung noch einmal heraus; eine Fortsetzung hat dieser Teil 1 jedoch nicht gefunden. So begrüßenswert dieser Anfang war, so war er doch mehr von Enthusiasmus als wirklicher Kennerschaft getragen. Die nun aber zeichnete in hervorragendem Maße den leipziger Buchhändler Salomon Hirzel (1803–1877) aus, der in jungen Jahren mit einer eigenen Sammlung begonnen hatte und sie sein Leben lang vermehrte; sie fiel nach seinem Tode der leipziger Universitäts-Bibliothek zu. Hirzels „Verzeichniß einer Goethe-Bibliothek" erschien 1848, 1862, 1874 und wurde nach seinem Tode noch zweimal, von seinem Sohne Ludwig Hirzel 1884 und von dem Bibliothekar Reinhard Fink 1932, herausgegeben. Dieses Verzeichnis hat in der zweiten Hälfte des 19. Jahrhunderts eins der wichtigsten Hilfsmittel der gesamten Goethe-Forschung gebildet. Nach Hirzels Muster und unter dem gleichen Titel bearbeitete 1908 Friedrich Meyer (geb. 1868), gleichfalls Buchhändler in *Leipzig, einen umfassenden Katalog seiner Sammlung von über 700 Seiten. Meyers Verzeichnis, das als Verkaufskatalog gedacht war, erfüllte seinen Zweck: Seine Sammlung ging in den Besitz von William ASpeck in New Haven über und bildete fortan den Kern der „Speck Collection of Goetheana in Yale University Library", der größten Goethe-Sammlung Amerikas. Die bedeutendste Sammlung des 20. Jahrhunderts aber, die größte, die von privater Seite zusammengebracht wurde, war die von Anton Kippenberg (1875–1950), dem Inhaber des leipziger Insel-Verlages. Ein Verzeichnis erschien erstmals 1913 in einem Band, eine zweite Ausgabe von 1928 war auf drei Bände angewachsen. Die Sammlung ist 1953 in das Eigentum der Stadt Düsseldorf übergegangen (vgl. Goethe. 14/15 (1952/53), S. 351f.).

Alle diese Kataloge haben eine nicht unbeträchtliche Reihe von Ergänzungen gefunden, auf die hier nicht näher eingegangen werden kann. Eine ähnliche Bedeutung wie die Verzeichnisse privater Sammlungen haben für die B. die Kataloge öffentlicher Sammlungen, von denen hier nur vier genannt werden sollen: die des Britischen Museums, der Bibliothèque Nationale, der Library of Congress und der preußischen Bibliotheken. Die londoner, pariser und washingtoner Kataloge kommen, bis zum Zeitpunkt ihres Erscheinens, einer B. der englischen, französischen und amerikanischen Ausgaben von Goethes Schriften gleich, da diese Bibliotheken alle Veröffentlichungen ihres Landes erhalten. Im Goethe-Jahr 1932 brachte der Gesamtkatalog der preußischen Bibliotheken einen Sonderband ,Goethe' heraus, der ein Verzeichnis von etwa 2500 Ausgaben enthält. Der Wert dieses Kataloges ist nicht so sehr in der restlosen Vollständigkeit aller Einzel- und Gesamtausgaben goethescher Schriften zu suchen als vielmehr in der b.schen Genauigkeit der Angaben und vor allem in den Exemplarnachweisen auf 18 öffentlichen Bibliotheken.

Nicolovius, Alfred: Verzeichniß einer Sammlung der ältern Goetheschen Werke und der sich auf ihn beziehenden Schriften. Berlin 1825.
Nicolovius, Alfred: Ueber Goethe. Literarische und artistische Nachrichten. Teil 1. Leipzig 1928. – Vgl. das Urteil Goethes in: Kunst und Alterthum. VI 2 (1828), S. 427f. = WA. I/41[II], 356f.
(Hirzel, Salomon): Verzeichniß einer Goethe-Bibliothek. Leipzig 1848.
(Hirzel, Salomon): Neues Verzeichniß einer Goethe-Bibliothek. (1769–1861.) Leipzig 1862.
(Hirzel, Salomon): Neuestes Verzeichniß einer Goethe-Bibliothek. (1767–1874.) Leipzig 1874.
Salomon Hirzels Verzeichniß einer Goethe-Bibliothek mit Nachträgen und Fortsetzung hrsg. von Ludwig Hirzel. Leipzig 1884. – Vgl. Gustav Adolf Erich Bogeng: Die großen Bibliophilen. 1922. 1, S. 309; 3, S. 153 f.
Verzeichnis von Salomon Hirzels Goethe-Sammlung der Universitäts-Bibliothek zu Leipzig. Nach Hirzels Verzeichnis von 1874 neu hrsg. von Reinhard Fink. Leipzig 1932. (Kataloge von Sondersammlungen der Universitäts-Bibliothek zu Leipzig. 1.)
Meyer, Friedrich: Verzeichnis einer Goethe-Bibliothek. Leipzig 1908. – Über die Speck Collection vgl. Julius Petersen in: Dichtung und Volkstum 36 (1935), S. 360f. – Ein Katalog der Speck Collection erschien u. d. Titel: Goethe's works with the exception of Faust. A catalogue compiled by the members of the Yale University Library staff. Ed. by Carl Frederick Schreiber. New Haven 1940.
Katalog der Sammlung [Anton] Kippenberg. Goethe. Faust. Alt-Weimar 1913.
Katalog der Sammlung [Anton] Kippenberg. 2. Ausgabe. 3 Bde. Leipzig 1928.
British Museum. Catalogue of printed books. [28] (London 1898) Sp. 151–232. – Jeder Band der Kataloges besteht aus einzelnen Lieferungen mit gesonderter Spaltenzählung. Die Lieferung ,,Goethe'' war bereits 1888 fertiggestellt; vgl. Goedeke[3] IV, 2 (1910) S. 153, Nr 35. Eine 2. Auflage des British Museum Catalogue ist im Erscheinen.
Catalogue général des livres imprimés de la Bibliothèque Nationale. Auteurs: Tome 62 (Paris 1915) Sp. 558–650.
A catalog of books represented by Library of Congress printed cards. Issued to July 31, 1942. Vol. 56 (Washington 1943) S. 278–322. – Der Katalog wird für die Erwerbungen der Jahre 1942ff. in laufenden Supplementbänden fortgesetzt, die sehr rasch auf die jeweilige Berichtszeit folgen.
Goethe. Hrsg. von der Preuß. Staatsbibliothek. Berlin 1932. (Gesamtkatalog der Preuß. Bibliotheken. Sonderband.) – Vgl. auch Wilhelm Frels: Goethe im Preuß. Gesamtkatalog. In: Börsenblatt für den Deutschen Buchhandel. Jahrg. 99, Nr 208 (6. September 1932), S. 655–657.

II. Gesamtbibliographien. Die grundlegende B. über das gesamte Goethe betreffende Schrifttum sind die Abschnitte in dem ,,Grundriß zur Geschichte der deutschen Dichtung aus den Quellen'' von Karl Goedeke (1814 bis 1887). In der ersten Auflage von 1859 umfaßt die B. 43 Seiten; in der zweiten Auflage von 1891 benötigte der Bearbeiter Max Koch (1855–1931) 192 Seiten; in der dritten Auflage von 1910 bis 1913 verteilte sich der Stoff auf 3 Bände mit insgesamt 1900 Seiten. Diese letzte Bearbeitung war die unübertreffliche Leistung des breslauer Oberlehrers Karl Kipka (geb. 1882, gefallen 1917), der diese Aufgabe von seinem Lehrer Koch übernommen hatte. Goedeke hatte noch keine Nötigung empfunden, einen besonderen Abschnitt ,,Bibliographische Hilfsmittel'' vorauszuschicken; erst Koch fügte ihn ein, und Kipka baute ihn weiter aus. Die Brauchbarkeit der kipkaschen Bände erhöht nicht unwesentlich ein zuverlässiger Registerband. Diese drei Auflagen umfaßten jeweils die gesamte Goethe-Literatur (bis zum Erscheinen der einzelnen Bearbeitungen, die 3. Auflage also die Literatur bis 1912). Seit 1957 erscheint ein Ergänzungsband zur 3. Auflage, der die Goethe-Literatur der Jahre 1912–1950 mit dem Ziel der Vollständigkeit enthält. Diese Ergänzung ist von dem leipziger Oberlehrer Paul Schlager (1878 bis 1951) mit unendlichem Fleiß begonnen und von Carl Diesch (1880–1957) zu Ende geführt worden; sie wird nach Dieschs Tode von Herbert Jacob herausgegeben.

Da eine B. mit dem Augenblick ihres Erscheinens veraltet, mußte der Wunsch bestehen, durch periodische Veröffentlichungen auf dem Laufenden zu bleiben. Diese Aufgabe führten hauptsächlich zwei Unternehmen durch: das geigersche ,,*Goethe-Jahrbuch'' und die eliasschen Jahresberichte. Es ist ein unbestreitbares Verdienst von Ludwig Geiger (1848 bis 1919) gewesen, in seinem 1880 begonnenen „Goethe-Jahrbuch" eine B. des jährlichen Goethe-Schrifttums zusammengestellt und bis zum letzten Jahrgang (Bd 34, 1913) durchgeführt zu haben, gelegentlich zu Zweijahresberichten zusammengefaßt. Für die Berichtszeit seit 1883 wurden anhangsweise B.n des englisch-amerikanischen Schrifttums von HS White, später von RTombo, einmal eine ungarische B. von LVerö beigefügt (Bd 32, 1911). Als der Großherzogin Sophie von *Sachsen-Weimar 1885 durch das Legat Walther von *Goethes eine Ehrenpflicht dem Dichter gegenüber erwuchs, faßte sie sogleich den groß angelegten Plan einer Ausgabe der goetheschen Werke, die in der „*Sophien-Ausgabe" verwirklicht wurde, und einer umfassenden Biographie, die nicht zustande kam. Die dritte Aufgabe bei der wissenschaftlichen Betreuung eines Dichters, die für die Forschung immer unabweislicher wurde, nämlich eine B., war bei den für weitere Kreise berechneten Unternehmungen der Großherzogin nicht erforderlich. Für die Wissenschaft erfüllte diese Aufgabe aber der emsige Geiger aus eigenem Antrieb und lieferte damit eine entscheidende Vorarbeit für Kipkas Werk. – Das 1914 an Geigers Zeitschrift anschließende „*Jahrbuch der Goethe-Gesellschaft" (JbGGes) hat diese nützliche Abteilung nicht fortgesetzt, außer gelegentlichen Berichten, wie sie H Maync in einem Aufsatz über die „Goethe-Literatur während des Weltkrieges" (1917) oder Wilhelm Frels mit reinen B.n für die Jahre 1926 bis 1931 in mehreren Beiträgen bot. Es muß daher anerkennend hervorgehoben werden, daß eine jährliche Zusammenfassung für die Berichtszeit seit 1951 von Heinz Nicolai in Form von Beilagen zu der Neuen Folge des Jahrbuchs „Goethe" wieder aufgenommen worden ist.

Die geigerschen Berichte waren für den Kreis der Goethe-Forscher bestimmt; im Rahmen der gesamten deutschen Literaturgeschichte hatten die „Jahresberichte" von JElias (1861 bis 1927), die für die Berichtszeit seit 1890 erschienen, die Aufgabe einer referierenden und verzeichnenden B. übernommen. Außer Geiger selbst arbeitete eine Reihe ausgezeichneter Goethe-Forscher mit, wie OPniower, ESchmidt, OHarnack, GWitkowski, VValentin, KHeinemann, ALeitzmann usw. Diese „Jahresberichte" reichen in 26 Jahrgängen bis zur Berichtszeit 1915. Sie kamen durch den ersten Weltkrieg zum Erliegen, konnten aber für 15 weitere Jahrgänge und für die Berichtszeit 1921

bis 1935 in einer Neuen Folge, die von FBehrend (1878–1939) im Auftrage der Literaturarchiv-Gesellschaft in Berlin herausgegeben wurde, erscheinen. Die Lücke zwischen beiden Reihen der Jahresberichte (1916–1920) füllten ARosenbaum (1861–1942) in Ergänzungsheften zu der Zeitschrift für Literaturgeschichte „Euphorion" aus (bis 1918) und PMerker (1881–1945) mit einer B. über die in den Jahren 1920 bis 1922 erschienenen Werke, die er seiner „Neueren deutschen Literaturgeschichte" (1922) beifügte.

Die Neue Folge der „Jahresberichte" hat 1956 mit Bd 16/19 für die Berichtszeit 1936–1939 wieder eingesetzt und wird von Gerhard Marx laufend weitergeführt. Bevor die „Jahresberichte" das Spatium zwischen Berichtszeit und Erscheinungsjahr aufgeholt haben, wird die b.sche Übersicht, die HWEppelsheimer und CKöttelwesch 1957/58 über die deutsche Literaturwissenschaft der Jahre 1945–1956 gegeben haben, auch für Goethe gute Dienste tun. Die Deutsche Bücherei in Leipzig hat bereits zweimal die in deutscher Sprache der Jahre 1941–1950 (1954) und 1945–1955 (1956) erschienenen Schriften Goethes in kleinen Sonderdrucken herausgegeben.

Die Fülle wichtigster b.scher Hilfsmittel der allerletzten Jahre setzen den Goethe-Forscher wieder in den Stand, sich die so notwendige Übersicht über die wissenschaftliche Literatur zu verschaffen. Bevor diese Belebung eintrat, wären wir verwaist gewesen ohne das „Bibliographische Handbuch des deutschen Schrifttums" (1949) von JKörner (1888–1950), das bis zum Zeitpunkt von Goethes 200. Geburtstag eine vorzügliche und das Wesentliche mitteilende Zusammenstellung bietet und das noch auf lange hinaus seinen Wert behalten wird.

Während fast alle bisher genannten Goethe-B.n bestrebt gewesen sind, das Goethe betreffende Schrifttum, entsprechend ihrer Berichtszeit, so vollständig wie möglich mitzuteilen, so daß die Folge davon immer umfänglichere Kompendien waren, hat HPyritz (1905 bis 1958) grundsätzlich zum erstenmal den Mut gefunden, eine den gesamten Zeitraum umfassende, aber auswählende „Goethe-Bibliographie" in Angriff zu nehmen (1955 ff.; in Verbindung mit PRaabe). Der Wert dieser B. liegt in dem kritischen Verantwortungsbewußtsein, mit der die Auswahl getroffen worden ist; sie ist vorzüglich geeignet, die wichtigen Probleme der Goethe-Forschung bedeutend herauszuheben und das vielfach unübersichtlich Gewordene auf die großen

Linien zurückzuführen. Vollständige b.sche Verzeichnisse werden dadurch für den über spezielle Fragen Arbeitenden nicht überflüssig gemacht. Für weitere Kreise gedacht ist eine Auswahl-B. von RBuchwald (1951).

Es wäre noch vieles zu nennen, da sich die Goethe-B. im Laufe eines Jahrhunderts zu einem besonderen Zweige der Goethe-*Philologie entwickelt hat. Die hier mitgeteilte Auswahl des Wichtigsten bildet aber eine fast ununterbrochene Folge der Berichterstattung und ermöglicht den Zugang zu Weiterem.

Goedeke, Karl: Grundriß zur Geschichte der deutschen Dichtung aus den Quellen. Bd 2 (1859), S. 709 bis 865 (Biographie Goethes); S. 866–908 (Bibliographie). – Unveränderte zweite Ausgabe. 1862.
Dasselbe. Zweite ganz neu bearbeitete Auflage. Bd 4 (1891), S. 419–565 (Biographie Goethes); S. 565–756 (Bibliographie). Bearbeitet von Max Koch.
Dasselbe. Dritte neu bearbeitete Auflage. Bd 4, Abt. 2 (1910); Abt. 3 (1912); Abt. 4 (1913). Bearbeitet von Karl Kipka.
Diesch, Carl, und Paul Schlager (†): Goethe-Bibliographie 1912–1950. Berlin, Düsseldorf 1957 ff. (Karl Goedeke: Grundriß zur Geschichte der deutschen Dichtung aus den Quellen. Hrsg. von der Deutschen Akademie der Wissenschaften zu Berlin unter Leitung von Leopold Magon. Redaktion: Herbert Jacob. Bd 4, Abt. 5 = Ergänzung zur 3. Auflage.) – Die 1. Lieferung umfaßt III, 400 S. Der Band ist auf drei Lieferungen berechnet, die 1959 vorliegen sollen.
Goethe-Jahrbuch. Hrsg. von Ludwig Geiger. Bd 1 (1880)–34 (1913).
Maync, Harry: Die Goethe-Literatur während des Weltkrieges. In: Jahrbuch der Goethe-Gesellschaft 4 (1917), S. 261–303.
Frels, Wilhelm: Goethe-Schrifttum. In: Jahrbuch der Goethe-Gesellschaft 13 (1927), S. 317–345; 14 (1928), S. 230–262; 15 (1929), S. 247–276; 16 (1930), S. 231–260; 17 (1931), S. 236–260. – Berichtszeit Januar 1926 bis Februar 1931.
Goethe-Bibliographie 1951. Bearbeitet von Heinz Nicolai. 14 S. Beilage zu: Goethe. Neue Folge des Jahrbuchs der Goethe-Gesellschaft. Bd 14/15 (1952/1953). – Wird laufend fortgesetzt und reicht zZ. bis zum Berichtsjahr 1956.
Jahresberichte für neuere deutsche Literaturgeschichte. Hrsg. von Julius Elias [ua.]. Bd 1 (1892)–26 (1919). – Berichtszeit 1890–1915.
Jahresbericht über die wissenschaftlichen Erscheinungen auf dem Gebiete der neueren deutschen Literatur. Hrsg. von der Literaturarchiv-Gesellschaft in Berlin. Neue Folge. Bd 1 (1924)–15 (1939). – Berichtszeit 1921–1935.
Rosenbaum, Alfred: Bibliographie der in den Jahren 1907/10 bis 1914/18 erschienenen Zeitschriftenaufsätze und Bücher zur deutschen Literaturgeschichte. 4 Bde. 1911–1924. (Euphorion. Ergänzungshefte 9–12.)
Merker, Paul: Neuere deutsche Literaturgeschichte. (1914–1920. Mit Bibliographie der 1920–1922 erschienenen Werke.) 1922. (Wissenschaftliche Forschungsberichte. Geisteswissenschaftliche Reihe 8.)
Jahresbericht über die wissenschaftlichen Erscheinungen auf dem Gebiete der neueren deutschen Literatur. Hrsg. von der Deutschen Akademie der Wissenschaften zu Berlin. Neue Folge. Bd 16/19: Bibliographie 1936–1939. Berlin 1956. – Wird, für die Berichtszeit 1940ff. zusammengefaßt mit dem „Jahresbericht über die Erscheinungen auf dem Gebiete der germanischen Philologie", laufend fortgesetzt.
Eppelsheimer, Hanns Wilhelm: Bibliographie der deutschen Literaturwissenschaft. 1945–1953. Frankfurt a. M. (1957). – Goethe S. 162–233.
Köttelwesch, Clemens: Bibliographie der deutschen Literaturwissenschaft. 1954–1956. Frankfurt a. M. (1958). – Goethe S. 142–170.
Goethe. Titelverzeichnis der 1941–1950 in deutscher Sprache erschienenen Neuausgaben seiner Werke und Einzelschriften. Sonderabdruck aus „Deutsches Bücherverzeichnis 1941–1950" [der Deutschen Bücherei]. Leipzig 1954.
[Goethe.] Neuausgaben von Werken Goethes und Schriften über Goethe 1945–1955. Wiedergabe der Titel aus dem „Deutschen Bücherverzeichnis" und aus dem „Jahresverzeichnis des deutschen Schrifttums" [der Deutschen Bücherei]. Leipzig 1956.
Körner, Josef: Bibliographisches Handbuch des deutschen Schrifttums. Bern ³1949.
Pyritz, Hans: Goethe-Bibliographie. Unter redaktioneller Mitarbeit von Paul Raabe. Heidelberg 1955 ff. – Von der auf 8–10 Lieferungen berechneten Bibliographie liegen die Lieferungen 1 (1955)–3 (1957) vor. Vgl. auch HWEppelsheimer in: das werck der bucher. Festschrift für Horst Kliemann. 1956. S. 88f.
Buchwald, Reinhard: Goethe. Der Mensch, der Dichter, der Denker. Bücher von ihm und über ihn. Ein Verzeichnis. Neu bearbeitet von Ruth Sierks. [Hamburg] 1951.

III. Einzelbibliographien.

Die Zahl der B.n, die einzelne Gebiete oder Fragen behandeln, ist unübersehbar. Es soll nur einiges hervorgehoben werden. Im Anschluß an die genannten Verzeichnisse über das Goethe-Schrifttum in England und Amerika von White und Tombo boten L und EOswald 1909 eine zusammenfassende B., die aus mehreren als Aufsätze erschienenen Vorarbeiten erwachsen war; sie ist für England bis 1920 von JMCarré in einer straßburger Dissertation, von AJDickson bis 1949 und in einem Forschungsbericht von LAWilloughby bis 1957 weitergeführt worden. Eine umfassende „Bibliographie critique de Goethe en France" gab FBaldensperger 1907 heraus. Ergänzend dazu mag ein Aufsatz von THeinermann über die französische Goethe-Literatur aus dem Jubiläumsjahr 1932 genannt werden. Die Übersichten der Oswalds und FBaldenspergers konnte Kipka in der dritten Auflage des Goedeke verarbeiten; Verzeichnisse über die neuere Literatur dieser Länder sind auch in reichlichem Maße dem Manuskript von PSchlager zugeflossen. Die Literatur in deutscher Sprache aus dem Jahre 1932 stellte WFrels in Fortsetzung seiner früheren Übersichten im Jb GGes. als eine Sonderpublikation zusammen, die im wesentlichen aus einem Abschnitt für den „Jahresbericht" erwachsen war; die ausländische Literatur dieses Jahres verzeichnete ABergmann. Das goethesche Werk in einem buchkünstlerischen Wettbewerb aus fast vierzig Ländern zeigte der Verein Deutsche Buchkünstler auf einer Ausstellung in Leipzig 1932; der Katalog kann als eine B. der neueren Übersetzungen goethescher Werke gelten. Das bedeutendste b.sche Unternehmen der letzten Zeit, das gedruckt vorliegt, ist die B. „Goethe und die Naturwissenschaften" von Günther Schmid (1888–1949), dem verdienstvollen Herausgeber von Goethes Schriften zur Naturwissenschaft. Schmid fügt jedem Titel mindestens einen Exemplarnachweis hinzu. Das Werk ist von gleich hohem Rang für Goethe wie für die Geschichte der Naturwissenschaften. Im Zusammenhang mit der im berliner Akademie-Verlag erscheinenden Goethe-Ausgabe hat WHagen „Die Gesamt- und Einzeldrucke von Goethes Werken" in einem Ergänzungsband (1956) zusammengestellt. Die B. verzeichnet alle zu Goethes Lebzeiten erschienenen selbständigen Drucke des Dichters und die, an denen er beteiligt war; mit minutiöser Sorgfalt ist die b.sch schwierige Frage der Doppeldrucke und Nachdrucke höchst förderlich fixiert.

Über weiteres b.sches Material zu Einzelfragen vgl. die jeweiligen Artikel.

Oswald, Eugen: Goethe in England and America. Bibliography. 2. ed., rev. and enlarged by Lina Oswald and Ella Oswald. London 1909. (Publications of the English Goethe Society. 11.) – [1]1899.
Carré, Jean-Marie: Bibliographie de Goethe en Angleterre. Paris 1920. – Zugleich Straßburg, phil. Diss.
Goethe in England, 1909–1949. A bibliography. Compiled by Alexander John Dickson. 1951. (English Goethe Society Publications. New Series 19.)
Willoughby, Leonard Ashley: Die Goethe-Forschung in England seit 1949. In: Euphorion 51 (1957), S. 61–77.
Baldensperger, Fernand: Bibliographie critique de Goethe en France. Paris 1907.
Heinermann, Theodor: Goethe in Frankreich. Eine Übersicht über die französische Goethe-Literatur der jüngsten Zeit. In: Euphorion 33 (1932), S. 328–340.
Freis, Wilhelm: Goetheschrifttum des Goethejahres. Deutschsprachige Bücher und Aufsätze des Jahres 1932. Weimar 1934.
Goldschmidt, Arthur: Goethe im Almanach. Leipzig 1932.
Bergmann, Alfred: Das Weltecho des Goethejahres. Weimar 1932. – Die außerdeutschen Erscheinungen. Goethe in der Buchkunst der Welt. Ausstellung Leipzig 1932. Amtlicher Katalog hrsg. vom Verein Deutscher Buchkünstler. Leipzig [1932].
Schmid, Günther: Goethe und die Naturwissenschaften. Eine Bibliographie. Halle 1940.
Hagen, Waltraud: Die Gesamt- und Einzeldrucke von Goethes Werken. Berlin: Akademie-Verlag 1956. (Goethe: Werke. Ergänzungsband 1.)   *St*

Bibliographisches Institut. Das B.I. wurde 1826 von dem sehr rührigen und einfallsreichen Verleger JMeyer (1796–1856) in seiner Heimatstadt Gotha gegründet, 1828 nach Hildburghausen und unter seinem Sohn HJ Meyer (1826–1909) 1874 nach Leipzig verlegt. 1915 wurde der Verlag in eine Aktiengesellschaft, 1946 in einen Volkseigenen Betrieb umgewandelt und 1955 in *Mannheim neu gegründet. Das B.I. wurde vor allem durch den Verlag von „Meyers Konversationslexikon" bekannt, das zuerst 1840 bis 1852 in 52 Bänden erschien. Seit 1903 erscheint dort der „Duden", ferner Reisebücher, Zeitschriften, Kartenwerke. Das größte Gewicht aber legte der Verlag von Anfang an auf Klassikerausgaben, die in Hunderttausenden von Exemplaren verbreitet wurden und auch in Reihen als Familien-, Groschen-, Nationalbibliothek

erschienen. Der populär-belehrende Zweck blieb stets, eine Tendenz zu wissenschaftlichen Ausgaben entwickelte sich allmählich. Daß die Werke Goethes bei diesen Bestrebungen eine Rolle spielten, ist nicht verwunderlich. Im Anfang des Verlages und noch zu Goethes Lebzeiten erschien (1829–1830) in drei Bändchen „Goethes Genius" in der „Cabinets-Bibliothek der deutschen Classiker", eine von HDoering besorgte Sammlung rhythmischer und prosaischer Fragmente; sie erschienen um 1850 noch zweimal in „Meyer's Groschen-Bibliothek der deutschen Classiker". In derselben Sammlung erschienen um 1851 „Goethe-Aphorismen oder Blüthen seines Denkens und Früchte seines Erlebens" und „Goethe-Sprüche". Eine ernsthafte Wendung nahm diese Verlagsproduktion, als Goethes Werke am 9. XI. 1867 freigeworden waren. Bereits 1868/1870 erschien in der „Bibliothek der deutschen Nationalliteratur" eine zwölfbändige Ausgabe von HKurz. Bekannt ist die kritisch durchgesehene und erläuterte Ausgabe in 30 Bänden, die KHeinemann 1901/1908 in Meyers „Klassiker-Ausgaben" redigierte. Zu seinem hundertjährigen Bestehen veranstaltete der Verlag eine 18bändige Festausgabe, die RPetsch 1926 herausgab. Im Jahre 1949 brachte der Verlag durch den jetzigen Leiter HBecker eine Auswahl heraus, in der alles heute noch wichtig Erscheinende auf drei Bände zusammengedrängt wurde. Die von dem gegenwärtigen politischen Standpunkt aus getroffene Auswahl gewinnt an Interesse, wenn man sie etwa mit der zwölfbändigen Teilsammlung vergleicht, die 1913 in dem berliner Verlag des „Vorwärts" erschien und die von dem sozialistischen Schriftsteller FrDiederich eingeleitet wurde.   *St*

Goethe. Hrsg. von der Preußischen Staatsbibliothek. 1932. Nr G 50; 77; 103; 168; 250; 254–257.

Bibliothek / Öffentliche Bibliotheken. 1. Verwaltung. Die verwaltungsmäßige Aufsicht über die weimarer herzogliche B. wurde Goethe gemeinsam mit Geheimrat ChrG*Voigt am 9. XII. 1797, fünf Tage nach dem sehnlich erwarteten Tod ihres Vorgängers ChrF*Schnauß, von Herzog Carl August übertragen. Die 1690 gegründete B. umfaßte damals 50 000 bis 60 000 Bände; sie wuchs bis 1830 auf über 130 000 Bände an, hatte sich also mehr als verdoppelt und enthielt neben Büchern auch Handschriften, Kupferstiche, Handzeichnungen, Münzen und Medaillen.

Die bis 1512 zurückreichende Universitätsbibliothek Jena wurde endgültig erst 1819 Goethe und Voigt unterstellt; doch hatte Goethe bereits seit zwanzig Jahren einen maßgeblichen

Einfluß auf die B. genommen. Beide B.n bilden für Goethe einen Mittelpunkt bei seinem vollverantwortlichen Bemühen, die Anstalten des Landes für Kunst und Wissenschaften zu fördern (*Oberaufsicht; *Amtliche Tätigkeit).

Schon 1781 war Goethe mit Verhandlungen betraut worden, die den Ankauf der B. des göttinger Professors ChrW*Büttner betrafen. Der Kaufpreis wurde Büttner von 1783 ab in jährlichen Raten bezahlt. Als dieser am 8. X. 1801 starb, ging die wertvolle, aber völlig verwahrloste Sammlung zunächst in den Besitz der privaten herzoglichen Schloßbibliothek in Jena über. Die Ordnung der rund 40 000 Bände bedurfte mehrerer Jahre. Die Bestände konnten, vor allem durch den unermüdlichen Eifer von ChrA*Vulpius, 1808 zugänglich gemacht werden. Erst in den Jahren 1817 bis 1824 wurde die Schloßbibliothek mit der Universitätsbibliothek Jena vereinigt. Die Entwirrung der mehr oder weniger chaotischen Verhältnisse dieser B. und ihre Überleitung zu einem geordneten Bestand der etwa 100 000 Bände sind hauptsächlich dem Einfluß Goethes zu verdanken.

Goethe betrachtet B.n als die *Gegenwart eines großen Capitals, das geräuschlos unberechenbare Zinsen spendet (I/35, 97)*. Bei seiner diesen Instituten zugewandten Tätigkeit leiteten ihn die bedeutendsten Gesichtspunkte, die für die Aufgaben von B.n in vielem bis heute maßgeblich geblieben sind: ihrer Natur nach zur allgemeinsten Benutzung bestimmt; schnelles Auffinden und Beschaffen der Bücher; der B.ar muß Initiative und Stetigkeit zeigen und schrittweise vorgehen; Goethe sieht ihn in *dem friedlichsten sittlichsten Bildungsgeschäft* tätig (6. II. 1821: *IV/34, 122*). *Bewahren und Benutzen* sei freilich zweierlei und *ein thätiger Gelehrter kein guter Bibliothekar* (10. I. 1811: *IV/22, 5*), daher brauche man *mechanisch thätige Subalterne* (1. V. 1807: *IV/ 19, 316*). Goethe sah seine Aufgaben in allem, was zum Bereich der B.sverwaltung gehört; er wandte seine Interessen gleichmäßig den Etats- und Baufragen zu, der auswählenden Erwerbung, den Pflicht-, Tausch- und Geschenkgaben, den Einbänden. Das Ziel aber, das er nie aus dem Auge gelassen hat, waren die Kataloge. Goethe entschied sich eindeutig und mit Nachdruck für systematische Aufstellung und Katalogisierung, er verfolgte in den Jahren von 1795 bis 1817 den Plan eines Gesamtkataloges für die örtlich getrennten B.n des Landes stets aufs neue, ohne ihn jedoch verwirklichen zu können. Sorge und Betreuung für die ihm unterstellten B.n haben

Goethe bis an seine letzten Lebenstage begleitet.

2) Benutzung. Goethe hat es als ein Ziel seiner B.spolitik angesehen, das alleinige Benutzungsrecht der B.n durch privilegierte Stände zu beseitigen und die Benutzung bis zu einem gewissen Grade allgemein und öffentlich zu machen. Die Benutzungsordnungen und die Entleihungsmöglichkeiten sind unter diesen Gesichtspunkten erweitert und liberal gestaltet, ein auswärtiger Leihverkehr mit B.n anderer Orte ist durchgeführt worden.

Goethe selbst war einer der eifrigsten Benutzer der von ihm geleiteten B.n. Aus der weimarer B. entlieh er in den Jahren 1778 bis 1832 insgesamt 2276 Werke, aus der jenaer Schloß- und Universitätsbibliothek, deren Ausleihregister erst seit 1810 erhalten sind, bis zu seinem Tode 177 Werke. Diese in zwei vorzüglichen Editionen festgelegten Buchentleihungen sind unschätzbare Hilfsmittel der Goetheforschung, da sie für vieles, was ihn beschäftigte und was schließlich in seinen Werken einen Niederschlag fand, die Quellen mitteilen und Datierungen erlauben. Die Benutzung dieser Bibliotheken bildet aber nur eine Ergänzung zu den Beständen von Goethes Privatbibliothek (5424 bibliographische Einheiten); *Hausbibliothek. *St*

Paunel, Eugen: Goethe als Bibliothekar. Vortrag gehalten in der Öffentlichen Wissenschaftlichen Bibliothek. In: Zentralblatt für Bibliothekswesen 63 (1949), S. 235–269. (Dort zahlreiche weitere Literaturangaben.)
Lerche, Otto: Goethe und die Weimarer Bibliothek. Leipzig 1929. (Auch: Zentralblatt für Bibliothekswesen. Beiheft 62.) – Keudell, Elise von, und Werner Deetjen: Goethe als Benutzer der Weimarer Bibliothek. Ein Verzeichnis der von ihm entliehenen Werke. Weimar 1931. – Aus der Geschichte der Landesbibliothek zu Weimar und ihrer Sammlungen. Festschrift z. Feier ihres 250jährigen Bestehens und zur 175-jährigen Wiederkehr ihres Einzuges ins Grüne Schloß. Hrsg. von Hermann Blumenthal. Jena 1941. (Zeitschrift d. Ver. f. Thüring. Gesch. u. Altertumskunde. Beiheft 23.)
Bulling, Karl: Goethe als Erneuerer und Benutzer der jenaischen Bibliotheken. Gedenkgabe der Universitätsbibliothek Jena zu Goethes 100. Todestag. Jena 1932. (Claves Jenenses 2.)
Bulling, Karl: Geschichte der Universitätsbibliothek Jena 1549-1945. (Claves Jenneses. 7.)

„Bibliothèque britannique", französische Zeitschrift (1796–1815, 140 Bde und 4 Reg.-Bde), die seit 1816 unter dem Titel „Bibliothèque universelle des sciences, belles-lettres et arts" erschien; Goethe verweist *(Nachträge zur Farbenlehre)* auf eine Nummer des Jahrgangs 1813 der B. b. (II/5^I, 360) und erwähnt 1817 die *Bibliothèque universelle Janvier 1816 (III/ 6, 38* ohne weitere Angaben); 1819 spricht er von dieser (IV/32, 71; 294) im Hinblick auf einen Aufsatz über die deutsche Literatur, 1820 (IV/33, 313) mit Bezug auf eine naturwissenschaftliche Frage; einfache Nennungen 1829 (III/12, 64; 100) und 1830 (ebda 322), mit Bezug auf die Hefte Januar bis Mai, August bis Oktober 1829, Februar, Mai bis August, Oktober bis Dezember 1830 (Keudell Nr 2017; 2036; 2067; 2083; 2118; 2167 und 2243). FJ*Soret war Mitarbeiter und übersetzte einen polemischen Beitrag Goethes zur B. b., einen *botanisch-biographischen Nachtrag*, in dessen eigener Sache (1831: *IV/48, 82*). *Fu*

„Bibliothèque universelle des romans", eine 1775 bis 1789 in 112 Bänden erschienene französische Kompilation von Auszügen und Bearbeitungen von Romanen, Novellen, Erzählungen der verschiedensten Gattungen, Zeiten, Nationalitäten; daneben gab sie auch literaturhistorische und biographische Auskünfte. Von 1781 nahm die Qualität der ‚B. u.' ab. Für ChrM*Wielands „Teutschen Merkur" war die Sammlung eine reichlich fließende Quelle. – 1798 bis 1805 erschien als Fortsetzung die „Nouvelle bibliothèque des romans" in jährlich acht Bänden. Goethe hat in der B. u. vom 20. bis 22. VI. 1800 gelesen, also genau zur Zeit, als er *über den Aufsatz zum Damenkalender,* dh. die *Guten Weiber nachgedacht* hat *(III/2, 299)*. „Als Quelle für Goethe kann das Werk [Jahrgang 1775] nicht bezeichnet werden, aber es bot einige Anregungen" (Goethe Jb. 15, S. 153). 1801 las Goethe in der B. u. *Robert le brave von Tressan (III/3, 10);* er fand *die Rittergeschichte ... sehr artig und unterhaltend und dabei ein rechtes Muster von modernem Auffassen und Behandeln älterer Zustände (IV/15, 201).* 1812 entlieh er aus der weimarischen Bibliothek den Februar-Band 1778 (Keudell Nr 772).   *Fu*

Bibra (auch Bibran?; Bybera?), ursprünglich fränkisches Alt-Adelsgeschlecht aus dem Grabfeldgau, sehr frühzeitig und genealogisch nicht sicher aufweisbar außer in Franken auch in *Schlesien verzweigt (Zedlitz/ Kneschke: Bibran-Modlau?; Bibran-Kittlitztreben?), besonders dort sehr begütert, trat mit mehreren, untereinander meist nicht unmittelbar verwandten Angehörigen namentlich oder persönlich in Goethes Blickfeld. Nicht zu identifizieren sind die (etwaigen) Namensträger, die Goethe durch JH*Merck und durch dessen Tätigkeit als Hofmeister oder Reisebegleiter nahegebracht worden sein können. Deutlicher treten folgende hervor:

–, 1) Lorenz (1456/59–1519), bekannt und bedeutend als Bischof von *Würzburg, *ein gelehrter Herr, und dabei so leutselig (I/8, 29),* erscheint im *Götz* (1773) als derjenige, der *Götz* und *Weislingen* mit *Castor und Pollux* ver-

gleicht, hat in Kenntnis und Verarbeitung der Fakten aus dem Leben und Nachleben des historischen für den goetheschen *Faust* dadurch Anspruch auf einen Platz, daß er den Widersacher Fausts: Johannes Heidenberg-Trithemius als Schottenabt nach Würzburg rief; das berühmte Grabmal L.s von TRiemenschneider kannte Goethe nicht.

–, 2) Heinrich [Novizenname], eigentlich: Carl Siegmund (1711–1788), Fürstbischof von *Fulda, ist am Neujahrstage 1819 Gesprächsgegenstand in Goethes Haus wegen der *alten Fuldaer Geschichten,* die man sich um ihn und um seinen Amtsnachfolger Adalbert v*Harstall erzählte *(III/7, 1).*

–, 3) Ludwig Carl (1749–1795), Reisemarschall des Prinzen (späteren Herzogs) Georg Friedrich Carl von *Sachsen-Meiningen, Oberst, Oberhofmeister der Herzogin-Witwe Louise, Ritterhauptmann des Kantons Rhön-Werra, *ein gar rechtschaffner guter Mensch (IV/5, 310),* gehört zu den „sehr genauen Bekannten" Goethes, die sogar als Vorleser seiner Dichtungen *(Iphigenie?; Egmont?)* legitimiert waren (Schiller: 14. VI. 1783), bei denen Goethe gelegentlich auch wohnte (IV/5, 306) und der persönlich so viel Vertrauen genoß, um Briefe von ChvStein entgegennehmen und weiterleiten zu dürfen (IV/5, 328); seine Vermählung (1784) mit Caroline Louise vDungern *(der ich gut bin; ein recht kurioses Wesen: IV/5, 309; 310)* bereitet sich anscheinend schon 1782 vor; sein Andenken war stark genug, um elf Jahre nach seinem Tode noch Gesprächsgegenstand in Jena zu sein, anscheinend im Zusammenhang mit Problemen der *Farbenlehre* (Blaublindheit) und mit sachverwandten Interessen des Physikers JW*Ritter: *Erinnerung (III/3, 161).*

–, 4) Siegmund [Novizenname], eigentlich Philipp Anton (1750–1803), Domkapitular, Dompropst, Regierungspräsident in Fulda, seit 1770 zunehmend als Schriftsteller tätig, seit 1784 an dem von LFGv*Göckingk (zeitweilig in Fulda bedienstet) begründeten „Journal von und für Deutschland" führend beteiligt, insofern durch zwei *Xenien* apostrophiert *(I/5[I], 241 Nr 250; 251).*

–, 5) Christian Ernst Heinrich (1772–1844), großherzgl.-hessischer Kammerherr, Landjägermeister, Wirklicher Geheimer Rat, seit 1791 im Forstfach tätig (*Darmstadt) und durch bahnbrechende Aufforstungsmaßnahmen (*Wald) bedeutend, hatte sachlich-fachlich sowie persönlich mit Goethe Kontakte, auch mit Freunden Goethes (vornehmlich mit ChrG*Körner), was zB. für die Jahre 1813 bis

1823 zwei knappe, aber unmittelbare Zeugnisse spiegeln (III/5, 64; III/9, 45).

–, 6) Carl Ernst Friedrich (Freiherr vBibran-Kittlitztreben??; Lebensdaten nicht eindeutig fixierbar) wirkte in einer Rolle als *Holkischer Jäger* beim Festzug (18. XII. 1818) mit und hatte auf Anruf des regieführenden *Mephistopheles* [!]/Goethe „*Hier!*" zu antworten *(I/16, 292; 484);* in der *Mephisto*-Maske spricht Goethe dabei seine Auffassung vom *Soldaten-Stand aus (I/16, 293).

Andere Träger des verbreiteten Namens B., die sich in primären *(Tgb.)* oder auch in sekundären Quellen (WBode) finden, lassen sich nicht einmal annähernd bestimmen. *Za*

Bieber, Niederbieber, das rechtsrheinische Dörfchen nördlich *Neuwied, fand Goethe erwähnenswert, als er die Eindrücke seiner Reise (21.–31. VII. 1815) zusammenfaßte (III/5, 171 bis *174: Kunstschätze am Mayn und Rhein überdacht;* auch IV/26, 58–60). Seine Aufmerksamkeit galt besonders den Relikten der Römerzeit: *Die Spuren einer einfachen alten Befestigung* [castra biberna; vgl. Altertümer-Sammlung im Schloß Wied/Neuwied] *fanden sich hinter Bieber eine halbe Stunde von Neuwied, wobei die Überreste eines Bades entdeckt wurden (I/34I, 96).* RV S. 51. *Za*

Biebrich (Schloß), bei *Wiesbaden. Die Lage von Schloß B. hat Goethe schon in seiner Jugend bei Ausflügen in die nähere und weitere Umgebung Frankfurts geschätzt (1765: I/27, 19). Als er 1814 und 1815 wieder in den Gegenden an Rhein und Main weilte, begeisterten ihn die Lage des Schlosses und der Bau selbst aufs neue und er schrieb in *KuA: Nach so vielen Ruinen alter und neuer Zeit, welche den Reisenden am Niederrheine nachdenklich, ja traurig machen, ist es wieder die angenehmste Empfindung, ein wohlerhaltenes Lustschloß zu sehen . . . (I/34I, 101 f.).* Als älteste Teile des Schlosses waren Ende des 17. Jahrhunderts die beiden Pavillons im Westen und Osten errichtet worden. Anfang des 18. Jahrhunderts wurden die Galerien mit dem Mitteltrakt als Verbindung erbaut und noch im Laufe des 18. und 19. Jahrhunderts weitere An- und Ausbauten geschaffen. – RVS. 9, 49–51. *Wt*
Es ist völlig ein Mährchen . . . (8. VIII. 1814: IV/25, 12*f.).* B. war Besitz des (seit 1806:) Herzogs von *Nassau-Saarbrücken-Usingen, damals: Friedrich August, dessen Gemahlin Luise eine geborene Prinzessin von *Waldeck war. In den Jahren nach 1806 hatte man das Schloß mannigfach ausgebaut. So hatte man, zugleich als Ausdruck des romantischen Zeit-

geschmacks, 1806 die neugotisierende „Moosburg" *(Ritterburg)* angelegt, und zwar an genau derjenigen Stelle, wo sich die alte karolingische Königsburg „Biburk" befunden hatte – auch hatte man die alten Grabsteine der Grafen von Katzenelnbogen eingebaut, weil die Erinnerung an die Urmutter Adelheid von Katzenelnbogen (Mutter Adolfs, des späteren deutschen Gegenkönigs gegen Rudolf von *Habsburg) mitsprach und zugleich der 1803 erfolgte Erwerb von Gebietsteilen der ehemals katzenelnbogenschen Herrschaft. 1811 hatte man den Park imponierend umgestaltet. Diese scheinbar nur äußeren Dinge waren der Rahmen, in dem das Herzogspaar suchte, die alten königlichen Reminiszenzen durch die innere Würde seines Lebensstiles und zugleich durch die Atmosphäre, die es entschieden ausstrahlte, lebendig zu erneuern. Zum Geiste seiner „Hofhaltung" gehörte es daher wesentlich, Goethe schnellstens an sich zu ziehen, wenn er in *Wiesbaden war. So erhielt er bereits zum ersten schicklichen Sonntag (7. VIII. 1814) nach seiner Ankunft in Wiesbaden eine Einladung nach *Biebrich zur Tafel (IV/25, 12;* III/5, 124). *Die Herrschaften* waren *sehr gnädig und freundlich* und verstanden es, königlich sich selbst zu ehren, indem sie ihrem hohen Gast festliche Stunden bereiteten. Es wurde für beide Seiten zur schönen Gewohnheit, daß Goethe 1814 und 1815 sonntags auf Schloß B. zur Mittagstafel erschien und nur selten fehlte, wenn er anderwärts (zB. 1814 *bey *Brentanos: III/5, 129;* 1815 *genußvolle und lehrreiche Tage* der Kunstreise mit HFC vom und zum Stein: IV/26, 66) unterwegs sein mußte.

1814 war Goethe alle August-Sonntage dort; der vierte Sonntag (28.) war zugleich Feier seines Geburtstages (65!): *Mittags fuhr ich nach Bibrich, wo die wahrhaft wohlwollenden Herrschaften und die wohlgesinnten des Hofes mir Glück wünschten (IV/25, 26).* In der langen Folge der Geburtstagsfeiern stellt diese des Jahres 1814 gewiß keinen absoluten, aber doch einen relativen Höhepunkt glanzvoller Ehrungen dar (ERedslob S. 86f.). Am 11. IX. 1814 war Abschied auf Schloß B. (III/5, 131). Der Besuch mit Carl August am 25. VIII. 1814 fand außer der Reihe statt (III/5, 127).

1815 war Goethe schon acht Wochen früher dort, dh. alle Juni-Sonntage, im Juli hingegen nur am zweiten und dritten Sonntag, wovon dieser (16.) wegen der Schlacht bei Waterloo/Belle-Alliance gefeiert wurde als *großes* [Sieges-] *Fest, welchem Erzherzog Karl, mit seinem Generalstab, auch dem Überrest von Preusen *beywohnte (IV/26, 45)*. Vom 8. VIII. 1815, dem letzten dort zugebrachten Sonntag überhaupt, berichtet Goethe: *Biebrich zur Tafel. Großes Hoffest (IV/26, 61)*. Mit diesem ganz besonders glanzvollen Tage, der dem Erzherzog nicht nur als Heerführer, sondern vornehmlich als Verlobtem der Prinzessin Henriette Alexandrine Friederike von *Nassau-Weilburg mit deren Eltern galt und der Goethe als mitgeladenen Ehrengast stark auszeichnete, kulminierten und endeten Goethes Kontakte mit B. und seinen Fürsten. – Die Stadt B. hatte für Goethe wenig Bedeutung.   *Za*

RKlapheck. – ERedslob: Mein Fest. Goethes Geburtstage als Stufen seines Lebens. 1956.

Biedermann, 1) Woldemar Gustav Frhr. von (5. III. 1817 Marienberg/Erzgebirge bis 6. II. 1903 Dresden), aus sächsischer Familie, Sohn des Bergamtsassessors, späteren Rittergutsbesitzers und Amtshauptmannes Gustav Heinrich vB., studierte seit 1835 Rechts- und Kameralwissenschaften in Leipzig, vor allem in Heidelberg und legte 1840 das Advokatenspecimen ab. 1842 Advokat in Dresden; 1845 trat er in den sächsischen Staatsdienst und wurde 1849 Regierungskommissar beim Direktorium der Chemnitz-Riesaer Eisenbahngesellschaft. Für die Entwicklung der sächsischen Staatseisenbahnen hat er Beträchtliches geleistet. Er war seit 1848 mit Antonie vTrützschler verheiratet; von den 10 Kindern, 5 Töchtern und 5 Söhnen, hat Flodoard vB. (2) das literarische Erbe des Vaters fortgesetzt.

Seine hervorragenden Leistungen als Fach- und Verwaltungsbeamter hätten ihm kaum Nachruhm bei den Gebildeten gesichert; er gilt allein dem Autodidakten der Goetheforschung. Unter diesen gebührt ihm die erste Stelle, denn er hat ein originales Werk Goethes geschaffen, das es vordem nicht gab: den posthum ans Licht getretenen Werken Goethes – dem Urfaust von 1887, dem Urmeister von 1909 – hat er die *Gespräche Goethes an die Seite gestellt. Als jüngerer Mann hatte er einige Dichtungen unter Pseudonymen (Woldemar, Ottomar Föhrau, Einem) in Druck gegeben. Später sah er von Veröffentlichungen zumeist ab, aber gedichtet hat er während seines ganzen Lebens; noch den über 80jährigen reizte es, Goethes *Elpenor* in einem 3. bis 5. Aufzug zu ergänzen (1900). Eine ungewöhnliche Sprachbegabung zeichnete ihn aus; außer fast allen europäischen Sprachen verstand er Arabisch, Malaiisch, Chinesisch, Suaheli, die Ergebnisse der vergleichenden Sprachforschung fesselten ihn bis ins hohe Al-

ter. Seitdem der 40jährige aber seinen ersten Goethe-Aufsatz in den „Grenzboten" geschrieben hatte (Über Goethe's Fragment einer Tragödie. 1857), hat er nahezu ein halbes Jahrhundert hindurch kaum noch ein anderes Thema behandelt. Eine Bibliographie der Veröffentlichungen hat sein Sohn Flodoard 1917 zusammengestellt; die Titel, die sich auf Goethe beziehen, zählen etwa 180. Die drei Bände seiner „Goethe-Forschungen" (1879; Neue Folge 1886; Anderweite Folge 1899) enthalten nur eine schmale Auslese des überhaupt von ihm Publizierten. Man kann mit „Goethe und Sachsen" den Kreis seiner frühen, aber bereits ganz selbständigen Arbeiten umschreiben: „Goethes Beziehungen zum sächsischen Erzgebirge und zu Erzgebirgern" (1862; erweitert ²1877); „Goethe und Leipzig" (1865); „Goethe und Dresden" (1875). Für die hempelsche Goethe-Ausgabe gab er auf Drängen seines Freundes vLoeper den 27. (*TuJ*, 1876) und den 29. Bd (Aufsätze zur Literatur, 1873) heraus. Durch seine eingehende Beschäftigung mit Goethes Briefen – ua. edierte er 1872 den Briefwechsel mit HCA*Eichstädt, 1887 den mit F*Rochlitz – war er gerüstet, als man ihm die ersten beiden Bde der IV. Abteilung der WA anvertraute (1887); für die WA gab er ebenfalls die *TuJ* heraus (I/35 und 36, 1892/93) und schrieb dazu einen Band „Erläuterungen" (1894). Seine Hauptleistung jedoch sind „Goethes Gespräche", die in zehn Bänden 1889 bis 1896 im Verlag von Flodoard vB. erschienen. Die beiden zuletzt genannten Werke waren als Anhänge zu der WA gedacht: Abteilung für Erläuterungen und Abteilung für Gespräche; doch sind die Ansätze vB.s später nicht weiter ausgebaut worden. Die Gespräche sind das Ergebnis jahrzehntelangen Sammelns gewesen, ein echtes Kind der Goethe-Philologie des 19. Jahrhunderts und sein beglückendstes: denn sie bildeten die mögliche Erfüllung einer Goethe-Biographie; die Zeit forderte sie, WScherer wollte sie als sein nächstes Werk in Angriff nehmen, als ihn der Tod traf (1886), und auch die Großherzogin Sophie hatte 1885 bei der Übernahme des goetheschen Erbes neben der *Edition der Werke eine Biographie als zweite monumentale Aufgabe ins Auge gefaßt. vB.s Gesprächssammlung ist eine Biographie so eigentümlicher Art, daß sie seit ihrem Hervortreten frei von den sich wandelnden Anschauungen wissenschaftlicher Richtungen und zeitlos gültig geblieben ist. vB. gehörte noch zu jener Generation von Goetheforschern, die sich ohne nennenswerte Hilfsmittel in die unerschlossene Welt Goethes einarbeiten und sich mit unendlicher Mühe Zugänge dazu verschaffen mußten. Jeder Schritt vorwärts bedeutete Gewinn und wurde freudig begrüßt. In dieser Phase waren positive Kenntnisse notwendiger als einfallsreiche Erkenntnisse. Was der heutigen Forschung vertraut ist, beruht auf den Arbeiten jener Generation. vLoeper geriet immer wieder in bewunderndes Staunen über die Fülle und Genauigkeit des realen Wissens, das sich vB. erworben hatte. Von *Düntzers Art trennte die Freunde dabei eine Welt; denn was ihnen an tieferen Einsichten etwa noch abgehen mußte, ersetzten sie durch den naiven Genuß der Schönheit goethescher Dichtung. Als der seit den 60er Jahren erwogene Plan einer *Goethe-Gesellschaft 1885 Wirklichkeit wurde, erfüllte sich auch für vB. ein Lieblingsgedanke. Er wurde 1893 in den Vorstand gewählt und war von 1894 bis zu seinem Tode einer der beiden Vizepräsidenten.   *St*

AStern in: Goethe-Jb 24 (1903), S. 289–95. – Bibliothek von Biedermann. Verzeichniss der von dem Geheimen Rathe Dr. Gustav Woldemar Frhrn. von Biedermann hinterlassenen Bücher-Sammlung... 1904 (6460 Titel). – AReichardt in: Biographisches Jahrbuch und Deutscher Nekrolog 8 = 1903 (1905), S. 287 f.; Sp. 14*. – EMerker in: Goethe-Handbuch. [1. Aufl.] 1 (1916), S. 206 f.; RMMeyer ebenda S. 711. – (FvBiedermann): Zum 5. März 1917. Übersicht der literarischen Tätigkeit von Woldemar Frhrn. von Biedermann. An dessen 100. Geburtstage seiner Familie, seinen Freunden und Verehrern dargeboten. (1917. Aus dem Familien-Archive der Reichsfreiherren von Biedermann. Beiheft 2). – FvBiedermann: Aus der Frühzeit der Goetheforschung nach den Briefen Gustav von Loepers an Woldemar Freiherrn von Biedermann 1864–1891. 1935. (Privatdruck). – AElschenbroich in: NDB 2 (1955), S. 223. – Über die Gespräche vgl. auch KGoedeke: Grundriß. 4, 2 (²1910), S. 460; 4, 4 (1913), S. 44; 4, 5 (1957), S. 393f.

–, 2) Flodoard Woldemar Frhr. von (14. III. 1858 Chemnitz bis 19. X. 1934 Berlin), Sohn von WvB. (1). Nachdem er die ersten elf Lebensjahre in Leipzig aufgewachsen war, wurde in der anschließenden Jugendzeit Dresden seine eigentliche Heimatstadt. Die Jahre seiner Ausbildung verbrachte er in Berlin und wohnte hier zusammen mit seinem dresdener Schulfreund Oscar Jolles. Um die Mitte der 80er Jahre ließ er sich als Verlagsbuchhändler in Leipzig nieder, siedelte 1900 nach Berlin über und wohnte hier bis zu seinem Lebensende in demselben Haus nahe dem steglitzer Stadtpark. 1885 heiratete er Clara May, die Tochter eines Justizrates aus Frankfurt/Main, sie hatten zwei Kinder, Elsa (geb. 1. X. 1886) und Lothar (2. III. 1898 bis April 1945).

Der leipziger Verlag „FWvB." hatte ein etwas zwiespältiges Gesicht. Auf der einen Seite erschienen eine Reihe juristisch-praktischer Handbücher, denen sich kleine, sehr

nützliche Broschüren FvB.s selbst anschlossen. Auf der anderen Seite nahm er mehrere Schriften seines Vaters in Verlag, ua. „Goethes Gespräche". Zu der Übersiedelung nach Berlin mag ihn die führende Stellung dieser Stadt im Zeitschriftenverlag veranlaßt haben; unter seiner Redaktion erschienen hier 1902–1905: „Der Baumeister, Monatshefte für Architektur und Baupraxis" und „Monatshefte für graphisches Kunstgewerbe". Seine innerste Neigung, die er gern auch beruflich verwirklicht hätte, galt der Architektur; er hat von diesem Gebiet mit der Veröffentlichung „Alte Bauwerke im Colonial-Stil" (1908) endgültig Abschied genommen. Denn in der anderen Hälfte seines Lebens traten zwei Gebiete beherrschend in den Vordergrund: die Bibliophilie und Goethe.

Als FvZobeltitz 1899 die Gesellschaft der Bibliophilen gegründet hatte, sollte der am 12. I. 1905 ins Leben getretene Berliner Bibliophilen Abend (BBA) eine Art zwangloser Ortsgruppe sein. Der BBA entwickelte sich jedoch bald selbständig, nicht zuletzt durch die Führung vB.s. Er war von Anfang an dabei und wurde 1907 in den Vorstand gewählt; als vZobeltitz 1913 den Vorsitz niederlegte, wurde vB. sein Nachfolger und blieb es bis zu seinem Tode. Er war durch zwei bis drei Jahrzehnte der Mittelpunkt des BBA, er wurde auch der Geschichtsschreiber dieser Gesellschaft in dem schönen Buch „25 Jahre BBA" (1930). Als O Jolles den durch die Inflation in wirtschaftlich schwierige Lage geratenen vB. zum Geschäftsleiter der Abteilung Privatdrucke der Schriftgießerei HBerthold-AG. gemacht hatte, begannen auch dank der großzügigen Anteilnahme von Jolles für den BBA Jahre der Blüte.

Das Hauptgeschäft der späteren Jahrzehnte wurde aber immer stärker die Mehrung des väterlichen Erbes. Er brachte 1909/11 in seinem Verlag eine neue Auflage von „Goethes Gesprächen" in 5 Bänden heraus, in der er die Zahl der 1986 Gespräche der 1. Auflage auf 3800 erweitern konnte. 1912 erschien in dem leipziger Verlag von Hesse und Becker eine Volksausgabe der Gespräche in Auswahl und ohne die Gespräche mit Eckermann; 1929 konnte vB. eine etwas vermehrte Neuausgabe davon im Insel-Verlag erscheinen lassen (6. bis 10. Tausend 1949). Er bearbeitete entsprechende Gesprächssammlungen für Kleist (1912), Schiller (1913) und Lessing (1924). Im gleichen Jahr 1924 erschien ein Band „Goethes Gedichte in Auswahl" in der Deutschen Buchgemeinschaft. Eine Übersicht „Die deutsche Typographie im Zeitalter Goethes" war für 1928 vorbereitet, konnte aber erst 1934 erscheinen. 1927 kam sein Buch über den berliner Verleger „Johann Friedrich Unger im Verkehr mit Goethe und Schiller" heraus, dem eine Edition der Biographie von Ungers Sohn über seinen Vater vorangegangen war (1926). Zum Goethejahr 1932 stellte er als Bändchen der Insel-Bücherei eine „Chronik von Goethes Leben" (1931) zusammen, die seitdem zu einem unentbehrlichen Handbüchlein der Goethefreunde geworden ist; sie wurde 1949 von FGötting neu bearbeitet und erweitert. Vor allem sammelte er stetig an Goethes Gesprächen fort. Er hinterließ bei seinem Tode das Manuskript für eine 3. Auflage: gegenüber der 2. (gedruckten) Auflage konnte er aus der Unmenge der durchgearbeiteten Quellenwerke die Zahl der ergiebigen von 592 auf 849 steigern, die Zahl der Gespräche von 3800 auf 5600, die der Berichterstatter auf insgesamt 730 (nach einem ungedruckten Vortrag in der Gesellschaft für deutsche Literatur vom 23. XI. 1932).

Der Gedanke zu der Gesprächssammlung war aus gegenseitigen Anregungen zwischen Vater und Sohn erwachsen. Die Ausführung war ganz des Vaters Tat. Als der Sohn sich zu der 2. Auflage rüstete, bezeichnete er sich selbst als ‚Neuling‘, der in dieses Gebiet noch hineinwachsen müsse. Wohl aber hatte er auch schon an der 1. Auflage mitgewirkt. Es war der Wunsch nach Anmerkungen laut geworden, demgegenüber der Vater sich ablehnend verhielt. Der Sohn, als Verleger des Werkes, griff ein: EZarncke empfahl ihm Otto Lyon, der in der zweiten Hälfte des 9. Bandes (1891) Erläuterungen beisteuerte, der aber, wie der Sohn urteilte, „die darin liegende Aufgabe nicht ganz richtig erfaßte". Im weiteren Verlauf nahm der Sohn des Vaters Werk in einem Maße auf, daß es uns heute fast das seine geworden ist. Wie er durch sein Schaffen in die Nähe des Vaters rückt, so auch in seiner wissenschaftlichen Gesinnung. Der hochverdiente Mann ragt in eine neuere Zeit hinein als Vertreter einer älteren Generation, und nicht immer fand er sich in einer veränderten Umwelt mit sicherem Urteil zurecht. Seit 1925 gehörte er dem Vorstand der Goethe-Gesellschaft in Weimar an, deren berliner Ortsgruppe er seit ihrer Gründung 1919 leitete. Die Philosophische Fakultät der Berliner Universität hat ihm zu seinem 70. Geburtstag die Würde des Ehrendoktors verliehen.   *St*

FvBiedermann: Ex libris meis. Plauderei aus dem Berliner Bibliophilen Abend. 1925. – Flodoard Woldemar Frhr. von Biedermann zum Gedächtnis. (Ber-

lin 1935.) (Darin: JPetersen = Jahrbuch der Goethe-Gesellschaft 21. 1935. S.207–11; EVolkmann = Zeitschrift für Bücherfreunde. Jahrg. 39 = Folge 3, Jahrg. 4, Heft 1/2, Januar 1935, Beilage = Berthold-Druck; WGoetz). – AElschenbroich in: NDB 2 (1955), S. 222 f.

Biel/Bieler See in der *Schweiz, am *Neuenburger Gebirge. Die Stadt war Goethes Aufenthaltsort am 5./6. X. 1779; von hier aus machte er am 5. *auf dem Rathsschiffe* eine Fahrt auf dem See nach der *St.Petersinsel (JJ*Rousseau). Am 6. morgens ritt die Gesellschaft weiter, am Ostufer des Sees entlang nach *Erlach (*IV/4, 77;* RV S. 19).   *Za*

Bielke, Friedrich Wilhelm von (1780–1850), aus Schleswig, 1809 Kammerherr in Weimar, 1817 Hofmarschall, 1828 Oberstallmeister, 1844 Wirklicher Geheimer Rat und Exzellenz, 1846 Obersthofmeister der Großherzogin Maria Paulowna von *Sachsen-Weimar-Eisenach, 1848 in Pension. B. war der Verbindungsmann zwischen Goethe und Maria Paulowna und wird in Goethes Briefen und im *Tgb.* seit 1810 häufig erwähnt. Aus den Jahren 1818 bis 1829 sind mehrere Briefe Goethes an B. erhalten (IV/29, 312; 31, 20; 33, 305; 38, 187; 41, 232; 45, 233). B. war ein häufiger Gast im Hause Goethes (zB. 17. IV. 1812: III/4, 269; 10. II. 1818: III/6, 169; 26. X. 1818: ebda 258; 5. XI. 1818: ebda 262; 14. I. 1824: III/9, 166 und 31. VII. 1824: ebda 250), gelegentlich kam er auch, um Goethe gesellschaftlich hochgestellte Gäste vorzustellen (den Prinzen von *Württemberg 1827: III/11, 38; den Prinzen von *Oldenburg 1828: ebda 288; den russischen Geheimen Rat v*Opotschinin 1827: III/11, 73). 1818 verhandelte Goethe mit ihm in der Angelegenheit des *Maskenzuges (III/6, 254f.; 270; IV/29, 312; 31, 20); 1820 sollte das Modell eines jonischen Tempels von *Belvedere nach Jena befördert werden, wozu ebenfalls Absprachen zwischen Goethe und B. nötig waren (III/7, 238; IV/33, 305; 35, 120f.). 1829 bediente sich Maria Paulowna der Vermittlung B.s, um von Goethe ein – übrigens sehr ablehnend lautendes – Urteil über ein ihr zugesandtes episches Gedicht zu erbitten, das den russischen Feldzug von 1812 zum Gegenstand hatte (III/12, 48; 50; IV/45, 233). Goethe wieder nahm B. in Anspruch, wenn es sich darum handelte, bedeutende Gäste (CDv*Münchow oder CM Graf v*Sternberg) in Weimar würdig zu empfangen und ihnen den Zugang zum erbgroßherzoglichen Hof zu ebnen (III/6, 110; IV/28, 254; 38, 187).   *Hk*

Bielschowsky, Albert (1847–1902), Sohn einer schlesischen Kaufmannsfamilie, geboren in Namslau, gestorben in Berlin. Gymnasialabitur in Oels, Universitätsstudium (hauptsächlich Philologie) in Breslau (ChrBraniß; KNeumann), in Berlin (KWerder; MHaupt; KMüllenhoff), 1869 Promotion (Dr. phil.) in Breslau, 1870 Eintritt in den höheren Schuldienst, 1871–1886 in Brieg (Auflösung der dortigen Ober-Realschule, infolgedessen vorzeitige Pensionierung). Mithilfe des preußischen Kultusministers RBosse erhielt B. abweichend von den üblichen Dispositionsbestimmungen für seine Person volle Freizügigkeit im Genuß seiner Pension und übersiedelte deswegen alsbald nach Berlin. Durch Einzelarbeiten auf verschiedenen Teilgebieten (Friederike Brion, Faust-Puppenspiel, Sesenheimer Liederbuch ua.) angeregt und vorbereitet, wurde B. zum Schöpfer der ersten großen, breitwirkenden Goethe-Biographie, die das Goethe-Bild der Zeit vor, um und nach 1900 beispielhaft und tonangebend ebensowohl ausdrückte wie beeinflußte. Der erste Band erschien mit dem Jahresdatum 1896, der zweite (nach B.s Tode aus dem Nachlaß) 1904. Es hat bislang keine Goethe-Biographie von gleicher Wirkungsintensität gegeben, auch die hocherfolgreiche von F*Gundolf nicht. Rudolf Haym, der Meister-Biograph JG*Herders, urteilte: „Das ist die Goethebiographie, die jetzt und endlich geschrieben werden mußte" (1895). Indessen hat B.s Werk die Zeiten- und Weltenwende nach 1914 nicht ohne empfindliche Spuren überstehen können. Der Versuch WLindens (1928), durch eine Art von Kontamination der Darstellungen vornehmlich B.s und F*Gundolfs, auch HA *Korffs ua. das zunehmende Älteln aufzuhalten oder abzufangen, ist nicht gelungen. Im Zuge der Forschungsentwicklung gewinnt B.s wahrhaft epochemachende Leistung eben dadurch, daß sie das einmal war und sein durfte, einen völlig neuen Wert, nämlich den einer wichtigen Quellenschrift zum historischen Verständnis einer vergangenen Phase der Goethe-Rezeption.   *Za*

Bier ist ein aus Gersten- oder Weizenmalz, Hopfen, Wasser und Hefe hergestelltes gegorenes und noch in schwacher Nachgärung befindliches Getränk, welches Alkohol, Kohlensäure und unvergorene Extraktstoffe enthält. Erwähnt Goethe es auch bereits 1759, als von den frankfurter Bürgern *Bier, Wein, Brot, Geld . . . denjenigen* [Verwundeten] *hingereicht* wurden, *die noch etwas empfangen konnten (I/26, 154)*, so lernte es der aus einer Weingegend stammende Sechzehnjährige doch erst im Oktober 1765 am Mittagstisch bei ChrG*Ludwig in *Leipzig kennen und lieben. Als er dort sein Studium begann, war die Zeit der Herbstmesse, und man trank das beste, stark gehopfte obergärige Bitterbier, welches man vor allem aus dem nahegelegenen Merseburg bezog. Seinen ersten Widerwillen gegen dieses Tischgetränk bekundet er in einem Brief an seine Schwester Cornelia: *Je ne goute pas la biere de Merse-bourg. Amere comme la mort au pots. Ici je n'ai pas encor senti du vin* (18. X. 1765: *IV/1, 12*). Schnell hatte er sich jedoch an dieses B. gewöhnt. Aus *Straßburg schreibt er an SK v*Klettenberg: *Die Jurisprudenz fangt an mir sehr zu gefallen. So ists doch mit allem wie mit dem Merseburger Biere, das erstemal schauert man, und hat mans eine Woche getruncken, so kann mans nicht mehr laßen* (26. VIII. 1770: *ebda 247*). Dort am Mittagstisch der Geschwister *Lauth gab es nur Rotwein, der ihm *körperliches Übel* verursachte *(I/28, 8)*. Ein *starkes Bier, ein beizender Toback (Faust I: I/14, 46 V. 830)* war unter den Schülern und Studenten der damaligen Zeit sehr beliebt (vgl. I/1, 329). Man trank das B. aus Merseburg (meist verdünnt), Wurzen, Eilenburg, Mannheim, Zerbst oder Bayern in den Kaffeehäusern der Stadt Leipzig als Warmbier oder Flaschenbier, weniger in den Hotels und Gasthöfen, dann auf dem alljährlich Ende Juli stattfindenden Vogelschießen und vor allem in den Dörfern der Umgegend. Auch als Goethe ab 2. Semester im Weinhaus *Schönkopf aß und wohnte, hat er das Biertrinken nicht ganz aufgegeben; noch im 6. Semester (Sommer 1768) trank er Merseburger B., wie aus seinen Jugenderinnerungen hervorgeht *(das schwere Merseburger Bier verdüsterte mein Gehirn: I/27, 185)*. Das Zerbster B. stand in dem Ruf, die Steinkrankheit zu heilen und wurde sicher aus diesem Grund von *Behrisch aus Dessau beim jungen Goethe, allerdings erfolglos, bestellt: *Von Zerbster Bier weiß man auf dem Rahtskeller gar nichts, so wenig als man darauf von gutem Biere weiß. Übrigens kriegt man es jetzo in Leipzig höchstens nur par rencontre, und für diesesmal kann ich keinen ausfündig machen der es hätte* (4. XII. 1767: *IV/1, 152 f.*). Als Goethe 1771 in *Wetzlar weilte, besuchte er gelegentlich den Ort *Wahlheim* [sc. Garbenheim], dort gab es *Eine guteWirthin, die gefällig und munter in ihrem Alter ist, schenkt Wein, Bier, Kaffee (I/19, 16)*. Auch in *Frankfurt hat Goethe B. getrunken. Anläßlich eines Besuches bei *Krespel im November 1774 schreibt er: *Den Abend drauf, nach Schrittschuhfahrt, | Mit Jungfräulein von edler Art, | Staats-Kirschen-Tort', gemeinem Bier, | Den Abend zugebracht* *allhier (ebda 4, 202).* In Goethes Haushalt in Weimar und Jena gab es neben Gesundbrunnen und Wein aus Gesundheitsrücksichten zeitweise auch B. *(Seit drey Tagen keinen Wein. Sich nun vorm Englischen Bier in acht zu nehmen: III/1, 114),* welches ihn auch zu naturwissenschaftlichen Betrachtungen anregte: *Schon die Gährung wodurch das Bier fähig wird zu schäumen, bringt die Theile so nah aneinander, versetzt sie in solche Theilbarkeit, wie wir aus dem stehenden Schaum sehen daß wenn er perennirend seyn könnte eine tela cellulosa daraus entstehen würde (II/13, 237).* Im Alter hat sich Goethe dann weniger wohlwollend über das B. geäußert. CLv*Knebel gegenüber verwarf er das Rauchen, welches dumm und unfähig zum Denken und Dichten mache. *Zum Rauchen gehört auch das Biertrinken, damit der erhitzte Gaumen wieder abgekühlt werde. Das Bier macht das Blut dick und verstärkt zugleich die Berauschung durch den narkotischen Tabaksdampf . . . Wenn es so fortgehen sollt, wie es den Anschein hat, so wird man nach zwei oder drei Menschenalter schon sehen, was diese Bierbäuche und Schmauchlümmel aus Deutschland gemacht haben. An der Geistlosigkeit, Verkrüppelung und Armseligkeit unserer Literatur wird man es zuerst bemerken, und jene Gesellen werden darnach diese Misere höchlich bewundern (Bdm. 1, 552).* **Sl**

Bierberg. Goethe nennt, dem damaligen Ortsgebrauch folgend, die ihn stark interessierende Erhebung südlich *Lügde, wo man bei hellem Sonnenschein die Äcker vor tausend und abertausend kleinen Bergkristallen widerschimmern sieht (NS 1, 276), Krystallberg (I/35, 101).* Er suchte diesen am 24. VI. 1801 nachmittags mit seinem Sohn August unter Führung des in*Pyrmont anwesenden Rektors Werner auf. Diese Bergkristalle mit ihrem *Ursprung in kleinen Höhlen eines Mergelsteins,* waren ihm *auf alle Weise merkwürdig als ein neueres Erzeugnis, wo ein Minimum der im Kalkgestein enthaltenen Kieselerde, wahrscheinlich dunstartig befreit, rein und wasserhell in Krystalle zusammentritt (III/3, 24; I/35, 102;* RV S. 38). **Za**
WLampe: Goethe in Pyrmont. 1949.

Bietigheim (Bidigheim), württembergische Ortschaft nach *Besigheim, durchquerte Goethe am 29. VIII. 1797 (III/2, 106); er blickte von hier zum Asperg auf und bemerkte außer Weinbau und Grummeternte *horizontale, mächtige Kalklager.* **JP**

Bignon, Louis Pierre Édouard (1771–1841), französischer Staatsmann und Politiker, der, wie es *Napoleon I. gewünscht hatte, eine „Histoire de France depuis le 18 Brumaire jusqu'à la paix de Tilsitt" (1829–1846) schrieb, ist nach Goethes Urteil *Ein ernster Diplomat, der den Helden und Herrscher zu schätzen weiß, nach dessen großen Zwecken wirkte und sich des Vergangenen und Geleisteten mit Anstand erinnert (1830: IV/46, 259;* vgl. Bdm. 4, 192). Fv*Müllers Aufzeichnung: „Relation aus der Bignonschen trefflichen Rede" (19. XI. 1830: UKM S. 197) bezieht sich wohl auf eine der zahlreichen Reden in der Deputierten-Kammer, die im „*Moniteur" veröffentlicht wurden. **Fu**

Bignonia radicans (= Tecoma grandiflora), Campsis radicans, die rankende Trompetenblume, ein Strauch aus der Familie der Bignoniaceen mit auffallenden scharlachroten Glokkenblüten gehörte wie *Bryophyllum und *Anthericum zu Goethes Lieblingspflanzen. *Als ich im September 1786 in dem botanischen Garten von Padua eine hohe und breite Mauer durchaus mit Bignonia radicans überzogen und die Büschel hochgelbfarbiger kelchartiger Kronen-Blüthen in unsäglichem Reichthum daran herunter hängen sah, machte dieß einen solchen Eindruck auf mich, daß ich dieser Pflanze besonders gewogen blieb und, wo ich sie in botanischen Gärten antraf, in den Weimarischen Anlagen, wo sie mit Neigung gepflegt ward, auch im eigenen Garten immer mit besonderer Aufmerksamkeit betrachtete (II/6, 340 f.).* Im Sommer 1828, anläßlich seines mehrmonatigen Aufenthalts in *Dornburg, beobachtete Goethe diese Lieblingspflanze längere Zeit und *Reflectirte über die Bignonia radicans und über drüsenartige Auswüchse an der Rückseite jedes Knotens (III/11, 268).* Aufgrund dieser eingehenden Betrachtungen entstand am 26. VIII. 1828 ein längerer Aufsatz, der in der Feststellung gipfelt: *Den Weinstock, der mit seinen Gabeln sich überall festzuhalten weiß, lasse man ranken und walten, wie es gut und nützlich zu sein scheint, aber eine so auffallend schöne Pflanze wie Bignonia radicans pflanze man oben und lasse sie sich herabsenken; geschieht dieß in sonniger Lage, so wird man überall die goldfarbigen Glocken herabhängen sehen, da sich diese auffallende Zierpflanze bis jetzt nur mit besonderer Sorgfalt und doch nur bis auf einen gewissen Grad erfreulich auferziehen ließ (II/6, 344).* **Ba**

Bildersturm, besser Bilderstreit, ist die Bezeichnung für das möglicherweise unter islamischem Einfluß von Kaiser Leo III. 726 erlassene Verbot der Bilderverehrung, die als Abgötterei und Heidentum verdammt wurde. *Die christliche Religion war keineswegs auf Bilder gegründet, sondern vielmehr so gut, ja mehr wie jene [der Mohammedaner und *Juden] *auf eine gestaltlose Idee. Man glaubte die 3 Religionen vereinigen zu können, wenn man der letzten die Bilder nimmt (I/34[II], 24)*. Die Entfernung der Heiligenbilder, schließlich (730) ihre Vernichtung wurden angeordnet, jeder Widerstand grausam bestraft, *wodurch denn das größte Unheil entschiedener Spaltungen der morgenländischen Kirche bewirkt ward (I/49[II], 47)*. Da aber *der Mensch begierig auch sinnlich das Heilige zu fassen, sich mit dem Sittlichen und Geistigen nicht allein begnügen will und kann (I/34[II], 24)*, wurde unter der Kaiserin Irene 787 durch das Konzil von Nicaea und dann 843 die Verehrung der Bilder im byzantinischen Reich wieder eingeführt, im Westen jedoch durch Karl den Großen (Libri carolini) weiterhin verurteilt, während die Bilderzerstörung (Ikonoklasmus) getadelt wurde.

Für Goethe, dem *ikonoklastischer Eifer (I/37, 251)* inbezug auf die geistige Tradition wesensfremd war, mußte der B. gelegentlich von Bedeutung sein, mochten auch die tieferen theologisch-dogmatischen Hintergründe außerhalb seines geschichtlichen Interesses bleiben. Seiner Natur war jede Handlung aus Intoleranz ungemäß; auch war ihm das Bild als ein Erzeugnis des Geistes an sich schon verehrungswürdig. So war ihm *Die Geschichte des Bilder dienst und des Bilderstürmens nothwendig eh man sich von jener Schule einen Begriff machen kann (III/2, 11)*, denn *es würde sehr interessant seyn, aus denen noch in großer Zahl übriggebliebenen Bildern die Gestalten hervorzusuchen, in welche man die Personen des christlichen Mythus verkörpert hatte (I/34[II], 24)*. Auf diese Weise machte sich Goethe den Formtraditionalismus der byzantinischen Malerei verständlich, denn *Die Bilder als Gegenstand der Verehrung und der Anbetung ... mußten bei ihrer Wiederherstellung den alten völlig gleich gebildet werden (I/34[II], 27)*. So bewahrte auch *die Religion selbst durchaus einen diplomatisch-pedantischen Charakter (I/34[I], 163; vgl. dogmatisch-diplomatischen Charakter: I/34[II], 27)*. Die Ablehnung der Bilderverehrung durch die lutherische *Reformation, der der Calvinismus auch das strenge Verbot des Bildergebrauchs hinzufügte, verband sich insonderheit in den *Niederlanden mit politischen Motiven und der Opposition gegen die Tridentiner Konzilsbeschlüsse. Die revolutionären Spannungen gipfelten im B. des Jahres 1566. Er ist integrierender Bestandteil der dramatischen Handlung im *Egmont: *Machiavell berichtet, *wie zuerst um St. Omer die bilderstürmerische Wuth sich zeigt. Wie*

eine rasende Menge mit Stäben, Beilen, Hämmern, Leitern, Stricken versehen, von wenig Bewaffneten begleitet, erst Capellen, Kirchen und Klöster anfallen, die Andächtigen verjagen, die verschlossenen Pforten aufbrechen, alles umkehren, die Altäre niederreißen, die Statuen der Heiligen zerschlagen, alle Gemählde verderben, alles was sie nur Geweihtes, Geheiligtes antreffen, zerschmettern, zerreißen, zertreten. Wie sich der Haufe unterwegs vermehrt, die Einwohner von Ypern ihnen die Tore eröffnen. Wie sie den Dom mit unglaublicher Schnelle verwüsten, die Bibliothek des Bischofs verbrennen. Wie eine große Menge Volks, von gleichem Unsinn ergriffen, sich über Menin, Comines, Verwich, Lille verbreitet, nirgend Widerstand findet, und wie fast durch ganz Flandern in Einem Augenblicke die ungeheure Verschwörung sich erklärt und ausgeführt ist (I/8, 185).

Der dritte, sich nunmehr gegen den christlichen Kult als Ganzes wendende B. während der französischen Revolution, der so bedeutende Anlagen wie die Abtei von Cluny (1798 auf Abbruch verkauft), die Kathedrale von Cambray (1796 abgebrochen), die Abtei Montmajour ua. zum Opfer fielen oder, wie die Grabkirche der französischen Könige, die Abteikirche in St. Denis 1792/93, erheblicher Beschädigung ausgesetzt waren, machte auch vor dem *straßburger Münster nicht Halt. *Denn ist freilich der Vorschlag der Gleichheits-Brüder, den stolzen Münster abzutragen, weil er sich über die elenden Hütten der Menschen erhebt, in jenen Zeiten nicht durchgegangen; so hat doch die bilder- und wappenstürmende Wuth dieser Fanatiker die vielen Bildwerke an den Eingängen [namentlich am Südportal], ja sogar die Wappen der bürgerlichen Stadtvorgesetzten und Baumeister oben an der Spitze des Thurms keineswegs verschont (I/49[II], 168)*. Dieser B. begleitete den entscheidenden Bruch mit der Tradition der christlichen Kunst, den die Zeit um 1800 erlebte. Er drückt sich ebenso in dem vom französischen Staat durchgeführten *Kunstraub wie in der kaum später einsetzenden Sammlertätigkeit aus, die die Welt der christlichen Bilder bewußt als historisch-museales Kunstgut behandelt (*Boisserée). Wie weit seine Zeit von der echten Problematik des B.s sich entfernt hatte, wird Goethe in der kurzen Formel bewußt: *Unsere Zeit ist nicht bilderstürmerisch, aber bildlos* (1815: *IV/25, 194)*, womit er sowohl auf den Verlust der Tradition als auf das künstlerische Unvermögen seiner Zeit deutet.   *Lö*

RDK 2 (1954), Sp. 561. – RGG 1 (²1927), Sp. 1104 bis 1107; (³1957), Sp. 1273-1275. – Lexikon für Theologie und Kirche 2 (²1931), Sp. 346f.

Bildung, dieses vielgebrauchte Wort in Goethes Sprache gehört mit *Charakter und *Wesen systematisch in denjenigen Bereich, den er in Verbindung mit dem Wort *Gestalt und unter dem übergreifenden Zusammenhang der *Morphologie* intendiert: *Der Deutsche hat für den Complex des Daseins eines wirklichen Wesens das Wort Gestalt. Er abstrahirt bei diesem Ausdruck von dem Beweglichen, er nimmt an, daß ein Zusammengehöriges festgestellt, abgeschlossen und in seinem Charakter fixirt sei. Betrachten wir aber alle Gestalten, besonders die organischen, so finden wir, daß nirgend ein Bestehendes, nirgend ein Ruhendes, ein Abgeschlossenes vorkommt, sondern daß vielmehr alles in einer steten Bewegung schwanke. Daher unsere Sprache das Wort Bildung sowohl von dem Hervorgebrachten, als von dem Hervorgebrachtwerdenden gehörig genug zu brauchen pflegt* (1807: *II/6, 9*). AMeyer-Abich spricht deshalb von einem „dynamischen Typus" im Sinne der wissenschaftlichen (aber auch außerwissenschaftlichen) Ausdrucksweise Goethes (*Biologie). Man könnte auch an die *geprägte Form der Urworte* denken, *die lebend sich entwickelt* (1817: *I/3, 95*). Im Vordergrund der Definition Goethes steht die Gleichzeitigkeit des Perfektivischen wie des Präsentischen, die das Wort B. gemäß seiner grammatikalischen Herkunft als -ung-Deverbativum (WHenzen) zu leisten vermag. Sogleich aber spricht semasiologisch eine passivisch-aktive Wechselbeziehbarkeit mit, wenn einerseits von den *unendlichen Operationen* die Rede ist, die *Natur und Kunst machen müssen,* um in einem Menschen B. zu bewirken (*I/23, 13*; vgl. etwa auch I/48, 191), wenn man andererseits eine Persönlichkeit *nicht genug loben kann,* weil sie *sich aus sich selbst heraus gebildet hat* (*IV/8, 109*; vgl. etwa auch I/21, 284). Als drittes Moment und sehr wesentlich für Goethe, wird auf der Linie vornehmlich J*Böhmes und J*Mösers nicht nur neben, sondern zugleich mit der äußeren Erscheinung auch das innere Wesen in diese allmählich weit über JC*Lavaters *Physiognomik hinausgehende Relation gebracht, wie denn überhaupt eine sehr tiefgreifende und weitreichende Bezüglichkeit von Außen und Innen für Goethes Denkart und Formkraft (*Poetik) konstitutiv ist: *Was den Menschen umgiebt, wirkt nicht allein auf ihn, er wirkt auch wieder zurück auf selbiges, und indem er sich modificiren läßt, modificirt er wieder rings um sich her. So lassen Kleider und Hausrath eines Mannes sicher auf dessen Character schließen. Die Natur bildet den Menschen, er bildet sich um, und diese Umbildung ist doch wieder natürlich* (1774: *Morris 5, 322*). Diese wechselseitige Bezogenheit von Außen und Innen gilt für die Bereiche der *Natur ebenso wie für die der *Geschichte und für das Verhältnis der Menschen zu diesen. Hier ist das zu lokalisieren, was Goethe später *Bildungskraft* (*Schöpfungskrafft:* 1774; 1816 ff.) nennt, was ihm *Bildungstrieb* (1797; 1820) heißt, was ihm als *Bildungslust* (ca 1800) erschien oder als *Bildungsprinzip* (ca 1790) oder als *Bildungsgesetz* (nach 1790). Damit ist die Brücke zu den Problemkreisen der *Entelechie, aber auch zur *Pädagogik und zur *Pädagogischen Provinz* erreicht. Mithin: B. ist ein Zentralwort, das Goethe in seiner Sprache zu außerordentlicher Leistungsfähigkeit und Vielseitigkeit steigert, indem er sich dabei gleichwohl der ursprünglichen Wortkonzeption bewußt bleibt und deren Impulse nur immer aufs neue bestätigt.   Rs

Bildungsroman. Erst das 18. Jahrhundert schuf trotz manchen früheren Vorformen mit seiner pietistischen Disziplin der Selbstdurchforschung (*Pietismus: pietistische Memoirenliteratur, H*Jung-Stillings Lebensbeschreibung, deren 1. Band 1777 von Goethe herausgegeben) und mit seinem Sinn für geschichtliche Entwicklung (*Herder) die Bedingungen für den B. (Bezeichnung von W*Dilthey geprägt). Sein Thema ist die *Bildung des Ich durch die Welt; im Prozeß des Ausgleichs wird der Held zur welthaltigen *Gestalt. Diesen Anforderungen des B.s genügt im vollen Sinne erst Goethes *Wilhelm Meister*. Als dessen bedeutsamste Vorläufer sind der Erziehungsroman „Emile" (1762) von JJ*Rousseau und das autobiographische Fragment „Anton Reiser" (1785–1790) von KPh*Moritz anzusehen. Aber erst *Wielands „Geschichte des Agathon" (1766 f.) mit dem sich entfaltenden Begriff der „Inneren Form" (von *Shaftesbury übernommen) stellt den eigentlichen Vorgänger von Goethes *Wilhelm Meister* dar.

Der *Meister* hat im 19. Jahrhundert eine unübersehbare Fülle von B.en ausgelöst. Wichtigste Vertreter dieser Gattung: L*Tieck „Franz Sternbalds Wanderungen" (1798); *Novalis „Heinrich von Ofterdingen" (1799); JPF *Richter „Titan" (1800–1803); GKeller „Der grüne Heinrich" (1854, bzw. 1879 f.); AStifter „Der Nachsommer" (1857). Im 20. Jahrhundert scheint die Gattung des B.s und die darin investierte Goethe-Wirkung mit derjenigen Generation hinzusterben, die möglichst noch vor der Jahrhundertwende und jedenfalls noch vor den Weltkatastrophen der großen Kriege und Krisen geboren war, die also einer Welt mit den (damals noch) konstitutiven (bürgerlich-spätbürgerlichen) Bildungsbegriffen entstammte: vgl. zB. ASchaeffer „Helianth" (1920), auch „Parzival" (1922), HHesse „Das Glasperlenspiel" (1943). *UB* RddL Bd 1, ¹1925, S. 141 ff. ²1955, S. 175 ff. – MGerhard: Der deutsche Entwicklungsroman bis zu Goethes „Wilhelm Meister". 1926. – ELStahl: Die religiöse und humanitätsphilosophische Bildungsidee und die Entstehung des deutschen Bildungsromans im 18. Jahrhundert. 1934. – FSchmitt: Tabellen zur deutschen Literaturgeschichte. 1935. S. 104. – Schmitt-Fricke: Deutsche Literaturgeschichte in Tabellen. Teil 2, 1950, Tafel IV; Teil 3, 1952, S. 25 ff.

Bilin, Bilina, *dieses anmuthige Städtchen* (Bildunterschrift eines Kupferstiches, den *der geschickte* [ChrG] **Hammer in Dresden nach meinen Scizzen ausgeführt; 8. XI. 1811: IV/ 22, 193f).* südlich von **Teplitz* an der Biela gelegen, Kurort (Sauerbrunnen, von Goethe aber nicht benutzt), war 1810, 1812, 1813 eines der beliebtesten Ausflugziele Goethes von Teplitz aus. Sein Interesse galt der reizvollen Landschaft: *Man kann nichts Reichlicheres noch Vergnüglicheres erblicken (NS 2, 30),* ferner dem alten Schlosse der böhmischen Reichsfürstenfamilie von **Lobkowitz,* am meisten aber dem charakteristischen und imposanten **Borschen* (538 m). Schon im August 1810 dürfte Goethe mehrmals dort gewesen sein (24.; 27.), auch hat er gezeichnet (vgl. IV/22, 193f.). 1812 führten ihn Spazierfahrten *nach Bilin zu* (20. VII. mit **Beethoven),* die *Biliner Straße* entlang (21.; 24. VII.) oder *gegen* B. (1.; 4.; 5.VIII.), desgleichen 1813 am 28. IV., im Mai (4.; 17.; 22.; 25.; 26.; 30.), Juni (2.; 9.; 10.; 12.; 16.; 27.; 28.), und am 18. Juli zum letztenmal *nach* B., immer wohl mindestens bis auf gute Sichtweite an den Borschen heran. Am 12. und 28. V. 1813 besuchte Goethe den b.er Badearzt und Geologen, den *erfahrnen klar denkenden Dr.* Franz Ambrosius Reuß (1761-1830); *ich gelangte unter seiner Führung bis an den Fuß des Biliner Felsens... Die in der Nähe... sich befindenden Granaten, deren Sortiren und Behandlung ... ward mir gleichfalls ausführlich bekannt (I/36, 84;* III/5, 45; 50). Jenseits der geologischen Interessen lockte gerade 1813 das wuchtige Lobkowitz-Schloß: Fürst JJBMv*Liechtenstein, der österreichische Heerführer hatte hier sein Hauptquartier, seine Gemahlin Marie Leopoldine, geb. Fürstin *Esterhazy wohnte mit ihm dort. Dies bewirkte einen engeren Kontakt Goethes mit B. (Urzidil S. 132f.), aber auch mit der unmittelbaren Umgegend. Zwischen *Osseg, *Dux und B. manövrierte Fürst Liechtenstein mit seinen Truppen (vgl. 12. VII.: III/5, 62). Das *Lustmanoeuvre (I/36, 87)* wie auch die b.er Gesellkeit hatten sehr ernste

Hintergründe: bereits am 29./30. VIII. wurde *Napoleon bei Kulm geschlagen (HSiebenschein: *Böhmen). -

Begleiter Goethes waren außer Beethoven (1812) hauptsächlich (1813) die Familie Chr G*Körner, deren Bekannte, die Malerin JD *Stock, Dr. JSt*Schütze, Goethes Sekretär EKChr*John, Dr. KW*Stark und beim Abschiedsbesuch auf dem Lobkowitz-Schloß (18. VII. 1813) Carl August sowie der Prinz Ludwig Wilhelm Friedrich von *Hessen-Homburg. – RV S. 45; 47; 48f. *Za*

Zeichnungen:
1) Corpus IV, InvNr 1179: Bilin und Borschen vom Bielatale aus.
 Dat. Aug. 1810. –
 OKletzl S. 333; Datierung ins Jahr 1813 ist unzutreffend.
2) Corpus IV, InvNr 1181: Bilin, Schloß, Kapelle und Tor; Vorstudie zu InvNr 2010.
 Dat. Aug. 1810. –
3) Corpus IV, InvNr 2010: Stadt und Schloß Bilin, im Hintergrund der Borschen (vgl. hier 2).
 Dat. Aug. 1810. –
 CRuland S. 8, T. 19; FPeschel S. 240.
4) Corpus IV, InvNr 2013: Das Biliner Schloß mit der Umgebung des Platzes vor dem Stadttor.
 CRuland S. 8, T. 22; FPeschel S. 241.
 Trotz der Erwähnung von Stichen nach eigenen Zeichnungen (ChrGHammer, Dresden) und mit der oa. Bildunterschrift „Platz vor dem Thore dieses anmuthigen Städtchens" ist ein Stich nach dieser InvNr 2013 nicht bekannt geworden.
5) Corpus IV, InvNr 2285: Landschaft mit Biliner Stadttor. Dat. 1810. –
 GFemmel/Hirschhügel S. 47, T. 17.
Weitere Nachweise: *Borschen. *Fm*

Binder, Christian (1775–1840), Pfarrerssohn aus Eberstadt bei Weinsberg, seit 1802 Kassierer in einem großen augsburger Bankhaus, lebte ab 1818 als wohlsituierter Privatmann, verdienstvoll mit dem Titel Hofrat ausgezeichnet, in Stuttgart. Hier konnte er sich nun in Ruhe sammlerisch und wissenschaftlich der Numismatik, besonders der seiner württembergischen Heimat, widmen.

Goethe hat zwischen 1822 und 1826 besonders Münzen aus Übersee, für sich, für numismatische Freunde und für das ihm unterstehende großherzogliche Münzkabinett von dem von ihm als *Münzhändler in Stuttgart (III/10, 263)* oder auch liebenswürdiger und passender *unserem Stuttgarter Münzfreund (IV/36, 52)* bezeichneten Numismatiker, meist durch Vermittlung von S*Boisserée, bezogen. Zu des Dichters Bedauern ließ *der gute Mann nicht mit sich handeln (IV/36, 150).*

B. hat noch heute als „Vater der württembergischen Münzkunde" einen wissenschaftlichen Namen. *Fr*
PGoessler: Zu Christian Binders Württembergischer Münz- und Medaillenkunde. In: Neue Beiträge zur süddeutschen Münzgeschichte. 1953. S. 133–137.

Binder, Johann Daniel (1755 bis nach 1827), weimarer Strumpfverlegerssohn, 1776 Schreiber in der Renterei in Weimar, dort 1780 Kammerrevisionskanzlist und 1785 Kammerkalkulator. 1788 wurde er zum Rentkommissar in *Dornburg ernannt, seit etwa 1815 war er dort Rentamtmann. Im Frühjahr 1795 ließ er entgegen Goethes Weisung die auf den Saalewiesen bei Dornburg geschlagenen Weiden abfahren, wodurch die von der *Wasserbaukommission vorgenommenen Uferarbeiten an der Saale verzögert wurden. Seine Eigenmächtigkeit trug ihm einen Verweis ein (IV/10, 251f. und 266f.). *Hk*

Bingen/Binger Loch. B. (Vincum, Bingium), ursprünglich ein Römer-Kastell (*Ausonius; Drusus; Drususbrücke), *die Stadt, an sich wohlgebaut und -erhalten* [1814, trotz der Beschießung 1793!], *Gärten und Baumgruppen um sie her, am Ende eines wichtigen Thales, wo die Nahe heraus kommt . . ., herrlich gelegen* und etwas rheinabwärts das BL, jene *abschießenden graulichen Gebirgsschluchten* des Mittelrheins (I/34^I, 20; 44; heute durch Sprengarbeiten verändertes Landschaftsbild!), sah Goethe erstmals etwa 19./20. IX. 1772, bei der Fahrt rheinaufwärts zusammen mit JH*Merck (I/28, 186; *Mäuseturm). 1792 führte ihn der Weg zur Campagne in Frankreich durch B. (21./22. VIII. Übernachtung?; I/33, 5; 371), im Juni 1793 die *schöne Partie ins Rheingau (IV/10, 79; *Belagerung von Mainz).* Auf seiner Reise *Zu des Rheins gestreckten Hügeln* kam Goethe 1814 zweimal nach B.: am 16. VIII. zum Besuch des *Sancti Rochusfestes (I/34^I, 1; 2),* anschließend Fahrt *im Kahn durchs Bingerloch hin und zurück (IV/25, 19),* und am 5. IX. bei einem Ausflug von *Winkel aus: *Spaziergang am Ufer, Gyps ausgeladen, viel mit grauem Thon vermischt. Woher derselbe kommen mag? Spaziergang durch die Stadt, im Gasthaus zum weißen Roß eingekehrt . . . den Rochus-Berg hinauf, an den verfallenen Stationen vorbei (I/34^I, 62;* vgl. mineralogisch auch I/34^{II}, 13). RV S. 11; 30; 31; 50. *Za*

Zeichnungen:
Corpus I 49, InvNr 1208*: Bingen, Mäuseturm und Ehrenfels. Datierung: 1768/69?
GFemmel/Corpus hält das Blatt aus stilistischen und technischen Gründen für eine Kopie, die vor der Schiffsfahrt 1772 entstanden sei. *Fm*

Biologie. I. Goethes Stellung in der Geschichte der Naturwissenschaften, insbesondere im Werdegang der B. wird noch immer vielfach verkannt. Der Terminus B. stammt nicht von ihm (1802: JBAPde*Lamarck; GR*Treviranus). Für sein zentrales Anliegen als Forscher, für Methode und Thema seiner Forschertätigkeit fand er in der Bezeichnung *Morphologie den adäquaten Ausdruck. Die Wissenschaft vom Lebendigen, von

der *Bildung und Umbildung organischer Naturen (II/6, 1),* ist in Goethes Sprache und in diesem Sinne die konstituierende Formel für die B. im aktuellen und modernen Sinne eines übergeordneten Namens für alle Disziplinen der Naturwissenschaft, deren Gegenstand das organismische Leben ist (*Botanik; *Zoologie; *Medizin).

Goethes Bedeutung für die B. ebenso wie die Bedeutung der B. für Goethe in ihren wirklichen Proportionen einzusehen, wird hauptsächlich durch drei Voreingenommenheiten erschwert.

In den Geisteswissenschaften, vornehmlich in der Goethe-Philologie findet sich ausgesprochen oder unausgesprochen nicht selten die Ansicht wirksam, Goethes Naturforschung sei überflüssig und man könne nur bedauern, daß er die hierfür verwendete Zeit nicht lieber seiner Dichtkunst hat zugutekommen lassen. Dazu ist zu sagen, daß das gar nicht möglich gewesen wäre. Denn nach den sehr einleuchtenden Feststellungen EKretschmers waren die der Dichtung gewidmeten Lebensjahre Goethes eng mit seiner in etwa zwölfjährigem Abstand wiederkehrenden Pubertät verbunden, während die dazwischen liegenden Jahre hauptsächlich seinen wissenschaftlichen Forschungen gewidmet waren. Es wundert uns deshalb auch nicht, daß nach dem Ausweis seiner Tagebücher Goethe viel mehr Zeit seines Lebens seinen wissenschaftlichen Studien als seinen Dichtungen gewidmet hat. Beide Beschäftigungen sind daher für Goethes Lebensführung als gleich wichtig, als gleichgewichtig anzusehen. Die eine wäre nicht ohne die andere. Ihre Kulminationen sind die *Farbenlehre* (von Goethe selbst für sein bedeutendstes Werk gehalten! vgl. zB. Bdm. 4, 76) und der *Faust.* In den Naturwissenschaften kehrt dieselbe Voreingenommenheit spiegelbildlich wieder, wenn gesagt wird, daß niemand auch nur einen flüchtigen Blick für Goethes naturwissenschaftliche *Grillen* erübrigen würde, wenn sie nicht eben Goethes, des großen Dichters, *Grillen* gewesen wären.

Die beiden anderen Vorurteile über Goethes Naturforschung sind in der zweiten Hälfte des 19. Jahrhunderts von übrigens Goethe recht wohlgesinnten Naturforschern ausgegangen: EHaeckel hat in durchaus sympathischer Goetheverehrung den abwegigen Versuch unternommen, Goethe zu einem Vorläufer *Darwins zu machen; HHelmholtz konnte als newtonischer Physiker mit der *Farbenlehre,* die gar keine Physik, sondern vielmehr eine Phänomenologie der Farben ist, natürlich nichts anfangen. Deshalb lehnte er diese Seite von Goethes Naturforschung ab, billigte ihm dafür aber auf b.schem Gebiet mit der Dichtkunst zusammenhängende prophetische Fähigkeiten zu (*Abstammungslehre; hier Sp. 23-29). Wer Goethe als Naturforscher würdigen will, muß sich von diesen und ähnlichen Voreingenommenheiten freimachen und Goethes naturforschendes Lebenswerk als ein opus sui generis studieren, als ob es daneben gar keinen Dichter Goethe gäbe. Dieses Lebenswerk ist so imponierend, daß es Goethe für alle Zeiten einen höchst ehrenvollen Platz in der Geschichte der Naturwissenschaften sichert. Weiterhin ist es nicht schwierig, aber folgenschwer zu zeigen, wie sehr Goethes Naturforschung auch seine Dichtung – besonders den *Faust* – mitgestaltet hat, wie umgekehrt auch seine naturwissenschaftlichen Schriften – *Farbenlehre, Metamorphose der Pflanzen* und *Thiere* – in Gedichten, die mit zu Goethes schönsten zählen, ihre Krönung finden.

II. Goethes B. ist idealistische Morphologie. Gegenüber dem, was es seit *Aristoteles und wesentlich bereichert seit Cv*Linné als Naturgeschichte (heute: Systematik oder besser Taxonomie), ferner als Anatomie (*Vergleichende Anatomie) und *Embryologie sowie als deren jeweilige Teilwissenschaften gibt, hat Goethe aus allem dasjenige entwickelt, was er selbst und wir mit ihm *Morphologie* nennen und der Physiologie an die Seite stellen. Gegenüber dem aber, was dergestalt allgemein und als Grundwissenschaft auch der heutigen B. Morphologie heißt, ist Goethes Morphologie *idealistisch*. Idealismus nennen wir eine bestimmte Hauptrichtung der Philosophie, die von *Platon in seiner Ideenlehre begründet sowie entwickelt worden ist und die seitdem die Geschichte der Philosophie in immer wieder neuen und originellen Gestaltungen wesentlich beherrscht hat. Goethes *Morphologie* ist als *idealistische* also eine bewußt in einer Philosophie bestimmter Prägung gegründete Morphologie. Jede echte Wissenschaft ist des eigenen Wesens freilich um so sicherer und um so fester in sich selbst gegründet, je deutlicher sie sich ihres Ursprungs aus der Philosophie bewußt und je emsiger sie deshalb um ihre eigene philosophische Grundlegung bemüht ist. Das hat Goethe für seine Morphologie unzweifelhaft erkannt. Seine naturwissenschaftlichen Schriften sind fast auf jeder Seite eifrig bemüht, bis zum letzten philosophischen Grunde des jeweils dargelegten Gedankens durchzudringen.

Die wichtigsten Prinzipien, welche Goethes *Morphologie* als eine *idealistische* aufbauen, sind die folgenden: *Urphänomen, Gestalt, Typus, Metamorphose, Analogie, Polarität, Kompensation* und Holismus.

Maßstäbe zum Verständnis ihrer Ursprünge, Zusammenhänge und Wechselwirkungen zeigen sich bereits in Goethes Verhältnis zu den verschiedenen idealistischen Philosophen, die er zu seiner universalen Weltmorphologie in schöpferischer Synthese verarbeitet hat. Goethes Philosophieren könnte kaum besser als mit Worten von FWJv*Schelling charakterisiert werden, wonach ein der Philosophie gewidmetes Leben nichts Besseres tun könne, als mit Platon zu beginnen und mit Aristoteles aufzuhören. Zumindest seine morphologische Philosophie ist Platonismus auf aristotelische Art. Der dritte der großen Philosophen, der bedeutenden Einfluß auf Goethes Denken ausgeübt hat, ist *Spinoza gewesen. Aber es wäre mehr als leichtfertig, Goethe deswegen als Spinozisten abzustempeln. Für seine Naturwissenschaft, insbesondere für seine B. trifft das keinesfalls zu. Hier kommen wir sehr gut ohne Spinoza, niemals aber ohne Platon und Aristoteles aus.

Es ist unmöglich, klar zu scheiden, was bei Goethe platonisch und was aristotelisch ist. Wenn er zB. sagt: *Um sich aus der gränzenlosen Vielfachheit, Zerstückelung und Verwickelung der modernen Naturlehre wieder in's Einfache zu retten, muß man sich immer die Frage vorlegen: wie würde sich Plato gegen die Natur, wie sie uns jetzt in ihrer größern Mannichfaltigkeit, bei aller gründlichen Einheit, erscheinen mag, benommen haben?*, so hätte er hier statt Platon ebensogut Aristoteles sagen können, ohne auch nur ein einziges Wort in diesem Satze ändern zu müssen. Unmittelbar vorher heißt es: *Wie Sokrates den sittlichen Menschen zu sich berief, damit dieser ganz einfach einigermaßen über sich selbst aufgeklärt würde, so traten Plato und Aristoteles gleichfalls als befugte Individuen vor die Natur: der eine mit Geist und Gemüth, sich ihr anzueignen, der andere mit Forscherblick und Methode, sie für sich zu gewinnen. Und so ist denn auch jede Annäherung, die sich uns im Ganzen und Einzelnen an diese Dreie möglich macht, das Ereigniß, was wir am freudigsten empfinden und was unsere Bildung zu befördern sich jederzeit kräftig erweis't.* Sogleich danach aber wird wieder auf Aristoteles zurückverwiesen: *Denn wir glauben überzeugt zu sein, daß wir auf demselben Wege bis zu den letzten Verzweigungen der Erkenntniß organisch gelangen und von diesem*

Grund aus die Gipfel eines jeden Wissens uns nach und nach aufbauen und befestigen können ... (II/11, 150f.). In diesen Zusammenhang gehören die Erörterungen über die Entelechienlehre des Aristoteles. Man sieht deutlich, daß Goethes Platon der aristotelische Platon gewesen ist. Ebendies ist auch diejenige Form des Platonismus, die mutatis mutandis für die Schaffung der B. als Wissenschaft maßgebend wurde und die ihre Geistesgeschichte seitdem bis heute als „Vitalismus" entscheidend mitgestaltet hat.

Von den älteren Philosophen der Neuzeit haben auf Goethe außer Spinoza besonders G*Bruno und GW*Leibniz großen Einfluß gehabt. Nicht nur vereinzelt, sondern immer wieder charakterisiert Goethe das *Höchste was wir von Gott und der Natur erhalten haben,* nämlich *das Leben* als *die rotirende Bewegung der Monas um sich selbst, welche weder Rast noch Ruhe kennt; der Trieb, das Leben zu hegen und zu pflegen ist einem jeden unverwüstlich eingeboren, die Eigenthümlichkeit desselben jedoch bleibt uns und andern ein Geheimniß. – Die zweite Gunst der von oben wirkenden Wesen ist das Erlebte, das Gewahrwerden, das Eingreifen der lebendig-beweglichen Monas in die Umgebungen der Außenwelt, wodurch sie sich erst selbst als innerlich Gränzenloses, als äußerlich Begränztes gewahr wird. Über dieses Erlebte können wir, obgleich Anlage, Aufmerksamkeit und Glück dazu gehört, in uns selbst klar werden; andern bleibt aber auch dieß immer ein Geheimniß (II/6, 216).* Damit ist nicht nur das Wesen der Monade von Leibniz, die „keine Fenster hat", deutlich gezeichnet, sondern auch der ältere Monadenbegriff von Bruno ist synthetisch eingeschlossen. Das von der Atmung entliehene Symbol der *„Diastole und Systole"* welches Goethe so liebt und ua. benutzt, um das Verhältnis von *Analyse und Synthese* zu verdeutlichen, wird von ihm auch immer wieder auf das Leben der „Monas" bezogen: *Jede Monas ist eine Entelechie, die unter gewissen Bedingungen zur Erscheinung kommt ... (MuR: Hecker Nr 1397).* Dieses in die Erscheinung-Treten der „Monas" vollzieht sich in allem Lebendigen als rhythmisch geschehendes Sich-*Ausdehnen* und Sich-*Zusammenziehen*. Das ist ja der Grundgedanke der ganzen Lehre von der *Metamorphose der Pflanzen* und Tiere (Insekten). In der Metamorphose des Blattes bis zur Blüte und Frucht sowohl wie in derjenigen der Glieder der Insekten findet ein dauernder Wechsel von Zusammenziehung und Ausdehnung der Organe statt, genau wie beim Einatmen und Aus-

atmen. Dieser Gedanke ist charakteristisch für die ältere Monadenlehre von Bruno. Auf das leibnizsche Prinzip der prästabilierten Harmonie geht jedoch Goethes Prinzip der „Vollkommenheit" zurück. Goethe postuliert dies für jede organismische Bildung, ohne sich dabei an der naiven rationalistischen Naturteleologie seiner Zeit zu beteiligen. Zwar ist nach Goethe *jedes Thier als physiologisch vollkommen anzusehen,* aber *Man wird nicht behaupten, einem Stier seien die Hörner gegeben daß er stoße, sondern man wird untersuchen, wie er Hörner haben könne um zu stoßen (II/8, 17).* Genau wie Platon und Aristoteles sind auch Bruno und Leibniz sowie die zeitgenössischen Philosophen von Goethe in einer höchst originalen Weise verarbeitet. Das Ergebnis: Goethes Naturphilosophie steht einzig da in der ganzen Philosophiegeschichte. Keinesfalls ist es recht, sie immer nur im Schatten der genannten Philosophen zu interpretieren. Goethe ist freilich selbst nicht ganz schuldlos daran, daß dies geschieht. Immer wieder betont er seine Abneigung gegen die Philosophen. Aber das bezieht er doch ausschließlich auf die großen Philosophen seiner eigenen Zeit, auf Kant, *Fichte, *Hegel. Nicht Schelling, sondern Goethe allein hat in der Naturphilosophie bis heute Schule gemacht. Besonders auf dem Felde der Philosophie der lebendigen Natur läßt er alle großen Philosophen seiner Zeit weit hinter sich. So überragend Kant für die Philosophie der Physik (bis zur modernen Quantenphysik) gewesen und immer noch ist, so unbefriedigend wirken seine Bemühungen um eine Philosophie der organismischen Welt, wenn man sie mit Goethes großartiger Konzeption der lebendigen Natur vergleicht. Kant sah wohl, daß es einen „Newton des Grasshalms" niemals geben könnte, den damals tätigen Goethe des Grashalmes aber hat er nie bemerkt. Er wußte mit dem Problem des Organismus als Aufgabe einer transzendentalen B. nichts anzufangen und brachte das Wenige an Teleologie, das er hierüber zu sagen sich getraute, so ganz nebenbei in seiner Lehre vom Schönen, in der Kritik der Urteilskraft unter, so als ob B. eigentlich gar keine Wissenschaft, sondern ein bloßer Annex zur Ästhetik gewesen wäre. Auch bei Goethe stehen Poesie und B. nahe beieinander, die eine wird aber nicht der andern subordiniert; sie stellen zwei selbständige großartige Bäume dar, die im gleichen Erdreich wurzeln: in der Naturphilosophie Goethes. Auch wenn man die ganz unterschiedliche Mentalität von Kant und Goethe außeracht läßt, ergibt sich schon aus ihrer sachlich ganz verschiedenen Betrachtungsweise der Natur (die Kant nur als newtonischer Physiker zu sehen vermag, während Goethe sie ebenso ausschließlich als platonischer Aristoteliker nur biologisch sieht), daß beide einander nichts Wesentliches zu sagen hatten. Obwohl die „Kritik der Urteilskraft" das einzige Werk Kants gewesen ist, das Goethe mit wirklichem Interesse gelesen hat, faßt er sein Urteil über sie folgendermaßen zusammen: *Mich freute, daß Dichtkunst und vergleichende Naturkunde so nah mit einander verwandt seien, indem beide sich derselben Urtheilskraft unterwerfen. Leidenschaftlich angeregt ging ich auf meinen Wegen nur desto rascher fort, weil ich selbst nicht wußte wohin sie führten und für das, was und wie ich mir's zugeeignet hatte, bei den Kantianern wenig Anklang fand. Denn ich sprach nur aus was in mir aufgeregt war, nicht aber was ich gelesen hatte.* Vergeblich hat Goethe versucht, seine eigenen Gedanken den Kantianer unter seinen Freunden nahezubringen: *sie hörten mich wohl, konnten mir aber nichts erwidern, noch irgend förderlich sein. Mehr als einmal begegnete es mir, daß einer oder der andere mit lächelnder Verwunderung zugestand: es sei freilich ein Analogon Kantischer Vorstellungsart, aber ein seltsames (II/II, 51 f.).* Mit Schelling war das anders. Schelling und Goethe sind beide Philosophen der lebendigen Natur und hegen dieselbe organische Grundüberzeugung, die wir heute holistisch nennen, aber auch zwischen diesen beiden Forschern besteht ein Unterschied, der sich auf die Dauer zuungunsten Schellings und zugunsten Goethes ausgewirkt hat. Schelling war Goethe als Philosoph zweifellos überlegen, zumal die Naturphilosophie nur die erste der drei großen Epochen seines Lebens bestimmt hat, aber Goethe, der als Philosoph nur Naturphilosoph gewesen ist, ist Schelling darin weit überlegen, daß er niemals nur Philosoph geblieben ist, sondern seine Naturphilosophie immer sofort mit großer Kraft in großartige gültige Naturwissenschaft umgesetzt hat, wenn man nicht überhaupt sagen soll, daß er über die Natur nur philosophiert hat, um (philosophisch gründlich vorbereitet) Naturforschung betreiben zu können.

Somit wäre von den Philosophen der Goethezeit nur noch Fichte zu erwähnen. Obwohl er sich mit naturwissenschaftlichen und naturphilosophischen Fragen überhaupt nicht beschäftigt hat, hat er doch auf Goethes immer „tätiges" Forschen einen beträchtlichen Einfluß gehabt, einen größeren vermutlich als sogar Schelling. Der in seiner Weise pragmatische (modern gesprochen sogar „pragmatistische") Einschlag in Goethes Denken, der uns gerade auch in seinen naturwissenschaftlichen und naturphilosophischen Werken immer wieder an entscheidenden Stellen seiner Gedankenführung begegnet, ist durch Fichte wesentlich gefördert worden. Der Kernsatz: *Was fruchtbar ist, allein ist wahr (I/3, 83)* ist ohne Fichte wahrscheinlich nicht zu denken. Hierher gehören auch die folgenden, sich immer wieder findenden Feststellungen: *In der Naturforschung bedarf es eines kategorischen Imperativs so gut als im Sittlichen – . . . Nur durch eine erhöhte Praxis sollten die Wissenschaften auf die äußere Welt wirken . . . – Auch in Wissenschaften kann man eigentlich nichts wissen, es will immer gethan sein – . . . Das Wahre muß gleich genutzt werden, sonst ist es nicht da (MuR:* Hecker *Nr 574; 694; 415; 587).* Hegel braucht an dieser Stelle nicht erwähnt zu werden, da er Goethe nur im Zusammenhang mit der *Farbenlehre* nähergekommen ist.

Goethes Philosophie der lebenden Natur stellt mithin ein in sich selbst ebenso originales und unabhängiges Gebilde dar, wie das die großen metaphysischen Systeme tun, zu denen sie Beziehungen unterhält und denen sie verpflichtet ist. Ebenso lohnt es sich, noch einmal festzustellen, daß die für Goethes B. selbst entscheidenden Konzeptionen sich allesamt schon bei Platon und Aristoteles finden. Hier allein liegt der historische und systematische Ursprung von Goethes *idealistischer Morphologie,* als welche seine B. zu definieren ist.

III. Goethes Konzeption des Phänomens, insbesondere des *U r p h ä n o m e n s* ist das erste und wesentlichste Prinzip seiner M o r p h o l o g i e. Ohne dessen sorgfältige Interpretation muß alles Weitere unverständlich bleiben. Sobald man sich zB. darüber klar geworden ist, daß Goethes *Farbenlehre* eine ebenso reine Phänomenologie der Farben ist, wie diejenige Newtons eine ebenso reine Physik der Farben darstellt, entfällt jede Veranlassung darüber zu streiten, ob Goethe oder ob Newton recht gehabt hat. Selbstverständlich haben sie alle beide recht, der eine als Phänomenologe und der andere als Physiker. Beide Betrachtungsweisen der Farben haben selbstverständlich viel miteinander zu schaffen, aber sie widersprechen einander nirgends. Nur unzutreffende Interpretationen des jeweiligen Gegners, von denen Goethe Newton gegenüber ebensowenig freizusprechen ist wie die Newtonianer bis heute inbezug auf Goethe, haben hier Scheinkontroversen geschaffen, die mit der Sache selbst nichts zu tun haben. Das hat schon zu Goethes Zeiten niemand besser erkannt als der Physiologe J*Müller, der in seinem großen sinnesphysiologischen Hauptwerk eine vollkommen klare, dahingehende Bemerkung macht. Die phänomenologische Betrachtungsweise der Farben sowohl wie die physikalische sind gleichermaßen notwendig. Sie sind komplementär zueinander. Sie ergänzen sich, aber sie widersprechen sich nirgends.

Nicht nur in der Farbenlehre, sondern in allen seinen naturwissenschaftlichen Untersuchungen, in der Morphologie so gut wie in der *Mineralogie, *Geologie und *Meteorologie war Goethe primär Phänomenologe. Immer ging er vom gegebenen Phänomen aus. Die Phänomene sind für Goethe das uns schlechthin Gegebene, besser noch Auf-Gegebene, der Ausgangspunkt und die allein sichere Grundlage für alle naturwissenschaftliche und naturphilosophische Erfahrung. *Man sagt gar gehörig: das Phänomen ist eine Folge ohne Grund, eine Wirkung ohne Ursache ... (MuR: Hecker Nr 1233).* Besser als es in diesen Worten geschehen ist, läßt sich ein unmittelbar Gegebenes, also ein Kontingentes, nicht kennzeichnen. Es ist einfach da, wir müssen mit ihm beginnen! Wir sind zwar überzeugt, daß es nicht zufällig da ist, daß es vielmehr einen Grund oder eine Ursache für sein Dasein gibt (andernfalls würden wir ja nicht versuchen, Philosophie und Wissenschaft darauf zu gründen); aber wir kennen diesen Grund oder diese Ursache noch nicht! Da das Phänomen das allgemeinste Gegebene ist, können wir es nicht definieren; es hat keinen Oberbegriff, dem es subsummiert werden könnte. Wir können es nur in seiner Erkenntnisfunktion, also (quasi) pragmatisch beschreiben. *Die Hauptsache bey allen Wissenschaften ist daß man die Erscheinungen klar und reichlich vor sich habe und daß der Geist frey und wohlgemuth darüber walte (II/5^II, 298).* Goethe hat an zwei Stellen seine phänomenologische Methode im Zusammenhang als ein allgemeines Verfahren, Erkenntnis zu gewinnen, dargestellt, einmal in den §§ 175–177 der *Farbenlehre* und dann noch etwas allgemeiner gehalten in dem Aperçu, das *Erfahrung und Wissenschaft* überschrieben ist: *Die Phänomene die wir andern auch wohl Facta nennen sind gewiß und bestimmt ihrer Natur nach, hingegen oft unbestimmt und schwankend, in so fern sie erscheinen. Der Naturforscher sucht das Bestimmte der Erscheinungen zu fassen und fest zu halten, er ist in einzelnen Fällen aufmerksam nicht allein wie die Phänomene erscheinen, sondern auch wie sie erscheinen sollten* [!] ... *Denn da der Beobachter nie das reine Phänomen mit Augen sieht, sondern vieles von seiner Geistesstimmung, von der Stimmung des Organs im Augenblick, von Licht, Luft, Witterung, Körpern, Behandlung und tausend andern Umständen abhängt; so ist ein Meer auszutrinken, wenn man sich an Individualität des Phänomens halten und diese beobachten, messen, wägen und beschreiben will. Bei meiner Naturbeobachtung und Betrachtung bin ich folgender Methode, so viel als möglich war, besonders in den letzten Zeiten* [geschrieben 1798] *treu geblieben. Wenn ich die Constanz und Consequenz der Phänomene, bis auf einen gewissen Grad, erfahren habe, so ziehe ich daraus ein empirisches Gesetz und schreibe es den künftigen Erscheinungen vor. Passen Gesetz und Erscheinungen in der Folge völlig, so habe ich gewonnen, passen sie nicht ganz, so werde ich auf die Umstände der einzelnen Fälle aufmerksam gemacht und genöthigt neue Bedingungen zu suchen, unter denen ich die widersprechenden Versuche reiner darstellen kann; zeigt sich aber manchmal, unter gleichen Umständen, ein Fall, der meinem Gesetze widerspricht, so sehe ich, daß ich mit der ganzen Arbeit vorrucken und mir einen höhern Standpunct suchen muß. Dieses wäre also, nach meiner Erfahrung, derjenige Punct, wo der menschliche Geist sich den Gegenständen in ihrer Allgemeinheit am meisten nähern, sie zu sich heranbringen, sich mit ihnen ... auf eine rationelle Weise gleichsam amalgamiren kann* [an anderer Stelle nennt er dieses Verfahren *eine zarte Empirie, die sich mit dem Gegenstand innigst identisch macht und dadurch zur eigentlichen Theorie wird; MuR: Hecker Nr 565*]. *Was wir also von unserer Arbeit vorzuweisen hätten, wäre: 1. Das empirische Phänomen, das jeder Mensch in der Natur gewahr wird, und das nachher 2. zum wissenschaftlichen Phänomen durch Versuche erhoben wird, indem man es unter andern Umständen und Bedingungen als es zuerst bekannt gewesen, und in einer mehr oder weniger glücklichen Folge darstellt. 3. Das reine Phänomen steht nun zuletzt als Resultat aller Erfahrungen und Versuche da. Es kann niemals isolirt sein, sondern es zeigt sich in einer stetigen Folge der Erscheinungen. Um es darzustellen bestimmt der menschliche Geist das empirisch Wankende, schließt das Zufällige aus, sondert das Unreine, entwickelt das Verworrene, ja entdeckt das Unbekannte. – Hier wäre, wenn der Mensch sich zu bescheiden wüßte, vielleicht das letzte Ziel unserer Kräfte. Denn hier wird*

nicht nach Ursachen gefragt, sondern nach Be-
dingungen, unter welchen die Phänomene er-
scheinen; es wird ihre consequente Folge, ihr
ewiges Wiederkehren unter tausenderlei Um-
ständen, ihre Einerleiheit und Veränderlichkeit
angeschaut und angenommen, ihre Bestimmt-
heit anerkannt und durch den menschlichen
Geist wieder bestimmt. Eigentlich möchte diese
Arbeit nicht speculativ genannt werden, denn es
sind am Ende doch nur, wie mich dünkt, die
praktischen und sich selbst rectificirenden Ope-
rationen des gemeinen Menschenverstandes, der
sich in einer höhern Sphäre zu üben wagt (II/
11, 38–41).

Wenn man Goethes Worte unbefangen auf
sich wirken läßt, wird man kaum einen grundsätzlichen Unterschied zum Erkenntnisver-
fahren der klassischen Physik finden können
(vgl. Kants Ausführungen über regulatives
und konstitutives Erkenntnisvorgehen in der
Kritik der reinen Vernunft). Dieser Unterschied ist aber gleichwohl vorhanden und rein
sachlicher Art. Wir kommen diesem auf die
Spur, wenn wir folgende Feststellungen Goethes erwägen, daß nämlich *Quantität und*
Qualität als die zwei Pole des erscheinenden
Daseins gelten müssen; daher denn auch der Ma-
thematiker seine Formelsprache so hoch steigert,
um, in so fern es möglich, in der meßbaren
und zählbaren Welt die unmeßbare mitzube-
greifen. Nun erscheint ihm alles greifbar, faß-
lich und mechanisch, und er kommt in den Ver-
dacht eines heimlichen Atheismus, indem er ja
das Unmeßbarste, welches wir Gott nennen, zu-
gleich mitzuerfassen glaubt und daher dessen
besonderes oder vorzügliches Dasein aufzugeben
scheint (MuR: Hecker Nr 1286). – Die un-
entwegten Goethe-Spinozisten haben es
nicht leicht, diese antipantheistische Formel
mit ihren Wünschen zu verbinden. Hier wird
der Gegensatz zu Newton vollkommen einsichtig. Jedes Phänomen bietet uns einen
qualitativen und einen quantitativen Aspekt
dar. Beide sind genauso komplementär zueinander wie die Attribute von Spinozas „Natura sive Deus". Man kann daher in der Bearbeitung der Phänomene, um sie der wissenschaftlichen und philosophischen Erkenntnis
zu erschließen, zwei vollkommen verschiedene Wege gehen. Man kann einmal, wie das
die mathematischen Physiker tun, sich auf
den „quantitativen Pol" der Phänomene stützen und von ihm aus versuchen, auch ihren
qualitativen Pol zu bewältigen, oder man
kann, wie Goethe das von allem Anfang an
und grundsätzlich tut, sich vollkommen dem
„qualitativen Pol" hingeben und zunächst

einmal sehen, wieweit man auf dem Wege dieser so viel *zarteren Empirie* gelangen kann.
Das gilt für Goethes gesamte Phä-
menologie überhaupt, für seine Farbenlehre, in der er ja mehr biologischer Morphologe als Physiker war, wie für seine B. und
Morphologie als solche. Sonst wäre ein Satz
wie der folgende einfach unverständlich: *Als*
getrennt muß sich darstellen: Physik von Mathe-
matik. Jene muß in einer entschiedenen Unab-
hängigkeit bestehen und mit allen liebenden, ver-
ehrenden, frommen Kräften in die Natur und
das heilige Leben derselben einzudringen suchen,
ganz unbekümmert, was die Mathematik von
ihrer Seite leistet und thut. Diese muß sich da-
gegen unabhängig von allem Äußern erklären,
ihren eigenen großen Geistesgang gehen und sich
selber reiner ausbilden, als es geschehen kann,
wenn sie wie bisher sich mit dem Vorhandenen
abgibt und diesem etwas abzugewinnen oder an-
zupassen trachtet (MuR: Hecker Nr 573). Platon hätte nicht mit mehr Enthusiasmus über
Sinn und Aufgabe der Mathematik reden können, als Goethe das hier getan hat. Was ihm
nicht gefällt, ist einzig die enge Verbindung
des Mathematischen mit der Naturforschung,
die Idee der „mathematischen Naturwissenschaft", die von Kant, dem größten
Schüler Newtons, in ihrer vollen Bedeutung
und Allgemeinheit dargestellt worden ist.
Die Idee der mathematischen Naturwissenschaft basiert auf der dogmatischen
Überzeugung, daß es möglich sein muß,
die qualitative Seite der Naturphänomene zu
eliminieren und durch rein quantitative Beziehungen zu ersetzen, dh. ebenso restlos wie
vollkommen durch mathematische Kalküle
auszudrücken. Es wird, sagt Goethe, *niemand*
einfallen, das Verdienst der Mathematiker ge-
ring zu schätzen, welches sie, in ihrer Sprache
die wichtigsten Angelegenheiten verhandlend –
wobei sie *eine Art Franzosen* sind: *redet man zu*
ihnen, so übersetzen sie es in ihre Sprache, und
dann ist es alsobald ganz etwas Anders –, *sich*
um die Welt erwerben, indem sie alles, was der
Zahl und dem Maß im höchsten Sinne unter-
worfen ist, zu regeln, zu bestimmen und zu ent-
scheiden wissen (MuR: Hecker Nr 710; 1279).
Wenn es nun tatsächlich möglich wäre, die
gesamte qualitative Welt durch quantitative
Beziehungen – in der Physik Messungen und
Formeln genannt – zu beherrschen, dann
würde für irgendeine andere Art von Naturwissenschaft daneben kein Platz mehr sein.
Vergegenwärtigt man sich die Entwicklung
der mathematischen Physik sowie auch aller
auf Statistik beruhenden Natur- und Sozial-

wissenschaften bis heute, dann kann niemand bestreiten, daß die Idee der mathematischen Naturwissenschaft Ungeheures in der Welt geleistet hat und immer noch leistet. Man wird das unmittelbar gewahr, wenn man nur den Lebensstil unseres auf der Technik (dh. aber auf der mathematischen Naturwissenschaft) beruhenden 20. Jahrhunderts mit demjenigen des 19. Jahrhunderts vergleicht. Aber es wäre doch trotzdem unverantwortlich, wenn wir behaupten wollten, es sei uns heute tatsächlich gelungen, die Welt der Qualitäten auch nur grundsätzlich in Quantitäten aufzulösen. Gerade die am meisten ernst zu nehmenden mathematischen Physiker von heute haben sehr beachtenswerte Zweifel in dieser Beziehung angemeldet (vgl. zB. PWBridgman: The Logic of modern Physics. ²1948. S. 60 bis 65). Wenn es also für die soviel einfachere physikalische Erfahrung ein nahezu unlösbares Problem darstellt, die ihr genau gerecht werdenden mathematischen Kalküle aufzustellen, wieviel schwieriger muß dann das entsprechende Unternehmen für die mathematische Beschreibung biologischer Gestalten und Funktionen sein! Im Hinblick auf einwandfreie mathematische Behandlungsmöglichkeiten bei biologischen Gestaltproblemen haben wir den dafür erforderlichen mathematisch-biologischen „Ganzheitskalkül" immer noch nicht formulieren können (D'Arcy WThompson 1916). Die hier zu überwindenden mathematischen und biologischen Schwierigkeiten werden noch größer sein, als die zurzeit für Bridgmans theoretische Physik bestehenden. Bei allem Optimismus, den man auch für eine künftige mathematische B. hegen darf, muß jedoch im Auge behalten werden, daß eine solche niemals imstande sein wird, das gesamte Terrain der B. zu erobern. Theoretische B. wird niemals mit mathematischer B. identisch sein, was für die Physik jedenfalls bis jetzt noch zutrifft. Der Biologe Goethe ist daher heute mehr als zu seiner eigenen Zeit gerechtfertigt, wenn er die Erforschung des „qualitativen Poles" der Phänomene zu seiner ausschließlichen Aufgabe gemacht hat. Sie ist nicht nur ein universales Thema sui generis und um ihrer selbst willen da, sie ist auch dasjenige, was zuerst geleistet werden muß, ehe eine Mathematisierung der Phänomene überhaupt erfolgen kann. Darum ist Goethes Morphologie in der B. immer noch die erste Forderung aller biologischen Erkenntnis. Niemals wird Morphologie in der B. nur das sein, was „noch nicht Physiologie ist", wie KvGoebel einmal vorübergehend (1906)

geglaubt hat. Goethes phänomenologische Naturforschung ist der notwendige Gegenpol zur mathematischen Naturwissenschaft – notwendig sowohl um der Sache selbst willen, wie auch für die mathematische Naturwissenschaft als solche, insofern jene nämlich dieser logisch vorausgeht und ihre Probleme vorzubereiten hat. Dies gilt für Goethes B. erst recht, weil hier die logischen Voraussetzungen für die Begründung einer theoretischen B. überhaupt noch nicht vorliegen.

IV. Goethe entwirft und entwickelt mit seiner phänomenologischen Morphologie, dh. mit seiner B. und Naturwissenschaft überhaupt, eine durchaus autonome Art von Naturerkenntnis und Naturwissenschaft.

Jede Wissenschaft ist nur dann eine echte Wissenschaft, wenn sie imstande ist, ihre Gegenstände klar zu definieren und deren übergreifende Zusammenhänge methodisch zu beweisen. Die mathematische Naturwissenschaft definiert ihre Gegenstände durch Messungen – die sog. Naturkonstanten –, erforscht sie durch exakte Experimente und stellt die so gewonnenen übergreifenden Zusammenhänge durch mathematische Kalküle als sog. Naturgesetze dar.

Hierzu genau Entsprechendes haben wir auch in der phänomenologischen Morphologie Goethes: Während hier die qualitativen Phänomene selbst den überhaupt möglichen Messungen entsprechen, stellen die *Urphänomene* genau das dar, was den allgemeinen Naturkonstanten in der mathematischen Naturwissenschaft entspricht. Und den Kalkülen, welche in der mathematischen Naturwissenschaft den die Naturkonstanten übergreifenden Gesamtzusammenhang der Physik liefern, entspricht in der phänomenologischen Morphologie das, was Goethe die *Metamorphosen* genannt hat. Welches aber hier die *Urphänomene* sind, wie sie gefunden und bestätigt werden können, das wird in der phänomenologischen Morphologie genau so ermittelt, wie in der mathematischen Naturwissenschaft, nämlich durch die *Beobachtung* und das Experiment, allerdings nicht durch das messende Experiment, sondern durch das auf *zarte Empirie* gegründete deskriptive Experiment. Gültige phänomenologische Erkenntnis wird also durch *Urphänomene, Metamorphosen* und experimentelle *Beobachtungen* konstituiert.

Das Unternehmen, die jeweils gültigen Urphänomene zu ermitteln, erfordert eine genau so reiche morphologische Erfahrung auf dem jeweils in Rede stehenden Gebiet, wie das Aufspüren allgemeiner Naturkonstanten in der Physik. In dem Verfahren, das mit dem empirischen *Phänomen* beginnt, zum *wissenschaftlichen Phänomen* aufsteigt und sich endlich im *reinen Phänomen* vollendet, hat Goethe seine in der *Farbenlehre,* in der Botanik, in der Anatomie und Osteologie usw. geübte Methode, zu den höchsten *Urphänomenen* vorzudringen, eingehend geschildert. Das von Goethe hier *reines Phänomen* genannte Endergebnis des phänomenologischen Erkennens ist mit Platons Idee identisch, allerdings nicht in der statischen Form des antiken, sondern in der dynamischen Form des modernen Denkens. Auch zeigt die in einer aufsteigenden Stufenfolge vom *empirischen* über das *wissenschaftliche Phänomen* erfolgende Selbstdarstellung des *reinen Phänomens,* daß auch hier die platonische Idee die reife Form der aristotelischen Entelechie angenommen hat. Auch ist es sicher nicht zufällig, daß die in den drei Erscheinungsformen des Phänomens zur Darstellung kommenden unterschiedlichen Wirklichkeiten genau diejenigen der idealistischen Philosophie von Kant und Fichte sind: Das *empirische Phänomen* verkörpert die phänomenale Wirklichkeit der transzendentalen Ästhetik, das *wissenschaftliche Phänomen* diejenige der transzendentalen Analytik und das *reine Phänomen* diejenige endlich der transzendentalen Dialektik und Antinomik. Man kann auch hier wieder nur betonen, daß Goethes phänomenologische Morphologie ein durchaus originales Gebilde ureigenster Prägung ist, von Platon und Aristoteles diese, von Spinoza und Leibniz jene und von Kant und Fichte wieder andere Charaktere angenommen hat, aber mit keinem von ihnen, wie das von jedem originalen Philosophieren gilt, vollkommen identifiziert werden kann. Goethe selbst schildert das Verfahren, *Urphänomene* zu entdecken, abschließend noch einmal mit folgenden Worten: *Das was wir in der Erfahrung gewahr werden, sind meistens nur Fälle, welche sich mit einiger Aufmerksamkeit unter allgemeine empirische Rubriken bringen lassen. Diese subordiniren sich abermals unter wissenschaftliche Rubriken, welche weiter hinaufdeuten, wobei uns gewisse unerläßliche Bedingungen des Erscheinenden näher bekannt werden. Von nun an fügt sich alles nach und nach unter höhere Regeln und Gesetze, die sich aber nicht durch Worte und Hypothesen dem Verstande, sondern gleichfalls durch Phänomene dem Anschauen offenbahren. Wir nennen sie Urphänomene, weil nichts in der Erscheinung über ihnen liegt, sie aber dagegen völlig geeignet sind, daß man stufenweise, wie wir vorhin hinaufgestiegen, von ihnen herab bis zu dem gemeinsten Falle*

der *täglichen Erfahrung niedersteigen kann (II/1, 72).* Mit der hier ausgesprochenen Warnung gegen *Worte und Hypothesen* ist gemeint, daß man sich keinesfalls zu früh aus dem Bereich der rein phänomenologischen Anschauung abdrängen lassen darf, weil man dann unweigerlich dazu kommt, *Urphänomene* mit abgeleiteten Phänomenen zu verwechseln. Solcher Gefahr sind besonders die Physiker ausgesetzt: *Das Schlimmste, was der Physik, so wie mancher andern Wissenschaft, widerfahren kann, ist, daß man das Abgeleitete für das Ursprüngliche hält, und da man das Ursprüngliche aus Abgeleitetem nicht ableiten kann, das Ursprüngliche aus dem Abgeleiteten zu erklären sucht. Dadurch entsteht eine unendliche Verwirrung (II/1, 286).* Deshalb fordert Goethe: *Merken wir ja darauf, unter den Phänomenen ist ein großer Unterschied: das Urphänomen, das reinste, widerspricht sich nie in seiner ewigen Einfalt; das abgeleitete erduldet Stockungen, Friktionen und überliefert uns nur Undeutlichkeiten (Art. A 17, 693).* Die Urphänomene sind das Letzte und Höchste, was an Erkenntnis die phänomenologische Morphologie erreichen kann: *Unsere Meinung ist: daß es dem Menschen gar wohl gezieme, ein Unerforschliches anzunehmen, daß er dagegen aber seinem Forschen keine Grenze zu setzen habe; denn wenn auch die Natur gegen den Menschen im Vorteil steht und ihm manches zu verheimlichen scheint, so steht er wieder gegen sie im Vorteil, daß er, wenn auch nicht durch sie durch, doch über sie hinaus denken kann. Wir sind aber schon weit genug gegen sie vorgedrungen, wenn wir zu den Urphänomenen gelangen, welche wir in ihrer unerforschlichen Herrlichkeit von Angesicht zu Angesicht anschauen, und uns sodann wieder rückwärts in die Welt der Erscheinungen wenden, wo das in seiner Einfalt Unbegreifliche sich in tausend und aber tausend mannigfaltigen Erscheinungen bei aller Veränderlichkeit unveränderlich offenbart (Art. A 17, 694).*
Denken ist interessanter als Wissen, aber nicht als Anschauen (MuR: Hecker Nr *1150).* Denken ist ja das Erkenntnisvermögen, dessen sich die mathematischen Physiker bedienen, *Anschauen* hingegen dasjenige Goethes als phänomenologischer Morphologe. Daher heißt es weiterhin: *Die Constanz der Phänomene ist allein bedeutend; was wir dabei denken, ist ganz einerlei (MuR:* Hecker Nr *1229).* Diese konstanten Phänomene sind die *Urphänomene,* sie variieren in den *wissenschaftlichen* und *empirischen Phänomenen* nach allen möglichen Richtungen, die wir *Metamorphosen* nennen. Aber die *Urphänomene* als solche sind kon-

stant und ewig unveränderlich, sie sind identisch mit den Ideen Platons. Was Goethe *empirisches* und *wissenschaftliches Phänomen* nennt, gehört dagegen, mit Platons Augen gesehen, der Welt der bloßen Empirie an, dem was Platons eleatischer Vorbereiter Parmenides die Scheinwirklichkeit der „Doxa" (der bloßen „Meinung") genannt hat. Aristoteles verwandelt den eleatisch-platonischen, dualistischen Urgegensatz der Idee zu ihrer empirischen Erscheinung in eine kontinuierliche holistische Stufenfolge, die Goethe *Metamorphose* nennt und welche von der platonischen Idee als dem reinen *Urphänomen* bis zu den *empirischen Phänomenen* kontinuierlich hinabsteigt oder umgekehrt von ihnen zum *Urphänomen* kontinuierlich hinaufsteigt. Das ist die aristotelische Entelechie, welche ohne die von Platon geschaffene Ideenlehre vollkommen unmöglich sein würde. Der zutreffende Ausdruck für all das Besondere, was von den alten und modernen Philosophen in Goethes phänomenologische Morphologie eingegangen ist, und natürlich vor allem für das, was er selbst daraus gemacht hat, ist sein Wort **Gestalt! Gestalt* ist ihrem Ursprung und ihrem Wesen nach die platonische Idee in Form der aristotelischen Entelechie, jedoch nicht wie bei den Alten als ein statisches Gebilde verstanden, sondern als eine sich im modernen Sinne dynamisch entfaltende Stufenfolge oder *Metamorphose (*Bildung)*. Der Aristoteliker Goethe offenbart sich kaum irgendwo besser als dort, wo er die eigene Naturansicht gegen diejenige seiner Gegner klar abzugrenzen unternimmt und wo er feststellt: *Ich mußte daher bei meiner alten Art verbleiben, die mich nötigt, alle Naturphänomene in einer gewissen Folge der Entwicklung zu betrachten und die Übergänge vor- und rückwärts aufmerksam zu begleiten. Denn dadurch gelangte ich ganz allein zur lebendigen Übersicht, aus welcher ein Begriff sich bildet, der sodann in aufsteigender Linie der Idee begegnen wird (Art. A 17, 717).* Bei den *Urphänomenen* – und bei ihnen allein – handelt es sich um echte platonische Ideen und nicht nur um mögliche Entelechien: *Der Naturforscher sucht das Bestimmte der Erscheinungen zu fassen und fest zu halten, er ist in einzelnen Fällen aufmerksam nicht allein, wie die Phänomene erscheinen, sondern auch wie sie erscheinen sollten (II/11, 38).* Diese *einzelnen Fälle* betreffen unter allen Phänomenen einzig und allein die *Urphänomene;* denn sie allein können in der empirischen wie in der wissenschaftlichen Erfahrung niemals vollkommen realisiert werden, liegen diesen jedoch als ihr

ideales Urbild zugrunde, und zwar so wirksam, daß die in der Erfahrung feststellbaren empirischen und wissenschaftlichen Phänomene ohne ihr ideales Urbild überhaupt nicht begriffen und verstanden, dh. in Goethes Terminologie: *angeschaut* werden können. Ohne das Urbild in der geistigen Anschauung würde es völlig unmöglich sein, ihre Abbilder in der gewöhnlichen empirischen Erfahrung auch nur mit Augen zu sehen! Man nehme Goethes eigene Forschungsobjekte als Beispiele, das *Blatt* und den *Wirbel* etwa. Jenes Blatt, dessen *Metamorphosen* sich dem schauenden Auge in der Vegetation kundtun, ist als solches für das leibliche Auge unsichtbar und nur dem geistigen als platonische Idee in geistiger Anschauung zugänglich. *Die Metamorphose der Pflanzen widerspricht gleichfalls unsren Sinnen (II/13, 443).* Dasselbe gilt von der *Urpflanze* und dem *Urtier.* Vergeblich suchte Goethe in den botanischen Gärten zu Padua und Palermo nach der *Urpflanze.* Er suchte sie zunächst in der *sinnlichen Form,* um sie schließlich endgültig in der *übersinnlichen Form,* dh. eben als *Urphänomen* zu finden: *... erhob ich mich von dem beschränkten Begriff einer Urpflanze zum Begriff und, wenn man will, zur Idee einer gesetzlichen, gleichmäßigen, wenn schon nicht gleich gestalteten Bildung und Umbildung des Pflanzenlebens von der Wurzel bis zum Samen (II/13, 41).* Nicht anders erging es ihm in der Osteologie beim Zwischenkiefer und bei den Schädelwirbeln, die schließlich zur Erkenntnis des *Urtieres* führten: *hiebei fühlte ich bald die Nothwendigkeit einen Typus aufzustellen, an welchem alle Säugethiere nach Übereinstimmung und Verschiedenheit zu prüfen wären, und wie ich früher die Urpflanze aufgesucht, so trachtete ich nunmehr das Urthier zu finden, das heißt denn doch zuletzt: den Begriff, die Idee des Thieres (II/6, 20).* Die *Urphänomene* sind also ideale *Anschauungen* genau wie die Ideen Platons. Nur von den *Urphänomenen* und den platonischen Ideen gilt folgende These Goethes: *Das ist die wahre Symbolik, wo das Besondere das Allgemeinere repräsentirt, nicht als Traum und Schatten, sondern als lebendig-augenblickliche Offenbarung des Unerforschlichen. – Was ist das Allgemeine? Der einzelne Fall. Was ist das Besondere? Millionen Fälle (MuR: Hecker Nr 314; 558).* Dieser Satz verliert sofort seine scheinbare Paradoxie, wenn wir bei dem Allgemeinen an die Idee oder das *Urphänomen* denken, beim Besonderen jedoch die *empirischen* und *wissenschaftlichen Phänomene* im Auge haben. *In der Idee leben heißt das Unmögliche behandeln, als* *wenn es möglich wäre. – Die Idee ist ewig und einzig; daß wir auch den Plural brauchen, ist nicht wohlgethan.* Alles, was wir gewahr werden und wovon wir reden können, sind nur *Manifestationen der Idee; Begriffe sprechen wir aus, und in so fern ist die Idee selbst ein Begriff* (MuR: Hecker Nr 262; 375). Nur dadurch, daß wir sie aussprechen, wird eine Idee zum Begriff. In unmittelbarer phänomenologischer Erfahrung ist sie reine Anschauung. *Die Idee ist in der Erfahrung nicht darzustellen, kaum nachzuweisen; wer sie nicht besitzt, wird sie in der Erscheinung nirgends gewahr; wer sie besitzt, gewöhnt sich leicht, über die Erscheinung hinweg, weit darüber hinauszusehen, und kehrt freilich nach einer solchen Diastole, um sich nicht zu verlieren, wieder an die Wirklichkeit zurück und verfährt wechselweise wohl so sein ganzes Leben* (Art. A 17, 701). Alle diejenigen, *die ausschließlich die Erfahrung anpreisen, ... bedenken nicht, daß die Erfahrung nur die Hälfte der Erfahrung ist* (MuR: Hecker Nr 1072). *Was man Idee nennt: das, was immer zur Erscheinung kommt und daher als Gesetz aller Erscheinungen uns entgegentritt. – Nur im Höchsten und im Gemeinsten trifft Idee und Erscheinung zusammen; auf allen mittlern Stufen des Betrachtens und Erfahrens trennen sie sich. Das Höchste ist das Anschauen des Verschiednen als identisch; das Gemeinste ist die That, das active Verbinden des Getrennten zur Identität* (MuR: Hecker Nr 1136 f.). In der kantischen Philosophie tritt dieser Gegensatz als ein solcher zwischen dem diskursiven Denken, das allein als das wirklich exakte und wissenschaftlich Notwendige gilt, und der intuitiven Einsicht auf, die zwar hoch geachtet ist, der man aber erst trauen darf, wenn ihre Ergebnisse nachträglich durch das streng logische diskursive Beweisverfahren bestätigt worden sind. Goethes Auffassung vom Verhältnis der beiden Erkenntnisvermögen ist genau umgekehrt und daher ein weiterer Hinweis auf seine Ablehnung der Wesensart Kants. *Gewöhnliches Anschauen, richtige Ansicht der irdischen Dinge ist ein Erbtheil des allgemeinen Menschenverstandes; reines Anschauen des Äußern und Innern ist sehr selten* (MuR: Hecker Nr 533). Und mit spezieller Bezugnahme auf das Denken sagt Goethe: *Möchte man doch bei dergleichen Bemühungen immer wohl bedenken, daß alle solche Versuche, die Probleme der Natur zu lösen, eigentlich nur Conflikte der Denkkraft mit dem Anschauen sind. Das Anschauen gibt uns auf einmal den vollkommenen Begriff von etwas Geleistetem; die Denkkraft, die sich doch auch etwas auf sich*

einbildet, möchte nicht zurückbleiben, sondern auf ihre Weise zeigen und auslegen, wie es geleistet werden konnte und mußte. Da sie sich selbst nicht ganz zulänglich fühlt, so ruft sie die *Einbildungskraft zu Hülfe, und so entstehen nach und nach solche Gedankenwesen (entia rationis), denen das große Verdienst bleibt, uns auf das Anschauen zurückzuführen und uns zu größerer Aufmerksamkeit, zu vollkommenerer Einsicht hinzudrängen* (II/9, 91). Dem Morphologen goethescher Prägung dient die Denkkraft lediglich dazu, die empirisch aufgegebenen Phänomene auf wissenschaftliche Begriffe zu bringen, aus empirischen Phänomenen also wissenschaftliche Phänomene zu machen, die erst durch *reine Anschauung* zu *Urphänomenen* erhoben werden können, womit sie dann die letzte und höchste der Erkenntnis zugängliche Gestalt empfangen haben, dh. platonische Ideen geworden sind. Nur so können wir *mit geistigen Augen ... von den zarten Übergängen, wie Gestalt in Gestalt sich wandelt* (II/6, 172), echte Erkenntnis gewinnen. Nur durch diese *reine Anschauung* der Ideen oder *Urphänomene* können und dürfen wir *mit allen liebenden, verehrenden, frommen Kräften in die Natur und das heilige Leben derselben einzudringen suchen, ganz unbekümmert, was die Mathematik von ihrer Seite leistet und thut* (MuR: Hecker Nr 573). Das ist freilich eine Anschauung von der Wesensart der Natur, die mit Kants Definition, wonach „die Natur der Inbegriff der Dinge ist, soweit sie nach allgemeinen Gesetzen bestimmt sind", kaum noch das bloße Wort gemein hat. Aber der Ideenlehre Platons entspricht Goethes *Morphologie* der *Urphänomene* in denkbar vollkommener Art. Für Platon ist die Idee mit Gott als dem Guten identisch, in Goethes „Christentum" wird daraus: *Idee und Liebe! Wer sich vor der Idee scheut, hat auch zuletzt den Begriff nicht mehr. – Jeder Denkende, der seinen Kalender ansieht, nach seiner Uhr blickt, wird sich erinnern, wem er diese Wohlthaten schuldig ist. Wenn man sie aber auch auf ehrfurchtsvolle Weise in Zeit und Raum gewähren läßt, so werden sie erkennen, daß wir etwas gewahr werden, was weit darüber hinausgeht, welches allen angehört, und ohne welches sie selbst weder thun noch wirken könnten: Idee und Liebe* (MuR: Hecker Nr 128; 711). Wer die Natur mit Platons und Goethes Augen schaut, erfährt sie in aller ihrer Reinheit zugleich als *Idee und Liebe.* Wer sie aber nur zu denken vermag, sieht nur noch das „Gesetz" in der Natur, das der Liebe immer entbehrt!
Goethes *Urphänomen* geht über das statische

Moment der platonischen Idee insofern hinaus, als es von allem Anfang an dem modernen, während der Renaissance (Nv*Kues; GBruno; J*Kepler; G*Galilei) geschaffenen dynamischen Weltbild entspricht, dessen erste Schöpfung die moderne Physik von Galilei und Newton gewesen ist. Für die Hochantike (etwa bis zu den Alterswerken Platons) hatte die hinter dem Wandel der Erscheinungen wesende „wahre Wirklichkeit" der Ideen und Entelechien einen vollkommen statischen Charakter: Das wahrhaft Wirkliche war unveränderlich, unwandelbar und unbeweglich! So entstanden die großartigen Wissenschaften dieser Epoche: Die B. des Aristoteles, das Corpus Hippocraticum und vor allem die Geometrie *Euklids, die ureigenste Schöpfung der platonischen Akademie, gegründet auf die edelste Methodik, welche die Mathematik bis heute geschaffen hat: auf die axiomatische Methode.

Das statische Weltbild der Hochantike (freilich unter Verkennung der platonischen Alterswerke) beherrschte das abendländische Geistesleben bis zum Ende des Mittelalters. In der Renaissance aber erfuhr es seine Antithese. „Ich kann nur", sagte Galilei, „mit dem größten Widerstreben anhören, daß die Eigenschaften des Unwandelbaren und Unveränderlichen als etwas Vornehmes und Vollkommenes gelten und im Gegensatz dazu die Veränderlichkeit als etwas Unvollkommenes gilt. Ich halte die Erde für höchst vornehm gerade wegen der Wandlungen, die sich darauf abspielen, und dasselbe gilt vom Monde, vom Jupiter und anderen Weltkugeln" (GGalilei: Dialog über die beiden hauptsächlichen Weltsysteme, 1891, S. 62). Damit ist die Antithese zum unveränderlichen, ewig sich selbst gleichenden statischen Kosmos formuliert. Man sucht nicht mehr die Urbilder des ewig Bleibenden, sondern die Ursachen des ewig sich Verändernden zu erforschen. *Descartes' analytisches Koordinatensystem ist das geometrische Symbol der neuen unendlichen Welt und der von Leibniz und Newton geschaffene Infinitesimalkalkulus das mathematische Instrument, dieses neue dynamische Universum mathematisch zu beschreiben. So entstand das Weltbild der modernen mathematischen Naturwissenschaft, in welchem die statische Welt der Hochantike auf höherer Ebene im hegelschen Sinne „aufgehoben" ist, wie die klassische statische Mechanik von Archimedes in der dynamischen Mechanik Newtons. Die „Natur", die in dieser Naturwissenschaft erscheint, ist niemals die Natur Goethes, son-

dern immer nur wieder diejenige Newtons und Kants. Goethe bringt stattdessen seine phänomenologische Morphologie, aber nun nicht mehr in der statischen Form der platonischen Ideenlehre, sondern in der dynamischen Gestalt des modernen Weltbildes. Das Neue, was Goethe gegenüber Platon und Aristoteles in seiner B. bringt, ist eben dieser dynamische *Typus*, für den wir nach Goethes Vorgang und Vorschlag heute allein das Wort *Gestalt* verwenden. In der Einleitung zur *Metamorphose der Pflanzen* wird das Wort *Gestalt* zunächst noch im Sinne der statischen Idee Platons gebraucht: *Man findet daher in dem Gange der Kunst, des Wissens und der Wissenschaft mehrere Versuche, eine Lehre zu gründen und auszubilden, welche wir die Morphologie nennen möchten ... Der Deutsche hat für den Complex des Daseins eines wirklichen Wesens das Wort Gestalt. Er abstrahirt bei diesem Ausdruck von dem Beweglichen, er nimmt an, daß ein Zusammengehöriges festgestellt, abgeschlossen und in seinem Charakter fixirt sei.* Das ist ganz genau die Definition der statischen Idee oder des statischen Typus im Sinne Platons oder der aristotelischen Entelechie. Weiter: *Betrachten wir aber alle Gestalten, besonders die organischen, so finden wir, daß nirgend ein Bestehendes, nirgend ein Ruhendes, ein Abgeschlossenes vorkommt, sondern daß vielmehr alles in einer steten Bewegung schwanke. ...Wollen wir also eine Morphologie einleiten, so dürfen wir nicht von Gestalt sprechen; sondern wenn wir das Wort brauchen, uns allenfalls dabei nur die Idee, den Begriff oder ein in der Erfahrung nur für den Augenblick Festgehaltenes denken (II/6, 9f.).* Das sind Äußerungen, die geschrieben sind, als Goethe noch am Anfang seiner morphologischen Studien stand. Gegen Ende seines Lebens jedoch ist seine Morphologie definitiv die Lehre von den dynamischen *Gestalten* geworden, als welche sie seitdem Geschichte gemacht hat. In seinen späten Fragmenten über *Gestalt* und *Typus* wird ‚*Morphologie*' folgendermaßen charakterisiert: *Ruht auf der Überzeugung daß alles was sey sich auch andeuten und zeigen müsse. Von den ersten physischen und chemischen Elementen an, biß zur geistigsten Äußerung des Menschen lassen wir diesen Grundsatz gelten. Wir wenden uns gleich zu dem was Gestalt hat. Das unorganische, das vegetative, das animale, das menschliche deutet sich alles selbst an, es erscheint als was es ist unserm äussern unserm inneren Sinn. – Die Gestalt ist ein bewegliches, ein werdendes, ein vergehendes. Gestaltenlehre ist Verwandlungslehre. Die Lehre der Metamorphose ist der*

Schlüssel zu allen Zeichen der Natur (11/6, 446). Hier hat die dynamische Idee, der dynamische Typus, endgültig die statische Idee und den statischen Typus überwunden. Nur für die typologische *Morphologie* dynamischer *Typen* soll fortan das Wort *Gestalt* reserviert bleiben: Morphologie im Auftrag Goethes ist fortan ausschließlich die Wissenschaft von allen in der Natur vorkommenden dynamischen Gestalten! Wir haben fortan zwei wesensverschiedene Wissenschaften von der Natur, die sich nirgends widerstreiten, wohl aber ausgezeichnet ergänzen, die somit, um einen in der modernen Physik geläufigen Ausdruck zu gebrauchen, komplementär zueinander sind: Morphologie oder die Wissenschaft von den qualitativen dynamischen Gestalten der Phänomene und Physik oder die Wissenschaft von den quantitativen dynamischen Ursachen der Phänomene. Dynamisch sind sie beide. Von besonderem Interesse ist für uns heute ihr Verhältnis zur Mathematik. Da ist zu sagen, daß die Physik mit der Mathematik so eng liiert ist, daß Physik und mathematische Physik heute identische Begriffe sind. Das waren sie ganz bestimmt auch zu Goethes Zeit, weshalb Goethe die Mathematik für seine Morphologie auch abgelehnt hat: *Noch kommt das Bündnis zu frühe!* (vgl. auch Bdm. 3, 304). Das tut es für die Morphologie aber heute nicht mehr. Die Forschungen D'Arcy W Thompsons zeigen, in welchem Sinne heute die Zeit für ein solches Bündnis gekommen zu sein scheint. Die dynamische Morphologie Goethes läßt sich mit Thompsons Untersuchungen über „Morphologie und Geometrie" vereinen. Natürlich ist es kein Zufall, daß die hier zur Anwendung gelangende Mathematik Geometrie – Matrizentheorie, Topologie usw. – ist. Niemals kann in morphologischen Dingen die Infinitesimalanalysis mit ihren Differential- und Integralgleichungen eine Rolle spielen. Aber die Grundfragen der dynamischen Morphologie Goethes werden gerade heute wieder mehr und mehr aktuell.

Morphologie ist also eine Wissenschaft von dynamischen *Typen* oder *Gestalten*. Der dynamische *Typus* konstituiert nur dasjenige, was den Gegenstand der *Morphologie* bildet. Zwei Prinzipien sind es vorzüglich, welche alsdann aus diesen typologischen Gegenständen ein wohlgeordnetes System der morphologischen Erkenntnis errichten: *Analogie* und *Metamorphose*.

Der Morpholog ist es, der die vergleichende Anatomie gründen muß (Art A 17, 417), sagt Goethe und seine wichtigsten biologischen Schrif-

ten haben gerade diese Aufgabe zu erfüllen versucht. Hier ist vor allem sein *Erster Entwurf einer allgemeinen Einleitung in die vergleichende Anatomie, ausgehend von der Osteologie (1795)* zu nennen. Der Verfasser hält sie für die wesentlichste von allen biologischen Schriften Goethes. Sie ist klar durchgeführt, gleich gut gegründet in ihren theoretischen wie in ihren empirischen Abschnitten. Nichts Fragmentarisches ist an ihr, sie würde es noch heute verdienen, jedem Hand- und Lehrbuch der vergleichenden Anatomie als philosophische Einführung in den Gegenstand vorangestellt zu werden! In der Botanik muß man ihr natürlich die *Metamorphose der Pflanzen* gegenüberstellen, welche literarisch sogar noch besser ausgereift ist. Aber an Schwergewicht wirklicher biologischer Erkenntnis muß der *Erste Entwurf* der *Metamorphose* jedenfalls vorgezogen werden. Besonders das so wichtige „Kompensationsprinzip" *(comparirte Anatomie: 11/8, 12)* findet sich nur im *Ersten Entwurf* vollendet dargestellt.

Typologische Morphologie ist vergleichende Morphologie. Das Prinzip, welches die Vergleichung dynamischer Typen möglich macht, ist seit Aristoteles als Analogie-Prinzip bekannt. Heute nennen wir es Homologie-Prinzip (R Owen). Auch Goethes gleichgesinnter französischer Freund, E* Geoffroy de St. Hilaire nennt das Prinzip, das seinem „unité de plan" – Goethes *Urphänomen* entsprechend – zugrunde liegt, die „théorie des analogues". Die *Analogie* allein ist imstande, dynamische Typen miteinander zu vergleichen und sie dann schließlich nach ihrer zu- oder abnehmenden Ähnlichkeit in übersichtliche Reihen zusammenzustellen, die wir seit Goethe *Metamorphosen* nennen. So beruht die *Metamorphose* der Pflanzen darauf, daß man zwischen Blatt und Blüte eine kontinuierliche Reihe von Blattgebilden, die also als Blätter *analog* zueinander sind, aufbauen und so den allmählichen Übergang vom gewöhnlichen Blatt zur richtigen Blüte anschaulich vor Augen führen kann, aber natürlich nur dann, wenn man das *Urphänomen* oder die dynamische Idee des Blattes ständig vor dem geistigen Auge hat. So fand Goethe den Zwischenkiefer auch beim Menschen, nachdem er bei den Säugetieren eine kontinuierliche Reihe von Zwischenkiefern aufbauen konnte, die vom massigsten Exemplar beim Elefanten bis zum kaum noch erkennbaren bei den Menschenaffen reichten. Ebenso führten ihn die Analogien der Knochen des Hinterhauptes zu den obersten Halswirbeln zu seiner Wirbeltheorie des Schädels.

Nur wo es Analogien in kontinuierlicher Reihenfolge gibt, kann typologisch vergleichende Morphologie entstehen. Kein Wunder daher, daß Goethe dem Analogie-Prinzip seine ganz besondere Aufmerksamkeit gewidmet hat. Bloße Induktion ist für Morphologie nicht ausreichend. Das Prinzip der Induktion gehört auch nach seiner Entstehungsgeschichte bei Bacon (*Baco von Verulam) in die Logik der Physik, wo es in Form der sog. vollständigen Induktion unmittelbar in das der Physik so gemäße deduktive Denken hinüberleitet. In der Morphologie jedoch ist das, was hier an induktivem Verfahren erforderlich ist, bereits vollkommen im Analogie-Prinzip enthalten: *Induction. Hab' ich mir nie, auch gegen mich selbst nicht erlaubt. Ich ließ die Facta isolirt stehen. Aber das Analoge sucht' ich auf. Und auf diesem Wege z.B. bin ich zum Begriff der Metamorphose der Pflanzen gelangt. Induction ist bloß demjenigen nütze der überreden will. Man gibt zwei, drei Sätze zu, auch einige Folgerungen, und man ist sogleich verloren (II/11, 309). Induction habe ich zu stillen Forschungen bei mir selbst nie gebraucht weil ich zeitig genug deren Gefahr empfand (ebda 345).* Induktion ist eben ein viel zu grobes Verfahren verglichen mit der *zarten Empirie (II/11, 128)*, die in der Morphologie allein zum Ziele führt. Hingegen: *Nach Analogien denken ist nicht zu schelten: die Analogie hat den Vortheil, daß sie nicht abschließt und eigentlich nichts Letztes will; dagegen die Induction verderblich ist, die einen vorgesetzten Zweck im Auge trägt und, auf denselben losarbeitend, Falsches und Wahres mit sich fortreißt (MuR: Hecker Nr 532). – Mittheilung durch Analogien halt' ich für so nützlich als angenehm; der analoge Fall will sich nicht aufdringen, nichts beweisen; er stellt sich einem andern entgegen, ohne sich mit ihm zu verbinden. Mehrere analoge Fälle vereinigen sich nicht zu geschlossenen Reihen, sie sind wie gute Gesellschaft, die immer mehr anregt als gibt. – Jedes Existirende ist ein Analogon alles Existirenden; daher erscheint uns das Dasein immer zu gleicher Zeit gesondert und verknüpft. Folgt man der Analogie zu sehr, so fällt alles identisch zusammen; meidet man sie, so zerstreut sich alles in's Unendliche. In beiden Fällen stagnirt die Betrachtung, einmal als überlebendig, das andere mal als getödtet (II/11, 105; 126)*. Damit ist das Analogie-Prinzip der dynamischen typologischen Morphologie hinreichend gekennzeichnet. Als homolog bezeichnet Owen ,,dasselbe Organ bei verschiedenen Tieren trotz beliebiger Veränderung von Form und Funktion". Das paßt auf die goe-

theschen *Analogien* von Blatt und Blüte, von Wirbel und Schädelknochen und von den verschiedenen Zwischenkiefern. Das Wort Analogie hat Owen dann benutzt, um Funktionsgleichheiten von solchen Organen zu bezeichnen, die gerade nicht homolog sind. Es hätte der Tradition dieser Begriffe besser entsprochen, wenn Owen das Wort Analogie weiter für homologe Organe benutzt hätte, die owensche Nomenklatur hat sich indessen eingebürgert.

Das Prinzip der *Analogie*/Homologie für sich allein vermag noch keine typologisch-dynamische vergleichende Morphologie aus den vorgegebenen dynamischen Typen aufzubauen. Mit Recht hat Goethe hervorgehoben, daß *mehrere analoge Fälle* sich auch in noch so großer Häufung noch nicht zu geschlossenen Reihen vereinigen sowie daß Analogie als solche *nicht abschließt und eigentlich nichts Letztes will*. Um deshalb aus homologen (nach Goethe: analogen) dynamischen Typen eine in sich phänomenologisch geschlossene und für die vergleichende Morphologie beweiskräftige Formenreihe aufbauen zu können, bedürfen wir eines weiteren Prinzips, das die betreffenden analogen Fälle vom Ganzen der Reihe her betrachtet und im Sinne der Ganzheit dieser Reihe auswählt, das Atypische ausmerzt und das Typische unterstreicht. Dieses selektive Prinzip ist also ein holistisches, es ist das Prinzip der *Metamorphose. Ein Phänomen, ein Versuch kann nichts beweisen; es ist das Glied einer großen Kette, das erst im Zusammenhange gilt (II/11, 153).* Um manches *Mißverständnis zu vermeiden, sollte ich freilich vor allen Dingen erklären, daß meine Art, die Gegenstände der Natur anzusehen und zu behandeln, von dem Ganzen zu dem Einzelnen, vom Totaleindruck zur Beobachtung der Theile fortschreitet, und daß ich mir dabei recht wohl bewußt bin, wie diese Art der Naturforschung, so gut als die entgegengesetzte, gewissen Eigenheiten, ja wohl gar gewissen Vorurteilen unterworfen sei (Art. A 17, 719)*.

Jede *Metamorphose* ist ganz allgemein durch zwei Hauptcharaktere bestimmt: 1. durch das, was Goethe immer wieder die *Versatilität des Typus* nennt, der metamorphosiert, 2. durch die unbedingt notwendige Stetigkeit innerhalb der Metamorphose (betr. *Metamorphose der Pflanzen*: *Botanik; betr. *Metamorphose der Thiere*: *Zoologie; *Vergleichende Anatomie). Natürlich sind *Versatilität des Typus* und Stetigkeit innerhalb der *Metamorphose* nur möglich und sinnvoll, wenn jede *Metamorphose* als eine sich lebendig entfaltende

Ganzheit verstanden wird. Modern gesprochen gehört Goethe der Gruppe der holistischen Philosophen an, die mit Aristoteles beginnt. Die *Versatilität* – ein Lieblingsbegriff Goethes! – des dynamischen *Typus* in der *Metamorphose* schildert Goethe an sehr vielen Stellen seiner biologischen Schriften, zB.: *Denn eben dadurch wird die Harmonie des organischen Ganzen möglich, daß es aus identischen Theilen besteht, die sich in sehr zarten Abweichungen modificiren. In ihrem Innersten verwandt, scheinen sie sich in Gestalt, Bestimmung und Wirkung auf's weiteste zu entfernen, ja sich einander entgegen zu setzen, und so wird es der Natur möglich die verschiedensten und doch nahe verwandten Systeme, durch Modification ähnlicher Organe, zu erschaffen und in einander zu verschlingen. Die Metamorphose jedoch wirkt bei vollkommneren Thieren auf zweierlei Art: erstlich daß, wie wir oben bei den Wirbelknochen gesehen, identische Theile, nach einem gewissen Schema, durch die bildende Kraft auf die beständigste Weise verschieden umgeformt werden, wodurch der Typus im Allgemeinen möglich wird; zweitens daß die in dem Typus benannten einzelnen Theile durch alle Thiergeschlechter und Arten immerfort verändert werden, ohne daß sie doch jemals ihren Charakter verlieren können* (II/8, 87 f.). Soviel über die *Versatilität* des *Typus* innerhalb der *Metamorphose*. Über die Stetigkeit ihrer Glieder sagt Goethe: *Die Metamorphose ist ein Phänomen das sich mir bey Betrachtung der Pflanzen jederzeit aufdringt und das ich nicht bemercken kann ohne daß zugleich der Begriff der Stetigkeit in mir entstehe. Die Metamorphose ist ein Naturgesetz nach welchem die Pflanzen in einer stetigen Folge ausgebildet werden* (II/13, 120). *Soviel aber getraue ich mir zu behaupten, daß wenn ein organisches Wesen in die Erscheinung hervortritt, Einheit und Freiheit des Bildungstriebes ohne den Begriff der Metamorphose nicht zu fassen sei* (II/7, 73).

Alle in der organismischen Natur vorkommenden Metamorphosen werden in der systematischen vergleichenden typologischen Morphologie dargestellt, diejenigen der Pflanzen besonders in der „Organographie der Pflanzen", diejenigen der Tiere in der sog. „Vergleichenden Anatomie". Die „Vergleichende Embryologie" schildert die in der Embryogenese vorkommenden typologischen Metamorphosen.

V. Erstes Ziel der dynamisch-typologischen Morphologie, dh. der B. Goethes, ist somit die Erforschung der im Reiche der Organismen vorkommenden *Metamorphosen*. Die daraus resultierende biologische Grundwissenschaft

wird *vergleichende Anatomie* genannt. Zu ihr gehört auch die im wesentlichen erst nach Goethe entwickelte „Vergleichende Entwicklungsgeschichte" (CEv*Baer). Beim Studium dieser Metamorphosen haben sich nun einige allgemeine Gesetze ergeben, die allen Metamorphosen zugrunde liegen und somit das Wesen des Organismus überhaupt schildern.

Die Definition des Organismus erfolgt durch zwei verschiedene Thesen, die komplementär zueinander sind, oder wie Goethe das nennt: *polar*. Die eine dieser Thesen beantwortet die Frage, wodurch sich der Organismus von den übrigen Naturgebilden unterscheidet, die andere die Frage nach seiner Entstehung und seiner Herkunft. In Beantwortung der ersten Frage sagt Goethe, *daß man dasjenige ein lebendiges Wesen nennen kann, bey dem Würckung und Ursache Coincidirt und, weil der Zweck zwischen Ursache und Würckung fällt, das seinen Zweck in sich selbst hat* (II/13, 27). Diese Definition ist nicht neu, sie erweist Goethe abermals als einen getreuen Aristoteliker; denn genau das ist die Bedeutung des Wortes „Entelechie", ein Wesen, das Zweck seiner selbst ist. Wesentlich dabei für Goethes *Morphologie* ist nur, daß diese damit zu einer, nur in sich selbst gegründeten autonomen biologischen Grundwissenschaft wird. Durch ihre Herkunft und Entstehung sind die Organismen folgendermaßen definiert und von allen sonstigen Wesen der Natur klar unterschieden: *An allen Körpern die wir lebendig nennen bemercken wir die Kraft ihres gleichen hervorzubringen. Wenn wir diese Kraft getheilt gewahr werden bezeichnen wir sie unter dem Nahmen der beyden Geschlechter. Diese Kraft ist diejenige welche alle lebendige Körper mit einander gemein haben, da sonst ihre Art zu seyn sehr verschieden ist* (II/7, 274). Auch dieses Prinzip stammt nicht von Goethe, es ist schon ungefähr ein Jahrhundert vor ihm von dem florentiner Arzt und Akademiker Francesco Redi (1668: Esperienze intorno alla generazione degli insetti) aufgrund von Experimenten, mit denen er die These der Urzeugung widerlegte, klar formuliert worden: „Omne Vivum ex Vivo"! Das Prinzip ist auch bis heute unwiderlegt geblieben. Pasteur hat es durch exaktere Experimente, als Redi sie zu seiner Zeit anstellen konnte, bestätigt. Es hat neuerdings andere Formulierungen erhalten, wie durch Virchow (1858: Omnis Cellula e Cellula), Frey-Wyssling (1938: Omnis structura e structura) und Herbst (1943: Omnis structura organica e structura et anima); am biologischen Sachverhalt, wonach lebendige

Strukturen immer nur aus bereits lebenden Strukturen entstehen, hat sich aber gar nichts geändert. Auch Goethe hat sich für seine Morphologie auf diesen Standpunkt gestellt.

In diesem Zusammenhang interessiert besonders Goethes Diktat, das B Suphan wenig befriedigend als „Studie nach Spinoza" charakterisiert hat. Es geht um die Frage, wie endliche begrenzte Wesen mit dem Unendlichen zusammenhängen können, für die B. also darum, wieweit einzelne in Raum, Zeit und Qualität begrenzte Lebewesen mit der Totalität der Biosphäre auf der Erde zusammenhängen können und müssen. Dieses Problem ist für Goethes phänomenologisch-dynamische Morphologie von erheblicher Bedeutung, stellt doch jede *Metamorphose* – hier im Qualitativen ein den unendlichen Reihen der Zahlentheorie durchaus analoges Phänomen! – im Bereich des ihr konformen *Urphänomens* eine genau entsprechende Erscheinung dar. Die einzelnen Glieder der *Metamorphose* – ihre *empirischen* und *wissenschaftlichen Phänomene* – stellen die phänomenal begrenzten endlichen biologischen Wesen dar, während das *Urphänomen* für seine *Metamorphose* die Totalität des Organismischen vertritt. Die hier von Goethe gemachte Feststellung gehört daher als dritter und wichtigster Charakter zur Definition eines Organismus und ganz besonders zu derjenigen des dynamischen *Typus* oder der *Gestalt*. Was Goethe allgemein für das Verhältnis des Organismus zur Totalität der Biosphäre behauptet, gilt daher haargenau auch für die Beschreibung der besonderen Totalität einer jeden *Metamorphose* (als *Urphänomen* also) zu ihren empirisch-wissenschaftlichen Sondertypen und Einzelphänomenen. In der „Studie nach Spinoza" heißt es: *Der Begriff vom Dasein und der Vollkommenheit ist ein und eben derselbe; wenn wir diesen Begriff so weit verfolgen als es uns möglich ist so sagen wir, daß wir uns das Unendliche denken . . . Man kann nicht sagen, daß das Unendliche Theile habe. Alle beschränkten Existenzen sind im Unendlichen, sind aber keine Theile des Unendlichen, sie nehmen vielmehr Theil an der Unendlichkeit (II/II, 313).* Mithin: Alle empirisch-wissenschaftlichen *Phänomene* sind im *Urphänomen*, sie sind aber keine Teile des *Urphänomens*, sie nehmen vielmehr Teil am *Urphänomen*. Oder: Alle dynamischen Paratypen (empirische Gestalten) sind in ihrem Archetypus (ihrer Urgestalt), aber sie sind keine Teile des Archetypus (ihrer Urgestalt), sie nehmen vielmehr Teil am Archetypus (ihrer Urgestalt)! *In jedem lebendigen Wesen sind das,*

was wir Theile nennen, dergestalt unzertrennlich vom Ganzen, daß sie nur in und mit denselben begriffen werden können, und es können weder die Theile zum Maß des Ganzen noch das Ganze zum Maß der Theile angewendet werden, und so nimmt, wie wir oben gesagt haben, ein eingeschränktes lebendiges Wesen Theil an der Unendlichkeit oder vielmehr es hat etwas Unendliches in sich, wenn wir nicht lieber sagen wollen, daß wir den Begriff der Existenz und der Vollkommenheit des eingeschränktesten lebendigen Wesens nicht ganz fassen können, und es also eben so wie das ungeheure Ganze, in dem alle Existenzen begriffen sind, für unendlich erklären müssen (ebda 316f.). – Man beachte, wie sehr Goethe hier um die Klärung des Endlichen im Unendlichen, des Beschränkten im Totalen ringt. Die endgültige Formulierung hierfür kann uns nur die Mathematik geben, die das gleiche Problem für das analytische Denken ja längst glänzend gelöst hat (unendliche Reihen, Mengenlehre). Für das morphologische Erkennen fehlt aber die entsprechende Mathematik heute noch. Analysis hilft uns hier nicht weiter, wir brauchen hier eine morphologisch aus dem Ganzen denkende Gestaltmathematik. Die Ineinanderverflochtenheit aller einzelnen lebendigen Wesen miteinander, bedingt eben durch ihre Teilhabe am Ganzen der Biosphäre, drückt Goethe in folgenden Worten aus: *. . . ein lebendiges Wesen gibt dem andern Anlaß zu sein und nöthigt es in einem bestimmten Zustand zu existiren. Jedes existirende Ding hat also sein Dasein in sich, und so auch die Übereinstimmung, nach der es existirt* (ebda 316). Jeder Organismus ist daher nicht nur Zweck, sondern auch Maß seiner selbst und seiner Organe und darf nicht nach den Maßstäben gemessen werden, die für andere Organismenspezies gelten. Gerade deshalb ist es schwierig, die der Physik so geläufigen Maßmethoden auf lebende Organismen zu übertragen: *Das Messen eines Dings ist eine grobe Handlung, die auf lebendige Körper nicht anders als höchst unvollkommen angewendet werden kann. Ein lebendig existirendes Ding kann durch nichts gemessen werden, was außer ihm ist, sondern wenn es ja geschehen sollte, müßte es den Maßstab selbst dazu hergeben; dieser aber ist höchst geistig und kann durch die Sinne nicht gefunden werden (ebda 316).* Diese Maßstäbe zur mathematischen Beurteilung organismischer Wesen fehlen uns eben heute noch. D'Arcy W Thompson ist ihnen mit morphologisch-geometrischer Empirie bereits sehr nahe gekommen. Der dazu gehörige morphologische Ganzheitskalkulus fehlt aber noch.

Gegen eine Mathematik dieser Art hätte Goethe bestimmt nichts einzuwenden gehabt.

Unsere letzten Betrachtungen über den Ganzheitszusammenhang in allen Beziehungen an und zwischen Organismen haben uns bereits tief in das zweite Gesetz hineingeführt, das der Morphologie Goethes zugrunde liegt. Man kann es kurz folgendermaßen ausdrücken: Organismen sind lebendige Ganzheiten oder, um einen sehr treffenden, von JCSmuts neuerdings eingeführten und noch unbelasteten Ausdruck zu gebrauchen: Organismen sind Holismen! In der Abhandlung: *Der Versuch als Vermittler von Object und Subject* drückt Goethe sein Ganzheitsprinzip folgendermaßen aus: *In der lebendigen Natur geschieht nichts, was nicht in einer Verbindung mit dem Ganzen stehe, und wenn uns die Erfahrungen nur isolirt erscheinen, wenn wir die Versuche nur als isolirte Facta anzusehen haben, so wird dadurch nicht gesagt, daß sie isolirt seien, es ist nur die Frage: wie finden wir die Verbindung dieser Phänomene, dieser Begebenheiten? (II/II, 31 f.)* Speziell auf das Verhältnis der Organe zur lebendigen Ganzheit irgendeines Organismus bezogen beschreibt Goethe die holistische Natur der Organismen mit folgenden Worten: *Die Organe componiren sich nicht als vorher fertig; sie entwickeln sich aus- und aneinander zu einem nothwendigen, in's Ganze greifenden Dasein (II/7, 208).* Das ist so modern ausgedrückt, wie es HDriesch oder irgendein anderer moderner Ganzheitsbiologe niemals besser gesagt hat. Zu Goethes Zeiten sprach man statt von Ganzheit lieber von Zweckmäßigkeit. Die Teleologie oder Finalität galt damals, zB. für Kant in der „Kritik der Urteilskraft" als das hervorstechendste Merkmal der Organismen. So sagt auch Goethe: *Das Thier wird durch Umstände zu Umständen gebildet. Daher seine innere Vollkommenheit und seine Zweckmäßigkeit nach außen (II/8, 312 f.).* Zweckmäßigkeit darf aber nicht im Sinne plumper Nützlichkeit verstanden werden, wie das aus dem Geiste der *Aufklärung heraus damals noch sehr üblich war. Davon will Goethe nichts wissen. Die Natur verfährt niemals kleinbürgerlich. Früher einmal zweckmäßig gewesene Gebilde können sich noch lange erhalten und sogar steigern, obwohl sie nicht nur längst aufgehört haben, noch zweckmäßig zu sein, sondern bereits sehr deutlich begonnen haben, dem Tiere zu schaden. Man denke an Hirschgeweihe, Hauzähne, Hörner, Ammonitenschnörkeleien usw. Hierüber sagt Goethe, *daß die Natur aus einer gewissen ernsten, wilden Concentration die Hörner des Ur-stiers gegen ihn selbst kehrt, und ihn dadurch der Waffe gewissermaßen beraubt, deren er in seinem Naturzustande so nöthig hätte.* Und nun kommt eine Betrachtungsweise, die wir dem Dichter verdanken, auf welche ein gewöhnlicher Naturforscher kaum verfallen wäre, obwohl gerade sie so naturwahr ist wie kaum eine andere Naturbeobachtung Goethes. Hier, wo das Zweckmäßige zwecklos, ja sogar zweckwidrig wird, beginnt es schön zu werden: *das Lebendige wenn es ausläuft, so daß es wo nicht abgestorben doch abgeschlossen erscheint, pflegt sich zu krümmen, wie wir an Hörnern, Klauen, Zähnen gewöhnlich erblicken; krümmt nun und wendet sich's schlängelnd zugleich, so entsteht daraus das Anmuthige, das Schöne. Diese fixirte, obgleich noch immer beweglich scheinende Bewegung ist dem Auge höchst angenehm (II/8, 242; 240 f.).* Kant hat hiervon offenbar auch eine Ahnung gehabt, weil er die Teleologie der Organismen nicht in der „Kritik der reinen Vernunft", wohin auch die B. als Naturwissenschaft sachlich gehört hätte, behandelt hat, sondern in der „Kritik der Urteilskraft", wo ästhetische Gegenstände untersucht werden. Aber man versteht gut, weshalb Goethe die spießbürgerliche Zweckmäßigkeit nicht liebte und stattdessen lieber den Ausdruck Vollkommenheit brauchte, wenn er den sinnvollen Zusammenklang von Form und Funktion, kurz die lebendige Ganzheit des Organismus im Auge hatte: *Wir denken uns also das abgeschlossene Thier als eine kleine Welt, die um ihrer selbst willen und durch sich selbst da ist. So ist auch jedes Geschöpf Zweck seiner selbst, und weil alle seine Theile in der unmittelbarsten Wechselwirkung stehen, ein Verhältniß gegen einander haben und dadurch den Kreis des Lebens immer erneuern, so ist auch jedes Thier als physiologisch vollkommen anzusehen. Kein Theil desselben ist, von innen betrachtet, unnütz, oder wie man sich manchmal vorstellt, durch den Bildungstrieb gleichsam willkürlich hervorgebracht; obgleich Theile nach außen zu unnütz erscheinen können, weil der innere Zusammenhang der thierischen Natur sie so gestaltete, ohne sich um die äußeren Verhältnisse zu bekümmern. Man wird also künftig von solchen Gliedern, wie z.B. von den Eckzähnen des Sus babirussa, nicht fragen, wozu dienen sie? sondern, woher entspringen sie? Man wird nicht behaupten, einem Stier seien die Hörner gegeben daß er stoße, sondern man wird untersuchen, wie er Hörner haben könne um zu stoßen. Jenen allgemeinen Typus, den wir nun freilich erst construiren und in seinen Theilen erst erforschen wollen, werden wir im ganzen unveränderlich finden, werden* *die höchste Classe der Thiere, die Säugethiere selbst, unter den verschiedensten Gestalten in ihren Theilen höchst übereinstimmend antreffen (II/8, 17 f.).*

Goethe versteht also unter der lebendigen Ganzheit des Organismus die aktive Wechselwirkung von Form und Funktion der Organe. Diese haben neben ihrer Funktion im Ganzen noch ihre *vita propria*, weil sie ja nur dann imstande sind, die immer wieder neu erforderliche wechselseitige Ineinanderpassung zu vollziehen. Alles das geschieht, um das jeweilige Ganze, sei das nun ein individueller Organismus oder auch eines seiner Organe in seiner *vita propria* so vollkommen wie möglich zu gestalten. Vollkommenheit aber ist nicht nur zweckmäßig, sondern auch schön! Diese Lehre Goethes von der *lebendigen Ganzheit* des Organismus ist hochaktuell. Sie entspricht ganz genau dem, was heute in der B. ,,Holismus" genannt wird (Smuts; Meyer-Abich). Dieser Begriff des ,,Holismus" steht im Gegensatz zum Begriff des Mechanismus, so wie er überall in der Physiologie heute gebraucht wird, wenn wir zB. vom Mechanismus der Atmung oder der Vererbung sprechen. Nach Goethe wie auch nach den modernen Holisten ist das eine ungenaue Ausdrucksweise, da sie stillschweigend den Gedanken hypostasiert, die Organe und ihre Funktionen seien den mechanischen Maschinen zu vergleichen. Früher hat man das ernsthaft geglaubt, heute aber denkt natürlich niemand daran. Gerade deshalb aber ist dieser Ausdruck gefährlich, denn in seinen Untertönen läßt er eben immer noch die alte mechanistische Philosophie von Descartes über die Organismen mitschwingen. Nach Goethe und dem modernen Holismus würde man lieber mit Smuts, der diese kausale Funktion des Holismusbegriffs besonders hervorgehoben hat, vom Holismus der Respiration oder der Vererbung sprechen. Man braucht nur eine wirkliche Maschine mit einem Organismus zu vergleichen: Von den Bestandteilen einer Maschine kann man ganz gewiß nicht sagen, was Goethe von den lebendigen Organen gesagt hat, daß sie sich nämlich nicht als vorher fertig komponieren und sich aus- und aneinander zu einem notwendigen, ins Ganze greifenden Dasein entwickeln. Das tun auch die besten modernen Maschinen der sog. Reglertechnik nicht; denn sie benötigen immer noch den Menschen, der sie herstellen und in Gang setzen und erhalten muß. Holismen aber tun alles das unabhängig und ohne die Hilfe des Menschen. Es ist sicher anzunehmen, daß Goethe über das wechselseitige

Verhältnis von Holismus – oder ,,Organismus", wie Schelling damals sagte – zu Mechanismus genau ebenso dachte wie sein jüngerer Gefährte: ,,Was ist denn jener Mechanismus, mit welchem, als mit einem Gespenst, ihr euch selbst schreckt? Ist er etwas Fürsichbestehendes und ist er nicht vielmehr selbst nur das Negative des Organismus? Müßte der Organismus nicht früher seyn, als der Mechanismus, das Positive früher als das Negative? Wenn nun überhaupt das Negative das Positive, nicht umgekehrt dieses jenes voraussetzt: so kann unsere Philosophie nicht vom Mechanismus (als dem Negativen), sondern sie muß vom Organismus (als dem Positiven) ausgehen, und so ist freilich dieser so wenig aus jenem zu erklären, daß dieser vielmehr aus jenem erklärlich ist. Und nicht, wo kein Mechanismus ist, ist Organismus, sondern umgekehrt, wo kein Organismus ist, ist Mechanismus." Die moderne holistische B. braucht sich freilich nicht nur auf Goethe zu berufen, sie wird durch ihre eigene Entfaltung zugleich eine neue Epoche der Naturerkenntnis Goethes verwirklichen. Auf dem Grunde dieses Holismus ruhen nun noch die beiden anderen Prinzipien der Ganzheitsbiologie, die ebenfalls Goethe zu verdanken sind, nämlich die Prinzipien der *Polarität*, mit welcher auch wieder die *Metamorphose* in Ableitungszusammenhang steht, und der *Kompensation*.

Das Polaritäts-Prinzip ist ein echt holistisches Prinzip, weil aktiv lebendige Ganzheiten ohne polare Spannungen und Gegensätze weder aktiv noch lebendig sein können. Nur wo polare Gegensätze nach der ihnen übergeordneten Harmonie streben, gibt es Leben und Ganzheit. Man darf diese Harmonie nicht mit einem physikalischen Gleichgewicht verwechseln, auch nicht dem dynamisch-stationären nicht. Gleichgewichte bedeuten immer, daß es kein Geschehen mehr gibt, und befinden sich niemals auf einem höheren, viel eher auf einem niedrigeren Niveau, als es die Kräfte gehabt haben, die im Gleichgewicht zum Erlöschen gekommen sind. Erst im Augenblick des Todes findet der Organismus sein Gleichgewicht. Solange er lebendig ist, sucht er seine Harmonie, welche die aktive Ganzheit des Organismus der *vita propria* seiner Organe, die immer eigensüchtig das Ganze für sich selbst zu nutzen bestrebt sind, aufzwingen muß. *Alle einzelnen Glieder der wildesten, rohsten, völlig ungebildeten Thiere haben eine kräftige vita propria; besonders kann man dieses von den Sinneswerkzeugen sagen: sie sind weniger abhängig*

vom Gehirn, sie bringen gleichsam ihr Gehirn mit sich und sind sich selbst genug (II/8, 239). Aber das gilt nicht weniger auch vom Menschen: *Gesunde Menschen sind die in deren Leibes und Geistes Organisation jeder Theil eine vita propria hat (II/11, 372).* Hierauf baut Goethe sogar auch eine holistische Theorie der Erkrankungen auf: *Normale Bildung giebt unzähligen Einzelnheiten die Regel und bezwingt sie, Abnorme läßt die Einzelnheiten obsiegen und in ihrem Werth erscheinen (II/13, 11).* Die Aufrechterhaltung der lebendigen, harmonischen und gesunden Ganzheit erfordert von jedem Organismus ungeheure Energien, sie muß die immer aus dem Ganzen herausstrebende *vita propria* der Organe in Schach halten. Das ist eine Erkenntnis, die erst in unsern Tagen experimentell gesichert worden ist, indem O Warburg zeigen konnte, daß auch der wachsende Embryo den größten Teil der Energie, die er aus der ihm zugeführten Nahrung gewinnt, dazu benutzen muß, um überhaupt nur den jeweils erreichten Gesamtzustand zu behaupten, während nur ein Bruchteil seiner Energie zur Weiterführung der Embryogenese benötigt wird. Wenn also *normale Bildung unzähligen Einzelnheiten die Regel giebt und sie bezwingt*, dann muß umgekehrt *abnorme die Einzelnheiten obsiegen und in ihrem Werth erscheinen lassen.* Sagen wir auf der Basis dieser Formulierungen statt *Einzelnheiten* „Glieder" oder „Organe", dann hat Goethe uns hier eine Theorie der Pathogenese geliefert, die so modern ist, daß sie den gegenwärtigen Forschungsstand noch weit übertrifft. Goethe sagt hier, daß die letzte grundsätzliche Ursache für alle Erkrankungen darin zu suchen ist, daß die ganzheiterhaltende Energie des Organismus erlahmt oder geschwächt ist, wodurch dann die Organe je nach der Stärke ihrer *vita propria* aus der Reihe tanzen und auf dem Ganzen des Organismus schmarotzen können. Gibt es eine bessere allgemeine Theorie der gutartigen und bösartigen Geschwülste als diese? Gewiß ist sie selbst noch keine kausale Erklärung der Geschwülste, aber sie zeigt wenigstens die Richtung an, in welcher diese gesucht werden kann und muß.
Aktive, lebendige Ganzheit ist also ohne Polarität nicht möglich. Der „Krieg ist der Vater aller Dinge", philosophiert Heraklit, dh. alle Dinge sind nur dadurch existent, daß sie sich als gelungene Harmonien gegensätzlicher Tendenzen, als κοινωνία des Einen und des Anderen erweisen. In gleicher Weise denkt Goethe: *Was in die Erscheinung tritt, muß sich trennen, um nur zu erscheinen. Das Getrennte sucht sich*

wieder, und es kann sich wieder finden und vereinigen; im niedern Sinne, indem es sich nur mit seinem Entgegengestellten vermischt, mit demselben zusammentritt, wobei die Erscheinung Null oder wenigstens gleichgültig wird. Die Vereinigung kann aber auch im höhern Sinne geschehen, indem das Getrennte sich zuerst steigert und durch die Verbindung der gesteigerten Seiten ein Drittes, Neues, Höheres, Unerwartetes hervorbringt (II/11, 166). Was Goethe hier als Vereinigung im niederen und im höheren Sinne schildert, ist genau dasselbe, was wir vorhin als den Gegensatz von Gleichgewicht im physikalischen Sinne und von Harmonie im biologischen Sinne geschildert haben. Echte Polarität *im höhren Sinne* bringt neue und höhere organismische Gestaltungen hervor. *Das Lebendige hat die Gabe, sich nach den vielfältigsten Bedingungen äußerer Einflüsse zu bequemen und doch eine gewisse errungene entschiedene Selbständigkeit nicht aufzugeben. ... Man gedenke der leichten Erregbarkeit aller Wesen, wie der mindeste Wechsel einer Bedingung, jeder Hauch, gleich in den Körpern Polarität manifestirt, die eigentlich in ihnen allen schlummert. – Spannung ist der indifferent scheinende Zustand eines energischen Wesens, in völliger Bereitschaft sich zu manifestiren, zu differenziren, zu polarisiren. Die* Polarisation *im höhern Sinne* wird so zum hauptsächlichsten Instrument *des Lebensprincips, welches die Möglichkeit enthält, die einfachsten Anfänge der Erscheinungen durch Steigerung in's Unendliche und Unähnlichste zu vermannichfaltigen.* Nicht müde wird Goethe, an der Natur immer aufs neue *ihre Gewandtheit, wodurch sie, obgleich auf wenige Grundmaximen eingeschränkt, das Mannichfaltigste hervorzubringen weiß (II/11, 156; 165),* zu bewundern.
Dieses Allermannigfaltigste aber, welches die Natur durch meisterhafte und sparsame Variation immer derselben einfachen Prinzipien der Ganzheit und Polarisation hervorzubringen weiß, sind die *Metamorphosen.* Es ist daher nicht verwunderlich, daß überall, wo Goethe von *Polarität* spricht, er auch die *Metamorphose* sogleich zur Hand hat. Denn vom Polaritäts-Prinzip her gesehen sind die Metamorphosen ja nichts anderes als das *Dritte, Neue, Höhere, Unerwartete,* welches bei der Vereinigung des Getrennten *im höhern Sinne* zur Darstellung kommt. Jede *Metamorphose* ist in Goethes eigener Terminologie eine Stufenfolge, dazu bestimmt, die polaren Gegensätze dadurch in Harmonie miteinander zu bringen, daß sie sich als die beiden naturge-

mäßen Endpole einer solchen Stufenfolge wiederfinden. Damit wird die polare Spannung *im höhern Sinne* überwunden, aber es ist zugleich einleuchtend, daß es niemals Stufenfolgen, also *Metamorphosen* geben könnte, wenn *Polarität* und *Ganzheit* nicht den Bogen spannen würden, in welchem die *Metamorphose* als Sehne eingehängt werden könnte.

Das letzte und wichtigste holistische Prinzip der B. Goethes ist das Kompensations-Prinzip. Der Ausdruck „Kompensations-Prinzip" stammt nicht von Goethe selbst (der diesem Prinzip keinen besonderen Namen gegeben hat), er ist aber so in der Sache selbst begründet, daß verschiedene Autoren unabhängig voneinander es einfach so genannt haben, besonders Valentin Haecker. Hätte Goethe selbst ihm einen Namen gegeben, so würde er wahrscheinlich vom „Etatprinzip" oder vom „Cameralprinzip" gesprochen haben. Denn was wir heute Nationalökonomie nennen, hieß damals Cameralwissenschaft. Sonst wäre natürlich „Ökonomieprinzip" die vielleicht allerbeste Bezeichnung gewesen, besser noch als selbst das Wort „Kompensationsprinzip". Goethe hat dieses Kompensationsprinzip gleich zu Beginn des IV. Abschnittes seines *Ersten Entwurfs einer allgemeinen Einleitung in die vergleichende Anatomie, ausgehend von der Osteologie* aus dem Jahre 1795 (erschienen 1820) großartig dargestellt: *Die Theile des Thieres, ihre Gestalt unter einander, ihr Verhältniß, ihre besondern Eigenschaften, bestimmen die Lebensbedürfnisse des Geschöpfs. Daher die entschiedene, aber eingeschränkte Lebensweise der Thiergattungen und Arten – Betrachten wir nach jenem, erst im Allgemeinsten aufgestellten Typus die verschiedenen Theile der vollkommensten, die wir Säugethiere nennen; so finden wir, daß der Bildungskreis der Natur zwar eingeschränkt ist, dabei jedoch, wegen der Menge der Theile und wegen der vielfachen Modificabilität, die Veränderungen der Gestalt in's Unendliche möglich werden – Wenn wir die Theile genau kennen und betrachten, so werden wir finden, daß die Mannichfaltigkeit der Gestalt daher entspringt, daß diesem oder jenem Theil ein Übergewicht über die andern zugestanden ist – So sind, zum Beispiel, Hals und Extremitäten auf Kosten des Körpers bei der Giraffe begünstigt, dahingegen bei'm Maulwurf das Umgekehrte statt findet. – Bei dieser Betrachtung tritt uns nun gleich das Gesetz entgegen: daß keinem Theil etwas zugelegt werden könne, ohne daß einem andern dagegen etwas abgezogen werde, und umgekehrt. – Hier sind die Schranken der thierischen Natur, in welchen sich die bildende Kraft* auf die wunderbarste und beinahe auf die willkürlichste Weise zu bewegen scheint, ohne daß sie im mindesten fähig wäre den Kreis zu durchbrechen oder ihn zu überspringen. Der Bildungstrieb ist hier in einem zwar beschränkten, aber doch wohl eingerichteten Reiche zum Beherrscher gesetzt. Die Rubriken seines Etats, in welche sein Aufwand zu vertheilen ist, sind ihm vorgeschrieben, was er auf jedes wenden will, steht ihm, bis auf einen gewissen Grad, frei. Will er der einen mehr zuwenden, so ist er nicht ganz gehindert, allein er ist genöthigt an einer andern sogleich etwas fehlen zu lassen; und so kann die Natur sich niemals verschulden, oder wohl gar bankrutt werden (II/8, 15f.).* In einer weniger an das Gleichnis vom Staat gebundenen Form hat Goethe das Kompensationsprinzip noch einmal an anderer Stelle als ein entwicklungsphysiologisches *Gesetz* formuliert, in welcher Form es unmittelbar in jede Darstellung der Entwicklungsphysiologie und Genetik übernommen werden könnte: *Der Typus hat einen gewissen Umfang von Kräften, der von der Größe unabhängig ist. Diese Masse von Kräften muß die Natur verwenden; sie kann nicht darüber hinaus, sie kann aber auch nicht darunter bleiben; sie ist daher genöthigt, wenn sie etwas außerordentliches giebt, an einem anderen Orte zu entziehen, sodaß die Summe der Kräfte eines Thieres der Summe der Kräfte des anderen gleich ist. – Wir reden hier blos von Mammalien, denn weiter hinab modificiren sich diese Gesetze wieder anders (II/8, 316).*

Besonders beachtenswert ist hier der letzte Satz, der etwas Neues bringt. Es handelt sich mE. um ein sehr weit- und tiefgreifendes Prinzip, das auch der gegenwärtigen B. in seiner vollen Bedeutung noch gar nicht aufgegangen ist und welches eine ähnliche Wendung im biologischen Denken von heute herbeizuführen vermag, wie um die Jahrhundertwende die Wiederentdeckung der Mendelschen Gesetze. Nur handelt es sich hier nicht um Genetik, sondern um Morphologie und Entwicklungsphysiologie. Wir werden dies Gesetz Goethes besser verstehen, wenn wir das physikalisch-mechanisch stark belastete Wort *Kräfte* durch den klassisch-aristotelischen Begriff der Entelechie ersetzen und demzufolge sagen: „Die Summe der Entelechien eines Säugetieres ist derjenigen irgendeines anderen Säugetieres äquivalent." Aus dieser Formulierung ist ohne weiteres zu entnehmen, daß die relative Größe der verglichenen Säugetiere irrelevant ist. Die Entelechie eines Organismus hat mit seiner Körpergröße nichts zu tun. Die Körpergröße eines Tieres ist unmittelbar von seinem Biotop abhängig, nicht aber seine Entelechie. Ob ich einen Elefanten in der Größe einer Maus oder umgekehrt eine Maus in der Größe des Elefanten bilde, das ist entelechisch gesehen immer dieselbe entwicklungsphysiologische Leistung. Aber eine Maus mit der Gestalt eines Elefanten wäre im Mäusebiotop genau so existenzunfähig wie ein Elefant in Mausgestalt im Biotop der Elefanten. Wenn Goethe dieses Gesetz hier auch nur auf die Säugetiere bezogen wissen will, so gibt er doch klar zu erkennen, daß es auch auf andere Tiergruppen anwendbar ist, wenngleich sich *diese Gesetze weiter hinab wieder anders modificiren* (*Physiologie).

Goethes Kompensationsprinzip stellt gerade auch in seiner neuen Formulierung als Prinzip von der Äquivalenz der Entelechien ein holistisches Prinzip dar, das in der mechanischen B. – in der Morphologie sowohl wie in der Physiologie – sinnlos ist und ja auch tatsächlich von ihr seit Goethe bis heute vollkommen vergessen worden ist. Holistisch ist es legitim, weil nur die lebendige Ganzheit irgendeines Organismus über seine Kräfte oder besser Entelechien in der von Goethe geschilderten kompensatorischen Weise verfügen kann. In einer Maschine würde das vollkommen ausgeschlossen sein, hier weiß kein Teil irgend etwas vom anderen, geschweige denn vom Ganzen und kann sich daher auch nicht nach dessen Wünschen richten. Ein einmal geschaffenes Auto bleibt für immer was es ist; wird es anders gewünscht, muß der Mensch als lebendiger Holismus, der er ist, es schon selber nach seinen Plänen umkonstruieren.

Die ersten Anfänge des Kompensationsprinzips begegnen uns bereits bei Aristoteles selbst, wo schon im ersten Buch der Tiergeschichte im Zusammenhang mit der Darstellung des aristotelischen „Analogieprinzips" davon gesprochen wird, daß analoge Organe sich bei verschiedenen Tieren durch „Überschuß oder Mangel" unterscheiden können. In Goethes eigener Zeit ist es auch von seinem französischen Partner Geoffroy de St. Hilaire vollkommen klar als „loi de balancement" innerhalb seines „unité de plan" formuliert worden. Dann ist es völliger Vergessenheit anheimgefallen, bis es in unseren Tagen von einigen wenigen Biologen, ohne von Goethe etwas zu wissen, im Rahmen ihrer jeweiligen eigenen Forschungen teilweise – nicht in der schon von Goethe formulierten Allgemeinheit – wieder entdeckt worden ist. So hat es HF Nierstrasz bei seinen vergleichend-morpholo-

gischen Untersuchungen an Krebsen wiedergefunden und als Prinzip der „Spezialisationskreuzungen" beschrieben. Der Pilzforscher RFalck ist ihm bei taxonomischen Vergleichen in einer Pilzgruppe wieder begegnet, und neuerdings hat der Botaniker HBurgeff es bei seinen genetischen Forschungen in der Lebermoosgruppe Marchantia erneut festgestellt. Ihm fiel auf, daß Marchantiaformen, die im Begriffe waren, genetisch zu mutieren, ihre Neubildungen mit sog. Verlustmutanten begannen, dh. mit Formen, die zunächst einmal Formrückbildungen darstellten. Das erschien Burgeff bei Formen, die offensichtlich im Begriff waren, durch Neuschöpfungen zu überraschen, paradox, bis ihm einfiel, daß ja zunächst einmal nicht mehr notwendige Formen eingeschmolzen werden müssen, bevor die Pflanze sich Neuausgaben leisten kann. Hätte er Goethes Prinzip gekannt, so wäre er sich von vornherein über diese kompensatorischen Zusammenhänge klar gewesen. Neuerdings hat AMeyer-Abich das Kompensationsprinzip unter Benutzung exakter Forschungsergebnisse moderner Taxonomen zu einem allgemeinen „typologisch-taxonomischen Grundgesetz" erweitert.

Im Kraftfeld einer dergestalt konstituierten B. hat auch die *Physiologie ihren besonderen Wirkungsbereich. Goethes *Physiologie* steht an zentraler Stelle. Sie ist in genau demselben Sinne eine morphologische Physiologie, wie seine gesamte *Morphologie* eine durchaus physiologische Morphologie ist, und zwar ganz im Sinne der modernen Entwicklungsphysiologie von HDriesch und HSpemann. Hier ist zugleich eine der Quellen für den Irrtum zu suchen, daß Goethe ein Vorläufer der Abstammungslehre Darwins gewesen sei. Goethes *Physiologie* ist keine kausale Wissenschaft wie die moderne Physiologie, sie ist typologisch-dynamische, vergleichende Physiologie genau in dem gleichen Sinne, wie seine Morphologie eine typologisch-dynamische, vergleichende Wissenschaft ist. Gemäß dem berühmten Vers von der *geprägten Form die lebend sich entwickelt (I/3, 95)*, ist Goethes dynamischer *Typus* zugleich morphologisch wie physiologisch zu verstehen. Jede *Gestalt* ist eine solche *geprägte Form die lebend sich entwickelt*, und was wir gewöhnlich Form und Funktion nennen, sind weiter nichts als ihre komplementären Aspekte. Komplementär ist hier im Sinne der modernen theoretischen Physik – wie Welle und Korpuskel – verstanden. Goethe selbst würde von *Polarität* gesprochen haben. Er beschreibt diese Komplementarität von Form und Funktion an seinem dynamischen Typus mit folgenden Worten: *Deßhalb geschieht hier ein Vorschlag zu einem anatomischen Typus, zu einem allgemeinen Bilde, worin die Gestalten sämmtlicher Thiere, der Möglichkeit nach, enthalten wären, und wornach man jedes Thier in einer gewissen Ordnung beschriebe. Dieser Typus müßte so viel wie möglich in physiologischer Rücksicht aufgestellt sein. Schon aus der allgemeinen Idee eines Typus folgt, daß kein einzelnes Thier als ein solcher Vergleichungskanon aufgestellt werden könne; kein Einzelnes kann Muster des Ganzen sein (II/8, 10).* Damit ist alles Wesentliche über Goethes *Physiologie* im Zusammenhang mit seiner *Morphologie* gesagt. Diese *Physiologie* ist typologisch und nicht kausal gedacht: Goethe sucht den anatomischen *Typus*, in welchem alle Tiere der Möglichkeit nach enthalten sind, das *Urtier* also im gleichen Sinne wie die *Urpflanze*: *... und wie ich früher die Urpflanze aufgesucht, so trachtete ich nunmehr das Urthier zu finden, das heißt denn doch zuletzt: den Begriff, die Idee des Thiers (II/6, 20).* Wir müssen nur statt das Urtier und die Urpflanze die Urtiere und die Urpflanzen sagen, dann sind wir genau bei Cuviers dynamischer Taxonomie angelangt. Den dynamisch-physiologischen Charakter dieser *Urtypen* zeigen besonders deutlich Goethes bekannte Worte, mit denen er die *Urpflanze* als das Muster und Modell aller Pflanzen charakterisiert und sagt, man könne damit nach Belieben neue *Pflanzen erfinden, die* wirklich sein könnten und nicht nur *Schatten und Scheine* seien: *(IV/8, 232f.). Im Angesicht so vielerlei neuen und erneuten Gebildes fiel mir die alte Grille wieder ein: ob ich nicht unter dieser Schaar die Urpflanze entdecken könnte? Eine solche muß es denn doch geben! Woran würde ich sonst erkennen, daß dieses oder jenes Gebilde eine Pflanze sei, wenn sie nicht alle nach einem Muster gebildet wären (I/31, 147f.).* Goethe hat nie ganz ernsthaft daran gedacht, die *Urpflanze* irgendwo lebendig vorfinden zu können. Entscheidend ist hier nur, daß er sie ebenso wie das *Urtier* niemals als tote Formen, sondern stets als lebendige, physiologisch funktionierende Gestalten, als *geprägte Formen die lebend sich entwickeln,* gedacht hat. Auch hier ist Goethe reiner Aristoteliker und kein kausaler Physiologe im modernen Sinne. Er sucht die Entelechien der Pflanzen, die sich morphologisch als „energeia on", physiologisch als „potentia on" präsentieren! D'Arcy W Thompson hat genau das hier von Goethe geforderte typologisch-physiologische Pro-

gramm durchgeführt, und zwar in geometrisch-mathematischer Behandlung. Nirgends wird so deutlich wie hier, daß die Bildung und Umbildung organischer Formen nach einem ganz bestimmten holistischen Plan vor sich geht oder daß, mit Goethe gesprochen, jede Gruppe von Organismen nach einem bestimmten Muster oder anatomischen Typus gebildet worden ist. Nur müssen wir die schon zu Goethes eigener Zeit nicht mehr berechtigte Idee aufgeben, als ob es eine einzige „unité de plan" für alle Tiere und alle Pflanzen geben könnte. Es gibt deren sehr viele, und Goethe hat sich betonterweise für die Tiere immer nur auf die Säugetiere bezogen, für die man auch heute noch einen Gesamtbildungsplan annehmen muß. D'Arcy W Thompson erläutert seine Untersuchungen durch Illustrationen, mit denen man sich das Gemeinte auch hier verdeutlichen kann (vgl. umseitige Abbildungen, entnommen: On growth and form. 1916/17). Man sieht, wie sehr verschiedene Formen nichts anderes als ganzheitliche Variationen eines und desselben dynamischen Typus sind. Sie kommen durch ganzheitliches Variieren des jeweils benutzten Koordinatensystems zustande und sind den Variationen einer und derselben Melodie in einer musikalischen Symphonie vollkommen vergleichbar. Auch diese Forschungen sind keine kausale Entwicklungsphysiologie, sondern reine typologisch-morphologische Physiologie. Aber man sieht sofort, daß diese die notwendige Vorbereitung für eine sinnvolle physiologisch-kausale Untersuchung ist. Erst muß man wissen, wie etwas vor sich gehen kann und vermutlich auch vor sich gegangen ist, ehe man nach den tatsächlichen Ursachen fragen kann, die solches Geschehen bewirkt haben.

VI. Die Ansicht, daß Goethe als ein Vorläufer Ch Darwins und damit der *Abstammungslehre anzusehen sei, hat E Haeckel in seiner „Generellen Morphologie" (1866) und später besonders in seiner „Natürlichen Schöpfungsgeschichte" vertreten. Haeckel war ein ebenso begeisterter Goethe-Verehrer wie Darwinianer; folglich gab es für ihn keine größere Anerkennung für Goethe, als ihn ebenfalls in diese Linie zu bringen. Durch Haeckels Einfluß ist das lange Zeit eine communis opinio geblieben. Erst gegen Ende des ersten Weltkrieges drang langsam die Ansicht durch, daß Goethe hier falsch interpretiert worden ist. Namentlich der Zoologe A Naef hat überzeugend nachgewiesen, daß Goethes *Morphologie* als „idealistische" zu verstehen ist und daß sie mit der modernen, auf der Abstammungs-

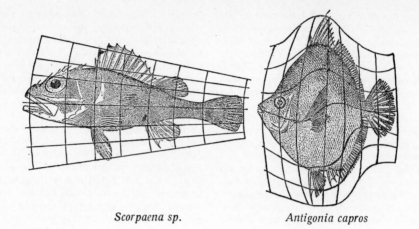

Scorpaena sp.

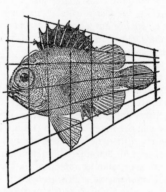

Antigonia capros

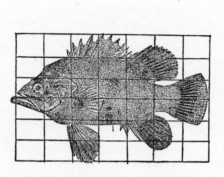

Polyprion

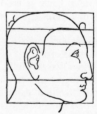

Pseudopriacanthus altus

Nach Albrecht Dürer

lehre basierenden phylogenetischen Morphologie, der „generellen Morphologie" im Sinne Haeckels, gar nichts zu tun hat. Nur das Wort „Morphologie" ist gemeinsam; das aber stammt von Goethe und nicht von Haeckel. Goethes *Urpflanze* ist also nicht die Stammpflanze aller Pflanzen, und Goethes *Metamorphose der Pflanzen* ist keine Phylogenese der Pflanzen. Wären sie von Goethe wirklich im phylogenetischen Sinne gemeint gewesen, dann müßte auch der größte Verehrer Goethes einräumen, daß diese Begriffe als phylogenetische vollkommen daneben gelungen sind, so sehr, daß man sich das sogar ein halbes Jahrhundert vor Darwin nicht mehr hätte leisten können. Dagegen im Sinne der idealistischen Morphologie interpretiert, sind sie vollkommen sinnvoll und angebracht. Als Stammpflanze im phylogenetischen Sinne hätte Goethes *Urpflanze* irgendeine Grünalge oder wohl gar ein Bakterium sein müssen. Man braucht sich nur einmal die Fehlkonstruktion der *Urpflanze* anzusehen, welche sein französischer Freund und Übersetzer der *Metamorphose der Pflanzen* PJFTurpin angefertigt hat! Turpin hat Goethe zwar insofern mißverstanden, als er eine rein dynamische Idee statisch zu realisieren versucht hat, wobei etwa jenes Monstrum herausgekommen ist, das Goethe in Padua und Palermo tatsächlich einen kurzen Augenblick lang finden zu können vermeinte. Diese Pflanze war eine äußerst hochgezüchtete Phanerogame, das Modell aller Phanerogamen, dessen Blüte sämtliche Charaktere aller Phanerogamenblüten, dessen Blatt, Wurzel usw. ebenso sämtliche Merkmale aller Phanerogamenblätter und -wurzeln enthielten. Aber so etwas hätte nie die phylogenetische Stammpflanze sein können, es sei denn, man will die Phylogenie der Organismen an ihrem letzterreichten, also umgekehrten Ende beginnen lassen. Wie von der *Urpflanze* gilt dies von Goethes *Urtier* oder *Urwirbel*, wenn man sie ins Phylogenetische mißdeuten wollte. Keine einzige Äußerung Goethes läßt sich wirklich im Sinne der Abstammungslehre deuten. Unter dem Titel *Probleme* bringt Goethe 1823 einige *fragmentarische Blätter*, die er *auf Sommerfahrten im Gefolge manches Gesprächs, einsamen Nachdenkens und zuletzt angeregt durch eines jungen Freundes geistreiche Briefe notirt* hat. Weiter vermerkt er dann: *Das hier Angedeutete auszuführen, in Verbindung zu bringen, die hervortretenden Widersprüche zu vergleichen, fehlte mir darauf an Sammlung, die ein folgerechtes Denken allein möglich macht; ich hielt es daher*

für räthlich, das Manuscript an den Theilnehmenden abzusenden, ihn zu ersuchen, diese paradoxen Sätze als Text, oder sonstigen Anlaß zum eigenen Betrachten anzusehen, und mir einiges darüber zu vermelden, welches denn, wie es geschehen, als Zeugniß reiner Sinn- und Geistes-Gemeinschaft hier einrücke (II/7, 74). Dieser *junge Freund* und Anhänger der Metamorphosenlehre Goethes war der Botaniker E*Meyer. Er hat die ihm von Goethe übertragene Aufgabe in ganz vortrefflicher Weise gelöst; selbst Diktion und Stil sind so goethesch, daß niemand diese Arbeit Goethe nicht zuschreiben würde, wenn er den tatsächlichen Zusammenhang nicht kennen würde. Hier wird nun vollkommen klar und eindeutig gegen die Idee der Abstammungslehre Stellung genommen, wenn die folgenden Sätze von Goethe/Meyer überhaupt einen Sinn behalten sollen: *Die Natur* [dagegen] *hat kein System, sie hat, sie ist Leben und Folge aus einem unbekannten Centrum zu einer nicht erkennbaren Gränze.* – „Allein was sie im Ganzen versagt, gestattet sie desto williger im Einzelnen. Jedes besondere Naturwesen beschreibt, außer dem großen Kreislauf alles Lebens, an dem es Theil hat, noch eine engere ihm eigenthümliche Bahn, und das Charakteristische derselben, welches sich, aller Abweichungen ungeachtet, in einem Umlaufe wie in dem andern durch die fortgesetzte Reihe der Geschlechter ausspricht, dieß beharrlich Wiederkehrende im Wechsel der Erscheinungen, bezeichnet die Art. Aus innigster Überzeugung behaupte ich fest: gleicher Art ist, was gleiches Stammes ist. Es ist unmöglich, daß eine Art aus der andern hervorgehe; denn nichts unterbricht den Zusammenhang der nach einander Folgenden in der Natur; gesondert besteht allein das ursprünglich neben einander Gestellte; und dieß ist es, von dem unser Text [Goethes Notizen] sagt, daß man ihm auf rationellem Wege beikommen könne. Was von den Abweichungen zu halten sei, die in einzelnen oder auch mehrern Umläufen des Lebens vorkommen, und die man Varietäten, Abarten nennt, wollen wir unten näher beleuchten. Wer aber sie für Arten nimmt, darf das Schwankende des ihnen willkürlich zugeschriebenen Charakters nicht der Natur beimessen, oder gar daraus auf ein Schwanken der Arten überhaupt schließen. Auch dem Einwurf ist zu begegnen, daß zuweilen, wenn auch selten, ganz dieselben Formen in den entlegensten, durch Meere, Wüsten und Schneegebirge geschiedenen Ländern sich wiederholen. Die Annahme einer gemeinsamen Abstammung wäre hier in der That gezwungen, könnte man nicht von dem ersten Thierpaar, von der ersten Mutterpflanze jeder Art noch einen Schritt weiter hinabsteigen bis zum specifischen Entstehungsgrunde derselben im Schoose der alles erzeugenden Erde. Dieser bald ängstlich vermiedene, bald besinnungslos gethane Schritt rechtfertigt nicht nur obigen Begriff der Art, sondern macht ihn allererst nicht bloß auf Thiere und Pflanzen, nein auf jedes Naturwesen ohne Ausnahme anwendbar" (II/7, 81–83).

Ein Artbegriff überdies, der auf jedes Naturwesen anwendbar ist, hat gewiß nichts mit der phylogenetischen Art zu tun. Die Fehlinterpretation beruht immer wieder auf der verhängnisvollen Verwechslung der typologischen Ableitung mit der realhistorisch phylogenetischen, der Metamorphose also mit der Phylogenese. Natürliches System und Metamorphose sind, wie Goethe/Meyer sich ausdrükken, rein symbolische Ableitungen oder, wie wir heute sagen, idealtypologische Ableitungen. Das spricht EMeyer sogleich klar und deutlich im nächstfolgenden Absatz seiner goetheschen Ausarbeitung aus, wenn er feststellt: „Will nun der Botaniker sich als Gesetzgeber geltend machen, so wendet er sich mit Recht an die Arten der Pflanzen, bestimmt und ordnet sie, so gut er kann, in irgend ein Fachwerk. Allein er thut Unrecht, sobald er mit gleicher Schärfe den Kreis der Metamorphose theilt, die lebendige Pflanze terminologisch zerstückelt. Will er sich der Natur in Liebe ergeben, so mag die Idee der Metamorphose ihn sicher leiten, so lange sie ihn nicht verführt Arten in Arten hinüber zu ziehen, das wahrhaft Gesonderte mystisch zu verflößen. Von einem System des Organismus, von einer Metamorphose der Arten, von beiden kann nur symbolisch die Rede sein. Es ist ein gefährlicher Irrthum, ist Götzendienst des Verstandes oder der Natur, das Symbol mit der Sache selbst zu verwechseln, die es bedeutet. Hüten wir uns aber vor diesem Mißbrauch, so macht eine Symbolik vielleicht das Unmögliche möglich, und setzt uns in den Stand, das Zugleichwirken der beiden Kräfte, die unser Text bezeichnet [gemeint sind die *vis centrifuga* der *Metamorphose* und die *vis centripeta* des *Specificationstriebes* in Goethes, EMeyer übergebenen Notizen], auch bei didaktischer Überlieferung zugleich darstellen zu können. Wie es mit dieser Symbolik gemeint sei, erläutert die überaus glückliche Vergleichung der Botanik mit der Musik" (II/7, 83f.). Dazu eine Notiz Goethes: *Ver-*

gleichung mit den natürlich immer fortschreitenden Tönen und der in die Octaven eingeengten gleichschwebenden Temperatur. Wodurch eine entschieden durchgreifende höhere Musik, zum Trutz der Natur, eigentlich erst möglich wird (II/7, 75f.). EMeyer hat diese dann noch weiter vertieft und ausgeführt. In der Tat, die durch die Metamorphose geschilderten Ableitungen sind vergleichsweise ebenso zu verstehen, wie wir die unendlichen Variationen des Themas einer Symphonie musikalisch genießen. Mit realhistorischer phylogenetischer Abstammung hat diese rein ideale Ableitung in der Metamorphose gar nichts zu tun.

Wenn trotzdem hervorragende Naturforscher wie ua. der schon genannte VHaecker und auch RHertwig immer wieder der Versuchung erliegen, Goethe mit der Abstammungslehre in Verbindung zu bringen, so muß das natürlich einen Grund haben. Man findet ihn leicht, wenn man sich klarmacht, daß die Abstammungslehre zwei durchaus verschiedene Aspekte hat, neben dem wesentlich realhistorisch-phylogenetischen nämlich noch den kausal-physiologischen Gesichtspunkt. Mit dem phylogenetisch-historischen Denken hat Goethe gar nichts zu tun; es sei denn, man würde die tatsächliche Geschichte der Organismen vom umgekehrten Ende her aufzäumen und etwa behaupten, daß die Algen von den Phanerogamen und die Paramaezien von den Säugetieren abstammten. Anders liegt jedoch die Sache, wenn wir den kausalen entwicklungsphysiologischen Gesichtspunkt inbetracht ziehen. Dann sieht es auf den ersten Blick in der Tat so aus, als ob wir in Goethe einen Vorläufer der B. von HDriesch, HSpemann, HBraus und VHaecker sehen könnten. Beide Betrachtungsweisen haben den Gesichtspunkt gemeinsam, daß sie von den gegenwärtig existierenden Organismen in ihre noch mögliche künftige Entwicklung hineinzuschauen versuchen. Dann kann man in der Tat Goethes Modell der *Urpflanze* und des *Urtieres* als entwicklungsphysiologische „Organisatoren" im Sinne Spemanns deuten, welche uns nicht nur erklären, wie die heute existierenden Arten möglich gewesen sind, sondern wie wir denselben Prinzipien folgend „noch nach Belieben neue Arten hinzuerfinden können, die ebenfalls wahr sein müssen und keine bloßen Schatten und Scheine sind". Genau wie Thompson uns das idealgeometrisch vorgemacht hat; seinen geometrischen Methoden folgend kann man in der Tat nicht nur die existierenden Spezies nach demselben analytisch-geometrischen *Bauplan* aufbauen, man kann auch ohne

Mühe ähnliche Figuren nach Belieben hinzuerfinden, die in Zukunft auch einmal verwirklicht werden könnten. Mit vollem Recht hebt deshalb Haecker hervor: „Man wird kaum im Zweifel darüber sein können, daß Goethe zunächst und in erster Linie nur an rein ideelle Beziehungen gedacht hat. Bei genauerem Lesen kann man sich aber des Eindrucks nicht erwehren, daß die Gedanken Goethes immer wieder weiter vorfühlen, und daß er, man möchte sagen, unbewußt in die eigentlich kausale Betrachtungs- und Forschungsweise hineingerät." Es „schwebt ihm offenbar auch schon die Vorstellung vor, daß nicht bloß die tatsächlich beobachteten, regelmäßigen und ausnahmsweisen Erscheinungen, sondern auch noch andere weit darüber hinausliegende Potenzen in den Pflanzen vorhanden seien. ... Man kann mit Braus sagen, daß Goethe auf der Schwelle stehe und vielleicht bewußt Halt mache, ohne das Tor zu öffnen, man kann aber auch ... die Meinung vertreten, daß Goethes Einstellung nicht immer die nämliche war, sondern wiederholte Schwankungen erfahren hat" (VHaecker: Pluripotenzerscheinungen. 1925. S. 21 f.). „Daß Goethe auf der Schwelle stehe", ist sicher richtig, daß er aber nicht immer dieselbe idealistisch-morphologische Betrachtungsweise, die ja auch reiche Entfaltungsmöglichkeiten im eigenen Rahmen hat, beibehalten hat, das ist ebenso sicher unrichtig! Goethe gehört ohne Frage zu denjenigen, die immer sehr genau überlegt haben und die niemals „unbewußt" in eine ihnen nicht gemäße Anschauungsweise hineingeraten sind. Goethes Forschungen hier sind typologische Entwicklungsphysiologie und bleiben vollkommen im Rahmen seiner dynamisch-typologischen *Morphologie,* die modernen Entwicklungsphysiologen aber sind ausschließlich kausal und elementaristisch physiologisch orientiert. WRoux hat die Entwicklungsmechanik ausdrücklich als „kausale" Morphologie deklariert. Der Einzige, der als „Vitalist" und „Aristoteliker" hier ein wenig aus der Reihe gerät und dem Typologen Goethe nahekommt, ist Driesch. Gleichwohl bleibt die biologische Denkverwandtschaft zwischen dem Entwicklungstypologen und den kausalen Entwicklungsphysiologen bestehen, aber – im Vergleich zu Haecker – mit genau umgekehrten Vorzeichen. Eine sorgfältig durchgeführte physiologische Typologie der Entwicklung ist nämlich die unumgängliche Voraussetzung und Vorbereitung für eine sinnvolle kausale Entwicklungsphysiologie. Die Beispiele von Thompson können das dem modernen Biologen am ehesten deutlich machen. Hierbei handelt es sich ebenfalls noch um rein geometrische idealtypologische Gestalttransformationen, genau im Sinne Goethes. Wirkliche kausale Entwicklungsphysiologie liegt hier noch keineswegs vor. Aber man begreift leicht, daß eine vorherige genaue Kenntnis der geometrisch überhaupt bestehenden Möglichkeiten die beste und unbedingte Voraussetzung für das darauf folgende Studium der real-kausalen „Mechanismen" ist, mit deren Wirksamkeit das tatsächliche reale Zustandekommen der geometrisch-morphologisch idealiter möglichen Gestaltungen kausal erklärt und bewirkt werden kann. Oder: Nur was zunächst einmal idealiter möglich ist, kann, wenn die biotopischen und entwicklungsphysiologisch-genetischen Bedingungen gegeben sind, auch realiter entstehen! Nur in diesem Sinne kann man den idealistischen Morphologen Goethe einen Vorbereiter der modernen kausalen Morphologie nennen.

VII. Goethes idealistisch-morphologische B. ruht auf Prinzipien, deren Legitimität einer als „Holismus" zu charakterisierenden Philosophie entstammt. Das Wort „Holismus" bezeichnet nicht nur ein naturwissenschaftliches Erkenntnisideal, das in Opposition zu dem logisch gleichrangigen Prinzip des „Mechanismus" steht. Es kommt nicht nur darauf an, die in der Physiologie üblichen „Mechanismen" durch „Holismen" zu ersetzen. Vielmehr und weit darüber hinaus kennzeichnet das Wort „Holismus" auch ein ganz allgemeines metaphysisches System, das auch für Goethe auf Aristoteles zurückgeht. Für jedes holistische Philosophieren ist folgendes charakteristisch: den Pluralismus der (zumeist dualistischen) metaphysischen Systeme sucht man dadurch zu überwinden, daß man eine kontinuierliche, aber qualitative Stufenfolge zwischen diesen errichtet; man bewahrt die getrennten Pole der dualistischen Systeme als solche, aber man verbindet sie durch allmählich ineinander greifende Übergänge. Die in der B. durch das Polaritäts-Prinzip in jeder zu erforschenden Wirklichkeit zunächst errichtete polar-gegensätzliche Spannung (welche in der allgemeinen Philosophie dem Dualismus entspricht) wird alsdann sogleich durch die dem jeweiligen Bereich entsprechende Metamorphose überwunden, welche die hierher gehörige holistische Stufenfolge repräsentiert. Man erinnere sich zB. der Metamorphose der Pflanzen. Der polare Gegensatz von Blüte und Blatt wird durch die qualitative Stufenfolge der verschiedenen zwischen ihnen möglichen Metamorphosen überwunden: *Alle Wirkungen, von welcher Art sie seien, die wir in der Erfahrung bemerken, hängen auf die stetigste Weise zusammen, gehen ineinander über; sie undulieren von der ersten bis zur letzten. Daß man sie voneinander trennt, sie einander entgegensetzt, sie untereinander vermengt, ist unvermeidlich; doch mußte daher in den Wissenschaften ein grenzenloser Widerstreit entstehen. Starre scheidende Pedanterie und verflößender Mystizismus bringen beide gleiches Unheil. Aber jene Tätigkeiten, von der gemeinsten bis zur höchsten, vom Ziegelstein, der dem Dache entstürzt, bis zum leuchtenden Geistesblick, der dir aufgeht und den du mitteilst, reihen sie sich aneinander. Wir versuchen es auszusprechen: Zufällig, Mechanisch, Physisch, Chemisch, Organisch, Psychisch, Ethisch, Religiös, Genial. – Ein Ziegelstein löst sich vom Dache los, wir nennen dies im gemeinen Sinne zufällig; er trifft die Schultern eines Vorübergehenden doch wohl mechanisch; allein nicht ganz mechanisch, er folgt den Gesetzen der Schwere, und so wirkt er physisch. Die zerrissenen Lebensgefäße geben sogleich ihre Funktion auf, im Augenblick wirken die Säfte chemisch, die elementaren Eigenschaften treten hervor. Allein das gestörte organische Leben widersetzt sich ebenso schnell und sucht sich herzustellen; indessen ist das menschliche Ganze mehr oder weniger bewußtlos und psychisch zerrüttet. Die sich wiederkennende Person fühlt sich ethisch im tiefsten verletzt, sie beklagt ihre gestörte Tätigkeit, von welcher Art sie auch sei, aber ungern ergäbe der Mensch sich in Geduld. Religiös hingegen wird ihm leicht, diesen Fall einer höheren Schikkung zuzuschreiben, ihn als Bewahrung vor größerm Übel, als Einleitung zu höherem Guten anzusehen. Dies reicht hin für den Leidenden; aber der Genesende ergiebt sich genial, vertraut Gott und sich selbst und fühlt sich gerettet; ergreift auch wohl das Zufällige, wendets zu seinem Vorteil, um einen ewig frischen Lebenskreis zu beginnen (Art. A 17, 713f.).* Holistisches Philosophieren in allen seinen für die Gegenwart charakteristischen Symptomen tritt uns hier entgegen.

Schließlich stimmt Goethes Holismus auch darin mit dem modernen überein, daß er (weniger oder mehr) pragmatisch orientiert ist. Philosophische und wissenschaftliche Erkenntnis sind nicht um ihrer selbst willen da, sondern haben die Aufgabe, dem Menschen zu helfen, sich in der ihm aufgegebenen Welt so gut wie möglich zu orientieren, sie und vor allem sich selbst in ihr zu vervollkommnen und zu verbessern: *Die gegenständliche Welt*

ist für uns darum da, um unsere Fähigkeiten daran zu üben. Manches an ihr ist widerwärtig genug, manches aber erlaubt uns eine freie liebevolle Teilnahme (Art. A 17, 723). Je weiter man in der Erfahrung fortrückt, desto näher kommt man dem Unerforschlichen; je mehr man die Erfahrung zu nutzen weiß, desto mehr sieht man, daß das Unerforschliche keinen praktischen Wert hat. – Das schönste Glück des denkenden Menschen ist, das Erforschliche erforscht zu haben und das Unerforschliche ruhig zu verehren (MuR: Hecker Nr 1206f.). MA

Biot, Jean Baptist (1774–1862). Seit 1800 Professor der Physik am Lyceé de France in Paris. Veröffentlichte 1820 das Integralgesetz aufgrund seiner Beobachtungen (Elementargesetz von Laplace 1821) und untersuchte mit Savart das Magnetfeld eines elektrischen Stromleiters (Biot-Savartsches-Gesetz). Goethe, der erst im Dezember 1815 unmittelbar, dh. durch den Autor selbst veranlaßt, Arbeiten B.s gründlicher studierte (II/5ᴵ, 236), schreibt über dessen Lehre von der Polarisation des Lichtes: *Das Widerwärtigste aber, was mir jemals vor Augen gekommen, war Biots Capitel über die entoptischen Farben, dort Polarisation des Lichts genannt (I/36, 121;* 161; 207; vgl. ebda 3, 103). Herrn *Biots stark beleibte Physik (II/5ᴵ, 410),* Précis élémentaire de physique expérimentale (Paris 1817; deutsch von Friedrich Benjamin Wolff, Berlin 1819: IV/32, 133) war Goethe schon in der französischen Originalausgabe bekannt (1816: IV/27, 108; 28, 310), die deutsche Übersetzung beschaffte er sich sogleich, obwohl *auf dieser systematischen Postkutsche Irrthum und Wahrheit* herüberfuhr (1819: *IV/32, 133;* Ruppert Nr 4387). Frühere Arbeiten B.s hatte wohl auch Goethe selbst im Moniteur (August 1812) gelesen (II/5ᴵ, 229). *Betrachtungen über den Streit zwischen *Arago und Biot* erwähnt Goethe am 16. und 17. X. 1821 (III/8, 124f.). Sl

Birken/Bircken (Betulius), Siegmund von (1626–1681), gebürtiger Deutsch-Böhme aus Wildenstein/Eger, protestantischer Pfarrerssohn, mit dem Vater aus Glaubensgründen vertrieben und geflohen nach Hohenberg/Bayreuth, als Student mehr Jurist als Theologe (Jena), barocker Hofmann und Hofdichter, als Prinzenerzieher (1645–1647) mit dem Fürstenhaus *Braunschweig-Wolfenbüttel verbunden; Cavalierstour: Holland, England; Mitglied des „Pegnesischen Blumenordens" (1645: Floridan), in Nürnberg, virtuoser Repräsentant der hochbarocken Kunst vornehmlich poetischen Rühmens, insofern Verherrlicher der für ihn biographisch bedeutendsten

Herrscherhäuser (Habsburger, Welfen, Wettiner), gestorben in Nürnberg. B. wurde über die Brücken genealogischer Bezüge (Braunschweig!) für Goethe erst 1809 interessant, als er einen Zugang zum Verständnis des *Mittelalters suchte (*Altdeutsche Poesie Sp. 163). Es ist paradox, einen barocken Panegyriker wie B. als *bezügliche* Quelle für *deutsche und nordische Alterthümer* angeboten zu sehen. Goethe legte ihn und seinen „Chur- und Fürstlich-Sächsischen Heldensaal" auch schnell wieder aus der Hand *(III/4, 67)*, griff aber 1810 nochmals auf ihn zurück (Keudell Nr 680).   *Za*

Birkenstock, Johann Melchior Edler von (1738 bis 1809), der *würdige Mann (IV/24, 95),* geboren in Heiligenstadt/Eichsfeld (insofern also nicht: *aus den Rheingegenden abstammend, I/34^I, 109*). Nach Universitätsstudien (Göttingen, Erfurt) 1763 in österreichischem Staatsdienst, 1766 bei der Gesandtschaft in Paris, 1768 bei der Staatskanzlei in Wien, von der Kaiserin Maria Theresia besonders beauftragt, sich für die Verbesserung des Erziehungswesens tatkräftig einzusetzen. Im Interesse dieser Aufgaben reiste B. einige Zeit, vornehmlich in Deutschland, und übernahm alsdann die Leitung der politischen *Zensur-Behörde; 1792–1803 unterstand ihm das gesamte österreichische Schul- und Erziehungsdepartement. Der inzwischen auch Hofrat gewordene B. war wie mehrere seiner Verwandten wegen seiner besonderen Fähigkeiten und um seines vorurteilsfreien Geistes willen hochgeschätzt. Er hatte Briefkontakt mit hervorragenden Persönlichkeiten des In- und Auslandes (ua. mit CThAMv*Dalberg, Jv*Sonnenfels, Jv*Müller, SThv*Sömmering, HF*Füger, FJA*Tischbein, JLE*Morgenstern, A*Canova, Benjamin Franklin,William Robertson); auch war er schriftstellerisch tätig. In Goethes Blickfeld trat B. durch seine Tochter Antonia Josefa, verheiratet mit Franz *Brentano (2); beide begegneten sich 1812 in *Karlsbad (III/4, 301). 1813 erhielt Goethe von ihr dichterische Arbeiten aus dem Nachlaß B.s zugesandt (vgl. dazu Goethes versehentlich verspäteten Dank am 15. I. 1814: *das mir zugekommene Exemplar des würdigen Prachtwerckes,* dh. eines Gedichtes von B. auf das Grabmal der Erzherzogin Christine, abgefaßt in lateinischen Hexametern; *IV/24, 102;* außerdem hatte B. seine Verskunst ua. einer Würdigung Friedrichs d. Gr. gewidmet. Seit 1812 war Goethe der Name B. vertraut und er selbst gefeiertster Gast im frankfurter Hause Brentano-Birkenstock, wo er auch B.s

Sammlung kennenlernte, soweit die Tochter nach dem Tode des Vaters sie aus Wien übernommen hatte. Die Mehrzahl der reichen Schätze (vgl. Bettinas Briefwechsel; Brentano 9) war durch den sachkundigen Custoden JRousseau am Wohn- und Sterbeort versteigert worden (1810/12), nur das Wertvollste kam nach Frankfurt. Antonia Josefa hatte die 1765–1808 umsichtig aufgebaute Sammlung (ca. 20000 Kupferstiche, 27000 Handzeichnungen, viele hundert Antiquitäten verschiedenster Art und aus verschiedensten Kulturen) gegen Widerstände in der Familie Brentano (Clemens 7) aufgelöst, aber 200 Gemälde und 7000 Graphiken ausgewählt, darunter Originalblätter von *Rembrandt und seinen Zeitgenossen, deutsche, englische, französische Stiche und die vollständigen Arbeiten von *Raimondi, alle in bester Druckqualität und Erhaltung. Gerade diese fand Goethe der Erwähnung wert, wie auch die Werke *sonstiger Italiäner in Abdrücken..., wie sie dem Liebhaber selten vor Augen kommen (I/34^I, 109).* 1814 und 1815 hat Goethe die Sammlung B. eingehend besichtigt, mit S*Boisserée im eigentlichen Sinne sogar studiert (14. IX. 1815: Firmenich-Richartz S. 415): *Die ... Sammlung an Gemählden und Kupferstichen... gab doppelten Genuß bei dem lebhaften Antheil der Besitzer und ihrer freundlichen Aufforderung so viel Gutes mit zu genießen (I/36, 96).* Die Erbin ließ die Bestände laufend ergänzen und erweitern. Ihr dergestalt entstehendes Privat-Museum machte sie in liberalster Weise allen Experten und Kunstfreunden zugänglich. Schon ein Jahr nach ihrem Tode aber kam alles unter den Hammer (April/Mai 1870). Das war das Ende der großen Sammlung im Hause Neue Mainzer Straße 20. Die bedeutendsten Kunstliebhaber bemühten sich um den Besitz b.scher Schätze. Das „Städelsche Kunstinstitut" zu Frankfurt erwarb für die stattliche Summe von 1191 Gulden graphische Blätter dorther.   *Rf*

ADB 2 (1875). – Goethes Briefwechsel mit Antonie Brentano 1814-1821. Hrsg. v. R Jung. 1896. – Bettinas Leben und Briefwechsel mit Goethe . . . Neu hrsg. von F Bergemann. 1927. – Aus dem Nachlaß von Franz und Antonie Brentano-von Birkenstock pietätvoll ausgewählt. Abt. 1-3. o. J. – Katalog einer werthvollen Sammlung von Autographen und Urkunden aus dem Nachlaß des Schoeffen und Senators Franz Brentano und seiner Gemahlin Antonia Brentano geb. Edlen von Birkenstock. 1896. – Catalogue de la célèbre collection d'Estampes de feue Madame Antonia Brentano née de Birkenstock . . . sous la direction de F.A.C.Prestel. Francfort 1870. – Catalogue des Tableaux anciens et objets d'art . . . de feu Madame Antonie Brentano . . . sous la direction de M.G.L.Kohlbacher. Francfort 1870.

Birmann, 1) Peter (1758–1844), schweizerischer Landschaftsmaler, war in den letzten

Jahren seines römischen Aufenthaltes (1781/ 90) Chef des Kupferstichateliers des GVolpato. Seit 1792 wieder in Basel, widmete er sich meist dem *Kunsthandel, der in den Revolutionsjahren große Gewinne brachte. Nur *Landschaften aus Birmanns früherer Zeit*, wie sie Goethe am 6. IX. 1797 im Wohnzimmer des Herzogs im Schloß zu *Stuttgart sah *(I/ 34ᴵ, 311)* und in denen der Künstler von Cl *Lorrain abhängig ist, haben einigen Wert. Damals wurde er auch von den Weimarern geschätzt (vgl. IV/9, 83; SG Ges. 5, S. 106). Die 1802 in B.s baseler Kunstverlag herausgegebene „Voyage pittoresque de Basle à Bienne par les vallons de Mottiers-Grandval. Les planches dess. par Pierre Birmann ... Acomp. d'un texte" entlieh Goethe mit anderen ähnlichen Werken über die *Schweiz Ende Januar 1821 (Keudell Nr 1390), wahrscheinlich im Zusammenhang mit *Wilhelm Meisters Wanderjahren (Lenardo's Tagebuch*, vgl. I/25ᴵ, 234). B.s Sohn

-, 2) Samuel (1793-1847), Landschaftsmaler, trieb Studien in Rom und Paris und wurde nach 1823 Teilhaber der väterlichen Kunsthandlung. Er gab mehrere Landschaftsfolgen nach eigenen Zeichnungen heraus, die sich zT. an die Niederländer des 17. Jahrhunderts anschlossen, so ua. 1826 die „Souvenirs de la vallée de Chamounix", die Goethe am 4. I. 1827 bei der weimarischen Bibliothek entlieh (Keudell Nr 1781), nach Einsichtnahme (III/ 11, 4) H*Meyer schickte (ebda 6) und am 20. mit der Großherzogin Maria Paulowna betrachtete (ebda 23).

EGradmann-AMCetto: Schweizer Malerei und Zeichnung im 17. und 18. Jahrhundert. 1944. S. 73 (mit Abb.).

Birs, *ein mässiger Fluss,* im *Jura-Gebirge entspringend, bei *Basel in den Rhein mündend. Goethe folgte auf der zweiten *Schweiz-Reise ihrem vielgestaltigen Tal flußaufwärts (*Münster), erst durch Hügelland, dann durch das Münster-Tal, wobei er die deutsch-französische Sprachgrenze (Saugern/Soyhières) passierte. Er beschrieb den großen Eindruck dieser Wegstrecke in einem geradezu naturphilosophischen Briefe an ChvStein: *Mir machte der Zug durch diese Enge eine grosse ruhige Empfindung. ... Hätte mich nur das Schicksaal in irgend eine grosse Gegend heissen wohnen, ich wollte mit iedem Morgen Nahrung der Grosheit aus ihr saugen. ... Man fühlt tief, hier ist nichts willkürliches, alles langsam bewegendes ewiges Gesez (3. X. 1779: IV/4, 69 bis 72).*   *Za*

Biscaino, Bartolomeo (1632-1657), Maler in Genua, Radierer in der Art des GB*Castig-

lione; von B. besaß Goethe drei neutestamentliche und eine seiner profanen Darstellungen, ein „Bacchanal" (Schuchardt 1, S. 13).   *Lö*

Biscari, Vincenzo Principe di (1742-?), lebte mit seinen Eltern: Ignatio Vinc. Paterno Castello (1719-1786); und Anna, geb. Morso e Bonnano, Fürstin von Poggio Reale, in *Catania, wo die Familie große Besitzungen und eine umfangreiche *Antikensammlung, darunter wertvolle *Münzen und *Gemmen, sowie ein Naturalien-Kabinett hatte. Goethe lernte den Fürsten und seine Angehörigen während der ersten Aprilwoche 1787 in Catania kennen und erhielt unter Führung des *Hausgeistlichen,* des Abbate *Sestini, Zutritt zu den Sammlungen B.s. Die Münzsammlung wies der Eigentümer selbst vor *(I/31, 186* bis 188). Die Antiken sind heute im Museo B. in Catania, ausgenommen die Gemmen und Münzen, die ins Ausland wanderten.

Der Vater des Fürsten ist Verfasser des Kunstführers „Viaggio per tutte le antichità della Sicilia. Napoli 1781".   *Hm*

GLibertini: Il Museo Biscari. 1930. – JR, hrsg. vEinem S. 636.

Bischhagen, Dorf nahe bei *Heiligenstadt, berührte Goethe am 6. VI. 1801 auf der Badereise nach *Pyrmont (III/3, 17; RV S. 38).   *Za*

Bischhausen, hessisches Dorf auf der Reisestrecke *Kassel-*Eisenach, die Goethe wiederholt benutzte (1779; 1783; 1792; 1801), meist heimkehrend, das erste Mal jedoch am 13. IX. 1779, um mit Carl August in die *Schweiz zu reisen. Bei dieser Gelegenheit wurde in B. Mittagsrast gehalten und gezeichnet (III/1, 98; RV S. 18; 23; 30 und 38).   *Za*

Z e i c h n u n g e n :
Corpus I 212 InvNr 1309: Bischhausen d 13 Sept 1779 G
Dat./Sign. eigenhändig
HWahl 1949, S. 55, T. 24; weitgehende Überarbeitung unter Mithilfe von K.Lieber.   *Fm*

Bischof, Johann Andreas (1764-1832), Salineninspektor zu Dürrenberg. Er beschäftigte sich aus Liebhaberei mit meteorologischen Beobachtungen und kam als meteorologischer Beobachter auch mit Goethe in Beziehung. Im Jahr 1822 dringt *Director Bischof . . . auf vergleichende Barometer-Beobachtungen, denen man entgegen kommt (I/36, 212).* Solche waren durch die 1820 erschienene Witterungskunde von HW*Brandes bedeutungsvoll geworden, und Goethe selber hatte im Zusammenhang seiner Barometertheorie (*Barometer) besonderes Interesse in dieser Richtung.   *Bn*

Bischoff, Johann Christoph (30. XI. 1750 bis 7. IV. 1837), *Polizey-Inspector (IV/31, 279),* geboren und gestorben in Jena, wo er mit seiner Frau Maria Dorothea Johanna, geb.

Hertel, und vier Töchtern das Haus Schloß-
gasse 6 gegenüber dem herzoglichen Schlosse
bewohnte. *Bey Bischoffs ist für mich eingemie-*
thet und ich werde einmal ganz ernsthaft ein
Bewohner von Jena seyn (26. XII. 1807: *IV/*
19, 481). Hier also wohnte Goethe nunmehr
(ferner zB. 12. IX. 1817: III/6, 107 und 8. bis
12. XI. 1818: ebda 264), wenn auch nicht allemal, wenn er in Jena war, bis er am 7. IV. 1819
JMChr*Färber befahl, *meinem guten bisherigen*
Wirte Bischoff das Quartier aufzukündigen,
Johanni soll die letzte Zahlung erfolgen, danken
Sie ihm vielmals für die gute Aufnahme (HKnittermeyer). Erst am 3. XI. 1821 wurde dort der
,,Schreibtisch, der zum Oberaufsichtlichen
Inventar gehört", abgeholt. – Am 17. IV. 1817
trug sich Goethe mit dem Plan, das b.sche
Haus sogar für Regierungszwecke anzukau-
fen; auch sein Schwager ChrA*Vulpius wohnte
hier im August 1817 und im Dezember 1818.
Ko

HKnittermeyer: Unbekannte Briefe und Urkunden
aus dem Goethekreis, aus dem Nachlaß Johann
Michael Färbers (Abhandlungen der Bremer Wissenschaftlichen Gesellschaft VII, H. 3/4). 1935.

Bischofswerda, die kleine im 13. Jahrhundert
gegründete Stadt in der Oberlausitz, lag an
Goethes Reiseweg von und nach *Schlesien.
Goethe passierte den Ort auf dem Hinweg am
31. VII. 1790 vormittags. Auf dem Rückweg
notiert ihn im begleitender Diener JGP
*Goetze am 24. IX. abends: ,,In Bischofs-
werda eingekehrt" (vgl. RV S. 29).   *JP*
Hoffmann/Schlesien S. 61; 63.

Bismann, Johann Andreas, Klavierlehrer von
Johann Wolfgang und Cornelia Goethe. Goethe berichtet, auf welch lustige Weise B. ihn
als Schüler gewann, wie er selbst dem *trock-*
nen Unterricht bald entrann, der Vater die
Schwester aber *außer ihren Lehrstunden eine*
ziemliche Zeit des Tages am Claviere festhielt
(I/26, 185 f.).   *MB*

Bitaubé, Paul Jérôme (1732–1808), in Königs-
berg/Preußen von Eltern französischer Abstammung geboren, in *Paris gestorben. Er
übersetzte ua. die ,,Ilias" (1780), die ,,Odys-
see" (1785) und *Hermann und Dorothea* (1800)
ins Französische; Goethe dankt ihm für seine
Übersetzung am 19. XI. 1800 (IV/15, 148f.);
1826 stellt er fest: *Übersetzung von Hermann*
und Dorothee durch Bitaubé that nur im Stillen
seine [!] *Wirkung (I/42^{II}, 491).*   *Fu*

Bitsch, in Lothringen (französisch Bitche, Departement Moselle), kleine, etwa 300 m hoch
inmitten ausgedehnter Waldungen gelegene
Stadt, die Vauban, Ludwigs XIV. Festungs-
baumeister, 1680 zur Festung umgestaltete.

Goethe berührte B. im Juli 1770 (I/27, 337f.;
RV S. 10).   *Fu*

Bivona/Vivona, Antonino Baron (Lebensdaten nicht ermittelt), Jurist, Advokat, Rechts-
vertreter Frankreichs in Sizilien, Verfasser
eines Mémoire, das er für das französische
Ministerium abgefaßt hatte, um über den
*Stammbaum Cagliostro's/*Balsamos (4) zu berichten und zugleich die *zu dessen Begründung*
nöthigen Documente in Abschrift vorzulegen
(I/31, 127). Goethe besuchte ihn wohl am
13. IV. 1787 (HDüntzer: Hempel 24, 773). Der
Darstellung in der *IR* liegt aber außer dem
Manuscript B.s ua. auch noch die erst 1790
erschienene römische Staatsschrift zugrunde:
,,Compendio della vita, e delle geste di Giuseppe Balsamo, denominato il Conte Cagliostro, che si è'stratto dal processo contro di
lui formato in Roma l'anno 1790", die alsbald
in französischer und in deutscher Übersetzung
ausgegeben wurde.   *Za*

Blachière, Kaufmannsfamilie in *Hanau, wohl
Nachkommen des aus Nîmes stammenden
Seidenhändlers Johann B. (1663–1745), der
1703 das frankfurter Bürgerrecht erworben
hatte. Wie sein ein Jahr früher eingebürgerter
Landsmann Denis Nolhac gründete JB in Hanau eine Handlung. Goethe wußte sich aus
seiner Kinderzeit zu erinnern, daß man *in*
Hanau ... die Zucht der Würmer [Seidenrau-
pen] *sehr sorgfältig betrieb* und daß sein Vater,
der selbst die *Liebhaberei* der *Seidenzucht*
pflegte, *mit den Vorstehern der Seidenanstalt* in
Hanau *in gutem Vernehmen* stand *(I/26, 191;*
239). Der Ehe von Etienne B. mit einer Tochter von Charles Nolhac entstammten Etienne
(1772–1813) und Henri (1777–1828), die eine
Zeitlang gemeinsam die hanauer Firma Ge-
brüder B. in Verbindung mit der ihnen im
Erbgang zugefallenen Seidenhandlung Nolhac
Wittib u. Co. führten. Die Doppelfirma gab
mehr als 450 Familien Nahrung. Goethe ließ
sich am 28. VII. 1814 in Hanau *vieles* zeigen
(III/5, 120; auch Seidenfabriken?). In seinen
Bericht nahm er fast wörtlich die von seinem
Freunde CCv*Leonhard ,,gnädig befohlene
Skizze" über die Stadt auf (vgl. I/34^{II}, 43–46;
IV/26, 103; 141), die der *Fabrik der Brüder*
Blachierre einige Zeilen widmet *(I/34^{I}, 148)*.
Als Quelle diente wahrscheinlich PhANem-
nich: Tagebuch einer der Kultur und Indu-
strie gewidmeten Reise. Tübingen 1809. Die
Stadt Hanau hat eine Straße nach Henri B.
und seinem Neffen Louis benannt.   *Rf*

Hanauisches Magazin vom Kahr 1783. – ADietz:
Frankfurter Handelsgeschichte 4 (1925). PAWin-
kopp: Versuch einer topographisch-statistischen Beschreibung des Großherzogtums Frankfurt. 1812.

Blanchard, François (1753–1809), einer der ersten französischen Luftschiffer, der Erfinder des Fallschirms und erste Überquerer der Meerenge von Calais auf dem Luftwege (1785). Goethe hörte bereits 1783 von ihm (IV/6, 232) und las im nächsten Jahre im *Journal de Paris . . . un recit du voyage aerien de M. Blanchard (ebda 346).* Im September 1785 war B. in *Frankfurt: Fritzen [v*Stein] hab ich nach Franckfurt geschickt damit er Blanchard in die Lufft steigen sehe* (11. IX. 1785 an FH*Jacobi: *IV/7, 93).* B.s *Ballon wird etwas gröser als unsre Schnecke seyn (ebda 95;* vgl. 98). Trotz dieser Aufmerksamkeit für die technischen Mittel einer kommenden Zeit mit ihrer alles ergreifenden *Communication (1825: IV/39, 216)* findet sich bei Goethe kein weiterer Bericht, als die Frage am Tage nach dem geplanten Aufstieg in *Frankfurt: Was mag Blanchard gestern für ein Schicksal gehabt haben? (IV/7, 101;* der Aufstieg gelang jedoch erst am 3. X. 1785). *Za*

AZastrau: Technik und Zivilisation im Blickfeld Goethes. In: Humanismus und Technik 4 (1957), S. 150.

Blanchet, Francois (1707–1784) Abbé, französischer Pädagoge und Schriftsteller; Goethe liest mit Vergnügen dessen in der Tat nicht reizlose *Orientalische Erzählungen* („Apologues et contes orientaux“, 1785) Anfang September 1785 *(IV/7, 89).* *Fu*

Blankenburg, Stadt im *Harz, besuchte Goethe gelegentlich der zweiten und dritten Harzreise. Am 11. September 1783 war er mit Fv*Stein zur Nacht dort (IV/6, 196; RV S. 22); 1784 war er *in der Freyheit der Berge* mit GM*Kraus hin- und herwandernd wiederholt in B. *(IV/6, 353;* RV S. 24). *Za*

Blankenburg, Stadt und Bad im Thüringer Wald am Ausgang des Schwarzatales, 1781: 884 Einwohner, seit dem Mittelalter Bergbau auf Kupfer und Silber, der um 1700 besonders ertragreich war. Auch Goethe befuhr bei seinem Besuch im Juli 1781 ein Kupferbergwerk und knüpfte Beziehungen mit einem dortigen Bergmeister an (IV/5, 162, 164; RV S. 21); *Bergwerke und Hüttenbetriebe. *Eb*

Blankenhain, 1817: 1224 Einwohner, mit einer 1790 eingerichteten *Porzellanfabrik, deren Erzeugnisse Goethe erwähnt (III/5, 218; III/12, 130). Goethe mag die an der Straße nach *Rudolstadt gelegene Stadt oft berührt haben (beabsichtigte Begegnung mit Chv*Stein 1782: IV/6, 59; Schlittenfahrt mit Ottilie 1829: III/12, 19; RV S. 13–18; 21 f.; 24; 27; 66). Bei der Vorführung einer Schauspielertruppe in B. 1801 war er offenbar Zuschauer (III/3, 16). Nachdem die Herrschaft B. 1815 an

*Sachsen-Weimar gefallen war, traf Goethe Anstalten *alte kirchliche Schnitzbilder* zu bergen *(IV/26, 195),* die 1778 aus der Stadtkirche in das Schloß (der 1794 ausgestorbenen Grafen von Hatzfeld) gelangt waren und nunmehr dort unbeachtet, teilweise beschädigt, standen. Sein Sohn August und der berkaer Badeinspektor HF*Schütz waren ihm dabei behilflich. Die Stücke wurden am 15. XII. 1815 nach Weimar in das Fürstenhaus überführt und in der nächsten Zeit restauriert (III/5, 193 bis 195; IV/26, 160; 27, 14). Es handelte sich um einen Flügelschrank mit drei großen Figuren („Krönung der Maria“), ein Votivbild („Heilige Anna“) mit einer Predella („Tod der Maria“) und ein kleineres Altarstück (IV/27, 382), die ersteren Gegenstände *Von sehr großem Maaßstab, bis sechs Fuß Höhe und acht Fuß Breite, beynah ganz erhabne Figuren, gemahlt und geschmückt, auf Goldgrund aufgeschraubt und genagelt* (21. XII. 1815 an S*Boisserée: *IV/26, 195).* Goethe gedachte die *Wartburg durch Überweisung der Kunstwerke zu bereichern. Diese befanden sich indessen noch im April 1817 in Weimar, und zwar im Gartenhaus (IV/28, 73); durch Großherzog Carl Alexander wurden sie später dem Thüringer Museum in *Eisenach zugeteilt (IV/26, 386).

Dem Bau der Geländeschwierigkeiten überwindenden b.er Chaussee schenkte Goethe besonderes Interesse; er ließ sich darüber durch CW*Coudray mehrfach (1829: Bdm. 4, 83; 1830: III/12, 330) und noch im März 1832 unterrichten (Bdm. 4, 439). *Dl*

HGGräf: Zum 6. Juni 1916. Eine Jahrhunderterinnerung. In: JbGGes. 3 (1916), S. 245–262. – WBankwitz: Geschichte der Stadt und Herrschaft Blankenhain (Thür.). Bd 2 (1922), S. 102–106.

Blankvers. 1. Der Blankvers ist ein fünffüßiges jambisches Metrum mit alternierendem Gang, das bei männlichem Versausgang zehn, bei weiblichem elf Silben aufweist: x× x× x× x× x× (x): *Heraús in eúre Schátten, rége Wipfel* (I/10, 3). Es ist, wie der Name sagt, reimlos (blank) und mit frei wechselnder, oft fehlender Zäsur gebaut. Entstanden ist der Vers in Frankreich und erfreute sich als vers commun (zehn- bzw. elfsilbiges gereimtes Metrum mit Zäsur nach der vierten Silbe) im 15./16. Jh. großer Beliebtheit. Von dort wanderte er nach Italien, wo er, entsprechend dem Sprachmaterial, mit stets klingendem Versschluß zum Endecasillabo gewandelt wurde, und schließlich nach England. Hier spaltete er sich; gereimt fand er als heroic verse im Drama, Lehrgedicht und Epos Verwendung, ungereimt als blank verse gebrauchte man ihn im Drama der elisabethanischen Zeit (Shake-speare) und im Epos. In dieser Form kam er zu Beginn des 18. Jahrhunderts nach Deutsch-land. Deutsche Dichter und Übersetzer wie JE *Schlegel, *Wieland, ChrFWeiße verwendeten ihn. Sein eigentlicher Siegeszug im deutschen Sprachgebiet begann erst mit Lessings „Na-than". Von nun an wurde er zum meistbenutz-ten Dramenvers der Zeit um 1800 und der ersten Hälfte des 19. Jahrhunderts.

2. Goethe wendete sich dem B. nach jugend-lichen Frühversuchen *(*Belsazar)* konsequent erst in seiner klassischen Periode zu. In chro-nologischer Folge sind dies die im fünffüßigen reimlosen Jambus abgefaßten Werke: Vers-*Iphigenie* 1786 *(I/10)*, *Nausikaa*fragment 1786 bis 1787 *(I/10)*, *Erwin und Elmire* 1787 *(I/11)*, *Claudine von Villa Bella* 1787-88 *(I/11)*, *Tasso* 1788-89 *(I/10)*, *Theaterreden* 1-6 1791-94 *(I/13^I)*, *Natürliche Tochter* 1799-1803 *(I/10)*, *Ma-homet* 1800 *(I/9)*, *Tancred* 1801 *(I/9)*, *Prolog* Leipzig 1807 *(I/13^I)*, ferner einzelne Partien aus *Was wir bringen* Lauchstädt 1802 *(I/13^I)* und aus *Was wir bringen* Halle 1814 *(I/13^I)*. Die aus dem Jahre 1811 stammende Übersetzung und Bearbeitung von Shakespeares „Romeo und Julia" kann außerhalb der Betrachtung blei-ben, da Goethe nach seinem eigenen Zeugnis (I/ 36, 63) hierbei von PA*Wolff und *Riemer tat-kräftig unterstützt wurde, so daß nicht eindeu-tig festzustellen ist, welche Teile auf den Dich-ter zurückgehen. In der Tat weist diese Über-setzung gegenüber den anderen Blankvers-werken Goethes zahlreiche Abweichungen und Übertretungen des Metrums auf, die wohl auf seine Helfer zurückzuführen sind. So bil-den also, abgesehen von einzelnen kleinen Stücken aus späteren Jahren, *Iphigenie* und *Natürliche Tochter* Anfang und Ende der Ver-wendung des Blankverses durch Goethe. Während die endgültige Fassung der *Iphige-nie* aus der Zeit von September bis Ende 1786 noch rhythmische Auflockerungen zeigt, führte Goethe bei der Umarbeitung des *Tasso*, dessen zwei erste Akte er ursprünglich in „poe-tischer Prosa" geschrieben hatte, den B. in einer strengen Konsequenz durch, die ihr Merkmal besonders im sentenzenhaft knappen stichomythischen Aufbau der Dialoge findet. Er selbst empfand den Fortschritt, den er gemacht hatte, und bezeichnete die Verse des *Tasso* gegenüber denen der *Iphigenie* als bes-ser (Gräf II, 4, 305). In der *Natürlichen Toch-ter* schließlich bewirkt die Stichomythie, ver-bunden mit anderen Stileigenheiten des spä-teren Goethe, wie zB. Zurücktreten der verbal bewegten Formen und Neigung zum Sub-

stantivieren, eine gewisse monumentale Er-starrung des jambischen Metrums zugunsten einer strengen Symmetrie im Aufbau der Verse. Zu den drei großen Dramen Goethes gesellen sich die kleineren Werke und Über-setzungen. Der Plan zu dem Trauerspiel *Nau-sikaa* ist eine unmittelbare Frucht der italie-nischen Reise, der Berührung mit klassischem Boden und der dortigen Beschäftigung mit Homer. Die Singspiele *Erwin und Elmire* und *Claudine von Villa Bella* sind Umarbeitungen der aus Goethes Sturm- und Drangzeit datie-renden, in Prosa abgefaßten *Schauspiele mit Gesang* (Morris 5, 39; 129) gleichen Titels und zeigen Goethes Bestrebungen, die italienische Oper in Deutschland einzuführen. Entspre-chend diesen Absichten ist die Personenzahl ge-ändert (Einführung eines zweiten Liebespaares in *Erwin* und der Freundin *Lucinde* in *Clau-dine*, da die so geschaffene Gruppierung einem Singspiellibretto besser entsprach) und der Inhalt durch Stilisierung dem beabsichtigten Zweck genähert. Mit der Leichtigkeit und Gewichtlosigkeit des Stoffes mag es zusam-menhängen, daß der B. hier klar, einfach und ungekünstelt wirkt. Er fließt glatt und eben dahin und zeigt auf seiner Ebene Prosanähe, wie sie auch in der zeitlich nahestehenden *Iphigenie* zu bemerken ist. Auch die aus der späteren klassischen Zeit Goethes stammen-den Übersetzungen der Dramen Voltaires, *Mahomet* und *Tancred*, entsprechen in der dem Versmaß weit entgegenkommenden gedräng-ten Sprache der Stufe, die Goethe in der *Na-türlichen Tochter* erreicht hat. Aus der stän-digen nahen Berührung des Dichters mit dem Theater entsprangen die *Theaterreden: das sind Prologe und Epiloge, die er bei besonde-ren Anlässen wie Theatereröffnungen oder auswärtigen Gastspielen des Weimarer Thea-ters sprechen ließ. Es sind kleine Stücke, die die für Goethe charakteristischen Merkmale der Versbehandlung aufweisen.

3. Goethes Ansichten über Prosodie: Für den Goethe der klassischen Zeit ist aus der Be-rührung mit der Antike, an der ihn vor allem Maß, Harmonie und plastische Gestalt be-eindruckten, das Betonen der Form und das Verbergen hinter ihr eine innere Notwendig-keit. An Schiller schreibt er am 5. V. 1798 be-züglich einiger Szenen des *Faust*, die er ur-sprünglich in Prosa geschrieben hatte: *Sie sind durch ihre Natürlichkeit und Stärke, in Verhältniß gegen das andere, ganz unerträglich. Ich suche sie deswegen gegenwärtig in Reime zu bringen, da denn die Idee wie durch einen Flor durchscheint, die unmittelbare Wirkung des*

ungeheuern Stoffes aber gedämpft wird (IV/13, 137). Schon aus seiner leipziger Studentenzeit datieren die ersten Versuche im Blankvers, er arbeitete damals an einem Trauerspiel *Belsazar* und war sich des Ungewöhnlichen seiner Metrumwahl bewußt, wie aus Versen hervorgeht, die er einem Brief an JJ*Riese beifügte (IV/1, 16f.), in denen er die Eignung des Blankverses für das Trauerspiel nach JESchlegels Vorbild betont und ihn gegen den überall gebräuchlichen *Alexandriner abhebt. Von diesen frühen Versuchen ist indessen nichts Weiteres bekannt, da Goethe sie wahrscheinlich vor seiner Abreise aus Leipzig vernichtet hat. In den Bühnenwerken seiner ersten Periode benutzte er neben dem Alexandriner, den er aber nur im Lustspiel *(Laune des Verliebten, Mitschuldige I/9)* verwendete, die Prosa *(Götz I/39)*. Das trifft auch für die erste Fassung der *Iphigenie (I/39)* zu. Das Formproblem beschäftigte Goethe, seit er angefangen hatte zu dichten. Je älter er wurde, desto dringender wurde seine Lösung. Er fühlte den Unterschied zwischen antiker und deutscher Metrik oder langer und betonter Silbe, ohne ihn näher fassen zu können: *Es ist auffallend, daß wir in unserer Sprache nur wenige Sylben finden, die entschieden kurz oder lang sind (IR I/30, 248)*. Deshalb mochte ihn schon früh eine Skepsis gegenüber der Anwendung antiker Versmaße in der deutschen Sprache beseelen. Er gab ihr allerdings erst später Ausdruck: *Die deutsche Prosodie, insofern sie die alten Sylbenmaße nachbildete, ward, anstatt sich zu regeln, immer problematischer (TuJ 1804, I/35, 148)*. Nur den *Hexameter ließ er für die deutsche Metrik gelten: *...eine größere Arbeit in Hexametern zu unternehmen, in dieser schönen Dichtart, in die sich nach und nach unsre Sprache zu finden wußte, ... (I/35, 183; vgl. auch IV/19, 119)*. Aus seinem Interesse für die *deutsche Zeitmessung (IV/16, 230)* verfolgte er die Bemühungen der Theoretiker des Versbaus wie JH*Voß und *Humboldt, wobei besonders der erstere in den 90er Jahren seiner regen Anteilnahme gewiß sein konnte. Er bemühte sich, den von Voß gegebenen Anweisungen in seiner eigenen dichterischen Produktion nachzukommen, war sich aber darüber klar, daß noch vieles der Lösung bedurfte (Briefw. Schiller/Goethe II 189f.; II 197f.). Ständig war er mit metrischen Problemen beschäftigt (Briefw. Schiller/Goethe II 190f.; II 200; III/3, 71) und begrüßte Voß' 1802 erfolgende Übersiedlung nach Jena *(TuJ 1802: I/35, 137)*; er fragte ihn in einem Brief bezüglich des *zehen- oder eilf-*

silbigen Jambus um Rat *(IV/16, 147)*. Später aber, als sich die Haltung von Voß und seiner Schule versteifte und dieser für immer striktere Anwendung der antiken Versmaße eintrat (1802 erschien seine „Zeitmessung der deutschen Sprache"), wandte sich Goethe von dieser Richtung ab und bedachte sie mit Spott, Ablehnung und Ironie, darin die Worte: *Für lauter Prosodie ist ihm* [Voß] *die Poesie ganz entschwunden (IV/20, 85f.;* vgl. außerdem IV/19, 283; IV/29, 90).

Diese letzten Bemerkungen führen schon über Goethes klassische Zeit hinaus. Damals war Goethe zu einer Klärung seiner Anschauungen inbezug auf den Versbau gekommen. Aber während seiner italienischen Reise, als ihm Klarheit in der Metrik und Beherrschung der Form zu einem zentralen Anliegen geworden waren, tastete er sich nur langsam voran: *Denn warum ich die Prosa seit mehreren Jahren bei meinen Arbeiten vorzog, daran war doch eigentlich Schuld, daß unsere Prosodie in der größten Unsicherheit schwebt, ... wodurch man denn doch aller Richtschnur ermangelte (I/30, 248)*. 1786 war die kleine Schrift von KPh *Moritz: „Versuch einer deutschen Prosodie" erschienen, in der der Verfasser zu der Ansicht gekommen war, *daß es eine gewisse Rangordnung der Sylben gebe, und daß die dem Sinne nach bedeutendere gegen eine weniger bedeutende lang sei und jene kurz mache, dagegen aber auch wieder kurz werden könne, wenn sie in die Nähe von einer andern geräth, welche mehr Geistesgewicht hat (I/30, 248f.)*. Mit Hilfe von Moritz' verklausulierten und wenig klaren Formulierungen, über die er im persönlichen Umgang mit dem Verfasser Aufklärung suchte, goß Goethe die Prosafassung der *Iphigenie* in reimlose fünffüßige Jamben um (I/30, 248). Zu der Wahl dieses Versmaßes mochte er durch das englische und Lessings Vorbild angeregt worden sein. In der verwandten englischen Sprache hatte es sich vorzüglich bewährt. Es hatte streng gebundenen *Rhythmus und war doch als Sprechvers zu gebrauchen. Dabei war es für Goethe nicht durch Verwendung in der Antike vorbelastet und durch die vom alternierenden Gang herrührende Knappheit, zu der die poetische Diktion veranlaßt wurde, trotzdem geeignet, dem zum klassischen Ideal strebenden Dichter als Gefäß seiner Aussagen zu dienen. Von dem sechshebigen gereimten Alexandriner mit der stehenden Zäsur nach dem dritten Versfuß hob sich der B. wohltuend ab durch seine Kürze (vgl. Bdm. 3, 27), die Reimlosigkeit und die freie Zäsur. Andererseits war er gegenüber

dem sehr kurzen vierhebigen Knittelvers durch den zusätzlichen Versfuß im Vorteil. Letzterer mochte sich auch durch seine deutsche Herkunft dem Dichter nicht empfehlen. In einem Brief an JH*Meyer vom 6. VI. 1797 äußerte sich Goethe über die *beynahe magischen* Beziehungen zwischen Stoff und Form *(IV/12, 143f.)*. In der *Iphigenie* begann Goethe mit der Verwendung des B.s und verstand sich in der Folge zu einer Bindung an die Form in sich-beugend / selbständiger Haltung gegenüber dem Metrum. Die wachsende Meisterschaft in der Handhabung des Verses führt zu immer stärkerer Konzentrierung des Stils. Die letzte Stufe ist in der *Natürlichen Tochter* erreicht. Dabei war der Dichter bei vollkommener Aneignung der metrischen Gesetze gegen eine genaue Entsprechung von Wort- und Versakzent, die zu der eigentümlich klappernden Rhythmik in der Dichtung der Zeit vor Klopstock geführt hatte: *Lassen Sie uns … immer strenger in Grundsätzen und sichrer und behaglicher in der Ausführung werden* (25. XI. 1797 an Schiller; *IV/12, 362;* Schiller an AWSchlegel 9. I. 1796 [Jonas IV/ 286]: „Er [Goethe] glaubt, und muß seiner Natur nach die Meinung haben, daß in Rücksicht auf den Versbau den Forderungen des Moments und der Convenienz des individuellen Falles weit mehr, als einem allgemeinen Gesetze müsse nachgegeben werden.").
Die Hingabe an die bindende Kraft der Form zeigt Goethe auch in der praktischen Wirksamkeit am Weimarer Theater (vgl. bes. *Wilh. Meisters Lehrjahre*, Buch IV, Kap. 19, *I/22,* 122 u. 123; ferner *Regeln für Schauspieler* 1803, *I/40,* 139–168: §§ 31–33, 36 und bes. *35: Zunächst bedenke der Schauspieler, daß er nicht allein die Natur nachahmen, sondern sie auch idealisch vorstellen solle, und er also in seiner Darstellung das Wahre mit dem Schönen zu vereinigen habe*). Gebrauch des B.s und klassisch gebundene Theaterpraxis ergänzten sich. Das zeigt sich ua. darin, daß Goethe die von *Voltaire im Alexandriner gedichteten Dramen *Mahomet* und *Tancred* im ungereimten fünffüßigen Jambus übersetzte, um Repertoirestücke für das Weimarer Theater zu haben. *Den 30. Januar ward Mahomet aufgeführt zu großem Vortheil für die Bildung unserer Schauspieler. Sie mußten sich aus ihrem Naturalisiren in eine gewisse Beschränktheit zurückziehen, deren Manierirtes aber sich gar leicht in ein Natürliches verwandeln ließ (TuJ* 1800: *I/35, 85).*
4. Gegenüber seinem Vorgänger Lessing, der den B. mit Freiheit verwendet und dem der

einzelne Vers nicht durchaus eine geschlossene Einheit bildet, bedeutet das metrische Schema für Goethe eine wirkliche Bindung. Durch das strenge Alternieren von betonter und unbetonter Silbe wird Kürze des Ausdrucks erreicht. Um dem Gang des Metrums folgen zu können, unterliegt die Sprache kleinen, vom gewöhnlichen Gebrauch abweichenden Veränderungen: Endungs-e fällt ab *(Iphigenie* I/2: *Denn seine Seel' ist fest und unbeweglich I/10, 11)*, Infinitive und Partizipien werden um das e der Endung gekürzt *(Tasso* II/4: *Du findest mich, o Fürst, gelassen stehn I/10, 162)*, Vokale im Wortinnern fallen aus *(Natürliche Tochter* III/2: *Unsel'ges Licht! du rufst mich auf zum Leben I/10, 307* und: *Ein geistverlaß'ner körperlicher Traum! 308)*, ein unbetontes e wird eingeschoben *(Natürliche Tochter* III/4: *Welch neuer Qualenkrampf bedrohet mich! 317).* Zur abwechslungsreichen Gestaltung des Metrums dienen die ganz nach dem Ermessen des Dichters verwendeten männlichen und weiblichen Versschlüsse, wodurch sich zehn- oder elfsilbiger Vers ergibt. Sie sind ein charakteristisches Merkmal des deutschen B.s. Mitunter gestaltet Goethe ganze Partien in anderem Metrum, um sie gegen ihre Umgebung abzuheben (zB. der zweite Teil von *Orests* Monolog *Iphigenie* III/2, der beginnt: *Willkommen, Väter! euch grüßt Orest, I/10, 55)*, oder er führt einzelne gereimte Verse ein. An wichtigen Stellen werden längere oder kürzere Verse eingeschoben *(Iphigenie* III/1 die beiden Verse: *Der Mutter Geist, 46* und: *Sei Wahrheit! 47).* Auch Verteilung eines Jambus auf mehrere Personen findet man. Allerdings ist der Dichter in der Verwendung dieses Stilmittels sparsam, da es zu einer Auflockerung des Metrums führt, er gebraucht es besonders bei dramatischer Zuspitzung der Handlung. So ist *Iphigenie* III/1 ein Jambus viermal geteilt *(50f.):*

Iphig. Ich lebe!
Orest   *Du!*
Iphig.   *Mein Bruder!*
Orest   *Laß! Hinweg!*

Mit großer Kunst beherrscht Goethe die Variationsmöglichkeiten des B.s wie Akzentversetzungen *(Iphigenie* III/3: *Kommt! Es bedarf hier schnellen Rath und Schluß. 58)* und Tonbeugungen *(Iphigenie* II/1: *Erwart' es ruhiger! Du mehrst das Übel 33* und *Tasso* I/4: *… was den Menschen nur / Ehrwürdig, liebenswürdig machen kann, 134).* Die durch letztere hervorgerufene schwebende Betonung bewirkt eine eigentümliche Spannung zwischen Wort- und Versakzent und bildet einen

Hauptreiz der goetheschen Versbehandlung. Durch sie wird die lebendige Nuancierung seiner poetischen Sprache erreicht.
Die Behandlung des Hiatus läßt Rückschlüsse zu auf die Empfindlichkeit des Dichters gegenüber dem Metrum. Goethe hat sich sorgfältig bemüht, Hiate im Versinnern zu vermeiden *(Iphigenie* II/2: *Befürcht' ich andern harten Schluß von ihm I/10, 11).* Mitunterge-schlüpfte Hiate hat er beim Überarbeiten nach Möglichkeit ausgemerzt. Eine korrekte Versbehandlung in dieser Beziehung lag ihm sehr am Herzen, ebenso galt seine Sorge der Vermeidung von leichter Versfüllung an den wichtigen Stellen: *Übrigens hatte ich angefangen hie und da einige Veränderungen einzuschreiben. Sie beziehen sich aber nur auf den mehrmals vorkommenden Fall, daß ein Hiatus entsteht, oder zwey kurze (unbedeutende) Silben, statt eines Jambus stehen; beyde Fälle machen den ohnehin kurzen Vers noch kürzer* (14. I. 1805 an Schiller; *IV/17, 235 f.;* vgl. auch IV/22, 347). Ganz anders verhält sich Goethe am Versschluß; denn hier behält er Hiate bei *(Tasso* II/1: *...uns wären Jahre | Im schönen, ungetrübten Glück verschwunden. I/10, 141)* und zeigt damit, daß er die Integrität des Verses anerkannte *(Regeln f. Schauspieler* §33: *Hat man Jamben zu declamiren, so ist zu bemerken, daß man jeden Anfang eines Verses durch ein kleines, kaum merkbares Innehalten bezeichnet; doch muß der Gang der Declamation dadurch nicht gestört werden. I/40, 153).* Sehr angenehm empfand Goethe am B. die Freiheit in der Anwendung der Zäsur und die Möglichkeiten, die sich durch den häufigen Gebrauch des Enjambements ergaben. Bei unserem in bezug auf die Zäsur alle Variationsmöglichkeiten zulassenden Metrum kann man von dieser Erscheinung eigentlich nur sprechen, wenn ein Satzschluß im Vers vorliegt und damit ein Absatz und Neubeginn innerhalb des Metrums (Zäsur und Enjambement *Iphigenie* IV/4: *Du scheinst verworren! Widersetzt sich | Ein neues Unheil unserm Glück? Sag' an! I/10, 68).* In der Besprechung von Manzonis Trauerspiel Carmagnola 1820 äußert sich Goethe: *Das Versmaß ist der eilfsylbige Jambus, welcher durch abwechselnde Cäsuren dem freien Recitativ ganz ähnlich wird, so daß eine gefühlvolle geistreiche Declamation alsobald mit Musik zu begleiten wäre. Diese Behandlung des bekannten, der modernen Tragödie, besonders auch der deutschen, höchst angemessenen Versmaßes wird noch durch ein eigenes Übergreifen des Sinnes (Enjambement) vielbedeutend; die Zeile schließt mit Nebenworten,* *der Gedanke greift über, das Hauptwort steht zu Anfang der folgenden Zeile, das regierende Wort wird vom regierten angekündigt, das Subject vom Prädicat; ein großer mächtiger Gang des Vortrags wird eingeleitet und jede epigrammatische Schärfe der Endfälle vermieden (I/42ᴵ, 155).*   *BR*

FZarncke: Über den fünffüßigen Jambus bei Lessing, Schiller und Goethe, Kleine Schriften I 309-424. – EBelling: Beiträge zur Metrik Goethes. 3 Tle. Programme Bromberg Gymnas. 1884, 1885, 1887. – JMinor: Metrik. S. 230-252, dort Übersicht über die Literatur bis 1902 (S. 524). – EZitelmann: Der Rhythmus des fünffüßigen Jambus. Neue Jahrbücher für das klassische Altertum, Geschichte und dt. Literatur und für Pädagogik XIX(1907) S. 500ff. – FSaran: Verslehre S. 333-338. – LHettich: Der fünffüßige Jambus in den Dramen Goethes. 1913. – RHaller: Studie über den deutschen Blankvers. In: Deutsche Vierteljahrsschr. 31 (1957), S. 380-424.

Blasche, Johann Christian (25. V. 1718 Geißmannsdorf bis 20. I. 1792), studierte in Jena, wurde dort Magister und Rektor der Stadtschule, dann 1765 außerordentlicher Professor der Philosophie, 1771 außerordentlicher und schließlich 1782 ordentlicher Professor der Theologie an der Universität dortselbst. Am 20. VI. 1756 heiratete er die Professorentochter Clara Catharina Sophia Hamberger. Über seine Rangeinordnung unter den Professoren ChrFPolz und Ausfeld (beide starben am 2. XII. 1782) ergaben sich Schwierigkeiten, worüber Goethe am 25. V. 1782 dem Herzog Carl August berichtete (IV/5, 332 f.). Wenig später erklärte Goethe MAv*Thümmel gegenüber brieflich: *Auch Herr Blasche leidet unter dem Verzuge indem man hiesiger Seits vor der Berufung des Herrn Ausfelds sich ihm zur Erfüllung keiner Bedingung verbunden hält. Mir selbst ist persönlich daran gelegen daß dieses Geschäft berichtigt werde, weil es sonst scheinen könnte als hätte ich mich in Betreibung desselben einiger Nachlässigkeit schuldig gemacht (ebda 339).*   *Ko*

JGünther: Lebensskizzen Jenaer Professoren. 1858. S. 204. – GRichter: Das alte Gymnasium in Jena. 1886. S.26. – KHeussi: Geschichte der theologischen Fakultät der Universität Jena. 1954, S. 168.

Blaufuß, Johann Valentin (1769-1850), ein Försterssohn aus Wasungen, Geometer, fürstlicher Jagdlakai und seit 1803 Wegebauinspektor in Weimar, schuf zahlreiche Lagepläne, ua. einen Plan des weimarer Parks, in den er Hinweise auf die Park-Radierungen von GM*Kraus einzeichnete, und einen auf gründlicher, 1818 bis 1822 durchgeführter Neuvermessung beruhenden Stadtplan von Weimar. Die im Zusammenhang damit 1819 von B. in Goethes Garten am Park vorgenommenen Messungen erwähnt das Tgb. (III/7, 32; *Gartenkunst).   Hk*

Blessenbach *(Plessenbach),* Dorf an den Nordhängen des *Taunus zum *Lahntal hin, erreich-

te Goethe gemeinsam mit LW*Cramer am 21.
VII. 1815 von *Wiesbaden aus; Goethe übernachtete in B. bei dem protestantischen Orts-
geistlichen *(III/5, 171;* RV S. 51).   *Za*

Blessig, Johann Lorenz (1745–1816), protestantischer Theologe, Kirchenmann und Kan-
zelredner in Straßburg, Philanthrop, verdient
um die Organisation der protestantischen Kirche im Elsaß, maßgeblich auch in der Kir-
chenliedpflege (Gesangbuch), traf 1774 in
Frankfurt mit JB*Basedow und Goethe zusammen, worüber er in seinem (verschollenen)
Reise-Tagebuch berichtete (CMFritz 1818:
Morris 6, 420).   *Za*

Bleuler, Johann Heinrich (1758–1823), Gou-
ache-Maler und Kupferstecher, beliebt und berühmt wegen seiner schweizer Ansichten vom
Lago Maggiore (diese nach L*Heß), Luganer-
und Zugersee und vom Rheinfall bei *Schaffhausen, ist wahrscheinlich in *Wilhelm Meisters
Wanderjahren* (I/24, 366–368) als Lehrer *Hila-
riens* gemeint.   *Lö*
ThB 4 (1910), S. 115.

Blitzableiter *(Wetterableiter: II/11, 300; Gewitterableiter: I/53, 189)* wurde im Anschluß
an die Drachenversuche, die den Blitz als
elektrische Erscheinung nachwiesen, 1752 von
B*Franklin erfunden und im gleichen Jahre
in Amerika erstmals zur Ableitung atmosphä-
rischer *Elektrizität benutzt. In Europa wurde
1754 in Mähren und dann 1769 am Jakobi-
kirchturm in Hamburg ein B. verwendet.
Goethe war *Doctor Franklins Erfindung dem
Gewitter seine Blitze zu nehmen* bekannt (27.I.
1798 an Schiller: *IV/13, 38*), auch erwähnt
er, daß *in Eisenach ein junger Mann wegen
der Gewitterableiter bekannt ist (I/53, 189)*. In
einem Fragment *Naturwissenschaftlicher Entwicklungsgang* vom April 1821 war der *Erfindung der Wetterableiter* ein Abschnitt gewidmet, doch ist er nicht mehr zur Ausführung gekommen *(II/11, 300)*. Auch in Goethes Dichtung findet sich der B. Im III. Akt
von *Der Triumph der Empfindsamkeit* spricht
Merkulo zum *Prinzen: Ihre fürstliche Gegenwart zieht, wie ein Gewitterableiter, alle Elektricität zärtlicher Herzen an sich, daß wir andern
vor'm Einschlagen ganz gesichert sind (I/17, 29)*.
                                                   Sl

Blitzröhren (Fulguriten). Die durch das Einschlagen des Blitzes im Sandboden erzeugten
Schmelzröhren haben Goethe stark interessiert (vgl. zB. 1814: IV/25, 74). Um *nähere
Untersuchungen und Betrachtungen über diese
Naturgegenstände anzustellen (IV/30, 83)*, ließ
er sich Belege von verschiedenen Vorkommen
beschaffen, so durch Fv*Stein aus Massel in

*Schlesien (IV/35, 197; 366; IV/37, 66) und
durch HW*Meyer aus Osnabrück bzw. Lippe
(IV/30, 82). Goethe war der Ansicht, daß die
B. *verdienen aufgehoben zu werden als letzte Ver-
zweigung der durch den Blitz im Sande gewirkten
wurzelähnlichen Erscheinungen* (Januar 1826:
IV/40, 278).   *Ba*

Blochberg, Johann Gottfried (auch Friedrich),
aus Leutenberg/Thür., 1770 als Kutscher in
Weimar erwähnt, trat 1774 als Reitknecht in
den herzogl. Marstall ein, wo er bis zu seinem
Tode tätig war. Er starb 1801, 69 Jahre alt,
als Stallbediener in Weimar. B. gehörte zu
dem kleinen Gefolge, das Carl August und
Goethe auf der Schweizerreise 1779/80 begleitete (Fourierbuch 1779 im LHA Weimar); in
Goethes *Briefen aus der Schweiz* erscheint er
einmal als *der Jäger Hermann (I/19, 292)*. *Hk*

Blondel, berühmte und verzweigte französische Architektenfamilie. In Goethes Blickfeld
traten die Werke von

–, 1) François (1617–1686), der in Rom das
Studium der Architektur begonnen hatte. Er
erhielt 1669 von Ludwig XIV. die Oberleitung
über die öffentlichen Bauten von Paris und
war seit 1672 Direktor der Bauakademie. Zu
seinen Hauptwerken zählten ua. die Porte
St. Bernard und die Porte St. Denis in Paris.
Von nachhaltiger Wirkung bis zum Ende des
18. Jahrhunderts war sein 1675 erschienener
,,Cours d'architecture enseigné dans l'Académie royale d'architecture", der für eine klassische, auf die Antike gegründete Baukunst
eintrat und sich dabei auf die italienischen
Theoretiker des 16. Jahrhunderts stützte.
Sein Urteil über dies *Werk des Franz Blondel*,
das er für das Studium der Architekturdenk-
mäler in Rom empfiehlt, spricht Goethe 1797
im Zusammenhang mit anderen theoretischen
Schriften dieser Art aus: *Es ist manches daraus zu lernen und giebt Gelegenheit, da er hier
und da mit einem gewissen sceptischen Raisonnement, das sich in die Beurtheilung der Kunst
einschleichen wollte, polemisirt, auch diese Vorstellungsart, die sich von Zeit zu Zeit in Künsten
wiedersehen läßt, näher kennen zu lernen (Aufsatz über die Grundlage zu einer architectonischen Bibliothek* an GJ*Schleusner: *IV/12, 49;
43)*. Goethe zitiert dann noch 1823 aus B.s
,,Cours d'architecture", 5. Teil, 5. Buch, 16.
u. 17. Kap. in seinem *Aufsatz Von deutscher
Baukunst 1823* (I/49^{II}, 159 f.) einen längeren
Absatz, um zu zeigen, daß dieser Verfechter
einer klassischen Baukunst auch bei gotischen
Gebäuden *Symmetrie und Proportion* fand
(ebda 160), die trotz ihrer häßlichen Zieraten
denen der guten (= klassischen Baukunst

glichen, – eine Bestätigung seiner eigenen, in *Straßburg nur gefühlten, durch *Boisserée neu angeregten, geklärten Anschauungen über die mittelalterliche Baukunst.   *Wt/Fu*
ThB 4 (1910), S. 135 f.

–, 2) Jacques Francois (1705–1774), der bedeutende französische Baumeister, Mitglied der Académie royale d'architecture. Er entwarf für *Straßburg den von Goethe erwähnten Baufluchtenplan (I/27, 260f.), „welcher eine rücksichtslose Gradlegung der gekrümmten Straßenfronten erzwingen wollte"; aus der Place d'armes (der heutigen Place Kléber) sollte ein geschlossenes Ganzes werden, ähnlich der Place Stanislas in Nancy: Die Aubette (das Wachtgebäude) bildete den Anfang der Ausführung, auch ein Theater war vorgesehen. Der Plan wäre für die Stadt insofern verhängnisvoll geworden, als er eine Verengung der Straßen beabsichtigte, um Raum für die zunehmende Bevölkerung zu gewinnen. B. war auch schriftstellerisch tätig, zB. als Mitarbeiter an der „*Encyclopédie"; seine „Architecture francaise" (1752, 1754, 1756; 4 Bände, 600 Abbildungen), von den Fachleuten „le grand Blondel" genannt, zur Unterscheidung von dem zweibändigen Werk des Vorgenannten, ist wertvoll für die Kenntnis der französischen Baukunst von der *Renaissance bis zur Mitte des 18. Jahrhunderts. An B.s Werk „Cours d'Architecture, ou Traité de la décoration, distribution et construction des bâtiments" (vollendet von MPatte, 6 Bände Text, 3 Bände Abbildungen, 1771–1777) schließen Goethes frühe, der klassischen Baukunst gewidmete Architekturstudien von 1778 an: *7. XII. Zu Hause angefangen an Blondel; 8. (Früh Blondel.); und schon am 9. das Ergebnis: Nachm zu Hause die Toskanische Ordnung gezeichnet:* wohl nach den Tafeln 10–16 des 1. Bandes der Abbildungen, darunter drei „Entablements toscans" – nach *Palladio (erstes Auftreten des Namens für Goethe?), Scamozzi, *Vignola – *,,comparés avec le profil d'une tête humaine". Viel Liebe zur Baukunst. Wenn nur die Aufmercksamkeit dauerte;* und: *10–12. Meist zu Hause nach Blondel gezeichnet.* Diese Studien werden am 15. XII. mit *Corinth*[isches]. *Cap*[itäl]. gez. (Tafel 31, 22 und 33 (?) in Bd 2 der Abbildungen) fortgesetzt und münden nun in die Persönlichkeitsbildung ein: – *Diese lezte Zeit meist sehr still in mir. Architecktur gezeichnet um noch abgezogener zu werden. Leidlich reine Vorstellung von vielen Verhältnissen, architektonischen vielleicht und sozialen, denn Goethe* fährt fort: *Mit Knebeln über die Schiefheiten*

der Sozietät. Im Januar 1779 erlischt das Interesse an B. *(III/1, 72–76),* dessen Werk für eine Spanne Zeit zum Spiegel des goetheschen Wesens geworden sein muß.   *Fu*

Blos, Johann Andreas (14. II. 1766 Weimar bis 26. II. 1804 Weimar), Sohn eines Bürgers und Handarbeiters, war aus *Bellomos Schauspielertruppe, in der er seit 1789 erwähnt ist, in das Personal des weimarer Hoftheaters übernommen worden und gehörte als Theatermeister und Dekorateur zu dessen technischem Personal. Er wurde jedoch auch als Billeteur, als Statist und als Schauspieler in kleinen Rollen verwendet, worüber sich einige Bemerkungen in Briefen Goethes an F*Kirms und Christiane finden (IV/10, 111; 11, 34; 14, 89; 15, 134; 16, 221).   *Hk*
BThSatori-Neumann: Die Frühzeit des Weimarischen Hoftheaters unter Goethes Leitung (1791–1798). 1922. S. 35; 39; 65; 193; 272.

Blücher, 1) Gebhard Leberecht von (1742 bis 1819), 1814 Fürst von Wahlstatt, pommerscher Uradel, in Rostock geboren, anfangs in schwedischen, seit 1760 in preußischen Diensten, wegen Tapferkeit vor dem Feind mit Vorzug befördert, 1771 wegen Differenzen mit Friedrich d. Gr. verabschiedet. 1787 durch Friedrich Wilhelm II. reaktiviert, auch als Verwaltungschef (Westfalen, Pommern) bewährt, berühmt durch seine bravouröse Durchbruchs- und Verteidigungskraft bis zum verzweiflungsvollen Ende Prenzlau/Lübeck/Ratkau 1806 (Carl August unterstützte den *heldenmütigen Blücher finanziell, weil er seine alten Waffenkameraden und Zeltbrüder nicht wollte verhungern lassen:* Goethe am 9. V. 1808: *Bdm. 1, 529f.*), 1809 General der Kavallerie, 1813 Oberbefehlshaber des preußischen Korps, und der Schlesischen Armee, Feldmarschall, war als „Marschall Vorwärts" in dem leidenschaftlichen Reitergeist und in der mitreißenden Angriffsenergie seiner siegreichen Truppenführung die eigentliche soldatische Spitzenfigur der *Freiheitskriege, die zu einem „Begriff der Kriegskunst" (HRößler) werden konnte und geworden ist. B. war gewiß überwiegend Praktiker und Volksmann, besaß alle Kardinaltugenden (Offenheit, Geradheit, Warmherzigkeit, Gottvertrauen, Furchtlosigkeit, Todesverachtung, Entschlußkraft), die auch und gerade den einfachen Mann überwältigen. Aber er war doch auch mehr als nur ein großer, er war in nicht geringen Grenzen ein *gebildeter Soldat.* Die Gewalt seiner Worte in Rede und Schrift war imponierend, selbst in volkstümlich formulierten und adressierten Derbheiten meist bewußt und oft treffsicher gewählt, in Tisch-

reden und Gelegenheitsansprachen konnte er
sich zu dichterischem Schwung steigern, bisweilen nach dem Muster Klopstocks, den er
seinen Freund nannte, an dessen Grab er
stets mit verehrungsvoll entblößtem Haupte
vorüberging und dessen Witwe er seine Re-
verenz erwies (EWeniger S. 157f.). Eine markante Vorstufe der späteren Heeresreform war
seine Denkschrift (gemeinsam mit Prinz Louis
Ferdinand von *Preußen und Ev*Rüchel abgefaßt und eingereicht): „Gedanken über die
Formierung einer preußischen National-
armee". Insofern stand B. auf der Höhe der
militärischen und sozialen Zeitprobleme
(HRößler). CF*Zelter ehrte mit seiner pom-
pösen Chorkomposition nach Goethes Worten
(Des Epimenides Erwachen II, 7: *I/16, 372
bis 374)* den sieggekrönten Feldherrn B., der
in dem *Vorwärts* des *Chores* und des *Jugend-
fürsten* seinen eigenen Feldruf vernahm – eine
wohl nicht unbeabsichtigte erste Huldigung
des Dichters an die Persönlichkeit des reiter-
lich-ritterlichen Helden, deren beider Be-
freiungstaten Goethe so durchaus vergleichbar und ebenbürtig erschienen (1819?: I/5^I,
103). B. hatte, charakteristisch für seine unmittelbare, frisch unbekümmerte Menschlichkeit, schon an 11. X. 1814 die Chorproben
dieser Huldigungsmusik in der Singakademie
besucht (EWeniger S. 146); die festliche Ausführung fand am Jahrestag der leipziger
Schlacht in großem Rahmen statt. Das persönliche Bekanntwerden Goethes mit B. (vgl.
dazu auch die Vorstadien zB. Cv*Nostiz;
15. I. 1816: III/5, 200) widersprach Goethes
Vorstellung nicht (18. VIII. 1818 in *Karlsbad: III/6, 236, ferner am 8./9./10. IX. 1818:
III/6, 241). So widmete sich Goethe ganz und
mit großer Sorgfalt der Aufgabe, zunächst für
die Geburtsstadt B.s, Rostock, gemeinsam
mit JG*Schadow ein würdiges Denkmal zu
entwickeln (Mommsen EGW I, 286–342).
Diese Aufgabe beschäftigte Goethe von 1815
bis 1821; am 26. VIII. 1819 war das Denkmal
feierlich aufgestellt worden, in den Anschluß-
jahren handelte es sich um die Anlage des
Denkmalsplatzes und seiner Umgebung. Längere Zeit war Goethes *Inschrift* Gegenstand
der Korrespondenz (ACIv*Preen; I/4, 131).
B. wurde im August 1818 noch von Goethe
selbst über den Stand der Arbeiten unterrichtet, aber an der Aufstellung des Denkmals
konnte er nicht mehr teilnehmen († 12. IX.
1819 in Krieblowitz/Schlesien). Goethe berichtete über *Blüchers Denkmal* in *KuA (I/49^{II},
76–82)*. Bemühungen, auch in *Breslau, der
langjährigen Wirkungsstätte B.s, in gemein-

samer Arbeit ein B.-Standbild zu schaffen,
führte trotz Fv*Stein nicht zum Ziel (1816/
1817: IV/27, 211–213; 28, 169f.; 209f.).
–, 2) Friedrich Gebhard (1780–1834), später
Graf von Wahlstatt, zweiter Sohn des Vorigen, erschien 1813 zu Ostern (I/36, 86) und
im Winter (III/5, 87) als junger Offizier nur
am Rande von Goethes Welt (EWeniger
S. 110).   *Gk*

Blumau, Schauspielerin, kam im Juni 1804
nachWeimar und war dort vom Oktober 1804
bis Ostern 1807 engagiert; sie debütierte als
„Turandot". Am 9. *früh* und am 10. VII. 1804
nach Tische war sie bei Goethe *(III/3, 105)*.
     EF

Blumauer, Johann Aloys (1755–1798), Oester-
reicher aus Steyr, 1772 Eintritt in die Societas
Jesu, 1773 nach Aufhebung des Ordens Pri-
vatlehrer, kurzfristig Hofzensor in Wien,
Schriftsteller, 1793 Buchhändler ebenda,
setzte Ehrgeiz darein, als humoristisch-paro-
distischer Dichter zu gelten. Er hatte damit
breite Erfolge, wenngleich seine Späße oft zu
eindeutig zweideutig sind. Seine Vergil-Trave-
stie „Abenteuer des frommen Helden Aeneas"
(1784) kannte, aber verurteilte Goethe (vgl.
das Nachlaß-Xenion Nr 213: I/5^I, 300), letztmalig 1820: *erschrak ich ganz eigentlich, indem
ich mir vergegenwärtigen wollte, wie eine so
gränzenlose Nüchternheit und Plattheit doch
auch einmal dem Tag willkommen und gemäß
hatte sein können (I/36, 176)*. 1821 formulierte
Goethe distanziert, daß B.s *Vers- und Reim-
bildung den komischen Inhalt leicht dahinträgt*
und daß *es eigentlich der schroffe Gegensatz vom
Alten und Neuen, Edlen und Gemeinen, Erhabenen und Niederträchtigen* [ist], *was uns
belustigt (I/41^I, 248)*. Der Geschmack des
breiteren Publikums war weniger empfindlich: 1800 lohnte sich eine Gesamtausgabe in
acht, 1871 eine Neuausgabe in drei Bänden.
     Za

Blumauer, Karl (um 1785–1840 Brünn).
Schauspieler, war von 1817 bis 1818 in Weimar engagiert (vgl. III/6, 93), später in
Braunschweig, Mannheim und seit 1835 in
Meiningen. B. wollte in Weimar eine Unter-
stützungskasse für Schauspieler gründen, was
mißlang. Auch als Jugendschriftsteller tätig.
     EF

Blumenbach, 1) Johann Friedrich (1752 bis
1840), studierte zunächst in Jena, dann in
Göttingen Medizin und promovierte 1775 zum
Dr. med. Noch im gleichen Jahr hielt er seine
erste Vorlesung. 1776 wurde er zum ao., 1778
zum o. Prof. der Medizin berufen. 1784 wurde
B. Mitglied der göttinger Societät der Wissen-

schaften, 1812 Sekretär der physikalisch-mathematischen Klasse *(heitere, umsichtige, kenntnißreiche Mann von unerloschnem Gedächtniß, selbstständig, ein wahrer Repräsentant der großen gelehrten Anstalt, als deren höchst bedeutendes Mitglied er so viele Jahre gewirkt hatte: I/36, 184)*. B. kann (wenn auch durch ChrW*Büttner angeregt) als Begründer der modernen Naturforschung und Anthropologie angesehen werden; er war der erste Universitätslehrer, der Vorlesungen über *vergleichende Anatomie hielt. Seine Naturanschauung war philosophisch stark durchdrungen; als Vitalist nahm er für die Lebenserscheinungen einen besonderen Bildungstrieb (nisus formativus) an. Wie Cuvier war auch er ein Vertreter der Katastrophentheorie. In seinem Aufsatz über den Bildungstrieb zitiert Goethe aus Kants „Kritik der Urtheilskraft“: *„In Ansehung der Theorie der Epigenesis hat niemand mehr sowohl zum Beweise derselben als auch zur Gründung der echten Prinzipien ihrer Anwendung, zum Theil durch die Beschränkung eines zu vermessenen Gebrauchs derselben, geleistet als Herr Blumenbach“ (II/7, 71)*. Die erste Begegnung mit Goethe fand im April 1783 statt. 1801 besuchte Goethe B. in Göttingen, wo ihn besonders dessen Sammlung menschlicher Schädel beeindruckte (I/35, 96–98; III/3, 18; 27f.; 30), ein Besuch, der bereits im Oktober des folgenden Jahres von B. erwidert wurde (I/35, 141; III/3, 65). Weitere Begegnungen erfolgten 1820 (I/36, 184; III/7, 234f.) und 1822 (III/8, 247–249). Seit 1793 verband ein reger Briefwechsel ua. über zoologische (osteologische), mineralogische und auch botanische Fragen diese beiden Männer. Von den Werken B.s besaß Goethe: „Geschichte und Beschreibung der Knochen des menschlichen Körpers“, 1786 (mit Bleistift-Notiz Goethes); „Decas collectionis suae craniorum diversarum gentium illustrata“, 1790–1820 (mit Tinten-Eintragung Goethes); „Handbuch der Naturgeschichte“, ⁶1799; „Specimen archaeologiae telluris terrarumque imprimis Hannoveranarum“, 1803 (Geschenk des Verfassers); „Handbuch der vergleichenden Anatomie“, 1805 (Kauf?); „Beyträge zur Naturgeschichte“, 1806–1811 (Geschenk des Verfassers); „Specimen historiae naturalis antiquae artis operibus illustratae eaque vicissim illustrantis“, 1808 (Kauf?); „Nova pentas collectionis suae craniorum diversarum gentium tanquam complementum priorum decadum“, 1828 (Geschenk des Verfassers). Am meisten interessierte Goethe das „Handbuch der vergleichenden Anatomie“ (III/3, 118;

6, 34; 39; IV/28, 53). Nicht ganz verständlich aber ist es, wenn er von B. sagt, daß er dem Menschen einen Zwischenkiefer abspräche (IV/7, 4; II/7, 195), hat doch B. bereits 1786 beim Menschen das Os intermaxillare entdeckt. In der Botanik wurde ihm zu Ehren eine Pflanze aus der Familie der Loasacea Blumenbachia genannt (vgl. III/12, 75).

ADB 2 (1875) S. 748–751. – NDB 2 (1955) S. 329. – BLÄ 1 (1929), S. 576f. – GvSelle: Die Georg-August-Universität zu Göttingen 1737–1937. 1937. – Ruppert Nr 4391–4398.

–, 2) Louise Amalie geb. Brandes (1752–1837), seit 1779 dessen Frau, Goethe seit 1801 bekannt, begleitete mit den Kindern ihren Gatten 1802 und 1820 nach Weimar (I/36, 184; III/3, 65; 7, 234).

–, 3) Adele, beider Tochter, besuchte Goethe am 10. X. 1822 (III/8, 248f.) und am 20. V. 1826 (ebda 10, 194), das erste Mal gemeinsam mit ihrem Vater und ihrem Bruder

–, 4) Eduard (später Geh. Kanzleirat in Hannover). Dieser hatte Goethe und August bereits 1801 auf den *Hainberg begleitet und sich beim Sammeln von Versteinerungen als *geborner Militair erwiesen (I/35, 108)*. 1820 war er gemeinsam mit den Eltern und seiner zweiten Schwester, der späteren Frau

–, 5) v. Jasmund in Weimar (I/36, 184; III/7, 234).   *Sl*

Blumenstein, gen. Kayer, Guillaume/Wilhelm Jean/Johann von (1768–1835), gebürtiger Ostfranzose, Elsässer oder Lothringer, Berufssoldat, entschiedener Gegner der französischen Revolution und der Revolutionsfranzosen, *Emigrant, Wahlpreuße, Mitkämpfer der Interventions- und Koalitionskriege 1792 und 1793, Freund des Prinzen Louis Ferdinand von *Preußen, gehörte zu den Militärs, die ein engeres Verhältnis zu Goethe gewinnen konnten. Die erste unmittelbar persönliche Begegnung beider verlief recht kühl (3. X. 1806: III/3, 172; dazu Bericht von FAL vdMarwitz: vgl. EWeniger S. 49; Gegenstück: Bdm. 1, 553f.). B. aber, *freundlich und zutraulich (I/35, 272)*, theilnehmend und aufrichtig errang schnell Goethes Zuneigung: *Voller Einsicht, Heiterkeit und glücklicher Einfälle war er der beste Gesellschafter, und wir trieben manchen Schwank zusammen; doch konnte er, als leidenschaftlicher Preuße, mir nicht verzeihen, daß ich mit einem französischen Diplomaten zu vertraulich umgehe. Aber auch dieses ward durch ein paar lustige Einfälle bald zwischen uns in Freundschaft abgethan (7. VI. 1807: III/3, 221; besonders 231f.; I/36, 16f; EWeniger S. 51).* B., der in *Schlesien aufsteigende Kommandostellen erfolgreich versehen hatte und schließlich Generalmajor dort geworden war, suchte Goethe am 12. X. 1816 letztmals in Weimar auf (III/5, 286).   *Za*

Blutbann, mit dem sich in der *Valentin*-Szene des *Faust I Mephisto ... schlecht ... abzufinden weiß (I/14, 188 V. 3714 f.),* war der Bann über das Blut zu rechten, also das Recht der hohen oder Halsgerichtsbarkeit über Bluttaten, die die Todesstrafe nach sich zogen. Es war lange umstritten, ob der B. sowohl das Recht zur gerichtlichen Untersuchung der todeswürdigen Verbrechen als auch zur Bestrafung einschließlich der Exekution umfaßte, oder ob er nur die letztere in sich schloß. Im 18. Jahrhundert gab man ihm den weiteren Inhalt. So wird auch Goethe den Begriff aufgefaßt haben.

Mephistos Scheu und Machtlosigkeit gegenüber dem B. wird daraus zu erklären sein, daß das halsgerichtliche Verfahren – im Gegensatz zur bloß polizeilichen Tätigkeit – von der inquisitorisch betriebenen Untersuchung an bis zur Exekution stark sakral durchzogen und von kirchlicher Assistenz bis zum Richtplatz begleitet war. Aussöhnung des Sünders mit Gott vor seiner Übergabe an den Scharfrichter mußte unbedingt angestrebt werden *(Margarete: Gericht Gottes! dir hab' ich mich übergeben!: I/14, 238 V. 4605).* Es wird auch daran zu denken sein, daß die Markungsgrenzen, in denen die hohe Gerichtsbarkeit ausgeübt wurde, oft durch Steinkreuze, die *Mephisto* ebenfalls äußerst unsympathisch sein mußten, gekennzeichnet waren. So wird seine Scheu vor allem, was mit dem B. zusammenhing, verständlich, als ein Bereich, über den er keine Gewalt hatte.   *Fr*

JHZedler: Großes Universallexicon aller Wissenschaften und Künste 4 (1733), Sp. 215.

Blut und Blutkreislauf wurden erst im 16. und 17. Jahrhundert in ihrer Bedeutung richtig erkannt. Nach Vorarbeiten von MServeto (1553: Lungenkreislauf), RColombo (1559), Cesalpino (1583) ua. gelang WHarvey (1578 bis 1657) die Entdeckung des BK.s auch ohne Kenntnis der Kapillaren, als er sich die Frage nach der Bedeutung der Herz- und Venenklappen stellte („Exercitatio anatomica de mortu cordis et sanguinis in animalibus", 1628). Der Nachweis der Kapillaren gelang 1652 DdeMarchetti (1626–1688) durch Injektionen des Gefäßsystems, während 1661 MMalpighi (1628–1694) die Kapillaren mikroskopisch nachweisen konnte. Letzterer entdeckte 4 Jahre später die roten Blutkörperchen, die 1688 von Avan Leeuwenhoek (1632 bis 1723) bestätigt werden konnten. Nach der Auffindung der Chylusgefäße durch GAselli

(1581–1626) im Jahre 1622 und der Lymphgefäße des Darmes 1650 durch ORudbeck (1630 bis 1702), konnte ThBartholinus (1616 bis 1680) das ganze Lymphgefäßsystem beschreiben, während KVSchneider (1614 bis 1680) nachwies, daß dieses nicht zur Sekretion sondern zur Aufnahme der aus der Blutbahn austretenden Flüssigkeit dient. Bis zu dieser Zeit etwa stand die Serologie, die Blutforschung, vor allem unter dem Einfluß der hippokratischen Schule. Dieser fehlte noch die morphologische Betrachtungsweise. Das Leben glaubte man an die Säfte des Körpers gebunden, was zu den verschiedensten Spekulationen geführt hat. Polybos hatte, auf der Ansicht *Hippokrates fußend, seine Viersäftelehre entwickelt. Die *Elemente Feuer, Wasser, Erde und Luft sollten nach ihm im Körper als helle Galle (Cholera), dunkle Galle (Melancholie), Schleim (Phlegma) und Blut (Haima) wirksam und mit den Qualitäten der Wärme und Kälte, Trockenheit und Feuchtigkeit ausgestattet sein. Die vom Körper aufgenommene Nahrung wird zunächst in diese Säfte umgebildet und diese wiederum zum Aufbau der Bausteine des Organismus verwendet. Eine richtige Mischung dieser Körpersäfte (Eukrasie), glaubte man, stände einer zu Krankheiten führenden Deskrasie gegenüber. Weiter ausgebaut wurde diese Lehre von C*Galenus in seiner Lehre von den vier Kardinalsäften mit ihren Kombinations- und Umwandlungsmöglichkeiten. Seine Vorstellung über die Entstehung und Transportierung des B.s blieben in den kommenden Jahrhunderten vorherrschend. – Die wenigen Bemerkungen Goethes über B. und BK. scheinen noch ganz unter dem Einfluß dieser *Säftelehre zu stehen, obwohl ihm die Entdeckung des BK.s bekannt war: *So wären die Milch- und lymphatischen Gefäße, so wie der Umlauf des Bluts vielleicht noch lange unbekannt geblieben, wenn ihr Entdecker sie nicht zuerst an Thieren bemerkt hätte (II/8, 65).* Diese Ansicht kommt weniger in dem allbekannten Zitat von dem *besonderen Saft* des Blutes *(I/14, 83 V. 1740)* als vielmehr in dem *Zur Farbenlehre* gehörenden Abschnitt über *Würmer, Insecten, Fische* zum Ausdruck. Dort heißt es ua.: *Wir bemerken ..., daß diesen Organen [der Weichtiere] irgend ein mannichfaltig färbender Saft beiwohnen mußte, der die Oberfläche des Gehäuses ... mit farbigen Linien, Puncten, Flecken und Schattirungen, epochenweis bezeichnete ... Daß in den Muscheln solche Säfte sich befinden, zeigt uns die Erfahrung auch außerdem genugsam, indem sie uns dieselben* *noch in ihrem flüssigen und färbenden Zustande darbietet; wovon der Saft des Tintenfisches ein Zeugniß gibt ... Es gibt ... unter den Eingeweiden mancher Würmer ... ein gewisses Gefäß, das mit einem rothen Safte gefüllt ist.* Und später: *Diese Feuchtigkeit scheint von der einen Seite mit der Begattung zusammenzuhängen, ja sogar finden sich Eier, die Anfänge künftiger Schalthiere, welche ein solches färbendes Wesen enthalten. Von der andern Seite scheint aber dieser Saft auf das bei höher stehenden Thieren sich entwickelnde Blut zu deuten. Denn das Blut läßt uns ähnliche Eigenschaften der Farbe sehen. In seinem verdünntesten Zustande erscheint es uns gelb, verdichtet, wie es in den Adern sich befindet, roth, und zwar zeigt das arterielle Blut ein höheres Roth, wahrscheinlich wegen der Säurung, die ihm bei'm Athemholen widerfährt; das venöse Blut geht mehr nach dem Violetten hin, und zeigt durch diese Beweglichkeit auf jenes uns genugsam bekannte Steigern und Wandern (II/1, 253–255;* über die Farbe des B.s vergleiche auch II/4, 144). An anderer Stelle heißt es: *Nicht die Gefäße machen die Säfte. Nein, die Säfte bringen die Gefäße hervor. So bildet der Urin die Nieren, die Galle die Leber Sodann kommt ein Gefäs vom andern her. Er zeigt ihre Filiationen und zuletzt kommen sie alle vom Herzen her. Das Herz dann aber woher? (ebda 13, 51).* Sl

Bobenheim, Ortschaft an der linksrheinischen Straße von *Worms nach *Speyer, zugleich bayrisch-pfälzische *Zollstation, durchfuhr Goethe auf der Reise zur Universität *Straßburg Anfang April 1770 (RV S. 10; GvLoeper: HA 21, S. 364). *JP*

Boccaccio, Giovanni di, mit Beinamen: da Certaldo (1313–1375), unehelicher Sohn eines Italieners und einer Französin, lebte außer in Neapel meist in Florenz, bzw. in Certaldo, wurde weltberühmt nur als Verfasser des Dekameron, der durch eine Rahmenerzählung verbundenen Sammlung von einhundert Novellen, mit der B. die *Novelle für die *Poetik der Folgezeit exemplarisch bestimmte. B. bildet mit *Dante und *Petrarca das dichterische Dreigestirn der italienischen Hochkultur zumal im Zeitalter des *Humanismus und der *Renaissance. Nimmt man poetisch als Maßstab den B. sehr vertrauten, danteschen Leitsatz, vom Verabscheuungswürdigen und Niedrigen zum Wünschenswerten und Hohen führen zu wollen, so kann und muß man mit AJolles in B.s Dekameron ein durchaus moralisches Werk erblicken: „Boccaccio hat mit der armen Hirtin Griseldis sein eigenes Ideal der Weiblichkeit schildern wollen und sie als

solche, zu Ende seines Buches, den vielen üppigen, leichtsinnigen, lebenslustigen und liebeslüsternen Weibsbildern gegenübergestellt" (AJolles B.-Ausgabe 1928, S. XCVI). So verstanden, finden sich Möglichkeiten, mit guten, inneren Gründen an eine chronologisch so schwer fixierbare Nachlaß-*Maxime* Goethes zu denken (*MuR:* Hecker *Nr 855;* vgl. hier Sp. 668). Goethe kannte und besaß B.s Dekameron italienisch vom Vater her (Götting S. 55; vgl. dazu 1765 die Warnung an Cornelia: Morris 1, 114; 117; vgl. ferner 1773/74: I/16, 70 V. 266–268; 1774: I/4, 200; vor 1775: I/39, 254 V. 504) in seiner eigenen *Hausbibliothek (Ruppert Nr 1665). Schiller trieb 1794/95 unter freilich irrigen Voraussetzungen – die Prokurator-Geschichte findet sich nicht im Dekameron, sondern in „Les cent Nouvelles nouvelles" von Le-Sale (Ruppert Nr 1600) – zu einem erneuten Studium auch B.s (ArtA 20, S. 37; 72; Bdm. 5, 38; ETrunz: HbgA 6, 604). Mit seiner Hochschätzung dieser romanischen Novellistik stand Goethe damals noch allein (ETrunz). Formal führten die Anregungen zu den *Unterhaltungen deutscher Ausgewanderten (I/18, 95–224),* stofflich oder gehaltlich lassen sich Beziehungen aufdecken zu Goethes zunächst balladesk neukonzipierter und antezipierter Erlösungsthematik (*Ballade Sp. 668), insbesondere aber und weit später mit der *Ballade* vom Löwenstuhl, dh. *vom vertriebenen und zurückkehrenden Grafen* (ebda Sp. 680–695), und zwar nicht allein oder sogar weniger hinsichtlich der allgemeinen [moralischen] Intention B.s, sondern und vielmehr in einzelnen Bezügen wie etwa zu Dekameron II, 8 (GvLoeper; FStrehlke; EvdHellen; ETrunz). Eine *Tgb.*-Notiz vom 7. V. 1807 (III/ 3, 208) meldet besondere Dekameron-Lektüre, der [nicht mitpublizierte] Teil des *TuJ*-Berichtes läßt die Motive und den Motiv-Zusammenhang im Anschluß an die Ausführungen über die schwedische Stolts-Hilla-*Romanze (III/3, 204)* erkennen: *Veranlaßt* [!] *in das Feld der Märchen und kleinen Geschichtchen mich zu wagen, las ich gar manches schon Vorhandene dieser Art: Tausendundeine Nacht, Anekdoten der Königin von Navarra, dann den Dekameron des Boccaz (I/36, 388).* Dieser Motiv-Zusammenhang füllte diejenige Lebensphase Goethes, die nach Schillers Tod und vor dem *mächtig überraschenden* Neubeginn der *Sonette,* der *Wahlverwandtschaften,* der Altersjugend nur noch das „Gefühl der Todesnähe", der Resignation, allenfalls der Rezeption zu kennen schien, mit ebensowohl novellesk wie balladesk mehr und mehr impulsierender Produktionskraft. Zugleich findet sich an der-selben, nicht mitpublizierten Stelle mehr an-gedeutet als ausgedrückt, daß Goethes lang-jährig vertrauter Gefährte GM*Kraus *in sei-ner friedlichen Wohnung überfallen, von rohen Menschen nicht gerade mißhandelt, aber doch zum Knecht in seinem eigenen Hause herab-gewürdigt, den Untergang eigener und fremder Schätze vor sich sehend, im Innersten erschüt-tert und zerstört* wurde und *ein nicht wieder-herzustellendes Leben endigte (I/36, 389)*. Die-ses Schreckensbild verband sich mit Vorstel-lungen, die Goethe aus seiner B.-Lektüre ge-wann, es grub sich ein, um in Gestaltung/Um-gestaltung gleichniskräftig zu werden, wenn Goethe Jahre später aus der Substanz erneu-ter Erfahrung die *Ballade vom vertriebenen und zurückkehrenden Grafen* für sich selbst, mehr noch für die vertriebene, erniedrigte, *herabgewürdigte* d'Este-Tochter Maria Ludo-vica formen will (hier Sp. 690–693). Hierin fand Goethes B.-Rezeption Krönung und Aus-klang – auffällig parallel mit der vierten Ent-wicklungsstufe des goetheschen Balladen-Schaffens: im Winter 1806/07 stehen wir an der Schwelle, im Winter 1816/17 am *wider-spenstig* approximativen Ende eigenschöpfe-rischer Bemühungen dieser Schlußphase. Wohl hat der junge KWitte 1830 seine Verdeut-schung des Dekameron (Teil I und II) als Ge-burtstagsgabe übersandt und Goethe zu hand-schriftlichen Korrekturen veranlaßt (Ruppert Nr 1666), aber mehr wurde daraus nicht. Auch die Umstände, die Goethe sogar noch am 12. VIII. 1831 B.s Genealogia deorum gen-tilium entleihen und lesen ließen, sind dunkel (Keudell Nr 2226; III/13, 123; 124).   *Za*

Bockenheim, damals selbständige Nachbar-stadt, Sitz der französisch-reformierten Ge-meinde Frankfurts, die erst nach 1787 inner-halb der Stadtmauern eigene Kirchen errich-ten durfte. Der junge Goethe bereicherte und *verwirrte* hier seine französischen Sprach-kenntnisse *durch ein wunderliches Ingrediens … indem er den französischen reformirten Geistlichen gern zuhörte und ihre Kirchen um so lieber besuchte, als ein sonntäglicher Spazier-gang nach Bockenheim dadurch nicht allein er-laubt sondern geboten war (I/28, 52)*. Am 26.VI. 1774 besuchte er die Kirche zusammen mit JC*Lavater und JL*Passavant ,,Vater und Sohn" (Morris 4, 84f.; *Bauers Landgut). Mit *Lili* *Schönemann hat er dem Gottesdienst öf-ter beigewohnt. Das *Bethmannische Gut* Grüne-burg und die *Basaltgruben* zogen Goethe 1797 nach B. (*I/34^{II}, 76; 88;* *Baustoffgewinnung Sp. 866). RV S. 11; 33.   *JP*

HLudwig: Geschichte des Dorfes und der Stadt Bockenheim. 1940.

Bockenheim, mundartlich Bouquenom, eine im lothringischen Hügelland an der *Saar ge-legene Kleinstadt, die 1766 mit Lothringen an Frankreich kam. Handel und Gewerbe blühten im 18. Jahrhundert, so daß der Ort als ein ,,kleines Straßburg" galt. Er wurde 1794 mit Neusaarwerden zur Gemeinde Sarre-Union vereinigt. Goethe berührte B. im Juni 1770 (I/27, 329; RV S. 10).   *Fu*

Bode; kalte, warme Bode. *(Bude: II/9, 161)*. Jede seiner *Harz-Reisen (1777; 1783; 1784; 1789; 1805) brachte Goethe an die *rauschenden Wasser* der B. heran. 1805 formulierte er ab-schließend: *hier fiel mir wiederum auf, daß wir durch nichts so sehr veranlaßt werden über uns selbst zu denken, als wenn wir höchst bedeutende Gegenstände, besonders entschiedene charakte-ristische Naturscenen, nach langen Zwischenräu-men endlich wiedersehen und den zurückgeblie-benen Eindruck mit der gegenwärtigen Einwir-kung vergleichen (I/35, 244)*. RV S. 16f.; 22f.; 28; 41.   *JP*

Zeichnungen:
1) Corpus I, InvNr 1510: Harzlandschaft an der Oker oder Bode? Am Wasser Staffagefigur. Zu datieren: Sept. 1784. –
2) Corpus I, InvNr 1511: Harzlandschaft an der Bode? Zu datieren: Sept. 1784. –   *Fm*

Bode, Johann Joachim Christof (1730–1793), nach ärmlicher Jugend 1745–1752 beim braun-schweiger Stadt-Musikus Kroll in mehreren Saiten- und Blasinstrumenten ausgebildet, spezialisierte sich in Helmstedt auf das Fagott, trieb dort aber auch Fremdsprachen und Äs-thetik. Als hannöverscher Hoboist in Celle komponierte er 1754ff Lieder, Konzerte, Sin-fonien, führte in Hamburg 1762/1763 die Re-daktion des ,,Hamburger Correspondenten", übersetzte aus dem Englischen, dirigierte die Winterkonzerte, arbeitete für das Kochsche Theater, gründete eine Druckerei, wurde Ver-leger der ,,Hamburgischen Dramaturgie" sei-nes Freundes Lessing, veranstaltete auch Neu-drucke von Schriften JG*Herders, mit dem ihn frühe Beziehungen verbanden. 1778 kam er mit ChEGräfin*Bernstorff als ihr Geschäfts-führer nach Weimar, wurde meininger Hof-, gothaer Legations- und darmstädtischer Ge-heimrat. Goethe traf ihn als Mitglied der Kammermusikabende bei der Herzogin Anna Amalia: *Abends in Ettersburg, wo sie die Gou-vernante aufführten von Boden imitirt (III/1, 92)*. B. war als *Freimaurer Angehöriger der *Loge Anna Amalia, später des ,,Inneren Or-dens der strikten Observanz" und des Illumi-natenordens in Gotha; Goethe leitete seinen und Carl Augusts Eintritt in die Loge über ihn (zB. III/1, 105; 120; 136; vgl. ferner *Balsamo, hier Sp. 712). Kanzler Fv*Müller würdigte am 24. VI. 1830 das Verhältnis zwischen B. und Goethe mit den Worten: „Mit welchem ahnungsreichen Gefühl mag der ehrwürdige Bode, der an jenem Tage gerade den Hammer führte, einen Genius wie Goethe in unsern Tempel eingeführt, in unsere Symbole und Überlieferungen eingeweiht haben" (vgl. UKM S. 193 23. VI. 1830). *Mr*

GJvHerder: Briefe zu Beförderung der Humanität, 4. Sammlung. 1794. In: Herder SW 17, S. 251. – CA Böttiger: Bodes litterarisches Leben. 1796. In: Michael Montaignes Gedanken und Meinungen über allerlei Gegenstände. Bd 6 (1795). – Fragmente zur Biographie des verstorbenen Geheimrats Bode. 1795. – CLennings: Allgemeines Handbuch der Freimaurerei. 1900, S. 114 f. – JWihan: J. J. Chr. Bode als Vermittler englischer Geisteswerte in Deutschland. 1906; Prager deutsche Studien, H. 3. – GDeile: Goethe als Freimaurer. 1908. – HKrieg: J. J. Chr. Bode als Übersetzer des Tom Jones von H. Fielding. Diss. Greifswald 1909. – EAGreeven: JJChrBode, ein Hamburger Übersetzer, Verleger und Drucker. In: Imprimatur 8 (1938), S. 113–127. – NDB 2 (1955), S. 348 f. – PO Rave: Das Jahrhundert Goethes. 1949, S. 83 (Porträt: Gipsbüste von GKlauer).

Bode, Theodor Heinrich August (1778 bis 1804), Sohn des bedeutenden Astronomen Johann Elert B., hielt sich seit 1802 mit seinen Freunden JH*Klaproth und LFTh*Hain in Weimar auf, um den *büttnerischen handschriftlichen Polyglotten-Nachlaß zu sichten. Er verkehrte viel bei Christiane und war 1803 und 1804 mehrmals bei Goethe eingeladen (III/3, 85; 94 f; 99). 1804 promovierte er in Jena.

B. trat mit Burlesken, satirischen und Lustspieldichtungen hervor. Er travestierte *Hermann und Dorothea* (Berlin 1801) und gab eine Zeitschrift „Polychorda" (1803–1805, 8 Hefte) heraus, die Hain nach seinem Tode zum Abschluß brachte. Besondere Befähigung zeigte B. als Übersetzer (*Corneille, *Racine). Kurz vor seinem Tode begann er eine Übersetzung von *Dantes „Inferno", die Hain umarbeitete und vollendete (Hain in einem Nachwort zur „Polychorda"); die b.-hainsche Übertragung legte CLF*Kannegießer seiner Verdeutschung zugrunde (1809). *St*

Bode, Wilhelm (1862–1922), gehört zu den erfolgreichsten, auf anekdotische Publikumswirkung bedachten Popularisatoren einer inzwischen überwundenen Phase der Goethe-Forschung. Am meisten Wert dürften seine Quellen-Publikationen behalten, wie zB. seine Text-Sammlung: „Goethe in vertraulichen Briefen seiner Zeitgenossen" (1921), sein Bilder-Band: „Die Schweiz, wie Goethe sie sah" (1922), dazu: „Goethes Schweizer Reisen" (1922). Am fragwürdigsten sind seine darstellenden Werke, vor allem diejenigen, die er dem Lebensgange Goethes im ganzen oder im einzelnen, hauptsächlich dem „Liebesleben" Goethes (1909; 1913; 1916; 1920; 1921; 1921) gewidmet hat. Manches Unveraltende findet sich in seinen „Stunden mit Goethe" (1904 ff.). *Za*

Bodelwitz *(Podelwitz: III/3, 132)*, Dorf, 2 km südöstlich *Pößneck. Bei seinen Reisen in die böhmischen Bäder kam Goethe mehrfach durch B. (III/3, 132; 155 f.; 213; 274; 4, 205; 275; 322; RV S. 41 f.; 47). Am 29. VI. 1806 hielt er im dortigen Gasthof Mittagsrast (III/3, 132). *IP*

Boden *(Booden),* böhmisches Dorf, *das am Fuß eines offenbar vulkanischen Hügels liegt (III/9, 98),* nahe beim *Rehberg. Goethe fuhr im Zuge einer Exkursion, die geologischen Interessen galt, am 23. VIII. 1823 ua. auch nach B., untersuchte dabei den Hügel und bestieg ihn: *Pyrotypisches Gestein aller Art aufgelesen und mitfortgeführt (ebda; RV S. 63).* *Za*

Bodensee *(Costnizer See: IV/4, 150),* der größte See des nördlichen Alpenvorlandes, lag dreimal an Goethes Reiseweg: Anfang Juni 1775 auf der Hinreise, am 2. XII. 1779 auf der Rückreise aus der Schweiz (*Konstanz); die Rückreise aus Italien führte am 3. VI. 1788 am Südufer des Sees entlang (*Fussach: I/32, 480; 53, 385). Am 17. IX. 1797 bot sich auf der Fahrt von *Tuttlingen nach *Hattingen nochmals ein Blick auf den B. (I/34^II, 105). Der beginnende Dampfschiffahrtsverkehr (1824: *Unser unermüdeter Herr von Cotta befährt mit Dampfschiffen den Bodensee; IV/39, 44 f.*) und paläontologische Interessen (1827: *denn es kommt vielerley daselbst vor; IV/43, 94*) führten Goethes Gedanken späterhin in diese Landschaft zurück. RV S. 12; 19 f.; 27; 34. *JP*

Bodmer, Johann Jacob (1698–1783), mit JJ *Breitinger der führende Literaturtheoretiker und -kritiker der Schweiz im Zeitalter des *Rationalismus, produktiv auch als Historiker und Übersetzer, am schwächsten als Dichter *(der einen grossen Theil des zurükgelegten 18ten Jahrhunderts durchgedichtet hat, ohne Dichter zu sein: 3. VII. 1780, IV/4, 253),* besonders wirksam als Gegner JChr*Gottscheds. *Eine Henne für Talente (I/27, 389),* in dieser Eigenschaft interessiert zB. für FG*Klopstock, ChrM*Wieland, ChEv*Kleist, S*Geßner, JJW*Heinse, für die Grafen Chr und FLv*Stolberg, die er mit Goethe kennen lernte. Goethe studierte Schriften B.s wohl schon aus der väterlichen Bibliothek („Critische Abhandlung von dem Wunderbaren in der Poesie"; „Critische Betrachtungen über die

Poetischen Gemählde der Dichter"; vgl. Götting S. 49), sonst in Leipzig (I/27, 77–80), aber resumierend spricht er von *ausgerenkten Maximen, halb verstandenen Gesetzen und zersplitterten Lehren (ebda)*. B. mit seinem *Blick der Beschauung und Betrachtung (I/29, 110)* gehörte für ihn der *patriarchalischen Welt* an, er fand ihn als *würdigen Patriarchen*, als *ehrwürdige Person*, dh. er ehrte das Alter in ihm, als er ihn erste Hälfte Juni 1775 auf seinem Gute Schönenberg unmittelbar bei *Zürich besuchte, wenngleich die Begegnung ohne wirkliche Wärme verlief *(I/29,108f.).* B. schien es – *ironisch theilnehmend* – mehr auf das Gefühl eines behaglichen Geschmeicheltseins ankommen, insgeheim hat er Goethe für eine Art von „Schwindelkopf" gehalten (Morris 5, 270). Goethe harmonisiert im Altersbericht (1816?): *wir schieden als die besten Freunde (I/29, 109)*. Im übrigen war B. für Goethe durchaus überholt. Von dem *ewigen Geschreibe* B.s (1780: IV/4, *253*) bezieht sich Goethe außer den oa. Werken gelegentlich besonders auf: „Die Noachide in zwölf Gesängen" (vor 1765: I/26, 222; I/27, 93; 1772?: I/37, 197; 1781: Ruppert Nr 843; [„Jacob und Joseph", „Jacob und Rachel", „Die Synd-Flut"?], „Der erkannte Joseph", „Der keusche Joseph" (vor 1765: I/26, 222); „Chriemhildens Rache und die Klage" (vor 1765?: I/36, 28; 42II, 472); „Homers Werke" (1778: III/1, 68; *hat das Original auf eine unbegreifliche Weise verlassen und völlig falsch übersetzt: I/42II,9);* „Der gerechte Momus" (1780: I/27, 389); „Sammlung von Minnesingern aus dem schwäbischen Zeitpuncte" (1790: III/2, 23; 1810: Keudell Nr 644; hier Sp. 164); Ulrich Boner: „Fabeln aus den Zeiten der Minnesinger", hrsg. von B. und Breitinger (vor 1822: Ruppert Nr 774; hier Sp. 165). *Za*

Böckmann, Johann Lorenz (1741–1802) Professor am Gymnasium und seit 1773 Kirchenrat in *Karlsruhe, Physiker und Meteorologe. Goethe besuchte ihn 1774 in Karlsruhe; damals waren es allgemein menschliche Beziehungen, die das Verhältnis bestimmten (IV/2, 203 f.). Später bestand gelegentlich auch ein wissenschaftlicher Gedankenaustausch, der sich auf physikalische (optische) Fragen konzentriert (1797: IV/12, 268–270). *Bn* NDB 2 (1955), S. 374.

Böhlau, Verlag, wurde von Hermann B. (1826 bis 1900), 1853 durch die Übernahme der seit 1624 in Weimar bestehenden Hofbuchdruckerei gegründet; später als GmbH geführt. Neben zahlreichen Zeitschriften sind in dem Verlag vor allem Werke der Rechts- und Ver-

fassungs-, Kirchen- und Literaturgeschichte erschienen. Seine große Bedeutung gewann der b.sche Verlag durch die umfassendsten Ausgaben der Werke Luthers und Goethes. Seit im Jahre 1885 Goethes Erbe an das Großherzogtum *Sachsen-Weimar gefallen und 1886 die *Goethe-Gesellschaft gegründet war, wurde ein großer Teil der wissenschaftlichen Ausgaben und Unternehmungen, die von diesen Stellen aus veranlaßt wurden, von dem Verlag B. verständnisvoll und fördernd betreut. Es wird ein stetes Ruhmesblatt des Verlages bleiben, daß hier die im Auftrage der Großherzogin Sophie herausgegebene und nach ihr benannte Ausgabe von 1887 bis 1918 erschien (*Sophien-Ausgabe). Zahlreiche Quellenpublikationen, namentlich *Briefwechsel, folgten. Von den gegenwärtigen Veröffentlichungen sei nur auf die Reihen: „Goethe: Die Schriften zur Naturwissenschaft" (1947 ff). und „Goethes amtliche Schriften" (1950 ff) hingewiesen. *St*

Böhme, 1) August Wilhelm von (1750–1817), Sohn des 1789 in den Reichsadelsstand erhobenen kursächsischen Bereuters und Kapitäns CFBöhme in *Dresden, wurde 1776 Bereuter im herzoglichen Marstall in Weimar und erhielt 1790 den Titel eines Stallmeisters. Seit 1803 führte er das Adelsprädikat. Er war verheiratet mit Marie Salome Philippine geb. Neuhaus (um 1752–1815), ehedem Sängerin. Goethe verzeichnete Kontakte 1807 (Karlsbad: IV/19, 373; 381; 383; Weimar: III/3, 279) und 1816 (*Tennstedt III/5, 259; IV/27, 127; 130).

–, 2) *Rittmstr Böhme (III/5, 56)*, der als Begleiter des kursächsischen Generalleutnants JAv*Thielemann mit Goethe im Sommer 1813 in *Teplitz zusammentraf (*Hauptm v. Böhme: III/5, 64; IV/23, 396; 415*), war vermutlich AWB.s (1) 1784 in Weimar geborener Sohn Carl August Friedrich, der 1803 in die kursächsische Armee eingetreten war. Ob er mit dem von Goethe 1813 erwähnten *Schwarzenb. Adjutanten Boehme (III/5, 340)* personengleich ist, bleibt fraglich. *Hk*

Böhme, Jacob (1575–1624), der philosophus teutonicus (vgl. GWHegel), „ist der erste und größte religiöse deutsche Denker des Barock. Die erschütternde geistige Bewegung Europas im 17. Jahrhundert, die von Spanien bis weit nach Rußland hinein eine tiefe geistige Wandlung hervorruft, hat keinen gleich großen schöpferischen Deuter und Künder gefunden wie ihn. Bis zu Leibniz ist er nach der Reformation der erste und einzige Deutsche gewesen, der über den Bereich deutscher Sprache hinaus europäisch gewirkt hat" (PHankamer/ Lesebuch S. 4). B. war Schlesier aus Alten-Seidenberg bei Görlitz. Er ist eine der großen, tragenden, weiterwirkenden Gründer-Gestalten des (deutschen) *Barock. Diese Tatsache verknüpft ihn auf besondere Weise mit Goethe, auch und gerade deswegen, weil B. eines der Bindeglieder ist, das die alten Intentionen dialektischen Philosophierens unter der Oberfläche der offiziellen Systeme tradiert. Wesentliche Impulse des goetheschen Denkens finden sich bereits in Sätzen B.s aphoristisch ausgesprochen, wie andererseits Ansätze B.s zB. in Goethes *Sprach-Auffassung bemerkbar sind (vgl. zB. die Gedankenreihe nach KWStiebler: I, 88 – IV, 346 – IV, 454 – VI, 13 – IV, 431 – VII, 132 – I, 124). Wörtliche Zeugnisse Goethes bekunden zumindest mittelbare Kenntnis auf dem Wege über Abraham vFranckenbergs B.-Biographie (1637; 1639) oder über noch entferntere Tertiär-Literatur (HvEinem: HbgA 11, 592), und sie beziehen sich auf eine allerdings für Goethes eigene Denkwelt kennzeichnende Episode, in der B. ,,zum andernmal vom göttlichen Licht ergriffen, und mit seinem gestirnten Seelengeiste durch einen jählichen Anblick eines zinnernen Gefäßes (als des lieblich⸢jovialen Scheins) zu dem innersten Grunde oder Centro der geheimen Natur eingeführet" wird (1786: III/1, 261; I/30, 135; 1804: I/40, 324). Die *Novalis-Notiz (1800: Fragmente Nr 758; JMinor 3, 290): ,,Böhme von Weimar" kann textlich nicht als Apposition zu dem gerade voranstehend genannten ,,Goethe" aufgefaßt werden. Sie wird, wenn sie im Manuskript überhaupt zu Recht besteht, entweder auf eine zeitgenössische Persönlichkeit oder auf eine Buch-Bestellung hinweisen (vgl. Nr 769).

Za

PHankamer: Jakob Böhme. Gestalt und Gestaltung 1924. – PHankamer: Das Böhme-Lesebuch. 1925. – WEPeuckert: Das Leben Jakob Böhmes. 1924. – WDanckert: Goethe. Der mythische Urgrund seiner Weltschau. 1951. –

Böhme, 1) Johann Gottlob (1717–1780), gebürtig aus Wurzen/Sachsen, war seit 1751 außerordentlicher und seit 1757 ordentlicher Professor der Geschichte und des Staatsrechts an der Universität Leipzig. 1766 wurde er zum kurfürstlichen Hofhistoriographen ernannt und führte den Titel Hofrat. Von seinen historischen Arbeiten sind die ,,Acta pacis Olivensis inedita" (2 Bde, 1763–1765) beachtlich geblieben.

Er war in Leipzig vielleicht derjenige Professor, der auf den stud. jur. Goethe den entscheidendsten Einfluß ausgeübt hat. Seine Vorlesungen langweilten zwar den jungen Dichter, der den allzu trocken vorgetragenen Stoff längst schon aus den mit dem Vater betriebenen Privatstudien kannte (*Juristisches Studium), so daß er zum Vergnügen seiner mehr auf ihn als auf den Professor achtenden Banknachbarn viele *Possen* trieb (*I/27, 117*). Aber als Mentor Goethes bewährte sich der bei der übrigen Studentenschaft äußerst unbeliebte Hofrat. Er gewann schnell das Vertrauen des ihm empfohlenen jungen Studenten. So offenbarte dieser ihm bald *mit vieler Consequenz und Parrhesie* seine schnell gefaßte Absicht, die Jurisprudenz aufzugeben und sich nur *dem Studium der Alten* zu widmen. Der Erfolg solcher Eröffnung war eine *gewaltige Strafpredigt*, bei der B. *leidenschaftlich Philologie und Sprachstudien, noch mehr aber die poetischen Übungen . . . verunglimpfte* und ihn an der Rechtswissenschaft festzuhalten bemüht war. *Seine Argumente und das Gewicht, womit er sie vortrug*, machten auf Goethe Eindruck (*I/27, 50 f.*). Man wird hierfür dem den Musen sich so abgeneigt zeigenden, heimlich aber lateinische Verse dichtenden Manne dankbar sein müssen. Goethes späterer Lebens- und Berufsweg ist jedenfalls mit der Vorbildung als ,,Antiquarius" schwer vorstellbar. Während Goethe B. *Scheu und Achtung* entgegenbrachte, empfand er für dessen Gattin

–, 2) Maria Rosine, geb. Goertz (1725–1767), *Zutrauen und Neigung*. Durch Krankheit ans Haus gebunden, lud sie den Jüngling manchen Abend zu sich ein, oft zum *Kartenspiel (Piquet, l'Hombre und was andere dergleichen Spiele sind: I/27, 63;* vgl. 210 f.), und *wußte mich, der ich zwar gesittet war, aber doch eigentlich was man Lebensart nennt, nicht besaß, in manchen kleinen Äußerlichkeiten zurecht zu führen und zu verbessern (ebda)*. Worauf aber die sehr gebildete und im Gegensatz zu ihrem Gemahl der zeitgenössischen Literatur zugetane Frau den größten Einfluß hatte, war der literarische *Geschmack (ebda)* des jungen Dichters. Leider starb die treffliche, allgemein beliebte Frau *nach einer langen und traurigen Krankheit* schon im Februar 1767, *sie hatte zuletzt* ihren jungen Freund *nicht mehr vor sich gelassen*. Ihr Mann *lebte nun noch eingezogener als vorher, und ich vermied ihn zuletzt, um seinen Vorwürfen (wegen mangelnden Fleißes und großen Leichtsinns) auszuweichen (I/27, 117)*. Aber Goethe blieb – wenn auch ohne besondere Anteilnahme – dem juristischen Studium treu.

Fr

JVogel: Goethes Leipziger Studentenjahre. In: Goethe als Student. 1910. – ADB 3 (1876), S. 72.

Böhmen, das von Moldau,*Eger und *Elbe ent-
wässerte, dem Bayerisch-Böhmischen Wald,
dem*Fichtelgebirge,*Erzgebirge,*Riesengebirge und den Sudeten umschlossene Gebiet, stellt
geologisch in der Hauptsache ein altes von
*Gneisen aufgebautes Massiv dar, das von ver-
schiedenen großen Granitkomplexen durchsetzt ist. In seinem Zentrum (Prager Mulde)
liegt ein verfalteter Komplex altpaläozoischer
Schichten, während im Osten und Nordosten
weithin auch Kreidesedimente das Kristallin
überdecken, und im Norden, dem Südrand des
Erzgebirges folgend, eine ostwestlich-strei-
chende, von jungen Tertiärsedimenten erfüllte
Einbruchszone vorhanden ist, der Egertalgra-
ben, der durch die Eger entwässert wird. Diese
Tertiärfolge enthält die wichtigen nordböhmischen Braunkohlenlager und ist außerdem
durch einen starken und mannigfach differenzierten Tertiärvulkanismus gekennzeichnet.
Von B., das man *als ein großes Tal ansehen* kann, *dessen Wasser bei Außig abfließen
(NS 1, 358),* lernte Goethe durch die karlsbader Aufenthalte vor allem den nördlichen
Teil gut kennen, der für die Entwicklung der
geologischen Vorstellungen Goethes eine entscheidende Bedeutung gewann. Die *Geologie
von *Karlsbad stand jahrelang im Mittelpunkt seiner Interessen; dort und in *Marienbad, *Schlackenwald und anderen Orten wurden seine Vorstellungen über den *Granit und
das folgende *Übergangsgebirge gebildet.
Nordböhmen, wo das gemeinsame Vorkommen
ausgedehnter Kohlenlager und vielgestaltiger
Anzeichen eines *Vulkanismus der Flözbrandtheorie A G *Werners günstig war, übte eben dadurch auch auf Goethe einen gewissen Einfluß zugunsten der wernerschen Theorie aus.
Trotzdem hielt sich Goethe von deren vorbehaltloser Anerkennung zurück, wie die Untersuchungen über den*Kammerbühl deutlich zeigen. Auch hinsichtlich der karlsbader Thermen
war ihm *Werners Ableitung des Sprudels von
fortbrennenden Steinkohlen-Flözen... zu bekannt,
als daß ich hätte wagen sollen, ihm meine neuesten Überzeugungen mitzuteilen (NS 1, 292).*
Fast alle geologischen Betrachtungen der späteren Jahre gingen von Nordböhmen aus und
kehrten dorthin zurück, wo eine reiche unmittelbare Anschauung zur Verfügung stand. *Bn*
Böhmen/Böhmische Studien. Goethe verbrachte während 17 Aufenthalten in den Bädern B.s insgesamt drei Jahre und 11 Tage
seines Lebens in diesem Lande. Es wäre falsch
und abwegig, diese Zeit lediglich oder auch
nur vorwaltend als Erholungs-, Kur-, Ver-
gnügungs- und Urlaubsphasen aufzufassen,

sondern wie *Italien so ist auch B. mit seiner
Landschaft, seinen Einwohnern und seinen
internationalen Gästen für die Entfaltung und
Entwicklung von Goethes Menschen- und
Künstlertum   mitentscheidend   geworden.
Ohne die Fühlungnahme mit B. wäre Goethe
ein anderer, heute unvorstellbarer Goethe geworden. Er selbst hat ausdrücklich ausgesprochen, sein Erdenweg habe sich auf den drei
Lebensbühnen Weimar–Jena, Italien und B.
abgespielt. Um in knappen, sich auf das Wesentliche beschränkenden, und dennoch geschlossenen Linien ein möglichst vollständiges
Bild dessen zu entfalten, was Goethe während
seines Verweilens hierzulande beschäftigt hat,
was auf ihn einwirkte und wie er das von
außen auf ihn Eindringende realisierte, kann
man zehn Interessen- oder Lebenskreise her-
ausarbeiten. Dabei ist aber zu bedenken, daß
diese Aufgliederung die tatsächliche Einheit
des Verlaufes beileibe nicht verdrängen darf
und daß sie im Gegenteil ihre Daseinsberech-
tigung nur durch die im Wege der Aufgliederung erreichte, gesteigerte Leichtigkeit erhält,
das zunächst Gesonderte nachher wieder zusammenzuschauen und als Einheit zu verstehen.
1. Lebenskreis: Die T h e r a p i e mit allem, was
den Heilerfolg des Aufenthaltes und der Kur
in den Bädern betraf und Bezug hatte auf alle
Umstände des leiblichen Wohlbefindens, der
Erkrankungen und Gesundheitsstörungen.
Wie bei jedem Menschen wirkten diese auch
bei Goethe im Guten wie im Bösen weitgehend
ein auf seine sowohl allgemeinmenschliche wie
künstlerische Tätigkeit, auf seine geistige und
seelische Beschwingtheit und Leistungsfähigkeit oder Hemmung und Lähmung (*Bäderkunde).
Er sei *nicht der Kur wegen* nach B. gefahren,
sagte Goethe zu Rat *Grüner (Bdm. 2, 640), was
wiederholt Bestätigung findet, ua. am 29.VII.
1795: *Man könnte 100 Meilen reisen und würde
nicht so viel Menschen und so nah sehn. Niemand ist zu Hause deßwegen ist jeder zugäng-
licher, und zeigt sich doch auch eher von seiner
günstigen Seite (IV/10, 283).* Diese Aussprüche ändern aber nichts an der Tatsache, daß
zunächst doch gesundheitliche Rücksichten
die Veranlassungen zu diesen Reisen abgaben.
Selbst wenn er mehr dem Drängen der Angehörigen als den eigenen Wünschen nach-
gehend aus dem kriegsbeunruhigten *Thüringen in das vergleichsweise friedliche B. floh,
so war auch das im weiteren Sinne eine gesundheitliche Maßnahme. In den Bädern
selbst trat dann der therapeutische Gesichts-

punkt in dem Maße in den Vordergrund, in dem Goethes körperliches Befinden sich vorübergehend oder anhaltend verschlechterte. Im gleichen Maße drängen ärztliche Besprechungen, die Vermerke über Trink- und Badekur und deren Wirkungen die anderen Interessengebiete in den Hintergrund. Im gleichen Maße stieg auch immer Goethes Interesse an den Ärzten, sowohl der an Ort und Stelle ansässigen, wie der vorübergehend dort weilenden. Die *Mediziner waren überhaupt ein von Goethe sichtlich bevorzugter Stand, weil sie ihrer damaligen Ausbildungsart gemäß naturwissenschaftlich äußerst gebildete Menschen waren. Als ansässige Badeärzte waren sie über die örtlichen geologischen, geognostischen, paläontologischen, mineralogischen, balneologischen, meteorologisch-klimatischen, botanischen und sonstigen Umstände und Tatsachen, auch über die ortspolitischen, wirtschaftlichen und sozialen, unvergleichlich besser unterrichtet als der Kurgast. Gemäß der Zeitsitte waren damals berufliches und geselliges Leben dichter verflochten als heute. Fast in keinem einzigen Falle beschränkten sich Bekanntschaft und Verkehr mit dem Badearzt auf die Sprechstunde.

Wer viele Ärzte befragt und von vielen Seiten medizinische Ratschläge einholt, muß notwendigerweise sich widersprechende und gegensätzliche Vorschriften, Weisungen und Verordnungen erhalten. Dies war bei Goethe weitgehend der Fall, wobei er meist nach eigenem Gutdünken das ihm Genehme oder das ihn subjektiv Ansprechende auszusuchen und anzuwenden beliebte. So vertauschte er des öfteren die eine Kurregel mit einer anderen, hielt die Kurvorschriften zu verschiedenen Zeiten verschieden gewissenhaft ein und nahm den Quell- und Badegebrauch ganz verschieden genau. So verzeichnen die Tagebücher 40–46 Bäder während eines Aufenthaltes, im Jahr 1813 sogar 58 Bäder. Dagegen lassen die ausdrücklichen Eintragungen und Briefvermerke *ausgesetzt* oder *nicht getruncken* oder *nicht gebadet* eher auf vermindertes Wohlbefinden schließen, aus dem heraus Goethe das Unterlassen der Kurhandlung zuträglicher schien als der Vollzug. Es finden sich aber gerade für die b.n Bäder häufige Vermerke und Briefstellen, die bestätigen, daß Wasser, Kur und Bad ihm gut bekommen sind. Ernsthaftere *Krankheiten werden nur 1810, 1812, 1818 und 1823 berichtet.

Auffallend ist, daß Goethe, der namentlich in seinen Briefen an Christiane über seine Ausgaben und seine Geldgebarung so gerne ins Einzelne geht, weder in Tagebüchern noch in Briefen je von ärztlichen Honoraren spricht. Wenn man auch annehmen kann, daß die verhältnismäßig hoch- und gutgestellten Hof- und Leibärzte des Herzogs, wie Stark, Hufeland und Rehbein den berühmten Patienten ehrenhalber beraten und behandelt haben, so ist das von den eigentlichen Badeärzten doch nicht zu erwarten, zumal Goethe zB. die *mühsame Haushaltung* Dr. Stolzes bekannt war. Nur aus dem Juli 1807 wissen wir, daß Dr. Kapp einen Ring als Ehrengeschenk bekam. Der Badebetrieb hatte zu jener Zeit Gebräuche, die uns haarsträubend vorkommen mögen. Um das kostbare und bei den damaligen primitiven Zu- und Ableitungseinrichtungen nur sehr mühselig herbeischaffbare Badewasser zu sparen, hat man treuherzig biedermeierlich nacheinander mehrere Gäste in dasselbe Badewasser steigen lassen. Vielleicht liegt hier einer der Gründe, die Goethe bewogen, schon früh um fünf zum Brunnen zu gehen, ohne daß es immer eines kleinen *Stegreifromans* dazu bedurft hätte; vgl. Sp. 1319.

2. Lebenskreis: Die **Naturwissenschaften** und alle mit ihnen zusammenhängenden Bemühungen und Bestrebungen, von denen die Naturbegeisterung, -verherrlichung und -dichtung, wie auch der Naturgenuß niemals und nirgends abgesondert werden dürfen, lassen sich in Goethes Anschauung, Arbeit und wissenschaftlich-künstlerischer Tätigkeit etwa neunfach unterteilen: *Geologie, *Geognosie, *Mineralogie, *Physik, *Paläontologie, *Meteorologie, *Chemie, *Botanik, *Zoologie (diese beiden als Ausdruck von Goethes *Biologie). Als Goethe 1785 b.n Boden betrat, hatten sich seiner die Reize der anorganischen Naturforschung längst bemächtigt und entfalteten sich von Jahr zu Jahr deutlicher. 1790 hatten zumal Geologie, Geognosie, Mineralogie auch in B. für ihn schon unverkennbar Oberhand gewonnen. Goethe brauchte Liebe oder doch liebreiche Freundschaft zu einem Mitstrebenden und Gleichgesinnten, den er als ausstrahlenden Mittelpunkt der endlosen *vom Granit, durch die ganze Schöpfung hindurch, bis zu den Weibern* reichenden Stufenleiter einsetzen konnte, eine *Wahlverwandtschaft*, die er bei Badeaufenthalten auch sonst für nötig hielt. 1795 wurde er in Karlsbad mit dem Steinschneider J*Müller bekannt, dem ersten, der den karlsbader Sprudelstein zu schleifen unternahm und daraus jene ihrer schönen Maserung wegen vielbegehrten und in die ganze Welt weitergetragenen Erinnerungsgegenstände schnitt. Mit Humor kundschaftete

Goethe Müllers Geschäftskniffe aus und erwarb sich dessen uneingeschränktes Vertrauen; er hielt dem Steinfreund die Treue bis über den Tod hinaus.

Der egerer Polizei- und Kriminalrat JS*Grüner ist als Naturwissenschaftler, Mineraloge und Geologe ausschließlich Goethes Zögling. Sein Verdienst ist es vornehmlich, Goethes Interesse für Marienbad, den Grafen *Sternberg, den Grafen *Auersperg und den Pfarrer Martius geweckt zu haben. Grüner war Goethes Führer durch das Egerland, Goethe hat dabei seiner *Mineralogie und Geologie in Böhmen Schwung gegeben (III/9, 111)*.

Schon seit 1785 vermerkt der für Witterungseinflüsse ungemein empfindliche Dichter alle einschlägigen Veränderungen. Seit 1790 berichtet er, was übrigens von einem zur Erholung im Bade Weilenden nicht zu überraschen braucht, Christiane ganz ausführlich vom Wetter, sowie von den witterungsbedingten Lichtwirkungen in der Landschaft. Seit 1812 werden diese Beobachtungen auch in B. regelmäßig und systematisch und erstrecken sich auch auf die Wolkenbeschaffenheit. Das Tgb. verzeichnet außerdem wiederholt sowohl die Sternenkonstellation als auch das Gewölk. 1813 werden zwischen 26. IV. und 10. VIII. 64mal genaue und meist ausführliche Witterungsangaben verzeichnet. Laurentius Albrecht Dlasks 1822 in Prag erschienene „Naturgeschichte Böhmens" regt Goethe ua. auch zur Beobachtung der Gewitter in B. an. In Goethes Umgang und Unterhaltung mit den Ärzten spiegelt sich die wissenschaftsgeschichtliche Situation seiner Tage: die gesamte Naturwissenschaft galt weitgehend noch als Appendix der *Medizin und der Heilpraxis. Die Loslösung dieser von jener war für ihn nicht wie für uns ein Kapitel der vergangenen Wissenschaftsgeschichte, sondern erlebte Gegenwart. 1785, fünf Jahre vor dem Erscheinen der *Metamorphose der Pflanzen*, war ihm auch die Leidenschaft für botanische Phänomene schon ganz selbstverständlich. Er nahm damals den jungen *Dietrich als seinen wirklichen geheimen Privatbotaniker nach Karlsbad mit, ließ ihn sammeln, ordnen und die Ausbeute in die *Linné-Klassen einreihen (II/13, 40; 6, 105 f.). 1807 traf man Goethe in Karlsbad zeichnend und botanisierend, 1811 schrieb er von dort an G*Gautieri über *pietra fungaja, selbst 1812 ging er im Juni nicht achtlos an einem anthericum liliago vorbei, 1813 erweckte FJ*Schelvers *botanisches Paradoxon* über die Geschlechtslosigkeit der Pflanzen in Teplitz Goethes Interesse *(III/5, 60)*.

An seinem 72. Geburtstag beglückte ihn in *Hartenberg *in einem kleinen Felsgärtchen eine anmuthige Nelkenflor (III/8, 101)*. Seine Bekanntschaft mit dem Garteninspektor und Hofgärtner Václav *Skalník förderte besonders seine praktisch botanische Tätigkeit. 1823 rundete sich der Kreis: am 10. VIII. erfreute ihn, wie schon 1790 auf der *Schneekoppe jene Gentiane und Parnassia palustris, die der in Goethes Schule zum praktischen Geologen und Botaniker entwickelte K Stadelmann von dem etwa 8 km nördlich von Marienbad sich erhebenden Sangerberg mitbrachte.

In der Physik haben die zur *Farbenlehre gehörigen Anmerkungen und alles mit ihnen Zusammenhängende Goethes Leben mit B. verknüpft. Vieles davon hat er hier erdacht, geplant, vollendet. Hier stehen Graf Reinhard, Graf Bucquoy und Professor Schweigger an Goethes Seite, wenn auch die Verbindungen bei weitem nicht so herzlich waren, wie die mit Sternberg und Grüner. Im Juli 1810 beschäftigen Goethe in B. mit den *Wanderjahren* verbundene, die ganze Physik, die *Vermittlung von Subjekt und Objekt* einbegreifende Gedankengänge und namentlich die zwischen Farben- und *Tonlehre bestehende wechselseitige Bezüglichkeit. In Teplitz 1813 verkehrte Goethe viel mit dem gräflichen Ehepaar GFA*Bucquoy von Longueval. Sie besaße ua. Glashütten in B., in denen der Graf bunte und getrübte Glastäfelchen zu Goethes chromatischen Versuchen herstellen ließ. Am 28. XII. 1820 erhielt Goethe von Jan Evangelista *Purkyně dessen „Beyträge zur Kenntniss des Sehens in subjektiver Hinsicht" und ging unverzüglich daran, das Werk aufs gründlichste zu prüfen.

Eine sinnbildlich grundlegende, alle Lebenskreise durchwachsende Verbindungs-Gestalt ist K*Sternberg. Mehr als in jedem anderen Fall überstrahlt hier die beide durchglühende Alters-Freundschaft und Seelen-Verbundenheit alle sachlich naturwissenschaftlichen Beziehungen. Sternberg ist berufener Träger, Inbegriff der Liebe Goethes zu B. geworden. Goethe versammelt um diese Gestalt alle Volksklassen und deren Vertreter zu einer humanistisch und demokratisch, dh. durchaus partnerschaftlich empfundenen Geistesgemeinschaft. Mit einer seiner Zeit weit vorauseilenden Vertraulichkeit und brüderlichen Unbefangenheit verbindet er auch hier wieder Gesellschaftsschichten, die sonst „durch die Mode streng geteilt" waren. Allein Goethes Bezug zu B. vereinigt um Sternberg Vertreter aller Klassen zur geistigen Einheit. In dieser

geistigen Heimat trafen sich damals schon die von zwölfjähriger Wegsteuer bedrückten, am mariakulmer Straßenbau frohnenden Bauern und deren Leidensgenossen auf der prager Reichsstraße, der Steinschleifer JMüller, der Mineralsammler und Henker K*Huß in Eger, der Diener Stadelmann, Werkführer, Vorarbeiter, Bergmeister, Obersteiger, bürgerliche und hochbürgerliche Beamte und Gelehrte wie Bergrat Werner, Grüner, Dr. Schütz, Dr. Heidler, Karl Heinrich Titus, dann geologisierende Adlige wie Frhr Gutschmidt, Graf Borkowski, Graf Stroganoff, die Grafen Reinhard und Klebelsberg, sogar der Herzog von Württemberg, Fürst Metternich und Carl August selber – welch ein Aufbau der sozialen Schichtung und Einfügung, der von Bediensten über Bauern, Handwerker, Bergleute, Beamte, Gelehrte, Adlige, Fürsten bis zu gekrönten Häuptern reichte! Im engeren Triumvirat aber standen, gleichfalls drei fern abstehenden Klassen angehörend, Goethe, Grüner und Sternberg einander zur Seite. Die Fruchtbarkeit dieser Geistes- und Menschengemeinschaft, in der Goethe sein *Gesellschafts-Bild aus nur in B. so glücklich ihm zuwachsenden Möglichkeiten realisierte, war unvergleichlich: *Das hab' ich ganz allein vermittelt (I/15^I, 135 V. 7550)*. Es entstanden Quellen, Urformen, Erststufen von später ausgereiften Schriften, zT. solche aus besonderer b.r Bedingtheit. Alle diese sind, unabhängig von der Richtigkeit oder Irrtümlichkeit, von der Zeitgemäßheit oder -überholtheit ihres Sachinhaltes, vor allem Kunstwerke der Goetheprosa, denen neben den *Wahlverwandtschaften*, neben *Dichtung und Wahrheit* und neben *Wilhelm Meister* ein Platz gebührt. Die Gesamtheit und Einheit der mittelbar und unmittelbar auf B. bezüglichen, nicht bloß natur-, sondern auch geisteswissenschaftlichen Schriften ist hierfür ein vollgültiger Beweis.
Nicht nachdrücklich und nicht oft genug kann man immer wieder hervorheben, wie Goethes naturwissenschaftliche Betätigung in voller Breite des ganzen vielgegliederten Gebietes namentlich in der Zusammenarbeit mit Grüner, Sternberg, Bucquoy, den Bergmeistern Beschorner, Lössel, Meyer ua. stets als Bestandteil der liebevollen Erforschung B.s auch in geisteswissenschaftlicher Hinsicht in Erscheinung trat. Während er als Dichter, im Gegensatz zu Schiller, von seinen Plänen, Absichten, Ideen, von im Werden begriffenen Werken und deren anfänglichen Fassungen nur ganz ausnahmsweise sprach und den Entstehungsvorgang vor fremdem Einfluß ängst-

lich behüten zu sollen glaubte, suchte er als Gelehrter den regsten Gedankenaustausch, die Mitwirkung und Mitbeteiligung anderer möglichst ausgiebig und auf jeder Stufe der Werkvollendung.
3. Lebenskreis: Die Politik im weitesten Sinne des Wortes bildete auch für Goethe einen Sonderbereich. Wiederholt hat er die Daseinsform in den b.n Bädern einen Spiegel des Menschenlebens überhaupt genannt. Seinem realistischen Blick gemäß vertieft sich Goethe in diesen *farbigen Abglanz* des Weltgeschehens. Was ihm daraus zunächst entgegenblickte, war das *liebe Böhmen* in seinen Teilverkörperungen und in seinen Verbundenheiten mit dem Römischen Reich deutscher Nation, mit Europa, mit der ganzen Welt. Goethes, als Kuraufenthalt eingekleidetes, Verweilen in B. wurde ihm zur wichtigsten Erfahrungsfläche, auf der er seine An- und Einsichten vom stürmischen Zeitgeschehen sammelte und verarbeitete. Nächst B. ist es die ihm ausschließlich hier so anschaulich entgegentretende Tatsächlichkeit gesamtdeutscher, von jeder Landes- und Stammesabsonderung befreiter Wesenheit. Wo sonst hätte er die Möglichkeit und Gelegenheit gehabt, Preußen und Sachsen, Österreicher und Bayern, Schwaben und Balten, Hessen und Rheinländer fast jeden Standes und Berufes miteinander und beieinander zu sehen, zu sprechen, zu hören und kennenzulernen? Nur hier in B. ist ihm wenn nicht politisch, so doch geistig die Einheit der deutschen Nation entgegengetreten. Jede Stunde seines Aufenthaltes hierzulande ist gleichsam Späh- und Horchdienst gewesen, zu ergründen, was Böhmen, dh. Deutsche und Tschechen jeder Art, Russen, Polen und Magyaren, Franzosen, Engländer und Spanier, Perser und Amerikaner, Türken und Griechen von den Zeitläuften erhofft und befürchtet, gewonnen und erlitten haben. So bettete auch er sein eigenes, persönliches Geschick in die weltgeschichtliche Geschehnisfolge.
Politik machen hieß für ihn nicht nur Metternich oder Blücher, den Zaren von Rußland oder den König von Preußen sprechen, nicht nur mit dem Feldmarschall Schwarzenberg debattieren, oder der Kaiserin Maria Ludovica begegnen, sondern auch in die Schächte einfahren, Bergleute und Bergmeister ausholen, Porzellan-, Spitzen-, Glas-, Chemikalien- und Tuchfabriken besichtigen, die landwirtschaftlichen Groß- und Kleinbetriebe untersuchen, und zwar nicht nur mit Hinblick auf den Besitzer und Nutznießer, sondern auch mit dem auf den werktätigen Menschen. Es war ihm

klar und er sprach es, wenn auch in seiner, von der unseren sehr verschiedenen Terminologie oft genug aus, daß den Ereignissen das **Maschinenwesen*, die zwangsläufig eintretende und unaufhaltsame Veränderung der Produktionsweise zugrunde läge. Er erkannte ferner, daß der seine ersten Gehversuche am Gangseil des zerfallenden Feudalismus vornehmende deutsche bürgerliche Kapitalismus auf den mit jahrhundertelangen Überlieferungen gewappneten jüdischen angewiesen sei. Daß sich die Schlußfolgerungen in Goethes eigenem Falle als Freundschaftsbeziehungen zu schönen Jüdinnen durchsetzen würden, daß er zu den das jüdische Kapital vertretenden Männern diesen Weg wählte, ergab sich einfach selbsttätig aus dem ganz allgemein wirkenden Zauber seiner Persönlichkeit, dem – mit geringen Ausnahmen – drei Frauengenerationen seiner Lebensspanne erlagen.

Goethe hatte nach der Rückkehr aus Italien seine politischen Ämter niedergelegt und nur die von kulturellem Belang beibehalten. Seine politische und namentlich seine diplomatische Bedeutung ist dadurch keineswegs gesunken. Gerade ohne politisches Amt konnte er seinem natürlichen Wissensdrang am besten folgen und über den Stand aller Dinge ungehinderter Belehrung und Aufklärung einholen. So wurde er unwillkürlich zum einheimischen und ausländischen Horchposten Carl Augusts, der seines großen Freundes Informiertheit zu schätzen und zu nützen wußte. B. war dafür die gegebene Plattform. Nicht bloß, weil die inbetracht kommenden Menschen hier wie nirgends sonst erreichbar waren, sondern auch, weil sie sich in der Atmosphäre des Badelebens unvergleichlich mitteilsamer gaben, als in den Hemmungen ihrer heimatlichen Verhältnisse. In Weimars schwieriger zwischenstaatlicher Stellung war dies besonders wichtig. Als erklärter Mitgliedstaat des **Fürstenbundes* stand Weimar auch nach 1785 geographisch wie politisch näher zu Berlin als zu Wien und in Leipzigs, bzw. Dresdens unmittelbarster Nachbarschaft. Immerhin blieb Wien eine Art Reserve gegen allzufeste, von Berlin zeitweilig ausgehende Umarmungsversuche. Schon in dieser, durch das Verhältnis zu Paris und zu Petersburg später noch verwickelter gewordenen Lage, mußten alle irgendwie maßgebenden politischen Persönlichkeiten der einzelnen deutschen Länder für Goethe und seinen Herrn unermeßliche Wichtigkeit erlangen. *Von jeher und noch mehr seit einigen Jahren überzeugt, daß die Zeitungen eigentlich nur da sind, um die Menge hinzu-*

halten und über den Augenblick zu verblenden, es sei nun daß den Redacteur eine äußere Gewalt hindere das Wahre zu sagen, oder daß ein innerer Parteisinn ihm ebendasselbe verbiete, las ich keine mehr: denn von den Hauptereignissen benachrichtigten mich neuigkeitslustige Freunde, und sonst hatte ich im Laufe dieser Zeit nichts zu suchen (TuJ: I/36, 33). Deshalb hält Goethe in Karlsbad und anderswo Menschen, die kraft ihrer Stellung Einblick in den Gang der Dinge haben, mit zehn Fingern fest. Bezeichnend hierfür ist Goethes Anhänglichkeit an Staatsrat G*Edelsheim, den er als einen seiner frühesten politischen Lehrmeister schätzte. Zwar gehen die auf ihn wie auch die auf LKGv*Ompteda ua. bezüglichen Tagebucheintragungen nicht über allgemeine Andeutungen hinaus, doch darf man die Zeitumstände nicht vergessen. Erstens legten sich die von Goethe befragten Leute eine mehr oder weniger begründete Zurückhaltung auf, zweitens mochte Goethe selber das Wichtigste dem Papier nicht anvertrauen. Goethe begnügt sich gerade im Falle der politisch wichtigsten Persönlichkeiten häufig mit der bloßen Namensnennung und bewahrt Stillschweigen über den Inhalt der Unterredungen. Wann, wie, wie oft und unter welchen Begleitumständen sie stattgefunden haben, läßt im Zusammenhang mit den gleichzeitigen Briefen zuweilen Rückschlüsse auf den verschwiegenen Inhalt zu. – Als zB. Weimar nach der Schlacht von Jena dank dem russischen Schutz der Rache Napoleons für die Friedrich Wilhelm III. gehaltene Waffentreue mit knapper Not entging und noch froh sein mußte, in den Rheinbund Napoleons mehr hineingestoßen als aufgenommen zu werden, galt es erst recht, außer der Balance Wien – Berlin auch noch die zwischen Paris und Petersburg zu halten. In diesem Punkte leistete Goethes genaue und in den b.n Bädern eingeholte Sach- und Personenkenntnis Carl August unschätzbare Dienste.

In dem Maße, in dem nun die heimlichste Diplomatie ihren Schwerpunkt nach Wien verlegt, tritt M*Meyer/vEybenberg als Goethes geheimster Pressechef in den möglichst unsichtbaren Vordergrund; sie ist ja mit Fv*Gentz, Metternichs Leib- und Hofjournalisten, befreundet.

Goethes vertrauter Umgang, sein ständiger Verkehr mit den Spitzen des böhmischen, russischen, polnischen und ungarischen Hochadels, warf auf die Ereignisse ein neues und anderes Licht. Waren das doch die Kreise und die Männer, in deren Händen die Vorbereitung und nachher die Durchführung der nach Moskau gegen Napoleon entfesselten Kämpfe lag. Abgesehen von der Kaiserin Maria Ludovica und von ihrem Hof, dem Hauptquartier der gegen Napoleon gerichteten Diplomatie, der Kaiser Franz I. und Metternich sich erst viel später anschlossen, stehen die *Liechtensteins obenan. Indem Napoleon den Schwerpunkt seiner Politik und Kriegführung nach dem Osten verlegt, verschiebt auch Goethe seinen Beobachtungsstand von Karlsbad nach Teplitz. 1812 ist er häufiger Gast in *Bilin, 1813 bewährt sich die vielfältige Anziehungskraft des Schlosses Bilin nicht nur für ihn, sondern auch für Carl August und den Erbprinzen Friedrich August. Bei allem geologischen Interesse Goethes dürften seine häufigen Fahrten in der Gegend zwischen *Osseg, *Dux und Bilin in diesem Jahr auch den Manövern gegolten haben, die Fürst Liechtenstein hier mit seinen Truppen hielt. Nur etliche Wochen später haben die östlichen Verbündeten den Truppen Napoleons bei Kulm die die Schlacht von Leipzig vorbereitende Niederlage beigebracht. Daß der mit seiner Hauptkriegsmacht vor Dresden stehende Kaiser, dessen Spitzel- und Polizeisystem zu seiner Zeit nicht seinesgleichen hatte, von der biliner Geselligkeit und der Beteiligung seines Rheinbundgenerals Carl August und dessen Staatsministers vGoethe Kenntnis hatte, muß man ihm schon zutrauen. Am 25. VII. 1813 führt Goethe mit den Liechtensteins ein *Untröstliches militärisch politisches Gespräch (III/5, 64)*, untröstlich für den gesinnungsmäßig noch immer an den Kaiser gebundenen Goethe (?). Goethe verkehrte damals auch mit den in gleicher Richtung festgelegten *Harrachs, *Choteks, mit Graf Taufkirchen und seinem Adjutanten Danckelmann, mit Graf *Klebelsberg, mit Graf und Gräfin *Schönborn, den Fürsten *Clary und vielen anderen. Aus dem ungarischen mit der Heiligen Alliance durchaus einigen und gleichfalls anwesenden Adel vermerkt Goethe die Grafen Apponyi, Szapáry, Hunyadi, Andrássy, Fürst P*Esterházy, Graf Pálffy. Vorübergehend taucht sogar Friedrich Wilhelm III. von Preußen in Goethes Nähe auf und ließ nach seiner Abreise den Obristen FWv*Kleist, Major v*Rühl, den Rittmeister v*Schwanenfeld zurück. Sie alle suchten und fanden den Weg zu Goethe. – Indessen war das alles verschwindend gegen das von Rußland hergekommene Aufgebot. Der Reigen beginnt mit dem Zaren Alexander I., der seine Teilnahme an den teplitzer Beratungen zunächst noch als Verwandtenbesuche zu tarnen versuchte. Als seine Begleiter bzw. nach seiner Abreise

erschienen Fürst *Barclay de Tolly, Fürst und Fürstin Narischkin, Fürst und Fürstin Dolgorukij, Fürstin Lubomirska und Bagration, Freiherr vThielemann, Kammerherren, Gesandte und Legationsräte. Wie entscheidend diese aus dem persönlich lebendigen Umgang gewonnenen Eindrücke auf Goethes ursprünglich napoleon-freundliche Gesinnung einwirkten, ist daran zu ermessen, daß er sich auch schon mit den entgegengesetzt gerichteten politischen Gedankengängen theoretisch zu befreunden sucht. Er studiert vielleicht nicht nur im Hinblick auf *DuW* *Mösers Patriotische Phantasien. Goethes Fähigkeit, im Lager der politischen Gegner als Minister eines Rheinbundstaates ein erstaunlich großes, persönliches Vertrauen zu erwerben, ist beispiellos. Einer seiner wichtigsten Gesprächspartner in dieser Zeit ist JG*Langermann. Auch die Freundschaft mit Louis *Bonaparte ist nicht zu übersehen.

Kennzeichnend für Goethes Art, Politik zu treiben und sich politische Sachbelehrung zu erwerben, ist seine vollständige Unabhängigkeit von dem an den landesfürstlichen Höfen geläufigen Zeitstil. Er faßt das Volkswohl als politisches Ziel ins Auge. Daher gehören für ihn Volkskenntnis und Volkskunde, auch die Gesamtheit wirtschaftlicher Fragen mit zum Begriff des politischen Lebenskreises. Einige Beispiele: Die Klagen der Bauern auf der im Bau befindlichen Straße bei Mariakulm hört er aus erster Quelle an (1795). In der Papiermühle von Hammer bei Karlsbad beobachtet er die Arbeiter stundenlang unmittelbar bei ihrem Tagewerk (1810). Bergleute besucht er inmitten ihrer Arbeit als einer unter ihnen und berät sich, warum sie den Granit mit Schlegel und Eisen bearbeiten, statt ihn zu sprengen (1812). Er notiert sich, an welchen Tagen die Witterung zum Bestellen und zum Kartoffellegen günstig ist, wann also Pflügende, Säende und sonst Geschäftige die Bergfelder beleben (1812). In Marienbad studiert er die Sozialstruktur und bemüht sich um Vergleichsmaterial und um Schlußfolgerungen (1823). Unermüdlich geht er den wechselseitigen Spiegelungen der Erwerbsformen im Geistesleben des Volkes, in seinen Sitten, in seinen Überlieferungen nach und nimmt jede Gelegenheit wahr, Menschen im Werktagsgewand zu beobachten. Der Aufzug der Bergleute nimmt ihn gefangen (1810). Das Kirchweihfest in Franzensbad beeindruckt ihn (1811). Fest und Kult des heiligen Johannes Nepomuk interessieren ihn (1812; 1813). Alttschechische Gedichte fesseln seine Aufmerksamkeit; er erbittet hierüber eine Lektion von J*Dobrovsky. Tschechische, russische, polnische, jugoslawische Volkslieder regen nachhaltig an (1810–1822). Er wartet eine ganze Stunde, um eine Fronleichnams-Prozession nicht zu verpassen (1813). Besonders eingehend studiert er den Atlas von B. (1813). Sitten des Egerkreises wecken in Grüners Darstellung seine lebhafte Anteilnahme (1820). B.s Geschichte und Topographie (1821; 1822), die tschechische Namenskunde, die tschechische Geschichte und Sprache überhaupt beschäftigen Goethe immer wieder (vorwiegend in den Jahren 1821, 1822, 1823, 1827, 1831 angeregt und gefördert von Dobrovsky, Kollár und Šafařík).

Diese und andere Themenkreise seines weitreichenden Interesses an Land und Leuten in B. vertiefte Goethe durch Studien anhand mannigfacher literarischer Hilfsmittel wie etwa: „Allgemeine Weltkunde oder geographisch-statistisch-historische Übersichtsblätter aller Länder" von Galetti, ein Seitenstück zum „Vollständigen geographischen Taschenwörterbuch" desselben Autors; Bredows Tabellen zur Litterärgeschichte; Beschreibung von Prag mit Karte (zweimal angeführt); Atlas von Böhmen (dreimal angeführt); eine in Prag bei Calve 1797 erschienene Beschreibung Karlsbads. Zur Handbibliothek, die den Dichter nach B. begleitet und in B. orientiert, gehört ferner Kreiskommissär Procházkas Chronik von Karlsbad; Stöhrs Büchlein über Karlsbad; eine anonyme Beschreibung von Teplitz; Hageks (Hájeks) Böhmische Chronik; Stránskýs Respublica Bohemiae; die Böhmische Geologie von Eichel (eig. Eichler), die Schrift „Zur Kenntnis von Böhmen"; das Nachschlagwerk Zur „Geognosie und Topographie von Böhmen"; Hormayrs Taschenbuch für die vaterländische Geschichte, darin die Legenden und die Geschichte der Krone von Böhmen; „Wuks Stephanowitschs kleine serbische Grammatik", verdeutscht von J*Grimm; Böhmische Volkslieder mit einem Nachwort von Sternberg. Im Zusammenhang mit dessen Besuch in Weimar sind noch zu erwähnen: Böhmische Poesie und Böhmische Chronik; die Prager Monatsschrift des Vaterländischen Museums; Riemers Vorlesung über die Reise der b.n Gesandten zu Ludwig I. von Frankreich; die Jahrbücher des Böhmischen Museums.

Zu Goethes ständig zu Rate gezogenen Hilfsmitteln gehören auch die Topographie und Geschichte B.s. Bezeugt ist wiederholt die Beschäftigung mit b.n Personen- und Orts-

namen, mit älteren b.n Schriftstellern. Auch die Geschichte des Hussitenkrieges und der ganzen weitverzweigten Reformationsproblematik in B. fesselte Goethes Aufmerksamkeit; er liest Zacharias Theobalds „Hussitenkrieg" und stellt später ein *Verzeichniß der 1621 nach der Schlacht am weißen Berge Hingerichteten* daraus her (III/8, 210). Die von Rat Grüner in Eger vorgezeigte *Erklärung des Stadtmagistrats von *Bamberg gegen Fürst Hohenlohe* gehört in diesen Zusammenhang, das merkwürdige Manuskript eines Priors des Predigerklosters Hermannus Viethenius vom 4. VIII. 1592, das weitläufige Vorstellungen an den Magistrat zu Eger „über den Unfug, welchen die lutherischen Prädicanten durch ihre Canzelreden in der Stadt anrichten" enthält, „mit beygefügten früheren gleichen Protestationen und kaiserlichen Befehlen in dieser Sache". – Wenn schon zeitlich an letzter Stelle, muß Goethes Kenntnis des großen böhmischen Humanisten Bohuslaw *Lobkowitz von Hassenstein im Jahre 1831 erwähnt werden.

Nach 1815 ist ein Wandel in Goethes Einstellung zur Politik bemerkbar, er betreibt dieses Gebiet in B. nicht mehr zielstrebig forschend, sondern betrachtend sinnlich, seine ursprünglich politischen Bekanntschaften nehmen jetzt mehr persönlichen Charakter an. Als Metternich 1819 die berüchtigten Karlsbader Beschlüsse mit Reichsgültigkeit in Szene setzte, wollte ihm Goethe nicht mehr begegnen und zog sich in höflicher Form aus der Schlinge.

4. Lebenskreis: Die Dichtung, dh. eigenes dichterisches Schaffen sowie die Begegnung mit fremdem, füllen einen tiefgestaffelten Raum.

Die in B. entstandenen oder sonst zu diesem Lande in einem besonderen Bezug stehenden Werke Goethes ordnen sich fast selbsttätig in vier Gruppen. Die erste Gruppe umfaßt epische und dramatische Dichtungen größerer Anlage, die ihre endgültige und heutige Gestalt ganz oder teilweise hierzulande erlangt haben. Ihr gehören an: aus den *Wanderjahren* die Erzählungen *Der Mann von fünfzig Jahren*, *Die pilgernde Thörin*, *Das nußbraune Mädchen*, ferner *Pandora*, die *Wahlverwandtschaften*, *DuW*, *TuJ*, die *Novelle*, die Hackert-Biographie, auch der *Faust*, wenn auch nur mit einzelnen Stellen oder Versen, und der **West-östliche Divan*, jedenfalls, was seine ersten Anregungen betrifft.

Zur zweiten in B. entstandenen oder auf B. bezugnehmenden Werkgruppe gehören einzelne, meist nicht umfangreiche, selbständige Gedichte, überwiegend *Balladen, ferner *Ich habe geliebt, Groß ist die Diana der Epheser*, das *Gebet des Paria, St. Nepomuks Vorabend* und *Das Sträußchen.*

Zur dritten, überaus reichhaltigen Dichtungsgruppe gehören die zahlreichen unmittelbar an bestimmte Personen des b.n Umgangs gerichteten ausgesprochenen Gelegenheits- und Gedächtnisverse, natürlich nicht nur die in B., sondern auch die daheim entstandenen, aber auf B. und dortige Freunde bezüglichen. Schon weil sie vom seelisch klimatischen Stimmungszauber des Ortes und des Entstehungsaugenblicks oder der Entstehungsveranlassung in ungewöhnlichem Maße gesättigt sind, noch mehr aber, weil sie in ihrer Gesamtheit den geistigen Urgrund abgeben, dem allein die vierte Gruppe, dh. die Karlsbader Gedichte und die *Trilogie der Leidenschaft* entspringen konnte, kann ihr Wert gar nicht überschätzt werden. Die Reihe setzt zeitlich mit den im Juli 1785 in Karlsbad *In das Stammbuch der Gräfin Tina Brühl* geschriebenen Hexametern ein und schließt mit den am 12. und 17. VI. 1827 dem Grafen K Sternberg gewidmeten Abschiedsversen oder mit dem noch späteren *Geognostischen Dank* vom August 1831, insgesamt sind es, nur die ganz unzweifelhaften gezählt, mindestens 41 Zeugnisse. Im Zusammenhang mit dem eigenen dichterischen oder überhaupt literarischen Schaffen war Goethe hier in erhöhtem Maße und mit besonderem Erfolg bemüht, über Strömungen, Richtungen und Erscheinungen des zeitgenössischen Geisteslebens auf dem Laufenden zu bleiben. Die *slawischen Literaturen traten dabei besonders ins Blickfeld.

5. Lebenskreis: Die Malerei, die in Goethes Leben bis 1812 als lebenswichtige und in viele Lebenskreise hineinreichende Ausdrucksform wirksam war, blieb es auch während seiner b.n Aufenthalte und fand hier ihren Abschluß. Die ersten wesentlichen Ergebnisse in dieser Hinsicht besitzen wir aus dem Jahre 1806, in welchem das *Reise-, Zerstreuungs- und Trost-Büchlein* durch Zeichnungen vom Hirschensprung, Egertor, der Steinbrücke, von Ellbogen usw. bereichert wurde. Anregung von außen brachte ihm der Umgang mit dem Grafen Pv*Corneillan. Das gleiche gilt für 1807, in diesem Jahre trat noch die Anwesenheit des befreundeten F*Bury hinzu. Im folgenden Jahre begab sich Goethe förmlich in die Lehre des ebenfalls in Karlsbad weilenden KL *Kaaz. Von der praktischen Zusammenarbeit abgesehen, führten beider Gespräche von der Kunstbetätigung zur Kunstbetrachtung hinüber und griffen auch in das Gebiet der Farbenlehre hinein. Als besonders fruchtbar er-

wies sich das Jahr 1810 in Karlsbad und Teplitz; auf der Heimreise vollendete Goethe in *Eisenberg als Gast im Schlosse Lobkowitz jene 22 Landschaftszeichnungen, die er seinen letzten Versuch seiner *Zeichnungsfähigkeit*(vgl. SGGes 3, S. 5; UKM S. 81) nannte. Obgleich er dieser Absage nicht ganz treu blieb, ist sie doch möglicherweise der erste Anlauf zu dem 13 Jahre später in Marienbad in der *Trilogie der Leidenschaft* stattgefundenen Generalabschied. – 1812 beginnt schon die betrachtende Kunstbeschäftigung gegenüber der schaffenden vorzuwalten. Er zeichnete bedeutend weniger als vorher, theoretische Erörterungen mit dem inzwischen in Karlsbad eingetroffenen JH *Meyer traten an die Stelle der früheren Tätigkeit. Im Jahre 1813 erweckte wohl die vergebliche Erwartung der Kaiserin Maria Ludovica Goethes malerische Tätigkeit neu, er zeichnete gleich am Tage seiner Ankunft jene Tabagie, in der er im Vorjahre ihr vorzulesen pflegte. Der Landschafter *Neuendorf tauchte auf und zog den noch immer Lernbegierigen in seinen Bann, wie das Kaaz vor fünf Jahren getan hatte. Aber doch bringt dieses Jahr den endgültigen Abschied vom Pinsel. Nur Fragen der Kunstbetrachtung beschäftigen ihn fürderhin auch in B.

6. Lebenskreis: Die Landschaft B.s und ihre Schönheit rühmte Goethe an zahlreichen Stellen seiner Aufzeichnungen. So heißt es 1806 von der Auffahrt bei *Engelhaus: *Schöne Aussicht über böhmische Gegenden, die den eigenen Charakter haben, daß sie weder Berge, noch Flächen, noch Thäler, sondern alles zugleich bedeutungslos darstellen. Der Fels von Engelhaus tritt deswegen besonders merkwürdig hervor (III/3, 143).* Solche die Landschaft betrachtenden Stellen können wir also finden, so 1808 (St. Annen: Einsiedelei Grünberg), 1810 über den Einblick nach B. hinter *Arbesau, über das Tal im Egerkreis, über den karlsbader Sprudel, über die teplitzer Umgebung; 1811 über das franzensbrunner Tal; 1812 über die schöne Lage von *Saaz, über den Einblick ins Egertal: *Zu gewissen Stunden wünscht man sich mehr Augen, damit man nur alles recht einnehmen könne (IV/23, 30),* über Beleuchtungseffekte und Baumblüte in Karlsbad, über die Kastanien an der Alten Wiese dort, über die Aussicht auf die Elbe bei Aussig; 1813 über das Tal von *Klostergrab, über die Aussicht auf die Kapelle bei *Peterswald, über die Gegend und die Schönheit des Frühlings in Teplitz und die Kastanienblüte im Park. 1819 lesen wir: *Herrlicher Abend. Die höchste Klarheit. Auch an der Schattenseite waren ein-*

*zelne Zweige und Büsche zu unterscheiden, wie
sie der ausführlichste Landschaft-Maler nur
hinschreiben konnte (III/7, 94),* 1820 lobt er
den Blick von der Höhe *Thiersheims nach
B., die schönen Aussichten von den Höhen
bei Marienbad und die Lage des auersperg-
schen Schlosses Hartenberg; 1821/22 die
schönen Aussichten ins Egertal.

Wieviel von dieser Landschaft in seine Dichtung eingegangen ist, wird nicht immer und
überall nachweisbar sein, ergibt sich aber aus
dem zentralen Ort, den B. in Goethes Leben
einnimmt. Sicherlich geht der landschaftliche
Hintergrund in der *Novelle* auf B. zurück,
wobei dem scheinbaren Widerspruch, ob der
teplitzer Schloßberg (nach BSeuffert) oder die
Burgruine *Hassenstein (nach SpWukadino-
vic) als Vorlage diente, keine übertriebene Bedeutung zuzuschreiben ist. Wir fügen hier nur
eine Schilderung der b.n Landschaft aus dem
Jahre 1810 ein: *Ehrwürd'ger Fels! der sich vom
Himmelsblauen / Herab dem Thale reich bemoos't
vermählte, / Am schattengrünen Berg, ihr bunten
Auen! / Die längst zum Bilde sich der Künstler
wählte, (I/16, 315; Der Kaiserin Platz)* und
eine des Jahres 1812: *So übersieht er Fülle
sondergleichen, / Die über allem ausgebreitet
ruht; / Wo Ebne sich verflächet, Berge steigen, /
Der Ähre Gold, der edlen Rebe Blut, / Und
schaarenweis zum Nutzen eingehändigt / Der
Thiere Heerden, die der Mensch gebändigt. / Und
wo die großen Flüsse sich ergießen / Durch über-
breites, reichbebautes Land... (Ihro des Kaisers von Österreich Majestät. I/16, 323).*

7. Lebenskreis: Die M u s i k. Die musikalischen
Beziehungen Goethes hierzulande waren zwar
keineswegs gering und nebensächlich, beschränkten sich aber ausschließlich auf die
Aufnahme von Eindrücken durch Darbietungen anwesender Künstler. Hierzu zählen FH
*Himmel (1810/11), der Tenorist Brizzi (1810),
*Beethoven (1811/12), ACatalani (1818), der
Flötenspieler Sedláček und der Sänger Stromeyer (1821) und das große Trio M*Szyma-
nowska, C*Wolowska und PA*Milder (1823).
1810 weilte CF*Zelter in Teplitz, 1813 erhielt
er eben von dort das Lied *Ich habe geliebet*
zur Komposition als geselliger Chorgesang.
Von großer Bedeutung war die Bekanntschaft
und der zunächst briefliche Verkehr mit Václav Jan Tomášek, dem musikalischen Faktotum des Grafen Bucquoy. Er schickte Goethe 1818 nach Karlsbad seine Vertonungen
goethescher Texte und traf 1822 in Eger persönlich mit ihm zusammen. *Ja du bist wohl
an Iris zu vergleichen! / Ein liebenswürdig
Wunderzeichen. / So schmiegsam herrlich, bunt*

*in Harmonie / Und immer neu und immer gleich
wie sie (I/3, 29; 384);* diese in Tomášeks
Stammbuch eingetragenen Verse beweisen die
Stärke der goetheschen Beziehung, um so gewichtiger, weil wir damit bereits die Ebene
der *Trilogie* betreten. Doch betreffen diese
Angaben nicht eigentlich B.sches in der Musik, das Goethe mehr in den Formen des Volksliedes und des musikalischen Volkslebens begegnet ist. Die Militärmusik in Eger etwa findet 1822 lobende Erwähnung.

8. Lebenskreis: Die P h i l o s o p h i e ist für
Goethe wie überhaupt so auch in B. keine
Fachdisziplin, die er betreibt. Das Philosophieren aber ist ihm notwendig als Grundkraft jeglicher Geistestätigkeit. B. gab zunächst die Muße dazu, außerdem die Gelegenheit vielfacher Gesprächs- oder Korrespon-
denzmöglichkeiten (zB. Fichte, Schopenhauer). B. gab aber in besonders reichem
Maße Erfahrungen aus den Bereichen der Natur (*Biologie) wie der Geschichte (*Philosophie), so reich, daß nicht wenige der bisweilen erst später endgültig fixierten *Maximen
und Reflexionen* hier ihre kräftigen Wurzeln
haben (vgl. die Erläuterungen von MHecker).

9. Lebenskreis: B e k a n n t s c h a f t, F r e u n d -
s c h a f t, L i e b e, diese dreifache Unterscheidung bezeichnet nicht den Wärmegrad, sondern die Klangfarbe der Gefühle. Wie herzlich sie schon auf der ersten Stufe der Bekanntschaft sein konnte, zeigen als Typen-
beispiele die Beziehungen zu den drei größten
Häusern des b.n Adels: Liechtenstein, Lobkowitz, Schwarzenberg.

Sind für die Bekanntschaftsbeziehungen
meist die geselligen, wenn auch von sachin-
haltlichen Einschlägen reichlich genährten
Unterhaltungen kennzeichnend, so für die
Freundschaftsbeziehungen die Tatsache, daß
es sich hierbei um einzelne, sachlich veran-
kerte Persönlichkeiten handelt. Hierher gehören JMüller, JSGrüner, KSternberg. Liebte
Goethe in JMüller den urwüchsigen Mann aus
dem Volke, in Grüner den tatenfroh strebenden Jüngeren, der sein Schüler in den Naturwissenschaften war und wiederum ihn in allen ortskundlichen, folkloristischen Bezügen
führte, so fand er in Sternberg einen Freund,
der ihm vielleicht zusammen mit CFZelter im
späten Alter das bedeutete, was FH*Jacobi
ihm in der Jugend, Schiller ihm während der
Mannesjahre gewesen war: *Wenn mit jugendlichen Schaaren / Wir beblümte Wege gehn, /
Ist die Welt doch gar zu schön. / Aber wenn bei
hohen Jahren / Sich ein Edler uns gesellt, / O,
wie herrlich ist die Welt! (13. VI. 1827: I/4, 278*

Nr *1*). – Im entschiedenen Widerspruch zu vielfachen, meist durch Carl Augusts Scherzbriefe verursachten Verkennungen ist die Gräfin Josephine *O'Donnel entschieden der Freundesreihe einzufügen und von jedem noch so dünnfädigen Verdacht erotischen Einschlags restlos freigesprochen. Was in Briefen oder Gedichten von Goethe liebeglühenden Inhalts oder Sinnes zu Josephines Händen kam, galt nicht ihr, sondern jener höheren Anschrift, an die sich unmittelbar zu wenden ihm mit Flammenschwertern versagt war und zu deren Stellvertretung diese als Sprechwand diente. Weiteres in diesem Sinne Fehlgedeutetes ist wieder lediglich als Merkmal eines Zeitstils aufzufassen, der im Verkehr eines Mannes mit einer Frau keine andere Tonart kannte, als die der erotisch gefärbten Galanterie.

Viermal hat die Liebe auf b.m Boden Goethes alterndes Herz durchstürmt und alle diese Gefühlserschütterungen ergaben bedeutsame Lebens- und Schaffensphasen.

Der erste Akt spielte sich in Karlsbad und in Franzensbad im Jahre 1808 ab und galt der damals 23jährigen Sylvie v*Ziegesar. Obwohl Goethe Sylvie schon seit früher Kindheit aus Besuchen in ihrem Elternhause in *Drackendorf bei Jena kannte, brachte erst die b.e Umwelt das entscheidende Erlebnis.

Weit weniger idyllisch friedlich verlief die einen viel weiter gespannten Zeitraum umfassende und in jeder Hinsicht anders beschaffene Herzenssache mit Marianne Meyer/vEybenberg. Marianne war die erste Zuhörerin der während und in ihrer Nähe entstandenen Dichtungen, der Goethe in der Stunde der Werkbeendung brennend bedurfte und wozu ihm nicht so bald jemand zusagte. Sie kümmerte sich um Goethes Haushalt und seine leiblichen Bedürfnisse und hielt den sich in B. um ihn bildenden Bekanntenkreis zusammen. Sie war in vieler Hinsicht, namentlich für Wien und Österreich, auch für den Kreis Metternich-Gentz, Goethes unentbehrliche politische und gesellschaftliche Informations- und Orientierungsstelle. Der innerlich auf Gewohnheit, Folge, Fortsetzung, Wiederanknüpfung so sehr Angewiesene war bei ihr sozusagen in bewährten Händen, wie die vortreffliche Bezeichnung *Hausfreundin* das auch vollwertig zum Ausdruck brachte. Der mit ihr 1795 in Karlsbad aus dem *Stegreif angeknüpfte kleine Roman (IV/10, 276)* währte immerhin 17 Jahre bis zu ihrem Tode im Jahre 1812.

Die Aufenthalte der Jahre 1810 und 1812 waren ausgefüllt, durchstrahlt von Maria Ludovica. Es ist sicher mehr als ein Zufall, daß die Stanzen des Gedichtes *Der Kaiserin Platz* mit denen aus dem ersten Teil der *Trilogie der Leidenschaft (An Werther)* gewisse Ähnlichkeiten haben, ja im Rhythmus der fünfeinhalbfüßigen, katalektischen, überwiegend weiblich und gekreuzt gereimten, die Strophe mit den kennzeichnenden Reimpaaren schließenden Jamben sogar eine merkliche Klang- und Formverwandtschaft aufweisen. Das vierte der karlsbader Gedichte, *Der Kaiserin Abschied* vom 22. VI. 1810, darin Goethe im Namen der Kaiserin zu sprechen hatte, bot ihm die restlos ausgenützte Gelegenheit, bei aller Wahrung der errichteten Schranken auf die innigste poetische Vertraulichkeit nicht zu verzichten. Hier erklingt in bedeutsamer Vorwegnahme der Zukunft der Grundakkord jener orientalischen Herrin-Anbetung, der überhaupt erst zu der besonderen Melodik und Symphonik des Divans hinüberleitet (*Barmekiden; *Ballade Sp. 690.f). Es *fesseln* ihn *viele Bande der schönsten Verhältnisse an Böhmen und die Kaiserlichen Lande (an Cotta: IV/23, 399)*.

Die Tagebuchstelle vom 4. VIII. 1821 hat füglich als zarter Beginn der letzten großen, in der *Trilogie der Leidenschaft* ausklingenden Liebes- und Herzensdämmerung zu gelten *(III/8, 86)*. Am *Familientische* im Hause v*Klebelsberg-Thumburg, vielleicht auch bei dem *Ball im Hause* traf Goethe an diesem Tage mit der jetzt 17jährigen Ulrike v*Levetzow zusammen. Die wachsende Neigung zu Ulrike überglänzt und überschattet *(Die Gegenwart weis nichts von sich, | Der Abschied fühlt sich mit Entsetzen:* Juli 1822; *I/3, 384)* die marienbader Aufenthalte der Jahre 1821, 1822 und 1823; sie gipfelt in der Katastrophe von 1823, deren Ausdruck die Marienbader Elegie ist mit ihrem erschütternden Bekenntnis: *Mir ist das All, ich bin mir selbst verloren (I/3, 26)*. Es war Goethes Abschied von B., endgültiger Abschied zugleich von der Jugend, von der Liebe, vom Leben: der funktionelle Sinn der Elegie im engeren Sinne ist der Tod, somit ist sie die lyrisch-programmatische Ouvertüre zu der letzten Faustszene: die Auflösung des Ichs, das Hinüberstrahlen und Hinüberklingen aus der sinnlichen, noch an die Ulrikegestalt gehefteten Begrenztheit in die übersinnliche Unendlichkeit des Gleichnisses.

Ist das aber das letzte Wort der *Elegie*, so ist es doch nicht das der *Trilogie*. Die Aussöhnung, die poetische Verwirklichung des im *Divan* geforderten „Stirb und werde", rettet den Dichter vor dem Schicksal ein trüber Gast auf der dunklen Erde zu werden, als welcher er die Elegie beschlossen hat. Das scheinbare Ende erweist sich als Auftakt zu der gleichfalls ins Jenseits hinreichenden Verklärung sowohl des Trilogie-Dichters wie *Fausts,* als das der Vergänglichkeit entrückte Doppelglück der Töne und der Liebe. Was der Sänger hier als lyrischen Widerhall in den Weltraum entsendet, entfaltet der Dramatiker als Bild, darin *alles Vergängliche* als *Gleichnis* besteht. Man muß darauf hinweisen, daß auch dieses allerletzte Wort der Dichtung, die Aussöhnung, als ältester und erster Teil der Trilogie im August 1823 entstanden ist. Weil in dieser Entwicklungsphase Goethes die Dichtung, nicht das Leben die Lenkstange führt und die letzten Entscheidungen trifft, mußte das zeitlich zu allererst gesprochene Wort als Epilog ans Ende zu stehen kommen. Es ist zugleich das Erhabenste, was nicht allein Goethe, sondern überhaupt die deutsche Lyrik und Dichtung über die Funktion der Musik im Leben der Menschen und der Menschheit zu sagen wußte.

10. Lebenskreis: Die Einkäufe kleinerer oder größerer Erinnerungsstücke, aufmerksamer Freundes- und Liebesgaben gehören zu den schönsten Lebensäußerungen des Reisenden, seiner Abschiede, seiner Ankünfte. Die Geschichte der Geschenke Goethes ist noch nicht geschrieben. Er war auch als Schenkender groß. Die Wärme der Beziehungen sowohl zu dem bedachten Personenkreis wie zu dem Orte und zu dem Zeitpunkte des Gedenkens drücken sich darin aus: *Bezüge sind das Leben (IV/46, 223).* B. spielt in diesem Zusammenhange eine ebenfalls besondere Rolle.

Kunstkäufe stehen an der Spitze: Goethe kaufte von wiener Kunsthändlern verschiedene Antiquitäten, auch von leichterer Sorte, feilschte sogar bei prager Geschäftsleuten zu seinem Vergnügen, besorgte für das weimarer Museum alte Elfenbeinschnitzereien, bezahlte viel Geld für wertvolle Bronzen und Hausgötzen. In Karlsbad zB. handelte es sich 1807 um Bronzen, die der wiener Kunsthändler FMeyer ua. anbot, auch kaufte Goethe damals echte Granaten, Glasgranaten, eine Kette mit nachgeahmten Edelsteinen; 1808 vermittelt ihm Fv*Stein eine Sammlung von Gipsabgüssen schöner Medaillen, 1810 ähnliches ebendort; 1812 erwarb er die kleine Bronzekopie des Moses von Michelangelo, 1822 handelte er einen echten Krug von 1651 ein, auch einige weitere Krüge von geringerem Werte, besonders schöne Trinkgläser und Glasschüsseln. Profane Einkäufe: 1795 in Karlsbad und ebenso 1808 erstand Goethe schönen Taft, 1807 und 1808 gab es Erzgebirgs-Spitzen, auch schwarze, ferner Haarnadeln, Steck-, Näh-, Stopf- und Stricknadeln, 1808, 1810, 1818 gläserne Salzfässer, andere Glaswaren, sogar einen Glaskrug, Zinnwaren, einige Services für je zwölf Personen, ein Toilette-Kästchen, einen Shawl und ein Seidenkleid für Christiane, ein Kaffeetuch. Er selbst deckte sich mit geschliffenen Gläsern für seine entoptischen Experimente ein, für Augusts Sammlung erstand er versteinerte Fische. Von Karlsbad nach Weimar abgehende Eßwaren sind zu allen Zeiten: Schokolade, Pfefferminz, getrocknete Schwämme, Trüffeln, Früchte. Freunden, die heimfuhren, pflegte er b.schen Käse und Räucherzungen mitzugeben, besonders 1808–1822. Mit den beliebten Mineralwassern aus den Brunnen der Bäder B.s versorgte er seinen Haushalt von Jahr zu Jahr. Selbst in den Verkürzungen solcher nur flüchtig umrissenen Lebenskreise erschließt sich das Anschauungsbild eines flutenreichen Austauschstromes, der sich von Goethe zu uns und von uns zu ihm ergoß. Goethe hob und trieb alle, die mit ihm in Berührung kamen, über ihre bisherigen Grenzen hinaus. Durch seine persönlichen Kontakte zu B. bewirkte er eine dauernd fortwirkende Bereicherung und Erhöhung der Kultur unserer Länder und Völker. Indem Goethe gewisse Dichtungen ganz, andere teilweise nicht nur örtlich hier ersonnen, geplant, ausgeführt oder vollendet hat, sondern dem hiesigen Lebensrohstoff, hiesigen Anregungen, hiesigen Vorbildern entnommen und in vergeistigter Umgestaltung der deutschen und allgemeinmenschlichen Kulturerbschaft einverleibt hat, hat er unser Land und unser Volk zugleich jener Seelengemeinschaft der Menschheit inniger verknüpft und verbunden. Diese Werke zeugen für alle Zeiten für uns und von uns. Goethe zögerte auch bei keiner sich bietenden Gelegenheit, eindeutig zu bestätigen, daß er zu einem nicht geringen Teil B. verhaftet sei und bleibe. Dies bedeutet für unser Land und unser Volk eine Würdezuweisung, die wir ohne ihn entbehren müßten. Unser Gastgeschenk dagegen sind die vielfachen Anregungen und Erfahrungen, die unser Land ihm gegeben hat, unser Land, das eben doch eine *fontaine de jouvence* (27. VI. 1811: *IV/22, 123*) für ihn gewesen ist, das ihm zu dem vielen auch das Doppelglück der Töne wie der Liebe geschenkt hat und dazu die Kraft, die Tragik des Vernichtungsgefühls durch die Aussöhnung zu überwinden und siegreich zu verklären. B. ist dabei immer das Land, so wie es sich Goethe als Bestandteil des Römischen Reiches Deutscher Nation oder des jungen Kaiserreichs Österreich darbot, das Land mit dem internationalen, gemeindeutschen, slawischen und tschechischen Einschlag. Der tschechisch-deutsche Nationalgegensatz neuerer Zeiten ist späteren Ursprungs; der *Herder-Schüler Goethe hat sich um die ethnischen Tatsachen uneingeschränkt bemüht, wie es ihm selbstverständlich war als einem um die Weltliteratur bemühten Europäer. Hat daher Goethe von unserem Land als von seinem Böhmen gesprochen, fühlen auch wir uns berechtigt, ihn, nicht minder tief empfunden, unseren Goethe zu nennen.   *Sb*

Bölling, Johann Caspar († 1793), gehörte um 1770/80 zum engsten Freundeskreis der Familie Goethe. In Elberfeld als Gastwirtssohn geboren, wurde er 1771 Bürger in Frankfurt und heiratete fast gleichzeitig Maria Catharina Lausberg (1747–1803), Tochter eines begüterten Weinhändlers. Frau Rat nennt ihn „Kornhändler" (1778), er war aber wohl identisch mit dem Spezerei-Grossisten in der Buchgasse, der zum Neuner-Kolleg der Stadtverwaltung gehörte. Durch seinen gediegenen Charakter ebenso wie durch sein Verständnis für Scherz scheint er das Vertrauen nicht nur des jungen Goethe, sondern auch des Fahlmer/Merck-Kreises sowie des ganzen „Congresses" gehabt zu haben. Dies Vertrauen drückt sich in vielseitiger Korrespondenz aus. Goethe adressiert einen seiner glücklichsten Jugendbriefe ausdrücklich auch an ihn (6. XI. 1776: IV/3, 117f.). B. nimmt mit Freundesliebe und -sorge an Goethes Schicksal in Weimar teil und hat eigene Kontakte zB. mit Bertuch, mit Wieland, mit dem Hof, insbesondere mit der Herzoginmutter Anna Amalia (17. VIII. 1778: Köster S. 34). Noch heute hängt im Bibliothekszimmer des Herrn Rat B.s Pastellporträt, 1884 dem Freien Deutschen Hochstift zum Gedächtnis an Marianna Caroline Hoffmann, geb. Lausberg, eine Verwandte von B.s Gattin, durch deren Tochter (Schwester des Struwwelpeter-Hoffmann) übereignet.   *Rf*

Struwwelpeter-Hoffmann erzählt aus seinem Leben. Frankfurt 1926. – Goethe-Jahrbuch 2, 380; 4, 198; 8, 123. – Briefe von und an JHMerck. Hrsg. v. KWagner. Darmstadt 1835. S. 87; 1838 S. 118, 127, 255. JMercks Briefe an die Herzogin Mutter Anna Amalia hrsg. v. HGGräf. 1911. – Die Briefe der Frau Rath Goethe. Hrsg. v. AKöster. 1956.

Börner, Karl Gustav (1790–1855), Maler und Kunsthändler in Leipzig. Ein körperliches Leiden zwang ihn zur Aufgabe seiner künstlerischen Tätigkeit, so daß er 1826 dem Anraten

F*Campes folgend in Leipzig einen *Kunsthandel eröffnete, der (in Düsseldorf) noch heute besteht.

Beziehungen zu Goethe konnte B. bereits 1825 aufnehmen (IV/39, 268), doch erhielt er erst 1827 Goethes Auftrag, gemäß Katalog Radierungen, *Kupferstiche und *Original-Handzeichnungen* nach Weimar zu senden, um *ein näheres Verhältniß einzuleiten (IV/42, 98 f.).* Im Laufe der Zeit stellte sich B. bei seinen Sendungen auf den Geschmack der weimarischen Kunstfreunde ein, so daß Goethe auch Ankäufe durch weimarer Sammler vermitteln konnte (IV/43, 157 f.). 1831 wurde nach sorgfältiger Auswahl mit H*Meyer eine größere Anschaffung für das weimarische Museum gemacht (IV/49, 110).

B., mit Goethes *Neigungen in dem angenehmen Kunstfache der Zeichnungen und Radirungen (IV/46, 121)* seit seinem Besuche bei Goethe im Februar 1828 (III/11, 174-176) bekannt, vermochte in den letzten Jahren durch Goethes Auktionsaufträge (IV/46, 260) und seine Angebotssendungen, die *viel Vergnügen und neue Kenntniß* brachten *(III/12, 216),* dem weimarer Kreis manche Anregungen zu geben. Am 26. VI. 1830 war B. nochmals bei Goethe, *zeigte verschiedenes seiner Verlagsartikel und ließ ein Portefeuille älterer Kupferstiche und Zeichnungen zurück (III/12, 262 f.).* Der letzte kurze Besuch B.s in Weimar, den Goethe als *unterhaltend und belehrend* bezeichnet, erfolgte am 14. XII. 1831 *(III/13, 188).*   *Lö*

Boethius (ungefähr 480–524 nChr.), römischer Staatsmann und Philosoph aus altadligem Geschlecht, von Theoderich zu den höchsten Ehrenstellen erhoben, später des Hochverrates bezichtigt und hingerichtet. Als Vertreter der ostgotischen Restauration vermittelte er der Zukunft die Kenntnis der griechischen Philosophie. Sein berühmtestes Buch, die „Consolationis philosophiae", im Gefängnis verfaßt, hat als Vermächtnis antiker Geistes- und Herzensbildung im Mittelalter eine bedeutende Rolle gespielt. Goethe entlieh das Werk vom 22. IX. 1808–22. II. 1809 aus der weimarer Bibliothek.   *Fe*

Keudell Nr 524.

Böttger, Heinrich Ludwig Christian (1771 bis 1815), von 1796 bis 1808 juristischer Professor an der kleinen, von 1658 bis 1817 bestehenden evangelischen Universität in dem nassauischen Städtchen Herborn an der Dill, dann Justizrat und schließlich Oberhofgerichtsrat in Dillenburg, besuchte Goethe am 7. XI. 1799 (III/2, 268).   *Fr*

ADB 3 (1876), S. 203.

Bötticher, Charlotte Christiane, geb. Wollmar (gest. im November 1803 in Frankfurt/M.), Schauspielerin, seit 1792 am Nationaltheater in *Frankfurt/M., wo sie Goethe 1797 sah und auf seiner Liste von frankfurter Schauspielern notierte (I/34^I, 233).   *EF*

Böttiger, Karl August (1760–1835), klassischer Philologe und Archäologe, Gymnasialdirektor in Weimar (1791–1804), in Dresden (1804) Leiter des Pagen-Instituts, seit 1813 Vorsteher der dresdener *Antiken-Sammlungen, Schüler von ChrG*Heyne, war während seiner weimarer Amtsperiode eines der tätigsten Mitglieder im Kreis der *WKF. Besondere Beziehungen bestanden zunächst zu Wieland und Herder, bald jedoch trat er zu HMeyer und Goethe selbst in nähere Verbindung. Meyer schrieb zu B.s Monographie über das Gemälde „Die *Aldobrandinische Hochzeit" (1810) einen eigenen Abschnitt über die Farbtechnik (vgl. auch I/34^I, 423). In Dresden hielt B. alljährlich Sommervorträge für breitere Kreise in der Antiken-Sammlung, stand dabei unter dem Einfluß des Kunstschriftstellers IFFrhrv*Racknitz. Seine „Andeutungen zu 24 Vorlesungen über Archäologie" (1806) las Goethe im November/Dezember 1812, zT. mit Kritik (III/4, 336 f. 352). B. übersetzte die berühmte Denkschrift von Hamilton über Lord *Elgins Erwerbungen in Griechenland (nach der 2. englischen Auflage von 1815 bearbeitet mit einer Vorrede von KABöttiger und Bemerkungen der WKF, Leipzig/Altenburg 1817; vgl. III/5, 225). Zu Dante von Rosettis Ausgabe der Prozeßakten über JJ*Winckelmanns Ermordung schrieb er eine Einleitung „Winckelmanns letzte Lebenswoche" (1818), deren Empfang Goethe am 2. V. 1818 vermerkt (III/6, 204). In der Zeitschrift „Amalthea" gründete B. ein Organ für „Kunstmythologie und bildende Altertumskunde" (3 Bde, 1821–1828), in denen bereits die jüngere Archäologengeneration aus dem Kreis und Standpunkt der WKF herauszuwachsen beginnt. B.s Verhältnis zum weimarer Kreis war nicht immer ungetrübt (vgl. Goethes drastische Äußerung: E Zellerecker: Goethe in der Anekdote, 1947, S. 69 Nr 153 und S. 99 Nr 232).   *Hm*

Bogatzky, Carl Heinrich von (1690–1774), Schlesier, wirksamer Erbauungsschriftsteller des halleschen *Pietismus, dessen „Güldenes Schatzkästlein der Kinder Gottes, bestehend in Sprüchen heiliger Schrift" (1745) Goethes Mutter als *Stechorakel zu befragen liebte (I/26, 156; vgl. I/7, *122: Buch-Orakel*). Mit den Versen *In das güldne Schatzkästlein der Mutter,* geschrieben am Tage der Abreise nach Leipzig (30. IX. 1765), verabschiedete sich Goethe von *seiner geliebtesten Mutter* (Morris *1, 91;* vgl. auch Morris 6, 10; GoetheJb. 12, 175–178).   *Za*

Bohl, 1) Johann Justin (1727 Eisenach bis 24. XI. 1795), Bürgermeister in *Lobeda, (vgl. IV/10, 16), Sohn des Stecknadlers Friedrich Wilhelm B. Er heiratete am 10. X. 1755 –, 2) Johanne Susanne, geb. Eberhard (4. I. 1738 bis 29. VIII. 1806), Tochter des Instrumentenmachers und Kastenvorstehers Bartel Eberhard. JSB. war nach Goethes Worten *Ein sittlicher Charakter, häusliche treue Thätigkeit zeichneten sie aus, ein zartes frommes dichterisches Talent, das ihren Pflichten keineswegs Eintrag that, machte sie bemerkbar. Gastfrey empfing sie jeden in ihrer reinlichen wohlgeordneten Wohnung, gesellig und gesprächig machte sie gern ihren Freunden einen Gegenbesuch. Lange war ihr Haus ein lichter Punct in dem Saalthale, dessen Schönheit man aus ihren Fenstern übersah. Vor allem aber erregte sie den größten Antheil durch die unermüdliche Geduld, mit welcher sie häusliche Leiden an dem Gatten und Kindern, ja an zahlreichen, früh verwaisten Enkeln übertrug* (14. III. 1814 an ChrGv*Voigt IV/24, *197 f.*). Dieses dichterische Talent zeigte sich in Huldigungsgedichten (1775 an Carl August, zur Geburt des Erbprinzen Karl Friedrich 1783). Seit dem 1782 gegen RB *Sheridans Spottgedicht veröffentlichten „Wolken und Weiber" in ChrM*Wielands „Teutschen Merkur" blieb sie dessen Mitarbeiterin. 1784 fand in JSB.s Garten die Gründungsbesprechung zur „*Allgemeinen Literaturzeitung" statt. CLv*Knebel (vgl. Tagebücher, GSA), der ihr jahrelang herzlich verbunden blieb, hatte Goethe in ihr Haus geführt und dessen bleibende Anteilnahme für sie geweckt (1756; 1787), die sich in Notzeiten gerade an ihr selbst wie an ihren Angehörigen bewährte (1785: IV/30, 35; 1814: IV/24, 200; 205; 211). JS war ebenso mit Schiller und der Familie vZiegesar befreundet. Von ihren sieben Kindern erwähnt Goethe die Töchter –, 3) Johanna Juliane Charlotte, seit 1766 vermählt mit dem Vizebürgermeister Loeber von Lobeda (VI/30, 35), und –, 4) Maria Sophia, die 1768 den Pfarrer Bechstedt in Millingsdorf heiratete (IV/24, 198; 207; 211).   *Ko*

HKoch: Johanna Susanna Bohl, eine Dichterin des Goethekreises. In: Wissenschaftliche Zeitschrift der Friedrich-Schiller-Universität Jena 4 (1955), S. 515 bis 529.

Boie, Heinrich Christian (1744–1806), Holsteiner (Meldorf), Verwaltungs- und Regierungsbeamter in leitenden Stellungen, als Literat

weniger selbstschöpferisch (1798 immerhin: „Die Lore am Thore"), sondern stärker herausgeberisch veranlagt, als göttinger Student führendes Gründermitglied des *Hainbundes, Herausgeber des bei JCDieterich/Göttingen erscheinenden *Musenalmanachs (1770–1774; hier Sp. 144), später auch der Zeitschriften: „Das Deutsche Museum" (1776–1788), „Neues Deutsches Museum" (1789–1791), kam durch FW*Gotter (I/28, 138f.; *Wetzlar) im Juni 1772 mit Goethe in Kontakt, zumal wegen des Musenalmanachs. Die FGA-Rezension vom 13. XI. 1772 ist wohl mehr JH*Mercks als Goethes Arbeit (Morris 6, 215). In der letzten, von B. besorgten Ausgabe des Musenalmanachs (1774) erschienen vier Gedichte Goethes pseudonym, dh. mit falschen Initialen gezeichnet (*Der Wanderer; Mahomets Gesang; Sprache; Der Adler und die Taube;* vgl. AGoldschmidt S. 1, auch Lanckoronska/Rühmann S. 24f.). Für den Vertrieb der ersten *Götz*-Ausgabe (Selbstverlag Mercks, Darmstadt 1773) setzte sich B. gern und nicht erfolglos ein (Morris 4, 3; 21; 25). Die nicht sehr umfangreiche Korrespondenz 1773/1774 steigert sich bis zur persönlichen Begegnung in Frankfurt Mitte Oktober 1774: „Göthe ist ein Mann ungefähr von Voßens Figur, aber etwas feiner gebaut, sehr blaß, Geist im Gesichte und besonders in dem hellen braunen Auge. Er hat mir viel vorlesen müßen, ganz und Fragment, und in allem ist der originale Ton, eigne Kraft und bei allem sonderbaren, unkorrekten, alles mit dem Stempel des Genies geprägt. Sein Dr. Faust ist fast fertig, und scheint mir das größte und eigenthümlichste von Allem. ... Göthes Herz ist so groß als sein Geist" (Morris 4, 368). Mit und nach dieser Begegnung, zumal nach ihrem Abschluß durch einen *frugalen Abend (Morris 4, 158)* lockerte sich die Bindung, bis sie im Spiegel einer gelegentlichen Buchhilfe (*Cellini) noch einmal flüchtig auftauchte: *Gern erinnere ich mich der Zeit unserer ersten Verhältnisse... Sollten wir uns einmal wieder finden, so würde nach einer so langen Pause, die Vergleichung des Vergangenen mit dem Gegenwärtigen uns zur interessanten Unterhaltung dienen* (6.VI.1797: *IV/12, 139f.*).
                               Za

Boileau, Nicolas, genannt Boileau-Despréaux (1636–1711), der maßgebende Kritiker und Ästhetiker der französischen Klassik, kein Dichter, aber, besonders als realistischer Satiriker, ein Wortkünstler, mit den bedeutendsten zeitgenössischen Dichtern (La Fontaine, Molière, Racine) befreundet, von Ludwig XIV. geschätzt und gefördert. Weniger als Schöpfer, denn als formulierender Zusammenfasser vertritt er in seiner „Art Poétique" und seinen „Réflexions sur Longin" eine Ästhetik des besonnen urteilenden Verstandes („bon sens") und der Naturwahrheit; diese führt indessen nicht zum Naturalismus oder auch nur zum Realismus im heutigen Sinne, sondern wählt, vom Verstand geleitet, in der Summe der Naturgegebenheiten das Allgemeingültige aus, das in vornehmer Stilisierung dargestellt wird. B.s Naturwahrheit ist wesentlich ein Kampf gegen gewisse vor ihm herrschende Erscheinungsformen der Literatur: die Verzeichnungen, die belustigen sollen (das Groteske); die Übertreibungen, die zu erstaunen suchen (das Romantische bestimmter Tragödien und Romane), das Gesuchte und Geschraubte, welches mit dem Anspruch auftritt, geistreich und elegant zu sein (das Preziöse). B. beherrschte weite Teile der französischen Literatur bis tief ins 18. Jahrhundert und wirkte auch über die Grenzen Frankreichs hinaus. – Der ganz junge Goethe erklärt sich einig mit B., diesem „vollendeten Kritiker" *(ce critique achevé)*, welcher das „Flitterwerk eines Tasso" *(le clinquant du Tasse;* vgl. B.s 8. Satire V. 176) verurteilt, und stellt dem italienischen Heldenepos B.s heroisch-komischen „Lutrin" entgegen, wie überhaupt *Le Boileau entier* eine Schule des Geschmacks sei (1766: *IV/1, 54;* aus der *L'Art Poétique* zitiert Goethe 3, V. 210 bis 216: ebda 70; ferner 3, V. 311f. *Un si penible ouvrage | Jamais d'un ecolier ne fut l'apprentissage: ebda 123;* vgl. GoetheJb 7, S. 40; 89; 8, S. 235). Goethe weiß sich B. für das Wenige verpflichtet, was er von der französischen Poesie wisse (September 1766: *IV/1, 70),* um allerdings wenige Monate später, in JF*Marmontels Gefolge, Kritik an B. zu üben: dieser sei zwar ein *legislateur habile* auf dem Parnaß, ein großer Arbeiter und dadurch ein Verskünstler von Rang, doch fehle ihm das Gefühl, das durch keinen Fleiß ersetzt werden könne *(Le sentiment, est le seul don d l'ame | Que le travail n'a jamais imité: ebda 93f.).* Eine Rezension in den *FGA (1772: I/38, 368),* in der von B. die Rede ist, kann Goethe nicht mit Sicherheit zugeschrieben werden. 1807 liest dieser die 12. Satire mit ihren Aufschlüssen über B. als Vertreter des skeptischen, nicht sehr regierungsfrommen, vor *Voltaire voltairianischen pariser Bürgertums (III/3, 243); 1824 die 10. Satire, die mit ihrer ohne Umschweife geäußerten Misogynie, ihrer Freigeisterei, ihrer Darstellung der Heuchelei, auch der trotz *Molières Angriffen noch immer blühenden Sprachpreziosität, ein Teilbild des geistigen Paris am Ende des 17. Jahrhunderts gibt (III/9, 228). 1830 wird B. als literarischer Despot genannt (Bdm. 4, 270).

Fu

Boisserée, 1) Johann Sulpiz Melchior Dominikus (1783–1854), Kaufmann, Kunstsammler und Kunstgeschichtsschreiber, tätig in Köln, Heidelberg, Stuttgart und München, widmete sich mit seinem Bruder

–, 2) Melchior Hermann Joseph Georg (1786 bis 1851), Naturwissenschaftler, Kunsthändler und -sammler, nach kaufmännischer Lehre unter dem Einfluß JB*Bertrams humanistischen Studien, die seit 1800 unter dem Eindruck der goetheschen *Propyläen* und der Kunstschriften L*Tiecks und WH*Wackenroders stehen. Die Bekanntschaft mit FF *Wallraf veranlaßte die Brüder zu Reisen in die Niederlande, dann 1803 nach Paris, um im Musée Napoléon die dort zusammengeführten Kunstschätze aus allen Teilen Europas kennenzulernen. Mit F*Schlegel, der über seine Eindrücke in der ,,Europa" (Bd 1) berichtete, kehrten sie über die Niederlande nach Köln zurück.

Die Auflösung des Kloster- und Kirchenbesitzes setzte die Brüder B. im Verein mit Bertram in die Lage, rasch eine Anzahl von Gemälden altkölnischer und altniederländischer Herkunft durch Kauf und Tausch zusammenzubringen. Hierdurch angeregt, trieb Sulpiz B. baugeschichtliche Studien über den kölner Dom und die niederrheinische Baukunst des *Mittelalters. Unter Melchiors geschäftlicher Leitung, beseelt von der klarerkennenden Initiative Sulpiz B.s und betreut von Bertram wurde die Sammlung durch bedeutende Stücke – ua. das sog. Schweißtuch der hl. Veronika, den Columba-Altar des Rogier van der *Weyden und A*Dürers Jabachschen Altar – bereichert. Die Bedeutung der Sammlung, von der Goethe schon 1809 durch einen Brief von Z*Werner hörte, bestand darin, daß sie ausschließlich Gemälde umfaßte, die nicht nach ästhetischen oder materiellen Gesichtspunkten, sondern nach ihrem geschichtlichen Wert erworben worden waren und somit auch die geschichtliche Einsicht förderten, wie sie durch künstlerische Wertschätzung der Vergangenheit auch die nationale Selbstachtung heben sollten. Die Sammlung der Brüder B. unterschied sich dadurch von den fürstlich-aristokratischen Kunst- und Raritätenkabinetten der vorangegangenen Epoche und wurde mit der ihr eigentümlichen isolierten Aufstellung der Bilder in historischer Folge – wertvolle Stücke wurden nur einem kleinen Kreis von auserwählten Besuchern gezeigt – sammlungsgeschichtlich eine Vorform der großen Museen des 19. Jahrhunderts. Die Tätigkeit der Brüder und insbesondere die des Sulpiz B., der unablässig ratend und tätig für die Erhaltung der mittelalterlichen Baudenkmäler eintrat, kann den Bestrebungen HFK Frhr von und zum Steins für die politische (Monumenta Germaniae Historica) und WK und J*Grimms für die Sprachgeschichte (Deutsches Wörterbuch) an die Seite gestellt werden. In Goethes Beziehungen zu den Brüdern B. vollzieht sich seine Begegnung mit der *altdeutschen Kunst und sein Aufmerken auf die künstlerischen Bestrebungen und die kunstgeschichtlichen Einsichten der jüngeren Romantik, denen er um 1815 besonders nahe war.

1810 berichtete CFGrafv*Reinhard Goethe über die Tätigkeit und Sammlung der Brüder. Goethe lehnte es jedoch ab, die neue Verbindung einzugehen, denn es *müßte ein Schüler von Friedrich Schlegel eine ziemliche Zeit um mich verweilen und wohlwollende Geister müßten uns beyderseits mit besonder Geduld ausstatten, wenn nur irgend etwas erfreuliches oder auferbauliches aus der Zusammenkunft entstehen sollte (IV/21, 244).* Doch nachdem Reinhard Goethe die ersten Umrißzeichnungen zum kölner Dom geschickt hatte, war das Urteil milder. Sulpiz B., der *einen sehr hübschen verständigen Brief geschrieben* hatte, wurde auf Michael eingeladen *(ebda 297; 301).* Bei aller Skepsis gegenüber jungen Menschen – *Einfluß gestehen sie uns, Einsicht trauen sie sich zu, und die erste zu Gunsten der letzten zu nutzen, ist eigentlich ihre stille Absicht (ebda 361)* – bestätigte Goethe doch die historische Bedeutung des Objektes und seine treffliche Behandlung, riet zur Veröffentlichung der Domrisse und lud Sulpiz nochmals ein (IV/22, 22). Der Besuch Sulpiz B.s in Weimar im Mai 1811, der vorwiegend der Betrachtung der *architectonischen Risse* gewidmet war *(III/4, 203),* war der Anlaß, Goethe *Cornelius' Federzeichnungen zum *Faust* vorzulegen, um ihn auf diese Weise auch für die Sammlung altdeutscher Bilder einzunehmen. Die geschickte, einfühlsame Art Sulpiz B.s machte diesen Besuch für Goethe wertvoll: *Es hat mir die Bekanntschaft dieses jungen Mannes sehr viele Freude und Zufriedenheit gebracht (IV/ 22, 96).* Goethe sah die Bestrebungen der jungen Generation versöhnlicher an, denn man *muß es wenigstens mit einigen halten, damit man erfahre was die übrigen treiben (ebda 84),* und dankt Reinhard für seine Empfehlung.

Das zunehmende Interesse Goethes wurde auf die Probe gestellt, als B. den Wunsch äußerte, die Sammlung nach Weimar zu bringen, wovon Goethe dringend abriet (IV/22, 177 f.; vgl. Bdm. 2, 115), während er die baugeschichtlichen Forschungen Sulpiz B.s gern anerkannte (25. I. 1813: IV/23, 267). Mehrfache Einladungen veranlaßten Goethe, 1814 nach Wiesbaden zu gehen, um nach einer Zusammenkunft mit Sulpiz in Frankfurt am 17. IX. mit diesem nach Heidelberg zu reisen (24. IX. bis 9. X. 1814). Die Hinwendung Goethes zu diesen Gegenständen romantischer Kunstliebe brachte ihm die Kenntnis einer älteren Epoche der Malerei, die er in sein Geschichtsbild einzuordnen vermochte und die für ihn die Lücke zwischen der *byzantinischen Malerei und der *Renaissance schloß (vgl. I/36, 197). In dieser Einsicht, die sich bei Goethe schon beim ersten Anschaun der Objekte entwickelte (IV/25, 43–48), sah er sich bewußt im Gegensatz zu der beschränkteren, gegenstandsgebundenen Anschauung der Brüder, Sulpiz B. gibt selbst die entscheidenden Worte Goethes wider: *Wir säßen im Fegfeuer und dächten nicht, daß uns nur eine papierne Wand vom Himel trenne. Hätten wir den Mut, diese durchzuschlagen, so wäre uns geholfen* (Tagebuch des Sulpiz B.: 15. IX. 1815; *Firmenich-Richartz S. 416*). Dennoch bleibt ein Bestand an geschichtlichen Tatsachen und Kombinationen, die Goethe von den B.s übernahm und die im ersten Heft von *Kunst und Alterthum* ihren Niederschlag fanden. So wird nicht so sehr ein Gegensatz von Anschauungen deutlich, als Goethes Fähigkeit, die geschichtliche Entwicklung transparent zu machen, gebundene Anschauungen zu überhöhen und zugleich begrenztere Tätigkeit und Einsicht in ihrer Art anzuerkennen.

Die Begegnung von 1815 – Anfang August traf sich Goethe mit Sulpiz B. wieder in Wiesbaden (IV/26, 61) – gab letzterem die Möglichkeit, in Goethes Leben und Denken einzudringen. Der zweite Aufenthalt Goethes bei der *Heidelberger lieben Drey-Brüderlichkeit* (IV/28, 98) vom 20. IX. 1815 bis 7. X. 1815 – diesmal in Begleitung Carl Augusts – entsprach dem beiderseitigen Wunsch nach Festigung der gewonnenen Eindrücke, um das Resultat in der von Stein angeregten Zeitschrift *Kunst und Alterthum* (vgl. IV/26, 81; III/5, 177) der Öffentlichkeit bekannt zu machen. Goethe war sich seines zeitweiligen Eingehens auf fremde Wünsche und Forderungen bewußt (IV/26, 105 f.), 1816 schreibt er: *Daß ich mich Ihnen zu Liebe mit Gegenständen beschäftige, die mir*

einigermaßen abseits lagen, mit dem Trost, daß es *mir zu manchem Guten gediehen* sei *(IV/27, 12),* und merkwürdig nahm sich auch innerhalb des wachsenden Interesses an der orientalischen Welt, das zum *West-östlichen Divan* sich verdichtete, die Liebe zur altdeutschen und altniederländischen Bilderwelt aus: *„Wie aber kann sich Hans van Eyck / mit Phidias nur messen?" (I/3, 121).*

Gleich nach der Rückreise, auf der Sulpiz B. Goethe bis Würzburg begleitete (III/5, 186), begann die Arbeit an *Kunst und Alterthum an Rhein und Main* (ebda 187) und schon am 23. X. 1815 schrieb Goethe an B.: *Nun ist der Anfang, ohngefähr wie Sie ihn kennen, in die Druckerey; das Übrige mußte alles umgeschmolzen werden (IV/26, 108),* worin man eine mehr als nur konzeptionelle Abwandlung der von Goethe aufgenommenen Gedanken B.s erblicken kann. Die mit H*Meyer für 1816 geplante Reise nach Heidelberg kam durch den Wagensturz nicht zustande. Mehr und mehr wuchs jetzt bei seiner Beschäftigung mit der *Italienischen Reise* für Goethe das klassische Land als Maß seines Lebens wieder auf und die Malerei der alten Niederländer, der kölner Dom und das deutsche Mittelalter wurden zu einem Teil seines geistigen Bewußtseins, der nicht mehr das Ganze bestimmen konnte.

Sulpiz B., geistig aufgeschlossen und regsam, vermochte auf die weitgespannten Interessen *(Farbenlehre:* IV/28, 198 f.; vgl. IV/49, 198 bis 200) seines hohen Freundes einzugehen, wohl in der Hoffnung, Goethe desto eher für seine Anliegen zu gewinnen.

Goethe, der B. an allen Plänen, Arbeiten und den Vorkommnissen seiner Welt teilnehmen ließ (vgl. insbes. IV/37, 276–282), sparte nicht mit Bekenntnissen seiner Freundschaft: *Wenn man eine Zeitlang so bedeutende Tage zusammen verlebt hat, so versteht man sich für die übrigen Jahre zum deutlichsten (IV/31, 258).* Goethe bewunderte an B. seine *beharrlich-thätige Kunst- und Geschichtsneigung (IV/36, 239).* Dem Plan zum frankfurter Monument, das als Goethedenkmal von einem unter dem Vorsitz von Sulpiz B. arbeitenden Verein vorbereitet wurde, stand Goethe abwartend gegenüber, aber sein Dank an B. für die Vermittlung bei den schwierigen Verhandlungen mit J Fv*Cotta wegen der Ausgabe letzter Hand war ehrlich: *Ihnen aber, mein Bester, darf ich sagen, daß Ihre geregelte Thätigkeit mir bey diesem Unternehmen zum Muster gedient hat und dient (IV/39, 172).*

Kurz nach Abschluß dieser Verhandlungen war B. vom 17. V. bis 3. VI. 1826 in Wei-

mar, wo er den zwanglosesten Verkehr mit
Goethe und dessen Familie aufnahm. Er berichtet hiervon in seinem Tagebuch. Goethe
schreibt über diese Begegnung: ...*wie merkwürdig und selten ist es, daß zwey Personen,
von so verschiedenem Alter, von verschiedenen
Lebenspuncten ausgehend, doch immer wieder,
wenn sie sich nach langen Jahren auf ihren
Wegen treffen, eine Weile gerne zusammen fortgehen, sich im Innersten aller Hauptpuncte
übereinstimmend finden, wenn die Peripherie
der Zustände und Gesinnungen ihnen auch zunächst auf gesonderte Wege hindeutet (IV/41,
52 f).*
Im März 1827 ging die nunmehr 213 Gemälde
umfassende Sammlung B.s für 240000 Rhtlr.
in bayerischen Besitz über, sie bildet noch
heute den Grundstock der deutschen und niederländischen Gemäldebestände der alten Pinakothek in München.
Sulpiz B. wurde 1816 von der heidelberger
Philosophischen Fakultät zum Dr. phil. promoviert und anläßlich eines pariser Aufenthaltes 1824 zum Mitglied der Akademie ernannt. Einen Ruf an die Universität Bonn
lehnte er aus gesundheitlichen Gründen ab.
1835 war er vorübergehend königlich bayerischer Oberbaurat. 1828 heiratete er M*Rapp,
eine Tochter des Goethefreundes. Seine späteren Lebensjahre sind mit einem mehrjähri-
gen Aufenthalt in Südfrankreich und Italien
(1836 bis 1839), wissenschaftlichen Arbeiten
und dem tätigen Anteil an der Wiederherstellung und dem Ausbau des kölner Domes angefüllt. Sein Entwurf zu einer Geschichte der
Baukunst, von dem er Goethe schon 1818 ausführlich berichtete, und seine Geschichte der
nordischen Malerei und Plastik blieben unvollendet.   *Lö*

BrMeyer 2, S. 447. – Goethe und die Romantik. In:
SGGes. 14, S. 41 f. – JMRaich: Dorothea Schlegel,
geb. Mendelssohn, und deren Söhne. 1881. – EFirmenich-Richartz: Die Brüder Boisserée, Sulpiz und
Melchior Boisserée als Kunstsammler, ein Beitrag zur
Geschichte der Romantik. 1916, Bd 1. – Sulpiz Boisserée. 2 Bde, hrsg. von MRapp. 1862. – HWvLöhneysen: Die ältere niederländische Malerei, Künstler
und Kritiker. 1956, S. 56–67; 86–91.

Bologna, das keltische Bononia, die Hauptstadt der Emilia, sammelt die Verkehrswege
der Ebene zum Übergang über den *Appenin
nach *Florenz. Vom 18. bis 21. X. 1786 hielt
sich Goethe in B. auf und besuchte die berühmten Baudenkmäler der *alten, ehrwürdigen, gelehrten Stadt* zunächst mit einem Lohn-
bedienten. Im *Tgb.* vermerkte er, nachdem er
an Palästen und Kirchen vorüber*gejagt (I/30,
160; *Iphigenie)* war: *Auch hier in Bologna
müßte man sich lange aufhalten (III/1, 303).*
In der *IR* erwähnte er auch die für B. cha-

rakteristischen *gewölbten Lauben der Straßen,*
die ihn etwas bedrückt haben mögen, denn
gleich darauf lesen wir: *Ich bestieg den Thurm*
(Torre degli Asinelli aus dem Beginn des
12. Jahrhunderts) *und ergötzte mich an der
freien Luft (I/30, 161 f.).* Zu einzelnen Bauten
der bologneser Backsteinarchitektur findet
sich im *Tgb.* und in der *IR* keine Äußerung.
Allein von der Torre dei Garisendi, einem einfachen Backstein-Wehrturm aus dem 12. Jahrhundert äußerte er eingehender: *Der hängende
Thurm ist ein abscheulicher Anblick, und doch
höchst wahrscheinlich, daß er mit Fleiß so gebaut worden (ebda 163;* vgl. *Dante, „Divina
commedia", Inferno 31, 136, wo der Turm
mit Antäus verglichen wird). Goethes Vermutung traf nicht zu; wie zT. auch in anderen
Städten senkte sich der Turm infolge des Ge-
ländes und mußte im 14. Jahrhundert teilweise abgetragen werden. Bei der Besteigung
des Turmes bewunderte Goethe trotzdem die
solide Bauweise, die ein völliges Einstürzen
verhindert hatte. Daneben fesselten ihn, wie
schon in Cento, die in Kirchen und Palästen
verstreuten Gemälde *Guercinos und anderer
Maler besonders aus dem ferraresisch-bolog-
nesischen Kreise. Als Bau hat er nur noch
das Institut (Akademie der Wissenschaften,
Bibliothek, Sternwarte usw.) besucht und das
große Gebäude (Palazzo Celesi, seit 1803 Universität) erwähnt. Er fand es *ernsthaft ...
obgleich nicht von der besten Baukunst,* doch
scheinen ihm die Stuckarbeiten und Fresken
wie alles andere *anständig und würdig (ebda
169). Genug, ich ergriff mit Leidenschaft einen
schnellern Anlaß abzureisen (ebda 173).*
B. gehörte zum Kirchenstaat, besaß aber
manche Privilegien; so durften nur hier auch
Frauen im Theater auftreten (I/47, 269).
                                        Wt/Za

Bologneser Stein. *Man erzählt von dem Bononischen Steine, daß er, wenn man ihn in die Sonne
legt, ihre Strahlen anzieht und eine Weile bei
Nacht leuchtet,* so heißt es schon im *Werther
(I/19, 55).* Ein Lichtphänomen war es, das
den jungen Goethe reizte. Der aus dem
Gefühlsüberschwang herausgewachsene, in
der Auseinandersetzung mit naturwissenschaftlichen Problemen stehende Goethe der
*italienischen Reise kommt sich in *Bologna
*vor wie Antäus, der sich immer neu gestärkt
fühlt, je kräftiger man ihn mit seiner Mutter
Erde in Berührung bringt (NS 1, 132).* Und
verstärkt lockt ihn *der sogenannte Bologneser Schwerspat ...,* woraus man die kleinen Kuchen bereitet, welche kalziniert im
Dunkeln leuchten, wenn sie vorher dem Lichte

*ausgesetzt gewesen, und die man hier kurz und
gut Fosfori nennt (NS 3, 237).* Goethe *stieg in
den Schluchten des bröcklig aufgelösten Gebirges
hinauf ... und fand den gesuchten Schwerspat
(NS 1, 133).* Es wurde Material in größerer
Menge aufgesammelt und nach Hause geschickt. Er unterschied unter den Aufsammlungen *Fraueneis (ebda 134),* dh. Schwalben-
schwanzzwillinge von Gips, sodann Gips und
Schwerspat, wobei auch der Schwerspat zT.
als Gips bestimmt wurde. Die speziellen mineralogischen Bestimmungen des Gipses und
Schwerspats hat Goethe später durch AG
*Werner vornehmen lassen; denn auch hier
interessierten ihn die speziell mineralogischen
Probleme nur wenig (*Mineralogie). Der b.St.
war ihm vor allem wichtig für seine optischen
Studien (NS 3, 237–245). In der Dichtung
wurden ihm diese Phosphore zum Gleichnis
(zB. 1820 *Grundbedingung: I/3, 147).* Geologisch interessierte sich Goethe dabei für das
Vorkommen des b. St.s im Gestein. *Ob dieser
Schwerspat gleichzeitig mit den Schiefertonla-
gern oder erst bei Aufblähung und Zersetzung
desselben entstanden (NS 1, 133),* ist das Problem, das ihn schon in Italien beschäftigte.
Jahre danach wird es im Zusammenhang der
Untersuchung über Porphyrstruktur und
*Breccien wieder aufgenommen. Ohne die
Frage der Schwerspatkugeln im Tone dabei
endgültig zu entscheiden, empfiehlt Goethe
für künftige *nähere Untersuchung (ebda)* die
Wegräumung des durch Verwitterung Veränderten, damit das Anstehende in seiner ursprünglichen Form bekannt werde. Es handelt sich bei den Schwerspatkugeln in der Tat
um Konkretionen in dem tertiären Tonschiefer, die gleichzeitig mit der Sedimentation
oder unmittelbar danach sich gebildet haben,
wie auch die zusammen damit vorkommenden
Schwefelkieskonkretionen, aus deren Verwitterung die Gipskristalle stammen. Hier dünkt
es Goethe freilich wahrscheinlich, daß *dieser
reine weiße Schwerspat porphyrartig in dem
Gestein enthaltn sei (NS 1, 387).*   Mt
JWvGoethe: Über den Bologneser Spat. Mit Erläuterungen hrsg. von GSchmid. 1937.

Bolongaro, reiche Kaufmannsfamilie zu
Frankfurt/Höchst, ursprünglich in Oberitalien beheimatet. Josef Maria Marcus B. (1712
bis 1779) aus Stresa bat den frankfurter Rat
bereits im November 1737 um Aufnahme für
sich und seinen Bruder Jacob Philipp (1710
bis 1780). Beide waren zunächst nur Vertreter
der großen amsterdamer Niederlassung Mat-
thei, begründeten alsdann 1740 ein selbständiges Tabak- und Bankgeschäft und erweiter-

ten dies durch Übernahme der amsterdamer
Firma allmählich zum Weltgeschäft. JMM.
erwarb dafür das Haus zum Wölfchen, Ecke
Töngesgasse 17 (heute zerstört) und verheiratete sich mit Maria d'Angelo, der Tochter
eines italienischen Geschäftsfreundes. Da der
frankfurter Rat den anderen Brüdern B. die
Aufnahme in die Stadt beharrlich erschwerte
und außerdem schikanöse Steuerforderungen
erhob, zogen die B.s in das kurmainzische
Höchst und errichteten dort 1772/75 ihren
heute noch erhaltenen Palast, den Goethe mit
JC*Lavater am 28. VI. 1774 bei seinem Erstehen bewunderte (Morris 4, 87). Da das
frankfurter Stammhaus und die Firma der
B.s nahe beim Großen Hirschgraben gelegen
war, ist dem jungen Goethe diese italienische
Einwandererfamilie wohl bekannt gewesen
(*Malcesine; Bartolo *Ambrosi). Nachkommen der Familie, die im Mannesstamm früh
erlosch, leben noch heute.   Rf
HWaag: Der Bolongaropalast in Höchst. 1904. –
JRumpf-Fleck: Italienische Kultur in Frankfurt a.M.
im 18. Jahrhundert. 1936.

Boltschaus, Hans Heinrich (1754–1812), kur-
fürstlicher Hofmedailleur in *Mannheim, war
ein trefflicher und verdienstvoller Stempelschneider, dem die erste Medaille mit dem
Bildnis Goethes zu verdanken ist. Sie wird
um 1775 entstanden sein, nicht nach dem Leben, sondern offensichtlich nach dem schönen ovalen Relief von JP*Melchior. Goethe
erwähnt den Medailleur nirgends, besaß aber
ein goldenes Stück, vermutlich das ihm vom
Künstler gewidmete. Es liegt heute noch in
seiner Sammlung, ebenso eine Medaille von
B. auf Bodmer aus dem Jahre 1783.   Fr
HACahn: Goethes Beziehungen zu Schweizer Medailleuren II. In: Schweizer Münzblätter I (1949),
S. 19–23. – ESchulte-Straathaus: Die Bildnisse Goethes. 1910, Tf. 22. – LFrede: Das Klassische Weimar
in Medaillen. 1957, Nr 64.

Bonacursius, Bartholomäus (Mitte des 17.
Jahrh.), Prof. der Philosophie und Medizin in
Bologna, wurde *auf die Dauer des Bildein-
drucks im Auge aufmerksam (II/3, 287; 5II,
273; 325).*   Sl

Bonanni, Filippo (1638–1725), Jesuitenpater,
Archäologe und Münzforscher, typischer Polyhistor des *Barock mit vielseitigen Arbeits-
gebieten. Goethe besaß von ihm, in einer Ausgabe von 1730, das 1696 in Rom erschienene
große Werk: „Numismata summorum Pontificum templi Vaticani fabricam indicantia,
chronologica eiusdem fabricae narratione ac
multiplici eruditione explicata…" (Ruppert
Nr 2480). Er unterrichtete sich aus diesem
Werk *über die verschiednen Epochen des Baues
der Peterskirche,* so am 15. und 18. VI. 1797

(III/2, 74) und in Gesellschaft von CW*Coudray und H*Meyer am 22. III. 1821 (III/8, 31; vgl. *Zur Geschichte der Peterskirche. Nach Bonanni:* I/34[II], 246–250). Von besonderer Bedeutung war für Goethe als numismatischen Sammler und Besitzer einer Spezialsammlung von Papstmedaillen, ein anderes, in Rom 1699 erschienenes zweibändiges Werk von B.: „Numismata pontificum romanorum, quae a tempore Martini V usque ad annum MDCXCIX vel authoritate publica, vel privato genio in lucem prodiere." Voll Stolz schrieb der Dichter am 20. XII. 1817 an G*Cattaneo, daß er an päpstlichen Medaillen *wo nicht alle, doch die meisten bedeutenden wie sie Bonanni aufgeführt* besitze *(IV/28, 345)*. Und ein Jahr vor seinem Tode äußerte er sich in unverändert anhaltender Sammlerleidenschaft brieflich gegenüber *Boisserée: Wenn ich den Bonanni ... durchsehe, so habe ich Ursache, mich des Vorhandenen zu freuen (IV/48, 155)*. B.s Werk über die Papstmedaillen ist noch heute nützlich. Ihre künstlerische Bedeutung wird darin freilich nicht behandelt und ihr großer ästhetischer Reiz ist aus den trockenen, stilistisch uneinfühlsamen Kupferstichwiedergaben der vielen Tafeln nicht zu erkennen. *Fr*

Großes vollständiges Universal-Lexicon aller Wissenschaften und Künste. 1733. Bd 4, S. 570.

Bonaparte (Buonaparte). Von der korsischen Familie *Napoleons und der Napoleoniden traten in Goethes Blickfeld nur wenige und auch diese ausschließlich sub specie ihres großen Verwandten auf. Goethe erwähnte zunächst:

–, 1) Joseph (1768–1844), den älteren Bruder Napoleons, weil er sich eine möglichst vollständige Sammlung der *größeren Silbermünzen* mit den Porträts der *Napoleonischen Dynastie* anlegen wollte und *besonders einen Piaster des Königs Joseph von Spanien* wünschte (1814: *IV/24, 170*); bei einer Kollektion von Bildnissen aus der Werkstatt des Napoleon-Malers FGerard, die in Frankfurt versteigert werden sollte, interessierten ihn ausdrücklich auch die Porträts des *Königs und der Königin von Spanien* (20. X. 1814: *IV/25, 63*); eine romanhafte Darstellung der *spanischen Revolution* im Scott-Stil, die auch *Joseph Napoleon selbst* seine Rolle spielen läßt, fesselte ihn 1814 so sehr, daß er Ottilie davon berichten wollte *(IV/38, 300f.)*;

–, 2) Lucian (1775–1840), der nächst jüngere Bruder Napoleons, Fürst von Canino, hat Goethe 1817 durch die (aber gar nicht von ihm stammenden, sondern gefälschten) „Memoires secrets" beschäftigt (III/7, 17; 93; vgl.

auch *Bernardin de Saint-Pierre, I/42[II], 490); es ist nicht unmöglich, daß Goethe auch das Epos L.s „Charlemagne" aus eigner Lektüre kannte (ebda):

–, 3) Louis (1778–1846), der dritte Bruder Napoleons, galt für Goethe in erster Linie als der *König von Holland* (*Niederlande), als Schriftsteller sowie als Fortsetzer der Dynastie Napoleons;

–, 4) Jérôme (1784–1860), der vierte Bruder Napoleons, als König von *Westfalen in den deutschen Verhältnissen am wirksamsten, veranlaßte durch seine militärischen Operationen im Zuge *des gewaltsamen Vordringens der Franzosen in Österreich,* dh. durch seine Unternehmungen *gegen Böhmen,* daß Goethe am 13. VI. 1809 seine Karlsbad-Reise endgültig aufgab und vorzeitig nach Weimar zurückkehrte (*I/36, 44; dazu IV/20, 359; 362).* Goethes Wünsche bezgl. *Silbermünzen* (vgl. Angaben hier unter 1) sowie das Interesse an Porträts der *Napoleonischen Dynastie* betrafen selbstverständlich auch J.; es war ja dessen Sammlung, die Goethe in Frankfurt sah (IV/25, 63). *Za*

Bong, Richard, begründete 1887 in Berlin das später „Deutsches Verlagshaus Bong & Co." genannte Unternehmen, das Naturwissenschaften und Gewerbekunde pflegte, vor allem aber das Gebiet der Literatur. B.'s Goldene Klassiker-Bibliothek setzte im 20. Jahrhundert in unmittelbarer Nachfolge die Reihe von Hempels Klassiker-Ausgaben des 19. Jahrhunderts fort. In B.'s Goldener Klassiker-Bibliothek erschienen folgende Goethe-Ausgaben: 1) 10 Teile. Aufgrund der hempelschen Ausgabe neu hrsg. von CAlt. 1908; eine Auswahlsammlung der Dichtungen, von der 1927 ein etwas vermehrter Neudruck erschien. – 2) Auswahl in 20 Teilen. Aufgrund der hempelschen Ausgabe neu hrsg. von CAlt. 1908. – 3) Die wichtigste ist die Vollständige Ausgabe in 40 Teilen nebst 2 Anmerkungs- und 2 Registerbänden, die aufgrund der hempelschen Ausgabe gleichfalls von Alt in Verbindung mit zahlreichen Mitarbeitern 1910–1926 herausgegeben wurde. *St*

Bonn sah Goethe fünfmal. Am 20. VII. 1774 rastete er hier mit JC*Lavater (Rheinreise, Hinfahrt: Morris 4, 113), am 25. VII. 1774 ging es eilig zu Schiff vorüber (Rückfahrt: I/28, 293). Anfang (4./5.) November 1792, nach der *Campagne in Frankreich, mußte Goethe in B. nachts ein *Wirthshaus* aufsuchen, um sich, in leckem Schiff völlig durchnäßt, *so gut als möglich zu trocknen (I/33, 184; 366).* Auf der Rheinreise 1815 blieb man auf dem

Hinweg ohne Halt im Schiff (*Regen: III/5, 172;* IV/26, 59); der Rückweg brachte am 27./28. VII. 1815 einen kurzen Aufenthalt, wobei der *Mahler Fuchs* die Reisenden *geleitete* und vornehmlich die *merkwürdige heiter und geistreich aufgestellte Sammlung bey Canonicus *Pick* besichtigt wurde (IV/26, 60; I/34^I, 90). Der dazu gehörige Altar der Victoria aus dem kölner Burghügel war auf dem Regiusplatz (heute Römerplatz) *öffentlich aufgestellt.* Mit den Bemühungen um die Wiederbelebung, bzw. mit der endlichen Neugründung der *Universität B. und ihrem Werdegang als Rheinische Friedrich-Wilhelms-Universität war Goethe eng verbunden (man denke an Persönlichkeiten wie d'Alton, Arndt, Nees vEsenbeck, Niebuhr, Nöggerath, Nose, AW Schlegel, Welcker usw.).   *JP*

Bopp, Franz (1791–1867), der Begründer der vergleichenden Sprachwissenschaft; gelegentlich einer Sendung an B. bezeichnet ihn Goethe als *einen gerade in diesen Kenntnissen sehr verdienten Deutschen* (an JChrv*Hüttner 5. XI. 1819: *IV/32, 92).*   *Rt*

Borchardt, Nikolaus, Lehrer an der „Adligen Pensionsanstalt" in Moskau, verfaßte, nachdem 1827 in der Zeitschrift „Moskovskij Vestnik" ein Artikel des Literaturhistorikers Stephan Petrowitsch Ševyrev über Goethes *Helena*-Zwischenspiel erschienen war, einen Aufsatz „Goethes Würdigung in Rußland zur Würdigung von Rußland" und sandte ihn zusammen mit dem Artikel Goethe zu. In seiner Antwort vom 1. V. 1828 beglückwünschte Goethe B., daß er *auf die Bildung einer großen Nation einen so schönen und ruhigen Einfluß ausüben* könne; ... *fahren Sie fort, ruhig dahin zu wirken, daß der Mensch mit sich selbst bekannt werde... (IV/44, 80f).* B. teilte Goethes Brief dem Herausgeber des „Moskovskij Vestnik", Pogodin, mit, der ihn im Original und in Übersetzung mit dem Begleitbrief B.s im Jg 1828 (S. 120) abdruckte. B.s Aufsatz erschien 1830 in der dorpater Zeitschrift „Quatember" (Bd 2, H. 3, S. 68–72 und H. 4, S. 78 bis 93).   *Ar*

Borghesischer Fechter, hellenistische Statue des Agasias von Ephesos, eine der schon seit der Renaissance bekannten Antiken, früher, dh. noch zu Goethes Zeit, in der Sammlung Borghese in Rom, wo er ihn jedoch nicht erwähnt; seit der Verschleppung der Sammlung unter Napoleon nach Paris im Louvre. Goethe kannte den b.n F. natürlich aus älteren Publikationen und hatte ihn auch im *mannheimer Antikensaal gesehen. Beim Anblick von ballspielenden Jünglingen in *Verona wird er an die Ausfallstellung des Fechters erinnert (I/30, 67; vgl. auch I/32, 447; 49^I, 292).   *Hm*

Born, Jakob Heinrich (1750–1782), war in Leipzig Goethes Kommilitone, mit dem er unter der Leitung von B.s Tutor englische Sprachstudien trieb (IV/1, 50; vgl. 104), und traf mit ihm als Praktikant in *Wetzlar wieder zusammen. B. war auf dem schicksalsvollen Ball in *Volpertshausen, auf dem Goethe zum ersten Male mit Charlotte *Buff zusammen war und gleich für sie entflammte. Er hat nach Goethes eigenem Zeugnis den Dichter zuerst vor der Liebe zu Lotte gewarnt: *„Wenn ich Kestner wäre, mir gefiels nicht. Worauf kann das hinausgehen? Du spannst sie ihm wohl gar ab?" und der gleichen* (15. IV. 1773 an JC*Kestner: *IV/2, 81).* B. begleitete auch, wie Kestner berichtet, den Freund ein Stück Wegs zu Pferde, als dieser abschiedslos aus Wetzlar floh. B. war charakterlich sehr schätzenswert und hochbegabt und galt in Wetzlar als ein junger Mann „d'une grande espérance". Schon 1776 erlangte er, erst 28 Jahre alt, die Stellung eines kurfürstlich-sächsischen Hof- und Justizrats in Dresden, starb aber schon sechs Jahre später.   *Fr*
HGloël: Goethes Wetzlarer Zeit. 1911.

Bornheim, „der beliebte Vergnügungsort einer wohlhabenden Stadt" (AKirchner 1818), 1925 in Frankfurt eingemeindet, war am 13. X. 1814 Ziel einer Spazierfahrt, die sogar noch weiter (bis Seckbach oder gegen *Bergen?) führte und vielleicht einen *Suleika*-Bezug hat *(III/5, 134).*   *JP*

Borschen (Borzen), der „größte Klingsteinfelsen Mitteleuropas" (JUrzidil), bei *Bilin/ *Böhmen, wurde von Goethe gemeinsam mit FW*Riemer und Dr. JChr*Starck von *Teplitz aus besucht. Dabei entstanden zwei Zeichnungen des B. und wenigstens eine von zwei Darstellungen des biliner Stadttores. Als Hintergrund-Silhouette ist der B. von Goethe damals noch auf zwei Ansichten von der Stadt Bilin wiedergegeben worden. Die beiden bedeutendsten B.-Ansichten sind eine vollkommene Entsprechung zu der CLvKnebel am 30. VIII. 1810 brieflich gegebenen Beschreibung: *Der Bilinerfels besonders ist prächtig anzusehen, wegen der ungeheuren, ernsthaften und durch manche malerische Theile interessanten ausgesprochenen Gestalt (IV/21, 378).* Der Geologe Goethe hat dabei dem Künstler die Hand geführt. Wissen und Intuition fanden sich hier 1810 in der fruchtbaren klassischen Synthese der „Zweiundzwanzig Handzeichnungen", die Goethe mit Recht als Höhepunkt seines nachitalienischen bildnerischen

Schaffens als Landschafter angesehen hat. Der am 28. V. 1813 mit Dr. FA*Reuß wiederholte Besuch des B. ist dann ohne weitere zeichnerische Resonanz geblieben, hat aber die geologische Charakteristik noch vertieft: *Der Biliner Fels ruht unmittelbar auf Gneis, von welchem man Stücke im Klingstein entdeckt (III/5, 51).*   *Fm*

Zeichnungen:
1) Corpus IV, InvNr 2011: Biliner Fels von den Brunnengebäuden her.
   Dat. 24. VIII. 1810.
   CRuland S. 8, T. 20; WDrost S. 63, T. 34; WBorn S. 81; HWahl T. 28; OKletzl S. 323, T. 11; NS 1, XX, 2; LMünz S. 100, T. 148.
2) Corpus IV, InvNr 2012: Biliner Fels mehr von hinten.
   Dat. 24. VIII. 1810.
   CRuland S. 8, T. 21; HWahl 1940, T. 23; NS 1, XX, 1; LMünz S. 100, T. 147.
Vgl. außerdem Angaben zu *Bilin.   *Fm*

Bose, ein 1715 in den Reichsgrafenstand erhobenes altes Adelsgeschlecht. Mit Goethe in persönlichen Kontakt gekommen sind
-, 1) Friedrich Wilhelm August Carl (1753 bis 1809), zunächst kursächsischer Gesandter in Stockholm, später Hofmarschall und Oberkammerherr in Dresden, unterhandelte nach der Schlacht bei Jena erfolgreich mit Napoleon und wurde auf dessen Wunsch zum sächsischen Kabinettminister ernannt, führte dann als solcher die sächsische Politik ganz im Sinne Napoleons. Ihm und seiner Gemahlin Charlotte Wilhelmine, geb. Gräfin vdSchulenburg-Wolfsburg (1760–1813) begegnete Goethe im Juli 1808 in *Franzensbad (III/3, 359; 363f.; IV/20, 122). Am 7. X. 1808, während des *erfurter Kongresses, empfing Goethe FWAC zu einem Besuch in seinem Hause (III/3, 391); er unterhielt sich mit ihm über Fragen des *Nachdrucks und fand bei ihm volles Verständnis für seine Klage über das *Nachdrucks-Unwesen (IV/21, 99).* Goethe verfaßte daraufhin am 10. X. einen *Aufsatz wegen des Nachdruckes und der Anonymität (III/ 3, 392;* IV/30, 116), doch *blieb die Sache liegen (IV/21, 100).* B. starb im Jahre darauf in Dresden.
-, 2) August Carl (1787–1862), beider Sohn, sächsischer Kammerherr, später Wirklicher Geheimer Rat und Hofmarschall in Dresden, ist der Empfänger eines von Goethe am 6. X. 1810 abgesandten Empfehlungsschreibens für den Physiker *Reißig (III/4, 158; IV/21, 389f.). In den Jahren 1819, 1822 und 1823 besuchte AC in Gesellschaft anderer Goethe mehrmals in Weimar (11. XI. 1819 mit Major v*Verlohren: III/7, 111; 12. X. 1822: III/8, 249; 14. und 21.V. 1823 anläßlich des Besuches des Königs Maximilian IV. von *Bayern: III/9, 49; 51).

-, 3) Carl August (1763–1826), aus Helba bei *Meiningen, war Offizier – 1809 Major, 1810 Oberstleutnant, 1811 Oberst – in der sächsischen Leib-Grenadier-Garde in Dresden und väterlicher Freund von Carl Augusts jüngerem Sohn Bernhard, der in der gleichen Truppe eine Offizierstelle innehatte. Wahrscheinlich war er es, der in Begleitung anderer zur näheren Umgebung des Prinzen gehörender Offiziere (JJOA*Rühle vLilienstern und Kv*Pfuel) am 21. bis 23.VIII. 1810 in *Teplitz mit Goethe zusammentraf und der am 11. IX. 1810, ebenfalls in Teplitz, gemeinsam mit Fv*Gentz Goethe besuchte (III/4, 152). Jedoch könnten die betreffenden *Tgb.*-Aufzeichnungen Goethes, die weder Vornamen noch Rangangaben enthalten, sich auch auf den jüngeren Bruder beziehen:
-, 4) Ernst Ludwig Hans (1770–1817), der ebenfalls sächsischer Offizier war und als Major 1811 wegen seiner freimütigen Äußerungen über die Franzosen seinen Abschied nehmen mußte. Er war 1811 von Carl August als Begleiter des Prinzen Bernhard für dessen Italienreise in Aussicht genommen worden. Mit Rücksicht auf Sachsen und Frankreich sah der Herzog jedoch davon ab und wählte dafür C Grafen v*Edling. ELH starb als russischer Oberstleutnant.   *Hk*
HAVerlohren: Stammregister und Chronik der kur- und königlich sächsischen Armee. 1910.

Bosio, Antonio (1575–1629), italienischer Altertumsforscher, dessen nachgelassenes großes Werk über die *Katakomben „Roma sotterranea" (1632), Goethe erst sehr viel später in Weimar, in Erinnerung seines durch *Mißbehagen* gestörten Besuches der Katakombe von San Sebastiano im April 1788, eingehend studiert hat *(I/32, 327.).* Im Jahre 1827 zog er das Werk nochmals zu Rate anläßlich seiner Beschäftigung mit dem Problem der Darstellung von Stifter-Figuren auf Sarkophagen und Grabwänden, wobei seine Beobachtung wesentlich ist, daß die Stifter in Gestalt von Handwerkern und Arbeitenden, oft als *Cavatori, als Grabhöhlengräber* dargestellt sind *(I/49^I, 195 ff.).*   *Hm*

Bossi, Giuseppe (1777–1815), Maler, erhielt 1807 von dem Vizekönig von Italien, E*Beauharnais, den Auftrag, eine Kopie von *Leonardos Abendmahlsfresko anzufertigen, wozu er die Kopien von *Castellozzo und *Bianchi heranzog (I/49^I, 228f.). *Durchzeichnungen...* erwarb der Großherzog Carl August auf seiner Reise durch Mailand und brachte sie mit nach Weimar (IV/29, 250). Auf dieses Ereignis wurde in Mailand eine Medaille geschlagen, die von Putinati geschnitten worden war (IV/ 32, 183f.). Diese *Durchzeichnungen* (ital. *Lucidi: III/6, 150*), von denen im November 1817 eine Ausstellung in Weimar veranstaltet wurde (III/6, 136), boten Goethe Veranlassung, sich eingehend mit Leonardos Abendmahl zu beschäftigen (I/36, 125). Mehrfach versuchte Goethe, Lebensdaten B.s zu erlangen und bat G*Cattaneo um Nachrichten *zur Erfüllung dessen, was ich aus dem schätzbaren Discorso funerale habe nehmen können (IV/28, 344)*. – B.s Werk „Del Cenacolo di Leonardo da Vinci" (1810), fand Goethe *höchst interessant (IV/28, 306)*, er empfahl das Buch S*Boisserée (ebda 360), studierte es eingehend im November und Dezember 1817 (III/6, 137) und zog hierzu die von FH*Müller, dem Maler Müller, verfaßte Rezension in den „Heidelberger Jahrbüchern" (Dezember 1816) heran (III/6, 150). Goethe kam zu dem Ergebnis, *daß man Unrecht hatte, die Mosaik so groß als das Original vorzustellen, denn daher wird Bossi wegen der Vorwürfe, die man ihm macht, auf eine schickliche und freundliche Weise zu entschuldigen seyn, ohne daß man seinen Gegnern Unrecht gibt (III/6, 150f.)*.   Lö

Schuchardt 1, S. 235. – ThB 4 (1910), S. 406. – ESomaré: Storia dei Dittori italiani dell'ottocento, 2 Bde. 1928.

Botanik. Goethes Forschungen auf den Gebieten der Pflanzenkunde sind von demselben Erkenntnisideal geleitet und mit den gleichen methodischen Prinzipien durchgeführt worden, die auch seinen *anatomischen Studien, seinen zoologisch-osteologischen Untersuchungen (*Zoologie; *Osteologie), seiner *Farbenlehre und seinen naturwissenschaftlichen Arbeiten überhaupt zugrunde liegen (*Biologie; ferner besonders auch *Chemie; *Geologie; *Medizin; *Mineralogie; *Physik). Nach ihrem philosophischen Herkommen sowie in ihren geistesgeschichtlichen Voraussetzungen handelt es sich um eine vergleichende dynamisch-typologische, kurz gesagt: um eine „idealistische" *Morphologie, wobei zu erinnern ist, daß der Terminus *Morphologie* in diesem präzisen Sinne überhaupt erst von Goethe selbst geschaffen wurde. Wort, dh. Name und Sache dieser Wissenschaft sind Goethes Eigentum. Ihre Grundbegriffe, in verwandte Gruppen zusammengestellt, sind: *Urphänomen und *Typus; *Analogie (später von Richard Owen „Homologie" genannt), *Metamorphose, *Polarität und Steigerung; *Entfaltung und Entwicklung. Wie ernst es Goethe damit war, zeigt die Tatsache, daß er der *Geschichte seiner botanischen Studien* eine eigene Schrift gewidmet hat (1790: *II/6, 97*

bis 127; 1817/1831: II/6, 389–393; vgl. zu beiden NS 9, 15–19).

I. *Geschichte seiner* [Goethes] *botanischen Studien.*

In das thätige Leben jedoch sowohl als in die Sphäre der Wissenschaft trat ich eigentlich zuerst als der edle Weimarische Kreis mich günstig aufnahm; wo außer andern unschätzbaren Vortheilen mich der Gewinn beglückte, Stuben- und Stadtluft mit Land- Wald- und Garten-Atmosphäre zu vertauschen (II/6, 99). Schon in seinem ersten weimarer Winter brachten ihn die Freuden der *Jagd in enge Berührung mit der Forstverwaltung, welcher seine *amtliche Tätigkeit ebenso zugute gekommen ist wie der Universität *Jena (*Oberaufsicht). Von beiden Seiten (Forstverwaltung; Universität) hat Goethe zeitlebens bedeutende Anregungen und Hilfen erfahren. So kam er auch zur B.: *Linné's Philosophie der Botanik war mein tägliches Studium, und so rückte ich immer weiter vor in geordneter Kenntniß, indem ich mir möglichst anzueignen suchte, was mir eine allgemeinere Umsicht über dieses weite Reich verschaffen konnte (II/6, 104). Und so ward ich mit meinen übrigen Zeitgenossen Linné's gewahr, seiner Umsicht, seiner alles hinreißenden Wirksamkeit. Ich hatte mich ihm und seiner Lehre mit völligem Zutrauen hingegeben; demungeachtet mußt' ich nach und nach empfinden, daß mich auf dem bezeichneten eingeschlagenen Wege manches wo nicht irre machte, doch zurückhielt (II/6, 115f.)*. Es war die von Goethe immer wieder intensiv erlebte *Versatilität der Organe (II/6, 116)*, welche ihm *bei der versuchten genauen Anwendung* des linnéschen Systems die *Hauptschwierigkeit* bereitete. *Unauflösbar schien mir die Aufgabe, Genera mit Sicherheit zu bezeichnen, ihnen die Species unterzuordnen (II/6, 117)*. Viel stärker als von der linnéschen Systematik ihrer Merkmale war Goethe von der Einpassungsfähigkeit der Organe in ihre so divergenten Umwelten beeindruckt. *In der freien Natur ... drang sich nun dem unmittelbaren Anschauen gewaltig auf: wie jede Pflanze ihre Gelegenheit* [!] *sucht, wie sie eine Lage fordert, wo sie in Fülle und Freiheit erscheinen könne. Bergeshöhe, Thalestiefe, Licht, Schatten, Trockenheit, Feuchte, Hitze, Wärme, Kälte, Frost und wie die Bedingungen alle heißen mögen! Geschlechter und Arten verlangen sie, um mit völliger Kraft und Menge hervorzusprießen. Zwar geben sie an gewissen Orten, bei manchen Gelegenheiten, der Natur nach, lassen sich zur Varietät hinreißen, ohne jedoch das erworbene Recht an Gestalt und Eigenschaft völlig aufzugeben. Ah-*

nungen hievon berührten mich in der freien Welt, und neue Klarheit schien mir aufzugehen über Gärten und Bücher (II/6, 117 f.). In dieser feinsinnigen Bemerkung über die Umweltbeziehungen der Pflanzen, wird der Gegensatz zwischen dem Denken Cv*Linnés und Goethes offenbar: Linné ist stets auf scharfe Scheidung und Unter-Scheidung der Merkmale gerichtet, während Goethe zunächst und überall das kontinuierlich Verbindende durch Vergleichung sucht.

Ganz besonders hebt Goethe den Gewinn hervor, den er durch *Reisen (vgl. hier Bd IV, besonders RV) für seine botanischen Forschungen erzielt hat. *Das uns von Jugend auf Vertraute pflegt unsere Aufmerksamkeit nicht mehr zu fesseln. Aber neue Gegenstände, in auffallender Mannichfaltigkeit dargeboten, können den Geist beträchtlich erregen. Das Bekannte wird neu durch unerwartete Bezüge, und erregt, mit neuen Gegenständen verknüpft, Aufmerksamkeit, Nachdenken und Urtheil (II/ 6, 118 f.).* In diesem Sinne ist besonders Goethes *Italien-Fahrt die große Forschungsreise seines wissenschaftlichen Lebens geworden. Für die B. waren es vornehmlich die botanischen Gärten in *Padua und *Palermo, die ihn entscheidend und wesentlich gefördert haben. Hier gewann *die alte Grille* der *Urpflanze ihre endgültige Gestalt *(I/31, 147),* hier wurde die *Metamorphose der Pflanzen* in ihrem ganzen Umfange konzipiert *(Bildung und Umbildung organischer Naturen: II/6, 23–94; 279–285).* 1. *Das Wechselhafte der Pflanzengestalten ... erweckte nun bei mir immermehr die Vorstellung: die uns umgebenden Pflanzenformen seien nicht ursprünglich determiniert und festgestellt, ihnen sei vielmehr, bei einer eigensinnigen, generischen und specifischen Hartnäckigkeit, eine glückliche Mobilität und Biegsamkeit verliehen, um in so viele Bedingungen, die über dem Erdkreis auf sie einwirken, sich zu fügen und darnach bilden und umbilden zu können. 2. Hier kommen die Verschiedenheiten des Bodens in Betracht; reichlich genährt durch Feuchte der Thäler, verkümmert durch Trockne der Höhen, geschützt vor Frost und Hitze in jedem Maße, oder beiden unausweichbar bloßgestellt, kann das Geschlecht sich zur Art, die Art zur Varietät, und diese wieder durch andere Bedingungen in's Unendliche sich verändern; und gleichwohl hält sich die Pflanze abgeschlossen in ihrem Reiche, wenn sie sich auch nachbarlich an das harte Gestein, an das beweglichere Leben hüben und drüben anlehnt. Die allerentferntesten jedoch haben eine ausgesprochene Verwandtschaft, sie lassen sich ohne*

Zwang unter einander vergleichen. 3. [So] wurde mir nach und nach klar und klärer, daß die Anschauung noch auf eine höhere Weise belebt werden könnte: eine Forderung, die mir damals unter der sinnlichen Form einer übersinnlichen Urpflanze vorschwebte. Ich ging allen Gestalten ... in ihren Veränderungen nach, und so leuchtete mir am letzten Ziel meiner Reise, in Sicilien, die ursprüngliche Identität aller Pflanzentheile vollkommen ein, und ich suchte diese nunmehr überall zu verfolgen und wieder gewahr zu werden (II/6, 120 f.).

Urpflanze und *Metamorphose* sind die beiden zentralen Themen von Goethes gesamter B. Der zweite Teil (2) unseres Zitates wird gewöhnlich als einer der wichtigsten Beweise für Goethes Vorahnung der Deszendenztheorie (*Abstammungslehre) angeführt. Dies aber ist eine post festum gemachte Interpretation von Goethes Text, die historischer Kritik nicht standhält.

II. *Urpflanze und Typus*

Urphänomene nennt Goethe die letzten nicht weiter ableitbaren idealen Stammbegriffe seiner Morphologie, durch deren Variation, von Goethe *Metamorphosen* genannt, die realen Erscheinungen des betreffenden Gebietes durch kontinuierliche Vergleichung abgeleitet und so in ihrer individuellen Besonderheit definiert werden können. *Urphänomene* in diesem Sinne sind in der Osteologie der *Wirbel*, in der Anatomie und Zoologie das *Urtier*, in der Mineralogie der *Granit* und in der Farbenlehre *Licht* und *Finsternis*, das *Helle* und das *Dunkle*, und das zwischen ihnen stehende *Trübe*. Die entsprechenden *Urphänomene* in der B. sind die *Urpflanze* (ganz allgemein) und das *Blatt* (im besonderen), wenn man die Pflanzenwelt im Lichte der Metamorphosenlehre betrachtet. Wer also Goethes Metamorphosenlehre nicht annimmt, für den könnte gleichwohl noch die Urpflanze als Urphänomen bestehen bleiben. Die heutige dynamisch-typologische Morphologie der Pflanzen, die durchaus bewußt im Geiste Goethes weiter arbeitet (WTroll), anerkennt neben dem Blatt noch die Wurzel und [wahrscheinlich] auch den Stamm als gleichberechtigte Urphänomene der Pflanzen-Metamorphose an. Wir beschränken uns hier auf die Erläuterung der beiden ursprünglich goetheschen botanischen Urphänomene: *Urpflanze, Blatt.*

Die Idee der *Urpflanze* hat während Goethes Italien-Reise ihre definitive Gestalt angenommen. Aus Padua hört man am 27. IX. 1786: *Hier in dieser neu mir entgegen tretenden Mannichfaltigkeit wird jener Gedanke immer lebendiger: daß man sich alle Pflanzengestalten vielleicht aus Einer entwickeln könne. Hiedurch würde es allein möglich werden, Geschlechter und Arten wahrhaft zu bestimmen, welches, wie mich dünkt, bisher sehr willkürlich geschieht.* Auf diesem Puncte bin ich in meiner botanischen Philosophie stecken geblieben und ich sehe noch nicht, wie ich mich entwirren will *(I/30, 89 f.).* In Palermo (dh. in dessen botanischem Garten) heißt es am 17. IV. 1787: *Im Angesicht so vielerlei neuen und erneuten Gebildes fiel mir die alte Grille wieder ein: ob ich nicht unter dieser Schaar die Urpflanze entdecken könnte? Eine solche muß es denn doch geben! Woran würde ich sonst erkennen, daß dieses oder jenes Gebilde eine Pflanze sei, wenn sie nicht alle nach einem Muster gebildet wären (I/31, 147 f.).* In Rom gibt Goethe seinen Gedanken über die *Urpflanze* am 8. VI. 1787 die (vorerst) abschließende Form, und zwar so, daß ihr Charakter als nicht nur idealer, sondern vornehmlich als dynamischer Typus deutlich wird: *Sage Herdern* [!] *daß ich dem Geheimniß der Pflanzenzeugung und Organisation ganz nah bin und daß es das einfachste ist was nur gedacht werden kann. Unter diesem Himmel kann man die schönsten Beobachtungen machen. Sage ihm daß ich den Hauptpunckt wo der Keim stickt ganz klar und zweifellos entdeckt habe, daß ich alles übrige auch schon im Ganzen übersehe und nur noch einige Punckte bestimmter werden müssen. Die Urpflanze wird das wunderlichste Geschöpf von der Welt über welches mich die Natur selbst beneiden soll. Mit diesem Modell und dem Schlüßel dazu, kann man alsdann noch Pflanzen ins unendliche erfinden, die konsequent seyn müßen, das heißt: die, wenn sie auch nicht existiren, doch existiren könnten und nicht etwa mahlerische oder dichterische Schatten und Scheine sind, sondern eine innerliche Wahrheit und Nothwendigkeit haben. Dasselbe Gesetz wird sich auf alles übrige lebendige anwenden laßen (IV/8, 232 f.).*

Diese Anwendungen hat Goethe später in der Osteologie und Tierkunde umfassend vollzogen. An der hier gegebenen Darstellung der Idee der *Urpflanze* sind vor allem zwei Prinzipien hervorzuheben: ihr Dynamismus und ihr Modellcharakter. Beide hängen in dem Sinne miteinander zusammen, daß die Urpflanze nicht als Modell zur „Erfindung neuer Pflanzen ins Unendliche" dienen kann, wenn sie nicht als ein dynamisches Prinzip gedacht ist.

Es ist Goethe durchaus nicht leicht geworden, die Urpflanze dynamisch zu verstehen. Im botanischen Garten zu Palermo hat er ja zu-

nächst gehofft, *unter dieser Schaar* [von Pflanzen] *die Urpflanze entdecken* zu können. Daß das nicht nur symbolisch, sondern wörtlich gemeint ist, erkennt man an der vollkommen statischen Zeichnung, welche der zeitgenössische französische Botaniker Turpin, einer der besten Pflanzenmaler aller Zeiten, von Goethes Urpflanze noch 1830 gegeben hat (Abbildung 1). So etwa hätte die Urpflanze aussehen müssen, wenn sie leibhaftig in der Natur aufzufinden sein würde. Freilich bezeichnet auch

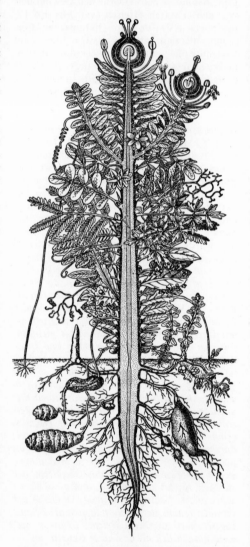

Mémoires du Muséum d'Histoire naturelle, T. 19, 1830, p. 1 ff.

(Abbildung 1)

Turpin seine Urpflanze als „végétal-type ideal", als einen idealen Pflanzentypus also, aber dieser ideale Typus ist rein statisch gedacht, ganz im klassischen Sinne der (eleatischen) Ideenlehre des mittleren *Platon (*Biologie). Turpin sowohl wie anfänglich auch Goethe standen noch durchaus unter dem Einfluß Linnés, dh. sie akzeptierten noch dessen Unterscheidung der „guten Arten" von den „schlechten Arten". Nur die ersteren entsprachen dem originalen statischen Typus, dem in der Welt der (eleatisch-platonischen) Ideenlehre allein wirkliche Realität zuerkannt wird. Es ist zwar richtig, daß auch statische Typen ideal sind, daß sie somit in der sinnlichen Wirklichkeit der Phänomene nicht vorkommen können. Gleichwohl sind sie hier doch mit beliebig genauer Annäherung reproduzierbar, genau wie der ideale geometrische Kreis zwar nicht absolut genau, aber doch mit relativ optimaler Annäherung durch Zirkelzeichnung dargestellt werden kann. In diesem Sinne ist es durchaus verständlich, daß Goethe eine Weile gedacht hat, irgendeine approximative „Darleibung" (CG*Carus) der Urpflanze im botanischen Garten von Palermo finden zu können. Wäre ihm damals schon der dynamische Charakter der Idee der Urpflanze deutlich gewesen, er hätte unmöglich nach ihr suchen können. Aber sehr bald ist sich Goethe darüber klargeworden, daß seine *Urpflanze* dem klassischen statischen Typus gegenüber einen vollkommen neuen dynamischen Typus repräsentiert. Hier tritt uns das eigentlich Neue entgegen, welches Goethes Morphologie von der klassischen antiken Morphologie eines *Aristoteles und Theophrastus scheidet. In der Renaissance ist im Gefolge der Idee des Infiniten und Infinitesimalen zuallererst die Idee des Dynamischen geboren und hat sogleich in *Galilei und *Kepler die moderne, heute bereits klassisch gewordene mathematische Physik geschaffen. Es war nur eine Frage der Zeit, wann es diesem modernen Dynamismus gelingen würde, auch die klassisch-antike Morphologie zu erobern. Das nimmt seinen Anfang bei Linné, der noch ein Knabe war, als der erste große Vollender der modernen Physik, I*Newton, starb. Aber erst Goethe vollzieht auch die Dynamisierung der Morphologie. Die ihr noch fehlende Mathematisierung freilich hat erst in unserem eigenen Jahrhundert mit einstweilen zaghaften Ansätzen begonnen. Goethe war damals durchaus im Recht, wenn er sich gegen die Mathematisierung der Naturwissenschaft wehrte; denn seine Art von Naturwissenschaft war

Morphologie und nicht Physik, auch in der Farbenlehre. Den zur Mathematisierung der Morphologie erforderlichen mathematischen Ganzheitskalkül haben wir freilich auch heute noch nicht! Was aber an Dynamismus damals innerhalb der Morphologie schon möglich war, das hat Goethe hier durch die Idee des dynamischen Typus geleistet, indem er sowohl die Idee der *Urpflanze* wie diejenige des *Blattes* dynamisierte.

In den *Vorarbeiten zu einer Physiologie der Pflanzen* (etwa 1795: *II/6, 286–311*) hat der dynamische Typus schon endgültig den statischen verdrängt. Jede Seite dieser wichtigen Studien beleuchtet die dynamische Idee immer wieder unter einem neuen Aspekt. Schon der erste Satz kündigt deutlich das Thema dieser Untersuchungen an: *Die Metamorphose der Pflanzen, der Grund einer Physiologie derselben.* Spinozistisch gesprochen wird die „natura naturata" der klassischen statischen Morphologie nun zur „natura naturans" der modernen dynamisch-physiologischen Morphologie. In diesem Sinne wird *ein Versuch alle Pflanzen auf einen Begriff zurück zu führen, vielleicht niemals eher thulich und mehr schädlich als gegenwärtig sein (II/6, 312).* Allerdings bereitet es *große Schwierigkeit, den Typus einer ganzen Klasse im Allgemeinen festzusetzen, so daß er auf jedes Geschlecht und jede Species passe; da die Natur eben nur dadurch ihre genera und species hervorbringen kann, weil der Typus, welcher ihr von der ewigen Nothwendigkeit vorgeschrieben ist, ein solcher Proteus ist, daß er einem schärfsten vergleichenden Sinne entwischt und kaum theilweise und doch nur immer gleichsam in Widersprüchen gehascht werden kann (ebda 312f.).* Farbiger läßt sich der Dynamismus der Pflanzennatur sicherlich nicht schildern. Am Ende findet Goethe folgende zusammenfassende Formel: *Die größte Schwierigkeit bei der Auslegung dieses Systems besteht darin, daß man etwas als still und feststehend behandeln soll, was in der Natur immer in Bewegung ist; daß man dasjenige auf ein einfaches sichtbares und gleichsam greifbares Gesetz reduciren soll, was in der Natur sich ewig verändert und sich vor unsern Beobachtungen bald unter diese, bald unter jene Gestalt verbirgt; wenn wir nicht gleichsam a priori uns überzeugen könnten, daß solche Gesetze dasein müßten, so würde es eine Verwegenheit sein, solche aufsuchen und entdecken zu wollen. Allein es muß uns dieses nicht abhalten vorwärts zu gehn (II/6, 318).* Der dynamische Typus ist hier klar beschrieben als das, was er wirklich ist, ein Prinzip a priori zur Erforschung morphologischer

Homologien, wie wir das heute nennen. Damit ist der Gedanke, die Urpflanze irgendwo in der Natur selbst auffinden zu können, endgültig verabschiedet worden.

Wir verdanken CGCarus, den Goethe selbst als den tatsächlichen Vollender seiner Naturwissenschaft anerkannt hat, in seinem naturphilosophischen Hauptwerk („Natur und Idee", Wien 1861) ebenfalls den Entwurf eines Modells der Urpflanze (Abbildung 2). Aber im

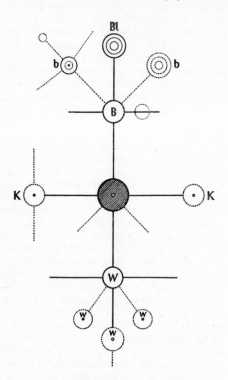

(Abbildung 2)

Unterschied zu demjenigen von Turpin haben wir es hier wirklich mit einem dynamischen Modell aller Pflanzen zu tun. Festgelegt sind nur die für jede Pflanze wesentlichen Charaktere, in der Mitte die entscheidende Stelle, an der sich Wurzel und Stamm begegnen, nach unten alle überhaupt möglichen Verzweigungsarten von Wurzeln, nach oben dasselbe für den Sproß. Dieses Schema kann durch jede besondere Pflanzenart mit ihren besonderen Charakteren ausgefüllt und somit erfüllt werden. Das ist in der Tat der dynamische Typus der Pflanze überhaupt! Aber welcher Pflanze? Offensichtlich nur der Blütenpflanzen und allenfalls noch der Kormophyten insgesamt,

obschon sich die Farne nur schwer und die Moose kaum noch in dieses Schema hineininterpretieren lassen. Hätte Goethe sich mit den Thallophyten, vornehmlich den Algen und Pilzen, ebenso intensiv beschäftigt wie mit den gewöhnlichen Blütenpflanzen, er hätte sehr bald erkannt, daß diesen Gruppen ganz andere dynamische Urpflanzen a priori zugeordnet werden müssen. Aber er hätte dann ein Cuvier der Botanik werden müssen, was natürlich nur unter Aufgabe aller seiner sonstigen Interessen auf dem Felde der Naturwissenschaft möglich gewesen wäre. Aber grundsätzlich war er auf dem Wege dahin.

Diese Feststellungen über die typologisch-dynamische Natur seiner *Urpflanze* als eines apriorischen Prinzips sind in doppelter Hinsicht hier für uns von Bedeutung. Einmal zeigen sie klar und deutlich, auch wenn wir uns seine Idee der Urpflanze in pluraler Weise auf die anderen, von ihr nicht erfaßten Pflanzengruppen ausgedehnt denken, daß es vollkommen abwegig ist, wie das besonders Haeckel getan hat, in solchen Urpflanzen darwinistische Konstruktionen zu erblicken und Goethe damit zu einem Vorläufer der Abstammungslehre zu erklären. Die Urpflanze ist keine Stammpflanze! Die phylogenetischen Stammpflanzen der verschiedenen taxonomischen Gruppen sind reale historische Wesen gewesen, unmöglich aber konnten sie apriorische Kategorien sein!

Ein anderer sehr wesentlicher Aspekt der Urpflanze, wenn sie dynamisch-physiologisch begriffen wird, ist ihr Charakter als *Modell* – als Modell zum Erfinden und Konstruieren noch nicht existierender neuer Pflanzen, *die konsequent seyn müßen, das heißt: die, wenn sie auch nicht existiren, doch existiren könnten und nicht etwa mahlerische oder dichterische Schatten und Scheine sind, sondern eine innerliche Wahrheit und Nothwendigkeit haben (IV/8, 233)*. Dieser Gesichtspunkt von Goethes *Urpflanze* ist für die Beurteilung der Absichten, die er verfolgte, ganz besonders wichtig. Er zeigt nämlich klar und deutlich, daß Goethe gar nicht an der tatsächlichen Geschichte der Pflanzenwelt in ihrer Vergangenheit, wie sie heute den Gegenstand der deszendenztheoretischen Phylogenie der Pflanzen bildet, sondern viel eher an ihrer Zukunft, daran also, was aus ihr noch weiterhin entstehen kann, interessiert war. Aber auch dieses nicht im Sinne der modernen, ebenfalls auf die Entwicklungslehre gegründeten Entwicklungsphysiologie eines Driesch oder Spemann. Nein, Goethes Gesichtspunkt hierbei war etwa der gleiche, wie ihn sein jüngerer Zeitgenosse L*Agassiz sehr bezeichnenderweise gerade in seiner Abwehr der darwinschen Lehre entwickelt hat, indem er die „Baupläne" der Organismen als „Schöpfungsgedanken" Gottes bezeichnete und ein eigenes kleines Buch über diese Schöpfungspläne des Allmächtigen schrieb. Agassiz folgte der Tradition Cúviers, vertrat dieselbe idealistische Morphologie wie Goethe und hat sie geradezu benutzt, um den Darwinismus, dessen Siegeszug er noch bis 1873 miterlebt hat, abzuwehren. Genau in diesem Sinne bedeutet die Idee der *Urpflanze* für Goethe ein sich Versetzen in Gottes *Bau-* und Schöpfungspläne, als er sich – menschlich gesprochen – Gedanken darüber machte, wie wohl am besten die Organismen geschaffen werden könnten. In diesem Sinne war die *Urpflanze* der *Bauplan*, das Grundmodell, um Pflanzen zu *erfinden* und wenn es wohl gelungen war, konnte es natürlich nicht nur für die schon geschaffenen Pflanzen gelten, mußte vielmehr darüber hinaus auch alle Möglichkeiten zum Erfinden weiterer Pflanzen liefern, die *konsequent* sein würden. Irgendwelche Phylogenie, die niemals idealistische, sondern immer nur rein historische Morphologie ist, kann man also mit der Urpflanze nicht rekonstruieren, wohl aber kann sie zur Aufklärung der Zukunftsmöglichkeiten der Pflanzen beitragen; denn das, was einmal historisch wirklich werden will, muß ja zuvor sich auch typologisch-morphologisch als möglich erwiesen haben. Insofern läßt sich Goethe – aber auch nur sehr cum grano salis – als ein Wegbereiter der modernen Entwicklungsphysiologie auffassen.

Das Ausführungsorgan aber, durch welches die Urpflanze sich in der besonderen Pflanzenwelt realisiert, ist das *Blatt*. Da Goethe alle pflanzliche Gestaltung aus dem Blatt ableitet, werden *Urpflanze* und *Blatt* praktisch zu identischen Gegenständen. Logisch-theoretisch hingegen sind sie wesensverschieden: Die *Urpflanze* ist ein apriorisches dynamisch-typologisches Prinzip, das *Blatt* hingegen seine reale Darleibung in der wirklichen Vegetation der Erde. Wie sehr sich jedoch in ihrem Umfang die Begriffe *Urpflanze* und *Blatt* decken, ergibt sich aus folgender Bestimmung des *Blattes: Es war mir nämlich aufgegangen, daß in demjenigen Organ der Pflanze, welches wir als Blatt gewöhnlich anzusprechen pflegen, der wahre Proteus verborgen liege, der sich in allen Gestaltungen verstecken und offenbaren könne. Vorwärts und rückwärts ist die Pflanze immer nur Blatt, mit dem künftigen Keime so unzer-*trennlich vereint, daß man eins ohne das andere nicht denken darf* (17. V. 1787: *I/32, 44*). Mit nahezu denselben Worten hat Goethe auch von der *Urpflanze* selbst gesprochen (vgl. hier Sp. 1359).

III. Von der *Urpflanze* zum *Blatt* und seinen *Metamorphosen* ist logisch derselbe Schritt, der von einer metaphysischen Idee zu ihrer Verwirklichung in der Welt der realen Phänomene führt. Um den Weg, den Goethe hier beschritten hat, richtig zu verstehen, müssen wir zunächst einen Augenblick bei dem verweilen, was der für ihn besonders wesentliche Begriff des Phänomens meint und bedeutet. Denn seine typologisch-dynamische idealistische Morphologie ist nur als Phänomenologie möglich! Nicht nur als Morphologie, sondern mehr noch, weil sie Phänomenologie ist, unterscheidet sich Goethes Naturwissenschaft von der klassischen Physik Newtons, welche alle Phänomenologie überwunden und „transzendentale" Naturwissenschaft im Sinne Kants geworden ist. Um das leisten zu können, mußte die Physik mathematisch werden, der Forderung Kants entsprechend, wonach jede „wahre Naturwissenschaft nur soviel eigentliche Wissenschaft enthält, als Mathematik darin ist". Mathematische Kalküle und Modelle sind somit die Operatoren, mit welchen die moderne klassische und ebenfalls dynamische Physik alles rein Phänomenologische aus ihrem Gegenstandsbereich eliminiert hat. Man denke an Newtons Optik als klassisches Beispiel: Die nur phänomenal beschreibbaren Qualitäten der Farben sind hier durch ihre transzendentalen mathematischen Quantitäten ersetzt worden. Demgegenüber ist Goethes *Farbenlehre* nicht nur, sondern seine gesamte morphologische Naturwissenschaft reinste Phänomenologie geblieben. Und das nicht etwa aus Rückständigkeit und mangelndem Verständnis für das Wesen von Mathematik und Physik, wie man das bei durchschnittlichen Physikern, die nur den großen Helmholtz imitieren, bis zum Überdruß wiederholt finden kann, sondern vollbewußt und um der Sache selbst willen. Goethe hat sich immer erneut die Frage gestellt, ob überhaupt irgend etwas imstande ist, die reine Phänomenologie definitiv zu ersetzen, und er hat diese Frage immer wieder verneint. Seine *Farbenlehre*, die er selbst für sein wichtigstes Werk gehalten hat, wesentlicher als sogar den *Faust*, weist unwiderleglich nach, daß die klassische physikalische Optik Newtons nicht imstande ist, alles zu schildern und zu erklären, was in der Welt der

Farben wesentlich ist. Und nicht anders ist es auch mit der idealistischen Morphologie in ihrem Verhältnis zur modernen kausalen und historischen Biologie bestellt. Phänomenologie im Sinne Goethes aber ist idealistische, dh. platonische Phänomenologie! Genau was (schon der frühe und mittlere) Platon unter den Phänomenen versteht, das meint auch Goethe mit ihnen, nur daß er das eleatisch-statische Denken durch das moderne dynamische ersetzt, wodurch er, ohne es zu wissen, sich mit dem späten Platon berührt (BLiebrucks).

Die phänomenologische Betrachtungsweise der Dinge hat allen anderen Versuchen, sie wissenschaftlich umzugestalten, voraufzugehen. Weder kausal-mathematische Naturwissenschaft noch historisch-dialektische Kulturwissenschaft ist ohne logisch voraufgegangene Phänomenologie möglich. Das hat Goethe sehr genau gewußt: *Die Hauptsache bey allen Wissenschaften ist daß man die Erscheinungen klar und reichlich vor sich habe und daß der Geist frey und wohlgemuth darüber walte (II/5^{II}, 298).* Was aber sind diese Phänomene, die Goethe hier meint? Etwa die Sinnesqualitäten, was man so sieht und hört? Nein, ganz gewiß nicht! *Man sagt gar gehörig: das Phänomen ist eine Folge ohne Grund, eine Wirkung ohne Ursache (MuR:* Hecker *Nr 1233).* Genau das ist es: das unmittelbar Gegebene, bevor es der mathematisch-kausalen oder der historisch-dialektischen Analyse und Synthese unterworfen ist. Aber gibt es so etwas überhaupt? Edmund Husserl hat sein ganzes Leben daran gesetzt, diese reinen Phänomene und ihre Logik in immer wieder neuen und leider nie vollkommen erfolgreich gewesenen Untersuchungen zu ermitteln. So scheint er nie wirklich über (den frühen und mittleren) Platon hinausgekommen zu sein. Auch Goethes ganze Wissenschaft ist platonische Phänomenologie geblieben. Die einzige, in der Geschichte der Wissenschaft bisher vollkommen geglückte Phänomenologie ist die Ideenlehre Platons gewesen, welche gerade Goethe durch die Idee des dynamischen Typus noch wesentlich hat bereichern und vollenden können. Darüber hinaus ist bisher eine weitere Entfaltung der Phänomenologie nicht möglich gewesen. Auch alles, was bei Husserl eindeutig klar ist, ist rein platonisch gedacht. Die statischen und dynamischen Ideen (Typen) stehen in der Tat zu den Phänomenen, auf die sie sich beziehen, weder in dem Verhältnis des „Grundes" zu seinen „Folgen" und noch viel weniger im Verhältnis der „Ursache" zur „Wir-

kung". Die Ideen „schauen" (eidos kommt ja von idein) ausschließlich, was in einer Gruppe von zusammengehörigen Phänomenen das wesentliche „Urphänomen" ist. Ich sehe mit meinen Augen eine unendliche, kontinuierlich ineinander umwandelbare Fülle von kreisförmigen Phänomenen, die alle an der einen idealen Idee des Kreises, seiner euklidischen Definition „teilhaben". Aber diese geometrische Idee des Kreises ist weder der Grund noch die Ursache der phänomenalen Kreise, sie beschreibt ganz einfach, was in der unendlichen Fülle der ihr korrespondierenden phänomenalen Kreise tatsächlich vorliegt. Mit andern Worten: Die Ideenlehre, und nur sie allein, statisch und dynamisch verstanden, ist d i e reine Phänomenologie! Die Idee steht als eine einmalige wohl definierte ideale Wesenheit dem unendlichen Kontinuum der ihr korrespondierenden realen Phänomene gegenüber. In diesem Sinne sagt Goethe: *Alle beschränkte Existenzen* [nämlich die realen Phänomene] *sind im Unendlichen* [sie bilden ein unendliches Kontinuum], *sind aber keine Theile des Unendlichen, sie nehmen vielmehr Theil an der Unendlichkeit* [als solche dargestellt eben in der wohldefinierten Idee dieser kontinuierlichen Unendlichkeit von realen Phänomenen] *(II/11, 315).*

Die so verstandene Phänomenologie steht am logischen Beginn jeder Art von Wissenschaft. In den bisherigen Wissenschaftsschöpfungen des Abendlandes haben die phänomenologischen, in der geschilderten platonischen Art vorbearbeiteten Phänomene ihre transzendentale definitive wissenschaftliche Darstellung alsdann durch die mathematische Naturwissenschaft oder (seit der Romantik) auch durch die historisch-dialektische Theorienbildung bekommen. Wissenschaft in ihrer definitiven Form ist also entweder kausalmathematische Naturwissenschaft oder Historie. Die sich nun erhebende Frage, ob rein phänomenologische Erkenntnis, wenn sie Physik oder Geschichte geworden ist, damit als Phänomenologie entbehrlich geworden ist, wird von Goethe ganz entschieden verneint. Physiker hingegen werden sie in der Regel bejahen, und selbst ein Pflanzenmorphologe wie KvGoebel hat vorübergehend gemeint, daß „Morphologie nur das sei, was noch nicht Physiologie ist", was ebenfalls eine Bejahung unserer Frage sogar für die biologische Morphologie selbst bedeuten würde. Freilich hat Goebel diesen Jugendirrtum später berichtigt. Goethe aber verneint diese Frage ganz entschieden, mE. mit vollem Recht. Für Goethe ist es eine *falsche Vorstellung, daß man ein Phänomen durch Calcül oder durch Worte abthun und beseitigen könne (MuR:* Hecker *Nr 1278).* Nur wenn das zutrifft – und das hat Goethe durch seine gewaltige *Farbenlehre* in der Tat einwandfrei dargetan! –, hat eben diese *Farbenlehre* noch Sinn und Wert neben der physikalischen, und auch nur dann stellt Morphologie innerhalb der Biologie auf die Dauer eine eigene biologische Grundwissenschaft dar, die nicht überflüssig wird, wenn man die kausale Physiologie der Formbildung einmal restlos erforscht haben wird. Goethe kennt auch sehr genau den wirklichen Grund, warum seine morphologische Phänomenologie nicht endgültig durch kausale Physik und Physiologie ersetzt werden kann. Physik und Physiologie arbeiten experimentell und mathematisch, für sie beide ist ein Gegenstand erst dann transzendental definiert und überhaupt wissenschaftlich existent, wenn er hat exakt gemessen werden können. Dagegen Goethe: *Ein Phänomen, Ein Versuch kann nichts beweisen, es ist das Glied einer großen Kette, das erst im Zusammenhange gilt (MuR:* Hecker *Nr 156).* Und weiter über das Messen organismischer Gebilde: *Das Messen eines Dings ist eine grobe Handlung, die auf lebendige Körper nicht anders als höchst unvollkommen angewendet werden kann. Ein lebendig existirendes Ding kann durch nichts gemessen werden, was außer ihm ist, sondern wenn es ja geschehen sollte, müßte es den Maßstab selbst dazu hergeben; dieser aber ist höchst geistig und kann durch die Sinne nicht gefunden werden (II/11, 316).* Dieser geistige Maßstab aber zur Beurteilung aller Phänomene schlechthin ist die Ideenlehre Platons in ihrer dynamischen Fortbildung durch Goethe. Eben diese Wissenschaft heißt bei Goethe, soweit sie auf das Studium der lebendigen Natur gerichtet ist: Morphologie (*Philosophie)! Während die meisten morphologischen Untersuchungen Goethes sich auf spezielle, zumeist osteologische Angelegenheiten beziehen und fragmentarischen Charakter haben, haben wir in seiner *Metamorphose der Pflanzen* ein in sich geschlossenes, sich auf die gesamte Pflanzenwelt beziehendes Werk erhalten, das man daher mit Recht als Goethes biologisches Meisterwerk betrachtet, der Farbenlehre zwar nicht an Umfang, aber an prinzipieller Bedeutung gleichgeordnet.

Die *Metamorphose der Pflanzen* demonstriert alle Merkmale der phänomenologisch-dynamischen Morphologie Goethes in exemplarischer Weise. Das zugrunde liegende *Urphäno-* men ist das *Blatt*, als dessen *Metamorphosen* alle übrigen Pflanzenorgane nachgewiesen werden. In der modernen typologischen Morphologie nennt man alle Gebilde, die als Varianten oder Metamorphosen eines und desselben Urphänomens aufgefaßt werden können, seit Owen (On the archetype and homologies of the vertebrate skeleton, 1848) homologe Organe. In diesem Sinne sind nach Goethe alle Pflanzenorgane homologe Organe, weil sie allesamt Varianten des Blattes sind. Wir wissen heute, daß die Wurzel und ihre Homologien nicht vom Blatt abgeleitet werden können, sondern mit Goethe gesprochen ihr eigenes *Urphänomen* besitzen. Wie beweist nun Goethe seine These? Durch welche Prinzipien wird die Umwandlung des ursprünglichen Blattes in die Organe der Blüte, des Stammes und der Wurzel bewirkt?

Goethe kennzeichnet das Hauptanliegen seiner gesamten Morphologie selbst: *Jedes Lebendige ist kein Einzelnes, sondern eine Mehrheit; selbst insofern es uns als Individuum erscheint, bleibt es doch eine Versammlung von lebendigen selbständigen Wesen, die der Idee, der Anlage nach, gleich sind, in der Erscheinung aber gleich oder ähnlich, ungleich oder unähnlich werden können. Diese Wesen sind theils ursprünglich schon verbunden, theils finden und vereinigen sie sich. Sie entzweien sich und suchen sich wieder und bewirken so eine unendliche Produktion auf alle Weise und nach allen Seiten. – Je unvollkommener das Geschöpf ist, destomehr sind diese Theile einander gleich oder ähnlich, und destomehr gleichen sie dem Ganzen. Je vollkommner das Geschöpf wird, desto unähnlicher werden die Theile einander. In jenem Falle ist das Ganze den Theilen mehr oder weniger gleich, in diesem das Ganze den Theilen unähnlich. Je ähnlicher die Theile einander sind, desto weniger sind sie einander subordinirt. Die Subordination der Theile deutet auf ein vollkommneres Geschöpf (II/6, 10f.).* In diesen wenigen klaren Sätzen sind die Grundprinzipien aller Morphologie dargelegt, und Goethe bekennt im besonderen, daß seine *ganze Arbeit* [die *Metamorphose der Pflanzen* im besonderen, die hiermit eingeleitet wird] *der Aus- und Durchführung dieser und andern Ideen und Maximen gewidmet ist (ebda 11).* Denn *daß eine Pflanze, ja ein Baum, die uns doch als Individuum erscheinen, aus lauter Einzelheiten bestehn, die sich untereinander und dem Ganzen gleich und ähnlich sind, daran ist wohl kein Zweifel (ebda 11).*

Die besonderen Prinzipien nun, welche neben diesen allgemeinen Axiomen aller Morpho-

logie die Metamorphose des Blattes bestimmen, sind *Ausdehnung, Zusammenziehung, Anastomose, Polarität* und *Steigerung*. Das Wirken von Ausdehnung und Zusammenziehung (von Goethe immer wieder gern nach der Analogie der Atmung als *Systole* und *Diastole* beschrieben) bildet den zentralen Vorgang bei der Metamorphose des Blattes: *Es mag nun die Pflanze sprossen, blühen oder Früchte bringen, so sind es doch nur immer dieselbigen Organe welche, in vielfältigen Bestimmungen und unter oft veränderten Gestalten, die Vorschrift der Natur erfüllen. Dasselbe Organ, welches am Stengel als Blatt sich ausgedehnt und eine höchst mannichfaltige Gestalt angenommen hat, zieht sich nun im Kelche zusammen, dehnt sich im Blumenblatte wieder aus, zieht sich in den Geschlechtswerkzeugen zusammen, um sich als Frucht zum letztenmal auszudehnen (II/6, 91). – In diesen sechs Schritten vollendet die Natur unaufhaltsam das ewige Werk der Fortpflanzung der Vegetabilien durch zwei Geschlechter (II/6, 63).* Den Gipfel der Zusammenziehung erreicht die Metamorphose des Blattes in der *Zusammendrängung, Annäherung, Zentralstellung* und *Anastomose*. Mit diesen anschaulichen Worten beschreibt Goethe einen Vorgang, *wodurch die nahe an einander gedrängten, höchst feinen Theile der Fructification, entweder auf die Zeit ihrer ganzen Dauer, oder auch nur auf einen Theil derselben innigst verbunden werden. – Doch sind diese Erscheinungen der Annäherung, Centralstellung und Anastomose nicht allein dem Blüthen- und Fruchtstande eigen; wir können vielmehr etwas ähnliches bei den Cotyledonen wahrnehmen, und andere Pflanzentheile werden uns in der Folge reichen Stoff zu ähnlichen Betrachtungen geben (II/6, 91f.).*
Ausdehnung, Zusammenziehung und *Anastomose* schildern uns, wie *Metamorphosen* sich vollziehen, aber sie sind selbst erst die Folge von zwei weiteren Grundphänomenen, welche Goethe die *zwei großen Triebräder aller Natur* genannt hat, nämlich von *Polarität* und *Steigerung (II/11, 11).* Die *Polarität* bewirkt in den Erscheinungen *ein immerwährendes Anziehen und Abstoßen*, die Steigerung hingegen *ein immerstrebendes Aufsteigen*. Näher wird das Wirken der Polarität in folgenden Sätzen erläutert: *Das Lebendige hat die Gabe, sich nach den vielfältigsten Bedingungen äußerer Einflüsse zu bequemen und doch eine gewisse errungene entschiedene Selbstständigkeit nicht aufzugeben (MuR: Hecker Nr 1253). – Man gedenke der leichten Erregbarkeit aller Wesen, wie der mindeste Wechsel einer Bedingung, jeder*

Hauch gleich in den Körpern Polarität manifestirt, die eigentlich in ihnen allen schlummert (ebda Nr 1254). – Spannung ist der indifferent scheinende Zustand eines energischen Wesens in völliger Bereitschaft, sich zu manifestiren, zu differenziren, zu polarisiren (ebda Nr 1255). Polarität in diesem Sinne ist jedem Phänomen, das morphologischen Rang hat, eingeboren. Infolgedessen gilt: *Erscheinung und Entzweien sind synonym. Erscheinen: sich trennen, sondern, verteilen; Dualität: zwei entgegenstehende Enden desselben Wesens (ArtA 17, 700).* Auf solche Art müssen wir versuchen, *jedem Phänomen sein Recht anzutun (ebda 700).* Polarität allein bringt jedoch in den Phänomenen noch keine morphologische Wertsteigerung hervor. Sie erregt in ihnen nur die dazu allerdings notwendige polare Spannung. Um eine morphologische Höherstufung ihrer Phänomene zu erreichen, *bedient sich* [die Natur] *des Lebensprinzips, welches die Möglichkeit enthält, die einfachsten Anfänge der Erscheinungen durch Steigerung in's Unendliche und Unähnlichste zu vermannichfaltigen. – Was in die Erscheinung tritt, muß sich trennen, um nur zu erscheinen. Das Getrennte sucht sich wieder, und es kann sich wieder finden und vereinigen; im niedern Sinne, indem es sich nur mit seinem Entgegengestellten vermischt, mit demselben zusammentritt, wobei die Erscheinung Null oder wenigstens gleichgültig wird. Die Vereinigung kann aber auch im höhern Sinne geschehen, indem das Getrennte sich zuerst steigert und durch die Verbindung der gesteigerten Seiten ein Drittes, Neues, Höheres, Unerwartetes hervorbringt (II/6, 165f.).* Steigerung, die nur aus polarer Spannung erwachsen kann, bedeutet also morphologische Wertsteigerung, Schaffung höherer Organisationsformen in der organismischen Natur aus organismischen Gebilden, die jedes für sich diese von ihnen gemeinsam bewirkte morphologisch höhere Organisation noch nicht besitzen. In Goethes Worten entsteht so die Frage: Wie können zwei niedrigere organismische Wesen durch morphologische Synthese *ein Drittes, Neues, Höheres, Unerwartetes* hervorbringen?
Das ist ohne Frage auch das Kernproblem, das die moderne Abstammungslehre seit Darwin zu lösen unternommen hat.
IV. Deszendenztheorie? EHaeckel hat in seiner ,,Natürlichen Schöpfungsgeschichte" den Versuch unternommen, Goethe als einen Vorläufer Darwins darzustellen. Dabei war es sein Wunsch, auch der Naturforschung Goethes den höchsten Rang zu verleihen, den er

sich denken konnte. Diese Absicht ehrt Haeckel. Weder Darwin noch Goethe aber ist im geringsten damit ein Dienst geleistet, wenn der eine von ihnen als Vorläufer oder Nachfolger des anderen angesprochen wird. Darwins Werk ist so über jeden Zweifel erhaben und anerkannt, daß es auf Goethes wie irgendeines anderen Vorgängers Zustimmung durchaus verzichten kann, und umgekehrt bedarf auch Goethes Morphologie, um als eine Großleistung der Naturwissenschaft anerkannt zu werden, keineswegs der Rockschöße Darwins. Auch neuere und wesentlich kritischer als Haeckel eingestellte Autoren kommen bisweilen zu dem Ergebnis, daß zum mindesten der alte Goethe doch schon echt deszendenztheoretisch gedacht habe. Die hierfür in der Regel angeführten Argumente halten jedoch einer strengen historisch-kritischen Nachprüfung nicht stand. Es handelt sich in allen diesen Fällen nur um eine deszendenztheoretische Umdeutung der idealistischen Morphologie. Das ist eine so enorm suggestive Angelegenheit, daß jemand, der nicht als besonderer Biologiehistoriker geschult, außerdem aber auch in der Tradition der Abstammungslehre aufgewachsen ist, fast nicht umhin kann, dieser Illusion zu erliegen. Sie hat ja geradezu ein historisches Vorbild in K Gegenbaur, der wie Haeckel selbst und als Darwins Zeitgenosse diesen gewaltigen Umschwung im biologischen Denken aktiv mit bewirkt hat. Die erste Auflage seines „Grundriß der vergleichenden Anatomie" kam gleichzeitig mit Darwins „Origin of Species" heraus und war noch vollkommen im Geiste der idealistischen Morphologie geschrieben. Die zweite Auflage dieses Buches aber erschien, nachdem Gegenbaur Darwinist geworden war. Der wesentliche Inhalt beider Auflagen war nicht sehr verändert, nur die Deutung der Grundbegriffe war von Grund auf anders geworden. Homologie, die in der ersten Auflage noch *Bauplan*-Identität bedeutete, wurde nun als Abstammungsgleichheit interpretiert, aus Metamorphosen wurden Phylogenesen usw. Das war damals nichts weiter als eine Neuinterpretation der im übrigen invariant gebliebenen morphologischen Sachverhalte. Diese einfache Umdeutung, die Gegenbaur damals mit der traditionellen idealistischen Morphologie vornahm, vollziehen wir auch heute – wahrscheinlich noch genau so unbewußt –, wenn wir Darwin in Goethe hineinlesen. Nur der geschulte Historiker der Biologie hat es auch nicht ohne Mühe gelernt, dieser so verführerischen Suggestion nicht zu verfallen.

Wenn Goethe zB. sagt, daß *das Wechselhafte der Pflanzengestalten, ... ihre glückliche Mobilität und Biegsamkeit, um in so viele Bedingungen, die über dem Erdkreis auf sie einwirken, sich zu fügen und darnach bilden und umbilden zu können*, bei ihm *immermehr die Vorstellung erweckt habe, daß die uns umgebenden Pflanzenformen nicht ursprünglich determinirt und festgestellt seien* und daß daher *das Geschlecht sich zur Art, die Art zur Varietät, und diese wieder durch andere Bedingungen in's Unendliche sich verändern* könnte (II/6, 120 f.) dann klingt das in der Tat, als ob Darwin es geschrieben haben könnte. In Wahrheit aber ist das ein Gedanke, den wir schon bei Linné in seiner „Philosophia" finden, von der wir gehört haben, daß sie, als Goethe seine botanischen Studien begann, sein tägliches Brot gebildet hat. Wenn Goethe hier somit als ein getreuer Nachfolger von Linné auftritt, wie kann er dann zugleich ein Vorläufer von Darwin sein? Des Rätsels Lösung ist auch hier dieselbe wie immer: Goethe hat wie Linné, Cuvier, De Candolle oder Agassiz und selbst wie der vordarwinsche Gegenbaur ausschließlich idealistisch-typologische Ableitungen im Auge, Metamorphosen statt Phylogenesen! Das klingt zwar nach phylogenetisch-historischer Deszendenz, ist es aber nicht. Wenn auch nach Linné Arten durch Hybridisation aus heutigen Gattungen, die zu ihrer Zeit die wirklich von Gott geschaffenen Spezies gewesen sind, hervorgegangen sein können, dann ist das nicht deszendenztheoretisch, sondern nur als eine Vereinfachung des im übrigen nicht angetasteten Schöpfungsplanes Gottes gemeint. Der Wesensunterschied zwischen echter Abstammungslehre und rein typologisch-idealistischen Ableitungen beruht darauf, daß die Phylogenie es immer nur mit realen, geschichtlich hier und jetzt existierenden Arten zu tun hat, die sich in andere ebenfalls wieder historisch existente Arten umwandeln, während die rein typologische Reihe nur die Umkonstruktion von gegebenen idealen *Bauplänen* in andere, die ebenfalls „konsequent" sind, erwägt. Genau so wie der Geometer die Baupläne der besonderen Kegelschnitte aus der Idee oder der Gleichung des allgemeinen Kegelschnittes herleitet, ohne damit eine realhistorische Abstammung des einen aus dem anderen zu verbinden. Idealistische Typologie ist daher mit der ursprünglichen linnéschen Schöpfungsthese absolut vereinbar, wirkliche Phylogenie, die eine rein historische Wissenschaft ist (was selbst Biologen oft vergessen!), aber niemals! Man beachte in unserem Zitat auch besonders die Worte von dem *ins Unendliche sich verändern können*, das ist dieselbe Redewendung, die Goethe immer wieder benutzt (vgl. zB. hier Sp. 1360). Dergleichen meint immer ideale Ableitung, niemals realhistorische Abstammung.

Man weist gelegentlich auch auf eine andere Stelle hin, die man für deszendenztheoretisch hält: *Ja wir werden ... um die schon sehr complicirte Bildung der Säugethiere zu erklären, weiter hinabsteigen und selbst von den Amphibien, von den Fischen und weiter hinab uns Hülfsmittel zu unserer Einsicht zu verschaffen haben (Einleitung in die vergleichende Anatomie: II/8, 38; *Zoologie).* Eine deszendenztheoretische Deutung dieser Äußerung bliebe durchaus unverständlich, es sei denn, man teilte die an sich sympathische Goethe-Verehrung Haeckels. Der typologische Sinn wird völlig klar, wenn man hinzunimmt: *Jenen allgemeinen Typus, den wir nun freilich erst construiren und in seinen Theilen erst erforschen wollen, werden wir im Ganzen unveränderlich finden, werden die höchste Classe der Thiere, die Säugethiere selbst, unter den verschiedensten Gestalten in ihren Theilen höchst übereinstimmend antreffen (II/8, 17 f.).* Und natürlich nicht nur die Säugetiere, denn: *Hier kommt es nun darauf an, wie weit man dieses Prinzip durch die verschiedenen naturhistorischen Classen, Geschlechter und Arten cursorisch durchführen und durch Beurtheilung des Habitus und der äußerlichen Kennzeichen die Idee im Allgemeinen anschaulich und angenehm machen wollte, damit die Lust und der Muth gereizt würde, mit Aufmerksamkeit und Mühe das Einzelne zu durchsuchen. Zuerst wäre aber der Typus in der Rücksicht zu betrachten, wie die verschiedenen elementaren Naturkräfte auf ihn wirken, und wie er den allgemeinen äußern Gesetzen, bis auf einen gewissen Grad, sich gleichfalls fügen muß (II/8, 19).* Wie man sieht, ist immer nur vom *allgemeinen Typus* und der *Idee* die Rede, also von idealistischer Morphologie und idealen Ableitungen! Was hat das mit geschichtlicher Abstammung zu tun?

Die wichtigste Stelle aber, die mE. der besonderen Aufmerksamkeit der Goethefreunde haeckelscher Prägung würdig wäre, findet sich in Goethes *Vorarbeiten zu einer Physiologie der Pflanzen*. Wird hier doch anscheinend ein regelrechtes System der Phylogenie geliefert: *Allgemeines Schema zur ganzen Abhandlung der Morphologie. 1. Einleitung, worin die Absicht vorgelegt und das Feld bestimmt wird. 2. Von den einfachsten Organisationen und ihrer* *Entstehung an einander, ohne Progression der Glieder an der Gestalt. 3. Von den einfachsten Organisationen und ihrer Entstehung aus einander, ohne Progression der Glieder der Gestalt. 4. Betrachtung über die beiden vorhergehenden untersten Stufen der Pflanzen und Thierwelt; Übergang auf die Gemmen. 5. Metamorphose der Pflanzen; die vollkommnern stehen höher in der Gestalt als die unvollkommnern Thiere. Ausbildung bis zu den zwei Geschlechtern. Absonderung der Keime nur durch zwei Geschlechter möglich. ... 6. Über die Würmer, welche keine Verwandlung leiden; sie stehen auch in der Gestalt unter den Pflanzen. Hermaphroditische Würmer, Aufsteigen derselben bis zur folgenden Abtheilung. 7. Würmer, welche sich verwandeln. Hier ist eine große bedeutende Stufe der Natur. 8. Fische und ihre Gestalt, wie sie mit dem Wurm der sich nicht verwandelt, zusammenhängen. 9. Amphibien und ihre Verwandlung, zum Beispiel der Frösche aus einer fischartigen Gestalt. Schlangen und ihre Häutungen, und was sonst auf die Metamorphose deuten mag. Überhaupt Verfolgung aller dieser Geschöpfe von der ersten Entwicklung aus den Eiern. 10. Von dem Typus der vollkommnern Geschöpfe im Allgemeinen, und wie er sich auf die Begriffe bezieht, die wir früher aufgestellt haben (II/6, 319 f.).* Klingt das nicht alles wie wundervolle, echte Phylogenie? Man denke an Punkt 7 mit den *Würmern, welche sich verwandeln* und *eine große bedeutende Stufe der Natur* darstellen. Oder an Punkt 9, der die Amphibien phylogenetisch aus den Fischen herzuleiten scheint, wobei allerdings, wenn es sich wirklich um Phylogenie handeln sollte, die Molche wohl ein besseres Beispiel abgegeben hätten als die von den Fischen schon viel weiter entfernten Frösche. Aber Goethe denkt hier gar nicht phylogenetisch, sondern rein typologisch! Wie könnte er sonst in Punkt 8 die Fische ausgerechnet von *dem Wurm, der sich nicht verwandelt*, ableiten, statt dafür die *Würmer, welche sich verwandeln* und *eine große bedeutende Stufe der Natur* darstellen, zu benutzen? Wie könnte er ferner in Punkt 5 die ganz gewiß typologischen Metamorphosen der Pflanzen in dieses System einbauen, wenn es wirklich phylogenetisch gemeint gewesen wäre? Was soll hier ferner der von uns weggelassene Hinweis am Ende dieses Punktes auf das Buch von Gilles-Augustin Bazin („Observations sur les Plantes et leur analogie avec les insectes, Straßburg 1741")? Diese Analogien können doch nur idealistisch-typologisch, aber unmöglich phylogenetisch gemeint sein! Dieses ganze *Allgemeine Schema* zu Goethes Morphologie wird, wenn man es sorgfältig prüft, ein sinnloses Kauderwelsch, sobald man es phylogenetisch vergewaltigt. Es wird aber vollkommen klar und einwandfrei, sobald man es idealistisch-typologisch interpretiert.

Goethes typologische Phänomenologie ist und bleibt idealistische Morphologie und hat mit deszendenztheoretischer historischer Phylogenie nichts zu tun. Diese ist immer zeitgebunden, sie ist ja wirkliche Geschichte, Typologie aber ist vollkommen zeitlos! Gleichwohl besteht, wie schon das naive Beispiel von Gegenbaur gezeigt hat, eine logische Beziehung zwischen typologischer und phylogenetischer Morphologie: Typologische Morphologie erforscht die nach den Gesetzen aller Morphologie überhaupt möglichen Formbildungen, unter denen sich dann natürlich auch diejenigen befinden, die geschichtlich wirklich geworden sind. Nur diese sind für die Phylogenie von Interesse. Typologie verhält sich also zur Phylogenie genauso, wie sich die Mathematik zur mathematischen Physik verhält. Wie diese nicht ohne Mathematik möglich ist, so ist auch Phylogenie nicht ohne idealistische Typologie möglich. Wie aber umgekehrt Mathematik ohne Physik sehr gut existieren kann, so die typologische Morphologie auch ohne deszendenztheoretische Phylogenie. Typologische Morphologie bleibt auch dann gültig, wenn die Evolutionstheorie, was glücklicherweise nicht zu befürchten ist, eines Tages aufgegeben werden müßte. Goethe hat das eigentliche phylogenetische Evolutionsproblem vielleicht, wie das übrigens auch Schelling schon vor 1800 getan hat, ganz richtig gesehen, aber es hat ihn nicht im geringsten interessiert. Der Sinn für die wirkliche Geschichte in der Naturwissenschaft war ihm noch nicht aufgegangen. Dies kennzeichnet alle seine Forschungen auf den Gebieten der B. und darin liegt deren Stärke wie Schwäche.

MA

Botanische Gärten, die Goethe außer den b.n G. in *Belvedere und in *Jena auf seinen Reisen kennen lernte:

1. – *Dresden. Der erste Besuch im „Churfürstlichen Orangengarten" fand im August 1794 statt, als sich Goethe acht Tage in Dresden aufhielt, um den in der Gemäldegalerie arbeitenden JH*Meyer zu besuchen. Bei dieser Gelegenheit machte Goethe die Bekanntschaft des Hofgärtners JH*Seidel, wobei das berühmte Gespräch über die *Metamorphose der Pflanzen stattfand (II/6, 249). Erst am 21. und 25. IX. 1810 hatte Goethe Gelegenheit, den b.n G. abermals aufzusuchen. Zwei wei-

tere Besuche fanden am 12. und 14. VIII. 1813 statt, bei denen sich Goethe vom Hofgärtner Seidel besonders über *pflanzengeographische Fragen unterrichten ließ (III/5, 68).

2. – *Frankfurt. Goethe lernte den b.n G. bei seinem Aufenthalt in Frankfurt August bis September 1815 kennen, nachdem er die Bekanntschaft des Gartendirektors CE*Neeff am 15. VI. in *Wiesbaden gemacht hatte. *Auch der botanische Garten hat im letzten Sommer sehr viel gewonnen... Man hat sich es nämlich zum Gesetz gemacht, bei der Beschränktheit des botanischen Gartens, hauptsächlich auf officinelle oder ökonomische Pflanzen oder auch auf solche Rücksicht zu nehmen, die als seltne Gewächse in unserer Gegend vorkommen, indem der geringe Raum des Locals keine große Menge aufzunehmen gestattet (I/34^I, 134).*

3. – *Göttingen. Den b.n G. der Universität besuchte Goethe am 8. VI. 1801 zusammen mit G*Sartorius und G*Hermann. *Schöne Anlage des Gartens, alte und neue, letztere besonders zu Wasserpflanzen. Pflanzen der Botanybai (III/3, 19).* Dieser Besuch wurde nach der Rückkehr von Bad *Pyrmont am 31. VII. 1801 wiederholt.

4. – *Karlsruhe. Den Großherzoglichen b.n G., der durch die besonders gepflegte Sammlung nordamerikanischer Gehölze bekannt war, besuchte Goethe am 4. X. 1815 auf seiner Reise am Rhein, Main und Neckar. *Der Botanische Garten unterhielt uns einen ganzen Morgen, manches Neue ward gelernt, manches Alte aufgefrischt (IV/26, 96).*

5. – *Padua. Besuch des b.n G.s auf der ersten *italienischen Reise am 26. und 27. IX. 1786. *Am mehrsten aber erkannt' ich die Fülle einer fremden Vegetation, als ich in den botanischen Garten von Padua hineintrat, wo mir eine hohe und breite Mauer mit feuerrothen Glocken der Bignonia radicans zauberisch entgegen leuchtete. Ferner sah ich hier im Freien manchen seltenen Baum emporgewachsen, den ich nur in unsern Glashäusern überwintern gesehen (II/6, 119). Schöne Bestätigungen meiner botanischen Ideen hab ich wieder gefunden (III/1, 239).* Goethe wiederholte seinen Besuch auf der zweiten italienischen Reise am 23. V. 1790 (III/2, 12).

6. – *Palermo. Der erste Besuch fand am 7. IV. 1787 statt: *In dem öffentlichen Garten, unmittelbar an der Rhede, brachte ich im Stillen die vergnügtesten Stunden zu. Es ist der wunderbarste Ort von der Welt (I/31, 105).* Wiederholte Besuche des Wundergartens fanden am 16. und 17. April statt, wobei die Suche nach der *Urpflanze Goethes Betrachtungen be-

herrschte. *Im Angesicht so vielerlei neuen und erneuten Gebildes fiel mir die alte Grille wieder ein: ob ich nicht unter dieser Schaar die Urpflanze entdecken könnte? (I/31, 147).* Ba

Both, 1) Carl Friedrich von (1789–1875), Sohn eines Gutsbesitzers aus mecklemburgischem Uradel, wurde als *academischer Freund meines Sohns* Goethe während eines jenaer Aufenthaltes am 24. VIII. 1820 vorgestellt. B. war damals *Vicedirector (III/7, 212)* am Obergericht zu Rostock. Im Gespräch mit B. und dessen Frau wurde Goethe ua. auf D*Babst, den plattdeutschen *wackern Naturdichter (IV/ 36, 35)* aufmerksam gemacht. Er trat nach dieser Begegnung mit B. in einen gelegentlichen Briefwechsel (IV/34, 6–8; 35, 10–13: über den geplanten Neubau der *Freimaurerloge zu Rostock; 36, 35f.). – B. war im Jahre seines Besuches in Jena ein Auswirkung der *karlsbader Beschlüsse nebenamtlich Regierungsbevollmächtigter für die rostocker Universität geworden. Schriftstellerisch ist er auch mit kleineren Goethe-Aufsätzen (ua.: ,,Das Blücherdenkmal in Rostock und Goethes Theilnahme an diesem Werke, mit 24 Briefen Goethes", in: Raumers Historisches Taschenbuch, 4. Fg., 3. Jg., 1862) hervorgetreten.

–, 2) Rudolphine, geb. Brüning (geb. 1798), Frau des Vorigen. Goethe zeichnete und erklärte ihr die Grabplatte des Erzbischofs Friedrich im *magdeburger Dom, die er 15 Jahre zuvor gesehen hatte (III/7, 212). In ihren Erinnerungen schildert Frau B. Goethe als heiteren Gesellschafter (Bdm. 2, 483f.). Fr

RvBoth: Ein Besuch bei Goethe und Knebel in Jena. In: Weimarer Sonntagsblatt. 1857. – HHolstein: Eine Goethe-Erinnerung, Besuch des Herrn und der Frau von Both, 24. VIII. 1820. In: Vossische Zeitung 1900, 28. IV. – ADB 4 (1876), S. 195 f.

Botticelli, Sandro, eig. Allessandro di Mariano Felipepi (1444/45–1510), Maler, Hauptmeister des dekorativen und linearen Stils in *Florenz am Ende des 15. Jahrhunderts, Schüler des Fra Filippo *Lippi. B. war seit 1481 an der Ausmalung der sixtinischen Kapelle des Vatikan - wo Goethe seine Fresken wohl gesehen haben muß (vgl. 16. II. 1787; I/30, 271) - beteiligt. Goethe konnte aber aufgrund überwiegend literarischer Kenntnis die Kunst B.s wie die Lippis und *Ghirlandajos nur als *Naturnachahmung* anerkennen *(I/44, 305).* JG *Quandt übersandte sechs *(vier: III/12, 265).* Kupferstiche nach einer Folge von vier Gemälden aus seinem Besitz mit der ,,Legende des hl. Zenobius". Goethe nannte sie *merkwürdige Blätter (III/12, 265),* und bedankte sich bei Quandt mit der für seine Einstellung

wichtigen Bemerkung: *wie schön der alte Künstler das Familienunglück, die Folge und die Auflösung darzustellen wußte. Dieß ist die rechte Art, dem Auge vorzuhalten, was da geschieht und was es heißen soll. Hier sind keine hinterwärtse, keine auswärtigen Gedanken nöthig (IV/47, 133;* vgl. dagegen über G*Reni: I/30, 164), womit bei dem unausgesprochenen Vergleich mit der altertümelnden Malerei der *Nazarener auch Goethes sporadische Kenntnis B.s deutlich wird, denn dessen Gemälde haben häufig kaum auflösbare literarische Gedanken zum Vorwurf. *Lö*

Schuchardt 1. – ThB 4 (1910) S. 414–420. – AWarburg: Sandro Botticellis ,,Geburt der Venus" und ,,Frühling", eine Untersuchung von der Vorstellung der Antike in der italienischen Frührenaissance. Diss. Straßburg 1892. – FTietze-Conrat: Botticelli and the Antique. In: The Burlington Magazin 47 (1925), S. 124–129. – RvanMarle: The Development of the Italian Schools of Painting. Bd 12 (1931), S. 1 bis 225. – LVenturi: Sandro Botticelli. 1937. – BBerenson: Die italienischen Maler der Renaissance. 1952, S. 71 bis 74.

Boucher, Alexandre Jean (11. IV. 1778 [nicht 1770] Paris bis 29. XII. 1861), Wunderkind als Violinist, gelangte aber erst in *Spanien von 1796 bis 1806 zu Ruhm. Hier vermählte er sich mit der vorzüglichen Harfenistin Céleste Gallyot (gest. 1841). Er war bei großem Können auch zu Charlatanerien geneigt, besonders zeigte er wegen frappanter Ähnlichkeit während der Konzerttutti gern Napoleonposen. Nach Reisen durch ganz Europa kam das Ehepaar auch 1821 nach Weimar und versetzte laut Goethes Annalen *zuerst einen kleinen Kreis versammelter Freunde in Verwunderung und Erstaunen (I/36, 205).* Goethe verweist auch auf den darauffolgenden Erfolg in Berlin - dort erregte er bei CM*vWeber kurz nach der ,,Freischütz"-Première halb ärgerliche Rührung. Goethe empfahl den Geiger an *Beethoven. *Mr*

Boucher, François (1703–1770), ist der Maler der Schäfer und Schäferinnen, deren schwerelose Existenz seine Form zu einem glänzenden, aber weichen Kolorit entwickelte und seinen Figuren das zärtlich-schöne, uncharakteristisch Niedliche gab. Neben seinen mythologischen und pastoralen Dekorationsstücken - berühmt seine ,,Fêtes champêtres" nach Watteau, die den Geschmack seiner Zeit trafen - stehen einige Porträts der Madame de Pompadour, die ihm auch private Aufträge gab. Obgleich er die *Natur wenig achtete, empfand B. später *eine ganz entschiedene Vorliebe* für die *Gouache-Landschaften JG *Wagners aus *Dresden, die ihm GPh*Hakkert zeigte *(I/46, 123),* und war *der neuen*

Erscheinung – dh. dem frühklassizistischen linearen Stil – *geneigt (I/29, 168)*.
Goethe lebte in seiner Jugend noch im Stile
dieses anakreontischen Daseins und schmückte
sein Zimmer mit *Boucher's Mädchen (I/5ᴵ, 57
= IV/1, 171)*, aber H*Meyer fand 1796 harte
Worte über die französische Malerei und B. –
„oder wenn es noch einen ungestaltern Aus-
wuchs in der Kunst gibt . . .", so daß B. fast
vergessen gewesen zu sein scheint. In Rudolstadt sah Goethe in den Dekorationen Diet-
richs den *französischen Boucherschen und Watteauschen Geschmack* (10. X. 1817: *III/6, 120*).
1818 erwarb Goethe auf einer Kunstauktion
in Leipzig einige Stiche B.s (I/36, 146) und
Watteaus Porträt, von B. radiert, *das höchste
Dokument gallischer Kunst-Nichtigkeit in jenen
Jahren (IV/29, 109)* und meinte bei der Niederschrift von *DuW* 1825, daß B. und ClJ
*Vernet – für diesen irrtümlich *Wateau* – zwei
wahrhaft geborne Künstler* gewesen seien, *deren
Werke, wenn schon verflatternd im Geist und
Sinn der Zeit, doch immer noch höchst respec-
tabel gefunden werden (I/29, 168)*.   *Lö*

BrMeyer 1, S. 403. – Schuchardt 1, S. 213. – ThB 4
(1910), S. 428. – AMichel: François Boucher. 1906. –
WFrhrvLöhneysen: Goethe und die französische
Kunst. In: Colloque international sur Goethe et
l'esprit français. 1957, S. 237 f.

Bourdon, Sebastian (1616–1671), Maler aus
Montpellier, Schüler Barthelémys in Paris, anschließend in Rom unter dem Einfluß *Poussins und Cl*Lorrains gebildet. Neben der großen, etwas theatralischen, aber phantasievol-
len Kunst seiner Historienbilder entstanden
selbst gestochene oder radierte Darstellungen
aus dem Alten und Neuen Testament und
Landschaften, insgesamt 45 Blatt. Goethe sah
1796 bei FChr*Lerse in Leipzig ein Stilleben
von B. (III/2, 50), muß aber häufiger Werke
von ihm gesehen haben, denn er hatte ihn
immer im Allgemeinen geschätzt (I/36, 147;
vgl. die verwandte Formulierung I/49ᴵ, 156).
Goethe erwarb 1818 auf einer leipziger Auktion eine ganze Anzahl von Stichen und Radierungen B.s – insgesamt besaß er 15 – *worunter Haupt- und Nebenblätter sein Verdienst zu
erkennen (IV/29, 109)* gaben. Er zahlte
schimpfliche Preise, da derzeit die Franzosen
wie billig imVerschiß waren. Goethes Gewohnheit, das von außen herankommende Neue zu
gestalten und mitzuteilen, veranlaßte ihn aufgrund seiner neuen französischen und niederländischen Blätter zu dem Entwurf über die
*Landschaftsmalerei, in deren Entwicklung
B. eingestellt wird (I/49ᴵᴵ, 241), und zu einem
Anhang für den Aufsatz über *Philostrat Gemälde *Antik und Modern,* worin er die vier

Stiche B.s mit Motiven von der „Flucht nach
Ägypten" kritisch betrachtet, *um zu zeigen,
daß wir nicht eben gar zu hoch hinaus wollen,
sondern auch mit bedingten Werken und Zuständen zufrieden sind (I/49ᴵ, 156)*. Nach
Rechtfertigung des *Gegenstandes in einer
dem Aufsatz angepaßten, ins Allgemein-Ide-
elle gehenden Charakterisierung beschreibt er
die vier Blätter (APFDusmenil: „Le peintre-
graveur français", 6 Tle. 1835–1871, Bd 1,
Nr. 22–24, 26) und schließt: *Durchdringendes
vollständiges Denken, geistreiches Leben, Auffassen des Unentbehrlichsten, Beseitigung alles
Überflüssigen, glücklich flüchtige Behandlung
im Ausführen: dieß ist es was wir an unsern
Blättern rühmen, und mehr bedarf es nicht: denn
wir finden hier so gut als irgend wo die Höhe der
Kunst erreicht (I/49ᴵ, 159 f.)*. Goethes Ansicht,
daß diese Blätter Nachbildungen von Gemälden für eine Kapelle des Heiligen Joseph seien
(ebda 157), ist bloße Vermutung.   *Lö*

Schuchardt 1, S. 196. – ThB 4 (1910), S. 458 f. –
WWeisbach: Französische Malerei des XVII. Jahrhunderts. Berlin 1932.

Bourgeois, Charles Guillaume Alexandre (1753
bis 1832), Miniaturmaler und Physiker, Theoretiker der *Farbenlehre, vermochte seinen
Bildern dadurch eine besondere Wirkung zu
verleihen, daß er Ultramarinblau durch Ko-
baltblau (mineralisches Blau durch die aus
Kobaltmetall gewonnene Farbe) ersetzte und
die Lackfarben und das Karminrot in ihrer
Anwendung vervollkommnete. In seinen
Schriften: „Manuel d'optique expérimentale
à l'usage des artistes et du physiciens (2 Bde,
1821), in dem er gegen die Autorität J*Newtons die Grundfarben auf rot, blau und gelb
zurückführte, und den 1813 erschienenen „Mémoires sur les couleurs de l'iris produites par
la réflexion de la lumière ... et examen des
bases des doctrines" erwies er sich nach Goethes Meinung als einer der besten Franzosen
in diesem Fach. Auch fand B.s Ansicht, daß
die Farbe den Dingen angeschaffen sei, Goethes Billigung: *denn wie es in der Natur ein
Säurendes gebe, so gebe es auch ein Färbendes,*
wenn er dies auch zur Erklärung des *Phänomens nicht für ausreichend hielt *(Bdm. 3,
S. 305)*. Eine ältere Schrift B.s: „Mémoires
sur les lois que suivent dans leurs combinai-
sons entre elles, les couleurs produites par la
réfraction de la lumière", die in Paris 1812
erschienen war, kannte Goethe vielleicht
schon 1816 durch *Nachrichten von Schultz
(III/5, 284)*.   *Lö*

Bouts, Dieric, auch Dirk van Haarlem (um
1420–1475), Maler in Löwen, gebildet unter
dem Einfluß Rvd*Weydens; vereinte in sei-

nem Hauptwerk, dem Sakraments-Altar in der Peterskirche zu Löwen, mit der typologisch noch gebundenen Thematik eine Raum- und Fläche harmonisch ausgleichende Bildform. Von diesem Altar stammen die beiden aus der Sammlung Bettendorf in Aachen von den Brüdern *Boisserée erworbenen Flügel – typologische Szenen zum eucharistischen Mahle,das auf dem Mittelbild des Altares dargestellt war: „Lesen des Manna" und „Abraham und Melchisedek" – die Goethe als *Mstr. Hämmling (I/34[II], 34)* kennengelernt hatte. In dem gleichen für *Kunst und Alterthum* bestimmten Entwurf erwähnt er die jetzt Dieric B. dem Jüngeren (um 1448 bis um 1490) zugeschriebene sogenannte „Perle von Brabant", deren Tafeln „St. Johann" und „St. Christoph" – diese ein Hauptgegenstand der romantischen Kunstbetrachtung der Goethe-Zeit – und das *Mittelbild 3 Könige* (Anbetung der hlg. drei Könige) von den Boisserées in Flandern als *Hämmling* erworben worden waren. Goethes Beschreibung dieser Bilder läßt erkennen, wie richtig er die altniederländische Malerei zu sehen vermochte: *Ausführlichkeit stammt aus dem Kleinen… Naive Zusammenstellung. – Etwas natürliches in der Handlung, mit Gefühl und unbewustem Geschmack (ebda),* ohne allerdings den geistigen Gehalt des Werkes und der Kunst B.s zu erkennen.   *Lö*
WSchöne: Dieric Bouts. 1938, S. 180f. – HWvLöhneysen: Die ältere niederländische Malerei, Künstler und Kritiker. 1956. S. 351.

Bovy, Antoine (1795–1877), ein in Genf lebender hervorragender Stempelschneider des an großen Medailleuren nicht reichen Spätklassizismus. Mit 29 Jahren hat er nach JD *Rauchs Büste kongenial die schönste aller geprägten Goethe-Medaillen geschaffen. Den Auftrag dazu hat ihm Goethe selbst erteilt. Die Anregung hatte des Künstlers Landsmann F*Soret schon bald nach seiner Ankunft in Weimar gegeben. Goethe, der sich mit Sorets Hilfe um die Ausführung des Auftrages bis in alle Einzelheiten bekümmert hat, konnte mit dem Ergebnis wirklich zufrieden sein, wenn auch sein Lob *gut gerathen* (IV/38, 202), *wunderliches Werk* merkwürdig zurückhaltend klingt. Er hat die Medaille in großer Zahl an Freunde verschenkt; auch im Handel war sie in Weimar zu haben. Als der Vorrat zu Ende gegangen war, wurde 1831 eine neue Auflage geprägt. Die Rückseite, die bisher nur einen auffliegenden Adler zeigte, wurde nach einer auf eine alte Skizze Goethes zurückgehenden Zeichnung H*Meyers neu gestaltet (vgl. III/ 12, 11; 153; 13, 4). Sie deutete, wie der Dichter an Zelter am 22. XI. 1831 schrieb, *nicht*

ungeschickt … *auf meine Befreundung mit der organischen Natur hin (IV/49, 145).* Mit seiner Goethemedaille hatte sich B. so vorteilhaft in Weimar eingeführt, daß es in dem Jubiläumsjahr 1825 Goethe und seinen Freunden eine Selbstverständlichkeit war, die Dankesmedaille für die Großherzogin Luise dem genfer Künstler zu übertragen (III/10, 30; 81–83). Auch mit dieser Arbeit lieferte B. *ein trefflich gerathenes Kunstwerk (IV/40, 99).*
Das Gesamtwerk B.s, zu dem auch einige Büsten gehören (unter ihnen auch Lord *Byron: IV/39, 296), umfaßt 166 Medaillen und Münzen. Eine seiner späten Medaillen war 1862 Soret kurz vor dessen Tod gewidmet.   *Fr*
LFrede: Das Klassische Weimar in Medaillen. Nr 42, 71, 90 und 144. – AHenseler: Antoine Bovy, Artiste – Graveur en Médailles. 1881. – HHHouben: Frédéric Soret. Zehn Jahre bei Goethe. Erinnerungen an Weimars klass. Zeit 1822 bis 1832. Aus Sorets Handschriftl. Nachlaß, s. Tagebüchern u. s. Briefwechsel zum erstenmal zsgest., übers. u. erl. Mit 39 Abb. u. Faks. (Enthält alle einschlägigen Tagebucheintragungen und Briefe Goethes.) Leipzig, FABrockhaus 1929.

Bowring, Sir John (1792–1872), englischer Staatsmann, Diplomat, Schriftsteller und Sammler von Volksliedern, übersetzte russische und serbische Volkslieder ins Englische: „Specimens of the Russian Poets" (1821–23), und „Servian Popular Poetry" (1827). In den Schriften zur Literatur erwähnt Goethe die Sammlung serbischer Lieder und drückt seine Freude darüber aus, bekannte Dichtungen in englischer Sprache neu zu finden: *sie schienen ein neues Verdienst erworben zu haben … dieselbigen Gestalten, aber wie in einem andern Gewande (I/41[II], 311).* In einem Brief an N*Borchardt spricht Goethe über russische Dichtung, mit deren Vorzügen *wir Westländer … schon auf mehr als eine Weise, namentlich durch Herrn Bowring, … bekannt geworden* (1. V. 1828: IV/44, 79). Auch bei der Erwähnung der serbischen Lieder schreibt Goethe: *Herr Bowring hat uns schon im Jahr 1821 … mit einer russischen Anthologie beschenkt (I/41[II], 311;* *Übersetzungen).   Sn*

Boxberg *(Bocksberg),* eine Erhebung bei *Schönhof in *Böhmen nahe *Saaz, die Goethe geologisch interessierte: *Augitenreiches Gestein, das in eine Art Mandelstein übergeht (III/ 4, 145).* Goethe bestieg den B. gelegentlich eines Ausfluges von Schloß Schönhof am 5. VIII. 1810 und fand *auf dem Rückweg in einer Hohle merkwürdigen kuglichten Basalt lagerweise (ebda);* vgl. *Czernin.   IP*

Boyle, Robert (1627–1691), führender Naturwissenschaftler (Chemiker) seiner Zeit und einer der Begründer der *Royal Society, hatte ein Laboratorium in Oxford; sein Assistent war der berühmte englische Naturwissenschaftler R*Hooke, gleichfalls einer der Begründer der Royal Society.

Goethe nennt B.s Werk 1807 in den *TuJ* als eine seiner Quellen für die *Farbenlehre* (I/36, 31), er erwähnt ihn weiter in *Tgb*.-Eintragungen vom 4. II. 1798, 5. XII. 1808, 22. und 24. III. und 9. IV. 1809 (III/2, 198; 3, 404; 4, 18; 21). In einem Brief an Schiller vom 10. II. 1798 spricht er sich sehr lobend über ein Werk B.s aus, die Bemerkung bezieht sich wohl auf die „Experimenta et considerationes de coloribus": *...berührt fast alle bedeutenden Fragen und beurtheilt das meiste mit sehr viel Sinn (IV/13, 62)*.   *Bn*

Bracebridge, Charles und Frau Selina (Schriftstellerin), ein 1826 in Weimar lebendes Ehepaar, zeigte beispielhaft *ein viel innigeres, zusammengenommeneres Leben, als wir in unsrer Zerstreuung, sie sind [wie] mitten im Weltmeer auf einem engen Kahn vereint, unbekümmert um das Getobe und Gebrause um sie her (UKM S. 146f.)*. Jv*Egloffstein hatte sie in Goethe mißfallender Manier gemalt.

Goethe bemühte sich für die B.s in Berlin: *ein paar liebe gute Leute, die sich den Winter bey uns aufhielten und mit meinen Kindern in dem besten Verhältniß standen, werden sich in Berlin umsehen, laß sie auch von deinem Lieben und Guten vernehmen* (5. oder 6. V. 1826: *IV/41, 277*; vgl. ebda 27f.). Zelter willfahrte Goethes Wunsch: *Daß die guten Bracebridge deinem herrlichen Gesangserproben glücklich beygewohnt haben, ... ist die Hauptsache (ebda 48)*.   *Sn*

Brahe, Tycho (14. XII. 1546 Kundstrup auf Schonen bis 24. X. 1601 Prag), dänischer Astronom. Zunächst 25 Jahre an der Sternwarte auf der Insel Hven im Sunde (Schloß Uranienburg), später als kaiserlicher Astronom Rudolfs II. in Prag tätig. Dort Lehrer J*Keplers. B. schuf die Grundlagen der Keplerschen Theorien. Das Tychonische System besagte, daß sich um die Erde Mond und Sonne und um letztere alle übrigen Planeten bewegen (eine Zwischenstellung von Ptolomäischem und Kopernikanischem Weltsystem). Goethe schreibt hierüber: *Tycho verharrt bey einem absurden Mittelsystem (I/2, 349;* vgl. II/13, 448) und an anderer Stelle: *wie bemühte sich Tycho, die Cometen zu regelmäßigen Körpern zu machen (I/42^{II}, 121)*.   *Sl*

Brakteaten (von lat. bractea = dünnes Blatt, blattdünnes Blech) ist der erstmals 1368 vorkommende gelehrte Ausdruck für die mittelalterlichen, seit etwa 1130 besonders in *Thüringen und in der Harzgegend, dann auch auswärts üblichen, einseitig geprägten Hohlmünzen aus ganz dünnem Silberblech. Vielfach stellen sie, besonders in ihren Ursprungsgebieten, schöne Kleindenkmale spätromanischer Reliefplastik von größtem künstlerischem Reiz dar. Solche wird Goethe im Auge gehabt haben, wenn er in den *Wahlverwandtschaften* den Architekten *Bracteaten, Dickmünzen, Siegel und was sonst sich noch anschließen mag* zur abendlichen Unterhaltung vorzeigen läßt, *um die Einbildungskraft gegen die ältere Zeit hinzurichten (I/20, 210)*. Goethe besaß davon selbst einiges in seiner *Münzsammlung.   *Fr*

Schuchardt Bd 2, S. 280f. Nr 760–774.

Bramante, Donato (1444–1514), – *der Künstler muß eine so große Seele haben, wie der König für den er Sääle wölbt, ein Mann wie Erwin* [von Steinbach], *wie Bramante* (1772: *IV/2, 25*) – wirkte nach 1499 als Architekt in Rom, wo er den Säulenhof von S. Maria della Pace und den Tempietto aufführte, bei der Umgestaltung des Vatikans maßgeblich beteiligt war und einen für den Neubau von St. Peter später abgeänderten, aber sehr wesentlichen Plan entwarf (I/34^{II}, 247). Goethe muß schon in Straßburg mit B.s klaren, heiteren Renaissancebauten vertraut gewesen sein, hat ihn aber in der *IR* nicht genannt, obwohl er gerade in Rom seinen Schöpfungen wiederholt begegnete; nur in einem *Paralipomenon* dazu taucht sein Name auf (I/32, 442).   *Wt*

Bran, Friedrich Alexander (1767–1831), Journalist, Übersetzer, Herausgeber und Verleger von *Zeitschriften und Sammelwerken wirtschaftlichen, kulturpolitischen, zeitgeschichtlichen und völkerkundlichen Inhalts, führte ein von den politischen Zeitereignissen stark bestimmtes wechselvolles Schriftstellerleben. Wie viele seiner Zeitgenossen begrüßte er zunächst die *französische Revolution, wandte sich nach der Schreckensherrschaft von ihr ab und sah dann in *Napoleon den großen Gestalter Europas. Nach Napoleons spanischem Feldzug aber übersetzte er die Schrift des spanischen Staatssekretärs Pedro de Cevallos (1761–1838), die er unter dem Titel „Authentische Darstellung der Begebenheiten in Spanien von dem Ausbruch der Unruhen zu Aranjuez bis zum Schlusse der Junta von Bayonne" anonym („Germania 1808") herausgab. Er wurde als Verfasser bekannt und mußte Hamburg, wo er seit 1800 unter dem Namen Abraham Baruch lebte, verlassen. Vorher, in den Jahren 1806/1807, hatte er „Gesammelte Actenstücke und öffentliche Verhandlungen über die Verbesserung der Juden in Frankreich" (2 Bde) veröffentlicht. B. gab folgende Zeitschriften heraus: „Nordische Miscellen" (Bd 1 bis 15, 1; 1804–1811), „Minerva" (von JWv*Archenholtz gegründet, 1810 von B. übernommen), eine Zeitschrift, die er nach der Flucht aus Hamburg seit 1813 mit der Zeitschrift „Kronos" (Bd 1 bis 4) in Prag fortsetzte. Nach einem Zwischenaufenthalt in Leipzig, wo er die Herausgabe der „Minerva" wiederaufnahm, ließ sich B. 1816 als Verleger in Jena nieder. Hier führte er unter dem Titel „Minerva, ein Journal historischen und politischen Inhalts" die archenholtzische Zeitschrift weiter (hieraus las Goethe 1824 die *neuste Geschichte von Brasilien: III/9, 272*) und gab seit 1818 (ab Bd 17) die „Miszellen aus der neuesten ausländischen Literatur" heraus. Ab Bd 7 (1820) trat er auch als Herausgeber des seit dem dritten Bande in seinem Verlag erscheinenden „Ethnographischen Archivs" auf (HLuden führt außerdem noch eine Zeitschrift „Miscellen", 1800–1804, auf, die aber auch bereits er nicht mehr nachweisen konnte). – An die Herausgabe des „Ethnographischen Archivs" knüpfen sich die nachweisbaren Beziehungen B.s zu Goethe. Sie gingen auf einen Wunsch Carl Augusts zurück, B. möge völkerkundliche Neuerscheinungen aus England, über die Carl August durch seinen londoner literarischen Geschäftsträger JH*Hüttner regelmäßig unterrichtet wurde, in ihren interessantesten Teilen übersetzen und im „Ethnographischen Archiv" veröffentlichen (Carl August 6. XII. 1819 an Goethe: BrCarl-August Bd 2, S. 262 f.; vgl. S. 449). Diese Anregung – mit dem Angebot, die gewünschten Bücher B. für längere Zeit leihweise aus der großherzoglichen *Bibliothek zu überlassen – wurde von Goethe in Verhandlungen mit B. verwirklicht. Goethes *Tgb.* meldet hierüber am 6. XII. 1819: *Büchersendung von Serenissimo; 8. XII. Brief an Bran; 14. XII.: Branische Acten an Serenissimum . . . Dodwell Reise durch Griechenland. Beschreibung des Königreichs Nepal* und am 16. XII.: *Englische Bücher an Dr. Bran nach Jena (III/7, 119; 121)*. In seinen Briefen – 7. und 15. XII. 1819, 13. II., 22. III., 11. IV., 5. IX. und 28. XI. 1820, sowie 16. III. 1821 und 2. III. 1822 (IV/32, 115; 118; 168; 199 f.; 233; 33, 201; 34, 28; 164; 35, 277) – machte Goethe B. auf folgende Autoren aufmerksam: FHamilton, EDodwell, WChWentworth, RSouthey, JLBurckhardt, JRMacCulloch, JCrawfurd, GLChesterton, GBelzoni, JB Fraser und GGascoigne. Am 4. IX. 1822

veranlaßte Goethe, daß die weimarer Bibliothek die von B. gewünschten Bücher direkt an ihn schicken sollte. Ein vollständiges Verzeichnis der an B. ausgeliehenen Bände liegt in den Akten der Landesbibliothek Weimar („Acta, die Mittheilung ethnographischer Schriften an Dr. Bran in Jena btrf." 1819, 1820, 1821). Daß sich Goethe auch in den folgenden Jahren noch mit B.s „Ethnographischem Archiv" und seinen anderen Zeitschriften beschäftigt hat, geht aus den Unterhaltungen des Kanzlers Fv*Müller mit Goethe hervor, der unter dem 6. VI. 1824 berichtet: „Reise des Lieutn. Lundson aus Delhi nach London" [Ethnograph. Archiv 24, Jena 1824, H. 2, S. 169 ff.]. „Prahnische 3 Journale, Miscellen, Minerva, Ethnographisches" [Archiv] (UKM S. 116).   *Sz*

JWvArchenholtz: An die Leser der Minerva. In: Minerva 2 (1810), S. 185–190. – HLuden: Dr. Friedrich Alexander Bran. In: Minerva 4 (1831), S. I bis XXIV. – ADB 3 (1876), S. 234 f. – PvBojanowski: Goethe und Bran. Sieben Briefe Goethes und ein Brief Carl Augusts. In: GoetheJb. 21 (1900), S. 101 bis 108. – AKlement: Friedrich Alexander Bran und die Prager Monatsschrift Kronos. Diss. Wien 1908. – FLütge: Geschichte des Jenaer Buchhandels einschließlich der Buchdruckereien. 1929. S. 203 f. – NDB 2 (1955), S. 514.

Branconi, Maria Antonia von (das Adelsprädikat Marchesa, Marquise oder auch Gräfin ist nicht berechtigt), geb. vElsener (1746–1793), war zu ihrer Zeit eine europäische Schönheit, „das größte Wunder von Schönheit, das in der Natur existiert, und [hat] hierbei noch die besten Manieren, die edelste Sittsamkeit und den aufgeklärtesten Verstand" (IGZimmermann brieflich am 9. X. 1772). Auf fast ominöse Weise mit Chv*Stein verknüpft, geriet sie Mitte Juli 1775 zu *Straßburg in Goethes Blickfeld. Der Arzt und Schriftsteller IG*Zimmermann legte Goethe in diesen Tagen eine Sammlung von etwa hundert Schattenrissen vor, um diese mit ihm im Sinne der *Physiognomik *Lavaters zu betrachten. Dabei sprachen Goethe am intensivsten die *Silhouetten von zwei Frauenköpfen an; die eine zeigte ChvStein, die andere MAvB. Goethe wählte diese beiden Bildnisse aus, legte sie nebeneinander und entwarf, ohne zu wissen, was sie ihm nur wenig später wirklich zu sagen haben würden, in einem unmittelbar anschließenden Brief an Lavater folgende Deutung: *Stein Festigkeit / Gefälliges unverändertes Wohnen des Gegenstandes / Behagen in sich selbst / Liebevolle Gefälligkeit / Naivetät und Güte, selbstfliesende Rede / Nachgiebige Festigkeit, / Wohlwollen / Treubleibend / Siegt mit Nezzen / / Brankoni unternehmende Stärcke / Scharf- nicht Tiefsinn / Reine Eitelkeit / Feine verlangende Gefälligkeit / Wiz, ausgebildete Spra-*

che Wahl im Ausdruck | Widerstand | Gefühl ihrer selbst. | Fassend und haltend. | Siegt mit Pfeilen (IV/2, 280). – MAvB. war Kind eines deutschen Vaters (vElsener) und einer italienischen Mutter (Marsinara Seravalle). In Genua geboren (also nicht „Venetianerin"), kam sie nach *Neapel, wo ihr Vater als Major der kgl.-neapolitanischen Schweizergarde Dienst nahm. Eben zwölf Jahre alt, wurde sie 1758 mit einem Beamten des königlich-neapolitanischen Pachtwesens, Pessina de B., vermählt, gebar diesem zwei Kinder (1762; 1764) und wurde 1766, kaum zwanzigjährig, Witwe. Nur wenige Tage nach dem Tode ihres Gatten lernte sie der einunddreißigjährige Erbkrinz Carl Wilhelm Ferdinand von *Braunschweig kennen und lieben, als er auf seiner Reise durch *England, *Frankreich und *Italien bis nach Neapel kam. Er erhob sie zu seiner Mätresse, nahm sie nach Braunschweig mit, stattete sie fürstlich aus und blieb ihr lange treu. MAvB. gebar ihm im Weihnachtsmonat 1767 einen Sohn: Carl Anton Ferdinand vB., der 1770 den Titel eines Grafen Forstenburg erhielt. MAvB. erwarb aus ihren Dotationsmitteln 1776 das Amt *Langenstein bei *Halberstadt, wo sie sich ein kultiviertes Schlößchen bauen ließ. Als Erzieher des jungen Grafen Forstenburg wurde zunächst (bis 1777) JJ*Eschenburg bestellt, wodurch sich engere Beziehungen zu GE*Lessing ergaben. Überhaupt trachtete MAvB. danach, auf der Höhe ihrer Zeit zu leben und mit namhaften Persönlichkeiten unmittelbaren Kontakt zu haben. Als 1777 die Liebe des Erbprinzen zu ihr erlosch, begann sie viel zu reisen. Außer ihren Kindern hatte sie deren Erzieher (seit 1777 C*Matthäi als Nachfolger Eschenburgs) in ihrer ständigen Begleitung; besonders gern hielt sie sich in Straßburg (1777–1779) auf. Im Frühjahr 1779 besuchte sie ua. Colmar (GKPfeffel), Zürich (Lavater, S*Geßner), Luzern (General Pyffer), Langenau (Wunderdoktor Schüppach) und blieb von Ende Mai 1779 an mehrere Monate in Lausanne. Aufgrund eines Hinweises durch Lavater suchte Goethe sie hier am 22. und 23. X. 1779 auf. Im Frühjahr 1780 fuhr MAvB. nach Langenstein, um ihren Besitz und den Stand der Bauarbeiten zu inspizieren; auf der Rückreise war sie zwei Tage in Weimar (26.–27. VIII. 1780) mit Goethe zusammen, besuchte anschließend Goethes Mutter in Frankfurt und wandte sich dann wiederum für einige Monate nach Lausanne, um endlich im Dezember 1780 Standquartier in Straßburg zu nehmen, wo sie Cagliostro (G*Balsamo) traf. 1782 und 1784 hielt sie sich

mehrere Monate hindurch in Langenstein auf, zugleich um in Braunschweig alten Hoffnungen auf den noch immer unvergessenen, 1780 Herzog gewordenen Carl Wilhelm Ferdinand nachzugehen, aber: *c'est un oiseleur qui connoit ses oiseaux et qui avec peu de peine et de frais est sur d'en prendre tous les jours* (Goethe an Ch vStein, 29. VIII. 1784: IV/6, 350). In Langenstein sammelte sich ein ganzer Kreis von Freunden um MAvB.: JWL*Gleim, der auch ihr Jagdpächter war, ELv*Spiegel, Frau Cv*Berg, Eschenburg ua.: „Les étrangers m'arrivent de tout part." Auch Goethe, der unmittelbar brieflich oder mittelbar durch Lavater und Matthäi (1782) Verbindung gehalten hatte, besuchte sie dort 1783 sowie 1784. Dies war die letzte persönliche Begegnung beider, brieflich läßt sich ebenfalls kein Kontakt mehr feststellen. Matthäi traf, allerdings viel später (1794; 1796; 1797), noch einige Male mit Goethe in gutem Gedenken an „unsere Edle" zusammen. MAvB. war am 7. VII. 1793 gestorben. – Goethes Bekanntwerden und Begegnung mit MAvB. bedeuten keine unwesentliche Tatsache in seinem Leben. Es ist nicht nur die faszinierende Schönheit dieser Frau, die ihn fesselt: *Sie kommt mir so schön und angenehm vor dass ich mich etlichemal in ihrer Gegenwart stille fragte, obs auch wahr seyn möchte dass sie so schön sey. Einen Geist! ein Leben! einen Offenmuth! dass man eben nicht weis woran man ist* (23. X. 1779 an ChvStein: IV/4, 92). Er ist sich sofort der Gefahr bewußt: *Am Ende ist von ihr zu sagen was Ulyss von den Felsen der Scylla erzählt. „Unverlezt die Flügel streicht kein Vogel vorbey, auch die schnelle Taube nicht die dem Jovi Ambrosia bringt, er muss sich für iedesmal andrer bedienen". Pour la colombe du jour elle a echappé belle doch mag er sich für das nächstemal andrer bedienen (IV/4, 93)*. Als die *gar liebliche Brankkoni*, die *schöne Frau*, am 26. VIII. 1780 dann in Weimar ankommt, nach Tisch Goethe im Gartenhaus besucht, er sie nachmittags spazieren führt, abends mit ihr in seinem Garten sitzt (III/1, 123), geht alles *sehr artig* zu, wie er ChvStein versichert (IV/4, 274). Die Fahrt mit der *überschönen Branckoni* am nächsten Tage nach *Tiefurt und das gemeinsame Mittagsmahl im Borkenhäuschen (III/1, 123) gegenüber dem Gartenhaus (woher das Essen herübergebracht wurde) läßt es Goethe doch notwendig erscheinen, ChvStein in einem kurzen (auf den 27. VIII. 1780 datierbaren) Billet die Gewißheit des Gedenkens zu geben: *Geseegnete Mahlzeit. Wir werden zwar von den Raben gesättigt, doch möchten wir auch was von*

Ihren Händen haben, also vergessen Sie uns nicht (IV/4, 274). Die zweite Tageshälfte wurde einem Weg nach Schloß *Belvedere, dem Sommersitz des Herzogspaares, gewidmet. Am folgenden Tage, an Goethes Geburtstag also, reiste MAvB. ab, in Richtung auf Frankfurt/M., wo Goethe sie mit einem am gleichen Tag geschriebenen, durch seine Mutter überreichten Brief aufmerksam willkommen hieß *(IV/4, 275f.).* Unter dem 29. VIII. 1780 finden sich in Goethes *Tagebuch die bedeutungsschweren Worte: *Nachklang der Schönen Gegenwart (III/1, 124).* Auch in MA vB. muß die Begegnung entsprechend nachgeklungen haben; sie schrieb ihm sofort, ihre Zeilen erreichten ihn am 6. IX. 1780 auf dem *Kickelhahn: ... *Ihr Brief hätte nicht schöner und feyerlicher bey mir eintreffen können. Er suchte mich auf dem höchsten Berg im ganzen Lande, wo ich in einem Jagdhäusgen, einsam über alle Wälder erhaben, und von ihnen umgeben eine Nacht zubringen wollte. Es war schon dunckel, der volle Mond herauf, als ein Korb mit Proviant aus der Stadt kam, und Ihr Brief, wie ein Packetgen Gewürz oben auf.* Goethe schreibt wie seine Mutter *eine Epoche von dem Tage Ihrer Bekanntschafft (IV/4, 321).* Auf dem Kickelhahn entstanden damals die berühmten Verse: *Über allen Gipfeln ist Ruh . . . (I/1, 98).* Es ist sicher, daß darin die schöne und in demselben Augenblick brieflich erneuerte Gegenwart der Besucherin stimmungsbildend mitschwingt. Schon dies wiegt als Zeugnis für die Bedeutsamkeit der Begegnung, die 1775 so ominös vorweggenommen war. Dennoch vermochte die Entfernte mit ihren *Pfeilen* nicht zu siegen, wie ChvStein durch ständige Nähe es bereits mit ihren *Nezzen* getan hatte. In zwei Briefen an Lavater, der das Paar wohl gern vereinigt gesehen hätte, finden sich die das Verhältnis abschließend kennzeichnenden Sätze: *Die überschöne Branckoni ist so artig gewesen und ist auf ihrem Rückweg über Weimar gegangen. Ich habe sie anderthalb Tage bewirthet und herumgeführt, u.s.w. Sie grüsst dich herzlich und ist liebenswürdig wie immer* (28. VIII. 1780: *IV/4, 275);* *Deine Frage über die Schöne kan ich nicht beantworten. Ich habe mich gegen sie so betragen, als ich's gegen eine Fürstinn oder eine Heilige thun würde. Und wenn es auch nur Wahn wäre, ich mögte mir solch ein Bild nicht durch die Gemeinschafft einer flüchtigen Begierde besudlen. Und Gott bewahre uns für einem ernstlichen Band, an dem sie mir die Seele aus den Gliedern winden würde* (etwa 20. IX. 1780: *IV/4 298-299).* Die späteren Begegnungen (1783 und 1784) halten sich in den Grenzen, die das

inzwischen noch mehr gefestigte Verhältnis zu ChvStein zog und die auch in der zartesten Weise nicht überschritten wurden. Von den vier erhaltenen Briefen Goethes an MAvB. zeugt außer der Entstehungsgeschichte des Kickelhahn-Nachtliedes ganz nur einer, der Willkommensbrief in Frankfurt, für die Stärke der Affizierung.   *Za*

Brand, Dorf bei *Marktredwitz (Redwitz), südwestlich *Eger. Goethe besuchte am 13. VIII. 1822 von Eger aus in Marktredwitz die *Fabrickherren* WK *Fikentscher (III/8, 227) und ließ sich am übernächsten Tag von dessen Sohn FChr, der Chemiker war, über B. in die dortige *Glashütte, auf dem Reichsforst* führen (RV S. 62).   *JP*

Brand, Carl (Lebensdaten unbekannt), Maler aus Ilmenau, den Goethe am 22. V. 1809 (III/4, 30) und am 19. II. 1818 in Jena bei Clv *Knebel traf (III/6, 174); war 1809 Schüler am Freien Zeicheninstitut in Weimar und lieferte für die September-Ausstellung ,,zwey Bildnisse . . ., worin er dasjenige, welches Ihre jenensischen Kunstfreunde für ein Meisterwerk gehalten haben, weit übertroffen und in der Tat viel geleistet hat" (H *Meyer an Goethe am 17. VIII. 1809). *Brandische Zeichnungen nach Oesers Thurmbildern* betrachtete Goethe am 13. II. 1820 beim Ordnen der großen Portefeuilles und verhandelte mit *Baurath Steiner wegen solchen (III/7, 137).*   *Lö*
BrMeyer 2, S. 246.

Brandenburg, die *Mark,* das Kernland *Preußens, sprichwörtlich durch den *Sand (I/49^{II}, 200)* interessierte Goethe nur wenig. 1778 hat er B. auf dem Wege nach und von *Berlin durchquert (RV S. 17). 1796 spottete er von der Warte der Goethe-Schiller-Klassik aus über die Idyllik des Predigers FWA *Schmidt-Werneuchen und über dessen sogenannte *Musen und Grazien (in der Mark: I/1, 146-148),* indem er sich derselben Versmittel bediente (zB. solcher Reime wie *bist/Mist; stark/Quark*). 1828 aber beherrscht ihn ein ausgesprochen mineralogisch-geognostisches Interesse, indem er von KFvKlöden die *sichersten Aufklärungen* über den *Markgrafenstein,* einen der bedeutendsten jener für B. und seine *Erdgeschichte so typischen *Findlinge sowie über die Mitteilung von *Plan und Profil jener Gegenden* erwartet *(I/49^{II}, 199 f.).* Nachgelassene Altersweisheit im (heiter ironischen) Sinne eines nord-südlichen Symbolums ist es, wenn Goethe seine Aufforderung, *vielseitig zu sein,* dh. sich der Gegensätzlichkeiten *Nibelungischer* und *Homerischer Tafel* bewußt zu bleiben und sie dennoch zu verbinden *(IV/25, 76;* vgl.

hier Sp. 701 f.), in die Formel kleidet: *Märkische Rübchen schmecken gut, am besten gemischt mit Kastanien, und diese beiden edlen Früchte wachsen weit auseinander (MuR:* Hekker *Nr 1094)!* – Die dynastische Geschichte B.s, die Epochen der Askanier, Wittelsbacher, Hohenzollern blieben Goethe sachlich und menschlich sehr fern (Reflexe in der Angelegenheit der Taufschale; vgl. I/53, 213). Als Träger des Namens B. begegnete ihm Friedrich Wilhelm (1792–1850), der als natürlicher Sohn des preußischen Königs Friedrich Wilhelm II. den Titel eines Grafen von B. führte und im Herbst 1814 die heikle Aufgabe übernommen hatte, Goethe daraufhin anzusprechen, daß er die Ordensabzeichen der Ehrenlegion nun wirklich nicht mehr tragen könnte (EWeniger S. 89; vgl. hier Sp. 683–687). Offenbar geschah das zarter als durch Colloredo, denn Goethe blieb in Kontakt mit FW (1827: III/11, 135; 1828: UKM S. 352). *Za*

Brandes, Heinrich Wilhelm (1777–1834), Physiker und Meteorologe, war zunächst bis 1811 Deichinspektor in Oldenburg, 1811 bis 1826 Professor an der Universität *Breslau und anschließend in *Leipzig. Seine Bedeutung beruht auf den 1820 erschienenen Beiträgen zur Witterungskunde (Ruppert Nr 4417), in denen er ein reiches meteorologisches Beobachtungsmaterial verarbeitet hat und dabei die Grundlagen zu einer synoptischen *Meteorologie schuf, indem er den Zusammenhang zwischen Wetterlage, Winden und Barometerstandentwicklung herausarbeitet (*Barometer).

Persönlich ist Goethe mit B. nicht in Beziehung getreten, hat aber durch *dessen Beiträge zur Witterungskunde . . . eine frische Aufmunterung* genossen *(II/12, 13).* Er hat sich mit diesem Buch gleich nach seinem Erscheinen beschäftigt; denn schon 1820 heißt es: *Von Büchern förderte mich am meisten Brandes Witterungskunde (I/36, 154).* *Sl*

Brandes, Rudolf (18. X. 1795 Salzuflen bis 3. XII. 1842 Salzuflen), Apotheker in Salzuflen, fürstlich waldeckscher Hof- und Medizinalrat: *hat sich . . . als Schriftsteller vortheilhaft bekannt gemacht (IV/42, 133).* Er veröffentlichte ein „Repertorium für die Chemie" (4 Bde 1826–1833), welches Goethe am 14. XII. 1828 anführt (III/11, 314), ferner als Vorsitzender des „Apotheker-Verein im nördlichen Teutschland" das Vereinsorgan „Archiv des Apotheker-Vereins" (ab 1835 „Archiv der Pharmacie des Apothekervereins"). Goethe besaß das 1. Heft des 1. Bandes, sowie das von B. geführte Meterologische Tage-

buch (1. Bd 1. H.: III/8, 318). Goethe setzte sich bei *Carl August für B. ein: *. . . so wäre demselben ein Gnadenzeichen wohl zu gönnen; es ist ein vorzüglicher Mann und hat sich gegen unsern Kreis immer sehr freundlich bewiesen. Auch ist der Verein dem er vorsteht sehr löblich* (2. III. 1825: *IV/39, 129*). Am 7. III. 1825 wurde von Goethe *in Erwiderung seiner an Serenissimum gesendeten Blitzröhren die silberne Medaille mit Ihro des Fürsten Bildniß als dankbare Anerkennung seiner Freundlichkeit* übersandt (an JGLenz 21. IX. 1825: *IV/40, 71*; III/10, 26). Zwei Jahre später erhielt er eine goldene Medaille (21. IV. 1827: III/11, 48). *Sl*

Brandis, Joachim Dietrich (1762–1845), praktischer Arzt und herzoglich braunschweigischer Rat zu Holzminden und Brunnenarzt in Driburg, dann Professor in Kiel (1803), 1809 königlicher Leibarzt in Kopenhagen. Seit 1820 Mitglied der königl. Societät der Wissenschaften. B. *zeigte sich in Naturbetrachtungen geistreich und belebend; auch er, wie wir, versuchte sich an den schwersten Problemen (I/35, 61).* Darwins Zoonomie, von B. übersetzt, *brachten* Goethe *mit Hofrath Brandes in nähere Berührung* (15. I. 1826: *IV/40, 251*; vgl. III/4, 104; 189). *Wohl gedachte* Goethe *noch jener Zeiten, wo das Werk über die Lebenskraft* („Versuche über die Lebenskraft") *verfaßt, die Zoonomie übersetzt und die kleine Schrift über die Metamorphose geschrieben wurde* (An B. 7. III. 1811: *IV/22, 58–61*); vgl. III/4, 189; III/3, 34). Als *Älteste aufmunternde Theilnahme* führt Goethe in *Physische Farben* einen Brief B.s vom 11. I. 1811 an (II/5^I, 377 bis 384). *Sl*

Brandt *(Brand: IV/38, 353;* vgl. auch III/11, 319), Henri François (1789–1845), schweizerischer Medailleur und Gemmenschneider, Schüler des Malers JL*David und des Bildhauers Bridan in Paris, errang 1812 den großen Preis mit der Medaille „Theseus, die Waffen seines Vaters findend". Nach dreijährigem Aufenthalt in Rom erhielt er 1817 einen Ruf nach Berlin und wurde 1818 erster Medailleur der kgl. preußischen Münze. Seine Medaillen sind vorwiegend den großen Ereignissen der preußischen Geschichte gewidmet; daneben entstanden zahlreiche Porträtmedaillen, ua. auf B*Thorvaldsen, Alexander von Rußland, die Goethe 1826 kennenlernte (III/10, 209), auf Friedrich Wilhelm III. von Preußen, Av*Humboldt, den Großherzog Carl August und Goethe selbst. 1824 war B. in Italien (IV/38, 201).

Die preisgekrönte Medaille von 1812 sandte ChrF*Tieck im Februar 1824 an Goethe; sie war am 24. II. 1824 Gegenstand einer Unterhaltung zwischen Goethe und Eckermann, die „eine genugsame Anstrengung der Glieder gegen die Last des Steins" vermißten. „Auch erschien es keineswegs gut gedacht, daß der Jüngling schon in der einen Hand die Waffen hält, während er noch mit der andern den Stein hebt; denn nach der Natur der Sache wird er zuerst den schweren Stein zur Seite werfen und dann die Waffen aufnehmen". Ein Vergleich mit einer antiken Gemme des gleichen Gegenstandes ließ erkennen: Wir Neueren haben „wohl die Kenntnis und den Begriff, wie es zu machen wäre; allein wir machen es nicht, der Verstand herrschet vor, und es fehlt immer diese entzückende Anmut" (Bdm. 3 S. 72; vgl. III/9, 183).

Diese *früher übersendeten Musterstücke (IV/38, 173)* veranlaßten Goethe, im Juni 1824 die Ausführung einer Jubiläums-Medaille für den Großherzog Carl August B. zu übertragen. Nach mehreren Besprechungen (III/9, 234f.) wurde die *Punctation* an ChrD*Rauch, der sich in Weimar befand, und an Tieck aufgesetzt, die die Bedingungen festlegte *(IV/38, 352)*. Der im Juni 1825 vorliegende Entwurf machte wiederum Besprechungen notwendig (III/10, 69f.). Goethe zeichnete die Inschrift (ebda 62), H*Meyer lieferte einen Entwurf für die Tierkreiszeichen auf dem Revers, die die Darstellung des aufsteigenden Helios umgeben sollten (ebda 64), ein Gutachten für die weitere Ausführung ging an Rauch (IV/39, 232); endlich lag im August die Medaillenprobe vor. Eine Ausstellung wurde vorbereitet (III/10, 95), als am 25. VIII. 1825 die ersten Prägungen der Medaille eintrafen, um für den 3. IX., dem 50jährigen Jubiläum Carl Augusts, Verwendung zu finden. Schon am 19. VIII. hatte Goethe sich anerkennend über die Medaille geäußert, die *zu Freude unserer Berliner Künstler, auch zu unserer Beruhigung den Beyfall aller derer, die sie bisher gesehen, erhalten hat (IV/40, 25* und *32)*. Kanzler v*Müller mußte sogar mit einem Brieftext Goethes Rauch dringend ersuchen, B. zur Einhaltung des Vertrages anzuhalten, der die begehrte Medaille zu seinen Gunsten ausprägen wollte (IV/40, 356).

Zu Goethes 50jährigem Dienstjubiläum stiftete der Großherzog seinem Staatsminister eine Medaille, über deren Gestaltung Goethe mit HMeyer und FvMüller verhandelte (III/10, 122f. und IV/40, 453). Goethe bezeichnet sie mehrfach als *letzte Medaille*. Sie sollte auf dem Avers die Profilbilder des großherzoglichen Paares und auf dem Revers ein Bildnis

des Jubilars zeigen (vgl. III/10, 132f.). Am 20. XII. 1825 geht ein von Goethe und von vMüller verfaßter *Aufsatz (IV/40, 163)* an B., der genaue Anleitungen enthält: für das Goethe-Bild sollte die rechte Seite der Büste Rauchs benutzt werden, wie schon auf dem *hier rückfolgenden Bleymodelle geschehen, damit der Hals zum Kopf ein längeres und edleres Verhältniß erhalte, das Gesicht heiterer aussehe und der Dargestellte, wenn Avers und Revers neben einander gelegt werden, seine höchsten Gönner getroster und freudiger anblicke* – gleichzeitig werden Text und Umschrift mitgeteilt *(IV/40, 420)*. Auch im Februar 1826 finden Besprechungen statt (III/10, 156). Die vorgelegten Entwürfe befriedigen nicht ganz, es wird erwogen, den Auftrag B. zu entziehen, doch schon ein solcher Versuch würde *alles gute Verhältniß zwischen hier und den dortigen [berliner] Künstlern, welches in mancher Rücksicht geschont zu werden verdient*, stören, so daß man Unstimmigkeiten vermeiden müsse. B. wird hingegen nach Weimar eingeladen, um *ein so grandios unternommenes und von der Welt begierig erwartetes Werk zu eigener und allgemeiner Zufriedenheit vollendet zu sehen (IV/40, 454)*. Der Besuch B.s in Weimar vom 10. bis 25. III. 1826 (III/10, 70f.; 176) und eine letzte Besprechung im Mai, an der auch der vorübergehend in Weimar anwesende S*Boisserée teilnahm (ebda 198), ließ das Werk endlich gedeihen, so daß am 7. XI. 1826, ein Jahr nach dem Jubiläum, Goethe *die wohlgelungene Medaille mit gnädigstem Handschreiben* in Empfang nehmen konnte *(ebda 265)*. Schon am 3. XI. hatte Goethe Rauch seine Freude darüber mitgeteilt, daß es *Herrn Brandt, nach soviel zweifelhaften Bemühungen, gelungen ist eine Arbeit zu vollenden, die ihm Ehre macht und die gewiß ein jeder Beschauer mit Freuden besieht (IV/41, 216)*. Doch volle Zufriedenheit fand die Medaille nicht, denn *wie es zu geschehen pflegt, daß, wenn der erste Wurf verunglückt, man sich nachher durch Bedenklichkeiten und Zaudern von der Absicht entfernt sieht, so ging es auch hier, bis man sich endlich bey dem gegenwärtigen Gelingen beruhigte (IV/41, 215)*.

Hatte Goethe schon bei der ersten Bekanntschaft mit der Theseus-Medaille die verstandesmäßige Glätte und Kälte der Form und der Auffassung in der Kunst B.s beachtet und auch bei der Entstehung der *Jubiläums-Medaille die Gefahr des Mißlingens erkannt, worüber er sich SBoisserée – der seinerseits ein offenherziges Urteil des Großherzogs widergibt – gegenüber aussprach (3. XI. 1826: IV/

41, 221), so ist sein Schlußurteil an Rauch von der Zwiespältigkeit der b.schen Fähigkeiten bestimmt: *Von Herrn Brandt habe ich immer den besten Begriff gehabt und nur an ihm eine gewisse Stetigkeit seiner Kunstleistungen vermißt; wenigstens bey der Medaille war zu bemerken, daß er das Vorliegende nicht sowohl zu bessern, als vielmehr immer etwas ganz Anders zu machen geneigt war: da denn freylich zuletzt ein höchst Lobenswürdiges, aber gewissermaßen Un erwartetes zum Vorschein kam (IV/43, 142). Lö*
Houben *1909, nach S. 68 (Abb.). – BrMeyer 3, S. 108. – Sulpiz Boisserée. 1862, Bd 1, S. 478. – GBojanowski: 140 Jahre weimarische Geschichte in Medaillen. 1898. – ThB 4 (1910), S. 536. – LFrede: Das klassische Weimar in Medaillen. 1957.

Brantôme, Pierre de Bourdeilles, Seigneur de (1536?–1614), französischer, in den Religionskriegen seiner Zeit hervortretender Soldat und Politiker, der in memoirenartigen Werken nicht sehr zuverlässig, ziemlich oberflächlich, aber farbig und lebensvoll über die Ereignisse berichtet, an denen er mehr oder weniger Teil gehabt hat; in *Die guten Weiber* spielt Goethe nach der „*Bibliothèque universelle des romans*"auf eine MvNavarra betreffende Stelle aus B.s „Vies des dames illustres, françoises et étrangères" an (1800: I/18, 291).   *Fu*

Brasilien. Im Verlaufe der politischen Neuordnung nach 1800 wurde das Land von verschiedenen Reisenden und wissenschaftlichen Expeditionen aufgesucht, die sich teils mit botanischen, teils mit mineralogischen und geologischen Fragen beschäftigten. Reiseberichte und Forschungsergebnisse informierten Goethe über B., und das wiederholte Vorkommen dieses Namens in Tagebüchern und Briefen deutet auf das große Interesse hin, das Goethe diesem Lande entgegenbrachte. Zahlreiche Veröffentlichungen hat er gelesen; so gleich nach seinem Erscheinen das Buch des englischen Geologen J*Mawe: „Reise in das Innere von Brasilien ... nebst einer Reise nach dem La Plata Fluß" (deutsch 1817: Keudell Nr 1120). Desselben Verfassers *Aufsatz über Brasilien und die dortigen Edelsteine* („Treatise upon Diamonds and other precious Stones") gab ihm *von dieser Seite eine nähere Kenntniß jener Länder* (1817: I/36, 120; III/6, 141). FL *Eschweges „Journal von Brasilien oder vermischte Nachrichten aus Brasilien auf wissenschaftlichen Reisen gesammelt" (1818) war schon gleich nach seinem Erscheinen in Goethes Hand (1./2. III. 1818: III/6, 177; Keudell Nr 1198). Auch Eschweges „Nachrichten aus Portugal und dessen Colonien, mineralogischen und bergmännischen Inhalts, ein Seitenstück zum ,Journal von Brasilien'" (hrsg.

von JLCZincken, 1820; vgl. 23. IV. 1822: III/ 8, 189), sowie die *Reise österreichischer und bayerischer Naturforscher nach Brasilien (I/36, 155),* die Goethe vom 14. bis 16. VI. 1823, bzw. vom 14. bis 16., sowie am 22. und 23. IX. 1824 las (III/9, 61 f.; 269; 272), nicht zuletzt *die Zeichnungen zu des Prinzen von Neuwied Durchlaucht brasilianischer Reise* haben ihn *In ferne Regionen versetzt (I/36, 199;* Keudell Nr 1353; 1903; vgl. III/5, 220). Von weiterer Reiseschriften kannte Goethe die *Brasilianische Reise von Spix und Martius,* den seinerzeit wohl meist gelesenen Bericht über B. (III/10, 10; JBSpix und CFPh*Martius: „Reise in Brasilien auf Befehl Sr. Majestät Maximilian Joseph I. ... 1817 bis 1820", 1823–1831; Keudell Nr 1567, dazu der Atlas: ebda Nr 1569; vgl. Nr 1589; 2199; III/12, 29; 13, 142). – Außerdem lernte Goethe das Land näher kennen durch persönlichen Kontakt mit den Verfassern und Reisenden, die aus B. zurückkamen. Am 16. I. 1822 kam *Herr von Eschwege aus Brasilien (III/8, 157),* letzterer zeigte *Juwelen, Metalle und Gebirgsarten vor (I/36, 213 f.;* 298; er hatte *sehr schöne Demant-Crystalle bey unserem Fürsten zurückgelassen: IV/35, 248).* Auch am 11. V. 1822 war Eschwege bei Goethe, um *sein geognostisches Gemälde von Brasilien zu überreichen (III/8, 195).* Goethe ließ sich von ihm ausführlich über Gebirgs- und Gesteinsarten und meteorologische Beobachtungen unterrichten (III/ 8, 157 f., 190 f., 195, 256, 265; 9, 17, 23; IV/ 33, 273; 36, 145 f., 292). Worauf es Goethe dabei ankam, war, *daß die Gebirgsarten der Neuen Welt mit denen der alten in der ersten Urerscheinung vollkommen übereinstimmen,* (I/36, 214). Am 13. IX. 1824 machte Martius bei Goethe einen Besuch, *Zugleich in die Localitäten von Brasilien, Palmen und andere Geschlechter schöne Einsichten mittheilend* [vgl. Martius' Werk „Historia naturalis palmarum", 3 Bde, mit Tafeln, 1826–1850]; an diesem Tage war auch die *große brasilianische Karte aufgehängt (III/9, 268).* Im Jahre 1825 vermerkt das Tagebuch den Besuch von *zwey Brasilianern* (1. X.: III/10, 108), und 1827 waren es dann *Herr Prof. Mikan, der Brasilien gesehen* (I/42I, 41), *Madame Vogel* (15. VIII.: *III/11, 28*) und der *Stallmeister Kloß* (23. XI.: *Geschichte seines halbjährigen Aufenthaltes in Brasilien: ebda 140),* die Goethe aufsuchten. Wie bei seinen eigenen Reisen galt vornehmlich auch im Hinblick auf B. Goethes Interesse der Pflanzenwelt und der *Mineralogie. Am 26. VIII. 1824 hatte er *Die Physiognomie des Pflanzenreichs in Brasilien* von Martius *wieder vorgenommen (III/9, 261);* und zwei Jahre später, am 8. XII. 1826, nachdem am Vortage die *Flora Brasiliensis von Wien angekommen* war, vertiefte sich Goethe in botanische Studien (III/10, 277; vgl. 13, 239; das unter dem von Goethe genannten Titel von Martius herausgegebene Werk erschien allerdings erst 1841–1906). 1826 entlieh Goethe aus der weimarischen *Bibliothek desselben Verfassers ,,Nova genera et species plantarum quas in itinere per Brasilium annis 1817–1820" (Keudell Nr 4864). Daß Goethe auch die ,,Plantarum Brasiliae icones et descriptiones" (1827) von JE*Pohl kannte, geht aus einer Eintragung vom 17. III. 1828 hervor (III/11, 194; Keudell Nr 1814). Am 27. II. 1822 bestellte Goethe bei CFAv*Schreibers Samen b.scher Pflanzen (IV/35, 273; vgl. 29, 149; III/8, 169); er befaßte sich auch *Mit den in den Zeitungen aufs neue angepriesenen Brasilianischen Wurzeln* (Rotholz?; *II/13, 163;* IV/40, 128; 208; 213). Die Mineralien waren ihm durch die *Schreiberschen Gebirgsarten aus Brasilien* (1819: *III/7, 40)* und durch die Steine, die Eschwege mitgebracht hatte, bekannt. Ein Verzeichnis der b.schen Mineralien hatte Goethe am 6. IV. 1822 nach Jena gesandt (III/8, 183). Auch b.sche Münzen besaß er, W*Rehbein hatte sie ihm am 25. IX. 1822 gebracht (III/10, 106; nicht bei Chr*Schuchardt verzeichnet). Inwieweit das *Ölbild von zwei Brasilianern und einem Italiener (ebda 108)* auf die damals in B. noch wenig entwickelte und von vorübergehend eingewanderten europäischen Künstlern betriebene kulturelle Tätigkeit in dem fernen Lande deutet, muß dahingestellt bleiben. Die ferne, seinem Denken und Gestalten gegenüber eigentlich barbarische Welt B.s – vgl. die in seiner Sammlung befindliche Aquarellzeichnung eines brasilianischen Mumienkopfes (Schuchardt Bd 3, S. 288) – hat ihn gleichwohl angezogen. Die *Volkslieder fanden Goethes Anteilnahme; hierüber schreibt er an Martius: *Die mitgetheilten Nationallieder* [wohl Anhang zur ,,Reise in Brasilien": ,,Brasilianische Volkslieder und indianische Melodien"] *vermehrten meine Sammlung gar charakteristisch; wundersam constrastiren die heiterderbgesitteten Tyroler mit den roh- und düster-genaturten Brasilianern* (29. I. 1825: IV/39, 96). Schon 1782 hatte Goethe im Zusammenhang mit seiner Dichtung im Volksliedstil das *Todeslied eines Gefangenen. Brasilianisch* und das *Liebeslied eines Wilden. Brasilianisch* nach der Prosaversion des 31. Kapitels der ,,Essais" von Montaigne, Les Canibales (deutsche Über-

setzung von JDTitius) in deutsche Verse gebracht und 1783 im *Tiefurter Journal veröffentlicht (I/4, 320 f.). Die spätere, lakonischere Fassung des Liebeslieds, jetzt unter dem Titel *Gedicht an die Schlange* (1825; I/4, 333; vgl. III/10, 203), könnte von den Mitteilungen Martius' angeregt worden sein.

Der geographischen und kulturellen Erschließung folgte im ersten Drittel des 19. Jahrhunderts auch die wirtschaftliche. Goethe erhielt noch am 2. VI. 1829 die *Nachricht von dem neuen Bremer Hafen, der die Schiffahrt überhaupt und Handelsverhältnisse eröffnet nach Brasilien (III/12, 91),* nachdem die wirtschaftliche Abhängigkeit vom Mutterland durch größere Selbständigkeit des b.schen Handels in zunehmendem Maße ersetzt worden war. Es war dies auch die Folge der politischen Loslösung von Portugal. Nachdem im Jahre 1808 das portugiesische Herrscherhaus in Auswirkung der napoleonischen Kriege nach B. (Rio de Janeiro) übergesiedelt war, wurde die ehemalige Kolonie 1815 Königreich. Am 11. X. 1822 wurde Prinz Pedro de Alcântara, Herzog von Braganza (1798 bis 1834), zum Kaiser ausgerufen und am 1. XII. dieses Jahres in Rio de Janeiro feierlich gekrönt. Nunmehr stand das Land, das bisher allem Fremden verschlossen war, Reisenden und Forschern offen; europäische Kultur, mehr aber die neuere Zivilisation drang in B. ein. Daraus erklärt sich die Vielfalt der Goethe zugekommenen · Nachrichten und Veröffentlichungen über B. Die Geschichte dieses Landes, vor allem seine jüngste Vergangenheit, wurde auch für Goethe interessant. 1823, als die inneren Parteikämpfe, geschürt von den *Freimaurern, zum latenten Bürgerkrieg überzugehen drohten, las Goethe eine *Erzählung Spaniens in Brasiliens Widerstreben gegen äußere Einwirkung (III/9, 11),* und im Jahre darauf, als die innerpolitischen Konflikte die Einführung einer neuen *Verfassung erzwangen und ein von Pernambuco ausgehender Aufstand niedergeschlagen worden war, las H*Meyer die *neuste Geschichte von Brasilien in Brans Minerva* vor (21. IX. 1824: *III/9, 272;* vgl. 326 f.). Schon vorher war Goethe die *History of Brazil, by Robert Southey London 1819* bekannt geworden, doch wird er sie kaum gelesen haben (15. II. 1820 an FA*Bran: IV/32, 168). Dom Pedro, der 1831 zugunsten seines Sohnes abdanken mußte, war mit Leopoldina, Erzherzogin von *Österreich (1797–1826), einer Tochter Kaiser Franz I. (vgl. III/9, 304), vermählt. Die konstitutionelle Monarchie (vgl. ebda 271) bestand bis zum Jahre 1889. *Be/Sl*

Bratranek, Franz Thomas (1815–1884) trat 1834 in das brünner Augustiner-Chorherren-stift ein und empfing 1839 dort die Priester-weihe. 1851 erhielt er eine Professur für deut-sche Sprache und Literatur in Krakau. In den folgenden Jahren hat er sich dann überwie-gend mit der Goetheforschung befaßt und im Auftrage der Familie Goethe „Goethe's Na-turwissenschaftliche Correspondenz (1812 bis 1832)", 2 Bde 1874, und „Goethe's Briefwech-sel mit den Gebrüdern von Humboldt (1795 bis 1832)", 1876, herausgegeben, nachdem be-reits 1866 der „Briefwechsel zwischen Goethe und Kaspar Graf von *Sternberg (1820 bis 1832)" erschienen war. Weitere Arbeiten B.s sind „Aesthetische Studien" (1853), die Er-läuterungen zu Goethes „Hermann und Doro-thea" und „Iphigenie" enthalten, „Zwei Po-len [AMickiewicz und AEOdyniec] in Weimar. Ein Beitrag zur Goetheliteratur aus polni-schen Briefen" (1870) und „Goethes Egmont und Schillers Wallenstein. Eine Parallele der Dichter" (1862).   *Sl*

Braun, Alexander Heinrich (1805–1877), Bota-niker, ab 1832 Professor am Polytechnikum Karlsruhe, ab 1846 Universität Freiberg, ab 1850 Universität Gießen, ab 1851 Universität Berlin und Direktor des Botanischen Gartens dortselbst. B. war schon als Student (1824 bis 1827) in Heidelberg (bis 1831 in München) ein Anhänger von Goethes *Metamorphosenlehre. Dieser wurde auf ihn aufmerksam durch seine Abhandlung über die Stellung der Schuppen am Tannenzapfen, die für die Blattstellungs-lehre grundlegend geworden ist („Verglei-chende Untersuchung über die Ordnung der Schuppen an den Tannenzapfen, als Einlei-tung zur Untersuchung der Blattstellung überhaupt", in: „Nova Acta Acad. Leop.-Carol. Nat. Cur. XV., 1831, S. 1). Goethe studierte die Schrift vom 19. bis 21. II. 1831, sie erschien ihm *höchst merkwürdig, zum Ab-schluß meines Aufsatzes (III/13, 32)* über die *Spiraltendenz der Vegetation (II/7, 37–68)*. B.s Aufsatz, den Goethe bewunderte, veranlaßte ihn sogar zur *Rückkehr auf meine bißherigen Arbeiten, die dadurch abgeschlossen und rück-wärts begünstigt werden (III/13, 34)*.   *Ba*
ADB 47 (1903), S. 186–193.

Braunschweig, Land, Stadt, Landesherren (in mannigfachen genealogischen Verzweigungen) sind Goethe erst von Weimar aus und zwar durch die dortigen dynastischen Beziehungen vertraut geworden. Bemerkenswert, ange-sichts dieser Beziehungen aber verständlich gering sind seine Äußerungen. Persönlich an-wesend war Goethe in B. nur ein einziges Mal, überdies in den *Fesseln des Hofs,* vom 16. VIII. bis zum 1. IX. 1784 *(IV/6, 353;* RV S. 23). Carl August, den Goethe damals begleitete, machte keine bloß verwandtschaftliche, son-dern eine Reise im Dienste der *Politik, um den Bruder seiner Mutter Anna Amalia „aus seiner bisherigen Reserve herauszulocken und den Bundesplänen geneigter zu machen" (HTümmler S. 20), dh. für eine möglichst ak-tive Mitwirkung im *Fürstenbund, vielleicht sogar für dessen Ausbau im Sinne einer deut-schen Union unter Führung *Preußens zu ge-winnen. „Wie mußte das Gewicht einer so bedeutenden, als Feldherr wie als Staatsmann gleichermaßen geschätzten Persönlichkeit, der auch Goethe Einzigartigkeit und Größe zu-erkannte, das Ansehen des Bundes heben" (HTümmler ebda)! Für Goethe scheint diese Reise mehr Pflicht als Neigung gewesen zu sein: *Je ferai mes affaires et le reste du tems je n'existerai que pour toi* – das gilt wohl nicht nur für den Winter, sondern schon für Sommer und Herbst 1784 *(IV/6, 362)*. Das Klima der Tage in B. kennzeichnet die Tatsache, daß Goethe an ChvStein hier die in seinem Brief-wechsel sonst völlig vereinzelte, ihm auch beschwerliche Gruppe französischer Briefe schrieb. Die Beanspruchung war so groß, daß nur „Offizielles" möglich war, zB. der Besuch der Opernaufführung von Michael Patrassi am 18. VIII. 1784 (IV/6, 339; BrCharlotte 2, 654) oder der Ausflug zu dem herzoglichen Land- und Lustschloß Salzdahlum (Gemälde-Gale-rie; Französischer Garten) am 23. VIII. 1784, an einem dadurch sichtlich etwas freieren Tage, wie der Liebesgruß an die Entfernte andeutet: *Bezwaengen mich nicht uebermaecht'-ge Sterne / Die mein Geschik an deines an-gehangen (IV/6, 344;* vgl. *Geheimnisse).

Personen: Abgesehen von den Angehörigen des Fürstenhauses oder -hofes waren vornehm-lich folgende Kontakte für Goethe bemerkens-wert: 1771 JJ*Eschenburg (damals ist er im Zusammenhang mit *Shakespeare *ein elender Kerl: Morris 2, 115)*; 1787 JH*Campe (vgl. I/32, 70); seit 1795, besonders 1798 CMDStahl (III/2, 224; BrVoigt 2, S. 120; *Jena; *Mathe-matik, *Oberaufsicht); etwa gleichzeitig JD *Brandis (I/35, 61); 1799 JF*Vieweg (IV/14, 144; 189; *Hermann und Dorothea; *Editio-nen; WHagen S. 104 D²); 1807 Urban Fried-rich Benedict Brückmann (1728–1812; Medi-ziner, auch numismatisch und mineralogisch interessiert: III/3, 266f.; 1813 *Münzcatalog: III/5, 14; 1822 *Diamanten Handel* für Carl August, daneben „Abhandlung von den Edel-steinen": III/8, 158f.; 364f.); gleichzeitig Johann Friedrich Ludwig Hausmann, *ein junger Mineralog*, seit 1811 Professor der Mineralogie in *Göttingen (III/3, 267); 1810 Carl Heinrich Gottfried Witte (1767–1845), Theologe, Pädagoge, Literat (Lehrgedichte, Volkserzählungen, Romane, Erziehungsschriften), *ehemals Hofmeister bey Vieweg in Braunschweig (III/4, 103)*; 1817 Christian Lippe: *Fellenbergischer Gehülfe*, Hofwyl, 1809–1822, alsdann Lenzburg (Februar: *III/6, 13*; I/36, 133; CWv Heygendorf); 1823 JP*Eckermann (IV/*37*, 71f.); 1824 Amalie Louise Henriette vLiebhaber (1781–1845), Briefverbindung (Juli: „Poetische Versuche"), Besuch (November: III/9, 248; 301; vgl. auch IV/43, 127; 355); 1826 L*Sebbers (Juli/September: III/10, 218 bis 243, zuletzt *mit einem* nicht bekannten *Braunschweiger*); 1826 FAWv*Bülow (2) mit Gemahlin, *von Braunschweig* durchreisend *(III/10, 249)*.

Angehörigen des Fürstenhauses widmete Goethe – eben wohl wegen der dynastisch sehr engen Beziehungen – nur mehr oder weniger flüchtige, bisweilen freilich sehr ehrende Worte. Außer der Herzoginmutter Anna Amalia (*Sachsen-Weimar-Eisenach) handelte es sich in der Hauptsache dabei um folgende Persönlichkeiten, die sich auf mehrere Generationen verteilen:

–, 1) Ludwig Ernst (1718–1788), der *alte Herzog*, der 1759–1766 als Regent in den *Niederlanden amtierte: *Schade, daß er nicht regierender Herr war. Denn ich sage immer wer sich mit der Administration abgiebt, ohne regierender Herr zu seyn, der muß entweder ein Philister oder ein Schelm oder ein Narr seyn. ... Über diese Materie mach mich reden wenn ich zu dir komme; Zu schreiben ist's nicht, man sagt zu viel oder zu wenig. Und ich mögte dir doch gerne mancherley sagen und das bestimmteste (IV/7, 241 f.)*;

–, 2) Charlotte (1716–1801), Schwester Friedrichs d. Gr., Schwägerin von 1), die verwitwete Herzogin-Mutter, *La grand Maman* (IV/6, 345), die Carl August, ihren Enkelsohn, *surtout enchantée* ins Herz geschlossen hatte *IV/6, 345)* und sogleich malen ließ (SGGer. (38, T. 18, S. 45, Nr 46);

–, 3) Carl Wilhelm Ferdinand (1735–1806), Sohn von 2), bekannt durch seine Liaison mit MAv*Branconi, seit 1780 als Nachfolger seines Vaters (Bruder von 1) regierender Herzog, seit 1786 (Tod Friedrichs d. Gr.) angesehen als der nunmehr erste Feldherr seiner Epoche, der *französischen Revolution gegenüber verderblich zwiespältig, teils sympathisierend, teils (im unrechten Augenblick) besonders

aggresiv negierend *(Manifest)*, während der *Revolutionskriege aber schon als „Theorist" kritisiert (*Campagne in Frankreich; *Belagerung von Mainz; EWeniger S. 26), von Goethe, dem er mit manchen Reserven begegnete, gleichwohl mit der Formulierung eines *unbedingten Vertrauens* bei dieser *gefährlichen Expedition* weniger persönlich als höflich geehrt (I/33, 74f.), sachlich aber längst an echter Bedeutung verlierend (20. IX. 1792) und davon doch nicht überzeugt, sondern zu falschen Ausflüchten bereit, „daß wir nicht vom Feinde, sondern von den Elementen überwunden worden" (von Goethe wiedergegebene Worte CWFs, I/33, 120) – bis die Überwindung durch den Feind bei Jena-Auerstedt durch Marschall LNDavout schmählich offenbar wurde und zugleich sein Leben endete; im Zuge eigener lebensgeschichtlicher Arbeiten interessierte sich Goethe 1819 für CWF.s Biographie (III/7, 20);

–, 4) Auguste Friederike (1737–1813), Gemahlin von 3), schon am 19. X. 1778 in Weimar erwähnt (III/1, 71);

–, 5) Friedrich August (1740–1805), Bruder von 3), seit 1792 – also zwei Jahre nach Goethes dortiger Passage – Herzog zu B.-Oels und Bernstadt (*Schlesien), der aber in Weimar starb; CG*Weißer *bearbeitete mit Glück die Büste des hier verstorbenen Herzogs..., welche, in der öffentlichen Bibliothek aufgestellt* wurde *(I/35, 248;* Abguß GNM);

–, 6) Maximilian Julius Leopold (1752–1785), Bruder von 3), preußischer Generalmajor, der bei Rettungsaktionen in der *Oder ertrank (vgl. hier Sp. 677) und dem Verse *Antiker Form sich nähernd (I/2, 121)* gewidmet wurden;

–, 7) Friederike Louise Wilhelmine geb. Prinzessin von Nassau-Oranien (1770–1819), damals schon Witwe des Erbprinzen Carl Georg August (von Goethe nicht genannt), gehörte im Herbst 1807 zur Hofgesellschaft in Weimar (III/3, 284);

–, 8) Friedrich Wilhelm (1771–1815), jüngster Sohn und *Liebling* von 3) *(I/33, 120)*, diesem an soldatischen Eigenschaften wohl auch besonders ähnlich, seit 1805 Herzog von B.-Oels und Bernstadt, 1813 Herzog auch von Braunschweig, fiel 1815 bei Quatrebras gegen Napoleon;

–, 9) Carl Friedrich August Wilhelm (1804 bis 1873), Sohn von 8), durch dessen frühen Tod schon im Kindesalter Herzog geworden, empfing Goethes Dank, weil er die Schutzdokumente für die Ausgabe letzter Hand mitunterschrieben hatte (I/42^I, 115);

-, 10) Carl Anton Ferdinand vBranconi, Graf von Forstenburg (1767–1794), Sohn von 3) aus der Zeit seiner Bindung an MAvBranconi - Goethe seit *Lausanne bekannt (23. IX. 1779: IV/4, 92f.); er wurde bei Kaiserslautern tödlich verwundet und starb in Frankfurt. *Gk* Vgl. unter Belagerung von Mainz, Campagne in Frankreich; außerdem HTümmler: Aus Goethes staatspolitischem Wirken. 1952. – EWeniger: Goethe und die Generale. 1943.

Brawe, Joachim Wilhelm von (1738–1758), aus Weißenfels, seit 1755 als Student (Jura) in Leipzig, als verheißungsvoller Dramatiker besonders von GE*Lessing, aber auch von dem ganzen dortigen Literaturkreis gefördert, hinterließ zwei Tragödien: „Der Freigeist" (1756), „Brutus" (1757), die vornehmlich durch Lessings energische Anerkennung viel beachtet wurden. FNicolai sprach dem „Freigeist" den Preis seiner *Allgemeinen Deutschen Bibliothek" zu. Goethe wurde bereits 1763 auf B. aufmerksam (I/26, 355). 　　　　　*Za*

Breccie ist nach dem modernen Sprachgebrauch ein Trümmergestein wechselnder, zT. recht erheblicher Korngröße, dessen Komponenten ungeordnet sind und keine Abrollung zeigen, dadurch deutlich vom *Konglomerat unterschieden. Dem Zeitalter Goethes gingen die Begriffe B. und Konglomerat ohne eigentliche Trennung ineinander über. Nach der heutigen Bezeichnungsweise ist die B. ein entweder durch tektonische Zertrümmerung (tektonische B.) oder durch Umlagerung von Gesteinsschutt auf kurzen Transportwegen (Bergrutsche, Muren usf.) entstandenes Gebilde.

Während die ursprüngliche zB. von Buffon vertretene Vorstellung die Entstehung der Erdrinde mit ihren Gesteinen durch Ausscheidung aus einem sich mehr und mehr zurückziehenden Urmeer erklärt hatte, ohne zunächst die tatsächliche Gesteinsfolge dabei wesentlich zu berücksichtigen, haben die Untersuchungen JGLehmanns (1719–1767) und GChrFFüchsels (1722–1773) in Mitteldeutschland gezeigt, daß in diese Schichtfolge Konglomerate und Sandsteine sich einschalten (Rotliegendes, Buntsandstein). AG*Werner, der die Vorstellung des allgemeinen Urmeeres aufrechterhalten hatte, erklärte diese Trümmergesteine durch ein vorübergehendes Zurückweichen des Urmeeres, das bei seinem stürmischen Wiedervordringen aus dem Untergrund Gesteinsbrocken losgerissen, zusammengeschwemmt und aufgehäuft habe. Aber *die wütenden Fluten, die man nötig gehabt, um in Kesseln ungeheure Gebirge zu mörseln, die Strömungen, die erfordert wurden, aus unbekannten Weltgegenden*

Trümmer und Geschiebe herbeizuschleppen; ja was noch schlimmer ist, die wiederholten Wasserbedeckungen der Erde, zu denen man seine Zuflucht nahm, sind traurige Behelfe einer verkehrten Erklärungsart (NS 1, 386). Solange die Vorstellungen vom Aufbau der Erde die Annahme örtlicher Krustenbewegungen verboten, gab es in der Tat keine Möglichkeit einer zureichenden Erklärung für ein Zurückgehen und Wiedervordringen des Meeres; man konnte höchstens einen einheitlichen Prozeß des allmählichen Verschwindens des Urmeeres annehmen, aus dem die Kontinente sich ausschieden. So entstand die Notwendigkeit, diese Trümmergesteine anders zu erklären. Goethe ging von der morphologischen Ähnlichkeit mit dem Porphyr aus*: das Hauptkennzeichen blieb immer, daß etwas fremdartig Scheinendes, aber in der Masse selbst uranfänglich Entwickeltes und zugleich mit ihr Konsolidiertes in derselben sich, mehr oder weniger gebildet, zeigt (NS 1, 382).* Bei der Wahrung des morphologischen Gesamtbildes könnte man schließlich sagen, *daß die Identität des Enthaltenen nicht dazu nötig sei, und daß das Enthaltene nicht immer Feldspat zu sein brauche (NS 1, 383).* So spricht Goethe nur über eine *Scheinbare Breccie,* die man *chemisch, nicht mechanisch zu erklären hat (NS 1, 279).* Alles Materielle *hat eine unwiderstehliche Neigung, sich zu gestalten (NS 2, 112).* Der *Granit als Urgestein ist in sich noch völlig kristallisiert. Aber in den dem Granit folgenden Epochen der Gesteinsausbildung ist bei der Ausscheidung der Verfestigung, der Solideszenz, nicht mehr diese Fähigkeit der völligen Kristallisation vorhanden. Wie beim Gerinnen der Milch, bei dem *in ihr zwar verwandte, aber verschiedene, sich voneinander ablösende, aber doch innerhalb einander vorhandene Teile* offenbar werden, so finden wir *Augenblicke des Werdens dieser Art ... in dem Mineralreich ... und ich werde künftighin den Ausdruck Geronnenes da brauchen, wo man bisher Totes Liegendes, Konglomerat, Breccien, Trümmergestein und sonst gesagt hat (NS 2, 96).* Auch an die Eisdecke eines Flusses wird erinnert, die aufreißt, wobei die Eisschollen nachher wieder zusammenfrieren (NS 2, 353).

Diese Pseudob.theorie Goethes hat sich nicht als richtig erwiesen; ihre Widerlegung war schon zu seiner Zeit möglich. Goethe hat daher keine Anerkennung damit gefunden. Auch KEAv*Hoff hat sie abgelehnt. Die Deutung der B. als Trümmergesteine, wie sie auch der Neptunismus vertrat, hat sich als richtig erwiesen. So ergibt sich die paradoxe Feststellung, daß von den Voraussetzungen der damaligen Geologie (allgemeines Urmeer, keine Krustenbewegungen) die goethesche Theorie folgerichtiger war und sich widerspruchsfreier einfügte als die richtige Deutung des Neptunismus, die eine unbegründbare Hilfshypothese in den Spiegelschwankungen des Urmeeres heranziehen mußte und daher vom theoretischen Gesamtzusammenhang her gesehen unbefriedigender erschien. Daraus wird verständlich, daß Goethe, dem es auch hier um den inneren gesetzmäßigen und genetischen Zusammenhang im Ganzen ging, immer wieder versuchte, seine Vorstellung theoretisch zu begründen, und Materialien hierzu sammelte. Daher das immer wieder geäußerte Interesse an dem gegliederten Sandstein von Prieborn/*Schlesien. Noch 1824 schrieb Goethe von einem *Glas Opodeldoc . . ., worin aber runde weiße kristallisierte Körperchen in kleiner Erbsengröße schwebend gehalten werden . . . Schon am zweiten und dritten Tag* [nach der Bereitung] *zeigen sich Pünktchen, die sich nach und nach vergrößern und eine kristallinische Form annehmen (NS 2, 347)*. Und wenn auch eine volle Schlüssigkeit der Beweisführung nicht gelang und nicht gelingen konnte, so blieb er doch lieber dieser Meinung treu, als daß er ein Zufallsgeschehen in sein Vorstellungsbild eingefügt hätte.   *Bn*

Brechung, Brechbarkeit. Den Begriff einer *Brechung* (Refraktion) bestimmt Goethe im Einklange mit den optischen Schriften seiner Zeit als Ablenkung des Lichtes von seinem geradlinigen Wege (NS 3, 359) beim Übergange in ein durchsichtiges Mittel anderer Dichtigkeit und er veranschaulicht diese Erscheinung, indem er die Sonne über den Rand eines undurchsichtigen würfelförmigen Gefäßes scheinen läßt derart, daß die gegenüberliegende Gefäßwand voll beleuchtet wird, nicht aber der Boden, und indem er Wasser hineingießt, wodurch dann schrittweise der Schatten vom Boden zurückweicht (NS 4 §§ 187/88). Er stellt aber diesem objektiven Versuche sogleich eine subjektive Erfahrung an die Seite. Dazu blickt er über den Rand des leeren Gefäßes, der ihm gerade noch den Boden zudeckt, also in derselben Richtung wie vorher das Sonnenlicht einfiel, und füllt es wiederum mit Wasser. Wenn jetzt das unverrückte Auge den Boden zu sehen bekommt, erscheint er zugleich gehoben, während von einer B. unter diesen Umständen nichts unmittelbar bemerkbar ist.

Brechung und Hebung sind mithin zwei Ansichten desselben Geschehens an der Grenze durchsichtiger Mittel verschiedener Dichtig-

keit. Goethe nennt sie *Correlata* (NS 3, 424). Ähnlich betrachtet der Physiker beide Phänomene, eins als die Umkehrung des andern. Das Licht nimmt in beiden Fällen denselben Weg, nur in entgegengesetzter Richtung: 1) Der Sonnenstrahl gelangt, nachdem er an der Wasserfläche gebrochen wurde, an den Boden des Gefäßes; 2) Das Auge empfängt Licht vom äußerst sichtbaren Punkte am Boden nach Brechung beim Übertritt in die Luft. Für Goethe jedoch besagt der subjektive Versuch etwas, was der objektive *verbirgt:* Der lotrechte Strahl ist zwar nicht gebrochen, aber auch der perpendikulare Blick findet den Boden gehoben (Hebung ohne Brechung).

Den Grad der Anhebung des Bodens zeigt Goethe an einem gläsernen *Cubus* (B 24), den er auf ein Bild setzt, das Einzelheiten erkennen läßt. Nun schneidet er aus dem Bild den Teil, den das Glas bedeckt, aus und erhält ringsherum einen Papierrahmen. Den zieht er an der Wand des Würfels hinauf bis die Rahmenfläche dem lotrechten Blicke in einer Ebene zu liegen scheint mit dem durch das Glas gehobenen Bilde (NS 3, 393 u. 424). So findet er den Boden des Glaswürfels um etwa ein Drittel seiner Höhe gehoben. (Wahrscheinlich spielt das Doppelauge bei der Beurteilung der Hebung eine entscheidende Rolle.) *Wäre es richtig*, so folgert Goethe, *daß die Refraktion im Perpendikel nichts wirke, so müßte ein rundes Gefäß mit flachem Boden, mit Wasser gefüllt, wie ein Kessel oder Trichter erscheinen, wenn wir auf dessen Mitte perpendikular heruntersehen* (NS 3, 394; im Schnitt abgebildet auf der rechten Skizze ebd. Taf. XXIV). So ergibt sich ihm eine allgemeine Deutung der subjektiven Erscheinung: Das Bild erscheint durch das Glas dem schrägen Blick hinweg, dem senkrechten entgegengerückt. Verrückung eines Bildes ist aber der Angelpunkt der Goetheschen Ableitung der prismatischen Farbenentstehung. Wie die Hebung als Phänomen an die Stelle der Brechung treten kann, hat Goethe in einer Zeichnung dargestellt (aus Fasz. XIV im GSA, jetzt GNM in der 7. Lade des großen Schubladenkastens unter Fbl. 114; erstmals gedruckt NS 3, XXIV). Die Brechung des Strahles beim Eintritt in das Glas ist dort durch die Hebung für den Betrachter völlig ausgeglichen. Auch die Tatsache, daß ein schräg in Wasser eintauchender Stab dort, wo ihn die Wasser-Oberfläche schneidet, geknickt erscheint, läßt sich aus der Erfahrung von der Hebung zwanglos ableiten. Dabei bildet das abgeknickte Stück des Stabes im Wasser einen verkleinerten Winkel mit dem Wasserspiegel. Das subjektive Phänomen verhält sich also entgegengesetzt dem gebrochenen Abschnitt eines in Wasser eintretenden Lichtbündels.

Brechbarkeit nannte Newton eine Eigenschaft des Lichtes, die es befähigt, an der Grenze zwischen verschieden dichten Mitteln gebrochen zu werden. Und die Farbensäume, die das Bild im Teleskop bei stärkerer Vergrößerung oder weiterer Öffnung des Objektives unbrauchbar machten, deutete er als die Wirkung verschiedener Brechbarkeit der Teile des Lichtes (diverse Refrangibilität). Goethes Naturbetrachten (*Morphologie) widersprach die Annahme einer Teilbarkeit des Lichtes. Ihm war schon das Verfahren bedenklich, aus der Erscheinung Fähigkeiten des Lichtes abzuleiten, *sich aufzuschließen, seinen Inhalt herzugeben* (NS 5, § 19). So bemühte er sich, eben das subjektive Phänomen der Hebung heranzuziehen, um Newtons Aussage zu prüfen. Dazu entwickelte er im Anschlusse an Antonius Lucas (1638–1693 aus der Grafschaft York, Rektor des englischen Colleges in Lüttich, Jesuit) einen Versuch, dessen Utensilien das GNM heute noch verwahrt (B 3 u. 4c). In eine rechteckige Blechwanne legte Goethe ein längliches Blech, das er in einer Reihe von aneinander grenzenden Quadraten von 5×5 cm in den Tönen der fünf prismatischen Farben (*Beiträge zur Optik) angestrichen hatte. Er stellte sich darauf an eine Langseite des Gefäßes so, daß dessen 7 cm hohe Wand das Blech mit den Farben gerade zudeckte. Während Wasser eingefüllt wurde, beobachtete er, wie die sämtlichen Farben vom Gelbrot bis zum Violett zu gleicher Zeit durch Hebung sichtbar wurden, *da doch, wenn sie divers refrangibil wären, die einen vorauseilen und die andern zurückbleiben müßten* (NS 6, 272). (Siehe auch *Über Newtons Hypothese der diversen Refrangibilität*, NS 3, 152.) Bei Anerkennung der Richtigkeit von Goethes Überlegung hat Brandes in Gehlers physikalischem Wörterbuch (Ausgabe 1825, Artikel Brechbarkeit) mit einer Überschlagsrechnung die Vermutung begründet, daß der nach Newtons Lehre zu erwartende Unterschied in Goethes Versuch für das bloße Auge nicht erkennbar sein könne. – „Ein blauer und roter Stab zusammen verbunden", der sich in Goethes Nachlaß findet (B 5) ist ebenfalls von Lucas übernommen (NS 6, 273). Auch hier erscheint der blaue Stab in Wasser nicht merklich stärker geknickt als der rote. Doch wird die Beweiskraft kaum günstiger einzuschätzen sein als die des beschriebenen Bleches.

Im übrigen gestand Goethe der Brechung nur eine untergeordnete Rolle in der Farbenerzeugung zu. Bereits 1793/94 hat er in seiner Abhandlung *Über die Farbenerscheinungen, die wir bei Gelegenheit der Refraktion gewahr werden*, (NS 3, 164) die These vertreten: *Refraktion an und für sich selbst bringt keine Farbenerscheinung hervor*. Von besonderer Bedeutung wurde für ihn die Erfindung achromatischer Fernrohre, deren Möglichkeit Newton bestritten hatte (*Chromatik). – Newtons atomistische Betrachtung des Lichtes, die sich aus dem Studium der Brechung herleitete, hat Goethe gegen Ende seines Lebens einmal weitherziger beurteilt. Wir lesen es in den Aphorismen, die aus der Beschäftigung mit Joachim Jungius stammen und dem Zeitalter *Bacons gelten: *Die Überzeugung, daß alles fertig und vorhanden sein müsse, wenn man ihm die gehörige Aufmerksamkeit schenken solle, hatte das Jahrhundert ganz umnebelt, man mußte sogar die Farben als völlig fertig im Lichte annehmen, wenn man ihnen einige Realität zuschreiben wollte, und so ist diese Denkweise als die natürlichste und bequemste aus dem siebzehnten in's achtzehnte, aus dem achtzehnten in's neunzehnte Jahrhundert übergegangen und wird so fort nach ihrer Weise nützlich wirken und das Bestehende uns klar und deutlich vorführen, indeß die ideelle Denkweise das Ewige im Vorübergehenden schauen läßt und wir uns nach und nach dadurch auf den rechten Standpunct, wo Menschenverstand und Philosophie sich vereinigen, werden erhoben sehen (II/7, 120).* Wie sich Erkenntnis und Irrtum in diesem Felde mischen, wird noch unter dem Stichwort *Polemik beleuchtet werden.   *Mt*

Brede, Auguste (1786–5. X. 1859 Gmunden) Schauspielerin. Längere Zeit Mitglied der Gesellschaft F*Secondas in Leipzig und Dresden, 1811 bis 1815 in Prag, 1815 bis 1818 in *Stuttgart, war von April 1818 bis Ostern 1820 in Weimar. Sie galt als eine vorzügliche Darstellerin der Maria Stuart. Goethe kam mit ihr auch im Sommer 1818 in *Karlsbad zusammen (30. VII.: III/6, 233).   *EF*

Bree, Matthieu Ignaz van (1773–1839), belgischer Historien- und Porträtmaler, Radierer und Lithograph, Lehrer der großen belgischen Historienmaler des 19. Jahrhunderts. Durch JJ*Schmeller, der 1820 Schüler B.s war, wurde die Verbindung zu Weimar eingeleitet. B. schickte Anfang des Jahres ein Bild, das am 21. I. 1820 ankam: *Der junge Rubens wird Lipsius vorgestellt.* Goethe fand es im Gegensatz zur deutschen *strengen, sich selbst retardirenden Kunst (I/36, 201)* lobens-

wert. H*Meyer (vgl. III/8, 21) besprach diese Komposition nach akademischen Regeln in *Kunst und Alterthum* (Bd 3, H. 2, S. 151–156), wofür Goethe eine den Vorgang erläuternde Einleitung schrieb. Goethe entlieh im Oktober 1820 das von B. seit 1818 in Antwerpen herausgegebene theoretische Werk: ,,Etudes de principes de dessins". Impr. par la lith. sur les dessins", das ihm B. 1822 zusandte (III/8, 155; vgl. I/36, 219; Keudell Nr 1365) und aus dem Schmeller noch 1824 Nachzeichnungen anfertigte (III/9, 188). Am 29. III. 1824 fragte B. bei Goethe *wegen eines historischen Stücks aus der sächsischen Geschichte* an *(III/9, 199)*, das Goethe in seinem Antwortschreiben vom 12.V. 1824 hoffte, *mit Hülfe von kenntnißreichen Männern* ihn nennen zu können; doch *die meisten schönen Züge welche hier vorkommen sind sittlich, und gereichen daher dem bildenden Künstler nicht leicht zum Vortheil* – eine vorweggenommene Kritik an der gesamten Historienmalerei des 19. Jahrhunderts. Im gleichen Schreiben kündigte Goethe den Besuch des Großherzogs an, *der sich in diesen Tagen zu einer Reise in Ihre Gegenden* anschickte und in dessen Begleitung der junge F*Preller dÄ. reisen sollte, den Goethe an B. empfahl *(IV/ 38, 140f.).* Auf der weimarer Ausstellung von 1825 war B. wirkungsvoll vertreten (BrCarl August 3, S. 195).   *Lö*
Sulpiz Boisserée. 1862, Bd 1, S. 456. – ThB 4 (1910), S. 564.

Breenbergh, Bartholomeus (1599/1600 bis vor 1659), niederländischer Landschaftsmaler, Schüler des P*Bril in Rom, tätig in Amsterdam, von dem Goethe 1821 (IV/35, 215) und 1827 je eine Zeichnung *Baumstudien (IV/ 43, 205)* von JAG*Weigel erwarb, vermittelte den Niederländern die Ruinen- und Campagna-Landschaft.   *Lö*
Schuchardt 1, S. 151; 301. – ThB 4 (1910), S. 565f.

Breislak, Scipione (1748–1826), ist vor allem bekannt geworden durch eine Einführung in die Geologie (,,Introduzione alla gestozia", 1811; die zweite Auflage von 1817, Atlas 1818 befand sich auf der weimarischen *Bibliothek und gelangte von dort in die *Mineralog. Bibliothek in Jena: IV/31, 305), die in das Deutsche und Französische übersetzt worden ist und eine große Verbreitung erlangt hat. In ihr vertritt er die Ansicht, daß die Erde, als abgesplitterter Teil der Sonne entstanden, ursprünglich glutflüssig gewesen sei. Die Gesteine des Urgebirges seien nicht aus einem Urmeer, sondern aus dem Glutfluß erstarrt als Produkte der allmählichen Abkühlung der Erdkruste. Nur die Flözgebirge seien aus Wasser abgesetzt. Da die Erdrinde zuerst erstarrt

sei, während die Tiefe noch glutflüssig blieb, haben heiße Gase der Tiefe die Erdrinde zerrissen und zerspalten (*Vulkanismus); es seien Hohlräume und infolge davon Einbrüche großer Krustenteile entstanden. B. vertrat also eine vulkanistische Theorie. Der deutsche Übersetzer (FCvStrombeck) war ebenfalls Vulkanist und hat diese vulkanistische Theorie B.s durch seine Anmerkungen noch unterstrichen.
Goethe hat sich mit der b.schen Einführung in die Geologie gründlich auseinandergesetzt, auch mit deren deutscher Übersetzung (8. I. 1819: IV/31, 53; vgl. NS 2, 297). Dabei macht er gewisse Vorbehalte neptunistischer Art (vgl. IV/37, 127; 137), während die die vulkanistische Tendenz verstärkenden *Urteile des von Strombecks bei Gelegenheit der deutschen Übersetzung Breislaks nicht gebilligt* werden *(NS 2, 302).* Die von Goethe in *Marienbad gelesene und 1823 gewünschte *Kritik der geologischen Theorie, besonders der von Breislack und jeder ähnlichen, Bonn 1821 und 22 (IV/37, 186),* stammt von CW*Nose (vgl. 9. VII. 1823: III/ 9, 74; dazu 84f.).   *Bn*

Breitinger, Johann Jacob (1701–1776), wie sein Freund und Mitarbeiter JJ*Bodmer Literaturtheoretiker und -kritiker und als solcher *Gottscheds Antagonist (I/27, 77).* B. ist von beiden sogar der schärfere Denker, ein *tüchtiger Mann (ebda).* Seine ,,Critische Abhandlung von der Natur, den Absichten und dem Gebrauch der Gleichnisse" (1740) konnte Goethe schon der väterlichen *Hausbibliothek entnehmen (Götting S. 49), die ,,Critische Dichtkunst, worinnen die Poetische Mahlerey ... erläutert wird" (1740) scheint Goethe etwa gleichzeitig geliehen zu haben, wie auch 1811/12, als er B.s Bücher für die Arbeit an *DuW* brauchte (Keudell Nr 734). Die Theorie B.s und Bodmers gipfelte darin, das Wunderbare mit dem Wahrscheinlichen zu verbinden und zum Lehrhaften sich erheben sowie enden zu lassen: *Nach vieler Überlegung ward endlich dieser große Vorrang, mit höchster Überzeugung, der *Aesopischen Fabel zugeschrieben (I/27, 79).* Die poetische Theorie der Schweizer wird damit allenfalls zu einer Theorie der *Fabel, als welche sie auch ihre Frucht getragen hat und von Goethe mit souveräner Objektivität beurteilt werden konnte: *Daß so viele andere* [zB. Gellert, Lichtwer, Lessing] *ihr Talent dahin wendeten, spricht für das Zutrauen, welches sich diese Gattung erworben hatte (ebda).* Daß sie das tun konnte, ist zumindest teilweise ein Verdienst B.s. Bei seinem Aufenthalt in *Zürich scheint Goethe B. nicht persönlich getroffen zu haben.   *Za*

Breitkopf, 1) Bernhard Christoph (2. III. 1695 Clausthal/Harz bis 26. III. 1777 Leipzig), entstammte einer Bergmannsfamilie, erlernte seit 1709 in Goslar das Buchdruckergewerbe und arbeitete seit 1714 als Buchdruckergeselle in Leipzig, Jena und Halle. Seit 1718 war er wieder in Leipzig und heiratete dort am 24. I. 1719 die Witwe Maria Sophia Müllerin, geb. Hermann, die Besitzerin einer in Verfall geratenen, bis 1542 zurückreichenden Druckerei. Durch Rechtschaffenheit und Tüchtigkeit arbeitete B. sich empor. 1732 konnte er für seine Druckerei das stattliche Haus „Zum Goldenen Bären" erbauen, das der Firma bis 1867 als Gebäude diente. Seit 1723 erwuchs aus der Druckerei ein Verlag, dessen erster Autor JChr*Gottsched war (vgl. I/27, 86; 177). Zu den besonderen Verlagserzeugnissen gehörten vor allem wissenschaftliche Bibeln in hebräischer, griechischer, lateinischer und deutscher Sprache. Fast alle Werke Gottscheds und seiner Frau erschienen bei B. Goethe lernte in Leipzig auch den *älteren Breitkopf* kennen. In *DuW* hebt er mehrmals das glückliche Verhältnis zwischen Verleger und Autor hervor, allerdings aus der für den alten Goethe bezeichnenden Sicht heraus: *Breitkopf und Gottsched blieben lebenslang Hausgenossen; Knickerei und Niederträchtigkeit, besonders der Nachdrucker, waren noch nicht im Schwange (I/28, 114).*
ADB 3 (1876), S. 296 f. – WHitzig: Bernhard Christoph Breitkopf. In: Sächsische Lebensbilder 2 (1938), S. 13–20.

–, 2) Johann Gottlieb Immanuel (23. XI. 1719 bis 29. I. 1794), Sohn von 1), studierte an der Universität Leipzig etwa von 1736 bis 1743 und widmete sich anschließend der Buchdruckerei. 1745 trat der Vater die Druckerei an den Sohn ab; 1762 nahm er ihn in den Verlag auf.
In dem halben Jahrhundert seines Wirkens entwickelte JGI. seine Druckerei und den Verlag zu dem bedeutendsten Unternehmen Deutschlands. Hochgebildet und wissenschaftlich begabt, rastlos tätig und planend, wandte er sich allen Gebieten seines Gewerbes mit Gründlichkeit und Erfindungsgabe zu und wurde in Deutschland zum eigentlichen Reformer des Buches im 18. Jahrhundert. Er erfand den Musiknotendruck mit beweglichen Lettern und begründete Musikaliendruck und -handel, ebenso den Landkartendruck, die zuvor zum Kupferstich gehörten. Die von der französischen Druckerfamilie *Didot entworfene moderne Antiqua regte ihn aufs nachhaltigste an, sich mit der Entwicklung der *Schrift zu beschäftigen, vor allem mit der Entstehung der Fraktur. In seiner Schriftgießerei gelang es ihm, den Typen durch besondere Legierung einen Härtegrad zu geben, der sie weltberühmt machte. Er beschäftigte sich mit der Erfindung und Geschichte des Buchdrucks. Manche dieser Arbeiten wurden gedruckt, vieles blieb als Manuskript liegen. Seine Privatbibliothek umfaßte bei seinem Tode zwanzigtausend Bände. JGIB. verkehrte mit den ersten Geistern Deutschlands, persönlich oder brieflich. Er war Praktiker und Theoretiker, Kaufmann und Gelehrter und alles in gleich hohen Graden. Seit dem 25. IX. 1746 war er mit Maria Friederike Constantia, geb. Brix, verheiratet, die ihm acht Kinder schenkte. Mit den beiden Söhnen BTh (4) und ChrG (5), sowie mit den beiden Schwestern ThSC (3) und Louise Marie Wilhelmine B. war Goethe aufs engste befreundet.
Goethe ging während seiner leipziger Studienzeit in dem Hause ein und aus. *DuW* (vgl. z.B. I/27, 177–179). Im Hause „Zum Goldenen Bären" spielte sich jene denkwürdige Szene von Goethes Besuch bei Gottsched ab (I/27, 86f.). Als in den Jahren 1765 bis 1767, dem b.schen Hause gegenüber, der große Neubau des „Silbernen Bären" entstand, legte Goethe bei manchem die Hand an. In die Mansarde des „Silbernen Bären" zog der Kupferstecher JM*Stock ein, zu dessen eifrigsten Schülern Goethe gehörte (I/27, 179–181; III/4, 187).
Die ganze Familie B. und Stock nahmen an der Erkrankung des jungen Studenten am Ende seiner leipziger Zeit aufs herzlichste Anteil und *behandelten ihn als einen nahen Verwandten (I/27, 190).*
In der *Sophienausgabe sind mehrere förmliche Briefe an JGIB. vom 18. V. 1780 (IV/4, 223f.) und vom 20. II. 1782 (IV/5, 268) abgedruckt; am 31. VIII. 1789 wurde ihm durch Goethe *ein gutartiger junger Mann* empfohlen: es war ChrA*Vulpius (*IV/9, 152;* vgl. 14. X. 1790: IV/9, 229 und 4. II. 1791: IV/9, 244). Es hatte mit der schweren Krise Goethes 1768/69 zusammengehangen, daß er auch mit B.s *fast aus aller Connexion, wie mit aller Welt* gekommen war; *Ich habe zwar, erst kurz Briefe, aber es ist mir nicht um's Herz zu antworten* (23. I. 1770 an Kätchen *Schönkopf: *IV/1, 225*). Die mancherlei Verstimmungen, welche die Exaltiertheit der leipziger Studentenjahre heraufbeschworen hatte, hat der Autor von *DuW* in ein milderes Licht gerückt. JGIB. blieb ihm vorbildlich in seiner geschäftlichen Tüchtigkeit und menschlichen Geradheit und nach den Erfahrungen, die er in späterer Zeit

mit anderen Verlegern machte, hob er die Rechtlichkeit dieses Verlages rühmlich hervor. ADB 3 (1876), S. 297–300. – OvHase: Breitkopf & Härtel, Buchdrucker, Buch- und Musikalienhändler zu Leipzig, 2 Bde. ⁴1917–1919. – WHitzig: Katalog des Archivs der Firma Breitkopf & Härtel in Leipzig. Teil I: Musikautographe. Teil II: Briefe. 1925–1926. – WHitzig: Johann Gottlob Immanuel Breitkopf. In: Sächsische Lebensbilder 2 (1938), S. 13–20. – JRodenberg: Der Buchdruck von 1600 bis zur Gegenwart. In: Handbuch der Bibliothekswissenschaft. Hrsg. von GLeyh. Bd 1. ²1950, S. 579–584.

–, 3) Theodora Sophie Constanze (14. I. 1748 [?] Leipzig bis 8. X. 1818), Tochter des JGIB. (2), heiratete am 24. I. 1774 den praktischen Arzt Karl Joseph Oehme in Dresden. Als ihr Mann 1783 starb, kehrte sie in das väterliche Haus zurück und lebte nach ihres Vaters Tode an verschiedenen Orten. Sie betätigte sich auch schriftstellerisch und schrieb einige epische Dichtungen: „Fatimens Morgenstunden" (1799) und „Idyll auf ihres ältern Bruders Hochzeit" (1808).
Goethe war während seiner leipziger Studienzeit gut mit ihr befreundet, verliebte sich wohl auch anfangs in sie, ohne daß seine Neigung erwidert wurde, und so schildert er sie seiner Schwester als Blaustrumpf: *Die Mdll. Breitkopf habe ich fast ganz aufgegeben, sie hat zu viel gelesen und da ist Hopfen und Malz verlohren* (12. X. 1767: *IV/1, 110*). Der eigentliche Grund war wohl, daß ThSCB. Goethes Freund JA*Horn und dieser sie liebte; doch war dieses Verhältnis aussichtslos, da die Familie B. dagegen war.
ThSCB. hat Goethe wiederholt beiseite genommen und den Kopf gewaschen: *„Ich habe bemerckt, daß Sie immer schlimm und niemals gut von Frauenzimmern geredet haben"* (Goethe 20. XI. 1767 an EW*Behrisch: *IV/1, 147*). Sie war mit Käthchen Schönkopf befreundet, nahm diese gegen Goethe in Schutz und suchte, wo sie nur konnte, helfend und mildernd einzugreifen. Goethe wiederum verfehlte nicht, sich mit der Fürsprecherin gut zu stellen und sie auch später noch stets grüßen zu lassen: *Küssen Sie Ihre liebe Freundinn, und dancken Sie ihr für den Anteil den sie an mir nimmt* (30. XII. 1768 an Käthchen Schönkopf: *IV/1, 185*). Bei *Liebhaberaufführungen spielte ThSCB. die Minna, Goethe den Wachtmeister in GE*Lessings „Minna von Barnhelm". Wichtiger ist, daß Ännchen und Goethe einerseits, ThSCB. und Horn andererseits die Vorbilder für die beiden Paare in der *Laune des Verliebten* abgegeben haben und ThSCB. der *Egle* ihre Züge lieh (*DuW: I/27, 110–112*).
Goedeke 6 (²1898), S. 368f., Nr 23.

–, 4) Bernhard Theodor (20. III. 1749 Leipzig bis 1820), Sohn des JGIB. (2), russischer

Staatsrat, erlernte die Buchdruckerkunst und wurde wie sein Bruder ChrGB. 5) 1766 Geselle. Gleich diesem war er ein hervorragender Musikdilettant und eine begabte Künstlernatur, aber der Leitung des väterlichen Geschäftes nicht gewachsen. Nachdem seine erste Frau 1777 gestorben war, ging er nach Rußland und gründete 1781 in Sankt Petersburg eine Druckerei und eine Buchhandlung.
Der älteste Sohn mochte einige Jahre mehr haben als ich, ein wohlgestalteter junger Mann, der Musik ergeben und geübt sowohl den Flügel als die Violine fertig zu behandeln ... Er componirte einige meiner Lieder, die, gedruckt, seinen Namen, aber nicht den meinigen führten und wenig bekannt geworden sind. Ich habe die besseren ausgezogen und zwischen meinen übrigen kleinen Poesien eingeschaltet (DuW: I/27, 178f.). Es ist dies das älteste von Goethe gedruckte Werk, zugleich das einzige, das im Verlag von B. erschien; JGIB. wird es vielleicht mehr um seines Sohnes als um Goethes willen verlegt haben. Dieses *leipziger Liederbuch trägt die Jahreszahl 1770, erschien aber bereits im Herbst 1769: „Neue Lieder in Melodien gesetzt von Bernhard Theodor Breitkopf" (1770, 43 Seiten in Quer-Oktav; seit der Mitte des vorigen Jahrhunderts mehrfach neugedruckt, ein Faksimile gab AKöster in *Insel-Verlag 1906 heraus).
ADB 3 (1876), S. 300. – Morris 1 (1909), S. 348–363; 6 (1912), S. 62–73. – Goedeke Bd 4, 3 (1912), S. 85 bis 88.

–, 5) Christoph Gottlob (22. IX. 1750 Leipzig bis 7. IV. 1800), Sohn des JGIB. (2), war wie sein Bruder BThB. (4) eine liebenswürdige Künstlernatur und bemühte sich treulich um das väterliche Geschäft. Er zeigte sich aber der Aufgabe nicht gewachsen, die vielseitigen und großangelegten Unternehmungen weiterzuleiten. Bereits 1795, ein Jahr nach des Vaters Tod, übergab er die Leitung des Geschäfts seinem Freunde Gottfried Christoph Härtel (1762–1827), den er zum Universalerben einsetzte. Seit 1798 führte die Firma die Bezeichnung *Breitkopf & Härtel, seit 1800 war Härtel Alleininhaber.
Der zweite [Sohn], eine treue gute Seele, gleichfalls musikalisch, belebte nicht weniger als der älteste [4] die Concerte, die öfters veranstaltet wurden. Sie waren mir beide, so wie auch Eltern und Schwestern, gewogen (I/27, 178). Ein Jahr nach seiner Abreise aus Leipzig schrieb Goethe seinen einzigen (erhaltenen) Brief aus *Frankfurt (August 1769) an ihn (der *ein rechtschaffener Mensch* war, *und brav*), gestimmt auf den Ton gemeinsamer Liebesabenteuer oder doch des großsprecherischen Redens darüber: *Adieu*

lieber Bruder. Habe mich lieb, und vergiss mich nicht (IV/1, 216f.). Dann rissen die Beziehungen ab. Als Goethe im Mai 1800 in Leipzig auf der Buchhändlermesse war, ließ er sich am 8. V. in der härtelschen Musikhandlung ausführlich über den vier Wochen zuvor erfolgten Tod ChrGB.s berichten (III/2, 293). ADB 3 (1876), S. 300.　　　　　　　　　*St*

Bremer Höhe, eine Erhebung südlich *Zellerfeld auf *Clausthal zu, erstieg Goethe August 1784 gelegentlich eines mehrtägigen Aufenthaltes in Zellerfeld (IV/6, 334–336; RVS. 23). *JP*

Bremke, nahe bei *Göttingen, *ist ein schönes Dorf und liegt in einer artigen abwechselnden Gegend (III/3, 17).* Goethe durchquerte B. am 6. VI. 1801 auf der Badereise nach *Pyrmont (RV S. 38).　　　　　　　　　　　　*JP*

Brenner (Brennero), den bekannten Alpenpaß (1370 m) – *Von hier fliesen die Wasser nach Deutschland und nachWelschland (III/1, 162)* – überquerte Goethe dreimal. Auf dem Hinwege zur ersten *Italienreise am 8. IX. 1786 kam er abends an und fand *ein sehr saubres bequemes Gasthaus* zur Nacht: *hier soll mein Rastort seyn, hier will ich eine Recapitulation der vergangnen sechs Tage machen, Dir* (Chv*Stein) *schreiben und dann weiter gehn ... Zu meiner Weltschöpfung hab ich manches erobert. Doch nichts ganz neues noch unerwartetes. Auch hab ich viel geträumt von dem Model, von dem ich solang rede und an dem ich Euch lieben Layen allein das alles anschaulich machen könnte was immer mit mir herumreist (III/1, 160).* Diese Worte gehören zu den Vorklängen der Suche nach der *Urpflanze. Die *Recapitulation* des Vergangnen und die Aufnahme des Neuen ließ fünf *Noten* entstehen: über die *Witterung,* über *Polhöhe, Clima etc.,* über *Pflanzen, Früchte etc., Von Gebürgen und Steinarten,* über die *Menschen (III/1, 162–170).* Am 9. IX. abends trieb dann aber der Wirt zur Abreise (ebda 172), die Goethe antrat, ohne schon mit allem fertig zu sein. Bei der zweiten Italienreise ging es (22. III. und Anfang Juni 1790: III/2, 3; IV/9, 208) sogleich weiter (RV S. 25; 28f.).　　　　　　　　　　　　　　　　*JP*

Brenta/Brenta-Kanal, Canale di Brenta. Um von *Padua nach *Venedig zu kommen, benutzte man zu Goethes Zeit das Postschiff, das die Strecke auf künstlich kanalisierten Wasserstraßen zurücklegte, um bei *Fusina die *Lagunen zu erreichen. Dort strömten die Wasser der B. in einem technisch ausgebauten Mündungsarm (B.-K.) dem Meere zu. Diesen Weg nahm Goethe nur auf der Hinfahrt seiner ersten *Italien-Reise (28. IX. 1786), bei der zweiten Reise in beiden Richtungen (31. III. und 22. V. 1790). Die Weiterfahrt von Venedig nach *Ferrara, ebenfalls zu Schiff, führte Mitte Oktober 1786 auch durch das Gebiet des südlichen Mündungsarms der B. auf der Strecke zwischen Chioggia nach Cavanello (III/1, 240–241; 298; III/2, 14; IV/9, 207; RV S. 25; 28).　　　　　*Za*

Brentano (de Brenta, Brentani, Brentano de Brentanis), altes, bereits im 13. Jahrhundert nachweisbares, von der Burg Brenta bei Varese stammendes lombardisches Adelsgeschlecht, begründete durch den urkundlich belegten Vorfahr, Johannes de Brenta, vielleicht durch Einheirat in das Geschlecht derer von Bonzanigo am *Comer See, hier eine neue Heimat. In den Parteikämpfen, die 1277 zur Aufrichtung der Visconti-Dynastie in Mailand führten, stritt er gegen das Bistum Como und ist deswegen als mit dem Kirchenbann belegt unter den führenden Ghibellinen namentlich aufgezählt (1282). Im Verlauf der Jahrhunderte gelang es dem kinderreichen, zähen und harten Geschlecht trotz vielfacher Rückschläge, Kriegsplünderungen und Wirtschaftskrisen, durch energische Bewirtschaftung und Mehrung ihres Landbesitzes, nicht zuletzt durch eheliche Verbindungen mit grundgesessenen mächtigen Familien – derer von Bruzzi 1360, der Malacrida de Griante 1569 – Wohlstand, Macht und Ansehen zu mehren. Im 14. und 15. Jahrhundert, als die Visconti und die Sforza als Herzöge von Mailand die Lombardei einigten und zur höchsten Blüte brachten, saßen die Herren vB. als Nobiles auf ihren freien Gütern. Mitglieder der Familie beteiligten sich am Kulturleben der Renaissance; geistige und geistliche Bestrebungen traten zutage: zwei B.s waren Priester und Rektoren der Marienkirche zu Rezzonigo. Eigene künstlerische Begabung begann sich zu regen: der einer Seitenlinie angehörende Petrus de Brentanis schuf 1458 Gemälde und ein Altarwerk in der Pfarrkirche zu Varenna. Gleichzeitig hatte sich der Stammbaum der B. in eine Anzahl von bedeutenden Stammreihen verzweigt: B.-Toccia, B.-Gnosso, B.-Ria, B.-Cimaroli, B.-Tremezzo. Letztere taucht 1481 in Urkunden auf, wo „Magnificus" oder „Nobilis" Zanolus de Brentanis das Amt eines mit militärischer und politischer Gewalt ausgestatteten Konsuls des „Burgo de Tremedio" in der blühenden Tremezzina bekleidete. Sein Sohn, Magnifico Stefano de Brentanis (1480–1560), gilt als der Stammvater der B.-Tremezzo, die hundert Jahre später in *Frankfurt/M. Fuß fassen sollten. Als im 16. und 17. Jahrhundert unter spanischer Herrschaft dem lombardischen Adel die Ausübung der angestammten Rechte sowie durch königliches Edikt 1591 die Führung des Adelstitels streitig gemacht wurde, bewiesen die B.s bei wachsenden politischen und wirtschaftlichen Schwierigkeiten ihre Anpassungsfähigkeit, nicht zuletzt durch allmähliche Umstellung auf die Offizierslaufbahn oder auf Handelsgeschäfte. Die militärische Tradition erhielt sich bei mehreren B.-Cimaroli, die in kaiserliche Dienste traten: Carlo Andrea B. bewährte sich 1683 als Kornett bei der Erstürmung des Kahlen Berges zur Entsetzung des von den Türken belagerten Wien. Sein Neffe, Josef Anton Frhr vB. zeichnete sich im siebenjährigen Krieg als General aus und wurde 1762 kaiserlicher Feldmarschall-Leutnant. – Des vorigen Neffe, Anton Josef vB. (1741–1793), verdiente sich im russisch-türkischen Krieg 1788 die „Inhaberschaft des k. u. k. Infanterie-Regiments Nr 35" und das Ritterkreuz des Maria-Theresia-Ordens; im ersten Koalitionskrieg gegen Frankreich erhielt er als Verteidiger von Trier die Beförderung zum Feldmarschall-Leutnant. Bevor aber letztere ihm zugestellt werden konnte, wurde er, an alten Wunden schwer erkrankt, nach Frankfurt zu seinem Verwandten PAB. (1) gebracht. Er ist der General B., dessen Ableben in ihrem Vaterhause, trotz Maximilianes (2) Pflege, Bettina B. (8) in „Goethes Briefwechsel mit einem Kinde" poetisch-symbolisch aus der Erinnerung mitteilt (Sämtliche Werke, Bd 3, S. 171). Unter Ausnutzung altlombardischer Tradition begründeten aktive Familienmitglieder b.-sche Handelsniederlassungen in Deutschland (Mannheim, Worms, Bingen, Frankfurt, Köln, Würzburg, Augsburg, Nürnberg und Leipzig); so tat auch 1698 Domenico B. in Frankfurt (mit Kontoren in *Mainz, *Bingen und *Rüdesheim), während seine Gattin, eine geb. Bellini, die Güter von Tremezzo verwaltete. Auch Domenico Martino B. (1686 bis 1755), der sich 1753 von seinen Brüdern trennte und die väterliche Firma in Frankfurt mit Filialen in Mainz und Amsterdam weiterführte, fühlte sich ganz als Italiener; eigentlicher Wohnsitz blieb Tremezzo, wo seine elf Kinder zur Welt kamen und wo seine 1736 verstorbene Gattin, eine geb. B.-Riati, in der Familiengruft in der Kirche San Lorenzo bestattet wurde. Der frühe Tod der Ehegefährtin, die Heirat seines Sohnes und Nachfolgers mit einer in Deutschland geborenen B.-Gnosso, sowie die Anerkennung des Handelshauses (1741 darf ein B. als erster Italiener

den frankfurter Bürgereid leisten: R Jung S. 1; *Bürgerrecht) ließen Domenico Martino B. ortsansässig werden, worauf er 1755 in dem neuen, von Bettina B. erwähnten Erbbegräbnis in der Karmeliterkirche (Sämtliche Werke Bd 3, S. 170) beigesetzt wurde, wo bereits Don Carlo B.-Gnosso (gest. 1700) ruhte. Das b.sche Stammwappen, dem „armoriale delle famiglie nobili Comensi di Pietro Arlone secolo XV" zufolge eine „brenta" (Kiepe), später durch Wappentiere, links ein Löwe, rechts die Visconti-Schlange, bereichert (Wappenbuch von 1593), schmückt auch den Grabstein der frankfurter B.s und zeugt von ihrer bedeutenden und bewegten Vergangenheit. Ihrer erinnerte sich Goethe in der *IR* zu gelegener Zeit bei dem *gefährlichen Abenteuer (I/30,43)* von *Malcesine, wo er *von den sämmtlichen italiänischen Familien, deren mir keine fremd geblieben,* von *Allesina und dessen Gattin, einer geborenen B. (Franciska Klara, geb. 1705), und auch *von den Kindern und Enkeln dieser Häuser* zu erzählen wußte *(ebda 48 f.)*. Die B.s, zu denen Goethe in nähere Beziehung trat, stammen aus dem Hause Tremezzo: –, 1) Peter Anton (1735–1797), Sohn des Domenico Martino, Kaufmann und kurtrierischer Geheimer Rat und akkreditierter Resident bei der Reichsstadt Frankfurt, führte, seit 1771 von den Brüdern getrennt, seine Handelsgeschäfte in Gewürz- und Spezereiwaren im Hause zum „Goldenen Kopf" (Verballhornung von „cuppa" = Schale) in der Großen Sandgasse unter eigener Firma weiter. Ein verschlossener und verschieden bewerteter Charakter, war er bedeutend als Geschäftsmann und erwarb sich durch seinen Überlandhandel zwischen seinem amsterdamer Kontor und Italien ein großes Vermögen; gleichzeitig verbarg er hinter der kühlen Maske des Italieners ein heftiges, in Gefühlsdingen leidenschaftliches Temperament: *ein würdiger Mann, eines offnen starcken Charackters, viel Schärfe des Verstands, und der täthigste zu seinem Geschäfft (IV/2, 143)*. Drei sukzessiven Ehen PAB.s entsprangen zwanzig Kinder; sechs davon stammten aus der am 18. I. 1763 geschlossenen siebenjährigen Ehe mit Paula Maria Walburga (1744–1770), geb. B.-Gnosso, darunter als zweiter Sohn Franz (2); weitere zwölf Kinder aus der neunzehnjährigen, seit dem 9. I. 1774 bestehenden Ehe mit Maximiliane v*La Roche (4), darunter Clemens (7) und Bettina (9); schließlich noch zwei Kinder aus der Ehe, die der Sechzigjährige mit der vierundzwanzigjährigen Friederike Anna Ernestine (1771–1817), geb. Freiin vRottenhof, am 29. VI. 1795 einging, die sich ihrerseits 1799 (?) mit KFrhrvStein zum *Altenstein wiedervermählte. Goethes Beziehungen zu PAB., an sich wohl kaum erwähnenswert, werden erst durch Maximiliane bedeutsam. – Durch Erwerbung des Landgutes zu *Winkel 1782, das als Familieneigentum im Mannesstamm der B. vererbt wurde, legte PAB. den Grund zu Goethes als wohltuend empfundenen Aufenthalt daselbst während der *Rheinreise als Gast FB.s (2) und dessen Gemahlin Antonia (3; vgl. I/34^I, 49).

–, 2) Franz Dominicus Josef Maria (1765 bis 1844), zweiter Sohn aus PAB.s (1) erster Ehe, wurde, anstatt des erstgeborenen (schwachsinnigen) Anton Maria (1763–1833), Nachfolger des Vaters im Amte als Geheimer Rat von Kurtrier und frankfurter akkreditierter Resident, wie auch als Chef des Hauses B., in das er seinen Stiefbruder Georg (5) als Gesellschafter aufnahm (RJung S. 4); seit 1816 war Franz B. Senator. Ganz auf Handelsgeschäfte eingestellt, wurde er durch seine geistig höherstehende Gemahlin Antonia (3) künstlerischen Interessen zugeführt, insbesondere nach Überführung reicher, aus dem Nachlaß seines Schwiegervaters JMEdlen vBirkenstock stammender Kunstschätze (Gemälde und Kupferstiche) ins b.sche Haus nach Frankfurt. Goethe hat die Sammlung 1814 und 1815 (mit S*Boisserée) besucht (III/5, 180–182) und rühmend in *KuA* (I/34^I, 108), sowie in den *TuJ* für 1815 (I/36, 96; vgl. IV/26, 98) erwähnt.

–, 3) Johanna Antonia Josefa (1780–1869), Tochter des JM Edlen v*Birkenstock, seit 23. VII. 1798 Gemahlin des Vorgenannten; früh mutterlos, lebte sie nach klösterlicher Erziehung an der Seite des in Wissenschaft und Kunst bedeutenden Vaters bis zu ihrer Ehe mit dem für passend befundenen reichen Kaufmannssohn B., in die sie sich fügte. Goethe mag um die Zusammenhänge gewußt haben, die ihn an das Schicksal Maximilianens (4) erinnern mußten: dieselbe Verpflanzung aus geistiger Sphäre in den engen Interessenkreis des „Goldenen Kopfes". In Clemens B.s (7) „Godwi" erscheint sie als „das schlanke, sanfte, weiße Bild" (CSchüddekopf Bd 5, S. 189; 195). Bei aller Freundlichkeit gegen Franz B. gilt Goethes Interesse und Briefwechsel der Frau. Nach gegenseitigen Besuchen in *Karlsbad im Juli 1812 (III/4, 301) entstehen Beziehungen 1814 anläßlich des aus vBirkenstocks Nachlaß herausgegebenen „Monumentum aeternae memoriae Mariae Christinae ... Viennae in templo divi Augustini e

marmore erectum opera Antonii Canovae ... 1805. Carmen posthumum J. Melchioris Nobilis a Birkenstock ... Vindobonae 1813." Mit Goethes Dankschreiben für das übersandte Exemplar beginnt der Briefwechsel (IV/24, 101 f.). Während der Rhein- und Mainreise 1814 kommt es nach einem Besuch der B.s am 7. VIII. in *Wiesbaden (III/5, 124; IV/25, 13) zu der von *köstlichen Gaben* zum *Geburtstag (III/5, 128) begleiteten Einladung nach dem Landgut in Winkel *(IV/25, 22)*. Goethes Besuch daselbst vom 1. bis 8. IX. 1814, wo man ihm *alles zu Lieb und Lust tat (IV/25, 33)* brachte *Genuß und Übersicht* des Rheingaus *(ebda 71)*, viele glückliche Stunden, die er *der geliebten wie verehrten Familie Brentano* verdankte *(I/34^I, 49)*. Gemeinsame Fahrten, die Goethe selbst anordnete (RJung S. 11 f.), führten nach *Eibingen, Rüdesheim (III/5, 129), zur *Sanct Rochuskapelle, in die später von den *wohldenkenden Anwohnern des Rheins und Mains* ein – von Goethe entworfenes, von H*Meyer gezeichnetes und von L*Seidler gemaltes – Heiligenbild gestiftet wurde (Bdm. 2, 272; I/49^I, 358 f.), zu dem tragischen Ort, *wo Fräulein von Günderode sich entleibt* (III/5, 130; I/34^I, 65). In Frankfurt werden die Besuche bis zu Goethes endgültiger Abreise im Oktober fortgesetzt (III/5, 132–135) und 1815 wieder aufgenommen (III/5, 168–176). In ihrer aufschlußreichen Schilderung der Persönlichkeit Goethes und seines gesellschaftlichen Verhaltens gedenkt Antonie B. des Rheinweins: „davon konnte er aber ganz fürchterlich viel trinken, besonders von dem 11er, und mein Mann machte ihm oft eine große Freude mit dem Geschenk eines Fäßchens Wein" (Bdm. 2, 272; IV/25, 120 f.), was sich auch später wiederholte (1818: III/6, 184; Antonies Brief an Goethe: RJung S. 55; 1830: I/4, 297; 1831: I/4, 302). Das im Januar 1815 Antonie B. gespendete *Stammbuch (IV/25, 156)* mit dem von gemalten Blumen umrankten Weihespruch (I/4, 49 Nr 60) ist Dank für *viele glückliche Stunden (I/34^I, 49)*, desgleichen *Wasserfülle, Landesgröße (I/4, 69)* und die Danksagungsgedichte an die frankfurter Gönner und Freunde (I/4, 297 und 302; III/12, 296; III/13, 133; 147).

–, 4) Maximiliane/Max(e) Euphrosine (1756 bis 1793), Tochter des kurtrierischen Geheimen Staatsrats und Regierungskanzlers Georg Michael vLa Roche und der Romandichterin Sophie vLa Roche, seit dem 9. I. 1774 zweite Gemahlin des PAB. (1); auf seiner Reise von *Wetzlar nach Frankfurt kehrte Goethe im September 1772 in *Ehrenbreitstein bei der

Familie vLa Roche zu fünftägigem Besuche ein: *Angekündigt von Merck, ward ich von dieser edlen Familie sehr freundlich empfangen, und geschwind als ein Glied derselben betrachtet. Mit der Mutter verband mich mein belletristisches und sentimentales Streben, mit dem Vater ein heiterer Weltsinn, und mit den Töchtern meine Jugend (DuW: I/28, 177).* Die wetzlarer Wunde heilte dieser *Congreß . . . im artistischen* und *im empfindsamen Sinne (ebda 178),* erhöht durch die Nähe der Landschaft (ebda 177) und durch die eben sich entfaltende Anmut Maximilianens: *eher klein als groß von Gestalt, niedlich gebaut; eine freie anmuthige Bildung, die schwärzesten Augen und eine Gesichtsfarbe, die nicht reiner und blühender gedacht werden konnte (ebda 182).* Wenn auch Goethe schreibt, sein Verhältnis zu ihr sei *eigentlich ein geschwisterliches* gewesen *(ebda 222),* so spricht die keimende Neigung aus den damaligen Briefen an die Mutter Sophie vLa Roche. So wünscht er am 20. XI. 1772, Maxe möchte *länger bey ihren köstlichen Nachschrifften verweilen (IV/2, 41);* am 19. I. 1773: *ich hoffe mein Andencken ist noch nicht aus Ihren Wohnungen gewichen. Meine Einbildungskrafft verlässt den Augenblick nie, da ich von Ihnen und Ihrer vollkomnen Tochter mich trennen musste, und mit Abschiedvollem Herzen die letzte Hand küsste, und sagte vergessen Sie mich nicht (ebda 58);* dringlicher Ende August 1773 nach ihrem achttägigen Besuch in Frankfurt: *von Ihrer Max kann ich nicht lassen so lang ich lebe, und ich werde sie immer lieben dürfen (ebda 102).* So wird ihm die Verheiratung der noch nicht Achtzehnjährigen mit dem vierzigjährigen Witwer zum erschütternden Erlebnis, in *DuW* nur angedeutet: *Frau von Laroche . . . konnte sich nicht recht in den Zustand* [ihrer Tochter] *finden, den sie doch selbst ausgewählt hatte (I/28, 221);* hingegen für *Werther* neuer Stoff und entscheidender Anstoß: *Max Laroche verheiratet. Taedium vitae. Wertherianism. Düstre Lebenslast. Periodisch wiederkehrend. Entschluß zu leben. Werther geschrieben und gedruckt (ebda 370).* Auf innere Stürme deuten auch die Briefe; so an JGChr *Kestner im Oktober 1773: *die liebe Max de la Roche heurathet – hierher einen angesehnen Handelsmann. Schön! Gar schön (IV/2, 113).* Verwundertes Gespanntsein (das *Raritätenkastenmässige der Aussichten: IV/2, 136; I/19, 96),* Empörung und Wille sich abzufinden wechseln miteinander ab. An Betty *Jacobi am 31. XII. 1773: *Ihr künftiger scheint ein Mann zu seyn mit dem zu leben ist und also heysa!! wieder die Anzahl der lieben Geschöpfe

vermehrt (IV/2, 136f.). So nähert er sich der jungen Frau, die aus der geistigen Atmosphäre, *dem heiteren Thal Ehrenbreitstein und einer fröhlichen Jugend in ein düster gelegenes Handelshaus versetzt, sich in ihre neue Umgebung nicht zu finden wußte (I/28, 223).* Dazu *Merck im Januar 1774: ,,Goethe est déja l'ami de la maison" (Bdm. 5, 8),* und im Februar: ,,*il a la petite Mme Brentano à consoler sur l'odeur de l'huile, du fromage et des manières de son mari" (Bdm. 1, 29).* Und wenn Goethe im Februar 1774 an Betty Jacobi schreibt, er werde *nie Ursache zur Eifersucht* geben *(IV/2, 143),* so mußten ihn seine Blicke Lügen strafen, die sehnsüchtig an ihren *(Lotten* im *Werther* verliehenen) *Augen* hingen *(IV/2, 201); wenn sie mir begegnet ists immer eine Erscheinung vom Himmel (IV/2, 165);* sie meiden, ist ein *Opfer, das er bringt, werther . . . als die Assiduität des feurigsten Liebhabers (IV/ 2, 168f.);* die Eifersucht B.s, der, karikiert gezeichnet, *all seine Freundlichkeit zwischen die spizze Nase und den spizzen Kiefer zusammengepackt hat (IV/2, 204f.),* beeinflußt die Gestaltung *Alberts;* ein Verhältnis, ähnlich dem CW*Jerusalems zu dem Sekretär Hardt, wird hier zum Erlebnis und gibt den endgültigen Anstoß zum *Werther;* an Sophie vLa Roche schreibt Goethe Mitte Februar 1774: *Das liebe Weibgen hat Ihnen was von einer Arbeit geschrieben die ich angefangen habe seit Sie weg sind, würcklich angefangen denn ich hatte nie die Idee aus dem Suiet ein einzelnes Ganze zu machen (IV/2, 147f.).* Nach der Geburt des ersten Kindes, Georg Michael (5; 12. III. 1775), löst sich die Spannung; Goethe hofft der Max *künftig keinen Verdruss mehr* zu bereiten, sofern das von PAB. bezeugte *Zutrauen . . . ungeheuchelt seyn möge (IV/2, 245f.); wenn ihr Herz sich zu ihrem Manne neigen würde, wollt ich wiederkehren, . . . und bleibe . . . wenn sie Gattin und Hausfrau und Mutter bleibt. Amen (ebda 250);* die Stimmung ist gelöster (ebda 271), Maxe beherrschter (ebda 300). Die freundlichen Beziehungen zwischen Goethe und Maximilians Kindern sind wie das bleibende Erbteil der Mutter.

–, 5) Georg Michael Anton Josef (1775–1851), Sohn des PA (1) und der MEB. (4), Teilhaber des b.schen Geschäftes mit seinem Stiefbruder Franz B. (2), besuchte in Begleitung des letzteren und dessen Frau Antonia (3) Goethe in Wiesbaden vor dem 8. VI. 1815. Er war in tiefer Trauer, weil seine Frau Marie, geb. Schröder *(die schöne Person)* am 23. V. 1815 gestorben war *(IV/26, 8).* Hingegen hat Goethe am 14. IX. 1815 bei Georg B. *einen ungezogen*

lustigen Mittag zugebracht (ebda 82; III/5, 182).
-, 6) Sophie (1776–1800), Tochter des PA (1)
und der MEB. (4), begleitete ihre Großmutter
Sophie La Roche auf deren Reise nach Weimar, wo sie ChrM*Wieland – mit dem sie sich
im vollkommnen Widerspruch ... befand – besuchte. *Ihre Enkelin, Sophie Brentano, ...
spielte eine entgegengesetzte, nicht minder wunderliche Rolle* (1798: *I/35, 81f.*). Den Sommer
1800 verbrachte SB. bei Wieland in *Oßmannstedt, wo sie am 19. IX. an einer plötzlichen
Nervenkrankheit (UL S. 151f.) starb. – In
seiner Rede zu Wielands Totenfeier (1813)
muß Goethe *theilnehmend gedenken, wie diese
ländliche Heiterkeit durch das Hinscheiden
einer theuern mitwohnenden Freundin ... getrübt worden (I/36, 337),* und erwähnt ihre
Grabstätte in Oßmannstedt (ebda).

-, 7) Clemens Maria Wenzeslaus (1778–1842),
drittes Kind aus der Ehe PA (1) und MEB.s
(4), Dichter, in erster Ehe seit dem 29. X. 1803
vermählt mit Sophie, geb. Schubart (1761 bis
1806), die sich seinetwegen von FEC*Mereau
scheiden ließ; in zweiter Ehe seit dem 21.VIII.
1807 mit Magdalene Margarete Auguste, geb.
Bußmann (1791–1832), von der er 1812 geschieden wurde. Clemens ist der Typus der
ruhelosen B.s.

„Dein Reich ist in den Wolken und nicht auf
dieser Erde, und so oft es sich mit derselben
berührt, wird's Thränen regnen" (CSchüddekopf Bd 12^{II}, S. 12), so urteilt Frau Rat Goethe über das Phantasieland „Vaduz", in dem
B.s kompliziertes Wesen sich verkapselte.
Möglicherweise hat der Konflikt zwischen der
Empfindsamkeit sophie-larochescher Prove-
nienz (vgl. *Sentimentalität der Hausfrau: I/28,
368)* und der Zähigkeit b.scher Prägung wie
überhaupt zwischen deutschem und italienischem Wesen, der im Eheleben der Eltern
nicht zum Ausgleich gekommen war, bei dem
phantasieüberbegabten Knaben infolge ver-
fehlter Erziehung allerlei Hemmungen verursacht. Mit sechs Jahren dem von Kindersegen
schon überlasteten Bereich der Mutterliebe
entrissen und vom strengen Vater aus dem
Hause getan in die lieblose Zucht der Tante
*Möhn (UL S. 21; vgl. die Schilderung in
„Godwi": CSchüddekopf Bd 5, S. 287–291),
wird er bis zum sechzehnten Lebensjahr durch
eine unstete, zwischen *Jesuiten und *Philantropinum wechselnde Erziehung gehetzt.
Durch den Tod der Mutter tief erschüttert –
Traum von ihrem „Paradebett", wo sie „gute
Lehren" gibt: Dezember 1793 an die Lieblingsschwester Sophie (6; UL S. 39), die ihm
1800 ebenfalls wegsterben sollte. Nach dem

mißglückten Versuch der Eingliederung in den
Kaufmannsstand (später im Märchen vom
„Kommanditchen" parodiert) kam nach dem
Tod des Vaters der Universitäts- und Studien-
wechsel (Halle, Jena, Göttingen) ohne ernste
Grundlage noch Ergebnis, mit dem vergeblichen Bestreben, dem überreich quellenden
Innenleben objektive Werte entgegenzusetzen.
– Es folgten drei ineinandergekeilte Erleb-
sisse: 1. der Gang durch die *Romantik (jenaer Schlegel-Kreis 1798, *Heidelberg 1804
bis 1808 mit GF*Creuzer, Av*Arnim, JJ
v*Görres, auch FCv*Savigny); 2. die zer-
quälte Liebe zu der in Jena vielumschwärm-
ten „Professorin" Sophie Mereau, die „voll
Grazie und Gefühl ... an einen rohen [?] Gatten gekettet" war (am 24. XI. 1798 traf Goethe Mereaus bei ChrG*Schütz: III/2, 224);
nach fünfjährigem, durch „Mißverständnisse"
und andere Abenteuer unterbrochenem Werben kam es zu einer dreijährigen, ebenso ruhelosen Ehe (einen „Don Quichote" nennt ihn
Sophie im November 1804: HAmelung S. 348;
366) und drei nicht lebensfähigen Kindern;
an der Geburt des dritten starb Sophie; 3. die
Berufung zum Dichter: der närrische Briefschreiber, der bisher in seelischen Tiefen
schwelgte oder als Kehrseite dazu die Ironie
handhabe, hat die jenaer Romantik als Bestätigung seines Wesens erlebt. „Godwi oder
das steinerne Bild der Mutter. Ein verwilder-
ter Roman von Maria" (1801) wird der Niederschlag seiner Familienerlebnisse und Abenteuer. Aber der grüblerischen Darstellung des
inneren Chaos steht er, wenngleich machtlos,
kritisch gegenüber, leidet darunter, „eine Gattung ewiger Jude" zu sein (15. XII. 1802: UL
S. 281), und sucht sich immer wieder an Goethe aufzurichten, nennt ihn im „Godwi": „den
lebendigen Keim des bessern Daseyns"
(CSchüddekopf Bd 5, S. 466). „Er ist der
größte Mensch, der lebte, und seine Werke
sind die schönste Welt, und wer in ihnen
wohnt, der ist der glücklichste Mensch" (UL
S. 188). Seine Schriften empfiehlt Clemens
seinen Schwestern als Antidotum der Empfindsamkeit (UL S. 292; 297), ahnt in *Wilhelm
Meister* etwas vom Wert des „Ökonomischen",
das *Novalis so sehr rügt, lobt schwärmerisch
die *Wanderjahre* und die *Wahlverwandtschaften*
(an Savigny am 26. IX. 1809: UL S. 413), und
bei Erscheinen von *DuW* (1. Teil 1811)
schreibt er: „Welche Freude ein Frankfurter
zu sein, er gibt uns ein verlorenes Vaterland
zurück, wie erquickend, in sich selbst alle
seine frühen Eindrücke auch zu finden, wie
rührend, ja niederschlagend, alle die herrlich

bildenden Ereignisse seines Familienlebens entbehrt zu haben! Seine Erziehung und Belehrung war wenigen seiner Zeitgenossen vergönnt, wie erfreulich, daß sie einen so würdigen getroffen!" (UL S. 469). Und noch 1837 begrüßt er mit Freuden das Erscheinen von JP*Eckermanns Gesprächen (UL S. 513); so sehnte er sich zeitlebens nach Ruhe und Ordnung, „dem eigentlichen größten Geheimnis aller Tugend, aller Kunst" (12. X. 1803 an Sophie Mereau: HAmelung S. 264), die ihm selbst zeitlebens versagt geblieben sind. Demgegenüber ist Goethes Urteil über Clemens B., dem er übrigens als dem Sohn MEB.s (4) bei gelegentlichen Besuchen (am 9. XI. 1807 kurz nach der unglücklichen Eheschließung mit der Bußmann: III/3, 293; Winter 1808/09: IV/20, 234; am 8. VIII. 1809: III/4, 50; Bdm. 2, 51 f.; UL S. 410 f.) freundlich begegnete, kühl und abweisend. Goethe erwähnt beinahe scherzhaft, daß ihm *der Zufall Gustav Wasa von Brentano*, die Satire gegen Av*Kotzebue, zu Gesicht brachte (29. VII. 1800 an Schiller: *IV/15, 92*). Der zum *Preisausschreiben auf das Jahr 1801 für das beste Intrigenstück (Propyläen 1800) von Clemens B. eingesandte „Ponce de Leon" wurde nicht berücksichtigt. Als Clemens nach einem Jahr das unter dem Kennwort „Laßt es Euch gefallen" eingesandte Manuskript zurückerbat (III/3, 65), antwortete Goethe im Begleitschreiben vom 16. X. 1802, das Lustspiel zeichne sich zwar *durch seinen guten Humor und angenehme Lieder, besonders aus,* daß aber *keine der eingesendeten Arbeiten eine Darstellung auf dem Theater zu vertragen schien (IV/16, 126).* Schärfer urteilt Goethe in den *TuJ* für 1802: *Wir erhielten nach und nach ein Dutzend, aber meist von so desperater und vertracter Art, daß wir nicht genugsam uns wundern konnten, was für seltsame falsche Bestrebungen im lieben Vaterlande heimlich obwalteten, die denn bei solchem Aufruf sich an das Tageslicht drängten (I/35, 129).* Auch die *TuJ* für 1814 kommen auf die Unmöglichkeit zurück, Clemens B.s Werke *bühnengerecht zu machen (I/36, 88).* Und als der Dichter den „Ponce de Leon" 1803 veröffentlichte (wobei er auf der Suche nach einem Verleger „Abschriften von Göthens Ausspruch beilegen" läßt; „Göthens Brief ist Göthens Brief", schreibt Clemens B. 15. XII. 1802 an Savigny: UL S. 282 f.), nimmt Goethe so wenig Notiz davon wie von irgendeinem anderen Werk des jungen Autors. In der Rezension des „Wunderhorns" allerdings läßt er ihn mit Arnim am Lobe darüber teilhaben (I/40, 337–359), spricht ihm aber *bey außerordentlichen Natur-*

anlagen jeden Kunstwert ab: *Es ist keine Kunst sein Talent nach individueller Bequemlichkeit humoristisch walten zu lassen* (30. X. 1808 an CF*Zelter: *IV/20, 192*). Wie sehr Goethe Clemens B.s Schicksal auch anläßlich der späteren religiösen Wendung mit verhaltenem Unmut verfolgte, darüber berichtet JN*Ringeis 1814: „Ein unmutiges Zurückwerfen des Hauptes und ein halb unterdrückter Laut der Ungeduld entfuhren dem Dichter; galten diese Zeichen der Umkehr Brentanos an und für sich, oder entsprangen sie dem Zweifel am Meinungsernst in des ruhelosen Freundes Gemüt, das muß ich dahingestellt lassen" (Bdm. 2, 224). Und zu Kv*Holtei äußerte sich Goethe abschließend und gleichsam zusammenfassend in den Jahren 1827/1831: *Ja ... der Brentano, das war auch so Einer, der gern für einen ganzen Kerl gegolten hätte. Er stieg vor Sophiens Wohnung am Weinspalier bis ans Fenster hinauf bei nächtlicher Weile, um die Leute glauben zu machen, es wäre viel dahinter. Aber es war und wurde nichts. Zuletzt warf er sich in die Frömmigkeit, wie denn überhaupt die von Natur Verschnittenen, nachher gern überfromm werden, wenn sie endlich eingesehen haben, daß sie anderswo zu kurz kamen, und daß es mit dem Leben nicht geht (Bdm. 4, 416).*

–, 8) Kunigunde (Gunda; 1780–1863), Tochter des PA (1) und der MEB. (4), heiratete 1803 FCvSavigny, wodurch sie die Beziehungen Bettinas (9) mit ihrem Manne und zum *berliner geistigen Leben herstellte.

–, 9) Elisabeth (Bettina) Catharina Ludovica Magdalena (1785–1859), Tochter des PA (1) und der MEB. (4), Schwester des Clemens (7), seit dem 11. III. 1811 vermählt mit Av*Arnim, gehörte wie ihr Bruder zu den „unruhigen" B.s; jedoch naturhafter und mit der Unbefangenheit des „Kindseins" ausgestattet, wie sie es war, war Bettina dem sonst unzugänglichen Vater, wie später Goethe gegenüber, von erstaunlicher Selbstsicherheit (UL S. 16). Bezeichnend war ihre Wahl des Namens „Bettina", die abgekürzte italienische Koseform von Elisabeth; ihre Geschwister gaben ihr Spitznamen: Fummler, Pudel, Budin (Blutwurst!). Der Tod der Mutter (1793) und die dritte Heirat des Vaters brachten die Achtjährige in klösterliche Erziehung (zu den Ursulinen in Fritzlar), gegen die, bei freier Entfaltung des Naturgefühls im Klostergarten, ihre sehnende Unruhe sich phantasiehaft auflehnte (vgl. MMSilfverstolpe S. 246). „Bisarr", weil „früh Dir selbst überlassen" (Arnim 30. VI. 1808 an Bettina: RSteig Bd 2, S. 168), erhält die Unbehauste nach des Vaters

Tod zunehmende Bewegungsfreiheit zunächst innerhalb familienhaft festgelegter Stützpunkte: Großmutter Sophie La Roche in *Offenbach, der „Goldene Kopf" in Frankfurt, Savigny. Freundschaften über den Geschwisterkreis hinaus, Gespräche brieflich fortgesetzt, Umgang mit anregenden Persönlichkeiten dienten, ihrer „Schwalbennatur" entsprechend (RSteig Bd 2, S. 125), innerem Wachstum. „Geist sind Sonnen, die einander strahlen" (Sämtliche Werke Bd 2, S. 588). Korrespondenzen lösen einander ab oder überschneiden sich vielfach (mit Cv*Günderode, ihrem Bruder Clemens, AvArnim, L*Tieck, Goethe) und geben – als äußere Form der Sophie La Roche entlehnt und vom *Werther* durchblutet – den Tummelplatz ab für Bettinens reiche Phantasie, die sie selbst also definiert: „Phantasie? – Ist das nicht der Geister bunter Spielplatz, auf den sie Dich als freundliches Kind mitnehmen, und so sehr auch alles Spiel ist, so hat es doch Beziehung auf die Geheimnisse in der Menschenbrust" (Sämtliche Werke Bd 2, S. 586). Schriftstellerisch ist Bettina erst spät hervorgetreten; für ihre Briefromane, dh. zum Ausspinnen und Durchkomponieren der innerlichst erlebten Phantasiegewebe, wußte sie jeweils ihre Originalbriefe zurückzuerlangen; so von der Günderode: „Ich habe mein Herz hineingeschrieben"; so auch aus Goethes Nachlaß durch Kanzler Fv*Müller, woraus „Goethes Briefwechsel mit einem Kinde" (1835) entstand (Sämtliche Werke Bd 1, S. 11; Bd 2, S. 7; Bd 3, S. 20; zum Vergleich desselben mit den ursprünglichen Briefen dient „Bettinas Leben und Briefwechsel mit Goethe. Auf Grund des von Reinhold Steig bearbeiteten handschriftlichen Nachlasses neu herausgegeben" von FBergemann, 1927). – Mit intuitiver, nicht immer taktvoller Selbstsicherheit fand sie zu Goethe hin, nachdem sie 1806 die Briefe zu sehen bekommen, die der *Werther*-Dichter 1772 bis 1775 „an Frau von La Roche, voll Liebe zu meiner Mutter" geschrieben; zunächst auf eigene Faust ging sie zu Frau Rat Goethe: „und bin nun bei ihr wie ihr Kind... und von ihren mütterlichen Lippen fließt die Geschichte von Goethes Mai in herrlichen Worten... tausendfältig" (Juli 1806 an Savigny: AM S. 45); *Aristeia der Mutter* als Erinnerungen *von einer jungen Familienfreundin*, deren Aufnahme in *DuW* aber von Goethe offengelassen worden *(I/29, 231)*. Alsdann kam es im Hause am Frauenplan zum „langersehnten" ersten Sehen vom 23. IV. 1807, worüber *Tgb.* lakonisch: *Mamsell Brentano*

(III/3, 206), Bettina aber so vielfältige, immer überschwenglichere Darstellungen gegeben hat (an Clemens: Corona Bd 7, S. 36; RSteig Bd 1, S. 218; an AvArnim: RSteig Bd 2, S. 57; vgl. MMSilfverstolpe: S. 254f.; dazu Sämtliche Werke Bd 3, S. 31). Der zweite Besuch (mit Savignys) vom 1. bis 10. XI. 1807 (III/3, 291–294) ist insofern der bedeutsamste, als er eine Fülle von kleinen Ereignissen zu künftiger Ausbeutung im „Briefwechsel mit einem Kinde" bot: „Da ich an Deinem Arm durch die Straßen ging" (Nr 8), der „Parkspaziergang" (Nr 38), die Bibliotheksszene, wo B. ihre Lippen auf Goethes Marmorbüste drückte (Nr 4), vielleicht gewechselte Küsse, wenngleich Bettina sich beklagte, daß Goethe „so wunderlich und sonderbar sich gegen sie zeige, das heißt in seiner Sprache: nur eben passiv" und Goethe seinerseits sich „nur als Bewunderer ihres geistreichen, aber auch barocken Wesens" erklärte (Bdm. 1, 512). – Die dritte Begegnung, zu *Teplitz, vom 9. bis 12. VIII. 1810 verlief für Goethe ebenso belanglos, wobei er weniger an Bettinas Plaudereien als an ihrem Liebreiz Gefallen fand (III/4, 146; 13. VIII. 1810 an Christiane: *Bettine ist gestern fort. Sie war wircklich hübscher und liebenswürdiger wie sonst. Aber gegen andre Menschen sehr unartig. Mit Arnim ists wohl gewiß: IV/21, 371*). Bei dem Besuch des arnimschen Ehepaares vom 25. VIII. bis 18. IX. 1811 (III/4, 229–232; vgl. SGGes 14, 276f.) kam es zwischen Bettina und Christiane zu einer öffentlichen Szene und zum Bruch (vgl. SGGes 14, 355; *Arnim). Zur Ergänzung diene der Brief Arnims an Goethe, wo er bedauert, „daß meine Frau nicht früher meiner Warnung gefolgt war, dem heimlichen Groll der Frau Geheimräthin aus dem Wege zu gehen, den ich schon mehrmals deutlich bemerkt hatte" (JbHochstift Jg. 1904, S. 349). Goethe vermerkt in *TuJ* für 1811 *die Differenz, in die sich ehemalige Übereinstimmung aufgelös't hatte. Wir schieden in Hoffnung einer künftigen glücklichern Annäherung (I/36, 71)*. Allerdings kam es nach Christianens Tod zu gelegentlichen Besuchen Bettinas in Weimar, zunächst zu dem ungelegenen am 8. XI. 1821 (FBergemann S. 127; Bdm. 2, 557), dann zu dem im *Tgb.* vermerkten vom 26./27. VII. und 19./20. X. 1824 (III/9, 248f.; 284f.) und vom 27. VIII. bis 11. IX. 1826 (III/10, 235–241). Das Bleibende der *ehemaligen Übereinstimmung* ergeben Goethes spätere Aussprüche, so das lebhafte Entzükken über das Stück Kindheit und Jugend, das Bettina ihm gebracht (Bdm. 2, 648); über

ihre Persönlichkeit: *Was ihr in frühern Jahren sehr gut geckleidet, die halb Mignon- halb Gurli-Maske nimmt sie jezt nur als Gaukeley vor, um ihre List und Schelmerey zu verbergen. Das Jtaliänische Blut in ihr hat freylich die Mignon aufs lebhafteste auffassen müssen. Solche problematische Characktere interessiren mich aber immer um so mehr, je schwieriger es mir wird, sie zu erklären und zu entziffern* (23. IX. 1827 zu FvMüller: *UKM S. 169;* vgl. 1809 anläßlich ihres Bildes von LE*Grimm, das sie selbst „nicht ganz ähnlich" fand, Goethes Urteil: *wer kann sie wohl malen, wenn noch Lukas Kranach lebte, der war auf so etwas eingerichtet (Bdm. 2, 59).* Wohl haben Bettinas Briefe zur Entstehung der *Sonette von 1807/1808 (I/2, 3–19; vgl. FBergemann S. 192) neben dem ungleich tiefergehenden Einfluß Minna *Herzliebs beigetragen, wie die beiden Mädchen auch als Kontrastgestalten *(Luciane* und *Ottilie)* in den *Wahlverwandtschaften* (1808/1809) auftreten. Daß zu *Luciane,* die mit ihrem *Gefallenwollen* als Fremdkörper wirkt, indem sie wie *Sturm ... über das Schloß* kommt, als *ein brennender Kometenkern, der einen langen Schweif nach sich zieht (I/20, 227; 229),* Bettina das Urbild abgegeben, hat sie selber nicht geahnt. Wohl hat Goethe sich ihre Huldigungen bis zu einem gewissen Grade gefallen lassen, ist auf eine Duzfreundschaft mit ihr eingegangen, aber in seinen Briefen übt er Zurückhaltung und weiß zudringliche Gespräche auf andere Gegenstände zu lenken (Bdm. 2, 140). Bettina wird als immer lästiger empfunden; die „wiederkehrende Fliege" (FW*Riemer am 7. IX. 1811: Bdm. 2, 140 f.); *diese leidige Bremse,* ein *Erbstück von Meiner guten Mutter* (13. IX. 1826 an Carl August: *IV/50, 55);* und noch 1830 muß ihre *Zudringlichkeit abgewiesen* werden *(III/12, 285).* Auch das Denkmalsprojekt, mit dem Bettina 1823 gegen ChrD*Rauch auftrat, forderte trotz gefühlsmäßiger Anerkennung Goethes Widerspruch heraus; er schrieb an Staatsrat ChrLF *Schultz am 3. VII. 1824: *Die Skizze der Frau v. Arnim ist das wunderlichste Ding von der Welt; man kann ihr eine Art Beyfall nicht versagen, ein gewisses Lächeln nicht unterlassen, und wenn man das kleine nette Schoßkind des alten impassiblen Götzen aus seinem Naturzustande mit einigen Läppchen in den schicklichen befördern wollte, und die starre trockne Figur vielleicht mit einiger Anmuth des zierlichen Geschöpfs sich erfreuen ließe, so könnte der Einfall zu einem kleinen hübschen Modell recht neckischen Anlaß geben. Doch mag es bleiben wie es ist, auch so gibt es zu denken (IV/38, 179 f.;*

Abb. ESchulte-Strathaus Tafel 128). – Auffallen muß auch, wie wenig Goethe B. an seinem Ringen um geplante Werke teilhaben läßt. Die *Wahlverwandtschaften,* um die sie gebeten – mit rotem Einband und Widmung (FBergemann S. 274) – erhielt sie von dritter Hand (ebda S. 278). Goethe hatte auf ihre Anfrage am 11. IX. 1809 kurz geantwortet: *Wenn das Büchlein das man Ihnen angekündigt hat, zu Ihnen kommt, so nehmen Sie es freundlich auf. Ich kann selbst nicht dafür stehen wie es geworden ist (IV/21, 61).* Wie verständnislos Bettina diesem Werke gegenüberstand, erhellt aus ihrer Anspielung vom 8. I. 1810, es komme bei ihren Briefen nichts heraus als „das Bewußtsein meiner Liebe, meiner innigsten Verwandtschaft zu Dir" (FBergemann S. 287). Wie problemlos scheint diese „idealische" Liebe im Vergleich zu den „Verwicklungen", die Goethe aufdeckt, zu den „Qualverwandtschaften" (nach L*Tiecks Bonmot, das Bettina 1810 zur teplitzer Begegnung mitbringt: FBergemann S. 99; vgl. „Goethes Briefwechsel mit einem Kinde", wo Liebe definiert wird als „flüssig Element" und „Überströmen in die Seligkeit": Sämtliche Werke Bd 3, S. 170; 205); inbetracht kommt ferner die Möglichkeit einer doppelten Liebe zu Goethe und Arnim (zu der sich zeitweise eine dritte gesellt: AM S. 166). Bettina schrieb an Arnim: „Gott will es so, daß Ihr beide Euch das Maß haltet in meiner Liebe" (21. XI. 1809: RSteig Bd 2, S. 351); Bettinas Vermählungsanzeige an Goethe vom 11. V. 1811 schließt: „Dein ewig treues Kind, das keinerlei andern Weg weiß als zu Dir" (FBergemann S. 339). Wieviel Mystisch-Erotisches in dieser „Andacht zum Menschenbild", diesem Verhältnis der Psyche zum Göttlichen liegt – und so wäre das Denkmal aufzufassen – ist schwer zu ermessen. Sicher ist, daß nicht nur Christianens Gefühl beleidigt wurde, sondern auch Clemens B. die Veröffentlichung Bettinas in „Goethes Briefwechsel mit einem Kinde. Seinem Denkmal" anstößig fand (JbHochstift Jg 1929, S. 325–352).

–, 9) Ludovica (Lulu) Katharina (1787–1854), Tochter des PA (1) und der MEB. (4), Schwester des Clemens und der Bettina, heiratete 1805 den frankfurter Kaufmann Karl Jordis. Goethe sah *Mad. Jordis, welche von Paris zurückgekommen,* am 17. X. 1814 bei der Mittagstafel im b.schen Hause *(IV/25, 64;* III/5, 134). 1827 geschieden, heiratete sie den Baron RPRozier des Bordes (UL S. 506).

–, 10) Maria Magdalena (Meline; 1788–1861), Schwester der Vorigen, heiratete den frank-

furter Kaufmann und Senator GF*Guaita
(vgl. 8. VIII. 1814 *noch immer recht hübsch:
IV/25, 13f.*; III/5, 124; 16. X. 1814 *Meline die
Hausfrau: ebda 63*; vgl. Bdm. 2, 273).   *Sh*
PAvBrentano: Schattenzug der Ahnen der Dichter-
geschwister Clemens und Bettina Brentano. 1940. –
Goethes Briefwechsel mit Antonie Brentano. Hrsg.
von RJung. 1896. – Clemens Brentanos sämtliche
Werke. Hrsg. von CSchüddekopf, 10 Bde. 1909–1917.
– Briefwechsel zwischen Clemens Brentano und So-
phie Mereau. Hrsg. von HAmelung. 1939. – UL: Das
unsterbliche Leben. Unbekannte Briefe von Clemens
Brentano. Hrsg. von WSchellberg und FFuchs. 1939.
– AM: Die Andacht zum Menschenbild. Unbekannte
Briefe von Bettina Brentano. Hrsg. von WSchellberg
und FFuchs. 1942. – Bettinas Leben und Briefwechsel mit Goethe. Neu hrsg. von FBergemann. 1927. –
Bettina vArnim: Sämtliche Werke. Hrsg. von
WOehlke. 7 Bde. 1920–1922. – Achim von Arnim
und die ihm nahe standen. Hrsg. von RSteig. 2 Bde.
1913. – MMSilfverstolpe: Das romantische Deutschland, Reisejournal einer Schwedin (1825–1826). 1912.

Breslau, die Hauptstadt *Schlesiens, in längst
vorgeschichtlich wandalischer Siedlungsland-
schaft (Sacrau), wohl schon seit 999/1000
Bischofssitz, seit 1163 Herzogsresidenz (Pia-
sten), durch die *Oder in Altstadt und Neustadt und durch Oderinseln sowie durch die
einmündende Ohle noch weiter geteilt, 1241
beim Mongoleneinfall zerstört (Neustadt),
1261/1263 nach magdeburgischem Stadtrecht
neu gegründet, 1327 durch Vereinigung von
Alt- und Neustadt umfassend erweitert, befestigt, deutsches Handels- und Kulturzen-
trum von starker Strahlungskraft, vornehmlich bis zum Dreißigjährigen Krieg, von den
preußischen Königen seit Friedrich d. Gr. alsdann als (quasi) zweite Landesmetropole besonders gefördert, erreichte Goethe am 9.
VIII. 1790 abends. Mit 54 917 Einwohnern
war B. damals nicht nur eine besonders aufstrebende Stadt, sondern nach *Berlin (1778;
vgl. hier Sp. 1089) die zweitgrößte Stadt, die
Goethe nördlich der Alpen kennengelernt hat.
Wie Berlin selbst, war es eben doch schon eine
richtige, dh. mutatis mutandis velociferische
Großstadt in Frühformen der Entwicklung. B.
war durch seinen Charakter als Festung (1808
geschleift) damals nach außen behindert, nach
innen verdichtet, dh. es war zur Übervölke-
rung gezwungen. Auch brachten es die gerade
akuten politischen Spannungen und deren
militärische Konsequenzen (Kongreß und
Konvention zu Reichenbach, 27. VII. 1790)
mit sich, daß die Stadt von Militär und Zivil
bis in den letzten Winkel belegt war und der
drangvoll fürchterlichen Enge nicht mehr
Herr zu werden vermochte, weshalb sie *lärmend, schmutzig, stinkend* erschien *(IV/9, 224)*.
Dennoch vermochte B. zu imponieren durch
den *soldatischen Hof und zugleich* durch den
*Adel einer der ersten Provinzen des König-
reichs* sowie dadurch, daß *man die schönsten*

*Regimenter ununterbrochen marschiren und
manoeuvriren sah (I/35, 15). Eine Menge Menschen lerne ich kennen (IV/9, 219f.);* nur ist
leider die Zerstreuung so groß daß wenig Folge
in den Unterhaltungen seyn kann *(IV/9, 226).*
Goethe fand für die ersten Tage (9./12. VIII.)
Quartier im Herrenhause Gräbschen *(Grebischen vor Breslau: IV/9, 218)*, und zwar mit
Carl August zusammen; dann übersiedelten
beide in das „Hôtel zum *rothen Hause*“ (Reu-
schestraße 45; *IV/9, 222)*, wo Goethe für die
gesamte Dauer seines weiteren Verweilens in
B. wohnte (12./13.–26. VIII.; 1.–3., 10.–14.
(15. ?)/16.–19. IX.). Dieses Verweilen gliederte
sich in drei Teilaufenthalte. Der erste, zwei-
wöchige Teil brachte nahezu alle wesentlichen
Bekanntschaften mit den Repräsentanten der
Stadt sowie des Landes. Örtlicher Schwerpunkt war die alte Innenstadt: Schloß (Graf
vHoym; Cour; Karlstraße), *Bibl.* = Bibliothek (Jesuitenkolleg, Universität; Schmiedebrücke), Oberbergamt (Graf vReden; Alte Ta-
schenstraße 19/21), Ephraimsches Haus (vImbert; Karlstraße), Fürstbischöfliche Residenz
(Fürst von Hohenlohe-Bartenstein; Dominsel,
Domstraße), Alte Börse (Freiherr vDanckel-
mann; Salzring/Blücherplatz), Weihbischöfli-
cher Amts- und Wohnsitz (vRothkirch; Dominsel, Domstraße), Zwinger (Jahresfeier der
Thronbesteigung des Königs Friedrich Wilhelm II.; Kaufmannszwinger, Zwingerstraße),
Pachalysches Haus (Freiherr vSchuckmann;
Roßmarkt 10), Kammerhaus (Graf vHoym:
Ministerium; Schuhbrücke/Ritterplatz), Gar-
ves Wohnung (Hummerei 29). Ebenfalls in
diese erste Phase fällt der Weg vor die Tore
B.s nach Scheitnig *(Altscheitnig: III/2, 22)*
zum Landhaus Paczensky. Die beiden anderen Teilaufenthalte sind nur kurztägige Pausen zwischen den Reisen in die Grafschaft
Glatz oder nach Oberschlesien und Polen oder
auf die Schneekoppe sowie nach Hause. *Mich
interessirte damals im Stillen nichts als die comparirte Anatomie, die ich ... für mich schemati-
sirte und ausarbeitete (I/53, 387).* Dennoch
war es nicht nur Zwang, was Goethe veranlaßte, zumindest einen sehr wesentlichen Teil
der angeknüpften menschlichen Beziehungen
durch erneute Begegnungen und wohl auch
im Hinblick auf die Zukunft zu festigen. Zusammenfassend sprach Goethe von *vielen interessanten Männern,* die er in B. kennengelernt hatte *(IV/9, 226)* und *davon er allerley erzählen werde (IV/9, 227).* Tatsächlich
waren diese *vielen interessanten Männer* erheblich zahlreicher, als die raschen Notizen festzuhalten vermochten. Sie kehrten in mehr

oder weniger großen Intervallen über lange Jahre hin wieder. Der Bericht über einen *Brand in der Nicolai Vorstadt* und über ein besonderes *Abenteuer dabey* war für *DuW* geplant, wurde aber nicht ausgeführt, nicht einmal in *TuJ (I/53, 387)*. Auch sonst war die *Zerstreuung*, dh. Zeitbedrängnis und Turbulenz, *so groß*, daß Goethe zumindest vom Stadtbild kaum mehr als den Namen des einen oder anderen Bauwerkes (zB. *Bibl.; rothes Haus*) oder Straßenzuges *(Schmiedebrücke)* oder Stadtteiles *(Grebischen; Altscheitnig; Nicolai Vorstadt)* notierte, obwohl er außer den erwähnten Amts- und Wohnsitzen, die er offiziell, bzw. inoffiziell besuchte, in der Innenstadt alles Hervorragende gesehen, vielleicht sogar besichtigt hat: Rathaus, Dom, St. Maria Magdalena (Glockenlegende; CFZastrau), St. Elisabeth (der ursprünglich 130 m, also auffallend hohe und wuchtige Turm ist Schauplatz der Totentanzlegende, die später Goethes *Ballade* – vgl. hier Sp. 678–680 – gestalten/umgestalten wird), St. Matthias, Hatzfeld-Palais (ein Bau von CGLanghans wie auch die Alte Börse, wo Goethe bei Danckelmann war) uam. Jedenfalls hatte Goethe eine genaue, lang anhaltende Vorstellung vom Stadtbild, ja vom *Wesen* B.s, die nur wenige Jahre später durch FCv*Stein aufgefrischt und alsdann zeitlebens wachgehalten wurde, wie denn auch auf dieselbe Weise Goethes persönliche und sachliche Kontakte mit B. bedeutend angeregt und bereichert wurden. Sie verdichteten sich durch die Universität (1811) und durch die ,,Schlesische Gesellschaft für vaterländische Cultur" (1820). Goethe nahm an der Entwicklung der Naturforschung in B. nicht nur passiv Anteil, er hat sie vielmehr durch mannigfache Impulse aktiv mitbestimmt, so daß man ihn zu ihren Gründern zählen muß. Intentionen auf dem Gebiet der Kulturforschung fehlten ihm, wenngleich sie weniger zu wiegen scheinen, obwohl schon 1790 bezeugt: *Schuckmann Minnesinger (III/2, 23)*. Wir dürfen annehmen, daß dabei auch des begabten Piastenherzogs Heinrich IV. (III.?) von B. gedacht wurde, dessen schöne Verse: 1) Mir ist daz herze worden frô umb ein vil reine saelic wîp ..., 2) Ich clage dir meie ich clage dir sumer wunne... durch JWL*Gleim 1773 so grotesk mißverstanden und zu anakreontischem *Singsang* verformt worden waren (*Altdeutsche Poesie, Sp. 162*). Gerade B. ist Pflanzstätte einer ganz anderen *Minnesinger-Forschung und -Deutung geworden. Auch dafür hat sich Goethe interessieren lassen (vgl. Ruppert S. 110–113).

1819 war ihm der *ungeheure Drang nach Wissen zu Anfang des sechzehnten Jahrhunderts, woraus die Reformation in der Schweiz und in Deutschland hervorging*, gegenwärtig, insbesondere die humanistische Wirksamkeit B.s (Bischof Johannes Thurzo), vielleicht auch die unmittelbar benachbarte und damals weitausstrahlende protestantisch-kirchenmusikalische Spitzenstellung Bernstadts (Herzog Heinrich Wenzel II.): Briefkonzept an LC Freiherr v*Welden *IV/31, 235*. *Za/JP*
Personen:
1765/68 in *Leipzig Bekanntschaft mit stud. med. Karl Friedrich Klose (geb. 1742), Sohn eines b.er Advokaten. Goethe trägt ihm abgewandelte Verse Gleims ins Stammbuch ein (Baumgart S. 7);
1790, 10. VIII. Karl Georg Heinrich Graf vHoym, dirigierender Minister in Schlesien (IV/9, 218); 11. VIII. König Friedrich Wilhelm II. von Preußen mit Familie und Gefolge; Herzog KF von *Braunschweig mit Suite, *große Cour (IV/9, 219)*; 15. VIII. Carl Jaroslaw vPaczensky (1727–1792), Landwirt, Besitzer auf Schleibitz und Mühnitz; Karl Ludwig vKlöber und Hellcheborn (1738–1795), kgl. pr. Geheimer Rat, Direktor der Kriegs- und Domänenkammer, gebürtiger Schweizer, ,,Von Schlesien vor und nach dem Jahre 1740" [1]1785, [2]1788 (III/2, 22); 16. VIII. FW Graf v*Reden; bei der Gesellschaft ua. Graf Philipp vColonna, Hüttenbesitzer in Oberschlesien (vgl. hier Sp. 1047); 17. VIII. KF Freiherr v*Schuckmann; Hv*Lüttwitz; Alexander Arnold vImbert (gest. 1795), kgl. pr. Geheimer Kriegsrat und Bankdirektor; Joseph Christian Franz Karl Ignaz Fürst vHohenlohe-Waldenburg-Bartenstein (1740–1819), Coadjutor des Bistums, 1795 Fürstbischof von B., Goethe trifft ihn 1808 in *Karlsbad wieder (III/3, 340–342); 19. VIII. Justizminister AA HL Freiherr v*Danckelmann; 20. VIII. Weihbischof Anton Ferdinand vRothkirch; dem Datum nach nicht genau zu bestimmen: Carl Friedrich Zastrau (1759–1824), Pastor Secundus, später Primarius an der Stadtpfarrkirche St. Maria Magdalena, Archidiakonus, Senior und Präsident des geistlichen Ministeriums, persönliche Begegnung mit Goethe durch Vita bezeugt; Johann Timotheus Hermes (1738–1821), Propst an St. Maria Magdalena, Romanschriftsteller (,,Für Töchter edler Herkunft", ,,Geschichte der Miß Fanny Wilkes", ,,Sophiens Reise von Memel nach Sachsen"), als solcher Goethe mindestens seit 1774 bekannt (vgl. I/19, 29; I/9, 143), soll sich selbst bei Goethe in B. vorge-

stellt haben und auf der Treppe abgefertigt worden sein (vgl. auch I/53, 387 und die späteren aggressiven *Xenien*); ebenfalls durch den Xenienstreit bekannt: Johann Caspar Friedrich Manso (1760–1826), seit 1790 Direktor am Magdalenäum, Lehrer *Riemers, Schriftsteller, besonders als Autor der Lehrgedichte „Die Kunst zu lieben" (1794) und „Über die Verleumdung der Wissenschaften" (1796) späterhin Goethes und Schillers Gegner („Gegengeschenk an die Sudelköche zu Weimar und Jena, von einigen dankbaren Gästen", 1797), jedoch gewandelte Einstellung besonders nach Erscheinen der *Wanderjahre* (vgl. GoetheJb 18, 119f.; 134f.), Begegnung mit Goethe für B. nicht erwiesen trotz III/2, 22; Johann Gottlieb Schummel (1748 bis 1813), seit 1788 Prorektor am Elisabeth-Gymnasium, vgl. die Rezensionen über „Empfindsame Reisen durch Deutschland" und „Lustspiele ohne Heiraten" (letztere nicht von Goethe) in den *FGA, Begegnung für 1790 nicht erwiesen; Schummel nahm 1791 in *Tarnowitz als erster an dem goetheschen Epigramm *Fern von gebildeten Menschen* Anstoß und kündigte eine Zurechtweisung an (Hoffmann Schlesien S. 35); Chr*Garve; Ludwig Friedrich Gottlob Ernst Gedike, Professor am Elisabeth-Gymnasium; Carl Gottlob Redtel, Oberamtsregierungs- und Oberkonsistorialrat; *3 Grafen Haugwitz (III/2, 22)*, d. s. Otto Graf Haugwitz (geb. 1767 in Pischkowitz/Grafschaft Glatz) und die Oberamtsregierungs- und Oberkonsistorialräte Johann Anton Graf Haugwitz auf Pischkowitz und Friedrich Wilhelm Leopold Graf Haugwitz auf Rosenthal Krs. B., Goethes Jugendfreund HChrKv*Haugwitz befand sich 1790 nicht nachweislich in B.; Ernst Friedrich vKessel, Besichtigung seiner Kupferstichsammlung (Hoffmann Schlesien S. 25); Fürst Heinrich XIV. Reuß, österreichischer Gesandter in B. (Hoffmann Schlesien S. 27); Marquis Girolamo Lucchesini (1751–1825), Goethe aus Neapel bekannt, 1790 kgl. pr. Gesandter am polnischen Hof (Hoffmann Schlesien S. 27); Landjägermeister vWedel auf Brese bei B., Goethe läßt ihn noch 1797 grüßen (IV/12, 99); Oberamtspräsident vSeydlitz (Baumgart S. 20); Karl Friedrich vdKnesebeck berichtet von einem längeren Gespräch (Baumgart S. 39; Weniger S. 21); General vHoltzendorff (ebda), Wiederbegegnung *Jena 1806;

1795 beginnend: Fv*Stein in B., ständiger Kontakt mit Goethe, durch ihn vielfache Beziehungen zu B. vermittelt;

1805: ChrG*Berger (IV/19, 57);

1808, 6. VI. und 10. VII. Ein *Kriegsrath* aus B. [Clausen?] sucht Goethe in Karlsbad auf *(III/3, 343; 359)*; Goethe sendet 20. VII. eine *Samml. Kammerberger Min.* an *Kriegsr. Clausen (III/3, 362)*; 24. und 27. VII. 1810 Besuch in Karlsbad (III/4, 142f.), 31. X. in Weimar (ebda 163);

1809, erstmals 16. VI. M*Meyer/vEybenberg *unter Adresse der Herrn Weigel und Söhne (III/4, 37; 67)*;

1810: JGG*Büsching; 13. VIII. *Breslauerinn* bei Sv*Grothus *(III/4, 147)*;

1811: H*Steffens; FHvd*Hagen; Januar: erstmals Karl Schall (1780–1833), „eine der klassischen Erscheinungen der biedermeierlichen Breslau", als Theaterdichter („Der Kuß und die Ohrfeige", „Mehr Glück als Verstand", „Die unterbrochene Whistpartie oder Der Strohmann") der weimarer Bühne (vgl. III/4, 176; 5, 218; 304), Mitarbeiter FH vd Hagens bei der Übersetzung von „Tausend und eine Nacht" (vgl. Ruppert Nr 1775f.), ? Besuch in Weimar s. Baumgart S. 48); 22. III. Regierungsrath Schiebel (III/ 4, 193); Dezember: erster Kontakt mit JA *Barth (III/4, 246; IV/22, 209f.);

1813: 1./4. XI. F*Heinke, Jurist, Offizier, Christiane aus *Lauchstädt bekannt, 1824 Polizeipräsident in B. (III/5, 82);

1816, erstmals 4. VII. KJ*Raabe (III/5, 249; vgl. auch GoetheJb 23, 266);

1817, 19. I. Jarick, stud. jur. (III/6, 5); 14. VIII. *Regierungsrath *Raumer von Hagen* [FH vd*Hagen] ... *sämmtlich von Breslau, aus Italien kommend und viel von dortigen Geschichten erzählend. Abends Frau von Pogwisch, blieben die sämmtlichen Herrn zu Tische (III/6, 94)*;

1818, 10. VI. CE*Schubarth; 29. VII. JChrW *Augusti (III/6, 233), seit 1812 in B.;

1819, 31. III. Adolph Oswald Blumenthal, stud. jur. in B., Goethe sendet ihm 29. V. ein *Verzeichniß der modernen lateinischen Dichter von Großherzoglicher Bibliothek (III/7, 35; 39; 52*; vgl. IV/31, 118f.; 158–160; I/41^I, 461; GoetheJb 12, 268); 6. X. erster Kontakt mit JFL*Wachler, seit 1815 Professor in B. (III/7, 105; IV/32, 300f.);

1820, April HW*Brandes, weiterhin fortgesetzte Kontakte ua. durch die Schlesische Gesellschaft für vaterländische Cultur in B.; 22. IV., Müller, Sekretär der Schlesischen Gesellschaft für vaterländische Kultur in B., sendet die *ersten meteorologischen Mittheilungen (III/8 188f.; 319)*; 21. VI. August Wilhelm Eduard Theodor Henschel (1790–1856), Arzt und Botaniker, sendet Goethe sein *gewichtiges Werk (II/6, 188)* „Von der Sexuali-

tät der Pflanzen", Goethe dankt ihm am
2. VII. (IV/33, 90–92; 349) und fordert ihn zu
weiterer Zusammenarbeit auf; 28. VIII. Christian Heinrich Richter aus Trebnitz bei B.
sendet ein Konvolut Bücher, Manuskripte
und Zeichnungen an Goethe, der die Sendung
8. V. 1822 durch Th*Kräuter bestätigen läßt
(IV/36, 334);
1821, 26. IV. Karl August Credner (1797 bis
1857), prot. Theologe, seit 1817 Student in
B., 1828 in Jena habilitiert, später Professor
in Gießen, und Bruder: *Abends Gebrüder Credner, Stud. Theol., aus Gotha, bringend eine
Sendung aus B.: Pflanzenkunde der Vorwelt
von Rhode und Heidnische Antiquitäten von
Büsching (III/8, 46)*; Johann Gottlieb Rhode
(1762–1827), Naturforscher und Pädagoge an
der allgemeinen Kriegsschule B., die 2. Lieferung seiner „Pflanzen-Kunde der Vorwelt"
erhielt Goethe im Dezember 1821 (III/8, 316),
dankt am 31. I. 1822 (IV/35, 254f.) und bemüht sich noch 1823, den Kontakt aufrechtzuerhalten (IV/37, 67; vgl. auch I/36, 208);
25. VII. in *Franzensbad Gräfin Henkel
[Henckel-Donnersmarck?] (III/8, 96); 26. X.
Adalbert Bartholomäus Kayßler (1769–1821)
Professor, Direktor des Friedrich-Gymna-
siums in B.: Fragment aus Platons und Goethes Pädagogik, 1821. Goethe dankt 1822 in
KuA, III, 3, *einem so würdigen Manne* für die
*Geneigte Theilnahme an den Wanderjahren
(I/41ᴵ, 366–368;* vgl. IV/35, 178; 360; auch
Ruppert Nr 3087; 4201);
1822, 29. I. Friedrich Wilhelm Eduard Ger-
hard (1795–1867), Archäologe und Universi-
tätslehrer wird von Kanzler v*Müller bei
Goethe eingeführt (III/8, 162), 1829 Mit-
begründer des Archäologischen Instituts in
Rom, Kontakt durch Goethes Interesse an
seinen „Antiken Bildwerken" (vgl. *KuA* VI,
2, 299; IV/44, 344; 379; 46, 22); 12. XII. JE
*Purkynje, *als Professor der Physiologie nach
Breslau berufen (IV/36, 230),* Sendungen nach
B. 25. II. und 18. III. 1826 (III/10, 165; 173);
1823, 9. IX. *Mineralogie des Breslauer (III/9,
113);*
1824, 13. IV. HFW*Hinrichs, 1822–1824 ao.
Professor in B. (III/9, 205); 17. VII. *Köhler,
Organist in Breslau (III/9, 244); 28. IX.
Louis Liegniser aus Breslau, auf Landwirt-
schafth studirend (III/9, 275);* 13. IX. Willibald Alexis (*Häring), gebürtiger Breslauer,
erstmals bei Goethe; 27. IX. Kv*Holtei sucht
erste Verbindung zu Goethe (III/9, 274f.;
338); Anfang Dezember: Joseph Max (1787
bis 1873), Buchhändler, Verleger ua. von JP
*Richter, L*Tieck, FHvdHagen, JCFManso,

Goethe durch CESchubarth seit 1819 namentlich bekannt (vgl. IV/32, 89), bittet um
„eine Abhandlung über Byrons Dichtungen
und über seine ganze Stellung zum Zeitalter",
die Goethe ablehnt (*darf sich mein tiefer
Schmerz nicht erlauben: IV/39, 49;* 292), die
laufenden Sendungen von „1001 Nacht"
(Ruppert Nr 1775–1777) dagegen nimmt er
mit Interesse entgegen, vgl. zB. 21. XII. 1825
an Cotta: *Was die Taschen-Ausgabe betrifft so
wäre zu wünschen, daß die neue Übersetzung der
Tausend und einen Nacht, Breslau bey Joseph
Max und Comp., zum Muster gewählt werden
könnte (IV/40, 183),* Max bemüht sich mit
Brief vom 6. V. 1825 gegen ein Honorar von
30.000 rh. um den Verlag der Ausgabe letzter
Hand (IV/39, 347; vgl. GoetheJb 6, 143; IV/
40, 369f.) und erwirkt von Goethe die Zusage,
den in *KuA* erschienenen Aufsatz über *Sal-
vandys „Don Alonzo" der Übersetzung des
Werkes als Einleitung voranzustellen (vgl.
I/41ᴵᴵ, 432), 1826: *Die Sendung von Max aus
Breslau beschäftigte mich (III/10, 255;* 298);
1825, 19. XI. Ferdinand Baron vEckstein
(1790–1861), frz. Beamter, Herausgeber der
pariser Zeitschrift „Le Catholique", *von Breslau gebürtig (III/10, 126);*
1827, 1. XI. Jeremias Rudolf Lichtenstädt,
Mediziner, Universitätslehrer, „Platons Lehren auf dem Gebiete der Naturforschung und
der Heilkunde", vgl. III/11, 131f.; 158; I/42ᴵᴵ,
476–478);
1829, 23. IX. Ernst Theodor Gaupp (1796 bis
1859), Jurist, 1821 bis zum Tode Universitätsprofessor in B., *aus Berlin* kommend
(III/12, 129);
1830, ChrG*Nees vEsenbeck nach B. als Professor berufen; 6. VIII. Goethe empfiehlt Bernardo Castolli, einen mailändischen emigrierten Geistlichen, als Sprachlehrer nach B.
(IV/47, 167; III/12, 285);
1831, *Hoffmann vFallersleben; 22. II. Friedrich Christian Eugen Frhr vVaerst (1792 bis
1855) „Politisches Neujahrsgeschenk" Breslau 1831 (III/13, 35), gehörte in B. zu dem
Kreise um KSchall und um das b.er Theater,
erster Besuch bei Goethe bereits 7. IV. 1822
aus Berlin (III/8, 183).   JP

Hoffmann-Schlesien. – WBaumgart: Goethe und
Schlesien (Literaturverzeichnis). 1940.

Briefe/Briefwechsel, Vergleichbar der Wertschätzung und Ausdrucksvielfalt seiner *Gespräche, bisweilen von noch dichterer For-
men- und Inhaltsgewalt, bisweilen weniger
unmittelbar, mehr mittelbar und kühler auf
Wirkung bedacht, immer aber als Ganzes von
einzigartiger Zeugniskraft steht Goethes

*Korrespondenz da, um sein _Dasein und Wirken_ in allen Regionen zu beurkunden. Von 1764 bis 1832 Jahr um Jahr zunehmend und mit den Lebensstufen sich wandelnd, entfaltet sich hier die wohl am meisten überwältigende Dokumentation eines (quasi) Selbstexperiments, das der sich langsam historisch und symbolisch werdende Goethe anstellte, um in sich und mit sich selbst das _Urbild_ des Menschlichen, dh. den „_Ur_-Menschen" optimal-approximativ darzustellen (AZastrau: Gedanken über die Menschlichkeit in Zeugnissen Goethes. Humanismus und Technik VI, 2). Diese Korrespondenz ist in Frage und Antwort nicht nur Mitteilung oder Ausdruck, sondern – indem sie beides ist – ist sie auch und mehr noch Verwirklichung des Eigenen und Eigentlichen in den Kommunikationen mit dem Andern und Andersartigen: _Bezüge sind das Leben_ (1830: _IV/46, 223_). „Goethes Sprache ist die Sprache des Mitmenschen" (HHSchaeder: Goethe als Mitmensch. 1949. S. 4). _Briefe gehören unter die wichtigsten Denkmäler, die der einzelne Mensch hinterlassen kann. Lebhafte Personen stellen sich schon bei ihren Selbstgesprächen manchmal einen abwesenden Freund als gegenwärtig vor, dem sie ihre innersten Gesinnungen mittheilen, und so ist auch der Brief eine Art von Selbstgespräch. Denn oft wird ein Freund, an den man schreibt, mehr der Anlaß als der Gegenstand des Briefes. Was uns freut oder schmerzt, drückt oder beschäftigt, lös't sich von dem Herzen los, und als dauernde Spuren eines Daseins, eines Zustandes sind solche Blätter für die Nachwelt immer wichtiger, je mehr dem Schreibenden nur der Augenblick vorschwebte, je weniger ihm eine Folgezeit in den Sinn kam_ (1805: _I/46, 11f._). Was hier _Augenblick_ heißt, meint das Ganze der Zeit: Vergangenheit, Gegenwart, Zukunft noch ungeschieden in einem: _Jeder Augenblick ist von unendlichem Wert, denn er ist der Repräsentant einer ganzen Ewigkeit_ (1823: _Bdm. 3, 36_). Dergestalt ist Goethes Briefgesetz zugleich sein Lebensgesetz: _Wer thätig sein will und muß, hat nur das Gehörige des Augenblicks zu bedenken, und so kommt er ohne Weitläufigkeit hindurch_ (1831: _IV/48, 95_; _MuR:_ Hecker _Nr 908_). Eben deswegen ist in den _Augenblicken_ seiner Korrespondenz immer der ganze Goethe da. Dies zu betonen ist seine Absicht, wenn er vom ersten bis zum letzten Male jeglichen B. (auch den intimsten) und jeglichem Empfänger gegenüber ausnahmslos [!] mit seinem Familiennamen _Goethe_ (allenfalls abgekürzt: _G_) unterschreibt (vgl. dazu HMeyer: Goethe. 1949. S. 65; nach Goethes männlich-

betonter, selbstbewußter Auffassung ist der Familienname eines Menschen nicht nur ein _vollkommen passendes Kleid_, sondern die _ihm über und über angewachsene Haut_, mehr noch: er ist diejenige Form, in der sich der Mensch stets als ein Wirklicher und ausdrücklich als ein _Ganzer_ bezeugt und vertritt: _I/27, 311_).

Mit mehr Recht als nur cum grano salis kann man sagen, daß Goethes dichterische Sprache fast experimentell und besonders eindringlich sich am und im B. bildet (vgl. HMeyer S. 68 bis 72; EBeutler: Wiederholte Spiegelungen S. 13–15). EW*Behrisch (Sp. 972) inspirierte die Anfänge. Danach entwickelten sich B. als dichterische Form über das _Fragment eines Romans in Briefen_ (wohl Herbst 1770: Morris 2, 51–54; vgl. dazu Morris 4, 106; 6, 152–154, dort auch Hinweise auf etwaige spätere, aber vor-wertherische Versuche), _Briefe des Pastors zu *** an den neuen Pastor zu ***_ (1772/ 1773), bis zu rasch erreichter Hochform: _Die Leiden des jungen Werthers_ (1774), und weiter: _Briefe aus der Schweiz. Zweite Abteilung_ (1780/1796), _Briefe aus der Schweiz. Erste Abteilung_ (1796/1808); _Briefe eines Reisenden und seines Zöglings unter romantischem Namen sich an Wilhelm Meister anschließend_ (nur Schema: 1798; _I/25_II, 289 Nr 2; 47, 281), _Italiänische Reise_ (1786/88: I. 1813/16; II. 1815/17; III. 1819/29), _Der Sammler und die Seinigen_ (1798/99; 1819; 1820; 1830). Diese Entwicklungslinie wird ergänzt durch Briefeinlagen in den _Wahlverwandtschaften_ (5: 1807/ 1809) sowie in _Wilhelm Meisters Wanderjahren_ (8: 1807/21/29). Gelegentliche Rezensionen (4) über Briefliteratur (1772/1827/1830 – charakteristische Jahreszahlen!) illustrieren Goethes Einstellung.

Wenn es dessen überhaupt noch bedürfte, lassen sich hier in weitestem Abstand zu den Blätterwäldern der zeitgenössischen Briefliteratur (*Autobiographie; *Korrespondenz; *Memoiren; *Roman) Notwendigkeit und Forderung verankern, den echten Werk-Charakter der goetheschen B. zu erkennen und (zumal editorisch) die Konsequenzen zu ziehen. Sogleich nach Goethes Tod setzten die (mehr oder weniger redigierten, alsdann oft neu veranstalteten, vielfach ergänzten und verbesserten) Einzelausgaben ganzer B.-Sammlungen ein, die jeweils die Gesamt-Korrespondenz mit bestimmten, besonders bedeutenden Einzelpersönlichkeiten oder Personengruppen als Einheit von Äußerung und Rückäußerung in allen erfaßbaren Ein- und Ausgängen, auch Konzepten, verfügbar machten. Es sind dies in zeitlicher Folge ihrer

Erstausgaben die Korrespondenzen zB. kraft amtlicher Verhältnisse (1834: C*Vogel), insbesondere aber mit: JHMerck (1835), CEL [Bettina] Brentano/vArnim (1835), AL Gräfin Stolberg/Bernstorff (1839), FHJacobi (1846/47), ChvStein (1848/51), CF Graf Reinhard (1850), CLvKnebel (1851), JSGrüner (1853), JGChr u. ChSHKestner/Buff (1855), ChrFLSchultz (1856), JGHerder (1856), S Boisserée (1862), Carl August (1863), CM Graf Sternberg (1866: FThBratranek), FA Wolff (1868), Naturwissenschaftliche Correspondenz (1872: FThBratranek), A u. W vHumboldt (1876: FThBratranek), MvWillemer (1877), CWGöttling (1880), A Fürstin Gallitzin (1882: FThBratranek), ThCarlyle (1887), JFRochlitz (1887), EWBehrisch (1887) JCLavater (1896), Romantik (1898/99: C Schüddekopf, OWalzel), Österreich (1902/04: ASauer), JWDöbereiner (1914), Christiane (1916), CvHoltei (1917), JSGrüner u. JSZauper (1917), HMeyer (1917/32), AE [Lili] Schönemann/vTürckheim (1924), JGFichte (1925), AW u. FSchlegel (1926), NMeyer (1926), A Schopenhauer (1929/42), G u. CSartorius (1931), HFC Reichsfreiherr vom u. zum Stein (1934), PhORunge (1940), CGVoigt (1949/59), GWFHegel (1952/54), FWvTrebra (1955) – vgl. zu diesen Angaben GoetheBibl. S. 77 bis 131.

Die B.-Abteilung (IV) der WA enthält nur einseitig die [deswegen oft unverständlich bleibenden] Briefe Goethes, chronologisch überdies nicht durchweg sicher überprüft und geordnet.

Wenngleich auch für weitere Kontakte erwogen (zB. mit CLvKnebel, WvHumboldt, CF vReinhard ua. vgl. FvMüller: BrReinhard, Vorrede Dezember 1847) und wenngleich in mancherlei Vorformen durchgelebt wie durchgeprobt (vgl. die Anregungen durch ChrF *Gellert, außerdem zB. EW*Behrisch, JD *Salzmann, JG*Herder, JH*Merck, sogar auch CS*Schönkopf, FE*Oeser, M*Laroche/ Brentano, Av*Stolberg ua.), so ist Goethe selbst doch nur in zwei Fällen mit Anlage, Beharrlichkeit, Ausführung, Folge, Überarbeitung bemüht gewesen, seine Korrespondenzen als selbständige Werke zu publizieren – selbständig vornehmlich dadurch, daß diese Produktionen in der Kommunikation mit einem Partner entstanden und mit dem Erlöschen der *Partnerschaft durch den Tod endeten, daß sie keinem der beiden allein angehörten, sondern eine durchaus jeden einzelnen übersteigende, gemeinsame Leistung darstellten. Es sollte eine menschliche Begegnung

in der abgeschlossenen Vollendung ihres Begegnungs-Charakters, dh. als Werk sui generis für sich selbst und auf ihre höchstbesondere Weise Zeugnis ablegen, daß es durchaus *ein höheres Geschäft* sei, die *Eins* und die *Zwei* auszusprechen sowie alsdann die *Erscheinung eines Dritten* zu bewirken oder doch wahrzunehmen, *besonders aber allen diesen Ausdrücken eine echte Anschauung unterzulegen* (1808: *II/1, 296*). Erfaßt man in solchen Formeln die fundierende Forderung, so wird man der Grenze inne, die Goethe zwischen sich und biographischer Neugier oder alexandrinischer Beflissenheit gewahrt wissen wollte, um ihr Überschreiten von der Legitimation zu *einem höheren Geschäft* abhängig zu machen – eine Reserve, die nichts von ihrer Gültigkeit verloren hat und deren sehr genaue Beachtung zum *Verstehen* überhaupt sowie zur Würdigung des Quellenwertes nach den Maßen der Relationalität insbesondere gehört.

Die beiden Fälle, in denen Goethe mit derartigen Intentionen selbst die Publikation seiner Korrespondenzen betrieb, sind dadurch besonders ausgezeichnet, daß sie betontermaßen verschiedenen *Epochen nicht nur des goetheschen, sondern des geschichtlichen Daseins zugeordnet waren oder doch als solchen zugeordnet sich (von Goethe selbst) deuten ließen. Eben deswegen ist es gerechtfertigt, von ihnen besonders zu reden. Das erstemal handelte es sich um die Gemeinsamkeit mit Schiller: *Ich ... redigire meine Correspondenz mit Schiller von 1794 bis 1805. Es wird eine große Gabe seyn, die den Deutschen, ja ich darf wohl sagen den Menschen geboten wird. Zwey Freunde der Art, die sich immer wechselseitig steigern indem sie sich augenblicklich expectoriren* (1824: *IV/38, 278*); *Meine Correspondenz mit Schiller ... endigt 1805, und wenn man denkt, daß 1806 die Invasion der Franzosen eintrat, so sieht man bey'm ersten Anblick, daß sie eine Epoche abschließt, von der uns kaum eine Erinnerung übrig bleibt ... Desto reiner steht jenes Zeugniß* (1824: *IV/39, 54*; vgl. K Schmid: ArtA 20, 1052–1055; Mommsen/ EGW 470–529). Das zweitemal ging es um die Freundschaft mit Zelter: *Nun find ich daß unser Verhältniß von 1800 an sich durch alles durchschlingt und so möcht ich es denn auch zu ewigen Zeiten erscheinen lassen, und zwar in reiner Steigerung, deren Wahrheit sich nur durch das vollkommenste Detail bezeichnen läßt* (1825: *IV/39, 199*); *Correspondenz mit Herrn Professor Zelter zu Berlin. Von dieser ist vorläufig so viel zu sagen, daß dieselbe nach beiderseitigem Ableben vollständig ausgeboten und abge-*

druckt werden soll (1831: *Testament I/53, 330f.*); *Du siehst, daß es ein Schatz ist, von welchem die einzelnen Originale festzuhalten sind; Riemer übernimmt die nicht geringe Arbeit der Redaction ... So lange ich lebe, werd ich ihm nachhelfen; denn es verlangt nicht allein Aufmerksamkeit, sondern auch Resolution, weil ich besonders alles Auffallende und Beleidigende möchte getilgt sehen, ohne daß dadurch der Derbheit und Tüchtigkeit Eintrag geschehe* (1831: *IV/48, 122*). Tatsächlich sind beide Korrespondenzen durch und nach ihrer Publikation das geworden, was Goethe [nicht nur hier] angestrebt hat: Dokumente der Kollektivität, der Partnerschaft *kollektiver Wesen: Mon œuvre est celle d'un être collectif* (1832: *Bdm. 4, 431;* dazu FSoret/Houben: S. 630).

Za

Bibliographische Angaben vgl. unter *Korrespondenz.

Brienz/Brienzer See im Kanton *Bern waren Tagesziel am 13. X. 1779. Über Ankunft am Abend, Übernachtung (in Tracht bei B.), Weiterfahrt am Morgen (14.) zu Schiff berichtete Goethe an ChvStein meist mit den Worten Ph*Seidels. Zwei junge Burschen ließen sich noch am Abend gewinnen, einen „Schwinger" (Ringkampf „nach Schweizermanier") vor dem Wirtshaus als Schaukampf vorzuführen (*Volkskunde). Aus *Meiringen kam ein Schwager P*Im-Baumgartens, um bei Goethe Nachricht einzuholen und Grüße auch von den anderen Verwandten (Schwester, Bruder, Stiefmutter, Stiefgeschwister) mitzugeben. Die Schiffsfahrt erinnerte Goethe an odysseische Szenen (IV/4, 82; RV S. 19; *Homer).

JP

Brill, Paul (1556–1626), Landschaftsmaler aus Antwerpen, tätig seit 1574 in Rom, wo er im Auftrage Papst Clemens' VIII. zahlreiche Landschaftsfresken und Tafelbilder ausführte. Seine Landschaftsauffassung überwand die Welt- und Wanderlandschaft J*Patiners und Coninxloos: *es ist nicht mehr eine ganze Welt, sondern bedeutende, aber immer noch weitgreifende Einzelnheiten (I/49ᴵᴵ, 244).* B. begründete, *ob er gleich noch immer hohen Horizont liebt und es im Vordergrund an Gebirgsmassen und in dem Übrigen an Mannigfaltigkeit es fehlen läßt (I/49ᴵᴵ, 246),* unter dem Einfluß des in Rom lebenden frankfurter Malers *Elsheimer die heroische und ideale Landschaft. Diese beruht weitgehend auf dem Erlebnis der Campagna-Landschaft und der Ruinenwelt Roms. B. auf diese entwicklungsgeschichtlich bedeutsame Stufe gestellt zu haben, ist Goethes Verdienst; die späteren Kunstgeschichts-

schreiber folgen ihm mit wechselnder Formulierung. Goethes Interesse an B.s Landschaftsdarstellungen, besonders an den Monatsbildern in sechs Blättern (gestochen von ESadeler, neben anderen Kupferstichen und Zeichnungen B.s in Goethes Besitz), die er im Nachtrag zu *Philostrats Gemählde* als symbolische Vorstellungen behandelte *(I/49ᴵ, 142)*, ist durch seine eigene Landschaftsauffassung bedingt, wie er sie in der Eingangsschilderung der *Novelle* (I/18, 317f.) dargelegt hat: Die Weite des landschaftlichen Raumes entscheidet über das Landschaftserlebnis, das bei B. *von der höchsten Bergspitze, durch alle Hütten-, Hammer- und Mühlenwerke, bis zum Thal, in den Fluß, zu Schiffen, Schiffahrt, Handelsstädten, Residenzen, (Schlösser an der Seite nicht zu vergessen,) bis in die offne See (IV/26, 413)* eine Welt noch zu umfassen und zu formen vermochte. *Lö*

Schuchardt 1, S. 152; 302. – ThB 5 (1911), S. 16f. – ALMayer: Paul Brill. 1910. – KGerstenberg: Die ideale Landschaftsmalerei. 1923. S. 71–78. – HWvLöhneysen: Die ältere niederländische Malerei, Künstler und Kritiker. 1956. S. 129–136.

Brille, Brillenträger waren Goethe fatal; jedoch galt dies nur unter gewissen Umständen. *Zelter bezeichnete er selbst als den einzigen Menschen, bei dem ihn die B. nicht geniere (1830: Bdm. 4, 256). Er gestand aber *Varnhagen von Ense die gleiche Ausnahme im Gespräch scherzend zu (ebda 168) und zeigte sich bereit, die Augengläser zB. CE*Schubarth nachzusehen (IV/33, 276). Der berliner Maler *Rösel durfte seine B. benutzen, um im Skizzenbuche zu blättern, solange er Goethe mit freiem Blick ansah (Bdm. 4, 20f.). Als Arbeitsgerät, namentlich des Alterssichtigen erschienen ihm B.n nicht anstößig (I/9, 134), wenn sie auch hier einmal als Ausdruck ängstlicher Kleinlichkeit beschwerlich erscheinen konnten (I/21, 42). Kurzsichtige blieben bei Goethe im Nachteile (Bdm. 3, 503f.), weswegen ihnen gelegentlich geraten wurde, die B. bei einem Besuch abzulegen (28. I. 1826 zu OLB *Wolff: Bdm. 3, 250; 30. IX. 1828 zu H*Koenig: Bdm. 4, 20; 5. IV. 1830 zu F*Soret: ebda 259). – FW*Riemer schreibt 1841: „Mit der Brille auf der Nase vom ersten besten Fremden, der sich ihm näherte, betrachtet zu werden, konnte ihm nicht angenehm sein, weil es unschicklich ist, so wenig es auch jetzt dafür gehalten wird" (Riemer/Mittheilungen 1, 233.) Offenbar bekennt sich Riemer zu der Auffassung, dieses Verhalten eines B.trägers widerspreche guten Sitten. Derartige Ansicht muß aus einer Zeit verstanden werden, in der die Ohren- oder Schläfenbrillen, die den Gläsern vor den Augen einen festen Sitz gaben, erst aufkamen (MvRohr, RGreeff). Es war wirklich etwas Neues, als in der zweiten Hälfte des 18. Jahrhunderts die B., die man bis dahin vornehmlich im Arbeitszimmer (etwa in Form einer Lorgnette) gebraucht hatte, nun dauernd getragen wurde. Viele taten es auch aus Koketterie. Einer Zeitstimmung gab Goethe Ausdruck, wenn er in den *Wanderjahren* von sittlichen Bedenken spricht und von einem *Dünkel der jungen Leute,* der durch ihre *Gewohnheit Annäherungsbrillen zu tragen* entstehe (I/24, 184). Aber 1830 hat er Eckermann gegenüber diese Meinung als *nicht haltbar* bezeichnet (Bdm. 4, 257). Die Alten bekämpften jedenfalls die Neuerung, und es schien ihnen, die auf der Straße keine B. nötig hatten, widersinnig, wenn die Jungen (Kurzsichtigen), die ohne Glas lesen konnten, mit der B. auf der Nase umhergingen. Das war freilich ein Irrtum. Die Hüterinnen der Sitte bezeugen es in *Ottiliens Tagebuch: Es käme niemand mit der Brille auf der Nase in ein vertrauliches Gemach, wenn er wüßte, daß uns Frauen sogleich die Lust vergeht ihn anzusehen und uns mit ihm zu unterhalten.* Der nächste Absatz aus dem *Tagebuche* scheint den Gedanken fortzusetzen: *Zutraulichkeit an der Stelle der Ehrfurcht ist immer lächerlich . . .* Der nun folgende aber umgreift beide: *Es gibt kein äußeres Zeichen der Höflichkeit, das nicht einen tiefen sittlichen Grund hätte. Die rechte Erziehung wäre, welche dieses Zeichen und den Grund zugleich überlieferte (I/20, 261).* Solcher Forderung hat Goethe entsprochen, da er seine B.-Feindschaft wiederholt begründete. Entscheidend war für ihn die durch die B. bewirkte Störung einer *billigen Gleichheit* der Partner, die sich im Gespräch kennenlernen wollen (Bdm. 4, 256f.). Die B. setzt den unbewehrten Empfänger des Besuchers in zwiefachen Nachteil, was Goethe wohl am treffendsten in Versen aussprach: *Der hat eine Maske vorgethan, | Mit Späherblicken kommt er an (I/3, 155).* Den Angriff des Bebrillten schildert Goethe in verschiedener Weise, dem Kanzler Fv*Müller: *als wolle er mich einer Prüfung unterwerfen und mir seine Überlegenheit zu fühlen geben (Bdm. 4, 259),* und Eckermann: *als wollten sie durch ihre gewaffneten Blicke in mein geheimstes Innere dringen und jedes Fältchen meines alten Gesichts erspähen (ebda 256).* Ähnlich war Goethe JC*Lavaters Verfahren früher schon *als eine Tücke,* ein *Spioniren* erschienen, die *sittlichen Eigenschaften* aufzuspüren (DuW: I/29, 138). - Andrerseits fand Goethes Blick keinen Weg in

das Auge seines Gegenüber (Bdm. 4, 258). Er mußte hinter den Glasaugen die natürlichen suchen (IV/33, 276), weil sie ihm *den Blick* des Fremden *verdeckten (Bdm. 4, 493).* Denn *was habe ich von einem Menschen, dem ich bei seinen mündlichen Äußerungen nicht ins Auge sehen kann und dessen Seelenspiegel durch ein paar Gläser, die mich blenden, verschleiert ist* (ebda 257). *Ich rede kein vernünftig Wort | Mit einem durch die Brille (I/3, 155).* - Darum also nennt Goethe sich *einen großen Feind (IV/33, 276)* der *verfluchten Brille (III/11, 38),* die ihn *sticht (Bdm. 3, 250)* und ihm Stimmung wie freie Entwicklung seiner eigenen Gedanken *verdirbt (Bdm. 4, 256).* Ihm wird die Voraussetzung engerer Beziehung zwischen Menschen angerührt; indessen gewinnt die so gegründete Haltung erst Bedeutung gegenüber dem goetheschen Verhältnis zwischen Mensch und Welt.
In der Betrachtung *Wilhelm Meisters* erscheint die B. nur als Sonderfall jener *Mittel, wodurch wir unsern Sinnen zu Hülfe kommen.* Und so gehört diese Stelle der *Wanderjahre* in die Reihe der Äußerungen, mit denen Goethe vor einer mittelbaren *Beobachtung von Naturerscheinungen warnt. *Wilhelm* hatte den Jupiter mit seinen Monden durch ein vollkommenes Fernrohr gesehen, und nun fühlte er sein natürliches Verhältnis zu dem *Unzähligen des Himmels* gestört. Da erinnerte er sich, daß auch die B. den äußern Sinn *mit seiner innern Urtheilsfähigkeit außer Gleichgewicht gesetzt habe: ich sehe mehr als ich sehen sollte . . .* Hier dürfte der Schlüssel liegen zum Verständnis der eigenartigen Tatsache, daß Goethe die B. verpönte, obwohl er selbst in geringem Grade kurzsichtig war (vielleicht -0,5 dptr; *Auge 2). Wilhelm setzt nämlich seine Betrachtung fort: *die schärfer gesehene Welt harmonirt nicht mit meinem Innern und ich lege die Gläser geschwind wieder weg, wenn meine Neugierde, wie dieses oder jenes in der Ferne beschaffen sein möchte, befriedigt ist (I/24, 183f.).* Wenn man von dem vorübergehenden Zustande eines Akkomodationskrampfes absieht, ist eine Verbesserung der Bildschärfe durch ein Konkavglas nur beim Kurzsichtigen erreichbar, während der Normalsichtige, der schon ohne Glas jeden angeblickten Gegenstand scharf sieht, durch ein stärkeres Konkavglas an Bildschärfe verlieren muß. Aber Goethe nahm die von ihm selbst bezeugte leichte Unschärfe seines Gesichts als naturgegeben hin und leitete *daher die Gabe die Gegenstände anmuthig zu sehen (II/11, 300).* Diese ihm wesenhafte

Fähigkeit aber fand er durch die B. gestört. *Mikroskope und Fernröhre verwirren eigentlich den reinen Menschensinn (MuR:* Hecker Nr *502).* Ja, Goethe nennt es *das größte Unheil der neuern Physik daß man die Experimente gleichsam vom Menschen abgesondert hat, und blos in dem was künstliche Instrumente zeigen die Natur erkennen, ja was sie leisten kann dadurch beschränken und beweisen will* (1808: *IV/20, 90).* Unbeschadet dessen räumt er gelegentlich auch die Bedeutung derartiger Forschungshilfen ein. So begrenzt *Wilhelm Meister* seine Aussage über die bedenkliche Wirkung der B.n; *es gehört eine höhere Cultur dazu, deren nur vorzügliche Menschen fähig sind, ihr Inneres, Wahres mit diesem von außen herangerückten Falschen einigermaßen auszugleichen (I/24, 183).* Und Goethe läßt *Den Mathematiko-Optikern* gern *die Ehre,* mit ihren *schätzbaren Objectiv-Gläsern...,* den *Astronomen den Weg zu den Doppelsternen eröffnet zu haben,* wogegen er indessen für sich, als *einen die Atmosphäre und die bunte Welt mit Freyheit betrachtenden Physiker* das gleiche Forschungs-Recht in Anspruch nimmt *(IV/45, 136).* Ein andermal sieht Goethe *Aus dem Größten wie aus dem Kleinsten, das nur durch künstlichste Mittel dem Menschen zu vergegenwärtigen ist,* mit Dankbarkeit eine *Metaphysik der Erscheinungen* hervorgehn. Er bekennt sich aber in der ihm eigenen Selbstbeschränkung zu dem Mittelreiche, das *unsern Sinnen* angemessen ist *(MuR:* Hecker *Nr. 1225).* Hier liegt das Forschungsgebiet seiner **Farbenlehre. Seltsam* findet er es, *durch Experimente* dartun zu wollen, *was vorher schon das Auge im vollkommensten Sinne aufgefaßt hat,* weil es der zuständige *Prüfer und Bewährer der Phänomene* ist, *indem die Phänomene das, was sie sind, nur für die respektiven Sinne sind* (1809: *Bdm. 2, 43).* Denn um das Phänomen, das mit dem Auge eins ist, geht es Goethe *(Farbenlehre:* NS 4, 18). Für diese Aufgabe ist wahrlich *Der Mensch an sich selbst, insofern er sich seiner gesunden Sinne bedient,... der größte und genaueste physicalische Apparat den es geben kann (IV/20, 90). Wir würden gar vieles besser kennen, wenn wir es nicht zu genau erkennen wollten (MuR:* Hecker *Nr. 501).* Kein Glas kann helfen, *wo die natürliche Gesichtskraft sehr wohl hinreiche, wenn sie dem Geist zu Gebothe steht (I/49^{II}, 234). – Der Mensch ist genugsam ausgestattet zu allen wahren irdischen Bedürfnissen, wenn er seinen Sinnen traut und sie dergestalt ausbildet, daß sie des Vertrauens werth bleiben (MuR:* Hecker *Nr 1194;* *Sinnenvertrauen).   *Mt*

MvRohr: Aus der Geschichte der Brille. In: Beiträge zur Geschichte der Technik und Industrie 18 (1928), S. 111. – RGreeff: Goethe und die Brillen. In: Klinische Monatsblätter für Augenheilkunde 82 (1929), S. 389–396.

Brinkman, Carl Gustav von (1764–1847), gebürtiger Schwede aus Nacka/Stockholm, seit 1775 zu Schulbesuch und Universitätsstudium in Deutschland (Niesky; Barby; Halle); Wechsel von der Theologie zur Philosophie, Staatslehre, Diplomatie; Amtstätigkeit als Legationssekretär 1792 in *Berlin (vgl. hier CFv*Berg, Sp. 1030), 1797 in Paris, 1801 wieder in Berlin, 1807 Gesandter ebendort, 1808 in London, 1809 schwedischer Hofkanzler in Stockholm. Bis zu diesem Zeitpunkt hat er ein sehr intensives, aktives Verhältnis besonders zu deutscher Kultur und Literatur. Er suchte und gewann – schon seit der gemeinsamen Schulzeit mit FED*Schleiermacher befreundet – Kontakt mit den großen und mit den größten Repräsentanten. Über die Freundesbrücke mit dem Hause Humboldt, aber auch mit anderen Persönlichkeiten des damaligen Berlin kam er ua. auch zu Goethe, der ihn am 18. II. 1798 empfing, einige Tage in seiner Nähe, auch als Tischgast, behielt und ihm während seines Aufenthaltes in Weimar/Jena Gelegenheit verschaffte, neben AWSchlegel vornehmlich auch Schiller aufzuwarten. Goethe lobte seine *lebhafte Unterhaltung,* ebenso seine *Theilnahme an so vielem,* wozu das Tischgespräch besonders mit *unseren zwey liebenswürdigen Schriftstellerinnen* (AAvHelvig/vImhoff; FSCvWolzogen/vLengefeld/vBeulwitz) elastische Gelegenheiten bot: *Er scheint mir aber eine rechte Natur für ein so großes Element wie Berlin zu seyn (IV/13, 70f.).* Gegenüber dem kühleren Urteil Schillers formuliert Goethe wärmer: *Unsern Schweden den Sie trefflich geschildert haben habe ich noch morgen zu bleiben beredet. Unsere Frauen in Weimar bedürfen gar sehr solcher fremden Erscheinungen, und ich mag ihnen, da sie sonst so wenig Vergnügen haben, dergleichen gerne gönnen. Gewiß sind diese Naturen sehr wünschenswerth weil sie zur affirmativen Seite gehören und doch immer Talente in der Welt supponiren müssen, wenn ihr Talent gelten soll (IV/13, 76).* B. hat alsbald Druckproben seiner (zumindest poetischen) Talente übermittelt: 1799 seine „Elegien", 1804 seine „Gedichte" – diese mit Widmungsstanzen an Goethe und einem besonderen Dedikationsbrief vom 15. V. 1804. „Sie finden, daß ich als Politiker, Filosof und Literator meiner enthusiastischen Vorliebe für Deutschland gleich treu bleibe, und wenn dies ein Vorurtheil ist, so

muß es wenigstens bei jedem Bewunderer
Goethens ebenso natürlich wie verzeihlich
scheinen" (GoetheJb. 17, 40). Tatsächlich hat
B. diese seine Vorliebe, insbesondere aber seine Goethe-Verehrung und seine persönliche
Erinnerung an ihn als bleibenden und wär-
menden Besitz nach Schweden mitgenommen, auch wenn in späteren Jahren die Amtspflichten stärker waren als seine Reminiszenzen. Aus der Kraft dieser Erlebnisse aber zog
er immerhin die Fähigkeit, sich um die einheimische Literatur hervorragende Verdienste
zu erwerben. Die schon in Deutschland zunehmenden Dienstgeschäfte ließen ihn nicht
dazu kommen, an der JALZ mitzuarbeiten,
was er in seinem letzten Brief an Goethe ausdrücklich bedauert. Die Korrespondenz beider ist mit drei Briefen B.s an Goethe und
zwei Briefen Goethes an B. erhalten und von
ALeitzmann 1896 im GoetheJb. ediert. Für
etwaige Eheabsichten B.s mit AAvHelvig/
vImhoff finden sich keine tragfähigen Zeugnisse.   *Li*

Brion, 1) Johann Jakob (1717–1787), ein Nachkomme französischer Hugenotten, welche die
Widerrufung des Ediktes von Nantes (1685)
aus der Normandie vertrieben hatte, und der
Vater Friederike Elisabeth B.s (–, 4), war von
1760 bis zu seinem Tode Pfarrer in *Sesenheim.
Als Sohn eines Küblers in *Straßburg geboren,
studierte er dort an der von streng lutherischem
Geiste durchdrungenen theologischen Fakultät. Die Grundlagen zu einem Urteil über seinen geistigen Wert als wissenschaftlicher Theologe, Prediger und Seelsorger fehlen; aber es
spricht manches dafür, daß er ein wenn auch
vielleicht handwerksmäßiger, so doch gewissenhafter Geistlicher war. Trotz seiner ortho-
doxen Bildung scheint schroffe Unduldsamkeit bei ihm unwahrscheinlich, da er anderweitig als milder, gutmütiger, oft unbedenklich
wohltätiger, zuweilen fast naiver Mensch geschildert wird. Jedenfalls hat die Rechtgläu-
bigkeit die Lebenslust, wie sie sich etwa in
offener Gastfreundlichkeit äußerte, nicht getrübt. Letztere ging – Schwäche oder gefährliche Vertrauensseligkeit? – soweit, daß er in
seinem Hause den Verkehr von Offizieren aus
Fort-Louis duldete, während in den straßburger Familien aus Furcht vor übler Nachrede
die Offiziere der Garnison nicht zugelassen
wurden. Übrigens war seine Wohnung, nach
dem Urteil eines elsässischen Pfarrers, Kenners der Verhältnisse, nicht das einzige Pfarrhaus, in dem man Anlaß zu Bedenken finden
konnte. Finanziell stand B. als Nutznießer von
32 ha Pfarrländereien gut. Von zehn Kindern

waren ihm zu Goethes Zeit nur fünf geblieben,
und zwar ein Sohn, Christian, und vier Töchter: Katharina Magdalena (1747 bis 1772),
Maria Salomea, Friederike Elisabeth und Sophie Jakobea (I/27, 346 ff.; I/28, 12, 16 – (20,
30–33)).
–, 2) Magdalena Salomea (1724–1786), Gattin des Vorgenannten und Mutter Friederike
Elisabeth B.s, stammte mütterlicherseits aus
*Baden, wo der eine der Großväter baden-
durlachscher Rechnungsrat gewesen war; der
Vater JChrSchöll, war ,,verschiedener adeli-
cher Familien wol-bestallter Schaffner und
Burger" in Straßburg. Mehrere Mitglieder der
Familie, Brüder und Vettern bekleideten höhere Beamtenstellen im Elsaß und in Baden
(vgl. 34). An der Seite eines etwas weltfremden
Gatten scheint sie ihren *verständigen (I/27,346)*
Sinn oft benötigt zu haben, ohne daß auf seelische Vergröberung geschlossen werden müßte:
Das anständige, ruhig-edle Betragen (I/28, 35)
der Frau ließ diese sich auch in anderen als
ländlich-häuslichen Verhältnissen und Beschäftigungen zurechtfinden. Einer ihrer Brüder,
Rechnungsrat in *Saarbrücken, hatte 1762
eine Schwester FL*Weylands geheiratet.
–, 3) Maria Salomea (1749–1807), die zweite der
1770/1771 noch lebenden Töchter (I/27, 346 f.;
I/28, 5) des JJB. (1) und Schwester Friederike Elisabeth B.s tritt mit Anspielung auf
O*Goldsmiths ,,Vicar of Wakefield" in *DuW*
als *Olivie* auf *(I/28, 11).* Sie scheint eine ur-
wüchsige (I/28, 35f.; IV/1, 262), praktische
(I/28, 80f.), auf die realen Aufgaben des Lebens gerichtete Natur gewesen zu sein. 1782
heiratete sie GMarx, Pfarrer zu Diersbach, später zu Meißenheim in Baden. Dort brachte
Friederike B. ihre letzten Lebensjahre zu.
– 4) Friederike Elisabeth (1751 oder 1752 bis
1813), eine Tochter des JJB. (1) in Sesenheim.
Während seines straßburger Aufenthaltes
liebte und verließ sie der junge Goethe. Glück
und Leid ihrer Liebe zu ihm, auch Keime
ihres späteren Schicksals sind in einer brieflichen Äußerung Goethes an Chv*Stein zusammengefaßt: (Sie) *hatte mich ehmals geliebt
schöner als ichs verdiente, und mehr als andre
an die ich viel Leidenschafft und Treue verwendet habe, ich musste sie in einem Augenblick
verlassen, wo es ihr fast das Leben kostete (1779:
IV/4, 66).* Ihre persönlich tiefste Tragik – um
den Ausdruck zu gebrauchen – dürfte es gewesen sein, daß sie nur Vorwand einer Liebe
werden konnte, die sie nicht zu erfüllen vermochte, die über sie hinging und die sie darum ins Leere stieß. Nach dem Erlebnis mit
Goethe hatte sie erst zu JMR*Lenz, dann zu

Gambs (einem Pfarrer) Beziehungen, über deren Art und Grad wirklich Unangreifbares nicht gesagt werden kann. Aus einem weiteren Verhältnis erfolgte Ende der achtziger Jahre die Geburt eines Kindes. (Der Pfarrer Jakob B., ein Neffe Friederikes, berichtete 1868 als neunundsechzigjähriger Mann zwei Gesprächspartnern, einem Pfarrer und einem Theologieprofessor, ,,er sei als kleiner Junge mit seinen Eltern nach Stephansfeld (bei Straßburg) gefahren, wo eine Kinderbewahranstalt sich befand; ein Knabe sei herausgerufen worden, und die Mutter habe ihm gesagt, es sei Friederikes Kind''. 1881 wiederholte er, daß Friederike ein Kind bekommen habe, welches im Breuschtal (in den *Vogesen, westlich von Straßburg) geboren worden sei. Ausdrücklich betonte er, daß Goethe nicht der Vater des Kindes gewesen, sondern daß es aus einem späteren Verhältnis hervorgegangen sei.) Nach dem Tode ihres Vaters zog Friederike 1787 oder 1788 mit ihrer Schwester Sophie Jakobea (die in *DuW* nicht mit Namen erwähnt wird) nach Rothau (45 km sw von Straßburg, in den Vogesen gelegen), wo ihr Bruder ChrB. (6) Pfarrer war, und betrieb dort einen kleinen Handel mit Töpferwaren und Stoffen. Die Schwestern genossen eine Vertrauensstellung bei der Schloßherrschaft, dem Freiherrn v*Dietrich (dem Maire von Straßburg). Vielleicht lebte Friederike von 1788 bis 1793 in *Versailles oder *Paris, bei einer Jugendfreundin, der Schwester FLWeylands. Von 1793 bis 1801 ist ihr Aufenthalt in Rothau wieder belegt. Nachher siedelte sie zu ihrem Schwager Marx, dem Gatten ihrer Schwester Maria Salomea, über, der Pfarrer zu Diersburg, dann zu Meißenheim in Baden war, wo sie, von einigen Aufenthalten im Elsaß abgesehen, bis zu ihrem Tode wohnte. Ihren Fehltritt haben ,,die Revolution und die napoleonischen Kriege und ihre eigene Haltung insofern in Vergessenheit gebracht, als sie in ihren jeweiligen Umgebungen sich allgemeiner Achtung erfreute'' (Ley).

Das Verhältnis zu Friederike, das von Oktober 1770 bis Juni 1771 dauerte, ist eines der undurchsichtigsten Kapitel in Goethes Lebensgeschichte, wofür auch gelten mag, *daß darin kein Strich enthalten, der nicht erlebt, aber kein Strich so, wie er erlebt worden (Bdm. 4, 215).* Man darf ,,mit Sicherheit sagen, daß die Dinge nicht so verlaufen konnten, wie Goethe sie darstellt'' (HGrimm; ähnlich zB. Traumann, Metz, Ley). Auch der Aufsatz *Wiederholte Spiegelungen* (1823: *I/42^{II}, 56 f.*) bringt nichts sachlich Faßbares. Von den Gedichten hat *Ich komme bald ...* (1770: *I/4,*

354) Goethes anfängliches Wohlsein in der Idyllik von Friederikes Lebenskreis und Lebensluft zum Thema. *Kleine Blumen ...* (erste Fassung 1770: *I/1, 385 f.)* behandelt das Motiv einer als dauernd gedachten Verbindung. (Die zweite Fassung von 1775 ersetzt die *liebe* Hand durch eine *frei* gerichtete und läßt die bedeutungsschwere vierte Strophe aus, und es wird gemeinhin angenommen, Goethe habe durch diese Änderungen eine in Sesenheim eingegangene Verpflichtung verborgen halten wollen. Doch *frei* kann nicht nur besagen: ,,ohne Verpflichtung für den Partner'', sondern auch den Sinn ,,freiwillig'', ,,aus eigenem Triebe'' haben; zudem ist es nicht unmöglich, daß die Modifikation aus künstlerischen Gründen durch die zu große Nähe zu *geliebtes Leben* erfolgte, nachdem die formal durchaus unbefriedigende vierte Strophe – ein Vers aus sieben einsilbigen Wörtern, der Wechsel von *ihr* (Dativ) und *mein* (Attribut), der abgegriffene Reim *Triebe – Liebe* – ebenfalls aus ästhetischen Erwägungen gestrichen worden war. Somit können rein literarische Rücksichten, und nicht der Wunsch, einen ursprünglichen Willen zur Bindung zu verschleiern, jene kleine Änderung im Wortlaut und diese große Streichung veranlaßt haben, und es wäre unzulässig, aus dem Vergleich der zwei Fassungen auf schlechtes Gewissen oder Reue bei Goethe zu schließen: *I/1, 74).* *Willkommen und Abschied (I/1, 68 f.; 384),* spricht, besonders deutlich in der ersten Fassung, den elementar losbrechenden Liebesdrang und dann doch wohl die physische Vereinigung der Liebenden aus – ob als Wirklichkeitsreflex oder als Wunschbild (wie im *Hochzeitlied* 1768: I/1, 50; *378)* hat allerdings unentschieden zu bleiben. Das *Mailied* (1771: *I/1, 72 f.)* kann – nicht aber muß – als das Lied des Lebensaufschwungs in der Freude eines solchen Besitzes ausgelegt werden, wobei man aber in diesen Versen recht wohl auch schon den Keim der kommenden Trennung finden mag, da eben diese überströmende Vitalität mit organischer Notwendigkeit keinerlei Fesselung anerkannt wird. So könnte eine Kurve konstruiert werden, welche sorgloses Glücks- und Zusammengehörigkeitsgefühl, plötzlich eroberten völligen Genuß, seelische und künstlerische Auswertung des Erlebnisses und bereits nahende Loslösung als die Stadien dieser Liebe aufzeigt, wenn Gedichte, Umgestaltungen der Wirklichkeit, zuverlässige Tatsachenberichte wären. Auf sicherem Boden als hier und in der *Autobiographie steht man mit Goethes straßburger und sesenheimer Briefen an JD*Salzmann (IV/1, 258–263); denn sie sind der untransponierte, unmittelbare Ausdruck von Goethes Schwanken, Unruhe, Willen zur Selbstbetäubung, schlechtem Gewissen – *conscia mens, leider nicht recti (1771: IV/1, 261;* auch I/28, 172) – angesichts des kommenden Endes einer unüberlegt eingegangenen Beziehung; aber auch sie bringen nichts Konkretes, in seiner genauen Bedeutung einem anderen als dem Briefempfänger Verständliches; zudem fehlt das unzweifelhaft aufschlußreichste Schreiben: Es enthielt zufolge einer Aussage, die zu bezweifeln nichts gestattet, „einen so offenen und unzweideutigen Kommentar zu der ‚conscia mens und leider nicht recti‘, daß die Familie B. auf dessen Vernichtung bei dem damaligen (straßburger) Stadtbibliothekar (einem Theologieprofessor) angetragen hat“ und diese auch erreichte. „Bei vorsichtiger Formulierung wird man sagen: Der Brief enthielt Mitteilungen, die geeignet waren, den Ruf Friederikens zu beeinträchtigen, und es mußten Dinge in Frage kommen, die in ihrem Verhältnis zu Goethe ihren Ursprung hatten und diesen also mitbetrafen. Um was es sich aber da im einzelnen gehandelt hat, um Verführung oder noch Weitergehendes, das wissen wir nicht und können wir nicht wissen“ (Ley). Diese Sachlage ist auch im Auge zu behalten, wenn der greise Goethe sein Möglichstes tun wird, um sich in Besitz dieser Briefe zu setzen oder deren Bekanntwerden zu verhindern (1826: IV/40, 285f; Korrespondenz mit *Engelhardt). Merkwürdig bleibt indes in *DuW* eine Äußerung Goethes, die den Gedanken an eine Verführung auszuschalten scheint. (*Man glaubte sowohl auf Friederikens Gesinnungen als auch auf meine Rechtlichkeit, für die man ... ein günstiges Vorurtheil gefaßt hatte, völlig vertrauen zu können. Man ließ uns unbeobachtet ...: I/28, 29.*) Salzmann muß Goethe mildernde Umstände zugebilligt haben; denn er hielt ihm die Freundschaft. – Welches der von der Wissenschaft erwogenen Motive – Druck von seiten der Familie Goethe wegen des gesellschaftlich tieferen Ranges der B.s, Krankheit, geistige Unzulänglichkeit, Untreue Friederikes, ländliche Umgebung als einzig möglicher Rahmen für sie, Goethes „Überzeugung, durch die Fesseln der Ehe in seinem Höhenflug gehemmt zu werden“ (Ley) – den Bruch veranlaßten, ist mit Sicherheit zu erschließen. Am ehesten ist wohl an Goethes Sorge um die erahnte geistige Zukunft mit der *Freiheit als Voraussetzung für jenen *nisus vorwärts* zu denken, der *so stark* war, daß Goethe sich *selten ... zwingen konnte Athem zu holen* (1771; IV/2, 8; auch ebda 14). Auch wirkt das 11. Buch von **DuW* mit seinem gewaltigen gei-

stesgeschichtlichen Hintergrund und seinem Überdrang individueller und kollektiver, eine erneuernde Zukunft erstrebender geistiger Kräfte, der Absicht und dem Wesen nach, weithin als Apologie Goethes. Er verließ Friederike in Sesenheim *in einem Augenblicke, ... wo es ihr fast das Leben kostete (1779: IV/4, 66)* – ein Hinweis auf körperliche Krankheit (IV/1, 261) und den Seelenschmerz der Verlassenheit –, formulierte aber *DuW* zufolge erst von *Frankfurt aus die entscheidenden schriftlichen Abschied, erhielt eine Antwort, die ihm *das Herz ... zerriß (I/28, 118)* und schwieg darauf, allem Anscheine nach. Fest steht, daß das Friederike-Erlebnis in Goethe kein Nachschwingen hervorrief, welches eine innerliche Verbindung wenigstens für eine gewisse Zeit aufrecht erhielt, wie mit K*Schönkopf und L*Buff. Nirgends in den Dokumenten jener Jahre findet sich eine Klage um Friederike als ein verlorenes Glück, das, *festgehalten, überglänzte jeden Schatz (Faust II: I/15^1, 246, V. 10 063).* Im weitergeführten Briefwechsel mit Salzmann äußerte sich Goethe, was Friederike angeht, mit einer peinlich berührenden Form- und Teilnahmlosigkeit (1771: IV/2, 6 und 1773: IV/2, 109), die nach dem früheren Ausdruck des schlechten Gewissens ein schwer durchschaubares psychologisches Problem stellt. Fand Goethe nunmehr seine vorhergehende, ihn bedrükkende und belastende Auffassung der Dinge unberechtigt? Sah er, mit Sinnen, welche in Analogie zu einer schon gemachten Erfahrung *Zeit und Ferne* (1768: I/1, 48) gedankenklärend beruhigt hatten, in Friederike etwas wie ehesüchtige Berechnung, über die er, nach überstandener Gefahr, lächeln konnte? Ließ er einen grundsätzlichen Mephistophelismus – *Sie ist die erste nicht (Urfaust: I/39, 308)* – laut werden? Das Gedicht *Ein grauer trüber Morgen (I/4, 360)* mit seiner noch ganz anakreontischen Schlußwendung geht nicht tief (vorausgesetzt, daß es 1771 und nicht 1770 entstanden ist; Morris 6, 185). In der *Geschichte Gottfriedens ...* (Nov.-Dez. 1771) bedeutet im Hinblick auf Friederike der Satz *Bey Mädgen die durch Liebesunglück gebeitzt sind wird ein Heurathsantrag bald gar (I/39, 88)* doch alles andere als eine leidvolle Betrachtung ihrer Lage. Wenn Goethe 1772 von einer Liebeswunde spricht, ist es die, welche ihm K Schönkopf schlug (Bdm. 1, 21). 1774 führt er im *Werther* eine *Friederike* mit einer Wendung ein – *eine rasche wohlgewachsene Brünette, die einen die kurze Zeit über auf dem Lande wohl unterhalten hätte (I/19, 43)* –, die jeden Gedanken an eine Verbindung dieses Mädchennamens mit einem Schmerzgefühl ausschaltet; vielleicht sogar sollte Ch*Buff gegenüber das frühere Verhältnis zu Friederike bagatellisiert werden. Seine negative Haltung weiter beibehaltend, suchte Goethe 1775 während zweier straßburger Aufenthalte Friederike nicht auf. Für Jahre war seine Stellung zu ihr durch Gleichgültigkeit, dann und wann vielleicht durch Mitleid gekennzeichnet (1774: I/11, 52). Alle diese Daten widerlegen aufs schroffste die Selbstbiographie, die, außer an einer kurzen Stelle (I/28, 84), von einem tiefen Seelenschmerz und einer *düsteren Reue* (*I/28, 118*) spricht. Die briefliche Bemerkung (1773: *IV/2 109*), die auf die Vergiftung *Weislingens* als auf einen Trost für die *arme Friederike* hinweist, ist gewiß nicht als Ironie gegenüber Friederike zu deuten: Goethe war einer solchen Roheit nicht fähig; doch zeigt sie einen Menschen, der gelassen-entspannt seine eigene Handlungsweise betrachtet und dabei auch sein früheres, Salzmann gemachtes Bekenntnis eines schlechten Gewissens übertrieben findet. Damit verliert aber die Deutung *Weislingens* und *Clavigos*, dieser *beiden schlechten Figuren*, als Ausdruck einer persönlichen Reue (*I/28, 120*, auch 118) viel von ihrer überzeugenden Kraft. Das Auftreten *Weislingens* erklärt sich ohne die Erinnerung an Friederike durch die Ökonomie des Dramas: Goethe brauchte eine Kontrastfigur zu *Götz*, dem Festen und Redlichen. Die Gestalt *Clavigos* war dem Dichter in einem Stoff gegeben, den ihn eine *Anregung* (*I/28, 347*) von außen näher ins Auge fassen ließ, nachdem er ihm *schon bei'm ersten und zweiten Lesen ... dramatisch, ja theatralisch vorgekommen war (ebda)*. Wenn man für *Weislingen* und *Clavigo* eine Beziehung zu Friederike herstellen will, müßte man sich eher fragen, ob nicht in der Absicht des jungen Goethe die Gestalten apologetisch zeigen sollen, wie *die prätendirte Freyheit unsres Willens mit dem nothwendigen Gang des Ganzen zusammenstösst* (1771: *I/37, 133*). Das später Reue genannte, um 1772 oder 1774 in literarischen Schöpfungen gestaltete Gefühl war ursprünglich nicht Zerknirschung über die eigene Handlungsweise einem bestimmten Individuum gegenüber, sondern, zeitgemäß, unpersönliches Mitleid mit dem verlassenen Mädchen als Typus. Das Friederike-Erlebnis hatte höchstens insofern Bedeutung, als es dem Künstler Goethe intensivere Farbengebung erlaubte, den Menschen Goethe vor erneuter unschuldig-schuldiger Verstrickung mit *Folgen (1771: IV/2, 7)* warnte. Erst das Wiedersehen von 1779 hat hier Wandlung geschaf-

fen. Wenn auch der Besuch wesentlich von der Befürchtung Goethes abzuleiten ist, Lenz wolle seine *Briefe ... sehen und ... erhaschen,* und *der größte Theil der Unterhaltung* denn auch *über Lenzen war (*1813(?): *I/36, 230)*, so konnte doch bei einem Goethe, der weicher und harmoniebedürftiger als vier Jahre vorher war und sich in seiner Freiheit nicht mehr bedroht fühlte, der Wunsch mitbestimmend gewesen sein, *in Friede mit den Geistern dieser ausgesöhnten ... zu leben* (gemeint ist die ganze Familie B., 1779: *IV/4, 66f.*). Der Kontakt mit Friederike – er fand sie *noch so gut, liebevoll, zutraulich wie sonst, gefaßt und selbstständig* (1813?: *I/36, 230*) –, ihre feinfühlige Zurückhaltung und herzliche Freundschaft taten das Übrige, und Goethe fand das (schon angeführte) nach den früheren brieflichen Bemerkungen ergreifende Wort: *sie hatte mich ehmals geliebt schöner als ichs verdiente (ebda)*. Was sich früher, Abstand schaffend, zwischen Goethe und Friederike gedrängt hatte, verschwand, nunmehr als zufällig und nebensächlich angesehen, vor diesem vornehmen, hingabefähigen Kern ihrer Persönlichkeit und ihrer seelischen Haltung, der als menschlicher Wert an sich anzuerkennen war und willig anerkannt wurde. Dies und etwas später ein *guter Brief von Rickgen B. (*1780: *III/1, 111)* sind höchstwahrscheinlich die Keime zur Art der Darstellung in *DuW* und zur erst dort ausgesprochenen Reue. – Friederike ist für Goethe weniger eine als solche und um ihrer selbst willen geliebte Persönlichkeit, denn das Ziel eines lange brachliegenden (1770: IV/1, 236) Bedürfnisses nach Erhöhung der Lebenskraft, auch durch Liebe. Gewiß spricht sich in Goethes *Lyrik nun „eine Liebe aus, die damals unvergleichlich war ... Keine üblichen Begriffe reichen aus, um sie zu fassen ... Seit der Begegnung mit Friederike verschwindet alle Lüsternheit aus Goethes Dichtung, um niemals wiederzukehren – auch in den Venediger Epigrammen und Römischen Elegien nicht. Ebenso weit entfernt er sich aber von jenem vagen, unsinnlichen Fühlen, das Klopstocks Oden eignet, wo die Geliebte gleichsam von Empfindung überflutet und entrückt wird ... Die liebende Empfindung bleibt aber nicht auf das Du der Geliebten beschränkt. Sondern dann erst verstehen wir die Gnade der Goetheschen Liebe ganz, wenn wir bedenken, daß sich in ihr dem Herzen das All der Schöpfung erschließt" (EStaiger S. 55ff.). Doch was Gnade für Goethe ist, verwandelt sich in Fluch für Friederike. Denn sie ist der fast zufällige Ausgangspunkt von Wirkungen, die zu anderen hinzukamen, um sie zu steigern. Neben der elsässischen Natur und Landschaft, neben JG*Herder und dessen befreienden und erweiternden Einfluß tretend, gibt die Liebe zu Friederike der Ausweitung von Goethes Gesamtpersönlichkeit eine drängendere Kraft und beflügelt Goethes Schöpfertum, als eine der Kräfte, die dem Genie in Goethe zum Durchbruch verhelfen. So wird Goethe zunächst unbewußt, dann immer bewußter zu jenem *Faust,* der „mit dem Blick an den Augen Gretchens vorüber zu den Sternen abirren" muß (EStaiger S. 236). Allzusehr wird damit, tragisch für Friederike, ihr Eigenwert bei Goethe infrage gestellt. Nachdem sie das Ihrige für seine Entwicklung geleistet hat, empfindet er mit dem doppelten Egoismus der Jugend und des Genies sie als Beängstigung und Hemmung und gibt sie auf. Danach wird sie Gegenstand der Gleichgültigkeit, etwa auch des Mitleids, und nochmals Nahrung für den Gestaltungstrieb, auch in dem Sinne, daß das 1779 *erneuerte Bild* die Umformung anregt, welche *endlich in lebhafter Erinnerung nach außen ausgesprochen wird* (1823: *I/42*[II], *56*). So ist auf eine für sie gefährliche Art Friederike etwas Wesentliches nur für den Künstler Goethe. Über ihre Bedeutung für den Menschen Goethe wird das Entscheidende in dem Bekenntnis ausgesprochen, daß Lili Schönemann die erste gewesen sei, die er wahr und tief geliebt habe (zu Soret 1830: Bdm. 4, 222).

Was Friederike, an sich gesehen, betrifft, so bewegt sich ihr Bild im Stoffe, welcher der Forschung vorliegt, und in der Forschung selbst, die zuweilen recht unerfreuliche Formen aufweist, zwischen dem eines Wesens, das mehrfach unehelich niederkommt und Gelegenheitsbeziehungen zu Offizieren unterhält, und dem einer verlassenen, ätherisch trauernden Heiligen. In Wirklichkeit steht sie zwischen diesen Extremen, ohne daß eine wirklich zuverlässige Bestimmung der ihr zuzuweisenden Stelle möglich wäre. Nur wenn man um alle Hintergründe, namentlich die psychologischen Bedingungen ihrer Mutterschaft, wüßte, könnte eine genauere sittliche Wertung erfolgen. Für diese liegen indes zu Friederikes Gunsten einige unbestreitbare positive Gegebenheiten vor: die Schätzung, die ihr von Mitlebenden, namentlich von der Familie vDietrich, zuteil wurde und auf Friederikens liebens- und dankenswerte Zuverlässigkeit und Hilfsbereitschaft deutet; Goethes Ausspruch von 1779, der einem Liebesgefühl Gerechtigkeit widerfahren läßt, das

unegoistischer war als das eigene; schließlich, im gleichen Jahre, Friederikes zurückhaltender Takt und hohe, weil verzeihende seelische Haltung, ein innerer Adel, dem Bewunderung gebührt ... Im Lebenstrieb der eigenen Jugend dem Schimmer und Drang der Jugend eines Goethe nicht widerstehen zu können, danach, als Verlassene, zu versuchen, die grauenhafte innere Leere durch eine neue Liebe auszufüllen, ist mehr als verständlich. Wenn auch hier noch, als Preis, bitteres Leid hinzukommt, ist schonendste Beurteilung doppelt geboten, nicht aber pharisäische Verurteilung. *Wie entgleitet schnell der Fuß | Schiefem, glattem Boden? | Wen bethört nicht Blick und Gruß, | Schmeichelhafter Odem? (Faust II: I/15[I], 334, V. 12 028–12 031).*

StLey: Goethe und Friederike. 1947 (mit Literaturangaben). – EStaiger: Goethe 1749–1786. 1952.

–, 5) Sophie Jacobea (1756?–1838), Tochter des JJB (1), eine jüngere Schwester Friederike B.s (4), in Goethes Darstellung nur in der Gesamterwähnung von des Erstgenannten *liebenswürdigen Töchtern* auftretend *(I/27, 346 f.),* starb unverheiratet in *Niederbronn. Sie wurde 1835 von HKruse besucht und übergab ihm aus Friederikes Nachlaß handschriftliche Blätter, darunter einige jener *Lieder* Goethes für Friederike, die *ein artiges Bändchen* gegeben hätten *(I/28, 31).* Kruse schrieb elf Gedichte ab, die er, zu Unrecht, sämtlich für goethesch hielt (*Sesenheimer Liederbuch).

–, 6) Christian (1763–1817), letztgeborenes Kind und einziger Sohn des JJB. (1) und Bruder Friederikes. In *DuW* tritt er, nach OGoldsmiths „Vicar of Wakefield", als *Moses* auf *(I/27, 354; 370 f.).* Er wurde 1787 Pfarrer in Rothau (45 km sw von Straßburg in den Vogesen gelegen); Friederike zog nach dem Tode ihres Vaters dorthin. Später war ChrB. noch an anderen Orten im Elsaß als Geistlicher tätig; er starb in Straßburg.   *Fu*

Brisbane, Albert (1809–1890), amerikanischer Sozialreformer, hatte in New York, Paris und Berlin (bei FW*Hegel) studiert, war in Südosteuropa und in der Türkei gereist, als er am 30. VI. 1829 Goethe in Weimar besuchte. B. führte mit Goethe eine *geistreiche* Unterhaltung über die *neue französische* *Philosophie (III/12, 90)* – B. studierte nach 1830 bei dem Sozialphilosophen FMChFourier in Paris – und beschrieb nachmals in der von seiner zweiten Frau Redelsa, geb. Bater, herausgegebenen Biographie (1893, S. 79f.) Goethes eindrucksvolle Erscheinung.   *Lö*

Bristol, Frederic Augustus Hervey, Earl of (1730–1805), Oxford-Student (Corpus Christi

College), Bischof erst von Cloyne, dann von Londonderry. Goethe gibt eine Reihe humorvoller Schilderungen seiner Begegnung mit dem *Bischof von Derry* vom 10. VI. 1797 in Jena. *Lord Bristol ging ... hier durch, und da er mich zu sehen verlangte ging ich zu ihm. Er empfing mich gleich mit ein Paar solennen Grobheiten und setzte mich dadurch völlig a mon aise. Glücklicherweise hatte ich guten Humor und meinen französchen Tag, so daß ich ihm nichts schuldig blieb* (an Carl August 12. VI. 1797: *IV/12, 153*). B. warf Goethe „den durch den *Werther* angerichteten Schaden vor. *Wie viel tausend Schlachtopfer fallen nicht dem Englischen Handels-System zu gefallen*, entgegnete der Dichter noch derber, *warum soll ich nicht auch einmal das Recht haben, meinem System einige Opfer zu weihen*" (Fv*Müller 30. V. 1814: *UKM S. 14;* vgl. ausführlicher zu Eckermann: Houben S. 589f.). Goethe hatte wohl Freude an dieser Begegnung, denn bei allen Darstellungen dieser *Abendstunde* schwingt ein heiterer Grundakkord mit (vgl. auch F*Soret: Bdm. 4, 247). Noch am Besuchstage selbst entstand eine Kurzbiographie des *merkwürdigen Mannes*, in der sich das Urteil findet: *er will nur gelten lassen was das klare Bewußtsein des Verstandes anerkennen mag, und doch läßt sich im Streite bemerken, daß er viel zarterer Ansichten fähig ist als er sich selbst gesteht (I/36, 257).*   *Sn*

Brizzi, Antonio (1760/70–1850), berühmter Operntenor, gastierte nach Erfolgen in Bologna, Florenz, Venedig, Parma und Dresden, 1810 auch in Weimar (I/36, 58f.). Jedoch *wäre denn auch alles schön und gut, wenn nicht der Preis den er auf seine Talente setzt ein wenig starck wäre. Er verlangt zweyhundert Ducaten, die Kosten der Her- und Zurückreise nach München und frey Quartier (IV/21, 382).* Daß es eine *hübsche Vorstellung* war (*IV/21, 418;* vgl. IV/22, 13), beweisen die Wiederholungen seines Besuches 1811, 1813 und 1816: *Brizzi ist wieder hier, und wir hören heute Abend Ginevra, Königinn von Schottland* [JSMayr; bereits beim ersten Gastspiel B.s aufgeführt; *Bergamo]. Ich wünschte, daß Sie bey uns wären, theils um dieses Fest mitzugenießen, theils mir Aufschlüsse über die Composition zu geben, damit mein Genuß zugleich sinnig und verständig wäre* (11. XI. 1811 an CFZelter: *IV/22, 195;* vgl. 1813: I/36, 79; 1816: III/5, 215). B. trat in Opern von FPaer und JNPoißl auf (vgl. III/4, 173; 5, 216; 218f.). Er war mit Francesca, geb. Riccardi, verheiratet; eine Tochter *und die lieben Kleinen,* B.s Kinder, lernte Goethe schon 1810 kennen (*IV/22, 381;* vgl. IV/25, 80).   *EF*

Brocchi, Giovanni Battista (1772–1826), italienischer Geologe und Naturforscher. Seiner Schrift über das Tal von Fassa in *Tirol widmete Goethe große Aufmerksamkeit. Er studierte die *höchstinteressante und geistreiche Abhandlung (IV/28, 347)* im Herbst 1817 wochenlang, verglich damit die ihm vom Kammerherrn AKv*Preen gesendeten Mineralien (ebda 296) und stellte geologische Vergleiche mit anderen Gegenden an (III/6, 125 bis 132; 142; 145f.; vgl. Ruppert Nr 4422). *Brocchi's Thal von Fassa forderte uns auf, die Wackenbildung nach ihm und andern zu studiren (I/36, 119).* Goethe übersandte an G*Cattaneo ein Diplom der *Mineralogischen Gesellschaft in Jena für B. und erbat sich für das Museum der Gesellschaft eine Sammlung von Mineralien aus dem Fassatal (IV/28, 348). Außerdem beschäftigten ihn B.s „Conchiologia fossile subappennina, con osservazioni geologiche ... 1814" und wohl auch sein „Catalogo ragionato di una raccolta di rocce, disposto con ordine geografico, per servire alla geognosia dell'Italia. 1817" (III/6, 69f., 160 bis 162; vgl. NS 2, 108).   *Ba*

Brocken, 1141 m, die höchste Erhebung im *Harz. Sein Granitmassiv ist vom Hornfels umlagert, die breitausladende, baumlose Kuppe läuft über drei weitere Rundkuppen aus: nordwestlich Kleiner Brocken (1040 m), süd/südwestlich Königsberg (1029 m), südöstlich Heinrichshöhe (1044 m). Alsdann gliedert sich das Massiv in zahlreiche größere oder kleinere Taleinschnitte; hier sammeln sich die Wasser, haben die großen Harz-Flüsse ihre Quellen (Bode, Oder, Oker, Radau, Ecker, Ilse) oder dehnen sich Moore (Torfmoore). *Du stehst mit unerforschtem Busen | Geheimnißvoll offenbar | Über der erstaunten Welt, | Und schaust aus Wolken | Auf ihre Reiche und Herrlichkeit, | Die du aus den Adern deiner Brüder | Neben dir wässerst (I/2, 64).* In der Sagenwelt und von da aus auch in Goethes Dichtung (*Faust; *Hexe; *Teufel) heißt der B. „Blocksberg". Auf jeder seiner drei großen Harz-Reisen (1777; 1783; 1784) hat Goethe den B. bestiegen. Der *Granit des B.s war es in erster Linie, der Goethe zu seiner Vorstellung von der Fels- und Gebirgsgestaltung geführt hat (*Gebirgsbildung). Viele Messungen über das Streichen der Granitklüfte wurden gemacht. Auch für die Theorie des Übergangs vom Granit zum Übergangsgebirge wurden hier die ersten und entscheidenden Fundamente gelegt. Alle spätere geologische Theorienbildung ist im Kern und in der Anlage schon hier entwickelt worden (vgl. dazu: Geologisches Tagebuch der dritten Harzreise, NS 1, 68–84; insbesondere FWHv*Trebra: Bericht über den Besuch der Rehberger Klippen mit Goethe. September 1783. NS 1, 55–57; auch *Über den Granit: NS 1, 57–61/63).*

Goethes drei B.-Besteigungen fanden statt: 1. am 10. XII. 1777 (III/1, 56f.); es war die erste beispielhaft gewordene Winter-Besteigung *des gefürchteten Gipfels* und seines *schneebehangenen Scheitels;* mit ihr begann eine neue *Epoche* in der Würdigung des B.s; unmittelbar dichterischer Ausdruck: *Harzreise im Winter* (Dezember 1777: *I/2, 61–64;* vgl. dazu I/33, 214–218; *Ballade Sp. 636–639; *Basalt; *Baumannshöhle; *Campagne in Frankreich* betr. Rätsel der Harz-Ode; *Granit; *Harz; *Walpurgisnacht);

2. am 21. IX. 1783 (IV/6, 200f.; NS 1, 55); die erste goethesche Eintragung in das sonst verloren gegangene B.-Stammbuch begann mit Versen von Goethes Diener ChrE*Sutor: „Die Rolle ist gespielt, der Vorhang fället nieder; Nun Brocken, lebe wohl, dich seh' ich schwerlich wieder. – *Ferner J.W. v. Goethe.* – F. v. Stein. v. Trebra, zum dritten Male hier";

3. am 4. IX. 1784 (IV/6, 351; 355); die Eintragung im B.-Stammbuch: „Quis coelum posset nisi coeli munere nosse / Et reperire Deum nisi qui pars ipse Deorum est" mit den Unterschriften *Goethe* und GMKraus zitiert einen durch Goethes weitere Um- und Ausgestaltung berühmt gewordenen Vers von Marcus *Manilius; die Sammlung Kippenberg bewahrt das Dokument.　　　　*Bn/Za*

WGrosse: Ausblicke vom Brocken in die deutsche Geschichte; Goetheerinnerungen im Harz. In: Goethe und der Brocken. Sonderdruck aus der Zeitschrift des Harzvereins für Geschichte und Altertumskunde. 1927/28. – Dennert. – RV S. 17; 22 f.

Brockes, Barthold Heinrich (1680–1747), hamburger Patrizier in hohen Ämtern, als Poet durch den Titel „Kaiserlicher Pfalzgraf" geehrt. Das Hauptthema seiner Dichtungen ist die natürliche Offenbarung. Ihr Tenor ist ein „intellektuell-religiöser Genuß aller Herrlichkeiten der Schöpfung". Insofern will B. zwar, vorwärtsgewandt, die Wunder der Natur in sensualistischer Seligkeit nicht nur hören und sehen, auch riechen, fühlen, schmecken, aber seine künstlerischen Mittel sind rückwärtsgewandt. Dergestalt interpretiert er, der *stattliche Bürger,* ein Lebensgefühl zwischen Barock und Rationalismus (*I/27, 296;* aber FG *Klopstock). Goethe kannte (vgl. Götting S. 49): 1. „Auszug aus den vornehmsten Gedichten des irdischen Vergnügens in Gott" (³1763); 2. „Verteutschter bethlehemitischer

Kindermord des Ritters Marino" (³1725; auch 1727).　　　　　　　　　　　　　　*Za*

FJSchneider: Die deutsche Dichtung der Aufklärungszeit. 1700–1775. ²1948. S. 69–74.

Brockhaus, leipziger Verlag, der 1805 von Friedrich Arnold B. (1772–1823) gegründet und von seinen Söhnen Friedrich (1800–1865), Heinrich (1804–1874) und dem Enkel Eduard B. (1829–1914) weitergeleitet wurde. Bereits Friedrich Arnold B. machte den Versuch, Goethe als Autor zu gewinnen und suchte ihn persönlich auf; seine Söhne standen unmittelbar davor, mit dem Dichter 1825 den Vertrag über die Ausgabe letzter Hand gegen ein Honorar, das Goethe von 50 000 auf 70 000 Taler gesteigert hatte, abzuschließen. Trotz mehrfacher Besuche in Weimar zerschlug sich das Projekt. Später ließ die Familie Goethe Einzelschriften im Verlag B. erscheinen. Unter anderem: 1. JP*Eckermann: „Gedichte", 1838. – 2. JPEckermann: „Gespräche mit Goethe in den letzten Jahren seines Lebens, 1823–1832", 1836; ²1837. An diese Erstausgabe der Gespräche schlossen sich unerfreuliche gerichtliche Auseinandersetzungen; Bd 3 erschien 1848 in der heinrichshofen'schen Buchhandlung in Magdeburg. Erst von der 3. Auflage ab, die 1868 wieder bei B. erschien, wurden die Gespräche ein buchhändlerischer Erfolg. – 3. „Goethes Briefe an die Gräfin Auguste zu Stolberg, verwitwete Gräfin vBernstorf", hrsg. von AvBinzer, 1839; ²1881, hrsg. von WArndt. – 4. „Briefwechsel zwischen Goethe und Knebel (1774–1832)", 1851. – 5. PhMerz: „Goethe als Erzieher. Lichtstrahlen aus seinen Werken. Ein Handbuch für Haus und Familie", 1864. – 6. „Neue Mittheilungen aus JWvGoethe's handschriftlichem Nachlasse", hrsg. von FThBratranek, 1874 bis 1876 (naturwissenschaftliche Korrespondenz, Briefwechsel mit den Brüdern vHumboldt).　*St*

LGeiger: Goethe und Brockhaus. GoetheJb 27, S. 259 bis 263. – Goethe. Hrsg. v. d. Preuss. Staatsbibliothek. 1932. Nr G 19₈. 265. 490. 565. 610. 611 (Gesamtkatalog).

Brönner, 1) Johann Carl (1738–1812), Buchdrucker und Verleger, seit 1793 im Rat, seit 1806 Senator der Stadt Frankfurt. Die von seinem Vater Heinrich Ludwig B. (1702 bis 1765) gegründete Verlagsdruckerei war Ende des 18. Jahrhunderts eine der blühendsten Deutschlands, hauptsächlich durch Druck und Verlag der „Frankfurter Bibel" und zahlreicher Erbauungsschriften. . . . *eine reiche Kupferstichsammlung ward von Herrn Brönner, nebst ansehnlichem Capital,* dem Museum *vermacht (I/34¹, 105 f.),* sie wurde zum Grundstock des Kupferstichkabinetts im *städelschen Kunstinstitut; das Kapital kam der Stadtbibliothek zugute (vgl. auch I/49[I], 10). B.s Neffe

-, 2) Heinrich Karl Remigius (1789–1837) führte Verlag und Druckerei, denen eine Schriftgießerei und eine Fabrik für Buchdruckfarben angeschlossen wurden, weiter. Goethe besuchte 1814 und 1815 *den Brönnerischen Buchladen, welcher mit viel Geschmack und Eleganz angelegt ist (IV/25, 59)* und in dem man auch *die neuesten Kupferwerke, ja Gemählde zur Unterhaltung und beliebigem Ankauf* fand *(I/34[I], 120)*. Wie S*Boisserée in seinem Tagebuch vom 17. V. 1826 berichtet, hätte HKR gern den Verlag der Ausgabe letzter Hand übernommen. 1828 übersandte er *Kupfer nach Leonhard da Vinci (III/11, 176)*. – 1863 gingen Druckerei und Verlag an FW Breidenstein über. *St/Lö*
Sulpiz Boisserée. 1862. Bd 1. S. 471. – FLübbecke: Fünfhundert Jahre Buch und Druck in Frankfurt am Main. 1948. S. 101–114.

Brönsted, Peter Olaf (1780–1842), Archäologe und Philologe, Professor in Kopenhagen, vornehmlich den griechischen Monumenten zugewandt, gehört zur jüngeren in der *Romantik verwurzelten Generation, die Griechenland selbst archäologisch entdeckte. 1806 in Paris im Kreis von Deutschen lebend, geht er 1809 nach Rom, steht hier in enger Beziehung zu seinem Landsmann *Thorwaldsen und der deutschen Gelehrten- und Künstlerkolonie und verwirklicht 1810 seinen Plan einer Reise nach Griechenland u. a. mit *Haller vHallerstein und *Stackelberg. In Athen trifft die Gesellschaft eine Gruppe junger, englischer Forscher, darunter den Architekten Cockerell. Neben Sunion und *Eleusis bilden in Attika die Akropolis von Athen mit dem *Parthenon Hauptgegenstand ihrer Forschung. Die Entdeckung der Skulpturen von Ägina (*Ägineten) 1811 und von *Phigalia in Arkadien (1812) fällt ebenfalls in diese Kampagne. Am 19. IX. 1813 erhält Goethe von B. einen *zum Spazierstabe umgeformten Palmenzweig von der Akropolis; eine bedeutende griechische Silbermünze vertrat die Stelle des Knopfes (I/36, 83; III/5, 75).* Nach dem tragischen Tode Haller vHallersteins (1814) kehrte B. nach Kopenhagen zurück, um später wieder in längeren Reisen Griechenland, Italien und Frankreich aufzusuchen. Am 7. XII. 1818 besuchte er Goethe in Weimar (III/6, 270), wobei im Anschluß an die Zeichnung von L*Seidler über Phigalia gesprochen wurde (Bdm. 2, 427). B.s Reisewerk „Reisen und Untersuchungen in Griechenland", 2 Bde. Paris 1826–30, erhielt Goethe soweit erschienen am 11. V. 1826 geschickt

(III/10, 190). Im ersten Teil sind B.s Forschungen auf Keos niedergelegt (III/10, 221; vgl. Goethes Anzeige I/41[II]. 207 f.) im zweiten Bande die Beschreibung der Metopen des Parthenon. Noch 1830 vermerkt Goethe unter dem 30. VII. Empfang und Betrachtung einer Sendung von B. und Stackelberg aus Athen (III/12, 281). Ein nachgelassenes Werk über seine letzten Reisejahre in Griechenland erschien 1844 mit Biographie von Dorph. *Hm*
Stark S. 260 ff. – Grumach S. 504; 527 f. – HSitte: Goethes Akropolis-Palmen. In: jbGGes. 7 (1920), S. 163–166.

Brösigke, die altmärkische Uradelsfamilie (Golzow 1344), ist durch ihren Anteil an der Begegnung mit Ulrike v*Levetzow für Goethe schicksalhaft bedeutungsvoll geworden, und zwar ingestalt derjenigen ihrer Angehörigen, die – abgesehen von früheren Kontakten (1806: *Karlsbad; 1810: *Teplitz) – schließlich in *Marienbad ansässig und 1821 sowie 1822 Goethes dortige Quartierwirte, 1823 seine Gegenüber waren (*Böhmen Sp. 1320). So traten in Goethes Lebenskreis:

-, 1) Friedrich Wilhelm (Lebensdaten unbekannt), Urgroßvater Ulrikes, preußischer Offizier (Capitaine): „Es wurde in dieser Zeit auch von Handschriften [*Autograph] gesprochen und Goethe sagte, daß er keine Schrift von Friedrich dem Großen gesehen. Da hatte mein Großvater (2) einen Brief des Königs [vom 18. IV. 1765], worin er die Patenstelle bei ihm annahm; da das Papier dieses Briefes ziemlich verbogen und zu zerreißen drohte, sagte Goethe, er wolle es wieder glätten und in Ordnung bringen" (nach Ulrikes Erinnerungen: Urzidil S. 209). So geschah's, und Goethe sandte die Handschrift mit eigenen Gedenkversen zu einem einzigartigen Doppelautograph verbunden unter dem 28. VIII. 1822 aus *Eger zurück: *Das Blat wo Seine Hand geruht | Die einst der Welt geboten, | Ist herzustellen fromm und gut. | Preis Ihm dem großen Todten (Urzidil nach S. 200; auch I/4, 175; dazu I/5[II], 117 f.);*

-, 2) Friedrich Leberecht (1765–?), Sohn von 1) und Patensohn Friedrichs d. Gr., hatte in Marienbad als *Inspector* Hausherrenrechte und -pflichten im Palais *Klebelsberg übernommen, das auch „Brösigkesches Haus", später „Haus Weimar" genannt wurde. In dieser Eigenschaft war er 1821 und 1822 Quartiergeber Goethes, 1823 Carl Augusts in denselben stattlichen Räumen: *gute Maaße, anständige Einrichtung; aber auch verhältnismäßig theuer vermiethet.* Unterstützt von seiner Gattin, verstand FL es ausgezeichnet, auf patriarchalisch-familiäre Weise eine Atmosphäre von kultiviert-lebensvoller Behaglichkeit und Vertraulichkeit zu entwickeln, die sowohl die eigene *Familie*, als auch alle *Hausgenossen* und *Mitbewohner*, dh. die Gäste erfaßte und erfüllte: *Genug, im Ganzen ist es die eigenste Familien-Verkettung, welche übrigens dieser Anstalt glücklichen Fortgang verspricht, da sich viel Plan und Folge bemerken läßt* (1821: *IV/35, 43f.*). Mit entsprechendem Takt und Ausgleichsvermögen ging er über die sehr komplizierten Lebensverhältnisse seiner Tochter sowie über Goethes Werbung um seine Enkelin hin;

–, 3) Ulrike, geb. vLöwenklau (Lebensdaten unbekannt), Gattin von 2), Goethe schon seit 1806 in Karlsbad bekannt (III/3, 147; 148), wo sie damals mit ihrer Tochter *(Pandora: III/3, 147)* weilte, hat sich des *Hauswesens* im Palais Klebelsberg zu Marienbad angenommen und teilte insofern die Verdienste ihres Gatten *(IV/35, 43);*

–, 4) Amalie Theodora Caroline (1788–1868), Tochter von 2) und 3), Mutter Ulrikes, seit 1803 in erster Ehe mit JOvLevetzow, 1807 in zweiter Ehe mit FvLevetzow verheiratet, hatte 1821 *ihre Anmuth, durch manche Jahre und Schicksale durch, noch ganz hübsch gerettet* und schien damals *auch ihren Wohnsitz* in Marienbad *aufzuschlagen (IV/35, 44);* schon seit ihrer ersten Begegnung 1806 kannte sie Goethe nur unter dem Namen vLevetzow (III/3, 147).   *Za*

Broglio (franz. Broglie), Victor-François Herzog von (1718–1804), französischer Feldherr, 1759 Marschall und Oberkommandierender der französischen Truppen in Deutschland, 1761 wegen der verlorenen Schlacht bei Willingshausen in Ungnade. 1789 betraute ihn Ludwig XVI. mit dem Kommando über die bei *Versailles zusammengezogenen Truppen und mit dem Amt eines Kriegsministers, das er jedoch nur wenige Tage innehatte. B. emigrierte nach Deutschland und befehligte 1792 die ersten royalistischen Truppeneinheiten in der *Champagne. In seinem Unabhängigkeitsdrang aber gab er diese Stellung bald auf. Seine letzten Lebensjahre verbrachte er in englischen und russischen Diensten. – Als Kind sah Goethe ihn während der Besetzung *Frankfurts durch die Franzosen (1759–1762), er erinnerte sich später *des Marschalls ... als eines jüngern, nicht großen aber wohlgebauten, lebhaften, geistreich um sich blickenden, behenden Mannes*, auch seiner gelassenen Ruhe vor der Schlacht von *Bergen. Die Persönlichkeit B.s muß eine starke Wirkung ausgeübt haben, da Goethe sich *auch nachher gefreut den*

Mann, dessen Gestalt einen so guten und dauerhaften Eindruck gemacht hatte, in der Geschichte rühmlich erwähnt zu finden (1/26, 153f.). Bei der Kaiserkrönung (1764) faßte der Knabe eine besondere Neigung zum Fürsten *Esterhazy, dem böhmischen Gesandten, *weil er ihn an den Marschall von Broglio erinnerte (ebda 289).* Mit B. trat in den Gesichtskreis des frankfurter Bürger- und Patrizierkindes ein diesem noch unbekannter Menschentypus, der Mann, der hohen Verantwortungen gerecht werden sollte und konnte und dabei großer Herr war.   *Fu*

Bronzestier I. II. Goethe erhält im Mai 1810 kurz vor seiner Reise nach *Karlsbad durch CLv*Knebel einen kleinen römischen B., den er ihm, bzw. dessen Schwester Henriette, der eigentlichen Besitzerin, abkauft (BrKnebel S. 446f. und IV/21, 302f.; 329; 350; III/4, 160). Goethe erkennt ihn richtig als eine späte römische Serienarbeit und deutet ihn mit einem zu ergänzenden, auf ihm stehenden Jupiter als Weihfigürchen im Kult dieses Gottes (Jupiter Dolichenus). Im Jahr darauf erfährt er durch CFZelter von einem ähnlichen B. im Besitz des berliner Kunsthändlers *Friedländer und tauscht nach einem reizvollen Briefwechsel mit diesem und weiterer mit Zelter gewechselten Zeilen das zweite Stück für einige *Medaillen aus seiner Sammlung ein. Goethe stellt fest, daß dieses aus einem antiken vorderen und einem geschickt (wohl im 16. Jahrhundert) gefertigten modernen hinteren Teil zusammengesetzt ist – ein Urteil, zu dem er, nach eigenen Worten, nur durch Vergleichung mit seinem schon vorhandenen eigenen Exemplar gelangte: *Auch eben deshalb ist mir dieses neue Exemplar so werth, weil es ja bey dergleichen Dingen hauptsächlich auf Einsicht und Urtheil, auf Kenntniß der Kunstepochen und Unterscheidung der Zeiten ankommt (1811: IV/22, 64).*   *Hm*

BrZelter (Hecker) 1, 283; 289 und IV/22, 50, 61; 63; 66. III/4, 191. – Grumach Ms. zur 2. Auflage (mit freundlicher Genehmigung des Vfs.) – Schuchardt II 17 Nr 67–68.

Brown, John (1735–1788), schottischer Arzt, Professor in Edinburg, lebte später in London. Stellte ein neues Dogma auf, wonach das Leben auf Erregbarkeit beruhe und nichts sei als Erregung, die hervorgebracht werde durch Reize: Krankheit entstehe danach entweder durch Mangel oder durch Übermaß an Reizen. Die deutschen Naturphilosophen, an ihrer Spitze FWv*Schelling, gestalteten die Lehre zur Erregungstheorie weiter aus. Goethe, der B. schon 1795 erwähnt (III/2, 34), berichtet in den *TuJ* von 1801, daß er damals von einem schweren Brustübel ergriffen worden sei und von einem jungen Mediziner behandelt wurde, den wie andere *das Brownische Dogma . . . ergriffen* hatte *(I/35, 88)*. Nach vorübergehender Linderung hätten sich heftige Beschwerden eingestellt, so daß man in seiner Umgebung einen Gehirnschlag für ihn befürchtete. Laut *Tgb.* las Goethe in B.s Werk ,,Elementa medicinae" am 15. III. 1802 (III/3, 53) und fand darin einen *ganz trefflichen Geist (IV/16, 59)*. In dem Gedicht *Des neuen Alcinous zweiter Theil* nennt er ihn zusammen mit Schelling, Fichte, Tieck; es heißt da: *Brown steht hinten in dem Grunde (I/5¹, 167)*. Noch am 13. III. 1830 unterhält sich Goethe mit C*Vogel *Über die Einwirkung des Brownischen Systems auf die Heilkunst (III/12, 211 f.)*.   *Sl*

WLeibbrand: Heilkunde, eine Problemgeschichte der Medizin. Orbis academicus. 1953.

Brown, Robert (1773–1858), englischer Botaniker; studierte als Sohn eines Geistlichen in Edinburg *Medizin und *Botanik und war anschließend Wundarzt bei einem schottischen Regiment. Durch Vermittlung des Botanikers Sir Joseph *Banks beteiligte er sich als Naturforscher an der Expedition Flinders nach *Australien. 1805 kehrte er mit ca. 4000 meist neuen Pflanzenarten nach London zurück. Im darauffolgenden Jahr wurde er Bibliothekar der Linnean Society, deren Präsident er von 1849 bis 1853 war. Seit 1810 war B. Bibliothekar bei Banks und ab 1820, als nach dessen Tod die Sammlung dem Britischen Museum eingereiht wurde, Kustos der botanischen Sammlung. Die Bedeutung B.s für die Botanik und die *Biologie allgemein beruht neben seinen systematischen Arbeiten vor allem auf der Entdeckung des Zellkerns (1831) und der nach ihm benannten Molekularbewegung des Zellplasmas (1827). Zahlreiche Arbeiten sind das Ergebnis seiner botanischen Studien. Hatte auch Goethe B., den Av *Humboldt den ,,Fürst der Botaniker" nannte, nie selbst kennengelernt, so interessierte er sich doch sehr für dessen Schriften: *Auf Browns Werke und was Sie über ihn zu sagen sich entschließen bin ich höchst verlangend; ich wünsche mir wirklich mit Ungeduld einen deutlichen Begriff von dem vorzüglichen Manne* (an CGD*Nees vEsenbeck 10. I. 1825: *IV/39, 78 f.* vgl. auch I/36, 155; III/7, 253; IV/31, 204; 39, 12); und in seinen Schriften *Zur Morphologie* schreibt er, daß man sich *eines Namens von Bedeutung rühmen* dürfe, und daß es *die Art dieses großen Mannes* ist, *die Grundwahrheiten seiner Wissenschaft selten im Munde zu führen, während doch jede seiner Arbeiten zeigt, wie*

innig er mit ihnen vertraut ist (II/6, 263). Als 1824/25 NeesvEsenbeck die verstreuten Schriften B.s zusammenstellte und übersetzte (5 Bde, 1825–1834), wollte er, ,,den eigentlichen Geist dieses Botanikers in zwei Worte bannen" und seine rein empirische Art neben der goetheschen klar machen (IV/39, 291); Goethe erwiderte darauf am 16. XII.: *Hier ist die Frage von der Wirkung aus dem Centrum zu der Peripherie und umgekehrt von der Peripherie nach dem Centrum. Jenes mußte meine Tendenz seyn und bleiben; das Letztere ist Browns Weg und wäre denn doch genau betrachtet immer das beste Verfahren einer rationellen Empirie (ebda 46)*.   *Sl*

DNB 3 (1953), S. 25. – Handwörterbuch der Naturwissenschaften 2 (1933), S. 250.

Brucker, Johann Jacob (1696–1770), aus Augsburg, Theologe und Philosoph, Schüler von Johannes Franz Budde (Buddeus: 1667 bis 1729), von dem er den Leitsatz übernahm, daß nie ein einziger Mann allein die Wahrheit besessen habe, und außerdem die Anregung, die erste und zumindest für das 18. Jahrhundert maßgebliche Geschichte der Philosophie zu schreiben (JGG*Buhle). Auch Kant pflegte diese seiner akademischen Lehrtätigkeit zugrunde zu legen. Goethe beschäftigte sich hauptsächlich in der vor-leipziger Zeit mit B. (I/27, 12). In der väterlichen *Hausbibliothek gab es die Institutiones historiae philosophiae (2. Auflage: 1756; Götting S. 40; Ruppert Nr 3027), Goethe besaß außerdem die Historia philosophica doctrinae de ideis (Ruppert Nr 3026), das damalige Standardwerk für das historische Studium der antiken *Philosophie. Im Zusammenhang mit der Arbeit an *DuW* las Goethe am 12. III. 1812 das Kapitel über JMv*Loen aus dem ,,Bilder-sal heutiges Tages lebender Schrifftsteller" von B. und JJHaid (III/4, 262; 413; Ruppert Nr 166; fehlt EGW II, 410). Für Goethes Wertschätzung B.s spricht es, daß er ein *Autograph von ihm (auch von Budde) in seiner Sammlung aufbewahrte.   *Rs*

Brueghel, auch Bruegel *(Breughel: I/47, 379)*, 1) Frans Hieronymus, ältere irrtümliche Namensgebung aufgrund einer ,,Breugel F. H." signierten Folge von Marinedarstellungen, die auch Goethe besaß; sie sind als von FHuys nach Pieter B. dÄ. gestochen erkannt worden; –, 2) Pieter der Ältere (um 1525–1569), der Bauern-B., Maler, Schüler des Pieter Cock van Aelst, tätig in Antwerpen und Brüssel; ausgehend von den visionären Vorstellungen des H Bosch (um 1460–1516), die er für den Kupferstichverlag des HCock reproduzierte, schuf er

Gemälde wie die „Dulle Griet" (Brüssel), ging dann zu satyrischen und allegorischen, aber auch realistischen Genredarstellungen aus dem Bauernleben über. In seinen Landschaften verwandelte B. die weltlandschaftliche Auffassung eines *Patinier und Bles vom Anfang des 16. Jahrhunderts wohl aufgrund italienischer Anregungen (B. war 1553 in Rom) zu größerer Bildeinheit, wobei *die wundersamste Mannigfaltigkeit: gleichfalls hohe Horizonte, weit ausgebreitete Gegenden, die Wasser hinab bis zum Meere* beibehalten wurde; *aber der Verlauf seiner Gebirge, obgleich rauh genug, ist doch weniger steil, besonders aber durch eine seltnere Vegetation merkwürdig; das Gestein hat überall den Vorrang, doch ist die Lage seiner Schlösser, Städte höchst mannigfaltig und charakteristisch (I/49^{II}, 243)*, wie Goethe in seinen späten Entwürfen zur Landschaftsmalerei ausführte. Zum erstenmal wird so eine künstlerische Würdigung der *Landschaftsmalerei B.s versucht, der bis ins 18. Jahrhundert als Pierre le Drôle, als Spaßmacher und Groteskenmaler gesehen worden war. Goethe bemerkte, obgleich er B. nur aus einer frühen Folge von Landschaften her beurteilen konnte und nicht nach den in Wien befindlichen späten Monatsbildern, daß in B. *der ernste Charakter des sechzehnten Jahrhunderts nicht zu verkennen (ebda)* ist und daß mit ihm die Landschaftsmalerei Aussage subjektiven Weltverhaltens geworden war, die ihre Eigenschaft als *Nebenwerk des Geschichtlichen* verloren hatte *(ebda 240)*;

–, 3) Jan der Ältere, gen. Fluweelen-B., auch Sammet- oder Blumen-B., (1568–1625), Maler, Sohn des Vorgenannten, schuf statt der großformatigen und weiträumigen, ernst-charakteristischen Landschaften seines Vaters, kleinere, oft auf Kupfer gemalte Dorf-, Wasser- und Wegelandschaften mit genrehafter Staffage, von denen Goethe bei seinem Besuch der dresdener Galerie 1810 einige Stücke sah. „Ein Prospekt von der See" stammt jedoch von B.s Sohn,

–, 4) Jan dem Jüngeren (1601–1678), Maler, seinem Schüler und Nachahmer. Auf einen der beiden Jan B. muß sich H*Meyers Äußerung über den Landschafter L*Vogel beziehen, *an welchem die ausnehmende Reinlichkeit, der selbst geringfügiges Detail nicht verschmähende Fleiß, bereits in der ersten Anlage Breughels Zeit und Kunst in Erinnerung brachte (I/49^I, 46)*.　　*Lö*

Schuchardt 1, S. 151. – G Jedlicka: Pieter Bruegel, der Maler in seiner Zeit. *1947. – HWvLöhneysen: Die ältere niederländische Malerei, Künstler und Kritiker. 1956. S. 136–152.

Brühl, Grafen, altes thüringisches Adelsgeschlecht.

–, 1) Aloysius Friedrich (1738–1793), ältester Sohn des königlich polnischen und kursächsischen Premier- und Kabinettsministers Heinrich Graf B. (vgl. I/27, 148) und seiner Frau Maria Anna, geb. Gräfin von Kolowrat-Krakowsky, 1764 Feldzeugmeister der Krone Polens und Starost, dann Gouverneur von Warschau, später auf Gut Pförten/Niederlausitz. 1785–1804 erschienen seine „Theatralischen Belustigungen", Lustspiele nach französischem Muster. Goethe sah und notierte den Einakter „Den ganzen Kram und das Mädchen dazu" 1801 in *Pyrmont (III/3, 426 f.).

–, 2) Hans Moritz (1746–1811), jüngster Bruder des vorigen, kgl. preußischer Obrist und seit 1791 General-Intendant der preußischen Chausseen in Berlin, machte 1782 in Weimar Goethes Bekanntschaft, die durch einen gemeinsamen Aufenthalt in *Karlsbad 1785 gefestigt wurde. Hier entstand zum Geburtstag des Grafen am 26. VII. das *Bänkelsängerlied (I/4, 223–226)*. Zusammen mit seiner Frau (3) schuf HM das „Seifersdorfer Tal" (vgl. 1795: IV/10, 355; 1825: IV/40, 114).

–, 3) Johanna Margaretha Christine, geb. [von] Schleierweber [und Friedenau] (1756–1816), Frau des Vorigen, war 1782 mit diesem zusammen in Weimar. Goethe verhielt sich ihr gegenüber distanziert (IV/5, 293), seine Urteile über *Tina* sind auch in der Folgezeit wechselvoll. Die karlsbader Wochen brachten 1785 eine Annäherung (IV/7, 80); Goethe widmete ihr zwei Stammbuchverse (I/4, 223; 5^I, 67, letzterer von JG*Naumann vertont), man wechselte französisch geschriebene Briefe und tauschte kleine Geschenke (vgl. IV/7, 82; 190). Es ist wahrscheinlich, daß JMChr auch die Adressatin des Liedes *An Lina* (I/1, 104) ist (vgl. EvdHellen in JubA 1, 326). Aber schon bald wechselt der Ton; 1795 ist JMChr die *Trude* des *Seifersdorfer Unwesens (IV/10, 355)*. 1813 sah sie Goethe mehrfach in *Teplitz (III/5, 48 f.; 51; 53).

–, 4) Carl Friedrich Moritz Paul (1772–1837), Sohn von 2) und 3), wuchs in engen Beziehungen zum Geistesleben Weimars auf, war 1800 bis 1802 Kammerherr des Prinzen Heinrich von Preußen in Rheinsberg, seit 1804 in verschiedenen Hofämtern in Berlin, 1815–1828 Generalintendant der königlichen Schauspiele in Berlin und seit 1830 Generalintendant der königlichen Museen. 1785 trug er in Karlsbad das *Bänkelsängerlied* nach einer Komposition von JGNaumann zur Harfe vor (BSuphan). Häufige Besuche in Weimar ließen CFMP *(Cher Lolo: IV/7, 134)* entscheidende Theatereindrücke empfangen. Er wohnte der Erstaufführung der „Piccolomini" bei (Bdm. 5, 191), spielte 1800 bei einer weimarer Liebhaberaufführung den Ahasver in Gotters „Die stolze Vasthi" und am 24. X. zum Geburtstage der Herzogin Mutter den *Archädämon* in *Alte und Neue Zeit* (später: *Paläophron und Neoterpe*), „ein Stück von Goethe, das er ausdrücklich zu dieser Geburtstagsfeier für die Wolfskeel und mich gemacht hat. Das Ganze hat eine unbeschreibliche Wirkung getan ... Goethe selbst hat mir viel Schönes über mein Spiel gesagt (vKrosigk S. 245; Bdm. 5, 191; über B.s Darstellung des *Paläophron – als trefflicher Jüngling durch die Maske des Bejahrten durchscheinend* – vgl. *IV/37, 72;* auch *TuJ* I/35, 85; 40, 251 f.). Auf dem rheinsberger Schloßtheater lernte B. das französische Theater kennen; seine Bitte um Übersendung eines *Propyläen*-Heftes mit Goethes *Mahomet*-Übersetzung läßt das Bemühen um eine Vermittlung zwischen beiden Geschmacksrichtungen erkennen. Der vom weimarer Stil geprägte Intendant der berliner königlichen Schauspiele empfand die Notwendigkeit einer Reform des berliner Schauspielstils und verpflichtete PA *Wolff mit seiner Frau als Schauspieler und Regisseur des Schauspiels (vgl. IV/26, 124 f.). Gleich nach seinem Amtsantritt vertiefte er durch die Aufführung des noch auf Anregung seines Vorgängers *Iffland entstandenen Festspiels *Des Epiminedes Erwachen* die Beziehungen zu Goethe, der mit der Versicherung *Ihrer Amtsführung traue ich das Beste zu und weissage ihr Glück* auf B.s Pläne einging (12. III. 1815: *IV/25, 234;* vgl. auch 231), wiederholten Einladungen nach Berlin jedoch nicht Folge leistete (IV/23, 233; IV/34, 226). Die Mehrzahl der Dramen Goethes stand während B.s Amtszeit auf dem Spielplan des berliner Theaters. Zu Ehren von August und Ottilie vGoethe fand während ihres Berlin-Besuches am 10. V. 1819 eine Aufführung der *Iphigenie* statt, auch wohnten sie den durch den Fürsten *Radziwill veranstalteten melodramatischen Aufführungen von Szenen aus **Faust* bei, an deren Gestaltung B. beteiligt war. Für die Einweihung des von *Schinkel erbauten neuen Schauspielhauses schrieb Goethe auf B.s Wunsch (I/13^{II}, 214 f.) den *Prolog zur Eröffnung des Berliner Theaters im Mai 1821* (*I/13^{I}, 115 bis 119;* vgl. auch IV/34, 212 f.; 214 f.; 217 f.; 220; 226–228; 233–235), der am 26. V. 1821 vor einer Aufführung der *Iphigenie* gesprochen wurde (I/36, 203). Auch zu einer Aufführung von JL*Deinhardsteins Schauspiel „Hans Sachs", die durch das Ge-

dicht *Hans Sachsens poetische Sendung* eingeleitet wurde, steuerte er noch einen Prolog bei (I/13^{I}, 182–184; IV/43, 243–245; 264 f.; *Theaterreden). Der Neubeginn im Schinkelbau ist zugleich gekennzeichnet durch die für die berliner Theatergeschichte wichtige Kostümreform B.s, zu der ihm der durch den Brand des alten, von Langhans erbauten Theaters eingetretene Verlust der Dekorationen und Kostüme Gelegenheit gab. Am 8. III. 1820 sandte B. die ersten Hefte der beiden unter seiner Leitung entstandenen und von ihm mit einem Vorwort versehenen Werke: „Decorationen auf den beiden Theatern in Berlin unter der General-Intendantur des Herrn Grafen Brühl" (1819 ff.) und „Neue Kostüme auf den beiden königlichen Theatern" (1819–1831) an Goethe (III/7, 309), der ihm am 2. IV. antwortete: *Durch die Treue mit der Sie am Costüm in jedem Sinne, der Gebäude, der Kleidung und sämmtlicher Umgebungen fest halten, erwerben Sie sich das große Verdienst, die charakteristische Eigenthümlichkeit jedem Stück zugesichert und es in sich selbst abgeschlossen zu haben* (*IV/32, 222;* vgl. auch ebda 376 f.; IV/38, 90; 113 f.; 219 f.; 273; *KuA* II, 3, S. 124 ff.; Bdm. 3, 310 f.; *Bühnendekoration; *Bühnenkostüm). Auch die *Unbilden* persönlicher Art, die B. durch sein Abhängigkeitsverhältnis vom Hof und seine Gegnerschaft zu G*Spontini zu *erdulden* hatte *(IV/35, 155),* haben Goethes aus eigenen Erfahrungen vertiefte Anteilnahme gefunden. Als Theaterleiter erbat er das letzte Mal Goethes Rat, als er im März 1828 in einer Benefiz-Vorstellung für das Schiller-Denkmal in Stuttgart Teile aus Schillers Dramen aufführen lassen wollte (IV/44, 12 f.). Der letzte Briefwechsel aus Anlaß von Goethes 81. Geburtstage spiegelt noch einmal das Verhältnis der beiden Männer. B. sandte Goethe das 23. Heft der „Neuen Kostüme..." mit den Worten: „... was ich in theatralischer Hinsicht etwa gelernt und geleistet, danke ich allein Ihnen, und den freundlichen Gesprächen und Belehrungen, deren ich mich schon erfreute, als ich unter Ihrer Leitung in Weimar die Bretter betrat" und erhielt Goethes Antwort: *was ist schätzenswerter als geprüfter Freunde Daseyn, mit denen man viele Jahre einverstanden gehandelt und mit welchen man sich in geistiger Gemeinschaft immerfort näher und ferner bildete ... lassen Sie sich ja nicht reuen was Sie gethan und geleistet haben ... Scheint auch ein redliches Bemühen nicht von solcher Wirkung, wie man gewünscht, wie man gehofft hatte, so hat es auf eine andere, uns viel-*

leicht unbekannte Weise genutzt, gefördert und gebessert (IV/49, 113; 357; vgl. auch Stammbuchverse I/4, 49; 136).

-, 5) Jenny, geb. vPourtalès (1795-1884), Frau des Vorigen, lernte Goethe in Weimar im Dezember 1814 kennen. (Bdm. 5, 191; III/5, 140; *Incognito). Die Erwähnung einer *Gräfin Brühl* während des Aufenthaltes in Teplitz 1813 bezieht sich auf die Mutter (3) des Intendanten (III/5, 48 f.; 51; 53; IV/23, 354).

-, 6) Friedrich Wilhelm Karl Moritz (1816 bis 1828), ältester Sohn von 4) und 5), war Goethe von einem Besuch in Weimar (1826: III/10, 267; 271) bekannt. Er hatte von ihm eine Porträtzeichnung anfertigen lassen (IV/43, 245) und sandte ihm am 23. XI. 1826 den Stammbuchvers *Zwischen oben, zwischen unten (I/4, 134;* I/5^II, 95; III/10, 272 f.). Als der *liebe Kleine* 1828 in Seifersdorf am Scharlach starb, schrieb Goethe dem Vater ein herzliches Beileidsschreiben (23. X. 1828: *IV/45, 30-32).*

-, 7) Maria Sophia (1779-1836), Tochter des Grafen Charles vB., Base von 4), seit 1810 verheiratet mit Cv*Clausewitz, wurde durch CFv*Berg für Wesensart und Rang der weimarer Dichtung, insbesondere Goethes, gewonnen und wirkte ihrerseits als Vermittlerin bei Clausewitz. Goethe traf sie persönlich im Hause des Reichsfreiherrn vom und zum *Stein, Nassau, am 29. VII. 1815, als sie auf dem Wege nach Paris war (III/5, 173). *EF*

HvKrosigk· Karl Graf von Brühl und seine Eltern. 1910. – HSchaffner: Die Kostümreform unter der Intendanz des Grafen Brühl an den königlichen Theatern zu Berlin 1814–1826. Diss. Berlin 1926. – BSuphan: Suphan in: Goethe JB 11 (1890), S. 123 bis 134. – PORave: Gärten der Goethezeit. 1941.

Brun, Friederike Sophie Christiane (1765 bis 1835), Tochter des lutherischen Seelsorgers und Kirchenlied-Dichters B*Münter, seit 1783 verheiratet mit dem dänischen Kaufmann und Konsul Constantin Brun (1746-1836), der ihr vornehmlich 1783-1810 Gelegenheit gab, durch mehrere, größere Reisen sich eine eigene Europa-Kenntnis zu erwerben. Das poetisch-literarische Vorbild ihres Vaters sowie der Lebensstil ihres Mannes scheinen ihr nicht durchaus bekommen zu sein: *Welch eine sonderbare Mischung von Selbstbetrug und Klarheit diese Frau zu ihrer Existenz braucht ist kaum denckbar, und was sie und ihr Circkel sich für eine Terminologie gemacht haben um das zu beseitigen was ihnen nicht ansteht und das was sie besitzen als die Schlange Mosis aufzustellen, ist höchst merckwürdig* (*Karlsbad 19. VII. 1795: *IV/10, 280;* vgl. dazu auch das Xenion I/5^I, 244 sowie die Nachlieferung von Stammbuchversen, die recht ins *Allgemeine* gerichtet waren, kaum das *Besondere* betrafen I/5^II,

92 f.). So lautete Goethes Urteil nicht nur über den Menschen Friederike B., sondern auch über ihre Epigonen-Poesie (Fv*Matthisson). Es war nicht diese, es war die Vertonung durch CF*Zelter, die Goethe zu einer Neudichtung ihres Textes „Ich denke dein . . ." *(Nähe des Geliebten: I/1, 58)* veranlaßte: *Die trefflichen Compositionen des Herrn Zelter haben mich in einer Gesellschaft angetroffen, die mich zuerst mit seinen Arbeiten bekannt machte. Seine Melodie des Liedes: ich denke dein hatte einen unglaublichen Reitz für mich, und ich konnte nicht unterlassen selbst das Lied dazu zu dichten, das in dem Schillerschen Musenalmanach steht (IV/11, 92;* vgl. Goethe Jb. 17, 193). FB hat ihr Zusammentreffen mit Goethe natürlich positiver bewertet: „. . . dann öffnete er sich mir mit edler Offenheit, fühlend, daß ich sein besseres Selbst suchte . . . Lassen Sie mich immer stolz darauf sein, mich mit Goethe auf diesem Wege gefunden zu haben" (Goethe Jb 10, 148). 1803 suchte sie den Kontakt in Jena zu erneuern; sie hatte, wie auch schon 1795 in Karlsbad, ihre Kinder Lotte und Karl bei sich (III/3, 77), aber Goethe versteckte sich hinter seiner Höflichkeit, ebenso 1821, als er ein Geschenk von ihr erhielt (III/8, 127).   *JP*

Brunquell, Johann Wilhelm Ernst (11. VI. 1759 - 15. VII. 1820), war in Weimar Tischler, großherzoglicher Hofpolierer, Theatermeister und Dekorateur.   *EF*

Brusasorci, Felice (um 1542-1605), Maler, Schüler und Nachahmer seines Vaters Domenico B. (um 1516-1567), tätig in Florenz und Verona, wo er für die Kirche S. Giorgio eine von seinen Schülern vollendete „Mannalese" malte, die Goethe am 17. IX. 1786, durch JJ *Volkmanns Italienbuch aufmerksam gemacht, betrachtete: *Die Künstler haben sich die Folter gegeben, um solche Armseligkeiten bedeutend zu machen. Und doch hat, durch diese Nöthigung gereizt, das Genie schöne Sachen hervorgebracht (I/30, 68).* Die in diesem Urteil vollzogene Trennung von ikonographisch bestimmtem Bildinhalt und rein künstlerisch bedingter Bildform bildet die Voraussetzung für das in diesen Jahren einsetzende Interesse am Gegenstandsproblem überhaupt.   *Lö*

Brutus, Marcus Junius (85-42 vChr.), war schon als Jüngling ein Anhänger *Cäsars und erhielt von ihm die städtische Präfektur für das Jahr 44. Trotzdem gelang es den Verschwörern, ihn für sich zu gewinnen, und so war er an den Iden des März 44 einer von denen, die Cäsar ermordeten. Das „Auch Du, mein Sohn Brutus", das der Sterbende gesprochen haben soll, ist für B.s Charakterbild typisch geworden. B. wurde zusammen mit Cassius bei Philippi 42 besiegt und endete durch Freitod.

Goethe hat zur Ausdeutung des Brutuskopfes in *Lavaters Physiognomischen Fragmenten (I/37, 355 und die Tafel) einen längeren Beitrag geliefert, aus dem die Begeisterung für den Freiheitshelden spricht. Er preist *das ewige Bleiben und Ruhen auf sich selbst ... Doch ist für Liebe und Freundschaft in der Fülle der Schläfe ein gefälliger Sitz überblieben ... Nur ein Jahrhundert von Trefflichen konnte den trefflichsten durch Stufen hervorbringen (I/37, 355-357)*. Diesen schwungvollen Worten widerspricht eine Äußerung JJ*Bodmers vom Juni 1775, Goethe habe B. und Cassius für niederträchtig erklärt, weil sie den Cäsar ex insidiis, von hinten, um das Leben gebracht hätten. Der Wandel in der historischen und menschlichen Bewertung wird verständlich, wenn man Goethes späteres Urteil über die Ermordung Cäsars in Betracht zieht.   *Fe*

Bryophyllum calycinum ist die *Pflanze die den Triumph der Metamorphose im Offenbaren feiert (I/36, 155)*, mit der Goethe von 1818 bis zu seinem Tode sich beschäftigte, *leidenschaftlich diesem Geschöpfe zugethan (IV/33, 127)*. Eine Fettpflanze (Sukkulente) aus der Familie der Crassulaceen, in Madagaskar beheimatet, aus den Molukkeninseln über Kalkutta in die königlichen Gärten in Kew bei London eingeführt, von Salisbury 1805 benannt, von Curtis 1811 ausführlicher beschrieben, kam B. c. 1817 über Hannover in Carl Augusts botanischen Garten in Belvedere bei Weimar, wo die Eigentümlichkeit ihrer abgetrennten Blätter, in den Blattkerben neue Pflänzchen zu bilden (Bryophyllum = Brutblatt, Sproßblatt), Goethe auffiel. Er nahm die Pflanze zuhause in Zucht, zog seit 1818 aus abgeschnittenen Blättern allmählich 8 Generationen (die letzte im Sommer 1830 ausgelegt), gab sie zahlreichen Freunden und Gartenliebhabern in Pflege und verfolgte das Wachstum der einzelnen Pflanzen. Seit 1820 plante Goethe aus seinen Untersuchungen am B.c. eine *symbolische Monographie* zu erarbeiten *(IV/40, 337)*, die auf Anregung des ihm befreundeten Botanikers und Naturphilosophen schellingscher Richtung ChrGD*Nees vEsenbeck für die „Nova Acta" der kaiserlich Leopoldinischen Akademie der Naturforscher bestimmt war; hierfür ein ausführlicher Entwurf eines „Schemas" seiner Untersuchungen (II/6, 336 bis 340). Nach Unterbrechung der sofort be-

gonnenen Niederschriften führte die *Beobachtung, daß die zur Blüte gebrachte Pflanze blattbürtige Sprosse auch an den an der Pflanze sitzenden Laubblättern (infolge von Korrelationsstörungen innerhalb der Pflanze) erzeugte, 1826 zur Wiederaufnahme der Arbeit an der *Monographie*, die infolge der Überbürdung mit anderen Tätigkeiten bald wieder eingestellt wurde. Die Beschäftigung mit der Pflanze ruhte, wie Goethes Briefwechsel zeigt, nie ganz; von 1828 bis 1830 finden sich besonders häufig Äußerungen über die *wundersame Pflanze*. Von den Niederschriften über seine Untersuchungen hat Goethe nur zwei zu Veröffentlichungen verwertet (II/6, 182 und 201), sechs weitere sind aus dem Nachlaß veröffentlicht ebda 325-327; 336-340; II/13, 67; 69). Die hohe morphologische Plastizität, mit der ein losgelöstes Blatt die ganze Pflanze in einer Reihe von Exemplaren wiedererzeugt und mit der die Blütenbildung, bei der eine Reihe verschiedengestalteter Blattorgane im Dienste der geschlechtlichen Fortpflanzung steht, gleichzeitig einhergehen kann mit der ungeschlechtlichen („vegetativen") Vermehrung auf den grünen Laubblättern, macht das B. c. für Goethe zu einer sichtbaren Verkörperung der *Metamorphose der Pflanzen, der Entwicklung ihrer verschiedenen typischen Organisationsformen aus Gestaltungsvorgängen am Grundorgan des Blattes, zum Symbol der *Allpflanzenschaft (IV/33, 127)*. Man könnte denken, daß die Pflanze mit ihrer Erzeugung von Sprossen am Blatt – statt umgekehrt wie sonst allgemein – bei der in seinen verschiedenen Äußerungen nicht zu eindeutiger Klärung gekommenen Auffassung des Verhältnisses von Blatt und Sproß ihm als Bestätigung der Deutung des „Blattes" als d e s pflanzlichen Grundgebildes schlechthin, als der morphologischen Einheit eines in der Erscheinung in Sproß und Blatt geschiedenen Gebildes gegolten habe. Seine vergleichendmorphologischen Untersuchungen gelten nicht nur den Vorgängen der Formerneuerung (kompensatorischen Anlageausgestaltungen in der heutigen Terminologie), sondern auch den Einzelheiten der Formbildung der einfachen Primärblätter und der 3-zählig und 5-zählig gefiederten Folgeblätter, ihrer Aufeinanderfolge in den Neubildungen aus verschiedengestalteten Brutblättern, die ihm Stufen verschiedener Organisationshöhe innerhalb der Metamorphose bedeuten; seine entwicklungsphysiologischen Untersuchungen, in ganzen Versuchsreihen mit Blättern verschiedenen morphologischen Wertes unter sehr verschiedenen Umweltbedingungen angestellt, betreffen die Abhängigkeit von inneren und äußeren Bedingungen (Bodenbeschaffenheit, Feuchtigkeit, Wärme, Licht usw.) und die dabei auftretenden mannigfaltigen Anpassungserscheinungen im Habitus; rein physiologische Untersuchungen beziehen sich auf die Lichtempfindlichkeit sowie die aktive Wasserausscheidung (*Vertropfung: II/6, 339;* NS 9, 219, heute Guttation) an den Blättern. (B. c. hat erst 1876/77 durch den Schweizer HBerge die von Goethe geplante Monographie gefunden, und erst im letzten Halbjahrhundert haben zahlreiche Untersuchungen namhafter deutscher, englischer, amerikanischer, holländischer und japanischer Forscher seine entwicklungsphysiologischen Untersuchungen an dieser Pflanze fortgesetzt). Die unverwüstliche Erneuerungsfähigkeit und die Mannigfaltigkeit der Bildungen von B. c. verkörpern für Goethe die *Proteusnatur des Blattes,* durch die die Pflanze immer ein Vieles und doch stets Eines ist – „*Alles in Einem und aus Einem*" *glaubt ich mit Augen zu sehen (IV/ 40, 337)* – und machen B. c. zur *pantheistischen Pflanze,* zum Sinnbild nicht nur der Morphologie, sondern der Natur- und Wirklichkeitsauffassung Goethes und ihrer religiösen Grundeinstellung. Dieser Sinnbildcharakter überwiegt bei der Verwendung von B. c. zu Geschenken, besonders in den vier letzten Jahren seines Lebens: hatte schon Ende 1818 die Pflanze den Neujahrsglückwunsch an Carl August symbolisch begleitet (IV/31, 40), so werden jetzt die *lebenslustigen Blätter* wiederholt zu sinnbildhaften Geschenken an S*Boisserée und vor allem Mv*Willemer – *das immerfort wachsend Lebende ist doch ein gar zu hübsches Bild und Gleichniß des Wesens, von dem wir uns kein Bild machen sollen (IV/41, 72)* –, für den Greis zum Sinnbild der Verkettung von Absterben und Weiterdauer, von der Überwindung des *Todes und der bleibenden lebendigen Verbundenheit, das gleichzeitig – als Gegenstück zum *Gingko biloba-Gedicht – dichterischen Ausdruck findet (1830; I/4, 296). *Ug*

GBalzer: Goethes Bryophyllum. Ein Beitrag zu seiner Pflanzenmorphologie. 1949.

Buch, Leopold von (26. IV. 1774 – 4. III. 1852 Berlin), geb. auf Schloß Stolpe bei Angermünde, trat 1790 in die Bergakademie Freiberg/Sa. ein, wo er Schüler von AG*Werner wurde; schon aus der freiberger Studienzeit stammt eine Abhandlung über Karlsbad. 1793 bis 1796 setzte er seine Studien in Halle und Göttingen fort, wurde 1796 Bergreferendar in Schlesien, schied aber bald aus dem Staatsdienst aus, um sich ganz seinen Studien zu

widmen. Er war 1797 mit Av*Humboldt in Salzburg. 1798 reiste er nach Italien, wo er den *Vulkanismus der Euganeen, der Albaner Berge und des Vesuv untersuchte, 1799 über Paris nach Berlin. Dort wurde er mit der Untersuchung des damals zu Preußen gehörigen Neuchâtel beauftragt, er unternahm zahlreiche Reisen in die Alpen, besuchte 1802 die Auvergne. 1805 war er wieder in Neapel, 1806 bis 1808 auf einer Reise durch Schweden, Norwegen und Lappland. 1815 besuchte er ein weiteres Vulkangebiet, die Canarischen Inseln, von denen er eine 1825 erschienene klassisch gewordene Darstellung veröffentlichte. 1817 folgte eine Reise nach Schottland; danach besuchte er mehrfach wieder die Alpen. Mit einer 1826 erschienenen geognostischen Karte von Deutschland wurden diese geologischen Wanderjahre abgeschlossen. In der Folgezeit widmete er sich ausschließlich stratigraphisch-paläontologischen Problemen (klassische Arbeit über den Jura; Ammonoiden, Brachiopoden usf.).

Als Schüler von Werner war B. zunächst überzeugter Neptunist. Die in der Auvergne gemachten Erfahrungen ließen ihn jedoch die neptunistische Theorie aufgeben; er entwickelte die vulkanistische Lehre von den vulkanischen Erhebungskratern (Vulkanismus), die er ebenso einseitig und dogmatisch durchführte, wie Werner seinen Neptunismus, und mit der er nach dem Tode Werners die deutsche Geologie ebenso unumschränkt beherrschte, wie zuvor Werner, bis dann durch die Wirksamkeit CEAv*Hoffs und des englischen Geologen Lyell sich die modernen Forschungsmethoden gegen die kosmogonisch-dogmatischen Lehrgebäude durchsetzten. B. hat dazu nicht mehr ausdrücklich Stellung genommen, sondern sich auf die Paläontologie konzentriert.

Goethes Verhältnis zu B. ist durch seine Stellung zum Vulkanismus bestimmt. Die b.sche Dolomittheorie von Südtirol quittiert Goethe mit der Bemerkung, daß *ein bedeutender Reisender* sich überzeugt hat, *daß die ganze Porphyrformation ... den auf dem Alpenkalkstein aufgelagerten Dolomit par compagnie emporgehoben habe* und daß er *einen solchen wilden willkürlichen Erdboden nicht bewohnen ...* werde *(NS 2, 239 f.).* Er bezeichnet ihn als *Ultra-Vulkanist* und versteigt sich zu der *Vermutung, daß eine Schelmerei dahintersteckt; denn Es ist kaum denkbar, daß ein sonst gescheiter Mann auf einem Punkt so ganz absurd sein sollte (NS 2, 248).* Er berichtet zwar 1822 über ein *Angenehmes und lehrreiches Einspre-*

chen des Herrn von Buch (NS 2, 250), aber empfiehlt Vorsicht gegen ihn (NS 2, 300) und auf
die Zusendung des Werks über die Canarischen
Inseln reagiert er durch ein höfliches Dankschreiben, ohne auf den Inhalt einzugehen.
Im Zusammenhang mit der b.schen Deutung
der erratischen Blöcke (*Diluvium) meint er,
daß *dem arglosen Leser die Schlinge des Irrtums
über den Kopf gezogen wird, er weiß nicht wie*
(NS 2, 383).　　　　　　　　　　　　　　　Bn

LvBuch: Gesammelte Werke (gesammelt und heraus-
geg. von H. Eck, Dames ua. Berlin 1862. 1877). –
JFPompeckj: Die Auffassung vom Vulkanismus seit
Leop. v. Buch (SB Preuß. Ak. d. Wiss. 1925).

Buchfart, Dorf an der *Ilm südlich Weimar,
mit Försterei, 1822: 121 Einwohner. Goethe
wird den anmutig gelegenen, von bewaldeten
Höhen umgebenen Ort des öfteren berührt
haben. Erwähnt findet sich: Ritt durch B.
am 17. II. 1777 (III/1, 34), mit FHv*Einsiedel
zusammen im Garten in B. gegessen am 13. IV.
1777 (ebda 37; vgl. RV S. 15), geplante Früh-
lingspartie nach B. am 2. V. 1778 mit der
herzoglichen Familie, *Steins, *Herders, CLv
*Knebel, OJMv*Wedel (III/1, 65 f.; IV/3, 220).
In einer Felswand hoch über der Ilm sind
Höhlenkammern eingegraben, die von einer
frühgeschichtlichen, im Mittelalter weiterhin
benutzten und ausgebauten Befestigungsan-
lage herrühren. Über der Felswand setzt sich
der Berg zunächst mit Feld und Schafweide
fort. Mittelbar ist überliefert, daß Goethe
nach einem Besuch der Felsenburg am Abend
in ein Gedenkbuch der befreundeten Familie
*Schütz zu Berka die Verse eintrug: *Kennst
Du die Burg, gegraben in bergigen Felsen, |
Der aus dem Thal hochragend zum Himmel
emporstrebt? | Wellen der Ilm umspülen den
Fuß ihr, – die Zinne | Wählet zur Weide für
seine Schafe der Hirt.*　　　　　　　　　　　Dl

AvB[erka] [= Frau Oberförster Caspari]: Die Felsenburg Buchfart in Geschichte und Sage. S. 5.

Buchholz, Paul Ferdinand Friedrich (1768 bis
1843), Roman-Schriftsteller in Berlin, wurde
von Goethe als Verfasser eines *Romans für
die JALZ (1806) ausführlich rezensiert und
gelobt: „Bekenntnisse einer schönen Seele,
von ihr selbst geschrieben": *Die schöne Seele
ist eigentlich eine Amazone, eine Männin, ein
Mädchen wie es ein Mann gedacht hat. Dies
aber zugegeben, so kann man von dem Buch
nicht Gutes genug sagen (I/40, 368).*　　　　Za

Buchholz/Bucholz, 1) Wilhelm Heinrich Sebastian (1734–1798), aus Bernburg/Saale, Dr.
med., Pharmazeut, Chemiker, Botaniker, seit
1763 praktizierender Arzt, seit 1773 auch
Apothekenbesitzer in Weimar, Hofmedikus
(1777), Bergrat (1782); 1776 zweite Ehe mit

Wilhelmine, Tochter F*Bendas, *wohlhabend
und lebenslustig, richtete mit ruhmwürdiger Lern-
begierde seine Thätigkeit auf Naturwissenschaften (II/6, 102).* Goethe erhielt durch diesen
vielseitigen Naturforscher seine ersten botanischen und chemischen Unterweisungen . . . *und
wie der gerühmte Dr. Bucholz von seinem Dis-
pensatorium sich in die höhere Chemie wagte, so
schritt er auch aus den engen Gewürzbeeten in
die freiere Pflanzenwelt . . . Dieses Mannes Thätigkeit lenkte der junge, schon früh den Wissenschaften sich hingebende Regent allgemeinerem
Gebrauch und Belehrung zu, indem er große son-
nige Gartenflächen, in der Nachbarschaft von
schattigen und feuchten Plätzen, einer botanischen Anstalt widmete, wozu denn ältere wohler-
fahrene Hofgärtner mit Eifer sogleich die Hand
boten (II/6, 103).* B. war auch eines der tätigsten Mitglieder der *Freitagsgesellschaft, in
der er *die neusten physisch-chemischen Erfahrungen mit Gewandtheit und Glück* vorlegte
(I/35,68; – *Montgolfiere).　　　　　　Sl/Hk
–, 2) Carl (?), B.s Sohn aus 1. Ehe, Offizier,
traf Goethe auch später noch (1797 Frankfurt: III/2, 83; 1806 Jena III/3, 166).

APollmer in JbSKip 6, S. 16–18; 53–55.

Buchmalerei, auch Miniaturmalerei (von lat.
minium = Mennig, rote Farbe), dann aber
von der *Miniaturmalerei, der Malerei im
kleinen Format, zu unterscheiden, ist namentlich im frühen Mittelalter nicht Illustration
des liturgischen oder biblischen Textes, sondern Exegese. Ihre Höhepunkte gewann die
B. in den Codices der karolingischen und otto-
nischen Zeit; später schon im Sinne der Buchillustration im burgundisch-niederländischen Bereich bis weit in das 16. Jahrhundert hinein.
Dieser bedeutende Kunstzweig des Mittelalters hat nur geringe Spuren in Goethes
schriftlichen Zeugnissen hinterlassen. Gelegentlich ist von *Miniaturen aus Meßbüchern
(IV/25, 46)* oder von *Schreibekunst, Minia-
tur (I/34^{II}, 23;* vgl. über *Hemmling* [*Mem-
ling], dessen Kunst von der *Verzierung der Ge-
betbücher, als worauf man den allerhöchsten
Werth legte,* hergeleitet werden kann: I/34^{II},
31; 34, und Carl-August an Goethe, BrCarl-
August 2, S. 145) die Rede – Mitteilungen,
die auf S*Boisserée zurückgehen, der in der pariser Nationalbibliothek burgundische Handschriften 1824 schon systematisch studierte.
Goethe besaß „ein großes Pergamentblatt aus
einem Meßbuche, mit Blumenranken an den
Seiten und einen gemalten L" (wohl aus dem
14. Jahrhundert).　　　　　　　　　　　　Lö

Schuchardt 1. S. 294. – Sulpiz Boisserée, 1862, Bd 1,
S. 438 f.

Buchon, Jean-Alexandre (1791–1846), französischer Historiker und liberaler Politiker der Restaurationszeit, Mitarbeiter am „*Constitutionnel", einer Zeitung, die wesentlich zum Sturze Karls X. und seines reaktionären Systems beitrug. Er vermittelte Goethe die Originaltexte von sechs neugriechischen „ballades historiques" mit beigefügter französischer Übersetzung (1822: IV/36, 140; 375); Goethe gab deren deutsche Nachdichtung unter dem Titel *Neugriechisch-epirotische Heldenlieder* in *KuA* heraus *(I/3, 213–220; 430 f.).*   *Fu*

Buchsweiler (französisch Bouxwiller), *Weylands Heimatstadt, noch heute halbländliche Kleinstadt im Unterelsaß (Departement Bas-Rhin), etwa 35 km nordwestlich von *Straßburg und 2,5 km nordöstlich vom *Bastberg gelegen, bis zur französischen Revolution Hauptort der Grafschaft *Hanau-Lichtenberg. Architektonische Zeugen dieser Vergangenheit, doch nicht das alte Schloß, sind noch heute zu sehen. Goethe hielt sich im Juni 1770 in B. auf (I/27, 325 bis 328 passim).   *Fu*

Bucquoy (Buquoy, Bouknoj, Boucquoi, Bouquoy), 1) Georg Franz August von Longueval, Freiherr von Vaux, Graf von (1781 bis 1851), übernahm nach vorherrschend naturwissenschaftlichen Studien in Wien die von seinem Onkel geerbten Güter in Böhmen. Mehrjährige Reisen führten ihn durch Frankreich, Italien und die Schweiz. Dann widmete er sich naturwissenschaftlichen Fragen und dem Aufbau einer Glasindustrie auf seinem Grundbesitz. Seine Hütten lieferten Buntglas, Kristallglas und Hyalit. Goethe traf mit B. des öfteren während seiner Aufenthalte in böhmischen Bädern zusammen (2. VIII. 1807 in *Karlsbad: III/3, 252; 11. VI. 1810 ebendort: III/4, 131; 18. und 19. VII. 1812 in *Teplitz: ebda 304; 23. und 27. VII. 1813 in Teplitz: III/5, 64), auch führte er mit ihm Gespräche ua. über die *Farbenlehre (August 1818: III/6, 234–236; vgl. 16. XII. 1820: III/7, 259; *Böhmen Sp. 1306). B. war außerdem als mathematischer, naturwissenschaftlicher und staatswissenschaftlicher Schriftsteller tätig. Goethe kannte einen Teil dieser Arbeiten; von B.s „Ideelle Verherrlichung des empirisch erfassten Naturlebens", (1822), sagt er, daß *deren Inhalt vortrefflich ist und die herrlichsten Gedanken mittheilt* (2. XI. 1822: *IV/36, 194;* vgl. auch III/8, 323). Vom Verfasser erhielt er weiterhin 1821 „Eine neue Methode für den Infinitesimalkalkül, nämlich die umgekehrte Ableitung der Functionen (dérivation inverse)", (1821; *III/8, 311: Infinitesimalkalkül);* bekannt waren Goethe auch die „An-

regungen für philosophisch-wissenschaftliche Forschung und dichterische Begeisterung" (1825; 2. Aufl. 1828; 24. XII. 1824: III/9, 313) und wahrscheinlich auch die „Erläuterung einiger eigenen Ansichten aus der Theorie der National-Wirthschaft" (1817; nicht Volkswirthschaft wie im Register III/14, 113; vgl. III/6, 141).

–, 2) Gabriele, geb. Gräfin von Rottenhan (geb. 1784), dessen Frau, traf Goethe in Karlsbad (29. VIII. 1810: III/4, 150) und gelegentlich seines Aufenthaltes in Teplitz (18. VII. 1812: III/4, 304, 24. VII. und 7. VIII. 1813: III/5, 64; 67).   *Sl*

Kneschke 2 (1860), S. 154. – BLÖ 2 (1857), S. 208 bis 210.

Buder, Christian Gottlieb (1693–1763), Pfarrerssohn aus Kuttlitz/Oberlausitz, kam 1714 als Student nach Jena. Noch vor seiner Promotion wurde B. hier Vorsteher der akademischen Bibliothek, 1730 außerordentlicher und 1734 ordentlicher Professor der Jurisprudenz, schließlich 1738, als Nachfolger seines Lehrers Burkhard Gotthelf Struve (1671–1738), auch Professor des Staats- und Lehnrechts; zuletzt war er Senior der juristischen Fakultät. Sein Andenken lebt in Jena durch das Vermächtnis seiner wertvollen großen, an Gelegenheits- und Flugschriften einzigartig reichen Bücherei an die Universitätsbibliothek, wo sie gesondert aufbewahrt wurde (vgl. IV/32, 108). Dem auch von Goethe respektierten Willen des Stifters (ebda 112) entsprechend ist sie bis heute in sich geschlossen geblieben. Sie gehörte zu den *Flözschichten alter Deduction . . ., die, seitdem sie der berühmte Buder auf der akademischen Bibliothek niedergelegt, noch nicht wieder durchsunken worden sind* (12. VIII. 1820: *IV/ 33, 152).* 1820 wurden *die Buderischen Manuskripte . . . verzeichnet (IV/33, 66;* vgl. 31, 218). Goethe hat, wenn er in Jena weilte, öfters Bände der Bibliothek B.s entliehen.   *Fr*

BrVoigt Bd 1, S. 124; Bd 2, S. 272. – JGünther: Lebensskizzen der Professoren der Universität Jena seit 1558 bis 1858. 1858. – KBulling: Goethe als Erneuerer und Benutzer der jenaischen Bibliothek. 1932. S. 3; 62. – LHiller: Die Geschichtswissenschaft an der Universität Jena in der Zeit der Polyhistorie 1674–1763. 1937. S. 177–206. – LFrede: Das klassische Weimar in Medaillen. 1959 (Nr 152 B.s Medaille, von ihm testamentarisch zur Erinnerung an sein Vermächtnis gestiftet).

Büchler, Johann Lambert (1785–1822), badischer Diplomat, tätig beim Bundestag in Frankfurt, zugleich ständiger Sekretär der „Gesellschaft für ältere deutsche Geschichtskunde zur Beförderung einer Gesamt-Ausgabe der Quellen-Schriften deutscher Geschichten des Mittel-Alters" (*Monumenta Germaniae). In dieser Eigenschaft übersandte er Goethe die auf den 28. VIII. 1819 datierte

Urkunde der Ehrenmitgliedschaft (*Aretin, 1.) Goethe legte Wert darauf, *das Verhältniß zu Herrn Büchler in Frankfurt zu unterhalten (TuJ 1820: 1/36, 164)*; letztes Zeugnis ist ein Glückwunsch B.s zu Goethes fünfzigjährigem Weimar-Jubiläum 1825 (vgl. CSchüddekopf in GoetheJb 21, S. 52–85).   *Za*

Bühnenbearbeitungen. Die *Redaction, Verkürzung, Umänderung* der Stücke empfand Goethe während seiner *Theaterleitung so sehr als sein persönliches Anliegen, daß er sie bei der geplanten Neuordnung der Hoftheaterverwaltung im Jahre 1808 als dritten der für ihn unabdingbaren Arbeitsbereiche aufführte. Neben dem *Lesen und Beurtheilen der Stücke* und neben der *Bestimmung derselben zur Aufführung*, also der *Spielplangestaltung im engeren Sinne, sicherte die Herstellung einer spielbaren Textfassung sein Amt als wirklich verantwortlicher „Dramaturg", mit dem er das eines „Oberregisseurs" auch weiter verbinden wollte, wie die sich anschließenden Forderungen bestätigen *(IV/20, 264)*. Seit JChr*Gottscheds Reform das Primat der Dichtung auf der Bühne zur Geltung gebracht hatte und die Sorge um neue Originalschauspiele alle mit ihrer Zeit gehenden Prinzipale bedrängte, war es Aufgabe eines meist akademisch vorgebildeten „Theaterdichters" geworden, im festen Dienst einer Truppe außer der Erledigung aller sonstigen schriftstellerischen Arbeiten, der Abfassung von Vor- und Nachspielen, Theaterreden und Festgedichten, dem Stückemangel durch *Übersetzen und nationalisierendes Bearbeiten abzuhelfen. Als freiwilliger und unbesoldeter Theaterdichter wirkte *Wilhelm Meister* bei *Madame de Retti*: Er verbesserte bei *Übersetzungen die Sprache, zog Scenen zusammen, richtete Rollen nach dem Geschicke der Acteurs mehr ein, verfertigte neue Übersetzungen (1/52, 107)*. Als um 1774 die historisch-ethnographische Echtheit des *Bühnenkostüms eine nicht mehr zu übersehende Rolle zu spielen begann, gehörte auch die Lieferung von Vorlagen zum Pflichtenkreis des Theaterdichters, da eine Mitwirkung des Theatermalers wohl nicht anzunehmen ist und die Heranziehung von Kostümzeichnern zunächst noch eine Ausnahme blieb. Nimmt man dazu schließlich die Aufsicht über die *Theaterbibliothek und die Garderobe, so ist das Amt des Theaterdichters im 18. Jahrhundert in etwa umschrieben, wie es FMv*Klinger bei A*Seyler, JChrBock bei FL*Schröder, CMPlümicke bei CThDöbbelin, JF*Reichardt in *Gotha und ChrA*Vulpius in Weimar ausübte. Mit Schröders Ringen um die bühnenmäßige Bewältigung *Shakespeares aber waren B.n zu einer künst-

lerischen Bedeutung erhoben worden, die über die Fähigkeit des durchschnittlichen Theaterdichters hinausging. Goethe hat sich in den ersten Jahren seiner Theaterleitung mit einer Verbesserung der Operntexte begnügt, die aus seinen Bemühungen um eine Reform des deutschen Singspiels zu verstehen ist. Seit AW*Ifflands Gastspiel 1796 jedoch verlagerte sich das Schwergewicht von der *Oper zum Schauspiel. Zwar blieben in der von Goethe als *grausam (1/40, 91)* bezeichneten B. seines *Egmont* durch Schiller Dichtung und Theater noch recht weit auseinanderklaffende Bereiche. Aber wie man an kürzlich wiederaufgefundenen Handschriften den allmählichen Übergang von dieser radikalen Umgestaltung des Jahres 1796 bis zu Goethes konservativer Rückbildung von 1807 verfolgen kann, so ist auch ganz allgemein die in Weimar geübte Praxis der B. in den folgenden Phasen von Goethes Theaterleitung von einer vertiefteren Auffassung getragen worden, die freilich noch 1827 Goethe aussprechen ließ, daß *großes Vermögen der Darstellung und Kenntnis der Bretter* für den dramatischen Dichter wichtiger seien als *seine sittlichen Endzwecke (Bdm. 3, 356)*.

Rücksichten auf bestimmte Persönlichkeiten oder – 1812 – auf die französische Regierung ließen Goethe auch von außen diktierte Eingriffe in Theaterwerke vornehmen. Wie behutsam er persönlich jedoch die Werke fremder Autoren behandelt sehen wollte, erhellt aus einer Bemerkung über GG*Byrons „Dogen von Venedig": *es müßte gekürzt werden; aber man müßte nichts daran schneiden und streichen, sondern es so machen: man müßte den Inhalt jeder Scene in sich aufnehmen und ihn bloß kürzer wiedergeben (Bdm. 3, 161)*. *Nicht allein ins Deutsche, sondern, wo möglich, für die Deutschen übersetzen (IV/14, 209)* wollte Goethe Voltaires „Mahomet" und so in besonderer Weise den Wunsch seines Herzogs erfüllen, der von dem französischen Drama eine Verbesserung des deutschen Geschmacks erhoffte. Goethes Änderungen milderten nicht nur alles Grausame, sondern verdeutlichten auch die Situation und vertieften die Charaktere; Mahomet, bei Voltaire Tyrann und Betrüger, bekam durch Goethe mehr dämonische Züge. War anfänglich geplant, einen frei behandelten *Alexandriner mitzuverwenden, so fiel die Entscheidung später für den *Blankvers. „Er setzte Voltaire in Musik", sagte F*Schlegel über Goethes „Tancred"-Übersetzung und B. Die ursprünglich umfangreicher veranschlagte Arbeit blieb eine Zeit liegen und wurde dann hastig und oberflächlich für Iffland vollendet, der das Werk zur Krönungsfeier am 18. I. 1801 spielen wollte. Die Shakespeare-Orthodoxie des Jahres 1812 erhob lauten Protest gegen die am 1. II. zur Aufführung gekommene, im Dezember 1811 entstandene „Romeo und Julia"-B. In der Tat war hier die Zustutzung auf den weimarer Stil weit getrieben. Zwar war Schlegels Text zugrunde gelegt, aber Anfang und Ende geändert, alle Komik *(disharmonische Allotria: IV/22, 246)* gestrichen und das in früheren B.n zum rührseligen Familienstück degradierte Drama nun konzentriert, harmonisiert und monumentalisiert. Goethes B. umfaßte zwei Drittel des Originals, zählte elf gegenüber vierundzwanzig Szenen, milderte den Haß der Familien, aber auch die impulsive Leidenschaft der beiden Hauptgestalten und opferte auch sonst poetische Werte. Eine vorher völlig unbekannte, auf dem Titelblatt ausdrücklich als Einrichtung Goethes gekennzeichnete Bearbeitung des „Standhaften Prinzen" von *Calderon kam vor wenigen Jahren bei einer Umfrage an Theaterarchive in der Bibliothek des damaligen Staatstheaters *Berlin zum Vorschein. Es erwies sich, daß es sich bei den drei Handschriften um Abschriften der um 1811 für Weimar von Goethe hergestellten Fassung handelte, die im Gegensatz zu Schlegel das Original in fünf statt drei Akte aufteilte, die Rolle des Narren Brito strich, den Text im allgemeinen zwar beibehielt, aber doch zahlreiche Längen ausließ. Die vorübergehend Schiller zugedachte, dann von Goethe am 18. II. 1804 in Angriff genommene und am 22. IX. aufgeführte B. des *Götz* verminderte zwar die 56 auf 25 Szenen, aber auch die Jugendfrische, den freiheitlichen und nationalen Schwung des Originals, die Kraft der Sprache, die Lebendigkeit der Charaktere. Um *Götz* stärker zur Hauptperson zu machen, wurde die *Weislingen*-Handlung eingeschränkt, aber dieser neue *Götz* verlor auch das Holzschnittartige, wurde aus einem naiven ein weichlicher, salbungsvoller, sentimentalischer Charakter. *Weislingen*, früher ein Zwiespältiger, ist nur Bösewicht, *Adelheid* statt dämonische Frau nur Gesellschaftsdame. Die individuelle und sinnliche *Sprache glitt in Rhetorik hinüber. Die Uneinheitlichkeit und Länge der Handlung sollten theatralische Mittel, bunte Bilder, Aufzüge, wirkungsvolle Gruppierungen an den Aktschlüssen wettmachen. Die erste Aufführung dauerte denn auch viel zu lange. Goethe spielte das Werk daher zunächst an zwei Abenden, kürzte später noch einmal und spielte 1809 zunächst ein vieraktiges *Weislingen*- und dann ein fünfakti-

ges *Götz*-Schauspiel. Auch dem in ganz anderer Weise als *Götz* schwer spielbaren *Tasso* hat Goethes eigene Hand den Weg geebnet, wie eine kürzlich vorgenommene Kombination des weilburger Manuskriptfundes mit einer bisher unbeachteten, noch im 19. Jahrhundert als Regiebuch verwandten Abschrift – der als Ganzes durch den Theaterbrand von 1825 verlorengegangenen B. Goethes – wahrscheinlich macht. Der danach wieder erkennbare Text der späten Uraufführung des *Tasso* vom 16. II. 1807, den die *Schauspieler zwar in Goethes Gegenwart probierend gelesen, aber dann überraschend gelernt und zum Zwecke einer öffentlichen Darstellung fertig einstudiert hatten, bezeugt ganz besonders beispielhaft Goethes auch sonst geübte souveräne Kunst, ein Werk allein durch Streichungen umzugestalten. Die nach Goethes eigener und der allgemeinen Ansicht erkennbaren Fehler des *Tasso*, seine Handlungsarmut und epische Breite, wurden durch das Opfer von 727 Versen, davon allein im IV. Akt 297, gemindert. Während zugleich allzu Bekenntnishaftes aus der Entstehungszeit des Werkes zurückgedrängt wurde, dienten diese Objektivierung und diese Konzentration einem höheren dramaturgischen Ziele: einer Verschiebung des *Tasso*-Bildes nach der Seite des Positiven, das die Hoffnung erwecken konnte, *Tasso* werde sich als handelnder Mensch bewähren, die *Disproportion* sei durch die tätige Hilfe der Mitmenschen doch noch ausgleichbar, das Ende sei nicht Untergang, sondern Umkehr.

Die einmalig enge Zusammenarbeit Goethes mit Schiller auch auf dem Gebiet der dramaturgischen Einrichtungen läßt die Anteile, über die manchmal nur mündlich verhandelt wurde, bisweilen nur schwer sondern. Außer *Egmont* hat Schiller von Werken Goethes vor allem noch *Iphigenie* und *Stella* bearbeitet, jene 1802 unter Herausarbeitung des Leidenschaftlichen, Dynamischen, diese wohl schon 1803, obgleich seine tragische Fassung erst 1806 zur Aufführung kam; nach Goethes Zeugnis *ließ sich Schiller durch manche angenehme Stelle nicht verführen, sondern strich sie weg (I/40, 94).* Diese seit Jahrzehnten gesuchte *Stella*-Bearbeitung ist ebenfalls durch Handschriftenfunde in Frankfurt und Berlin neulich bestimmbar geworden. Außer den genannten Dramen Goethes hat Schiller Shakespeares „Macbeth" 1800, Lessings „Nathan" 1801, Gozzis „Turandot" 1801 und – zusammen mit *Voß d.J. – Shakespeares „Othello" 1804/05 bearbeitet. Schillers „Macbeth"-Bearbeitung war ein Versuch, Shakespeare in den spezifisch weimarischen Aufführungsstil einzufügen und ist so bis weit ins 19. Jahrhundert hinein gespielt worden. Die Regiebemerkungen, die Goethe Schiller übersandte, zeigen das Prinzip symbolischer Andeutung. Die Hexen – so berichtet KSFrhrv*Seckendorff – erschienen „in griechischer Drapierung, von Männern vorgestellt, standen meist still oder umwandelten das Theater in streng abgemessenem Schritt – ebenso abgemessen war auch ihre Deklamation". Die in *Shakespeare und kein Ende* ausgesprochene Ansicht, daß die Bühne kein würdiger Raum für das Genie Shakespeares sei und die Zustimmung zu Schröders Einengung des über die Bühnenmöglichkeit hinauswachsenden Weltbildes auf das Wirksame waren aus vielfachen, eignen Versuchen Goethes in den mittleren und späteren Jahren seiner Theaterleitung gewonnen, als auch er *nur das eigentlich Wirkende* ausgewählt, das *Störende aber und Umherschweifende* abgelehnt hatte, da nach monatelangem Quälen doch *nur eine Vorstellung erreicht* worden sei, die zwar *unterhielt und in Verwunderung setzte*, aber sich nicht *auf dem Repertoire* halten konnte *(I/40, 179)*.

Daß handschriftlich überlieferte Bühnenmanuskripte aus der hochklassischen Zeit Weimars als Zwischenglieder bis zur gedruckten Ausgabe authentischen Wert haben und den Spielplan anderer führender Bühnen mitgestalteten, ist erst vor kurzem wieder herausgestellt worden. Goethes Briefwechsel mit dem Grafen CFMPv*Brühl in Berlin, seine Verhandlungen über Kirms und auch über Iffland mit Leitern deutscher Theater und ebenso der Briefwechsel Schillers zeigen, daß zwischen der weimarer und den übrigen Direktionen ein enges Vertrauensverhältnis bestand. Die B.n Weimars und damit das Aufführungsrecht wurden bald nach Bekanntwerden eines neuen Titels erbeten. Die versandten Manuskripte sind meist von Schreibern abgeschrieben, aber vom Dichter eigenhändig korrigiert worden. Gegenüber Schillers immer wieder veränderten Theaterhandschriften wirken die Goethes vergleichsweise unpersönlich. Ihre Abweichungen gegenüber dem späteren Druck begrenzen sich meist auf unerhebliche Abänderungen, Weglassungen und interpunktionelle Wandlungen. Nach dem Theatermanuskript wurden das „Dirigierbuch" und nach diesem wieder das „Soufflierbuch" und eventuelle Rollenhefte hergestellt. Die Heranziehung solcher, der ersten Fassung der Dichtung sehr nahestehenden Quellen ist bei selbstverständlicher Kritik durchaus geboten und gerechtfertigt.   *HF*

VTornius: Goethe als Dramaturg. Diss. Leipzig 1909. – HHBorcherdt: Neue Handschriftenfunde zu Schiller und Goethe. In: Die Pforte. Jg 1 Heft 6 (1947 bis 1948), S. 635–645. – HHBorcherdt: Einführung in Schillers Bühnenbearbeitungen. In: Schillers Werke, Nationalausgabe, Bd 13. 1949. S. 291-2 9. – HHBorcherdt: Die Bühnenmanuskripte der hochklassischen Zeit. In: Schillers Werke, Nationalausgabe, Bd 14 (1949), S. 267–276. – CHöfer: Goethes Egmont in Schillers Bearbeitung. 1914. – LBlumenthal: Goethes Bühnenbearbeitung des *Tasso*. In: Goethe 13 (1951), S. 59–85. – HGBöhme: Die Weilburger Goethe-Funde, Blätter aus dem Nachlaß von Pius Alexander Wolff. In: Die Schaubühne Bd 36. 1950.

Bühnendekoration. In den *Dramen der frühen und mittleren Zeit hat Goethe sich mit sparsamen Anweisungen für die B. begnügt. *Götz*, *Clavigo* und *Egmont* machen von verdunkelten Szenen, *Faust* von Lichteffekten und Erscheinungen Gebrauch. Von einer Hilfskunst zum Element eines Gesamtkunstwerkes aber wuchs die Gestaltung des szenischen Raumes erst bei dem durch die eigene Stilschule seiner *Theaterleitung gegangenen Dichterregisseur, der das Monodrama *Proserpina* 1815 in einem pantomimischen Schaubild ausmünden ließ. Als Goethe 1791 J*Bellomos Erbschaft übernahm, befanden sich unter ihr Prospekte für Wald, Saal, Gelbes und Rotes Zimmer, ein Bauernprospekt, ein Straßenprospekt und eine von GM*Kraus entworfene Gartendekoration. Dazu kam im Oktober 1791 ein Prospekt zu einem Gefängnis, und im Januar 1796 entwarf Goethe für die Oper „Die neuen Arkadier" drei Hintergründe. Die theatereigenen Möbel und Requisiten wurden fallweise durch entliehenes Inventar des *Wittumspalais ergänzt. B. und *Bühnenkostüm waren im weimarischen *Redouten- und Komödienhaus nicht nur von der Knappheit des Theateretats sondern auch einer grundsätzlichen Sparsamkeit Goethes in Dingen des Apparats bestimmt: *Ein guter Schauspieler macht uns bald eine elende unschickliche Decoration vergessen (I/21, 158)*. Wechsel der Dekorationen während des Aktes geschah bei offener Szene, nachdem der Souffleur ein Klingelzeichen gegeben hatte. Der Vorhang fiel meist nur am Schluß eines Aktes, wodurch ein Handlungseinschnitt und eine durch Zwischenaktsmusik überbrückte Zeitspanne zum Ausdruck kam. Da der Kerzenkronleuchter im Zuschauerraum stets brannte, ergaben sich grundsätzlich andere Lichtverhältnisse als in der Gegenwart. Die Bühnenbeleuchtung war eine technische Notwendigkeit, kein künstlerisches Gestaltungsmittel, wenn man auch durch Drehen der Kulissenlichter bestimmte Teile der Bühne im Dunkel und andere konzentriert hell erscheinen lassen und Buntlicht, besonders rotes, durch vorgeschobene Papprahmen mit ent-

sprechend farbigem Ölpapier herstellen konnte. Goethe hat seine Gedanken über das
B.wesen zum ersten Male zusammenhängend im Jahre 1797 entwickelt, nachdem er im
August während seines Aufenthaltes in Frankfurt durch die B.n des mailänder Theatermalers G*Fuentes zur Oper „Palmira" stark
beeindruckt worden war. Es heißt in dem
Brief an Schiller vom 14. VIII. ua.: *auf dem
Theater . . . soll alles eine anmuthige Erscheinung seyn. Die theatralische Baukunst muß
leicht, geputzt, mannigfaltig seyn, und sie soll
doch zugleich das Prächtige, Hohe, Edle darstellen. Die Decorationen sollen überhaupt, besonders die Hintergründe, Tableaus machen, der
Decorateur muß noch einen Schritt weiter thun
als der Landschaftsmahler, der auch die Architektur nach seinem Bedürfniß zu modificiren
weiß (IV/12, 232).* Dem Bühnenbild preßte
Goethe also Gesetze auf, die mehr dem Wand-
bild gemäß waren. Er entsprach darin der
klassizistischen Dekorationsmalerei seiner
Zeit, die zwar noch in der Tradition der Galli-
Bibiena, Burnaccini usw. stand und durch
perspektivische Verjüngung Tiefe vortäuschte,
aber die wirkliche Tiefe der barocken Raum-
bühne auf eine flache Reliefbühne verkürzt
hatte, die durch den betont auf Bildwirkung
gestellten Hintergrundsprospekt abgeschlossen wurde. Hieraus ergaben sich bestimmte
Regeln für *Schauspielkunst und *Regie, die
eine Zerstörung der Tiefen-Illusion vermeiden
mußten. Der *Klassizismus der Goethezeit
hat prunkvolle B.n abgelehnt, die nur dem
*Auge und nicht dem Dichtwerk gefällig wa-
ren. Das optisch Sichtbare wurde als *Symbol bewertet, der Gebrauch von Versatzstük-
ken als zu realistisch möglichst vermieden, die
stimmungbildende Kraft von *Farbe, Linie
und architektonischer Struktur einer B. hervorgehoben. Dem Problem der Farbgebung ist
Goethe im Verlauf seiner Theaterleitung im
besonderen nachgegangen. Die Kostümfarbe
sollte sich von der der Dekorationen abheben,
weil sonst die Körperteile unsichtbar würden; die Farben der B. waren also immer
schwach und duftig zu halten. Goethes Büh-
nenbild-Vorstellungen für den klassizistischen
Stil der Spätzeit sind vielfach von N*Poussin bestimmt. Schon als Leiter des *Liebhabertheaters
erbat Goethe sich von AF*Oeser einen *Kupferstich von Poussin, um danach einen Hintergrund herstellen zu lassen. Für die Schauplätze
von *Pandora* und *Proserpina* nahm er ebenfalls Poussin als Vorbild, der *dem Decorateur im landschaftlichen und architektonischen
Fache die herrlichsten Motive (I/40, 117)* bot.

Auch F*Kobell und den dresdner Landschaftsmaler KL*Kaaz empfahl Goethe. Für
*Berlins Theater wünschte er sich die Zusam-
menarbeit von F*Schinkel und PL*Lütke, *indem die Talente des Landschaftsmahlers und
Architekten vereinigt angesprochen (I/40, 110)*
würden. Nach Weimar engagierte er 1815
F*Beuther, einen Schüler von Fuentes, dessen
Arbeiten seinen eigenen Stilabsichten entgegenkamen und sein Interesse für das B.s-
wesen sehr anregten. Beuther beherrschte eben
jene Kunst, die *kleinen Räume in's Gränzenlose zu erweitern (I/36, 101)*. Unter denen für
Weimar geschaffenen B.n waren außer Kulissen und Prospekten sogenannte Bögen, durch-
brochene Prospekte meist in Form von Säu-
lenarkaden, durch die man hindurchschreiten
konnte. Auch ließen die bräunlichen Farbtöne
von Beuthers B.n die Farben der Gewänder
gut hervortreten. In einer der *Theaterkommission am 30. X. 1815 von Beuther überreichten
Denkschrift über Theatermalerei kam nicht
nur das Ziel einer Vereinfachung des Bühnenbildes, sondern auch der Wunsch ständiger Mit-
heranziehung bei der Verwendung der B.
sowie der Maschinerie und Beleuchtung zum
Ausdruck. Eine theatergeschichtliche Kuriosität war, daß Goethe 1816 nach einer Aufführung dem Publikum 14 von Beuther angefertigte Dekorationen zeigte, als deren Krönung das römische Kapitol galt. Goethe hat
auch nach den bereits erwähnten Opernpro-
spekten von 1796 persönlich in die Bühnen-
malerei eingegriffen. So verbesserte er 1804
eine schweizer Landschaft für „Wilhelm Tell"
und machte 1817 Änderungsvorschläge für die
B. der „Schweizer Familie" von JVF*Castelli.
Ein Entwurf zur „Zauberflöte" ist erhalten,
der auf beschränktem Raum eine starke architektonische Wirkung anstrebt, und in dem mit
der Aufschrift „Theaterzeichnungen" versehenen Aktendeckel befinden sich auch die bekannten sieben Skizzen zum *Faust,* unter denen
eine vielleicht für die Szene *Vor dem Tor* entworfene Dekorationsskizze den Eindruck des
„Zauberflöten"-Entwurfs bestätigt. Eine so
wenig voreingenommene Zeugin wie C*Jagemann hat gemeint, Goethe wäre zum Reformator der szenischen Gestaltung geworden,
hätten ihm dafür so reichliche Mittel zur Verfügung gestanden wie AW*Iffland und CFMP
Grafv*Brühl. Sie erwähnt dabei Goethes „ma-
lerisches Auge" und seine Vorliebe für ein
„schönes Bühnenbild". Goethes im letzten
Wesen statische und gefällige B.sweise trug eine
Begrenztheit in sich, die eine für die dynamische Theatralik und dramaturgische Bedingt-

heit des Bühnenbildes aufgeschlossenere spätere Zeit ablehnte und überwand.   *HF*

PZucker: Die Theaterdekoration des Klassizismus. 1925. – BThSatori-Neumann: Die Frühzeit des Weimarischen Hoftheaters unter Goethes Leitung (1791 bis 1798). Als: SGesTh 31 (1922). – Eberhard Itzenplitz: Friedrich Beuther und die Theaterdekoration des Klassizismus. Diss. Göttingen 1953.

Bühnenkostüm war noch auf dem Barocktheater ein Typenkostüm, das antik oder orientalisch modifiziert wurde. JChr*Gottsched hat als erster für das Drama mit antikem Stoff ein historisch echtes B. gefordert, stieß damit aber auf den Widerstand der Schauspieler und wurde von der Neuberin (FC*Neuber) verspottet. Das bürgerlich-realistische Schauspiel des 18. Jahrhunderts verwandte in erster Linie ein modernes B., das die Schauspieler selbst stellen mußten und das sich entsprechend dem *Rollenfach in die „Charakterkleidung" des Bauern, Geistlichen, Offiziers ua. aufgliederte. Erst um 1770 kam das „echte" historische Kostüm auf, dessen Vorlagen zu beschaffen Sache des bei der Truppe angestellten Theaterdichters wurde (*Bühnenbearbeitungen). Das Ritterdrama brachte die ersten Versuche im mittelalterlichen, „altdeutschen" Kostüm. Die erste bewußte Gesamtinszenierung, bei der Kostüme und die bei den Wandertruppen noch wenig beachtete *Bühnendekoration nach Art der Opernausstattung aufeinander abgestimmt wurden, war die *Götz*-Aufführung FL*Schröders 1774 in Hamburg. Noch stärker trat dieses Bemühen im gleichen Jahre bei der *Götz*-Aufführung durch SG*Koch in Berlin hervor. Ein antikes Kostüm, dessen Ausbildung auf die Wirkung JJ*Winckelmanns zurückzuführen ist, wurde zum erstenmal 1775 in Gotha bei der Aufführung von JChrBrandes-GBendas *Monodram „Ariadne" getragen. FJ*Talma trug 1789 in Paris, AW*Iffland um 1800 in Berlin antikes Kostüm. Bei seinem Gastspiel in Weimar 1796 wirkte er auch in der Handhabung dieses Kostüms vorbildlich. Erst mit dem Aufkommen des Regisseurs am Ausgang des 18. Jahrhunderts und der Vorstellung, daß die Inszenierung in einer Hand liegen müsse, wurde auch ein bestimmtes Kostüm einem bestimmten Stück und einer bestimmten Inszenierung zugeordnet. Diese Entwicklung ist für Goethes *Theaterleitung entscheidend. Je mehr Goethe in die *Regie hineinwuchs, um so mehr wurde ihm auch das Kostüm als Teil eines Gesamtkunstwerks von Bedeutung. Dem B.wesen waren allerdings in Weimar durch gebotene und freiwillige Sparsamkeit von Anfang an Grenzen gesetzt. C*Jagemann fiel zu Beginn ihres weimarer Engagements diese Einschränkung gegenüber *Mannheim auf. Nur Allernotwendigstes wurde angeschafft, und die B.e wurden geändert und gewendet. Der ursprünglich von J*Bellomo übernommene Fundus bestand nur aus historischen B.en; alle modernen B.e mußten die Schauspieler von ihrem Garderobengeld anschaffen, wobei sie „weder prächtiger noch jünger" erscheinen durften, als es die Rolle vorschrieb (Theatergesetze 1808). Goethe selbst notierte 1802 rückblickend: *Mäßige Anforderung an Garderobe der Acteurs, geringe an die Statisten (I/40, 403).* In der Zeit der Zusammenarbeit mit Schiller war der für die Erstaufführung der „Jungfrau von Orleans" angeschaffte rote Krönungsmantel das einzige kostbare Stück des Fundus; er erbte sich von König zu König fort. Für das zeitgenössische B. begann man gerade in jener Zeit durch Veröffentlichung von Modekupfern eine eigene deutsche *Mode zu schaffen. Führend auf diesem Gebiet und von unmittelbarem Einfluß auf das moderne B. der weimarer Schauspieler war das von FJ*Bertuch und GM*Kraus in Weimar seit 1786 herausgegebene „Journal des Luxus und der Moden". Orientierungsmittel über historische Kostüme gab es damals noch kaum, jedoch begannen die Theaterjournale Einzel- und Szenenbilder zu bringen, die sehr wahrscheinlich in der ersten Zeit von Goethes Theaterleitung als Anregung benutzt wurden. Der Theaterdichter ChrA*Vulpius hatte schon zu J*Bellomos Zeit Aufsätze über B. geschrieben. Beratend wirkte außer Kraus, dessen für das weimarische Theater gezeichnete Figurinen leider nicht erhalten sind, der weimarer Maler C*Horny und später vor allem H*Meyer. Goethe war inbezug auf das historische B. großzügig. Er riet den Damen, nur auszuwählen, was sie gut kleide. Über die Kleiderwünsche seiner Schauspielerinnen machte er sich gern lustig. Wichtiger als Ausstattungspracht und historische „Richtigkeit" war ihm das Charakteristische, das den Gesamteindruck malerisch erhöhte. Hier ging sein Interesse bis in Einzelheiten. Schon *Wilhelm Meister* hatte als Hamlet ein zu seinem Seelenzustand passendes nachlässiges Kostüm getragen. Aus dem Jahre 1794 besitzen wir eine eigenhändige Anweisung Goethes an den Theaterschneider für die Kostüme zur „Zauberflöte". Für die historischen B.e zum „Wallenstein" beschaffte HMeyer Stiche aus dem *dreißigjährigen Krieg, ja selbst eine Ofentür mit einer Abbildung darauf. Da er auch die Kartons für die Bühnenbilder zeichnete, ist dies der erste Fall eines gemeinsamen Ent-

wurfs für Kostüm und Dekoration. Iffland ließ sich die Figurinen für seine berliner Aufführung schicken, und auf diese Weise sind zwei Figurinen Meyers zu ,,Wallensteins Lager" erhalten geblieben. Auch zum ,,Wilhelm Tell" hat der aus der *Schweiz stammende Künstler Figurinen gezeichnet. 1815, am Ausgang seiner Theaterleitung, bezeichnete Goethe in dem Aufsatz *Proserpina* das Kostüm als eins der sechs Wirkungsmittel des Theaters; bei der Aufführung dieses Monodramas ließ Goethe den Wechsel der Stimmungen durch den Wechsel des Kostüms sichtbar werden. *EF*
WKlara: Schauspielkostüm und Schauspieldarstellung. Als: SGesTh 43 (1931). - BThSatori-Neumann: Die Frühzeit des Weimarischen Hoftheaters unter Goethes Leitung (1791–1798). Als: SGesTh 31 (1922).

Bülach, ein ehemals befestigtes Städtchen im Kanton *Zürich, erreichte Goethe am 19. IX. 1797 auf der dritten *Schweiz-Reise (RV S.34). Hier interessierten ihn Glasfenster von 1570, insbesondere wegen ihrer *Farbe: *Eine sehr lichte eigentliche Purpurfarbe, die ins Violettliche fällt...Auf die farbige Scheibe hinten eine andere Farbe zur Mischung gebracht, als Gelb und Blau, wodurch ein Grün entsteht; besonders nimmt sich das Gelbe auf dem erstgedachten lichten Purpur sehr schön aus.* Die Zusammensetzung der Scheiben sowie deren oft schlimme Reparatur fallen ihm auf. In der figürlichen und ornamentalen Darstellungsart beobachtet er den *Kerngeist* der Zeiten jener Künstler (*III/2, 154 f.; *Glasmalerei). *JP*

Bülow, das sehr weit verzweigte, ursprünglich mecklenburgische Uradelsgeschlecht, alsbald auch in Pommern, Brandenburg, Ost- und Westpreußen, Hannover, Braunschweig verbreitet, in mehreren Linien freiherrlich, gräflich, fürstlich geworden, durch mannigfache Dienststellungen auch unabhängig von seinen Besitzungen wechselvoll anzutreffen, erschien hauptsächlich durch fünf Repräsentanten in Goethes Blickfeld:
–, 1) Friedrich Wilhelm Freiherr, Graf (1814) von Dennewitz (1755–1816), 1768 preußischer Offizier, 1808 Generalmajor, 1814 General; Goethe konnte oder mußte ihm, der 1793 als Stabskapitän den Prinzen Louis Ferdinand von *Preußen bei der *Belagerung von Mainz begleitete, begegnet sein; EWeniger (S. 32) vermutet sogar noch mehr, aber Goethe spricht nicht namentlich von ihm; immerhin war sein Vater ein Schüler JJ*Winckelmanns, er selbst eine intensiv musische, zumal musikalische Natur mit beachtlichen kompositorischen Anlagen, und hierin gründete auch seine Freundschaft mit dem Prinzen Louis Ferdinand;

–, 2) Friedrich August Wilhelm Werner (1762 bis 1827), preußischer Staatsmann, 1815 Oberpräsident der preußischen Provinz Sachsen; in zweiter Ehe (1804) verheiratet mit Henriette Marie Louise geb. Gräfin vRantzau (1774–1830), gesch. (1794) vSchilden, eben durch diese angebahnt mit Goethe in persönlicherem Kontakt (1822: *Marienbad; 1823: Marienbad; *Karlsbad; 1826: Weimar; vgl. dazu III/8, 215; 9, 72; 104; 10, 249);
–, 3) Ludwig Friedrich Victor Hans Graf (1774 bis 1825), Neffe des Fürsten CA von *Hardenberg, Staatsmann, 1813 preußischer Finanzminister, 1817 preußischer Minister für Handel und Gewerbe, 1825 Oberpräsident von *Schlesien; er stellte den Kontakt mit Goethe her, indem er ihm 1821/23 das auf seine ministerielle Veranlassung durch PCW*Beuth, in Freundschaft mit CF*Schinkel verbunden, betreute und erläuterte Lieferungswerk ,,Vorbilder für Fabricanten und Handwerker" übersenden ließ (IV/35, 20; 313; Bücher-Vermehrungsliste: III/8, 312; Ruppert Nr 2393; dazu Goethes Rezension I/49^{II}, 127–132), im April 1823 vermittelte er mit dem Grafen CF*Reinhard das Werk ,,Des Hommes Célèbres de France au dix-huitième siècle" an Goethe (Bücher-Vermehrungsliste: III/9,325); persönlich trafen sich LFVH und Goethe im Sommer 1823 während der Kur zu Marienbad (III/9, 81–87);
–, 4) Heinrich Freiherr (1792–1846), preußischer Staatsmann, zu Goethes Lebzeit meist in diplomatischem Dienst (London; Berlin), erst 1842/45 preußischer Minister des Auswärtigen, heiratete 1821 die jüngere *Humboldt-Tochter Gabriele, stand bereits als Studienfreund Augusts in Jena (?), mehr noch durch seinen Schwiegervater der Welt Goethes nahe, aber seine persönlichen Begegnungen sind infolge des Altersunterschiedes mehr nehmender, weniger gebender, meist sogar fast beiläufiger Art (1811: III/4, 197; 1815?: III/5, 184; 1827: III/11, 147f.);
–, 5) Carl Eduard (1803–1853), Schriftsteller im Gefolge L*Tiecks, wurde Goethe bekannt als Übersetzer, vor allem von AManzonis ,,I promessi sposi" = ,,Die Verlobten", die damals eine Art von Sensation waren; Goethe beschäftigte sich damit 1827/1828 (III/11,128; 129; 134; 206).
Andere Namensträger B., die Goethes Lebenswege kreuzten oder berührten, lassen sich nicht identifizieren, wieder andere blieben ihm zu fern. *Gk*

Bürgel/Thalbürgel, sachsen-weimarisches Dorf, 12 km ö Jena, 1796: 1048 Einwohner, ¾ km s

davon das Dorf Thalbürgel mit Kammergut, Sitz des Justiz- und Rentamtes B.; die als Dorfkirche dienende berühmte romanische Klosterkirche war damals durch Einbauten verunstaltet (die Restaurierung erfolgte erst 1863); 1823: 259 Einwohner.
Goethe kam am 26. XII. 1775 zu Pferd von Waldeck aus nach B. Beim Amtmann ChHochhausen sah er ein Porträt des Herzogs Ernst August von Sachsen-Weimar, von dem er im gleichzeitigen Brief an Carl August eine treffliche physiognomische Analyse gibt (IV/3, 11). Im folgenden Jahre und 1780 war Goethe zur Jagd in B. und Waldeck; 1776 entwarf er auf der Rückreise *Die Geschwister* (III/1, 25). Er übernachtete schließlich 1810 in Thalbürgel, als er aus Dresden über Gera und Köstritz zurückkehrte (III/4, 157). RV S. 13; 15; 45. *Dl*

Bürger, Gottfried August (1747–1794), eines der wirklichen Genies der Genie-Zeit, aber ebenso gefährdet wie begabt, dazu von widrigen Schicksalen magnetisch gesucht, ihnen praktisch selten gewachsen, Pfarrerssohn aus schwieriger Elternehe, geboren in Molmerschwende nördlich Wippra/Südharz. 1758 Schulbesuch in Aschersleben, 1760 umgeschult auf AHFranckes Pädagogium in Halle, 1764 ebendort Universitätsstudium widerwillig als Theologe, bald unter destruktiv wirkendem Einfluß, 1768 vom Großvater deswegen aus Halle abgerufen, alsdann wunschgemäß Jura-Student in Göttingen, aber wieder unter destruktivem Einfluß, sodaß der Großvater seine Hilfeleistungen einstellte. Da nahm sich HChr*Boie B.s an, brachte ihn in Kontakt mit dem Freundeskreis des *Hainbundes, vermittelte dergestalt literarische Anregungen (Th*Percy: Reliques of Ancient English Poetry. 1765; auch J*Macpherson, *Shakespeare usw.) sowie 1772 eine Berufsstellung als Justizamtmann im Dienste des Hauses Uslar zu Altengleichen/Gelliehausen/Wöllmershausen, die er angesichts auch finanziell folgenschwerer Schikanen freiwillig aufgab. Eine völlig fehlschlagende Gutspachtung in Appenrode bewirkte überdies den Verlust der schwiegerväterlichen Vermögenserbschaft. Die Neubegründung einer wirtschaftlichen Lebensbasis mithilfe der Herausgabe des Musenalmanachs (1778) sowie der akademischen Lehrtätigkeit in Göttingen (1784) gelang nur unvollkommen (1787: Promotion, 1789: Ernennung zum unbesoldeten, außerordentlichen Professor der Philosophie). B.s Widerstandskraft und Lebensmut waren aber nicht allein durch solche Schwierigkeiten überfordert, sondern durch echte Schicksalsschläge,

die ihn in seinen drei Ehen betrafen. B.s bleibende Leistungen sind sein Anteil an der Wiedererweckung der *Ballade (vgl. hier besonders Sp. 697), insbesondere durch seine „Lenore" (1772/73), aber auch durch „Die Weiber von Weinsberg", darüber hinaus sein *Volksbuch „Wunderbare Reise zu Wasser und zu Lande, Feldzüge und lustige Abenteuer des Freiherrn von Münchhausen" (1785/1786). In diesen Leistungen hat er manches von seinen volkspoetischen Einsichten und Erwartungen verwirklichen können: „Ich hemme meines Herzens Ergießung mit dem Wunsche, daß doch endlich ein deutscher Percy aufstehen ... möge. Öfters hab' ich zwar schon mündlich diesen Wunsch meinen Freunden geäußert und gesagt, er sollte weiter fortgepflanzt, und irgend wer veranlaßt werden, ihn auszuführen" (1776: Aus Daniel Wunderlichs Buch. In: Sturm und Drang. Kritische Schriften. Hrsg. von ELoewenthal † 1949. S. 811). B. wurde dieser „deutsche Percy" nicht. Bemerkenswert aber und wie eine späte Bestätigung gemeinsamer Balladen-Intentionen klingen Formulierungen Goethes (1821) an solche B.s (1776) an: *Übrigens ließe sich an einer Auswahl solcher Gedichte die ganze Poetik gar wohl vortragen, weil hier die Elemente noch nicht getrennt, sondern wie in einem lebendigen Ur-Ei zusammen sind, das nur bebrütet werden darf, um als herrlichstes Phänomen auf Goldflügeln in die Lüfte zu steigen* (1821: I/41^I, 224); „Unbegreiflich ist mir's daher, wie einige Leute diese Muse zu einer Aftermuse oder zur Zofe einer von den neun Pierinnen machen, und ihr kein ander Instrument als den Dudelsack in die Hand geben mögen; da sie doch das ganze unermeßliche Gebiet der Phantasie und Empfindung unter sich hat; da sie es doch ist, die den Rasenden Roland, die Feenkönigin, Fingal und Temora und – sollte man's glauben? – die Ilias und Odyssee gesungen hat? Wahrhaftig! Alle diese Gedichte waren denen Völkern, welchen sie gesungen wurden, nichts als Balladen, Romanzen und Volkslieder" (1776: Aus Daniel Wunderlichs Buch, aaO. S. 810). Die Unterschiede sind gewiß nicht zu verkennen, aber die Gemeinsamkeiten sind doch auch nicht nur historisch im Sinne der Zeitgenossenschaft - sie haben systematischen Charakter, zumindest deuten sie darauf hin.
Goethe kam über HChrBoie mit B. in Kontakt, erstmals durch Lektüre und Rezension des Musen-Almanachs 1773, wobei Goethe hoffte, daß B.s *Minnesprache nicht für uns werde, was das Bardenwesen war* (*Barden-

poesie), außerdem warnte er B. vor einem Rückfall in die *Schäferpoesie, besonders inbezug auf „Die Minne", in deren Versen B. *schon* [oder *noch*?] *den Fehler zu haben scheint, neuen Geist mit alter Sprache zu bebrämen (Morris 6, 220)*. Bald danach meldete sich Johann Matthäus Tesdorpf (1749–1824), die *holde Seele*, ein anderer Freund B.s bei Goethe in Frankfurt. Wenig später schrieb dann Goethe an B., *daß er die Papierne Scheidewand zwischen* ihnen *einschlägt* (12. II. 1774: *Morris 4, 7*). Damit war eine freilich nicht sehr umfangreiche Briefverbindung eingeleitet, die 1775/76 brüderliche Wärme auch auf seiten Goethes erhielt (Morris 5, 12; 308; IV/3, 27; IV/7, 354f.), 1778/89 sparsamer und kühler, wenn auch im Ernste nicht weniger teilnehmend wurde (IV/3, 216; 218; IV/5, 127f.; 264; IV/9, 133). Die Korrespondenz betraf Goethes *Götz*, B.s erste Ehe (1774), spontanes Gedenken, Sofortreaktion auf B.s Notruf wegen seiner Übersetzerpläne, nochmalige Ermunterung dazu (in Verbindung mit einem Aufruf in Boies „Deutschem Museum"), Geldsammlung für die angezeigte Homer-Übersetzung, Zuleitung des Sammlungsergebnisses, Rückfrage wegen B.s Anstellungsbitte, Ablehnung einer diesbezüglichen Vermittlertätigkeit, Dank für die Zusendung der Schriften B.s (in Goethes *Hausbibliothek nicht mehr erhalten).
Aus dem nur wenig umfänglichen literarischen Lebenswerk B.s bezog sich Goethe im einzelnen auf: 1772/73 die Gedichte „Der Winter hat mit kalter Hand . . ." (I/37, 236) und „Ich will das Herz mein Lebelang . . ." (ebda), 1774/75 die Ballade „Lenore fuhr um's Morgenrot . . ." (dazu J*André Sp. 263; I/29, 44), 1776 die Homer-Übersetzung (Ilias; I/37, 360f.), 1797 die Ballade „Wer sagt mir an, wo Weinsberg liegt?" (III/2, 104), 1814 das Lied „Ach, könnt ich Molly kaufen . . ." dem Goethe zwei Strophen als Mädchenantwort für den Sänger und Komponisten CMJMoltke zudichtete (I/5^{II}, 356f.); alle diese Einzeldaten bekunden vertraute Kenntnis und oft langanhaltende Präsenz des Gelesenen. Subskriptionsfragen wegen einer Gesamtausgabe der Schriften B.s tauchten 1823/24 erneut auf, und zwar in Verbindung mit dem früheren Eintreten Goethes und eines von ihm zusammengebrachten Fördererkreises (IV/37, 291–293; 38, 7–9; vgl. III/9, 141f.; 158).
Goethes inneres und äußeres Verhältnis zu B. spiegelt sich in zahlreichen Zeugnissen. Immer lassen diese trotz bisweilen vorherrschender Distanz Wohlwollen, ja Wärme erkennen. B.

ist für Goethe ein *trefflicher* und *in manchem Betracht einziger (I/28, 204), ein außerordentlicher Mensch*, aber ein Mensch, dessen persönliches Schicksal ein *trauriges Beispiel* gibt, wie man *sich gar oft mit sich selbst, seinen Umständen, seiner Zeit herumwürgt, ohne auf einen grünen Zweig zu kommen (I/42^{II}, 116)*, weil dieser *Zustand* imgrunde aus dem *Verhältniß* des eignen *Innersten, der Talente, Begriffe und Wünsche* zu der *bürgerlichen Verfaßung* entspringt und keinerlei *Veränderung des Ortes, außer einem geringen Mehr oder Weniger iemals befriedigen* können: *Alle unsere Akademien haben noch barbarische Formen in die man sich finden muß, und der Partheygeist der meistens Collegen trennt, macht dem Friedfertigsten das Leben am sauersten und füllt die Lustörter der Wißenschaften mit Hader und Zank (IV/5, 264 –266)*. Goethe zählt B. zu den *forcirten Talenten (I/42^{II}, 442)*, freilich nicht groß genug, um dem *Geleyer* der Mittelmäßigen nicht doch gewisse *Impulse zu geben (I/47, 313)*.
Als Ausdruck mit- und nachfühlender Verbundenheit besuchte Goethe am 1. VI. 1801 *in Ulrichs Garten* [Göttingen] *Bürgers Monument. Merkwürdig daran ist der Strick, womit der Schleyer an den Knopf der Urne angebunden ist, er macht einen auffallenden Theil des Ganzen aus (III/3, 18)*. 1798 – B. war eben vier Jahre tot – hatte Goethe das Wesensbild des Verstorbenen beschworen: *Denn ihm drang durch Mark und Leben | Die verderblich holde Flamme, | Und was Amor ihm entwendet, | Kann Apoll nur wiedergeben, | Ruh und Lust und Harmonien | Und ein kräftig rein Bestreben (I/2, 24)*.   Za

GvSelle: Die Georg-August-Universität zu Göttingen. 1937. – FJSchneider: Die deutsche Dichtung der Geniezeit. 1952.

Bürger/Bürgertum. Die Soziologen WSombart und MWeber haben als Erforscher des B.s und der bürgerlichen *Gesellschaft auch die grundsätzlichen Einsichten formuliert, mit denen es möglich ist, *Bürgertum* und *Bürgerlichkeit* bei Goethe zu charakterisieren. Für MWeber („Wirtschaftsgeschichte", S. 271) sind B. im ständischen Sinne immer Leute von Besitz und Bildung, die ein soziales Prestige besitzen. Auch sagt Weber, daß der B. im ständischen Sinne stets B. einer bestimmten Stadt sei. WSombart, besonders in seiner Studie „Der Bourgeois" (1913), hat sich vor allem mit den Fehlformen des B.s beschäftigt; danach sind *Philister und philiströse Lebensformen diejenigen, die nicht um die Grenzen des B.s wissen (vgl. III/5, 124), Bourgeois diejenigen, bei denen anstelle lebendigen Menschentums Erwerb und Geschäft dominieren. Aufgrund dieser Studien hat G Keferstein zwischen der Darstellung von außen des faktischen B.s, das zwischen *Bauerntum und *Adel steht, und der von innen her zu begreifenden Bürgerlichkeit des B.s unterschieden. Keferstein hat dann das Wesen des B.s mit einer Reihe von Grundtugenden deutlich zu machen versucht: Vernunft, Helle und Klarheit, Nüchternheit, Illusionslosigkeit, Sicherheit und Unbedrohtheit, Ernsthaftigkeit, Tätigkeit und Leistung. Er hat ferner im Hinblick auf Goethes Leben das reichsbürgerliche Lebensgefühl der Freien Reichsstadt *Frankfurt/M. von dem kleinbürgerlichen („Geborgenheit in Abhängigkeit") unterschieden, wie es sich beispielsweise in *Sesenheim, im *Werther*, in *Hermann und Dorothea*, in der Gestalt *Gretchens* ausdrückt. Er bezeichnet die Lebensumstände etwa im Hause *Schönemann als hochbürgerlich, den *Egmont* als „die Tragödie des versagenden Philistertums", und findet im späten Goethe eine Wendung zur bürgerlichen Gemeinschaft, für die der *Briefwechsel mit CF*Zelter charakteristisch sei. Hinzu kommt noch, daß Goethe bei der Darstellung des leipziger und frankfurter B.s die Verfallserscheinungen der *bürgerlichen Societät (I/27, 113)* besonders nachdrücklich ins Auge gefaßt hat.

Die äußeren Einschränkungen des B.s gegenüber den anderen Ständen schienen Goethe unerheblich. Er hat in *DuW* darauf hingewiesen, daß *gerade darin das Herrliche und Erhebende unserer Vaterstadt bestehe, daß alle Bürger sich einander gleich halten dürften, und daß einem jeden seine Thätigkeit nach seiner Art förderlich und ehrenvoll sein könne (I/26, 106). – Das Familienwesen eines jeden Handwerks, das Gestalt und Farbe von der Beschäftigung erhielt, war gleichfalls der Gegenstand meiner stillen Aufmerksamkeit, und so entwickelte, so bestärkte sich in mir das Gefühl der Gleichheit wo nicht aller Menschen, doch aller menschlichen Zustände, indem mir das nackte Dasein als die Hauptbedingung, das Übrige alles aber als gleichgültig und zufällig erschien (I/26, 239).* Auch später hielt er daran fest: *Und dann sind wir alle nur frei unter gewissen Bedingungen, die wir erfüllen müssen. Der Bürger ist so frei wie der Adelige, sobald er sich in den Grenzen hält, die ihm von Gott durch seinen Stand, worin er geboren, angewiesen (18. I. 1827: Bdm. 3. 328).* In den *Lehrjahren* steht dann die bekannte Unterscheidung zwischen Schein und Sein: *Wenn der Edelmann durch die Darstellung seiner Person alles gibt, so gibt der Bürger durch seine Persönlichkeit nichts und soll nichts*

geben. Jener darf und soll scheinen; dieser soll nur sein, und was er scheinen will, ist lächerlich und abgeschmackt. Jener soll thun und wirken, dieser soll leisten und schaffen (I/22, 151). Zu den Grundbedingungen bürgerlichen Daseins gehört das eigene Haus (*Besitz). Charakteristisch dafür sind die in *DuW* zitierten Verse: *Wer ganz will sein eigen sein, | Schließe sich in's Häuschen ein, | Geselle sich zu Frau und Kindern, | Genieße leichten Rebenmost | und überdieß frugale Kost, | und nichts wird ihn am Leben hindern (I/28, 322).* C*Herder berichtet ihrem Manne ein Gespräch mit Goethe, in dem es heißt: „Er hat nun alles Glück und Wohlsein auf Proportion, und das Unglück auf Disproportion reduziert. Ihm sei es jetzt gar wohl, daß er ein Haus habe, Essen und Trinken hätte und dergleichen. Alles was Du in Deinen drei Bänden der Ideen zur Philosophie der Geschichte der Menschheit von den Tataren bis zu den Römern geschrieben hättest, käme alles darauf hinaus, daß ein Mensch ein Hauswesen besäße" (Bdm. 1, 146). – Dieses bürgerliche Grundgefühl kommt auch in Goethes Bericht über die *frankfurter Einquartierung zum Ausdruck: *Diese unerwartete, seit vielen Jahren unerhörte Last drückte die behaglichen Bürger gewaltig, und niemanden konnte sie beschwerlicher sein als dem Vater, der in sein kaum vollendetes Haus fremde militärische Bewohner aufnehmen, ihnen seine wohlaufgeputzten und meist verschlossenen Staatszimmer einräumen, und das, was er so genau zu ordnen und zu regieren pflegte, fremder Willkür Preis geben sollte; ... es war das Traurigste was ihm nach seiner Denkweise begegnen konnte (I/26, 131).* – Das Aufstreben innerhalb der gesetzten Rangordnungen und das damit verbundene demokratische Rang- und Lebensgefühl bezeugt die Stelle: *Welcher reichstädtische Bürger wird läugnen, daß er, früher oder später, den Rathsherrn, Schöff und Burgemeister im Auge gehabt und, seinem Talent gemäß, nach diesen, vielleicht auch nach minderen Stellen emsig und vorsichtig gestrebt: denn der süße Gedanke, an irgend einem Regimente Theil zu nehmen, erwacht gar bald in der Brust eines jeden Republicaners, lebhafter und stolzer schon in der Seele des Knaben (Campagne in Frankreich: I/33, 160).* Daß dabei aber auch ein spezifisches Rechts- und Wahrheitsgefühl mit im Spiele ist, zeigt das Zitat: *Eines Mannes Rede | Ist keines Mannes Rede: | Man soll sie billig hören beede (I/26, 26).* Merkwürdig ist, wie Goethe das Parteiwesen innerhalb des B.s charakterisiert hat, durch die die einzelnen Gruppen in Streit geraten. *In Friedens-*

zeiten ist für die Menge wohl kein erfreulicheres Lesen als die öffentlichen Blätter, welche uns von den neusten Weltereignissen eilige Nachricht geben. Der ruhige wohlbehaltene Bürger übt daran auf eine unschuldige Weise den Parteigeist, den wir in unserer Beschränktheit weder loswerden können noch sollen. Jeder behagliche Mensch erschafft sich alsdann, wie bei einer Wette, ein willkürliches Interesse, unwesentlichen Gewinn und Verlust, und nimmt, wie im Theater, einen sehr lebhaften, jedoch nur imaginären Theil an fremdem Glück und Unglück. Diese Theilnahme erscheint oft willkürlich, jedoch beruht sie auf sittlichen Gründen (I/29, 66). – Der ruhige Bürger steht zu den großen Weltereignissen in einem wunderbaren Verhältniß. *Schon aus der Ferne regen sie ihn auf und beunruhigen ihn, und er kann sich, selbst wenn sie ihn nicht berühren, eines Urtheils, einer Theilnahme nicht enthalten. Schnell ergreift er eine Partei, nachdem ihn sein Charakter oder äußere Anlässe bestimmen. Rücken so große Schicksale, so bedeutende Veränderungen näher, dann bleibt ihm bei manchen äußern Unbequemlichkeiten noch immer jenes innre Mißbehagen, verdoppelt und schärft das Übel meistentheils und zerstört das noch mögliche Gute (I/26, 111).* Es ist für Goethe charakteristisch, daß er das bürgerliche Lebensgefühl immer erneut durch die Begriffe *Behagen* und *Mißbehagen* deutlich zu machen versucht. So heißt es in der *Campagne in Frankreich: Bei dem Anblick von Kassel entwickelten sich vor meiner Seele alle Vortheile eines bürgerlich städtischen Zusammenseins, die Wohlhäbigkeit eines jeden Einzelnen in seiner von innen erleuchteten Wohnung, und die behaglichen Anstalten zu Aufnahme der Fremden (I/33, 247).* In Frankfurt *sprach man mit Behaglichkeit von den vorübergegangenen Kriegszügen; ... und alles Bedeutende und Gefährliche schien, wie es nach einem abgeschlossenen Frieden zu gehen pflegt, sich nur ereignet zu haben, um glücklichen und sorgenfreien Menschen zur Unterhaltung zu dienen (I/26, 30).* – *DuW* weist endlich auf eine Reihe von immer wiederkehrenden bürgerlichen Grundzügen hin, auf *Barmherzigkeit* und *Mitleid* in Unglücksfällen oder bei Kriegsereignissen *(I/26, 154),* auf die *Achtung des Herkommens* und die *ehrfürchtige Verwahrung alter Urkunden* in den bürgerlichen Sammlungen, auf die *Sparsamkeit,* endlich auf den *Widerstand gegen alle Neuerungen,* selbst wenn diese nützlich sind. – Die *Verfallsformen* städtischen Bürgertums hat Goethe schon früh in den *Mitschuldigen,* später, bei der Niederschrift von *DuW,* aber auch

im Rückblick auf die frankfurter Verhältnisse dargestellt. Wie es wirklich in den bürgerlichen Familien aussieht, erfahren wir bei seiner Schilderung über seine Gänge auf der Stadtmauer: *Denn fürwahr der bekannte hinkende Teufel, als er für seinen Freund die Dächer von Madrid in der Nacht abhob, hat kaum mehr für diesen geleistet, als hier vor uns unter freiem Himmel, bei hellem Sonnenschein, gethan war (I/26, 25).* An einer anderen Stelle heißt es: *Bei meiner Geschichte mit Gretchen und an den Folgen derselben hatte ich zeitig in die seltsamen Irrgänge geblickt, mit welchen die bürgerliche Societät unterminirt ist. Religion, Sitte, Gesetz, Stand, Verhältnisse, Gewohnheit, alles beherrscht nur die Oberfläche des städtischen Daseins. Die von herrlichen Häusern eingefaßten Straßen werden reinlich gehalten und jedermann beträgt sich daselbst anständig genug; aber im Innern sieht es öfters um desto wüster aus, und ein glattes Äußere übertüncht, als ein schwacher Bewurf, manches morsche Gemäuer, das über Nacht zusammenstürzt, und eine desto schrecklichere Wirkung hervorbringt, als es mitten in den friedlichen Zustand hereinbricht (I/26,113).* Er geißelt auch gelegentlich *Egoistische Kleinstäderei, die sich Centrum däucht (MuR:* Hekker *Nr 869)* und eine gewisse bürgerliche Beschränktheit gegenüber künstlerischen Lebensformen, der er aber, wie bei **Grübel,* alle liebenswerten Züge abgewinnt.

Nach der Lektüre eines chinesischen Romans vergleicht Goethe seine eigene Darstellung bürgerlicher Lebensverhältnisse mit den chinesischen: *Es ist bey ihnen alles verständig, bürgerlich, ohne große Leidenschaft und poetischen Schwung und hat dadurch viele Ähnlichkeit mit meinem Hermann und Dorothea.* Er lobte an diesem chinesischen Roman das Sittliche und Schickliche und die strenge Mäßigung in allen Lebensgebärden *(Bdm. 3, 337 f.)*   Sz

WSombart: Der Bourgeois. 1913. – MWeber: Wirtschaftsgeschichte. 1924. – GKeferstein: Bürgertum und Bürgerlichkeit bei Goethe. 1933. – GSchulz: Goethes Einsicht in den geselligen Lebensprozeß. 1938. – GSchulz: Der ländliche Wesenszug des jungen Goethe. In: Goethe 2 (1940). – WMommsen: Die politischen Anschauungen Goethes. 1948.

Bürgerrecht hat Goethe in den beiden Städten besessen, die ihm – die eine durch Geburt, die andere durch freie Wahl – Wohnsitz gewesen sind. In seiner Vaterstadt wurde es ihm als Sohn eines Bürgers von selbst zuteil, in Weimar erwarb er es aus eigenem Antrieb. Aber auch in *Frankfurt mußte er, um in den Vollgenuß des B.s zu kommen, erst den Bürgereid ablegen. Das geschah am 3. IX. 1771 vor dem Bürgermeister JDv*Olenschlager gleichzeitig mit seiner Vereidigung als Advokat (*Juristische Tätigkeit). In Weimar wurde ihm nicht ganz fünf Jahre danach, am 26. IV. 1776 vom Rat der Stadt „das bey Erkauffung des Börnerischen Gartens" (des schönen Berggrundstücks mit dem Gartenhäuschen am Park) beantragte B. „conferiret". Das B. hat heute keine erhebliche Bedeutung mehr und erschöpft sich im Recht zur Teilnahme an den Kommunalwahlen. Zur Zeit Goethes war es noch sehr wichtig. So konnten nur Bürger im Stadtbezirk Grundbesitz erwerben. Von besonderer Bedeutung war das B. in einer freien Reichsstadt wie Frankfurt, wo die Bürgerschaft Träger der Staatsgewalt war und alle öffentlichen Ämter des Stadtstaates nur Bürgern offenstanden. Die Bürger genossen auch vor anderen Einwohnern, den sogenannten „Beisassen", manche Vergünstigungen bei der Erhebung von Zöllen und Abgaben. Andere wichtige Berechtigungen – wie der Beitritt zu einer der beiden frankfurter Adelsgesellschaften, Ausübung eines Handwerks oder Betrieb des Einzelhandels – waren für den jungen Advokaten bedeutungslos, wie er auch als Junggeselle am Recht zur Benutzung der gemeinen Viehweide und der gemeinen Bleiche wenig interessiert gewesen sein wird.

Innerhalb der Bürgerschaft konnte sich Goethe als „Graduierter" zu dem höchsten bürgerlichen Stande nach der *Geistlichkeit rechnen, aber nicht – trotz seiner gelegentlichen Äußerung gegenüber *Eckermann (26. IX. 1827: Bdm. 3, 458) – zum eigentlichen Patriziat. Als solches galten nur diejenigen adligen Bürger, die die Mitgliedschaft zu den uralten „Hochadeligen Gesellschaften" Alt-Limburg und Frauenstein besaßen und in dieser Eigenschaft bei der Besetzung der zwei obersten Ratsbänke vor anderen Bürgern privilegiert waren (*Adel).

Während Goethe das frankfurter B. automatisch und das weimarer im Gesuchswege erlangt hatte, war es mit der Beendigung umgekehrt: dieses erlosch durch seinen Tod, jenes gab er freiwillig auf, und zwar lange nach seinem Wegzug, nämlich erst im Jahre 1817. Über vierzig Jahre lang – von 1776 bis 1817 – hat Goethe also B. gleichzeitig in der großen Reichsstadt am Main – wenn auch hier nur noch als „Ausbürger" (wie die auswärts wohnenden Bürger hießen) – und in der kleinen Residenzstadt an der Ilm besessen. Die Aufgabe des frankfurter B.s hat eine längere, öfters behandelte Geschichte. Goethe faßte die rechtliche Lösung von seiner Vaterstadt 1812 ins Auge. 1808, als er durch den Tod seiner

Mutter Grundstückseigentümer und Hypothekenbesitzer in Frankfurt geworden war, hatte er noch erwogen, das dortige B. auch für seine ihm seit zwei Jahren angetraute Frau und seinen schon neunzehnjährigen Sohn zu erwerben, um *für die Zukunft alles arrangirt zu sehen (IV/20, 190).* Als er aber durch den Verwalter seines frankfurter Vermögens (vgl. 22. VII. 1809: IV/21, 8–11), JHF*Schlosser, die neuen Bestimmungen über den Erwerb des frankfurter B.s erfuhr, ließ er den Plan fallen, da *so manche Dinge dabey zur Sprache kommen, die man lieber nicht anregt* (26. X. 1808 an Schlosser: *IV/20, 190).* Und seiner Frau schrieb er: *Lass uns in Thüringen auf unserer alten Stelle verharren* (25. X. 1808: *IV/20, 187).* Später wurden ihm die hohen Steuerlasten, die er in den schweren Kriegs- und Nachkriegsjahren für seinen frankfurter *Besitz auch als „Ausbürger" aufzubringen hatte, zu unbequem. 1812 entschloß er sich nun zum Ausscheiden aus dem Bürgerverband seiner Vaterstadt. Das war aber gar nicht so einfach. Mit jedem ausscheidenden Bürger verlor die Stadt nicht nur einen Steuerzahler, sondern auch einen Pfandschuldner für die städtischen Schulden, insbesondere die Kriegsschulden (vgl. 22. VII. 1809: IV/21, 9). So war die Aufgabe des B.s nur gegen Zahlung eines von der Höhe des mitgenommenen Vermögens abhängigen Abzugsgeldes (jus destractus, gabella emigrationis) gestattet. Dieses war damals so hoch, daß der Plan undurchführbar erschien. Auf KThFrhrv*Dalbergs, des damaligen frankfurter Großherzogs, Anerbieten, die Kosten des Abzuggeldes zu übernehmen, wollte Goethe nicht eingehen (GoetheJb. 13, S. 213). Da brachte zur rechten Zeit die Deutsche Bundesakte vom 8. VI. 1815 Hilfe. In Artikel 18 gestattete dieses Gesetz nämlich den Untertanen „die Befugnis des freien Wegziehens aus einem Bundesstaat" – ein solcher war die freie Reichsstadt Frankfurt – „in den anderen, der sich erweißlich sie zu Untertanen annehmen will", und verbot die Erhebung jeden Abzuggeldes. Nun konnte sich Goethe, sehr zum Verdruß seiner Vaterstadt, ohne große Kosten aus dem frankfurter Bürgerverband lösen. Am 2. XII. 1817 wurde gegen eine Gebühr von nur dreißig Kreuzern „Herr von Goethe des hiesigen bürgerlichen Verbandes entlassen" und seine zum Insatzbuch geleistete Kaution gelöscht. Die rein geschäftsmäßige Behandlung dieser Angelegenheit ist bis in die neuere Zeit oft kritisiert und dabei bedauert worden, daß Frankfurt damals nicht Anlaß genommen habe, den großen, als Bürger nun ausscheidenden Sohn der Stadt endlich zum Ehrenbürger zu ernennen. Aus Anlaß seines achtzigsten Geburtstages wollte man es nachholen. Aber nun winkte der Dichter ab (vgl. IV/46, 114; 339). Vier Jahre zuvor, zur Feier der fünfzigsten Wiederkehr des Tages seiner Ankunft in Weimar, hatte ihm seine *zweyte Vaterstadt (IV/40, 206)* eine sein eigenes B. berührende sinnige und dankbare Ehrung bereitet, indem sie seinem Sohn, seinen Enkeln und allen männlichen Nachkommen auf ewige Zeiten das B. der Residenzstadt verlieh. Das Dankschreiben des so geehrten *eingebürgerten Fremdlings* an den Stadtrat von Weimar schloß: *Nun bleibt mir, zu dem lebhaftesten Danke aufgefordert, nur der Wunsch übrig, mich, so lange mir gewährt ist hier zu verweilen, eines solchen Wohlwollens unverwandt zu erfreuen, nicht weniger daß meine Nachfahren das Zutrauen rechtfertigen mögen, das ein günstiges Vorurtheil in sie setzen wollen (26. XII. 1825: IV/40, 206 f.).* Fr

[JPOrth:] Nötig und nützlich erachtete Anmerkungen über die sog. Erneuerte Reformation der Stadt Frankfurt a. M. 3. Fortsetzung. 1751. – ChSMüller: Vollständige Sammlung der Kaiserlichen in Sachen Frankfurts contra Frankfurt ergangenen Resolutionen etc. 1776–1779. – JHFaber: Topographische, politische und historische Beschreibung der ReichsWahl- und Handelsstadt Frankfurt am Mayn, 1. Bd. 1788. – CBayerbach: Sammlung der Verordnungen der Reichsstadt Frankfurt. 5. Teil. 1798. – FBothe: Frankfurts wirtschaftlich-soziale Entwicklung vor dem 30jährigen Kriege und dem Fettmilchaufstand (1612–1616). 2. Teil. 1920. – RJung: Goethes Ausscheiden aus dem Frankfurter Bürgerverbande. In: GoetheJb. 13 (1892), S. 211–220. – OHeuer: Goethe und seine Vaterstadt. In: Festschrift zu Goethes 150. Geburtsfeier, dargebracht vom Freien Deutschen Hochstift. 1899. S. 251–300. – JFuchs: Advokat Goethe. 1932. S. 29 (Leistung der Bürgereide in Frankfurt). – IAvBradish: Goethes Beamtenlaufbahn. 1937. S. 34 (Leistung des Bürgereides in Weimar).

Büsch, Johann Georg (1728–1800), Historiker und Mathematiker. Seit 1756 Lehrer am hamburger Gymnasium. *Büsch erzählt von sich selbst, daß ihm ein Kupferstich vollkommen mit allen seinen Theilen bei siebzehn Minuten im Auge geblieben (Pathologische Farben II/1, 52; vgl. ebda 5^{II}, 318; 326).* Sl

Büsching, 1) Anton Friedrich (1724–1793), als Theologe, Pietist und Rationalist in eigentümlicher Mischung, in Halle geprägt, in Göttingen ebendeswegen angefeindet, als Philosoph hauptsächlich geographisch interessiert, 1754 an der Universität Göttingen, 1760 Pfarrer der lutherischen Gemeinde in Petersburg, bald danach und dann fortdauernd bis zum Tode Oberkonsistorialrat und Gymnasialdirektor (Graues Kloster) in Berlin. Seine Bedeutung für Goethe lag in seinen Leistungen auf dem Gebiete der Philosophie-Geschichte (FGA-Rezension vom 8. IX. 1772 nicht sicher ganz goethesch; vgl. I/38, 364–366; bei Morris aber nicht abgedruckt), zumeist aber auf

dem Wege zu einer wissenschaftlichen Erdbeschreibung (Goethe meint B.s „Neue Erdbeschreibung", ⁸1787/88: I/52, 218), für die B. bahnbrechend gewirkt hat. Sein Sohn

–, 2) Johann Gustav Gottlieb (1783–1829), ebenfalls vielseitig begabt, frühreif, Archivar, Historiker, Germanist, seit 1811 bis zum Tode in *Breslau. Die Verbindung Goethes mit ihm ist eine derjenigen Formen, in denen sich ältere romantische Anregungen und eigenes Interesse für *altdeutsche Poesie (Sp. 162 f.), zugleich für das *Mittelalter überhaupt auswirkten. Angebahnt 1807 durch die Sammlung deutscher *Volkslieder (18. X. 1807: IV/19, 437), die B. mit FHvd*Hagen besorgt hatte (auch *Wunderhorn), erneuert und vertieft 1808 durch die Textsammlung „Deutsche Gedichte des Mittelalters", vornehmlich „König Rother" (vgl. dazu *TuJ* 1809: I/36, 45; auch III/3, 399; Ruppert Nr 779), 1809 durch das „Buch der Liebe", dh. durch „Tristan und Isalde" (III/4, 34), 1809/10 durch „Pantheon. Eine Zeitschrift für Wissenschaft und Kunst" (Ruppert Nr 326), 1810 durch die Bilderfrage, die 1812 als zu einer *Sachsenspiegel-Handschrift von 1336 (Heinrich Gloynsten) gehörig identifiziert werden konnte (vgl. I/53, 402), 1812 durch die „Volkssagen, Märchen und Legenden" sowie durch die „Sammlung für altdeutsche Literatur und Kunst" (Ruppert Nr 785), kulminierte der Kontakt in den Jahren 1813, vornehmlich 1815/19 und klang 1822/23 nachhaltig aus.

In den Kulminationsjahren standen bezeichnend Hinterlassenschaften nicht der altdeutschen Poesie, sondern der Kunst im Vordergrund. So erhielt und studierte Goethe 1813 B.s Buchsendungen: „Bruchstücke einer Geschäftsreise durch Schlesien" (III/5, 40; Ruppert Nr 4008), „Der alten schlesien Herzoge, Städte, Äbte usw. Siegel in Abgüssen" (Ruppert Nr 3269), „Grabmal des Herzogs Heinrich IV. von Breslau" (Ruppert Nr 2380), von denen besonders die Siegelsammlung Goethes Wertschätzung erwarb (IV/26, 172 f.; I/34^{I}, 200); 1814/15 gingen die Erzählungen, Dichtungen, Fastnachtsspiele und Schwänke ein (Ruppert Nr 777), 1816–1819 nahm sich Goethe der „Wöchentlichen Nachrichten für Freunde der Geschichte, Kunst und Gelahrtheit des Mittelalters" sogar aktiv an (Ruppert Nr 321; I/34^{I}, 199 f.); 1817/18 sandte B. seine Publikation „Über die achteckigte Gestalt der alten Kirchen mit besonderer Berücksichtigung von Breslau" (Ruppert Nr 2332), 1819 erfolgte die Berichterstattung über die Sachsenspiegel-Zeichnungen mit Brief Goethes unter dem Titel „Das deutsche Recht in Bildern" (IV/33, 72), 1820(-1824) die eigentliche Veröffentlichung in B.s neuem Werk „Die heidnischen Alterthümer Schlesiens" (III/8, 46; Ruppert Nr 1989); 1820 las Goethe mit Interesse B.s Bearbeitung der *Autobiographie des schlesischen Ritters Hans vSchweinichen (I/42ᴵ, 93; 41ᴵᴵ, 294); noch stärker fesselte ihn 1821/23 der „Versuch einer Einleitung in die Geschichte der Altdeutschen Bauart" (III/9, 27; 28; I/49ᴵᴵ, 167; Ruppert Nr 2334) und 1823 „Das Schlos der deutschen Ritter zu Marienburg" (IV/37, 65; III/8, 245; III/9, 30; Ruppert Nr 2333) – so sehr, daß Goethe in seinem *Aufsatz zur Baukunst (II) von 1823 sich darauf bezog. 1824 übersandte B. als Zeugnis weiterer rastloser Arbeit seinen Hans Sachs (Ruppert Nr 806). Goethe erkannte die vielfältigen Verdienste B.s nachdrücklich an (I/42ᴵ, 93).   *Za*

GoetheJb. 1 (1880), S. 252–257. – MHecker: Aus der Frühzeit der Germanistik. Die Briefe Johann Gustav Büschings und Friedrich Heinrich vdHagens an Goethe. In: JbGGes 15 (1929), S. 100–179.

Büttner, Christian Wilhelm (1716 bis 8. X. 1801 Jena), hatte sich als Autodidakt zu einem der letzten Polyhistoren emporgearbeitet. Von 1758 bis 1782 war er Professor an der göttinger Universität, besonders für die Gebiete der Natur- und Sprachwissenschaft. 1783 kam ein Kaufvertrag zwischen B. und Herzog Carl August zustande, nach welchem B. seine an 40 000 Bände zählende *Bibliothek dem Herzog für 8000 Taler verkaufte, zahlbar in jährlichen Renten von 300 Talern, unter der Bedingung, daß B. bis zu seinem Tode im Besitz seiner Bücher verbliebe und ihm Räume im jenaer Schloß angewiesen würden; an den Kaufverhandlungen war Goethe entscheidend beteiligt. Als B. 1801 gestorben war, fiel es Goethe zur Last, die Überführung dieses Chaos in einen geordneten Zustand und die Einverleibung der Bücher zunächst in die jenaer Schloßbibliothek, später in die jenaer Universitätsbibliothek, zu leiten. Zur Unterstützung holte er sich zunächst studentische Hilfskräfte, Bode, JH*Klaproth und Hain (I/35, 142), die aber nichts vermochten; die unsägliche Arbeit durchgeführt zu haben, ist das große Verdienst von ChrA*Vulpius. Der Eindruck von B.s Hinterlassenschaft war dergestalt, daß Goethe ihm wiederholt drastischen Ausdruck verliehen hat *(TuJ 1802: I/35, 130–132; 22. I. 1802 an ChrG*Voigt: IV/16, 16–18 uö.); unter dem Gerümpel befanden sich neben allerlei antiken Kleinigkeiten und physikalischen Spielereien auch *ein halb Duzend Dreh-Orgeln und Hackebreter,* die Goethe wie-

derholt erwähnt (22. I. 1802 an Christiane *Vulpius: IV/16, 20). Gleichwohl war B.s Bibliothek von großem Wert und bildete einen wichtigen Bestandteil für den Aufbau der Universitätsbibliothek Jena, die, unter Goethes Leitung vorgenommen wurde.   *St*

EvRath: Zur Biographie Ludwig Hains. In: Bok- och biblioteks-historiska studier tillägnade Isak Collijn på hans 50arsdag. Uppsala 1925. S. 164–166. – KBulling: Goethe als Erneuerer und Benutzer der jenaischen Bibliotheken. 1932. – KBulling: Zur Jenaer Tätigkeit des Weimarer Bibliothekars Christian August Vulpius während der Jahre 1802 bis 1817. In: Aus der Geschichte der Landesbibliothek zu Weimar und ihrer Sammlungen. Festschrift. Jena 1941. – EPaunel: Goethe als Bibliothekar. In: Zentralb att für Bibliothekswesen 63 (1949), S. 242–244. – HStumpf In: NDB 3 (1957), S. 6 f.

Büttner, 1) Ludwig Daniel (1712–1786), war seit 1748 Beamter in der Kammer zu Weimar, in der er bis zum Geheimen Kammerrat (1776) aufstieg. Als Goethe die Kammer leitete, waren die *Pachtsachen sein vorzüglichstes Referat,* doch hatte B. auch die Aufsicht über das Kammerarchiv. Schon damals ließen seine Kräfte nach, er wurde *täglich stumpfer,* so daß er 1785 praktisch aus dem Kammerkollegium ausschied *(IV/7, 175).*

–, 2) Friedrich Carl (1743–1822), Sohn des Vorgenannten, nach Abschluß seines juristischen Studiums 1767 Kammerregistrator in Weimar, 1773 Kammerkommissar, 1774 Kammersekretär, 1780 Kammerassessor, trat zu Goethe während dessen Tätigkeit als Leiter der Kammer in dienstliche Beziehung, insbesondere bei der Bearbeitung der Fragen des Kleeanbaus (1784) und der Zerschlagung des Schatullguts *Burgau (1785; vgl. IV/7, 22) und erwies sich als *gar gut und brauchbar (ebda 23;* vgl. 175). B., der 1785 zum Landkammerrat, 1794 zum Kammerrat, 1807 zum Geheimen Kammerrat aufstieg und 1817 den Rang eines Kammervizepräsidenten erhielt, stand in Weimar *in dem besten Ansehen* und mit Goethes *Haus in freundschaftlichem Verhältniß (IV/24, 122).* Seine dritte Frau JE, geb. Schmidt, verw. John, war die Mutter von Goethes Sekretär ECChr*John.   *Hk*

Buff, die alte, ursprünglich oberhessische Familie, ist seit dem 16. Jahrhundert in Butzbach (Steffen Poff) ansässig. Von dort aus weitergewachsen ist sie auch in außerhessischen Räumen (zB. Hannover; Hamburg; Berlin; Baden-Württemberg) sowie im Ausland (zB. Frankreich; Nordamerika; Schweiz; Südamerika) anzutreffen. Überdies konnte SRösch bemerkenswerte genealogische Zusammenhänge nachweisen zB. mit den Familien Burckhardt, Courvoisier, Ferry, Heisenberg, Israel, Laves, Freiherrn vLiebig, Merck, Merian, Pentzoldt, Thuille (S. 5). Durch JJChr

*Dietz wurden 1777 sogar Verwandtschaftsbande zwischen den B.s und Goethes Familie geknüpft (RSommer S. 15). 1772 aber waren die B.s diejenige Familie in *Wetzlar, die ausschließlich durch Goethes *Werther*, insbesondere durch *Werthers* Liebe zu Lotte (*Kestner) ausgezeichnete, darin im wesentlichen aber auch sich erschöpfende Lebens-Bedeutung gewann. Goethe kam durch seine Teilnahme an dem Ball in *Volpertshausen (9. VI. 1772) mit den B.s in Kontakt, der – soweit nicht hauptsächlich durch JChrKestner und dessen Familie fortgeführt – mit Goethes *Werther*-Flucht (11. IX. 1772) abbrach. Die realen Persönlichkeiten der B.s sind in die idealen Figuren des Romans mehr und mehr übergegangen, ohne Bruch, dh. nach den Maßen dessen, wie Goethe das Verhältnis von Realität und Idealität zu interpretieren begonnen hatte (*Dichtung und Wahrheit*; vgl. AZastrau: ,,Gedanken über die Menschlichkeit in Zeugnissen Goethes." In: Humanismus und Technik VI, 2, S. 63–65, auch 68–72).

Mitglieder der Familie B., von denen Goethe Kenntnis oder mit denen er Kontakt hatte, waren folgende:

–, 1) Georg Wilhelm (1709–1780), Dragoner-Offizier in hessen-darmstädtischen Diensten, seit 1755 (Tod des Schwiegervaters von 2) Kommandant in Wetzlar, 1766 Major ebendort; verheiratet mit Anna Maria Wimmer (1719–1778); drei Töchter: Henriette (1743 bis 1808), Susanna Maria Magdalena (1744 bis 1811), Charlotte Barbara (1749–1834), die sogenannte ,,schwarze Lotte" im Gegensatz zu der blonden Lotte *Werthers*;

–, 2) Heinrich Adam (1711–1795), 1740 Kastnerei-(Ökonomie-)Verwalter, 1755–1795 Amtmann des Deutschen Ordens, ein *braver, offner, treuherziger Mann (I/19, 13)*, Vorbild nicht nur im Amt, sondern in Familie und Haus: *der alte, liebe Papa (IV/2, 36);* seine Ehefrau

–, 3) Magdalena Ernestina, geb. Feyler (1731 bis 1770), Tochter des hessen-darmstädtischen Majors und Kommandanten in Wetzlar Peter Ernst Feyler, 1750 verheiratet mit 2), Mutter von 16 Kindern, von denen zu Goethes Zeit noch 12 lebten:

–, 4) Caroline Wilhelmine Marie (1751–1815), auch nach den wetzlarer Wochen mit Goethe noch in Brief- und Grußverbindung (zB. IV/2, 134), seit 19. VI. 1777 verheiratet mit JJChr Dietz, der über Susanne Maria Cornelia *Lindheimer/JohanetteGombel, geb. Lange: ,,Hannchen Lange" (Ball-Einladung zum 9. VI. 1772 nach Volpertshausen) mit Goethe verwandt;

–, 5) Charlotte Sophie Henriette (1753–1828), *Werthers* Lotte, seit 1768 verlobt, seit 4. IV. 1773 verheiratet mit JChrKestner – September/Oktober 1816 in Weimar (III/5, 273; 278; 279);

–, 6) Helene Justine Johanette (1756–1792); Goethes Brief-Bemerkung vom 12. XII. 1772 klingt wie ein Versteckspiel, war doch *Werther* noch kaum tot: *ich glaube ich würde sie lieber haben als Lotten. Nach dem Portrait ist sie ein liebenswürdiges Mädgen, viel besser als Lotte, wenn nicht eben just das – Und ich binn frey, und liebebedürftig. Ich muss sehen zu kommen, doch das wäre auch nichts (IV/2, 44);* seit 29. X. 1781 verheiratet mit Dr. iur. Johann Jacob Celler (1756–1820);

–, 7) Johann Christian Ludwig Franz (1757 bis 1830), später gräflich solms'scher Kammerdirektor in *Rödelheim/Frankfurt, zumal als Mittelsmann zum Hause B. mit Goethe besonders eng verbunden (Briefkontakt 1773 bis 1775; Goethe nennt ihn *Hans*); seit 1790 verheiratet mit Sophie Luise Kümmelmann (1766–1831);

–, 8) Johann Eberhard Wilhelm (1758–1831), später Hofrat in Wetzlar; seit 1795 verheiratet mit Marie Anna Wilhelmine Thekla (Annemine) Brandt (1757–1822);

–, 9) Sophie Caroline (1761–1808), unverheiratet: *Mir liegt schweer auf der Seele dass ich im Zanck mit Sophien weggangen binn, ich hoffe sie hats vergessen und vergeben, wo nicht so bitt ich sie drum (Morris 3, 7);*

–, 10) Friedrich Heinrich Christoph (1762 bis 1845), anfangs Theologe, dann Offizier, zuletzt Major in niederländischen Diensten, pensioniert in Wetzlar; seit 1804 verheiratet mit Melusine Friederike Staedeler (1782 bis 1855);

–, 11) Georg Conrad (1764–1821), Amtsnachfolger des Vaters (2), letzter Amtmann des Deutschen Ordens (1795–1809) in Wetzlar; verheiratet mit Luise Johanna Antoinette Schlemm (1778–?);

–, 12) Amalie Charlotte Angelica (1765–1848), seit 1791 verheiratet mit CJR*Ridel (Weimar);

–, 13) Albrecht Aemilius (1766–1774);

–, 14) Bernhard Ernst Carl Alexander (1767 bis 1845), später Deutsch-Ordens-Zinsreuter; seit 1803 verheiratet mit Dorothea Helene Hähnel (1776–1829);

–, 15) Wilhelm Carl Ludwig (1769–1841), Offizier, zuletzt Hauptmann in niederländischen Diensten, pensioniert in Rödelheim; seit 1805 verheiratet mit Anna Elisabeth Charlotte Lamprecht (1778–1853);

-, 16) Christian Friedrich Julius (1770–1771), bei dessen Geburt die Mutter (3) starb, Goethe nur namentlich bekannt als Patensohn von FW*Gotter.   *JP*

RSommer: Goethes Wetzlarer Verwandtschaft. 1908. –SRösch: Die Familie Buff. 1953. (Bibliographie S. 10 bis 11).

Buffon, Georges Louis Leclerc, Comte de, (1707–1788), geboren in Montbard bei Dijon, wurde von *Jesuiten erzogen, kam nach zahlreichen Reisen nach Paris, wo er in die Akademie gewählt und 1739 zum Intendanten des Jardin du Roi ernannt wurde. B. war kein Spezialforscher und lehnte spezielle Systeme, etwa nach der Art des *linnéschen Systems ab; denn die *Natur kennt keine Grenzen. Sein Ziel war, aufgrund seiner umfangreichen Kenntnisse, eine umfassende Darstellung und Schilderung der Natur zu geben. Die *Erde faßte er als von der *Sonne abgetrennten Teil auf; nach allmählicher Abkühlung konnte das *Meer zunächst die gesamte Erde bedecken und ist infolge großer Katastrophen, die tiefe Einbrüche schufen, auf die heutigen Meeresbecken beschränkt worden. In der Geschichte der Erde unterscheidet er sechs Perioden. In Weiterbildung dieser Theorie entwickelte später G*Cuvier seine Katastrophenlehre. B.s Theorie des *Vulkanismus (Selbstentzündung von Schwefel in nur geringer Tiefe) hat die späteren Vorstellungen, auch die Goethes, beeinflußt. Der organischen Natur erkennt B. eine große Plastizität und Wandlungsfähigkeit zu; im Lauf der Erdentwicklung sollen auch die Tiere sich gewandelt haben. Die Wandlungsfähigkeit und Mannigfaltigkeit der Tierformen ist jedoch durch die Gebundenheit an einen Plan begrenzt. Mit diesen Gedanken hat B. stark eingewirkt auf die vergleichende *Morphologie bei Cuvier und auch bei *Geoffroy St. Hilaire; auch Lamarck ist mit seiner *Abstammungslehre von B. beeinflußt. B. hat durch die klare Darstellung seiner Ideen als Anreger gewirkt und war außerordentlich angesehen.

Goethe lernte die Gedankengänge B.s während seiner *leipziger Studienzeit erstmals kennen. *Die Namen Haller, Linnée, Buffon hörte ich mit großer Verehrung nennen (I/27, 67).* Und wenn er später in den geologischen und den morphologischen Schriften B. kaum nennt, so darf man doch annehmen, daß dessen Gedankengänge ihn bei seinen wissenschaftlichen Studien wesentlich angeregt haben, zumal da die Denkweise B.s mit ihrer starken Aufgeschlossenheit gegenüber der Einheit der in kein starres System zu pressenden Natur Goethe durchaus entsprach. Das bestätigt die späte

Stellungnahme zu B. von 1832 anläßlich des Streites Cuvier-Geoffroy St. Hilaire. *Graf Buffon gab, gerade in meinem Geburtsjahr 1749, den ersten Theil seiner Histoire Naturelle heraus . . . Die Bände folgten jahrweise und so begleitete das Interesse einer gebildeten Gesellschaft mein Wachsthum . . . Dieser vorzügliche Mann hatte eine heitere freie Übersicht, Lust am Leben und Freude am Lebendigen des Daseins . . . Seine Darstellungen sind mehr Schilderungen als Beschreibungen; er führt die Creatur in ihrer Ganzheit vor. Er hat die Grundmaxime der vergleichenden Naturlehre ein für allemal festgesetzt . . . Dem allem ungeachtet freilich müssen wir gestehen, daß . . . er . . . sich von dem eigentlichen Element, woraus die Wissenschaft gebildet werden soll, einigermaßen entfernte und diese Angelegenheiten in das Feld der Rhetorik und Dialektik hinüber zuführen schien . . . Buffon nimmt die Außenwelt, wie er sie findet, in ihrer Mannichfaltigkeit als ein zusammengehörendes, bestehendes, in wechselseitigen Bezügen sich begegnendes Ganze (II/7, 182–186).*   *Bn*

Buffon: Histoire naturelle générale. Paris 1749–1788. –ERádl: Geschichte der biologischen Theorien in der Neuzeit. 1913. – KAvZittel: Geschichte der Geologie und Paläontologie. 1898.

Buhle, Johann Gottlieb Gerhard (1763–1821), Philosophie-Professor in *Göttingen, 1805 kurzfristig in Moskau, vornehmlich als Philosophie-Historiker tätig, wurde Goethe im Zusammenhang mit der Farbenlehre wichtig. Goethe studierte B.s „Geschichte der neueren Philosophie seit der Epoche der Wiederherstellung der Wissenschaften" (1800/05) hauptsächlich in den Jahren 1799 (III/2, 275f.), 1801 (III/3, 31), 1807 (III/3, 279–281), 1809 *(III/4,* 18f.; 21; *40: letzte Bände).* Er selbst besaß das Werk nicht, sondern mußte es entleihen (zB. Keudell Nr 570; 581). Wahrscheinlich hat Goethe B. 1801 in *Göttingen auch persönlich getroffen. Die Lektüre B.s wurde besonders für Goethes Stellungnahme zu Pythagoras und den Pythagoräern, zu Demokrit, Epikur, Lukrez, Pyrrho, Empedokles, Zeno, auch zu Platon und Aristoteles, ferner zu Roger Bacon, Telesius, Cardanus, Baco von Verulam fruchtbar.   *Rs*

KVorländer: Goethe und Kant. In: GoetheJb. 19 (1898), S. 178. – GvSelle: Die Georg-August-Universität zu Göttingen 1737–1937. 1937.

Bukolik/Bukolische Poesie, schon in der griechischen Antike eine Dichtungsart, die nicht das reale, sondern ein irreales, idealisiertes, utopisches Bauern- und Hirtenleben darstellte. Die B. war bereits in diesen ihren Anfängen Ausdruck zunehmender Stadtmüdigkeit und Stadtflucht, die sich mit den immer größer werdenden Städten und mit den immer höher getriebenen Zivilisationsformen als eine Art von wehmütiger Traumkraft und von „Sehnsucht nach dem einfachen Leben", bisweilen auch als eine ebenso raffiniert spielerisch gesuchte und aufgebaute Ausweich- und Ersatzwelt entwickelte (JHuizinga: Homo ludens). Das Wunschland der B. war *Arkadien, aber allenfalls das *Arkadien*, das Goethe mit dem Motto seiner *IR* meinte (*Arcadia; *Arkadische Gesellschaft), und auch dies nur bis zum 21. IV. 1788 (I/32, 336f.), kaum mehr das, in dem die nord-südliche *Faust/*Helena-Begegnung (*Ballade Sp. 643–664) sich erfüllen sollte. Doch ist diese Doppelbeziehung für Goethe wesentlich, weil auch sie ihren Mutterboden in seiner *Ironie hat. – Der großgriechisch-sizilische Vater der B. und zugleich der Vater ihrer Zentralfigur Daphnis, des „Heros" aller Hirten und Schäfer: *Stesichoros aus Himera, trat für Goethe durchaus zurück hinter *Theokrit aus Syrakus. Die anderen Vertreter der griechischen B. (zB. Philoxenos, Sophron, Nikias, Polybios, Moschos, Bion, Battos, Nonnos) spielten bei ihm kaum eine Rolle; als alle und alles überragender Gipfel erschien aber *Longos/Longus, den Goethe gar nicht genug preisen konnte. Die römische Weiterführung der B. durch *Vergil fand entsprechende Beachtung, ebenso ihre Wiederkehr in *Tibull, *Properz, kaum jedoch in *Ausonius. Nach der Römerzeit wurde für Goethe auch unter dem Gesichtspunkt der B. erst wieder die *Renaissance-Dichtung, endlich und besonders – bis auf seine Gegenwart – der Werdegang der *Schäferpoesie durch *Barock und *Rokoko (auch *Anakreon; *Anakreontik) bedeutsam. *Za*

Burdach, 1) Carl Friedrich (1776–1847), nach vorübergehender Tätigkeit als Arzt in Leipzig, 1811 Professor der Anatomie, Physiologie und gerichtlichen Medizin in Dorpat. Seit 1814 Professor der Anatomie und Physiologie in Königsberg und Begründer der dortigen anatomischen Anstalt. Zu deren Eröffnung erschien das Heft „Über die Aufgabe der Morphologie", welches Goethe in einem Brief an S*Boisserée erwähnt (16. I. 1818: IV/29, 13). Auch die „Berichte von der königlich anatomischen Anstalt zu Königsberg" (1818) waren Goethe bekannt (III/8, 312). Briefe Goethes an B. datieren vom 25. I. 1818 (IV/29, 23–26; vgl. III/6, 162f.) und 21. VII. 1821 (IV/35, 26–28; vgl. III/8, 80). *Sl*

–, 2) Carl Ernst Konrad (1859–1936), Adoptivenkel des Vorgenannten, ist eine der Spitzengestalten der germanistischen Wissenschaftsgeschichte. In der Schule von FZarn-

cke, RHildebrandt, WScherer herangereift, zeigte er sich bereits in seiner Dissertation (1880) über Reinmar d. A. und Walther v. d. Vogelweide auf eigenen, betont geistesgeschichtlichen Wegen, die ihn zu bahnbrechenden Leistungen nicht nur auf den Gebieten der Minnesangs-, Mittelalter-, Renaissance-, Reformations- und Humanismus-, sondern auch der Goethe-Forschung führten. 1884 Habilitation in Halle, 1887 außerordentlicher, 1894 ordentlicher Professor ebendort, 1902 Forschungs-Professor für deutsche Sprachwissenschaft bei der Preußischen Akademie/ Berlin, dies bis zu seinem Tode. Die anregende Kraft seiner Gelehrtenarbeit ist gerade in der Goethe-Forschung, und zwar bis in die Gegenwart, vielfältig wirksam geblieben, durch EGrumach nachdrücklich erneuert worden. Hauptstationen sind editorisch die Leistungen für den *West-östlichen Divan* (1888; 1905), interpretatorisch für den *Faust* (1912; 1922; 1926; 1931), philologisch-stilanalytisch für die *Sprache Goethes* (1884); die bedeutendsten all dieser Publikationen wurden 1926 im „Vorspiel" (2. Bd: „Goethe und sein Zeitalter") zusammengefaßt und nochmals veröffentlicht. *Za*

Bibliographie

Burdach-Bibliographie 1880–1930. Zum 50jährigen Doktorjubiläum am 24. November 1930 dargebracht von Freunden und Schülern. 1930. 47 S., 1 Bildnis. – Übersicht über die seit 1930[–1934] veröffentlichten Schriften Konrad Burdachs. 1 Bl. [Beiliegend in:] KBurdach: Die Wissenschaft von deutscher Sprache. Ihr Werden, ihr Weg, ihre Führer. Hrsg. von HBork. 1934. – Nachtrag zur Burdach-Bibliographie (1930) und dem Ergänzungsblatt in der von HBork zum 75. Geburtstag Burdachs herausgegebenen Sammlung „Die Wissenschaft von deutscher Sprache". 1934. In: JPetersen: Gedächtnisrede auf Konrad Burdach und Arthur Hübner. Berlin, Akademie der Wissenschaften 1937. S. 13 f. (SBB 1937. S. CXXX f.).

Nachrufe, Würdigungen

HBork: Konrad Burdach in Memoriam †. In: Archiv für Vergleichende Phonetik 1 (1937), S. 120–123. – DCantimori: Konrad Burdach (1859–1936). Necrologia. In: Rivista Storica Italiana. Serie 5, Vol. 1, Fasc. 3 (1936). 5 S. – RK[ienast]: Konrad Burdach †. In: Historische Zeitschrift 155 (1937), S. 446 f. – PKluckhohn und ERothacker. In: Deutsche Vierteljahrsschrift für Literaturwissenschaft und Geistesgeschichte 14 (1936), S. 654. – MW: Konrad Burdach. Zur Problematik des reinen Forschers. In: Frankfurter Zeitung. Jahrgang 1937, Nr 44. – JPetersen: Konrad Burdach. In: Dichtung und Volkstum 37 (1936), S. 393–398. – JPetersen: Konrad Burdach zum Gedächtnis. In: Goethe. Vierteljahresschrift der Goethe-Gesellschaft 1 (1936), S. 306–309. – PPiur: Konrad Burdach zum Gedächtnis. (Nachruf, gehalten in der Berliner Gesellschaft für Deutsche Philologie am 7. Oktober 1936.) In: Zeitschrift für deutsche Philologie 62 (1937), S. 106–112. – ESeeberg in: D. Martin Luthers Werke. Kritische Gesamtausgabe. Briefwechsel. Bd 7 (1937), S. V f. – KVossler in: Frankfurter Zeitung v. 22. September 1936. – WZiesemer, [Walther]. In: Altpreußische Biographie. Hrsg. von Christian Krollmann. Bd 1, Lfg 3 (1937), S. 95. – GJungbluth in: NDB 3 (1957), S. 41. *St*

Burgau, das 5 km südlich von Jena gelegene, heute in die Stadt eingemeindete Dorf, ist von Goethe seit dem 28. V. 1783 – *Abends fuhren wir auf der Saale bis Burgau (IV/6, 167)* – mehrfach aufgesucht worden (ua. 14. II. 1799: III/2, 234). Noch am 8. XII. 1827 war er mit JW*Döbereiner in B.; sie „trafen dort den General von Egloffstein, speisten Fische und sonst weniges, sahen einiges an Wasserbauten, ferner bei sehr niedrigem Wasserstande Flößer mit Gefahr und Mühe das Wehr herabkommen" (vgl. Bdm. 3, 468). Aus B. schrieb Goethe am 8. II. 1799 an Christiane *Vulpius: ... die Gegend sieht bey ihrer Mannigfaltigkeit auch in dieser Jahrszeit noch ganz freundlich aus (IV/14, 18).* Daher der bekannte Vers: *Sonntag rutscht man auf das Land; / Zwäzen, Burgau, Schneidemühlen / Sind uns alle wohlbekannt (I/1, 151).* Auch im Rahmen seiner *amtlichen Tätigkeit beschäftigte sich Goethe mit B., als der Herzog Carl August den Plan gefaßt hatte, durch die Zerschlagung der Güter und durch umfassende Neuverteilung des Grundbesitzes eine intensivere Bodenbewirtschaftung herbeizuführen. Am 1. X. 1780 schreibt er deswegen an den Minister JFv *Fritsch: Ein gefälliges Benehmen in der Burgauer Unterhandlung und Aufopferung eines Petitorii mögte von der glücklichsten Würckung seyn ... Die Frau Herzoginn hat verschiedentlich drüber gesprochen und es ist ihr an baldiger Beendigung gelegen (IV/4, 302f.).* Erst nach Jahren kommt Goethe auf diese Angelegenheit zurück, *Da ich auf einige Tage nach Jena gehe um die Zerschlagung des Gutes Burgau ... vorzubereiten (IV/7, 22;* vgl. ebda 13), und erstattet nach seiner Rückkehr am 15. III. 1785 ein Gutachten für den Herzog; er empfiehlt, *Kammerkonsulent Schwabhäußer* solle mit den Vorstudien betraut werden *(ebda 29).* Unter dem Einfluß der *französischen Revolution gab man diese Absichten jedoch auf: *Mit lebhafter Überzeugung habe ich den Herzog gebeten, jetzt nicht sich in die Zerschlagung der Güter einzulassen. Soll es ja geschehen, so nimmt man in einigen Jahren viel mehr daraus* (1. V. 1794 an ChrG*Voigt: *BrVoigt 1, S. 135).* *Ko*

Burgemeister, Johann Christian Marcus Eduard (1802–1878), war Dr. med. und praktischer Tierarzt in Jena, 1827 bis 1830 Gehülfe und dann Prosector an der jenaer Tierarzneischule. Am 12. V. 1827 und am 21. I. 1829 vermerkt Goethe eine Sendung an B. (III/11, 55; III/12, 15), am 2. IV. 1829 sandte Goethe an JH*Färber *einen Schnepfenkopf,* den B. skelettieren sollte, *daß man die Einwirkung der übergroßen Augen und des sehr langen Schna-*bels *auf die übrigen inneren Kopfknochen, ... gut bemerken* kann *(IV/45, 229),* und ließ am 4. IV. weitere folgen (IV/45, 234). Am 20. IX. 1830 berichtete ihm B. über die *Jenaischen Unfertigkeiten* (III/12, 305f.), am 26. III. 1831 schrieb Goethe an B.s Chef, Professor Th *Renner, wegen B.s Ernennung zum Prosektor, die am 9. IV. 1831 erfolgte, und am 21. VIII. 1831 erhielt Goethe Bericht von Hofrat Vogel, *welcher mit dem Prosector Burgemeister über die Veterinärschule und deren Mängel gesprochen hatte (III/13, 52; 59; 126f.).* *Ko*

Burggrave, Johann Philipp (1700–1775), Medizin-Student in Jena, Halle, Leiden (Promotion), begann 1724 als Arzt in Frankfurt/M. zu praktizieren, wurde 1741 Mitglied der Leopoldinisch-Carolinischen Deutschen Akademie der Naturforscher (Leopoldina), 1745 kurmainzischer Leibarzt. B. verfolgte auch publizistische Ziele. Sein „Lexicon medicum universale" (220 Druckbogen allein für die Lemmata A–B) überstieg allerdings die Kräfte eines Einzelnen (1. Bd 1733). Erfolgreich war er mit populärwissenschaftlichen Ratgebern für das Eheleben: 1. „Der rechte Gebrauch und Mißbrauch des Ehe-Bettes, worinnen ... der grosse Missbrauch der ehelichen Keuschheit ... der teuflische Gebrauch, die Zeugung durch physicalische Mittel zu verhindern ... bewiesen wird. Aus dem Englischen übersetzt." 1734; 2. „Bedenken von dem Geschäfte der Erzeugung, insonderheit einer Frucht in einer Anderen in dem dreifachen Reiche der Natur, bey Gelegenheit der vereinten Geburth so ein Mädchen von 17 Monaten sollte zu Darmstadt geboren haben." 1737. Beide Werke befanden sich in der *Hausbibliothek des Vaters Goethe (Götting S. 65). Außerdem hatte B. 1751 eine Commentatio: De aëre, aquis et locis urbis Francofurtanae ad Moenum geschrieben, die wegen ihrer medizinisch-topographischen und statistischen Methodik vorbildlich wurde. – B. stand dem Hause Goethe als Hausarzt nahe. Er wurde im Frühjahr 1764 besonders eindringlich konsultiert, als der junge Goethe nach Entdeckung der Gretchen-Affäre krisenhaft erkrankte (I/26, 341). *Ob*

Burgkmair *(Burgmeier: I/34^{II}, 18),* Hans der Ältere (1473–1531), Maler und Zeichner für den Holzschnitt, Formschneider, Schüler M*Schongauers, tätig in Augsburg, entwickelte gleichzeitig mit A*Dürer aus der herberen Form der spätgotischen Malerei die menschlich erfüllte Gestaltkunst der *Renaissance, *Holbein vergleichbar. Neben seinen Altarbildern – das von Goethe gesehene Altarwerk aus dem Dominikanerkloster in Frankfurt/M (I/34[II], 18f.) stammt allerdings nicht von B. – entstanden zahlreiche Holzschnitte und *Illustrationen. Wie Dürer war auch er für Kaiser Maximilian tätig und fertigte zwischen 1510 und 1516 für den „Weißkunig" – eine legendenhaft ausgeschmückte Geschichte Friedrichs III. und der Jugend des Kaisers, die MTreitzsaurwein 1514 nach Entwürfen des Kaisers verfaßt hatte – einhundertzehn Holzschnitte an, in denen Zeremonien und Schlachtenbilder überwiegen; veröffentlicht wurden sie damals jedoch nicht. Die 1775 erschienene wiener Ausgabe „Der Weißkunig. Eine Erzehlung von den Thaten Kaiser Maximilian I. . . . nebst den von Hansen Burgmair dazu verfert. Holzschnitte" entlieh Goethe schon 1808, ließ sie sich jedoch erst 1809 zusammen mit dem „Theurdank", der allegorisch eingekleideten Geschichte von der Brautfahrt Maximilians zu Maria von Burgund, vorlegen (III/4, 11) und entlieh beide Werke auch 1810. Als 1828 der Konrektor des Gymnasiums in Hamm, CLTross, dem Großherzog alle Originalabdrücke der Holzschnitte zum „Weißkunig", die teilweise illuminiert waren, sandte, wurde die wiener Ausgabe wiederum entliehen, damit Chr*Schuchardt diese mit den Abdrükken ohne Text vergleichen konnte; *er sucht das Verhältniß in einer Tabelle anschaulich zu machen; die Sache ist doppelt und dreyfach verwickelt (IV/43, 290).* Diese *hübsche Arbeit von Schuchardten,* die wiener Ausgabe – am 21. II. 1828 abermals aus der großherzoglichen Bibliothek entliehen – und die Blätter *dieser wirklich bedeutenden Sammlung* legte Goethe am 3. III. 1828 Carl August vor *(IV/44, 6).* Tross erhielt für seine Sendung die Jubiläumsmedaillen des Großherzogs und Goethes (IV/44, 36). *Lö*

Keudell Nr 509; 558; 647; 1894. – ThB 5 (1911), S. 252–258.

Burgund (Bourgogne), die französische Landschaft, welche die Départements Côte-d'or, Yonne, Saône-et-Loire und Ain umfaßt, erscheint bei Goethe nur als die Heimat der *Burgunderweine und einer Malerschule, die im 15. Jahrhundert die *gewissenhafte porträtartige Nachahmung der Natur* zum Prinzip und in diesem Sinne Einfluß hatte (I/49[I], 430; Tafel zu S. 430), wie er es durch Bilder der Sammlung der *Boisserées erkennen konnte. In der *Campagne in Frankreich* nennt Goethe irrtümlich die Burgunder statt der Westgoten als die Gegner Attilas, den sie *unter Beistand des römischen Feldherrn Aetius* auf dem *berüchtigten Teufelsfeld* unweit *Châlons-sur-

Marne schlugen *(I/33, 91).* In Vorbereitung der zweiten Italienischen Reise vermerkt sich Goethe *Emilliane Reisen aus Frankreich durch Burgund in Italien. Rotterdam 1691 (I/34[II], 185).*

1826 ernannte die „Académie" (wissenschaftlich-literarische Gesellschaft) der Stadt Mâcon (Département Saône-et-Loire) Goethe zu ihrem auswärtigen Mitglied (IV/41, 68). *Fu*

Burgunderweine dürfte Goethe als besonders anregende Weine beurteilt haben, ob er sie nun bewußt als solche zu sich nahm oder zufällig trank. 1773 wurde *Götter, Helden und Wieland . . . bei einer Flasche guten Burgunders . . . in Einer Sitzung niedergeschrieben* (I/28, 327). 1816 schreibt er an Zelter über *bestialisch* energische Äußerungen gegen FA *Wolf: Glücklicher oder unglücklicherweise hatt' ich so viel Gläser Burgunder mehr als billig getrunken und da hielt ich auch keine Maaße (IV/27, 220).* 1774 wird im *Ewigen Juden* unter fünf edlen Weinen auch der Burgunder erwähnt (I/38, 58). 1805 erweist Goethe sich den bei KEv*Hagen aufgetragenen zwei Sorten Burgunder – eine *ganz vortrefflich,* die andere *noch schmackhafter – nicht abhold (I/35, 235f.).* Der Genuß des B. muß, wenigstens im Alter, ziemlich regelmäßig gewesen sein (1818; IV/29, 113. 1823; IV/36, 262. 1825; IV/40, 15). Lieferanten waren wohl eher die Gebrüder *Felix (1818; IV/29, 113), als die Gebrüder *Ramann, da letztere unter den von Goethe bei ihnen bezogenen acht Weinen keine B. nennen. *Fu*

KChristoffel: Rebe und Wein in Goethes Weltbild. 1948, S. 32.

Buri, Ludwig Carl Ernst Ysenburg von (1747 bis 1806), Schriftsteller, Offizier, übernahm 1762 die Leitung der 1759 gegründeten *Arkadischen Gesellschaft zu Phylandria, die er von ihren ursprünglich literarischen Bestrebungen fort- und zu freimaurerischen Zielsetzungen hinführte. B. ließ Goethes Bewerbung um Aufnahme scheitern. Wir wissen nicht, ob und wieweit Goethe die dabei mitspielenden Intrigen durchschaut hat. 1774 trafen beide in Neuwied noch einmal zusammen, wobei B. Goethe einige seiner neuen Gedichte mitgab, also seinerseits Kontakt suchte. Offenbar waren B.s literarische, besonders lyrische und dramatische Leistungen bedeutender als seine militärischen, wenngleich auch nicht von überwältigendem Erfolg. Goethe nahm aber und gab keine Notiz davon, doch kaum, weil er B. etwa noch gegrollt hätte (GoetheJb 24, S. 248–252). *Za*

Burkana, ein syrischer Baron (?) aus Aleppo (1706–1776?), reiste von 1748 bis 1776 in Europa umher, um *Autographen, bzw. Autogramme zu sammeln. Goethe erhielt dies *Stammbuch aller Stammbücher* am 18. IX. 1814 in Frankfurt als Geschenk von Av*Brentano (11) aus dem Nachlaß ihres Vaters (*Birkenstock Sp. 1265; IV/40, 37): *In zwey dicke Octavbände hat man die hinterlassnen Blätter zusammen gebunden, die ich mitbringe. Unter manchen unberühmten Nahmen stehen die Berühmtesten: Voltaire und Montesquieu an der Spitze. Übrigens ist auch diese Sammlung wegen der Handschriften verschiedner Nationen und Regionen merckwürdig. Es ist eine große Acquisition (IV/25, 40).* Um so größer, weil ihr Erwerb in die *Divan*-Zeit fiel und westöstliche Assoziationen auslöste (vgl. zB. die letzte *Tgb.*-Eintragung: *Bey Knebel: Persisches vorgezeigt; von Burkana gesprochen,* 16. XII. 1814: *III/5, 143*). *JP*

Burmeister, Ludwig Peter August (1803–1870), Maler und Schriftsteller unter dem Pseudonym Johann Peter Lyser, war im Februar 1832 zusammen mit FW*Riemer im Hause am Frauenplan und erzählte, auf Goethe wartend, der kleinen Wv*Goethe sein Märchen vom Fiedelhansel. Später zeigte er Goethe seine *Mephisto*-Skizzen (Bdm. 4, 424 f.; vgl. 434), die 1833 in acht Kupfern und drei Umschlagzeichnungen im politisch-satyrischen Tagebuch veröffentlicht wurden. *Lö*

Burns, Robert (1759–1796), schottischer Dichter, Vorläufer der englischen Romantik, gehört *zu den ersten Dichtergeistern, welche das vergangene Jahrhundert hervorgebracht hat (I/42I, 203).* B. schrieb naturnahe Dichtungen in volksliedhaftem Ton, meist in schottischer Mundart. Sein Liedgut wurde echtes Volkseigentum, so etwa „Auld lang Syne", „John Anderson", „My Heart's in the Highlands". Der ständige Kampf um die Existenz und der Mangel an Verständnis während seiner Lebenszeit zerbrach früh seine Kräfte. Goethe wurde vor allem durch *Carlyle auf B. aufmerksam gemacht, kannte einige seiner Gedichte schon vorher, beschäftigte sich später häufig mit seinen Liedern und las seinen Lebenslauf (III/11, 288; III/12, 226; IV/45, 304). In einem Gespräch mit Eckermann vom 3. V. 1827 weist Goethe darauf hin, wie sehr B. in der alten Lied- und Balladentradition seines Volkes verwurzelt war und von hier die Kraft schöpfte, um sich zu einem volksnahen Dichter zu entwickeln: *Wodurch ist er groß, als daß die alten Lieder seiner Vorfahren im Munde des Volkes lebten, daß sie ihm sozusagen bei der Wiege gesungen wurden, daß er als Knabe unter ihnen heranwuchs und die hohe Vortrefflichkeit dieser Muster sich ihm so einlebte, daß er darin eine lebendige Basis hatte, worauf er weiterschreiten konnte. Und ferner ... daß seine eigenen Lieder in seinem Volke sogleich empfängliche Ohren fanden, daß sie ihm alsobald im Felde von Schnittern und Binderinnen entg genklangen (Bdm 3, 387).*

In einem Brief an Carlyle schreibt Goethe ua.: *An seinen Gedichten hab ich einen freyen Geist erkannt, der den Augenblick kräftig anzufassen und ihm zugleich eine heitere Seite abzugewinnen weiß (IV/45, 304f.).* In der Einleitung zu Carlyles „Leben Schillers" möchte Goethe Carlyle den Dank für seine Bemühungen, in England das Verständnis für deutsche Literatur zu wecken, dadurch abstatten, daß er dem deutschen Volk die Beschäftigung mit B., Carlyles Landsmann, warm ans Herz legt, er zitiert auch einige Seiten aus Lockharts „The Life of Robert Burns" (1828), die er selbst ins Deutsche übersetzte. Mehrfach spricht Goethe sein Bedauern darüber aus, daß die schottische Mundart der Gedichte den Zugang zu ihnen so sehr erschwere (I/42I, 196ff.).

Ein Mitglied der Gesellschaft für in- und ausländische schöne Literatur zu Berlin, PhKaufmann, übernahm es daher, die Gedichte von B. ins Deutsche zu übertragen. Erfreut schreibt Goethe darüber am 5. X. 1830 an Carlyle: *Ein talentvoller junger Mann und glücklicher Übersetzer beschäftigt sich mit Burns; ich bin darauf sehr verlangend (IV/47, 279;* vgl. auch ebda 297–299).

Die von Goethe ausgewählte Stelle aus Lockharts B.-Biographie, die er seiner Einleitung zur deutschen Ausgabe von Carlyles „Life of Schiller" einfügte, entsprach, wie er versicherte, genau seiner eigenen Wertschätzung des Dichters, sie schließt mit den Worten: „... Und so eine freundliche warme Seele, so voll von eingeborenen Reichthümern, solcher Liebe zu allen lebendigen und leblosen Dingen! ... Eine wahre Poetenseele: sie darf nur berührt werden und ihr Klang ist Musik!" (I/42I, 200). *Sn*

Bury (*Büry: IV/8, 329*), 1) Friedrich (1763 bis 1823), Maler aus Hanau, *ein vernünftiger Kindskopf (IV/8, 350),* dessen *passionirte Existenz ... mit zur Staffage jener glücklichen Gegend gehörte, die Italien für Goethe zeitlebens war (IV/9, 47).* B. war der Sohn eines aus Straßburg eingewanderten Goldschmieds und Graveurs. Er war Schüler AW*Tischbeins und schon früh mit H*Lips befreundet, mit dem er

1782 nach Italien aufgebrochen war. In Rom hatte er sich JHWTischbein angeschlossen und mit diesem in den Jahren vor Goethes Ankunft zusammengewohnt. B. kopierte zunächst nach Antiken, nach Michelangelo, Raffael und den Carracci (IV/8, 352; Goethe besaß mehrere seiner Kopien: Schuchardt 1, S. 258-260). Auch war er, obgleich künstlerisch wenig entwicklungsfähig, imstande, Goethes zeichnerischen Interessen Vorschub zu leisten (I/30, 258; IV/8, 310 und 329) und in dessen geschichtliche Kunstanschauungen so einzudringen, daß dieser mit Recht sagen konnte: H*Meyer und B. *danken mir schon ihre Sinnes- und Lebensänderung . . . und werden sie mir Zeitlebens danken (I/32, 161f.).* Doch auch *Rath und Anmerkung* seiner Freunde machte sich Goethe zunutze *(I/32, 294).* Für B. war die Begegnung mit Goethe das entscheidende Erlebnis seines Italienaufenthalts (I/30, 248f.; I/32, 48; vgl. B.s Zeichnung „Goethe in seinem italienischen Freundeskreis": HThKraber2, Abb.46). Nach der Heimfahrt Goethes bezog B. dessen Wohnung und ließ sich einiges aus Goethes „Nachlaß" zueignen, anderes sollte von ihm *nach seiner Weise benutzt werden (I/32, 323).* Die von B. in empfindsamer Übersteigerung erlebte, von Goethe jedoch im Bewußtsein seiner Wirkung beschriebene Freundschaft – *Mein Abschied von hier* [Rom] *betrübt drei Personen innigst. Sie werden nie wieder finden, was sie an mir gehabt haben (I/32, 295)* – klingt in den Briefen B.s aus Italien nach, in denen er von den kleinen Ereignissen des römischen Kreises und nicht sehr kennerhaft über Kunstwerke berichtet. B. nutzte die Großzügigkeit Goethes in geldlichen Dingen aus, so daß es zu einer gewissen Entfremdung kam; erst 1794 erhielt Goethe *den ersten Brief in welchem er kein Geld verlangt (IV/10, 165).* Während Goethe allein von Meyer *einen ernsthaften Widerklang meiner ächten italiänischen Freuden* zu vernehmen glaubte und diesen nach Weimar zu ziehen verstand, kehrte B. erst 1799, nun von den unruhigen Verhältnissen aus Italien vertrieben, nach Deutschland zurück (IV/14, 215). Trotz seiner Begünstigung durch die Herzogin Anna Amalia, die er 1790 nach Neapel und später nach Venedig begleitet hatte, konnte er nicht mehr hoffen, ebenfalls in die „weimarische Künstlerrepublik" aufgenommen zu werden, was Goethe zuweilen angestrebt hatte (IV/9, 167). B. hielt sich jedoch vom November 1799 bis zum August 1800 in Weimar auf, wo er Goethe häufig traf und ihn zweimal porträtierte (Originale in Weimar);

eins dieser Porträts, eine Kreidezeichnung, schätzte Goethe sehr und gönnte ihm im sog. Junozimmer einen Platz neben dem Bild Christianens. Die Stunden der Zusammenkunft waren mit kunstgeschichtlichen (III/2, 275) und -theoretischen Unterhaltungen angefüllt (III/2, 280). Pläne Goethes, B. bei der Ausmalung des weimarer Schlosses heranzuziehen, wurden jedoch nicht verwirklicht, zumal B. 1801/02 nach Petersburg ging.
Wenn Goethe auch durch B.s Besuch *an die guten, leider in mehr als Einem Sinne, verschwundenen römischen Zeiten* erinnert wurde (IV/14, 215), verlor sich doch die Freundschaft in bloße Bekanntschaft, die nur gelegentlich durch Briefe Goethes gepflegt wurde. 1808 sah er sich in Karlsbad *von einem vieljährigen Freunde und Angeeigneten, nach altem Herkommen, . . . leidenschaftlich angegangen,* nachdem B., der inzwischen in Berlin als Porträtist zu Ansehen gekommen war, im Gefolge der Erbprinzessin von Hessen-Kassel *in und um Dresden, zu Kunst- und Naturgenuß, sich eine Zeitlang aufgehalten hatte (I/36, 38).* Doch im vertraulichen Ton schildert Goethe *Bury's* Wesen: *Er ist noch immer der alte und sowohl in Kunst als in Leben immer noch ein Sturmlaufender. Alles ist noch beynahe convulsiv; doch haben sich sein Charakter und seine Weltansichten gar hübsch und rein ausgebildet. Was die höheren Kunstansichten betrifft; so entspringen sie, wie fast bey allen Künstlern, aus der Reflexion und nicht aus der Erfindungskraft; wodurch denn ein Schwanken zwischen dem Wahrhaft- und zwischen dem Scheinbarbedeutenden entsteht, das sich bey jedem einzelnen Falle erneuert (IV/20, 149f.).* Nach Schillers Bekanntschaft, Freundschaft und Tod stand Goethe zu gefestigt in seinem Wesen (vgl. I/36, 248), als daß B. auf die Dauer in die Sphäre des strengeren Klassizismus hätte eindringen können.
Nach 1815 war B., der Goethe 1809 eine Zeichnung zu dem Gedicht auf J*Sebus geschickt hatte (III/4, 74) und 1816 gemeinsam mit E*Hummel Goethe in Weimar auf der Durchreise besuchte (III/5, 270), für die Königin von Holland und die Kurfürstin von Hessen tätig und wohnte abwechselnd in Kassel, Brüssel, den Haag und in Hanau (vgl. I/34^I, 146) und starb Erholung suchend in Aachen.

–, 2) *(Buri: [I/34^I, 147]),* Jsaak (Lebensdaten unbekannt), Bruder des Vorgenannten, ergriff den Beruf seines Vaters und leitete das Juweliergeschäft B. und Comp., dem Goethe in *Kunst und Alterthum* weiten Ruf zuerkannte (I/34^I, 147); 1816 gab Goethe ein Ordenskettchen bei B. in Auftrag, das 1819 verändert

wurde, nachdem Goethe den Annenorden erhalten hatte (IV/29, 316).   Lö

OHarnack: Zur Nachgeschichte der italienischen
Reise. SGGes 5, S. 11–14; 23–26; 30f.; 54f.; 88–91;
111–113; 120f.; 167f.; 177f.; 203–205; 208f. JGMeu-
sel: Ueber Goethe'ns Bildnis von FBüry. In: Neue
Miscellen artistischen Inhalts 13 (1802), S. 597. –
ESchulte-Straathaus: Die Bildnisse Goethes. 1910,
Nr 82 u. 83. – FNoack: Deutsches Leben in Rom seit
dem Ausgang des Mittelalters. 1927. – MSchuette:
Das Goethe National-Museum. 1910, S. 141. – GBier-
mann: Deutsches Barock und Rokoko.

Buttelstedt, sachsen-weimarisches Städtchen,
11 km nördlich von Weimar, mit zwei Ritter-
gütern, 1796: 746 Einwohner, liegt an der
Straße *Frankfurt–*Erfurt–*Leipzig. Die bis
dahin abseits vom Verkehr gelegene Stadt
Weimar hatte in B. ihre Poststation, und
hier wurde der Anschluß an die genannte Straße von Weimar aus erreicht. Erst durch den
unter Goethes Leitung in den achtziger Jahren
erfolgten Ausbau der Straßen Weimar-Jena
und Weimar-Erfurt bekam Weimar eine ver-
kehrsmäßige Bedeutung.
Goethe berührte B. vermutlich bereits 1765
auf der Reise von Frankfurt/M zur Universität nach Leipzig (RV S. 9). Von späteren
Fahrten Goethes durch B. findet sich die vom
28. XII. 1796 (Reise von Weimar nach Leipzig)
erwähnt (IV/12, 1; RV S. 33).   Dl

Buttlar, Dorf in der Rhön, 1822: 409 Ein-
wohner, beliebte Anhaltestation an der da-
maligen Poststraße Leipzig-Eisenach-Fulda-
Frankfurt. Goethe erwähnt, daß er auf der
Reise nach Frankfurt am 1. VIII. 1797 (Gast-
hof zum Adler) und am 25. V. 1815 in B.
Mittagsrast gehalten hat (III/2, 78, 340;
III/5, 162).   Dl

Buttmann, 1) Philipp Karl (1764–1829), seit
1789 an der königlichen Bibliothek in *Berlin
und daneben in anderen Stellungen tätig, Verfasser einer oft aufgelegten griechischen Grammatik. B. war mit Schleiermacher und anderen Professoren der Universität befreundet;
mit FA*Wolf, mit dem er später wieder zer-
fiel („Buttmann und Schleiermacher über
Heindorf und Wolf", vgl. III/5, 287), gab er
das Goethe gewidmete „Museum der Altertumswissenschaft" heraus. Sein Sohn
–, 2) Alexander (geb. 1793), Philologe im
Schuldienst, besuchte Goethe am 24. IV. 1821
in Weimar (III/8, 44).   Rf

Buttstädt, Stadt, 18 km nördl. Weimar, zu Sachsen-Weimar gehörig, 1796: 1569 Einwohner.
Goethe kam nach B. mehrfach durch seine
*amtliche Tätigkeit; auch die bekannten b.er
Ochsen- und Pferdemärkte suchte er auf
(1777 III/1, 52; 1799: 2, 267). Auf der Dienstreise, die er 1779 nach der Übernahme der
*Kriegskommission als „Aushebungsreise"

unternahm und die er zugleich zur Arbeit an
den drei ersten Akten der *Iphigenie benutzte, hielt er sich zwei Tage (7./8. III) in B. auf
(Quartier im Geleitshaus, Mittagessen beim
Stadtvogt, Besteigung des Kirchturms). Im
Rathaus nahm er die Rekrutenaushebung vor
(III/1, 82; IV/4, 20–22); Knebel traf ihn bei
dieser an, wie er das angefangene Manuskript
der *Iphigenie* vor sich aufgeschlagen liegen hatte (CRuland). Ende Juni 1779 ritt Goethe zur
Besprechung von Steuereinnahme-Angelegen-
heiten nach B. (III/1, 87). Bei einem Aufenthalt in B. im März 1782 beschäftigte ihn die
Fortführung von *Egmont* und *Wilhelm Meister.*
Er benutzte die Zeit, um einen alten Geschichtsschreiber zu exzerpieren, *damit Egmont endlich lebendig werde, oder auch . . . daß
er zu Grabe komme (IV/5, 284).*
In der Apotheke in B. kehrte Goethe 1802
auf der Reise von *Lauchstedt nach Weimar
ein (III/3, 61). Das b.er Brandunglück von 1826
hat auch auf Goethe einen nachhaltigen Eindruck gemacht (III/10, 168, 175, 179). RV
S. 16; 18; 37; 39.   Dl

Carl Ruland: Aus Goethes Schreibtisch. In: GoetheJb
23 (1902). S. 67.

Byron, George Gordon, 6. Lord B. (1788 bis
1824), wurde in London geboren. Dreijährig
verliert er den Vater, einen „der tolle Jack'
genannten kgl. Gardekapitän und wird nun
im schottischen Hochland, seiner mütterlichen
Heimat, erzogen. Sein Vormund wird Frederick Howard Earl of Carlisle (1748–1825;
vgl. I/36, 192). Die Mutter, Catherine Gordon of Gight, ist eine unausgeglichene Natur,
in ihr walten gleichzeitig Haß und Liebe zu
dem schönen lahmen Kind. Der Knabe leidet
sehr unter Wutausbrüchen der Mutter, wie
auch unter Armut und Demütigungen. 1798
wandeln sich seine Verhältnisse schlagartig.
Ein Großonkel stirbt, und da dessen Enkel
und rechtmäßiger Erbe in Kämpfen auf Korsika fiel, erhält der Zehnjährige völlig unerwartet die Würde eines Lords und Peers und
erbt zugleich die Stammgüter der Familie.
Der junge B. erhält die traditionelle Ausbildung der englischen Aristokratie: Er besucht
Harrow, eine der bekanntesten Public Schools,
und geht danach 1805 zur Universität Cambridge. Hier veröffentlicht er erstmalig eine
Reihe von Gedichten, teils während seiner
Schulzeit entstanden, unter dem Titel „Hours of
Idleness" (1807). Das Werk wird von der Zeitschrift „Edinburgh Review" hart angegriffen.
Empört erwidert B. mit einer scharfen, aber
köstlich witzigen Satire „English Bards and
Scotch Reviewers" (1809); er schafft sich da-

mit erbitterte Feinde. Nach verschiedenen seelischen Enttäuschungen unternimmt B. von 1809 bis 1811 Reisen nach Portugal, Spanien, Griechenland und dem Balkan. Zurückgekehrt veröffentlicht er 1812 die auf der Reise entstandenen ersten Gesänge von „Childe Harold's Pilgrimage", die ihn berühmt machen. Nun übernimmt er auch den ihm zustehenden Sitz im englischen Oberhaus, hat dort aber mancherlei Mißerfolge. In dieser Zeit entstehen verschiedene poetische Erzählungen (Versepen): „The Giaour" (1813); „The Bride of Abydos" (1813); „The Corsair"(1814); „Lara" (1814); „Parisina" (1816); „The Siege of Corinth" (1816). Auch eine neue Gedichtsammlung veröffentlicht er: „Hebrew Melodies" (1815) und „The Dream" (1816) – eine visionäre Blankversdichtung, zu der ihn seine Liebe zu MChaworth inspirierte.

1815 hatte er übereilt eine Ehe mit AMilbanke geschlossen; 1816, kurz nach der Geburt eines Kindes, kommt es zu einem völligen Bruch mit ihr. Die Scheidung erfolgt mit einem Eingeständnis seiner Schuld, B.s Feinde triumphieren; es kommt zu einem Gesellschaftsskandal, und enttäuscht verläßt B. England für immer. –

Die englischen Zeitungen berichten im März/April eingehend von dem Eheskandal. Goethe wird durch diese Berichte menschlich für den so viel angefeindeten Dichter interessiert. Dies Interesse wird noch verstärkt, als er in der „Daily Press" die Dichterantwort B.s „Fare Thee Well" und „The Sketch" findet. Nach Goethes Tagebuchnotizen las er dann am 23. und 24. V. 1816 den Corsair und Lara (III/5, 233 f.). Am 4.VI. 1816 schreibt er darüber an Eichstädt: *Ich habe Kenntniß genommen von dem englischen Dichter Lord Byron, der uns zu interessiren verdient. Sein seltsames Wesen leuchtet aus seinen Gedichten hervor die gerade wegen seines wilden und doch geregelten Talentes große Gunst haben. Könnten Sie mir nachweisen wo ich von der Lebensgeschichte, dem Charakter u. s. w. dieses wundersamen Mannes nähere Nachricht finden könnte, so geschähe mir ein besonderer Gefalle (IV/27, 47 f.).* Auch die *Tu J* von 1816 geben Aufschluß darüber, wie Goethe sich von der merkwürdigen Persönlichkeit B.s und von dessen Werken zugleich angezogen und abgestoßen fühlt: *Mein Antheil an fremden Werken bezog sich lebhaft auf Byrons Gedichte, der immer wichtiger hervortrat, und mich nach und nach mehr anzog, da er mich früher durch hypochondrische Leidenschaft und heftigen Selbsthaß abgestoßen, und wenn ich mich seiner großen Persönlichkeit zu nähern wünschte, von seiner Muse* *mich völlig zu entfernen drohte. Ich lese den Corsaren und Lara, nicht ohne Bewunderung und Antheil (I/36, 107 f.).*

Goethe bewundert die Dichtungen B.s und seine Anteilnahme gilt der zwiespältigen, innerlich zerrissenen Persönlichkeit ihres Schöpfers. WSchirmer weist in seinem Aufsatz über die innere Begegnung der beiden Dichter darauf hin, daß die tiefe Beeindruckung Goethes durch B.s Dichtung zu dieser Zeit wohl ihre letzte Erklärung in Goethes Lebensgeschichte habe: 1815 dichtet er den *West-Östlichen Divan,* am 25. IX. erfolgt die endgültige Trennung von Mv*Willemer, Goethe kehrt zurück in die Etikette des weimarer Hoflebens, in dessen engen bürgerlichen Kodex. Dann folgt die Krankheit und schließlich am 6. VI. 1816 der Tod seiner Frau Christiane. All dies versetzt ihn in einen Zustand leidenschaftlicher Gefühlsaufwühlung. So werden verwandte Seiten durch B.s Dichtung in ihm berührt. Am 25. X. 1816 unterhält sich Goethe mit einem amerikanischen Besucher, GTicknor, über B.s Dichtung und rühmt B.s Kenntnis der menschlichen Natur. Er spricht auch über die kürzlich erfolgte Scheidung des Dichters: „... that, in its circumstances and the mystery in which it is involved, it is so poetical, that if Lord Byron had invented it he could hardly have had a more fortunate subject for his genius ..." (Gesprächswiedergabe Ticknor: Bdm. 2, 371).

Ein Jahr später heißt es ... *Lord Byrons Gedichte, je mehr man sich mit den Eigenheiten dieses außerordentlichen Geistes bekannt machte, gewannen immer größere Theilname (Tu J: I/36, 128).*

B. verläßt England am 24. IV. 1816 und reist zunächst den Rhein hinunter in die Schweiz. Dort wohnt er in der Villa Diodati in Colligni am Genfer See. Hier trifft er auch seinen großen Dichter-Zeitgenossen PB*Shelley. Jetzt vollendet B. den achten Gesang des „Childe Harold" (1816) und beginnt die romantisch-dramatische Dichtung „Manfred".

Während dieses Aufenthaltes am Genfer See übersetzt ihm Gregor Matthew (,Monk') Lewis aus dem Stegreif Teile von Goethes *Faust* (Eingangsmonolog, Teufelsbeschwörung und *Walpurgisnacht*). Diese Übertragungen und die ihnen folgenden Gespräche über Teufels- und Hexenzauber üben eine stimulierende Wirkung auf B. aus, die einen gewissen Nachhall in seiner Dichtung „Manfred" findet. In ihr sind einzelne, freilich rein äußere Anklänge an *Faust* zu finden, das Motiv der Dichtung ist von diesem völlig verschieden. Manfred ist ein faustischer Mensch, ein ruheloser Weltenwanderer und ein friedloser Charakter, ständig quälen ihn die Furien seines Gewissens. Er ist ein Titan; wenn er die Geister anruft, so nicht, um, um, wie *Faust* einen Pakt mit ihnen zu schließen, sondern um ihnen Trotz zu bieten, mit ihnen zu ringen, sie kraft seiner geistigen Gewalt zum Gehorsam zu zwingen.

B. wurde unberechtigt von verschiedenen Seiten, insbesondere von seinen alten Gegnern, der „Edinburgh Review", des Plagiates (an Marlowes und Goethes *Faust*) gezogen. Er wehrt sich heftig gegen diese Angriffe in Briefen an seinen Verleger Murray vom 12. und 23. X. 1816. In seinen „Letters and Journals" (IV, 173 und 177) findet sich ein weiterer Brief, der seinen Ärger über die ungerechte Beschuldigung ausdrückt.

Goethe selbst sieht in Manfred keineswegs eine Nachahmung seines *Faust*. Er weiß und hat oft davon gesprochen, daß eine Dichtung inspirierenden Einfluß zu haben vermag, beim anderen jedoch in völlig anderen Bahnen verläuft, so daß ein unabhängiges Neues entsteht. 1817 erhält er von einem jungen Amerikaner Lyman aus Boston ein Exemplar des „Manfred" und übersetzt vier Abschnitte daraus. Am 13. X. 1817 schreibt er an *Knebel: *Die wunderbarste Erscheinung war mir diese Tage das Trauerspiel Manfred von Byron ... Dieser seltsame geistreiche Dichter hat meinen Faust in sich aufgenommen und für seine Hypochondrie die seltsamste Nahrung daraus gesogen. Er hat alle Motive auf seine Weise benutzt, so daß keins mehr dasselbige ist, und gerade deshalb kann ich seinen Geist nicht genug bewundern. Diese Umbildung ist so aus dem Ganzen, daß man darüber und über die Ähnlichkeit und Unähnlichkeit mit dem Original höchst interessante Vorlesungen halten könnte; wobei ich freylich nicht läugne, daß einem die düstre Gluth einer grenzenlosen reichen Verzweiflung denn doch am Ende lästig wird. Doch ist der Verdruß, den man empfindet, immer mit Bewunderung und Hochachtung verknüpft (IV/28, 277 f.).* Auch in einem Brief an S*Boisserée 1818 (IV/29, 159) und einem Gespräch mit FJ*Soret 1822 (Bdm. 2, 628) äußert sich Goethe ähnlich.

B. wurde fünf Jahre später viel näher mit Goethes *Faust* bekannt. Shelley übersetzte ihn viva voce. Hierbei kam es zu einem netten kleinen Zwischenspiel, von dem Trelawney in seinen „Recollections of the Last Days of Shelley and Byron", 1858, (Bd 1, S.52) erzählt und über das auch B. selbst in seinem Brief an Moore (Letters and Journals Bd 5, S. 495) be-

richtet: „Goethe's Mephistopheles calls the serpent who tempted Eve ,my aunt, the renowned snake'; and I always insist that Shelley is one of her nephews, walking about on the tip of his tail". Künftig behält B. für seinen Dichterfreund Shelley den Spitznamen „die Schlange" bei. Der englische Historiker Finley, der B. im Oktober 1823 aufsuchte, bezeugt, daß B. den *Faust* genau kannte und ihm die *Erdgeist*-Szene als ein Beispiel erhabenster Dichtung genannt habe.

In den folgenden Jahren reist B., teils in Begleitung Shelleys, nach Italien, besucht Venedig, Ravenna, Pisa, Genua. Zeitweise kommt es zu einem Bruch mit Shelley.

1819 lernt B. die junge Gräfin T Guissioli kennen, mit der er einige Zeit zusammen lebt.

Während der Jahre seines Aufenthaltes in der Schweiz und in Italien entstehen zahlreiche weitere Dichtungen.

1821 begeistert B. sich für die griechischen Freiheitskämpfe gegen die Türken, in die er 1824 selbst eingreifen will, um mit für Griechenlands Freiheit zu kämpfen. Doch auf der Überfahrt im offenen Boot zieht er sich eine schwere, fieberhafte Erkältung zu, an der er wenige Tage nach seinem Eintreffen in Missolunghi/Griechenland stirbt.

Schon dieser kurze Abriß seiner Lebensgeschichte erklärt viele Charakterzüge des Dichters. B. ist ein leidenschaftlicher Geist, der sich in schroffen Gegensätzen bewegt. Sensibel, überreizt, mit sich und der Welt zerfallen, freiheitsbegeistert und zugleich ständig ankämpfend gegen Konventionen und Despotismus – eine faszinierende Erscheinung im dämonischen Bereich der *Romantik. In seinem Innern vermag er nie Frieden zu finden, das Bewußtsein eigener Schuld (Inzestbeziehung zu der Stiefschwester Aurora Leigh) verfolgt ihn und findet vielfachen Niederschlag in seinem dichterischen Schaffen.

Goethe ist fasziniert von dieser Persönlichkeit; Ideale, denen Goethe in der *Sturm-und Drang-zeit dichterischen Ausdruck verlieh, findet er in ihm verkörpert. Wie hoch er ihn einschätzt, zeigt ua. eine Äußerung zu Kanzler v*Müller vom 2. X. 1823: *Byron allein lasse ich neben mir gelten! (Bdm. 3, 21).* Ja, Goethe geht sogar so weit, B. *Shakespeare an die Seite zu stellen. Er sagt von ihm: *Er ist ein großes Talent, ein geborenes, und die eigentlich poetische Kraft ist mir bei niemand größer vorgekommen als bei ihm. In Auffassung des Äußern und klarem Durchblick vergangener Zustände ist er ebenso groß als Shakespeare ... (Bdm.3,164).* Wohl sieht Goethe den Überschwang in B.s

Leben und Werk, er erkennt in ihm eine Folge seiner aristokratischen Herkunft, die er bedauert: *Der hohe Stand als englischer Peer war Byron sehr nachteilig; denn jedes Talent ist durch die Außenwelt geniert, geschweige eins bei so hoher Geburt und so großem Vermögen. Ein gewisser mittler Zustand ist dem Talent bei weitem zuträglicher; weshalb wir denn auch alle großen Künstler und Poeten in den mittlern Ständen finden. Byrons Hang zum Unbegrenzten hätte ihm bei einer geringern Geburt und niederm Vermögen bei weitem nicht so gefährlich werden können. So aber stand es in seiner Macht, jede Anwandlung in Ausführung zu bringen, und das verstrickte ihn in unzählige Händel. Und wie sollte ferner dem, der selbst aus so hohem Stande war, irgendein Stand imponieren und Rücksicht einflößen? Er sprach aus, was sich in ihm regte, und das brachte ihn mit der Welt in einen unauflöslichen Konflikt* (24. II. 1825: *Bdm. 3, 165*).

Von *Tieck läßt sich Goethe immer wieder Einzelheiten über B.s Leben berichten, ja, er liest sogar um B.s willen den wenig erfreulichen Schlüsselroman der CLamb ,,Glenarvon", obschon er ihn als unsympathisch ablehnt. (Der Roman gibt ein völlig falsches Bild B.s).

Goethe erhält am 6. XII. 1819 vom Großherzog eine Büchersendung mit B.s ,,Don Juan", sofort beginnt er ihn zu lesen und liest bis tief in die Nacht hinein. (Damals waren die Cantos I und II erschienen; dagegen wurden Cantos III und IV im Winter 1819/20 geschrieben, aber erst August 1821 veröffentlicht). Gleich nach Erhalt der Dichtung übersetzt Goethe etwa vierzig Zeilen. In seinem Dankbrief an den Großherzog vom 14. XII. heißt es, das Werk sei *höchst merckwürdig und geistreich* und verkürze ihm die langen Abende *(VI/32, 117)*. B.s ,,Don Juan" ist ein satirisches Versepos, in Ottave Rime geschrieben. Ein außerordentlich witziges, keckes Werk, in dem sich lyrische Elemente mit Ironie, Witz und Satire mischen. In einem Brief an Boisserée vom 23. III. 1820 weist Goethe diesen auf ,,Don Juan" hin: *Dieses Gedicht ist verrückter und grandioser als seine übrigen. Immer dieselben Gegenstände, aber mit höchstem Talent und Meisterschaft behandelt ... (IV/32, 205)*. 1827 rühmt Goethe B.s lebendige Schilderungen im ,,Don Juan": *seine Darstellungen haben eine so leicht hingeworfene Realität, als wären sie improvisiert ... so daß man sogar die Wasserluft mit zu empfinden glaubt (Bdm. 3, 406)*. In einem Essay Goethes heißt es: *Don Juan ist ein gränzenlos-geniales Werk menschenfeindlich bis zur herbsten Grau-*

samkeit, menschenfreundlich in die Tiefen süßester Neigung sich versenkend ... Dem wunderlichen, wilden, schonungslosen Inhalt ist auch die technische Behandlung der Verse ganz gemäß, der Dichter schont die Sprache so wenig als die Menschen, und wie wir näher hinzutreten, so sehen wir freilich, daß die englische Poesie schon eine gebildete komische Sprache hat, welcher wir Deutschen ganz ermangeln. Das Deutschkomische liegt vorzüglich im Sinn, weniger in der Behandlung ... Bei'm Übersetzen des Don Juan ließen sich dem Engländer manche Vortheile ablernen; nur Einen Spaß können wir ihm nicht nachmachen, welcher öfters durch seltsame und zweifelhafte Aussprache mancher auf dem Papier ganz verschieden gestalteter Worte bewirkt wird (I/41[I], 247 f.).

Goethe ist in dieser hohen Wertschätzung der satirischen Dichtungen B.s seiner Zeit weit voraus.

Die Satire des jungen B. ,,English Bards and Scotch Reviewers" liest Goethe am 16. I. 1821 und den folgenden Tagen (III/8, 7–10). Er begann auch hier eine Übersetzung: *... doch nöthigte mich die Unkunde der vielen Particularien bald inne zu halten (I/36, 187)*. An den Germanisten A*Benecke schreibt Goethe: *Ich suchte mich mit ihm durch Übersetzung zu identificiren und an seine zartesten Gefühle, wie an dessen kühnsten Humor mich anzuschließen ... (IV/36, 204)*. (Vgl. auch Bdm. 3, 163.)

Ein weiteres Werk B.s, das Goethes ganz besonderes Interesse fand, war ,,Cain". Während Goethe B.s ,,Manfred" als eine Sturm- und Drangdichtung betrachtete, erkennt er B. in seinem ,,Cain" an als einen Weltdichter, der um die tiefsten Gefühle und Leidenschaften der Menschheit weiß. Kanzler vMüller berichtet von einem Gespräch mit Goethe über ,,Cain" und ,,Heaven and Earth": Letzteres Stück referirte er unvergleichlich mit vieler Laune und Humor. Es sey viel faßlicher, klarer als das erste, was gar zu tief gedacht, zu bitter sey, wiewohl erhaben, kühn, ergreifend ... (UKM. S. 86).

Goethe schreibt eine kurze Abhandlung über das Werk, die mit den Worten beginnt: *Nachdem ich über genanntes Werk fast ein Jahr lang das Wunderbarste mir hatte vorsagen lassen, nahm ich es endlich selbst zur Hand, da es mich denn zum Erstaunen und Bewundern aufregte; eine Wirkung, die alles Gute, Schöne und Große auf den rein empfänglichen Geist ausüben wird ... (I/41², 94)*. Vor allem interessiert es ihn, wie B. das biblische Thema behandelt. Die Szene, in der Eva Cain verflucht, stellt in seinen Augen die Krönung des Werkes dar:

Wir haben uns nur mit Bewunderung und Ehr-
furcht dem Schlusse zu nähern (ebda, 99). Er
rühmt, daß B. *immer, auch im Verruchtesten,*
eine originelle und edle Form habe (UKM
S. 113). Goethe verteidigt den Dichter gegen
die kirchlichen Angriffe auf „Cain": *Man sieht*
. . . wie einem freien Geiste wie Byron die Un-
zulänglichkeit der kirchlichen Dogmen zu
schaffen gemacht, und wie er sich durch ein sol-
ches Stück von einer ihm aufgedrungenen Lehre
zu befreien gesucht . . . (Bdm. 3, 71; vgl. auch
Bdm. 3, 402).
B.s „Deformed Transformed" las Goethe am
8. XI. 1826, er notierte: *Auch hatte ich den*
Tag über Byrons verwechselten Wechselbalg ge-
lesen . . . (III/10, 266). Am gleichen Tag
spricht er mit Eckermann über das Werk: *Ich*
muß sagen, daß sein Talent mir immer größer
vorkommt. Sein Teufel ist aus meinem Mephisto-
pheles hervorgegangen, aber es ist keine Nachah-
mung, es ist alles durchaus originell und neu,
und alles knapp, tüchtig und geistreich . . .
(Bdm. 3, 297). Später zeigt sich Goethe kritischer in seiner Wertung des „Deformed Transformed". Eckermann hatte gemeint, es sei
keine Kunst, geistreich zu sein, wenn man vor
nichts Respekt habe. Goethe lachte: *Sie haben*
nicht ganz unrecht . . . man muß freilich zugeben,
daß der Poet mehr sagt als man möchte; er sagt
die Wahrheit, allein es wird einem nicht wohl
dabei, und man sähe lieber, daß er den Mund
hielte. Es gibt Dinge in der Welt, die der Dichter
besser überhüllet als aufdeckt; doch dies ist eben
Byrons Charakter, und man würde ihn vernich-
ten, wenn man ihn anders wollte (Bdm. 3, 298).
Im August 1829 liest C*Robinson Goethe und
Ottilie B.s „Heaven and Earth" im Originaltext vor. Goethe schreibt darüber an CF*Zelter: *Byrons Himmel und Erde war mir höchst*
angenehm mit Auge und Ohr zu vernehmen, da
ich ein zweytes Exemplar in der Hand hatte
(IV/46, 54). CRobinson berichtet über diese
Vorlesung: „It was a satisfaction to me, the
finding that Goethe preferred to all the other
serious poems of Byron the „Heaven and
Earth", tho' it seemed almost satire when he
exclaimed: A bishop might have written it"
(Bdm. 5, 167). – CRobinson liest Goethe auch
B.s „Vision of Judgment" vor (III/12, 112):
Er berichtet hierüber: „. . . He enjoyed it like
a child but his criticisms went little beyond
the exclamatory. – *Toll! gar zu grob! himm-*
lisch! unübertrefflich! etc. etc. In general the
more strongly peppered passages pleased the
best . . ." Robinson fährt dann fort: „Lord
Byron he declared to be inimitable. – Such an
one never existed before nor ever will again. –

Ariosto was not so *keck* als Lord B. in the
Vision of Judgment *(Bdm. 4, 137 f.).*
Aus solchen Äußerungen geht deutlich hervor,
wie sehr Goethe immer wieder an der menschlichen Persönlichkeit B.s teilnimmt und nach
dessen einzelnen Charakterzügen forscht (vgl.
auch Bdm. 3, 407). Ob Goethe B.s „Childe
Harold's Pilgrimage" aus eigener Lektüre
kannte, ist nicht bekannt.
B.s „Prisoner of Chilloner" erwähnt Goethe
kurz in einem Gespräch mit Kanzler vMüller
vom 20. XI. 1824 (Bdm. 3, 141).
B. seinerseits nimmt wohl zum ersten Male
ein persönliches Interesse an Goethe, als die
„Edinburgh Review" – B.s alte Gegner – im
Juni 1816 eine Besprechung von *Dichtung und*
Wahrheit brachte und Goethe dabei schwer
angriff. Als dann 1817 Ticknor, von Weimar
kommend, B. am 20. X. 1817 besucht, stellt
dieser ihm vielerlei Fragen über Goethe.
Einige Jahre später hört B., daß Goethe eine
Besprechung seines „Manfred" geschrieben
habe und bittet von Ravenna aus Hoppner
um eine Übersetzung. Goethes Lob seines
Werkes begeistert ihn, denn er weiß, daß damit sein Ruhm in Deutschland gegründet ist.
Er schickt die zwei Urteile Goethes an seinen Verleger Murray, fügt zugleich deren englische und italienische Übersetzung bei und
bittet um Verwahrung derselben im Archiv:
„Es ist das Urteil des größten Mannes Deutschlands und vielleicht Europas".
In seinem Tagebuch vermerkt B. mit Befriedigung, daß er in dem Vorwort der deutschen
Übertragung seines „Manfred" als Mensch mit
Goethe verglichen worden sei. Er bedauert,
viel zu wenig von dessen Werken gelesen zu
haben.
B. ist sich wohl bewußt, daß Goethe sein Wegbereiter in Deutschland ist. So möchte er ihm
die soeben beendete Tragödie „Marino Faliero" widmen. Dieser Wunsch wurde vom Verleger Murray nicht berücksichtigt. Erst Jahre
später, als B. nicht mehr lebte, erfährt Goethe von dieser Widmung. Im GJb XX veröffentlicht ABrandl einen Brief B.s an Goethe aus Ravenna vom 14. X. 1820 und zugleich einen Brief vom Sohn des Verlegers
Murray aus London vom Januar 1830. Der
junge Murray suchte Goethe am 14. X. 1829
in Weimar auf und erzählte ihm von der geplanten Widmung des „Marino Faliero" (Bdm.
4, 175 f.). Goethe hatte das Werk 1821 gelesen
(I/36, 192).
1824 erfuhr Goethe, daß „Marino Faliero" im
Drury Lane Theatre durchgefallen war, gleichzeitig las er ein Scherzgedicht, daß laut Med-

win von B. stammen soll; es spielt darauf an, daß das Publikum sein Stück verdammte und bedauert die Nachricht, daß eine alte Tante, die er zu beerben hoffte, noch am Leben sei: Behold the blessings of a happy lot! My play is damm'd, and Lady – not!

Goethe, immer an B. interessiert, überträgt den Vers und veröffentlicht ihn als *Zahme Xenie* in Form eines Vierzeilers unter dem Titel *Nach Lord Byron* (I/5^I, 95; die *Sophien-Ausgabe nennt den Vers einen „Entwurf ohne Überschrift auf der Rückseite eines weimarischen Theaterzettels vom 20. XI. 1824").

Über das Werk selbst äußert sich Goethe in einem späteren Gespräch mit Soret und lobt vor allem die realistische Milieuschilderung: „… j'oublie qu'un Anglais a pris la plume, je suis transporté à Venise et n'importe le mérite intrinsèque de la production, ce genre d'illusion indispensable est produit" (14. III. 1830: Bdm. 4, 237).

B. beabsichtigt nunmehr, seinen „Sardanapolis" dem „Illustrous Goethe" zu widmen. Am 4. IX. 1821 schreibt er aus Ravenna an Kinnaird und bittet ihn „write to the ‚Großer Mann' at my request to tell him my intent, and ask his leave …" Diese Widmung beginnt: „To the Illustrous Goethe a stranger presumes to offer the homage of a literary vassal to his liege Lord, the first of existing writers, who has created the literature of his own country and illustrated that of Europe …" Goethe ist über die Tatsache der beabsichtigten Widmung, wie auch über deren Wortlaut hocherfreut; er schreibt am 12. XII. 1822 an GF*Benecke: *Von einem so hochverehrten Manne solch eine Theilnahme zu erfahren, solch ein Zeugniß übereinstimmender Gesinnungen zu vernehmen, muß um desto unerwarteter seyn, da es nie gehofft, kaum gewünscht werden durfte … (IV/36, 204).* Doch Murray hat auch diese Widmung nicht berücksichtigt; es folgen dann sehr verärgerte Briefe B.s an Murray, schließlich wird die Widmung auf Werner übertragen. Nun erfüllt Murray endlich B.s Wunsch, ändert aber den Wortlaut der Widmung ab: „To the illustros Goethe, by one of his humblest admirers, this tragedy is dedicated".

Goethe hatte jedoch die Handschrift B.s mit der von ihm verfaßten Widmung für „Sardanapolis" von Rehbein lithographieren lassen. Am 3. I. 1823 schickte er einen Abdruck derselben an Boisserée mit den Worten: *es ist dem Alter wohl vergönnt, sich an solchen Stärkungen zu erquicken (IV/36, 256;* vgl. auch Bdm. 3, 260; Bdm. 2, 628; UKM S. 66).

B. hatte Goethe durch Kinnaird schreiben lassen, um ihm das Fehlen der Widmung in „Sardanapolis" zu erklären, zugleich läßt er ihm mitteilen, daß nun der Band, der „Werner" und „Heaven and Earth" enthält, die Widmung tragen werde. All das beweist, welch hohe Achtung für Goethe ihn erfüllt und wie sehr er sich bemüht, diesem eine Freude zu machen.

1823 besucht ein junger Engländer namens ChJ *Sterling Goethe und überbringt ihm eine handschriftliche Empfehlung B.s. Von ihm erfährt Goethe, daß B. sich nach Griechenland einschiffen will, so schickt er dem Dichterfreund durch Sterling als Dank für die ihm zugedachte Widmung das Gedicht: *Ein freundlich Wort … (I/42^I, 103)* Goethe berichtet später darüber in seinem *Beitrag* zu Th*Medwins „Journal of the Conversations of Lord Byron" (1824): *Es gelangte nach Genua, fand ihn aber nicht mehr daselbst, schon war der treffliche Freund abgesegelt und schien einem jeden schon weit entfernt; durch Stürme jedoch zurückgehalten, landete er in Livorno, wo ihn das herzlich Gesendete gerade noch traf, um es im Augenblicke seiner Abfahrt, den 22. Juli 1823, mit einem reinen, schön gefühlten Blatt erwidern zu können (I/42^I, 103).* B. hatte ihm von Livorno mit einem herzlich gehaltenen längeren Brief vom 24. VII. 1823 gedankt. In diesem hieß es: „I could not have had a more favourable omen, a more agreeable surprise, than a word of Goethe, written by his own hand …" Goethe bewahrt das Siegel mit dem Motto „Crede Biron" und den Brief B.s, wie überhaupt alle Andenken an den Freund, als Reliquien.

Ein von B. Goethe als Geschenk zugedachter Band mit dessen eigenhändiger Widmung (enthaltend „Sardanapolis", „The Two Foscari" und „Cain") wurde von Murray, der die Gabe weiterleiten sollte, durch Nachlässigkeit erst sehr verspätet abgesandt; so erreichte dies Buch Goethe erst zwei Jahre nach B.s Tod 1826. Im Tagebuch vom 9. VII. 1826 notiert er *einen verspäteten Band von Lord Byron (III/10, 214)* und in einem Brief an Benecke vom 27. VII. 1826 heißt es: *… Lebhaft aber regte sich der Wunsch, dem Dichter dagegen etwas Freundliches erwidert zu haben; nun ist er nicht zu erfüllen, und man kommt in Gefahr sich abzuquälen über die Frage: wie dieses, von seiner eigenen Hand bezeichnete Exemplar so lange vorenthalten werden konnte … (IV/41, 98).*

Die Nachricht vom Tode B.s hatte Goethe im Mai 1824 erreicht. Sein Gedenken verherrlicht Goethe in einem Aufsatz *Goethes Beitrag zum Andenken Lord Byrons (I/42^I, 100–104).* Der Beitrag erscheint in Medwins „Conversations …" in englischer Übersetzung sowie (im

Anhang) im Originaltext. Laut Tagebuch las Goethe häufig in diesem Band. 1830 schickte Murray ihm Th*Moores „Letters and Journals of Lord Byron", die Goethe gemeinsam mit FW*Riemer und Ottilie las (1830 und 1831: III/12, 206; 259 u. III/13, 40f.). Schon früher hatte er die Briefe B.s in französischer Übersetzung (RCDallas, „Byrons Correspondence") gelesen. Einige Jahre früher, im Juni 1825, beschäftigte er sich mit Major Parrys „Last Days of Lord Byron" (III/10; 63, 73, 75). Unter dem Eindruck dieses Werkes entsteht ein kleines Gedicht, das sich auf B. bezieht: *Stark von Faust, gewandt im Rath . . . (I/4, 106).*

In der Eingangshalle seines Stadthauses in Weimar stellte Goethe eine Büste B.s auf. Ein Trauergesang in *Faust II* spielt auf des Dichters bewegtes Leben und seinen frühzeitigen Tod an und besingt B.s kampfesmutigen, unbesiegbaren Geist: *Nicht allein! – wo du auch weilest, . . . (I/15^I, 238 f.).*

Sein schönstes Denkmal aber errichtet er ihm in der Gestalt des *Euphorion* im 3. Akt von *Faust II*. Wohl hatte Goethe schon seit 1816 den Gedanken gehabt, die Vereinigung nordischer Romantik und klassischer Schönheit symbolisch auszudrücken in der Verbindung von *Faust* und *Helena*. Nun wird ihm *Euphorion*, der Sohn dieser Vereinigung, der die Traditionen und die Ideale beider verkörpert – den vorwärtsstrebenden Geist und die unvergängliche Schönheit – zugleich zu einem verklärten Bild B.s. Kurz und strahlend, gleich dem Blitz, der aufleuchtend auch schon vergeht, ist *Euphorions* Lebensgang, auch hierin symbolhaft für B.s kurze glanzvolle Lebenszeit.

1827 äußert Goethe selbst sich hierzu: *Ich konnte als Repräsentanten der neuesten poetischen Zeit . . . niemand gebrauchen als ihn, der ohne Frage als das größte Talent des Jahrhunderts anzusehen ist. Und dann, Byron ist nicht antik und ist nicht romantisch, sondern er ist wie der gegenwärtige Tag selbst . . . Ich hatte den Schluß . . . früher ganz anders im Sinne, ich hatte ihn mir auf verschiedene Weise ausgebildet und einmal auch recht gut; aber ich will es euch nicht verraten. Dann brachte mir die Zeit dieses mit Lord Byron und Missolunghi, und ich ließ gern alles übrige fahren . . . (Bdm. 3, 407 f.)*

Eckermann weist ferner darauf hin, daß die Leidenschaftlichkeit des Gefühls, die sich in der marienbader *Elegie* (I/3, 21–26) zeigt, mit auf den Einfluß B.s zurückzuführen sei, „welches Goethe auch nicht ablehnte". (Bdm. 3, 43).

Was bewirkte wohl Goethes so außergewöhnlich starke Beeindruckung durch B.? Was fesselt ihn in so besonderem Maße an der Persönlichkeit dieses Dichters?

Einmal ist es gewiß gerade der Kontrast zwischen Goethes damaligem Leben, das maßvoll, in strenger Geordnetheit, ausgewogener Harmonie verläuft und dem maßlosen, leidenschaftlichen Vorwärtsdrängen B.s. Er bringt dem alternden Goethe noch einmal Ideale seiner eigenen Sturm- und Drangzeit zurück. Ideale, die der junge Goethe in seinen Dichtungen ausspricht, werden hier in Leben und Tat umgesetzt.

Dennoch billigt er diesen Freiheitsdrang nur bedingt: *Es war ihm überall zu enge, und bei der grenzenlosesten persönlichen Freiheit fühlte er sich beklommen; die Welt war ihm ein Gefängnis. Sein Gehen nach Griechenland war kein freiwilliger Entschluß, sein Mißverhältnis mit der Welt trieb ihn dazu (Bdm. 3, 163).*

Im gleichen Gespräch nennt Goethe einen weiteren Zug, der ihm an B.s Dichtung besonders auffällig erscheint und der ihn wohl auch besonders anzieht, seine Gabe der Intuition: *. . . alles, was er produzieren mag, gelingt ihm, und man kann wirklich sagen, daß sich bei ihm die Inspiration an die Stelle der Reflexion setzt. Er mußte immer dichten, und da war denn alles, was vom Menschen, besonders vom Herzen ausging, vortrefflich. Zu seinen Sachen kam er wie die Weiber zu schönen Kindern: sie denken nicht daran und wissen nicht wie (ebda 164).*

Vor allem ist es jedoch das *Dämonische bei B., was Goethe anzieht. In *DuW* schreibt er: *Am furchtbarsten aber erscheint dieses Dämonische, wenn es in irgend einem Menschen überwiegend hervortritt. Während meines Lebensganges habe ich mehrere theils in der Nähe, theils in der Ferne beobachten können. Es sind nicht immer die vorzüglichsten Menschen . . . aber eine ungeheure Kraft geht von ihnen aus, und sie üben eine unglaubliche Gewalt über alle Geschöpfe . . . Selten oder nie finden sich Gleichzeitige ihres Gleichen, und sie sind durch nichts zu überwinden, als durch das Universum selbst, mit dem sie den Kampf begonnen . . . (1831: I/29, 176 f.).* Zu den *bedeutenden Individuen* dämonischer Natur zählt Goethe ausdrücklich auch B.: *Auch in Byron mag das Dämonische in hohem Grade wirksam gewesen sein, weshalb er auch die Attraktiva in großer Masse besessen, so daß ihm denn besonders die Frauen nicht haben widerstehen können (8. III. 1831: Bdm. 4, 341).*

Künstlerische Produktivität ist für Goethe nahezu eines mit dem Dämonischen: *Dergleichen hat der Mensch als unverhoffte Geschenke von oben, als reine Kinder Gottes zu betrachten, die er mit freudigem Dank zu empfangen und zu* verehren hat. *Es ist dem Dämonischen verwandt, das übermächtig mit ihm tut wie es beliebt, und dem er sich bewußtlos hingibt, während er glaubt, er handle aus eigenem Antriebe. In solchen Fällen ist der Mensch oftmals als ein Werkzeug einer höheren Weltregierung zu betrachten, als ein würdig befundenes Gefäß zur Aufnahme eines göttlichen Einflusses (Bdm. 3, 497).*

So sieht Goethe auch in B. das übernatürliche Walten einer dämonischen Kraft, das ihn beflügelt, bis seine Sendung erfüllt ist und ihn dann auslöscht: *Der Mensch muß wieder ruiniert werden! Jeder außerordentliche Mensch hat eine gewisse Sendung, die er zu vollführen berufen ist. Hat er sie vollbracht, so ist er auf Erden in dieser Gestalt nicht weiter vonnöten, und die Vorsehung verwendet ihn wieder zu etwas anderem. Da aber hienieden alles auf natürlichem Wege geschieht, so stellen ihm die Dämonen ein Bein nach dem andern, bis er zuletzt unterliegt. So ging es Napoleon und vielen andern: Mozart starb in seinem sechsunddreißigsten Jahre, Raffael in gleichem Alter, Byron nur um weniges älter. Alle aber hatten ihre Mission auf das Vollkommenste erfüllt, und es war wohl Zeit, daß sie gingen ... (Bdm. 3, 499 f.).*   Sn

Cabanis, Pierre Jean George (1757–1808). Durch sein *Barante-Studium angeregt, las Goethe 12./15. II. 1813 intensiv und zugleich in Kontroll-Verbindung mit anderen Autoren (zB. JSChr*Schweigger) C.s „Rapports du physique et du moral de l'homme" (1802; III/5, 15 f.). C. war Mediziner, Arzt Mirabeaus, Anhänger der französischen Revolution und Gegner *Napoleons. Als Philosoph war er bemüht, die geistig-sittliche Natur des Menschen gegenüber ihrer Auslieferung an eine allzu materialistisch verstandene Physis zu behaupten.   *Za*

Cabarz, *sachsen-gothaisches Dorf, nordwestlich Friedrichroda am Fuße des Inselberges (1817: 535 Einwohner), wurde von Goethe erwähnt, als er es mit Carl August am 4. IX. 1777 auf dem Wege von *Ilmenau nach *Wilhelmsthal bei strömendem Regen durchritt (III/1, 46; RV S. 16).   *Mü*

Cades, Alessandro (1734–1809), italienischer Edelsteinschneider in der Art des J*Pichler; Goethe erwähnt geschnittene Steine seiner Hand im Nachlaß Ph*Hackerts (I/46, 388). *Lö*

Caesar, Gaius Julius (100–44 vChr.), Abkömmling des uralten Patriziergeschlechtes der Julier, wurde am 13. des Monats Quinotilis, der noch heute nach ihm Juli heißt, in *Rom geboren. Wegen verwandtschaftlicher Beziehung zur Popularpartei wurde er von Sulla geächtet, jedoch später begnadigt. Nach Studien auf der Universität Rhodos durchschritt er die Ämterlaufbahn von der Quästur (68) bis zum Consulat (59). Als Ädil errang er sich großes Ansehen bei der Plebs durch besonders prunkvoll ausgestattete Spiele. Der im Jahre 60 mit Pompeius und Crassus geschlossene Geheimbund, das sogenannte 1. Triumvirat, war „ein Bund der Klugheit mit dem Ruhm und dem Reichtum". 58 bis 50 war C. Proconsul in Gallien. In harten Kämpfen unterwarf er das Land, sicherte die Reichsgrenzen gegen die Germanen und blieb schließlich Sieger in dem von Vercingetorix entflammten heroischen Freiheitskampfe der Kelten. Nachdem die Triumvirn auf der Conferenz in Luca (56) noch einmal die Macht unter sich geteilt hatten, fiel Crassus 53 bei Carrhä im Kampfe gegen die Parther, und Pompeius, der sich der Senatspartei genähert hatte, wurde 52 Consul sine collega. Nunmehr begann zwischen ihm und C. der Kampf um die Macht. C. überschritt 49 den Rubicon, die Grenze seiner Provinz, folgte dem Gegner nach *Griechenland und schlug ihn 48 entscheidend bei Pharsalus. Nach weiteren Siegen über Pharnaces, den Sohn des Mithridates (47), und über das Heer der Republikaner (46/45) war er Alleinherrscher. Unter dem Titel eines Consul sine collega und dictator rei publicae constituendae stellte er die durch die langen Bürgerkriege erschütterte Ordnung im Reiche wieder her, regelte die Finanzen, förderte die wirtschaftliche Wohlfahrt, gründete Kolonien und bemühte sich um die Gesundung der römischen Gesellschaft. Auf seine Veranlassung erhielt der Kalender die in den Grundzügen noch heute gültige Form. Zu seinem Erben bestimmte er seinen Adoptivsohn Gaius Octavius, den Enkel seiner Schwester, den späteren Kaiser Augustus. C.s letztes Ziel war die Errichtung eines Weltreiches ähnlich dem *Alexanders d. Gr. Aber während er neue Maßnahmen plante und einen Rachefeldzug gegen die Parther vorbereitete, wurde er am 15. III. 44 von einer Verschwörerclique fanatischer Republikaner ermordet.

C., dessen Name herrscherliche Rangbezeichnung geworden ist (deutsch: Kaiser, russisch: Czar), gehört zu den Auserlesenen, die eine weltgeschichtliche Sendung erfüllten, deren Folgen sich bis in unsere Gegenwart herein auswirken. Durch seine Kämpfe mit Kelten und Germanen hat er die Romanisierung des heutigen *Frankreich vorbereitet und die *Völkerwanderung hinausgeschoben. An die Stelle einer lebensunfähigen *Republik hat er eine *Monarchie gesetzt, die in der westlichen Reichshälfte fünf, in der östlichen fünfzehn Jahrhunderte gedauert hat, ein staatliches Gefüge, ohne welches die antike griechisch-römische Kultur, die Grundlage der unserigen, in den Stürmen der Völkerwanderung wahrscheinlich völlig zertrümmert worden wäre. Der Mann, auf dessen Schultern eine solche Verantwortung lag, war eine einzigartige Gestalt von übergewöhnlicher Vielseitigkeit: genial als Feldherr, Staatsmann, Organisator, Redner und Schriftsteller. Die Rechenschaftsberichte über seine Kriege (,,Commentarii de bello Gallico'' sowie ,,De bello civili''), die noch heute den Leser durch den leicht verständlichen, flüssigen Vortrag und die wenigstens scheinbar sachliche Darstellung gefangen nehmen, stellen C. auch unter die Schöpfer des klassischen *Lateins.

Den *ersten unter den Menschen* nennt Goethe C. in den *Physiognomischen Fragmenten (I/37, 355–358* und die beigegebene Tafel). Was er hier weiter über die ihm vorliegende Darstellung des Römers ausführt, dürfte seinen eigenen Begriff von jenem widerspiegeln: *Wie wahrhaft groß, rein und gut! Mächtig und gewaltig ohne Trutz. Unbeweglich und unwiderstehlich. Weise, thätig, erhaben über alles, sich fühlend Sohn des Glücks, bedächtig, schnell – Inbegriff aller menschlichen Größe.* *Shakespeare verteidigt er gegen den Vorwurf, sein ,,Cäsar'' sei *zu stolz: Ein Mensch, der 10 Jahr lang Stetigkeit genug hat, auf einen einzigen Endzweck zu arbeiten, und diesen Endzweck dahin ausführt, daß er sich eine Krone durch

die Freyheit und die Ruhe des Vaterlandes und der Welt erkauft, der darf Gesinnungen äussern, die Stolz athmen (I/38, 338). (*Caesar, Tragödien-Plan). Vom Herbst 1784 berichtet JG *Herder, mit welchem Gedanken man im heitern Freundeskreise aufgrund numismatisch bewiesener Ähnlichkeit einmal spielte: ,,Wir haben indes neulich ausgemacht, daß er, alten Münzen nach, einmal in Rom dictator perpetuus und imperator unter dem Namen Julius Caesar gewesen; zur Strafe aber nach beinahe achtzehnhundert Jahren zum Geheimrat in Weimar avanciert und promoviert sei'' (Bdm. 1, 123). Der glühende Verehrer einer in *Napoleon verkörperten weltgeschichtlichen Dynamik nennt die Ermordung C.s die *abgeschmackteste That, die jemals begangen worden (II/3, 127).* Einer gelegentlichen Bemerkung des 75jährigen, wir seien *zu human geworden, als daß uns die Triumphe des Cäsar nicht widerstehen sollten* (24. XI. 1824: Bdm. 3, 142), widerspricht die fruchtbare Erkenntnis des 77jährigen Goethe, daß die alte Geschichte uns durch die Ereignisse der Gegenwart erst recht verständlich werde, daß *Napoleons Kriege erst jene des C. aufgeschlossen. Früher,* sagte Goethe, *war Cäsars Buch freilich nicht viel mehr, als ein bloßes Exercitium gelehrter Schulen* (17. I. 1827: Bdm. 3, 321). In welchem Lichte der alte Goethe im Grunde den viel gelesenen Schulautor gesehn hat, nämlich als eine symbolische Gestalt, als den Träger einer weltgeschichtlichen Mission, verkündet uns *Erichtho* zur Eröffnung der *Klassischen Walpurgisnacht* in Trimetern monumentaler Prägung (Faust II: I/15, Vers 7012 bis 7024). Fe

Cäsar, Tragödien-Plan. Die gleiche, in der Sturm- und Drangzeit Goethe eigene Begeisterung für geniale Kraftnaturen, die seinen *Götz entstehen ließ, inspirierte schon vorher seinen Plan, eine Tragödie über C. zu schreiben. *Shakespeares gleichnamiges Werk gab die Anregung, doch sollte das Motiv in nahezu gegenteiligem Sinne entwickelt werden, indem Brutus als *niederträchtig* (Goethe Jb 5, S. 192), seine Tat als verabscheuungswürdiges Verbrechen erscheinen sollte. Alle Sympathie des Dichters galt hingegen C., dem *sakerments Kerl.* Auch war nicht nur, wie bei Shakespeare, an den Tod C.s gedacht, sondern an eine nahezu den ganzen Lebenslauf des Helden umfassende Entwicklungsgeschichte. Darauf deuten die einzigen erhaltenen Bruchstücke in dem als *Ephemerides bezeichneten Tagebuch von 1770/71: *Es ist was verfluchtes wenn so ein Junge neben einem aufwachst, von dem man in allen Gliedern spürt dass er einem übern*

Kopf wachsen wird (I/37, 115). Er hielt erstaunlich lange an seinem Plan fest: noch 1775 setzte er ihn ChrM*Wieland in Weimar improvisierend mit so vielen Einzelheiten auseinander, daß dieser noch zwanzig Jahre später bedauerte, ihn nicht aufgeschrieben zu haben (Bdm. 1, 84). Daß Goethe eine *Cäsar*-Tragödie plane, war bald öffentlich bekannt geworden, und bis 1786 führte Beichards „Theater-Journal für Deutschland" ihn als Verfasser eines ungedruckten Schauspiels *Cäsar*. Nach sehr langer Pause tauchte der Plan dieses Dramas 1808 von neuem auf. Eine französische Schauspielertruppe hatte damals Voltaires „Mort de César" in Weimar aufgeführt. Bei der berühmten erfurter Unterredung mit *Napoleon am 6. X. 1808 forderte dieser den Dichter auf, einen „Tod Cäsars auf eine vollwürdige Weise, großartiger als Voltaire" zu schreiben (Bdm. 1, 539). Man müßte der Welt zeigen, wie Cäsar sie beglückt haben würde, wie alles ganz anders geworden wäre, wenn man ihm Zeit gelassen hätte, seine hochsinnigen Pläne auszuführen (Bdm. 1, 539). Als Titel war „Brutus" vorgesehen. Doch „nach einigen Vorstudien findet man Bedenken, weiter zu gehen". (Morris: Goethe-Studien Bd 1, S. 205). Die Bedenken Goethes bezogen sich vermutlich darauf, daß eine Verherrlichung C.s im gegebenen historischen Augenblick als unmittelbar auf Napoleon gemünzt aufgefaßt werden mußte. Goethes Ansicht blieb Zeit seines Lebens unverändert: *Und wenn man auch den Tyrannen ersticht, | Ist immer noch viel zu verlieren. | Sie gönnten Cäsarn das Reich nicht | Und wußten's nicht zu regieren (Zahme Xenien: I/3, 295)*. – Für eine am 1. und 8. X. 1803 in Weimar gegebene Aufführung von Shakespeares „Julius Caesar" schrieb Goethe einige gereimte Zusatzverse für die Rolle des Poeten Cinna, die verloren sind; auch plante er dazu einen Epilog, von dem sich zwei Verse erhielten (I/13^{II}, 240).   *So*

„Cahiers de lecture", die zuerst (1775) „Nouveau Mercure de France", dann „Journal de lecture", zuletzt Cdl betitelte und unter dieser Bezeichnung von 1789 bis 1794 in *Gotha bei Ettinger, danach 1796 in Weimar im *Industrie-Comptoir erscheinende Publikation HAO *Reichards. Die erfaßbaren Jahrgänge 1787 bis 1789 und 1794 stellen eine Monatsschrift dar, die jährlich einen Kleinoktavband von etwa 1200 Seiten bildete und Originalbeiträge – „Manuscrits" – sowie Auszüge aus bereits erschienenen Veröffentlichungen – „Fragments ou extraits de livres" – brachte. Novellistik, Poesie, philosophische Betrach-

tungen, Historisches, Zeitgenössisch-Politisches, Reiseberichte, Mitteilungen aus dem pariser Theaterwesen machten den Inhalt aus. Die Cdl erfreuten sich der „emsigen Mitwirkung des Barons von *Grimm", brachten „bis dahin unveröffentlichte Beiträge von Autoren wie Graf Choiseul, Graf Fier, Graf Anhalt zu St. Petersburg, Johann Samuel Formey zu Berlin, Billerbeck" und erhielten überhaupt von „vielen ausgezeichneten Männern ... Arbeiten zum Einrücken"; sie waren die in Deutschland damals einzige und selbst in Frankreich sehr gut aufgenommenen französische Zeitschrift" (HAOReichard, Selbstbiographie). Es handelt sich um eine Veröffentlichung, die für deutsche französisch sprechende Kreise, hauptsächlich wohl Adelskreise, bestimmt war. Goethe fand im Jahrgang 1789 (2. Heft, S. 121–141), und zwar als einen der „extraits de livres", unter dem Titel „La folle en pélerinage" den Urtext für die *pilgernde Thörin* (1807; I/24, 72–92); seine Übersetzung geht indes nicht auf die Cdl selbst zurück, sondern auf eine mit diesen nicht in allen Einzelheiten übereinstimmende (I/25^{II}, 30–32), im Goethe-Schiller-Archiv befindliche Abschrift. Der Verfasser der „Folle" ist noch nicht ermittelt worden.   *Fu*

Calas, Jean (1698–1763), ein hugenottischer Kaufmann aus Toulouse in Südfrankreich, dessen ältester, dreißigjähriger Sohn sich in den Geschäftsräumen des Vaters erhängte; die Eltern leugneten den Selbstmord, um dem Toten eine schimpfliche Behandlung zu ersparen. Der religiöse Fanatismus klagte C. an, mithilfe der Familie sein Kind umgebracht zu haben, um dessen Übertritt zum *Katholizismus zu verhindern, und veranlaßte seinen Tod auf dem Rad. *Voltaire nahm die Witwe sowie zwei der Kinder in *Ferney auf und erzwang 1765 die Wiederaufnahme des Prozesses und die Ehrenrettung des unschuldig Hingerichteten. Die „Affäre Calas" gehört zu Goethes Jugenderinnerungen (I/28, 140) und wird auch in *Rameau's Neffen* von *Diderot erwähnt (1805; I/45, 61).   *Fu*

Calderon de la Barca, Pedro (1600–1681), geboren und gestorben in Madrid, bedeutendster dramatischer Dichter des spanischen Hochbarock und der Gegenreformation. Nach der Ausbildung im Jesuitenkolleg in Madrid und Studienjahren in Salamanca wird er als Zwanzigjähriger anläßlich eines dichterischen Wettstreits von Lope de Vega öffentlich ausgezeichnet. Lope wird sein Freund und Förderer und bezeichnet ihn 1630 als seinen ebenbürtigen Nachfolger. Nach Lopes Tod wird er

1636 zum Hofdramatiker ernannt und leitet in dieser Eigenschaft das Theater von Schloß Ben Retiro bei Madrid. Philipp IV. wird sein Gönner. 1651 wird er Priester und 1663 Hofkaplan in Madrid. Zu dieser Zeit steht er auf der Höhe seines Ruhms und nicht nur der Hof, sondern auch andere spanische Städte bestellen bei ihm Festspiele. Von seinem dramatischen Werk sind 108 Comedias und 73 Autos sacramentales sichergestellt. Mit seinen Autos verherrlichte die Stadt Madrid viele Jahre ihre Fronleichnamsfeste. – C.s Werk stellt den Höhepunkt der spanischen Bühnenkunst dar und ist der vollkommenste Ausdruck spanischer Kultur und Frömmigkeit des 17. Jahrhunderts.

Die nachweislich erste Annäherung Goethes an C. setzt 1802 ein (I/35, 130). In diesem Jahr liest Goethe die schlegelsche Übersetzung des Schauspiels „Die Andacht zum Kreuz" im Manuskript und 1803 in Schlegels erstem Band seines „Spanischen Theaters" zwei weitere Schauspiele (IV/16, 293). Das anfängliche *Erstaunen (I/35, 130)* wird zu vorbehaltloser Bewunderung bei der Lektüre des „Standhaften Prinzen". Er schreibt darüber an Schiller: *Ich möchte sagen, wenn die Poesie ganz von der Welt verloren ginge, so könnte man sie aus diesem Stück wieder herstellen (IV/17, 38: 28. I. 1804)* – ein Urteil, das C. in Goethes Wertung auch wortwörtlich an *Shakespeare heranrückt.

Die Beschäftigung mit C. reißt nun in den folgenden Jahren nicht mehr ab. Der Theaterfachmann erkennt schon gleich zu Anfang die Bühnenwirksamkeit des spanischen Dramatikers (vgl. 1803: IV/16, 471), und Goethe hat dann auch, wie der *Spielplan zeigt, zwischen 1811 und 1815 den „Standhaften Prinzen", „Das Leben ein Traum" und „Die große Zenobia" aufführen lassen. Besonders das erstgenannte Stück in der Bühneneinrichtung durch den Schauspieler PA*Wolff wurde zu einem *theatralischen Triumph (IV/22, 29;* Ruppert Nr 2516).

In diesem Zusammenhang wurde für Goethe, der des Spanischen kaum mächtig war (I/36, 194), das Übersetzungsproblem von großer Wichtigkeit. Die schlegelsche Übersetzung (Ruppert Nr 1720) befriedigte ihn später nicht mehr (IV/24, 118); auch die Übersetzungsversuche von FW*Riemer und FH*Einsiedel fanden, besonders was das Rhythmische betraf, nicht seine volle Billigung (IV/23, 193). Erst JD*Gries schien ihm, nach der Übersendung einiger übersetzter Stanzen aus der „Großen Zenobia" der rechte Mann, *dem Ori-*

ginal ganz treu und seiner Nation verständlich und behaglich zu seyn (IV/24, 43f.). Auf seine Anregung (IV/23, 258) hat sich dann Gries, erst fast wider Willen, daran gemacht, C. zu übersetzen (Bdm. 5, 102) und Goethe hat ihm bei jeder neuen Sendung (Ruppert Nr 1721) seine volle Anerkennung gezollt (IV/24, 118; 25, 284; 27, 32f.; 34, 250f.; 36, 63f.) und in *KuA* öffentlich ausgesprochen (I/41[I], 354f.).

Was Goethe an C. vor allem bewunderte, war das hohe Maß seines Kunstverstandes. „Unbegreiflicher Verstand in der Konstruktion", heißt es schon 1802 (Bdm. 1, 326); er nennt ihn ein *wahrhaft theatralisches Genie* (1808: *IV/20, 16*), er rühmt seine *gewandteste Benutzung aller dramatischen und theatralischen Vortheile* (1821: *IV/34, 250*) und noch 1826 äußert er, daß in den Stücken C.s kein Zug sei, „der nicht für die beabsichtigte Wirkung kalkuliert wäre" (Bdm. 3, 280). C.s *poetische Gleichnißfülle* und *rhetorische Dialektik* (IV/34, 250) gemahnen ihn an seinen *Aufenthalt im Orient* (1816: *IV/27, 33*), und so schickt er JJ*Keil für seine ihm gewidmete spanische Ausgabe der Comedias (Ruppert Nr 1718) als Gegengabe den *Divan* (1820: *III/7, 159*).

Der Aufsatz über C.s Schauspiel „Die Tochter der Luft" in *KuA* von 1822 kann als Goethes zusammenfassendes Urteil und im wesentlichen als Abschluß seiner Beschäftigung mit dem spanischen Dichter angesehen werden. *Shakespeare reicht uns . . . die volle reife Traube vom Stock; . . . Bei Calderon dagegen . . . empfangen* (wir) *abgezogenen, höchst rectificirten Weingeist, mit manchen Specereien geschärft, mit Süßigkeiten gemildert* (I/41[I], 353). Shakespeare als der große ebenbürtige Antipode C.s, als der „geniale Naturinstinkt" neben dem „künstlichen Dichter" (Bdm. 2, 241), wird in vielen anderen Äußerungen Goethes immer wieder genannt, so noch 1829 in einem Brief an Zelter (IV/45, 258).

In seinem eigenen dichterischen Schaffen ist Goethe von C. nicht wesentlich beeinflußt worden, „weder im Guten noch im Schlimmen" (Bdm. 3, 203). Aus der Zeit seiner intensiven Beschäftigung mit C. im Jahre 1807 (Goethe las im März den „Standhaften Prinzen" bei JSchopenhauer vor, vgl. Bdm. 1, 479f.; 2, 239) ist das Schema zu einem Trauerspiel erhalten geblieben (I/11, 335–348 u. 443 bis 447), das in Stoffwahl (christliches Märtyrertum), Bildersprache und Metrum (126 Dialogzeilen) eine gewisse Einwirkung C.s vermuten läßt.   *UB*

KWolff: Goethe und Calderon. GoetheJb. Bd 34, S. 118–140.

Callot, *(Tallot: IV/4, 309),* Jacques (1592 bis 1635), lothringisch-französischer Kupferstecher, einer der genialsten Graphiker des 17. Jahrhunderts, Schüler des Thomassin von Troyes, tätig in Florenz, Paris und Nancy; schon in jungen Jahren durch seine realistische Schilderung von Schlachten und Belagerungen, von topographischen Ansichten und zeitkritischen Darstellungen in kleinfigurigen, virtuos behandelten Radierungen berühmt; der „Goya" des 17. Jahrhunderts. Goethes Interesse für C. ist schon 1778 nachweisbar (IV/3, 206), er fand 1797 eine Darstellung der französischen satyrischen Kupferstiche *geistreich callotisch (I/47, 354).* 1818 wurde Goethe angeregt, aufgrund der Stiche C.s eine Sammlung von zeitgenössischen Darstellungen des 17. und 18. Jahrhunderts anzulegen (IV/29, 162). Zwei Handzeichnungen führt *Schuchardt auf.   Lö*

Calmet/Calmette, Augustin (1672–1757), Benediktiner, zuletzt Abt von Senones, ungemein fruchtbar als theologischer, vornehmlich exegetischer Schriftsteller, griff in die 1740/50 zunächst ost-, dann bald gesamt-europäische, hochaktuelle *Vampyr-Diskussion mit sehr erfolgreichen Schriften ein, deren Wirkung in Goethes Knabenjahren kulminierte (*Ballade, Sp. 653): „Dissertation sur les Apparitions des Anges, des Démons et des Esprits, et sur les Revenans et Vampires de Hongrie, de Bohème, de Moravie, et de Silésie." Paris 1746 (Nachdruck: Augsburg 1749; Zweitauflage: Paris 1751; deutsch: Augsburg 1751; italienisch: Venedig 1756; englisch: London 1759); „Traité sur les Apparitions des Esprit et sur les Vampires . . . Nouvelle édition, revue . . . et augmentée. Senones 1759 (englisch: London 1850).   *Za*

Caltabellotta (Calata Bellota), Städtchen im südwestlichen *Sizilien; die Erwähnung eines Flüßchens gleichen Namens ist ein goethescher Irrtum. Goethe durchquerte Gegend und Ort am 23. IV. 1787, ihm fiel die *wunderliche Felsenlage* des Städtchens auf *(I/31, 158 f.).* Seine geologischen Beobachtungen stießen außer auf Kalkgestein auch auf Lava, deren Herkommen er sich aber nicht vulkanisch, sondern technisch erklären wollte. RV S. 26.   *Za*

Caltanisetta, den *wohlgelegenen und wohlgebauten,* mittelsizilischen Ort mit Weizenbau und Schwefelgruben erreichte Goethe, von *Agrigento nordöstlich landeinwärts reisend, am 28. IV. 1787. Ihm war dabei *ein anschaulicher Begriff geworden, wie Sicilien den Ehrennamen einer Kornkammer Italiens erlangen können (I/31, 171).* Bei einem Rundgang durch die

Stadt mußte Goethe von Friedrich d. Gr. erzählen, den die Gastgeber so sehr verehrten, *daß wir seinen Tod verhehlten, um nicht durch eine so unselige Nachricht unsern Wirthen verhaßt zu werden (I/31, 173).* Der Aufenthalt gibt Goethe Gelegenheit zu intensiveren geologischen, landwirtschaftlichen Beobachtungen; er empfindet eine Ähnlichkeit *mit deutschen hügeligen und fruchtbaren Gegenden, z. B. mit der zwischen Erfurt und Gotha (I/31, 175).   Za*

Calvert, George Henry (1803–1889), nordamerikanischer Schriftsteller, übersetzte *Schillers „Don Carlos" und den Briefwechsel zwischen Goethe und Schiller; er schrieb ferner mehrere Werke über deutsche klassische Literatur. C. besuchte Goethe am 27. III. 1825 (III/10, 35) und berichtete begeistert darüber, er nennt Goethe „the wisest man then living – nay, save two or three, the wisest that ever has lived". Goethe lädt ihn für den folgenden Abend ein, ist aber unpäßlich, so empfängt ihn Frau vGoethe, „sprightly, intelligent and graceful . . . with tact and cordiality" (Bdm. 3. 178).   *Sn*

Calvin, Jean (1509–1564), der französische Reformator, Verfasser der „Christianae Religionis Institutio" 1536; französisch von C. selbst übersetzt, 1541), welche die Summa theologiae dieser Abart des *Protestantismus und eines der großen französischen Prosadenkmäler wurde. C. vertrat seine Lehre, die demokratischer gefärbt ist als *Luthers Doktrin und spekulativ besonders durch das (über *Augustinus hinaus absolutierende) Dogma der Prädestination (Gnadenwahl) gekennzeichnet ist, mit einer unbeugsamen Härte, welche in Genf, dessen theokratischer Tyrann er wurde, Gegner aufs Schafott oder den Scheiterhaufen brachte. Der junge Goethe schrieb sich aus *Voltaire Verse gegen C.s Unduldsamkeit aus (1770: I/37, 161). Im *Egmont* wird das Eindringen des Calvinismus in die *Niederlande und die katholisch-spanische Reaktion dagegen geschildert; *Tasso* enthält Anspielungen auf gewisse Erfolge des Calvinismus in Italien (I/10, 30 V. 625; 178 V. 1794).   *Fu*

Camburg, sachsen-gotha-altenburgische Akkerbürger- und Handwerkerstadt mit Mühlenwerken seit 1349 und einer Stadtbrauerei seit 1664 beiderseits der *Saale zwischen *Dornburg und *Naumburg, seit 1826 sachsen-meiningisch (1783: 1070; 1819: 1163 Einwohner), wird erstmalig 1349 als Stadt erwähnt. Goethe ritt am 16. X. 1776 mit Carl August von Dornburg kommend über C. nach Naumburg (III/1, 24); am 9. IX. 1828 führte ihn eine Fahrt mit Dr. Stichling von Dornburg in Richtung C., vermutlich bis zu dem am Wege vor der Stadt liegenden Turmberg mit dem noch erhaltenen Turm, der 1451 zerstörten Burg, von *wo sich anmuthige Aussichten vorwärts und rückwärts zeigten (III/11, 277).*

Mü

Sckell, Carl August Christian: Goethe in Dornburg. Gesehenes, Gehörtes und Erlebtes. Mit einem Führer durch die Schlösser. Neu hrsg. von HWahl. 1924.

Camera obscura ist nach Krünitz (Ökonomische Enzyklopädie 7. Tl. 1784) 1) ein verdunkelter Raum = „Finsterzimmer", 2) ein bewegliches Gerät = C. o. portatilis. In Goethes Nachlaß finden sich zwei Geräte dieser Art. Das eine (B 108) besteht aus einem vierseitig pyramidenförmigen Kasten, der auf die ein halb Meter breite quadratische Platte eines Tischchens gesetzt ist. In die Spitze der Pyramide ist das Objektiv (mit lotrechter Achse) verschieblich eingesteckt, dem ein darüber schräg angebrachter Spiegel das Licht von benachbarten Gegenständen zuführt. Der Beobachter, der Kopf und Hand durch eine herausgeschnittene Trapezfläche der Pyramide in den Kasten hineinhält (wobei der Innenraum durch einen Vorhang abgedunkelt bleibt), sieht das Bild der eingestellten Gegenstände auf einem auf der Tischplatte liegenden Papierblatt und kann es darauf nachzeichnen. Das andere Gerät (B 109) ist ein quaderförmiges Holzkästchen von $7 \times 7 \times 18$ cm. Die eine Quadratfläche trägt einen kurzen Holztubus, der eine Linse aufnahm; hier ist eine vierseitige Zarge eingefügt, die die Achse des Kästchens auf 25 cm zu verlängern gestattet. Das Licht, das durch die Linse eindringt, wird von einem an die andre Quadratfläche unter 45° angelehnten Spiegel gegen eine in die obere Langseite des Kästchens eingelassene Mattscheibe geworfen. Die Beobachtung des Bildes wird durch eine mit Scharnieren befestigte Lichtschutzklappe erleichtert. (Das Kästchen ist also ganz nach dem Schema einer modernen Spiegelreflexkamera gebaut.) – Das Finsterzimmer, von dessen Einrichtung zu seinen optischen Studien Goethe in der *Confession des Verfassers* der Farbenlehre erzählt (NS 6, 418 u. 422), befand sich im Jägerhause vor dem Frauentor, in dem er seit November 1789 bis zum Beginn seiner Teilnahme an der *Campagne in Frankreich* wohnte (Br. an Forster vom 25. VI. 1792 = NS 3, 95). Wo er im Hause am Frauenplan seine Dunkle Kammer hatte, wissen wir nicht. Es kam wohl nur ein Zimmer an der Gartenseite in Frage; etwa der Raum seiner Bibliothek könnte gelegentlich dazu gedient haben. Seine Mittwochvormittag-Vorträge hat er in

der Regel im Gartenzimmer gehalten und in den Aufzeichnungen zum 15. I. 1806 lesen wir von Versuchen mit zwei Kerzen für die Darstellung farbiger Schatten, wozu der Raum verdunkelt sein mußte, und weiterhin zu den Höfen: *Schein um die Öffnung der Camera obscura* (NS 3, 420).

Die früheste Erwähnung einer C. o. enthält ein Brief vom 12. VI. 1780 an Lichtenberg: *Haben Sie die Güte sich des von mir bestellten Sonnen Microskops zu der Camera obscura anzunehmen* (IV/50, 10). Und zwei Tage später schrieb Goethe an Frau von Stein: *Ich freue mich auf die Camera obscura und auf einen Brief von Ihnen . . . (IV/4, 237).* Es liegt die Annahme nahe, daß dieses erste mit einem Sonnenmikroskop (B 106 u. 107) bewehrte Finsterzimmer im Gartenhause als Zeichenhilfe dienen sollte. – Ursprünglich ist die C. o. eine Lochkamera (NS 3, 120 Figg. 7 u. 8; Polemischer Teil § 59), für deren Entdecker Goethe Johann Baptista Porta (1538–1615) hielt (NS 6, 156). In der Magia naturalis jenes italienischen Edelmannes wird die folgende Anweisung gegeben. „Man solle eine jede Öffnung eines Zimmers, durch welche Licht einfallen könnte, sorgfältig verschließen, in den Fensterladen ein Stück Blech einsetzen, in diesem eine Öffnung von der Dicke eines kleinen Fingers machen, und in dem Zimmer, der Öffnung gegenüber, eine weiße Wand aufstellen. Man werde alsdann die Bilder von allem dem, was außerhalb des Zimmers vor dem Fensterladen ist, auf der weißen Wand umgekehrt sehn." (Nach EWilde, Geschichte der Optik, Berlin 1838, 1. Tl. 117) „Porta macht besonders auf den Nutzen einer solchen C. o. ‚um mit leichter Mühe Gemälde beliebiger Gegenstände zu entwerfen', aufmerksam." Die Lochkamera ist indessen sehr viel älter (Gespräch mit Falk 28. II. 1809 über Roger Bacon; Bdm. II, 24; NS 6, 103). Leonardo da Vinci kannte sie und der Araber Alkindi (750–800) hat ihren Strahlengang bereits untersucht (Friedr. Dannemann, Die Naturwissenschaften in ihrer Entwicklung, 2. Aufl. 1920, I 422). Porta konnte sie aber durch Einführen einer Linse in das erweiterte Loch verbessern. – Goethe erlebte den von Porta empfohlenen Gebrauch, als der englische Kunstliebhaber Charles Gore 1793 bei der *Belagerung von Mainz* mittels einer tragbaren C. o. (vermutlich des Types B 108) Ansichten zeichnete (I/33, 301 u. 321; I/46, 338). Gore wurde das Vorbild zu dem englischen Lord in den *Wahlverwandtschaften* (I/20, 316). *Eine große Sammlung von Zeichnungen, die er nach der Natur, meist durch die Camera obscura, auf seinen Reisen gefertigt . . ., hat er der Weimarischen Bibliothek vermacht . . .* (IV/19, 350). Aus dem Nachlasse von Philipp Hackert hat Goethe 1811 eine kritische Betrachtung über die C. o. als Werkhilfe des Malers veröffentlicht (I/46, 360).

Vor allem wurde Goethe die C. o. für seine Studien zur Farbenlehre bedeutsam. Freilich hat er im August 1792 vor Verdun seiner Natur gemäß triumphiert, dasjenige *unter freiem Himmel so frisch und natürlich zu sehen, weshalb sich die Lehrer der Physik schon fast hundert Jahre mit ihren Schülern in eine dunkle Kammer einzusperren pflegten* (NS 3, 112). Und doch hatte ihn die Notwendigkeit, die Versuche Newtons nach dessen Anweisung selbst anzustellen, gezwungen, *die Camera obscura mit schwarz ausgeschlagenen Wänden so genau und finster als möglich* einzurichten (II/4, 299). So wurde sie ihm auch auf dem Wege zu eigenen Zielen nützlich, wenn er im Mai 1792 die Wirkungen der verschiedenen prismatischen Farben auf den Bononischen Leuchtstein untersuchte (NS 3, 238 u. 244), oder wenn er im Juli 1794 das im Finstern ausgeruhte Auge der für nur wenige Sekunden freigegebenen blendenden Helle der Ladenöffnung aussetzte, um die Phasen des farbigen Abklingens der Erscheinung zeitlich genau zu bestimmen (NS 3, 263). Im Oktober 1793 berichtet er Lichtenberg, wie am Fenster der C. o. eine Färbung von Schatten unterbleibt, wenn es gelingt, das eine die Öffnung erleuchtende Licht ganz zu isolieren, und er erzählt von einem vollkommen grünen Nachbilde, das er erlebte, nachdem er durch ein Violettglas gegen das Sonnenlicht im Ladenloch blickend ein lebhaftes Purpurrot gesehen hatte (NS 3, 88). 1801 konnte Goethe, durch Ritter angeregt, die Wirkung der Farben des Spektrums auf ein Thermometer in der dunklen Kammer studieren (NS 3, 246) und 1806/07 mit Seebeck auf das Hornsilber (NS 3, 248), womit er sich einer Grundlage der Photographie genähert hat (B 60). Bei seinem großen Werke *zur Farbenlehre* von 1810 förderte ihn die Arbeit im Dunkelraume bei der Beobachtung subjektiver Höfe (§ 91), bei der Darstellung einer Steigerung des Gelben ins Rote durch Aufeinanderschichten von Pergamentblättchen, die das eindringende Sonnenlicht durchscheinen ließen (§ 170) und bei der Entscheidung über die objektive Natur gewisser Farbenerscheinungen (§ 422). So konnte er zB. die katoptrischen Farben, die auf einem Silberdraht spielen, objektivieren

(§§ 369 u. 372). Es gelang ihm, die Annahme, das Himmelsblau sei nur subjektiv, zu widerlegen, indem er dessen Abbildung auf weißem Papier in einer tragbaren C. o. zeigte (§ 152). Ebenso war es möglich, in der dunklen Kammer, die vorher in subjektiven Versuchen gefundenen Gesetze der prismatischen Farbenphänomene auch in objektiver Anordnung zu bestätigen (§§ 309ff.). Goethe bemühte sich endlich in zahlreichen Experimenten, Newtons Versuche zu entkräften (Polemik §§ 148 u. 158). Und so glaubte er, die verhaßte Lehre von einer diversen Refrangibilität verschiedenfarbig wirkenden Lichtes vollends zu überwinden, als er die Gelegenheit ergriff, *in einer portativen Camera obscura an einem Festtage, bei dem hellsten Sonnenschein, die buntgeputzten Leute auf dem Spaziergang anzusehen,* wobei sich rote und blaue Bildflächen als gleich scharf abgegrenzt erwiesen (Polemik § 185). Newtons foramen exiguum blieb Goethe verdächtig (NS 6, 422); glaubwürdiger erschien ihm, was sich seinem Auge *in freister Welt* bei vollem Tageslicht offenbarte (Entoptische Farben XXXIX = II/5^I, 307). Eine ursprüngliche Empfindung (Br. 23. XI. 1801 an Jacobi = NS 3, 435) trieb ihn zugleich zum *Sinnenvertrauen und zu einer unüberwindlichen Abneigung gegen Apparate, die den Menschen von einer unberührten Natur zu trennen drohen (*Brillenträger). Unter den Ausnahmebedingungen des Finsterzimmers schrumpfen die Mannigfaltigkeiten der Farbenwelt. Es gibt da zB. kein Grau und kein Braun. So hat Goethe die Gefahr erkannt, die das analytische Verfahren Newtons überhaupt birgt, nämlich in der Zerstörung einer Erlebnisganzheit. *Das Licht überliefert das Sichtbare dem Auge; das Auge überliefert's dem ganzen Menschen (NS 3, 437).* Deshalb spricht er von dem *Zauberkreis einer dunkeln Kammer* (Einl. z. d. *Propyläen* 1798 = NS 3, 385) und warnt vor ihm wiederholt (1806: I/5^I, 177; 1815: II/5^I, 331; 1820: Entopt. Fb. IV = II/5^I, 257).

Freunde, flieht die dunkle Kammer, | Wo man euch das Licht verzwickt | Und mit kümmerlichstem Jammer | Sich verschrobnen Bilden bückt (I/3, 356if.). Und so wünscht er sich den *natursinnigen Forscher* (Entopt. Fbn. XXIX = II/5^I, 293) *froh, an Aug' und Herz gesund (I/3, 356).*   Mt

Camões, Luís de (1525?–1580), ist der bedeutendste portugiesische Dichter. Sein abenteuerliches Leben führte ihn nach Indien und bis nach Macao, wo er in der Verwaltung tätig war und an Kriegszügen gegen die Eingeborenen und Seekämpfen gegen Piraten teil-

nahm. Aus dem Schiffbruch, den er an der Mündung des Mekong erlitt, rettete er die Handschrift seines Hauptwerkes, „Os Lusíadas". Dieses in Stanzen geschriebene historisch-allegorische Epos (10 Gesänge, 1572), dessen Titel „die Söhne des Lusus", dh. des mythischen Stammvaters der Portugiesen, bedeutet, ist die dichterische Darstellung der portugiesischen Geschichte, verwoben in die Erzählung von der Fahrt des Vasco da Gama nach Indien (1497–1498). Goethe, der schon *Wielands Übersetzungsprobe im 1. Stück des Neuen Teutschen Merkur, 1795, S. 33–49, kannte *Wer's lesen kann, mag's beurtheilen. (I/40, 481 f.)* und *Seckendorfs Übersetzung des ersten Gesangs im 2. Bd von *Bertuchs Magazin der Spanischen und Portugiesischen Literatur, 1780, am 19. V. 1809 gelesen hatte (III/4, 29f.), beschäftigte sich mit dem portugiesischen Nationalepos im Original in der von dem Morgado de Matheus, D. Jozé Maria de Souza Botelho, veranstalteten Prachtausgabe, Paris 1817, von der die Universitätsbibliothek in Jena ein Exemplar mit Widmung des Herausgebers besaß (Bulling, S. 55, Anm. 14). Goethe entlieh das Werk 1819 und 1820 mehrmals (ebda Nr 47, 51, 86; III/7, 63, 67, 144) und 1819 in Weimar die deutsche Übersetzung in Ottaverime von Kuhn und Winkler, „Die Lusiade" (1807) sowie die französische von Duperon de Castéra, „La Lusiade. Poème héroique sur la découverte des Indes Orientales" (1735) (Keudell Nr 1257, 1258). Besonderes Interesse fanden auch die der pariser Ausgabe der „Lusiadas" beigegebenen Kupferstiche von Gérard ua. Auf Goethes Anregung berichtete H*Meyer darüber in *KuA* II, 2, 30–40, Stuttgart 1820: „Französische Kupfer zu einer neuen Prachtausgabe von Camoen's Lusiade, dirigirt von Gerard" (IV/32, 321).
Goethe beschäftigte sich auch mit dem *Leben des Vasco da Gama, Camoens und anderes dergleichen (III/7, 74)* vermutlich anhand des Buches „Leben und Tapffere Thaten der allerberühmtesten Seehelden... unserer Zeiten..." von Lambert van den Bos, übersetzt aus dem Niederländischen von Matthias Krämer, Nürnberg 1681 (Keudell No 1256). – Goethe besaß in seiner Hausbibliothek auch die deutsche Übersetzung des zweiten und dritten Gesanges der „Lusíadas" von JDonner, 1830, sowie ein Manuskript, Proben einer Camões-übersetzung, datiert Ellwangen, 1. X. 1829. – Bekannt waren Goethe auch die von AW *Schlegel übersetzten Sonette und Lieder (Redondilhas) des C. in „Blumensträuße italiänischer, spanischer und portugiesischer Poesie", Berlin 1802 (IV/16, 317; 17, 80f.). Auch die Bemerkungen zu C. in AWSchlegels „Vorlesungen über Schöne Literatur und Kunst", 1801–1804, die „Charakterisierung des C. und der portugiesischen Dichtkunst" in den „Beiträgen zur Geschichte der neueren Poesie", von Fv*Schlegel in der Zeitschrift Europa, 1803, und *Herders Ausführungen in „Adrastea", 1803, dürfte Goethe gekannt haben.   *Be*

Campagna di Roma, auch Agro Romano, die Landschaft von *Rom, der größte Teil des alten Latium, ehemaliger Meeresboden, vom Tuff der submarinen Vulkane bedeckt, aus dem sich einige isolierte Tuffhügel (zB. die Sieben Hügel Roms selbst) erheben, bis zur Völkerwanderungszeit ein blühend fruchtbares Gebiet, danach weithin entvölkert und verödet, auch heute noch längst nicht wieder zu seinem alten Landschaftsbilde hochentwickelt, zeigte sich zu Goethes Zeit „gleich einer trauernden Wittwe der Vergangenheit, ihr Haupt mit Lavaasche bestreut" (JRHaarhaus). Goethe, der die CdR. so oft und auf mannigfachen Wegen durchfuhr, vermochte der *Plaine* beim Rundblick vom Dach der Peterskirche am 22. XI. 1786 auch eine durchaus hellere Seite abzugewinnen (I/30, 222; RV S. 25).   *JP*

Campagne in Frankreich. Goethes *CiF* ist keine Feldzugsreportage. Es wäre methodisch mehr als bedenklich, in diesem Werk ein überwiegend historisch berichtendes, weniger ein poetisch gestaltendes Dokument erblicken zu wollen. Die fundamentale Auffassung von Historie ist nicht die des Historikers. Goethe schreibt *Geschichte nicht als Geschichtsschreiber. Wie auch die *Belagerung von Mainz* (mit dieser zusammen als ein Ganzes geplant und angelegt) ist die *CiF* ein Stück *Autobiographie. Als solche ist sie Wahrheit und Dichtung, und zwar durchaus nach den Maßen von *Dichtung und Wahrheit*. Sie ist eines der Zeugnisse für *die vieljährige Bemühung, die französische Revolution, dieses schrecklichste aller Ereignisse – so heißt es noch 1822! – dichterisch zu gewältigen (II/11, 61).* Eben dieser Wesens- und Willenszug zu *dichterischer Gewältigung* bestimmt den eigentlichen Rang der *CiF* und hebt ihre Form weit über das Niveau des Akzidentiellen hinaus in die Region des Essentiellen. Dort, im verantworteten Wort, werden die Geheimnisse beredt. Goethe hat vornehmlich in den Jahren 1820/22 viel Zeit und Kraft dafür aufgewandt (EGW II, 23–57). *Die Sonderung und Verknüp-*

fung des Vorliegenden erforderte alle Aufmerksamkeit; man wollte durchaus wahr bleiben und zugleich den gebührenden Euphemismus nicht versäumen (Tu J 1821: I/36, 188 f.). Schon eine solche Formulierung vermag uns die Furcht vor dem Ungefähren zu nehmen. Wir dürfen es für gewiß halten, daß alle wesentlichen Einsichten und Wertungen Goethes eben in den Geheimnissen der Form, dh. im *Bauplan* seines Werkes versteckt sein werden. Dem *morphologischen* Konzept, seinen daraus resultierenden Proportionen, ihren eidetischen und rhythmischen Analogien lassen sich die Intentionen ihres Schöpfers abfragen. Nicht allein, wie etwas gesagt wird, sondern wann und wo, auch wem und sogar durch wen – kurz: das ganze System von Relationen macht alle Akzente durch jeden *gebührenden Euphemismus* hindurch absichtsvoll vernehmlich.

Daß *man ... seit dem Hubertsburger Frieden ... in dem Betragen der nordischen Monarchen eben keine entschiedene Sittlichkeit gewahr werden konnte (I/33, 377),* hatte Goethe 1821 (?) in einer Art von Vorrede sagen wollen. Er hatte *euphemistisch* ohnedies darauf verzichtet, die immer deutlicher zutage tretende Destruktion sittlicher Lebensdeutung und -führung bei Hoch und Niedrig sowie die quasi irrationalen Vorder- und Hintergründe politisch-sozial-ökonomisch-kultureller ua. Auflösungs- und Umwandlungsprozesse in concreto namhaft zu machen. Er hatte sich darauf beschränkt, von einem *gewissen unbestimmten Sinn, wo nicht zu etwas Besserem doch zu etwas Anderem* zu sprechen (*I/33, 377*). Wahrscheinlich war ihm dies alles zu sehr bloße Negation, zu wenig wirkliche Position. Diese aber ließ sich nach seiner Auffassung allein in einer Neu-Konstitution sittlicher Lebensdeutung und -führung *mit dauernden Gedanken befestigen.* Goethe suchte sie in der Totalität theoretischer, praktischer und poetischer Bezüge. Ein Beitrag dazu ist auch die *CiF.*

Zumindest seit 1785 – *die Halsbandsgeschichte erschreckte mich wie das Haupt der Gorgone: I/33, 261* – trug Goethe den *gewissen Sinn* teilnehmend in sich, nicht *unbestimmt,* sondern mehr und mehr bestimmt. 1824 kleidete er diesen seinen sehr bestimmten *Sinn* in die Worte: *Die revolutionären Aufstände sind eine Folge der Ungerechtigkeit der Großen (Bdm. 3, 61;* *Adel/Adelung, insbesondere Sp. 52; 56 bis 58). An derselben Stelle findet sich überdies ein immer noch verhältnismäßig frühes Zeichen dafür, daß auch von *wohltätigen Folgen* der französischen Revolution zu sprechen war. Goethe vermochte also sehr wohl in relativer Begrenzung ein absolutes Recht zu erblicken. Manche Anzeichen verbergen sich sogar in der *gränzenlosen Bemühung, dieses schrecklichste aller Ereignisse dichterisch zu gewältigen.* In den Selbstinterpretationen des Menschen hier und dort waren tiefwurzelnde Fragwürdigkeiten wirksam hinsichtlich dessen, wie etwa *Freiheit* und Notwendigkeit, dh. *Natur* je für sich sowie in Wechselwirkung erfaßt und erfüllt werden müssen. Diese Fragwürdigkeiten sollten aufgedeckt und bewußt gemacht, insofern überwunden werden. Es geht um die Grundbezüge der menschlichen Existenz zur Geschichte und zur Natur. Nach Goethes Erfahrung und Überzeugung ist aber nicht das Bezugssystem der Geschichte, sondern dasjenige der *Natur* die alles über- und umgreifend höchste Instanz. Nur innerhalb dieses Bezugssystems ist das *Leben,* zumal das menschliche *Leben* wirklich da: *Bezüge sind das Leben* (1830: *IV/46, 223*). So kann man denn Katastrophen der menschlichen Existenz in Geschichte und *Natur,* schreckliche, *schrecklichste Ereignisse* nur *gewältigen,* indem man dies *dichterisch* tut. Man kann sich *das Vergangene vom Halse schaffen,* um nicht an ihm *zu Grunde zu gehen,* sondern um *zu leben* (1821; 1823; *MuR: Hecker Nr 105; 167*), einzig und allein, indem man sich der *Bezüge* versichert, kraft deren man das *Leben* hat. Dies aber geschieht, wie es in der Erörterung über den *Höheren Chemismus des Elementaren* (1826) heißt, in jener Art zu *reden, wie wenn man von Uranfängen spricht, dh. dichterisch; denn was unsrer tagtäglichen Sprache anheimfällt: Erfahrung, Verstand, Urteil, alles reicht nicht hin (NS 2, 356–357).* Solche Fingerzeige führen in den Wurzelgrund der *CiF.* Goethes *uranfängliches Reden* betraf überdies notwendig zugleich das quasi Natur-Eigentliche und -Echte Frankreichs, seiner Menschen, seiner Landschaft, wie es ihm damals begegnete und jeweils einen durchaus bevorzugten Platz in der Werkstruktur forderte, vgl. zB. Dumouriez, Beaurepaire, unbekannter Grenadier, *idyllisch-homerische* Quartierwirte, vier ansehnliche Soldaten, herzergreifende Familienszene ‖ Longwy, Wasserfall-Vergleich mit Sonnenblicken, Stellung in und bei Somme-Tourbe usw. (hier besonders Sp. 1550 f.). Wir vernehmen darin eine vielsagende Komponente des Mottos: *Auch ich in der Champagne.* Als Zeitereignis erfährt die *CiF* in Goethes Darstellung charakteristische Veränderungen. Der *strenge Realismus (I/33, 363)* erlaubt nicht nur, er fordert sogar gleichwohl ein Selektions- ja ein Mutationsverfahren. Dies läßt Auswahl und Anordnung der berichteten und dargestellten Einzel-Ereignisse aufschlußreich frei walten und faktische Bezüge aus ihrer räumlichen oder zeitlichen in ebendiese „*reale*" Wirklichkeit hinüberwechseln. Nicht in der stofflichen „Richtigkeit", sondern in der geistigen „Wahrheit" liegt der *strenge Realismus* Goethes. *Man muß das Bedeutende aufsuchen* (1811: *I/27, 78*). *Die Complication innerer Geistes-Verhältnisse und äusserer zudringenden Umstände ist schwer zu entziffern* (1820/21: *I/33, 363*). *Der Geist des Wirklichen ist das wahre Ideelle* (1827: *Riemer/Pollmer S. 356*). Immerhin hat Goethe in den abschließenden Gestaltungsjahren mannigfache Quellenstudien betrieben. Seine eigenen Aufzeichnungen aus unmittelbarer Augenzeugenschaft waren dürftig, vielleicht auch teilweise verbrannt (I/33, 200). Er ergänzte diese Unterlagen hauptsächlich aus Erinnerungen Carl Augusts, ChrGC*Vogels, PhChr*Weylands, JChrG *Vents, aus dem Tagebuch JC*Wagners, aus den Veröffentlichungen FChr*Laukhards, Chr-CALv*Massenbachs, ChF*Dumouriez', aus den Darstellungen AWLaues, CLAPatjes, JvWickedes, aus Korrespondenzen Emigrierter („Original-Briefwechsel der Emigrirten, oder Die Emigrirten nach ihrer eigenen Darstellung geschildert". I.1793), aus Mitteilungen JPGoetzes ua. (vgl. dazu HHüffer; AChuqet; VPollak; KHeinemann; GRoethe; EvKeudell; HRuppert; WLoos). Weil aber derart ausgedehnte Studien betrieben wurden, verloren die Prinzipien der Auswahl und Umwandlung in ebendem Maße an Beliebigkeit. Sie gewannen den Wert überlegten, bewußten Verfahrens. So spricht das Werk, und zwar am prägnantesten, durch seinen *Bauplan* für sich selbst.

Der *Bauplan* der *CiF* läßt eine Folge von sechs Kapiteln erkennen: Auftakt – Vormarsch – Stillstand/Wendepunkt – Rückmarsch – Ausweg/Umweg – Heimkehr. Diese sechs Kapitel umfassen neun Abschnittsgruppen (I, II, III, IV, V, VI, VII, VIII, IX) und in diesen, mehr oder weniger flüssig ineinander übergehend, siebzig (1–70) meist kunstvoll gegliederte und sorglich gegeneinander ausgewogene Einzelabschnitte. Ein dichtes Wechselspiel eidetischer und rhythmischer Analogien verbindet alle Glieder. Folgt man diesem Wechselspiel und überläßt man sich seinen zusammenziehenden oder ausdehnenden Impulsen, so spürt man die Atmung eines echten Organismus. Man wird eines Systems von *Bezügen* inne, das für Goethe höchstinstanzlich in dem Bezugssystem der *Natur* zentriert

wird. Der Einzelabschnitt ist meist 3-, 5-, 7- und nur einmal 9-gliedrig (20. IX. 1790: Stellung in und bei Somme-Tourbe/*Kanonade von Valmy*!). In solcher ungemein vibrationsfähigen Gliedrigkeit liegt ein Tertium Comparationis, das an die Strophenform erinnert. Man möchte fast von einer „Prosa-Strophe" sprechen. Die ungerade Zahl (3, 5, 7, 9) von Gliedern in der Mehrzahl der Einzelabschnitte hat einen besonderen, sehr betont erzeugten und genutzten Vorzug. Sie ermöglicht, ja erfordert die absolute Zentralstellung eines jeweils auffällig akzentuierten Herzstückes. Dieser Vorzug ist geradezu der angemessene Ausdruck einer solchen Zentrierung in einem Doppelsinne. Er verschmilzt äußeres und inneres Gewicht zu einem jeweiligen Höchstmaß von „*Bedeutung*". Er demonstriert die genaue Entsprechung von Außen und Innen. So wird er zum Gestaltungsgesetz. Noch mehr gesteigert wird diese Bedeutungskraft, wenn die Zentralstellung die jeweils unmittelbar vor- und nachstehenden Gliederungsteile des Einzelabschnitts mitbelebt (vgl. zB. die Rekapitulation in Koblenz, die den *Fürstmenschen* Carl August und die *politische Ruine* des Kurfürsten in einer Art von paradoxem Gegenüber um den *Ehrenwein* herum beschwört; vgl. auch den Aufenthalt in Pempelfort, der um die Herzmitte der *Natur* die Bereiche von Literatur und Kunst gefällig/mißgefällig kreisen läßt). Seltener sind die Fälle geradezahliger Gliederung von Einzelabschnitten (4, 6), in denen die zentrale Stellung gleichsam halbiert erscheint und beide Hälften in einem ebenso extensiven wie intensiven Wechselbezuge zueinander stehen (vgl. zB. die Beendigung des Verdun-Bombardements: die Aufforderung zur Übergabe der Stadt mit ihrer vierundzwanzig-stündigen Bedenkpause steht in einem genauen Wechselbezuge mit der Beobachtungsmuße, die Goethe in der *angenehmsten Gemüthsstimmung* für seine Farbenstudien verwandte; ferner: angesichts der finsteren Situation in und bei Somme-Tourbe erzählt Goethe *wo nicht zur Erheiterung doch zur Ableitung* Geschichten von Ludwig dem Heiligen und exakt pendantartig von Aëtius; am Aufbruchstage aus Sivry stehen sich wie Plus-Pol und Minus-Pol der Abschied von *idyllisch-homerischen* Quartierwirten und der Überfall durch *bewaffnete Bauern* gegenüber; ähnlich der Besuch bei dem *neckischen Mann* in Jardin Fontaine und die Ausweisung aus der Stadt Verdun durch den Kommandanten; auch an den Kontrast zwischen der Fahrt *im eigenen Wägelchen* und der mitleidlosen Rück-

zugspanik, weiter an die fast groteske Gegenbildlichkeit der *herzergreifenden Familienszene*
und der quasi Verwechslungskomödie in Étain
wäre zu denken; in Luxemburg geraten durchaus im Themensinne Menschenwelt und Naturwelt anzüglich nebeneinander; kunstvoll
aufgebaut und ausgebreitet müssen in Münster Kunst- und Naturbetrachtung bereits in
den Grunddefinitionen kontrastieren und gerade in diesem Kontrast Goethes eigentliche
Intentionen offenbaren, ohne den *gebührenden
Euphemismus* kränkend zu ignorieren). Bisweilen muten uns Kontraste in solcher eng-
verbundenen Nachbarschaft an, als sollten sie
die *Coincidentia Oppositorum exemplifizie-
ren (vgl. dazu zB. auch das „nahe bei" von
Igel/Antik und Grevenmacher/Modern, das
sein *süd-nördliches Gelände* mit antikem
Schwerpunkt entwirft).

Dieser Gliederungsweise der Einzelabschnitte
entspricht morphologisch vollkommen die
Struktur der Abschnittsgruppen. Meist bilden
sieben Einzelabschnitte eine in sich geschlossene Bau-, besser: Wuchsphase, dreimal (A =
Auftakt; C = Stillstand/Wendepunkt; F =
Heimkehr) sogar ein vollständiges Kapitel.
Die Kapitel B (Vormarsch), D (Rückmarsch),
E (Ausweg/Umweg) beanspruchen mehr. Im
Vormarsch-Kapitel finden wir zwei Phasen
(II; III), durch eine deutliche Parenthese (Einzelabschnitt 15: Rückblick/Ausblick) getrennt,
abgeschlossen dann durch den ungemein
kunstvoll gebauten Einzelabschnitt 22 (Stellung in und bei Somme-Tourbe mit der doppelten Aristie Goethes quasi als odysseischer
Listen- und Gefahrenmeister und mit der absolut zentral gestellten *Kanonade von Valmy*
als Kulmination und Wendepunkt). Das Rückmarsch-Kapitel (D) gliedert sich in drei Phasen (V; VI; VII); zwischen V und VI steht als
Parenthese der Rasttag in Sivry (Einzelabschnitt 37; *idyllisch-homerischer Zustand* in
besonders ausbalancierter Szenen-Folge: Quartierhaus – Nachbarhaus – Quartierhaus; als
„Prosa-Strophe" von souveräner Dreimal-
drei-Gliedrigkeit); zwischen VI und VII findet
in betontester Akzentuierung wiederum als
Parenthese der *herrliche Sonnenblick* auf das
Monument von Igel seinen Platz (Einzelabschnitt 45: *wie der Leuchtturm einem nächtlich
Schiffenden entgegenglänzt*); VII entläßt uns
wie ein Händel-Schluß und in fast stiltypisch-
barocker Repräsentations-Pathetik mit hal-
biertem Tempo sowie in ausgreifend gedehn-
ter Phrasierung, wobei die Gesamtsubstanz
der goetheschen *Bezüge,* die seine Position zumindest in der Teilnahme- wie in der Abfas-

sungszeit konstituierten: die Urmächte der
Antike, des Mütterlichen, des *Fürstmenschlichen* in einem ersten tiefenthematisch monumental instrumentierten Tutti-Akkord zu-
sammenklingt (man übersehe nicht, daß hier
das *Monument von Igel,* also die Antike, unmittelbar den Gedanken eines Monumentes
für die – quasi – Barmekiden-Familie des Fürsten-Hauses von Weimar hervorruft und im
Widerstreit der Empfindungen die persönliche Entscheidung sogar gegen die Chance in
der elterlichen Welt für das *Fürstmenschliche,*
für die dadurch *gesicherte Heimat* fällt). Das
Ausweg/Umweg-Kapitel (E) hat auf andere
Weise Sonderrang; in diesem Kapitel erfolgt –
die eigentliche *Campagne* ist vorüber – nach
nur fünf Einzelabschnitten in der durchaus
zäsurartigen *Zwischenrede* (60) die Umschal-
tung von der bisherigen auf eine *andere Behandlung,* vorbereitet und gekennzeichnet
durch die vielsagenden Worte: *Fluchtgefühl,
umgekehrtes Heimweh, Sehnsucht ins Weite statt
ins Enge* – maW.: man nimmt die Notwendigkeit eines Wechsels wahr, der wie im *Atem-
holen* und seinen *zweierlei Gnaden* nach der
systolischen Beengung die diastolische Ent-
engung bringen soll, nach der *Bedrängung* die
Erfrischung, nach dem Einzwängenden das
Befreiende; was aber daran Täuschung war,
erfährt in drei Einzelabschnitten von außerordentlichem Nuancenreichtum und *euphemistisch* beispielhaft wenig- oder vielsagender
Beredtheit seine Ent-Täuschung (61: sieben
Glieder, davon drei Herzglieder wieder in sich
selbst, und zwar um die *Natur – Hylozoismus/
Urpolarität aller Wesen / morphologische Gedanken / Beiträge zur Optik / nicht gespaltenes, sondern lebendiges Licht* – zentriert; 62: drei Glieder, zentriert in dem – hylozoistischen – *Rätsel*
der Harz-Ode von 1777; 63: drei Glieder, davon aber das zentrale in achtfacher Unterglie-
derung und zwischen den Impulsen widerstrebender Kultur- und Naturbegriffe pendelnd).
Das Heimkehr-Kapitel (F) steht mit dem Auftakt-Kapitel (A) in besonderer Korrespondenz, nicht nur deswegen, weil beide (wie ja
auch das Stillstand/Wendepunkt-Kapitel C) je
eine einzige Abschnittsgruppe von sieben Einzelabschnitten umfassen. Das wäre nur eine
äußere Korrespondenz. Es gibt auch eine innere. A enthält um die Urmacht der *Antike* in
Zentralstellung (4: *Igel, Monument*) die Urmacht des *Mütterlichen* (1: *zwei muntere Abende bei Sömmerings*) und die Urmacht des *Fürst-
menschlichen* (7: Kameradenkreis in Longwy,
Geburtstagsfeier, Carl Augusts *fürstmenschliche* Bedeutung auch in militärischer Hin-

sicht, Kontinuität des *Fürstmenschentums* durch die Geburt des Prinzen Bernhard), also in *morphologisch* höchst markanter Anordnung: Anfang (1) – Mitte (4) – Ende (7). F zählt seine fünf anfänglichen Etappen nur nach Nächten *(Waldwohnung bei Neuenkirchen; kummervoller Zustand* in Lichtenau; Emigrantenandrang in Kassel; *weniger Zudrang* in Eisenach; *nach Mitternacht* in Weimar, *Familienszene)*, um in einem wiederum weit ausgreifenden und reich phrasierenden Doppelschluß der Person, dem Dasein und Wirken des *Fürstmenschen* nicht panegyrisch zu huldigen, sondern im *strengen Realismus* der Schilderung verbleibend seiner Gaben dankbar zu gedenken – des Reichtums der unter seinen Händen aufblühenden Wesenswirkungen im Frieden des Hauses, der Häuslichkeit, des häuslichen Kreises, in der Mannigfaltigkeit schöpferischen Tuns, wie sie ohne ihn nicht möglich wäre, dargestellt an fünf Formenkreisen des eigenen *Daseins und Wirkens;* das Herzstück auch dieses Schlusses ist das Zentralthema des Ganzen: *Ich hatte die Farben genugsam in unterschiedenen Lebensverhältnissen* (Natur) *beobachtet und sah die Hoffnung auch endlich ihre Kunst-Harmonie, welche zu suchen ich eigentlich ausgegangen war, zu finden (I/33, 260).* *Natur* und *Kunst* durch das Medium der *Farbenlehre,* dh. mit den Mitteln einer optischen Anthropologie zu verbinden, ist damals die Formel gewesen für das Problem einer Verknüpfung von Idee und Materie. Diese Verknüpfung, nicht ihre jeweilige Vereinseitigung im Sinne des „Idealismus" oder des „Materialismus", vermöchte freilich die Kräfte zu mobilisieren, aus denen heraus eine echte Neu-Konstitution der menschlichen Existenz, einer sittlichen Lebensdeutung und -führung *mit dauernden Gedanken befestigt* werden kann. Soweit es sich zugleich um eine *dichterische Gewältigung* der französischen Revolution handelt, ist in der *CiF* ein wesentliches Wegstück gebahnt und beschritten. In der *Belagerung von Mainz* folgt ein weiteres. Goethe hat sich jedoch auch damit noch keineswegs zufrieden geben wollen. Vergegenwärtigt man sich wenigstens eines der wesentlichsten Momente genauer, so zeigt der *Bauplan* der *CiF* im Gegensatz zu dem der *Belagerung von Mainz* eine besonders auffällige Abweichung. In der *Belagerung von Mainz* muß die Fünf-Zahl als Gliederungs- und Gruppierungs-Norm gelten (vgl. hier Sp. 998). In der *CiF* ist es die Sieben-Zahl. Diese lenkt die Aufmerksamkeit gewissermaßen unwillkürlich viel stärker auf die Mitte. Es zeugt für

Goethes rhythmisches Feingefühl ebenso wie für seinen taktsicheren *Euphemismus,* wenn er in dieser Mitte, dh. in den äußerlich-innerlich zentrierenden Herzstücken gern positive Momente, dh. Personen, Situationen, Szenen, Aktionen usw. beredt werden läßt oder lassen muß. Von neunundvierzig solcher Herzstücke sind nur fünfzehn eindeutig negativ akzentuiert, neunundzwanzig eindeutig positiv und fünf sozusagen beides zugleich, absichtsvoll als mehr oder weniger legitime Formen der *Conincidentia oppositorum.* Unter den fünfzehn negativ akzentuierten Herzstücken steht nach dem sentimental-unrealistischen Emigranten-Briefkästchen (A I 5 b) und nach dem demonstrativ verfallenden Nationalgut Châtillon l'Abbaye (B II 8b) sogleich die *Kanonade von Valmy* weitaus an der Spitze aller übrigen, vielleicht etwas zu furios, wenn man die Sache mit den Augen des Historikers betrachtet. Goethe hat ungewöhnlich reiche Mittel aufgewendet, um dies als Kulmination wie als Wendepunkt entscheidende oder doch für entscheidend gehaltene Ereignis würdig und nachdrücklich beredt zu machen. Keine andere „Prosa-Strophe" in der *CiF* hat die gleiche höchst empfindliche Differenziertheit, keine bietet sachlich und persönlich einen weiteren und dichteren Reichtum von Bezügen auf, keine gibt Goethe eine bessere Gelegenheit, auch seinen eigenen Anteil energischer zu komprimieren, so daß er sich selbst als der Listen- und Gefahren-Meister Odysseus zu interpretieren und den Tag quasi unter dem Mantel des göttlichen Eumaios zu beschließen vermag. Derartiges ist ohne Zweifel Zeichen einer tiefenwirksamen dichterischen Intention, die dem ursprünglich gewählten Motto: *Auch ich in der Champagne* (1822), mehr aber noch der berühmten Formulierung eine eigene Nuance verleiht: *Von hier und heute geht eine neue Epoche der Weltgeschichte aus, und ihr könnt sagen, ihr seid dabei gewesen (I/33, 75).* Die Mehrzahl (11) der anderen eindeutig negativ akzentuierten Herzstücke verteilen sich aufschlußreich über die Kapitel C (Stillstand/Wendepunkt: 5), D (Rückmarsch: 5), E (Ausweg/Umweg: 1), aber in keinem einzigen Falle so ein- und ausdrucksstark wie bei der *Kanonade von Valmy.* Unter den neunundzwanzig eindeutig positiv akzentuierten Herzstücken dominieren nach Anzahl und Bedeutung folgende Momente: *Fürstmenschentum* (siebenmal), Farbenlehre/Naturbeobachtung (sechsmal), Antike (dreimal, aber stets in Vorzugsstellung!), Soldaten-Typus in der preußischen wie in der französischen Armee (dreimal), Dumouriez (zweimal, aber einmal nur in deutlicher Vorzugsstellung). Es fällt auf, daß das Mütterliche niemals als Herzstück erscheint, dh. nicht selbständig, nur durch unmittelbare Verknüpfung mit dem *Fürstmenschlichen* stark betont. Beginnen wir mit Dumouriez. Er tritt erstmalig, gewiß als Zeichen besonderer Wertschätzung Goethes, in der ersten Parenthese (B II 15) auf, das zweite Mal nicht so vorteilhaft, aber immerhin spürbar herausgehoben als *ein Mann, der uns immer viel Antheil abgewonnen hatte (TuJ* 1795: *I/35, 55).* Repräsentanten eines vorbildlichen Soldaten-Typus fixiert Goethe dreimal: einen Preußen (Friedrich Wilhelm vBülow?; Carl Friedrich vKnesebeck? *muß ich besonders auszeichnen, einen ernsten, sehr achtbaren Mann, von der Art wie sie zu jener Zeit unter den preußischen Kriegsleuten öfter vorkamen, mehr ästhetisch als philosophisch gebildet, ernst mit einem gewissen hypochondrischen Zuge, still in sich gekehrt und zum Wohlthun mit zarter Leidenschaft aufgelegt: I/33, 24 f.),* zwei Franzosen (Oberstleutnant Nicolas Joseph de Beaurepaire, 1740–1792, Stadtkommandant von Verdun, gab durch seinen „Römertod" das Beispiel eines *republikanischen Charakterzuges;* desgleichen ein unbekannter französischer Grenadier in Verdun, der durch seine Selbstaufopferung eine *zweite heroische, ahndungsvolle Tat* vollbrachte: *I/33, 36; 39 f.).* Die Antike behauptet mit dem *Monument von Igel* jedesmal und in der betontesten Weise eine Vorzugsstellung, im Auftakt-Kapitel A die absolute Mitte in doppelter Hinsicht, am Gegenpol als Parenthese und in gleichgewichtiger Achsenstelle zwischen VI und VII des Rückmarsch-Kapitels D sowie gleich darauf in VII, 47 als auslösendes Moment dreier Tiefenthemen: *κοινωνία* von Leben und Tod (Dialektik); *wirkliches Leben; Fürstmenschentum (Obelisk* für die Mutter des Fürsten-Hauses Weimar). Häufiger, wenn auch sicher nicht gewichtiger erscheint in Herzstücken die Farbenlehre/Naturbeobachtung; sie ist Lebensader des Ganzen: *Glückselig aber der, dem eine höhere Leidenschaft den Busen füllte: I/33, 50;* ihr geht es theoretisch und praktisch um die als unerläßlich empfundene und erfahrene Neu-Konstituierung der menschlichen Existenz im Bezugssystem der *Natur,* ohne deren rettendes Gelingen kein *Leben* möglich ist und wirklich werden kann. Endlich die umschließende, *sichere Heimat* und damit echtes Dasein und Wirken stiftende Gewalt des *Fürstmenschentums.* Diese steht weitaus an der Spitze aller derjenigen Momente, Personen,

Situationen, Szenen, Aktionen usw., die eindeutig positiv Herzstücke von Einzelabschnitten und Zentralstellen von Abschnittsgruppen füllen. Eines der bedeutsamsten Beispiele bietet die Geschichte mit dem *Linsengericht.* Sie findet sich in dem unseligsten Rückmarsch-Kapitel D (V 33b): *Wie nun unser Fürst gern alles mittheilte, so hielten's auch seine Leute (I/33, 104).* Carl August ist der einzige unter allen fürstlichen Truppenführern der *Campagne,* der den Realitäten in echter Weise gewachsen ist und dessen Soldaten genau wie ihr Chef wissen, was die Situation erfordert. Die Verbundenheit von Offizier und Mann ist beispielhaft. So ist es möglich, nicht nur die eigenen Leute, sondern Hohe und Niedere auch andrer Einheiten zu erquicken. Dies geschieht durch ein *Linsengericht.* Man kann sicher sein, daß die auch durch andere Zeugen bestätigte Realität dieser allgemeinen Mahlzeit bei Goethes sprichwörtlicher **Bibel*-Festigkeit ihm den Vergleich mit jenem anderen Linsengericht in den Sinn brachte, für das weiland Esau sein Erstgeburtsrecht verkaufte. Carl August hatte sich mit dem seinigen das Erstgeburtsrecht *fürstmenschlicher* Legitimation gekauft. Es gibt kaum eine vernichtendere Kritik an dem ganzen Feldzuge und an seinen verantwortlichen höchsten Führern als das *grauenvolle Schauspiel,* in dem Goethe diese beiden Potentaten wie Gespenster an die Speisungsstätte heran- und vorbeiführt: *Der König* (Friedrich Wilhelm II. von Preußen) *und sein Generalstab ritt von weiten her, hielt an der Brücke eine Zeit lang stille, als wenn er sich's noch einmal übersehen und überdenken wollte; zog dann aber am Ende den Weg aller der Seinen. Eben so erschien der Herzog von Braunschweig an der andern Brücke, zauderte und ritt herüber (I/33, 104).* An dieser Stelle und in jedem anderen Beispiel, das Carl August so zentral postiert, wird deutlich, daß Goethe in der Person des *Fürstmenschen,* in seinem *Dasein und Wirken* die reale Gegenkraft, die rettende und bewahrende Potenz gegen revolutionäre Aufstände erblickt und zeichnet. In der Atmosphäre eines solchen *Fürstmenschen,* in der *gesicherten Heimath (I/33, 162)* kann dann dasjenige geleistet werden, was theoretisch und praktisch in letzter Position hilft, das Leben in seinen Bezügen wiederherzustellen und zu bewahren. Dies ist im wesentlichen die Antwort, die Goethe in der *CiF* und in deren *dichterischer Gewältigung* der französischen Revolution entwirft und die er im *Bauplan* dieses Werkes anlegt. Der *gebührende Euphemismus* läßt nicht immer ein unverblümtes Wort zu. Im *Bauplan* brauchen solche Rücksichten nicht genommen zu werden. Im System der Relationen lassen sich alle Akzente und Nuancen vernehmlich machen.   *Za*

EGW II, S. 23–57. – HHüffer: Zu Goethes Campagne in Frankreich. In: GootheJb. 4, S. 79–106. – AChuquet: Les Guerres de la Révolution. 1892. – VPollak: Zur Belagerung von Mainz. In: GootheJb. 19, 261 bis 286. – KHeinemann: Goethes Werke Bd 10, S. 523 bis 547. – GRoethe: Goethes Campagne in Frankreich. 1919. – JKunz: Einführung. In: Biographische Einzelschriften. ArtA 12, 794–804. – WLoos: Anmerkungen. In: Autobiographische Schriften II. Hbg-A 10, S. 659–708. – OAubry: La Révolution Française. 1942. – Goethe et l'esprit français. Actes du colloque international de Strasbourg. 1958. S. 69–84. – EWeniger: Goethe und die Generale der Freiheitskriege. Geist, Bildung, Soldatentum. Neue, erweiterte Auflage. 1959.

Campanella, Thomas (1568–1639), italienischer Naturphilosoph der *Renaissance, Dominikaner, als Staats- und Sozialtheoretiker früh verdächtigt und inhaftiert (1599–1629), als philosophischer und psychologischer Denker schließlich mit allen Ehren in Paris seßhaft, ist für Goethe weniger als Autor seiner utopischen Jugendspekulationen „Civitas solis" (1602; = „Sonnenstaat"; *Andreä Sp. 267; auch *Rosenkreuzer) bedeutsam als vielmehr durch seine Konzeption einer doppelten Gottesoffenbarung (*Bibel: codex scriptura; *Natur: codex vivus), ferner – freilich eher negativ als positiv anregend – durch Impulse zur Deutung des *Dämonischen (bei C. in einem schon sehr satanisierten modus des spiritus familiaris), weiter durch seine These einer unmittelbaren Gotteserfahrung (tactus intrinsecus), endlich durch den Gedanken einer Allbeseelung sämtlicher Naturdinge (Steine, Pflanzen, Tiere, Menschen, Sterne), die mit den Kräften von Sympathie (amor) und Antipathie (odium), dh. imgrunde durch die Liebe als die höchste Seinsmacht in Wechselwirkung mit ihrer Negation (Haß = Nicht-Liebe, Nicht-Sein, Un-Macht) den Kosmos in seiner Ganzheit ebenso wie in jeder seiner Einzelheiten *magnetisch* ergreift und bewegt. Ungewiß, ob Goethe schon 1769, vielleicht auch erst 1772 C.-Lektüre betrieb; ebenso ungewiß, ob Herder 1770/71 bereits Anregungen gab. Goethe selbst läßt auf C.-Kenntnis in diesen Jahren immerhin mittelbar schließen (I/29, 174). Herder konnte vor oder um 1800 durch seine Übersetzer-Tätigkeit Erinnerungen geweckt haben. Bemerkenswert aber ist, daß die C.-Lektüre insbesondere mit der Schrift „De sensu rerum et magia" (1620: Ruppert Nr 3185) etwa um 1815 (?), vornehmlich 1817 intensiv bemerkbar wird: *Magnetes Geheimniß, erkläre mir das! / Kein größer Geheimniß, als Lieb' und Haß (I/2, 218);* in

DuW wird C. unter denjenigen mitgemeint, *die etwas Ähnliches gewahrt hatten* wie das, was Goethe *dämonisch* nannte *(I/29,174) ;* endlich ist in *TuJ* von dem *höchst aufmerksamen Lesen* die Rede, das Goethe *diesem wichtigen Denkmal seiner Zeit von neuem zuwendete (I/36, 127)* – überdies parallel mit *Kants Kritik der Urteilskraft (III/6, 29; 30)!*   *Lp*

ChrLepinte: Goethe et l'occultisme. 1957. (Problem-Zusammenhänge). – ABWachsmuth: Die Magia naturalis im Weltbilde Goethes. In: Goethe 19, 1–27. (Problem-Zusammenhänge). – WMuschg: Goethes Glaube an das Dämonische. 1958. (Literatur-Angaben).

Campbell, Thomas (1777–1844), schottischer Dichter mittleren Ranges; stand 1814 in Paris und 1820 in Bonn mit AWv*Schlegel in freundschaftlicher Beziehung. Nach dem Vorbild der berliner Universität betrieb er die Gründung der Universität in London. Goethe nennt seine „Lectures on Poetry" (1812) in den *TuJ* 1821 (I/36, 190f.); er scheint die Absicht gehabt zu haben, sie in *KuA* zu veröffentlichen (vgl. I/42^II, 452–454). An FW*Riemer schreibt er am 28. X. 1821: *daß ein Engländer sich auf das zierlichste für die Einheit homerischer Gesänge erklärt habe (IV/35, 158);* vgl. ebda 179). C.s Ossian-Ausgabe (Schenkung Carl Augusts: III/8, 270; 325) ist bei Ruppert nicht verzeichnet.   *Sn*

Campe, 1) Joachim Heinrich (1746–1818), einer der letzten Vertreter der *Aufklärung, Theologe (*Halle; 1773 Feldprediger in Potsdam), Pädagoge (1769; dann 1775 Erzieher der Brüder *Humboldt in *Tegel; 1776 Edukationsrat in *Basedows Philantropinum in *Dessau; 1777 Leiter einer eigenen Erziehungsanstalt in Billwerder bzw. Trittau bei Hamburg; 1787 Berufung als Schulrat nach *Braunschweig), alsbald Verlagsbuchhändler und Schriftsteller, insbesondere Jugendschriftsteller (Verdeutschung von Defoes „Robinson", 1779, vgl. Bdm. 1, 102); 1789 Frankreich-Reise zum Revolutions-Studium mit WvHumboldt. C.s ernstlichstes Bemühen galt ausgehend, aber abweichend von JChr*Adelung der Reinigung der deutschen Sprache von allen Überfremdungen: 1791, 1792, 1794 „Proben einiger Versuche von deutscher Sprachbereicherung", 2., 3. Versuch; 1801 „Wörterbuch zur Erklärung und Verdeutschung der unserer Sprache aufgedrungenen fremden Ausdrücke"; 1807/11 „Wörterbuch der deutschen Sprache". C. klassifiziert den von ihm erfaßten Wortschatz nach „Schreibarten", dh. nach ästhetisch-stilistischen Maßstäben, die gewiß bedenklich, aber kulturgeschichtlich für den heutigen Betrachter aufschlußreich sind. In der subjektiv-willkürlichen Art, mit der er dabei verfuhr, erblickte Goethe jedoch die Herabwürdigung der *Sprache zum *Cadaver*, die alle Ehrfurcht vor *Geist und Leben* vermissen läßt *(I/5ᴵ, 225 Nr 141)*; dieselbe widerkultürliche/widernatürliche Haltung fand Goethe auch in C.s positiver Einstellung zur französischen Revolution wieder: *Herr Campe scheint an der gefährlichsten aller Tollheiten ... krank zu liegen* (3. III. 1798: ein hochklassisches Wort an Schiller; *IV/13, 85*; vgl. auch hier Sp. 998: *toll*). Wiederholt drückte Goethe in scharfen Formulierungen seine Abneigung gegen C.s pedantischen *Purismus aus (I/5ᴵ, 217; 225; 227; I/14, 217 V. 4279f.?; vgl. auch hier Sp. 62), bisweilen in boshaften Späßen (Bdm. 5, 80; IV/21, 353), die Abneigung spielte sogar ins Persönliche hinüber, als C. 1810 Goethe in *Karlsbad traf (Bdm. 2, 86; abweichend Soret/Houben S. 412; erste Begegnung 1776 in Dessau, Sp. 814). Positiver (auch als zu den Jugendschriften) stand Goethe zu C.s „Reise durch England und Frankreich", 1803 (IV/17, 5; 8; 289), doch schätzte er die in C.s Verlag erschienene und durch seinen Vorschuß ermöglichte *Reisebeschreibung von KPh*Moritz (Italien) höher (vgl. I/32, 302).

–, 2) Franz August Gottlob (1773–1836), Buchhändler und Verleger in Hamburg (1812: Hoffmann und Campe), Neffe von 1), traf Goethe 1800 in Leipzig bei JBG*Fleischer *(manches interessante von Paris: III/2, 291)*; 1816 kam FAG. von Nürnberg nach Weimar zu Goethe (III/5, 227).   *Za*

Candolle, Augustin Pyramus de (1778–1841), berühmter schweizer Botaniker. 1798 bis 1808 in Paris, 1808 bis 1816 Universitätsprofessor in Montpellier, seit 1817 in Genf. Unmittelbare Beziehungen zu C. hat Goethe nicht unterhalten, sich aber seit 1817 mit seinen wichtigsten Werken eingehend beschäftigt: 1817 „Catalogus plantarum horti botanici Monspeliensis", (1813): *Hortus Monspelliensis (III/6, 114)*, 1819/1820 „Essai sur les propriétés médicales des plantes, comparées avec leurs formes extérieures et leur classification naturelle", (1804): *Arzneykräfte der Pflanzen (III/7, 25; 31; 150)*, 1829 entlieh Goethe die deutsche Ausgabe von 1818 aus der weimarischen *Bibliothek, *um mit Hofrath Vogel darüber zu sprechen:* (III/12, 130; Keudell Nr 2048). Beginnend 1818, besonders im Sommer 1828 wandte Goethe viel Zeit an das Studium der „Théorie élémentaire de la botanique" *(Auszüge ... belehren mich wie er von seiner Seite die Metamorphose der Pflanzen darstellt; ich darf mir aber noch immer einbilden, daß*

meine Methode reiner und zugleich faßlicher und also besser ist; IV/29,125). Auch studierte Goethe die „Organographie végétable": *Den ersten Band der Organographie zu Ende gelesen. Mich besonders am Schlusse der Übereinstimmung mit meiner eigenen Vorstellungsart und Schlußfolge gefreut (III/11, 246)*. Sehr aufmerksam war Goethe *auf die Annäherung des Autors an die Lehre von der Metamorphose (III/11, 275)*. Noch 1831 *Betrachtungen über Decandolle's Symétrie des Plantes* [aus der „Organographie"]. *Wie durch eine umgekehrte Methode das Wahre unzugänglich wird (III/13, 22)*. Goethe kam zu der Überzeugung, es sei *zwar mit allem Dank zu bemerken, daß ein so wichtiger Mann, wie Herr Decandolle, die Identität aller Pflanzentheile anerkennt, so wie die lebendige Mobilität derselben, sich vorwärts oder rückwärts zu gestalten und sich dadurch in gränzenlos unterschiedenen Formen dem Auge darzustellen, an den vielfachsten Beispielen durchführt. Allein wir können den Weg nicht billigen, den er nimmt, um die Liebhaber des Pflanzenreichs zu der Grund-Idee zu führen, von deren rechtem Verständniß alles abhängt. Nach unsrer Ansicht thut er nicht wohl von der Symmetrie auszugehen, ja sogar die Lehre selbst mit diesem Namen zu bezeichnen (II/6, 275f.).* Ba

Canitz, Friedrich Rudolf Freiherr von (1654 bis 1699), brandenburgischer Diplomat und Dichter, zuletzt Geheimer Staatsrat in Berlin, mit seinen (1700 posthum gedruckten) „Nebenstunden unterschiedener Gedichte" von *Boileau angeregt, zwischen spätbarocker Hofpoeterei und Aufklärungsliteratur stehend, entsprach der *Neigung des Vaters zu den reimenden Dichtern* (*Besser, *Creuz, *Drollinger, *Gellert, *Hagedorn), gehörte deshalb mit zu Goethes *erster Lectüre (I/26, 351)* und förderte ähnlich wie die anderen *eine gewisse Reim- und Versewuth (I/26, 48)*, die alsbald erlosch, als die kindlichen Wachstums-Bedingungen *(*Dichtung und Wahrheit)* ihre temporäre Gültigkeit verloren – die Wiederbeschäftigung 1826/27 ist Reminiszenz und wohl weniger auf C. selbst, mehr auf CA*Varnhagen und dessen biographische Darstellungsart zu beziehen (III/10, 287; 11, 2; 10). In seine weimarer *Hausbibliothek hatte Goethe das väterliche Exemplar der Gedichte C.s (²1734) nicht übernommen (Götting S. 50).   *Za*

Canning, George (1770–1827), englischer Staatsmann, 1814 Gesandter in Lissabon, liberal, vereitelte 1827 die absolutistische Erhebung in Portugal und trat am 12. XII. 1826 im Unterhaus zugunsten des von Spanien bedrohten Portugal ein. Goethe spricht sich sehr lobend über diese Rede aus (Bdm. 3, 311), beklagt später, daß die gegeneinander wirkenden Kräfte des englischen Parlaments diesem *großen Staatsmanne* so viele *Quengeleien* machten *(Bdm. 3, 411)*. Fv*Müller berichtet über ein Gespräch Goethes vom 12. VIII. 1827 über C.s Tod (UKM S. 155), ebenso E*Gans: „da Canning gerade vor einem halben Monat gestorben war, so gab sein Leben und sein Ende Veranlassung, ihn mit Pitt und dessen Vater, dem Grafen Chatham zu vergleichen" (Bdm. 3, 436).

C. hatte gemeinsam mit W Gifford (1756–1826) eine Komödie „The Rovers, or the Double Arrangement" verfaßt, es war gegen die Dramen von Schiller und Av*Kotzebue gerichtet, ist aber vor allem eine Parodie auf Goethes *Stella* (1. Fassung).   *Sn*

Canova, Antonio (1757–1822), der seinerzeit als Gipfelgestalt klassizistischer *Plastik hochgefeierte Bildhauer und Maler, mit Auszeichnungen, Ehren, Titeln, Einkünften aller Art überhäuft, 1779–1819 in Rom ansässig oder für Rom tätig, ist Goethe während seiner Italien-Reise nicht nahe gekommen (vgl. I/32, 442; 452). Unzweifelhaft aber hat Goethe aus dem umfangreichen Schaffen C.s vieles, und davon das meiste wahrscheinlich in Reproduktionen gekannt. Virtuos in der Material- und Formenbeherrschung und vornehmlich in der Oberflächenbehandlung, liegt die Stärke C.s weniger in der Gestaltungsfähigkeit von männlicher Größe und Kraft als vielmehr von weiblicher Zartheit und Anmut, ja von Süße und Reiz, bisweilen nicht ohne Sentimentalität. Erstaunlich, daß Goethe gerade die heldisch-tragischen Gestaltungen mit einer gewissen Betonung nennt: *Vernichtung des Lichas durch Herkules, Erdrückung des Centauren durch Theseus (I/49^{II}, 32.)* Sonst bezieht er sich auf das 1796/97 geschaffene, 1805 in Wien aufgestellte Grabmal der verstorbenen Herzogin Maria Christina von Sachsen-Teschen, geb. Erzherzogin von Österreich, dessen panegyrisch-poetische Beschreibung [Grabpyramide mit figürlichen Allegorien] durch JMv*Birkenstock ihm aus dem Nachlaß übersandt worden war (III/5, 72). Andere Äußerungen Goethes deuten nur an (III/13, 252f.). Der seinerzeit sehr beliebte, vielgepriesene, oft kopierte Dreiviertelakt (1803) der Fürstin Paolina Bonaparte/Borghese in Sitzliege-Pose als „Venus des Sieges" (FLandsberger) dürfte ihm nicht unbekannt geblieben sein. 1804 empfahl er dem dänischen Gesandten WChrvDiede, *durch den fürtrefflichen Canova . . . eine Büste der Verewigten*

[Gemahlin Diedes] *fertigen zu lassen, es würde dadurch ein unschätzbares Geschenk für die Mitlebenden, so wie für die Nachwelt entstehen (IV/17, 162).* Etwas weniger schmeichelhaft heißt es 1816: *Was Canova bey seinem Zug durch Deutschland gesprochen, davon hab ich manches gehört und begreife es nicht recht. Die Künstler kommen mir oft vor wie Väter und Mütter, welche recht hübsche Kinder zeugen ohne zu wissen wie es zugeht (IV/26, 237).* In C.s Werkstatt gearbeitet zu haben und angestellt gewesen zu sein, galt aber auf alle Fälle als Empfehlung (IV/27, 27; 56). 1817/18 bemühte sich Goethe, FPutinatis Medaille, *Canovas Bildniß vorstellend,* aus Mailand zu erhalten *(IV/28, 347).*   *Li*

Capitolinische Wölfin, erzenes Standbild einer Wölfin *etruskischer Kunst aus dem Ende des 6. Jahrhunderts vChr., zu dem wahrscheinlich der Erzgießer Andrea del Pollaiolo die Zwillinge Romulus und Remus hinzugefügt hat. Nach einer alten Chronik stand die Gruppe im 10. Jahrhundert am Lateranischen Palast; 1471 wurde sie auf das Kapitol übertragen. Da sich nicht nachweisen läßt, daß Goethe während der *Italienischen Reise im Konservatoren-Palast gewesen ist, steht nicht fest, ob er das berühmte Sinnbild der Stadt Rom im Original gesehen hat. Bei seiner Bemühung um die Rekonstruktion von *Myrons Kuh bot sich ihm die Wölfin als naheliegender Vergleich an (I/49^{II}, 11).   *Hm*

Wegner S. 35 und Abb. 6. – Grumach S. 562f. – ³Helbig S. 983.

Capo d'Istrias, Johannes Anton Graf (1776 bis 1831), altistrischer Herkunft, aber aus längst (seit 1373) und wohl aus Protest gegen die drohende Habsburger-Herrschaft (1374) gräzisierter Familie stammend (Korfu), Staatsmann, vornehmlich in russischen Diensten: 1800 Protektor der ionischen Inseln, 1803 Innen- und Außenminister, 1809 fester Amtssitz in Petersburg, 1811 diplomatischer Vertreter Rußlands in Wien, 1813 in der Schweiz, 1814/ 1815 beim Kongreß in *Wien, 1816 vorübergehend wieder Leiter der russischen Außenpolitik, 1818 beim Kongreß in *Aachen, 1822 Entlassung aus russischen Diensten, 1827 Kybernetes (Präsident) des um seine Befreiung und Neukonstitution kämpfenden Griechenland, dort von opponierenden Aufständischen in Nauplia ermordet. Goethe hatte 1814 bereits beiläufig und im Zusammenhang mit politischen Gesprächen über Angelegenheiten der Schweiz insbesondere über den Anachronismus der Verfassungsstreitigkeiten in *Bern (Sp. 1110) von C. gehört (9. VI. 1814: UKM

S. 15). Persönlicher Kontakt ergab sich erst in *Karlsbad (15. VIII. 1818: IV/29, 265; auch 254; 272; Goethe überreichte C. die gerade eintreffende neugriechische Übersetzung seiner *Iphigenie:* Urzidil S. 166). Der Kontakt erneute und festigte sich (2./3. IX. 1822 in Weimar: *Neugriechisch-epirotische Heldenlieder (I/3, 213-221;* 431; III/8, 235f.; IV/29, 269); 7. V. 1827 ebendort: *Hieroglyphen (III/ 11, 53),* wobei auch C. stets mit literarischkulturellen Anregungen aufzuwarten bemüht war. Goethe, der C. einen *edlen, von den allerhöchsten Mächten begünstigten Gouverneur (I/ 41^{II}, 353)* nennt, muß doch sein Scheitern in dem Hin und Her der griechischen Aufstandswirren als unvermeidlich voraussehen: C. *kann sich an der Spitze der griechischen Angelegenheiten auf die Länge nicht halten, denn ihm fehlt eine Qualität, die zu einer solchen Stelle unentbehrlich ist: er ist kein Soldat (Bdm. 4, 80f.).*   *Gk*

Capo Miseno (Kap Misenum), den wegen seines Rundblicks geschätzten vulkanischen Küstenvorsprung (268 m), hat Goethe am 1. III. 1787 mit dem Prinzen *Waldeck und JHW *Tischbein aufgesucht (*Baia). Hier fertigte Tischbein eine figürliche Zeichnung Goethes an (Abbildung; RV S. 26).   *JP*
Zeichnungen:
1) Corpus II, InvNr 689
Replik zu dem Aquarell in Frankfurt/M (Städel Nr 288);
Corpus VI veröffentlicht als „Sizilianische Küstenlandschaft", neue Lokalisierung durch Dr. Mardersteig, Verona
Dat. Sommer/Herbst 1787 (aus der Erinnerung gezeichnet).   *Fm*

Capri, die berühmte Insel, sah Goethe bei Tagesanbruch am 30. III. 1787 auf seiner Schiffsreise von *Neapel über das *Tyrrhenische Meer nach *Sizilien: *Die Sonne ging hinter den Gebirgen von Capri und Capo Minerva herrlich auf (I/31, 82).*
Am 14. V. 1787 auf dem Rückweg *Messina – *Neapel wäre das französische Kauffahrerschiff, dem er sich anvertraut hatte, bei den südlich vorgelagerten Sirenenfelsen (Faraglioni) fast gestrandet; *Ziegenhirten von Capri, deren Feuer man schon längst gesehen hatte,* machten sich auf das von Seenot bedrohte Schiff aufmerksam und *riefen einander noch viel unverständliche Töne zu, in welchen einige . . . zu vernehmen glaubten, als freuten sie sich auf manche Beute, die sie am andern Morgen aufzufischen gedächten (I/31, 231; RV S. 26 f.).*   *JP*
Zeichnungen:
Inselumriß auf den Zeichnungen:
1) Corpus II, InvNr 336
2) Corpus II, InvNr 363
3) Corpus II, InvNr 376
4) Corpus II, InvNr 390.   *Fm*

Capua/Capua vetere. In der heutigen Stadt C., seit dem 9. Jahrhundert nChr. am Volturno an der Stelle des antiken Casilunum gelegen, hielt Goethe am 25. II. 1787 die letzte Mittagsrast vor *Neapel. Die antike Stadt gleichen Namens südöstlich davon, heute S. Maria Capua vetere hat bis zu ihrer Zerstörung durch die Sarazenen im 9. Jahrhundert als blühender Ort bestanden. Ein großes Amphitheater aus dem 1./2. Jahrhundert nChr. ist der eindrucksvollste Rest. Goethe besuchte die Stätte Mitte März 1787 von *Caserta aus (I/31, 52; RV S. 26).   *Hm*

Caravaggio, Michelangelo Merisi(o) da C. (1573 bis 1610), Maler aus C., Provinz Bergamo, seit etwa 1590 in Rom, wo er durch seine neuartigen Bildstoffe – „Kartenspieler" und „Lautenspielerin" – und seine Stilleben – Aufsehen, bald aber auch die Anerkennung geistlicher Würdenträger erhielt, so daß ihm 1590 die Ausmalung der Kapelle des Kardinals Matteo Contarelli in S. Luigi de' Francesi übertragen wurde. Auch in S. Peter wurde er beschäftigt. Seit 1606 war er in Neapel, auf Malta und Sizilien tätig. Seinem leidenschaftlichen und einseitigen Charakter entspricht die derb zupakkende Auffassung in seinen Bildern („Berufung des hl. Matthäus", Berlin), in denen er die von den venezianischen Malern vorgebildeten Licht- und Farbprobleme mit harten Lichtkontrasten und reinen Farben weiterführt und in seinen genreartigen Bildgedanken einer neuen psychologischen Vertiefung nutzbar macht. – Als Maler der *Spieler* muß Goethe ihn schon früh kennengelernt haben *(IV/6, 188)* und zwar nicht nur durch Stichreproduktionen; möglich, daß Goethe im Palazzo Borghese in Rom oder im Palazzo Giustianini – in beiden Sammlungen befanden sich mehrere Werke C.s – Bilder dieses Künstlers kennengelernt hat. Anläßlich seines Besuches der *dresdener Galerie 1810 sah er die aus der herzoglichen Galerie zu Modena stammenden Bilder „Die Verleugnung des Apostels Petrus" – *Copie* – und „Zwei Männer und zwei Weiber spielen Karte" – *nicht Original.* Goethe bezweifelte die damals noch anerkannte Echtheit der Bilder *(I/47, 372; 375),* die jetzt Nachahmern oder Schülern zugeschrieben werden. In der Rezension einer Anzahl französischer satyrischer Kupferstiche (1797) wies Goethe auf *Falsche Spieler, die alte Idee, die von Caravaggio so schön ausgeführt ist,* hin und anerkannte damit die neue bildgegenständliche Welt C.s *(I/47, 355).*   *Lö*

Carey, Henry (1690?–1743), natürlicher Sohn des Marquis Georges Savile of Halifax, Dich-

ter (auch Dramatiker) und Komponist (Ballads; Ballad-Operas), besonders bekannt und erfolgreich als Vertoner der englischen Königshymne „God save the king", *dessen allgemein bekannte Melodie, einem Inselkönig gewidmet und noch keineswegs von dem patriotischen Festland überboten, ihre vollkommen herzerhebende Wirkung that (I/35, 246,* als Goethe 1806 ein Geburtstagslied für die Herzogin darauf dichtete *(Herzlich und freudevoll: I/16, 212).* Goethe wußte nicht, daß diese ursprünglich englische Geburtstagshymne (Georg II., 1739) bereits im Dezember 1793 mit einem aus dem Dänischen (HHarries 1790 für Christian VII.) verdeutschten Text in Berlin veröffentlicht und aufgeführt worden war (vgl. Goethe Jb 14, 243). In anderer Weise wurde C. („Sally in our Alley") wirksam für Goethes *Goldschmiedsgesell* (12. IX. 1808: *I/1, 35f.*); Goethe dürfte dies schon 1715 publizierte Gedicht C.s durch Vermittlung von EvFlies/*Eskeles über FWRiemer 1808 in *Karlsbad kennen gelernt haben (vgl. Goethe Jb 9, 328). *JP* **Carlyle,** Thomas (1795–1881), hat sich das deutsche Geistesgut wahrhaft zu eigen gemacht, so daß er als Mittler zwischen deutschem und englischem Geist höchsten Rang einnimmt: *Die Gesinnung, aus der er handelt, ist besonders schätzbar. Und wie ist es ihm Ernst! und wie hat er uns Deutsche studiert! Er ist in unserer Literatur fast besser zu Hause als wir selbst; zum wenigsten können wir mit ihm in unseren Bemühungen um das Englische nicht wetteifern (Bdm. 4, 35).*
Der von C. sehr verehrte Vater war Steinmetzmeister. C. wurde bereits mit fünfzehn Jahren Student der Universität Edinburg und dann Schulmeister in zwei kleinen schottischen Orten. 1826 heiratete er Jane Welsh, eine scharfsinnige und charaktervolle Schottin. 1865 wurde er Rektor der Universität Edinburg.
C.s Studien zur deutschen Literatur umfassen: „Schiller's Life and Writings" 1823/24; „The Life of Schiller" 1825; Übersetzung des Wilhelm Meister (Lehrjahre 1824; Wanderjahre 1827; das Letzte davon steht in „German Romance"); „State of German Literature" 1827; „Goethe's Helena" 1828; „Jean Paul Friedrich Richter" 1827; „Life of Heine" 1828; „German Romance, Specimens of its Chief Authors" 1829; „Jean Paul Friedrich Richter again" 1830; „Schiller", „The Nibelungen Lied", „German Literature of the 14. and 15. Centurie" 1831; „Goethe and Madam de Stael", „Goethe's Portrait", „Death of Goethe", „Goethe's Works", „The Tale by Goethe", „Novelle by Goethe" 1832. Nach

Goethes Tod schreibt er zwar noch Aufsätze zur deutschen Literatur für die großen Zeitschriften. Seine eigenen Werke werden aber bedeutsamer. Er beginnt mit dem „Sartor Resartus, the Life and Opinions of Herr Teufelsdröckh" 1833/34, einem noch unter JPauls Einfluß entstandenen halb-autobiographischen Werk. Dann folgen: „The French Revolution" 1837; „On Heroes, Hero-Worship, and the Heroic in History" (volkstümliche Vorlesungen, 1841), „Chartism" 1840; „Past and Present" 1843; „Oliver Cromwell's Letters and Speeches" (1845) und nach vierzehnjähriger Vorbereitung: „The History of Friedrich II of Prussia, called Frederick the Great", 6 Bde (1858–1865).
Goethe hat also weder den politischen Reformer und größten Gegner des materialistischen Zeitgeistes noch auch den Propheten einer Heiligung der Arbeit, sondern nur den Künder deutschen Geistes in England gekannt.
Die Korrespondenz, die neunzehn Briefe Goethes an C. und fünfzehn von C. an Goethe umfaßt, beginnt mit C.s Brief vom 24. VI. 1824, in dem er seine erste Goethe-Übersetzung „Wilhelm Meister's Apprenticeship" sendet. Goethe antwortet erst am 30. X. 1824 (IV/ 38, 281). Am 20. VII. 1827 gratuliert Goethe C. zu der ausgezeichneten Leistung seiner „German Romance" und seines „Life of Schiller": *Durchaus beweist Herr Carlyle eine ruhige klare Theilnahme an dem deutschen poetisch-literarischen Beginnen (IV/42, 268).*
Gelegentlich werden Geschenke ausgetauscht. So sendet Goethe C. außer Werken und Medaillen von sich auch Gelegenheitsgedichte. C.s Frau erhält verschiedenen Schmuck (I/5^{II}, 173; IV/42, 394). C. wird gebeten, zwei Medaillen an Sir W*Scott weiterzugeben. Ein *Den lieben treuen Edinburger Gatten Zum Neuenjahr 1828* gewidmetes Gedicht findet sich auch in einem Album von Frau v*Mandelsloh *(Weimar am kürzesten Tage 1827: I/4, 282; 5^{II}, 174f.).* Mrs. C. schenkt Ottilie 1829 zum Dank für eine Handarbeit einen schottischen Turban (Bonnet), mit dem Vers: „Scotland prides her in the ‚Bonnet Blue' / That it brooks no stain in Love or War: / Be it, on Ottilie's head, a token true / Of my Scottish love to kind Weimar!" Goethe dankt: *Der schottische elegante Turban hat, wie ich versichern darf, zu manchem Vergnüglichen Gelegenheit gegeben (IV/47, 16f.).* C. ist der spiritus rector der Freundesgabe zu Goethes 82. Geburtstag (*Philogermans; Goethes Dank: IV/ 49, 43).
Im April des folgenden Jahres findet C. bei sei-

ner Rückkehr nach Craigenputtock die Nachricht von Goethes Tod vor und trägt in sein Tagebuch ein: „This came to me at Dumfries, on my first return thither. I had written to Weimar, asking for a letter to welcome me home; and t h i s was it. My letter would never reach its a d d r e s s : the great and good Friend was no longer t h e r e ; had departed some seven days before. Craigenputtock, 19th April 1832" (Correspondence, S. 298).

Goethe hat sich besonders mit C.s „Life of Schiller" und mit seinen „German Romance" beschäftigt (III/11, 56–58). Marie vTeubern hatte die Schillerbiographie deutsch übersetzt, der frankfurter Verleger HWilmans wandte sich am 7. I. 1829 an Goethe mit der Bitte um ein Vorwort, die im Frühjahr 1830 erfüllt wurde (I/42^I, 185–206; 502–510). Auch besprach Goethe das Werk in *KuA* (I/41^{II}, 302). Der Schiller C.s galt Goethe als ein reines Beispiel der sich aufbauenden *Weltliteratur. Ebendeswegen konnte und sollte das Vorwort auch eine Ehrung für C. darstellen und die Adresse an die „Gesellschaft für ausländische schöne Literatur zu Berlin" solcher Ehrung zu gesteigerter Wirkung helfen. Goethe schrieb darüber an C.: *dem Publicum hab ich es gewiß recht gemacht, wenn Sie es nur verzeihen. Das Titelkupfer stellt Ihre Wohnung dar in der Nähe, die Titelvignette dasselbe in der Ferne. Nach den gesandten Zeichnungen, wie ich hoffe, so gestochen daß es auch in England nicht mißfallen kann. Außen auf dem Hefte sieht man vorn Schillers Wohnung in Weimar, auf der Rückseite ein Gartenhäuschen, das er sich selbst erbaute, um sich von seiner Familie, von aller Welt zu trennen* (*IV/47, 92;* Antwort C.s vom 15. XI. 1830: „Mich vor aller Welt als Freund Goethes hingestellt zu sehen, ist eine Ehre, die der kühnste Flug meiner Gedanken noch vor wenigen Jahren mir nicht hätte träumen lassen; und ich wüßte mir kein besseres Glück zu wünschen, als mich ihrer wert zu fühlen": AKippenberg, S. 27).

Bereits am 15. IV. 1827 hatte C. Goethe seine „German Romance" übersandt. Goethe studiert sie unmittelbar im Anschluß an das „Leben Schillers" (III/11, 59) und schreibt in *KuA: Um den Sinn dieses Titels im Deutschen wieder zu geben, müßten wir allenfalls sagen: Musterstücke romantischer, auch mährchenhafter Art, ausgewählt aus den Werken deutscher Autoren, welche sich in diesem Fache hervorgethan haben; sie enthalten kleinere und größere Erzählungen von Musäus, Tieck, Hoffmann, Jean Paul Richter und Goethe in freier anmuthiger Sprache . . . Hier sowohl wie in der Schillerischen Biographie beweis't Herr Carlyle eine ruhige, klare, innige Theilnahme an dem deutschen poetisch-literarischen Beginnen; er gibt sich hin an das eigenthümliche Bestreben der Nation, er läßt den Einzelnen gelten, jeden an seiner Stelle, und schlichtet hiedurch gewissermaßen den Conflict, der innerhalb der Literatur irgend eines Volkes unvermeidlich ist* (*I/41^{II}, 304 f.;* vgl. IV/42, 79).

Der dritte Gegenstand einer intensiven Beschäftigung ist das Fragment einer Übersetzung der *Helena*-Szene, die Goethe 1829 zu folgendem Gedicht veranlaßt: *Ein Gleichniß | Jüngst pflückt ich einen Wiesenstrauß | Trug ihn gedankenvoll nach Haus; | Da hatten von der warmen Hand | Die Kronen sich alle zur Erde gewandt. | Ich setzte sie in frisches Glas; | Und welch ein Wunder war mir das! | Die Köpfchen hoben sich empor, | Die Blätterstengel im grünen Flor; | Und allzusammen so gesund | Als stünden sie noch auf Muttergrund. | So war mir's als ich wundersam | Mein Lied in fremder Sprache vernahm* (*IV/46, 12;* auch I/4, 151).

Eckermann wollte gar zu gern C. als Übersetzer für den *Faust* gewinnen. Aber C. war bereits in sein produktives Stadium getreten und ist auf den eckermannschen Vorschlag nicht eingegangen.

Goethe kannte C. nur als Kritiker und Übersetzer. Was er zu Eckermann über C. den Kritiker gesagt hat, ist bis heute gültig: *Im ästhetischen Fach sieht es freilich bei uns am schwächsten aus, und wir können lange warten, bis wir auf einen Mann wie Carlyle stoßen. Es ist aber sehr artig, daß wir jetzt, bei dem engen Verkehr zwischen Franzosen, Engländern und Deutschen, in den Fall kommen, uns einander zu korrigieren. Das ist der große Nutzen, der bei einer Weltliteratur herauskommt und der sich immer mehr zeigen wird. Carlyle hat das Leben von Schiller geschrieben und ihn überall so beurteilt, wie ihn nicht leicht ein Deutscher beurteilen wird* (Bdm. 3, 412 f.).

Ehe noch C. seine eigenen Werke geschrieben hatte, wies ihm Goethe den Platz in seinem Jahrhundert an, den er dann tatsächlich einnehmen sollte: *An Carlyle ist es bewunderungswürdig, daß er bei Beurteilung unserer deutschen Schriftsteller besonders den geistigen und sittlichen Kern als das eigentlich Wirksame im Auge hat. Carlyle ist eine moralische Macht von großer Bedeutung* (Bdm. 3, 419).   SH

AKippenberg: Carlyles Weg zu Goethe. 1946.

Carolath, niederschlesisches, seit 1741 unter dem Namen C.-Beuthen durch Friedrich d. Gr. gefürstetes Adelsgeschlecht, seit 1753 mit der Namensführung Schönaich-C., seit 1550 eingesessen auf Schloß C. (Neubau 17. Jhdt), bekannt durch erfolgreich kultivierten Weinbau in dem dortigen Herrschaftsgebiet (Kr. Freystadt), hielt seit der karlsbader Begegnung (1812: I/36, 406) Verbindung mit Goethe, und zwar durch

–, 1) Heinrich Carl Erdmann (1759–1817), *Oberst-Burggraf (I/36, 406)*, besonders aber durch dessen Sohn

–, 2) Heinrich Carl Wilhelm (1783–1861), *Oberjägermeister*, preußischer Offizier (zuletzt General der Kavallerie), der 1830/31 persönlich und brieflich den Kontakt erneute *(vortreffliche Personen: IV/47, 213)*, und dessen Gemahlin

–, 3) Adelheid geb. Gräfin Pappenheim (1797 bis 1849) und beider Tochter

–, 4) Lucie (1822–1903).
Nicht unmöglich, daß Anregungen Goethes für das Theater auf Schloß C. fruchtbar wurden (vgl. HAFrenzel: Brandenburg-Preußische Schloßtheater. 1959. S. 184; 236). – Als Vermittler hatte sich CA*Varnhagen vEnse verdient gemacht.   *JP*

Carové, Friedrich Wilhelm (1789–1852), anfangs Verwaltungs-Jurist, dann Philosoph, *Creuzer-, insbesondere *Hegel-Schüler, *berühmter Wartburger*, später Privatdozent in *Breslau, dann Privatgelehrter in *Heidelberg, Publizist, auch Politiker (1848/49). Der erste Goethe-Kontakt war literarisch (14./15. XII. 1815: *Cölnisches Taschenbuch* = „Taschenbuch für Freunde altdeutscher Zeit und Kunst. Herausgegeben von EvGroote, FW Carové, *III/5, 195*); vgl. dazu: *mit reinerem Dank..., wenn nicht darin eine enthusiastische Mystik waltete, unter deren Einfluß weder Kunst noch Wissen gedeihen kann (I/34ᴵ, 179)*. Persönlich besuchte C. alsdann Goethe am 11. IV. 1818 in Jena, *sein Büchlein bringend (III/6, 195*: „Entwurf einer Burschenschafts-Ordnung und Versuch einer Begründung derselben", Ruppert Nr 413; *Studenten), veranlaßte am 6./7. V. 1819 die Lektüre seiner Publikation über Av*Kotzebues Ermordung (III/7, 45), suchte im September 1824 durch Übersendung seiner Schrift „Über das Recht, die Weise und die wichtigsten Gegenstände der öffentlichen Beurtheilung, mit stäter Beziehung auf die neueste Zeit" an sich zu erinnern (III/9, 337; Ruppert Nr 3035), wurde 1826 mit dem Hinweis auf seine „sehr bedeutende und tief zeitgemäße Schrift ‚Über die alleinseligmachende Kirche' ... – sie zieht mich außerordentlich an –" durch den Grafen CFv*Reinhard empfohlen: „Ohne die philosophischen Kapitel wäre diese gerade, was

der Zeit, besonders in Frankreich, nottut; denn er hat den Nagel auf den Kopf getroffen. Ich bitte, lassen Sie sich wenigstens daraus referieren" (BrReinhard S. 349; 352). Goethe weicht der Anregung aus, vielleicht auch, weil SBoisserée sehr negativ über C. urteilte (IV/41, 30). Eindeutig scharf ist seine Notiz über C.s letzte Publikations-Sendung: *Ein kindisches Religionsbüchlein* (17. XII. 1830: *III/12, 345*: „Kosmorama"). Die Kulmination der Leistung und Bedeutung C.s im Zuge der Friedensbewegung (Kongreß Paris), die freilich auf dem Grunde seiner allgemeinen „Menschheitsreligion" ruhte, hat Goethe nicht mehr erlebt.   *Gk*

Carpi, Ugo da (um 1450 bis nach 1525), Maler und Holzschneider, einer der ersten, die durch Verwendung mehrerer, verschieden getönter Platten farbige Wirkungen auf dem graphischen Blatt zu erzielen suchten, ist nach Schuchardt der Zeichner zweier Federumrisse in Goethes Kunstsammlung.   *Lö*

Carracci *(Caraccio: I/30, 217; Caracche: IV/4, 313)*, Gründer der bolognesischen Malerschule, die für Goethe zeitlebens von Wert für seine Kunstanschauung war, traten der virtuosen und dekorativen Kunst des Manierismus entgegen, indem sie, auf die Kunst *Correggios und der Venezianer zurückgehend, das Studium der Antike und der Natur wieder zur Grundlage ihrer Arbeit erklärten. In die Werkstatt Ludovicos (1), die man die Accademia degli Incamminati (der Vielversprechenden) nannte, traten die beiden Brüder Agostino (2) und Annibale (3) zu Beginn der achtziger Jahre des 16. Jahrhunderts ein. *Hier lag Talent, Ernst, Fleiß und Consequenz zum Grunde, hier war ein Element, in welchem sich schöne Talente natur- und kunstgemäß entwickeln konnten (I/49ᴵ, 154)*. Die C.s führten Fresken in bolognesischen Palästen (Palazzo Fava, 1580–1585 entstanden, *männlich rüstige Gestalten mit Sphinxen oder Harpyien im Faustgelag: I/49ᴵᴵ, 55;* Palazzo Magnani und Sampieri) aus, die ihren Ruhm begründeten.

–, 1) Ludovico (1555–1619), Vetter der Folgenden; Goethe sah 1797 bei CH*Frommann in Stuttgart aus dem Besitz C*Abels einen *Faun..., der eine am Baum gebundne Nymphe peitscht. Dieselbe Idee ist in den Scherzi d'amore* [vgl. III/8, 174] *von Carracci vorgestellt, und mag dieses Bild, das fürtrefflich gemahlt ist, wohl von Ludwig seyn (III/2, 124)*. Goethe besaß mehrere Reproduktionen von Gemälden Ludovicos.

–, 2) Agostino (1557–1602), von dem Goethe

1820 eine Kreuzabnahme nach *Tintoretto und 1831 eine Zeichnung (sie *übertrifft alle Erwartung: IV/48, 123ebda*), erwarb, blieb, obgleich auch als Stecher tätig, von geringer Bedeutung. Hingegen muß

–, 3) Annibale (1560–1609) trotz parteiisch beeinflußter Urteile des 17. Jahrhunderts als der eigentliche Meister der bolognesischen Schule und als ein entwicklungsgeschichtlich sehr bedeutsamer Künstler gelten. Ausgehend von den Werken Correggios in Parma, beeinflußt von Tizian und Tintoretto, belastet, aber auch getragen von der großen Tradition des Cinquecento, entwickelt Annibale eine echt italienische Bildkunst, in der die Relation der Gestalten mit dem sie weit und frei umgebenden Raume Bewegungsinhalte ermöglicht, die der organisch empfundenen Gestalt lyrischen und ekstatischen Ausdruck zu geben gestattet. Weniger epigonenhaftes Nachahmen als entwicklungsgeschichtlich entscheidende Fortführung michelangelesker und raffaelischer Gedanken bedingen den Stil seiner römischen Jahre, in dem mehr und mehr die architektonische Grundhaltung in dem gesetzlichen Aufbau seiner Kompositionen zum eigentlichen Form- und Schaffensprinzip wird. – Sein Einfluß auf die Kunst des 17. Jahrhunderts, weit über seine eigentliche Schule hinaus, ist wesentlich und (selbst auf Künstler wie Mengs und Batoni und auf die französischen Klassizisten noch wirksam) kaum zu überschätzen. JJ Winckelmann bezeichnet zwar die C. als „Eclectici", hingegen vermochte Goethe, seinen neuen Raumstil und seine entwicklungsgeschichtliche Bedeutung zu erkennen (vgl. 1/49^I, 154f.).

Schon 1780 schrieb Goethe an H*Merck: *Was sind die Caracche schön! Ach lieber Gott, daß man so lang leben muß, eh man so was sieht und sehen lernt (IV/4, 313)* und bittet Maler *Müller in Rom, ihm *manchmal über Gegenstände der Kunst zu schreiben, besonders lassen Sie mich über Raphaelen, Michelangele, Caracci und wen Sie wollen, etwas hören (IV/4, 330)*. Die Zuordnung AC.s zu den Renaissance-Meistern und der Wunsch, diesen Künstler nicht nur kennen, sondern *sehen* lernen zu können, bedingte auch Goethes Einstellung während der italienischen Reise. Schon in *Bologna sah Goethe Arbeiten der C. (III/1, 315) und dann in Rom am 17. XI. 1786 die Farnese-Galerie (IV/8, 54 = I/30, 217), nach der auch GPh *Hackert studiert hatte (I/46, 126) und in der in diesen Jahren F*Bury und H*Meyer kopierten (vgl. IV/8, 378f.). *An diesem Himmel [der Kunst] treten wieder neue Gestirne hervor,*

*die ich nicht berechnen kann und die mich irre machen: die Carracci, Guido [*Reni], Dominichin, in einer spätern glücklichern Kunstzeit entsprungen; sie aber wahrhaft zu genießen, gehört Wissen und Urtheil, welches mir abgeht und nur nach und nach erworben werden kann* (aus Bologna 19. X. 1786: *I/30, 163 f.*).

Schon in den italienischen Jahren besaß Goethe die 21 Blatt umfassende Kupferstichfolge des PAquila nach den Farnese-Bildern, von denen er 1797 eine Kopie der „Aurora und Cephalus" bei JAB*Nothnagel in *Frankfurt sah (III/2, 81). In Rom hinterließen sie – *Freilich zu viel für Monate, geschweige für einen Tag (I/30, 217)* – einen nachhaltigen Eindruck, der erst in den nachitalienischen Jahren deutlich wird; Goethe korrespondierte über AC. mit Meyer. Letzterer hatte eine jetzt im Landesmuseum in Weimar befindliche, zeitgenössische Kopie der Pietà (Original im Palazzo Doria Pamphili zu Rom) erworben (IV/9, 1), die für eigenhändig galt. Während Bury die „Ruhe und vernünftige Grazie" des Bildes emphatisch bewunderte, zeigt sich A*Kauffmann als bessere Kennerin: Es „zeigt an verschidnen stellen die hand des Meisters und ist ein gutes bild" (OHarnack: Nachgeschichte, S. 24f.; 31; 60). Ein Schüler des Malers FChr*Andres restaurierte das Bild; Meyer bat Goethe, es aufzubewahren, und schickte eine Nachzeichnung mit, die Goethe Carl August vorlegte (IV/9, 1). Das Gemälde wurde für das Museum angekauft (vgl. IV/37, 68) und 1827 in Dresden nochmals restauriert; dann zunächst im ehemaligen *jagemannschen Atelier ausgestellt (III/11, 47).

In den gleichen Jahren, in denen nach Meyers Ansicht *die Achtung für Carraccische Werke ins Abnehmen* geraten war *(I/49^I, 30)*, diskutierte Goethe mit ihm brieflich über das Bild des „Orpheus vor Circe", das er als *eine meiner Favoritkompositionen* bezeichnete und hinzufügte, daß *leider der Sinn in welchem es komponirt ist, sehr verschwunden und erloschen wäre, und unser lebendes Geschlecht möchte wohl meist das lobenswürdige daran zu tadeln geneigt seyn (IV/9, 26)*. Was Meyer an dieser Komposition vorbildlich fand, war die Vergleichbarkeit der Formgebung mit pompejanischen Bildern (BrMeyer 1, S. 19); Goethe überhöhte diese Gedanken durch seinen einsichtigen Vergleich mit dem Bildstil der *Alten* überhaupt: sie *sahen das Bild als ein ab- und eingeschloßnes Ganze an, sie wollten in dem Raume alles zeigen, man sollte sich nicht etwas bey dem Bilde dencken sondern man sollte das Bild dencken und in demselben alles sehen... Das* *hat Carrache wohl gefaßt* und er meinte damit, daß alle Momente der Handlung deutlich gemacht worden seien *(IV/9, 73)*. Goethe erkannte mit solchen Urteilen den Sinn des barocken Bildes und der in einem Moment gesteigerten Handlung, der das Transitorische des Vorgangs gleichwohl eigentümlich bleibt; daß er hierin eine antike Eigenschaft sah, die in *Raffaels „Transfiguration"* wiederaufgelebt wäre (ebda 74), gibt seiner Einstellung zum *Barock ein besonderes Kennzeichen.

Für das neuerbaute „*Römische Haus" in Weimar kopierte Meyer den „Genius" in Dresden – nicht als Genius des Ruhmes, sondern als Genius der Tapferkeit und der Ehre zu deuten mit dem bezeichnenden Wunsch Goethes, von dem *rohen Colorit in der Kopie... zu abstrahiren (IV/10, 159)*. AC.s Kunst mit ihrer klaren Kontur, ihrem überlegten Bewegungsspiel und ihrer prägnanten Farbigkeit wurde mit klassizistischen Augen gesehen. Die Bildinhalte sind *weder glücklich noch unglücklich (I/49^{II}, 55)* oder sind *der reinen Betrachtung und der unmittelbaren Einsicht* hinderlich *(I/30, 164)*, können aber, wie die Clytia-Komposition, Beispiel für die Gegenstandsproblematik werden (I/34^{II}, 125).

Zahlreiche Erwähnungen lassen erkennen, daß AC. und die Kunst der bolognesischen Schule im Mittelpunkt des kunstgeschichtlichen Interesses bei Goethe blieben. Zeichnungen und Nachbildungen c.scher Gemälde hingen in seiner Wohnung, bzw. in seiner Sammlung, die großen Portefeuilles der bolognesischen Schule wurden häufig vorgenommen und bei der Niederschrift des Abschnittes über Bologna in der italienischen Reise mit Meyer betrachtet (1815: III/5, 157); mit diesem hatte er schon 1811 in den gemeinsamen *kunstgeschichtlichen Studien über C., seine Nachfolger und Schüler gesprochen (III/4, 230f.). 1818 wurde die geschichtliche Bedeutung AC.s im Anhang zu *Philostrats Gemählden* formuliert (I/49^{I}, 154f.) und im gleichen Jahre der Wert seiner Schule für die *Landschaftsmalerei erkannt, worin Goethe Hackert folgte (I/46, 396), und schließlich in den Entwürfen von 1830/31 das Wesen der c.schen Bildkunst inbezug auf Raum- und Landschaftsdarstellung intuitiv erschlossen: *Das siebzehnte Jahrhundert befreit sich immer mehr von der zudringlichen ängstigenden Welt: die Figuren der Carache erfordern weitern Spielraum. Vorzüglich setzt sich eine große, schön bedeutende Welt mit den Figuren ins Gleichgewicht und überwiegt vielleicht durch höchst interessante Gegenden selbst die Gestalten*

(I/49^{II}, 244; vgl. AC.s „Landschaft mit Schloß und Brücke", Berlin). Indem er zugleich die Problematik der bolognesischen Schule erkennbar macht, faßt Goethe sein Urteil in die Worte zusammen: *Die Carracci waren zu Lehrern der Kunst wie geboren; sie fielen in eine Zeit, wo nach allen Seiten hin bereits das Beste getan war und sie daher ihren Schülern das Musterhafteste aus allen Fächern überliefern konnten. Sie waren große Künstler, große Lehrer, aber ich könnte nicht sagen, daß sie eigentlich gewesen, was man geistreich nennt* (13. IV. 1829 zu JP*Eckermann: *Bdm. 4, 111;* vgl. III/10, 154). Mit dieser Charakteristik überwand Goethe den engeren Standpunkt der neunziger Jahre und sah nicht mehr nur das Antike und Natürliche in der Kunst AC.s, sondern neben der entwicklungsgeschichtlichen Bedeutung in ihr das Befreiend-Heitere, das Ausgewogene, die *Italiänische horizontale Anmuth (I/49^{II}, 240)*, aber auch die von geistiger Intensität entleerte Form.   *Lö*

Carstens, Asmus Jacob (1754–1798), Maler und Zeichner, *besaß bei vorzüglichem Talent großen Ernst und unermüdet rege Lust zum Studium; man dürfte wohl aussprechen: Carstens war der Denkendste, Strebendste von allen, welche zu seiner Zeit in Rom der Kunst oblagen (I/49^{I}, 418).*

Gebildet an G*Lairesse und DWebb (,,Untersuchung des Schönen in der Malerei und die Verdienste der berühmtesten alten und neuen Mahler", Zürich 1766), durch AR*Mengs' Gedanken über die Schönheit und die rein gedächtnismäßig aufgenommenen Antiken der kopenhagener Sammlung, ging C.s Streben auf die Erfassung der plastisch empfundenen, ganzheitlich gesehenen Figur, die nicht mehr wie in der Komposition des *Barock in den kosmisch gedachten Bildzusammenhang eingestellt, sondern als schön gebärdete, linear rhythmisierte Einzelfigur Träger des kompositionellen Gefüges werden sollte. Unter dem Einfluß *Michelangelos (vgl. C.s „Engelsturz" 1789 und „Kampf der Titanen und Götter", 1795) und *Raffaels vervollkommnete er in mühsamer Arbeit seinen Stil, für den allein der Stoff der griechischen Sage, gelegentlich auch *Dantes „Divina comedia" und nur einmal ein Motiv aus Goethes *Faust* (Hexenküche, 1790) als würdig genug empfunden wurden. Erst 1797 vermochte C. in den 24 Blättern des „Argonautenzuges" Stoff und Form wahrhaft zu verschmelzen und die bis dahin ungelöste Spannung zwischen Einzelgestalt und Geschehenszusammenhang erst in den auf weitem landschaftlichen Plan verstreuten Gruppen des „Goldenen Zeitalters" aufzulockern. Obgleich schon 1789 im „Journal von und für Deutschland" gelobt und in CPh*Moritz' „Vorbegriffe zu einer Theorie der Ornamente" 1793 beachtet, wurde er in Deutschland erst durch CL*Fernows Besprechung der Ausstellung von 1795 in *Wielands Teutschem Merkur bekannt. Dies brachte ihm wie seinem Freunde Fernow jedoch die Gegnerschaft des Weimarkreises ein, der die scheinbar rein gedankliche Fiktion kantischer Begriffe, die C. in seiner Zeichnung „Raum und Zeit" dargestellt hatte, spöttisch abtat (I/5^I, 224; vgl. I/47, 95; H*Meyer 27. I. 1796 an Goethe: BrMeyer 1, S. 187 f.). Der von den Nachfolgern des Mengs gewonnene Maler *Müller konnte seine Entgegnung auf die *Albernheiten, die Herr Fernow mit großer Freyheit im Merkur debitirt (IV/12, 29),* durch Vermittlung F*Burys in die „Horen" setzen lassen. – Von einer Zeichnung C.s – *Apollo spielt auf der Leyer, die Musen tanzen um die Grazien, ein merkwürdiges Blatt, woraus man die Art und Weise seines Denkens und Arbeitens erkennen kann (III/2, 294)* – mehr befremdet als angesprochen, fand Goethe erst nach Fernows Übersiedlung nach Weimar/Jena ein näheres Verhältnis zu C., dessen zeichnerischen Nachlaß sein Freund mitgebracht hatte (I/35, 156). Goethe bat Fernow um *Bedingungen* für den Ankauf, nachdem eine *Ausstellung* der Blätter 1804 eröffnet worden war *(IV/17, 210); so wurden mehrere Zeichnungen des verschiedensten Formats, größere Cartone und kleinere Bilder, Studien in schwarzer Kreide, in Rothstein, aquarellirte Federzeichnungen und so vieles andere, was dem Künstler das jedesmalige Studium Bedürfniß oder Laune mannichfaltig ergreifen läßt, für unser Museum erworben* (1806: *I/35, 250).* Einen Teil übernahm Goethe in seine Sammlung (vgl. III/3, 185), darunter eine Vorzeichnung zu dem berühmten „Homer, der den Griechen singt", aber auch ein frühes Blatt „Cassandra vor dem Palast des Pelops in Argos". Gleichzeitig fanden auch C.s *Contouren zu Moritz Götterlehre* Goethes Beachtung *(III/3, 195),* doch erst 1825 lernte Goethe den *Cyklus Carstens von den Argonautischen Großthaten* kennen *(III/10, 18 f.;* wohl die 1799 herausgegebenen Radierungen JA*Kochs nach den von ihm ergänzten Zeichnungen C.s, die zunächst B *Thorwaldsen besessen hatte, jetzt Kopenhagen). Aus den 1814 zeitweilig im Fürstenhaus unter der Aufsicht der herzoglichen Bibliothek verwahrten Zeichnungen C.s (IV/

30, 176) wählte Goethe 1819 für die *weimarische Pinakothek den „Sokrates im Korbe" *(Der luftwandelnde Sokrates: I/49^I, 417)* nach *Aristophanes „Wolken" und gab neben einer Biographie C.s eine Charakteristik seiner Kunst und des von FH*Müller lithographierten Blattes: *eine Parodie im hohen Stil kann man es nennen, eine Verhöhnung ohne Karikatur; es drückt seine Kunst und Geistesart in diesem Fache vollkommen aus;* Fehler der Zeichnung übersah Goethe nicht *(I/49^I, 419 f.).* – C. konnte in seinem Streben nach klassisch einfachem Figurenstil goetheschen Formvorstellungen nur insoweit entsprechen, wie C.s Stil und Goethes Vorstellung noch eine gemeinsame Wurzel im Frühklassizismus (JJ*Winkelmann) hatten. Was der Kunst C.s für das goethesche Auge fehlte, war die hohe Freiheit wirklicher Natur, wie sie die Antike besessen hatte; was ihr mangelte, war die Naivität des Schaffens. *Lö*

BrCarl-August 1, S. 303. – BrMeyer 1, S. 187; 191. – Schuchardt 1, S. 260 f. – CLFernow: Leben des Künstlers Asmus Jacob Carstens, ein Beytrag zur Kunstgeschichte des 18. Jahrhunderts. 1806. – HMeyer: JALZ 1806, Nr 147. – AFHeine: Asmus Jacob Carstens und die Entwicklung des Figurenbildes. Aus: Studien zur deutschen Kunstgeschichte, H. 264. 1928. – AKamphausen: Asmus Jacob Carstens. Als: Studien zur Schleswig-Holsteinischen Kunstgeschichte Bd 5 (1941). – HvEinem: Die Nacht mit ihren Kindern. 1958.

Carus, Carl Gustav (1789–1869), Arzt, Naturforscher, Naturphilosoph, Psychologe und Künstler, stand mit Goethe seit 1818 in regem Briefwechsel, der durch die Geistesverwandtschaft, vor allem durch gemeinsame genetische Betrachtungsweise, mit dem *Urphänomen* beginnend *(In der Zoologie förderte mich Carus Urwirbel: I/36, 217),* gefestigt wurde. C. empfand diese Geistesverwandtschaft schon „in Jünglingsjahren", schuldete ihr „die lebhaftesten Anregungen" und dankte Goethe, „dessen tiefes Naturgefühl [ihn] aus seinen Gedichten und seinem Faust begeisternd angeweht hatte und in dessen Bestrebungen, die Metamorphose der Pflanzen zu durchdringen und das Geheimnis mancher Skelettbildungen zu entziffern, [ihm] die in der Wissenschaft seitdem mit Riesenschritten weitergediehene genetische Methode zuerst schöner und deutlicher erschienen war" (CG Carus: Goethe. Persönliches Verhältnis). Hatte auch nur eine einzige Begegnung dieser beiden Männer am 21. VII. 1821 (III/8, 80) stattgefunden, so waren doch Goethe mehrere Schriften des seit 1814 als Professor für Frauenheilkunde an der chirurgisch-medizinischen Akademie Dresden und seit 1827 als königl. Leibarzt, Hof- und Medizinalrat tätigen C. bekannt. Aus dessen über 200 naturwissenschaftlichen Arbeiten waren es vor allem das „Lehrbuch der Zootomie" (ebda 6, 173f.; 187f.), die „Vorlesung über Psychologie" (ebda 13, 177f.; 200), die „Organographie" (ebda 12, 296), die „Osteologischen Tafeln" (ebda 8, 317), die „Analecten der Naturwissenschaft und Heilkunde" (ebda 12, 80), die „Abhandlung von den Schneckeneiern und deren Entwicklung" (ebda 9, 134), „Vom inneren und äußeren Bau der Muscheln und Schnecken" (ebda 127, 330), „Von den äußeren Lebensbedingungen der weiß- und kaltblütigen Thiere" (ebda 338), „Von den Ur-Theilen des Knochen- und Schalengerüstes" (ebda 22; 11, 228), „Von den Unterschieden der verschiedenen Behandlung der Anatomie" (ebda 10, 167; 302), „Von den Anforderungen an eine künftige Bearbeitung der Naturwissenschaft" (ebda 9, 20; 324), „Von den Naturreichen" (ebda 6, 257), die „Grundzüge allgemeiner Naturbetrachtung" (ebda 9, 14) und die „Urform der Schalen kopfloser und bauchfüßiger Weichthiere", die Goethe *gegenwärtig das Vergnügen* bereiteten, *Zeuge zu werden des fortschreitenden reinen Bestrebens, womit Herr Dr. Carus das ganze organische Gebäude verfolgt und ... in dessen Geheimniß einzuweihen* er *das Glück und die Freude* hatte *(II/8, 168)*. Die *tiefgeschöpften und fruchtreichen Mittheilungen* waren Goethe *von dem größten Werthe (ebda 255)*. Auf künstlerischem Gebiet veröffentlichte C. einen *sehr wohlgedachten und wohlgeführten Aufsatz über Landschaftsmahlerei (I/36, 220;* 49^I, 385f.; III/8, 166; 170). C., der wie Goethe Mitglied der Kaiserlich Leopoldinischen Deutschen Akademie der Naturforscher zu Halle und seit 1862 deren Präsident war, nahm an der denkwürdigen Sitzung der Pariser Königlichen Akademie der Wissenschaften 1830 teil (II/7, 214). Die bereits erwähnte Geistesverwandtschaft zwischen Goethe und C. ließen C., der schon 1832 eine Besprechung des *Versuchs über die Metamorphose der Pflanzen* schrieb (III/13, 217), kurz nach dem Tod Goethes in seinen Schriften „Goethe, zu dessem näheren Verständnis" (1843, zahlreiche Neuausgaben: 1927, 1932, 1948), „Goethe-Denkschrift" (1849) und „Goethe, dessen Bedeutung für unsere und die kommende Zeit" (1863) als einen der ersten den Versuch eines Gesamtbildes Goethes entwerfen. „Goethes Naturerkenntnis, ihre Voraussetzung in der Antike, ihre Krönung durch Carus" (AMeyer in Jahrb. des Freien Deutschen Hochstifts, Jahrg. 1929) zeigt die Bedeutung dieses Mannes, dessen Goetheverehrung zunächst ohne Resonanz blieb, den jedoch heute HWilhelmsmeyer (1936) „als Erbe und Deuter Goethes" bezeichnet. Dazu insbesondere auch: *Biologie; *Botanik; *Zoologie; *Medizin; *Naturphilosophie; *Urpflanze; *Vergleichende Anatomie; ferner: *Goethe-Biographien; *Romantik. *Sl*

CGCarus: Goethe. Zu dessen näherem Verständnis. Neu-Ausgabe von KKEberlein. oJ. – AMeyer-Abich: Biologie der Goethe-Zeit. 1949. – ThBallauf: Die Wissenschaft vom Leben. Bd I. Eine Geschichte der Biologie vom Altertum bis zur Romantik. 1954. – FArnold: Vorwort. In: CGCarus: Grundzüge allgemeiner Naturbetrachtung. 1956. – Goethe et l'esprit français. Actes du Colloque International de Strasbourg. 1958. S. 103–191.

Carvalho e Sampayo, Diego de (1750–1807/12), portugiesischer Diplomat, Botschafter in Madrid und seit 1785 Ritter des Maltheserordens, veröffentlichte ua. Studien zur Farbenlehre, „Tratado das cores", 1787, „Dissertação sobre as cores primitivas, com um breve tratado da composição artificial das cores", 1788, und „Memoria sobre a formação natural das cores", 1791. Wv*Humboldt lernte ihn 1801 in Madrid kennen und erhielt von ihm ein Exemplar der „Memória sobre a formação natural das cores", das er Goethe mit einem erklärenden Begleitbrief vom 11. XI. 1801 durch Fv*Gentz überbringen ließ. „Es enthält eine Theorie, die mir der Ihrigen sehr ähnlich scheint ... Ich zweifle nicht, daß Sie des Portugiesischen mächtig genug sind, diese Kleinigkeit zu verstehen, und im Fall Sie es interessant finden, zu übersetzen" (ThBratranek: Goethes Briefwechsel mit den Brüdern vHumboldt. S. 173f.; LGeiger: Goethes Briefwechsel mit W und AvHumboldt. S. 142f.). Goethe hat die Schrift – mit Hilfe des auf der Bibliothek in Weimar entliehenen „Dictionary of the Portuguese and English Languages" von AVieyra, 1773 (Keudell Nr 273) – im Original gelesen. In dem Konzept seiner Antwort an Humboldt heißt es darüber: *Für die Portugiesische Schrift danke ich recht vielmals, ich kann damit so ziemlich zurechtkommen. Es ist sehr angenehm zu sehen, wie ein Gegenstand, der uns interessirt, die Aufmerksamkeit so manches andern gleichfalls in Bewegung setzt. Dieser Freund begeht den Fehler, dem viele, in derselben Materie, so wie den verwandten Fächern ausgesetzt waren; anstatt eine partiale Erscheinung recht zu entwickeln, fundirt er gleich eine Hypothese, einen theoretischen Ausspruch darauf. Anstatt ein merkwürdig Phänomen in Reihe und Glied zu stellen, will er mit demselben, als einer Zauberformel, das ganze Fach erobern IV/15, 290f.).* Gleichzeitig bittet er Humboldt, ihm Näheres von den *Lebensumständen* des Verfassers mitzuteilen. In seinen *Materia-*

lien zur Geschichte der Farbenlehre hat Goethe der „Memória" ein Kapitel gewidmet, sich kritisch damit auseinandergesetzt (II/4, 233 bis 241; auch 407) und eine Reihe von Auszügen aus der Schrift in deutscher Übersetzung hinzugefügt, *um unseren Lesern einen Begriff von diesen zwar redlichen, doch seltsamen und unzulänglichen Bemühungen zu geben (ebda 234).* Er faßt sein Urteil zusammen in die Worte: *Seine Bemühungen sind redlich, seine Aufmerksamkeit genau und anhaltend. Er wird die dunkle Eigenschaft der Farbe gewahr, die Nothwendigkeit eines farblosen Lichts zur Erscheinung der Farbe, und führt die sämmtlichen Paare der sich fordernden Farben ganz richtig durch; nur übereilt er sich im Urtheil (ebda 240)* und schließt mit der Bemerkung, die Schrift *verdiente wohl ganz übersetzt . . . zu werden (ebda 241).* Das Manuskript der Übersetzung der von Goethe zitierten Teile – in der Mappe *Chromatica* – ist zwar nicht von seiner Hand, doch ist anzunehmen, daß sie von ihm selbst diktiert worden ist. Jedenfalls hat er während der Arbeit am historischen Teil der *Farbenlehre* das oben erwähnte portugiesisch-englische Wörterbuch noch einmal entliehen (Keudell Nr 354).   *Be*
AEBeau: Goethe e a cultura portuguesa. In: Biblos. Vol. XXV. Coimbra 1950.

Carvelle, Jean Baptiste, französischer Zeichner, „Verfertiger miniaturartiger Bildniszeichnungen, die er mit dem Silberstift auf Pergamentblättchen ausführte und denen er durch Bestäubung mit Bimsstein- und Karminpulver eine zarte farbige Tönung verlieh" (Technik „à la Carvelle"): *„kein groser Künstler ist er nicht",* schrieb Goethe *(IV/5, 331).* C. befand sich 1782 mit seiner Frau in Weimar und überreichte eine seiner Bildniszeichnungen der Herzogin-Witwe Anna Amalie. Für Carl August führte er ein Porträt Villaisons aus. Im gleichen Jahre entstand auch eine Kreidezeichnung mit dem Porträt des Herzogs sowie zwei Miniaturporträts. 1783 ist C. in Teplitz und Berlin nachweisbar.   *Lö*
ThB 6 (1912), S. 97. – HWahl: Die Bildnisse Carl-Augusts. 1925. S. 45.

Casa di Goethe in *Pompeji, die spätere „Casa del Fauno" (Regione VI Nr 12) mit dem *Alexandermosaik, wurde zunächst aufgrund der Gegenwart AvGoethes bei der Eröffnung ihrer Freilegung am 7. X. 1830 zu Ehren Goethes so genannt. Als Goethe am 6. III. 1832 von JCW*Zahn aus Neapel mit der Zeichnung des Alexandermosaiks (III/13, 229) auch *eine ausführliche Zeichnung des großen bebauten und besäulten Raumes* erhielt, schrieb er an CF *Zelter: Sie haben dem neusten ausgegrabenen*

und noch nicht ganz enthüllten Hause meinen Namen gegeben, welches mir auch ganz recht ist. Ein Echo aus der Ferne, welches den Verlust meines Sohnes mildern soll (IV/49, 266). Der Maler Zahn hatte die Anregung zur Namensgebung erteilt: *Wenn das durch Ihre Vermittlung möglich gewordene Ereigniß einer besonders gewidmeten Ausgrabung auch fernerhin die Folge haben kann, daß unser Name heiter in Pompeji von Zeit zu Zeit ausgesprochen werde, so ist das einer von den Gedanken, mit denen unsre, über der Vergangenheit spielende Einbildungskraft sich angenehm beschäftigen, Schmerzen lindern und an die Stelle des Entflohnen das Künftige sich vorzubilden Gelegenheit nimmt* (24. II. 1831: *IV/48, 131).* Alle Nachrichten über das Goethe nun aufs engste verbundene Gebäude wurden besonders sorgfältig bewahrt (11. I. 1832: III/13, 205).   *Hm*
AMau-AIppel: Führer durch Pompeji⁶. S. 242ff. – Grumach S. 451; 671f.

Caserta. Von *Neapel aus besuchte Goethe am 14. III. 1787 für drei Tage C., wo GPh *Hackert in dem alten Schloß wohnte. *Das neue, 1752 errichtete Schloß mit seiner Lage auf der fruchtbarsten Ebene von der Welt,* hat Goethe stark beeindruckt: *freilich ein ungeheurer Palast, escurialartig, in's Viereck gebaut, mit mehrern Höfen; königlich genug (I/31, 49f.;* vgl. RV S. 26). Auch der wasserspendende Aquädukt und die Gartenanlagen des Schlosses mit ihren Wasserkünsten erregten seine Bewunderung. Das Innere des Schlosses mit seinen ungeheuren leeren Räumen schien ihm dagegen unbehaglich, und er verstand es gut, daß der König im Gebirge sich das kleinere, zur *Jagd- und Lebenslust* geeignete Casino (Casino reale di *San Leucio) hatte erbauen lassen.   *Wt*

Caspers, 1) Manon (getauft 31. VIII. 1781 Mannheim, bis 1814 Weimar), Schauspielerin, debütierte 1898 in Frankfurt/Main, wurde von Frau Rat Goethe ihrem Sohn brieflich nach Weimar empfohlen und war dort Januar 1800 bis Ostern 1802 engagiert. Sie gehörte zu den Liebhaberdarstellerinnen, unter denen Goethe eine Nachfolgerin für Ch*Neumann-Becker zu finden hoffte. Sie bekam sehr schnell größere Rollen wie die *Mariane* in den *Geschwistern* und „Palmire" im „Mahomet". Der Versuch, eine so anspruchsvolle Rolle wie die der Amenaide im „Tancred" mit ihr zu besetzen, schlug jedoch fehl, obgleich Goethe die Rolle mit ihr studiert hatte. Schon in der zweiten Vorstellung wurde die Rolle von der *Jagemann übernommen. MC. zog sich Ostern 1802 in das Privatleben zurück. Die *TuJ* 1801 gedenken ihrer lobend als *einer sich heran-bildenden Schauspielerin (I/35, 90)* und versuchen, ihren Mißerfolg bei der Tancred-Uraufführung schonend zu übergehen. Auch Schiller soll sich für ihr Talent interessiert haben, und sie dürfte diejenige von den beiden Schwestern gewesen sein, für die er die Rolle einer jungen Gräfin Douglas in den 5. Akt der „Maria Stuart" einfügen wollte.

EFrenzel: Die vertauschten Schwestern der Sophien-Ausgabe. In: Goethe, 16 (1954), S. 218–224.

–, 2) Fanny, später verehel. Doré (getauft 2. V. 1787 Mannheim, bis 18. V. 1835 Wien), Schauspielerin, Schwester von 1), kam im Januar 1800 mit dieser nach Weimar und spielte Kinder- und später auch naive Nebenrollen. Ostern 1802 zog sie sich von der Bühne zurück und wurde Gesellschafterin. 1809 begegnete sie Goethe noch einmal flüchtig. Bekannt wurde sie später durch ihre Herzensgeschichte mit dem Bildhauer Thorwaldsen in Rom 1818/19, der sie wegen einer anderen Bindung nicht heiraten konnte. 1815 trat sie durch einen Bekannten mit der Bitte um ein Autogramm an Goethe heran, der ihr als Antwort das Gedicht *An Fanny Caspers (I/4, 248)* schickte, das eine weinselige Szene zwischen Goethe und Fanny aus der Zeit ihres weimarer Engagements beschwört und auf ihre weimarer Antritts- und Glanzrolle in Bretzners Lustspiel „Das Räuschchen" anspielt. Als sie Goethe im Jahre 1821 grüßen ließ, faßte er seinen Eindruck von ihr dahingehend zusammen, *daß sie eines jener lieblichen, aber neutralen adiaphoren weiblichen Wesen sei, die ... eben nicht mehr anreizen, als daß man gerne, bei ihnen verweilt (Bdm. 2, 506).*   EF

Cassas, Louis François (1756–1827), den französischen Architekten, der von einer Studienreise durch den vorderen Orient und *Ägypten zurückkehrend, in Rom Station machte, lernte Goethe im Spätsommer 1787 kennen. C. zeigte Goethe zehn seiner Zeichnungen nach Monumenten und Ruinen, die er während seiner Reise angefertigt hatte (Verzeichnis und Beschreibung: IV/8, 257–260 und I/32, 87–89), darunter die große Pyramide und den Sphinx von Gize, sowie eine Rekonstruktion einer Pyramidenanlage, die für Goethes Verhältnis zur ägyptischen Kunst, den *Egyptischen Sachen,* von bedeutender Wirkung war, *die ungeheuerste Architecturidee die ich zeitlebens gesehen und ich glaube nicht daß man weiter kann* (10. IX. 1787: *I/32, 89* = IV/8, 260). Die beiden Reisewerke mit den Zeichnungen C.s „Voyage pittoresque et historique de la

Syrie, de la Phoenice, de la Palaestine et de la Basse Aegypte" (1798; mit dem Text von FJGLa Porte) und „Voyage pittoresque et historique de l'Istrie et de la Dalmatie", redigiert von JLavallée (o. J.) entlieh Goethe am 24. VI. 1799 aus der weimarischen *Bibliothek (Keudell Nr 151; 152).   Hm

KHDittmann: Goethe und die „Egyptischen Sachen". Mitt. Kairo 12 (1943), S. 98 ff.

Castel Gandolfo sah und besuchte Goethe während seiner römischen Aufenthalte häufig; auch mußte er es dem Zuge der Via Appia folgend auf seinen Reisen nach (22. II. 1787) und von (6. VI. 1787) *Neapel streifen. Anfang Oktober 1787 ging er als Gast zu Th*Jenkins auf dessen Landbesitz und blieb dort wohl rund 3 Wochen, *wo es einer Anzahl von Freunden weder an Zimmern zu bequemer Wohnung, noch an Bogengängen zu munterem Lustwandeln fehlte (I/32, 119).* Goethe berichtet: *Man kann sich von einem solchen Herbstaufenthalte den besten Begriff machen, wenn man sich ihn wie den Aufenthalt an einem Badeorte gedenkt. Personen ohne den mindesten Bezug auf einander werden durch Zufall augenblicklich in die unmittelbarste Nähe versetzt. Frühstück und Mittagessen. Spaziergänge, Lustpartien, ernst- und scherzhafte Unterhaltung bewirken schnell Bekanntschaft und Vertraulichkeit (I/32, 119).* Die Romanze mit der *schönen Mailänderin* Maddalena *Riggi, die Goethe bereits in Rom kennengelernt hatte, fand hier Ort und Stunde. Sonst nennt Goethe besonders A*Kauffmann (die in der Nähe wohnte), Av*Maron und Frau Therese Concordia geb. Mengs, *einige muntere Mädchen, einige Frauen (ebda 109)* und den römischen Hofrat JF *Reiffenstein, der ihn regelmäßig zu zeichnerischen Arbeiten anregte. Abends gings gern ins Teatro della Valle, um sich durch einen tagsüber als Schuhmacher arbeitenden *pulcinell* (vielleicht denselben, den schon JWvArchenholz erwähnt) *uns mit seinen pantomimisch-mimisch-lakonischen Absurditäten (ebda 131)* erheitern zu lassen. An Lektüre bewegten und erregten Goethe hier positiv Herders „Ideen zur Philosophie der Geschichte der Menschheit", III. Teil und negativ: JC*Lavaters Goethe gewidmeter „Nathanael" („Alles Leben lebt durch etwas außer sich; alles Leben hat ein Principium. Der Christus des Evangeliums ist das Principium alles unsterblichen Lebens"), sowie FWBv*Ramdohrs „Über Malerei und Bildhauerarbeit in Rom für Liebhaber des Schönen in der Kunst", *ein monströses Mittelding zwischen Compilation und eigen gedachtem Werk* (vgl. dazu Schillers

Kritik, brieflich an Goethe 7. IX. 1794). An Werken: *Erwin und Elmire ist so gut als fertig; es kommt auf ein paar schreibselige Morgen an; gedacht ist alles (ebda 109)*. Als politisch-militärisches Ereignis wurde die Eroberung von Amsterdam (8. X. 1787) besprochen. *Von einer weiten Berg- und Waldtour* hatte Goethe eines Tages ein Gericht Pilze mitgebracht und sogleich als seltene Tafelfreude in die Küche gegeben, ohne Jenkins zu verständigen, was Verwicklungen veranlaßte, die Goethe launig mit seiner eigenen *Vergiftung* durch MRiggi verknüpfte, um beides künftig zu vermeiden. RV S. 27.   *JP*

Zeichnungen:
1) Corpus II, InvNr 937
   Dat. Okt. 1787
2) Corpus II, InvNr 1298
   Dat. Okt. 1787.   *Fm*

Castelli, Ignaz Friedrich Franz (1781–1862), geboren und gestorben in Wien, Verwaltungsjurist (1801–1842), dann Privatier, 1809 hervorgetreten mit einem „Kriegslied für die österreichische Armee", bedeutender aber als literarischer Repräsentant des Altwienertums, schriftdeutsch oder mundartlich außer mit Romanzen, Balladen, Scherzgedichten, Humoresken, Schnurren, Anekdoten, Rätseln, Scharaden, Sprüchen besonders erfolgreich als Theaterdichter. In der *Spielplan-Gestaltung des weimarer Theaters berücksichtigte Goethe C.s Produktion gern und gut (1808: „Fünf sind zwei"/„Domestikenstreiche"; 1811, 1814, 1815, 1817: „Die Schweizerfamilie", komponiert von JWeigl; 1815: „Das Lotterielos"; 1816: „Die Ehemänner als Junggesellen"; 1819 – noch von Goethe bestimmt? –: „Die Waise und der Mörder". 1828 las Goethe als Geschenk des Verfassers mit liebenswürdigem Widmungsgedicht *Castellis niederösterreichische Dichtungen (III/11, 256: „Gedichte in niederösterreichischer Mundart". Wien 1828). Zweierlei bezeugt Goethes Wertschätzung: 1. C. erhielt im Juni 1831 den Goethe/Schiller-Briefwechsel als „Schwänchen„ (III/13, 85; IV/48, 213; EGW I, S. 529; vgl. MMommsen: „Schwänchen und Schwan". In: Goethe 13, S. 290–295); 2. C.s Werke – wohl als Gegengabe für das „Schwänchen" eingetroffen – erfreuen im September 1831 Goethe und die Seinigen durch *eine heitere Unterhaltung (III/13, 143f.;* Ruppert Nr 858–863).   *Za*

Castelvetrano, Städtchen in der Südwestecke *Siziliens, erreichte Goethe auf einer abgekürzten Reiseroute (nicht wie damals üblich über Trapani, Marsala, Mazzara, Selinunt), sondern, nach dem Aufenthalt in *Segesta auf den Besuch der Tempelruinen von Selinunt verzich-

tend, am 21. IV. 1787 (vgl. I/31, 339). In der Nacht hatte er das bekannte *eigne Abenteuer* mit dem Stern (I/31, 156).   *JP*

Casti, Giambattista (1721–1803), Abbate, damals (seit 1782) Hofdichter Kaiser Josephs II., lernte Goethe am 17. VII. 1787 in Rom als Reisebegleiter des Grafen JJv*Frieß kennen. C. *recitirte eine seiner *Novellen* [„L'Arcivescovo di Praga"], *die nicht sehr ehrbar, aber außerordentlich schön, in Ottave rime, geschrieben ist (I/32, 33;* wohl auch andere Proben aus seinen noch ungedruckten Novelle galanti: I/32, 50). Goethe kannte bereits *Opern-Texte von ihm („Re Teodoro in Venezia"; „Re Teodoro in Corsica"; G*Paesiello), schätzte aber wohl am meisten *seine Thierfabeln:* „Storia degli animali parlanti" (1802; vgl. IV/16, 328), deren Illustrierung durch JHMenken (1817) ausführlich, aber kritisch besprach (I/49^{I}, 348).   *Za*

Castiglione fiorentino, den maueumgebenen, auf einem Hügel gelegenen kleinen Ort mit der benachbarten Burg Montecchio südlich von *Arezzo erwähnt Goethe nicht, obwohl er auf der schnellen Fahrt nach *Perugia am 24./25. X. 1786 wahrscheinlich hier übernachtet hat. Nur der Landschaft und der Landwirtschaft widmet er ein kurzes Wort (I/30, 178). RV S. 25.   *JP*

Castiglione, Giovanni Benedetto, gen. Il Grechetto (1616–1670), Maler und Kupferstecher, von Rembrandt beeinflußt, tätig in norditalienischen Städten, Rom und Neapel. Goethe nennt ihn für den modernen Künstler inbezug auf Tierdarstellungen vorbildlich *(I/49^{I}, 354)*. Er vermerkt an anderer Stelle, daß GF *Schmidt *die weise malerische Unordnung Rembrandts und Castigliones* nachgeahmt habe *(I/ 49^{II}, 247)*. Er sammelte zahlreiche Radierungen C.s, „die zu den wertvollsten und feinsten Arbeiten des italienischen Seicento gehören", darunter die für C. so typischen Blätter wie die „Arche Noah" und die sein eigenes künstlerisches Wesen allegorisierende und idealisierende Darstellung „Il genio del Castiglione", ferner Hirtenszenen und die Rembrandt nachgebildeten Orientalenköpfe.   *Lö*

Schuchardt 1, S. 28f. – ThB 6 (1912), S. 164f. –
PKristeller: Kupferstich und Holzschnitt in vier
Jahrhunderten. ^{4}1922.

Castro, Eugénio de (1869–1944), portugiesischer Dichter und Begründer des portugiesischen Symbolismus, nahm in seiner Dichtung „Sagramor", 1895, ausdrücklich das Weltschmerz- und Verzweiflungs-Motiv aus Goethes *Faust* wieder auf und veröffentlichte als erster einen Band eigener Übersetzungen von Gedichten, Liedern und Balladen Goethes in portugiesischer Sprache: „Poesias de Goethe", 1909, außer Neufassungen von bereits Bekanntem wie die *Ballade vom vertriebenen und zurückkehrenden Grafen, Der König in Thule, Zeitmaß,* erstmalig: *Das Mädchen spricht, Der Besuch, Der Edelknabe und die Müllerin, Der Fischer, Der Goldschmiedsgesell, Die Bekehrte, Die Freuden, Die Spröde, Liebhaber in allen Gestalten, Scheintod, Selbstbetrug, Wanderers Nachtlied, Wirkung in die Ferne,* später, 1932, noch die Übersetzung des *Erlkönig* und 1943 die des Gedichts *Offne Tafel.* In der Auswahl und Gestaltung seiner Übersetzungen ließ sich C. hauptsächlich durch sein eigenes hochentwickeltes künstlerisches Formgefühl bestimmen.   *Be*

Castrogiovanni, das alte Enna (Henna) in Mittelsizilien, in der Antike durch seine strategisch überragende Lage auf einem beschwerlich passierbaren Bergrücken (Monte Canarello, 997 m), vor allem durch den Mythos vom hier geschehenen Raube der Proserpina und durch den darauf beruhenden Ceres-Kult bedeutend. Goethe erreichte C. am 29. IV. 1787 (Paralip. 30. IV.?; I/31, 339) bei Regenwetter auf schlechten Wegen, *noch schrecklicher weil sie ehemals gepflastert gewesen (I/31, 178). Das wunderliche Städtchen selbst,* in der Stauferzeit durch Kaiser Friedrich II. stark befestigt, wovon noch der von Goethe besonders bemerkte, achteckige *Thurm (I/31, 177)* zeugt *(in einiger Entfernung das Örtchen Caltascibetta = Calascibetta) empfing uns sehr unfreundlich... die Nacht kläglich zugebracht... Wir thaten ein feierliches Gelübde, nie wieder nach einem mythologischen Namen unser Wegeziel zu richten (I/31, 178).*   *JP*

Castrop, Jean Antoine de (gest. 1785), sachsen-weimarischer Artillerie-Hauptmann, Ingenieur-Offizier, Amtsvorgänger JG*Vents, seit 19. I. 1779 Untergebener und Mitarbeiter Goethes in der *Wegebau-Kommission (vgl. BrCarl August I, 10; 18; IV/4, 9f.; 339): *ist ein gefälliger, dienstfertiger Mann* (22.V.1779: *IV/4, 38*). C. erwies sich über die oft ärgerlichen Dienstgeschäfte hinaus (12. III. 1779: *Litaney von altem Saukram: III/1, 83*) als kriegs- und welterfahrener Gesellschafter (20. III. 1782: *Es ist mir auch im Kleinen interessant zu sehen wie der Mensch sich wendet und dreht und sein Geschick gelten macht: IV/5, 284;* vgl. auch IV/6, 247), im Verkehr mit Goethes Schützling JF*Krafft (IV/4, 37f.; 45f.; 60) bewährte er sich als integrer Charakter.   *Za*

Catalani, Angelica (um 1780 Sinigaglia/Kirchenstaat bis 1849 Paris). Sopranistin, die bereits als Klosterschülerin Aufsehen erregte,

mit 21 Jahren in der Mailänder Scala auftrat und ganz Italien begeisterte. 1805 wurde sie nach Lissabon an die ital. Oper geholt, heiratete dort 1806 den franz. Attaché Kapitän Valabrègue, ging 1807 nach London und leitete 1814–1818 in Paris mit wenig Erfolg das Théatre Royal Italien. Ihre Kunstreisen brachten ihr ein Vermögen ein. 1827 verabschiedete sie sich in Berlin von der Öffentlichkeit und lebte bis zu ihrem Tode ganz ihrer Familie. Ihre Stimme war nicht umfangreich, doch galt der Ausdruck ihres Gesanges als unnachahmlich.

Goethe erfuhr über die C. zuerst durch Zelter (Juli 1816; vgl. III/5, 249), der ihm am 20. VIII. 1816 einen für die Spenersche Zeitung bestimmten Bericht über die Sängerin sandte (Goethes Antwort: IV/27, 149). Von Juli bis September 1818 hatte Goethe in *Karlsbad Gelegenheit, die C. oft zu hören (III/6, 233f.; vgl. Bdm. 2, 423f., 441). Seine Eindrücke spiegelt das *Impromptü das ihr Gesang einem enthusiastischen Verehrer ablockte* (an Carl August, *IV/29, 265*): *Im Zimmer wie im hohen Saal | Hört keiner je sich satt: | Denn man erfährt zum ersten Mal, | Warum man Ohren hat (I/4, 252;* vgl. 5^{II}, 153).   *Ev*

MGG 2. – CFZelters Darstellungen seines Lebens, hrsg. von JWSchottländer. In: SGGes 40.

Catania, sizilischer Hafen an der Ostküste, südlich des *Ätna, das antike Katana, eine von ionischen Kolonisten angelegte Stadt, war Goethes Aufenthaltsort während der sizilianischen Reise vom 1. bis 6. V. 1787 (I/31, 339). Als Goethe am 2.V. 1787 im Wirtshaus zum „Goldenen Löwen", vor dem man ihn und ChrH*Kniep gewarnt hatte, ein unerwartet gutes Quartier gefunden hatte, begab er sich am nächsten Tag in den Palazzo Biscari, um eine vom Prinzen dort aufgestellte *Antikensammlung zu besichtigen, zT. unter Führung AD*Sestinis. Außer den Münzen sprach ihn besonders ein *Jupitertorso an, den schon JHFrhrv*Riedesel gesehen, jedoch für einen *Bacchus gehalten hatte; Goethe kannte von dieser Plastik einen Abguß im Besitz JHW *Tischbeins, der in Wahrheit wohl der Rest einer sitzenden Kaiserstatue aus claudischer Zeit ist. Noch am gleichen Tage wurde ihm und seinem Reisegenossen die Kirche S.Nicoló, die größte Barockkirche *Siziliens, mit dem dazugehörigen *Benedictinerkloster* gezeigt *(I/31, 189).* Die Kirche war nach einem Erdbeben von 1693 bis 1735 erbaut worden, die Fassade jedoch war unvollendet geblieben. Einer der Mönche des von 1558 bis 1578 errichteten Klosters spielte ihnen eindrucksvoll die *ungeheure Orgel*, die von Donato del Piano im 18. Jahrhundert gebaut worden war *(I/31, 189)*. Mit dem „Ritter" G*Gièoni, dem Professor der Naturgeschichte an der Universität C., hatte Goethe Gespräche über die geologischen Probleme des *Ätnagebietes. Goethe bestieg am 4. V. den *Monte Rosso im Ätnamassiv, wo Kniep zeichnete, und tat einen Blick in den Krater des *Vulkans. Am 5. sah er *Reste von Wasserbehältern, einer Naumachie und andere dergleichen Ruinen (I/31, 194;* vgl. I/46, 205–211). Am 6. V. brach er mit Kniep nach *Taormina auf (RV S. 26).   *Hm/Wt*

GLibertini: Il Museo Biscari. Mailand/Rom 1930. – Wegner S. 128. – Grumach S. 481; 534.

Catel, Ludwig Friedrich (1776–1819), Architekt, aus Berlin, war nach 1800 längere Zeit bei den Schloßbauten in Braunschweig und in Weimar beschäftigt. Für das weimarer Schloß führte er Innendekorationen aus, deren geschmackvolle Art Goethe besonders gefiel. C.s Stärke lag in dem Entwurf und der Ausführung von Stuckarbeiten. Von seinen theoretischen Schriften kannte Goethe „Vorschläge zur Verbesserung der Schauspielhäuser" (1802; für den Neubau des Theaters 1825 wichtig: IV/39, 177) und „Grundzüge einer Theorie der Bauart protestantischer Kirchen" (1815; vgl. 11./15. IV. 1815: III/5, 156). Zu dieser Schrift, die C. ihm mit der Bitte um Beurteilung und Stellungnahme übersandt hatte, äußerte sich Goethe sehr zurückhaltend: *Was aber für eine Form und Weise bey Erbauung protestantischer Kirchen zu wählen sey, diese Frage getraue mir nicht zu beantworten, noch die deshalb gethanen Vorschläge zu beurtheilen.* (10. V. 1815: *IV/25, 319).*   *Wt*

Cato, 1) Marcus Porcius Censorius Maior oder Priscus (234–149 vChr.), der ältere der berühmten Namensträger, in Tat und Wort das Musterbild alten *Römertums, repräsentierte dies auch für Goethe. Die überwiegende Anzahl der Zeugnisse sowie das Hauptinteresse der *Plutarch-Lektüre galten ihm, nicht seinem gleichnamigen Urenkel. Noch im Scherz blieben *Triste supercilium durique severa Catonis frons* Gegenstände der Hochachtung (1790/91: *I/5[I], 204; I, 437;* Grumach S. 395). 1795/96 gehörte C.s Schrift „De re rustica" zum Vorbereitungs-Pensum der zweiten Italien-Reise (I/34[II], 167; 212). In der Spätzeit des eigenen Lebens traten C.s Altersschicksale in den Vordergrund: 1820/21 *(MuR:* Hecker *Nr 371; 399),* 1827 *(Zahme Xenien:* I/3, 307), 1831 (Cicero de senectute *läßt den alten Cato reden..., was für treffliche Menschen alt geworden sind und wie ihnen das zu Gute gedieh: IV/49,79).*

–, 2) Uticensis (95–46 vChr.), Urenkel des Vorigen, wird hauptsächlich mit der Äußerung gemeint sein, die JJ*Bodmer aus einem Goethe-Gespräch berichtet: „Es ist sonderbar, daß ein Deutscher, der die Unterthänigkeit mit der äußersten Unempfindlichkeit erduldet, solche Ideale von Unerschrockenheit hat" (Juni 1775: Morris 5, 269).   *Ab*

Cattaneo, Danese (um 1509–1573), Bildhauer und Dichter, Schüler des JSansovino, tätig in Florenz und Venedig, lieferte 1547 die Bildnisbüste des Kardinals P*Bembo für dessen Grabmal in der Cappella del Santo in Padua, deren Inschrift sich Goethe am 27. IX. 1786 bei seinem Besuch in Padua notierte (I/30, 88 f.).   *Lö*

Cattaneo, Gaetano (gest. 1841), Medailleur und Numismatiker, war 1800 Zeichner bei der Münze in Mailand und 1803 Leiter des dortigen Münzkabinetts. C. hatte Anteil *an der großen Epoche, wie sie das obere Italien im Stillen noch immer bezeichnet, freylich mit Leidenschaft, den damaligen Zuständen gemäß, genommen* (1825: *IV/40, 145).* In den Jahren 1811/12 bereiste er Deutschland, war wahrscheinlich in Karlsbad, sicher aber 1812 in Weimar; hier machte er dem Großherzog einen Besuch und hinterließ Goethe einen Brief, den dieser jedoch erst am 14. IX. 1817 anläßlich seiner Beschäftigung mit G*Bossi und dem *Abendmahl *Leonardos beantwortete. Er entschuldigte sich und bat C., ihm über Bossi einige weitere Daten zukommen zu lassen. Goethe berichtete ferner über seine Medaillensammlung und bat, ihm einige Stücke, vor allem aus dem 15. und 16. Jahrhundert, zu besorgen (20. XII. 1817: IV/28, 341–348). Im Februar 1818 kam der erste Medaillenkauf zustande (IV/29, 68). – C. hatte zu Bossis Abendmahlskopie auf den Tekturen der Durchzeichnungen *Kurze aber gehaltreiche Noten (I/49[II], 225)* geschrieben, die Goethe anerkennend bei seiner Leonardo-Arbeit benutzte, gleichzeitig jedoch kritisierte und den Gegensatz der Lobrede und der Notizen C.s mißbilligte: *Diese Italiener sind seltsame Personen, hohle Enkomiasten in ihren öffentlichen Vorträgen, heimliche Detractoren wenn sie Gelegenheit finden. Ich muß mich sehr irren oder Cattaneo hat in der Stille mit Graf Verri dem Gegner Bossis conspirirt* (3. IV. 1818: *IV/29, 124).* Mehrfach erhielt Goethe Briefe C.s durch den Großherzog (IV/40, 145) und sandte C. eine französische *Übersetzung seines Leonardo-Aufsatzes (IV/29, 242), erhielt hingegen von C. die Dichtungen *Manzonis. C. betreute 1830 Goethes Sohn in Mailand und schrieb nach dessen Tod ein *theil-*

nehmendes, wahrhaft tröstliches Schreiben (IV/ 48, 109), das Goethe am 1. XII. 1831 dankend erwiderte (IV/49, 167).   *Lö*
Keudell Nr 1119. – ThB 6 (1912), S. 191.

Catterfeld, Dorf südöstlich von *Friedrichroda, 1779: 428 Einwohner. Goethe erwähnt es am 4. IX. 1777 zusammen mit *Altenbergen (III/1, 46). RV S. 16.   *Eb*

Cauer, Emil (1800–1867), Bildhauer, in der von seinem Bruder gegründeten „cauerischen Anstalt" in Charlottenburg erzogen, Schüler ChrD*Rauchs, bewarb sich 1829 während seiner Tätigkeit als Universitätszeichenlehrer in Bonn um die durch den Tod P*Kauffmanns erledigte Stelle eines weimarischen Hofbildhauers, erhielt jedoch durch Goethe einen abschlägigen Bescheid (IV/46, 94 f.). C. übersandte im Oktober 1829 Goethe eine d'*Alton-Büste (III/12, 141) und 1830 eine *wohlgerathene Büste des Herrn Obermedicinalraths von Froriep;* sie wurde am 21. VI. von Goethe, der mit Ottilie zu *Froriep gefahren war, *besehn und belobt (III/12, 261).* – C. ist der Vater der bekannteren Bildhauer Carl und Robert C.   *Lö*
ThB. 6 (1912). S. 198f.

Cavallini, Pietro (etwa 1250–1330), Maler, tätig in Rom, Assisi und Neapel, steht an der Schwelle der neueren Kunst, die nach Überwindung des byzantinischen Einflusses sich der Natur wieder zu nähern bestrebt war und die Bildkunst *Giottos vorbereitete. Die unsicheren Kenntnisse des frühen 19. Jahrhunderts über C. stammen aus G*Vasaris Viten, in denen C. als Schüler Giottos bezeichnet wird. Goethe entnahm in den Vorbereitungen zur zweiten Reise nach *Italien einige Angaben aus Vasari, so die Nachricht, daß C. die Mosaiken an der Fassade von S. Maria in Trastevere zu Rom geschaffen habe (I/34II, 202); diese waren in Wirklichkeit sechs Darstellungen aus dem Leben Mariae im Anschluß an die älteren Apsismosaiken und 1290/1291 entstanden. Hingegen stammt das von Goethe in seinem Aufsatz über die *Externsteine zum Vergleich herangezogene Kreuzigungsfresko in der Unterkirche von S. Francesco in Assisi (I/49II, 262), das er aus JB d'*Agincourts Werk (Bd 2, S. 113; Bd 6, Tf. 125) kennengelernt hatte, nicht von C. – Ebenfalls aus Vasari nahm H*Meyer in einer Notiz die Kenntnis von den Werken C.s in S. Paolo fuori le mura zu Rom, die Goethe im Dezember 1787 gesehen hatte *(hohe gemahlte Wände: I/32, 169),* die jedoch 1823 bei einem Brande zugrunde gingen und nur noch inhaltlich durch Nachzeichnungen aus dem 17. Jahrhundert bekannt sind, und von einer *wunder-*

thätigen Verkündigung in der Kirche der Serviten (= S. Maria dei Servi) zu Florenz. Anlaß zu diesem *Aufsatz (III/8, 174)* war die Bitte Carl Augusts, der dieses Bild in Augsburg 1821 gesehen hatte, ihm näheren Bericht zu geben; galt diese „Verkündigung", die aus dem Kloster Hall in Tirol stammte, doch als eine *Kopie des dem hl. Lucas selbst zugeschriebenen wundertätigen Bildes. Goethe sandte erst am 14. IV. 1822 Meyers Zeilen an S*Boisserée mit der Bitte *um irgend eine genügende Auskunft (IV/36, 18f.).* Boisserée, der das Bild nicht kannte, teilte neben bedeutungslosen Bemerkungen nur mit, daß es „von mäßiger Größe" sei. Diese Kopie ist jedoch nicht nachweisbar, das Original ist älter als C. und wurde bereits 1232 von einem Maestro Bartolommeo erneuert.   *Lö*
BrCarlAugust 2, S. 189. – Sulpiz Boisserée. 1862, Bd 2, S. 331. – Vasari/Milanesi Bd 1, S. 537 ff. – ThB 6 (1912), S. 222. – RvanMarle: The Development of the Italian Schools of Painting. – ROertel: Die Frühzeit der italienischen Malerei. 1953, S. 57–62.

Cavino, Giovanni da (1500–1570), wie sein Vater Goldschmied in Padua. Der naheliegenden Kunst des Stempelschneidens wendete er sich erst als Vierzigjähriger zu. Sein Eigengebiet wurde die freie Nachbildung der zu jenen Zeiten der Hochrenaissance von den Kunst- und Altertumsfreunden eifrig gesammelten römischen Kaisermünzen. In deren Art schuf er eine ganze Bildergalerie historisch und literarisch berühmter Personen der Antike, wie zum Beispiel Priamus, Epaminondas, Sophokles, Livius, Cleopatra. Das war etwas Neues, da die Antike noch keine eigentlichen Medaillen, insbesondere keine Bildnismedaillen, gekannt hatte. Auch soweit C. nach römischen Münzen Kaiserporträts mit mehr oder weniger geänderter Umschrift (A*Bassianus) nachschnitt, handelt es sich nicht um Fälschungen zur Täuschung der Sammler. Diese hatten damals schon große numismatische Fach- und Sachkenntnisse. Für sie waren die „Paduaner" (auch „Cavinäer", „Cavinesen") schon ohne weiteres dadurch als Erzeugnisse ihrer Zeit erkennbar, daß die Kaisermünzen aus Silber geprägt waren, während die alten Vorbilder Großbronzen waren. Die anderen Bildnismünzen konnten nach den dargestellten Personen nicht für antiken Ursprungs gehalten werden. Die Schöpfungen C.s muß man dem reizvollen, von Goethe so geliebten Gebiet der Renaissance-Medaille zurechnen.
Wenn später von Numismatikern unterschiedslos auch betrügerische Fälschungen von Römermünzen als „Paduaner" bezeich-

net wurden, so war das ein Mißbrauch dieses Namens: Die wirklichen von C. stammenden „Paduaner" sind eben keine Fälschungen, und wirkliche Fälschungen keine Paduaner. Goethe sah hierin, als er sich mit der Numismatik vertraut gemacht hatte, klar und richtig. Wenn er in einer Notiz, die er sich zur Vorbereitung der 2. Italienischen Reise gemacht hatte *(I/34^{II}, 200)* unter der Überschrift *Falsche Münzer* auch aufführt *Jo Cavinus aus Padua* mit dem Zusatz: *Hinc numi Caviniani,* so liegt das vor Beginn seiner systematischen Münzstudien. Er kannte später genau die Eigenart der Cavinesen und zog ganz nach seiner Art auch aus ihnen Belehrung. *Welcher Freund alter Münzkunde* sagt er *(I/41^{II}, 314) macht sich nicht die Freude, die Cavineischen Arbeiten zu sammeln, um an der täuschenden Nachbildung sein Gefühl für die Originale immer mehr zu schärfen.* Und ähnlich in einem Brief an *Cattaneo: Gleichfalls richte ich meine Kunstbetrachtung auf die Cavinäer, welche zu Padua so vieles leisteten und zur Prüfung der Münzkenner ihre nachahmenden Arbeiten bis fast zur Höhe der Alten hinansteigerten (IV/28, 346).* Freilich erfordere die Unterscheidung von C.s Arbeiten und antiken Münzen *eine große Umsicht (I/49^{II}, 103).* So sammelte Goethe selbst eifrig die „Paduaner" und erbat sich am 6. VII. 1816 vom Hofrat *Becker ein Verzeichnis solcher Münzen. Noch in seinen letzten Lebensjahren hat er sich mit ihnen beschäftigt (9./10. VII. 1830; III/12, 271).

Schuchhardts Katalog weist zwar nur wenige Stücke von C. auf (II S. 47 Nr 45–48). Möglicherweise befinden sich aber unter den vom Verfasser dieses Katalogteils, dem in antiker Münzkunde nicht sehr bewanderten Pfarrer Leitzmann, als Fälschungen bezeichneten Stücken noch Arbeiten von C., die Goethe als solche gesammelt hat.   *Fr*

BPick: Goethes Münzbelustigungen. In: JbGGes. 7 (1920) S. 195–227. – MBernhart: Paduaner. In: Blätter f. Münzfreunde 47. Jahrg. (1912) Sp. 5054–5064.

Caylus, Anne Claude Philippe de Tubières, Comte de (1692–1765), französischer Altertumsforscher, war als Offizier zunächst an mehreren Kriegszügen beteiligt, widmete sich seit 1714 als freier Dilettant dem Studium der Altertümer und unternahm Reisen nach Kleinasien (Smyrna, Ephesus, Kolophon). C. bildete sich durch seine umfassende (mithilfe seines nicht unbeträchtlichen Vermögens entfaltete) Sammlertätigkeit zum größten Kenner antiker Kunst vor und neben JJ*Winckelmann aus, mit dem er sich häufig in konkurrierender Polemik befand. Trotzdem wußte

ihn Winckelmann zu schätzen, wie eine briefliche Äußerung zeigt: „Ihm gehört zuerst der Ruhm, in das Wesentliche des Stils der alten Völker eingedrungen zu sein." C.s Hauptwerk ist der „Recueil d'antiquités égyptiennes, étrusques, grecques et romaines" (7 Bde, 1752 bis 1768), dessen Titel für seine Vorstellung von der Reihenfolge der Entstehung der Künste, die von Volk zu Volk tradiert worden seien, bezeichnend ist. Goethe notiert die Lektüre des Werkes am 1. VII. 1816 (III/5, 248). Neben den stilgeschichtlichen Bemerkungen in seinen Schriften, die sich oft mit Winckelmanns Ergebnissen nahe berühren, sind von besonderer Bedeutung seine Untersuchungen zur technischen Seite der antiken Künste (*Wachsmalerei, Glasflußverfahren usw.), worin er, selbst als bildender Künstler dilettierend, kompetenter war als Winckelmann. Um C. gerecht zu beurteilen, was oft gegenüber Winckelmanns Leistung versäumt wird, muß man sich vergegenwärtigen, daß die Monumente, deren er in Paris damals für seine stets auf Autopsie beruhenden Untersuchungen habhaft werden konnte, ihrer Qualität und Bedeutung nach in keinem Verhältnis zu Winckelmanns Möglichkeiten in Rom und Neapel standen.

Goethe erwähnt C. zuerst in den *TuJ* für 1801, wo er GE*Lessings Kritik an den Grafen Behandlungsweise *homerischer *Mythologie zustimmt (I/35, 97). Bekannt war C. Goethe jedoch schon in *Leipzig im Kreise um JF *Oeser geworden (I/27, 160). Im zweiten Winckelmann-Aufsatz wies ihm dann unter Goethes Billigung H*Meyer seine Stellung in der Geschichte der Studien der antiken Kunst vor Winckelmann zu, einmal als Fortschritt gegenüber Italienern wie AF*Gori, G*Passeri und DA*Bracci (I/46, 70), zum anderen, indem er des Grafen veraltete Konzeption vom Descendenzverhältnis der antiken Kulturen (*Ägypten, *Etrurien, *Griechenland und Rom) und seine falsche Einschätzung der in Etrurien gefundenen griechischen Bronzen und Vasen als etrurisch tadelte und sie Winckelmanns richtiger Auffassung entgegenstellte (I/46, 72f.; 76). C.s Tätigkeit in der Académie des Inscriptions et Belles Lettres wird gewürdigt (ebda 93) – bis heute ist die Erforschung der antiken Inschriften ein besonderes Ruhmesblatt der französischen Archäologie – jedoch auch seiner mühsam sammelnden Art des Heranziehens der Quellen dem souveränen Griff Winckelmanns gegenübergestellt. Später hebt Goethe bei Besprechung von JCW*Zahns Werk über die pom-

pejanischen Malereien die *mißrathenen Versuche* der Vorgänger, darunter auch des Grafen
C., hervor *(I/49ᴵ, 178)*, wozu allgemein zu
bemerken ist, daß Winckelmann ängstlich bestrebt war, dem Grafen die in seiner eigenen
Einflußsphäre liegenden Altertümer vorzu-
enthalten.   Hm

KJusti: Winckelmann. ³1923. Bd 3. S. III, S. 94 ff.;
99 f.; 129 ff.; 137 ff. – Stark S. 147 ff. – HAW 1, S. 14 f.

Cellini, Benvenuto (1500–71), war als Goldschmied, Bildhauer und Bronzegießer eine der
stolzen, hochbegabten Künstlernaturen der
Spätrenaissance, die in der „Krisis" der
Kunst, dem *Manierismus, sich nur in Heftigkeit und Formensteigerung zu behaupten
wußten. Seine Selbstbiographie, ein unver-
gleichliches Kulturdokument und in der *Übersetzung Goethes doppelsinnig interessant,
schildert Leben und Umwelt eines Künstlers,
*der als Repräsentant seines Jahrhunderts und
vielleicht als Repräsentant sämmtlicher Menschheit gelten dürfte (I/44, 350).*
C.s Leben spielt sich in einer Zeit fort-
dauernder kriegerischer Wirren, immerwährender politischer und sozialer Übergänge ab,
aber diesseits der italienischen Hochrenaissance schwindet die echte Dynamik früherer
Generationen. Es ist eine Zeit, in der die Kirche, die zur päpstlichen Hierarchie geworden
war, zu ihrer religiösen Aufgabe zurückgekehrt, das Leben des Einzelnen wieder an die
übersinnlichen Mächte anschließt, seine moralische Freiheit im Zuge der Gegenreformation jedoch begrenzt. Der Stadtstaat wird
zum Herrschaftsbereich, seine Struktur festigt
sich, der Fürst beginnt Kultur und Leben sich
zuzuordnen und löst den bürgerlichen Humanismus ab. Die Beherrschung aller physischen
und psychischen Kräfte bildet nun immer
die Wurzel jedes Individuums, das „sein Maß
in sich selber trägt", wie C. (JBurckhardt).
Insofern kommt seinem Leben exemplarische
Bedeutung zu.
Schon die äußeren Daten zeigen C. in bewegten und erregenden, seinen Charakter schicksalhaft widerspiegelnden Verhältnissen und,
kunstgeschichtlich gesehen, ganz im Bann-
kreis der beiden Pole der mittelitalienischen
Renaissance: Florenz und Rom. Wie bei anderen Künstlern, tritt auch bei C. als dritter
Tätigkeitsbereich Frankreich hinzu, eigentlich
der Hof König Franz I., der in der Spätrenaissance ein Ableger italienischer Kunst ist.
C.s Charakter ist von jener differenzierten,
suchenden und dramatischen Art, die Goethe
fesseln mußte. Einheit und Beherrschtheit,
Straffheit des Willens, Religiosität, Gerech-

tigkeitssinn, Ehrgeiz und Leidenschaft sind
seine Triebkräfte; Heftigkeit, Stolz und Eitelkeit, aber auch angeborene Tüchtigkeit –
Fähigkeit zu allem Mechanischen (I/44, 350) –
sind die Erscheinungsweisen seiner genialischen Natur. *Unserm Helden schwebt das Bild
sittlicher Vollkommenheit als ein unerreichbares
beständig vor Augen. Wie er die äußere Achtung
von andern fordert, eben so verlangt er die innere
von sich selbst (I/44, 356). Bei einem festen Glauben an ein unmittelbares Verhältniß zu einer göttlichen und geistigen Welt, in welchem wir das
Künftige voraus zu empfinden hoffen dürfen,
mußte er die Wunderzeichen verehren in denen
das sonst so stumme Weltall bei Schicksalen
außerordentlicher Menschen seine Theilnahme
zu äußern scheint (I/44, 358).*
Die Suche nach dem eigenen Gesetz muß
notwendig das allgemeine Sittengesetz verletzen, zumal *in einer Zeit, wo die rechtlichen Bande kaum geknüpft durch Umstände
schon wieder loser geworden und jeder tüchtige
Mensch bei mancher Gelegenheit sich durch
Selbsthülfe zu retten genöthigt war. So stand
Mann gegen Mann Bürger und Fremder gegen
Gesetz und gegen dessen Pfleger und Diener. Die
Kriege selbst erscheinen nur als große Duelle
(I/44, 355; 417)*. Hierin liegt aber auch die
Wurzel der künstlerischen Tätigkeit und der
künstlerischen Form. *Das was Sie von seinen Arbeiten sagen trifft mit seinem Charakter
und seinem Schicksal vollkommen überein, seine
Bildung ging vom einzelnen aus und bey seiner
großen puren Sinnlichkeit wäre es ein Wunder
gewesen, wenn er sich durch Reflexion hätte
zum ganzen erheben sollen IV/II, 129).* Hier
konnte reine zeichnerische gedanklich-klassi-
zistische Kunst nicht sein, sondern allein
schmuckreich-ornamentale Formausprägung,
sogenannter Manierismus, dazu rundplastisch
und in ehernen Metallen, erst spät in Marmor;
*so wird es mir recht deutlich wie man von dem
reinen Wege der Natur und der gefühlten und
überlegten Kunst, durch Phantasie und Leidenschaft bey einem angebohrnen großen Talent,
auf den Weg der Phantasterey und Manier gerathen könne und müsse. Wenn man hört, wie
er gearbeitet hat, und was er an sich rühmt, so
ahndet man was seine Werke seyn müssen (IV/
II, 247).*
*Alle Menschen von welchem Stande sie auch
seien, die etwas Tugendsames oder Tugendäh-
liches vollbracht haben, sollten, wenn sie sich
wahrhaft guter Absichten bewußt sind, eigenhändig ihr Leben aufsetzen, jedoch nicht eher
zu einer so schönen Unternehmung schreiten, als
bis sie das Alter von vierzig Jahren erreicht ha-*

ben (I/43, II). So begann C. vor 1556 die Niederschrift seiner Vita (Originalmanuskript Florenz. Laurenziana), *worin sich ein bedeutendes und gleichsam unbegränztes Individuum, und in demselben der gleichzeitige sonderbare Zustand vor Augen legt (I/44, 370)*, und vollendete sie, schon bald einem Lehrknaben diktierend, 1566. Durch das Diktat bleibt die Lebendigkeit der toskanischen Mundart, in der C. erzählt, bleiben ihre Archaismen und syntaktischen Eigentümlichkeiten gewahrt. Und doch will sich C. darüber erheben und bedient sich der „möglichst langen und möglichst verwickelten Periode. Diese Neigung stimmt nicht übel zu seiner Eitelkeit, seinem Geschmack für alles Bizarre und Grandiose, für alles das, was man nach seinem großen Meister und Landsmann ‚Michelangelesco‘ bezeichnet"; neben geschraubter Rhetorik steht die Naivität des sinnlichen, anschaulichen Ausdrucks (Vossler). In höherem Betracht ist Stilkennzeichen der Vita der episodische Charakter der Erzählung, der rasche Wechsel der „Szene" und die so karg wie möglich bemessenen Überleitungen. Nur das im Augenblick des Vorgangs Bedeutende, nur das den Menschen und seine gegenwärtige Tat Betreffende wird dargestellt; Ortsbeschreibungen und szenisches „Nebenbei" haben nur soweit Platz, als sie in unmittelbarem Bezug zum Vorgang stehen und damit attributiven Charakter erhalten. Auch hierin ist etwas Plastisches, Metallhaft-Scharfes. Hinter, oder besser: in dieser episodenhaften Gliederung steht jedoch ein Gesetz von linearer Harmonie. Es schließt Einzelerzählungen durch eine Hauptperson, sei diese Freund, Feind, Geliebte ... Papst, König oder Werkstattgenosse, durch einen Hauptgegenstand oder durch ein Ziel, das es zu erstreben gilt, zusammen, läßt die chronologische Ordnung zugunsten erzählerischer Spontanität oft genug außer acht und findet endlich in den Hauptszenen, der Belagerung von Rom, der Gefangenschaft in der Engelsburg, dem Aufenthalt in Paris und dem Guß des Perseus die entscheidenden Konzentrationspunkte: ein Gesetz, das sich als ein ausgleichender Kontrapost innerhalb unaufhörlicher Bewegung darstellt.

Von der Originalhandschrift wurden bald mehrere Abschriften genommen (erste Zusammenstellung in der Prefazione, p. VI, der Traktatausgabe von 1731, danach I/44, 370), G*Vasari (ed. Milanesi VII, S. 623) weist auf C.s Lebensbeschreibung hin; F*Baldinucci übernimmt einzelne Partien in seine „Notizie de' Professori del Disegno" (gedruckt erst 1728). Die von C. gewünschte Überarbeitung des Textes durch B*Varchi kam jedoch nicht zustande. „Da nun aber das Florentinische sich lautlich und flexivisch fast gar nicht vom Schriftitalienischen unterscheidet, sondern nur in der Aussprache (Orthographie) und in der Syntax gewisse Eigenheiten aufweist, so war es ein leichtes, jenes dialektische Kolorit des Originals, das wie ein matter Schmelz über unberührten Früchten liegt, zu verwischen" (Vossler). Dies tat der erste Herausgeber der Vita, ACocchi, dem jedoch eine inzwischen verlorene Handschrift vorlag. Diese Ausgabe – „Vita di Benvenuto Cellini Orefice e Scultore Fiorentino, da lui medesimo scritta, nella quale molte curiose particolarità si toccano appartenenti alle Arti ed all'Istoria del suo tempo, tratta da un'ottimo manoscritto, e dedicata all'Eccellenza di Mylord Riccardo Boyle ... in Colonia" o. J., jedoch nicht wie Goethe annahm *Florenz, um 1730 (I/44, 370)*, sondern in Neapel 1728 erschienen – ist die Vorlage für die englische Übersetzung des Th Nugent: „The Life of Benvenuto Cellini: a Florentine Artist. Containing a Variety of Curious Interesting Particulars, relative to Painting, Sculpture and Architecture; and the History of his own time. Written by himself in the Tuscan Language", (2 Bde, London 1771); sie ist Sir J*Reynolds gewidmet. Nugent nahm die Einteilung in vier Bücher und in (12, 13, 10 und 11) Kapitel vor, welch letztere jeweils mit Inhaltsangaben versehen wurden. Allerdings – was Goethe wohl kaum erkannt hat – macht die Kapiteleinteilung das innere Gesetz der c.schen Erzählungsweise, seinen Stil, zunichte, der eine grundlegend andere Einteilung erfordert hätte. *Dieser Übersetzer bediente sich einer bequemen und gefälligen Schreibart, doch besitzt er nicht Ort- und Sachkenntniß genug, um schwierige Stellen zu entziffern. Er gleitet vielmehr gewöhnlich darüber hin. Wie er denn auch, zur Schonung mancher Leser, das derbe Charakteristische meistens verschwächt und abrundet (I/44, 371; vgl. IV/11, 113). – Von einer ältern deutschen Übersetzung hat man mir erzählt, ohne sie vorweisen zu können. – Lessing soll sich auch mit dem Gedanken einer solchen Unternehmung beschäftigt haben; doch ist mir von einem ernstern Vorsatz nichts Näheres bekannt geworden (I/44, 371)*. Tatsächlich entliehen GE*Lessing und JJ *Eschenburg 1778 die englische Übersetzung von HC*Boie (GELessings sämtliche Schriften, hrsg. von KLachmann XXII, 1. S. 290), der das gleiche Exemplar 1796 Goethe durch Vermittlung Eschenburgs überließ (IV/11,

264). Inwieweit HMeyers Mitteilung an Goethe gelegentlich der Übersetzungsarbeit seines Freundes vom 4. V. 1796 „Mir ist es leider nicht gelungen" (BrMeyer 1, S. 235) auf seine Absicht einen Schluß zuläßt, muß dahingestellt bleiben. Die Texttradition der Ausgabe von 1728 wird erst mit der Neuherausgabe der Vita nach dem Codex Magliabechiano (nicht wie dort mitgeteilt nach einer zweiten Handschrift der Laurenziana) von 1805 verlassen. Hierauf beruht die von Carponi 1824 besorgte Ausgabe, die von der englischen Übersetzung die Einteilung in Bücher und Kapitel übernimmt. Von dem *jungen Herrn Frommann* erhielt Goethe am 9. VI. 1824 ein Exemplar dieser Ausgabe *(III/9, 336); ... ich ward sogleich bewogen wieder einige Capitel zu lesen und ich sah jene guten Zeiten in welchen ich mich damit beschäftigte lebhaft wieder hervorgehoben (IV/38, 159).*

... *jene guten Zeiten,* das waren die ersten Jahre der Schiller-Freundschaft, in denen sich Dichtung und Forschung Goethes und geistiger Austausch mit jüngeren Gleichgesinnten wieder zu beleben begannen. Die Vielfalt der Interessen beleuchtet ein Entwurf für *Dichtung und Wahrheit* zu 1796: *Wilh. Meister Cellini. Emigrirte Iffland. Jena. Körners Gr. Gesler Alexis und Dora. Pflanzen Schmetterl. Wachsthum. Metam. Morphologie Hermann und Dorothea Chromatic* mit dem bezeichnenden Zusatz, der wie eine Erinnerung an C. klingt: *Der Mensch kann nur mit seines Gleichen Leben und auch mit denen nicht denn er kann auf die Länge nicht leiden dass ihm jemand gleich sey (I/26, 360).* Goethes Beschäftigung mit C. läßt sich bis in den August 1795 zurückdatieren, allerdings nicht bis in die italienischen Jahre. Denn damals hatte er Florenz nur durcheilt. *Ich bedauerte herzlich, daß ich meine erste Durchreise, meinen zweiten Aufenthalt zu Florenz nicht besser genutzt, mir von der Kunst neuerer Zeit nicht ein eindringlicheres Anschauen verschafft hatte.* Und da *eine Phrase, wobei nichts gedacht oder empfunden war, an andern unerträglich, an mir unmöglich schien, so litt ich bei der Übersetzung des Cellini, wozu durchaus unmittelbare Ansicht gefordert wird, wirkliche Pein (I/35, 158).* Der Anlaß, C.s Vita kennenzulernen, geht vielleicht auf Ch*Gore, der seit 1774 ein Exemplar der Ausgabe von 1728 (jetzt GNM) besaß, zurück, sicher jedoch aus der Vorbereitung zur zweiten Reise nach Italien und der Beschäftigung mit Vasaris „Lebensbeschreibungen" von 1568 (vgl. I/34[II], 200ff.) hervor ... *und ich faßte, um mich dort recht einzubürgern, gern den Ent-*

schluß seine [C.s] *Selbstbiographie zu übersetzen; besonders weil sie Schillern zu den Horen brauchbar schien (I/35, 66).* Schon Anfang August 1795 bittet Goethe CG*Voigt, auf einer Auktion in *Altenburg die *Vita di Benv. Cellini* zum Preise von *4–6 rh.* für ihn zu erstehen *(IV/18, 68).* Doch benutzte Goethe später (auch oder ausschließlich?) das Exemplar von Gore, in das er Eintragungen über die Arbeit an der Übersetzung machte. Um in die Arbeit hineinzuwachsen, übersetzte Goethe erst einzelne *interessante Stellen (IV/11, 19)* trotzdem er sich der Problematik einer nur auszugsweisen Veröffentlichung bewußt war: ... *denn was ist das menschliche Leben im Auszuge? alle pragmatische biographische Charakteristik muß sich vor dem naiven Detail eines bedeutenden Lebens verkriechen. Ich will nun den Versuch einer Übersetzung machen, die aber schwerer ist als man glaubt (IV/11, 23).* Von 1796 bis 1797 erschien die Übersetzung unter Schillers reger Anteilnahme in den „Horen" (EGW II/119–136).

Ende Mai in Jena, nimmt Goethe neben der Übersetzungsarbeit am Cellini, in deren Pausen er an *Hermann und Dorothea* dichtete, seine Notizen zur Mosesgeschichte vor. So verschieden sie beide in Zeitlage, Umwelt und Wirkung waren, Goethe erkennt die tiefere Verwandtschaft des Menschlichen: *Die beyden handfesten Pursche Moses und Cellini haben sich heute zusammen eingestellt, wenn man sie neben einander sieht, so haben sie eine wundersame Ähnlichkeit. Sie werden doch gestehen, daß dieß eine Parallele ist, die selbst Plutarchen nicht eingefallen wäre (IV/12, 130;* vgl. I/32, 72) – ein Hinweis auf die Tatsache, daß Goethes Arbeit, auf welchem Gebiet auch immer, nicht isoliert werden darf: *Wilhelm Meister,* C., *Moses, seiner Welt angeeignet, drei Temperamente seines Wesens, aus dem doch auch gleichzeitig die deutsche Idylle *Hermann und Dorothea* hervorgehen konnte. Auch an zentrale *Faust*-Zusammenhänge muß gedacht werden (vgl. hier Sp. 654!): Goethe fand im Sommer 1797 in C. und dessen *subjectiver Gewalt sich die Erscheinungen zu realisiren (I/44, 418),* seine Intentionen zu einer radikalen Änderung des *Helena*-Themas sowie des Erlösungs-Problems bestätigt und bestärkt (EGrumach; AZastrau).

Es liegt in der deutschen Natur, alles Ausländische in seiner Art zu würdigen und sich fremder Eigentümlichkeit zu bequemen. Dieses und die große Fügsamkeit unserer Sprache macht denn die deutschen Übersetzungen durchaus treu und vollkommen (Bdm. 3, S. 151); eine *schlicht-prosaische ist hiezu die beste (Noten zum West-östlichen Divan (I/7, 235).* Doch unterscheidet sich Goethes Übersetzung des C. von ihrer Vorlage, mehr noch vom Original in wesentlichen Punkten. Es ist dies nicht so sehr ein Unterschied der Zeit, wie er in *Re*naissance und *Klassizismus auftritt, oder des sozialen Niveaus; eher schon ein Unterschied der Sprache, des toskanischen volgare und der deutschen Schriftsprache um 1800, die kaum durch mundartliche oder umgangssprachliche Elemente aufgelockert ist; im wesentlichen ist es ein Unterschied der Charaktere. Aber die Übersetzung wäre wohl nie herangediehen, wenn nicht im „Cellini", so wie ihn Goethe las, ein goethesches Temperament gewesen wäre, oder besser: wenn nicht in Goethe auch ein „Cellini"eingeschlossen gewesen wäre, der mindestens in Goethes Jugend sich psychisch so hätte verhalten können, wie es C. zu seiner Zeit in Wirklichkeit und als Handelnder getan hatte. Wie sich aber Handeln und Verhalten unterscheiden, Wirklichkeit und Wirklichkeitssinn, Tat und Reflexion, so unterscheiden sich Cellini und Goethe, der während seiner Arbeit an der Vita von seiner *realistischen Vorstellungsart (IV/11, 19)* spricht und sie, in „Antwort" auf Schillers idealistischer „Tat"-Intensität, bewußt oder unbewußt, zum Movens seiner C.-Übersetzung macht. Alles andere ist Folge dieses Unterschiedes der Sprach- und Denkweise. Denn wo C. leidenschaftlich erlebt, in der Erzählung noch einmal die Vergangenheit gegenwärtig macht, sich ganz Mittelpunkt seiner Welt weiß, da antwortet Goethe beruhigend und C. in seinen Kreis einschließend: *An einem Leben ist ohnedem weiter nichts, nach meiner realistischen Vorstellungsart, als das Detail, besonders nun gar bey einem Particulier, wo keine Resultate zu denken sind, deren Weite und Breite uns allenfalls imponiren könnten (IV/11, 19).* Wo C.s Erzählung episodisch und additiv und der Vorgang ein Fortschreiten, ein Progreß, im engeren und höheren Sinne des Wortes ist, entwickelt Goethe novellistisch, vom Zustand her, begründet, denkt kausal und führt zum Zustand zurück, kürzt und strafft und unterbricht C.s weitgespannte, nicht immer übersichtliche Perioden durch Punkt und Absatz, macht sie durchsichtig, logisch, korrekt. Bezeichnend ist der Vergleich zwischen dem italienischen „Intanto a lui passato la stizza e a mi la paura" und dem Kontrastlos-Zuständlichen: *Indessen waren wir beide kälter geworden (I/43, 66;* vgl. ebda 72). Wo C. direkte Rede, im eigentlichen Sinne Wortwechsel

wählt, liegt Goethe bei indirekter Rede mehr an der übergreifenden Handlung als an dem polar empfundenen Dialog. Hierin nähert er sich der englischen Übersetzung, ohne allerdings von ihr abhängig zu sein; denn an ihr tadelte er gerade, daß sie *das derbe Charakteristische meistens verschwächt und abrundet (I/44, 371).*

Goethe deutscht die Welt C.s ein. Namen werden soweit angängig in deutscher Orthographie gegeben, die Tageszeiten nach deutschen Gewohnheiten geändert, erklärende Adjektive, Nebensätze, Jahreszahlen, dem Leser bequem und für die Übersichtlichkeit des Ganzen nützlich, hinzugefügt. Diesem Angleichungsprozeß entspricht es, wenn Goethe zB. statt „uomo all'anticaccia" *ein altfränkischer Mann* setzt *(I/43, 230)* und das fast ins Ethische deutende, die Waffe als Attribut des Mannes Betonende „che il peggio ch'e'me vi andava, si era perder la spada" in das kleinstädtisch Anmutende *das Schlimmste, was mir begegnen könnte, wäre, daß mir die Polizei den Degen wegnähme,* umdeutet *(I/43, 224)* – ein für C. undenkbarer Vorgang. Auch im Bereich der höheren Begriffe geschieht eine ähnliche Verwandlung im Sinne goetheschen Denkens, wenn für das c.sche, fast heidnisch klingende „Dio della natura" die Formel *Gott und die Natur (I/43, 72)* oder für „fattura di Dio" *göttliche Schickung* geschrieben wird *(ebda 40).* Auf philologischem oder sachlichem Gebiet entstanden Mißverständnisse teils durch Fehler der Vorlage – so der Name *Travaccio (I/43, 69f.)* aus „bravaccio" [= Prahlhans] des Originals –, teils auch erst bei der Überarbeitung für die Buchausgabe, wobei der italienische Text, namentlich wohl bei der *abermals corrigirten Abschrift (IV/13, 99),* nicht mehr herangezogen wurde.

Schon während der Übersetzung wurde erwogen, den *Cellini* in einer Buchausgabe zu veröffentlichen. JF*Reichardt gab hierzu den Anlaß. „Gegen den Cellini hat er seinen bösen Willen [im Journal „Deutschland"] ausgeübt, und um Sie zu schikaniren, die Stellen angepriesen, auch zum Teil extrahirt, die Sie ausgelassen haben pp." (Schiller an Goethe 16. X. 1796). Sogleich entschloß sich Goethe, um dem lästigen Antipoden zuvorzukommen, zu einer vollständigen Ausgabe. *Denn das Gefrage darnach ist sehr stark und die zerstreute Lectüre im Journal macht schon jedermann ungeduldig IV/11, 238).* Im November wünscht Goethe, das der englischen Übersetzung beigegebene Porträt C.s *dereinst copiren zu lassen. Diese ganze Arbeit zu vollenden und auch* *nur ohne Noten zu ajüstiren, brauche ich noch das Restchen vom Jahre IV/11, 264).* Mitte 1797 heißt es am Schluß der Übersetzung in den „Horen": *Seine* [C.s] *verschiedene Aufsätze über bildende Kunst, die Zeugnisse der gleichzeitigen Schriftsteller, und die Betrachtung seiner hinterlassenen Werke, werden uns noch eine unterhaltende und unterrichtende Nachlese gewähren (I/44, 410),* was als Kern zu den *Noten* angesehen werden kann. Am 7. III. 1797 ist von einem *Schema zu den Noten* die Rede; es lautet: *Cellini Character und Talente. Handwercks Kunst frey Sinn Visionen Erscheinungen Verwechseln der Gefühle der Träume und Wircklichkeiten Vorauswissen Ahndung Schein um den Kopf Haariger Wurm Gefühl der Antike Variiren in der Arbeit Geschicklichkeit im Schießen Ordnung in Geschäfften Freund aller Talente Seine Tochter er spricht nicht wieder von ihr Seine Schrifft Falsche Ursache des Gusses des Fußes Werke Narciß Apollo und Hyacinth Ganymed Bild des Cosmos Wunderliche Vasen (I/44, 411f.)* – ein aufschlußreiches Résumé. *Dadurch setze ich mich in den Stand die kleinen historischen Aufsätze, die hierzu nöthig sind, von Zeit zu Zeit auszuarbeiten. Ich will sie hinten ans Werk schließen, und sie nach den Materien stellen, so daß man sie auch allenfalls, wie einen kleinen Aufsatz, hinter einander lesen kann (IV/13, 87;* vgl. 89). Bald ist auch die Übersetzung *in einer abermals corrigirten Abschrift, neu beysammen IV/13, 99),* durch die in den „Horen" ausgelassenen Stellen ergänzt. Die Orthographie wurde dem sich wandelnden Zeitgebrauch angepaßt, Satzfügungen verbessert (vgl. bes. I/43, 71), Jahreszahlen und Ortsangaben, namentlich in den ersten Kapiteln, hinzugefügt, vor allem aber die Buch- und Kapiteleinteilung aus der englischen Übersetzung übernommen, wobei gelegentlich Änderungen nötig waren (I/43, 52), allerdings auch Ungenauigkeiten beibehalten wurden (I/43, 98). Kürzere Partien blieben unübersetzt (nach I/43, 27 und nach 55, sowie das Gedicht auf die Gefangenschaft, das in der Überschrift zum ersten Kapitel des dritten Buches noch genannt wird, I/44, 5; IV/11, 95); anderes wurde stark gekürzt (I/43, 75), hie und da ein Satz ergänzt (ebda 87; vgl. III/2, 200). *Mit Cellini komme ich immer mehr ins Reine und mit den gleichzeitigen Menschen und Umständen immer mehr ins Klare. Bald werde ich Ihnen vorlegen können was ich von Ihnen zu erbitten habe (IV/13, 100).* So wendet sich denn Schiller schon am 28. III. an seinen Verleger JF *Cotta, der die Herausgabe der *Propyläen*

übernommen hatte: „Goethe ist aber entschlossen, den Cellini, den er nun ganz übersetzt und mit bedeutenden historischen Erläuterungen begleitet hat, an die Suite dieses Werkes anzuhängen" (Bdm. 1, S. 265). Die *Noten* waren damals allerdings noch nicht ausgearbeitet (vgl. IV/13, 123 und den Entwurf I/44, 416f.). Cotta zögerte, denn der Cellini „ist noch zu neu in dem Angedenken der „Horen"-Leser und Besitzer . . . Überdies, was ich mir aber schlechterdings nicht zu erklären weiß, da ich ihn als etwas ganz Vorzügliches betrachte, er hat in unsern Gegenden gar wenig gefallen. Dies zusammengenommen macht mich etwas ängstlich bei dieser Unternehmung . . ." (11. IV. 1798 an Schiller). Zu gleicher Zeit erschien auch ein Braunschweig 1798 datierter Nachdruck. So blieb die Arbeit liegen.

Erst 1802, nachdem die *Propyläen* eingegangen waren, hörte Cotta wieder durch Schiller von Goethes *Cellini,* „den er nun vollständig mit Noten begleitet herausgeben will. Er erkennt zwar, daß er dafür beträchtlich weniger als für ein Originalwerk fordern kann, und nimmt auch darauf Rücksicht, daß Sie ihm für einen Teil desselben [gleichzeitig mit angebotenen Verlagsartikel] in den Horen schon ein gutes Honorar bezahlt haben. Dieses Werk, das etwa ein Alphabet [24 Bogen] betragen wird, überließ' er Ihnen vielleicht um 50 Carolin" (Bdm. 1, 319; vgl. Schiller an Cotta 8. X. 1802 mit einem abermaligen Angebot). Erst am 16. X. 1802 geht *ein kleines Promemoria* an Schiller. *Man könnte es an Cotta communiciren, zu Einleitung näherer Verhandlung, auch daraus, wenn man einig wäre, gleich eine Anzeige formiren (IV/16, 126;* die Verträge werden nachträglich im Mai 1803 ausgetauscht: IV/16, 229). Am 19. XI. 1802 geht *das erste Buch Cellini* an Cotta *(IV/16, 142),* am 24. XII. 1802 *Das zweyte Buch (IV/16, 159)* das *dritte und vierte Buch,* sowie *eine Zeichnung des Cellinischen Portraits* am 7. I. 1803 *(IV/16, 163;* 438; III/3, 69; vgl. auch EGW II, 136–159).

Nach vielseitigem Studium der florentinischen Geschichte (EGW II, 139f.; I/44, 363; IV/16, 163; Keudell Nr 192, 195, 286, 287, 306, 314) folgt schließlich der *Anhang zur Lebensbeschreibung des Benvenuto Cellini, bezüglich auf Sitten, Kunst und Technik* (vor dem 14. III. 1803; vgl. IV/16, 197) mit folgender Gliederung aus: *Vorwort – Gleichzeitige Künstler – Näherer Einfluß* auf Cellini – *Cartone – Antike Zierrathen – Vorzügliches technisches Talent – Tractate über den technischen Theil der Gold-*

schmiedekunst und Sculptur – Goldschmiede-geschäft – Sculptur – Flüchtige Schilderung florentinischer Zustände – Stammtafel der Medicis – Schilderung Cellinis – Letzte Lebensjahre – Hinterlassene Werke – Hinterlassene Schriften – Über die Grundsätze, wornach man das Zeichnen lernen soll – Über den Rangstreit der Sculptur und Mahlerei (I/44, 299 f.). Unter den beiden letzten Titeln stellte Goethe Auszüge aus den „Due Trattati" von 1731, und zwar den erst dieser Ausgabe beigefügten „Frammento di un discorso di Benvenuto Cellini sopra i principj e'l modo d'imparare l'arte del disegno" (S. 155) mit dem Anfang „Infra l'altre maravigliose professione . . ." und den auch in der Ausgabe von 1568 abgedruckten „Breve discorso intorno all'arte del disegno, dove si conclude, che la Scultura prevaglia alla Pittura, e che migliori Architetti diverranno quelli, che più perfetti Scultori saranno" (S. 148) mit dem Anfang „Con varie materie, e in diversi modi si costuma di disegnare, cioè col carbone, colla biacca, e colla penna . . .". Die Kapitel II („Dell'arte del niellare"; vgl. IV/22, 353 und IV/42, 369), III („Dell'arte del lavorare di filo"), IV („Dell'arte della smaltare in oro, e in argento, e della natura d'alcuni smalti"), V („Dell'arte del cesellare"), VI („Dell'arte del lavorare in cavo . . . di fare i sugelli de'Cardinali"), VII („Dell'arte di lavorare di cavo in acciaio le stampe delle monete") bis einschließlich Kapitel X und XI („Dell'arte di lavorare di grosseria") des ersten Traktats wurden mit entsprechenden Überschriften in dem Abschnitt *Goldschmiedegeschäft (I/44, 319 ff.)* zusammengefaßt, während Kapitel I („De'verj modi di far le statue di terra per gettare di bronze") bis einschließlich Kapitel III und IV („Della qualità di diversi marmi atti a fare statue") aus dem zweiten Traktat als Vorlage für den Abschnitt *Sculptur (I/44, 327)* dienten. Der „Prefazione" von 1731 entnahm Goethe die Angaben für den Abschnitt *Letzte Lebensjahre (I/44, 361 ff.).*

Mit dieser Ausgabe von 1803 hatte Goethe im Rahmen des ihm eigenen kunstpädagogischen Anliegens (vgl. I/48, 61) ein abgerundetes und bedeutendes Werk an die Öffentlichkeit gegeben, das Anerkennung fand und „von dem Strom des Handels und der Literatur ergriffen" wurde (Schiller an Goethe 24. V. 1803). Goethe sah seine Anstrengung belohnt, *denn im Grunde war die unternommene Arbeit mehr von Belang, als ich anfangs denken mochte (I/35, 144).* Selbst der „Freimüthige" vom 24. VI. 1803 bekannte: „Die Übersetzung ist meister-

haft durch die täuschende Treue, mit welcher sie die naivsten Eigenthümlichkeiten einer fremden Nation in einem entlegenen Zeitalter ausdrückt" (vgl. JALZ vom 11. I. 1804, Sp. 66, gezeichnet RS). Schwächere Schriftsteller wie FWZiegler, der ein Lustspiel „Benvenuto Cellini oder das Bild der Porzia" (1817; nach I/43, 52) schrieb, oder GRosini, der einen historischen Roman um C. zur gleichen Zeit veröffentlichte, schöpften aus der Fülle des Stoffes. Das konnten auch die Librettisten du Wailly und Barbier, die den Text zu H*Berlioz' Oper „Benvenuto Cellini" verfaßten. Mit den Tatsachen gingen sie allerdings sehr rüde um und ließen den Guß des Perseus in Gegenwart des Kardinals Salviati am Aschermittwoch 1532 in Rom vonstatten gehen und fanden mit diesem Motiv ein sicher wirkungsvolles Finale. Die Oper hatte unter der Leitung F*Liszts 1852 und 1853 (diesmal in Anwesenheit des Komponisten) in Weimar einen überraschenden Erfolg (Berlioz an CLGruneisen 8. II. 1853). – Goethes Übersetzung fand auch außerhalb seiner Werke – über die Änderung zur Ausgabe von 1818 vgl. an Cotta 7. I. 1817 (IV/27, 311) – ungezählte Auflagen in deutscher Sprache; erst 1909 folgte eine Übersetzung nach dem Originalmanuskript, auf das auch die neuen französischen und englischen Ausgaben zurückgehen. – Nach den schwachen Versuchen V*Grüners, für die wiener Ausgabe der Werke Goethes von 1810 den *Cellini* mit Titelkupfern zu bebildern, gehört erst dem 20. Jahrhundert der wahre Illustrator dieses abenteuerlichen Lebens an, Max Slevogt, der hinter der geglätteten Form der goetheschen Übersetzung die Ursprünglichkeit C.s und seiner Umwelt zu erkennen und sichtbar zu machen wußte (Lieferungsausgabe 1913 ff. bei BCassirer, Berlin).

Goethes Urteil über C.s Kunst ist Zeugnis seiner intuitiven Erfassung des ganzen Menschen; ihr ging nicht wie in anderen Fällen das künstlerische Erlebnis voran. Diesmal steht am Anfang die Reflexion, die aus der Lektüre der Traktate und wohl auch aus Vasari gewonnen wurde: *Italien lag in dem 15. Jahrhundert mit der übrigen Welt noch in der Barbarey. Der Barbar weiß die Kunst nicht zu schätzen, als in so fern sie ihm unmittelbar zur Zierde dient, daher war die Goldschmiedearbeit in jenen Zeiten schon so weit getrieben, als man mit den übrigen noch so sehr zurück war und aus den Werkstätten der Goldschmiede gingen durch äußere Anlässe und Aufmunterung die ersten trefflichen Meister anderer Künste hervor. Donatello, Brunellesco, Ghiberti, waren sämmtlich zuerst Goldschmiede. Es wird dieses zu guten Betrachtungen Anlaß geben. Und sind wir nicht auch wieder als Barbaren anzusehen? da nun alle unsere Kunst sich wieder auf Zierrath bezieht (IV/11, 22f.;* vgl. I/44, 352). Man wird diesen Gedanken nicht zum Zwecke einer Interpretation pressen dürfen, wenn er auch von dem späteren Urteil ergänzt wird, daß C., der anfangs *eine gewisse subalterne Neigung zu den Zierrathen hatte (I/44, 317), nicht die mindeste Wendung nach der Kupferstecherkunst genommen. Ich wollte wir hätten nur ein paar Blätter nach ihm. Aber sein Drang ging ganz nach dem Plastischen, um nur endlich noch den Perseus zu erreichen (IV/21, 66;* vgl. I/44, 352f.). *Cellini, mit seiner Kunst und mit seinem Lebenswandel, ist für uns ein trefflicher Standpunct, von dem man, in Absicht auf neue Kunst, vorwärts und rückwärts sehen kann (IV/11, 37f.).* Da Goethe sich darauf angewiesen sah, vom Charakter her die Kunst eines Menschen zu erfassen, namentlich im Falle C.s, führte ihn jede Nachricht, jede Reflexion wieder auf diese Einheit zurück (IV/11, 129), in der, wie beim Guß des Perseus, *bis zuletzt Naturell, Kunst, Handwerk, Leidenschaft und Zufall alles durcheinander wirkt und dadurch das Kunstwerk gleichsam zum Naturproduct machen (IV/12, 35;* vgl. die von Goethe eng gezogene Analogie von Leben und Kunst: I/44, 353f.).

Da ihm Erlebnis und Anschauung fehlten, nutzte Goethe Meyers Nachrichten, der ihm aus Italien über den Perseus berichtete (Br Meyer Bd 1, S. 217) und zusammenfassend meinte: „obwohl das ganze Werk immer in die Classe der manirten Stücke gehört, so ist's doch allemahl eins der vorzüglichsten und mir lieber als Bandinellis oder Ammanatis Arbeit" (BrMeyer Bd 1, S. 273; danach I/44, 365, vgl. IV/11, 132). Goethes Anfrage wegen der Münzen in römischen Sammlungen – *Außer einigen größeren Stücken hat er auch die gewöhnlichen Münzen für Clemens VII meist geschnitten. Es sind auch Münzen von Herzog Alexander von Florenz von ihm da (IV/ 11, 40)* – konnte Meyer zunächst nicht beantworten. Auch ließen sich damals noch keine *Abdrücke von seinen Münzen, die zur Zierde unserer Sammlung gereichen würden (IV/11, 129),* beschaffen. Goethe bemühte sich weiterhin, da ihm an selbständiger Anschauung dringend lag, C.s Medaillen zu erhalten. Im Laufe der Zeit bekam er dann die beiden Medaillen auf Clemens VII., die eine von 1533 mit dem Revers „Moses schlägt Wasser aus dem Felsen" und der Inschrift „ut bibat populus" –

die ich wohl hochschätzen muß, weil ich dreyßig Jahre vergebens danach getrachtet habe, und sie alsdann durch sonderbare Zufälle in einem Jahre doppelt erhielt (IV/23, 198) – und die andere von 1534 mit der Reversinschrift „Clauduntur belli portae" (III/3, 193); ferner die Medaille auf P*Bembo, dessen Porträt wohl das beste der c.schen Kleinplastik ist (Schuchardt Bd 2, S. 47 und 80; vgl. III/3, 173; IV/19, 275).

Ebenfalls nur durch Zeichnungen lernte Goethe das berühmteste Werk c.scher Goldschmiedekunst, das Salzfaß, kennen, das durch die Beschreibung in der Vita schon so anschaulich geworden sein mochte. In die großherzogliche Bibliothek gelangten *Sehr wohlgerathene Zeichnungen,* die Goethe am 4. I. 1817 entlieh (Keudell Nr 1073), um den am 23. XII. 1816 geplanten *Nachtrag zu Cellini Salzfaß* dem Anhang für die Ausgabe von 1818 hinzuzufügen (III/5, 317; IV/27, 311). *Nun können Kunstfreunde sich glücklich schätzen, daß dieses Werk, welches die Verdienste und Seltsamkeiten des sechzehnten Jahrhunderts in sich schließt, vollkommen erhalten und jedem zugänglich ist (I/44, 365).*

Die C.-Übersetzung bedeutete für Goethe eine neue Begegnung mit dem 16. Jahrhundert, mit der italienischen Spätrenaissance, und darüber hinaus eine Art Präfiguration der eigenen Lebensbeschreibung. So hat der *Cellini* nicht die Eigenschaft einer kunstgeschichtlichen Quellenpublikation, und es wäre verfehlt, die Bearbeitung der C.-Vita durch Goethe im Sinne eines in Bildung begriffenen Historismus zu deuten. Dem Dichter, der *Egmont* und *Tasso* geschrieben, der Shakespeare einen wesentlichen Teil seiner Bildung zu verdanken hatte, traten aus der Vita C.s Gestalten der gleichen Zeit entgegen. Es war eine *Welt (IV/16, 275),* in der auch GBruno, Ariost, Erasmus von Rotterdam gewirkt, und aus der schon früher *Faust* und *Goetz* hervorgegangen waren. Und wie zu diesen sich Dürer gesellte, so jetzt zu Tasso C. (dazu über F*Neri: I/32, 186ff.). Diese *Welt,* ein Begriff für das Gewachsene und Organische, recht eigentlich für das Leben selbst, machte sich Goethe zu eigen und lernte sie *durch die Nachbildung erst recht kennen (IV/11, 37). Die Bearbeitung des Cellini . . . ist für mich, der ich ohne unmittelbares Anschauen gar nichts begreife, vom größten Nutzen, ich sehe das ganze Jahrhundert viel deutlicher durch die Augen dieses confusen Individui als im Vortrage des klärsten Geschichtschreibers (IV/11, 54f.).* Ein derartiges Anschaun vergangener

Zeit führte Goethe zur Erkenntnis ihres Wesens. Aber Goethe ist kein „Geistesgeschichtler"; für ihn ist Wesen des 16. Jahrhunderts nicht das Denken und Dichten, das Wünschen und Wollen dieser Zeit oder die Reihe ihrer Leitbilder und Ideale, sondern allein die Inkarnation dieser Werte in *Tasso, *Egmont, C. und *Faust. Maßstab seiner Weltsicht, seiner *realistischen Vorstellungsart* ist der Mensch und das Leben, insbesondere *das Leben eines einzelnen Menschen, der uns zu einem zwar beschränkten aber desto lebhaftern Mitgenossen vergangener Zeiten macht (IV/11, 38), und das wie das Ganze, in dem wir enthalten sind, auf eine unbegreifliche Weise aus Freiheit und Nothwendigkeit zusammengesetzt ist (I/28, 50).* Das 16. Jahrhundert, für Goethe in seiner Vielfalt individueller Persönlichkeiten das erste „moderne" Jahrhundert, war zugleich die letzte Epoche, in der er noch eine objektive Grundkraft, noch ein allgemeines und schöpferisches Prinzip erkannte, an dem er teilzuhaben vermochte.

Cellini, hervorgewachsen aus den italienischen Studien um 1795/96, gehörte alsbald in eine Reihe von Schriften, mit denen Goethe auf seine Zeit in einem fast pädagogischen Sinne wirken wollte, die sich in und mit den *Propyläen* zu einer Einheit zusammenschlossen. *Wenn diese Schriften nicht zusammengedruckt und gebunden sind, wenn sie nicht Theile eines einzigen Werkes ausmachen, so sind sie doch aus eben demselben Geiste hervorgegangen. Sie haben auf das Ganze gewirkt, wie uns zwar langsam, aber doch erfreulich genug, nach und nach bekannt geworden, so daß wir eines mannichfaltig erfahrenen Undanks, eines lauten und schweigenden Gegenwirkens wohl kaum gedenken sollten. Unmittelbar schließt sich vorliegendes Werk an die übrigen Arbeiten an (I/46, 9 f.).* Mit diesen Worten leitete Goethe den *Winckelmann* ein. In einem *treuherzigen Stil verfaßt . . . so daß sie jeden gar bald an Cellinische und Winckelmannische Naivetät erinnert (I/41¹, 32;* vgl. IV/19, 414) waren die Aufzeichnungen GPh *Hackerts, deren Bearbeitung Goethe übernahm. Damit war er als *Mitgenosse vergangener Zeiten* in seine eigene Welt zurückgekehrt und bereit, noch unter der Arbeit an Hackert seine eigene Lebensbeschreibung zu konzipieren, die er *Dichtung und Wahrheit* nannte.   Lö

Quellen: Künstlerbriefe über Kunst, Bekenntnisse von Malern, Architekten und Bildhauern aus fünf Jahrhunderten. Hrsg. von HUhde-Bernays. 1926. S. 102 (C. an BVarchi 22. V. 1556). – BrMeyer Bd 1. – Goethe in vertraulichen Briefen seiner Zeitgenossen. Auch eine Lebensgeschichte, zusammengestellt von WBode, 1749–1803. 1918. S. 263f. (Cotta an Schiller 11. IV. 1798). – Der Briefwechsel zwischen Schiller und Goethe. 3 Bde. Hrsg. von HGGräf und ALeitz-

mann. 1955. – Nouvelles Lettres de Berlioz 1830 bis 1868. Hrsg. von JBarzun. 1954. S. 103f.
Editionen, soweit sie nicht im Text genannt sind: Vita di Benvenuto C., Testo critico con introduzione e note storiche, per cura di OBacci. 1901. – Goethes Werke. Hrsg. von KHeinemann. Bd 27/28. Bearbeitet von KVossler. o. J.
Lit.: JSchlosser: Die Kunstliteratur. 1924. S. 320f. und 329. – KVossler: Benvenuto Cellinis Stil in seiner Vita, Versuch einer psychologischen Stilbetrachtung. In: Beiträge zur romanischen Philologie, Festgabe für GGröber. 1899. S. 414ff. – Münchener Allgemeine Zeitung vom 5. XI. 1900 (KVossler). – MPonsilio: Gusto e coszienza letteraria nella „Vita" die Benvenuto Cellini. In: Convivium, raccolta nuova 5 (1951), S. 667–725. – ThB 6 (1912), S. 270ff. – HKlapsia: Benvenuto Cellini (1943). – ECamesasca: Tutta l'opere del Cellini. 1955. – GHabich: Die Medaillen der italienischen Renaissance. 1924. – GFHill: Corpus of Italian Medals. 1930. – LGoldscheider: Repräsentanten der Renaissance. 1952 (m. Abb.). – JSchlosser: Das Salzfaß des Benvenuto Cellini. In: Präludien. 1927. S. 340–356. – HLüer: Technik der Bronzeplastik. Monographien des Kunstgewerbes 4. o. J. – LFrede: Der Guß des Perseus. In: Gießerei, Zeitschrift für das gesamte Gießereiwesen 41 (1954), S. 485. – JBurckhardt: Die Kultur der Renaissance. ¹⁰1908. Bd 2. S. 54. – WDurant: Die Renaissance. Die Geschichte der Zivilisation Bd 5. 1955. S. 700. –

Celosia cristata (Hahnenkamm) gehörte zu den Pflanzen, denen Goethe wegen der *Verbänderung (Fasciation) oder Verflächung des Blütenstandes wiederholt seine Aufmerksamkeit schenkte. *Eine solche Verflächung ist bei der Celosia cristata naturgemäß; auf dem Hahnenkamme entwickeln sich zahllose unfruchtbare Blüthchen, deren jedoch einige, zunächst am Stengel, Samen bringen, welchen die Eigenschaft der Mutterpflanze einigermaßen eingeboren ist (II/6, 179).*   Ba

Centauren/Kentauren, wilde, halbtierische Fabelwesen mit menschlichem Oberkörper und Pferdeleib, wurden als Naturdämonen in ähnlichen Formen, wenn auch unter anderen Namen, bei verschiedenen Völkern beobachtet. Im Volksglauben, der Dichtung und bildenden Kunst der alten Hellenen spielten sie eine große Rolle. Man lokalisierte sie in Thessalien (Peliongebirge), aber auch in anderen waldigen Gebirgsgegenden (Peloponnes) und schrieb ihnen Wildheit, Trunkenheit und Gewalttätigkeit (Frauenraub) zu. Bei der Hochzeit des thessalischen Fürsten Peirithoos mit Hippodameia waren die C. zu Gast geladen. Nach übermäßigem Weingenuß suchten sich die wilden Gesellen an den Frauen der Lapithen zu vergreifen, und es kam zum Kampf zwischen Lapithen und C. (Kentauromachie), einem in der antiken Kunst besonders beliebten Thema. Goethe betont seine innere Anteilnahme an diesen Darstellungen, *wo Menschen von höheren Eigenschaften mit rohen thierischen oder mit thierverwandten Geschöpfen zu kämpfen hatten . . . Götter kämpfen mit Titanen, und der Beschauende erklärt sich schnell für die edlere Gestalt; eben derselbe Fall ist,* wenn *Hercules mit Ungeheuern kämpft, wenn Lapithen mit Centauren in Händel gerathen. Zwischen diesen letzten läßt der Künstler die Schale des Siegs hin und wieder schwanken, Überwinder und Überwundene wechseln ihre Rollen, und immer fühlt man sich geneigt dem rüstigen Heldengeschlecht endlich Triumph zu wünschen (I/49^II, 53f.).* Das Problem der C. beschäftigte Goethe wiederholt. Bei seiner Vorliebe für *Pferde und Reiten erklärt er die Entstehung des griechischen Phantasiegebildes von dieser Seite: *Mit der Centaurenbildung ist es ganz ein anderes. Wie der Mensch sich körperlich niemals freier, erhabener, begünstigter fühlt als zu Pferde, wo er, ein verständiger Reiter, die mächtigen Glieder eines so herrlichen Thiers, eben als wären es die eigenen, seinem Willen unterwirft und so über die Erde hin als höheres Wesen zu wallen vermag, eben so erscheint der Centaur beneidenswerth, dessen unmögliche Bildung uns nicht so ganz unwahrscheinlich entgegentritt, weil ja der in einiger Ferne hinjagende Reiter mit dem Pferde verschmolzen zu sein scheint (I/49^I, 319).* Die letzte Begründung stammt aus der antiken rationalistischen Mythenallegorie (Herakleitos, De incredibilibus Kap. 5). Goethe kannte sie offenbar aus Hederichs Lexicon mythologicum (Leipzig 1741), wo es Sp. 542 heißt: „Oder doch waren sie (die C.) die ersten Reuter, welche daher die, so sie zumahl von ferne sahen, mit den Pferden für ein Thier hielten." – Der Gedanke „Das Pferd in der Kunst" führt Goethe sofort auf die C.: *Doch was das letzte betrifft, dieses edle Geschöpf muß auch in unsern Bildkreis herangezogen werden. Durchdringe sich der Künstler von den geistreichen Gebilden, welche die Alten so meisterhaft im Centaurengeschlechte darstellten (I/49^I, 176).* Menschliche und tierische Kraft sieht Goethe im C. vereint und gesteigert. So kann sein Herzog in der *Natürlichen Tochter* zu Eugenie sagen: *... Dein überkühner Muth, mit dem du dich, | Als wie an's Pferd gewachsen, voll Gefühl | Der doppelten, centaurischen Gewalt, | Durch Thal und Berg, durch Fluß und Graben schleuderst (I/10, 274 V. 589–592),* und von dem C. Nessus heißt es: *er dient mit seinen Doppelkräften jedem Reisenden (I/49^I, 119).* Der junge Goethe streift auch gelegentlich die biologische Seite des C.-Problems (Herkules zu Wieland): *Eure Tugend kommt mir vor wie ein Centaur; so lang der vor eurer Imagination herumtrabt, wie herrlich, wie kräftig! und wenn der Bildhauer euch ihn hinstellt, welch übermenschliche Form! – Anatomirt ihn und findet vier Lungen, zwey Herzen, zwey Mägen. Er*

stirbt im Augenblicke der Geburt, wie ein andres Mißgeschöpf, oder ist nie außer eurem Kopf erzeugt worden (Götter, Helden und Wieland: I/38, 33).* Wegen ihrer Vorliebe für den Wein wurden die C. schon in der Antike in das Gefolge des *Bacchus eingereiht. In diesem Sinne spricht Goethe von *unschätzbaren Tänzerinnen und Bacchischen Centauren* in der Aldobrandinischen Hochzeit *(I/36, 200).* Einzelne C. wie Pholos und *Chiron sind im antiken Mythos mit menschlichen, ja mit edlen Zügen ausgestattet. Auch diesen Gegensatz sucht Goethe zu überbrücken (I/49^I, 318f.), zumal er den weisen Chiron in der *Klassischen Walpurgisnacht* auftreten läßt.   *Hu*
Hunger S. 181–183.

„Cent nouvelles nouvelles", eine Reihe lebendig geschriebener, meistens schlüpfriger französischer Erzählungen aus dem 15. Jahrhundert (kaum von Antoine de la *Sale herrührend), die zu einem großen Teil wahrscheinlich auf mündliche Überlieferung zurückgehen. Goethe hat ihnen die in die *Unterhaltungen deutscher Ausgewanderten* eingelegte Novelle vom Prokurator entnommen (1795: I/18, 160–187), die zeigt, *daß in jedem Menschen die Kraft der Tugend im Verborgenen keimt (ebda 187);* die Sammlung wird noch in einer nicht genauer zu datierenden Notiz über epische Formen erwähnt (I/53, 439), die vielleicht aus dem Jahre 1807 stammt (1807: III/3, 207f. sind die „C. n. n.", 208 ist der *I/53, 439* ebenfalls angeführte *Boccaz* genannt). Goethe besaß die „C. n. n." in einer Ausgabe von 1786 (Ruppert Nr 1600).   *Fu*

Cento/Pieve di Cento. Aufatmend nach dem Unbehagen, das Goethe in *Ferrara empfunden hatte, schilderte er am 17. X. 1786 seine Eindrücke aus *Guercins Vaterstadt* C., die er vom Turm aus als *freundliches wohlgebautes Städtchen... nahrhaft, lebendig, reinlich in einer unübersehlich bebauten Plaine* erblickte *(I/30, 157).* Goethe verbrachte den Tag in C. damit, in den *schönen Kunstkreis* *Guercinos einzudringen und besuchte auch P. d. C., eine Kapuzinerniederlassung vor der Stadt, um ein dort hängendes Madonnenbild dieses Malers zu besichtigen (I/30, 159).   *Wt*

Cephalus/Kephalos und Prokris, Liebes- und Ehepaar der griechischen Mythologie, passionierte Jäger. C. prüft, als Fremder verkleidet, die Treue seiner Gattin, die sich aber von ihm überreden läßt. Er gibt sich zu erkennen, und Prokris flieht zu König Minos nach Kreta. Nach ihrer Rückkehr und Versöhnung mit C. folgt sie eifersüchtig dem Gatten ohne dessen

51*

Wissen auf die Jagd und beobachtet ihn aus einem Versteck im Wald. C. vermutet ein Wild in dem Busch und trifft Prokris tödlich. Goethe kannte das Gemälde C. und Prokris des berühmten Raffael-Schülers *Giulio Romano (1499–1546) vermutlich aus dem Kupferstich von Giorgio Ghisi (1520–1582: ThB 13 [1920] S. 564). Er reihte es in seine *Antike Gemäldegalerie* unter *Philostrats Gemählde* (1818) als Nr 13a ein *(I/49ᴵ, 69)*, obwohl das Thema nicht in den „Eikones“ dieses griechischen Autors erscheint. Wenige Jahre später vermerkt Goethe im Tagebuch zum 29. III. 1822: *Ferner Cephalus und Prokris nach Julius Roman, diese Fabel in den Metamorphosen des Ovids gelesen (III/8, 180).* An CFZelter sandte Goethe am 9. XI. 1830 als Beilage eines Briefes die ausführliche Beschreibung des oben erwähnten Bildes von Giulio Romano (IV/48, 13–15).   *Hu*
Hunger S. 183 f.

Ceres/Demeter, griechische Göttin der Fruchtbarkeit und des Wachstums, vor allem des Ackerbaus und des Getreides. Als ihre Tochter *Proserpina (Persephone) vom Gott der Unterwelt, Hades, als Braut entführt wird, irrt die trostlose Mutter in aller Welt umher, um ihre Tochter zu suchen (*Baubo). So kommt sie, als alte Frau verkleidet, auch zu König Keleos von Eleusis, wo sie gastfreundlich aufgenommen wird. Dem Sohn des Königs, Triptolemos, schenkt C. den Weizen und einen von geflügelten Drachen gezogenen Wagen: er soll den Ackerbau und den Kult der C. auf der ganzen Welt verbreiten. In dem Monodrama *Proserpina*, das Goethe in den *Triumph der Empfindsamkeit* einlegte, malt sich die entführte Tochter in der Unterwelt die Irrwege der verzweifelt suchenden Mutter C. aus (I/17, 43f.). Häufig bedient sich Goethe der metonymischen Wendung „Gaben der C.“ für Getreide oder Feldfrucht, so in der *Braut von Corinth* (I/1, 220, v. 45; *Ballade), in der *Achilleis* (I/50, 282, v. 320; 293, v. 626), in *Faust II* (I/15ᴵ, 24, v. 5128f.) uö. Während der italienischen Reise kreisen Goethes Gedanken vor allem in *Sizilien, der berühmten Kornkammer des alten Imperium Romanum, wo C. besonders verehrt wurde und man die Entführung der Proserpina lokalisierte, um die Göttin der Fruchtbarkeit und des Ackerbaus. So heißt es in Girgenti am 26. IV. 1787: *Ihr Weizen ist unendlich schön. Tumenia, deren Namen sich von bimenia oder trimenia herschreiben soll, ist eine herrliche Gabe der Ceres: es ist eine Art von Sommerkorn, das in drei Monaten reif wird (I/31, 167).* Und tags dar-

auf: *Ich hatte nämlich auf dem bisherigen Wege in Sicilien wenig kornreiche Gegenden gesehen, sodann war der Horizont überall von nahen und fernen Bergen beschränkt, so daß es der Insel ganz an Flächen zu fehlen schien und man nicht begriff, wie Ceres dieses Land so vorzüglich begünstigt haben sollte. Als ich mich darnach erkundigte, erwiderte man mir: daß ich, um dieses einzusehen, statt über Syrakus, quer durch's Land gehen müsse, wo ich denn der Weizenstriche genug antreffen würde (I/31, 171).* Und wieder einen Tag später schreibt Goethe in *Caltanisetta: *Heute können wir denn endlich sagen, daß uns ein anschaulicher Begriff geworden, wie Sicilien den Ehrennamen einer Kornkammer Italiens erlangen können. Eine Strecke, nachdem wir Girgent verlassen, fing der fruchtbare Boden an. Es sind keine großen Flächen, aber sanft gegen einander laufende Berg- und Hügelrücken, durchgängig mit Weizen und Gerste bestellt, die eine ununterbrochene Masse von Fruchtbarkeit dem Auge darbieten ... Und so war denn unser Wunsch bis zum Überdruß erfüllt, wir hätten uns Triptolems Flügelwagen gewünscht, um dieser Einförmigkeit zu entfliehen (I/31, 171f.).* – C. als Göttin der unerschöpflichen Fruchtbarkeit ist auch dem alten Goethe geläufig: *Denn wohl vergebens hätte Ceres ausgestreut / Zahllose Samen, endlos Frucht auf Frucht gehäuft* (1811: I/13ᴵ, 174 V. 66f.). Und wie in Schillers „Eleusischem Fest“ (1798) ergibt sich für Goethe aus dem Begriff C. zugleich die Gedankenverbindung Ackerbau und menschliche Zivilisation: *Hätte man dem trefflichen Thaer zu seinem Feste ein würdigeres Geschenk aufstellen können als eine solche Bronze, auf deren Piedestal Ceres, Triptolem und alles was daraus folgt wäre gebildet gewesen?* (13. VI. 1827 an CW Beuth: IV/42, 221). Etwa ein Jahrzehnt vor Schillers Gedicht skizzierte Goethe in den *Römischen Elegien* eine eleusinische Mysterienfeier (I/1, 247f.), allerdings nur als Folie für den Hieros Gamos, die „heilige Hochzeit“ der Demeter mit dem sterblichen Iasion, von der schon die Odyssee (5, 125ff.) berichtet. Die Szene ist zwar offenkundig mit Rücksicht auf die Pointe der Elegie gewählt, das Kolorit entspricht aber durchaus der antiken Vorstellung vom Beilager auf dem Saatfeld, das alles Wachstum fördert: *Und was war das Geheimniß! als daß Demeter, die große, / Sich gefällig einmal auch einem Helden bequemt, / Als sie Jasion einst, dem rüstigen König der Kreter, / Ihres unsterblichen Leibs holdes Verborgne gegönnt. / Da war Kreta beglückt! das Hochzeitbette der Göttin / Schwoll*

von Ähren, und reich drückte den Acker die
Saat (I/1, 248).   *Hu*
Hunger S. 83–86. – Grumach S. 26 f.

Cervantes Saavedra, Miguel de (1547–1616),
geboren in Alcala de Henares, gestorben in
Madrid. Sein Leben steht in einem ganz Don-
Quijote-haften Gegensatz zum Ruhm seiner
Werke. Es sind dies im wesentlichen ,,Gala-
tea", ein arkadischer Schäferroman (1595),
,,Der sinnreiche Junker Don Quijote von der
Mancha" (1. Teil 1605, 2. Teil 1615), ,,Nove-
las Ejemplares" (1613), 20 bis 30 Schauspiele,
von denen einige zu seinen Lebzeiten aufgeführt wurden, aber nicht alle erhalten sind
und der nachgelassene Roman ,,Persiles y
Sigismundo".

Die Beschäftigung Goethes mit C. ist – im
Gegensatz zu *Calderon – immer sporadisch
geblieben. Einzig die Novellen hat er sorgfältig gelesen und zollte ihnen uneingeschränkte
Anerkennung. *Dagegen habe ich an den Novel-*
len des Cervantes einen wahren Schatz gefun-
den, sowohl der Unterhaltung als der Belehrung.
... Wie sehr wird man auf seinem Wege geför-
dert, wenn man Arbeiten sieht die nach eben den
Grundsätzen gebildet sind, nach denen wir ... in
unserem Kreise selbst verfahren (17. XII. 1795
an Schiller: *IV/10, 350;* weitere Beschäftigung mit den Novelas 1801: III/3, 4f. und
1805: Bdm. 1, 384). Die Lektüre des ,,Don
Quijote" hat Goethe im Mai 1800 angemerkt
(III/2, 295, wahrscheinlich in der Übersetzung
von L*Tieck, 4 Bde, 1799–1804, vgl. Ruppert
Nr 1725), die aber natürlich nur eine Reprise
sein konnte, denn bereits 1772 werden in den
FGA C. und seine Romangestalt Don Quijote
in einer Weise zum Vergleich herangezogen,
welche die Kenntnis des Werkes als selbstverständliches Bildungsgut voraussetzt (I/38,
337; 389; vgl. ebda 313). In welcher Übersetzung sich Goethe schon in seiner Jugend
den ,,Don Quijote" angeeignet hat, ist nicht
festzustellen; er kann auch eine der zahlreichen französischen oder englischen Übertragungen gelesen haben (die erste englische von
Thomas Shelton erschien in London 1612, die
erste französische von Cesare Oudin in Paris
1614, die erste, noch unvollständige deutsche
1621). Einen ähnlichen Vergleich mit dem
Ritter von der traurigen Gestalt gebraucht er
in der Darstellung der *Belagerung von Mainz*
(I/33, 309). Als Goethe in einem Brief an
Chv*Stein *Sanchos Sprüchwörter* erwähnt
(12.–15. IX. 1780: *IV/4, 291f.*), kann er schon
die Übersetzung von FJ*Bertuch benutzt haben, die mit der Fortsetzung des Avellanedo
in 6 Bänden 1775–77 in Leipzig und Weimar

erschien (vgl. 11. VII. 1783: IV/6, 178). Es ist
aus den spärlichen Zeugnissen der folgenden
Jahre nicht zu ermitteln, ob und inwieweit
sich Goethe intensiver mit C. beschäftigt hat.
Wenn er 1782 an ChvStein schreibt, *Cervantes*
hält mich iezo über den Ackten wie ein Korck-
wamms den Schwimmenden (9. VIII.: *IV/6,*
35), so wird die Originalität dieser Bezogenheit auf C. dadurch abgeschwächt, daß er
schon früher an CLv*Knebel schreiben konnte: *Die Stein hält mich wie ein Korckwamms*
über dem Wasser (3. II. 1782: *IV/5, 257).* Immerhin muß ein gewisses Interesse vorhanden
gewesen sein, denn 1783 schenkt ihm Carl
August die spanische Ausgabe des ,,Don Quijote" zum Geburtstage (Ruppert Nr 1724).
In den späteren Jahren hat Goethe dem Werk
gegenüber immer eine kühle Reserve gewahrt;
die romantische Doppelbödigkeit des Romans, die ,,aus der galligen oder spöttischen
Satire ... eine vom Geist persönlichen Humors erfüllte Tragikomödie des Menschentums" machte (Rügg, S. 72), hat er nicht gesehen oder nicht sehen wollen. Für ihn stellte
im Gegenteil der ,,Don Quijote" *die Idee* dar,
die, indem sie *als phantastisch erscheint, keinen*
Werth mehr hat; daher denn auch das Phanta-
stische, das an der Wirklichkeit zu Grunde geht,
kein Mitleiden erregt, sondern lächerlich wird,
weil es komische Verhältnisse veranlaßt. ... Das
Höchstgelungene dieser Art ist Don Quixote von
Cervantes. Das was im höheren Sinne daran zu
mißbilligen sein möchte, verantworte der Spa-
nier selbst (KuA, 4. Bd. 2. H. 1823: *I/41^{II}, 71).*
Den zweiten Teil des Romans lehnte er, als
der inneren Notwendigkeit entbehrend, ganz
ab (Bdm. 2, 430).

Außer mit dem ,,Don Quijote" und den Novellen hat sich Goethe in den Jahren 1799/
1800 noch mit C.s Trauerspiel *Numancia* beschäftigt, auf das ihn AW*Schlegel am 8. XI.
1799 aufmerksam gemacht hat. Er hat es *mit*
vielem Vergnügen gelesen (4. I. 1800 an W
v*Humboldt: *IV/15, 11;* vgl. dazu ebda 308
und III/2, 272). Auch hier ist nicht festzustellen, welche Übersetzung Goethe in den Händen gehabt hat.   *UB*
RL 1, S. 1–4; 3, S. 44–47 und 164–167. – FSchmitt:
Tabellen zur deutschen Literaturgeschichte. 1935.
S. 97; 103, Tafel 9; 10 und 14. – ARügg: Miguel de
Cervantes und sein Don Quijote. 1949.

Cestiuspyramide, Grabmal des vor 12 vChr.
verstorbenen Prätors und Tribunen CCestius
Epulo an der Porta S. Paolo zu *Rom, der
antiken Porta Ostiensis. In seiner unmittelbaren Umgebung wurden schon seit dem
18. Jahrhundert die protestantischen Fremden in Rom beerdigt. Neben den Kindern

Wv*Humboldts und anderen berühmten Romfahrern (AJ*Carstens, PhFohr, JKeats, PB*Shelley) wurde hier der am 27. X. 1830 verstorbene August von Goethe auf Veranlassung von GAChr*Kestner beigesetzt (Grabinschrift: „Goethe filius patri antevertens"). Im Jahre 1825 wurde das Areal erweitert. Zum ersten Male war Goethe am 10. XI. 1786 *bei der Pyramide des Cestius (I/30, 212)*. Am 16. II. 1788, in einer traurigen Anwandlung, zeichnete er sein Grab an der Pyramide (IV/8, 352; vgl. Grumach Bd 1, Abb. 8). Aufgrund einer Notiz des Enkels, das dem Original der Handzeichnung im GNM in Weimar beigefügt ist, schenkte der Großvater sie diesem anläßlich des ersten Todestages seines Vaters am 27. X. 1831. Kurz vor seiner Abreise von Rom besuchte Goethe mit Jv*Unger die C. zum letztenmal: „Goethes Abreise stand bevor; er war im höchsten Grade ergriffen, und konnte den Gedanken noch gar nicht fassen, sich von Rom trennen und nach Deutschland zurückkehren zu müssen. *O*, rief er, *hier tot zu liegen, das wäre ja schön, unendlich schöner, als in Deutschland zu leben" (Bdm. 1, 145);* vgl. den Schluß d. 7. Röm. Elegie ... *und Hermes führe mich später, / Cestius Mal vorbei, leise zum Orkus hinab (I/1, 242)*.   *Hm*

Grumach S. 442f. – LCurtius: Das antike Rom. S. 63; Abb. 177.

Zeichnungen:
1) Corpus II, InvNr 162
2) Corpus II, InvNr 191
3) Corpus II, InvNr 717
   Phantasiezeichnung
4) Corpus II, InvNr 718
   Phantasiezeichnung
5) Corpus II, InvNr 719
   Dat. von 1–5 1787/1788
6) Corpus VI (Zeichnungen Frankfurt/Goethe-museum)
   Dat. nachitalienisch.   *Fm*

Chaire, Gemeinde in der Nähe des *Neuenburger Sees (Schweiz), besuchte Goethe am 21. X. 1779; er sah dort ein Orpheus-Mosaik aus der Römerzeit, für dessen Erhaltung er sich brieflich beim Landvogt einsetzte (IV/4, 91; RV S. 19).   *JP*

Chalkographische Gesellschaft, *das neue Kupferstecher Institut im kleinen Schlosse (III/2, 51)* zu *Dessau, eine Reproduktionsanstalt, die Friedrich Moritz Freiherr/Graf vBrabeck (1728–1814) zunächst zur Vervielfältigung von Gemälden seiner eigenen Kunstsammlung 1795 gegründet hatte, wurde durch ihren Inaugurator, den Fürsten Leopold III. Friedrich Franz von *Anhalt-Dessau (1; Sp. 250) übernommen und bis zum Ende (1806) weitergeführt. Sie interessierte Goethe von Anfang an. Er besuchte sie persönlich (3. I. 1797) und

setzte sich mündlich wie schriftlich energisch dafür ein (*Propyläen* 1799: I/47, 46; dazu 279; 282f.; 286; 365–367; ferner: I/48, 219f.; 229). Als *Reproduktions-Kupferstecher wirkten vornehmlich ChrHaldenwang, WFSchlotterbeck, SJOstermeyer, JPPichler, JJFreidhoff, FGMichelis, ferner JGHuck, LBuchhorn, JJLangenhöffel, auch HWehle. Als die CG infolge der napoleonischen Kriegsereignisse erlosch, lagen 136 Blätter in verschiedensten Techniken (Schabkunst, Aquatinta, Grabstichelarbeit, Punktiermanier) vor.   *Za*

Chamisso, Adelbert von, eigentlich Louis-Charles-Adélaïde de C. (1781–1838), romantischer Dichter, aus der Champagne (Schloß Boncourt) gebürtig und infolge der Französischen Revolution als Emigrant nach Berlin verschlagen, trat 1798–1808 als Offizier in den preußischen Kriegsdienst; wurde Naturforscher (mit Ov*Kotzebue Reise um die Erde von 1815 bis 1818) und Kustos am königl. Herbarium und Botanischen Garten zu Berlin. – Viele seiner Gedichte sowie das Märchen vom verkauften Schatten, „Peter Schlemihl's wundersame Geschichte hrsg. von Friedrich Baron de la Motte *Fouqué" (1814), sind volkstümlich geworden. Über den von C. und KA*Varnhagen hrsg. „grünen" Musenalmanach (1804–1806) schrieb Caroline *Schelling eine scharf absprechende Rezension (Nr 107 der JALZ vom 6. V. 1805), die Goethe *recht wohl gefallen hat* (11. V. 1805 an Eichstädt: IV/19, 1; 492; vgl. L*Robert in Bdm. 1, 389).   *Sh*

Champagne, französische Landschaft, deren Grenzen etwa durch die Ardennen und *Argonnen im Osten, die *Aisne im Norden, die Linie Soissons-Meaux-Provins-Sens im Westen, die Linie Sens-Chaumont im Süden gegeben sind. Wie er es in der *Campagne in Frankreich 1792* beschreibt, hat Goethe die Ch. nur in ihrem östlichen Teil bis *zwei Meilen* westlich von den Katalaunischen Feldern bei Châlons-sur-Marne *(I/33, 91)* kennen gelernt. Es ist die Ch. pouilleuse (etwa: Bettel-Ch.), die er die *verrufene* nennt *(I/33, 57)* – ein seltsames Land, *dessen undankbarer Kalkboden nur kümmerlich ausgestreute Ortschaften ernähren kann (ebd. 58)*, das aber seinen *wenigen, arbeitsamen, ordnungsliebenden, genügsamen Einwohnern* das zum Leben Notwendige verschafft *(ebd. 83)*. Anderseits werden *Rheims, Châlons und ihre gesegneten Umgebungen* hervorgehoben *(ebd. 58)*. – Daß Goethe den Wein der Ch. schätzte, braucht kaum erwähnt zu werden. Zwei hübsch formulierende Belegstellen: I/38, 58 (1774) und 35, 173 (1804).   *Fu*

Chaos, (I) in griechischer kosmogonischer Vorstellung (Hesiod) der klaffende, leere Raum als Urzustand der Welt. Bei Hesiod gehen Erebos und Nyx (die Nacht) aus dem Ch. hervor. Die griechischen Naturphilosophen schrieben dem *Eros die Schöpfung des Kosmos (der geordneten Welt) aus dem Ch. zu. Das Ende der Weltordnung muß einen Rückfall ins Ch. zur Folge haben. Diese Gedankengänge waren Goethe wohlvertraut. Am ausführlichsten schildert *Satyros* seiner Zuhörerschaft den chaotischen Urzustand und den Beginn der Kosmogonie: *Vernehmt, wie im Unding | Alles durcheinander ging; | Im verschloss'nen Haß die Elemente tosend, | Und Kraft an Kräften widrig sich stoßend, | Ohne Feinds-Band, ohne Freunds-Band, | Ohne Zerstören, ohne Vermehren . . . Wie im Unding das Urding erquoll, | Lichtsmacht durch die Nacht scholl, | Durchdrang die Tiefen der Wesen all, | Daß aufkeimte Begehrungs-Schwall | Und die Elemente sich erschlossen | Mit Hunger ineinander ergossen, | Alldurchdringend, alldurchdrungen (I/16, 93 f.).* Auf die Rückkehr der Welt ins Ch. wird mehrfach hingewiesen (I/16, 370, V. 718 f.; in einer Übersetzung aus Dantes Divina Commedia, Inferno 12: I/42^{II}, 72, V. 23; I/50, 266, V. 273 f.). In dichterischer Freiheit und ohne Rücksicht auf die Genealogie der griechischen Mythographie erscheinen im *Faust* die *Parzen als Schwestern (I/15^{I}, 152, V. 7990) und die *Phorkyaden* (=*Graien) als Töchter des Ch. (I/15^{I}, 154, V. 8028), *Mephistopheles* aber als *des Chaos wunderlicher Sohn (I/14, 69, V. 1384;* vgl. I/15^{I}, 154, V. 8027). In der *Klassischen Walpurgisnacht* hingegen spielt *Seismos*, die Personifikation des Erdbebens, auf den Kampf der *Titanen gegen die olympischen Götter an (allerdings unter Vermengung mit der Gigantomachie) und nennt dabei Ch. und die Nacht im Sinne Hesiods die Urahnen aller Lebewesen: *Als, angesichts der höchsten Ahnen, | Der Nacht, des Chaos, ich mich stark betrug | Und, in Gesellschaft von Titanen, | Mit Pelion und Ossa als mit Ballen schlug (I/15^{I}, 135, V. 7558 ff.).* Hunger S. 73 f.   *Hu*

Chaos. (II) „Das Chaos" ist eine literarisch-gesellschaftliche Unterhaltung aus dem Salon der Ottilie v Goethe, eine Spielerei, an der manch liebenswürdiges Talent beteiligt war. Merkwürdig und bedeutsam wird das Unternehmen erst durch die rührend eifrige Beteiligung Goethes, die bestimmte, ihm eigentümliche Neigungen und Wesenszüge in typischer Altersausprägung zeigt.

Das Ch. wurde am 28. VIII. 1829 gegründet. Die erste Nummer erschien am 13. IX. 1829 mit einem Prolog von Karl v*Holtei. Der Name stammt nach Friedrich Försters Erinnerungen von Goethe und soll auf das wirre Durcheinander von Mitarbeitern und Beiträgen zu beziehen sein. Die Zeitschrift brachte es zunächst auf 52 Nummern; im Jahre 1831 ging sie ein, wurde aber an Goethes Geburtstag (offenbar auf seinen Wunsch!) zu neuem Leben erweckt, das sich bis in den Januar 1832 hinzog. Im Herbst 1831 erwuchsen ihr 2 Konkurrenten in der „Creation" des Iren Goff und in Frédéric *Sorets „Création". Die erstere brachte es auf sechs Nummern, die zweite nur auf drei. Die Statuten der Ch.-Gesellschaft verlangten von jedem, der Mitglied werden wollte, daß er sich mindestens drei Tage in Weimar aufgehalten, daß er mindestens einen ungedruckten Beitrag zur Zeitschrift geliefert habe und das Unternehmen vor allen Nichtmitgliedern geheimhalte. Daß jeder Mitarbeiter seine Beiträge in der ihm genehmen Sprache einsenden durfte, wußte Goethe besonders zu schätzen. *Deutsch, Französisch, und Englisch ist das Herkömmliche, doch haben sich auch schon Italiänisch und die älteren Sprachen blicken lassen (IV/47, 124).* Schriftleitung und Versand der in wenigen Exemplaren gedruckten Zeitung lagen in Ottiliens Händen. Unterstützt wurde sie von Patrick Parry und Frédéric Soret, beteiligt waren unter anderen: August v Goethe, Jenny v Pappenheim, Charles des Voeux, Eckermann und Riemann. Namhafte und für gesellige Dichtung besonders begabte Mitarbeiter waren Adalbert v Chamisso, Baron de la Motte-Fouqué, Karl v Holtei, Johann Diederich Gries, Stefan Schütze und der junge Karl Viktor Meyer, Nikolaus Meyers Sohn.

Mit dem größten Eifer war zweifellos Goethe beteiligt. Der Literaturpflege in „geselligen Kreisen" hat Goethe seit der frankfurt-darmstädter Zeit seine Tätigkeit nie versagt, besonders wenn künstlerisch begabte und anregende Frauen im Spiel waren. Wir erinnern an den tiefurter Kreis mit seinem „Journal", an die etwas mißglückte „Cour d'amour", an das „Mittwochskränzchen", an die Teeabende der Johanna Schopenhauer und an den frommannschen Kreis in Jena. Ferner zeigt sich hier noch einmal der pädagogische Trieb Goethes, der zwischen autokratisch-lehrhafter Führung und „heiterer" Duldsamkeit hin und her schwankt. Als Lehrstoff schätzt er besonders Reiseberichte und briefliche Schilderungen, die von fremden Zuständen eine deutliche Vorstellung geben. Endlich hängt sein lebhaftes Interesse am Ch. mit dem Bestreben, die Weltliteratur zu fördern, unmittelbar zusammen. Er fand es „fruchtbar", daß Angehörige fremder Nationen Beiträge in ihren Sprachen einsandten, er freute sich, daß geistig lebhafte Menschen aus aller Welt in der Mansarde seines Hauses sich begegneten und daß die Gespräche, die dort geführt wurden, ihren Niederschlag im Ch. fanden.

Sein Urteil über das Unternehmen schwankt zwischen spöttischer Nachsicht und betonter Anerkennung. Man hat den bestimmten Eindruck, daß er nur spöttelt, um seine starke Beteiligung, seine an das Blatt geknüpften Erwartungen schamhaft zu verbergen. Er nennt es eine *mitunter bedenkliche Angelegenheit*, spricht von *sibyllinischen Produktionen, entstanden auf den spätesten Kalkflözen des Continents (IV|47, 103 f.)*, von *dem Wunderlichen und Willkürlichen der ganzen Anstalt (IV|47, 124)*; er nimmt einen Beitrag entgegen mit der Bemerkung, daß er sich in *verworrener Gesellschaft (IV|49, 67)* wiederfinden werde; er erklärt, daß er zwar beteiligt sei, ohne jedoch das Übrige zu billigen. Auf der andern Seite spricht er mit großväterlicher Vorliebe von dem Unternehmen als einem *bedeutenden und höchst unterhaltenden artigen Geschäft; es ist von mehr Bedeutung, als man glaubt (IV|47, 123 f.)*, es gewähre *eine gar hübsche Unterhaltung einem geistreichen Cirkel, dem man denn seine eigene innere Bewegung nach Weise von 1831 überlassen (IV|49, 150 f.)* müsse. Die erstaunlichsten Äußerungen über das Ch. hat uns Soret berichtet. Als er einmal den schriftstellerischen Ehrgeiz in der Ch.-Gesellschaft eine „ansteckende Krankheit" nannte, berichtigte ihn Goethe: *Nein, eine ansteckende Gesundheit, ein Überfluß an Saft, der überall durchsickert* (5. IV. 1830: *Soret/Houben S. 413*). In einem Briefe Sorets vom 29. X. 1831 an Kv*Egloffstein heißt es: „Ich glaube, ... daß ihn, ohne Übertreibung, Goffs ⟨Creation⟩ oder meine ⟨Création⟩ eher verstimmt als das Heranrükken der Cholera." Soret hat auch erzählt, daß Ottilie oft der Arbeit überdrüssig wurde und sie hinwerfen wollte, daß aber der ausdrückliche Wunsch ihres Schwiegervaters, die Zeitschrift bestehen zu lassen, sie zur Fortsetzung gezwungen habe. Goethe schreibt an *Zelter: *Ich animire sie* (dh. Ottilie) *fortzufahren, es beschäftigt die kleine Gesellschaft und wirkt nach vielen Orten hin (IV|47, 275)*. Goethes Eifer für das Unternehmen zeigt sich am rührendsten in seinem werbenden Bemühen um Beiträge. Als das Ch. schon eingeschlafen war und wieder zum Leben erweckt werden sollte,

bat er *Carlyle um *einige Herzenserleichterungen der schottischen Freundin*, weil sie die Entschlüsse *wahrscheinlich und hoffentlich befördern* würden *(IV|48, 212)*. Einem Briefe S*Boisserées entnimmt er eine *anmuthige Beschreibung der traditionellen Aufführung eines geistlichen Dramas* (des Oberammergauer Passionsspiels) und läßt sie alsbald von dem *Abgrund der chaotischen Verwirrung verschlungen* werden *(IV|47, 268)*. Auch Zelters Reisebriefen entnimmt er dessen *einzig liebenswürdige Äußerungen (IV|49, 127)*, *gründliche Kenntniß ... druckt sich so rein und schön darin aus (IV|47, 28)*. Am liebsten sähe er's, wenn der Freund beim Briefeschreiben immer gleich die Abschnitte kennzeichnete, die er für geeignet hielte, ins Ch. aufgenommen zu werden. Als die „Campanella" von Friedrich Förster im Ch. erschienen war, bat er Zelter um die Komposition dazu, *so sähe man doch auch einmal ein Notenblatt (IV|47, 275)*. In einem Briefe Felix *Mendelssohns findet er *eine gar artige Vorkommenheit:* Berichte von Schillers „Tell" in Luzern *(IV|49, 67)*, und sogleich entschließt er sich, sie *durch's Ch. schicklichst an's Licht zu tragen (IV|49, 80)*. Mendelssohn komponierte auch das Ch.lied „Lieblingsplätzchen", das lange für ein Volkslied gegolten hat. Der Text stammte von Friederike Robert in Berlin. – Goethes Eifer für das Ch. zeigte sich auch darin, daß er fortwährend in die Geschäfte der Schriftleitung eingriff. Seiner wiederholten Versicherung gegenüber Freunden, die Redaktion läge ganz in Ottiliens Händen und ginge ihn nichts an, widersprechen viele Zeugnisse, aus denen wir ersehen, daß er die eingehenden Beiträge mit Ottilie geprüft und über ihre Annahme oder Ablehnung entschieden hat. (vergl.: IV|46, 281). Das Recht, die Beiträge zurechtzustutzen, dh. in seinem Sinne zu verbessern, hat er ganz selbstverständlich in Anspruch genommen und ausgeübt. So überarbeitete er das Gedicht über die *Dampfmaschine („Kampf der Elemente"), das der Londoner Harfenfabrikant Andreas Stumpf ihm gebracht hatte (es ist bezeichnend, daß er diesen frühen und etwas unbeholfenen Versuch, die neueste technische Errungenschaft dichterisch zu behandeln, mitteilenswert fand; vgl. A Zastrau: Technik und Zivilisation im Blickfeld Goethes. In: Humanismus und Technik IV, 3. S. 139 f.). Er änderte an einem Gedicht der Frau vBechtolsheim auf den Tod der Großherzogin Luise und an dem Gedicht „Ruhe" der Gräfin Auguste vEgloffstein. Im letzten Falle sind wir in der Lage, die ursprüngliche Fassung mit der abgeänderten zu vergleichen, ohne daß wir diese eindeutig gebessert finden könnten.

Darüber hinaus kümmerte er sich um die typographische Gestaltung und die Austeilung des Blattes und machte den Vorschlag, jedem der Interessenten drei Exemplare zu geben, damit er zwei nach Belieben, dh. als Werber weiterreichen könne.

Goethes eigene Beiträge (27 nach der Zählung in Goedekes „Grundriß") gehören fast alle seiner Spruchdichtung an, finden sich später in der Gruppe der *Zahmen Xenien* oder der an einzelne Personen gerichteten Strophen. Nicht in diese Gruppen gehört das Gedicht *Der Bräutigam (I/4, 107)*. In vielen Fällen hat Goethe auf ältere ungedruckte Erzeugnisse zurückgegriffen. *Vp*

Charakter. Zielt der goethesche Ausdruck *Bildung mehr vom Äußeren her auf dasjenige, was in Goethes Morphologie-Vokabulatur schließlich *Gestalt heißt, so ist Ch. mehr vom Inneren (*Wesen) her daraufhin orientiert.

In der letzten Entwicklungsphase lassen sich diese primären Intentionen nicht mehr mit völliger Strenge unterscheiden. In seiner Anwendung durch Goethe ist das Wort Ch. universal verfügbar und bezeugt.

Beim Menschen bezeichnet es allgemein nicht die von Natur gegebene Eigenheit, sondern einen erworbenen und bewahrten Zustand. *Der Charakter ruht auf der Persönlichkeit, nicht auf den Talenten (I/7, 181).* Er ist das Beständige im Menschen. *In diesem Sinne dürfen wir dem Schwachen, ja dem Feigen selbst Charakter zuschreiben ... Doch bedient man sich des Wortes Charakter gewöhnlich in einem höhern Sinne: wenn nämlich eine Persönlichkeit von bedeutenden Eigenschaften auf ihrer Weise verharret und sich durch nichts davon abwendig machen läßt, (Zur Farbenlehre: II/4, 99).* Charakter im Großen und Kleinen ist, daß der Mensch demjenigen eine stäte Folge gibt, dessen er sich fähig fühlt (MuR: Hecker Nr 839). Wie *Hauptfundament des Sittlichen ... der gute Wille ist, so ist Hauptfundament des Charakters ... das entschiedene Wollen, ohne Rücksicht auf Recht und Unrecht, auf Gut und Böse, auf Wahrheit oder Irrtum (II/4, 100).* So beruhen auch die *Vorurteile der Menschen ... auf dem jedesmaligen Charakter der Menschen (MuR: Hecker Nr 341.* In diesem Sinne spricht man von einem *unbiegsamen Ch. (II/4, 98).* Auch machen Ch.e oft die Schwäche zum Gesetz ... *Schwache Menschen haben oft revolutionäre Gesinnungen; sie meinen, es wäre ihnen wohl, wenn sie nicht re-*

giert würden, und fühlen nicht, daß sie weder sich noch andere regieren können (MuR: Hekker Nr 342). Grundsätzlich gilt: *Nur in dem, was der Mensch thut, zu thun fortfährt, worauf er beharrt, darin zeigt er Charakter (I/36, 335).* Deshalb ist *die Geschichte des Menschen ... sein Charakter (Wilhelm Meisters Lehrjahre: I/23, 40),* der *in dem Strom der Welt sich bildet (Tasso: I/10, 117).* Der Ch. ist recht eigentlich *das Kernhafte.* Er äußert sich *in der Fähigkeit zu wircken, gegenzuwircken und was mehr ist, sich zu beschräncken, zu dulden, zu ertragen. Von außen [!] stählt den Character das Tüchtige, das sich ihm als ein gleich gesundes zugesellt (1808: I/42II, 419).* Insofern gewährleistet der Ch. *die Identität des Menschen mit sich selbst.* In einer vermächtnisartigen, letzten Altersformel heißt es dann: *Das beste Genie ist das, welches alles in sich aufnimmt, sich alles zuzueignen weiß, ohne daß es der eigentlichen Grundbestimmung, demjenigen was man Charakter nennt, im mindesten Eintrag thue, vielmehr solches noch erst recht erhebe und durchaus nach Möglichkeit befähige (17. III. 1832: IV/49, 281 f.).*

Vom Menschen überträgt sich sinngemäß der Begriff des Ch.s und des Ch.istischen auch auf die Dinge und Qualitäten in der *Natur wie in der *Kunst. *Rs*

Charlottenburg, ursprünglich Lietzenburg, Schloß (1695 Baubeginn: JANehring, ASchlüter, JFEosander), nach Sophie Charlotte (1668 bis 1705), Kurfürstin von, später Königin in *Preußen, Ch. genannt, 1721–1919 selbständige, durch den Tiergarten von *Berlin getrennte Stadt, passierte Goethe am 20. V. 1778 auf dem Wege von *Tegel nach *Potsdam (III/1, 67; RV S. 17). *JP*

Charpentier, Johann Friedrich Wilhelm Toussaint von (1738–1805), studierte in Leipzig Rechte und Naturwissenschaften, wurde bei der Gründung der Bergakademie in *Freiberg Professor für Mathematik und Zeichenkunst und legte die Professur 1783 nieder. 1775 war er Oberbergamtsassessor und Bergkommisionsrat am Oberbergamt in Freiberg, 1784 Bergrat und Direktor des kurfürstlichen Alaunwerks Schwemsal. Er übernahm 1790 die Leitung des nach seinen Angaben erbauten Amalgamierwerks Halsbrücke bei Freiberg, wurde 1791 geadelt, 1800 zum Vizeberghauptmann und 1801 zum Berghauptmann in Freiberg ernannt.

In seiner 1778 erschienenen „Mineralogischen Geographie der Chursächsischen Lande" (vgl. Keudell Nr 887; Anfänge 1770: Ruppert Nr 5185) gab Ch. die erste geologische Kartendarstellung mit farbigen Flächen (ähnlich für Schlesien 1812. Ruppert Nr 4009). Diese Karte vermittelte wohl die erste Anregung zu dem Plan Goethes, eine geologische Karte des weimarer Staats aufzunehmen, für den CW *Voigt 1780 zunächst eingesetzt und für den auch FWHv*Trebra herangezogen wurde. Durch letzteren wurde auch Ch. an dem Plan beteiligt (Sozietät der Bergbaukunde). Mit seiner Theorie von den Erzgängen, in der Ch. die Gangfüllung durch Verwandlung aus dem Nebengestein ableitete, hat er sich in Gegensatz zu AG*Werner gestellt, mit dem das Verhältnis in Freiberg nicht sehr gut war. Goethe hat sich mit Ch.s Gangtheorie gründlich auseinandergesetzt und neigte mit seiner Ablehnung der wernerschen Gangtheorie mehr der von Ch. zu, die seiner Vorstellung von den bei der Felsgestaltung entstehenden Urgängen sehr viel besser entsprach (*Ganglehre). *Man erinnere sich der Füllungs-Theorie, welche so überhand nahm, daß eines werten Mannes, von Charpentiers, verständige Bemühungen abgelehnt, beseitigt, mißgeachtet, vergessen und zuletzt gar nur durch Hohnrede wieder zur Erinnerung gebracht wurden* (NS 2, 346; vgl. Keudell Nr 677, Ruppert Nr 4460).   *Bn*

Chateaubriand, François-René, Vicomte de (1768–1848), französischer Schriftsteller und Staatsmann (1784–1791 Leben als Offizier und Literat in *Paris, 1791 Nordamerikareise, 1792–1800 Dienst in der royalistischen Armee und Emigriertenexistenz in England, 1800 bis 1804 zeitweise Annäherung an *Napoleon, 1814–1830 politische Tätigkeit in gemäßigt liberalem oft hellsichtigem Geiste, danach abstandnehmendes Schweigen in der Opposition). – Werke: „Les Natchez" (Frucht der Amerikareise, erst 1826 veröffentlicht: die Begegnung zwischen europäischer Kultur und dem Leben der Wilden). „Le génie du christianisme" (1797), eine ästhetisierende Apologie des Christentums (unter Verwendung der romantischen Stoffgebiete Mittelalter, Ruinenpoesie, Folklore, erweitertes Naturgefühl); darin die 1801 und 1802 gesondert veröffentlichten episodischen Einlagen „Atala" und „René", erstere in zehn Sprachen übersetzt, darunter zweimal ins Deutsche, eine europäische Sensation (GChinard): Liebe zweier recht unnaiver Wilden, Amerikaexotik, Verworfenheit der menschlichen Natur, die rettende Macht des christlichen Glaubens; „René", weitgehend Autobiographie und Autopsychogramm (egozentrisches unbestimmtes leidenschaftliches Streben; Erotik, die mit dem – Ch. und seiner Schwester fremden – Inzest-

gedanken spielt; Kulturpessimismus und Lebensekel und deren Verwerfung durch Priestermund), ist aus Ch.s eigenster Substanz geboren, nicht der Sohn, sondern etwas wie ein Halbbruder *Werthers* (FBaldensperger), den Ch. gekannt und zeitweise geliebt hat. „Les martyrs ou le triomphe de la religion chrétienne" (1809), der Versuch eines christlichen Epos in Prosa, im Geiste des „Génie". „Itinéraire de Paris à Jérusalem" (1811), die phantasievolle Darstellung einer Orientreise (darin jedoch gut erfaßte und fühlbar gemachte landschaftliche Atmosphäre; PHazard). Eine Reihe politischer Schriften, 1814 als erste „De Buonaparte, des Bourbons et de la nécessité de se rallier à nos princes légitimes". 1826–1831 die 28 bzw. 31 Bände der Gesammelten Werke. 1848–1850, posthum, die autobiographischen „Mémoires d'outre-tombe", die letzte, weite Geste eines von seiner souveränen Überlegenheit durchdrungenen Egozentristen, den das Alter keine Entsagung zu lehren vermocht hat, eines der großen literarischen Denkmäler der französischen Romantik, die Tat eines mächtigen Eroberers und Beherrschers sprachlichen Neulandes. – In hypertrophischem Selbstbewußtsein und Pessimismus glaubte Ch. aufrichtig (MJDurry), das aus allen Kreaturen erlesene, dem Leiden der Welt dargebotene Opfer zu sein; vor allem Phantasiemensch, ließ er seine beste Energie in Wünschen und Träumen aufgehen und war in erster Linie Künstler (GLanson), aber als solcher, aller Improvisation abgeneigt, der willig und bewußt gehorchende Schüler der Klassik (PMoreau).

Vielleicht als Folge des 1805 gelesenen absprechenden Urteils Ch*Palissots ist bei Goethe Ch. überraschend spät, erst 1812, nachweisbar, und zwar mit „Atala" [Lektüre des Textes (III/4, 261) und *französischer Kritiken* darüber *(ebda, 265)*, vielleicht in der „*Décade philosophique" (GChinard); Erkundigung nach dem Datum der Einzelveröffentlichung (IV/50, 115, nicht datiert; wohl 1827); 1830 als einziges von allen Werken Ch.s genannt (Bdm. 4, 254)] und dem „Génie du christianisme" (III/4, 264). Danach siebenmalige Nennung Ch.s (ebda, 264–267), ein Mal neben F*Jacobi und FWJ*Schelling zur Charakterisierung eines Gesprächs wohl religionsphilosophischen Inhalts mit Protest gegen Jacobis und Ch.s *formlosen Gott (1812: IV/23, 7).* Doch war ihm schon vorher das *Verhältniß* zum „Génie" ... *lebhafter und natürlicher geworden;* französische Gesprächspartner hatten ihm wohl erklärt, was die ästhetisierende

Theologie Ch.s im nachrevolutionären, ruhe- und harmoniebedürftigen, weithin katholisch gebliebenen Frankreich Positives bedeuten konnte (IV/22, 301 f.). 1827 beschäftigte sich Goethe nochmals mit dem ,,Génie'' (im 16. Bd der Gesammelten Werke: Keudell Nr 1796), im Zusammenhang mit seinem Studium der französischen Literatur (I/42^{II}, 487). – Auch den Politiker kannte Goethe. 1814 entlieh er ,,De Bonaparte...'' (Keudell Nr 927) und unterrichtete sich auch weiterhin über Ch.s politisch-diplomatische Tätigkeit, ua. durch KFGv*Reinhard (1823: UKM S. 82 f.) oder dessen Sohn (1829: Bdm. 4, 107). 1827 nahm ,,die Pariser Pressefreiheitsangelegenheit'' (die Debatte über Villèles ultrareaktionäre Loi de justice et d'amour) auch in Weimar ,,die höchste Teilnahme in Anspruch. Man kann sich nicht möglich denken, daß der Gesetzesentwurf durchgehe. Chateaubriant (so) hat stattlich gedonnert'', vermerkt der Kanzler v*Müller (UKM S. 334). Aber Goethe erschien Ch.s *heftige Erklärung gegen das Preßgesetz (1827: III/11, 7)*, als Manifestation eines Verteidigers der Legitimität, noch 1831 (III/13, 35) unlogisch und katastrophal. – Auch für den Menschen Ch. interessierte sich Goethe in Gesprächen mit *Talma (1813: III/5, 68), *David d'Angers (1829: Bdm. 4, 164), den beiden Reinhard, wobei der ältere in einem bestimmten Falle hofft, auf Ch.s Seelengröße zählen zu können (1823: UKM S. 83; 1829: Bdm. 4, 107). 1826 wird, nach einem ,,*Globe''-Artikel, Mme *Récamiers *bedeutender Einfluß* auf Ch. erwähnt *(I/49^{I}, 405)*. Erst um diese Zeit finden sich Urteile über den Schriftsteller. Nachweislich kannte Goethe damals nur das ,,Génie'' mit seinen beiden novellistischen Einlagen; den 16. Band der Erstausgabe der Gesammelten Werke, der ihm über Ch. selbst nichts Neues brachte, aber von Ch.s literarischem Einfluß zeugte; durch einen Hinweis aus zweiter Hand, der sich durch Fragestellungen des Autors der *Farbenlehre höchstwahrscheinlich zu einer Charakteristik erweiterte, das ,,Itinéraire de Rome à Jérusalem'' (Gespräch mit JB*Grüner 1821: Bdm. 2, 532); schließlich, durch das ,,*Livre des Cent-et-un'' eine Antwort Ch.s auf ein Gedicht *Bérangers (I/41^{II}, 373). Das Erfassungsvermögen eines Goethe konnte in diesen Texten eine zur Not genügend breite Grundlage für ein gültiges prinzipielles Urteil finden. Aber Goethe hielt sich von jeher auf dem laufenden über die zeitgenössische *französische Literatur; Zeitungen und Berichte anderer Art mußten ihn über den Ruf und

die Rolle Ch.s in Frankreich unterrichtet und zur Lektüre von dessen Werken veranlaßt haben; die weimarer Bibliothek besaß die Gesamtausgabe von Ch.s Werken, und wenn Goethe 1831, dh. im Jahre des Abschlusses der Ausgabe, auf Ch. zurückkommt, und zwar zum Zweck eines Gesamturteils (III/13, 85), so läßt sich vermuten, daß er das bandweise Erscheinen verfolgte; zu alledem kommt die besondere Tatsache, daß er eine Darstellung der neuesten französischen Literatur mit Einschluß Ch.s (1827: I/42^{II}, 487) erwog (1827: Bdm. 3, 329). So ist es mehr als wahrscheinlich, daß er, der gewissenhafte, nicht nach dem ,,Génie'' allein 1827 die Charakteristik formulierte: *ein rhetorisch-poetisches Talent, mit Leidenschaft Stoff in der äußern Welt suchend, sich zu religiosen Gefühlen steigernd, durchaus große physisch-moralische Kraft (I/42^{II}, 487 f.). Rhetorisch* ist nicht im Sinne der Hohlheit auszulegen – Ch. heißt gelegentlich der Führer V*Hugos zum *Objektiven (1827: Bdm. 3, 312)* –, sondern in dem der Weite und des Schwungs, um so mehr, da das Wort aufs engste mit *poetisch*, dh. umgestaltend, schöpferisch, verbunden ist und der Ausdruck *durchaus* die nie aussetzende Betätigung der *Kraft* unterstreicht. Ein mächtiges impulsives Temperament treibt sie vorwärts, und zwar in die *äußere Welt*, und so bemächtigt sie sich nur des Sinnenhaften dieser Welt; denn *Leidenschaft*, Selbstbesessenheit, läßt den Autor sich auf den *Stoff* beschränken, trotzdem er in einem vielleicht nicht ganz spontanen Drang – *sich steigernd* – nach dem Absoluten strebt. Wenn auch *die geniale Kraft, die Löwentatze* nicht *so recht entschieden hervorgetreten*, Ch. *eigentlich kein Schriftsteller erster Größe* gewesen sei, könne man ihn mit seiner *Atala* in einem gewissen Abstand nach *Voltaire, *Buffon, *Diderot ... allenfalls noch gelten lassen (1830: Bdm. 4, 254).* Das dürfte besagen, daß er nach Goethes Urteil trotz aller Hindernisse, auch nicht der inneren Hemmungen, souverän Herr geworden ist, nicht im gleichen Grade wie seine drei großen Landsleute vitale und intellektuelle Dynamik, ungetrübten doch menschen- und lebensfreundlichen Blick, geistige Vielseitigkeit und Beweglichkeit und eine die Fülle des Lebens neu erschaffende Gestaltungskraft besitzt; weniger als jenen eignet ihm die Doppelgabe des weiten Erhellens und des verdichtenden Zusammenfassens, die Genialität, wie Goethe sie als verarbeitende Aneignung des Mannigfaltigen (1805: I/45, 172) definiert. Er bleibt der Gefangene seines Subjektivismus und der

Erscheinungen. All dies ist jedoch weniger tadelnd, als es zunächst scheint; denn Goethe vergleicht Ch. mit den größten Gestalten des von ihm als das größte bewunderten literarischen Jahrhunderts Frankreichs (1830: Bdm. 4, 264). In seiner Art ist Ch. *ein sehr bedeutendes . . . Talent (1827: Bdm. 3, 312)*. Als Nachfahr *Bernardin de Saint-Pierres (1829: Bdm. 4, 164) konnte er der Initiator VHugos, *Delavignes und *Lamartines werden (1827: Bdm., 3, 312); er ist einer der Wegbereiter der Romantik; daher, in dem 1827 *bey Betrachtung der französischen, besonders poetischen Literatur des 19ten Jahrhunderts (I/42^{II}, 487)* entworfenen Schema, die ihm zugewiesene Stelle in der Nähe Mme de *Staëls. – Goethes Charakteristik ist insoweit richtig, als ein unvollständiges Urteil es sein kann. Bei diesem Vorbehalt ist zunächst an die für uns Heutige fast unerklärliche Nichterwähnung des ,,René'' zu denken, den Goethe als einen Teil des ,,Génie'' gelesen und sicherlich als die Darstellung der Schicksale eines ,,Halbbruders'' seines eigenen Werther erkannt hat. Es ist zu vermuten, daß Goethe, wie anfangs Publikum und Kritik in Frankreich selbst (GChinard), durch ,,René'' nach ,,Atala'' nicht sonderlich beeindruckt worden ist oder daß er dort weniger Substanz als hier fand oder, am wahrscheinlichsten, daß die ,,poetische Sublimierung seelischer Ungeheuerlichkeiten'' (GLanson) in ihrer Ungesundheit und Abnormität ihm untersagte, den Roman zu den Werken zu zählen, die sich angesichts der Leistungen des 18. Jahrhunderts noch behaupten konnten. Wesentlicher als dieses Übergehen an sich ist jedoch, daß es in Goethes Ch.-Charakteristik das Fehlen oder doch das ungenügende Beleuchten eines höchst bedeutsamen Zuges, der Introversion, verursachte, dh. der zentralen Stellung, welche Ch. damit seiner eigenen Persönlichkeit zuweist, und des sich daraus ergebenden subjektivistisch-nihilistischen Verhältnisses zu Menschheit und Welt.

Wohl durch die Vollendung der Erstausgabe von Ch.s Gesammelten Werken angeregt, drückt Goethe 1831 sein persönliches Verhältnis zu Ch. aus: *Im Chateaubriand gedacht.* (Die Formulierung zwingt beinahe dazu, eine über die als gelesen nachweisbaren Werke hinausgehende Kenntnis des Schaffens Ch.s als gesichert anzunehmen.) *Ich habe bei dem besten Willen nie was von ihm gelernt (III/13, 85)*. Dieses durchaus negative Verhältnis erklärt sich nicht allein durch die literarische Eigenart Ch.s, sondern auch durch die darin spürbaren fundamentalen menschlichen Verschie-

denheiten. Der spätere, über das gesamte Material verfügende Beobachter kann sie nicht übersehen. Von Goethes Einfühlungs- und Erschließungsvermögen dürften sie selbst nach einer beschränkten Ch.-Lektüre erfaßt worden sein. So muß gefragt werden: War für Goethe der Künstler Ch., der den Gehalt an Wahrheit nach dem Gehalt an Schönheit bemaß, ein verfälschter Intellekt? War er ihm als Virtuose des stilisierenden Subjektivismus ungenügend gewissenhaft? Schien er ihm in seiner schmähenden Ablehnung der Existenz kein Berater für das *rauhe, milde Leben (1818: I/6, 45)* sein zu können? Riß er, wie auch FRde*Lamennais, durch seine Gläubigkeit und ihren Absolutismus einen Abgrund auf, über den Goethe *als einer der Ephesischen Goldschmiede (1812: IV/23, 7 und I/2, 195f.)* bei allem Geltenlassen keine Brücke fand? Man darf es annehmen. Denn Goethe bemüht sich, *alle Dinge wie sie sind zu sehen und zu lesen (1786: IV/8, 50)*. Er fürchtet jene *Wortschälle*, deren *Todtfeind* er ist (1786: III/1, 241). Er weiß um die Misanthropie und spricht die Versuchung durch sie aus, aber um sich dagegen zu wehren. So gilt, trotz der lebensnotwendigen Verschanzung in die ,,geschützte Zone der Innerlichkeit'' (EStaiger), für sein Werk als Ganzes, daß es *ein Streben ... im Liebe (1821: I/25^I, 73)* zu den Menschen ist. Goethe, der Schöpfer des *Werther, *Tasso, *Faust, der *Marienbader Elegie weiß auch um den Lebensekel (1812: IV/23, 185f.). ,,Neigung zum Negieren und ... ungläubige Neutralität'' treten oft ,,recht entschieden hervor'' (1824: Bdm. 3, 92). Aber Pessimismen sind nicht Goethes letztes Wort. In Goethes ,,Kosmos wird die Stimme der Klage übertönt'' (HEmmel). So kann Goethe sich denn auch, alternd, zu unverbitterter Entsagung (*Opfer) durchringen und die Freuden, die ihm dies Altern geraubt, durch *Idee und Liebe* aufwiegen (1827: I/6,83). So machen universale intellektuelle und seelische Verbundenheit, *Vernunft und ein tapferes Wollen (1812: IV/23, 187)* Goethe zum geistigen Antipoden Ch.s. *Niemand aber kann läugnen, daß zwischen zwei Geistesantipoden mehr als Ein Erddiameter die Scheidung mache (II/11, 16)*.

Derart hatte Goethe schon über seine Stellung zu *Schiller gesprochen, dem das Wort von den Geistesantipoden ursprünglich galt. Wenn es auf Ch. anwendbar ist, so deshalb, weil auch hier die Polarität des Naiven und des Sentimentalischen zutage tritt; aber die Hypertrophie der sentimentalischen Geistesform als solcher und ihre Richtung auf das Negative verurteilten sie nunmehr zur Unfruchtbarkeit. Andrerseits wird klar, warum Ch. sagen mußte: „Je sens Schiller, j'entends Goethe" („Mémoires", III, 12). Das ist eine strukturpsychologisch begründete Abstandnahme, an der jedoch der geistige Stolz einer gewissen, überheblich bemitleidenden Christlichkeit Teil haben mag. Ch. hat sich gewiß nicht mit dem goetheschen *besten Willen* um Goethe bemüht.

Auf dem Wege nach Berlin machte er 1821 in Weimar nicht halt, um, wie manche andere Franzosen hohen geistigen Ranges, Goethe aufzusuchen, in dem er nur noch den „chantre de la matière" (ebd. und III, 8) sah. Er ahnte nichts vom Goethe der *seligen Sehnsucht* nach dem *Stirb und werde!* (1814: *I/6, 28*).   *Fu*

FBaldensperger: Goethe en France. ²1920. – FBaldensperger: Les deux rencontres manquées entre Goethe et Chateaubriand. In: Rev. litt. comp., 1949. – GChinard: Chateaubriand, „Atala", „René" (Textausgabe mit Einl.). 1930. – ChDédéyan: Goethe et Chateaubriand. In: Rev. litt. comp., 1949 – MJ Durry: La vieillesse de Chateaubriand. Bd 2. 1933. – HEmmel: Weltklage und Bild der Welt in der Dichtung Goethes. 1957. – PHazard in JBédier-PHazard-PMartino: Histoire de la littérature française². II. 1948. – GLanson: Histoire de la littérature française (zahlreiche Aufl.). – PMoreau: Chateaubriand. 1927. – EStaiger: Goethe. Bd 2. 1956. – AWeil: Chateaubriand, „René" (Textausgabe mit Einleit.). 1947.

Châtillon-l'Abbaye, südlich von *Arrancy (Département Meuse), ein Zisterzienserkloster; als *verkauftes Kirchengut, in halb abgebrochenen und zerstörten Mauern,* sah Goethe es während der *Campagne in Frankreich 1792 als erstes Kennzeichen der Revolution* (*I/33, 20;* RV S. 30).   *Fu*

Chaucer, Geoffrey (1340?–1400), englischer Versnovellist von Weltgeltung, aus großbürgerlicher Stadtfamilie (Weinhandel/London) stammend, früh mit Adels- und Hofkreisen verbunden, auf der Höhe zeitgenössischer Bildung stehend, als ritterlicher Kriegsteilnehmer (1359), als Diplomat (1370/72/77/78) in Frankreich, Italien, Flandern vielfach bewährt, seit 1374 als Chef des Hafenzollwesens in London tätig, 1385/86 Friedensrichter, Parlamentsmitglied, Ritterschaftsvertreter für Kent, repräsentiert geistesgeschichtlich den Übergang vom Mittelalter zur Renaissance (Petrarca-Begegnung 1372?) in England und gilt als beispielhafter Dichter, weniger als Lyriker, mehr als Versepiker, am meisten als Schöpfer der Canterbury Tales (22 Versnovellen). Dreimal finden wir Zeugnisse, die unmittelbar oder mittelbar für einen Umgang Goethes mit Ch.s Dichtung sprechen: FGA-Rezension vom 16. II. 1773 (als solche nicht mehr von Goethe selbst: I/37, 239; 38, 325); *Tgb.*-Notiz vom 24. V. 1813: *Chaucer und Spen-*

cer (*III/5, 49;* *Teplitz; Zusammenhänge?*); Gesprächsbericht vom Juni 1830: *It is curious that when your visit was announced to me, I was engaged in making a few notes on your Old English literature* (ChAMurray: *Bdm. 4, 286*). *Za*

Chélard, Hippolyte André Jean-Baptiste (1789–1861), aus franz. Musikerfamilie, studierte bei Fétis, Gossec, Méhul, Cherubini ua. 1811 Rompreis und Italienaufenthalt (Baïni, Zingarelli, Paisiello). Seine Oper „Macbeth" wurde 1827 in Paris abgelehnt, gefiel aber in München 1828. Längere Aufenthalte in Süd- und Mitteldeutschland, 1842–1852 Hofkapellmeister in Weimar.

Durch Kanzler vMüller (Brief vom 24. VIII. 1828) wurde Ch. an Goethe empfohlen (UKM S. 351 f.), der in Dornburg mit ihm *eine angenehme Unterhaltung über Pariser musikalische und literarische Verhältnisse* führte *(III/ 11, 268)* und ihn an *Zelter weiterempfahl (26. VIII. 1828: IV/44, 288f.). Am 8. IX. 1831 suchte Ch. nochmals Goethe auf (III/13, 135), auch sein „Macbeth" wird wieder erwähnt (III/13, 142; *Walther ... producirte singend den größten Theil: 177*).   *Ev*

Chemie ist der Zweig der Naturwissenschaft, der sich mit der Zusammensetzung und mit den stofflichen Veränderungen der *Materie befaßt. Die Begründer der wissenschaftlichen Ch. im modernen Sinn sind Joachim Jungius (1587–1657) und Robert Boyle (1627–1691). Goethe hatte *Beim Eintritt des zweiten Semesters* bei JR*Spielmann in *Straßburg Vorlesungen über Ch. gehört (*I/27, 237;* 238) und sich dieser Zeit später in *Faust I* wieder erinnert (I/14, 91 V. 1940). Von Einfluß auf den jungen Goethe waren Gv*Wellings „Opus mago-cabbalisticum et theosophicum" (I/27, 203–206; 218; 321; 396; *jene mystisch-religiösen chemischen Beschäftigungen* hatten ihn *in dunkle Regionen geführt: ebda 308;* *Alchemie) und H*Boerhaaves „Elementa chemiae" (1732), das ihn *gewaltig angezogen hatte (ebda 208).* Wenn er sich später auch selbst nur gelegentlich mit ch.schen Fragen beschäftigte, so hat er doch regen Anteil an den Fortschritten der Ch. genommen. 1789 hatten Carl August und Goethe an der von den sächsischen Herzogtümern Weimar, Gotha, Coburg und Meiningen gemeinsam unterhaltenen „Gesammt-Academie Jena" eine außerordentliche Professur für Ch. errichtet, nachdem bereits *Bergrath von Einsiedel während seines Aufenthaltes allhier ein chymisches Laboratorium eingerichtet und solches bei seiner Abreise hinterlassen (IV/7, 16).* 20 Jahre, bis zu seinem Tode, versah JFA*Göttling dieses Amt. Goethe hatte zunächst JB*Trommsdorf als Nachfolger vorgesehen (III/4, 61; 70), doch wurde Ende August auf Drängen Carl Augusts und auf Vorschlag AF*Gehlens JW*Döbereiner nach Jena berufen. Die zunächst noch ungünstigen Arbeitsbedingungen ließen in Döbereiner bereits zu Beginn seiner Vorlesungstätigkeit den Plan einer ch.schen Anstalt aufkommen. Er berichtete darüber an die Regierung nach Weimar. Da Goethe die *Oberaufsicht über alle wissenschaftlichen Anstalten innehatte, forderte er Döbereiner am 6. XI. 1810 auf, ihn in Weimar zu besuchen (IV/21, 412). Am 8. XI. 1810 traf Döbereiner dann erstmals mit Goethe zusammen (III/4, 165); später folgten weitere Begegnungen und Briefwechsel. Goethe sorgte auch für die Räume der Anstalt im oberen Stockwerk des herzoglichen Schlosses; auf sein Betreiben konnte das Inventar bereichert werden, nicht zuletzt durch die auf seine Bitte veranlaßte Stiftung der Erbprinzessin Maria Paulowna. Goethe legte vor allem Wert auf eine Sammlung von Anschauungsmaterial, Präparaten und Mineralien. Dieses 1811 unter Mithilfe Goethes von Döbereiner errichtete ch.sche Unterrichtslabor wurde 1820 durch ein „chemisch praktisches Kollegium" ergänzt. Als 1816 die Oberaufsicht das Haus des Kammerrates v*Hellfeld erwarb, wollte Goethe dort ein neues ch.sches Laboratorium errichten (III/5, 234; IV/26, 329; 27, 1; 18), was aus finanziellen Gründen zunächst nicht durchführbar war. Die Ausführung des langgehegten Planes, im Garten dieses Hauses ein neues technisch-ch.sches Laboratorium zu errichten, hat Goethe nicht mehr erlebt. Aber nicht nur der ch.sche Lehrstuhl und das ch.sche Laboratorium waren Goethes Anliegen, auch der Abgrenzung der einzelnen wissenschaftlichen Disziplinen hat er seine Aufmerksamkeit geschenkt. Obwohl *im Reiche der Natur keine besonderen Reiche sich abstecken lassen (II/II, 200)*, hatte er mehrere Jahre den Plan erwogen, daß sich in die Professur der Physik *der Philosoph, der Mathematiker und Chemiker theilen möchten . . ., wovon der Philosoph im Einverständniß mit den Andern die metaphysischen Anfangsgründe der Naturwissenschaft läse, der Mathematiker die Ansicht der meß- und wägbaren Welt vortrüge, der Chemiker hingegen alles Dasjenige zueignete, wobei Messen und Wiegen eine Nebensache ist* (CVogel S. 163). Durch seine enge Beziehung zum ch.schen Laboratorium und seine Bekanntschaft mit Döbereiner, nahm Goethe regen Anteil an der ch.schen Forschung in Jena. Der

Verwandlung der Stärke in Zucker (III/4, 268; 269; 270; 274; 281; 284; 288), der ch.schen *Terminologie und Symbolik (ebda 5, 15 f.)*, dem *Sauerstoffgehalt der Atmosphäre (ebda 247)*, der Gas*Beleuchtung (ebda 282f.; 291), der *Gährung* und den *Versuch durch kohlensaures Natron und Zucker den sauren Saalwein in heftig mussirenden süßen Champagner zu verwandeln (ebda II, 238; 244)*, dem *Steinkohlen-Theer (IV/26, 292 f.)*, dem *Phosphor* (III/10, 110; *IV/36, 142)*, den *Metallen* (II/5^{II}, 300; III/4, 270; 5, 248; 6, 42; IV/23, 161; 24, 40; 308; 25, 287f.; 26, 33) ua. (III/4, 46; 189f.; 254; 339; 5, 1f.; 4; 85; 215; 235; 6, 24; 88; 8, 132; 221; 265; 276f.; IV/29, 141) widmete er seine Aufmerksamkeit. Die künstliche Darstellung des Ultramarinblau (durchgeführt 1828 von Gmelin) scheint Goethe zuerst vorgeschlagen zu haben *(*Farbenlehre)*. Da ch.sche *Versuche kostspielig sind,* setzte sich Goethe für finanzielle Unterstützung ein: *so der Chemiker derjenige Naturforscher, der am meisten auf einen billigen Zuschuß Anspruch machen kann (IV/25, 272). Die unglaublichen Entdeckungen der Chemie sprechen ja schon das Magische der Natur mit Gewalt aus, so daß wir ohne Gefahr wagen dürfen, ihr in einem höheren Sinne entgegen zu kommen (ebda 23, 215 f.).* Reges Interesse wandte Goethe auch den ch.-schen Fabriken zu (III/8, 227). So galt sein Besuch den Porzellanfabriken (*Porzellan) von Berlin, Ilmenau, Dallwitz, Elbogen und Alt-Rohlau; den Steingutfabriken (*Steingut) von Ilmenau und Marienbad und den Glasfabriken (*Glas) von Stützerbach, Ruhe-Berg, Redwitz und der Flaschenfabrik von Zwätzen. In Redwitz *wird im Großen das schwefelsauere Quecksilber mit zugesetztem Kochsalz bereitet . . . Das zurückbleibende Natron wird zur Glasfabrik verwendet. Auch krystallinische Weinsteinsäure wird auf das Reinlichste im Großen verfertigt* (14. VIII. 1822: *III/8, 291).*

Im 18. Jahrhundert beherrschte die Phlogistonlehre als erste wissenschaftliche Theorie der Oxydation die gesamte Ch. Von JJBecher 1669 begründet und von GEStahl weiter ausgebaut, ging sie von der Annahme aus, daß jeder brennbare Körper einen besonderen Stoff, das Phlogiston, enthalte. Erst Ende des Jahrhunderts (1785) konnte diese Anschauung durch Lavoisier widerlegt werden. Auch Goethe stand zunächst unter dem Einfluß dieser Theorie (1789: Cotta 39, 11), wandte sich jedoch dann der *antiphlogistischen Chemie* zu *(II/12, 109): Schon ein Irrlicht sah ich verschwinden, dich, Phlogiston! | Balde, | O New-*

tonisches Gespenst! folgst du dem Brüderchen nach (I/5[I], 229; vgl. ebda *4, 286; 35, 32).* Wie auch in den anderen Wissenschaften, so verfolgte er auch in der Ch. mit großem Interesse die Entdeckungen und Probleme, da gerade die Ch. *von der ausgebreitetsten Anwendung und von dem gränzenlosesten Einfluß auf's Leben sich erweis't (II/11, 123).* Wenn sich ihm Gelegenheit bot, führte er mit namhaften Chemikern Gespräche über diese *herrliche Wissenschaft (IV/23, 68,* *Naturwissenschaftler). Während Döbereiner ihn in die Stöchiometrie einführte (I/36, 99), machte er sich JJ*Berzelius' *chemisch-oryktognostische Ansichten . . . theilnemender zu eigen (IV/36, 267).* Zur weiteren Vertiefung in dieses Gebiet dienten ihm eine Reihe ch.scher Bücher. Gmelins ,,Geschichte der Chemie'' (III/3, 388), die ch.schen Werke von Döbereiner (ebda *4, 347; 355; 5, 84; 140; 7, 42; 47; 149* ua.), Ottos ch.sche Abhandlungen (III/5, 123), Johns Handwörterbuch der allgemeinen Chemie (III/6, 92), die ,,Annales de Chemie et de Physique'' (III/8, 124), Berthollets Chemie (III/8,228), Osanns Beiträge zur Chemie und Physik (III/9, 215), Brandes Repertorium der Chemie (III/11, 314), das Handbuch von vLeonhard (IV/36, 260), das Jahrbuch für Chemie und Physik (IV 37, 100) und Kunkels Glasmacherkunst (II/13, 467; III/8, 228) führt er in seinen Tagebüchern und Briefen an.

Wie alle naturwissenschaftlichen Disziplinen, so erlebte auch die Ch. im 19. Jahrhundert, im Jahrhundert der Naturwissenschaften, einen gewaltigen Aufschwung. Goethe schreibt hierüber: *In der neuern Zeit brachte die Chemie eine Hauptveränderung hervor; sie zerlegte die natürlichen Körper und setzte daraus künstliche auf mancherlei Weise wieder zusammen; sie zerstörte eine wirkliche Welt, um eine neue, bisher unbekannte, kaum möglich geschienene, nicht geahndete wieder hervor zu bauen (II/3, 205;* vgl. *Analyse und Synthese: II/11, 68–72),* und an anderer Stelle: *Die Elementarchemie spricht ihre eigene Theorie aus und wird deßwegen immer objektiver, besonders da sie nun Maaß und Zahl den Uranfängen und ihren Verbindungen anpaßt (III/6, 32).* Daß er auf seinen Reisen daher auch den ch.schen Forschungsstätten anderer Städte seine Aufmerksamkeit schenkte, ist nur allzu verständlich. So besuchte er ua. die ch.schen Laboratorien von Frankfurt und Hanau (I/34[I], 124; 128; 139).

Noch von anderen Seiten aus ist Goethe mit der Ch. in Berührung gekommen. Zunächst von der *Farbenlehre* ausgehend, die Beschäf-

tigung mit *Chemische Farben (II/1, 200;* vgl. *Chemiker, ebda 4, 143),* dann verfolgte er mit Aufmerksamkeit den Einfluß der Ch. auf die *Mineralogie, besonders die Arbeiten JJBerzelius: *Der Chemiker . . . spürt den allgemeinen Gesetzen der Natur nach, in so fern sie sich auch im Mineralreich offenbaren. Ihm ist Gestaltetes, Mißgestaltetes, Ungestaltetes auf gleiche Weise unterworfen. Nur die Frage sucht er zu beantworten: wie bezieht sich das Einzelne auf jene ewige unendliche Angel, um die sich alles was ist zu drehen hat? (II/11, 88).* An Chv*Stein schreibt er am 16. VIII. 1786: *In der Mineralogie kann ich ohne Chymie nicht einen Schritt weiter das weis ich lange und habe sie auch darum Beyseite gelegt, werde aber immer wieder hineingezogen und gerissen (IV/8, 4).* In der Biologie hat *Zu dem Chemiker . . . der Morpholog ein großes Vertrauen und er holt sich oft Raths bey ihm in der Überzeugung, daß die verschiedenen Organe verschiedene Stoffe verschieden bearbeiten, und daß verschiedene Säfte sich das Organ, in dem sie sich sammeln wieder wechselweise ausbilden; dagegen bereitet er dem Chemiker die Versuche gleichsam vor und macht ihm aufmerksam, wohin er sie, durch die Gestalt angezeigt, eigentlich zu leiten habe (II/12, 243).* In seiner *Betrachtung über Morphologie* überhaupt schreibt Goethe, daß die Morphologie als *Hülfswissenschaft der Physiologie . . . die Stoff- und Mischungsverhältnisse des Chemikers nicht außer Augen* lassen darf *(II/6, 292 f.).* Verschiedentlich finden Gespräche mit Döbereiner über Pflanzenchemie statt (21.–30. IV. 1812: III/4, 270 f.; 273 f.); auch erwähnt Goethe chemische Versuche mit Pflanzensäften (II/5[II], 157). Während *Chemie und Botanik . . . damals vereint aus den ärzlichen Bedürfnissen hervorgingen (II/6, 103),* muß auch in der vergleichenden Anatomie *die Chemie zu einer tiefern Kenntniß das Beste beitragen (II/8, 64).*

Den Titel eines seiner Werke hat Goethe dem Wortschatz der Chemiker entnommen, überhaupt war ihm in der straßburger Zeit *die Chymie . . . noch immer* seine *heimliche Geliebte (IV/1, 247).* 1774 hatte T*Bergmann dem Bestreben bestimmter Stoffe sich miteinander zu verbinden, die Bezeichnung attractio electiva gegeben. Diese ,,Wahlverwandtschaft'' hat Goethe auf menschliche Verhältnisse übertragen. Wie *das Wasser, das Öl, das Quecksilber . . . eine Einigkeit, einen Zusammenhang ihrer Theile zeigen,* so ist auch *an den Alkalien und Säuren, die . . . sich am entschiedensten suchen und fassen, sich modificiren und zusammen einen neuen Körper bilden . . . diese Verwandtschaft auffallend genug. Diejenigen Naturen, die* *sich bei'm Zusammentreffen einander schnell ergreifen und wechselseitig bestimmen, nennen wir verwandt.... Die Verwandtschaften werden erst interessant, wenn sie Scheidungen bewirken, so daß es sogar ein bezeichnender Ehrentitel der Chemiker war, wenn man sie Scheidekünstler nannte.* Auch dem Menschen ist dieses *Fahrenlassen und Ergreifen,* dieses *Fliehen und Suchen,* als *eine höhere Bestimmung* gegeben, so daß auch hier das *Kunstwort Wahlverwandtschaft für vollkommen gerechtfertigt* erscheint *(I/20, 49–52).*

Hatte sich Goethe, ohne selbst ch.sch-forschend tätig zu sein, allenthalben mit dieser naturwissenschaftlichen Disziplin beschäftigt, so gilt noch heute das, was er *Über Kunst und Alterthum am Rhein und Main* schreibt: *nach höherer Bildung strebende würden in der chemischen Kenntniß wahre Geisteserhebung gewinnen, ja solche, welche den älteren chemisch-mystischen Vorstellungen nicht abgeneigt sind, würden hier vollkommene Befriedigung finden, wenn sie erkennten, daß so vieles, was unsere Vorfahren in dunkeln Zeiten nur zerstückelt gewahr wurden und im Ganzen trübsinnig ahneten, jetzt sich immer mehr an und in einander schließt, sich aufklärt, so daß vielleicht in keinem Fache mehr als im chemischen wissenschaftliche Übersicht das Ideelle in der Wirklichkeit darzustellen vermag (I/34[I], 129).*   *Sl*

Cherubini, Maria Luigi Zenobio Carlo Salvatore (1760–1842), geboren in Florenz, Schöpfer der realistischen französischen Oper. Goethe schätzte sein Hauptwerk „Der Wasserträger"(„Les deux journées"1800, deutsch Mannheim 1802) sehr: *Fragt ihr mich, welche Oper ich gut finde, so nenne ich euch den Wasserträger; denn hier ist das Sujet so vollkommen, daß man es ohne Musik als ein bloßes Stück geben könnte und man es mit Freuden sehen würde* (1828: *Bdm. 4, 30;* Text: JNBouilly). Die Oper stand 1803–1816 über fünfzehnmal in Weimar auf dem *Spielplan (vgl. zB. III/3, 93; 278; 4, 99; 5, 282). Zelter rühmt Goethe gegenüber für Berlin zweimal *Gern als „Wasserträger"; nach diesem war *Rebenstein der berühmteste Vertreter. Eine weitere Oper Ch.s, „Lodoiska" (1791), wurde unter Goethes *Theaterleitung 1806 in Weimar gegeben (III/3, 114); die 1805/06 in Wien auf einen deutschen Text geschriebene „Faniska" bereits am 31. I. 1807 erstmals in Weimar aufgeführt (III/3, 190; letzte Aufführung 26. XII. 1813; III/5, 88).
  MB

Chézy, 1) Antoine Léonard de (1773–1832), französischer Orientalist, übersetzte Dschamis „Medschnun und Leila" (1807) sowie Kalida-

sas „Sakuntala" (1830). Goethe las den ersten dieser Texte, wenn nicht vielleicht eher die deutsche Übertragung durch ATh*Hartmann, in den *Divan*-Jahren (1. III. 1815: III/5, 151). 1830 dankt Goethe C., dem *verehrten Mann,* für *die schöne Gabe* der Sakuntala-Übersetzung als einen der *schönsten Sterne . . ., die meine Nächte vorzüglicher machen als meinen Tag.* Wenn am Ende seines Schreibens Goethe *das schöne, von C. so zart und bedeutend ausgesprochene Verhältniß zu einer werthen, schmerzlich vermißten Gattin (IV/47, 284–286)* erwähnt, irrt er insofern, als C. nicht an seine Frau, die „wenig erfreuliche" Helmine(2), gedacht hatte, sondern an eine „Geliebte, die ihm treu anhing und ihm den Haushalt gut besorgte" (WCreizenach S. 168). – „Thérèse . . . celle qui n'eût pas balancé à faire pour moi le sacrifice de sa vie, eût-elle été la plus heureuse du monde" (de C.).

–, 2) Wilhelmine (Helmina) Christiane, geb. vKlencke, gesch. vHastfer (1783–1856), Enkelin von AL*Karsch, 1805–1810 verheiratet mit 1), Schriftstellerin. Goethe besaß von ihren Werken „Leben und Kunst in Paris seit Napoleon dem Ersten" (1805) und zwei Gedichtbände (Ruppert Nr 530; 864). Ihr Libretto zu CMv*Webers „Euryanthe" galt ihm als *ein schlechter Stoff (Bdm. 3, 183).* Ihre Gedichte beurteilte Goethe günstiger (Bdm. 4, 58; vgl. auch 2, 273); die Druckexemplare in seiner Hausbibliothek waren freilich nicht aufgeschnitten.   *Fu*

WCreizenach: Ein seltsames Mißverständnis des alten Goethe. In: JbGGes 2 (1915), S. 167–169.

China. Die früheste Vorstellung von chinesischer Kultur dürfte Goethe durch die Chinoiserien empfangen haben, die in seinem Elternhaus nicht fehlten, da sie eine weit verbreitete europäische Modeerscheinung waren. Eben gegen diese Mode aber, die in der Vorliebe für chinesische Parkstaffage gipfelte, wandte sich der Sturm- und Drang-Goethe als Anwalt der göttlich-unverfälschten Natur im *Triumph der Empfindsamkeit,* der die *chinesisch-gothischen Grotten, Kioske, Tings* der Verspottung preisgab *(I/17, 38).* Er verwarf damit nicht das Chinesische an und für sich, sondern die sentimentale Seichtigkeit, die Spielerei mit geborgtem Flitterwerk. Wenn er knapp zwei Jahrzehnte später (1796) in dem Epigramm *Der Chinese in Rom (I/2, 132)* beiläufig die *Säulchen von Holz* erwähnt, die des *Daches Gezelt* tragen, wenn er von *Latten und Pappen, Geschnitz und bunter Vergoldung* spricht, deren *luftig Gespinnst* vor dem *ewigen Teppich der soliden Natur* nicht bestehen kann, so bestimmt ihn ganz eindeutig die klassizistische Ästhetik, in der sich die einfache Naturnachahmung zur Stilforderung weiterentwickelt hat. Ganz entsprechend verweist die Reflexion *aus Makariens Archiv* die chinesischen Kunsterzeugnisse mit den indischen und ägyptischen *Alterthümern* zusammen auf die Stufe der *Curiositäten, die zu sittlicher und ästhetischer Bildung … wenig fruchten (I/42II, 201).* An dieser Beurteilung aller dinglichen Zeugnisse chinesischen Kulturwillens hat sich bei Goethe später nichts mehr geändert, aber der Denker und Dichter in ihm zeigte sich empfänglich für literarische Leistungen des chinesischen Volkes. Der Beschäftigung mit Gesandtschaftsberichten und Reisewerken aus Ch., die in die Jahre zwischen 1790 und 1800 fällt, ist keine große Bedeutung zuzumessen, weil Ch. dabei nicht vor anderen exotischen Ländern bevorzugt erscheint. Erwähnenswert ist aber, daß Goethe aus des Erasmi Francisci „Neupoliertem Geschichts- Kunst- und Sittenspiegel ausländischer Völker, fürnehmlich der Chinesen" für Schiller ein *Gespräch zwischen einem Chinesischen Gelehrten und einem Jesuiten* abschreiben läßt, weil dieser Fund ihn *unglaublich amüsirt* und ihm *eine gute Idee von dem Scharfsinn der Chineser gegeben* habe *(IV/13, 4).*

Goethes erste eingehende Beschäftigung mit Land und Leuten in Ch. fällt in die Jahre 1813–1815. In den Tagen vor der Schlacht von Leipzig sind zwei Wochen lang *Sinica* im *Tgb.* vermerkt *(III/5, 77 f.).* Der erste Beweggrund war in diesem Falle Flucht aus dem Zeitgeschehen, dem er ratlos und sorgenerfüllt gegenüberstand (*Ballade Sp. 679f.). Indem er sich *eigensinnig aufs Entfernteste … warf, (I/36, 85)* fiel seine Wahl auf Ch., da er sich *dieses wichtige Land gleichsam aufgehoben und abgesondert (IV/24, 28)* hatte. Am 4. und 12. X. 1813 entlieh er sich aus der herzoglichen Bibliothek in Weimar zehn Reise- und Gesandtschaftsberichte in deutscher, englischer und französischer Sprache (Keudell Nr 863–869; 871 bis 873). Bei seinen Bemühungen fand er sich gefördert durch J*Klaproth, den er einen *eingefleischten Chinesen* nannte. Der junge Sinologe konnte ihm besonders auf geologischem Gebiete *gar manches suppliren und bestätigen (IV/24, 28).*

Wv*Biedermann (Goethe-Forschungen. 1879 S. 94–123) hat nachzuweisen versucht, daß die Fabel des *Elpenor*-Fragments von 1781 nur in dem chinesischen Drama „Die Rache der Waise der Familie Tschao" zu finden sei. Auf dem Wege bis zu Goethe hin und vollends

unter seinen Händen hat der Stoff jedoch alles nationell Eigentümliche eingebüßt.

Aus einem Briefe Schillers vom 24. I. 1796 wissen wir, daß Goethe einmal die Absicht hatte, eine „weitläufige" Erzählung aus Ch. zu schreiben. Vermutlich handelte es sich um die „Geschichte von der guten Ehegefährtin" (Hao Kin Dschuan), deren Bearbeitung Schiller später noch versucht hat. – Der erste öffentliche Hinweis Goethes auf eine chinesische Erzählung („Lau Scheng Erl") ist dem Aufsatz *Indische Dichtungen* angehängt *(I/ 42II, 52 f.).* Goethe nennt die Geschichte, die er in einer englischen Übersetzung gelesen hatte („An heir in his old age") *ein ganz eigentliches, nicht im Besondern, sondern in's Allgemeine gedichtetes Familiengemählde,* durch das er sich an *Ifflands Hagestolzen* erinnert fand. Das eigentümlich Chinesische erkannte er in dem Hineinspielen religiöser und polizeilicher Zeremonien in das familiäre Leben.

Goethes ausgiebigste und liebevollste Beschäftigung mit chinesischer Literatur fällt in die Jahre 1826/27. Sie wurde veranlaßt durch Neuerscheinungen auf dem europäischen Büchermarkt: die „Chinese Courtship" von Peter Perrins Thoms (1824) und die „Contes chinoises" von Abel Rémusat (1826: I/42I, 231; III/11, 54f.; III/11, 100). Von den darin enthaltenen „Gedichten hundert schöner Frauen" (Pe Me Sin Yung) reizten ihn vier zur Nachbildung; sie erschienen in *KuA* (I/41II, 272 bis 275; I/5I, 50f.). Kenner versichern, daß er durch die schlechte englische Übersetzung hindurch den Reiz des Originals sicher erfaßt und soweit wie möglich wieder hergestellt habe. – Der nächste Schritt führte von der Nachdichtung zur Eigenschöpfung in chinesischer Art. 1827 entstand größtenteils die Folge von 14 Gedichten, die als *Chinesisch-Deutsche Jahres- und Tageszeiten* zuerst im Berliner Musenalmanach 1830 erschienen *(I/ 4, 110–115).* Was Goethe hier zu anempfindender Dichtung reizte, das hat Eckermann in seinem Gespräch vom 31. I. 1827 ausführlich festgehalten. Goethe fand, daß bei den Chinesen *alles klarer, reinlicher und sittlicher* zugehe als bei den Europäern. Die *verständige, bürgerlich*-schwunglose Lebensbetrachtung erinnerte ihn an *Hermann und Dorothea.* Als einen unterscheidenden Zug würdigte er das durchgängige Mitleben der äußeren Natur neben den menschlichen Figuren. Ferner rühmte er die unzähligen *Legenden,* die *in der Erzählung nebenher gehen und gleichsam sprichwörtlich angewendet werden.* Sie alle, betonte er, gingen *auf das Sittliche und Schickliche* aus, auf die *strenge Mäßigung*, die *das chinesische Reich seit Jahrtausenden erhalten* habe *(Bdm. 3, 337 f.)*. In seinen *Jahres- und Tageszeiten* hat sich Goethe der chinesischen Vorstellungen und Schmuckmittel nur lässig bedient und sich nicht gescheut, klassisch-mythologische Metaphern einzumischen. Die Perle dieser Gedichtreihe *Dämmrung senkte sich von oben* wirkt wie die Nachzeichnung einer getuschten Landschaft, ebenso zart und schwerelos, eben so fein und sicher in der Mischung der Töne – eine vollkommene Umsetzung malerischer Reize in sprachlich-klangliche.

Auf die bedeutendste und merkwürdigste Übereinstimmung der goetheschen Gedankenwelt mit der chinesischen hat FStrich hingewiesen [Goethe und der Osten. In: Die Dioskuren. Bd 2, (1923), S. 54–57]. Sie findet sich da, wo keine Quelle, kein Studium und keine literarische Anregung nachweisbar ist. Es bleibt also eine offene Frage, ob es sich in der *Pädagogischen Provinz* der *Wanderjahre*, besonders in der Lehre von der dreifachen *Ehrfurcht*, um eine echte Aneignung oder um eine sehr bemerkenswerte *Wahlverwandtschaft* zwischen dem konfuzianischen und dem goetheschen Denken handelt. Eine weitgehende Übereinstimmung ist jedenfalls unverkennbar. Hier wie dort handelt es sich um die Religion des guten Bürgers, um das Evangelium der sozialen Gesinnung. Diese findet im Konfuzianismus wie bei Goethe ihren Ausdruck in bestimmten Formen, Bräuchen und symbolischen Zeremonien.

Goethes Interesse für chinesisches Denken und Dichten war kein Seitentrieb seiner Bildung, keine abgesonderte Liebhaberei, sondern gehörte zur Umschau im Reiche der Weltliteratur, für die, wie er glaubte, seine Zeit reif geworden war. In der chinesischen Literatur wie in der altpersischen, in den Volksliedern der Böhmen, Serben und Griechen suchte er das Urphänomen des Menschlichen in der Vielfalt nationaler Gestaltungen. Von Leistungen Goethes für die Erschließung der fremden Geisteswelt kann nicht die Rede sein. Seine Nachdichtungen chinesischer Literatur sind, obwohl in zwei Fällen wohlgelungen, sehr geringfügig, seine lyrischen Gedichte mit chinesischem Kolorit erreichen in einem Falle die Gipfelhöhe seiner poetischen Leistung – die Art aber, wie er das fremde Geistesgut verarbeitet, wie er sich's angeeignet hat, ist bezeichnend goethesch. *Vp*

Chiron/Cheiron, in der griechischen Mythologie der bekannteste Kentaur, ein Sohn des Kronos und der Philyra. Während die übrigen

*Centauren als wilde, gewalttätige Trunkenbolde und „Tiere" geschildert werden, erscheint Ch. als weiser Arzt und Kenner mehrerer Wissenschaften, dem die bedeutendsten Heroen des griechischen Mythos wie *Achilleus, *Theseus, *Iason, die *Dioskuren und Aktaion ihre Erziehung verdanken. Diesen auffälligen Gegensatz versucht Goethe in *Wilhelm Tischbeins Idyllen (8)* zu überbrükken, wo er nach einem Deutungsversuch der halbtierischen Gestalt von den Centauren sagt: *Denken wir uns dieses Geschlecht nun auch als gewaltige wilde Berg- und Forstgeschöpfe, von Jagd lebend, zu allen Kraftübungen sich stählend, ihre Halbfohlen zu gleich mächtigem Leben erziehend, finden wir sie erfahren in der Sternkunde, die ihnen sichere Wegesrichtung verleiht, ferner einsichtig in die Kräfte von Kräutern und Wurzeln, die ihnen zur Nahrung, Erquickung und Heilung gegeben sind, so läßt sich gar wohl folgern, daß darunter vorzüglich sinnende, Erfahrung verbindende Männer sich hervorthun, denen man wohl die Erziehung eines Fürsten, eines Helden anvertrauen möchte. So wird uns Chiron geschildert . . . (I/49^I, 319)*. In der *Classischen Walpurgisnacht* trifft *Faust* mit Ch. zusammen, der ihm – gleich dem Kentauren Nessos der griechischen Mythologie – seine Dienste beim Überqueren eines Flusses anbietet. Faust besteigt das Halbtier und preist zunächst den weisen Erzieher Ch.: *Der große Mann, der edle Pädagog, | Der, sich zum Ruhm, ein Heldenvolk erzog, | Den schönen Kreis der edlen Argonauten | Und alle die des Dichters Welt erbauten.* – Mit dem letzten Vers sind offenbar die hellenischen Heroen gemeint, die Ch. erzog und die zugleich die Welt Homers, „des Dichters" (im antik-griechischen Sinn), ausmachten. Ch. wehrt bescheiden ab, und nun rühmt Faust die ärztliche Kunst des Kentauren: *Den Arzt, der jede Pflanze nennt, | Die Wurzeln bis in's Tiefste kennt, | Dem Kranken Heil, dem Wunden Lindrung schafft, | Umarm' ich hier in Geist- und Körperkraft! (I/15^I 125f.)*, Da sich Ch. auch dieses Lob als Schmeichelei verbittet, läßt sich *Faust* von ihm eine Charakteristik der Argonauten, des *Herkules und schließlich der *Helena geben (ebda 126 bis 132).   *Hu*
Hunger S. 75 f.

Chladni, Ernst Florens Friedrich (1756–1827), zuerst Jurist, dann Naturwissenschaftler, wurde einer der führenden Experimentatoren seiner Zeit, reiste ohne feste Stellung durch Europa, hielt Vorträge und führte seine Entdeckungen vor. Seine Hauptwerke sind: „Die Akustik" (1802, ²1830), „Neue Beiträge zur

Akustik" (1817), „Beiträge zur praktischen Akustik" (1821), „Kurze Übersicht der Schall- und Klanglehre" (1827). Von kleineren Schriften Ch.s besaß Goethe (Ruppert Nr 4461 bis 4463) die „Entdeckungen über die Theorie des Klanges" (1787) und „Nachrichten von zwey neuen musikalischen Instrumenten . . . (1816; Euphon = Glasstabharmonika und Klavizylinder = Glasstabklavier). Ferner besaß Goethe den Apparat zur Erzeugung der nach Ch. benannten Klangfiguren, dh. der sternartigen Formen, die der auf eine Glasplatte gestreute Sand beim Streichen der Platte mit einem Bogen annimmt. Goethe hatte sich verschiedentlich mit *Betrachtung der Chladnischen Figuren* beschäftigt und *Chladni's und Seebecks Figuren parallelisirt (III/7, 200f.;* vgl. IV/23, 312; 433; 25, 190; *Zur Farbenlehre: Chladni's Tonfiguren II/5^I, 294–296).* Bereits am 26. I. 1803 hatte Ch. Goethe aufgesucht und *seine ausgearbeitete Akustik in einem Quartbande mitgebracht,* über die *manches Erfreuliche* zu *sagen* war *(IV/16, 170;* III/3, 70; Keudell Nr 452; 673). Weitere Besuche fanden in den Jahren 1810 (III/4, 146), 1812 (ebda 296), 1816 (20. VII. *Unterhaltung über Meteorsteine und Klangfiguren: III/5, 256)* und 1825 (III/10, 135) statt. Ch. *gehört . . . unter die Glückseligen, welche auch nicht eine Ahndung haben, daß es eine Naturphilosophie giebt und die nur, mit Aufmerksamkeit, suchen die Phänomene gewahr zu werden, um sie nachher so gut zu ordnen und zu nutzen als es nur gehen will, und als ihr angebornes, in der Sache und zur Sache geübtes Talent vermag* (an Schiller 1803: *IV/16, 170).* Goethe dachte daran, ihn nach Jena zu ziehen (1816: IV/27, 146) und schrieb nach Ch.s Tode: *Was meiner Farbenlehre eigentlich ermangelte, war, daß nicht ein Mann wie Chladni sie ersonnen oder sich ihrer bemächtigt hat* (an CLF*Schultz 1829: *IV/45, 311;* *Tonlehre).

Sl/MB

Chodowiecki, Daniel (1726–1801), der in Danzig geborene, autodidaktisch gebildete Künstler, eigener Aussage nach polnischer Herkunft, lebte seit 1743 als Emaillemaler für Modeartikel in Berlin, das er nur 1773 zu einer Reise in seine Heimat – „Danziger Reise", Album von Reiseskizzen im Besitz der berliner Akademie, – und nach Dresden verließ, wo er seinen Freund A*Graff besuchte. Berühmt wurde er durch seine Radierung von 1768 nach dem eigenen Gemälde des Vorjahres „Der Abschied des Jean Callas" (vgl. I/28, 141) im Kaiser-Friedrich-Museum zu Berlin. Der Verleger F*Nicolai gab ihm die ersten Aufträge für *Illustrationen, denen er sich seit 1771 fast

ausschließlich widmete. Als Illustrator erzählender und poetischer Werke – Klopstocks „Messias", Lessings „Minna von Barnhelm" (im „Almanac généalogique" von 1770), Schillers „Räuber", von denen Goethe zwei Blatt besaß, sowie zum „Don Quichote" (vgl. IV/6, 178) – wissenschaftlicher Lehrbücher und erbaulicher Schriften verband er seinen Namen eng mit dem Geistesleben des späten 18. Jahrhunderts. So wurde eine *neue Bilder- und Romanenwelt durch Chodowiecki's Kupfer* heraufgeführt *(I/27, 392),* die mehr durch die bürgerlich-sentimentale Auffassung des Gegenstandes als durch künstlerische Vollendung den Geschmack seiner Zeit mitbestimmte. *Hier sehen wir eine solche Unmittelbarkeit an der uns bekannten Natur, daß nichts zu wünschen übrig bleibt. Nur darf er nicht aus seinem Kreise, nicht aus seinem Format herausgehen, wenn nicht alle seiner Individualität gegönnten Vortheile sollen verloren sein (I/49^I, 152).* 1797 wurde Ch. Direktor der berliner Akademie.

Goethe kannte Ch. durch seine Mitarbeit an den „Physiognomischen Fragmenten" JC*Lavaters (IV/2, 281) und wird in seinen Illustrationen die Kunst der frankfurter Maler seiner Jugendzeit wiedergefunden haben; selbst Ch.s Titelvignette zu Nicolais „Freuden des jungen Werther" gefiel ihm, *wie ich denn diesen Künstler über die Maßen verehrte . . . Die Vignette hatte ich ausgeschnitten und unter meine liebsten Kupfer gelegt (I/28, 229;* vgl. IV/7, 353). *Und gehen Sie doch einmal zu Chodowiecki, und raümen Sie bei ihm auf, was von so alten Abdrücken seiner Sachen herumfährt. Schicken Sie mir's, und stehlen ihm etwa eine Zeichnung. Es wird mir wohl, wenn ich ihn nennen höre, oder ein Schnizzel Papier finde, worauf er das Zeichen seines lebhaften Daseins gestempelt hat,* schrieb Goethe 1776 an die Karschin *(IV/3, 105),* die mit der ch.schen Familie befreundet war. Goethe war in Berlin am 16. V. 1778 bei Ch., am 20. auch mit Carl August (III/1, 67). – Dem steht Ch.s Bemühen gegenüber, Goethes Dichtungen durch seine Illustrationen einem größeren Leserkreis anschaulich zu machen. Er begann mit *Werther*-Illustrationen: eine Röthel-Zeichnung „Lotte, dem Bedienten Werthers die Pistolen reichend" (Slg. Ewald), Entwurf zu einem Fächer mit drei Vignetten, 1776 (Slg. Koner), dazu das bekannteste Blatt „Lotte, den Kindern Brot schneidend" ua., auch zu Deyverduns französischer *Übersetzung des *Werther,* ebenfalls 1776. – Für die Ausgabe der Schriften Goethes, die 1787–90 bei GJ*Goeschen herauskam, verfertigte Ch. vier Blatt Illustrationen, deren Fertigstellung sich jedoch verzögerte, so daß die

Ausgabe langsamer vorankam, als Goethe gehofft hatte; vom fünften Bande an wurde darum
A*Kauffmann herangezogen (IV/8, 246 f.). Ch.
erregte sogar Mißstimmung mit seinen Radierungen: ,,Schikken Sie Ch. den elenden Quark
zurück er mus nicht glauben daß die Leute so
dum sind diese Excremente für gute waare zu
halten", schrieb 1787 CFGrafv*Reinhard aus
Rom an Goethe und empfahl seinerseits AKauff-
mann für Illustrationen zu *Werthers Leiden.* So
wird Goethes Ansicht JH*Lips gegenüber verständlich: *Chodowieky wird alt und schwach.
Schon jetzt wird manches sich ehe an Sie und in
der Folge alles an Sie wenden* (23.III.1789: *IV/9,
98),*womit Goethe den sentimentalen Realismus
Berlins, wo *der prosaische Zeitgeist sich am meisten zu offenbaren* scheint(1801 : *I/48,23),*zugunsten des idealistischen *Klassizismus Weimars
überwand. Gleichwohl widmete sich Ch. noch
1798 mit zwölf Illustrationen **Hermann und Dorothea,* einer Dichtung, in der er goetheschem
Geiste sich nahe glauben konnte; sie erschienen dem Gebrauche der Zeit entsprechend als
Monatskupfer in Neuffers ,,Taschenbuch für
Frauenzimmer von Bildung" für 1799, dessen
Titelblatt die bekannte Darstellung der Familie Friedrich Wilhelms II. zeigt, und im Gothaischen Hofkalender.
Das spätere Urteil Goethes, zunächst noch den
aufklärerisch-pädagogischen Zweck der ch.-
schen Illustrationen gutheißend (I/18, 294), ist
von der Ansicht bestimmt, daß Ch. nur im beschränkten Kreise etwas habe leisten können,
aber hierin war er *durchaus vom Geist und Geschmack. Mehr Ideales war in dem Kreise, in
dem er arbeitete, nicht zu fordern (I/48, 212),*
ein Urteil, das von der Äußerung in *Philostrats
Gemälden* (I/49^I, 152) über H*Meyers Ansicht, daß ihm, *Scenen des bürgerlichen Lebens
darstellend, . . . Ausdruck und Charakter der Figuren oft vortrefflich gelang (I/49^I, 25),* bis zu
dem späten Vergleich mit Av*Kotzebue (25. X.
1823: Bdm. 3, 29) konstant bleibt. Die Welt der
Empfindsamkeit lag ein Halbjahrhundert zurück. *Lö*

Schuchardt 1, S. 109f.; 260. – WvOettingen: Daniel
Chodowiecki. 1895. – WEngelmann: Daniel Chodowiecki's sämmtliche Kupferstiche. ³1906. –

Chotek von Chotkowa und Wognin, Grafen
(Böhmen: 1723; Reich: 1745), hochbedeuten-
des Alt-Adelsgeschlecht in *Böhmen und
Österreich, gehörte vornehmlich in *Karlsbad
(,,Chotekscher Weg") mit einigen seiner unmittelbaren Angehörigen sowie mittelbar
durch die Verwandtschaft mit dem Grafen-
und Fürstenhaus *Clary zu Goethes näherem
Umgang:
–, 1) Johann Nepomuk Rudolf (1748–1824)

und dessen Gemahlin Maria Sidonia geb. Gräfin Clary und Aldringen (1748–1824). JNR.
war eine sehr sorgfältig gebildete, vielgereiste
Persönlichkeit von bisweilen eigenwilligem,
aber modern aufgeschlossenem und verant-
wortungsfreudigem Charakter, weshalb er
kein durchaus bequemer Untergebener war
und den Auffassungen seiner Monarchen (zB.
Josephs II.) nicht immer zu dienen vermochte;
er stellte dann lieber seine Ämter zur Verfügung
und schied aus (1789; 1793). Erst 1796 ließ
er sich für die Dauer gewinnen und avancierte
schnell: 1802 wurde er Staatsminister und
Oberster Burggraf von Böhmen, 1805 und
1809 wurden seine Funktionen beachtlich erweitert. Er hat eine Reihe von fortschrittlichen Reformen durchgeführt, die Gründung
von Fabriken und Manufakturen, die Entwicklung der Mechanisierung in der Produktion gefördert; ferner hat er sich um den Obst-
bau verdient gemacht sowie zur Belebung des
Handels seine besten Kräfte dem Wege- und
Straßenbau gewidmet. Er war Präsident der
königlich-böhmischen Gesellschaft der Wissenschaften. Alle diese Interessen, Funktionen und Ämter machten ihn 1808, 1810, 1812
für Goethe zu einem anregenden Gesprächspartner (III/4, 304; 306), den er noch 1823
persönlich begrüßte (III/9, 108). Die Vermitt-
ler-Rolle JNR.s bei Goethes Begegnungen
mit der Kaiserin Maria Ludovica darf man
nicht überschätzen (28. VIII. 1812: IV/23, 79)
– obwohl das Datum dazu verführen könnte
(vgl. ERedslob: *Mein Fest.* 1956. S. 81).
JNR.s Sohn
–, 2) Carl (1783–1868) und dessen Gemahlin
Marie geb. Gräfin Berchtold und Freiin
Ungerschitz-Fratting-Pulling (1794–1878) erreichten in ihren Kontakten mit Goethe nicht
die Bedeutung des Vaters, bzw. Schwiegervaters, zumal C. 1807/10 meist auf Reisen,
1814/18 in Italien, besonders in Ober-Italien
und Tirol tätig war, 1825 als Kanzler des kaiserlichen Hofes nach Wien gehen mußte und
erst 1826 als Nachfolger seines Vaters in Böhmen wirken konnte (vgl. dazu III/3, 248; 4,
131; 137; 308; 315; 320). *Sb/Za*

Christentum. Goethes eindeutige Ablehnung
des Kirchenchr.s darf nicht übersehen lassen,
daß seine ganze Denkweise auf dem biblisch-
chr.lichen Glaubensgrund erwachsen ist und
nur auf diesem erwachsen konnte. Das Chr.
und seine Kirchen sind ihm zweierlei. Die
chr.liche Lehre gilt ihm als eine Wahrheits-
gestalt der biblischen *Religion (*Bibel) neben anderen möglichen wie diese selber als das
mächtigste geschichtliche Paradigma dessen,

was er *Urreligion nennt. Grundsätzlich jedoch negiert Goethe den theologisch-dogmatischen Ausschließlichkeitsanspruch des Kirchenchr.s. In diesem Sinne bezeichnet er sich als „*dezidirten Nichtkristen*" (29. VII. 1782 an JC*Lavater: *IV/6, 20*). Wohl erkennt Goethe der Kirche die soziale und sittliche Funktion einer *wohltätigen Vermittlerin* zu, *um zu dämpfen und zu ermäßigen, damit allen geholfen und damit vielen wohl werde (11. III. 1832: Bdm. 4, 441)* und hebt ihren Trost für die Schwachen und Beladenen spendende Kraft hervor: *Doch damit können sich die Christen / Bis zu dem jüngsten Tage fristen (Divan: I/6, 235)*. Im Ganzen aber bedeutet ihm die Geschichte der chr.lichen Kirche ein *Product des Irrthums und der Gewalt (UKM S. 87)*. Gegen den kirchlichen Ausschließlichkeitsanspruch und die dogmatische Anmaßung der Theologen stellt er den Satz: *Jeglichen Schwärmer schlagt mir an's Kreuz im dreißigsten Jahre (I/1, 320)*. Er wendet sich ebenso gegen die katholische Kirche, die in der Welt allein herrschen will und dazu einer *bornierten Masse* bedarf (*Katholizismus), wie gegen die protestantische, die im Hader ihres Sektenwesens ihre eigentliche Aufgabe vergißt, wenngleich er dem *Protestantismus, zu dem er selber sich bekannte, zugutehält, daß er die Menschen *von den Fesseln geistiger Borniertheit* befreite, wodurch es allein möglich wurde, *zur Quelle zurückzukehren und das Christentum in seiner Reinheit zu fassen (Bdm. 4, 442 f.)*. Diese Quelle ist für Goethe der Schöpfergott und seine unendliche *Offenbarung. *Gott hat sich nach den bekannten imaginierten sechs Schöpfungstagen keineswegs zur Ruhe begeben, vielmehr ist er noch fortwährend wirksam wie am ersten (1832: Bdm. 4, 444)*. Es ist der Gott, der sich nach dem *Standpunkt einer Art Ur-Religion, dem der reinen Natur und Vernunft unendlich offenbart. In dieser Konsequenz bestreitet Goethe ebenso die chr.liche Jenseitshoffnung (nicht jedoch die Unsterblichkeit) wie die Göttlichkeit Jesu. Vom Menschen *Jesus aber geht ihm etwas von *so göttlicher Art* aus, *wie nur je auf Erden das Göttliche erschienen ist . . . Ich beuge mich vor ihm, als der göttlichen Offenbarung des höchsten Prinzips der *Sittlichkeit, die in Goethes Sprache identisch ist mit *Menschlichkeit (Bdm. 4, 442). Jesus, der Mensch, gilt ihm als *ein Weiser im höchsten Sinne (I/24, 253)*. Fragt man mich aber, *ob es in meiner Natur sei, die Sonne zu verehren, so sage ich abermals: Durchaus! Denn sie ist gleichfalls eine Offenbarung des Höchsten (1832: Bdm. 4, 442)*. Das setzt jedoch voraus: *Wär' nicht das Auge sonnen-*

haft, / Die Sonne könnt' es nie erblicken (I/3, 279). Denn Goethes biblisch-chr.lich geprägter Vorstellung vom Schöpfergott, die jeder dogmatischen Fixierung sich entzieht, entspricht sein Begriff vom Menschen als einer selber *gottbegabten (Bdm. 4, 443)* schöpferischen Kraft, wie ihn weder die Antike noch das chr.liche Mittelalter kannten. Für diesen Menschbegriff ist der liebende, schöpferisch tätige Erkenntnisdrang konstitutiv, wie er dem biblisch-chr.lichen Gottes- und Wahrheitsglauben ursprünglich eigen ist. Er ist das Verlangen nach der Erfahrung höchster Wirklichkeit, der Wirklichkeit über uns, mit uns und in uns. Die Verehrung dieses Wirklichen, die weder Gesetz noch Lehre duldet, ist für Goethe die wahre Religion, in der auch die Wahrheit des Chr.s sich begründet, dessen geschichtliche Gestalt aber übergreift. Gott, die eine, selber unerforschliche Wahrheit, im Medium seiner Schöpfung, deren jedes Ding und Wesen seinen Fluchtpunkt in der absoluten Unendlichkeit Gottes selber hat, liebend zu erkennen, ist dem Menschen zur unendlichen Aufgabe gesetzt. Jedes Erkennen ist derart schöpferisches Gestalten, ist tätige Bezeugung der einen, selber unerkennbaren Wahrheit. Daß der lebendige Glaube stets mächtiger ist als jede seiner Theologien und Kirchen, ist Goethes eigene Bezeugung der Christlichkeit, die ihn zugleich legitimierte, sich einen *dezidirten Nichtkristen* im theologischen und kirchlichen Sinne zu nennen. *Rs*

Chromatik verwendet Goethe als umfassenden Begriff einer Wissenschaft von den Farbenerscheinungen. In der *Confession des Verfassers* (April 1810) werden die *Beiträge zur Optik* (1791/92) kritisch bedacht: *Hätte ich Chromatik gesagt, so wäre es unverfänglicher gewesen (NS 6, 425)*. Eines der Aktenbündel *zur Farbenlehre*, der Faszikel XIII, trägt von Kräuters Hand die Aufschrift Chr. (Fasz. V, 43 Rs von Kräuter als Rubrik benutzt; II/5II, 52); darin finden sich zusammengeheftet neben Entwürfen zur *Geschichte der Farbenlehre* die Abhandlung *von den farbigen Schatten* und ein Aufsatz aus dem Lager bei Marienborn vom 21. VII. 1793, der in dem von Kräuter (frühestens 1818) angelegten Inhaltsverzeichnis den Titel *Einige allgemeine chromatische Sätze* erhielt. In einer nicht vor 1819 entstandenen Betrachtung zu einer Untersuchung des Staatsrates Schultz „über physiologe Farben" steht der bemerkenswerte Satz: *Als ich zur Farbenlehre schritt, durfte ich mir nicht verläugnen, daß die Chromatik erst im Auge gegründet werden müsse (II/5II, 388)*. Im vierten

Heft ersten Bandes *Zur Naturwissenschaft überhaupt* (1822) stellte Goethe **Nachträge zur Farbenlehre* (in *TuJ* 1820 *Paralipomena der Farbenlehre* benannt *I/36, 160*) unter die Überschrift Chr. (S. 241). – Zum ersten Male dürfte das Wort von Goethe am 31. X. 1798 im Briefwechsel mit Schiller gebraucht worden sein inbezug auf den erhofften Abschluß des Hauptwerkes *Zur Farbenlehre* (IV/13, 302 u. 333) und *chromatisch* in einem *Schema der dualistischen Naturwirkungen* vom Juli 1798 mit der bedeutenden Aussage: *Das Chromatische hat etwas sonderbar Doppelhaftes (NS 3, 329)*. Im didaktischen Teile der Farbenlehre liest man *chromatische Harmonie* (§ 1), *Chromatoskop* (§ 72) und *chromatischer Gegensatz* (§ 492). Es ist wohl zulässig, in der Prägung Chr. auch einen Ausdruck der Opposition gegen das *blos negative Geschäft der Mathematiko-Optiker* zu sehen, denen es darum zu tun war, *die Farbe aus ihren schätzbaren Objectiv-Gläsern los* zu werden (Newtons ,,chromatic aberration"), während sich Goethe die Farbenerscheinung selbst zum Gegenstande seiner Forschung genommen hatte *(IV/45, 136)*. Immerhin finden wir das Kapitel XIX der Didaktik mit den Worten *Achromasie und Hyperchromasie* überschrieben. Goethe zeigt dort, wie die Farbenerscheinung von der Refraktion getrennt werden kann, und verweist auf die *Geschichte der Farbenlehre,* in der er vor allem den Hugenotten Dollond und den Schotten Blair als Zeugen nennt.

John Dollond (1706–1761) eröffnete 1752 in London mit seinem Sohne Peter eine optische Werkstatt und konnte 1757 durch Kombination von Linsen aus Flint- und Crownglas die ersten achromatischen Fernrohre herstellen. Damit hat er die Annahme Newtons, die dioptrischen Fernrohre seien wegen der bei stärkerer Vergrößerung oder weiterem Gesichtsfelde auftretenden Farbensäume nicht mehr zu verbessern, praktisch widerlegt (NS 6, 363 u. 402).

Robert Blair (bis 1828), schottischer Arzt, 1785 Professor für praktische Astronomie in Edinburgh, bemühte sich um die Verbesserung der Teleskope durch Überwindung sowohl der unscharfen Abbildung, die durch die Kugelflächigkeit der Linsen bedingt wird (sphärische Aberration), als auch der Farbensäume, die bei Gelegenheit der Refraktion entstehen (chromatische Aberration). 1791 legte er seine ,,Experiments and observations on the unequal refrangibility of light" vor (Phil. Transactions of royal soc. of science, Edinburgh 1792, Vol. 2; Gilberts Ann. d. Phy-

sik VI 1800). Goethe, der schon 1794 davon erfahren hatte (NS 3, 481), übersetzte diese Untersuchungen auszugsweise für seine **Geschichte der Farbenlehre* (Tgb. 27. III.–6. IV. 1810; NS 6, 394 ff.). Ihm waren diese Versuche vor allem wichtig, weil sie jener Behauptung Newtons zu widersprechen schienen, die mit der These einer diversen Refrangibilität zusammenhing. Blair hingegen fußte auf Newton und nahm es als Bestätigung seiner Lehre, daß die durch die Verbindung nur zweier Mittel verschiedener Dispersion (Grad der Zerstreuung der Farben) nicht erreichbar ist. So schrieb denn Goethe bereits in einem Entwurf vom 10. II. 1799 von Blairs Arbeiten: *Seine Versuche sind zu benutzen, mit seinem Raisonnement mag sich quälen, wer da will (NS 3, 403)*. Um experimentell weiter zu kommen, brachte Blair nach dem Vorschlage von Leonhard Euler (1707–1783) zwischen zwei Konvexlinsen eine stark lichtbrechende wässrige Lösung (zB. von Metallchloriden), und es gelang ihm ein praktisch aberrationsfreies Instrument, das größere Öffnung besaß als die früheren von der gleichen Vergrößerung; er nannte es ,,das aplanatische Teleskop". Die Unvollkommenheit der erreichbaren Achromasie, mit der auch Blair noch zu kämpfen hatte, glaubte Goethe als eine natürliche Unzulänglichkeit hinnehmen zu müssen, weil sie selbst unserm Auge zukommt, wie es einem dem Menschen gegebenen *Mittelzustande* entspricht. *Es ist achromatisch nur in sofern als wir frei, gerade vor uns hin sehen. Bücken wir den Kopf nieder, oder heben ihn in die Höhe, und blicken in dieser gezwungenen Stellung nach irgendeinem entschiedenen hellen oder dunklen Bilde, nach einem zu diesen Erfahrungen immer bereiten Fensterkreuz; so werden wir mit bloßen Augen die prismatischen Säume gewahr. Wie sollte es also der Kunst gelingen, die Natur in einem solchen Grade zu meistern, da man ja nicht mit abstrakten sondern mit konkreten Kräften und Körpern zu tun hat, und es sich mit dem Höchsten, der Idee, eben so verhält, daß man sie keineswegs ins Enge noch ins Gleiche bringen kann. Keineswegs werde jedoch ... der Forscher und Techniker abgeschreckt, ins Feinere und Genauere zu gehen; nur tue er es mit Bewußtsein, um nicht Zeit und Fähigkeiten zu vertändeln und zu verschwenden (NS 3, 411 f. – Siehe auch NS 7, 16).* Mt

Chronik. Dem Wesen seiner Auffassung von **Geschichte entsprechend und dem Entwicklungsstand der damaligen **Geschichtsschreibung gemäß bevorzugte Goethe mehr oder weniger nachdrücklich Chr.n in ihren zT. sehr verschiedenartigen Formen. Seit den Knabentagen (*Hausbibliothek des Vaters, Götting S. 44–49), insbesondere durch die Bekanntschaft mit Gottfrieds Chr. (JPhAbelin, Pseudonym: JLGottfried: Historische Chronica oder Beschreibung der fürnemsten Gschichten so sich von Anfang der Welt biss auff das Jahr Christi 1619 zugetragen ... Frankfurt/ M. 1657; *DuW* I/26, 49 f.) angeregt und gefördert, durch die Besuche im Römer anschaulich bekräftigt und atmosphärisch genährt (*DuW* I/26, 26–28), entwickelte sich diese Vorliebe, die allgemach grundsätzlichen Charakter annahm. Ging es zunächst gewissermaßen formal um das *Treuherzige der Darstellungs- und Ausdrucksweise (DuW I/27, 59)*, so betraf es im weiteren Verlauf zunehmend das inhaltliche, Thematische im Sinne eines *Realismus*, dessen innerster Nerv das *gegenständliche Denken* war *(II/11, 58; *Bedeutende Förderniß)*. Goethe gehörte nicht zu denen, die *so griesgrämig, wie es würdige Historiker neuerer Zeit gethan haben, auf Dichter und Chronikenschreiber herabsehen. Im Gegenteil: Betrachtet man die einzelne frühere Ausbildung der Zeiten, Gegenden, Ortschaften, so kommen uns aus der dunklen Vergangenheit überall tüchtige und vortreffliche Menschen, tapfere, schöne, gute in herrlicher Gestalt entgegen. Der Lobgesang der Menschheit, dem die Gottheit so gerne zuhören mag, ist niemals verstummt, und wir selbst fühlen ein göttliches Glück, wenn wir die durch alle Zeiten und Gegenden vertheilten harmonischen Ausströmungen, bald in einzelnen Stimmen, in einzelnen Chören, bald fugenweise, bald in einem herrlichen Vollgesang vernehmen. Freilich müßte man mit reinem frischen Ohre hinlauschen, und jedem Vorurtheil selbstsüchtiger Parteilichkeit, mehr vielleicht als dem Menschen möglich ist, entsagen (II/3, 132 f.).* Goethe sieht eine sehr enge Verbindung zwischen Chr.- Schreiber und Dichter. Diese Verbindung erscheint zunächst – übrigens an orientalischen Beispielen dargetan – auf der Ebene der *Sprache, dh. in der Seh- und Sagewise *einer gewissen Prosa-Poesie ...: so erfahren wir, daß in der neusten Zeit am persischen Hofe sich noch immer Dichter befinden, welche die Chronik des Tages, und also alles was der Kaiser vornimmt und was sich ereignet, in Reime verfaßt und zierlich geschrieben, einem hiezu besonders bestellten Archivarius überliefern. Woraus denn erhellt, daß in dem unwandelbaren Orient, seit Ahasverus Zeiten, der sich solche Chroniken bei schlaflosen Nächten vorlesen ließ, sich keine weitere Veränderung zugetragen hat (I/7, 81 f.).*

Aber der tiefere Zusammenhang liegt in dem *gegenständlichen Denken*, in dem *Realismus*, der dazu führt, die *Gegenwart*, den *Augenblick*, die *Gelegenheit* wichtig zu nehmen und beredt zu machen: *Eine Chronik schreibt nur derjenige, dem die Gegenwart wichtig ist (MuR: Hecker Nr 296).* Natürlich heißt das auch, das *Grundwahre* in seiner Gegenwärtigkeit, in seiner Augenblicklichkeit, in seiner Gelegentlichkeit, in seiner Angelegentlichkeit nicht zu verdecken, sondern möglichst zu erfassen und ihm das Wort zu geben. Dies alles fordert und fördert *ein gewisses Behagen an der Gegenwart, ...Wenn der Mensch daran denken soll von Ereignissen, die ihn zunächst betreffen, künftigen Geschlechtern Nachricht zu hinterlassen ... Zuerst also befestigt er im Gedächtniß, was er von Vätern vernommen, und überliefert solches in fabelhaften Umhüllungen; denn mündliche Überlieferung wird immer mährchenhaft wachsen. Ist aber die Schrift erfunden, ergreift die Schreibseligkeit ein Volk vor dem andern, so entstehen alsdann Chroniken, welche den poetischen Rhythmus behalten, wenn die Poesie der Einbildungskraft und des Gefühls längst verschwunden ist. Die späteste Zeit versorgt uns mit ausführlichen Denkschriften, Selbstbiographien unter mancherlei Gestalten (I/7, 48).* Dergestalt, und das ist zugleich ein Résumé persönlicher Lebenserfahrung, geht es um den besonders hohen Bildungswert der Chr.: *Wer das menschliche Herz, den Bildungsgang der Einzelnen kennt, wird nicht in Abrede sein, daß man einen trefflichen Menschen tüchtig heraufbilden könnte, ohne dabei ein anderes Buch zu brauchen als etwa Tschudi's schweizerische, oder Aventins bayerische Chronik. Wie vielmehr muß also die *Bibel zu diesem Zwecke genügen, da sie das Musterbuch zu jenen erstgenannten gewesen, da das Volk, als dessen Chronik sie sich darstellt, auf die Weltbegebenheiten so großen Einfluß ausgeübt hat und noch ausübt (II/3, 139).* So verwundert es nicht, wenn man feststellen muß, daß Goethe selbst von Kindertagen bis ins Sterbejahr nahezu alle Arten von Chr.n kannte, studierte, besaß. Räumlich/örtlich begrenzte Chr.n, dh. Chr.n der ganzen Welt, solche verschiedenster Weltgegenden und Länder, vieler Städte, Klöster und Kirchen, Burgen und Schlösser; zeitlich begrenzte, dh. zunächst gewissermaßen unbegrenzte, universalgeschichtliche Chr.n, dann spezialgeschichtliche einzelner Epochen oder Ereignisse; persönlich begrenzte, dh. Spezialchroniken einzelner Familien oder Geschlechterfolgen, auch einzelner großer Persönlichkeiten; sachlich begrenzte, dh. Spezialchroniken einzelner Kulturbereiche (Kunst, Literatur, Wissenschaften), einzelner Institutionen (Akademien, Universitäten) oder Einrichtungen und Wirtschaftszweige (*Bergwerke); außerdem: *Lebensbeschreibungen (*Briefe/Briefwechsel), *Memoiren, *Reisebeschreibungen, auch: *Tabellen, endlich: *Sammlungen. In seiner eigenen *Hausbibliothek, in den benutzten öffentlichen *Bibliotheken, aus Privathand, während des Studiums, auf Reisen in andere Länder, Städte, Dörfer hat Goethe rd. 170 Chr.n oder chronikartige Werke gelesen und verarbeitet. Das ist weit mehr, als man bei einem Menschen, der nicht gerade Fachmann ist und dem die *Natur überdies meist mehr war als die Geschichte oder gar die Geschichtsschreibung, erwarten zu können glaubt. Auch ein Zeugnis dafür, daß ein Vers wie dieser nicht in der leeren Luft hängt: *Wer nicht von dreitausend Jahren / Sich weiß Rechenschaft zu geben, / Bleib' im Dunkeln* [!] *unerfahren, / Mag von Tag zu Tage leben (I/6, 110).* Za

Die Zusammenstellung der nachweislich von Goethe gekannten, gelesenen, besessenen und benutzten Chroniken sowie chronikartigen Werke findet sich im Anhang zu dem Artikel: Geschichtsschreibung.

Chronologie. Die Erforschung der schwierigen Fragen nach der Entstehungszeit seiner Werke geht auf Goethe selbst zurück. Schon Schiller wünschte „die Chronologie [seiner] Werke zu wissen" (an Goethe 17. I. 1797), doch wich Goethe dieser Anfrage damals noch aus. Als *unberufene Rathgeber ... in einem öffentlichen Blatte* nach einer *chronologisch* geordneten Ausgabe verlangten (26. II. 1816: *IV/26, 272*), legte Goethe im „Morgenblatt" ausführlich dar, *warum dieses nicht geschehen könne* (*Über die neue Ausgabe der Goethe'schen Werke. I/41¹, 96–99;* geschrieben 19./31. III. 1816). Er versprach aber, der neuen (zweiten Cotta'schen) Ausgabe einen diesbezüglichen Aufsatz beizufügen, der *billigen Wünschen entgegenkommen* solle. In Erfüllung dieser Zusage brachte der letzte Band (20) der Ausgabe die *Summarische Jahresfolge Goethe'scher Schriften*: eine erste, heute überholte chronologische Übersicht *(I/42¹, 77–87).* Während der Beschäftigung mit diesem Aufsatz (1817/1819) stellten sich Goethe die mit der Datierung seiner Werke zusammenhängenden Schwierigkeiten erst in ihrem ganzen Umfang dar. Er verhieß daher eine *ausgeführtere Darstellung (I/42¹, 82),* die er auch alsbald in Angriff nahm: in den *Tag- und Jahres-Heften* versuchte er als erster selbst, in einer großangelegten, auf die Quellen seines Archivs (und auf die Vorarbeiten zu *DuW*) gestützten Darstellung, Licht in die Entstehungsverhältnisse seiner Arbeiten zu

bringen. So konnte er, als S*Boisserée ihn ersuchte, der Ausgabe letzter Hand ein chronologisch geordnetes Verzeichnis „sämtlicher größeren und kleineren Dichtungen" beizufügen (an Goethe 26. IV. 1825), auf *TuJ* hindeuten: *ich werde gewiß mehr thun als man erwartet, wenigstens was von meiner Seite möglich und schicklich ist* (2. V. 1825: *IV/39, 189*). Doch kamen auch die 1830 erschienenen *TuJ* bezüglich der eigentlichen chronologischen Fragen über *summarische* Angaben kaum hinaus. (Ebensowenig das am 21. VIII. 1823 für Louis Bonaparte gefertigte Register *Ouvrages poétiques de Goethe. I/53, 208–210.*) Die Goethe-Forschung konnte gleichfalls bis heute nur Teilergebnisse erzielen. Beträchtlich ist noch immer die Zahl der Werke oder Werkabschnitte, deren Entstehungszeit wir nicht sicher kennen. Eine der wesentlichsten Ursachen liegt in der Kompliziertheit von Goethes Arbeitsweise begründet. Die exakte zeitliche Einordnung seiner Schriften hielt Goethe selbst darum für unmöglich, *weil zwischen Entwurf, Beginnen und Vollendung größerer, ja selbst kleiner Arbeiten oft viele Zeit hinging, sogar bei der Herausgabe die Productionen theilweise umgearbeitet, Lücken derselben ausgefüllt, durch Redaction und Revision erst eine Gestalt entschieden wurde, wie sie der Augenblick gewährte, in welchem sie den Weg einer öffentlichen Erscheinung betraten (I/41¹, 97 f.).* Goethes Werke sind also vielfach nicht in einem Zuge, sondern mit erheblichen, oft jahrelangen Unterbrechungen niedergeschrieben. Das erschwert ihre Datierung außerordentlich. Daß wir andererseits über Goethes Schaffen ein überaus umfangreiches urkundliches Material besitzen – kein anderer Schriftsteller ist ihm in dieser Hinsicht zu vergleichen –, bedeutet zwar eine große, doch längst nicht immer zureichende Hilfe. Unser wichtigstes Auskunftsmittel sind Goethes Tagebücher, aber ihre Ergiebigkeit unterliegt starken Schwankungen. Während sie in den letzten Jahrzehnten seines Lebens mit ziemlicher Regelmäßigkeit das täglich Geleistete festhalten, fehlen sie in anderen Epochen vollständig oder wurden nur nachlässig geführt. Ähnliche Unterschiede treten bei den Briefen zutage. Besonders wurde für die Werke des jungen Goethe die entstehungsgeschichtliche Forschung behindert durch das Autodafé von 1797, dem der größte Teil der eingegangenen Briefe zum Opfer fiel. Handschriften der Werke haben sich in reichem Maß erhalten, fehlen doch aber auch bei vielen gänzlich. Von der Gesamtheit des verfügbaren Urkundenmaterials gilt, daß es schwierig zu interpretieren ist. Die Gefahr einseitiger, unvollständiger oder vereinfachender Auswertung ist groß. Sogar von Goethe selbst herrührende Datierungen in Handschriften oder Drucken weisen beträchtliche Verschiedenheit auf hinsichtlich des Werts und Sinns ihrer Aussage. Oft kennzeichnen sie nicht die Entstehungszeit als solche, sondern nennen nur einen ungefähren Termin des Abschlusses, der Übersendung oder Publikation. Indirekte Datierungsindizien in den Handschriften haben ebenfalls sehr unterschiedliche Beweiskraft, sodaß auch umsichtige Editoren (wie MHecker ua.) ihnen gegenüber viel Zurückhaltung an den Tag legten. – Während es hervorragende entstehungsgeschichtliche Arbeiten über einzelne Werke gibt, fehlt ein für Forschungszwecke brauchbares chronologisches Gesamtverzeichnis. Die in einigen Ausgaben enthaltenen Zeittafeln sind unvollständig und ganz ungenau. Chronologisch geordnete Ausgaben (zB. die Propyläen-Ausgabe) können nur begrenzt zur Orientierung dienen, ebenso die beiden Auflagen der „Chronik von Goethes Leben" von FvBiedermann und FGötting (Leipzig 1931 und 1949). Wertvoll ist die „Chronologische Übersicht", die HGGräf dem 3. Teil von „Goethe über seine Dichtungen" beigab (1914; S. 877–903). Hier findet sich für Goethes Gedichte das aufgrund von Zeugnissen Feststellbare verzeichnet. Dasselbe für das übrige Gesamtwerk zu leisten ist eine der Aufgaben der Sammlung „Entstehung von Goethes Werken in Dokumenten" von Momme Mommsen, unter Mitwirkung von Katharina Mommsen (Berlin 1958ff.). 　　　　*Mm*

Chur, die Hauptstadt des Kantons Graubünden in der *Schweiz, erreichte Goethe am 31. V. 1788 auf dem Rückweg von seiner ersten *Italienreise und übernachtete dort (I/32, 480; RV S. 27). 　　　　　　　　　　　　*JP*

Cicero, Marcus Tullius (106–43 vChr.), wurde in Arpinum geboren; er gehörte dem Ritterstande an. Nach sorgfältiger Ausbildung und einer Studienreise in Hellas und Kleinasien betrat er 75 als Quästor die Ämterlaufbahn, wurde 66 Prätor und 63 Consul. Als solcher rettete er sein Vaterland vor dem Staatsstreiche des Catilina. Wegen gesetzwidriger Hinrichtung der Catilinarier wurde er 58 verbannt, doch im nächsten Jahre zurückgerufen. Bei Ausbruch des Bürgerkrieges zwischen *Cäsar und Pompeius schloß er sich der Partei des letzteren an, wurde jedoch nach dessen Sturz von Cäsar begnadigt. Nach der Ermordung des

Monarchen kämpfte er für die Wiederherstellung der Republik, wurde dann auf Veranlassung des Antonius geächtet und am 7. XII. 43 ermordet.

C. ist für uns, vor allem durch seine Briefe, der bekannteste Mensch des Altertums. In ihm vereinigen sich unleugbare Schwächen mit unsterblichen Verdiensten. Der fruchtbare Schriftsteller und ehrgeizige Politiker war weder ein schöpferischer Denker noch ein bedeutender Staatsmann. Wohl aber steht er unter den Schöpfern des klassischen *Latein an erster Stelle. Roms größter Redner war zugleich der Begründer der literarischen Rede und ein hervorragender Theoretiker der Redekunst. Als Begründer einer philosophischen Literatur in lateinischer Sprache vollzog er die Verschmelzung der römischen und griechischen Nationalität auf literarischem Gebiete. Dadurch, daß er der Nachwelt das Vermächtnis der griechischen *Philosophie übermittelte, wurde er Bannerträger der antiken *Bildung und einer der großen Erzieher der Menschheit, dessen Wirkung bis in unsere Tage reicht.

Natürlich verdankte auch Goethe sein Latein zum großen Teil dem C. Der leipziger Student hörte JA*Ernestis Kolleg über den „Orator", das ihn enttäuschte, und empfahl die „Briefe" seiner Schwester. Auch in *Straßburg standen diese auf seinem Bücherbrett; später las er sie in ChrM*Wielands Übersetzung. Aber wenn er auch den *tüchtigen Redner* und *edlen Vorfahr* schätzte und noch kurz vor seinem Hingang von dem *Werklein ... de Senectute* ergriffen wurde – *und fand es allerliebst (IV/49, 79;* schon 1825 aus der *Bibliothek entliehen: Keudell Nr 1597), so hat ihn doch gerade das typisch Rhetorische an dem berühmten Römer abgestoßen; besonders die rednerischen Gelegenheitsphrasen verdrossen den Verfechter eines auf Anschauung begründeten Wissens (Bdm. 3, 118 und I/42^{II}, 49). Unser heutiges, von der Forschung erarbeitetes C.-Bild hat Goethe noch nicht besessen. 　　　　　*Fe*

Cicognara, Leopoldo Conte (1767–1834), Kunstforscher, Sammler und Maler – Landschaften von ihm wurden 1826 in Venedig ausgestellt –, Präsident der Akademie in Venedig, veröffentlichte 1813–1818 eine „Storia della scultura, dal suo risorgimento in Italia sino al secolo di Napoleone" [später: di Canova], 3 Bde, die Goethe 1816 zu Münzstudien benutzte (I/36, 105) und mit H*Meyer besprach (III/5, 289); auf C.s *Capitel von Medaillen und geschnittnen Steinen des 15. Jahrhunderts (ebda)* beruht auch Goethes Mitteilung an G*Cattaneo über seine Sammlung von Papstmedaillen (1817:

IV/28, 345). C., der 1818 in Weimar und, von Hofrat FKChr*Jagemann angemeldet, am 3. IX. gemeinsam mit FHv*Einsiedel bei Goethe war (III/6, 249), präsidierte 1826 einer Kommission zur Errichtung eines *Canova-Denkmals in Venedig und bat Carl August am 21. I. 1827 um einen Subskriptionsbeitrag, den Goethe am 27. XII. 1827, *der schönen Tage gedenkend, in welchen wir Ihre Gegenwart genießen und Sie von der Theilnahme überzeugen konnten die wir an Ihren schätzenswerthen belehrenden Werken von je her genommen haben (IV/43, 212; 399),* im Auftrag der Großherzogin Luise in Höhe von dreißig Dukaten übersandte. Unter Hinweis auf diese Stiftung empfahl Goethe durch ein Schreiben vom 12. II. 1828 C. die Professoren CW*Göttling und Ae*Huschke, die nach Italien reisen wollten (IV/43, 274).   *Lö*

Cimabue, eig. Cenno di Pepo, gen. C., Maler, tätig in Florenz und Assisi zwischen 1272 und 1302, vor *Giotto der Hauptmeister der florentinischen Malerei, die er mehr durch die Qualität seiner künstlerischen Mittel als durch seinen neuen Bildstil aus der Enge der von *byzantinischen Mustern abhängigen Malerei des italienischen Ducento herausführte und damit die Kunst Giottos vorbereitete. Schon von *Dante (Purg. XI. 96) und den italienischen Kunstschriftstellern des 15. Jahrhunderts als entscheidend für das Werden der neuen Kunst angesehen, beruht die Kenntnis der späteren Jahrhunderte und der Goethe-Zeit auf der Lebensbeschreibung G*Vasaris. H*Meyer hatte 1791 die älteren florentinischen Meister, ,,zu denen ich schon längst mein Herz gewendet", beachtet und beabsichtigte 1797 eine Geschichte der neueren Kunst ,,von C. an bis auf Raphael" zu schreiben. Abgesehen von den aus Vasari herübergenommenen Angaben über die ,,Madonna mit Engeln", eine Stiftung der Familie Rucellai in ihre Kapelle in Sta. Maria Novella zu Florenz, die heute Duccio von Siena zugeschrieben wird, und die als eigenhändig anzusehenden vier Evangelisten in der Vierungskuppel in S. Francesco zu Assisi (I/34ᴵᴵ, 203), beruhen die Kenntnisse Goethes auf Meyer, der 1797 in seinen Vorlesungen in *Stäfa C. behandelte (ebda 114). Auf dieser mittelbaren Kenntnis – 1811 begannen Goethe und Meyer ihre kunstgeschichtlichen Studien mit C. (III/4, 228) – entwickeln sich die goetheschen Ansichten von 1816, daß C. nach dem Niedergang der Kunst in Italien von byzantinischen Künstlern gelernt und von ihnen, als *das Gefühl an Wahrheit und Lieblichkeit der Natur wieder aufwachte, ... die symmetrische*

Composition und den Unterschied der Charaktere wie die andern Florentiner übernommen habe *(I/34ᴵ, 166;* vgl. I/49ᴵ, 65), ein Gedanke, der schon 1803 angeklungen war: *Er hängt an der Tradition und hat einen Blick hinüber in die Natur; versucht sich also hüben und drüben (I/44, 304).* So kann C. *Polignot entwicklungsgeschichtlich verglichen werden (1804: I/48, 101).   *Lö*

Cimarosa, Domenico (1749–1801), gefeierter italienischer Komponist von Buffoopern, tätig in Neapel, Sankt Petersburg und Wien, war schon 1783 durch J*Bellomos Aufführung einer Oper in Weimar bekannt geworden (vgl. I/33, 252 f.). Goethe lernte sein neues Intermezzo (opera buffa) ,,L'Impresario in angustie" am 31. VII. 1787 in Rom kennen und lobte das Stück als ganz fürtrefflich, ebenso die Aufführung: *Sie spielen mit einer großen Natürlichkeit und gutem Humor (I/32, 41;* über die Aufführung in Goethes römischer Wohnung: ebda 48–50). 1791–1810 (1814?) geht diese *immer erfreuliche Oper* – ,,Die Theatralischen Abenteuer" – auch in Weimar über die Bühne, *(I/35, 19),* insgesamt neun Mal (vgl. *Bearbeitung italienischer und französischer Opern: I/42ᴵ, 83;* Goethes Textfassung: I/53, 102–117; *das neue Arrangement* wurde vor dem 7. V. 1799 *mit Vulpius abgeredet: IV/14, 80;* vgl.110–112). Einer Melodie aus den ,,Theatralischen Abenteuern" legte Goethe sein Lied *An dem reinsten Frühlingsmorgen (I/1, 20)* unter. Auch die übrigen Opern C.s wurden in Weimar aufgeführt: ,,Die heimliche Heirat" (,,Il Matrimonio segreto", Uraufführung 1792 in Wien, Text von GBertati; *er war einer der geschicktesten, die in diesem Fache gearbeitet haben: I/32, 143)* 1796-1824 elfmal; ,,Die vereitelten Ränke" (,,Le trame deluse", Uraufführung 1786 in Neapel, Text für die weimarischen Aufführungen, 1794 gedruckt, von Goethe: I/12, 253–286). 1798 ein- und 1817 zweimal; ,,Die bestrafte Eifersucht" (,,Il marito disperato e Il marito geloso", Uraufführung 1785 in Neapel) 1798 viermal und noch einmal 1807. Letztere war von FHv*Einsiedel bearbeitet worden (vgl. IV/12, 367; 13, 13 f.). *Cimarosa zeigt sich in dieser Composition als einen vollendeten Meister, der Text ist nach Italiänischer Manier, und ich habe dabey die Bemerkung gemacht: wie es möglich wird daß das alberne, ja das absurde sich mit der höchsten ästhetischen Herrlichkeit der Musik so glücklich verbindet* (1798: *IV/13, 49).* – 1823 gedenkt Goethe noch einmal C.s, als er Zelter aus dem musikreichen *marienbader Sommer am 24. VIII. 1823 über *Die* *ungeheure Gewalt der Musik auf mich in diesen Tagen* schreibt *(IV/37, 191 f.).*   **MB**

Cimmerien/Kimmerien, bedeutungsverwandt mit **Thule*, in Goethes *Sprache ein Wort, das seit den Berichten *Homers eine Weltgegend des sagen- oder fabelhaften Nordens, insbesondere lebens- und sonnenferner, *todtenhaft* grauer Dunkelheit, Finsternis, Nacht bezeichnet *(I/28, 68).* Goethe, der auf *nord-südlichem Gelände* die Welthälften C.s und **Arkadiens*, dh. der Moderne und der Antike versöhnen und verbinden will, um neue Formen menschlicher Daseinsdeutung und -führung zu begründen, zählt sich selbst zu den Söhnen C.s, die erst in *Arkadien* lernen, *was ein Tag sey* (17. IX. 1786: *III/1, 211;* entsprechend: I/30, 70). Die exemplarische, ja programmatische Verknüpfung von Nord und Süd wird am deutlichsten ausgesprochen im Zuge der *Faust/Helena*-Begegnung (I/15[I], 199 V. 9000; vgl. dazu *Ballade Sp. 660–664). Die Häufigkeit des Wortgebrauches kulminiert in den Jahren der italienischen Reise sowie während der Arbeit an ihrer späteren Darstellung (1786/88; 1813/17; 1819/29); die letzte Phase greift bemerkenswert in die *Chronologie der *Klassisch-romantischen Phantasmagorie (Helena-Akt;* zB. 1827) ein.   **Za**

Cissus (Cissus hederacea = Quinaria quinquefolia, Wilder Wein oder Zaunrebe). Die Ausbildung der rankenden Zweige interessierte Goethe im Sommer 1828 in *Dornburg, als er sich mit dem *Weinstock eingehend beschäftigte. *Die Betrachtung dieses Geschlechtes giebt gar schöne Resultate; es ist das einzige der Weinrebe verwandte und spricht diese Verwandtschaft ganz eigenthümlich aus; auch hier sieht man am Knoten, außer dem Blatt und der Knospe, ein Zweiglein, das aber gerade hier die Traube bringt; der Cirrus* [sic!] *findet sich wie bei der Traube auf der gegenüberstehenden Seite, fehlt gleichfalls jedesmal am dritten Knoten, hat aber flache Tätzchenorgane, um sich anzusaugen. Die Blätter sind aus fünfen, auch wohl aus dreien zusammengesetzt, oder wenn man will; die Fünftheilung, worauf die Weinrebe hinweist, ist an dem gemeinen Blattstiel verfolgt und durchgeführt. Man könnte sagen, die Pflanze luxurire gleich ihrer Verwandten, aber sie gehe vorwärts ungeregelt ins Wilde (II/7, 351).* Zweige von *Cissus* brachte Hofgärtner FSG*Baumann am 15. X. 1828 von Jena nach Weimar mit *(III/11, 291;* vgl. 12, 131).   **Ba**

Civita Castellana (Citta Castellana), etrurische Stadt nordöstlich *Rom, nahe am *Monte Soratte, das antike Falerii, *auf vulkanischen Tuff gebaut, in welchem ich Asche, Bimsstein und*

Lavastücke zu entdecken glaubte (I/30, 194), erreichte Goethe am 28. X. 1787, um hier zum letzten Male vor Rom zu übernachten: *So kann ich noch zu guter Letzt des Vergangenen gedenken und mich auf's nächst Künftige freuen (I/30, 193).* RV S. 25.   **JP**

Clairon, Claire-Josèphe Hippolyte Léris de La Tude gen. (1723–1803), eine der großen französischen Schauspielerinnen des 18. Jahrhunderts; sie setzte sich durch Willen und Arbeit durch und wurde zur Hauptdarstellerin der *voltaireschen Frauenrollen; sie hinterließ interessante Memoiren (1761 und 1799; Gesamtausgabe 1822). Goethe benutzt indessen nicht diese, sondern einen Bericht, den Prinz August von *Gotha aus *Paris erhalten hatte, um daraus in seinen **Unterhaltungen deutscher Ausgewanderten* die Gespenstergeschichte um die Sängerin Antonelli - die C. - zu gestalten (I/18, 129–144; vgl. 5. XII. 1794: IV/10, 210 und 24. X. 1796: IV/11, 241f.). Die C. wird auch in *Rameaus Neffen* von *Diderot erwähnt (I/45, 8; 47; 77; 79 f.).   **Fu**

Clarke, Samuel (1675–1729), englischer Theologe, Philosoph und Philologe, Vorläufer von *Shaftesbury, Gegner des Deismus, übersetzte *Homer ins Englische, J*Newton ins Lateinische. Sonstige Hauptwerke: „A Demonstration of the Being and Attributes of God: more particularly in answer to Mr. Hobbs, Spinoza, and their followers" (1705) und „A Discourse concerning the Unchangeable Obligations of Natural Religion, and the Truth and Certanty of the Christian Revelation" (1706). Goethe berichtet in *DuW*, daß er seiner Schwester die c.sche wörtliche Homerübersetzung, die er für sie aus dem Stegreif ins Deutsche übertrug, vorlas (I/28, 168; vgl. 20. XI. 1774 an Sophie *La Roche: IV/2, 205). In der *Farbenlehre erwähnt er C.s *lateinische Übersetzung* der newtonschen *Optik („Optice", 1707, mehrere Auflagen bis 1749). Auf diese Weise wurde Newtons Lehre *in der Welt verbreitet und nach und nach in die Schulen eingeführt (II/4, 64).*   **Sn**

Clary und Aldringen, ursprünglich italienisches, seit 1363 böhmisch-österreichisches Hochadelsgeschlecht, Grafen (1666), Fürsten (1767), seit Jahrhunderten in hohen und höchsten Staatsämtern bewährt, bereits in der Generation des Johann Nepomuk Josef Anton Dominik Lazar (1753–1826) durch die Heirat der Schwester (Maria Sidonie: 1748–1824) mit dem Hause *Chotek (1) verwandt und für Goethe bedeutsam (*Teplitz), kam aber doch erst durch den ältesten Sohn Carl Josef (1777 bis 1831) und durch dessen Gemahlin Aloysia geb. Gräfin Chotek (1787–1864) in besonders engen Goethe-Kontakt. Die Jahre 1804, 1808, 1810, 1811, 1812, 1813 sind davon erfüllt. Besonders in Goethes Begegnungen mit der *Barmekiden-Kaiserin Maria Ludovica spielt das Fürsten-Paar eine wesentliche, vielfach noch nicht genügend gewürdigte Rolle, die erst aufgrund der Tagebuch- und Briefbestände des Hauses C. (jetzt Stadtarchiv Děčín/Tetschen und Lázná Teplice v Čechěch/Bad Teplitz in Böhmen) voll erfaßt werden kann. Besonders der problematische Theaterabend am 9. VIII. 1812 erscheint in neuer Beleuchtung. Das Lustspiel „Die Wette" um die Frage herum, ob Mann oder Frau zuerst das Liebesgeständnis ablegen soll, wurde im letzten Augenblick und auf Betreiben des Fürsten C. zurückgezogen und durch „La double méprise" ersetzt, die wahren Zusammenhänge aber in jeder Hinsicht verschleiert – die „echte" Fassung der „Wette", dh. das wirkliche Werkchen Goethes und Maria Ludovicas ist verschollen, der unter diesem Titel laufende Text (I/9, 147 bis 168; 508) ist nicht der echte: „Clary hatte von allem, was böse Zungen mit oder ohne Grund über die beiden Nächstbeteiligten, Maria Ludovica und Goethe, gezischelt und gewispert haben, viel eher und viel genauer Wind bekommen als dieser selber... Er befürchtete daher mit gutem Recht, ein gemeinsames Auftreten der Kaiserin und des Dichters als Verfasser, Veranstalter und Mitwirkende, eine so offenkundig einbekannte Urhebergemeinschaft beider könnte ein maßloses ... Geschwätz entfesseln und dem gefährlichen Gerede überflüssigerweise neue Nahrung zuführen" (HSiebenschein S. 375). *Sb*

HSiebenschein: Goethe und Maria Ludovica. In: Wissenschaftliche Zeitschrift der Friedrich-Schiller-Universität Jena. Jg 7 (1957/58).

Claudine von Villa Bella entstand als *Schauspiel mit Gesang* (I/38, 107–194) 1774 mit *Erwin und Elmire* (vgl. I/29, 209; IV/2, 254) und wie dieses in der frischen, kräftigen Prosa dieser Jahre. *Crugantino*, der adlige Vagabund, ist so recht ein Held nach dem Herzen des jungen Goethe, wie er selbst in dem kecken Lied *Mit Mädeln sich vertragen* ausspricht. Dazu gehört auch, daß er alte Erzähllieder singen kann, denn *Alle Balladen, Romanzen, Bänkelgesänge werden jetzt eifrig aufgesucht, aus allen Sprachen übersetzt. Unsere schönen Geister beeifern sich darin um die Wette (I/38, 155).* Er singt denn auch die schaurige Romanze *Es war ein Buhle frech genung*, die auf dem Höhepunkt jäh unterbrochen wird. Dazu gehört ferner, daß er romantische Ständchen bringt *(Cupido, loser eigensinniger Knabe)* und sich

durch kecke Tat befreit. Diese Einzelzüge bleiben auch in der Umarbeitung von 1787 erhalten, die im Übrigen die Blässe der übrigen Gestalten noch verstärkt durch die gehobene Jambensprache und die Ausgestaltung der lyrischen Gesangsstücke und Ensembles *(so zu sagen ganz neu ausgeführt: I/32, 137;* vgl. 142f.; I/35, 10; *in reinere Opernform gebracht: I/42^I, 83).* So wurde schließlich *ein Singspiel* daraus (I/11, 197–283; zuvor *mit Kaysern die Gestalt des Singspiels studirt: I/32, 209).* Die Musik hat an den liedartigen Stücken am wirksamsten eingesetzt; Goethe hatte *durch manche Aufopferungen dem Componisten... entgegen* gearbeitet *(I/32, 273).* Kein Geringerer als L*Beethoven hat das erste Lied (aus der ersten Fassung) unnachahmlich drastisch nur etwas zu langatmig (SGGes. 31, Nr 33) vertont. In S Frhr v*Seckendorffs Vertonungen goethescher Lieder (1779) ist die Romanze aus der ersten Fassung (SGGes. 31, Nr 9) ganz besonders gut gelungen. JF*Reichard, der die zweite Fassung vertonte (Kl.A. 1789, hdschr.; SGGes. 31, Nr 15), hat in der Ständchen-Szene – *Hier, im stillen Mondenscheine* – sein Meisterstück geliefert. Goethe nannte das Ständchen-Lied *(Cupido, loser...;* vgl. I/32, 213) *Rugantinos* (so der Name in der zweiten Fassung) sein *Leibliedchen* (9. II. 1788: *I/32 275)* und fand die Vertonung gerade dieser Verse durch Reichardt *ganz besonders gelungen* (8. IV. 1829 zu JP*Eckermann: *Bdm. 4, 98;* vgl. 86f.; 90f.). Eine Aufführung des *Singspiels in seiner ersten Fassung hat Goethe nach einem Brief vom 7. IX. 1779 für das weimarer *Liebhabertheater geplant (an Chv Stein: IV/4, 58); die erste nachweisbare Aufführung ist die des wiener Burgtheaters vom 13. VI. 1780. Die zweite Fassung wurde durch Reichardt am 29. VII. 1789 in Gotha erstaufgeführt (vgl. IV/9, 102; 136). GM*Kraus entwarf dazu Dekorationen nach Goethes Anweisungen, der auch für die Kostüme Ratschläge gab (15. VI. 1789 an Reichardt: IV/9, 128f.). Für die Aufführung auf dem weimarer Hoftheater mit Reichardts Musik am 30. V. 1795 ließ Goethe durch ChrA*Vulpius eine Prosaauflösung herstellen. Eine Erneuerung für die heutige Bühne würde Reichardts Musik mit der ursprünglichen Prosafassung des Textes verbinden müssen (1930 erfolgreich in Königsberg versucht). *MB*

Claudius, Matthias (1740–1815), „ein zwar begrenztes, aber echtes und tiefes dichterisches Talent" (FJSchneider: Die deutsche Dichtung der Geniezeit. 1952. S. 132), holsteinischer Pfarrerssohn (Reinfeld/Lübeck), studierte in

Jena Theologie, dann Jurisprudenz und Kameralwissenschaften, war 1764/65 Privatsekretär in Kopenhagen, 1768 Redakteur in Hamburg bei JJC*Bode (Adreßcomptoirnachrichten), seit 1770/71 in Wandsbek Herausgeber des „Wandsbecker Boten", 1775/77 als Oberlandescommissarius unter FC Freiherrn vMoser in Darmstadt, 1777 bis ans Lebensende dann wieder in Wandsbek, seit 1788 als Revisor der holsteinischen Bank in Altona bescheiden besoldet. Den Wochenschriften-Titel „Wandsbecker Bote" bezog er so stark auf sich selbst, daß er schließlich alle seine Schriften darunter sammelte: „Asmus omnia sua secum portans oder Sämmtliche Werke des Wandsbecker Boten" (seit 1774/75).

Ohne Goethe als Autor dahinter zu wissen, besprach C. 1773 (März, Mai, Juni) *Zwo wichtige Biblische Fragen* *Bibel Sp. 1166; 1170; 1176), *Brief des Pastors zu *** an den neuen Pastor zu ****, Von deutscher Baukunst (*Aufsätze zur Baukunst I, Sp. 450f.), *Götz von Berlichingen* (dazu Brief an JG*Herder; vgl. RMWerner Goethe-Jb. 2, 89); 1774/1775 gab es wegen der *Leiden des jungen Werthers* einigen Streit, den C. redlich bereinigte (28. IV. 1775). GFE*Schönborn sorgte 1773/74 für engeren Kontakt Goethes mit C. (vgl. Morris 3, 388 bis 390; 4, 26–32). Diese Beziehungen betrafen zunächst nur Druckmöglichkeiten im „Wandsbecker Boten": *Catechetische Induction (Bedenk, o Kind, woher sind diese Gaben?...); Ein Gleichniß (Es hatt' ein Knab eine Taube zart...); Der Autor (Was wär ich...); Der Welt Lohn (Was du dem Publikum gesagt...); Ein Gleichniß (Über die Wiese, den Bach herab...); Da hatt ich einen Kerl zu Gast... Schlagt ihn todt den Hund! Es ist ein Recensent (Morris 3, 84 bis 88).* Goethes Verfasserschaft kann aber für einige Aufsätze der Jahre 1773/74 nicht sicher erwiesen werden (vgl. Goethe-Jb. 13, S. 306).

Nur im September 1784 kam es zu persönlichem Zusammensein, als C. mit FH*Jacobi und dessen Schwester Anna Catharina Charlotte bei Herders in Weimar zu Besuch war; mit diesen und Goethe, Wieland, GFCv*Stein fuhr man dann zu Knebel nach Jena, wo Goethe diese *wunderlichste Societät, die ie an einem Tische gesessen,* angemeldet hatte *(IV/6, 363).* Dank ihrer *Wunderlichkeit,* dh. dank der immer deutlicher werdenden Unvereinbarkeit eng-frommer Jacobi- oder C.-Christlichkeit mit Goethes weltfrommer Religiosität lockerte sich der Kontakt mehr und mehr (1786; 1793; 1794). Schon 1787 war das Verhältniß nur ein *gutmüthiger Waffenstillstand.* Dann wurde es

rasch *immer weitere Entfernung und endlich... leise, lose Trennung (I/32, 105f.),* deren längst wirksames Tempo auch durch den *Xenion*-Wortwechsel (1796) nicht mehr zu beschleunigen, nur noch festzustellen war (I/5^I, 207).

Za

Clauer, Johann Balthasar David (1732–1796), einziger Sohn des frankfurter Stadtarchivars Dr. David C. (1735 †) und seiner Ehefrau Eva Maria geb. *Bethmann (1750†; Sp. 1144f.), körperlich und geistig ohne ausreichende Lebenskraft, wurde aufgrund der testamentarischen Willenserklärung seiner Mutter alsbald der vormundschaftlichen Obhut des Vaters Goethe anvertraut. Nach seiner juristischen Promotion (Göttingen 1753) kam C. 1755 mit seinem Diener zunächst für fast zwei Monate zu Goethes und wohnte vom 1. I. 1758 bis Ende August 1783 ständig dort. Er war und blieb außerstande, sein Vermögen (rd. 43000 Gulden) selbst zu verwalten. Sein Gesundheitszustand verschlimmerte sich, vornehmlich 1768/69 zu gefährlichen Formen geistiger Zerrüttung und Umnachtung. Zu einer ausdrücklichen, völligen Entmündigung wollte man es nicht kommen lassen. Vater Goethe hat die Vormundschaft über dreißig Jahre lang geführt; er hat unter den besonders schwierigen Umständen dieser Verpflichtung menschlich und sachlich enorme Lasten getragen und mit ihm sein ganzes Haus. Nach Vater Goethes schwerem Schlaganfall (1780) wurde ein Verwandter C.s, Fähnrich Schiele, 1781 Hauptvormund. Seit 1783 lebte C. in zunehmender Absonderlichkeit, schließlich wohl gar in Verwahrlosung. Goethe selbst gedenkt des Hausgenossen in *DuW* als seines ersten *Sekretärs (I/26, 223f.).

JP

Clausewitz, Carl von (1780–1831), vereinigte philosophische und militärische Fähigkeiten in ganz besonderem Maße. Eben in die preußische Armee eingetreten, nahm er als Fähnrich 1793 sogleich an der Belagerung von Mainz teil, 1795 wurde er Leutnant und begann seit dieser Zeit, zumal seit 1801, zu einem ungewöhnlichen Maße von Geisteskultur sich hochzuentwickeln. Wesentlich wurden ihm dabei besonders die Philosophie Kants, alsdann die dichterischen Werke Schillers (Wallenstein) und Goethes, diese nahegebracht und fruchtbar geworden auf dem Wege über seine Frau Maria Sophia, geb. Gräfin*Brühl (7) durch CFv*Berg, geb. vHaeseler. Jedenfalls ist C. unter den großen Soldaten seiner Zeit, insbesondere der *Freiheitskriege, einer der größten, die der Welt Goethes nahe standen, so nahe, daß alle Ansätze der eigenen Lebensleistung als mehr oder weniger durch Goethe mitinspiriert verstanden werden müssen. Persönliche Begegnungen könnten schon 1793 vor Mainz (Zahlbach), sodann Ende Dezember 1806 in Weimar (als Begleiter des Prinzen August von *Preußen), vielleicht auch in den Jahren 1813/15 stattgefunden haben. C. hat seine Gefangenschaft zu einer besonders wirkungsvollen Denkschrift über die Heeresreform benutzt, wurde 1809 Bürochef Scharnhorsts, 1810 Major im Generalstab, Lehrer an der Kriegsschule, militärischer Erzieher des preußischen Kronprinzen Friedrich Wilhelm (IV.), erst 1814 preußischer Oberst, 1815 Generalstabschef bei JA Freiherr vThielmann, der übrigens Vertonungen goethescher Lieder (zB. *Der Gott und die Bajadere*) gern und sogar schön sang. Entscheidende Feldherrntaten blieben C. freilich versagt. Er starb, nunmehr General geworden, als Generalstabschef Gneisenaus in *Breslau an der Cholera. Seine Schriften, insbesondre sein „Buch vom Kriege", das erst 1832 aus dem Nachlaß zusammengestellt wurde, kannte Goethe nicht.　　　　*Gk*

EWeniger: Goethe und die Generale der Freiheitskriege. Geist, Bildung und Soldatentum. Neue, erweiterte Auflage 1959.

Clausthal-Zellerfeld, heute Bergbaustadt im Oberharz mit Oberbergamt und Bergakademie (seit 1775), zu Goethes Zeit zwei getrennte Orte, C. um 1550, Z. im 12. Jahrhundert entstanden.

Goethe besuchte den Doppelort am: 7.–9./ 11. XII. 1777; 18.–21.; 23.–26. IX. 1783; 10.–15. VIII. 1784. – 1777 und 1783 war C.-Z. Ausgangs- und Endpunkt der *Brocken-Besteigungen. *Hier ... wo von unterirrdschem Seegen die Bergstädte fröhlig nach wachsen,* fuhr Goethe am 8. XII. 1777 *in der Caroline Dorothee und Benedickte* ein, am 9. XII. *auf die Hütten* und besah *nach Tische* das Mineralienkabinett des Apothekers Ilsemann *(III/1, 56)*. 1783 wohnte er mit Fv*Stein bei dem Berghauptmann FWHv*Trebra: *Hier bin ich recht in meinem Elemente, und freue mich nur daß ich finde ich sey auf dem rechten Weege mit meinen Spekulationen über die alte Kruste der neuen Welt* (IV/6, *199f.).* Der letzte Besuch 1784 war neben Ausflügen in die Umgebung wiederum Bergwerksbesichtigungen gewidmet (Dennert S. 79), auch Berghauptmann CFv*Reden wurde aufgesucht (IV/6, 335). RV S. 17; 22f.; *Bergwerke und Hüttenbetriebe Sp. 1041f; WHerrmann: Goethe und Trebra. S. 72–76; *JP*

Clavigo, ein Trauerspiel in fünf Akten (I/11, 47–124), dessen Entstehungsgeschichte Goethe in *DuW* (I/28, 346–349) mitteilt. Junge Leute in Frankfurt trafen sich im Frühjahr 1774

häufig zum *Mariage-Spiel, wobei AS*Münch, Goethes Partnerin, nach gemeinsamer Lektüre des im Februar 1774 erschienenen vierten Heftes von PACde*Beaumarchais' Memoiren den jungen Dichter aufforderte, ein Theaterstück aus dem Inhalt dieses Heftes zu gestalten. Er verpflichtete sich scherzweise, diesen Wunsch innerhalb einer Woche zu erfüllen, und hielt sein Wort (vgl. UKM S. 85; 11. X. 1823; Bdm. 3, 282; am 28. V. 1774 an FG*Klopstock gesandt: IV/2, 162). Beaumarchais hatte in seinem „Fragment de mon voyage en l'Espagne" (vgl. „Die wahre Geschichte des Clavigo. Aus dem Französischen der Memoiren des Herrn von Beaumarchais übersetzt", Hamburg 1774) sehr anschaulich erzählt, wie er in Madrid seine Schwester, die mit dem Schriftsteller und königlichen Archivar Don Josef Clavijo y Faxardo verlobt gewesen und zweimal von ihm verlassen worden war, an dem ungetreuen Liebhaber gerächt und dessen Amtsenthebung durchgesetzt habe. Ohne Zweifel ist Goethes *Clavigo* nicht ganz so beiläufig entstanden, wie sein Verfasser in seiner launigen Darstellung glauben machen könnte. Abgesehen davon, daß Goethe den Plan einer Dramatisierung gewiß schon bei sich erwogen hatte, bevor er die Memoiren den Freunden zum Lesen brachte, ist sein Werk auch unverkennbar, in seiner ästhetischen Struktur wie in seinem seelischen Gehalt, so sehr aus den innersten Anliegen des Menschen und Künstlers Goethe gestaltet, ist es so sehr angemessener Ausdruck seiner damaligen Lebenslage, daß ihm ein höherer Rang als der eines beiläufigen Nebenwerkes zugesprochen werden muß (vgl. JH*Merck an F*Nicolai: Bdm. 1, 62). Nachdem Goethes *Götz* in seiner ersten Gestalt den Tadel JG *Herders auf sich gezogen und auch in veränderter Fassung seinem Dichter den Vorwurf eingetragen hatte, er verstünde nichts von den wirklichen Anforderungen der Bühne, brannte Goethe schon seit langem darauf, *ein Drama fürs Aufführen zu schaffen, damit die Kerls sehen dass nur an mir liegt Regeln zu beobachten und Sittlichkeit Empfindsamkeit darzustellen* (15. IX. 1773 an JC*Kestner: IV/2, *106*). Für diesen Wunsch erkannte er sogleich das Motiv des C., von Beaumarchais in fast dramatischer Zuspitzung vorbereitet, als geeignet; und in der Tat setzte er der zeitlichen und räumlichen Uneinheitlichkeit des *Götz* nunmehr die größtmögliche Einheitlichkeit entgegen: nur wenige Personen wickeln die tragische Handlung innerhalb von drei Tagen ab, und in strenger, gleichförmiger Wiederholung wechselt die ersten vier Akte hindurch der Schauplatz zwischen C.s und *Guilberts* Wohnung, während nur der fünfte Akt das düstere, balladeske Ende im Bild einer nächtlichen Straße bringt. Hierfür, wie für die ungemeine Präzision und Schlagkraft der Dialoge, die sprachliche Zucht, ist gewiß GE*Lessings 1772 erschienene ,,Emilia Galotti" vorbildlich gewesen, die überdies so starke stoffliche Anklänge bot. Aber noch tiefere Bedürfnisse des Menschen Goethe wurden vom C.-Stoff angesprochen, nicht so sehr von der Gestalt des ,,Rächers" Beaumarchais zwar, der sich in den Memoiren mit advokatenhafter Beredsamkeit ins Licht setzte, als von der des so verächtlich gemachten Clavijo. In Clavijos Konflikt zwischen Liebe und Ehrgeiz, zwischen gefühlvoller Bindung an ein liebendes Wesen und den ihr widerstreitenden Anforderungen seiner eigenen Berufung und der größeren gesellschaftlichen Welt erkannte Goethe schmerzliche Wirrnisse wieder, die er in seinem *sesenheimer Schicksal mit F*Brion durchlebt und nicht ohne peinigende Selbstvorwürfe hinter sich gelassen hatte (vgl. I/28, 120; daß sich Beaumarchais *Charackter, seine Taht, mit Charackteren und Thaten in mir amalgamirten, und so mein Clavigo ward, das ist Glück: IV/2, 187*). Erlebtes drängte nach befreiender Gestaltung. Goethes *C.*, nur um einen Grad weniger vom genialen Schöpferdrang über sein Schicksal fortgetragen, nur um einen Grad weicher, unausgeglichener als der Ungetreue von Sesenheim, muß an seinem Lebenskonflikt zerbrechen, wenn noch dazu auf der anderen Seite, der der Verlassenen, eine so heftige Reaktion – in der Gestalt des rächenden Bruders – ins Spiel tritt. So war die Tragödie nach der Anregung durch Beaumarchais gleichsam von selber konzipiert, nämlich durch eigen Erlebtes und Erlittenes, so daß die Mühelosigkeit der Schöpfung, von der Goethe berichtet, verständlich ist. Die Gestalt *Weislingens* aus dem *Götz* hatte zudem den Typ des *C.* schon vorgeformt *(mein Held [C.] ein unbestimmter, halb gros halb kleiner Mensch, der Pendant zum Weislingen: IV/2, 171 f.)* und psychologische Einzelzüge, die jenem im *Götz* nicht zuteil geworden waren, kamen diesem um so reichlicher zugute. C. ist kein verächtlicher Bösewicht und Intrigant, dazu hat sein Ehrgeiz zu respektable Gründe und sein Ratgeber *Carlos* – dem wirklichen Freunde Merck nachgezeichnet, nur zuweilen etwas an *Fausts* Begleiter *Mephistopheles* erinnernd – zu viel Vernünftiges im Sinn. Und C. ist kein leichtfertiger Verführer, denn seine Tragik beruht ja gerade darin, daß er es nicht ist, daß er mit den innigsten Kräften seiner Natur die Verlassene dennoch liebt, mit ihr verbunden bleibt. Er ist nicht einmal ein wirklicher Schwächling, denn dazu legt er zu heftiges Wollen in beides, in die qualvolle Liebe sowohl wie den schöpferischen und gesellschaftlichen Ehrgeiz, und sein Verderben liegt gerade in der Gewalt dieser widerstreitenden Impulse. Zu *Carlos'* ,,Herrenmoral" ebenso wie zu Beaumarchais' Tüchtigkeit, zum Ruhm wie zur Liebe gleichermaßen hingerissen, muß er zugrunde gehen, weil beides in seinem Leben nicht zu vereinen ist. Seine Natur läßt ihn die endgültige, befreiende Entscheidung nicht finden, erst im Tode finden. So ist es nicht Feigheit, sondern echte Reue und Liebe, die ihn veranlaßt, Mariens Verzeihung zu suchen, als ihr Bruder ihn ungestüm bedroht. Und es ist nicht nur *Carlos'* Überredung, sondern ein in der Person der Geliebten selber begründetes Hindernis, das ihn veranlaßt, sich zum zweiten Male ihr zu entziehen: ihre Krankheit, die ihn im überschwenglichen Gefühl der Versöhnung bereits ebenso abstößt, wie ihn ihre Liebe fesselt. Erst ihr Tod, C.s Begegnung mit ihrer Leiche in nächtlicher Straße, einem düsteren elsässischen Volksliede nachgestaltet, vermag ihn zur Entscheidung hinzureißen: und er wählt den Tod, die Vereinigung mit der Geliebten jenseits des Lebens. Das Duell mit Beaumarchais, der ihn ersticht, vollzieht nur seinen freiwilligen Entschluß. Wenn Goethe auch in *DuW* meinte, *C.* sei ein Stück, wie man leicht ein *Dutzend . . . der Art* hätte schreiben können, so muß man es doch als eine vollendete Leistung werten, die ganz aus einem einmaligen, unwiederholbaren schöpferischen Augenblick entsprungen ist. Das ablehnende Urteil des Freundes Merck: *solch einen Quark mußt du mir künftig nicht mehr schreiben; das können die andern auch (I/28, 348)*, ist zweifellos abwegig, wenn auch verständlich, da Merck von dem Freunde Schöpfungen wie *Faust, Prometheus* und *Cäsar* erwartete und es für seine Pflicht hielt, ihn auf diese bedeutenderen Pläne zurückzuweisen. *Clavigo* eroberte sich bald das Theater: die Uraufführung erfolgte am 23. VIII. 1774 in Hamburg durch FL*Schröder. Der echte Clavijo, der bis 1806 lebte, pflegte zu sagen, er sei schon oft auf deutschen Bühnen gestorben. Beaumarchais sah schon 1774 eine Aufführung in Augsburg und urteilte abfällig, weil er die Fabel verändert fand.   *So*

Cleaveland, Parker (1780–1858), amerikanischer Naturwissenschaftler und insbesondere Geolog aus alter puritanischer Familie, wurde nach Studien in Harvard (nicht *in Freiberg:*

IV/*37, 88*) dortselbst Tutor für Mathematik und Naturphilosophie und lehrte seit 1805 als Professor am Bowdoin College in Brunswick. Erst nach 1807 begann er mit mineralogischen Studien und veröffentlichte 1816 als erstes amerikanisches Werk dieses Faches „An Elementary Treatise on Mineralogy and Geology" (mit einer Karte der *Vereinigten Staaten). *Durch besondere Gelegenheit* – nämlich durch JG*Cogswell – *kommt die Geognosie der Vereinigten Staaten uns näher. Was für Vortheil daher entspringt, wird auf freundliche und solide Weise erwidert (I/36, 139)*, und zwar durch das am 29. VII. 1819 über Cogswell an C. gesandte Diplom der *mineralogischen Gesellschaft zu Jena (IV/31, 245). Goethe studierte das Werk gleich nach Erhalt 16.–18. VI. 1818, auch später wiederholt (zB. 1823; 1826: III/10, 254) und anerkannte es, da es zwischen den Anschauungen AG*Werners und RJ*Hauys zu vermitteln suchte. *Es ist noch der alte Grund und Boden, auf dem man wandelt, der nicht jeden Augenblick mit uns auf- oder niederzugehen droht, und doch findet man das Werk vorschreitend und bis auf die neusten Zeiten hinlänglich; und so muß man sich zwischen Bestehen und Umwälzen hinhalten (IV/37, 88)* – wie Goethe an KGrafv*Sternberg am 20. VI. 1823 schrieb, nachdem ihm C. ein Exemplar der 1822 erschienenen zweiten Auflage für die mineralogische Gesellschaft übersandt hatte (Ruppert Nr 4464 f.).   *Sl*

LLMackall: Briefwechsel zwischen Goethe und Amerikanern. In: GoetheJb 25 (1904), S. 3–37. – DAB 4 (1930), S. 189 f.

Cloaca Maxima (Rom), Graben zur Entwässerung des sumpfigen Gebietes auf dem Forum und in den Tälern zwischen den Hügeln, auch zur Aufnahme der städtischen Abwässer – nach sagenhafter Tradition von Tarquinius Superbus angelegt – wurde von Agrippa unter *Augustus erweitert und renoviert. Die gewaltige Anlage war in ihren Trümmern Goethe schon zu Hause durch Stiche GB*Piranesis bekannt, in Wirklichkeit *erhöhte sie wohl noch den colossalen Begriff, wozu uns Piranesi vorbereitet hatte (I/32, 326).* Die C.M. gehörte wie die *Katakomben zu denjenigen Bauwerken, die Goethe sich bis zum Schluß seines römischen Aufenthaltes aufgespart hatte (April 1788).
                    Hm

Grumach S. 443 – Platner-Ashby S. 120 ff. – RE 4, S. 59 ff. (Hülsen).

Clodius, Christian August (1738–1784), Gottsched- und Ramler-Epigone, zunächst Student, dann Professor in *Leipzig, von Goethe als *junger, munterer, zuthätiger Mann (I/27, 137)* charakterisiert, und als Kritiker der eigenen Produktion bejaht (Morris 1, 159), aber bald in seiner Eigenschaft als Universitätslehrer wie als literarischer Publizist von dem Freundeskreis um EW*Behrisch (Sp. 969), auch von Goethe selbst verspottet, zB. in seinem Panegyrikus an den *Kuchenbäcker Händel (Morris 1, 210; 6, 31 f.*), in dem parodistischen *Knittelvers*-Prolog zu C.s „Medon, oder die Rache des Weisen" (I/27, 141), durch JA*Horn aber unter Verwendung der goetheschen Verse öffentlich und mit ärgerlichen Nachwirkungen attackiert (I/27, 142). *Auch war es nicht schwer, ihm eine komische Seite abzugewinnen. Als eine kleine, etwas starke, gedrängte Figur war er in seinen Bewegungen heftig, etwas fahrig in seinen Äußerungen und unstät in seinem Betragen. Durch alles dieß unterschied er sich von seinen Mitbürgern, die ihn jedoch, wegen seiner guten Eigenschaften und der schönen Hoffnungen die er gab, recht gern gelten ließen (I/27, 139).*   *Za*

Cluses, kleine Stadt im Tale der *Arve/Savoyer Alpen, in der sich Goethe vom 3.–4. XI. 1779 aufhielt (I/19, 241 f.; RV S. 19).   *Fu*

Clytia, die Porträtbüste eines jungen Mädchens der frühclaudiusischen Epoche, die gleichsam aus einem Kelch von Blütenblättern herauswächst (London, British Museum, Nr 1874), hat ihren Namen von der verlassenen Geliebten des Sonnengottes erhalten, die in ihrer Trauer in eine Blume verwandelt wurde (*Ovid, „Metamorphosen", IV, 255 f.). Durch Vermittlung des Naturforschers JF*Blumenbach in Göttingen erhielt Goethe Abgüsse dieses Bildwerks (IV/18, 54–56).   *Hm*

Schuchardt 2, S. 335 f.; Nr 113 f. – Wegner S. 76; Abb. 54 – Grumach S. 566.

Cogswell, Joseph Green (1786 bis 1871) hielt sich nach dem Jurastudium 1809–1811 in Südeuropa auf; besaß 1812–1813 eine Anwaltspraxis in Belfast; war dann zwei Jahre Tutor für Latein in Harvard. 1815–1820 bereiste er Europa und besuchte am 27. III. 1817 (III/6, 26; IV/29, 212) und am 10. V. 1819 (III/7, 46) Goethe. Er war ihm ein *alter Freund* geworden, *ein freyer Nordamerikaner . . ., der schöne Bücher und Aufsätze mitgebracht, auch viel Erfreuliches von dort her erzählt hatte* (an August v*Goethe 26. V. 1819: IV/*31, 154*). C. berichtet ausführlich über diese Besuche (Bdm. 2, 376; 438; 443), wie Goethe ihn beim ersten Besuch in den Räumen der mineralogischen Gesellschaft in Jena empfangen und als das Gespräch auf *Amerika kam, sich Goethe als unvoreingenommen Beurteiler der amerikanischen Literatur, wie es C. noch von keinem anderen

Europäer gehört hatte, gezeigt habe. Nach Gesprächen über englische und deutsche Literatur führte ihn Goethe durch die ganze Sammlung und erklärte ihm alle bemerkenswerten Stücke. Nach Amerika zurückgekehrt war C. dann Professor der Mineralogie und Geologie in Harvard, später Lehrer, Redakteur und Bibliothekar.   Sl
DAB 4 (1930), S. 273. – GoetheJb 25, S. 2–37.

Coincidentia oppositorum: das Wort begegnet bei Goethe nicht, wohl aber das Prinzip, das ihm aus der Tradition heraus das *Polaritäts-Denken legitimieren hilft.

Wie Leibniz' Theodizee (1710) zeigt, beschäftigte die aus der christlichen Theologie stammende Frage nach dem Verhältnis des Guten zum Bösen in einer göttlichen Welt das frühe 18. Jahrhundert stark. Goethe wurde sie schon früh durch die *Bibel nahegebracht (Psalm 139, 12; Hiob 2, 10). Wenn Goethes Darstellung in *DuW* (I/27, 218 ff.) wirklich den Tatsachen entspricht, so beunruhigte ihn über das Sittliche hinaus bald auch die ganze Widersprüchlichkeit dieser Welt. Bewußt wurde ihm das Problem wohl zuerst in Straßburg bei der Lektüre von *Giordano Brunos Dialog „Della causa, principio ed uno" (*Ephemerides* I/37, 79 ff.). Auch wird ihn der schlesische Mystiker J*Böhme in dieser Beziehung angeregt haben (I/30, 135). Die bei beiden gegenüber NvKues vollzogene Wendung von der Transzendenz zur Immanenz, der Gebrauch natürlicher statt mathematischer Symbole (des Baumgleichnisses) mochten ihn dabei besonders ansprechen. Nannte er noch in der Sulzer-Rezension der FGA 1772 (*I/37, 210*) *schön und häßlich, gut und bös, alles mit gleichem Rechte neben einander existirend*, wußte er als Künstler auch um Fülle und Wert des Individuellen, so wuchs bei seiner Spinoza-Lektüre in immer stärkerem Maße die Überzeugung von der göttlichen Einheit im Vielerlei der Dinge. Es lebt „Alles in Einem und aus Einem". Zugleich befruchtete Leibniz' Idee vom Streben aller Wesen nach Vervollkommnung seinen Glauben an die Möglichkeit einer Entwicklung beim Menschen. Einen weiteren Schritt zu einer tragbaren Lösung führte Goethe (wie auch JG*Herder) dann JG*Hamann. Bei ihm wurde die Säkularisierung der bis dahin religiös gedachten Lösungen vollendet, erfolgte die Übertragung auf Natur und Menschenleben in Raum und Zeit, zumal in der Geschichte. Als Symbol diente ihm das „pudendum". Goethe hielt sich freilich lieber an den Magneten (I/2, 218; II/11, 182). Die Frage Hamanns in der „Neuen Apologie des Buchstabens h" (1773): „Ist das

berühmte Principium coincidentiae oppositorum euch gänzlich unbekannt?" wird dem eifrigen Hamann-Leser ebensowenig entgangen sein, wie des Magus Brief an Herder vom 27. IV. 1781 (Hamanns Schriften, ed. Fr. Roth, 1821, Bd VI, S. 183) und Herders Bekenntnis zur Koinzidenz in seiner Antwort auf KThv*Dalbergs „Betrachtungen über das Universum" (1777; Herder SW 9, S. 536 ff.). Später war es vor allem GWF*Hegel, dessen Auffassung von der Koinzidenz als Prinzip dynamischer Entwicklung ihm näher lag als die FrW*Schellings, der in die Bahnen des von ihm vergötterten Giordano Bruno zurücklenkte.

In anderer Weise als JGHerder, nach dessen in den „Ideen zur Philosophie der Geschichte der Menschheit" (1784–91) vorgetragener Lehre von den Gesetzen geschichtlicher Entwicklung sich alle als polar wirksam gedachten Kräfte der Zerstörung und Erneuerung verbinden, um neue, höhere als Humanität verstandene sittliche Daseinsformen zu schaffen, wendet Goethe das Prinzip zur Ergründung und Deutung der Naturgesetzlichkeit und zur Erringung vertiefter individueller wie gesellschaftlicher Daseinsmöglichkeiten an. Steigerung im Sinne der Koinzidenz wird die Leitidee seiner Erklärungsversuche naturwissenschaftlicher Phänomene wie Forderung der Persönlichkeitsbildung und damit auch Gegenstand seiner Dichtung (II/6, 332; „Polarität" II/11, 164).

Zugrunde liegen Ideen von der Einheit des sich dauernd wandelnden mannigfaltigen Individuellen und dem Aufgehen des Vielerleis in einem System von Ganzheiten, die sich zu einem Stufenbau der Welt in religiösem Sinne zusammenfügen. (Bdm. 1, 479, Nr 971; II/11, 200; Parabase I/3, 94.) Alle Steigerung beruht dabei auf der als Polarität verstandenen Gesetzlichkeit alles Irdischen. Dynamisch wirksame Spannungen, nur dialektisch erfaßbar, bestimmen das Werden und bringen die schöpferischen Kräfte in der Natur wie beim strebenden Menschen zur Entfaltung. Metamorphose führt im Sinne Goethes nicht allein, wie es meist verstanden wird (Boucle), zu Harmonie, Gleichgewicht zwischen gegensätzlichen Antrieben, sondern zur Überwindung in einem dritten, höheren Zustand, der das Widerstrebende zur Versöhnung in einem spannungserfüllten Neuen bringt.

Die Einsicht in die *Urpolarität (I/33, 196)* alles Gegebenen erfüllt Goethes ganzes Lebenswerk. Die *Dialektik nennt er *die Ausbildung des Widersprechungsgeistes, welcher dem Menschen* *gegeben, damit er den Unterschied der Dinge erkennen lerne (MuR:* Hecker *Nr 1202;* dazu aber Bdm. 3, 477). Dabei wird Polarität immer dynamisch, im Sinne eines Kraftfeldes verstanden (Leisegang). Im März 1828 nannte er sie zusammenfassend *die Grundeigenschaft der lebendigen Einheit . . . (MuR:* Hecker *Nr 571;* I/2, 217; I/6, 11; 152 *[Gingo Biloba]).* Daher auch seine Neigung zu antithetischer Ausdrucksweise. Am häufigsten finden sich Worte über solche *Polarität* im *Entwurf einer Farbenlehre* (1808) *(II/1, XXI;* 15; 187; 296; 5I, 40; *II/4, 303; 388).* Dort druckte er auch ein schon 1792 entworfenes, im gleichen Jahre in der Einleitung zu den „Propyläen" abgedrucktes Schema dualistischer Naturwirkung ab, das den Bereich der Koinzidentien wesentlich erweitert (II/1, 277). An anderer Stelle spricht er über das Verhältnis der Plus- und Minus-Pole jeder Polarität, die er *die zarteste Sache von der Welt* nennt. Die *polaren Gegensätze* (bei den entoptischen Farben) *können aufgehoben, neutralisirt, indifferenziirt werden, so daß beide zu verschwinden scheinen; aber sie lassen sich auch umkehren . . . Durch die mindeste Bedingung kann das Plus in Minus, das Minus in Plus verwandelt werden (II/5I, 261).* Auch in der Welt der Pflanzen bemerkt er solche Polarität. So heißt es in der *Metamorphose der Pflanzen (II/6, 63, § 73):* Vom Samen bis zu der höchsten Entwicklung des Stengelblattes bemerkten wir zuerst eine Ausdehnung, darauf sahen wir durch eine Zusammenziehung den Kelch entstehen, die Blumenblätter durch eine Ausdehnung, die Geschlechtstheile abermals durch eine Zusammenziehung; und wir werden nun bald die größte Ausdehnung in der Frucht, und die größte Concentration in den Samen gewahr werden. In diesen sechs Schritten vollendet die Natur unaufhaltsam das ewige Werk der Fortpflanzung der Vegetabilien durch zwei Geschlechter.*

Hatte Goethe festgestellt, daß alles, was *in Erscheinung tritt, . . . sich trennen muß,* um nur zu erscheinen, so meint er weiter, *das Getrennte . . . kann sich wieder finden und vereinigen . . . im höheren Sinne . . .,* in dem es sich *zuerst steigert und durch die Verbindung der gesteigerten Seiten ein Drittes, Neues, Höheres, Unerwartetes hervorbringt (II/11, 166; II/6, 306). Diese Steigerung,* sagt er an anderer Stelle, *ist es allein, die mich auf meinem Gange, nach meinem Beruf an sich ziehen, festhalten und mit sich fortreißen konnte (II/6, 332).* In dem Brief vom 24. V. 1828 an Kanzler v*Müller versucht er, Materie und Geist, jedes für sich allein wie in ihrem Verhältnis, so zu ver-

stehen. Auch hier bietet wieder die Farbenlehre die einfachsten Beispiele. *Die Steigerung erscheint uns als eine in sich selbst Drängung, Sättigung, Beschattung der Farben . . . (II/1, 211 ff.)* oder an anderer Stelle deutlicher: *Zwei reine ursprüngliche Gegensätze (Gelb und Blau) sind das Fundament des Ganzen. Es zeigt sich sodann eine Steigerung, wodurch sich beide einem dritten (Purpur) nähern; dadurch entsteht auf jeder Seite ein Tiefstes und ein Höchstes, ein Einfachstes und Bedingtestes, ein Gemeinstes und Edelstes . . . (II/1, 277 ff., 281).* Das Schema sieht für Goethe so aus:

Purpur

(das höchste und reine Rot)

Gelbrot	Blaurot
(Orange)	(Violett)
+ Gelb	Blau —

Grün

(II/1, XXXV. 211 ff.; 278; 364; II/5I, 136 ff.). So erscheint hier eine Lösung ganz im Sinne der C. o., wenn man sie als in Raum und Zeit erfolgend versteht. Dabei bemerkt Goethe, daß die Steigerung *auf der Plusseite* hier am häufigsten ist *(II/1, 210 f.).*

Die beste Anschauung bietet ihm wieder die organische Natur. *Die Gliederung der edleren Pflanze ist hier nicht eine fortgesetzte Wiederholung des unveränderten Selbigen in's Unendliche. Gliederung ohne Steigerung gibt uns kein Interesse, wir landen da wo uns am meisten zugesagt ist: gesteigerte Gliederung, successive gegliederte Steigerung, dadurch Möglichkeiten einer Schlußbildung, wo denn abermals das Viele vom Vielen sich sondert, aus dem Einen das Viele heraustritt. Mit diesem Wenigen sprechen wir das ganze Pflanzenleben aus, mehr ist darüber nicht zu sagen (II/6, 353).* Jedes Blatt will ein Zweig, sowie jeder Zweig ein Baum werden. Einerseits verfeinere sich, wie Goethe am Giersch beobachtet (II/6, 179–181; 334 bis 336), das Blatt immer mehr, auf der anderen Seite metamorphisiert es sich zur Blüte. Über die Tierwelt aber findet sich folgende lakonische Notiz: *Die Gehirnknochen entstehen aus Wirbelknochen. Durch Steigerung erheben sie sich zu Sinneswerkzeugen (II/13, 18).*

Auch im Ästhetischen und Moralischen ließe sich die Formel der Steigerung anwenden, meinte er zu Riemer (24. III. 1807: *Bdm. 1, 482).* Vor allem aber wird sie ihm zum Prinzip der Lebensgestaltung. Ist alles Lebendige als spannungserfüllte Einheit anzusprechen, liegt in der dynamischen Spannung das eigentlich fruchtbare, schöpferische Prinzip (MuR: Hecker Nr 1255), macht überhaupt erst der Widerspruch fruchtbar (Bdm. 3, 352), so

gilt es für den um Vervollkommnung bemühten Menschen in erhöhtem Maße, alles Widerstrebende, Gegensätzliche, ja oft scheinbar
Widersinnige zum Aufbau des eigenen Lebens
zu nutzen. Persönlichkeit heißt Steigerung;
Dämon und Tyche, Beharren und Verwandeln,
Vergangenheit und Gegenwart sollen sich niemals aufheben, sondern als Mittel der Steigerung im Dienste der menschlichen Entwicklung stehen. Vor allem soll der Tod in diesem
Sinne dem Leben dienen, ein *Kunstgriff der
Natur sein, viel Leben zu haben.* Damit wird
menschliches Dasein ein unaufhörliches *Stirb
und werde!,* eine immer erneute Palingenesie,
ein *Umarten,* das den strebenden Menschen
auf stets neue, höhere Stufen führt. Darin wußte sich Goethe vor allem mit Herder, schließlich aber auch mit dem ganzen Zeitalter eins.
Sein eigenes Leben war von dem Verlangen
darnach erfüllt, seine Existenz, in stetiger
Diastole und Systole geformt, Ausdruck der
Gottnatur.
So sind auch Goethes Dichtungen stets Zeugnisse dieses Bemühens um Steigerung im
Sinne einer Koinzidenz. Sie spiegeln eine dabei erreichte neue Höhe des Daseins, wie der
West-östliche Divan, oder sie zeigen das ernste,
ja oft verzweifelte Ringen darum.
So schildert der Dichter in *Iphigenie auf Tauris* eine Welt voll tiefer Widersprüche, und
zugleich erlebt die Heldin den Zwiespalt in
sich selbst. Aber ihre *große Seele* überwindet
ihn aus eigener sittlicher Kraft, ringt sich zu
reinerer Humanität durch, versöhnt durch die
Wirkung ihrer Persönlichkeit die feindlichen
Parteien und führt die Völker in Freundschaft
zusammen. Das Ergebnis ist für alle Beteiligten ein höheres sittlicheres Verhältnis zum
Leben.
In *Wilhelm Meisters Lehrjahren* durchmißt der
Bürgersohn alle Gefährdungen des Daseins
im 18. Jahrhundert mit seiner Oberflächlichkeit, Liederlichkeit und Niedertracht; der
Dichter zeigt ihn zugleich aber auch in der
Auseinandersetzung mit den verschiedenen
(praktischen, religiösen, sozialen, künstlerischen) Lebensformen jener Zeit. Nur indem
er allen in ihm dadurch entstehenden inneren
Zwiespalt überwindet, kann er sich zu höherer
Menschlichkeit entwickeln, echte menschliche
Bildung erlangen. Jeder Irrtum, viele Enttäuschungen, böse Zufälle und schuldvolle
Versäumnisse führen zur Vertiefung, Reifung
der Persönlichkeit. Am Ende des Romans verbinden sich alle darin ebenso Gefährdeten
ohne Rücksicht auf Stand, Alter, Geschlecht
zu einer wirklichen Gemeinschaft. Die Span-

nungen werden auch hier erhalten bleiben, das
widerspruchsvolle Leben wird diese Menschen
in stets neue gefahrvolle Lagen bringen, wie
es die *Wanderjahre* zeigen. Wesentlich bleibt
nur, daß der strebende Mensch sich dabei
behauptet, das scheinbar Gegensätzliche zum
Mittel fortschreitender Bildung im Sinne klassischer Humanität nutzt.
Im *Faust* ist der Gegensatz von vornherein
ebenso kosmisches Prinzip, wie der Zwiespalt
zum Wesen der dämonischen menschlichen
Seele gehört. Widersprüchlich ist aber auch
die Menschenwelt, mit der sich *Faust* auseinandersetzen muß. Ohne durch sie hindurch-
zugehen, ohne Leid, Schuld, Verzweiflung
kann der Mensch seinen Weg zu einer höheren,
humaneren Existenz nicht finden. Indem er
sich vom Teufel freikämpft, der Kreis seines
Wirkens sich stetig erweitert, seine Ziele umfassender und zugleich uneigennützig werden,
läutert sich seine Seele, steigert sich seine Entelechie in sittlichem Sinne. Wie in *Wilhelm
Meister* helfen auch hier Frauen zu *Fausts
Umartung. Das ewig Weibliche* (dh. die Liebe
zu diesem und dieses in der Form der Liebe)
zieht ihn nicht nur hinan, ist Vermittlerin
göttlicher Gnade für den sündigen Menschen,
sondern bleibt auch Widersacher, das ihm
hilft, indem es ihn zu höherem Streben an-
treibt. Faustische Humanität ist nur als Versöhnung des Gegensätzlichen auf immer höherer Stufe erreichbar.
So verstand Goethe die Koinzidenz als dynamisch gedeutete Entwicklung in der Zeit und
im Raum dieser Welt. Das ursprünglich nur
theologisch interpretierte Prinzip wurde von
ihm säkularisiert in derselben Weise auf alles
Naturgeschehen und die Bildung der menschlichen Persönlichkeit angewandt, wie es zu
gleicher Zeit Herder und dann Hegel zum Verständnis geschichtlicher Entwicklung diente.
Darin lag die Leistung der deutschen *Klassik
begründet, die in jeder Hinsicht selbst eine
großartige, von fruchtbaren Spannungen erfüllte Synthese sich widersprechender Geistes-
strömungen des 18. Jahrhunderts war.　　*Dk*

EABoucke: Goethes Weltanschauung auf historischer
Grundlage. 1907. – HLeisegang: Goethes Denken.
1932. – MSchaginjan: Goethe. 1952 (Kap. 7: Goethe
als Dialektiker). – FKoch: Goethes Stellung zu Tod
und Unsterblichkeit. SGGes. 45 (1932).

Col de Balme, der das Tal der *Arve im Osten
abschließende Paß zwischen *Savoyen und
*Wallis, wurde am 6. XI. 1779 von Goethe
während seiner zweiten *Schweiz-Reise überschritten; Goethe erlebte hier einen der stärksten landschaftlichen Eindrücke der Reise
(I/19, 254 f.; RV S. 19).　　　　　　　*Fu*

Coleridge, Samuel Taylor (1772–1834), der bedeutende englische Dichter, Kritiker, Theologe und Philosoph, einer der führenden Köpfe der englischen *Romantik, mit einer nur verhältnismäßig kurzen poetischen Produktions-Periode (1795–1802), rauschgiftsüchtig, betätigte sich auch als Übersetzer zeitgenössischer deutscher Dichtung. Als best gelungen galt und gilt seine „Wallenstein"-Übersetzung (1800), nicht unbedeutend ist sein *Antheil* an der *Übersetzung des Götz von Berlichingen durch Walther Scott* (nach 1800: *I/42^{II}, 492*); bezüglich einer *Faust*-Übersetzung findet sich kein Zeugnis. C.s (imgrunde hochromantische) Mentalität führte ihn weniger zu Goethe, mehr zu Kant, zu Schiller, am meisten zu JP*Richter, AW*Schlegel und zu FWJ*Schelling. Eine (während seiner Deutschland-Reise 1798/99 allenfalls vermutbare??) persönliche Begegnung mit Goethe ist nicht nachzuweisen. Im Sommer 1821 zitierte Goethe hinsichtlich Faust offenbar wohlwollend Verse des *geistreichen Coleridge:* An orphic tale indeed, / A tale divine of high and passionate thoughts, / To their own music chaunted *(Bdm. 2, 517)*. Acht Jahre später äußerte Goethe sich wesentlich zurückhaltender, ja: damned them with faint praise (Bdm. 4, 138), wohl wegen C.s Romantizismen in Themen und Formen. *JP*

Collé, Charles (1709–1783), französischer Liederdichter und Dramatiker; im Hinblick auf seine eigene Lust am Mystifizieren erwähnt Goethe C.s „Partie de chasse d'Henri IV" (1774; deutsch von ChrF*Weiße bearbeitet), in welcher der König incognito auftritt (1812: I/27, 347). *Fu*

Colloredo, das österreichische Uradelsgeschlecht, aus dem südöstlichen Grenzland (Krain) der alten habsburger Monarchie stammend (Burg C. bei Mels), trat mit folgenden Repräsentanten in Goethes Lebenskreis:
–, 1) Hieronymus II., Reichsgraf (1775–1822), infolge überlegener Auffassungsgabe und draufgängerischer Tatkraft oft erfolgreich, seit 1792 an beinahe allen Feldzügen beteiligt, 1813 als österreichischer Feldzeugmeister durch die ungemein schneidige Eroberung von Probstheida der eigentlich entscheidende Sieger der leipziger Schlacht, 1814 beim Vormarsch in Frankreich sehr schwer verwundet, erst 1815 wieder felddienstfähig. Goethe kannte C. bereits aus *Karlsbad (*Böhmen Sp. 1308–1313), 1810/12 finden sich mehrere *Tgb*-Zeugnisse (III/4, 132; 136; 301); freilich ohne Detail-Angaben. C. wurde aber als „ein echter Enragé gegen die Franzosen" 23./26. X. 1813 für Goethe exemplarisch, fast gleichnis-

haft bedeutsam, indem er durch die Impertinenz seines Verhaltens als Quartiergast im Haus am Frauenplan den Impuls zum *Löwenstuhl*-Plan und zur *Ballade vom vertriebenen und zurückkehrenden Grafen* gab (*Ballade Sp. 682–695); seine Mutter
–, 2) Maria Isabella Anna Ludmilla, geb. Gräfin vMansfeld, *Fürstin Colloredo,* die Goethe aufschlußreich im Zusammenhang mit dem Fürstenpaar Barjatinskij sowie mit dem Ehepaar *Alopaeus nennt *(III/4, 311f.),* gehörte ebenfalls zur karlsbader politisch-diplomatischen Geselligkeit.
–, 3) Franz de Paula, Reichsgraf von C.-Waldsee (1799–1859), damals noch am Anfang seiner Diplomaten-Laufbahn (erst seit 1843 fest im auswärtigen Dienst *Österreichs), machte am 25. IV. 1830, eingeführt durch den Kanzler vMüller, einen kurzen Besuch im Haus am Frauenplan, ohne daß der Begebenheit mit seinem Onkel (1) gedacht wurde (III/12, 231; vgl. auch UKM S. 265). *Gk*

Colmar, Stadt im Oberelsaß, heute Hauptstadt des Départements Haut-Rhin, zur Zeit des jungen Goethe Sitz des obersten Gerichtshofs der Provinz *Elsaß. Goethe besuchte C. im Sommer 1771 (I/28, 78; 360; RV S. 11); 1780 ermahnt er CLv*Knebel, in C. GC*Pfeffel zu besuchen (IV/7, 361; vgl. I/45, 223); später ist ihm C. die Stadt gewisser Aspekte in GD *Arnolds „Pfingstmontag" (1821: I/41^{I}, 154f.). *Fu*

Colosseum (Rom), das flavische Amphitheater ist ein Bau des Kaisers Vespasian. Seinen Namen erhielt es erst im Mittelalter nach dem in seiner Nähe aufgestellten Koloß, einer Porträtstatue des Kaisers Nero, die nach dem Tode Neros von Vespasian in eine Statue des Sonnengottes umgewandelt wurde. Das vierte Obergeschoß fügte übrigens erst Titus dem Bau hinzu und weihte ihn 80 nChr. mit Saecularspielen ein. Goethe war das Gebäude seit seiner Kindheit durch die Stiche im Vaterhause bekannt (I/26, 17). Die kolossale Mächtigkeit des Baues wirkte auf Goethe namentlich bei Nacht ungeheuer, *es ist so groß, daß man das Bild nicht in der Seele behalten kann; man erinnert sich dessen nur kleiner wieder (I/30, 214).* Am 2. II. 1787 besuchte er es wieder: *ein Eremit wohnt darin an einem Kirchelchen, und Bettler nisten in den verfallenen Gewölben. Sie hatten auf flachem Boden ein Feuer angelegt, und eine stille Luft trieb den Rauch erst auf der Arena hin, daß der untere Theil der Ruinen bedeckt war und die ungeheuern Mauern oben drüber finster herausragten; wir standen am Gitter und sahen dem Phänomen zu, der*

Mond stand hoch und heiter (ebda 265; vgl. den Blick von der *trajanischen Säule. *Von dort oben herab, bei untergehender Sonne, nimmt sich das Coliseum ganz herrlich aus: I/32, 37; 116 f.).* Als Goethe bei seinem berühmten letzten nächtlichen Gang durch Rom im April sich den *erhabenen Resten des Coliseums ... näherte,* konnte er *nicht läugnen, daß* ihn ein *Schauer überfiel und* seine *Rückkehr beschleunigte (I/32, 336).*   Hm

Grumach S. 435. – LCurtius: Das antike Rom. S. 48 f.; Abb. 95–102. – Platner-Ashby S. 6 ff.

Zeichnungen:
1) Corpus III, InvNr 656; Dat. 1787
2) Corpus III, InvNr 2274; Dat. 1787.   Fm

Colutea arborescens (baumartiger Blasenstrauch) aus der Familie der *Leguminosen beschäftigte Goethe wegen des Aufschwellens der reifen Fruchthülsen. Er beauftragte am 17. VII. 1830 HWF*Wackenroder mit der Feststellung: *ob die Blasen der Colutea arborescens, welche, wie bekannt, nach der Befruchtung sich aufblähen, ob sie mit irgend einem besondern und entschiedenen Gaß angefüllt seyen? Bisherige Untersuchende wollen nur atmosphärische Luft darin gefunden haben, dieses will aber mit meinen sonstigen Überzeugungen nicht zusammen treffen (IV/47, 147).* Wackenroders zweijährige Untersuchungen führten zu dem Ergebnis, daß „die Luft in den Schoten der Colutea arborescens im Wesentlichen ein Gemisch aus Sauerstoff und Stickstoff sey und zwar fast in demselben Verhältnisse, als in welchem diese beiden Gasarten die atmosphärische Luft zusammensetzen" (Brief an Goethe vom 20. XI. 1831).   Ba

Comédie-Française, die amtliche Bezeichnung des 1680 gegründeten französischen Staatstheaters in Paris, auf dessen Bühne im 18. bzw. 19. Jahrhundert ua. die *Clairon und *Talma glänzten. Schon der Knabe Goethe muß während der frankfurter Franzosenzeit davon haben sprechen hören; in *Straßburg wird es ihm durch *Aufresne ins Gedächtnis zurückgerufen; 1799 berichtet W*vHumboldt ihm eingehend darüber („Ges. Schriften", II (1904), 377 bis 400); im Oktober 1808 sieht er die Truppe der C.-F. in *Erfurt spielen (Bdm. 1, 543); 1828 spricht er von diesem *Französischen Haupttheater,* dem *ersten Theater Frankreichs und der Welt,* als dem Schauspielhaus der *ganz reinen, regelmäßigen, sogenannten classischen Art (I/40, 132).*   Fu

Comenius/Komenský, Johan/Jan Amos (1592 bis 1670), tschechischer Schulmann und Erzieher von Weltrang, der Bewegung der „Böhmischen Brüder" führend verbunden, um dieser Verbindung willen aus seiner Heimat ver-

trieben, durch Kühnheit, Kraft, Innigkeit seines Denkens und Tuns, insbesondere durch die betonte Wirklichkeitsnähe seiner Grundsätze und Maßnahmen weit über seine Zeit hinausragend, ist für Goethe eine jener unantastbaren Größen, an denen er die Erzieher seiner eigenen Gegenwart mißt, zB. JB*Basedow (Sp. 815; I/28, 272 f.), auch JH*Pestalozzi (vgl. dazu IV/22, 183), positiv: **Pädagogische Provinz.* Dabei kannte Goethe von C.s Werken nur die allerdings hochberühmten ORBIS SENSUALIUM PICTUS, und zwar in der zwei- wie in der dreisprachigen Ausgabe (Druck von 1746, bzw. 1755; Götting S. 41; *Labores iuveniles:* Morris 1, 25; vgl. jetzt zu allem Vojtěch Pavlásek/Bohumil Novák/Hermina Melicharová/Emerich Fořt: Gedenkbuch über das Leben und Werk Jan Amos Comenius', 1957/58). Aber nicht nur der Realismus der Einsichten, sondern auch das Ethos der Forderungen C.s vermochte Goethe verwandt anzumuten: „Was wir uns wünschen ist, daß vollkommen und zum vollen Menschentum nicht nur ein Mensch oder einige oder viele, sondern alle Menschen zusammen und auch ein jeder gesondert herangebildet werden kann... kurz, ein jeder, dem es beschieden war, als Mensch geboren zu sein" (De emendatione rerum humanarum consultatio catholica, nach 1645, Druckausgabe 1702; Gedenkbuch Bl. 20) – man vergleiche daneben: *nur sämmtliche Menschen erkennen die Natur, nur sämmtliche Menschen leben das Menschliche* (5. V. 1798: *IV/13, 137);* oder: *dann tritt das schöne Gefühl ein, daß die Menschheit zusammen erst der wahre Mensch ist, und daß der Einzelne nur froh und glücklich sein kann, wenn er den Muth hat, sich im Ganzen zu fühlen* (1811: *I/27, 277 f.).* Bei solchen Anklängen braucht man, wozu die Arbeit an *DuW* sonst berechtigt, nicht durchaus an *Campanella, *Baco von Verulam ua. zu denken. Über Herder, der zB. die Druckausgabe von 1702 kannte und von den unveröffentlichten Teilen des Werkes wußte (DTschischewski 1935; vgl. auch RHaym II 547) waren auch direkte C.-Bezüge möglich.   Za

Commedia dell'arte, die italienische Volks- und Stegreifkomödie, die mit einem größeren oder kleineren Vorrat an unveränderlichen Charaktermasken agiert, nur die Auftritte, dh. die Kombination dieser Charaktermasken fixiert und den Verlauf dieser Auftritte in Handlung und Wortwechsel improvisieren läßt. Aus diesen Charaktermasken (zB. Pantalone, Dottor Graziano, Brighella, Arlecchino, Mezzetino, Truffaldino, Trivellino, Scaramuccio, Pulcinello usw.; Franceschina, Smeraldina, Colombina, Pulcinella usw.) entwickelten sich mehr und mehr konstante Typen, die alsdann in Frankreich, England, Deutschland die *Typenkomödie hervorbrachten (16./18. Jahrhundert). Goethe erlebte die CdA. in Italien, insbesondere in *Neapel: *Da ist z. B. der Pulcinell, die eigentliche Nationalmaske, der Harlekin aus Bergamo, Hanswurst aus Tyrol gebürtig. Pulcinell nun, ein wahrhaft gelassener, ruhiger, bis auf einen gewissen Grad gleichgültiger, beinahe fauler und doch humoristischer Knecht. Und so findet man überall Kellner und Hausknecht (I/31, 63);* in dieses Urteil mischt sich aber bereits die deutsche Ausprägung und Goethes eigene Form der Typenkomödie (*Innsbruck: III/1, 160; vgl. auch *Molière; C*Goldoni; *Harlekin; *Puppenspiel).   *Za*

Como, die namengebende Stadt am Comer See, hat Goethe auf dem Rückweg seiner ersten *Italienreise, von *Mailand kommend, am 28. V. 1788 durchreist sowie den See in Richtung auf *Riva überquert (I/32, 480; RV S. 27). *JP*

Zeichnungen:
1) Corpus II, InvNr 415
2) Corpus II, InvNr 420
    ? oder Luganer See?
3) Corpus II, InvNr 421
    ? oder Luganer See?
4) Corpus II, InvNr 423
    ? oder Luganer See?
5) Corpus II, InvNr 424
6) Corpus II, InvNr 428
7) Corpus II, InvNr 429
8) Corpus II, InvNr 430
9) Corpus II, InvNr 431
10) Corpus II, InvNr 432
11) Corpus II, InvNr 433
12) Corpus II, InvNr 435
    Datierung insgesamt: 29. V. 1788.   *Fm*

Compter, Johann David Gottlob (1795–1838), *Canzlist*, Bibliotheksschreiber (1820) in Jena, empfahl sich Goethe seit 1817/18 bei der Vereinigung der Schloß- mit der Universitäts-*Bibliothek (I/36, 141 f.). C.s *besonderes Talent* galt aber der Beschreibung von Manuskripten sowie der *Nachahmung der alten Schriftzüge (I/36, 163)*. Goethe rühmt diese Fähigkeiten zu wiederholten Malen, förderte sie und suchte sie durch Aufbesserung der Anstellungsbedingungen C.s zu vergelten (vgl. zB. IV/33, 204). Mit *Fleiß, Accuratesse, Geschicklichkeit, Facsimiles ... aus freyer Hand nachzubilden, ..copirte er einige Seiten aus dem Manessischen berühmten Codex (18. V. 1823: IV/37, 48;* zum Geschenk für den König Maximilian I. von *Bayern, Sp. 891; Inhalt der Kopie: a. drei Anfangsstrophen: ,,Ez ist ein lobeliche Kunst...''; b. zwei Strophen: ,,Ich enkan des vursten edelichkeit geliche nicht gemezzen...''; c. zwei Strophen: ,,Eyn kuninc wilen in grozer wunne...''; vgl. EPetzet, Goe-

the-Jb. 24, 62 f.). Die *copirten* Lied- und Strophentexte hatte Goethe ausgewählt (*Minnesinger).   *Za*

Concerto dramatico *composto dal Sigr Dottore Flamminio detto Panurgo secondo. Aufzuführen in der Darmstädter Gemeinschafft der Heiligen* (das *Impressum komikum: IV/2, 53;* entstanden 1772: *I/38, 3–9).* Goethe selbst ist der *Dottore Flamminio* (aus Flandern?), der ,,Wanderer'' und auch der ,,zweite Panurg'', der ,,alles Vermögende'' (nach F*Rabelais); die Adressaten sind C*Flachsland (Psyche), HHv *Roussillon (Urania) und JH*Merck in *Darmstadt. Die von Goethe mit genauen musikalischen Anweisungen versehene Dichtung ist ein seltener Beweis dafür, wie fachmännisch sicher Goethe auf bestimmte musikalische Formen hin dichtete. Nr 1 (zwei trochäische Vierzeiler) ist mit *Tempo giusto* (in der älteren *Musik etwa dem Andante entsprechend) und Vierviertel Takt bezeichnet. Es folgt als Nr 2 ein *Allegretto* im *3/8* Takt; darauf als Nr 3 ein knappes *Arioso*, dann als *Allegro con furia* freie Rhythmen im Stile eines *Kantatenrezitativs in GPhTelemanns Art. Den schärfsten (gewollten) Gegensatz dazu bringt Nr 5: ein *Cantabile* und Schlummerliedchen *(Schlafe mein Kindlein und ruhe Gesund: V. 32 f.).* Nr 6 *Andantino* ist im Versmaß und Stil von *Erwache, Friederike, Vertreib' die Nacht (I/4, 355)* gehalten, das Goethe in *Straßburg auf eine Melodie von JVGörner dichtete. Nr 7 *Lamentabile (Meine Augen roth von Tränen: V. 42)* mit einem stringendo-Schluß ist gefolgt von einem flotten *Allegro con spirito* (Nr 8) mit den volksliedhaften Zeilen: *Sonne kann nicht ohne Schein / Mensch nicht ohne liebe seyn (V. 50 f.).* In einem *choral* (Nr 9) flehen die von *Langerweil und Grillen Noth* Geplagten um Erbarmen. Nr 10 ist ein großes *Capriccio con Variationi:* nach jeder der drei Variationen wird das eigentliche *Capriccio* wiederholt, dessen Worte: *Und will auf der Erde / Dumm stille nichts stehn, / Will alles herumi / Didumi sich drehn (V. 59–62),* die Melodie eines ,,Deutschen'' (Ländlers) geradezu herausfordern. Der gewollte Gegensatz dazu ist Nr 11, ein in französischer Sprache und zwei Strophen abgefaßtes *Air,* das eine Melodie nach Art des ,,Ah vous dirai-je Maman'', zu der WA*Mozart Variationen geschrieben hat, voraussetzt. Ein *Molto Andante* (Nr 12) und ein *Con espressione* (Nr 13) leiten schließlich über zu dem *Presto fugato* überschriebenen Finale, dessen Anfang: *Und Rosenblüt und Rosen Lust / und Kirschen Apfel und Birnen voll (V. 123 f.)* wirklich fugiert gesungen werden kann, der Rest aber mit seinen Klangsilben und kurzzeiligen Strophen wieder eine Ländlermelodie (etwa die eines Schnadahüpfl) voraussetzt. Eine wohlgelungene Komposition des C. d. schuf KGerstberger (Konzertkantate op. 20. 1935).   *MB*

Constant de Rebecque, Benjamin (1767–1830), in Lausanne geborener calvinistischer Schweizer und Wahlfranzose (1794 naturalisiert), Politiker und Schriftsteller. Ein Wanderleben, zu dem ihn Temperament, Familienverhältnisse und politische Lage führten, lehrte ihn außer der Schweiz und Frankreich noch Holland, Belgien, England, Schottland, Deutschland kennen. Er studierte in Erlangen und Edinburgh; 1788–1794 gehörte er dem Hof von Braunschweig an. 1803 verließ er *Paris, um der ihm aufs engste verbundenen Mme de *Staël in die Verbannung zu folgen. Januar und Februar 1804 hielt er sich mit ihr in Weimar auf, wo er öftere Kontakte mit Goethe hatte; es folgten zwei kürzere Aufenthalte vom 10. bis 20. III. und vom 22. bis 30. IV. des gleichen Jahres. Danach, bis 1811, öfteres Verweilen in Coppet, dem Besitz Mme de Staëls am Genfer See; 1816 ließ C. sich in Paris nieder. Neben diesem Umgetriebensein charakterisieren zwei andere Aspekte C.s Existenz: ein bewegtes Liebesleben und eine politische Tätigkeit im liberalen Sinne. Der Großteil von C.s schriftstellerischer Betätigung liegt auf dem Gebiet der Politik (Bekämpfung sowohl *Napoleons als der bourbonischen Reaktion) und einer Religionsphilosophie, die insofern politisch-sozial ist, als sie sich gegen die theokratischen Auffassungen *Chateaubriands, de Maistres, Bonalds und *Lamennais' richtet und die absolute innere Freiheit des Individuums sichern will (1824–1831: „De la religion considérée dans sa source, ses formes et ses développements"). Die Verteidigung dieser individuellen Freiheit gegen alle Gewalten ist das einzige Beständige in einer Persönlichkeit, deren Wahlspruch „Sola inconstantia constans" war und die sich im „Adolphe" hüllenlos darstellt, dem autobiographischen Roman, auf dem C.s immer noch dauerndes Nachleben beruht. Es ist die ganz unromantisch schmuck- und phrasenlose, erbarmungslos präzise und tiefe, doch nie der Abstraktion und Trockenheit verfallende Analyse eines Liebesverhältnisses, in dem sich der Individualismus eines egoistischen und empfindungsstarken, ironischen und weichen, melancholischen und genußfreudigen, keines dauernden Gefühls fähigen, durch Hellsichtigkeit jeder Unbefangenheit beraubten Menschen offenbart, der zur Deszendenz von Goethes Werther und Chateaubriands René gehört; doch darf dabei die stilistische und gehaltliche Verwandtschaft mit der kalten Bewußtheit in den „Liaisons dangereuses" von Choderlos de *Laclos nicht übersehen werden (FBaldensperger). 1809 erschien C.s „Wallenstein"-Übersetzung, die zu einer Verballhornung wurde („Wallstein, tragédie en cinq actes et en vers, précédée de quelques réflexions sur le théâtre allemand"); doch ist die Vorrede wertvoll, zT. unter dem Einfluß von AW*Schlegels Wiener Vorlesungen (1829 umgearbeitet in die „Mélanges de littérature et de politique" aufgenommen).

1797 hatte C. Mme de Staël gegenüber die Lektüre der *Lehrjahre* eine beschwerliche Aufgabe genannt; 1804 lernte er Goethe persönlich kennen. Sein Tagebuch hebt an Goethes Erscheinung die Schönheit des Auges, aber auch eine leise allgemeine Zerrüttung – „figure un peu dégradée – hervor; die physische Reaktionsfähigkeit ist bis zum schmerzlichen intensiv. Der Egozentrismus wird zu ausgesprochenem Mangel an Güte – „c'est le moins bon homme que je connaisse" –; Goethe haßt das Christentum, ist gleichgültig gegen Politik, empfindet wahrscheinlich eine gewisse Schadenfreude über Schillers dichterische „Absurditäten", löst beim Gesprächspartner Hemmungen aus. Doch sind die intellektuellen Gaben „bemerkenswert": präzis eindringende Analyse – „finesse" –, das Ziel sicher und schnell treffende Beweglichkeit – „saillies" –, Kraft, Weite, Tiefe, Originalität, Universalität, die sich auch auf die Naturwissenschaften erstreckt, und daneben Absonderlichkeiten – „bizarreries" –: Schwerfälligkeit, Trockenheit und ein Hang zur Mystik, den C. feststellen zu können glaubt, der aber durch eine spätere Äußerung wieder mehr oder weniger fraglich wird. *Faust,* der weniger Wert als *Voltaires „Candide" besitzt, und *Iphigenie,* in der Übertreibung und Lächerlichkeit vorkommt, werden abfällig beurteilt. Der Lyriker Goethe als Dichter der Andeutung und der spontanen unreflektierten Hingabefähigkeit an die Dinge – „le genre vague et qui esquisse sans achever ... cet abandon à des sensations non réfléchies ... cette description tellement naturelle, tellement commandée par l'impulsion" – besitzt ein ans Wunderbare grenzendes Talent, ist in dieser Gattung, die auch für C. die „wahre Poesie" ist, vielleicht das erste dichterische Genie, versteht es übrigens auch, seine Gedichte wundervoll vorzulesen. Der hier zu beobachtende Wechsel von Begeisterung und

Vorbehalt entspricht ganz dem Charakter C.s, und da er Philosophie und Literatur auf das Leben angewendet sehen will, bestürzt ihn Goethes Gleichgültigkeit gegenüber dem Publikum und der Politik. Doch bemüht sich C. darum, Goethes Geistesart zu verstehen (I/36, 263), muß auch wohl noch etwas anderes als Egozentrismus bei ihm gefühlt haben; denn noch 1827 dankt er Goethe in einem Brief für die ihm bewiesene Güte – „les bontés que vous avez eues pour moi" (FBaldensperger).
In besondern vertraulichen Unterredungen – es waren *angenehme belehrende Stunden* – gab C., *dieser vorzügliche Mann,* Goethe *seine Grundsätze und Überzeugungen zu erkennen, welche durchaus in's Sittlich-Politisch-Praktische auf einem philosophischen Wege gerichtet waren.* Goethe hebt bei dieser Gelegenheit C.s Folgerichtigkeit im politischen Handeln hervor *(I/36, 262)* und nennt ihn 1804 einen *Redner und Schriftsteller gegen . . . die Alleinherrschaft (I/40, 261).* Dabei wird Goethe bei seiner Ablehnung des Despotismus sowohl eines Monokraten als der Massen (*Französische Revolution) sich bis zu einem gewissen Grade C. nahe gefühlt haben, der gelegentlich schrieb: „Par liberté j'entends le triomphe de l'individualité tant sur l'autorité qui voudrait gouverner que le despotisme que sur les masses qui réclament le droit d'asservir la minorité à la majorité" (von PMoreau angeführt). Goethes *Art und Weise Natur und Kunst anzusehen und zu behandeln* konnte C. *nicht immer deutlich werden; doch suchte er sich dieselbe redlich zuzueignen, um sie seinen Begriffen anzunähern, in seine Sprache zu übersetzen (I/36, 262 f.):* Goethe schätzte C.s intellektuelle Redlichkeit und Aufgeschlossenheit. Mehr noch: diese Gespräche wurden formal für Goethe *von dem größten Nutzen, indem für ihn daraus hervorging was noch Unentwickeltes, Unklares, Unmittelbares, Unpraktisches in* seiner *Behandlungsweise liegen* mochte *(ebd.):* Goethe erachtet es nicht als unter seiner Würde, das Beispiel von C.s Sprachbehandlung, dh. Denkform für seinen eigenen inneren Drang nach überlegender Bewußtheit, Ordnung, Stoffbewältigung und Selbstbeherrschung zu Hilfe zu rufen. Die Lektüre auch nur einiger Seiten der ungezwungen schwerelosen, alles Wesentliche, aber nur dieses lückenlos zusammenhängend aussagenden, durchsichtigen „Adolphe"-Prosa erklären diese Reaktion Goethes. Hier findet er einen Franzosen am Werk, der, wie 1822 als Rat an die Deutschen bemerkt wird, *sich . . . herkömmlicher Ausdrücke . . . bedient, . . . sie aber so zu stellen . . . weiß, daß sie wie ein aus*

Planspiegeln zusammengesetzter Hohlspiegel kräftig auf einen Focus zusammen wirken (IV/36, 60 f.). Es wirkt überraschend und ergreifend zu sehen, wie Goethe, der doch fast zwanzig Jahre ältere, hier eine Ergänzung seiner intellektuellen Erziehung erlebt und mit Erkenntlichkeit aufnimmt; denn hier liegt wohl der Hauptgrund, weshalb die viel später verfaßten *TuJ* unter dem Jahre 1804 *dankbar der Gegenwart Herrn Benjamin Constant . . . gedenken* werden *(I/35, 174).* (Zu diesen Kontakten vgl. III/3, 96 f., 99, 101; IV/17, 34, 70; Bdm. 1, 343; 344; 358; 359). Das hinderte Goethe nicht, C.s „Wallstein" mit Recht als eine für die damalige französische Übersetzungstechnik typische gewaltsame Anpassung an die französische Sehweise zu verurteilen (1809: I/5[I], 68. 1828: I/42[II], 494). 1814 wird C.s „De l'esprit de conquête . . ." nur *durchblättert:* Goethe will sich nicht weiter auf einen Text einlassen, der ihm *die große Last,* welche die Menschen *moralisch, politisch und öconomisch, seit mehr als zwanzig Jahren tragen,* zu niederdrückend ins Gedächtnis zurückruft, um so mehr da *der wünschenswerthe Mittelzustand* zwischen *Anarchie und Tyranney* nicht auszufinden sei *(IV/24, 201).* Im September 1816, im Jahre des Erscheinens, liest Goethe „Adolphe" (III/5, 271), ohne eine Beurteilung zu formulieren. 1827 (I/42[II], 474) und zu einer nicht genauer zu bestimmenden, aber wahrscheinlich annähernd gleichen Zeit (ebd., 484) begegnet man gelegentlichen Hinweisen auf „De la religion". Nochmals 1827 findet sich der Name C. in den Schemata zur zeitgenössischen *französischen Literatur, und zwar besonders* der *poetischen (ebd., 487 f.):* C. hier nicht der politische oder religionsphilosophische Schriftsteller, sondern der Autor des elf Jahre zuvor gelesenen, in seinem Werte erkannten und unvergessen gebliebenen Romans; so wirkt die Erwähnung trotz ihrer Knappheit wie eine freundliche Beantwortung von C.s Brief aus dem gleichen Jahr.
In ziemlichem Gegensatz zu den Äußerungen, durch die Mme de Staël charakterisiert wird, bleibt die Wärme bemerkenswert, mit der Goethes rückblickende Berichterstattung über C. spricht. Goethe fand bei diesem in weitem Maße, was dem lärmend zudringlichen Subjektivismus der Verfasserin von „De l'Allemagne" zu oft fehlte: unvoreingenommenen Willen zum Verstehen und Geltenlassen. Zweifellos sah er auch in C.s politisch-sozialer Zielsicherheit etwas, was er als „tüchtig" empfand, dh. lobend und freudig anerkennen konnte, und was ihn über das im sonstigen

Unstäte bei C. hinwegsehen ließ. Dazu kam wahrscheinlich ein Teil geheimer, wenigstens theoretischer Sympathie auch für den Inhalt von C.s Politik. Seinerseits allerdings vermochte C., trotz seines Wissens um Goethes oft leidvolle Reaktionsfähigkeit, nicht zu erfassen, daß das egozentrisch „Olympische", was er bei Goethe tadelte (ohne ihm diesen Namen zu geben), häufig nur enttäuschung- und entsagungverbergende Maske war. Aber auch so überwog in Goethes Schätzung durch C. zweifellos das Positive, die Erinnerung an das Genie und die „bontés" dieses Genies. Bei derartig wechselseitigem guten Willen war wechselseitiger Gewinn der Ertrag des Verhältnisses (FBaldensperger).

Der von FNeubert, welcher hier wohl HLoiseau folgte, auf BC. bezogene Tagebuchvermerk *Mémoires de Constant (April 1831: III/ 13, 63 und später)* hat in Wirklichkeit die von Villemarest verfaßten, 1830 in sechs Bänden veröffentlichten Memoiren Constants (Constant Wairy, gen. Constant), des Kammerdieners Napoleons, zum Gegenstand. BC. hat keine Memoiren geschrieben.   *Fu*

BConstant: Oeuvres. Hrsg. von ARoulin (Bibliothèque de la Pléiade, 1957). – FBaldensperger: Goethe en France. ¹1920. – PHazard und PMoreau, in Bédier-PHazard-PMartino: Histoire de la littérature française 2, ²1948. – HLoiseau: Goethe et la France. 1930. – FNeubert: Goethe und Frankreich. In Neuphilologische Zeitschrift, Heft 6, 1949 (auch in Studien z. vgl. Literatur-Geschichte, 1952).

Conta, 1) Christian Erdmann (Lebensdaten unbekannt), weimarischer Obergeleitsmann mit dem Titel Landkammerrat in *Erfurt. Er entstammte einer aus Frankreich vertriebenen alten Hugenottenfamilie, die in Deutschland den Adel abgelegt hatte. Das nur noch als fiskalische Einnahmequelle wichtige Amt – bewaffnetes Geleit bedurften die Kauf- und Fuhrleute auf thüringischen Straßen damals ja nicht mehr – hatte in Erfurt ganz in der Nähe des Statthaltergebäudes, in dem *Dalberg residierte, seinen Amtssitz. Carl August und Goethe stiegen in dem Geleitshaus ab, wenn sie in Erfurt weilten. So war C. dem Dichter gut bekannt, dieser nahm ihn gegen seinen Amtsvorgänger, *diesen unbändigen,* ja wahnsinnigen *Menschen*, in der leidigen *Redeckerschen Angelegenheit in Schutz (IV/3, 310)* und bediente sich seiner gelegentlich zur Erledigung persönlicher oder dienstlicher Angelegenheiten (vgl. IV/15, 17f.). ChrE.s Sohn
                                              Fr

–, 2) Carl Friedrich Anton (von), (1778–1850), trat nach Abschluß seines juristischen Studiums (Erfurt; Jena) und ausgedehnten Reisen in Deutschland und Frankreich 1805 in den weimarischen Hofdienst und übernahm die Verwaltung der Militärbibliothek und Landkartensammlung Carl Augusts. Nach der Schlacht bei Jena und Auerstedt fand er wegen seiner vortrefflichen französischen Sprachkenntnisse bei den Verhandlungen mit den französischen Militärbehörden Verwendung, und an den von Fv*Müller geführten Friedensverhandlungen mit Napoleon nahm er als Legationssekretär teil. Danach wurde er mit diplomatischen Aufgaben in Wien und Paris betraut. In diesen Jahren trat er in erste, noch flüchtige persönliche und briefliche Beziehungen zu Goethe (III/3, 307 u. 309; IV/30, 101 ff.). 1807 wurde CFA. zum Rat und Geheimen Sekretär in der Geheimen Kanzlei in Weimar ernannt, trat dieses Amt jedoch erst nach seiner Rückkehr aus Paris 1808 an; 1812 wurde er zum Assessor in das Landespolizeikollegium und 1815 zum Geheimen Referendar mit dem Titel eines Legationsrats in das Staatsministerium berufen. Er war maßgebend beteiligt an den seit 1819 laufenden Zollverhandlungen, an deren Ende 1833 der Deutsche Zollverein stand, und an den Verhandlungen mit Sachsen-Gotha über eine Verbesserung der Verhältnisse an der Universität Jena. Die letztere Tätigkeit bedingte einen häufigen dienstlichen Umgang mit Goethe (I/36, 152; III/6, 33f., 47, 49, 126, 130, 228, 249f.; III/7, 18, 50, 196f., 204f.; IV/28, 52, 89, 264, 311 ff., 327, 338f.; IV/29, 304; IV/31, 134), der sich – seit den gemeinsamen Aufenthalten in *Karlsbad (1820: I/36, 181; III/7, 173ff., 185; IV/33, 31, 36, 44) und *Marienbad (1821: III/8, 84ff.; IV/35, 55f.) – zu einem freundschaftlichen Verhältnis gestaltete, wozu besonders die lebhaften mineralogischen, literarischen und künstlerischen Interessen C.s beitrugen. Der briefliche und persönliche Verkehr zwischen beiden nahm seitdem sehr erheblich zu. C. weilte häufig, auch als Mittagsgast (z. B. III/11, 101, 171, 190, 220; IV/47, 174) im Goethehaus am Frauenplan, wo neben mineralogischen, literarischen und künstlerischen Fragen (III/7, 237; III/8, 39, 52, 167; III/9, 39; III/13, 69, 123, 125, 133) auch die Angelegenheiten der Politik zur Sprache kamen, ua. die Zollverhandlungen (III/12, 56f., 178, 204). CFA. war in diesen Jahren, in ähnlicher Weise wie früher CGv*Voigt, der politische Gewährsmann Goethes und dessen Mitarbeiter in jener akademischen Angelegenheiten; die zwischen ihnen damals gewechselten Briefe (IV/33ff.) enthalten ebenso amtliche wie persönliche Mitteilungen. Goethe zählte ihn unter seine *weimarischen Freunde*

(IV/41, 164, 244). 1831 übernahm CFA. das Amt eines Vizepräsidenten der Landesdirektion (III/13, 188), einer weimarischen Mittelbehörde, deren Präsident er 1845 wurde. 1849 ernannte ihn Großherzog Carl Friedrich zum Ministerialdirektor im Ministerialdepartement des Innern. 1825 war ihm von Carl August in der Form der Adelserneuerung der erbliche Adel verliehen worden.   *Hk*

ADB 47, S. 517–521. – MHecker: Goethe und Carl Friedrich von Conta. In Goethe-Jb. 22, S. 19–70.

Cook, James (1728–1779), der berühmte Seefahrer und Entdecker (*Australien), wurde Goethe durch seinen Tod bedeutsam. C. kam am 14. II. 1779 in einem Gefecht mit Eingeborenen der Insel Owaihi/Karakakuabai ums Leben. Die Eingeborenen zerstückelten die Leiche, verbrannten einzelne Teile, überführten andere in ihren Rono-Tempel und gaben den Engländern wiederum andere als Friedensunterpfand zu feierlicher Bestattung (21. II. 1779): *Es ist eine grose Catastrophe eines grosen Lebens, und .. schön daß die wilde Majestät ihre Rechte der Menschheit auf ihn behauptet hat* (19./20. XII. 1781: *IV/5, 241 f.*). *Za*

Cooper, James Fennimore (1789–1851), nordamerikanischer Romandichter, der als Seeoffizier und Farmer mannigfache Erfahrungen sammelte, vor allem bekannt durch seine spannenden Lederstrumpferzählungen, schrieb aber außerdem auch historische und Seeromane. Goethe notiert die Lektüre folgender Romane C.s: „The Spy" (1826: III/10, 260), „The Pilot" (1826: ebda 264), „The Pioneers or The Sources of the Susquehanna" (1826: ebda 251 f.; wahrscheinlich in frz. Übersetzung vgl. I/42ᴵᴵ, 396), „The last of the Mohicans" (1826: ebda 257), „The Prairie" (1827: III/11, 74–76), „The Red Rover" (1828: ebda 168 bis 172; die deutsche *Übersetzung tadelt Goethe als zu eilig und lieblos). Neben anderen (zB. III/11, 76) zeigt die Notiz: *Den Cooperischen Roman zum zweytenmal angefangen und die Personen ausgeschrieben. Auch das Kunstreiche daran näher betrachtet, geordnet und fortgesetzt (III/10, 251;* betr. „The Pioneers") wie sehr Goethe C. schätzte. Die Romane mögen zT. im Familienkreise gelesen worden sein, auch Ottilie und August waren mit ihrem Inhalt vertraut (vgl. zB. IV/44, 156; Bdm. 4, 185). *Sn*

Cordemann, 1) Friedrich (geb. 3. XI. 1769 Fürstenwalde), Schauspieler. Debüt 1787, Engagements in Berlin, Breslau, Hamburg. In Weimar engagiert Oktober 1798 – Ostern 1805, zunächst nur für Aushilfsrollen, übernahm dann als Ersatz *Vohs' Liebhaber- und Charakterrollen. Spielte Illo im „Wallenstein", Don Ma-

nuel in „Die Braut von Messina"; als Orest der ersten weimarer *Iphigenie*-Aufführung (1807) störte er durch pomphaftes Pathos und mangelnde Beherrschung des Verses.
2) Ferdinand, Schauspieler, Sohn des Vorgenannten. In Weimar engagiert September 1804 bis Sommer 1805, wurde kontraktbrüchig. *EF*

Corneille, Pierre (1606–1684), der französische Dramatiker, der, auf Vorgängern wie Hardy und Mairet fußend, der französischen klassischen Tragödie ihr theoretisches Fundament und in Werken, deren einige noch immer lebendiges Gut sind, ihre praktische Verwirklichung gegeben hat. Obwohl vom Willen zu einer nicht allzu lähmenden Anwendung beseelt, wie sein „Discours des trois unités" und die oft klügelnden und dunklen Vorreden seiner Stücke es zeigen, unterwarf er sich den drei *Einheiten. Inhaltlich gab er, allerdings nicht ohne oft schwere Rückfälle, den romanhaft verwickelten Handlungstyp der Werke des älteren Theaterrepertoires auf und bereicherte dafür das vereinfachte Geschehen durch psychologische Vertiefung. Der „Cid", an den sich übrigens erbitterte ästhetische Polemiken knüpften, denen *Richelieu nicht fern stand, „Cinna", „Horace", „Polyeucte" sind in diesem Sinne Seelendramen gegenüber einem Handlungs- oder Intrigendrama. C. ist nicht bohrender Psycholog, wie Racine, da er wesentlich der Pathetiker des unbeugsamen Willens ist: Nicht die Pflicht siegt über die Versuchung, sondern die Stärke über die Schwäche, wenn auch unter Schmerzen und Qualen. C. trat auch als Komödiendichter auf; hier verband er, neuernd, ein gemäßigtes Gefühlsleben mit einer gemäßigten Komik, die den guten Ton wahrte. – Am Beginn seiner Laufbahn stand er in Beziehung zu Richelieu, dessen Tragödienentwürfe er mit vier anderen Autoren ausarbeiten sollte; er trennte sich später vom Kardinal, ohne sich indessen mit ihm zu überwerfen. Durch die französischen Aufführungen in *Frankfurt angeregt, müht sich der Knabe Goethe mit der Problematik der drei *Einheiten nach C.s Abhandlung und C.s und *Racines Vorreden ab, ohne damit fertig zu werden (I/26, 170 f.; 352). In der **Laune des Verliebten* und den *Mitschuldigen wird er eine Anwendung dieser Regeln versuchen, wie er auch C.'s „Menteur" zu übersetzen beginnt (*Der Lügner): Er fühlt das *Bedürfniß einer beschränkten Form zu besserer Beurtheilung der eigenen Production (I/35, 3 f.).* Bei diesen Bemühungen unter dem Impuls klassischer französischer Muster und Grundsätze ist C. die treibende Kraft; denn die Gärung, die bei der C.-Lektüre im Kopf des

Wilhelm Meister der *Sendung entsteht und
den Jüngling zum eigenen Schaffen führt, ist
zweifellos autobiographisch zu deuten *(I/51, III)*. In *Straßburg wohnt er einer „Cinna"-
Aufführung bei (I/28, 66); *Voltaires kommen-
tierende C.-Ausgabe beschäftigt ihn (ebd., 58).
Doch wirft der Schüler *Herders und Verehrer
*Shakespeares 1771 die drei Einheiten hinter
sich und statuiert, es sei C. unmöglich, *dem
Sophokles zu folgen: ... Französgen, was willst
du mit der griechischen Rüstung, sie ist dir zu
gros und zu schweer (I/37,131 f.).* Aber 1779 erklärt Goethe sich bereit, für *Iffland, den er
bewundert, den „Cid" umzuarbeiten (Bdm 1,
103), und *Wilhelm Meisters theatralische Sendung*, die in den achtziger Jahren entsteht,
enthält trotz des überragenden Ranges, der
Shakespeare zugewiesen wird (I/52, 148),
eine gute, gerechte Charakteristik C.s: *ein
großes Herz hatte er gewiß. Eine tiefe innere
Selbstständigkeit ist der Grund aller seiner Charaktere. Stärke des Geistes in allen Situationen
ist das Liebste, was er schildert.* Trotz einer gewissen *Rodomontade* und *Härte ... bleibt es immer eine edle Seele, deren Äußerungen uns wohl
thun (I/51,113).* Die Abhandlung über die drei
Einheiten wird *mehr als eine Vertheidigung gegen
allzu strenge Gesetzgeber* aufgefaßt denn als *Gesetz, wornach sich seine Nachfolger zu richten hätten (ebd., 98).* Wenn diese Stelle nicht in die
Lehrjahre aufgenommen wird, dann geschieht
es lediglich zur Vermeidung einer allzu schweren didaktischen Belastung; so ist es auch Achtung vor dem Klassiker, dem Mitkämpfer C.,
die eine kritische, diesen des Intellektualismus
bezichtigende Xenie unveröffentlicht bleiben
läßt (I/5¹, 285 f.), und neben den erwachenden
Jugenderinnerungen und dem historischen
Moment wird auch der Respekt vor C.s Werk
die erfurter „Cinna"-Aufführung durch die
Schauspieler *Napoleons I. für Goethe zum
Erlebnis gestaltet haben (1808; Bdm 1, 547).
„Médée" und „La mort de Pompée" sind
bei entsprechender Besetzung der *colossalen*
Frauenrollen bühnenfähig (1815: *I/40, 98).*
Das widerruft die Shakespearerede, wie denn
1818 und 1828 die Berechtigung des Alexandriners und der Einheiten nicht mehr durchaus
bestritten wird (I/16, 279; 40, 420), und für den
alten Goethe C. der Mann der Größe ist: Wenn
bereits die *Lehrjahre den *vornehmen Personen*
*Racines die *großen Menschen* C.s gegenüberstellen *(I/21, 288)*, so erklärt eine Äußerung
im Jahre 1827: *Von Corneille ging eine Wirkung
aus, die fähig war, Heldenseelen zu bilden
(Bdm 3, 365).* C. war für Goethe eine Inkarnation der Form und der Kraft geworden.

-, 2) Thomas (1625–1709), der Bruder des Vorgenannten, ebenfalls Schriftsteller, Verfasser
von 43 Theaterstücken, darunter dem von
Goethe in *Wilhelm Meisters theatralischer Sendung* erwähnten „Comte d'Essex" *(I/51, 251)*.
Fu

Cornelius, Peter (1783–1867), Maler, einer der
bedeutendsten und problematischsten Künstler des 19. Jahrhunderts, Schüler JP*Langers
an der düsseldorfer Akademie, beteiligte sich
1803 an den weimarischen *Preisaufgaben
mit einem Ölgemälde „Odysseus und Polyphem": Mancher Fehler „ungeachtet hegen
wir von den Fähigkeiten des Verfassers keine
geringe Meynung, denn der Inhalt seines Bildes ist mit Fleiß zusammengedacht", schloß
H*Meyer seine Beurteilung (JALZ 1804, S. III;
sub. lit. G.). 1804 erkannten ihm die WKF bei
Beurteilung seines Bildes „Das Menschengeschlecht, von Wasser bedrängt" zu, daß in
seinem Werke „ein edler, zierlicher Geschmack", wohlgelungener Ausdruck und
„Sorgfalt der Ausführung" herrsche (JALZ
1805, S. III. sub. lit. R., das Bild jetzt Weimar,
Staatliche Kunstsammlungen). 1805 fand
seine Zeichnung „Herkules in der Unterwelt",
die C. allerdings zu spät eingesandt hatte,
wegen ihrer korrekten akademischen Haltung
lobende Erwähnung (JALZ 1806, S. X. Ziff.
II), jedoch konnte C. nur an der Peripherie
des weimarischen hochklassizistischen Kreises
stehen, dem die kasseler Tradition eher entsprach. Am Niederrhein begann das *Mittelalter aufzuleben.
Goethes 1808 erschienener *Faust* führte C. zu
*Dürer, auf dessen 1808 lithographiert her-
ausgegebene Gebetbuchillustrationen Goethe
C. hinwies (IV/22, 88), zum deutschen Holz-
schnittstil und dem bürgerlichen Pathos der
altdeutschen Zeit, so daß in den Zeichnungen
C.s zu *Faust* Stoff und Form zu lebendiger
Einheit verschmolzen (vgl. ebda 84). Diese
Zeichnungen – vor allem zur Gretchentragö-
die – brachte 1811 S*Boisserée nach Weimar
mit und zeigte sie Goethe (III/4, 202). C. wollte
sie auf insgesamt 24 Blätter vermehren und in
Italien vollenden. Goethe fand in C.s Zeichnungen zum *Faust* (nicht „Nibelungen", wie
TuJ. irrtümlich angibt) einen Stil wieder, den
ähnlich schon AJ*Carstens Blätter aufgewiesen
hatten, jedoch war bei ähnlichen Stilmitteln
statt der Antike das Spätmittelalter, statt der
Einzelfigur das Geschehen der künstlerische
Ausgangspunkt. Der illustrative Gedanke
stand bei C. im Vordergrund, ihm mußten
sich trotz aller Entschiedenheit der Formensprache Gestalt, Raum und Detail fügen, so

daß den *alterthümlich tapferen Sinn, mit un-glaublicher technischer Fertigkeit ausgesprochen, man höchlich bewundern mußte (I/36, 66)*.

Nach einem zweijährigen Aufenthalt in Frankfurt, wo er für den Fürstprimas KThReichsfrhrn v*Dalberg arbeitete, ging C. 1811 nach Rom, und es schien, daß er ganz in die unfarbig lineare Form des neuantiken Geschmacks eingehen würde. Goethes Interesse wuchs: *Herrn Cornelius danken Sie für seinen Brief und sagen ihm, daß mir jedes Zeichen seiner Neigung und seines Andenkens willkommen seyn wird* (10. VII. 1811: *IV/22, 130;* vgl. 1. II. 1812 an JFH*Schlosser: IV/22, 257).

In den ersten römischen Jahren schuf C. die Zeichnungen zum *Nibelungenlied, vor allem zur Krimhildtragödie (Ausgabe 1817). Goethe hatte die Zeichnungen schon 1814 gesehen (III/5, 113), beachtete die Ausgabe jedoch erst 1825 (III/10, 74 f.): *ich denke kaum, daß sie zu überbieten sind (I/53, 220;* vgl. Schuchardt 1, S. 110). – Mit einem ähnlich gestalteten Titelblatt, das weitere Szenen der *Faust*-Dichtung enthielt, erschienen 1816, Goethe gewidmet, die von FRuscheweyh gestochenen *Faust*-Zeichnungen (vgl. I/34I, 120; III/5, 270).

C. schloß sich in Rom den *Nazarenern an, ohne jedoch Stil und Auffassung ganz mit ihnen zu teilen. Der präraffaelischen Frommheit JF *Overbecks und seiner Freunde, die mit der Übernahme der unentfalteten Kunstformen den neukatholischen Gehalt ihrer Bilder rechtfertigen wollten, stand bei C. der klar erkennende Wille gegenüber, Antike und Christentum, die in der Renaissance aufgrund der abendländischen Tradition eine Welt objektiver Gestalten hervorgebracht hatten, nach dem Zusammenbruch des späten *barocken Stils nun im neuen „vaterländischen" Sinne noch einmal zur Einheit zu bringen; das Mittel hierfür schien ihm allein die Wandmalerei bieten zu können, die er in einem Brief vom 3. XI. 1814 an J*Görres fanatisch forderte. Doch konnte diese Leben und Kunst, Natur und Geist einst organisch verbindende Einheit jetzt nur noch auf subjektivem Wege und im Grunde gegen die Zeit durch denkendes Schaffen hergestellt werden.

Dieses universalistische Denken war zutiefst anders geartet als das Goethes, das – eher noch dem Barock verhaftet – die Welt als Organismus begriff, so daß sich beider Anschauungen im Grunde nur berühren konnten. „Herr Goethe hat im Sinn, die Kunst noch auf eine höhere Stufe zu stellen; sie sollte nicht allein zum Herzen, sondern auch zum Verstand sprechen, sie sollte nicht allein vergnügen und

erschüttern, sie sollte auch belehren . . . Auf diese Art würde die Kunst mit der Philosophie verwandt werden . . . sie würde wichtig, gemeinnützig und am Ende der Menschheit ganz unentbehrlich werden"; so verstand schon 1803 C. die Kunstanschauungen Goethes und spürte wohl kaum ihre Beziehung zur klassischen Kunstlehre des 17. Jahrhunderts, die den Menschen durch das Mittel der Kunst zu einer idealeren Existenz erziehen wollte. „Käme aber mein Vorschlag [die Wandmalerei zu erneuern] in Erfüllung, so . . . würden sich in kurzem Kräfte zeigen, die man unserm bescheidenen Volke in dieser Kunst nicht zugetraut; Schulen würden entstehen im alten Geist, die ihre wahrhaft hohe Kunst mit wirksamer Kraft ins Herz der Nation, ins volle Menschenleben ergössen und es schmückten, so daß von den Wänden der hohen Dome, der stillen Kapellen und einsamer Klöster, den Rat- und Kaufhäusern [!] und Hallen herab alte vaterländische befreundete Gestalten in neuerstandener frischer Lebensfülle, in holder Farbensprache auch dem [neuen?] Geschlechte sagten, daß der alte Glaube, die alte Liebe, und mit ihnen die alte Kraft der Väter wiedererwacht sei und darum der Herr unser Gott wieder ausgesühnt sei mit seinem Volke". Hier sollte die Kunst Mittel der Verkündung, Erscheinungsweise des Objektiven und Idealen sein; aber „frei und fessellos muß der Künstler in der Kunst nie endende Regionen dem niedrig Irdischen kraftvoll enteilen" (3. XI. 1814 an JGörres).

Nachdem jedoch C. nach eigenen religiösen Kompositionen im italienischen Geschmack mit den Nazarenern Overbeck, dem jüngeren W*Schadow und Ph*Veit sich bei den Fresken der Villa *Bartholdy – hier von C. die Josephslegende – beteiligt und für die Villa Massimo wenigstens schon die Entwürfe zu den Dante-Darstellungen angefertigt hatte und somit die Ziele der deutschrömischen Künstler mehr und mehr erkennen ließen, fand Goethe in H*Meyer denjenigen Gesinnungsgenossen, der dem auch von ihm getadelten falschen Nachahmen des Unvollkommenen das „Manifest" widmete: *Neu-deutsche religios-patriotische Kunst* (1817). Lob und Bewunderung der *Faust*-Illustrationen verhinderten nicht, daß C. von Meyer *unter den Bekennern des neu-alterthümlichen Geschmacks als einer der Häuptlinge angesehen wurde (I/49I, 45),* einer Formulierung, der JF*Rochlitz in seiner Mitteilung an Goethe über die römischen Kunststreitigkeiten ausdrücklich widersprach: *Cornelius und Overbeck, bessere Künstler und bessere Menschen, sind zwar* *nicht unter den Häuptlingen, müssen aber zu-halten* (von Goethe HMeyer mitgeteilt: *IV/28, 104*). C. sah sich durch diese Kampfschrift aus Weimar wohl gegen seine innerste Überzeugung in die gleiche Position wie die Nazarener gedrängt; er setzte seine *Faust*-Illustrationen nicht fort. Lange Jahre war die Verbindung zwischen Goethe und C. unterbrochen. Noch 1823 lehnte Goethe einige von FChr*Perthes angebotene Originalzeichnungen Overbecks und C.s höflich ab: *Wir sind tagtäglich veranlaßt, uns in einen engern Kreis zurückzuziehen;* und, ohne C. namentlich zu nennen, klingt in dem Wunsch, *mit Urtheilen über lebende Künstler sparsamer zu werden*, die Erinnerung an die Auseinandersetzung von 1817 nach *(IV/36, 265;* 437). Inzwischen war C. 1819 von Kronprinz Ludwig von *Bayern nach München, von König Friedrich Wilhelm III. von *Preußen als Direktor der Akademie nach Düsseldorf berufen worden. Er trat jedoch nach Jahren der doppelten Belastung von seinem düsseldorfer Amt zurück, als er 1824 Direktor der Akademie in München geworden war. In der künstlerisch rasch aufblühenden bayerischen Hauptstadt hatte C. zunächst den Göttersaal und den Heldensaal in der von Lv*Klenze errichteten Glyptothek ausgemalt, deren Entwürfe er schon in Rom begonnen hatte. Von den der antiken Sagenwelt *Homers und *Hesiods gewidmeten Fresken sandte C. 1828 eine Lithographie an Goethe, *den Untergang von Troja vorstellend,* von der dieser schon Ende 1827 eine Beschreibung erhalten hatte *(III/11, 156),* nun aber *sorgfältig* betrachten konnte *(III/11, 272)*: *ein respectables und zu respectirendes Kunstwerk (IV/44, 300)*. Goethe, dessen Dankbrief an C. die Meisterschaft in der *Zusammenbildung*, den zyklischen Gedanken *des Ganzen* und den *symbolischen Gehalt* hervorhob *(IV/44, 320)*, wünschte einen kolorierten Abzug der Lithographie zu erhalten, der ihm im Dezember 1828 zugesandt wurde (III/ 11, 313 f.; vgl. IV/45, 137); hierfür bedankte er sich am 1. III. 1829 mit wohlwollender Bewunderung (IV/45, 180 f.). Aber die Zustimmung blieb kühl; als am 4. II. 1829 die Großherzogin-Mutter bei Goethe weilte, zeigte er ihr *das wunderlich problematische Gemälde vor (III/12, 17),* in dem die Gestalt des Menschen, am Anfang der künstlerischen Entwicklung C.s noch als Einzelwesen innerhalb des Geschehens erfaßt, im Geschrei der Gebärde untergeht. Bei der ein Jahr später eingehenden Kupferstichreproduktion mit dem Glyptothekgemälde „Orpheus vor Pluto im Höllenreiche" (III/12, 199 f.) kritisierte Goethe

die Manier des Kopisten, der sich an *Marc Anton angeschlossen habe (IV/47, 126) und stellte *sorgfältige Betrachtungen darüber an (III/12, 202).* Das Einzelne (schien) vortrefflich gemacht, doch wollte es nicht recht befriedigen und dem Gemüt kein rechtes Behagen geben (Bdm. 4, 219). Übrigens stand Goethe auch den Ergebnissen der Porträtkunst C.s zurückhaltend gegenüber, die er mit dem Bildnis SBoisserées noch 1831 kennenlernte (IV/48, 151; vgl. Schuchardt 1, S. 110).

Von Düsseldorf wirkte die Schule C.s lange Zeit stilbestimmend auf die Rheinlande. Auch hiervon nahm Goethe noch Kenntnis und unterhielt sich am 29. V. 1826 mit SBoisserée über die Fresken in der Aula der Universität in Bonn (voll. 1834) und über die in Koblenz entstehenden Werke (III/10, 198). Über München und seine wissenschaftliche und künstlerische Situation berichtete wiederum SBoisserée ausführlich an Goethe unter Hinweis auf die besonderen Verdienste C.s für die Freskenmalerei. So ergänzten Boisserées Sammlung und C.s künstlerische Tätigkeit einander, um Goethes Vorstellung vom münchener Kunstbetrieb in eine bestimmte Form zu drängen, die den Verhältnissen in Wirklichkeit wohl nicht gerecht wurde (vgl. IV/47, 125). Seit C.s Wirksamkeit war im Süden Deutschlands ein Kunstzentrum entstanden, das in seiner Erscheinung, in seiner Tätigkeit und seiner Zielsetzung Goethe mehr und mehr fremd werden mußte.

Doch auch C. wuchs über diesen münchener Kreis hinaus. Die Fresken der Ludwigskirche, vor allem das 1836/39 entstandene „Jüngste Gericht" an der Altarwand – im Stil eines ins 15. Jahrhundert transponierten *Michelangelo – fanden nicht mehr die Billigung des nunmehrigen bayerischen Königs Ludwig, so daß C. 1840 nach Berlin ging. In den letzten Jahren seines Schaffens arbeitete er im Auftrage Friedrich Wilhelms IV. an den Entwürfen zum Campo Santo, das neben dem Dom als Grabstätte der preußischen Könige errichtet werden sollte. Nach 1848 ohne jede Hoffnung, sie ausgeführt zu sehen, gab er in ihnen als in einem umfassenden christlich-symbolischen Bilderkreis seine gestalterischen und religiösen Ideen wie ein Vermächtnis der deutschen Kunst anheim, die mit ihm sich wieder zum zyklischen Gedanken, zum Monumentalfresko und zum abstrakt-linearen Stil bekannte. C. war der gefeierteste deutsche Künstler seiner Zeit. *Lö*

Künstlerbriefe über Kunst. Hrsg. von HUhde-Bernays. ³1957. S. 302 f.; 311 f. – Sulpiz Boisserée. 1862. Bd 1, S. 111. – AKuhn: Die Faustillustrationen des

Peter Cornelius in ihrer Beziehung zur deutschen Nationalbewegung der deutschen Romantik. 1916. – AKuhn: Cornelius und die geistigen Strömungen seiner Zeit. 1921. – HvEinem: Peter Cornelius. In: Die großen Deutschen.

Coroto, Giovanni Francesco (um 1480–1555), Maler in Verona und Mailand, gebildet unter dem Einfluß *Mantegnas, später in Anlehnung an *Leonardo und *Raffael. Sein letztes 1535 datiertes Gemälde, die Hl. Ursula mit ihren Jungfrauen, in S. Giorgio in Braida in Verona, zeigt den Einfluß der römischen Renaissancekunst. Goethe sah es am 17. IX. 1786. Hier wie bei anderen Bildern in S. Giorgio richtete sich Goethes Aufmerksamkeit *nur auf den praktischen Theil, auf den Gegenstand und die Behandlung desselben im Allgemeinen (I/30, 67)* und bereitete damit das für ihn und *Meyer ein Jahrzehnt später so wichtige *Gegenstandsproblem vor.   *Lö*

Corpus Juris Civilis ist die von Dionysius Gothofredus 1583 eingeführte und seitdem allgemein übliche Bezeichnung der großen Kodifikation des römischen Rechts, die der oströmische Kaiser *Justinian veranlaßt und von 533 an als Gesetzbuch veröffentlicht hat. Es gliedert sich in vier Teile, von denen die ersten beiden die wichtigsten sind. Der erste Teil enthält die „Institutionen", eine Art historisch-dogmatisches Lehrbuch des Justinianischen Rechts, der zweite, von Goethe am häufigsten erwähnte, die Digesten oder Pandekten (in 50 Büchern), die eine Sammlung von Exzerpten aus Juristenschriften, darunter solchen des *Gajus, darstellen.

Das derart kodifizierte römische Recht war in der Gestalt, die es im Mittelalter durch die Rechtslehre der Glossatoren und Kommentatoren erhalten hatte, in großen Teilen Deutschlands noch zu Goethes Zeit und darüber hinaus bis zum Inkrafttreten des Bürgerlichen Gesetzbuches am 1. I. 1900 lebendes, geltendes Recht. Seine auch in anderen Teilen Europas zu beobachtende, am Ende des 15. Jahrhunderts in Deutschland besonders stark einsetzende Einführung als des „Reiches gemeinen Rechts" im Wege der sog. „Rezeption" und dann seine lange Lebensdauer hatte es Vorzügen zu danken, die das von ihm immer mehr zurückgedrängte alte deutsche Recht nicht besaß. Sie bestanden besonders in seiner methodischen Disziplin, seiner klaren Systematik und dem ihm innewohnenden autonomen Rechtsdenken. Die im römischen Recht formulierten und leicht anwendbaren Rechtsbegriffe hatten etwas verführerisch Zwingendes.

Nach neuer Erkenntnis ist die Rezeption eng mit der Ausbildung der modernen Staaten, in Deutschland der der modernen Territorialstaaten, verknüpft, die anstelle des zersplitterten und teilweise recht schwerfälligen deutschen Rechts, das sich jeder Kodifikation entzog, eines „gleichmäßigen", dh. einheitlichen Rechtssystems bedurften. Freilich sollte zunächst das römische Recht gegenüber dem alten einheimischen nur subsidiär gelten. Aber da dieses in seiner Anwendbarkeit den Gerichten gegenüber immer im Einzelfall bewiesen werden mußte, während die Geltung des römischen Rechts ohne weiteres unterstellt wurde, war die Entwicklung klar vorgezeichnet. Der Sieg des „welschen" Rechts, das notwendigerweise zu seiner Handhabung in Gericht und Verwaltung studierter Juristen, der „Doktoren", anstelle von Laien bedurfte, hat zu einer unseligen, heute noch nicht ganz überwundenen Trennung von Juristenrecht und Volksrechtsbewußtsein und damit zu einem dauernden Spannungsverhältnis geführt, das dem Ansehen der „Doctores juris" im Volke schlecht bekam. (Luther: „Juristen sind schlechte Christen!") In der genial hingeworfenen, leicht ironischen Szene im ersten Aufzug des *Götz: Der Bischöfflichen Pallast in Bamberg (Morris 2, 162–164),* die sehr gut auch 200 Jahre später spielen könnte, ist die ganze Problematik der Rezeption in nuce enthalten: Der Jurist *Olearius* preist das C.J.C. voller Berufstolz als *Buch aller Bücher* und klagt bitter über die Frankfurter Rechtsverhältnisse, wo *der Schöppenstul . . . mit lauter Leuten besetzt die der Römischen Rechte unkundig sind . . . So sind die Schöffen, lebendige Archive, Chronicken, Gesetzbücher, alles in einem, und richten nach altem Herkomm, und wenigen Statuten ihre Bürger und die Nachbarschafft.* Und dann, auf die Einwendung des dümmlichen *Abts: Das ist wohl gut,* heftig weiter: *Aber lange nicht genug. Der Menschen leben ist kurz und in einer Generation kommen nicht alle Casus vor. Eine Sammlung solcher Fälle vieler Jahrhunderte ist unser Gesetz Buch, und dann ist der Wille und die Meynung der Menschen schwanckend; dem däucht heute das recht was der andre Morgen misbilligt, und so ist Verwirrung und Ungerechtigkeit unvermeidlich, das alles bestimmen unsre Gesetze. Und die Gesetze sind unveränderlich.* In Frankfurt war man, wie wir auch von *Olearius* hören, anderer Meinung: *der Pöbel hätte mich fast gesteinigt wie er hörte, ich sey ein Jurist* (dh. ein Verfechter des römischen Rechts).

Hielt nun der Dichter, selbst ja Frankfurter Jurist und, wenn auch nicht *Doctor so doch

*Licentiatus juris, damals zum römischen oder mehr zum alten deutschen Recht? Aus seinen *Positiones juris*, die er in *Straßburg wenige Monate vor der ersten Niederschrift des Götz für seine Lizentiaten-Prüfung aufgestellt hat (Morris 2, 92 ff.), könnte man herauslesen, daß er es im Herzen mehr mit dem altdeutschen, großenteils auf Gewohnheit beruhenden Recht gehalten habe, da es gleich unter positio II heißt: *Consuetudo abrogat et emendat legens scriptam*. Aber die an den Anfang gestellte positio spricht doch wohl deutlich dafür, daß der Dichter des Götz seine Stellung zwischen oder über den beiden ziemlich polaren Gegensätzen: Römisches Recht – Altdeutsches Recht bezogen hatte, nämlich in dem seit dem 17. Jahrhundert und besonders seit Hugo *Grotius durch die *Aufklärung als „dritte Kraft" aufgekommenen *Naturrecht: *Ius naturae est, quod natura omnia animalia docuit*. Das war gewiß nicht originell, diese Formulierung steht vielmehr wörtlich im C. J.C. (und stammt von Ulpian). Auch andere positiones sind durchaus römisch-rechtlichen Ursprungs und es wird sogar den gelehrten Richtern das Wort gesprochen. Aber doch mutet die Voranstellung des gegenwartsnah und ganz unverbildet erscheinenden Naturrechts wie ein durchaus ernstgemeintes und durchaus zeitgemäßes Bekenntnis des jungen Juristen an. In diesem Zusammenhang sei schon darauf hingewiesen, daß Goethe später keine große Neigung mehr zum Naturrecht zeigte, auch daß er in Faust I das heute noch so gern von fortschrittlichen Juristen zitierte Wort *vom Rechte, das mit uns geboren ist*, nicht etwa Faust sagen läßt, sondern Mephisto in den Mund legt.

Mit dem Inhalt des C.J.C. ist Goethe nicht erst auf der Universität, sondern schon als Knabe vertraut geworden. Er hat es in DuW erzählt: *Mein Vater . . . suchte mein Gedächtnis, meine Gabe, etwas zu fassen und zu kombinieren, auf juristische Gegenstände zu lenken, und gab mir daher ein kleines Buch, in Gestalt eines Katechismus, von *Hoppe, nach Form und Inhalt der Institutionen gearbeitet, in die Hände. Ich lernte Fragen und Antworten bald auswendig und konnte so gut den Katecheten als den Katechumenen vorstellen; und wie bei dem damaligen Religionsunterricht eine der Hauptübungen war, daß man auf das behendeste in der Bibel aufschlagen lernte, so wurde auch hier eine gleiche Bekanntschaft mit dem Corpus Juris für nöthig befunden, worin ich auch bald auf das vollkommenste bewandert war* (I/26, 229 f). Die Folge solcher recht ungewöhn-

lichen Exercitien war, daß sich später der junge Rechtsstudent in *Leipzig in den juristischen Vorlesungen, in denen damals nichts von dem grandiosen System des römischen Rechts gelehrt, sondern den Hörern nur öder Gedächtniskram geboten wurde, gründlich langweilte und sein *erst hartnäckiger Fleiß im Nachschreiben nach und nach gelähmt wurde*. So erfuhr der Student Goethe den *Schaden den man anrichtet, wenn man junge Leute auf Schulen in manchen Dingen zu weit führt (DuW I/27, 53 f.)*. Aber *die alte Übung, im Corpus Juris aufzuschlagen*, kam ihm dann bei der Disputation, der er sich am 6. VIII. 1771 zur Erlangung des Licentiats unterziehen mußte, *gar sehr zu statten*, so daß er *für einen wohlunterrichteten Menschen gelten konnte (I/28, 44)*. In seinen so erfrischenden Anwaltsschriftsätzen (Morris 2, S. 266 ff.) hat er allerdings von seinen Kenntnissen des C.J.C. und des römischen Rechts keinen Gebrauch gemacht. Im angenehmen Gegensatz zu den damaligen Advokaten hat er seine Eingabe nicht mit lateinischen Zitaten und Brocken gespickt und durchsetzt, sondern im wesentlichen seinem eigenen, damals zum Naturrecht tendierenden Rechtsgefühl, abseits von jedem starren Rechtssystem, freien Lauf gelassen.

In Goethes *Hausbibliothek befinden sich zwei Ausgaben des C.J.C. Die eine ist die von FKnochius und JFGeeditschius (Frankfurt und Leipzig 1705) und stammt aus textorschem Besitz, ist aber erst 1891 ins Goethehaus gekommen (Ruppert Nr 2764). Die andere Ausgabe stammt von Simon van Leeuwen (Antwerpen 1726) und trägt das Exlibris von Goethes Sohn 1809 (Ruppert Nr 2765). *Fr*

RSohm: Institutionen des römischen Rechts. 13, 1908. – FWieacker: Privatrechtsgeschichte der Neuzeit. 1952. – GDahm: Deutsches Recht. ²1951.

Correggio *(Corrége: IV/11, 78)*, eig. Antonio Allegri, gen. C. (vor 1494–1534), Maler aus C. in der Emilia, gebildet unter dem Einfluß *Mantegnas, dessen Kunst noch in dem Frühwerk, dem 1514 datierten Bilde der Madonna mit dem hl. Franziskus in Dresden (Kat.-Nr. 150), nachwirkt, und der Hell-Dunkel-Malerei *Leonardos. Meister der Farbe und des Lichts in bewegten Kompositionen, gibt C. zugleich dem neuen religiösen Gefühl der Nachrenaissance Ausdruck und findet in seinen sakralen Darstellungen, vor allem aber in seinen mythologischen Szenen für menschlich-sinnenhaftes Erleben Bildformen und Kunstmittel, die grundlegend und vorbildlich für die Malerei des *Barock und des Rokoko wurden.

Den im 17. und 18. Jahrhundert in seiner säkularen Bedeutung stets gewürdigten Künst-

ler, von dem Hauptwerke 1746 auch nach Dresden gelangt waren, scheint Goethe wie die Namensschreibung *Correge (IV/4, 171)* andeutet, aus der französischen Kunstliteratur kennengelernt zu haben. Goethe sah in *Neapel von C. das Verlöbnis der hl. Katharina in Capodimonte (jetzt Neapel, Stadtmuseum) und ein damals verkäufliches Bild (I/31, 69), wohl eine Kopie der in Budapest (Museum der bildenden Künste, Wiederholung in Leningrad, Eremitage) befindlichen „Madonna del Latte". Auf der Rückreise von *Rom wollte er *die Arbeiten Correges in Parma* kennenlernen *(IV/8, 356 und 372)* und erinnerte sich noch später an die 1523 entstandene „Madonna mit dem hl. Hieronymus", gen. „Der Tag" (Parma, ehem. S. Antonio, jetzt kgl. Pinakothek; I/45, 319), jedoch nicht mehr der großen Fresken, die seinem Geschmack nicht entsprochen haben dürften. – Durch verschiedene Einzelkenntnis und durch Meyers Charakteristik von der „unschuldigen Naivität" C.s und dessen „hellen, lachenden Farben" zum Urteil angeregt, konnte Goethe die theoretische Einsicht in C.s Kunst sowohl entwicklungsgeschichtlich (I/47, 289; vgl. I/44, 303 f.) als formal, vor allem aber vom Gegenständlichen her gewinnen: Im Zusammenhang mit seinen Studien zum *Sammler und den Seinigen* bezeichnet Goethe C. als Undulisten im Gegensatz zu dem Phantasmisten *Michelangelo und dem Charakteristiker *Raffael (IV/14, 117). In der „Anbetung der Hirten", gen. „Die Nacht" (Dresden, Kat.-Nr. 152) erläutert er den besonderen Sinn der Beleuchtung der Welt durch Christus allein, von dem alles Licht ausgeht (Bdm. 2, 196; 1813) und erkennt somit die Einheit von Form und Bildgegenstand. C. ist für Goethe jedoch insbesondere der Madonnenmaler, in dessen „Madonna del Latte" (vgl. oben) *Geist . . ., Naivetät und Sinnlichkeit* vereinigt sind. *Und der heilige Gegenstand ist allgemein menschlich geworden und gilt als Symbol für eine Lebensstufe, die wir alle durchmachen. Ein solches Bild ist ewig, weil es in die frühesten Zeiten der Menschheit zurück- und in die künftigsten vorwärtsgreift (13. XII. 1826; Bdm. III. 302).*
1808 schickte d'Alton C.s Bild „Zigeunerin, einem Mädchen und einem Knaben erzählend" (vgl. IV/21, 90; III/3, 332) nach Weimar, das Meyer in der JALZ 1809 besprach.
In den späteren Jahren ist dann Goethe verschiedentlich mit Kopien C.'s oder mit Bildern, die als Werke C.s ausgegeben wurden, in Berührung gekommen (III/9, 48 und III/12, 25). Goethe sammelte eine Anzahl von Reproduk-

tionen nach Werken C.s: neben mehreren Madonnendarstellungen auch mythologische der Spätzeit des Künstlers: „Jupiter und Jo" (um 1530; Original in Wien), „Danae" (um 1526, Rom Gal. Borghese) und „Leda mit dem Schwan" (um 1530–1532; Berlin, Kaiser Friedrich-Museum, vgl. IV/35, 215), eine der berühmtesten Kompositionen des 16. Jahrhunderts. C. zu kopieren war unter Meyers Einfluß an der weimarischen Zeichenschule üblich. So kennerhaft Goethe und mit ihm Meyer die Kunst C.s zu beurteilen vermochten und Goethe alle falsche Kenntnis als *kritiklos* verwarf *(I/35, 216)*, so hat sich doch trotz aller Einzelkenntnis eine Gesamtanschauung über C. nicht bilden wollen, die in des Meisters bildnerische Form hätte dringen können. Um so mehr mußte Goethe die Schwärmerei der jüngeren Generation für C., die sich in Schriften und Briefen stets am Erlebnis der dresdener Bilder erneuerte, unverständlich bleiben, zumal sie den Künstler in das Präraffaelische zurücktransponierte und allein das Frommreligiöse und nicht das Allgemein Menschliche, die reine *Natur in C.s Bildern sah. *Oehlenschlägers Tragödie „C.", die trotz der ärgerlichen Inhaltsangabe und Beurteilung im Journal des Luxus und der Moden von 1811 (XXVI, 200) allerdings erst 1820 in Weimar über die Bühne ging (vgl. III/7, 129), wollte Goethe nicht vorgelesen haben (1809: Bdm. Gespr. 2, 53; vgl. noch 1828: IV/45, 37).   *Lö*

Cortesi, Guiseppe, Professor der Geologie zu Piacenza, sandte Goethe im August 1819 seine Schrift „Saggi geologici degli stati di Parma e Piacenza" (Piacenza 1819) für die *Mineralogische Gesellschaft in Jena. C. erhielt auf Goethes Veranlassung ein Diplom als Ehrenmitglied der Gesellschaft (IV/32, 116).   *Ba*

Cotta, Adelsfamilie, die (legendär) ihren Ursprung auf ein römisches Geschlecht gleichen Namens zurückführt (1420 von Kaiser Sigismund bestätigt), das bis zum 15. Jahrhundert zu den mächtigsten Geschlechtern der Lombardei gehörte. Die deutsche Familie C. begründete Bonaventura C. (gest. 1430), der die Dörfer C. und Cottendorf in Sachsen kaufte. Einer seiner Nachfahren, Johann Georg C. (1631 bis 1692) heiratete 1659 die Witwe des Buchhändlers Philibert Brunn in Tübingen und begründete damit die J. G. C.sche Buchhandlung. Neben diesem württembergischen bestand der sachsen-thüringische Zweig der Familie. Goethe kannte
–, 1) Heinrich (1763 Zillbach, 1844 Tharandt), studierte 1784/85 in Jena Mathematik und

Kameralwissenschaften und begann, durch Carl August gefördert, als weimarischer Forstläufer. Von 1789–1810 stand er in weimarischen Diensten. Seine hervorragende pädagogische und wissenschaftliche Begabung ließ ihn zunächst in Zillbach eine forstliche Lehranstalt bescheidenen Umfanges einrichten; 1810/11 wurde er durch den König von *Sachsen nach Tharandt berufen und hat hier bis zu seinem Tode eine segensreiche und bedeutende Tätigkeit entfaltet. Er wurde Kgl. sächs. Oberforstrat und Direktor der Forstakademie. In die Entwicklung der Forstwirtschaft griff er reformatorisch ein, seine besonderen Gebiete waren der Waldbau und die Forstbetriebsregulierung. Der auch charakterlich ausgezeichnete Mann gehört zu den markantesten Persönlichkeiten seines Faches.

Zweifellos ist Goethe bereits häufiger mit C. während dessen weimarer Jahren zusammengetroffen; er erwähnt ihn aber nur einmal in einem Brief an *Voigt (29. V. 1796: IV/11, 78) beiläufig. Als aber C.s „Naturbeobachtungen über die Bewegung und Funktion des Saftes in den Gewächsen, mit vorzüglicher Hinsicht auf Holzpflanzen" (Weimar 1806) erschienen, wurden alte Betrachtungen in Goethe neu aufgeregt (*Morphologie, *Metamorphose der Pflanzen): 20. IX. bis 9. X. 1806: III/3, 170; 172f.; IV/19, 194; I/35, 256; Ruppert Nr 4468. Die Beziehungen blieben von da ab, wenn auch durch große Abstände unterbrochen, bis zu Goethes Tode bestehen. Goethe suchte am 23. V. 1813 *Forstrath Cotta, dessen Anstalt junge Leute zum Forstwesen zu bilden sehr gut gedeiht (IV/23, 343)*, in Tharandt auf *(lehrreiche Unterhaltung: ebda 338)* und war am folgenden Tage in Dresden mit ihm zusammen (III/5, 36f.; I/36, 85). C. besuchte Goethe in Weimar am 23. V. 1819 (III/7, 50) und am 3. V. 1822 (III/8, 192). Am 3. XII. 1821 traf ein Brief von C. ein (III/8, 142), am 22. IX. 1829 einige Versteinerungen (III/12, 128); C.s „Die Verbindung des Feldbaues mit dem Waldbau oder die Baumfeldwirtschaft" (Dresden 1819) wurde im Juni 1822 in die Büchervermehrungsliste eingetragen (III/8, 321; Ruppert Nr 2981). Noch acht Tage vor seinem Tode legte Goethe über das *so bedeutend-wirksame Leben* C.s in einem Brief an den Sohn Carl Bernhard (3) das Bekenntnis ab: *Empfehlen Sie mich demselben auf's beste, wie ich denn die Gelegenheit sehr gern ergreife auszusprechen, wieviel ich seinen frühern Bemühungen um das Pflanzenwachsthum schuldig geworden (IV/49, 277)*.

–, 2) Friedrich Wilhelm (1796 Zillbach – 1874 Grillenburg), Sohn von 1), war unter und (als Mitdirektor der Forstakademie) neben seinem Vater in Tharandt tätig. 1852 bis kurz vor seinem Tode übernahm er als Oberforstmeister die Inspektion Grillenburg. C. hat sich vor allem um die Forstvermessungs- und Taxationsarbeiten im Königreich Sachsen hohe Verdienste erworben.

Goethe hat den Jüngling wahrscheinlich in Tharandt kennengelernt, als er am 23. IV. 1813 mit dem *Sohne zur Anpflanzung ging (III/5, 36)*. Am 11. I. 1814 zog C. als *Freund und Waffenbruder* Cv*Knebels an Goethes Haus in Weimar vorbei mit einem Jägerbataillon in die *Freiheitskriege (IV/24, 99; 347).   *St*

GSchmid: Goethe und die Naturwissenschaften. Eine Bibliographie. 1940. Nr 37; 2818; 2819; S. 500.

–, 3) Carl Bernhard (1808–1879), Sohn von 1), Student Bergakademie Freiberg, ab 1842 Professor der Geologie daselbst; Goethe wohl seit 1813 bekannt (? III/5, 36). Als Candidat des Berg- und Hüttenwesens sandte er Goethe am 10. I. 1832 sein Erstlingswerk „Die Dendrolithen in Beziehung auf ihren inneren Bau" mit Zeichnungen der Durchschnitte versteinerter Baumstämme (Ruppert Nr 4467). Goethe widmete in einem seiner letzten Briefe vom 15. III. 1832 dieser Arbeit große Anerkennung. *Sie haben die Natur auf eine so vollkommene Weise nachgeahmt, daß man Ihre Arbeiten eben so gut als die Originale dem Vergrößerungsglase unterwerfen und sich dadurch von Ihrer eben so großen Aufmerksamkeit als Geschicklichkeit überzeugen muß. Doch indem man bewundert, was Sie zu leisten befähigt waren, muß man sich, so wie Sie selbst, gestehen, daß ein so bedeutend-wirksames Leben wie das Ihres Herrn Vaters vorausgehen mußte, um dem Sohn ein Element der Erfahrung vorzubereiten, in dessen Fülle sein entschiedenes Talent sich bequem ergehen und Wünschenswerthes leisten konnte (IV/49, 276).*   *Ba*

–, 4) Johann Friedrich (1764–1832). Sein Vater Christoph Friedrich C. (1730–1807) besaß in Stuttgart die Hof- und Kanzlei-Buchdruckerei, seit 1775 auch in Tübingen eine Buchhandlung, die bereits sein Vorfahr Johann Georg C. 1659 erworben hatte. JF studierte von 1782 an in Tübingen Rechtswissenschaft und Mathematik und beschloß seine Universitätszeit mit einer Reise nach Paris, um sich dann als Advokat in Tübingen niederzulassen. 1787 ermöglichte ihm eine unerwartete Zahlung (Entschädigung für eine ihm entgangene Hofmeisterstelle), das tübinger Geschäft zu übernehmen. Mit einer gewissen

Unsicherheit und Unerfahrenheit, aber auch mit Wagemut und Unternehmungsgeist ging er an die Aufgabe heran, und bald gelang es ihm, die bedeutendsten deutschen Autoren an sich zu ziehen und seine geschäftliche Grundlage weiter und weiter auszudehnen. Nach zwanzig Jahren hatte der Verlag europäischen Ruf erlangt. Seit 1798 erschien bei ihm – zunächst in Stuttgart, später in Ulm, seit 1810 in *Augsburg – die „Allgemeine Zeitung", die bald die bekannteste Tageszeitung Deutschlands wurde. 1823 gründete er in Augsburg, 1827 in München Niederlassungen des Buch-Verlages, dessen Hauptsitz seit 1810 Stuttgart war. Alle Erfindungen auf dem Gebiete der Drucktechnik (Dampfpresse, Lithographie, Kupferdruck usw.) verfolgte und nutzte er. Seine Verlagsproduktion umfaßte immer weitere Gebiete, nicht nur der schönen Wissenschaften, sondern auch der Medizin, Technik, Landwirtschaft, Politik, Geographie usw.; die Zahl der Monographien, Zeitschriften, („Almanach für Damen"), Zeitungen (zB. seit 1807 „Morgenblatt für gebildete Stände") wuchs ständig. Neben seinen Verlagsgeschäften wandte sich C. in steigendem Maße der Politik zu, er war Abgeordneter, an dem württembergischen Verfassungskampf maßgeblich beteiligt und wiederholt mit politischen Missionen betraut; er verwaltete und verbesserte als Landwirt große Güter, die er in Württemberg und Bayern erworben hatte; eine Neuregelung der Dampfschiffahrt auf dem *Bodensee, dem Rhein, dem Main, der Donau wurde von ihm eingeleitet; er arbeitete den Plan einer Hypotheken- und Wechselbank für München aus; er war unermüdlich tätig für die Wohlfahrt als für eine soziale Einrichtung und gehörte zu den Vorstehern einer Sparkasse für ärmere Volksklassen. Seine überragenden Verdienste wurden anerkannt. 1817 erhielt er von Preußen den Titel eines Geheimen Hofrates, in demselben Jahr wurde sein alter Adel von Württemberg wieder bestätigt (Cotta von Cottendorf), 1822 wurde ihm von Bayern die erbliche Freiherrnwürde verliehen. – Nach seinem Tode führten den Verlag sein Sohn Johann Georg (1796–1863) und sein Enkel Carl (1835 bis 1888) weiter. Auch als für die Mehrzahl der alten Autoren des Verlages durch Bundesgesetz die Schutzfrist 1867 ablief und die Werke frei wurden, blieb die Spitzenstellung des Verlages erhalten, der 1889 nach dem Tode Carl v C.s in den Besitz AKröners überging.
Für den jungen JF wurde im Mai 1794 die Begegnung mit Schiller entscheidend, den er für die Herausgabe einer politischen Zeitung

zu gewinnen suchte. Der Plan zerschlug sich, aber es kam zur Begründung der Monatsschrift „Die Horen", die in zwölf Bänden von 1795–1797 bei C. erschien. Damit waren auch die Beziehungen zu Goethe hergestellt, und in den nächsten Jahren folgten als weitere Autoren fast alle überragend namhaften, maßgebenden Persönlichkeiten der ganzen Goethe-Zeit.
Seit 1797 stand Goethe mit C. in Verbindung und war vom 7.–16. IX. dieses Jahres sein Gast in Tübingen: *Je näher ich Herrn Cotta kennen lerne, desto besser gefällt er mir. Für einen Mann von strebender Denkart und unternehmender Handelsweise, hat er so viel mäßiges, sanftes und gefaßtes, so viel Klarheit und Beharrlichkeit, daß er mir eine seltne Erscheinung ist* (12. IX. 1797 an Schiller: *IV/12, 301*). Am 2. V. 1799 traf Goethe mit JFC. bei Schiller in Jena zusammen (III/2, 244), 5.–7. V. 1800 zur Messe in *Leipzig (ebda 291), empfing am 25. V. des gleichen Jahres das Ehepaar C. in Weimar (ebda 297) und verzeichnet dann 1801, 1802, 1806–1812, 1814, 1823 Besuche JFC.s in Weimar oder Jena, 1828 und 1829 *Herrn und Frau von Cotta (III/11, 283; 12, 76).*
Die Korrespondenz mit C. bezieht sich überwiegend auf geschäftliche Dinge, doch haben auch persönlich-freundschaftliche Beziehungen zu der Familie des Verlegers bestanden. JF war in erster Ehe verheiratet mit Wilhelmine geb. Haas (1769–1821; vgl. Goethes teilnahmsvolle Zeilen vom 24. VII. 1821: IV/35, 35; dazu 319). Am 15. II. 1824 teilte JF seine Wiederverheiratung mit Elisabeth vGemmingen-Guttenberg (1789–1859) mit. Am 22. IX. 1830 nahm Goethe die Patenschaft bei JF.s erstem Enkel an und schrieb an Johann Georg vC., den Vater des Täuflings: *Sie knüpfen durch ein neues geistiges Band, die schönen bedeutenden Verhältnisse, welche mich so viele Jahre mit Ihrem Herrn Vater verbinden, nur desto fester; welches ich nicht genug schätzen kann (IV/47, 237).* Die Mutter des Kindes, Sophie vC., geb. Adlerflycht (1801–1838), war eine frankfurter Patrizierstochter aus dem Hause Alten Limpurg.– Gelegentliche Differenzen, wie zB. Goethes scharfe Reaktion auf den Bericht über seine Heirat und andere persönliche Verhältnisse in Weimar („Allgemeine Zeitung" Nr 352 v. 25. XII. 1806; vgl. IV/19, 252ff.; 516–519) vermochten das gute Verhältnis nicht nachwirkend zu trüben.
In geschäftlicher Hinsicht hat Goethe bei aller Höflichkeit seine Ansprüche als Autor unnachgiebig gewahrt – der aufrechten, ehr-

lichen, geistig bedeutenden Persönlichkeit C.s hat er stets Achtung und Anerkennung entgegengebracht. Noch in seinem letzten an das Ehepaar C. gerichteten Brief vom 24. IX. 1831 schreibt Goethe – und es klingt wie das Facit ihrer Beziehungen und zugleich wie die Vorsorge auf Künftiges: *Die verehrten Gatten sind überzeugt, daß ich ihre freundliche Zuschrift nach dem ganzen Werthe derselben zu schätzen weiß und mir auf's höchste erfreulich seyn muß, ein so vieljährig-fruchtbares Verhältnis in seiner Blüthe und an reifen Früchten zu erkennen. . . . Wenn nun bisher Ihre Geneigtheit unveränderlich geblieben ist, so darf ich auch für die Zukunft hoffen, mit den Meinigen zum besten empfohlen zu seyn (IV/49, 91).*
Bei C. erschien die dritte rechtmäßige Gesamtausgabe von Goethes Werken (12 Bde., 1806 bis 1808), die vierte Ausgabe (20 Bde., 1815 bis 1819) und die Ausgabe letzter Hand einschließlich der „Nachgelassenen Werke" (60 Bde., 1827–1842); *Editionen; *Verlags- und Sortimentsbuchhandel. Diese Gesamtausgaben wurden nach Goethes Tode fortgesetzt durch die Quart-Ausgabe, 2 Bde. 1836/37; eine vollständig neugeordnete Ausgabe in 40 Bänden, 1840–1842; wiederholt 1853–1858 und 1869. Daneben erschien zweimal eine 30bändige Ausgabe (1850–1852 und 1857–1858) und eine 6bändige Gesamtausgabe (1854–1855; 1860; 1863). Als das schwerwiegende Datum des 9. XI. 1867 heranrückte, sicherte sich der Verlag C. den Literarhistoriker K Goedeke als Herausgeber. Unter Goedekes Leitung erschien vor allem eine 36bändige Ausgabe mehrmals (1866–1868; 1867–1868; neu durchgesehen und ergänzt in der „Bibliothek der Weltliteratur" 1882–1885; 1893–1896), daneben eine 15bändige Ausgabe (1872; 1881), eine 10bändige (1875) und eine 3bändige (1869). Die Krönung der c.schen Gesamtausgaben stellt die Jubiläumsausgabe in 40 Bänden und einem Registerband dar, die EvdHellen zusammen mit vielen Fachgelehrten (Burdach, Herrmann, Köster, Muncker, Pniower, E Schmidt, Walzel usw.) 1902–1912 aufs mustergültigste herausbrachte.
Daneben erschienen zahlreiche Auswahlausgaben, Teilsammlungen, illustrierte und Schulausgaben, meist mit Erläuterungen, Briefwechsel, unter denen besonders auf die Auswahlsammlung in chronologischer Reihenfolge von EvdHellen (6 Bde, 1901–1913) hinzuweisen ist.
Wie Schiller mit einer Zeitschrift bei C. begonnen hatte, so auch Goethe. Als erstes ließ Goethe die *Propyläen* (3 Bde., 1758–1800) in

diesem Verlag erscheinen. Seit 1802 die Voltaire-Übersetzungen, 1803 *Leben des Benvenuto Cellini*, 1804 *Die natürliche Tochter* und 1805 *Winckelmann und sein Jahrhundert* von C. in Verlag genommen waren, wurde er mit geringfügigen Ausnahmen der alleinige Verleger der goetheschen Werke. Er blieb es bis 1867 unbeschränkt; aber auch später behielt der Verlag bis zur Jubiläumsausgabe hin seine führende Stellung in der Verbreitung der goetheschen Werke bei. Im 20. Jahrhundert löste ihn darin dann der *Insel-Verlag ab.   *St*

W Vollmer: Briefwechsel zwischen Schiller und Cotta. 1876. – A Schäffle: Johann Friedrich Cotta. 1895. Als: Geisteshelden Bd 18. – Jubiläums-Katalog der JG Cottaschen Buchhandlung Nachfolger 1659–1909. 1909. – H Schiller: JFCotta. Zur 100. Wiederkehr seines Todestages. Mit zwölf bisher nicht veröffentlichten Briefen an Cotta. 1932. – H Schiller: JFCotta. 1942. Als: Schwäbische Lebensbilder 3.

Coudray, Clemens Wenzeslaus (1775–1845), Oberbaudirektor, seit 1815 bis zu seinem Lebensende in Weimar tätig. C. begann seine Laufbahn als Tapezierer und Dekorateur, wandte sich aber aus Neigung bald dem Architekturstudium zu. Sein erster Lehrer wurde Hofbaumeister *Schuricht in Dresden, ihm folgte in umfassenderer Weise Hofbaumeister Heyne. Beide Lehrer machten den Jüngling mit besonderem Nachdruck auf die Werke *Palladios aufmerksam. Ein Aufenthalt in Berlin vermittelte ihm die Anschauung der Bauten eines Gontard, Langhans und des Entwurfs von Gilly zum Denkmal Friedrichs d Gr. Von größtem Einfluß auf seine Ausbildung war jedoch erst JN*Durand in Paris, der als Professor der Baukunst an der École Polytechnique wirkte. Noch 1831 hat C. seine Dankbarkeit Durand gegenüber durch die Übersetzung seines „Abriß der Vorlesungen über Baukunst. Gehalten an der Kgl. Polytechnische Schule zu Paris" bekundet. Ein vierjähriger Studienaufenthalt in Italien, vor allem Rom, schloß sich den Ausbildungsjahren in Paris an. Nach seiner Rückkehr nach Deutschland war C. zunächst in Fulda als Hofarchitekt des Fürsten von Oranien und seiner Nachfolger tätig. Goethe, der sich nach mehreren mißglückten Unternehmen wieder einmal nach einem geeigneten Architekten umsah, der nunmehr ständig für die zu lösenden Bauaufgaben des Großherzogtums, besonders aber für die Wiederaufnahme der Arbeiten am *Schloß in Weimar zur Verfügung sein sollte, ließ C. Ende 1815 nach Weimar kommen. Am 20. IV. 1816 wurde dieser offiziell zum Oberbaudirektor bei der Landesdirektion in Weimar ernannt. Um alle Kräfte für die zu bewältigenden Aufgaben konzentrieren und richtig ansetzen zu können, legte C. zunächst einen Plan zur Organisation einer Oberbaubehörde vor. Am 2. I. 1817 wurde daraufhin durch Erlaß des Großherzogs die Oberbaudirektion mit C. und Hofarchitekt *Steiner begründet. Die Oberbaubehörde war selbständig, lediglich das Straßenbauwesen blieb der Landesdirektion unterstellt; C. betrieb dies jedoch gleichfalls, besonders was den Chausseebau betraf, mit Nachdruck. Vielseitig und umfangreich waren die Aufgaben, die C. in fast dreißigjähriger Tätigkeit in Weimar, Jena und anderen Orten des Großherzogtums zu bewältigen hatte. Goethe stand ihm von Anfang an freundschaftlich gesinnt zur Seite und vertrat seinen Standpunkt auch bei gegen C. gerichteten Anlässen und Urteilen. Aus der Fülle des von diesem für das Großherzogtum Geleisteten sei nur das Wesentlichste vermerkt: C. leitete den Wiederaufbau der abgebrannten Dörfer Berka, Buttlar, Kerpsleben, Rastenburg und Udestedt, bemühte sich um die Anlegung oder Verbesserung von Chausseen und schuf viele neue öffentliche und private Gebäude in verschiedenen Orten. Dazu kamen ua. noch die Erfüllung denkmalpflegerischer Aufgaben und die Schaffung von Festdekorationen zu besonderen Anlässen. Im Großherzogtum zählt man allein 20 Pfarreien, 73 Schulen und den teilweisen oder völligen Neubau von mehreren Kirchen (meist Saalkirchen mit Emporen), die C. zu verdanken sind. C.s wesentlichste Verdienste aber liegen zweifellos in der Um- und Ausgestaltung des weimarer Stadtbildes, angefangen von der Verbesserung und Erweiterung vieler Plätze und Straßen, dem Aus- oder Neubau öffentlicher Gebäude und privater Häuser bis zur Durchführung der großen Bauprojekte, zu denen in erster Linie Pläne zum weiteren Aufbau des weimarer Schlosses (C. besorgte den Ausbau des westlichen Schloßflügels mit Pavillon und Kapelle), der Plan zum *Theater und die Erbauung der *Fürstengruft zu rechnen sind. Daneben kümmerte er sich mit Goethe auch um die Heranbildung von geeigneten Fachkräften für das Baugewerbe. 1829 konnte die „Freie Gewerkschule" in Weimar eröffnet werden, an der auch C. selbst unterrichtete. Stets plante C. seine Projekte in bezug auf das bereits Vorhandene, also in größerem Zusammenhang. Ein schlichter, hauptsächlich an Frankreich und Palladio orientierter Klassizismus, der mit einfachen großen Formen der jeweiligen Bestimmung des Gebäudes gemäß eine ruhige klare Harmonie anstrebte, prägte seine größeren Bauten. Seine Eigenart kommt deutlich auch in dem Ent-

wurf zum *Pentazonium Vimariense zum Ausdruck. C. wurde als „stilles und bescheidenes Männchen" geschildert (Bdm. 4, 149). Trotz seines gediegenen Könnens und seiner umsichtigen, nie ermüdenden Tätigkeit blieben ihm Anfeindungen nicht erspart. So siegte beim Neubau des weimarer Theaters der bescheidenere Plan des Architekten *Steiner über sein mit Goethe und im Gedankenaustausch mit *Schinkel entworfenes Projekt eines repräsentativen Hoftheaters. Beide Männer wußten die in letzter Minute erfolgte Zurücksetzung großzügig zu verschmerzen. Um so mehr freute es Goethe, daß dem tätigen und erfindungsreichen Oberbaudirektor, dem für seine Pläne stets nur sehr bescheidene Geldmittel zur Verfügung standen, einmal ein uneingeschränktes Lob durch seinen Freund *Zelter zuteil wurde (IV/43, 293). Die in der Liebe und Fürsorge für das Bauwesen und die Architektur im allgemeinen begründete Freundschaft zwischen Goethe und C. – die Tagebücher Goethes verzeichnen ungezählte Besuche C.s im *Hause am Frauenplan, selbst wenn Goethe, wie im Winter 1823, krank war und sonst kaum jemand empfing – währte bis zu Goethes Tode (C. hat seine Eindrücke von Goethes drei letzten Lebenstagen aus unmittelbarem Miterleben schriftlich aufgezeichnet). C. sollte den Dichter und Freund um viele Jahre überleben. Die schönste Würdigung des Mannes, den Goethe den geschicktesten Architekten seiner Zeit nannte, hat er *Eckermann gegenüber gegeben, sie schließt mit den Worten: *Er hat sich zu mir gehalten und ich mich zu ihm, und es uns beiden von Nutzen gewesen. Hätte ich den vor funfzig Jahren gehabt! (Bdm. 4, 66).*   Wt

Cour d'amour, Goethes Mittwochskränzchen im Winter 1801/1802, *Pikniks* einer *geschlossenen Vereinigung (I/35, 126),* die jeweils in ein/zweiwöchigen Abständen bei Goethe stattfanden. Idee und Gründung dieses „Vereins... nach der wohlbekannten Minnesänger-Sitte" (*Minnesang) gehen auf Goethe zurück (vgl. Goethe Jb 6, 66–68); die erste Zusammenkunft fand am 7. X. (WvBiedermann: Goethe Jb 4, 435), 28. X. *(Abends geschloßne Gesellschaft: III/3, 39)* oder 11. XI. 1801 (Düntzer: Goethe Jb 5, 333–342) statt. Die Mitglieder dieser *Vereinigung ... wo Neigung ohne Leidenschaft, Wetteifer ohne Neid, Geschmack ohne Anmaßung, Gefälligkeit ohne Ziererei und ... Natürlichkeit ohne Rohheit, wechselseitig in einander wirkten (I/35, 126)* waren, nach Paaren geordnet: Goethe/H Gräfin v*Egloffstein; Wv*Wolzogen/Chv Schiller; Schiller/Cv Wolzogen; FH v *Einsiedel/Cv Egloffstein; WG Chrv Egloffstein/

Hv*Wolfskeel; AFKvEgloffstein/Av*Imhoff; JH*Meyer/Lv*Göchhausen. Ob die Abende der Zusammenkünfte wirklich immer so heiter und harmonisch verliefen, wie Goethe das in den *TuJ* darstellt und auch Schiller gelegentlich glauben macht, mag zweifelhaft erscheinen (vgl. HvEgloffstein in: GoetheJb 6, 59 bis 83). Av*Kotzebues Ehrgeiz, der, da er zur Cd'a. nicht zugelassen wurde, Schiller besonders durch eine zu dessen Namenstag (5. III. 1802) geplante Aufführung im weimarer Stadtsaal für sich gewinnen wollte, war der äußere Anlaß zur Auflösung des Kränzchens (vgl. auch Bode 1, S. 721–728; IV/16, 413). *Unsere kleine Versammlung trennte sich, und Gesänge jener Art gelangen mir nie wieder (I/35, 127).* Es waren dies die *Der Geselligkeit gewiedmeten Lieder,* die dann im „Taschenbuch auf das Jahr 1804" veröffentlicht wurden: *Stiftungslied* (I/1, 109 f.; vgl. IV/15, 272 f.); *Zum neuen Jahr (I/1, 107 f.); Tischlied (ebda 121–123); Generalbeichte (ebda 126 f.);* wahrscheinlich außerdem: *Frühlingsorakel (I/1, 111 f.); Dauer im Wechsel (ebda 119 f.);* HViehoff zählt auch: *Frühzeitiger Frühling (I/1, 81 f.)* und *Schäfers Klagelied (ebda 85)* dazu; *Ballade Sp. 639 f. Wie die Notiz *Cour d'amour* (25. IX. 1798: *III/2, 219*) exakt interpretiert werden muß, läßt sich kaum ermitteln.   *JP*

Courier, Paul–Louis (1772–1825), neunzehn Jahre lang (schlechter) Artillerieoffizier, wurde zu einem der berühmtesten französischen Übersetzer und Pamphletisten, einem Meister der Prosa, der nach seinem eigenen Worte ein „Bauer war, der Griechisch und Lateinisch konnte". C. gab damit die Wesensbestimmung seiner schriftstellerischen Form: Durchsichtigkeit und Geschmeidigkeit, der nicht die geringste gelehrte Schwere anhaftete. Er hatte bei den Griechen, den französischen Prosaisten des 15., 16. und 17. Jahrhunderts, bei *Voltaire und *Beaumarchais schreiben gelernt. Er übersetzte ua.* Xenophon („Du commandement de la cavalerie et de l'équitation", 1807), *Longos („Daphnis et Chloé", 1810, eine glättende und ergänzende Neugestaltung nach *Amyot), *Lukian („La Luciade ou l'Âne de Lucius de Patras", 1818). Seine Streitschriften, in denen er die nervige Eleganz und tödliche Präzision vollendeten Florettierens mit scheinbarer Lässigkeit verband, galten dem „weißen Terror" und der Engstirnigkeit der Restaurationspolitik nach 1815 („Pétition aux deux Chambres", 1816; „Simple discours de Paul-Louis, vigneron de la Chavonnière", 1821; „Pétition pour des villageois que l'on empèche de danser", 1822; „Pamphlet des pamphlets",

1824), der *Akademie der Inschriften, die ihm andere, keineswegs bedeutendere Kandidaten vorgezogen hatte („Lettre à Messieurs de l'Académie des Inscriptions et Belles-Lettres", 1819) persönlichen Gegnern, wie dem italienischen Bibliothekar del Furia („Lettre à M. Renouard, libraire, sur une tache d'encre faite à un manuscrit de Florence", 1810): Furia hatte C. – mit Recht? mit Unrecht? – beschuldigt, in einem von diesem zu Florenz entdeckten Longos-Manuskript eine nur darin vorkommende Stelle absichtlich durch einen Tintenfleck unleserlich gemacht zu haben. – Der Mensch C., der von Verfolgungswahn nicht ganz frei war, zeigte sich wenig liebenswert. Hart gegenüber seiner Frau und seinen Dienstboten, wurde er von zweien der letzteren ermordet. – Goethe kennt C.s „Mémoires, Correspondance et Opuscules inédits", 2 Bde, Paris 1828 (III/12, 357 f.), darunter auch die Xenophon-Übersetzung (bestellt 1818; IV/45, 75) und spricht mit *Göttling und *Weller über *Courier . . ., Charakter, Leben, Studien und Arbeiten. Xenophons Reitschule. Daphnis und Chloe, Dintenklecks im Manuscript, welchen Professor Göttling mit Augen gesehen hatte (1829: III/12, 1).* Er liest *Daphnis und Chloe übersetzt von Courier;* wenn er dabei die *bewundernswürdige Tagesklarheit* der *Darstellung* rühmt, die von *höchster Milde* ist und in der *aller Schatten . . . Reflex* wird, so lobt er damit zugleich auch den bzw. die Übersetzer *als ganz vollkommen* (1831: *III/13, 48;* Bdm. 4, 349); erwähnt wird auch die Lektüre von Teilen aus den *Philippiken gegen Furia, die *Academie und sonst* (1831: *III/13, 50).* Zusammengefaßt heißt es: *Courier ist ein großes Naturtalent, das . . . von *Byron die große Gegenwart aller Dinge . . ., von *Beaumarchais die große advokatische Gewandtheit, von *Diderot das Dialektische . . . hat;* es ist unmöglich, geistreicher als er zu sein; in der Tintenfleckfrage erscheint er nicht ganz unangreifbar; *auch ist er in seiner ganzen Richtung nicht positiv genug . . . mit der ganzen Welt in Streit,* dürfte er auch *etwas Schuld* an solcher Lage tragen (1831: *Bdm. 4, 349 f.).*   *Fu*

Cramer, Carl Gottlob (1758–1817, Thüringer, Forstrat und Dozent an der Forstakademie Dreißigacker/Meiningen, Roman- und Theaterschriftsteller, am produktivsten als Autor von Räuber- und Diebsromanen, bezeichnet fast die untere Niveaugrenze der Belesenheit Goethes. „Der deutsche Alcibiades" (1790) hatte 1796 den klassischen *Xenien*-Zorn heraufbeschworen *(I/5¹, 258 Nr. 363).* Vielleicht das Verlangen nach leichter Kost, vielleicht der Wunsch nach einem *Schelmenroman, jedenfalls die *Reconvalescenz*-Muße in *Karlsbad ließen ihn „Leben, Thaten und Sittensprüche des lahmen Wachtelpeters" (von C. (1794) lesen (28./29. VI. 1812: III/4, 420). *Za*

Cramer, 1) Johann Andreas (1723-1788), Sachse, Pastor zunächst in Cröllwitz (1748), Oberhofprediger in Quedlinburg (1751), deutscher Hofprediger in Kopenhagen (1754), Theologieprofessor ebendort (1764), von Struensee entlassen und seit 1771 Superintendent in Lübeck, 1774 bis zum Tode Kanzler und erster Theologieprofessor in Kiel. Poetisch wurde C. bekannt durch seine Psalmen-Übersetzung (1755), vor allem durch seine geistliche Oden- und Kirchenlieddichtung (1766; 1782) sowie durch seine Zeitschrift „Der nordische Aufseher" (1758–1761), mit allem durch eine überzeugte, allgemach übertriebene *Klopstock-Verehrung. In diesem Sinne hatte Goethe sich mit seinen *Poetischen Gedancken über die Höllenfahrt Christi* (1766) durchaus von dem gerade aktuellen Stil besonders der Erlöser- und Jüngstes-Gericht-Oden C.s bis zu einzelnen Wortwendungs-Anleihen aus Klopstocks Messias (zB. 2, 261) inspirieren lassen (*Morris 1, 85–90;* dazu 6, 9–10; auch ChrWGV 3, 15; HbgA 9, 666). Ob Goethe auch die Gellert-Biographie C.s (1774) kannte, ist nicht bezeugt.

–, 2) Carl Friedrich (1752–1807), Sohn von 1), als göttinger Philologie-Student 1773 Angehöriger des *Hain-Bundes (vgl. I/28, 139), 1775 ao. Philologie-Professor in Göttingen, 1780 Ordinarius (Philologie, Homiletik) in Kiel, 1794 wegen Parteinahme für die Französische Revolution amtsenthoben, Emigration nach Paris, dort in Not gestorben. C.s Revolutions-Gesinnung verurteilte auch Goethe in mehreren, zT. scharfen *Xenien* (1796: I/5¹, 238f. Nr. 230. 231. 235. 236; 296f. Nr 185, 189, 196). C.s Buch „Klopstock. Er und über ihn.", 1779/82, erregte zunächst Goethes Spott (1780: *Das Neueste von Plundersweilern:* I/16, 51 V. 173–178; der ärgerliche Klopstock-Briefwechsel vom Frühjahr 1776 war noch zu frisch); 1813 fanden sich ruhigere Worte, die allerdings C.s Namen auch nicht nennen (*DuW:* I/28, 334). *Za*

Cramer, Johann (?) Friedrich Matthias Gottfried (1779–1836), Gerichtsbeamter (Beisitzer, *Auditeur*), Schriftsteller, zunächst in Erfurt, dann in Quedlinburg, interessierte Goethe 1804 als entwicklungsfähiger Mitarbeiter für die JALZ (*Allgemeine Literaturzeitung; IV/17, 158). In den karlsbader Gesprächen 1807 bemerkte Goethe, daß auch C. *besser schreibt als er denkt (III/3, 226),* doch kann er

C. und dem Freiherrn Christoph Christian vDabelow (1768–1830) danken für ein aus *Wien mitgebrachtes *Packet, das Theaterstücke meistens Opern enthielt (III/3, 256);* als Verfasser eines *ärgerlichen Liedes auf Fräulein von Langot (III/3, 267;* FH*Himmel) hat er Goethes Beifall nicht. Im Februar/März 1809 fesselte Goethe die Lektüre der *Dürer-Biographie C.s (III/4, 9; 16; 18). *Za*

Cramer, Johann Ulrich Freiherr von (1706 bis 1772), Sproß einer ulmer Kaufmannsfamilie, mit 25 Jahren ao., bald darauf o. Professor der Rechte in Marburg, wo er die „demonstrative" Lehrart einführte, war seit 1752 Beisitzer (Assessor) am *Reichskammergericht in *Wetzlar. Er starb hier kurz nach Goethes Ankunft. C. war ein angesehener fruchtbarer Schriftsteller in seinem Fach. Zur „Erweiter- und Erläuterung der Deutschen in Gerichten üblichen Rechts-Gelehrsamkeit" gab er, unterstützt von Kollegen, ausgewählte Entscheidungen seines Gerichts unter dem Titel „Wetzlarische Nebenstunden" heraus, von denen bis zu seinem Tode nicht weniger als 32 Bände in 123 Teilen erschienen. Die letzte Lieferung (118.–123. Teil) hat Goethe in den FGA rezensiert. Man merkt, daß er sich dabei starke Zurückhaltung auferlegt hat (vgl. dagegen ThC*Becker). Die Ironie versteckt sich hinter zweifelhaftem Lob: *Wenn ein Werk einmal bis auf den 123. Theil angewachsen ist, so ist wohl alles, was man in den gelehrten Zeitungen darüber sagen kann, überflüßig.* Es folgt ein jugendlich hingeschleuderter kurzer Exkurs über die Entwicklung der Jurisprudenz, die sich in 4 Perioden rückläufig abgespielt habe: *itzt in dem Consilien- und Responsen Seculo . . . werden nun Consilien als ein Surrogatum des *Corpus Juris geschrieben (Morris 2, 313).* So wird die Rezension zu einem Hieb auf die Rechtssprechung der Zeit. *Fr*

Cramer, Ludwig Wilhelm (1755–1832), seit 1803 Oberbergrat in Wiesbaden, 1816 Hofgerichtsrat in Dillenburg, seit 1822 Ruhestand in Wetzlar, war ein guter Kenner der geologischen und bergbaulichen Verhältnisse in Hessen-Nassau (zu C.s Schriften vgl. hier Sp. 1051; dazu „Geognostische Fragmente von Dillenburg und der umliegenden Gegend", Gießen 1827; IV/43, 228; 406). Seine Sammlung war *ein vorzüglicher Schmuck* *Wiesbadens. Goethe besuchte während seiner dortigen Aufenthalte 1814 und 1815 den *gefälligen, theoretisch und praktisch gebildeten Besitzer (NS 2, 64)* fast täglich. Er erinnert sich, daß C. ihm *Wiesbaden zum wahren Cur- und Lustort geschaffen habe (IV/25, 136).* C. war 1814

Goethes Begleiter auf der Fahrt zum *Sanct Rochusfest* und 1815 über *Limburg, *Holzappel bis *Nassau (IV/26, 58f.). Sie trafen sich mehrfach bei der Tafel in *Biebrich, und unternahmen 1815 dreizehn gemeinsame Ausflüge auf den *Geisberg. Eine der beiden Töchter C.s war Schülerin der Schule von J de l'*Aspée (vgl. hier Sp. 410). – Goethes Korrespondenz mit C. enthält dreizehn goethesche Briefe, die sich hauptsächlich mit mineralogischen Fragen beschäftigen, auch mit dem Verkauf der c.schen Sammlungen, häufig Steinsendungen begleiten und Goethes Wertschätzung für den immer tätigen *wackeren Lebemann* bekunden *(IV/40, 51)*.   *Bn/JP*

Cranach, 1) Lucas d. Ält. (1472–1553), Goethes Urahn mütterlicherseits, Maler und Zeichner für den Holzschnitt, gebürtig aus Kronach in Franken, tätig in Österreich, Wittenberg und *Weimar, einer der Hauptmeister der deutschen Renaissance. Die unruhige Form der Frühzeit klärte sich nach 1504 (Berufung als Nachfolger Jacobi de' Barbaris zum Hofmaler Kurfürst Friedrichs des Weisen, dessen Aufträge ihn bald zur Bildung einer umfangreichen Werkstatt zwangen) und nahm nach der niederländischen Reise (1508) vorübergehend italienische Elemente auf. C.s Stil ist mit seiner ornamental bewegten, ausdrucksvollen Umrißlinie um 1520 zur eigenen Sprache ausgebildet, die ihn befähigte, aus dem Gebiet der religiösen und mythologischen Historie Darstellungsgegenstände zu bevorzugen, die seinen Formvorstellungen entgegenkamen. Als Freund Luthers prägte er durch seine Porträts des Reformators das volkstümliche Lutherbild und versuchte, den rein gedanklichen Vorstellungen des jungen Protestantismus Bildform zu verleihen (vgl. die später häufigen Darstellungen von Sündenfall und Erlösung des Menschen). Im Dienst dreier sächsischer Kurfürsten – Friedrichs des Weisen (†1525), Johanns des Beständigen (†1532) und Johann Friedrichs des Großmütigen (†1554), den C. in die Gefangenschaft nach Augsburg (dort Begegnung mit *Tizian) begleitete (vgl. Bdm. 1, 529) – verstand er es, den Geschmack der Hofgesellschaft an den norddeutschen Residenzen der Spätrenaissance zu beeinflussen; seine Jagd- und Turnierdarstellungen schildern das höfische Leben der Zeit.

Seine Eigenschaft als Hofmaler erklärt die Schätzung C.s im 17. und 18. Jahrhundert (zahlreiche seiner Bilder in der Kunstkammer in Dresden) und die frühe wissenschaftliche Beschäftigung mit seiner Kunst (vgl. CEReimers: „Historisch-artistische Abhandlung über

das Leben und die Kunstwerke von Lucas C.", 1761). Sie bestimmt auch 1776 noch die Einstellung Goethes. Er schreibt an *Herder über das Hochaltarbild des jüngeren C. in der Stadtkirche zu Weimar: *und auf des Altar Blats Flügel den Johann Friedrich wieder in Andacht und die seinen* [Sibylla von Cleve und drei Söhne] *von seinem Cranach und in der Sacristey Luther in drey Perioden von Cranach, immer ganz Luther und ein ganzer Kerl. ganz Mönch, ganz Ritter und ganz Lehrer (IV/3, 86)*, auf einem Triptychon, das aus Nachahmungen der späteren C.-Schule nachträglich zusammengestellt wurde. Die in Weimar lebendige Lokaltradition spricht auch aus dem vielfachen Interesse *Meyers und aus der Tatsache, daß C.s Wohnhaus (Markt 11), in dem der Künstler sein letztes Lebensjahr verbrachte, und sein Grab nicht vergessen waren (vgl. I/36, 360).

Im Laufe der Jahre gewann Goethe eine ziemlich umfangreiche Kenntnis c.scher Bilder, denen er stets auch künstlerisch gerecht zu werden suchte. Als Leitsatz mochte die Forderung dienen, daß man ein Bild immer so ansehen müsse, *als wenn der Maler es besser als der Beschauer verstanden habe (Bdm. 3, 220)*. Es genügt hier eine Zusammenstellung der bei Goethe (und Meyer) genannten Werke, deren Echtheit in den meisten Fällen allerdings in Frage gestellt ist, geordnet nach der Zeitfolge der Erwähnung.

1) 1788 auf der Rückreise aus Italien altdeutsche Gemälde auf dem Rathaus zu Nürnberg *in der Kreisstube,* ua. von C., zitiert aus Murrs „Beschreibung der vornehmsten Merkwürdigkeiten in des H. R. Reichs freyen Stadt Nürnberg...", 1778 *(I/32, 461)*.

2) 1808 eine aus der Slg. Oels in großherzoglichen Besitz gelangte Madonna, vielleicht das 1518 datierte Bild (Weimar, Schloßmuseum).

3) 1810 ein von *Knebel gesandtes Porträt, wahrscheinlich KvBora darstellend (IV/21, 403), das in Goethes Besitz gelangte.

4) 1810, 6. März, bei Meyer die *Sposalizio der* hl. *Elisabeth* (= Katharina?; *III/4, 100*), nicht nachweisbar.

5) 1810 in Dresden auf der Galerie *ein Mann in einer Pelz Mütze/ Einer dergleichen in schwarzer Kalotte* (unter den vorhandenen schwer identifizierbar): *Fürtrefflich;* und *Adam und Eva ganz nackend* (jetzt Kat.-Nr. 1916 A): *Gut, so wie er es hat machen können (I/47, 382)*.

6) 1812 ein aus der Slg. Oels in die großherzogliche Sammlung gelangtes „treffliches Bild".

7) 1812 eine auf dem Rathaus von Meyer entdeckte Darstellung „Adam und Eva".

8) 1813 in der Slg. vRacknitz in Dresden ein

Kranz von aufgesprungenen Erbsche Schoten v.
Luc. Cranach ganz scharmant (?III/5, 70).
9) 1815 in der Slg. Holzhausen in Frankfurt/M
Christus, der die Mütter und Kinder um sich her
versammelt, merkwürdig durch die glücklich ge-
dachte Abwechselung der Motive von Mutterliebe
und Verehrung des Propheten (I/34ᴵ, 110; vgl.
III/5, 181), wohl die im Städel zu Frankfurt
befindliche Variante der Fassung von 1538
(Hamburg, Kunsthalle).
10) 1815, 26. Juli, *Luc. Cranach Blondine* in
einer kölner Privatsammlung (Lieversberg?;
III/5, 172, vgl. IV/26, 59).
11) 1815 Beschreibung einer Auswahl der von
**Quandt in der Nikolai- und Thomaskirche zu
Leipzig entdeckten altdeutschen Bilder, deren
Nachzeichnungen Quandt den WKF. schenkte,
im Morgenblatt 1815, 272–274 *(I/48, 156–159):*
a) Verklärung, eig. Christus auf dem Berge Ta-
bor, zwischen 1520–1525; *das Bild ist ein Mo-*
ment, ein Guß des Gedankens, vielleicht der
höchste gunstreichste Augenblick in Cranachs Le-
ben (Leipzig, Museum für Stadtgeschichte);
b) Christus und die Samariterin, Werkstattbild
(ebda., Museum der bildenden Künste);
c) Kreuzigung, nicht nachweisbar;
d) Der Sterbende, Darstellung der letzten
Ölung und der Seelenrettung, vom Grabmal
des HSchmitburg in der Nikolaikirche zu
Leipzig, 1518 dat. (ebda., Museum der bild.
Künste);
e) aus der 1. Gruppe *auf Goldgrund* die Hl.
Dreifaltigkeit, 1515 von der Sebastiansbruder-
schaft für die Nikolaikirche bestellt (ebda).
12) 1817 wurde das sog. Kurfürstenbild, die
drei ernestinischen Kurfürsten ganzfigurig und
lebensgroß, Werkstattarbeit nach 1537, ehemals im Fürstenstand der Schloßkirche, seit
1804 auf der Bibliothek (jetzt Schloßmuseum),
vom Ober-Consistorium *zur Aufstellung bey*
Gelegenheit des Reformations-Jubiläums erbeten,
jedoch nicht entliehen, da es sich um „ein hohes Familienstück" handelte (Voigts Randno-
tiz zu IV/28, 269; ebda 431; *III/6, 115;* 119 f.);
Kopie von *Schmeller (III/6, 125).
13) 1820 ein männliches Brustbild „in C.s Art
gemahlt", von Minister von Fritsch in Wien erworben (jetzt Schloßmuseum).
14) 1825, 5. September, *waren die Porträte von*
Lucas Cranach aus der Derschauischen Auction
angekommen (III/10, 99).
15) 1827 kopierte Schmeller auf Wunsch des
Großherzogs eine C. zugeschriebene Kreuzigung im Dom zu Merseburg (IV/42, 165f.; 187;
vgl. III/11, 52; 58), über die Meyer Goethe
aufgrund des 1821 erschienenen Buches von
JHeller „Versuch über das Leben und die Wer-

ke Lucas C.s, mit einer Verrede von Bibliothekar Janck", (vgl. I/42ᴵ, 48) Auskunft gab und
gleichzeitig Vorschläge für die Anfertigung der
Kopie machte.
Das Interesse Goethes und seiner Freunde
– Meyers Abhandlung „Über die Altar-Ge-
mählde des Lucas C. in der Stadtkirche zu
Weimar", 1813, ist die erste Monographie über
ein altdeutsches Bild – wurde auf die jüngere
Generation übertragen. Schmeller kopierte
C., und *Schuchardt, der seit 1825 mehr und
mehr in die weimarer Sammeltätigkeit her-
einwuchs und selbst Gemälde C.s zu sammeln
begann, veröffentlichte 1851 einen Werkkata-
log C.s unter dem Titel „Lucas C. des Älteren
Leben und Werke" in 2 Bdn., ein dritter erschien 1871, womit der Grund für die spätere
C.-Forschung gelegt wurde. 1858 gab Schuchardt Nachbildungen von Werken C.s heraus.
–, 2) Lucas der Jüngere (1515–1586), Maler,
Sohn und Schüler des Vorgenannten, seit Ende
der vierziger Jahre Leiter der väterlichen
Werkstatt, die den C.-Stil bis an das Ende des
16. Jahrhunderts bewahrte, ohne künstlerisch
oder thematisch Bildformen und -auffassun-
gen zu wandeln. Von C. stammt das 1776 von
Goethe beachtete (IV/3, 86), 1555 datierte
Hochaltarbild in der Stadtkirche zu Weimar,
das Meyer 1813 in seiner Abhandlung (s. o.)
ohne Grund dem älteren C. zuschrieb. Unter
den von Quandt 1815 in Leipzig entdeckten
altdeutschen Bildern befanden sich nach Goethes Mitteilung *(I/48, 160 f.)* im Morgenblatt
1815 zwei dem jüngeren C. zugeschriebene
Werke, ein *Allegorisches Bild. Auf die Erlösung*
deutend, 1557 datiert, in der allgemeinen Anordnung dem Altarbild in Weimar ähnlich, das
aus der Beschreibung Meyers bekannt war,
und eine *Auferstehung* mit der Jahreszahl 1559;
beide Bilder sind nicht mehr nachweisbar.
Goethe versuchte die Malweise der beiden C.
zu unterscheiden; in dem letztgenannten Bild
sei *eine Untermahlung unter den Lasuren zu be-*
merken, dahingegen die ältern Bilder mehr in
Öl lasirte Zeichnungen zu nennen sind (I/48,
161), allerdings unterscheiden sich die Gemälde des jüngeren durch eine weichere Farb-
behandlung und eine weniger charakteristi-
sche Zeichnung.   *Lö*
Crébillon, 1) Prosper Jolyot, sieur de Crais-
Billon, gen. (1674–1762), französischer Dramatiker, der gewandte Techniker der verwickelten Handlungen, der Theatercoups und
des Entsetzens: „Corneille nahm den Himmel, Racine die Erde, mir blieb nur die
Hölle". Auch durch ihre deklamatorische Emphase stellt seine Tragödienform eine Vor-

läuferin des Melodramas dar. Goethe kennt, sicher schon als Knabe C. Höchstwahrscheinlich liest er 1779 vor oder während der Arbeit an *Iphigenie auf Tauris* C.s „Electre" (HLoiseau, „Goethe, Iphigénie en Tauride". Paris 1931), die er später in *Venedig sieht und *abgeschmackt* und langweilig findet (1786; *I/30, 126*); 1799 urteilt er, C.s Technik sei nur gut *zu subalternen Compositionen, Opern, Ritter- und Zauberstücken (IV/14, 204)*. Im Vergleich zu gewissen Werken C.s („Rhadamiste et Zénobie") seien *Voltaires Stücke *reine Natur; für Deutschland erscheine er unmöglich (1802; *IV/16, 58)*. Sein Sohn
-, 2) Claude-Prosper Jolyot de (1707–1777), Verfasser schlüpfriger, doch gewandt und elegant geschriebener Erzählungen mit satirischen Anspielungen („Le sopha", 1745; „Ah! quel conte!"). Bereits der höchstwahrscheinlich kurz nach 1760 entstandene Anfang von *Rameau's Neffe* von *Diderot bezeichnet C. als überlebt *(I/45, 8)*. – 1782 spielt ein Gesellschaftsgedicht Goethes auf eine Episode aus „Ah! quel conte!" an *(Das Gänslein roth . . .; I/4, 218)*.   *Fu*

Crespel, 1) Johann Bernhard (1747–1813), Goethes Freund aus Kinder- und Jugendtagen, nachbarschaftlich verbunden. Nach Vorbereitung im rolandschen Pensionat/Frankfurt (Mitschüler der Schwester Cornelia) Besuch der Jesuitenschulen Bruchsal, Pont à Mousson, Metz, dadurch intellektuell besonders gefördert (vgl. I/27, 35), Zwischenaufenthalt in Paris, Jura-Studium in Würzburg und Göttingen, Rechtspraktikum in Wetzlar (JGChr *Kestner), 1771 mit alsbaldiger archivalischer Verwendung im Postdienst der Fürsten Thurn und Taxis zu Frankfurt, auch Regensburg, seit 1794 in Laubach (Oberhessen) im Dienst des Grafen Solm-Laubach. C. hatte außer seinen wissenschaftlichen, insbesondere philosophischen Talenten – seine Schriften zeigen Verwandtschaft mit Goethes *Polaritäts*-Denken (1790: „Flüchtiger Grundriß einer Naturlehre") – musisch-gesellige Qualitäten zB. als weit überdurchschnittlicher Violinist, als Redner, als Korrespondent, ja als Kavalier (vgl. IV/2, 269: Goethes Brief an SvLa Roche). Die Freundschaft mit Goethe kulminierte in den Jahren 1769/1775, mit Goethes Elternhaus dauerte sie fort, zumal mit der Mutter Goethes (*DuW* zB. I/27, 25; 28–35; BrMutter S. 14f.; 16–22; 42; 344).
-, 2) Henriette, geb. Schmiedel (1753–1825), seit 1787 Ehefrau von 1), Goethes *Schmitelgen*, die Goethe am 1. VII. 1815 in Frankfurt noch einmal sah (III/5, 168); beider jüngere Tochter

-, 3) Franciska Jacobea hatte er schon am 20. IX. 1814 in Frankfurt getroffen (ebda 133).
-, 4) Franciska Jacobea (1752–1814), Schwester von 1), seit 1774 Ehefrau des Uhrenfabrikanten Peter Friedrich Jaquet, Goethes *Fränzgen,* der er bei seiner Abreise nach Straßburg das Gedicht *Der Abschied* widmete (*Morris I, 435;* 6, 129); vgl. Brief aus Saarbrücken: *Sagen Sie meinem Fränzgen dass ich noch immer ihr binn (Morris 2, 6).* FJ war musikalisch wie ihr Bruder und brillierte im Gesang. Auch sie hat die Verbindung zum frankfurter Goethe-Haus aufrecht erhalten.
-, 5) Maria Catharina (1749–1801), Schwester von 1), weniger musikalisch-künstlerisch, überwiegend intellektuell begabt. MC war wie ihre Geschwister und bis zu ihrem Tode eng mit der Mutter Goethes als „Samstagmädel" verbunden. Ihr galten die Stammbuch-Verse für JPde*Reynier, die auch den Bruder Johann Bernhard und den gemeinsamen Jugendfreund JJ*Riese mitnennen: *Von Post (JBC) und Kirch (JJR) zwey grose Dieb .. der Jungfrauen Flor .. die Jungfrau lieb (MCC; 1774: Morris 4, 167 f.;* 6, 403).   *JP*

Zeichnungen:
IBC: Alexander Crespel/Flensburg (vgl. Morris 6, 422):
MCC: Abbildung Morris 4, Tafel 12.

Creuz, Friedrich Carl Casimir Freiherr von (1724–1770) aus Homburg vdH., hessischer, später kaiserlicher Hofrat, gehörte zu den Reimdichtern, die der Vater Goethe bevorzugt in *schönen Franzbänden* zusammenreihte *(I/26, 122 f.;* Götting S. 49–53). Goethe protestierte 1772/1773 gegen C.s „Nach Gohtischer Art ganz von Zieraht erdrükt" (1769; Goethe: I/37, 145; 38, 289). Aber der philiströse Nachruf auf C. (1772) empörte ihn: *Ohne Gefühl, was so ein Mann gewesen, ohne Ahnung, was so ein Mann sein könne, schreibt hier einer die schlechteste Parentation (FGA; I/37, 281).* Auch sonst scheint Goethes Urteil über C. mehr positive Töne zu haben als bei den meisten anderen Autoren der *Franzband*-Reihe. Vermutlich sprachen mehrere Gründe dabei mit: die landsmannschaftliche Nähe, der frühe Tod, das nicht mehr ganz ausschließlich rationalistische Nacht-Erlebnis C.s (vgl. dazu: „Die Gräber", 1760).   *Za*

Creuzburg, zu Sachsen-Weimar-Eisenach gehörige Stadt mit Schloß an seit alters wichtigem *Werra-Übergang der Straße Eisenach-Kassel, Sitz eines Amtes, 1817: 1667 Einwohner. Die genannte Straße benutzend, kam Goethe am 13. IX. 1779 auf der Reise in die Schweiz durch C.; er zeichnete während des Aufenthaltes (Carl August stieß hier zu ihm) die seit 1765 ausgebrannte Nikolaikirche (III/

1, 98). Auf der Rückfahrt aus Pyrmont und Kassel übernachtete Goethe am 21. VIII. 1801 in C.; am folgenden Tage besichtigte er die ihm seit 1784 bekannte, in der Nähe der Stadt gelegene Saline Wilhelmsglücksbrunn, die Bergmeister Wilhelm Schrader leitete (I/35, 113; III/3, 33; IV/6, 300). Schließlich ist Goethe auf einer dienstlichen Reise am 5. IV. 1782 in der kurz zuvor durch eine große Feuersbrunst verwüsteten Stadt gewesen (IV/5, 296). RV S. 18. 22. 38.   *Dl*

Zeichnungen:
Corpus I 211 InvNr 1302: Nikolaikirche Dat./Sign. Creuzburg d. 13. Sept. 1779 G Überarbeitung unter Mithilfe von KLieber.   *Fm*

Creuzer, Georg Friedrich (1771–1858), Altphilologe und Altertumsforscher, der sich als Mythendeuter und Symboliker Weltruf erwarb. Nach anfänglichem Theologiestudium auf der Universität Marburg von Ostern 1789 bis Sommer 1790 und übereifrigen Studien (vgl. Fv*Hardenbergs warnenden Stammbucheintrag μηδὲν ἄγαν: „Novalis Schriften" hg. von PKluckhohn Bd IV S. 18) in Jena, vom Herbst 1790 bis Sommer 1791, wo er bei ChrG*Schütz Literatur, bei Schiller Geschichte, bei KL*Reinhold „ohne Nutzen" kantische Philosophie hörte und dazu noch immer Theologie bei JJ*Griesbach, in dessen Hause er wohnte, wirkte C., in seinem Luthertum wankend geworden, an einer mit seinem Vetter LCreuzer und dem Mathematiker JKF *Hauff (1766–1846) begründeten Privatlehranstalt, lebte 1798 als Hauslehrer in Leipzig, wo er bei JGJ*Hermann (1772–1848) über griechische Tragiker hörte, habilitierte sich in Marburg und wurde daselbst 1800 ao. Professor der griechischen Sprache und 1802 o. Professor der Eloquenz. Im Jahre 1804 folgte er einem Ruf an die Universität Heidelberg, wo er als Professor für Philologie und alte Geschichte, und seit 1807 auch als Direktor des philologischen Seminars wirkte, bis er 1845 in den Ruhestand trat.

Mit seiner Ende 1803 erschienenen ersten bedeutenderen Schrift „Die historische Kunst der Griechen in ihrer Entstehung und Fortbildung" (²1845) trat C. erstmals in den Gesichtskreis Goethes, der sich eben für die neu zu gründende „Jenaische *Allgemeine Literatur-Zeitung" nach Mitarbeitern und rezensierbaren Büchern umsah. Vielleicht aber wurde Goethe, der damals in die Vorbereitung von *Winckelmann und sein Jahrhundert* (erschienen 1805) vertieft war, ebendeswegen durch C.s Versuch, die organische Entwicklung der griechischen Geschichtsschreibung darzustellen, angesprochen – so wie F*Schlegel „der

Winckelmann der griechischen Literatur" hat sein wollen (OWalzel „Deutsche Romantik" 1908, S. 26). Hatte schon der Marburger Kreis (Savigny, die Brüder Grimm, Bang, ClBrentano) dem „angeborenen mystischen Keim" C.s (D. S. 1, S. 12) reichliche Nahrung zugeführt, so bedeutete die Übersiedlung nach Heidelberg den schicksalhaften Schritt in den magischen Kreis der jüngeren Romantik, zu dessen Ausweitung er nicht wenig beitragen sollte, für Goethe oft scheinbar abseits liegend, aber infolge der bedeutenden Themen ihn zuweilen nötigend, Stellung oder Anteil zu nehmen. Gleich in der ersten heidelberger Zeit wurde C. durch das Günderode-Erlebnis tiefinnerlich aufgewühlt. Seit 1799 mit Sophie (1757–1831), Tochter des leipziger Buchhändlers JGMüller und Witwe des in Marburg verstorbenen Professors NGLeske, verheiratet, wurde C. aus dieser „verunglückten Ehe" (SBrentano) mit der um dreizehn Jahre älteren, prosaischen aber treu ergebenen Frau heraus und in das wundersame Liebesverhältnis zu Cv*Günderode (1780–1806) hineingerissen, das, in romantischer Geselligkeit begonnen (AM S. 20), durch Carolinens Jugend, ihr Dichtertalent und ein gleichgestimmtes mythisches Einleben in den Hellenismus sich verfestigte. Als aber C., zwischen mutigem Aufflug und philiströser Sicherheit schwankend, schließlich an Leib und Seele krank, den Scheidebrief durch dritte Hand schreiben ließ, nämlich durch den Theologieprofessor K*Daub, und nach Carolinens selbstgewähltem Tode die aufsehenerregende Nachricht durch alle romantischen Briefwechsel geisterte, da berichtete Av*Arnim aus Heidelberg an Bettina am 7. II. 1808: „nun er (C.) wieder zur Gelehrsamkeit zurückgetreten, hat er das alles ruhig überlebt" (RSteig Bd II, S. 105). Goethe schwieg. C. hatte ihm die zwei ersten Bände seiner gemeinsam mit KDaub herausgegebenen „Studien" (6 Bände 1805–1811) übersandt; Goethe hatte, laut *Tgb* vom 28. VI. 1806 gedankt (III/3, 132) und in *TuJ* 1806 vermerkt: *An dem höhern Sittlichreligiosen Theil zu nehmen, riefen mich die Studien von Daub und Creuzer auf (I/35, 262).* – Im Oktober 1807 kam es zur Gründung der „Heidelbergischen Jahrbücher der Literatur"; C. wurde (bis 1809) Hauptredakteur der literarischen Abteilung (AKloß). Daß im Hinblick auf diese Gründung C. die von Eichstädt nach der Schlacht bei Jena gewünschte Verlegung der JALZ nach Heidelberg hintertrieben hatte, mochte Goethe sehr gelegen kommen. In dem Kraftfeld widerstrebender Tendenzen und mannigfacher Spannungen im Zusammenhang mit den „Jahrbüchern" schwankte C. zwischen stetigem Fortverlangen und stetigem Haftenbleiben hin und her, was 1809 zur Annahme eines Rufs nach Leyden und zur alsbaldigen Rückgängigmachung derselben sowie zur Rückkehr nach Heidelberg führte (D. S. 1 S. 44–53). Mit dem inzwischen herangereiften c.schen Hauptwerk „Symbolik nnd Mythologie der alten Völker, besonders der Griechen" (1810–1812, 4 Bde) ist Goethe wohl erst 1819 (zweite Ausgabe) bekannt geworden. Vorher kam es anläßlich seines heidelberger Aufenthaltes vom 21. IX. bis 7. X. 1815 durch Vermittlung von S*Boisserée zu persönlicher Bekanntschaft und mehrmaligem Zusammentreffen (III/5, 183f., 186; Bdm. 2, 344). Zweifellos verdankte Goethe der in seinem Briefe an Rosine *Städel vom 27. IX. 1815 erwähnten *langen Unterredung mit Hofr. Kreuzer (IV/26, 85)*, die nach C.s Darstellung an die Abhandlung „Idee und Probe alter Symbolik" im 2. Bande der „Studien" angeknüpft habe (D. S. V, 1 S. 110f.), neue erweiternde Anregung zu dem bereits vor dem 15. IX. in Frankfurt keimenden Divangedicht *Gingko biloba* (Bdm. 2, 339; dazu EBeutler im „Goethe-Kalender 1940" S. 140 und 146ff.), so daß er ihm dasselbe *Zur Erinnerung glücklicher Septembertage 1815* eigenhändig geschrieben zusandte; vgl. den als „erledigt" gestrichenen Vermerk *Für Kreuzer Gedicht* in *Agenda d. 27. Nov. 1815 (III/5, 306f.)*; vielleicht war es das am 21. XII. 1815 an SBoisserée gesandte *Blättchen, für Herrn Hofrath Creuzer (IV/26, 194)*. Also bezeugte Goethe seinen Dank für empfangene Anregung, wiewohl er sich bewußt war, daß die auf abstruse Mythenvergleiche gestützte c.sche Gelehrsamkeit mit seinem eigenen gleichnishaften Liebes- und Naturerleben wenig gemein und die symbolischen Worte *Eins und doppelt* für C. nicht dieselbe Resonanz hatten. Was Goethe an Rosine Städel über die in seinem Gedicht veranschaulichte Symbolik schrieb, galt – als frommer Wunsch – auch für die c.sche: *Es sey am besten gethan etwas faßliches und begreifliches, gefälliges und angenehmes, ja verständiges und liebenswürdiges vorauszusetzen, weil man viel sicherer sey alsdann den rechten Sinn herauszufinden, oder hineinzulegen (IV/26, 85)*. – Auch zur Entstehung der *Urworte. Orphisch* im Oktober 1817 hat C. unwissentlich den Anstoß gegeben, indem er Goethe seine mit G*Hermann gewechselten „Briefe über Homer und Hesiodus vorzüglich über Theogonie" Heidelberg

(vordatiert) 1818 übersandte (D. S. 1, S. 113). Nach Empfang der Schrift hat Goethe *Hermanns und Creuzers Differenzen wegen Mythologie studirt (III/6, 113)*. C. erfährt Mythologie intuitiv als ein feststehendes theologisches System symbolisch ausgedrückter allgemeiner Lehren; Hermann erfaßt sie begriffs- und verstandesmäßig als Historiker, der zwar die Zusammenhänge von asiatischen und griechischen Mythen nicht leugnet, aber den griechischen ihren eigenen poetischen, dh. personifizierenden Charakter läßt. Goethe hat sich immer tiefer in die „Briefe" hineingelesen (ebda 113–117) und im Dankschreiben an C. vom 1. X. 1817 erklärt, er habe ihn *genöthigt in eine Region hineinzuschauen, vor der ich mich ängstlich zu hüten pflege*. Seine Stellungnahme ist nuanciert. Zwar tritt er auf Hermanns Seite, wenn er fortfährt: *Einen alten Volksglauben setzen wir gern voraus, doch ist uns die reine charakteristische Personification ohne Hinterhalt und Allegorie Alles werth; was nachher die Priester aus dem Dunklen, die Philosophen in's Helle gethan, dürfen wir nicht beachten. So lautet unser Glaubensbekenntniß. Gehts nun aber gar noch weiter, und deutet man uns aus dem hellenischen Gott-Menschenkreise nach allen Regionen der Erde, um das Ähnliche dort aufzuweisen, in Worten und Bildern..., so wird es uns gar zu weh, und wir flüchten wieder nach Jonien, wo dämonische liebende Quellgötter sich begatten und den Homer erzeugen. Demohngeachtet aber kann man dem Reiz nicht widerstehn, den jedes Allweltliche auf Jeden ausüben muß (IV/28, 266f.)*. Jenes *Allweltliche* aber, das „Orphische", dh. das „Poetische" im Sinne der alten Mythologie, hat er C.s Ausführungen im vierten „Brief" (S. 29f.), den Begriff der *Urworte* (ἱεροὶ λόγοι) denen Hermanns im fünften „Brief" (S. 71) entnommen, während ihm G*Zoega's „Abhandlungen herausgegeben und mit Zusätzen begleitet von FG*Welcker" Göttingen 1817, zu denen er vergleichsweise griff (III/6, 119), den tieferen Sinn der *orphischen Begriffe* erschloß und die griechischen Überschriften zu vier von den *Fünf Stanzen* bot (ebda; vgl. Zoega „Abhandlungen" S. 39). So hat Goethe aus dem Studium genannter Werke den Vorteil gezogen, daß er, um über die *uralten Wundersprüche über Menschen-Schicksale* ins Klare zu kommen, sie aus der eigenen Erfahrung mit allgültigem Gehalt füllte (vgl. Briefe an Knebel vom 9. X., an SBoisserée vom 17. X., an JH*Meyer vom 28. X. 1817: IV/28, 272; 283; 291; und an SBoisserée vom 16. I. und 21. V. 1818: IV/29, 12; 181f.). Gleichzeitig schrieb

Goethe für *KuA* I, 3 1817 den Aufsatz *Geistes-epochen, nach Hermanns neusten Mittheilungen* (*I/41ᴵ, 128–131;* 456; 471 ff.). – Die „Symbo-lik" hat Goethe in der zweiten Ausgabe zu Gesicht bekommen und davon Bd 1 bis 4 nach ihrem jeweiligen Erscheinen (1819–1821) erhalten (III/7, 86; 8, 129; siehe auch die *Bücher-Vermehrungsliste:* III/8, 310, 315). Den am 25. VIII. 1819 empfangenen 1. Band schick-te Goethe sofort an JH*Meyer weiter und be-merkte in seinem Begleitschreiben, er habe das Werk *erst mit nach Carlsbad nehmen* wol-len. *Die aufgeschnittenen Blätter aber gaben mir wenig Freude; das bißchen Heiterkeit was die Griechen hiernach sollen in's Leben gebracht haben, wird von den tristen ägyptisch-indischen Nebelbildern ganz und gar verdüstert, mir we-nigstens verdirbt's die Einbildungskraft (IV/31, 276).* Das Ganze gelte ihm als ein *dunkel-poe-tisch-philosophisch-pfäffischer Irrgang (ebda).* Beim Erscheinen des dritten Bandes las Goe-the am 2. VI. 1821 die mit V unterzeichnete *Recension des Creuzerischen Werks: Symbolik und Mythologie (III/8, 63)* in Nr 81–87 der JALZ (Mai 1821), die das „jetzt vollständi-gere" Erste Stück der „Antisymbolik" von JH*Voß (Stuttgart 1824–1826) abgeben soll-te; letztere lag Goethe am 16. X. 1824 vor (III/9, 283). Am 28. X. 1821 vermerkt das *Tgb: Betrachtete mir den vierten Theil von Creuzers Symbolik (III/8, 129).* Damals ent-standen *kleine darauf bezügliche Gedichte (ebda),* vielleicht V. 1644–51 der *Zahmen Xe-nien* (I/3, 354), die (undatierte) *Invective* mit dem Schluß: *Laß mich den Traum des Lebens träumen / Nur nicht mit Creuzer und Schorn! (I/5ᴵ, 186),* sowie *Parabolisch* Nr 16 (I/3, 187); vgl. *Tgb* vom 31. XII. 1822 *Gespräch über re-ligiose überlieferte Symbole (III/8, 278).* – Der Symbolikerstreit, den CALobeck (1781–1860) durch seine Rezensionen in der JALZ (1811 Nr 96f. und 1812 Nr 71–73) eingeleitet und Hermann 1817 fortgesetzt (siehe oben), war anfangs eine streng sachliche Auseinander-setzung über Ziel und Methode der Mytholo-gie. Voß gab dem Streit eine neue Wendung, sowohl durch die „giftige, beißende Form" (JGrimm am 24. VIII. 1821 an Savigny: „Briefe der Brüder Grimm an Savigny" hg. von WSchoof S. 296), die seine fachkundigen Ar-gumentationen überwucherte, als auch durch seine Polemik gegen C.s katholisierende Schwärmerei, die der zur Mystik neigende Zeitgeist mit Beschlag belegte. Auch diese Phase des Streits verfolgte Goethe „mit vie-lem Anteil" (Bdm. 3, 264). Die Tagebuchnotiz vom 10. III. 1826 *Voß contra Creuzer im Her-*

mes, 25. Band 2. Heft (III/10, 170) ist wohl auf den Brief des Grafen KFv*Reinhard vom 28. II. 1826 zurückzuführen, der Goethe auf diesen Artikel und gleichzeitig auf den des „Globe" (Nr 150 vom 27. VIII. 1825) aufmerk-sam machte, wo C.s Werk in der französischen Übersetzung mit Zusätzen von JDGuigniaut und dem Titel: „Religions de l'Antiquité con-sidérées principalement dans leurs formes symboliques et mythologiques; ouvrage tra-duit de l'allemand du docteur Frédéric Creu-zer, refondu en partie, complété et développé par M. Guigniaut, ancien professeur d'histoire et maître de conférences à l'Ecole normale, membre de la Société asiatique de Paris" (10 Bände Paris 1825–1841) besprochen und seine Tendenzen wie folgt gekennzeichnet sind: „l'auteur semble accorder au sacerdoce une sagesse infiniment supérieure à celle du vul-gaire, et une sorte d'infaillibilité romaine" (Auszüge davon in Vossens „Antisymbolik" Bd II S. 333–335). In Reinhards Brief heißt es weiter: „Dieser Symbolik, dünkt mich, wäre nun dadurch allerdings der Garaus ge-macht, aber nicht der Bedeutsamkeit ihrer Tendenz." Auch weist er auf das von Baron FvEckstein in Paris herausgegebene Journal „Le Catholique" (1826–1829) hin, das c.sche Ideen verwertete. „Es liegt Herrn von Eck-stein dran, auch die griechische Mythologie, wenigstens in den ersten Zeiten, der Symbolik und dem Priestertum zu vindizieren. Nämlich von Anbeginn an war Eine Offenbarung, eben der Katholizismus, nur das in Bildern und verdunkelt aufstellend, was dieser rein erhal-ten hat und erhält" („Goethe und Reinhard. Briefwechsel" 1957, S. 347). Als Reinhard am 8. V. 1826 in gewissem Sinne einlenkte, ant-wortete Goethe am 12. V. 1826: *Den Symbo-likern konnte ich bisher nicht gut seyn: sie sind im Grunde Anticlassiker und haben in Kunst und Alterthum, insofern es mich interessirt, nichts Gutes gestiftet, ja dem, was ich nach mei-ner Weise fördere, durchaus geschadet. Wir wol-len sehn, ob in der Folge an irgend eine Theil-nahme und Annäherung zu denken ist (IV/41, 30).* Am 19. V. 1826 sei Goethe, berichtete Boisserée, in dem „lebhaften Gespräch über die Symboliker" in Zorn ausgebrochen. „*Ich bin ein Plastiker,* sagte er, auf die Büste der Juno Ludovisi im Saal zeigend, *habe gesucht, mir die Welt und die Natur klar zu machen, und nun kommen die Kerls, machen einen Dunst, zeigen mir die Dinge bald in der Ferne, bald in einer erdrückenden Nähe wie ombres chinoises, das hole der Teufel";* und gegen Boisserée, der es nicht leiden mochte, „daß man wegen Ver-

schiedenheit der Meinungen die Personen ver-
ketzere und verleumde, wie Voß es getan, ...
ging Goethe so weit, zu behaupten: *Personen
lassen sich nicht von der Sache trennen" (Bdm. 3,
266).* Goethes Abneigung gegen C. bezeugen
1829 OM Freiherr v*Stackelberg und L Freiherr von und zu Steinfurt (Bdm. 4, 140 f.; 173)
sowie das Gespräch über die Neuplatoniker
mit dem utrechter Philologen PhW van
*Heusde, der *noch ein Schüler von Wyttenbach,
bey dem reinen Studio Plato's verharrend, deßhalb auch alle neue Platoniker und im Gefolg
dessen Herrn Creuzers Bemühungen* ablehnte
(17. VII. 1829: *III/12, 98).* Auch in Goethes
Dichtung floß damals der Unmut ein als ironische Anspielungen auf *Mysterien ... Mystifica-
tionen, indisches und auch Aegyptisches* in:
Paralipomena 3. Akt zu *Faust II* (I/15^{II}, 234);
und in der *Klassischen Walpurgisnacht* (1830)
stellten sich inmitten der symbolischen Gestalten auch die von C.s „Symbolik" (^{2}Bd II
S. 318 ff.) in krauser Ausdeutung behandelten
Kabiren ein, von Goethe aber mit eigenen, un-
creuzerischen Augen gesehen (I/15^I, 161 ff. V.
8174-8222; vgl. HbgA. 3, S. 573-576).   *Sh*

DS.: C.s Deutsche Schriften 5. Abth. Bd 1: Aus dem
Leben eines alten Professors. 1848; Bd 3: Paralipo-
mena der Lebensskizzen eines alten Professors. 1858.
– LPreller: FCreuzer. In: Hallische Jahrbücher. 1838.
Nr 101–106. – CBursian: Geschichte der classischen
Philologie in Deutschland. Bd 1 (1883), S. 562–581. –
AStoll: Der junge Savigny. 1927. – KvGünderode:
Dichtungen, hg. von LvPigenot. 1922. – RSteig:
AvArnim und die ihm nahestanden. Bd 1 (1894) und
2 (1913). – EBeutler: Die Boisserée-Gespräche von
1815 und die Entstehung des Gingo-biloba-Gedichts.
In: Goethe-Kalender auf das Jahr 1940. – Briefwech-
sel zwischen CBrentano und Sophie Mereau, hg. von
HAmelung. 1939. – UL.: Das Unsterbliche Leben.
Unbekannte Briefe von CBrentano, hg. von WSchell-
berg und FFuchs. 1939. – AM.: Die Andacht zum
Menschenbild. Unbekannte Briefe von Bettina Bren-
tano, hg. von WSchellberg und FFuchs. 1942. –
AKloß: Die Heidelbergischen Jahrbücher der Literatur in den Jahren 1808–1816. 1916.

Cumberland, 1) Ernst August (1771–1851), seit
1799 titulierter Herzog von C., Prinz und Peer
von Großbritannien, englischer Feldmarschall;
1837 König von Hannover. In den *TuJ 1815*
gedenkt Goethe *mit Ehrfurcht und Dankbarkeit* seiner und seiner Gemahlin (2) *(I/36, 102).*
Im gleichen Jahr besuchten sie Goethe bei
einem Aufenthalt am Rhein unverhofft in der
Nacht des 16. August in der *Gerbermühle
(IV/26, 71). Dem *daurendem Andenken des unerwartet beglückenden Nachtbesuchs* widmete
Goethe 1825 zwei Vierzeiler: *... Nun begann's
umher zu grünen | Nach der Nacht, wo jenes
Paar | Sternengleich uns angeschienen ...
(I/4, 68;* vgl. *5^{II}, 43–46).*
Auch in einem Brief an Carl August vom 3. IX.
1815 (Frankfurt) erwähnt Goethe den über-
raschenden Besuch.

–, 2) Friederike Caroline Sophie Alexandrine,
Herzogin von (1778-1841), geborene Prinzessin von *Mecklenburg-Schwerin, in dritter Ehe
mit dem Vorgenannten vermählt, Goethe aber
seit 1793 *niemals verlöschend* bekannt *(I/33,
276).*   *Sn*

Cupido, römischer Liebesgott, dem griechischen *Eros in seiner hellenistisch-kaiserzeit-
lichen Gestalt entsprechend. Weit entfernt,
Symbol einer lebensbeherrschenden oder gar
kosmogonischen Macht zu sein, ist dieser späte
C. wie *Amor ein Exponent der Galanterie
geworden, der als geflügeltes, pfeilbewehrtes
Knäblein mit jungen Liebenden seine spitz-
bübischen Schelmereien treibt. Als solcher
erscheint er, dem anakreontischen Rokoko-
geschmack entsprechend, wiederholt beim
jungen Goethe, zB. in dem mehrfach belegten
*Cupido, loser eigensinniger Knabe, | Du bat'st
mich um Quartier auf einige Stunden! | Wie
viele Tag' und Nächte bist du geblieben, | Und
bist nun herrisch und Meister im Hause geworden (I/32, 213* uö.) oder zu Beginn des 2. Aktes
des *Götz von Berlichingen* (I/8, 53; vgl. auch
I/53, 204; *Augustinus).   *Hu*

Custine, Astolphe, Marquis von (1790–1857),
Enkel des bekannten französischen Generals,
der, wie sein Sohn (C.s Vater), von der Revolution hingerichtet wurde (*Belagerung von
Mainz Sp. 993). C. war Reisender und Schriftsteller (Romane, Memoiren, Reiseberichte),
ein sich selbst und die Welt hellsichtig und
unvoreingenommen betrachtender Beobachter. Er lebte einige Zeit in Deutschland, wo
er ua. F*Schlegel nahestand und Goethe
kennenlernte (1815: III/5, 178). „Trotz der
Höhe seiner Ansichten", schreibt C. 1818
einem Freund, „ist Goethe kein Christ. In
unserer Zeit ist ein solcher Mensch eine wirklich außerordentliche Erscheinung! Er ist
eine Gottheit des Heidentums, und als ich
ihn sprechen hörte, glaubte ich, ein antiker
Weiser enthülle mir die Eingeweihten die Geheimnisse der Natur" (bei FBaldensperger).
Später hat C. in einem Brief an R*Varnhagen
(„*Revue de Paris", 1837 und danach in Goethe 3, 300ff.; teilweise Übersetzung von
ABergmann, „Goethe-Kalender" 1933 und
Weitzsche „Divan"-Ausgabe / Insel-Verlag,
1951, S. 388f.) eines der bemerkenswertesten
physiognomischen und geistigen Bildnisse
Goethes gegeben: Goethe ist „jetzt 66 Jahre
alt; noch ist sein Antlitz prachtvoll; es ist ...
das Haupt Jupiters oder eher Homers. Wenn
seine Züge nicht belebt sind, so drücken sie
eine edle Trauer aus: man glaubt einen Helden der Antike zu sehen, der unter der Wucht

unseres Elends erliegt ... wenn er ein Lächeln aufkommen läßt, ist er voll Anmut." Er trägt in seinen Zügen das Zeichen des Einklangs und der höchsten Mannigfaltigkeit. Er ist der überlegen große, bewußte Willensmensch, dem man ansieht, daß er alles Menschliche kennt und am Elend der Menschheit leidet. „Sein Benehmen ist kalt, und doch fühlt man sich zu ihm wie zu einem übernatürlichen Wesen hingezogen; aber sofort fühlt man auch, daß man nicht seinesgleichen ist." Eine ähnlich gemischte Wirkung geht von seinem Blick aus, der durchbohrend und doch wohltuend ist. „Obgleich seine bėständige Würde ein wenig steif erscheinen mag, so ist doch etwas Schlichtes an ihm", was indessen nicht mit Naivität verwechselt werden darf. „Nichts Anmutigeres als seine Art, sich mit Personen zu unterhalten, die ihm vorgestellt wurden: für Augenblicke hat er dann eine so feine und so schonende Ironie, daß sie unmöglich verletzen kann ... Er vereint Wärme mit Ruhe, er mäßigt sich, wie wenn er wenig Leben in sich hätte, und bleibt doch nicht unempfänglich, wenn andre leidenschaftlich werden; es ist ein Mensch, erhaben über das Gemeine und über sich selbst. Er ist Herr seiner selbst; er ist gefaßt, die Widerwärtigkeiten des Schicksals zu ertragen; es ist der erste große Mensch, den ich entschlossen gefunden habe, ohne Klagen alles Unglück des Genies auf sich zu nehmen; er ist unglücklich, weil er allein ist; aber er will allein sein, weil er erkannt hat, daß er es sein muß." In seiner Physiognomie spricht nichts von Liebe. Das Aufgehen in einem andern – „la faculté de vivre dans un autre" – scheint ihm versagt zu sein. Das *Christentum lehnt er ab. „Man muß zugeben, daß dieses überwältigende Genie ebensosehr durch das, was es besitzt, als durch das, was ihm abgeht, in Erstaunen versetzt. Auch vergleicht mein Freund Werner (Z*Werner) Goethes Haupt mit einer ungeheueren Kuppel ohne Laterne, sodaß das Licht von unten kommt."   *Fu*

FBaldensperger: Goethe et Chateaubriand. In Rev. litt. comp., 1949. – P de Lacretelle: Souvenirs et portraits par le marquis de Custine. 1957. – de Luppé: Astolphe de Custine. 1957.

Cuvier, 1) Georg Leopold Christian Friedrich Dagobert Baron de (1769–1832); franz. Naturforscher, der an der hohen Karlsschule in Stuttgart ausgebildet (II/13, 111), nach vorübergehender Tätigkeit als Hauslehrer in der Normandie 1795 einen Ruf als Professor an der Zentralschule des Pantheons erhielt. Kurz danach begründete er am Jardin des Plantes die größte anatomische Sammlung Europas.

1808 als Kanzler der neuen Kaiserlichen Universität berufen, war er mit der Einrichtung von Akademien betraut. Als Staatsrat (1814) und Mitglied der *Académie des sciences (1818) war er einer der führenden Naturforscher Frankreichs. C. versuchte die Zoologie auf *vergleichende Anatomie zu begründen. 1812 schuf er mit seinem Werk „Recherches sur les ossements fossiles des quadrupèdes" (II/8, 245; III/9, 153; 225) die Grundlagen einer wissenschaftlichen Paläontologie (vgl. *Copien der seltenen vorgeschichtlichen fossilen organischen Körper, welche zuerst durch Baron Cuvier entschieden zur Sprache gekommen: I/ 49^{II}, 74*). Trotz der Erkenntnis, daß in älteren Schichten die Fossilien einen anderen Charakter haben, war er ein Anhänger der Artkonstanz („der fossile Mensch existiert nicht"). In „Discours sur les révolutions de la surface du globe et sur les changements qu'elles ont produits dans le règne animal" (1815), dessen deutsche Übersetzung von JNöggerath (1822) Goethe 1831 erwähnt (III/13, 33), vertrat C. in seiner Kataklysmentheorie die Meinung, daß plötzlichen sintflutartigen Katastrophen die Tierwelt zum Opfer fiel und danach jedesmal eine neue Organismenwelt entstanden sei. Diese Ablehnung des Entwicklungsgedankens führte während der denkwürdigen Sitzungen der pariser Akademie vom 15. und 22. II. 1830 erstmals zu C.s öffentlichem Widerspruch gegen E*Geoffroy St. Hilaire, dem sich heftige Auseinandersetzungen beider anschlossen (Goethe et l'esprit français. 1958. S. 158–160). Goethe nahm an diesem Streit lebhaften Anteil und veröffentlichte hierüber die Abhandlung *Principes de Philosophie Zoologique (II/7, 167–214;* III/12, 238; 291f.; 298–301; 312; 314; 322; 343; 352; 13, 7; 13; 48; 80; 160f.; 163; 169f.; 173; 187f.; 192). Für Goethe waren es vor allem die von ihm seit langem vertretenen Prinzipien der *Morphologie, hier von Fachleuten erstmalig vorgetragen, die ihn zur Stellungnahme bewogen (*Biologie; *Zoologie). Er versuchte beiden Seiten gerecht zu werden, ja er bejahte in der Gleichzeitigkeit der antagonistischen Standpunkte den Widerschein der lebensnotwendigen Spannung zwischen *vis centrifuga* und *vis centripeta*, wenn auch die idealistische Naturphilosophie Geoffroys Goethes Anschauungen mehr entsprach. Aus der großen Zahl der Arbeiten C.s waren Goethe, neben den bereits erwähnten Schriften, dessen „Tableau élémentaire de l'Histoire naturelle des animaux" (1793, dtsch. von Wiedemann 1800; II/1, 290f.), „Histoire naturelle des poissons" (seit 1828; III/13, 32;

262; 266), „Le règne animal distribué d'après son organisation" (4 Bde 1817) in der Übersetzung von FSVoigt („Das Thierreich geordnet nach seiner Organisation als Grundlage der Naturgeschichte der Thiere und Einleitung in die vergleichende Anatomie" 1831 ff.; III/6, 82; 13, 6f.; 262), sowie die „Mémoires du Muséum d'Histoire naturelle" (II/8, 256) bekannt. Bereits 1797 hatte ihm KF *Kielmeyer *meisterhafte naturhistorische und anatomische Zeichnungen* C.s gezeigt und mit ihm über dessen *Studien, Lebensweise und Arbeiten* gesprochen (I/34[I], *324;* vgl. III/2, 130). Später hatte C. Goethe Fossilien übersandt (IV/42, 84f.), für die sich Goethe am 20. VIII. 1831 bedankt (ebda 49, 44f.).

-, 2) Clementine (1806–1828), dessen Tochter; einer Verehrerin goethescher Dichtkunst, ließ Goethe durch *Coudray 1826 einen Brief überbringen, in dem er ihr den Dank und die Hochachtung für ihren Vater ausdrückt und um Übersendung einiger Fossilien bittet (IV/41; 135f.).   *Sl*

KEvBaer: Lebensgeschichte Cuvier's. Hrsg. von LStieda. 1897. – KLambrecht: Georges Cuvier – zu seinem 100. Todestag. In: Aus der Heimat. Jg. 45. 1932. – ERádl: Geschichte der biologischen Theorien in der Neuzeit. 1913.

Cyklopen/Kyklopen, in der griechischen Mythologie mit nur einem runden Auge (griech. Kyklopes = Rundaugen) versehene Riesen, Söhne des Uranos und der Gaia. Der Vater verbannt die ungeschlachten Söhne in den Tartaros, Zeus, der ihre Hilfe im Kampf gegen Kronos in Anspruch nimmt, befreit sie. Als Gehilfen des Schmiedegottes Hephaistos (= *Vulcanus) erscheinen die C., die für Zeus Donnerkeile und Blitze schmieden, in dessen Werkstatt. Schon die alten Griechen hielten die C. für die Erbauer der aus gewaltigen unbehauenen Steinen zusammengefügten Burgmauern von Tiryns und Mykenai. So erzählt die *Phorkyas* der **Helena* von *Fausts* mächtiger Burg: *Und seine Burg! die solltet ihr mit Augen sehn! | Das ist was anderes gegen plumpes Mauerwerk | Das eure Väter, mir nichts dir nichts, aufgewälzt, | Cyklopisch wie Cyklopen, rohen Stein sogleich | Auf rohe Steine stürzend; dort hingegen, dort | Ist alles senk- und wagerecht und regelhaft (I/15[I], 200).* Das 9. Buch der Odyssee schildert die Abenteuer des Odysseus und seiner Gefährten im Lande der C. Die Griechen geraten dort in die Höhle des C. Polyphemos, der sie einschließt und abends und morgens je 2 Mann verzehrt. Odysseus macht den Riesen trunken und sticht ihm mit einem glühenden Pfahl sein Auge aus. Durch weitere List gelingt es Odysseus, das

Schiff zu erreichen und sich mit seinen Gefährten zu retten. Als *Preisaufgabe* für die Weimarische Kunstausstellung *1803* stellte Goethe folgendes Thema: *Ulyß, der den Cyclopen hinterlistig durch Wein besänftigt, sei die erste Aufgabe für den Künstler, der sich mit menschlichen Gestalten beschäftigt; die Küste der Cyclopen nach homerischen Anlässen die andere für den Landschaftsmahler (I/48, 58).* Zu Goethes Befriedigung wurden 14 diesbezügliche Arbeiten eingereicht (I/48, 62). Das Interessante und Reizvolle an dieser künstlerischen Aufgabe charakterisiert Goethe in seinem Rückblick zu Neujahr 1804: *Endlich wurde durch die Aufgabe für's vergangene Jahr beinahe das ganze Vermögen der Kunst in Anspruch genommen. Einer rohen plumpen Riesenkraft schlaue Klugheit und muthiges Erkühnen gegenüber. Soll dieser Gegenstand wahr und treffend dargestellt werden, so muß der Künstler ahnden lassen oder bedeuten: daß der ungeschlachte Riese dem weisen Helden unterliegen müsse. Dadurch wird dem Beschauer eine große Wahrheit und Lehre symbolisch vor die Augen gebracht und in's Gemüth geprägt (I/48, 68).* Auch die moderne Kritik sieht, ganz im Sinne Goethes, in dem Kyklopenabenteuer der Odyssee die „Gegensätze zweier Welten", den Kampf des klugen Vertreters der Kultur mit dem ungeschlachten Barbaren, dargestellt. – Auf den griechischen Dichter Philoxenos von Kythera (435–380 v. Chr.; seine Höhle glaubte Goethe bei Syrakus wiederzufinden [I/46, 200f.]) geht ein bei hellenistischen Dichtern beliebtes Motiv zurück: Der grobe C. Polyphem verliebt sich in die schöne Nereide *Galatea, vermag aber trotz demütiger Bitten und mancher Versprechungen das Meermädchen nicht zu gewinnen, das nur sein Spiel mit ihm treibt. Die Dichter des Hellenismus, zB. Theokrit, reizte hierbei vor allem die Darstellung des von Natur aus groben und ungestümen, nun aber zu sanftem und verliebtem Verhalten gezwungen C. Goethe beschreibt eine solche Szene in *Philostrats Gemählden* (II 29) in freier Übersetzung des griechischen Textes (Philostr. maior, Imagines II 18: I/49[I], *104–107).*   *Hu*

Hunger, S. 194; 240; 292 f.

Cyliax, August (geb. 1777 in Martinroda bei Weimar), Schauspieler. War von Oktober 1798 bis Juni 1799 in Weimar engagiert, danach in Magdeburg und bis 1810 im danziger Theater tätig.   *EF*

Czenstochau/Czestochowa, die berühmte polnische Wallfahrts-Stadt, Straßen- und Ver-

kehrsknotenpunkt, durchreisten Goethe und Carl August auf dem Rückwege von *Krakau am 8. IX. 1790; möglicherweise wurde in C. übernachtet (vgl. IV/9,223; 225). RV S.29. *JP* **Czernin** von und zu Chudenitz, Grafen, eines der führenden Hochadelshäuser *Böhmens, Besitzer ua. von *Schönhof, trat mit mehreren Angehörigen in Goethes Lebenskreis:
–, 1) Johann Rudolf (1757–1845), der zu den gebildetsten Aristokraten seiner Zeit gehörte, war bekannt als Freund und Förderer der Künste (Bildergalerie Cz. in Wien; Mitglied der böhmischen Malerschule und Polytechnik; maßgeblich für das Landesmuseum Böhmen; Präsident der Akademie der bildenden Künste in Wien), insbesondere auch der Musik (Hauskapelle, Liederkomposition: JJKausch 1794; JFReichardt), Inhaber höchster Adelsämter (Oberst-Erblandmundschenk in Böhmen; Oberstkämmerer), viel- und weitgereist, hatte Goethe-Kontakte seit 1808 (III/3, 364) und pflegte sie besonders in den Jahren 1810 und 1818 (III/4, 139; 6, 235); seine Familie: Maria Theresia Josepha geb. Gräfin Schönborn-Heussenstamm (Gemahlin; 1758–1838; verheiratet: 1781), die Kinder (insbesondere der Sohn Carl Eugen, 2), aber auch der Bruder Wolfgang (1766–1813), Oberst der österreichischen Armee, dessen Gemahlin: Antonia Theodora geb. Gräfin Salm-Neuburg (1776–1840) und die Schwester (nur auf Schönhof) nahmen daran Anteil.
–, 2) Carl Eugen (1796–1868), Sohn des Vorgenannten, hervorragend durch seine patriotischen Interessen für Böhmen (archäologische Forschungen; Familienarchiv Cz.; Landesmuseum Böhmen; tschechische Historiographie: FPalacký; slavische Archäologie: PJŠafařík), befreundet mit den Grafen *Sternberg, 1817 verheiratet mit Maria The-

resia geb. Fürstin Orsini-Rosenberg (1798 bis 1866), wurde wichtig als Tagebuch-Berichter über die Kontakte von 1810, dh. während des Aufenthaltes auf Schönhof, wobei der damals erst vierzehnjährige CE. den großen Gast auf allen mineralogisch-geologischen Exkursionen begleitete und wegen seiner unablässig und allgemach lästig-neugierigen Fragen mahnend zurechtgewiesen wurde: *Junges Herrchen, junges Herrchen, zersplittern Sie nicht Ihre Verstandeskräfte, gerade ich kann Ihnen in dieser Beziehung zum warnenden Beispiel dienen* (4. VIII. 1810); 1818 kam es CE. selbst auf eine betont reifere, zumindest reserviertere Art der Berichterstattung an. Im Vordergrund standen die Gespräche über die *Farbenlehre*, die Goethe meist mit GFAv*Bucquoy und mit JBv*Paar führte und denen CE. nicht so gern beiwohnte, wohingegen er Goethe aufmerksam zuhörte, wenn er über das mechanische Erlernen der Dichtkunst, über das Skandieren von Versen sprach und ausführte, daß *das Dichten eine Gabe der Natur sei, die einem nicht so eingebläut werden könne, wie etwa die Schusterei dem Schuster* (1., 4., 12. VIII. 1818). Eine Vorlesung Goethes *(Hermann und Dorothea)* im Hause des Fürsten JJN von *Schwarzenberg konnte den zweiundzwanzigjährigen Repräsentanten einer nun doch schon recht anderen Generation nicht fesseln: „Im Grund genommen war dies nicht sehr interessant, da jeder das Werk fast auswendig kannte und sich dazu keine besonderen Erläuterungen oder Bemerkungen geben lassen. Auch ist Goethe's Vortrag undeutlich, da er fast keine Zähne mehr hat, und ziemlich eintönig vorliest. So hört man eigentlich bloß zu, um sagen zu können, man habe Goethe vorlesen gehört" (14. VIII. 1818: III/6, 236; HSiebenschein: *Goethův sborník*. 1932). *Sb*

Daasdorf bei *Buttelstedt, sachsen-weimarisches Dorf nördlich Weimar, 1822: 172 Einwohner. Das dortige Rittergut, soweit es von den Grafen von Werthern (Lehnskurie in Beichlingen) zu Lehen ging und an diese heimgefallen war, wurde von Herzog Carl August am 21. VIII. 1784 käuflich erworben. Die Übergabe des Gutes zog sich noch bis 1787 hin. Als Mitglied des Geheimen Consiliums war Goethe mit dieser Angelegenheit befaßt; am 26. XI. 1784 meldete er dem Herzog, *daß ein Theil des Angers bey Daasdorf umgerissen ist, und daß wir den trefflichsten Boden gefunden haben (IV/6, 396;* vgl. 373; 378; IV/7, 130). *Dl*

Dach, Simon (1605–1659), *illud candidissimum Musarum pectus* (MOpitz 1638), einer der bedeutendsten Persönlichkeiten der *barocken Literatur, sprachlich und musikalisch hochbegabt, ein echter Lyriker, Gründer und Haupt des Dichterkreises in *Königsberg/Pr. („Musicalische Kürbs-Hütte" 1636), scheint Goethe in dem Spezifischen seiner dichterischen Begabung und geistigen Leistung, trotz einiger Intentionsverwandtschaft (*Sprache) doch unbekannt geblieben zu sein. Die beiden Stellen, in denen Goethe D.s ausdrücklich gedenkt, beruhen auf Irrtümern: 1. Anke van Tharaw/Ännchen von Tharau, hochdeutsche Übertragung von JGHerder 1779; mundartliche Unstimmigkeiten verweisen nach WZiesemer auf D.s Freund Heinrich Albert (1626 aus Mitteldeutschland nach Königsberg/Pr. gekommen), auch im *Wunderhorn I, S. 133 galt 1806 – sogar bis auf WZiesemer – noch D. als Verfasser („Der Palmbaum"; dazu Goethe am 21. I. 1806, JALZ: *I/40, 345: So recht von Grund aus herzlich*); 2. *Den besten Buhlen, den ich hab' (han) ... (25. VIII. 1806: III/3, 164),* dem Goethe den Namen *Simon Dach* beischreibt, ist ein volkstümliches Lied aus dem 16. Jahrhundert („Den liebsten bulen den ich han, der leit beim wirt im Keller, er hat ein hölzern röcklein an und heist der Muscateller"), gesungen meist nach einer anonymen Weise von 1603.   *Za*

Ausgabe: WZiesemer. 4 Bde. 1936–1938. – WZiesemer: Anke v. Tharau. In: ZfdPh. 1939.

Daedalus, sagenhafter Architekt und Mechaniker des Königs Minos von Kreta (*Ikarus). Von diesem ist zu trennen der ebenfalls sagenhafte Begründer der griechischen Großplastik im 7. Jahrhundert vChr.; die Überlieferung verlegt dessen Wirken gleichfalls nach Kreta, das tatsächlich in der Entwicklung zum monumentalen, dädalischen Stil in der Plastik führend gewesen ist. *Es ist eine Tradition, Dädalus, der erste Plastiker, habe die Erfindung der Dreh-*

scheibe des Töpfers beneidet. Von Neid möchte wohl nichts vorgekommen sein; aber der große Mann hat wahrscheinlich vorempfunden, daß die Technik zuletzt in der Kunst verderblich werden müsse (I/48, 211).*   *Hm*

Grumach 489. – A Rumpf: Daidalos. In: Bonner Jahrbücher 135 (1930). – B Schweitzer: Xenokrates von Athen. Als: Schriften der Königsberger Gel. Ges. Geistesw. Klasse 9,1. – ThB VIII, 280 ff. (W. Amelung). – RE IV, 1994 ff. (C Robert).

Dämon (Daimon), das Dämonische. D. ist bei den *Griechen die Bezeichnung für alle göttlichen Personen. Dieser allgemeinere Ausdruck wird angewandt, wenn man sich scheut, den feindlichen oder unterweltlichen Gott bei Namen zu nennen oder wenn eine göttliche Macht nicht konkret gestaltet erscheint. So kann das Wort selbst den Sinn einer gottfeindlichen Macht annehmen. D. kann aber auch der Schutzgeist des einzelnen Menschen oder geradezu dessen als unkörperlich verstandene Entelechie bedeuten. So steht *Daimon* in den *Urworten* für die ewige Entelechie eines Menschen. Alle solchen Bedeutungen erscheinen bei Goethe. Aber die wichtigste bei ihm ist ein *metaphysischer Grundbegriff (*Religion; *Schicksal).

Goethe sieht die Welt mehr vom seelischen Erleben als vom Kosmos her. Darum vereint sich die unbedingte Weltbejahung, die Dankbarkeit für den Schöpfer mit dem Bewußtsein der Grausamkeit dieser Schöpfermacht gegenüber den Individuen. Im *Faust* stehen beide Weltbilder unausgeglichen nebeneinander: Der christliche Gott und der Erdgeist, den man wohl als D. zu deuten hat. (Die irdische Welt ist Mischung von Finsternis und göttlichem Licht). Gegen Ende von *DuW* sagt Goethe von sich: *Er glaubte in der Natur, der belebten und unbelebten, der beseelten und unbeseelten etwas zu entdecken, das sich nur in Widersprüchen manifestirte und deßhalb unter keinen Begriff, noch viel weniger unter ein Wort gefaßt werden könnte. Es war nicht göttlich, denn es schien unvernünftig; nicht menschlich, denn es hatte keinen Verstand; nicht teuflisch, denn es war wohlthätig; nicht englisch, denn es ließ oft Schadenfreude merken. Es glich dem Zufall, denn es bewies keine Folge; es ähnelte der Vorsehung, denn es deutete auf Zusammenhang. Alles, was uns begränzt schien für dasselbe durchdringbar: es schien mit den nothwendigen Elementen unsres Daseins willkürlich zu schalten; es zog die Zeit zusammen und dehnte den Raum aus. Nur im Unmöglichen schien es sich zu gefallen und das Mögliche mit Verachtung von sich zu stoßen. Dieses Wesen, das zwischen alle übrigen hineinzutreten, sie zu sondern, sie*

zu verbinden schien, nannte ich dämonisch... (1/ 29, 173 f.). Goethe, wenn er sich selbst schöpferisch fühlt, redet gläubig, aufbauend von Gott. Daneben aber redet er in der Selbstbesinnung, im Blick auf das Tragische, manchmal vom *Dämonischen.* Dies ist die überpersönliche, kosmische Schicksalsmacht. *Napoleon ist Goethe vor allem das Beispiel ihrer Wirkung. *Jeder außerordentliche Mensch hat eine gewisse Sendung, die er zu vollführen berufen ist. Hat er sie vollbracht, so ist er auf Erden in dieser Gestalt nicht weiter vonnöten, und die Vorsehung verwendet ihn wieder zu etwas anderem. Da aber hienieden alles auf natürlichem Wege geschieht, so stellen ihm die Dämonen ein Bein nach dem andern, bis er zuletzt unterliegt. So ging es Napoleon ...* (11. III. 1828: *Bdm 3, 499 f.*). Andere Beispiele sind Peter der Große, Friedrich der Große und Carl August. *Das Dämonische ... ist dasjenige, was durch Verstand und Vernunft nicht aufzulösen ist. In meiner Natur liegt es nicht, aber ich bin ihm unterworfen* (2. III. 1831: *Bdm 4, 338*). Wenn Goethe seine Jugendjahre gelegentlich *dämonisch* nennt, so denkt er wohl an die tollen Jahre mit seinem Herzog. Er fand in ihm unbegrenzte Tatkraft und Unruhe, so daß das größte Reich ihm zu klein gewesen wäre. *Dämonische Wesen solcher Art rechneten die Griechen unter die Halbgötter* (2. III. 1831: *Bdm 4, 338*). Das D. wirkt instinktiv (selbst bei Tieren). Es ist der moralischen Weltordnung nicht entgegengesetzt, durchkreuzt sie aber, so daß beide wie Zettel und Einschlag zusammenwirken. Mephisto ist kein D., weil er nur negativ wirkt. Goethe, den man oft als Gegner der *Idee und *Philosophie, als bloß instinktiv wirkend betrachten möchte, setzt sich mit seinem Willen vom D. ab. Darüber ist sein Verhältnis zum Herzog sehr bezeichnend. Nachdem er dessen *dämonischen* Instinkt und die damit verbundene Anziehungskraft gerühmt hat, fährt er fort: *Ihm wäre zu gönnen gewesen, daß er sich meiner Ideen und höheren Bestrebungen hätte bemächtigen können; denn wenn ihn der dämonische Geist verließ und nur das Menschliche zurückblieb, so wußte er mit sich nichts anzufangen und er war übel dran* (8. III. 1831: *Bdm 4, 341*).
So darf man wohl in diesem D. das eigentliche metaphysische Prinzip der letzten Jahre sehen, die schaffende Kraft, die auch zerstören muß. (Neben dem letzten Buch von *DuW* die Eckermanngespräche der Jahre 1828/31, jedesmal im März). Das ist bei aller Weltbejahung eine zugleich tragische Schau. Sich selbst aber will Goethe offenbar zu einer göttlichen, rein schöp-

ferischen Lebensweise hin läutern, wie sich *Faust* von *Mephisto* und seiner Magie ablösen will. Biographisch wird diese Richtung im *Divan* beleuchtet: *Du hast getollt zu deiner Zeit mit wilden | Dämonisch genialen jungen Schaaren, | Dann sachte schlossest du von Jahr zu Jahren, | Dich näher an die Weisen, Göttlich-Milden (1/6, 283).*　　　　　　　　　　　　　　　　Hi

W Muschg: Goethes Glaube an das Dämonische (Literaturangaben!). 1958.

Dänemark ist dasjenige der Länder *Skandinaviens, das für Goethe unstreitig die größte Bedeutung hatte, schon deswegen, weil die dynastischen Zusammenhänge mit *Schleswig und *Holstein, mit *Oldenburg, auch mit *Rußland bisweilen mehr, bisweilen weniger mitsprachen. Seit 1773 und zunächst bis 1815 stabil, sind mit D., dh. mit den dänischen Inseln, der Halbinsel Jütland, den Färöern, Island, Grönland, Norwegen (unter eigener Verfassung!), einigem Kolonialbesitz (Afrika, Indien) auch die Herzogtümer Schleswig und Holstein, nach 1815 austauschweise noch das Herzogtum Lauenburg verbunden, während Norwegen zu Schweden kam. Die Krone des Königreiches D. wurde 1448 Christian (I.) aus dem Hause Oldenburg erblich übertragen, was Goethe bekannt war. D. selbst galt Goethe ursprünglich und vielleicht hauptsächlich als das Kernland des Nordens, des *nordischen Erbteils (Bdm. 3, 258; *Ballade Sp. 607)*, am nächsten heranreichend an *Cimmerien, an *Thule. Erste Anregungen scheint PH *Mallet (*Geschichtsschreibung) mit seiner „Introduction à l'Histoire de Danemarc" (1755; neue Ausgabe schon 1756 mit einem Supplement „Monumens de la mythologie et de la poesie des Celtes") gegeben zu haben: *Ich hatte die Fabeln der *Edda schon längst aus der Vorrede zu Mallets Dänischer Geschichte kennen gelernt, und mich derselben sogleich bemächtigt; sie gehörten unter diejenigen Mährchen, die ich, von einer Gesellschaft aufgefordert, am liebsten erzählte* (um 1770: *1/28, 143; *Ephemerides: Morris 2, 46; 1/38, 233). Gleichzeitig finden sich folgende Namen mit Schriften notiert: *Saxo Grammaticus (ca. 1150 bis ca. 1216), Ole Worm (Olaus Wormius) aus Aarhus (1588–1654), Peter Resenius (1625 bis 1688), Thomas *Bartholinus (1659–1690), Gottfried *Schütze (1719–1784). Diese Notierungen zeugen von intensiven Studien in der Frühzeit. Persönlich wurden wirksam vornehmlich JG *Herder (*Volkslied), AG *Oehlenschläger, vielleicht auch (und dann wohl eher negativ) JI *Baggesen, positiver gewiß MF *Arendt, am meisten schließlich W *Grimm. So gewann Goethe vom Altertum D.s relativ klare Vorstellungen. Für ein gleich reges Interesse an den zeitgenössischen Verhältnissen finden sich wenig eindeutige Zeugnisse. Von dem damaligen König Christian VII. (1749–1808) zB. scheint kaum die Tatsache erwähnenswert, daß er 1790 in der Geschichte der deutschen Königs- und Kaiserhymne eine unfreiwillig vermittelnde Rolle zu spielen hatte (HCarey, hier Sp. 1561), stärker beachtet wurde 1772/1780 die Affäre Struensee (B*Münter; vgl. IV/4, 224); Friedrich VI. (1768/1808–1839) wurde 1825 für Goethe persönlich bedeutsam, indem er als Souverän der deutschen Bundesländer Holstein und Lauenburg den Anfang machte, die neue Gesamtausgabe (*Editionen) der Werke Goethes förmlich zu privilegieren und dergestalt vor unerlaubtem Nachdruck zu schützen (IV/39, 234f.); Erbprinz Christian Friedrich, der spätere König Christian VIII. (1786–1848), empfing 1817 das Diplom der Mineralogischen Gesellschaft/Jena (III/6, 87; 93; vgl. dazu IV/28, 215f.; 418), 1825 *die Ordensinsignien* [des Weißen Falkenordens] *für den Grafen Bedemar (III/10, 113f.;* 115; dazu IV/40, 109). Politiker, Regierungs- und Verwaltungsbeamte D.s erscheinen mit den Angehörigen der Grafenfamilien *Bernstorff, *Stolberg, *Reventlow, *Schimmelmann, ferner der Häuser *Bielke, Eggers, Fabritius de Tengnagel, Koes, Rabener, Schulin, Warnstedt, *Eyben, meistens in Verbindung mit *Kopenhagen; auch an GFE*Schönborn, HPSturz, GHL*Nicolovius ua. ist zu denken. Repräsentanten der Kultur, Wissenschaft und Kunst D.s in Goethes Blickfeld sind: zunächst die Gelehrten und Professoren der Universitätsstädte Kopenhagen und Kiel MEhlers, FCKH *Münter, H*Steffens, L*Spengler, HChr Schuhmacher, AWHauch, MF*Arendt, FChr Sibbern, PO*Bröndsted (Brönsted), NAJW Lunzi, Lemmnich, EV*Bedemar, HChr*Oersted, FChrPetersen; JA und CF*Cramer, CL Reinhold, PhGHensler, JD*Brandis, ChrH Pfaff, JFPosselt, HRatjen; alsdann die Künstler und Kunstkritiker J*Juel, B*Thorwaldsen, JG*Zoëga, NLHöyen, KChrA*Böhndel; endlich die literarischen Vertreter, Schriftsteller und Dichter JE*Schlegel, FG*Klopstock, Lv *Holberg, JA und CF*Cramer, HWv*Gerstenberg, HChr*Boie, M*Claudius, FSChr*Brun, JI*Baggesen, AG*Oehlenschläger, JEichel, ThChrAvKobbe, FHHegewisch, zuletzt und eigentlich schon der *Wirkungsgeschichte angehörig: HChr*Andersen.   *Li*

GBrandes: Goethe und Dänemark. In: GoetheJb. 2, S. 1–48. – LBobé: Goethe og Danmark. In: Gads Danske Magasin. 1926. S. 289–302.

Dalberg, rheinisch-rheinpfälzisches Altadels-

geschlecht von besonders betonter Würde, der Familienlegende nach römischen Ursprungs (C. Marcellus) und dergestalt an eine Verwandtschaft mit der heiligen Familie angeschlossen, durch Erbgang in den Besitz des Namens und der Burg D. am Gräfenbach bei Kreuznach gekommen, 1654 reichsfreiherrlich geworden. Goethe kannte:

–, 1) Carl Theodor Anton Maria (1744–1817), bereits als Kind für den geistlichen Stand ausersehen und umfassend vorgebildet, in schnellem Aufstieg Träger hoher Welt- und Kirchenwürden, 1761/62 juristische Promotion (Studium in Göttingen [!] und Heidelberg), 1771/1787 kurmainzischer Statthalter in *Erfurt, 1787 Coadiutor in Mainz, Worms, 1788 (nach der Priesterweihe) in Konstanz, alsdann Titularerzbischof (Tarsus), 1797 Dompropst in Würzburg, zugleich Domscholasticus und Universitätsrektor, auch Schulrat, 1799 Bischof von Konstanz, 1802 Erzbischof und (letzter) Kurfürst von Mainz, 1803 mit Sitz in Regensburg, Kreuzkanzler, Metropolit, 1806 Fürstprimas des Rheinbundes, 1807 souveräner Fürst von Frankfurt/M., 1810 mit dem Titel: Großherzog, 1813 abgedankt – bedeutend auch sein langjähriger Ministerpräsident FJ v*Albini. D. hielt sich ungeachtet vieler, empfindlicher Widerstände fest an Napoleon, sogar noch nach der Abdankung, weshalb man ihm finanzielle Schwierigkeiten bereitete und er keinerlei öffentliches Amt mehr übernahm.

Goethe fand gleich im ersten weimarer Jahrzehnt Fühlung mit D. Frische und Wärme dieses Kontakts befähigten ihn, in den Unstimmigkeiten *wegen Redecker* (ChrL*Redekker) erfolgreich zu vermitteln. Die unkonventionelle Wärme des Verhältnisses war so stark, daß im Hin und Her zwischen Weimar und Erfurt eigentlich keine Gelegenheit ungenutzt blieb, um sich des Zusammenseins anregend zu erfreuen sowie Gemeinsames ins Werk zu setzen. D. war selbst bei Abenteuern kein Spielverderber: *Nachts auf der Streue mit d. Herzog, Prinzen, Dalberg u 2 Einsiedels vorher tolles Disputiren mit Einsied d. iüngern* (4.VII. 1777: *III/1, 41;* vgl. dazu WDobbek: August vEinsiedel „Ideen". 1957. S. 14). Doch zeigte sich in diesem *tollen Disputiren* D.s wahrscheinlich entscheidende Grenze. Er vermochte in seinem ontisch/ontologisch zu flach fundierten Welt- und Wirklichkeitsverständnis den für den weimarer Kreis (JG*Herder) und für Goethe zumal so fruchtbaren „Ideen" von der „Notwendigkeit auch der zerstörenden Kräfte in der Natur" mit ihren metaphysischen (vielleicht auch poetischen) Konsequenzen (vgl. Ballade hier Sp. 623–629; 643–674) weder in den aphoristischen Eruptionen Av*Einsiedels noch überhaupt zu folgen (*Coincidentia oppositorum, zB. Sp. 1666). Nur bis zu dieser Grenze konnte *der für alles Gute so thätige* D. *(I/36, 317)* im Verkehr mit den Weimarern, insbesondere mit Goethe ein echter Freund sein und seine unzweifelhaft reichen Natur- und Geistesgaben (vgl. zB. 15. IX. 1781: IV/5, 170) fruchtbar werden lassen, so etwa als Präsident der Akademie gemeinnütziger Wissenschaften zu Erfurt. Hier lag überdies der tiefere Grund, weshalb D. *eigentlich auch kein rechtes Kind dieser Welt* war und alle *klugen, braven Plane*, ja sogar schließlich er selbst infolge seiner ontisch/ ontologisch falsch verabsolutierenden *Napoleon-Treue scheitern* mußte. Goethe hatte diese Prognose in hellsichtigen Worten bereits 1780 ausgesprochen *(IV/4, 215f.)*. Er konnte sie beim *ernsten dankbaren Rückblick* 1818 bestätigt finden *(IV/50, 42)*. Man geht gewiß fehl, wenn man für D.s Scheitern allein die „patriotischen" Kräfte seiner Zeit und sein persönliches Mißverhältnis zu diesen verantwortlich machen will. Goethes Urteil griff tiefer und traf den Zentralpunkt. Politisches im besonderen Sinne des Statthalter-Amtes spielte in den Begegnungen Goethe/D. fast nie eine ausdrücklich vermerkte Rolle. Im Vordergrund standen immer allgemeiner *politische philosophische und poetische Dinge* (2. V. 1780: *III/1, 116f.*). In seinen *phisiognomischen Bemerkungen*, freilich nur *flüchtig hingeworfen*, zeigte D. gleichzeitig ein aufmerksames Organ für Goethes Außen/Innen-Thematik (*Bildung Sp. 1209; *IV/4, 211f.*). Er konnte wohl auch mehr als einmal etwas *Erdgeruch* aus Goethes Nähe mitnehmen *(IV/3, 92)*. Eine Verbindung mit Schiller herzustellen, etwa in den Jahren 1784/85–1793/94 und ehe die Zeit dafür von innen her reif geworden war (1794), vermochte jedoch *selbst das milde Zureden eines Dalberg* nicht *(I/36, 249)*. Andererseits war Schillers Verhältnis zu D. damals (1794/95) auch mehr durch konventionelle Rücksichten bestimmt als echt von innen her, was besonders für D.s produktive Mitarbeit an Schillers Horen ins Gewicht fiel (GSchulz: Schillers Horen. 1960. S. 110). – Der immerhin *bedeutende Mann, dessen hoffnungsreichste Jahre in* Goethes *beste Zeit fielen (IV/50, 42)*, legte auch nach seinem Weggang aus Erfurt Wert auf bleibenden Kontakt, vornehmlich in den Jahren 1794 (Gedankenaustausch über Goethes *Versuch, die Elemente der Farbenlehre zu entdecken: IV/10, 146f.;*

391; II/4, 301; Besuch in Erfurt, Bericht über *die auf dem Petersberge verwahrten Clubbisten*, dazu *Belagerung von Mainz Sp. 999: *IV/10, 174*), 1796 (Nachfrage über *die Farbenmassen der Römischen Mosaik: IV/11, 68*), 1804 (Veranlassung einer Bitte um Rat und Beistand bei dem Denkmals-, bzw. Medaillen-Projekt für D.: IV/17, 10–12), 1808 (Aufmerksamkeiten D.s für Goethes Mutter und Sohn *so über alle Erwartung: IV/20, 60*), 1808/09 (Absicht Goethes, bei D. wegen des frankfurter Bürgerrechts für Christiane und August zu intervenieren: IV/20, 188; 21, 11), 1811/12 (Brief von Cv*Wolzogen-Lengefeld: „Der Großherzog [D.] sagte mir…, daß er ein wahres Verlangen hätte mit Ihnen wieder in nähere Berührung zu kommen"; dazu Goethes Worte: *Wie sehr erkenne ich darin die Dauer jener Gesinnungen, die mich früher so glücklich machten. Je mehr ich dankbar empfinde, wie viel ich diesem außerordentlichen Manne in meiner Jugend schuldig geworden, desto mehr freut es mich, daß Zeit und Entfernung, ja so mancher Wechsel der Dinge nichts an einem Verhältniß ändern konnten, das auf wahren Grund gebaut war: IV/22, 476; 247*), 1812 (Berufung des Gymnasialprofessors JCH*Schulze aus Weimar als Direktor nach *Hanau: IV/22, 245; 476).
Unter den Beständen der *Hausbibliothek (Ruppert Nr 513; 2381; 2937; 3041; 3042) Goethes fanden sich fünf Schriften D.s, drei über Grundfragen des Wissens und der Weltweisheit (1777; 1793; 1796), eine über erfurter Geschichtsprobleme (1780), eine über Angelegenheiten der Steinschneiderei (1800).
Im Altersrückblick betonte Goethe, daß D. auf seine Weise für die gegenbildlich heilsame Lehre danke, wie man bei dem *furchtbaren Zudrang von literarischen Zusendungen* und Beanspruchungen aller Art überhaupt das *reine wahrhafte Verhältniß zu den Mitlebenden* vor dem *Auflösen* und *Zerstieben*, dh. wie man sich selbst vor dem Leerlauf rhetorischer Höflichkeitskorrespondenzen bewahren könne und müsse (10. IV. 1827: *IV/42, 125f.*).
Goethes mitfühlendes Bedauern, daß D. zuletzt *in große Bedrängniß* geriet, ist echt und tief (23. II. 1818: *IV/50, 42*).   *Gk*
–, 2) Wolfgang Heribert (1750–1806), Bruder von 1), ursprünglich Verwaltungsjurist, versuchte sich auch als Dichter, wurde bedeutend als Intendant des Hof- und Nationaltheaters in *Mannheim (1778–1803), dessen Gründung und Leitung er anstelle des abgelehnten GE *Lessing im Auftrage des Kurfürsten Carl Theodor von der Pfalz übernahm. Verpflichtete zunächst *Seylers Truppe, stellte dann

1779 eine eigene Truppe auf, für die er vor allem die wichtigsten Mitglieder des sich auflösenden Hoftheaters in Gotha engagierte. Das Theater wurde am 7. X. 1779 eröffnet. D.s Theaterleitung wurde vorbildlich durch die Einführung eines Ausschusses, in dem die Schauspieler zur Beratung über dramaturgische und andere Fragen zusammenkamen, durch den Ensemblegeist und den einheitlichen Schauspielstil eines idealisierten Naturalismus sowie durch die Förderung des jungen Schiller und anderer Dramatiker. Goethe lernte D. 1779 in Mannheim kennen und hat in den ersten Jahren seiner *Theaterleitung manches Organisatorische von Mannheim übernommen. Auch gab es Kontakte in der Spielplangestaltung.

Auf D.s eigene Produktion als Schriftsteller, Bühnenautor, auch Dramenbearbeiter und Übersetzer (zB. Shakespeare) hat Goethe für seinen Spielplan nur in zwei Fällen zurückgegriffen: 1793 „Die eheliche Probe“ (sieben Aufführungen); 1803 „Julius Caesar“ (nach Shakespeare in einer Bearbeitung von Wieland/Dalberg; drei Aufführungen). D.s Familie, seine Ehefrau Maria Augusta und Sohn Emmerich Joseph: *meinen kleinen Freund;* (10. IV. 1780: *IV/4, 207*) hatte er in Mannheim kennengelernt (vgl. 1814: IV/25, 49; 1815: 26, 90).   *EF*

–, 3) Johann Friedrich Hugo (1760–1812), jüngster Bruder der Vorigen, körperlich mißgestaltet, aber geistig-künstlerisch, besonders auch musikalisch begabt, Domherr zu Trier und Worms, tätig als virtuoser Interpret fremder und eigener Kompositionen, als Autor historischer, ästhetischer, metaphysischer Schriften sowie auch belletristischer Werke, insbesondere Übersetzungen, wurde durch 1) mit Goethe bekanntgemacht (22. IV. 1778: III/1, 65), und suchte sich, nicht immer glücklich, durch eigene Produktionen in Kontakt zu halten (Ruppert Nr 1785; 1964): *Ich muß, leider, den guten Dalberg einer pfuscherhaften Sudeley anklagen,* schrieb Goethe über D.s Übersetzung der altindischen Gita-Govinda aus dem Englischen des William Jones, als er beides miteinander verglichen hatte *(IV/16, 43f.).* Auch die Beziehung Herder/D., insbesondere deren gemeinsame Italienreise 1788/1789, hatte manches für Goethes realistischere Menschenbeurteilung Bedenkliche.   *Gk*

Dallwitz (Dalwitz), böhmisches Dorf auf dem linken *Eger-Ufer, nordwestlich nahe bei *Karlsbad, besuchte Goethe vornehmlich in den späteren Jahren seiner karlsbader Kuraufenthalte (1806–1820) häufig, mindestens

neunmal. Erste Anregung (vielleicht schon 1785; I/35, 265) kam durch das Bekanntwerden mit dem *wackeren Mann* und *alten Steinfreunde* J*Müller *(I/35, 264; I/36, 12).* Goethe interessierte sich in D. für die geologisch-mineralogischen Verhältnisse und für die *Porzellan-Fabrik, *wo der Feldspath, der in der Nähe in großen Felsen mit Quarz ansteht, und manche andere Thonart der Nachbarschaft *benutzt wird (25. VII. 1806; III/3, 146).* Am 18. VII. 1807 war er mit JMüller und JSt*Schütze dort, fand auch den *Vorsteher* der Fabrik B*Haßlacher wieder *und die Anstalt im Wachsen (III/3, 242f.). Die Porzellanfabrik in Dalwitz bestätigte mich abermals in meiner Überzeugung, daß *geognostische Kenntniß im Großen und im Kleinen jedem praktischen Unternehmen von der größten Wichtigkeit sei (I/36, 19).* 1808 notiert Goethe vier Besuche in D., darunter einen mit den Damen SFv*Seckendorf-Aberdar, S*Ziegesar, P*Gotter, der ebendeswegen auch im Zusammenhang mit den entstehenden *Wahlverwandtschaften bedeutungsvoll ist (25. VI.: *Unterhaltung mit dem Factor über die gegenwärtige Lage der Fabrik im merkantilischen, technischen und chemischen Sinne: III/3, 348; 352; 358; 374).* 1811 *des Durchstöberns und Durchklopfens der allzubekannten Felsmassen völlig müde,* wohl auch weil *Müller, in hohen Jahren, …nicht mehr anregend war (I/36, 68)* wird nur ein Besuch verzeichnet (7. VI.; ein zweiter könnte am 11. VI. 1811 stattgefunden haben: *III/4, 211);* sie galten geologischen Interessen, spezialisiert auf *pseudovulkanische Reste;* ebenso der am 3. IX. 1812 notierte Besuch (ebda 318). Am 19. V. 1820 wird wohl zum letzten Male *mit dem Inspector* der Porzellan-Fabrik *gesprochen, verschiedene Mineralien dort aufgenommen (III/7, 175).* JMüller war bereits am 15. XII. 1817 gestorben; Goethe ergänzt 1820 auch dessen hinterlassene Sammlung aus d.er Funden, *wozu ihm einige, behufs des Wegebaues, neu aufgeschlossene Bergräume in der Gegend von Dallwitz und Lessau die beste Gelegenheit gaben (I/36, 156; 157).*   *JP*

VKarell: Goethe als Karlsbader Kurgast. ²1942.
Zeichnungen:
Corpus IV, InvNr 2160: Dallwitz, Schloß
Dat. 18. VIII. 1808 (III/3, 374)
AuktKat. LLiepmannssohn. Berlin 58/1919. Nr 2 (Abb.).
AuktKat. PGraupe. Berlin 106/1933. Nr 84.
OKletzl, S. 454 Abb. nach S. 460.   *Fm*

Dammhaus, Gebäudegruppe mit Gasthaus zwischen *Clausthal und *Altenau/Bruchberg im *Harz, streifte Goethe am 12. XII. 1777 gegen Ende seiner ersten Harzreise (III/1, 57), von Clausthal kommend. RV S. 17.   *JP*

Dampfmaschine. Obwohl bereits im Altertum die Arbeitsfähigkeit des Dampfes bekannt war und im 17. Jahrhundert D.n konstruiert wurden (Papin 1690, Savery 1698), erhielt sie doch erst im Zeitalter Goethes 1769 durch James Watt ihre grundlegende Bedeutung. 1790 konnte Goethe erstmals im Bergwerk zu *Tarnowitz eine D. sehen; später (1814) unterrichtete ihn Carl August über die D.n in England. Am 2. V. 1830 *zeigte … Ein Elsasser … das Modell einer Dampfmaschine vor; ein sehr complicirtes und schwer zu begreifendes Maschinenwerk (III/12, 235)*. Goethe hat der D. keine eigene Arbeit gewidmet, jedoch die Hymne Andreas Stumpfs selbst überarbeitet (als „Kampf der Elemente" in Nr 5 des *Chaos, vgl. hier Sp. 1616). – Aber die D. wurde ihm zum Symbol einer neuen, anderen Zeit: *So wenig nun die Dampfmaschinen zu dämpfen sind, so wenig ist dieß auch im Sittlichen möglich; die Lebhaftigkeit des Handels, das Durchrauschen des Papiergelds, das Anschwellen der Schulden, um Schulden zu bezahlen, das alles sind die ungeheuern Elemente, auf die gegenwärtig ein junger Mann gesetzt ist. Wohl ihm, wenn er von der Natur mit mäßigem ruhigem Sinn begabt ist, um weder unverhältnißmäßige Forderungen an die Welt zu machen noch auch von ihr sich bestimmen zu lassen (MuR:* Hekker *Nr 480;* *Maschinenwesen).   Sl

AZastrau: Technik und Zivilisation im Blickfeld Goethes. In: Humanismus und Technik. 4. Bd, 3. H. (1957), S. 134–156.

Dampierre, Dorf an der *Auve in der *Champagne, 1792 das Hauptquartier *Kellermanns (I/33, 79).   Fu

Damvillers, französische Stadt 20 km nördlich von *Verdun (Departement Meuse), 1792 von Goethe berührt (I/33, 24). RV S. 30.   Fu

Danaiden, die fünfzig Töchter des mythischen Königs Danaos, die wider ihren Willen die fünfzig Söhne des Aigyptos heiraten mußten, ihre Männer jedoch in der Hochzeitsnacht erdolchten. Zur Sühne mußten sie in der Unterwelt Wasser in ein durchlöchertes Faß schöpfen. Schon Polygnot stellte die D. auf seinem großen Gemälde in der Lesche zu Delphi dar (I/48, 99f.), und den alten Griechen galt die Tätigkeit der D. als Musterbeispiel vergeblicher Arbeit. Goethe war das Motiv von Jugend auf vertraut. In der *Proserpina* wird das Los der D. zum Symbol für Proserpinas psychische Situation: *Trostlos für mich und für sie, / Wohn' ich unter ihnen und schaue / Der armen Danaiden Geschäftigkeit! / Leer und immer leer! / Wie sie schöpfen und füllen! / Leer und immer leer! / Nicht Einen Tropfen Wassers zum Munde, / Nicht Einen Tropfen Wassers in ihre Wannen! / Leer und immer leer! / Ach so ist's mit dir auch, mein Herz! / Woher willst du schöpfen? – und wohin? – (I/17, 42)*. Auch die *Xenien* kennen das Bild vom Schöpfen in ein Sieb, das nie voll werden kann (I/5^I, 211 V. 89f.). Die D. sind aber auch Vorbild und Symbol der Beharrlichkeit (IV/37, 66). Entgegen anderen Auffassungen, die in dem Schicksal der D. ihre Bestrafung für die Verweigerung der Ehe oder eine Folge der Nichteinweihung in die Mysterien sahen, betonte Goethe den tieferen menschlichen Sinn derartiger Unterweltsstrafen: *… das Wassertragen in zerbrechenden Gefäßen, alles deutet auf unerreichte Zwecke. Hier ist nicht etwan eine dem Verbrechen angemessene Wiedervergeltung oder specifische Strafe! Nein, die Unglücklichen werden sämmtlich mit dem schrecklichsten der menschlichen Schicksale belegt, den Zweck eines ernsten anhaltenden Bestrebens vereitelt zu sehen (I/48, 113)*.   Hu
Hunger S. 79–81.

In Goethes Tagebuch 1797 findet sich unter dem 20./21. Mai die Notiz, er habe die „Flehenden" des *Äschylus gelesen und Überlegungen zu einem ergänzenden zweiten Stück angestellt. Als *Zelter ihn am 30. I. 1800 brieflich befragte, ob er, wie verlautete, den Text zu einer „ernsthaften musikalischen Oper" gedichtet habe, antwortete Goethe – erst am 29. V. 1801 – habe einen Entwurf liegen *zu einem ernsthaften Singstücke, die Danaiden, worin, nach Art der älteren griechischen Tragödie, der Chor als Hauptgegenstand erscheinen sollte (IV/15, 232)*, aber er werde das Stück wohl niemals ausführen. Goethes Entwurf ist nicht erhalten. Es scheint, daß er darin auf die technische Behandlung des *Chors besonderen Wert gelegt hatte, denn *Riemer berichtet von einem Gespräch am 29. VIII. 1809: „Was AW *Schlegel am Äschylus tadelte, daß sein Chor meist die Hauptperson ist, findet Goethe ebenso zu loben und als das Rechte. Zu den Supplices hat er früher das dritte Stück der Trilogie erfunden und im Kopfe ausgeführt, aber nichts [!] aufgeschrieben. *Das ist eben das Vortreffliche, daß aus der Masse des Chors (der Danaiden), der überein gesinnt ist, eine, die Hermione, als der Gegensatz, heraustritt" (Bdm. 2,50)*.   So

Danckelmann, 1) Adolph Albrecht Heinrich Leopold (1738–1807), Freiherr, später Graf von, dritter Sohn des preußischen Staatsministers Carl Ludolph Frhr vD., wurde 1763 Regierungspräsident von Cleve, 1780 Staats- und Justizminister und Chefpräsident der drei schlesischen Ober-Amts-Regierungen. Goethe traf ihn am 19. VIII. 1790 in *Breslau (III/2, 23).

-, 2) Ludwig Philipp Gottlob Freiherr von (1744–1823), Herr auf Lodersleben bei Querfurt, sächsischer, später preußischer Beamter, seit 1788 (Trauung in Weimar) verheiratet mit Cornelia Helena geb. Baumgarten (Boomgardt) aus Kapstadt (1754–1836), der Witwe seines Bruders Wilhelm vD. (1741–1781), Generalfiskal der holländisch-ostindischen Kompanie in Bengalen. Goethes Tagebuch erwähnt Besuche LPhG.s am 21. I. 1796 (III/2, 39) und 14. III. 1799 (ebda 237).

-, 3) Adolf Albert Friedrich Wilhelm Freiherr von (1779–1820) als Sohn des Wilhelm vD. in Indien geboren, Stiefsohn des vorigen, war 1786 mit seiner Mutter und seinem Bruder William nach Europa gekommen und weilte schon 1788 einmal und 1799 erneut mit seinen Angehörigen in Weimar (III/2, 237). Er besuchte die Bergakademie in Freiberg, lebte 1801/02 als Hofjunker und Kammerassessor in Weimar, unternahm dann in Diensten der holländisch-ostindischen Kompanie eine mehrjährige Reise nach Niederländisch-Indien und Südafrika und wurde nach seiner Rückkehr Oberbergrat in Coburg, fand auch in diplomatischen Angelegenheiten Verwendung. Seit 1808 lebte er [nach einer schriftlichen Mitteilung von Caroline Herder] „ohne Dienst" in Jena, wo er sich und seine Familie – er hatte 1806 Marianne *Jagemann aus Weimar geheiratet – kümmerlich durch Übersetzertätigkeit ernährte. Eine Stellung als kursächsischer Geheimer Legationsrat und Resident in Danzig war auch nur kurzfristig (1809). D. besaß gute geistige Anlagen und hatte ausgezeichnete Sprachkenntnisse, war aber von leidenschaftlicher, heftiger und trotziger Gemütsart und hatte einen Hang zu Verschwendung, Trunk und tollen Streichen. 1812 trennte sich seine Frau von ihm und lebte mit ihren beiden Kindern seitdem bei ihrer Schwester Cv*Heygendorf in Weimar. D. selbst hielt sich damals in Jena auf, um Beschreibungen seiner Reisen nach dem Kap und nach Batavia zu verfassen. Er legte diese Arbeiten auch Goethe vor (III/4, 272f.). Als er im Mai 1812 bei dem Versuch, seine Familie nach Jena zurückzuholen, in Weimar einen öffentlichen Skandal veranstaltete, wurde er verhaftet, aber nach einigen Wochen Arrest wieder entlassen. 1813 trat er in russische Kriegsdienste. Er machte die Schlacht bei Großgörschen mit, wurde verwundet, flüchtete nach Schlesien, wurde dort von den Franzosen gefangen, entwich aber und kam nach Teplitz, wo er Carl August und Goethe antraf und ihnen von seinen Erlebnissen berichtete (III/5, 61; IV/23, 379f.). Carl August äußerte über ihn: „Der Mensch hat das Zeug zu einem Baron Trenck, und wir werden noch manches Geschichtchen von ihm erleben." Nachdem er 1814 im Haus seiner Schwägerin in Weimar einen neuen Skandal verursacht hatte, ließ ihn Carl August erneut arretieren und auf der Burg Allstedt, später im Waisenhaus in Eisenach festsetzen. 1815 wurde seine Ehe geschieden und er gegen das Versprechen, das Herzogtum Weimar-Eisenach ohne Erlaubnis des Herzogs nicht wieder zu betreten, freigelassen. Seine Versuche, in englische oder holländische Kriegsdienste zu gelangen, mißglückten. Er lebte seitdem meist in Lodersleben bei Auerstädt und starb bei einem Badeaufenthalt in Bad Bibra. *Hk*
AvDanckelmann: Stammtafel der Freiherrlichen Familie von Danckelmann. Schwerin 1912. - EvBamberg: Die Erinnerungen der Karoline Jagemann. 1926 (mit zahlreichen irrigen Angaben über D.). - PvGebhardt-HSchauer: Johann Gottfried Herder, seine Vorfahren und seine Nachkommen. 1930. - Ferner Akten des Landeshauptarchivs Weimar.

Daniell, Thomas (1749–1840), englischer Maler und Kupferstecher, tätig in London, unternahm 1784–1794 mit seinem Neffen William D. (1769–1837) eine Reise nach Indien und arbeitete mit ihm an der Herausgabe von 144 Aquatintätzungen, die als „Oriental Scenery" 1808 vollendet waren. Goethe lernte 1818 die von Thomas D. herausgegebene Folge von 50 Kupferstichen „A Picturesque Voyage to India by way of China" kennen, legte dieses Werk am 22. April den Prinzessinnen vor (III/6, 200) und betrachtete es auch am 9. V. 1818 bei *Knebel in Jena (III/6, 207): *Es ist ein sehr verkäufliches Büchlein, zugleich auch voller Geist und Geschmack (IV/29, 161).* 1814 begann William mit der Veröffentlichung seiner „Voyage round Great Britain, undertaken in the Summer of the year 1813, and commencing from the Lands-End, Cornwall, by Richard Ayton", die in London bis 1818 in drei Bänden herauskam. Hofrath *Meyer war am 22. II. 1819 abends bei Goethe, der mit ihm dieses Werk betrachtete, am folgenden Tag besprach und am 24. nochmals durchblätterte (III/7, 19). – Thomas D. wurde 1799, William 1822 Mitglied der Royal Academy. *Lö*

Dank/Danken/Dankbarkeit. Diese Wortgruppe mit allen ihren Verwandten nimmt in Goethes *Sprache und weit über das Bewußt- und Beredtwerden menschlich-zwischenmenschlich unmittelbar erfaßter Beziehungen hinaus eine Zentralstelle ein. Zunächst: Goethes *Gesellschafts-Bild ist ein kommunikatives. Innerstes Prinzip ist die Partnerschaft. Das Wesen dieser Partnerschaft ist der Wechselbezug Geben/Nehmen – Nehmen/Geben. Wechselweise nimmt der eine vom andern die Gelegenheit zum Geben, gibt ihm dafür die Gelegenheit zum Nehmen – und umgekehrt. Dieser Wechselbezug ist aktivisch und passivisch in gleichem Maße. Er gilt in Goethes Augen für jeden, für den *Adel (hier Sp. 57), für den *Bettler (hier Sp. 1151). Er erscheint unmittelbar als Fähigkeit, als Bereitschaft zum D., und zwar so fundamental, daß dessen *Abschaffung* die menschliche Gesellschaft und dergestalt sogar die sittliche Weltordnung überhaupt auflösen und zerstören müßte (vgl. *I/17, 279;* dazu hier *Campagne in Frankreich; *Belagerung von Mainz). Das D.-Vermögen verbindet die Individuen, indem es sie trennt, es trennt sie, indem es sie verbindet. Insofern ist es eine jener menschlichen Lebensäußerungen, in denen die menschliche „Freiheit" sich zu ereignen vermag.

Goethe hat aber in einem jugendlichen *Welt-Entwurf, der seltsam genug aussah,* die Fundamente dieser Auffassungsweise noch viel weitergehend und tiefergreifend, und zwar mit den Mitteln einer metaphysizierenden Gleichnisrede an- und ausgesprochen. In einem reifen Lebens-Bericht hat er die damaligen Vorstellungsformen erinnert und wiederholt. Die Position des D.-Vermögens wird von seiner Negation her definiert: *Undank.* *Lucifer* erscheint als der Verantwortliche dafür, *daß er selbst und mit ihm selbst alsbald zugleich auch der Mensch seines höhern Ursprungs vergaß, ihn in sich selbst zu finden glaubte und daß aus diesem ersten Undank alles entsprang, was uns nicht mit dem Sinne und den Absichten der Gottheit übereinzustimmen scheint (I/27, 218f.).* Daß gleichwohl und auf eine analoge Weise *Absichten der Gottheit* im Spiele gewesen seien, drückt Goethe 1807/1808 in dem *Didaktischen Theil* seiner *Farbenlehre* aus, nicht als *jugendlicher* Schwärmer, sondern als längst manngewordener Forscher, übrigens zeitlich nahe genug beieinander: *Treue Beobachter der Natur, wenn sie auch sonst noch so verschieden denken, werden doch darin mit einander übereinkommen, daß alles, was erscheinen, was uns als ein Phänomen begegnen solle, müsse entweder eine ursprüngliche Entzweiung, die einer Vereinigung fähig ist, oder eine ursprüngliche Einheit, die zur Entzweiung gelangen könne, andeuten, und sich auf eine solche Weise darstellen. Das Geeinte zu entzweien, das Entzweite zu einigen, ist das Leben der Natur... Daß dasjenige, was wir hier als Zahl, als Eins und Zwei aussprechen, ein*

höheres Geschäft sei, versteht sich von selbst; so wie die Erscheinung eines Dritten, Vierten sich ferner entwickelnden immer in einem höhern Sinne zu nehmen, besonders aber allen diesen Ausdrücken eine echte Anschauung unterzulegen ist (II/1, 296; NS 4, 216f.). Diese Partien der *Farbenlehre* (nach RMatthaeis *Chronologie schon 1808 abgeschlossen) gehen denjenigen im Lebensbericht *DuW* unmittelbar voraus (1808/09 ernstlicher vorbereitet; 1811 hauptsächlich ausgearbeitet: *Mystisches Dogma: III/4, 190;* 1812 abgeschlossen), werden aber erst in Korrespondenz mit diesen und ihrer Zahlenreihe zu dem wirklich *höheren Geschäft* einer *morphologischen* Stufenfolge des großen wie des kleinen Kosmos ausgebaut, wo denn als *Viertes* eben *Lucifer* mit seinem *Undank* eine welt- und wirklichkeitsbestimmende Funktion erfüllen muß, denn im Ganzen und somit im Ewigen des goetheschen Kosmos koinzidieren notwendig die *systolisch/diastolischen* Gegensätze (J*Böhme, hier Sp. 1299; *Coincidentia oppositorum, hier Sp. 1665f.; zur Analogie zwischen *Farbenlehre und *Welt*-Entwurf vgl. auch *Tonlehre; *DuW*-Text: I/27, 218–221; *Dichtung und Wahrheit). Was an diesem *Welt*-Entwurf *seltsam genug aussah,* mutet den modernen Betrachter überdies aus einem doppelten Grunde so an. Die lange Aktualitätsspanne (1768/69–1812) ist der eine, der tiefe Traditionsreflex darin ist der andere Grund. Beide Gründe lassen auf Verwobenheit in einer konstituierenden Wesensschicht schließen. Man findet jedenfalls eine rational erstaunlich exakt fixierte, reale wie intentionale Beziehung zu jener alten acedia, von der Denker früherer, aber nach-antiker Zeiten sagten, sie sei der Name für die Nicht-Übereinstimmung des Menschen mit dem „Willen Gottes" und mit sich selbst. Die acedia gehört nach den Lebenslehren, dh. nach den theoretischen wie praktischen Anthropologien zB. der mittelalterlichen sowie zumeist vorreformatorischen oder gegenreformatorischen, insofern barocken Denker zu den vitia capitalia.

Goethe schließt sich mit dieser Tiefenbeziehung auf eine/seine charakteristisch modifizierte Weise an einen durchaus kontinuierlichen, europäisch-abendländischen Traditions-Zusammenhang an, der ihm gleichsam jenseits seiner *dezidirt nichtkristlichen* Ablehnung der Erbsünde (*Christentum Sp. 1641), jenseits des *Sündenfalles einen Blick in das Wesen der „Sünde" öffnet, wie er wenigen zu seiner Zeit und in solcher Dimension gelang. Er interpretiert dies Wesen der „Sünde" mit den Mitteln seiner *morphologischen* Betrachtungsweise freilich etymologisch falsch als „*Absonderung*". Wie er das (quasi) *Ur-Ei* der Religion sucht, so auch das der „Sünde" = Un-Religion. Ihm ist die acedia mit ihren Töchtern „Rastlosigkeit" und „Verzweiflung" gewiß nicht namentlich oder wortwörtlich, wohl aber sachlich eine höchst reale Quelle des Verderbens, der Verderblichkeit, des *Bankerotts: Unbedingte Thätigkeit, von welcher Art sie sei, macht zuletzt bankerott* (1827: *MuR* Hecker *Nr 461*). Die *unbedingte Thätigkeit* als acedia entspringt einem „horror vacui". Sie ist ein Modus jener *velociferischen* Trägheit, die doch wohl auch eine „Trägheit des Herzens" ist, indem sie es dem Menschen unmöglich macht, mit sich selbst, *mit dem Sinne und den Absichten der Gottheit übereinzustimmen*, und die diese Übereinstimmung selbst durch Einsatz höchstenergischer Aktivität nicht erreichen kann. Sie verfällt dem Leerlauf. Weil sie mit dem *Undank* beginnt, ist sie in Goethes morphologischer Begriffs-Sprache eine, ja die anfänglich erste Sünde, die *Ur*-Sünde, das *Ur-Ei* aller Sünden. *Eigentlich*: seiner Herkunft, seinem Wesen, seiner Wirkung nach ist der *Undank* gemäß der *Rolle des Lucifer* und kraft dessen *Abfall* immer *Absonderung vom Wohlthäter* ohne zugleich Hinwendung zu ihm sein zu können, wie es doch die Zweipoligkeit im D.-Vermögen zur Bedingung macht *(I/27, 221)*. Dergestalt gewinnt das D.-Vermögen in Goethes morphologischer Betrachtungsweise und Denkart die Würde einer *Ur*-Tugend, einer Ur-*Tüchtigkeit*: *Ich habe nie gesehen, daß tüchtige Menschen wären undankbar gewesen* (1823), maW.: in Goethes Lebenserfahrung und Weltweisheit ist der Mangel an D.-Vermögen, die Undankbarkeit immer auch ein Selbstzeugnis für Untüchtigkeit, Mittelmäßigkeit, Minderwertigkeit und zwar – durch den Gebrauch des Beiwortes „*tüchtig*" ausgewiesen – nicht im „bloß" moralischen, sondern im existentiellen Sinne *(MuR:* Hecker *Nr 185)*.

Das *Urbildliche* in Goethes D.-Auffassung verweist in die fundamentalen Bereiche der *Religion/Religiosität.

In der Realität des Lebensalltags ist freilich *schon gesorgt, daß die Dankbarkeit ... niemals zum Triebe werden kann ... und daß man es manchmal auf sich nehmen muß, undankbar zu scheinen (I/18, 188f.)*. *Der Mensch bedarf so unendlich vieler äußeren Vor- und Mitwirkungen zu einem leidlichen Dasein, daß wenn er der Sonne und der Erde, Gott und der Natur, Vorvordern und Eltern, Freunden und Gesellen*

immer den gebührenden Dank abtragen wollte, ihm weder Zeit noch Gefühl übrig bliebe, um neue Wohlthaten zu empfangen und zu genießen (I/27, 316f.). Dies Moment einer unzweifelhaften Entlastungsnot darf jedoch nur das zu sein scheinen, was es in Wirklichkeit gar nicht ist. Es darf niemals mehr werden als allenfalls *Leichtsinn*, jene *glückliche leichtsinnige Vergessenheit des Widerwärtigen wie des Erfreulichen, wodurch ganz allein die Fortsetzung des Lebens möglich wird (ebda)*. Bleibt er auf dieser Stufe stehen, so handelt es sich um eine *angeborene, ja anerschaffene Nichtdankbarkeit*, die eine gewisse Art von Natürlichkeit und also von Unschuld hat. Steigert sich dieser *Leichtsinn* aber zu einer *kalten Gleichgültigkeit, sieht man den Wohlthäter zuletzt als einen Fremden an, zu dessen Schaden man allenfalls, wenn es uns nützlich wäre, auch etwas unternehmen dürfte*, so ist die Stufe des *eigentlichen Undanks* erreicht..., *worin die ungebildete Natur sich am Ende nothwendig verlieren muß*. Goethe unterscheidet noch eine dritte Stufe: *Widerwille gegen das Danken jedoch, Erwiderung einer Wohlthat durch unmuthiges und verdrießliches Wesen ist sehr selten und kommt nur bei vorzüglichen Menschen vor: solchen, die mit großen Anlagen und dem Vorgefühl derselben, in einem niederen Stande oder in einer hülflosen Lage geboren, sich von Jugend auf Schritt vor Schritt durchdrängen und von allen Orten her Hülfe und Beistand annehmen müssen, die ihnen denn manchmal durch Plumpheit der Wohlthäter vergällt und widerwärtig werden, indem das, was sie empfangen, irdisch und das, was sie dagegen leisten, höherer Art ist, so daß eine eigentliche Compensation nicht gedacht werden kann (I/27, 317)*.

Im Hinblick auf sich selbst kann Goethe von ausdrücklichem *Widerwillen gegen das Danken* (wie zB. bei Lessing, Herder ua.) nicht sprechen. Wissentlich und willentlich schon gar nicht von *Undank* oder *Undankbarkeit;* 1820, also bereits im Alter, darf er sich *wohl nachrühmen, daß er von jeher die Vorzüge der Menschen und ihrer Productionen willig anerkannt, geschätzt und bewundert, auch sich daran dankbar auferbaut habe (I/41¹, 145)*. Selbst den immerhin möglichen, durch Entlastungsnot, durch eine *glückliche Vergessenheit* bedingten *Leichtsinn* einer *angeborenen, ja anerschaffenen Nichtdankbarkeit*, den auch Goethe in sich selbst wirksam weiß, sucht er zu überwinden: „*Du hast gar vielen nicht gedankt | Die dir so manches Gute gegeben!" | Darüber bin ich nicht erkrankt, | Ihre Gaben mir im Herzen leben* (1816: *I/6, 132*). Sieben Jahre früher hieß es:

Begegnet uns jemand, der uns Dank schuldig ist, gleich fällt es uns ein. Wie oft können wir jemand begegnen, dem wir Dank schuldig sind, ohne daran zu denken (MuR: Hecker *Nr 4).* In einer immerwährenden Selbstbeobachtung und Selbststeigerung, dh. in dem „Selbstexperiment", das *Urbild* des Menschen, des Menschlichen und der Menschheit forschend, lehrend, gestaltend, verwaltend, daseiend und wirkend immer reiner darzustellen vermochte Goethe des *Leichtsinns* der *Nichtdankbarkeit* beispielgebend Herr zu werden und diese in *Dankbarkeit* zu verwandeln, wie er denn überzeugt war, daß es sich quasi um ein Organ der Mitmenschlichkeit dabei handelte (*Ehrfurcht; dazu I/24, 240) und daß man dies in sich entwickeln kann und muß, nicht eigentlich um „tugendhaft", als vielmehr um *tüchtig* und immer *tüchtiger* zu werden: *So können wir ... die Dankbarkeit in uns durch bloße Gewohnheit erregen, lebendig erhalten, ja zum Bedürfniß machen (I/27, 318).* K*Burdach formuliert: „Goethe ... war einer der dankbarsten Menschen, die jemals gelebt haben. Und seine Selbstbiographie ist das großartigste und lauteste Bekenntnis einer allumfassenden, alles erspürenden Dankbarkeit gegen Zeit, Welt, Natur, Vorgänger und Mitlebende, einer Dankbarkeit, die sich bemüht, das eigene Genie und seine Leistung möglichst in der Abhängigkeit von unzähligen geschichtlichen Mächten zu begreifen" (JubA 5, 372).
Systematisch zusammengefaßt heißt das: Goethe gab sowohl theoretisch wie praktisch dem D.-Vermögen eine durchaus hervorragende, zentrale, konstitutive Stellung in dem Ganzen seines Gesellschafts-Bildes nicht nur, sondern seines Menschen-Bildes, seines Wirklichkeits- und Weltverständnisses überhaupt. Der *Undank* wird ihm in metaphysizierender Gleichnissprache sowie in morphologischer Betrachtungsweise, verwoben mit einer ihn gleichsam unterirdisch erreichenden Tradition zur *Ur*-Sünde, zum *Ur-Ei* aller Sünden (= vitium capitale), das D.-Vermögen ist Zeugnis einer *Ur*-Tugend, einer *Ur-Tüchtigkeit,* ohne die niemand ein rechter Mensch sein kann und der allenfalls die *Wahrheitsliebe vorangeht (wie es die *Hauptgebote und Verbote* der *älteren Perser* besagen: *I/7, 22).* Goethe maß also dem D.-Vermögen die Würde der *Urbildlichkeit* zu. *Za*

EGW II, S. 364–379. – JPieper: Über die Hoffnung. 1935. S. 55 ff. – JPieper: Muße und Kult. 1948. S. 48 ff. – AZastrau: Gedanken über die Menschlichkeit in Zeugnissen Goethes. In: Humanismus und Technik. VI, 2, S. 63–80.

Dannecker, Johann Heinrich (1758–1841) geboren und gestorben in *Stuttgart, armer Leute Kind, 1771 durch Herzog Carl Eugen persönlich für die Karlsschule ausgewählt, dort mit Schiller befreundet, 1780 Hofbildhauer in Stuttgart, 1783 gemeinsam mit dem anderen Hofbildhauer Philipp Jacob Scheffauer (1756–1808), ebenfalls einem Karlsschüler, in Paris (Atelier Augustin Pajou), 1785 in Rom (Förderung durch A*Canova), 1790 in Stuttgart, dort bis zu seinem Tode, zu immer größeren Ehrungen und Wirkungen aufsteigend. D. zählte zu den bedeutendsten Repräsentanten der *Plastik seiner Zeit. Sein Stil ist ein Klassizismus, der sowohl Canova wie *Thorwaldsen nahesteht, er idealisiert und typisiert, aber er schmeichelt und glättet, die sinnliche Wirkung seiner Akte, zumal der weiblichen, ist süßer, gelegentlich auch fülliger, zB. bei seinem berühmtesten, volkstümlich gewordenen Werk „Ariadne auf dem Panther" (1806; *Bethmann Sp. 1149). Gültiger sind seine Leistungen als Porträtist, am eindrucksvollsten seine Bildnisbüsten Schillers (1793/94 Modell nach der Natur; danach drei eigenhändige Ausführungen für Weimar, Stuttgart, München; mehrfach kopiert). Goethe kannte und schätzte D., ungewiß ob schon seit Rom (1786/88). Bei der persönlichen Begegnung im September 1797 (Stuttgart) wie auch bei den späteren Kontakten wirkte D.s Schwiegervater GHv*Rapp hilfreich vermittelnd. Goethe wünschte D. für Weimar zu gewinnen (vgl. NF*Thouret), auch um D.s willen: *Prof. Dannecker ist, als Künstler und Mensch, eine herrliche Natur, und würde, in einem reichern Kunstelemente, noch mehr leisten als hier, wo er zu viel aus sich selbst nehmen muß (11. IX. 1797: IV/12, 288).* Auch D. gab sich aufgeschlossen: *Als ich bemerken konnte, daß mein Verhältniß zu Rapp und Dannecker im Wachsen war und beyde manchen Grundsatz, am dem mir theoretisch so viel gelegen ist, aufzufassen nicht abgeneigt waren, auch von ihrer Seite sie mir manches Angenehme, Gute und Brauchbare mittheilten, so entschloß ich mich ihnen den Herrmann vorzulesen, das ich denn auch in einem Abend vollbrachte. Ich hatte alle Ursache mich des Effects zu erfreuen, den er hervorbrachte, und es sind uns allen diese Stunden fruchtbar geworden (IV/12, 300).* D. blieb aber in seiner Heimatstadt. Die persönlich und sachlich gefundene Verbindung setzte sich fort (letztes Zeugnis 1828: Bdm. 4, 4), sie drückte sich in Briefen und Gesprächen, in Sendungen und Plänen (zB. Goethe-Denkmal in Frankfurt), in vielerlei anderen Formen des Gedenkens und der Anteilnahme, bei großen und kleinen Anlässen aus, auch ganz menschlich mitfühlend, als D. unter *traurigen Gesundheitsumständen seiner Frau litt (IV/33, 188)*. Von Arbeiten D.s erwähnt Goethe hauptsächlich: 1797 *Hektor, der den Paris schilt; eine ruhende nackte weibliche Figur;* eine *trauernd sitzende Figur zu einem Zimmermonument;* ein *Gipsmodell* des *Kopfes vom* derzeitigen *Herzog;* D.s *eigne Büste;* den Originalguß von *Schillers Büste;* mehrere *kleine Modelle (I/34^I, 284f.);* 1798 *Büste des Prinzen Carl (IV, 13, 25);* 1823 *Büste vom General* Christoph *vBenckendorff (III/9, 35);* 1828 Christus (Bdm. 4, 4).

Li

Dante Alighieri (1265–1321), der große, größte Dichter der italienischen *Renaissance, ist Goethe erst spät deutlich oder gar wesentlich geworden, so weit es sich um philologisch exakt nachweisbare Bezüge handelt. Gleichwohl scheint, wie die Betrachtung der Verhältnisse im Hinblick auf Nicolaus von*Kues, auf Jacob *Böhme, auf die historischen und systematischen Zusammenhänge mit dem Denkprinzip der *Coincidentia oppositorum lehrt, eine nicht unwirksame, wenn schon unterirdische Traditions-Verbundenheit bestanden zu haben. Derlei betrifft nicht allein formale Beziehungen (*Sonett; *Strophe/Strophenformen; *Terzine), sondern innere Parallelitäten, hauptsächlich was Goethes Ringen mit der *Faust-Problematik, insbesondere aber *Prolog/Epilog der so mühevoll entstehenden Groß-Dichtung anlangt (*Ballade Sp. 643–74; 695 bis 702). Wahrscheinlich heißt Goethes *Faust* ausdrücklich *Eine Tragödie* nicht ohne Seitenblick oder gar mehr auf D.s Komödie. Die *Hausbibliothek des Vaters enthielt Werke D.s in italienischer und in deutscher Sprache (Götting S. 56), die eigene in vermehrter Anzahl (Ruppert Nr 1670–1677; 2870).

In der Jugend und in der Epoche seiner *Italien-Reise hat Goethe wenig Organ für D.: *Ich habe nie begreifen können, wie man sich mit diesen Gedichten beschäftigen möge. Mir komme die Hölle ganz abscheulich vor, das Fegefeuer zweideutig und das Paradies langweilig (I/32, 52).* Die Situation des zitierten Gespräches legt es nahe, daß diese Äußerung absichtlich überspitzt und quasi als advocatus diaboli erfolgte. Immerhin muß man auf einige mehr oder weniger bedeutende Kenntnis der Dichtung D.s auch für den damaligen Zeitpunkt schließen. Anspielungen anderer, kaum aber gewichtigerer Art finden sich nicht ganz selten. Nach 1806/07 und in Zusammenhang mit Entwicklung, Ausbreitung, Darstellung der Forschungen zur *Morphologie, überdies in einer keineswegs verwunderlichen Verknüpfung mit einer

gerade neu anhebenden *Boccaccio-Rezeption (vgl. Sp. 1291–1293) regte sich ein stärkeres D.-Interesse Goethes, das den Leitsatz, vom Verabscheuungswürdigen und Niedrigen zum Wünschenswerten und Hohen, vom Schrecklichen zum Schönen, vom Verdammten zum Erlösten führen zu wollen, im Sinne der *Metamorphose aufnimmt und einschmilzt. *Metamorphose*/Verwandlung ist ja Goethes Antwort auf die Frage nach der Tragik und nach dem Tode. 1821 heißt es in *KuA* III, 1: *Metamorphose im höhern Sinn durch Nehmen und Geben, Gewinnen und Verlieren hat schon Dante trefflich geschildert (MuR:* Hecker Nr *96),* womit Goethe auf Inferno XXV verweist. Zur damaligen Zeit muß Goethe die Divina Commedia noch im Original eingesehen haben, wenn man nicht Kenntnis durch LBachenschwanz (Götting S. 56), AW*Schlegel (Horen 1795), KLKannegießer (1814 bis 1820) annehmen will – immerhin wußte Goethe D.s Italienisch sehr wohl zu beurteilen (I/41^I, 134). Der Bezug in den *Poetischen Metamorphosen (II/6, 361;* 369) könnte um dreißig Jahre früher angesetzt werden: *Bei Ovid ist die Analogie der thierischen und menschlichen Glieder im Übergang trefflich ausgedrückt. Dante hat eine höchst merkwürdige Stelle dieser Art.* Der Anschluß an den *Analogie-Begriff (vgl. zB. Sp. 241; auch *Biologie Sp. 1236 bis 1238) weist in das Wurzelreich der historisch/systematischen Verflechtungen. In dieser Dimension gründet aber das Verhältnis Goethe/Dante wirklich. Verwandlung durch Gestalten-Einung und durch Gestalten-Tausch, durch Geben/Nehmen-Nehmen/Geben, und zwar im Sinne eines *höheren Geschäfts,* dh. eine *morphologische* Stufenfolge des kleinen wie des großen Kosmos gehört zu den Fundamental-Ansätzen des goetheschen Denkens (vgl. hier Sp. 1744) und bildet die Brücke zu der thomistisch-gradualistischen Stufenleiter alles Lebendigen, die D. übrigens nicht ohne aristotelische Voraussetzungen intendiert.

Im Alter aktualisieren sich diese Momente zunächst von außen her – durch die *Gelegenheit.* Die fünfhundertste Wiederkehr des d.schen Todesjahres (1321/1821) erweckte alte Kenntnisse und bereicherte sie durch neue. Es erschienen neue Übersetzungen, alte wurden neu bearbeitet: KStreckfuß (1824/26; Ruppert Nr 1673; allerdings größtenteils unaufgeschnitten), Philaletes/König Johann von Sachsen (1828; Ruppert 1674), KLKannegießer (1825: zweite Ausgabe; nicht in Goethes Besitz), FvOeynhausen (1824: Das neue Leben; Ruppert Nr 1677); BRAbeken (1826:

Beiträge für das Studium der Göttlichen Comödie; Ruppert Nr 1678). – Anhand vornehmlich der Arbeiten von KStreckfuß wie von BRAbeken studierte Goethe 1826 (August/September) D.s Dichtung und ging bisweilen sogar auf deren Quellen zurück (Aristoteles). Er wurde dadurch wesentlich vertrauter mit Werk und Welt des großen Italieners. Die Vertrautheit wuchs durch Bemühungen um eigene Verdeutschung. Die später erschienene Übersetzung von Philaletes/König Johann von Sachsen verdroß ihn, vornehmlich durch ihre Anmerkungen unmittelbar unter dem Text.

Von innen her verdichtete sich damals Goethes D.-Beziehung durch die gleichzeitig anhebende neue, vierte und letzte Gestaltungsphase der Faust-Dichtung (1825–1831; insbesondere V. Akt). Diese Verdichtung aber läßt sich nicht an Einzelheiten ablesen oder gar ermessen. Sie kann an der Intensivierung der alten Traditions-Bezüge beobachtet werden. Jedenfalls half sie Goethe zu thematischen wie zu formalen Bestätigungen eigener Intentionen, denen er dann auf seine Weise zu antworten vermochte. *Za*

PFriedländer: Rhythmen und Landschaften im zweiten Teil des Faust. 1953. (Literatur-Angaben S. 107 bis 114).

Danz, Johann Traugott Lebrecht (1769–1851), Theologe, Sohn des weimarer Gymnasiallehrers Johann Heinrich Danz, erfreute sich in der Jugend des besonderen Wohlwollens von Herder; Studium Jena, Göttingen, dann zunächst Lehrer am Gymnasium und Seminar in Weimar, seit 1798 Rektor der Stadtschule in Jena. Nach seiner Ordination (1807) hier Diakon und Garnisonprediger; seit 1804 Privatdozent an der philosophischen Fakultät der Universität, 1809 ao., 1812 ord. Professor für Theologie. Später mit dem Titel eines sachs.-goth. Konsistorialrats und Geh. Konsistorialrats; 1837 emeritiert. „Danz war ein hochgelehrter, ungemein vielseitiger Mann ... in allen theologischen Fächern gut beschlagen und noch in einer ganzen Anzahl von anderen Sätteln gerecht, schrieb in seiner Lehrerzeit Pädagogisches, stellte ,Herders Ansichten über das klassische Altertum' (1805) zusammen, übersetzte die Tragödien des Äschylos (1805–08) und die Komödien des Plautus (1806–09) und versuchte sich selbst als Dichter... Seit seiner Ernennung zum Theologieprofessor war seine wissenschaftliche Tätigkeit hauptsächlich der Kirchengeschichte zugewandt" (Heussi). Theologisch vertrat er einen „Rationalismus mit einem christlichen Einschlag" (ebd.). Goethe kannte D. vermutlich bereits aus dessen weimarer Zeit, doch

knüpften sich Verbindungen zu ihm erst in Jena. Am 23. IV. 1806 vermerkt er die Lektüre von *Die Sieben vor Theben. Danzens Übersetzung (III/3, 126)* und am 9. XII. 1807 eine Begegnung mit *Rector Danz* im Hause Knebels *(III/3, 305)*. Nachdem D. sich völlig der akademischen Laufbahn verschrieben hatte, kam es in Jena zu mehreren, privaten und amtlichen Beziehungen zwischen beiden (III/5, 231, 248; 7, 162, 181, 211; 9, 168). Großes Interesse zeigte Goethe für D.s „Lehrbuch der christlichen Kirchengeschichte", 1818–1826 (vgl. dazu III/8, 127 f.); Widmungsschreiben (von D. 4. VI. 1826 im GSA, dazu Ruppert S. 391; IV/41, 56f., vgl. III/10, 205). Er las das Werk nicht allein *mit hastiger Theilnahme (IV/41, 57)* schon am 6. VI. 1826 *Nachts zu Ende (III/10, 201)*, sondern er schrieb darüber auch einen – allerdings nicht zur Veröffentlichung gediehenen – Aufsatz, in dem er das Werk charakterisiert als *lebhaft einwirkend in die Studien meiner nächst letzten Zeit... Auch dieser wunderbare Theil der Welthistorie hat mich von jeher mächtig angezogen, und ich finde mich durch diese neue Bearbeitung im Einzelnen belehrt, meine Ansichten berichtigt und im Ganzen höchlich gefördert (I/41^{II}, 508)*. Dem gleichen Gegenstand galt wohl auch das Gespräch, als D. Goethe am 7. VII. 1826 in Weimar besuchte: *Herr Geh. Kirchenrath Danz, weitläufige Unterhaltung mit ihm (III/10, 213)*. *Hk*

KHeussi: Geschichte der Theolog. Fakultät zu Jena. 1954. S. 220 ff.

Danzig, dicht an der Mündung der Weichsel in die Ostsee gelegen, seit 997 nChr. erwähnt, Sitz der pommerellischen Herzöge, 1178 Gründung des Klosters Oliva durch deutsche Mönche, deutsche Kaufmannssiedlung, erhält 1263 lübisches Stadtrecht, 1308 Komtursitz des Deutschen Ritter-Ordens, 1343 unter dessen Landesherrschaft Neugründung der Stadt nach kulmischem Recht, 1358 Mitglied der Hanse, großartige Monumentalbauten der Backsteingotik. Seit 1454 unter der Schutzherrschaft der polnischen Könige (Personalunion), 1577 aber erfolgreiche Abwehr der Freiheitsbedrohung durch Stephan IV. Bathory (seit 1575 König von Polen), 1557 bereits völlig lutherisch, in den *Barock-Jahrhunderten weltweiter Handel, Blütezeit patrizischer Kultur, 1793 preußisch, 1807 Freistaat unter französischer Oberhoheit (General Jean Graf Rapp, 1771–1821, Statthalter), 1814 wieder preußisch, trat nur mittelbar und durch einen nicht sehr großen, wenngleich vielseitigen Personenkreis in Goethes Blickfeld.

Das Interesse galt den kulturellen Einrichtungen der bemerkenswert volkreichen Stadt (Kunstsammlung: JCabrun; Erziehungswesen: vConradis Gründung in Jenkau/FLCF Passow). JDFalk wurde zum Vermittler mancher Anekdote, aber auch vieler ernster Begebenheiten aus Geschichte und Bürgerschaft seiner Heimat sowie ihrer Umgebung (1807/1808 bis 1809). FLAv*Hendrich erläuterte anhand von *Grundrissen* die festungsbauliche Lage (1807: aus Anlaß der Belagerung und Eroberung D.s). Die geologisch-geographischen Probleme (1820: *Urgeschiebe bei Danzig: I/36, 158*) und Fragen der Wetterkunde traten dann in den Vordergrund: 1825 sandte Goethe *Wetterbeobachtungen von Danzig* an den jenaer Meteorologen HLF*Schrön *(III/10, 136),* 1827 schrieb er nach D. (an die dortige, bereits 1742 gegründete Naturforschende Gesellschaft?) *Mit ergebenster Bitte um die Danziger Barometerstände des laufenden Jahres (IV/42, 358),* 1829 beschäftigte ihn *das große Unglück, das die Weichsel auf ihrem Laufe bis Danzig angerichtet hat (IV/45, 252).* Die Zeitgeschichte: *Festhaltung von Danzig* durch die napoleonischen Eroberer, auch nach dem Friedensschluß als *unerträgliche Situation* bezeichnet, wurde Goethe bei der Lektüre der Mémoires du Général Rapp nochmals gegenwärtig (14. II. 1831: *III/13, 29).*
Personen: Wesentlicher, meist auch länger andauernder, persönlicher oder sachlicher Kontakt mit D*Chodowiecki (*Berlin, Spalte 1086; 1088), JGA und G*Forster, FLCF*Passow, G*Hufeland, ferner mit JD*Falk, *Schopenhauer, *Nicolovius, JMH*Döring. An flüchtigeren Verbindungen sind hauptsächlich folgende bezeugt:
1806, Mai/Juni: Joseph Franz Ratschky, nicht: *Ratsky,* Dr., österreichischer Literat aus Wien (Wiener Musenalmanach; Österreichische Monatsschrift; Teutscher Merkur), Hofrat, aus Danzig anreisend, in Weimar; 28. VI.: *Vortrag (III/3, 129);*
1807, 30. VIII.: A*Cyliax/Ciliax (Rollen: Hamlet, Mortimer, Octavio; Tamino, Papageno usw.), Debut in der Truppe *Döbbelin, derzeit engagiert in Danzig (bis 1810; III/3, 252; 266);
1808, 16. X.: Johann Heinrich Schmidt, Senator, mit G*Hufeland (III/3, 393; IV/20, 184); 11. und 13. X.: Jacob Cabrun/Kabrun (1759–1814), Kaufmann und Kunstsammler, der *seine Zeichnungsammlung vorzeigte (III/3, 398);*
1816, 2. XII.: Dr. med. Blech (nicht: *Beck*) Arzt (III/5, 290);
1826, 1. XI.: Georg Schöler (1793–1865), Schüler GHermanns, Studium auch in Jena (1813/ 1814), Unterrichtätigkeit in Gotha; 1818 nach Danzig, schließlich in Erfurt: *Programme von Professor Schöler am Gymnasium zu Danzig (III/10, 263f.);*
1831, 15. IV.: *Die Herren A. Liévin und Theodor Cohn, junge Leute von Danzig, Mediciner, nach Heidelberg gehend (III/13, 62).* JP

Darbes (d'Arbes), Joseph Friedrich August (1747–1810), Porträtmaler, Sohn des Operettenkomponisten und Theaterdichters D., der seit 1748 als Gemäldehändler in Kopenhagen lebte. Nach seiner Ausbildung dort und nach Studienreisen war D. seit 1773 in russischen Diensten, aus denen er 1785 nach Dresden (IV/7, 91; 133) und Karlsbad zurückkehrte, wo er mit Goethe zusammentraf (IV/7, 77; 91). Er porträtierte den Dichter (Bild in der Slg. Zarncke, Leipzig). Aus dem gleichen Jahre muß das „Goethe 1787 in Carlsbad" bezeichnete Porträt stammen (Slg. Schloß Seiffersberg), da Goethe 1787 in Italien weilte und D. in diesem Jahr schon in Berlin ansässig war. Carl August besuchte den Künstler 1786 in Berlin und war von seinen Werken sehr beeindruckt (IV/7, 180). D. wurde 1796 Prof. für Porträtmalerei und Mitglied der Akademie der Künste in Berlin. Lö
ELehmann: Goethes Bildnisse und die Zarncke'sche Sammlung. In: Zeitschrift für bildende Kunst. 1894. S. 249 mit Abb.

Darmstadt *hat eine artige Lage vor dem Gebirg und ist wahrscheinlich durch die Fortsetzung des Wegs aus der *Bergstraße nach Frankfurth und früheren Zeiten entstanden* (1797: *III/2, 85*). Seit 1567 Residenz der Landgrafen (seit 1806 Großherzöge) von *Hessen-Darmstadt, mit 1770/80: ca 10000, 1816: 15400 Einwohnern, war D. zu Goethes Zeit „ein kleiner, aber allerliebster Ort ... in der Mitte zwischen großen Städten, die alle nicht weit entfernt sind", hatte „eine Gesellschaft, so gut, als sie nur die größte Stadt geben kann" und konnte so „das Ländliche mit dem Städtischen ungemein schön verbinden" (JCRiesbeck: Briefe eines reisenden Franzosen über Deutschland. 1783; vgl. dazu JPetersen in: BrCharlotte 2^{II}, 686). Die Seele der fürstlichen und höfischen Gesellschaft in D. war seit 1765 Caroline Henriette Christine Luise, „die große Landgräfin" (1721–1774). Unter ihr wurde D. zur „Vorläuferin, fast Nebenbuhlerin" Weimars (PBailleu: Königin Luise. 1908), sie zog ua. FCv*Moser nach D., veranstaltete 1771 den ersten Druck der Oden FG*Klopstocks und stand in Verbindung mit Männern wie FMv*Grimm, JWL*Gleim und ChrM*Wieland. Ihre Hofdamen HvRoussillon und Lv Ziegler bildeten zusammen mit den Brüdern

JL und FM*Leuchsenring, mit CM*Flachsland und deren Schwester FvHesse unter der geistigen Führung von JH*Merck die „Gemeinschaft der Heiligen", den Kreis der *Empfindsamen.

Goethe kam auf den Reisen nach *Mannheim und *Worms im Oktober/November/Dezember 1769 (Morris 6, 130) und 1771 auf der Rückreise von *Straßburg durch D. Am 29. II. 1772 erwiderte er gemeinsam mit JG*Schlosser den ersten Besuch Mercks in D.; in den folgenden Jahren des *Genie-Treibens bis 1774/75 wurde D. selbst das Ziel mehrfacher Reisen von *Frankfurt aus und der Ort bisweilen langer Aufenthalte. Manchmal waren es Fußreisen ganz genialischer Prägung: „da gaben ihm die artigsten Frauen das Geleit bis zur Stadt hinaus, und in Darmstadt setzte er sich vor Mercks Haus, wo auf einer steinernen Treppe einige Bänke vor der Hausthür standen, um den um ihn versammelten Mädchen Genieaudienz zu geben" (CABöttiger in Morris 2, 288f.), so etwa 1773, wahrscheinlich zur Hochzeit JG*Herders mit CFlachsland: *Ich gehe morgen zu Fusse nach Darmstadt und hab auf meinem Hut die Reste ihres Braut strausses* (Ch*Buff/*Kestner; *Morris 3, 40*). In *DuW* wird Goethe sich später erinnern: *In Darmstadt befand sich übrigens eine Gesellschaft von sehr gebildeten Männern ... zu deren Werth sich manche fremde Benachbarte und viele Durchreisende abwechselnd gesellten ... Wie sehr dieser Kreis mich belebte und förderte, wäre nicht auszusprechen ... In mein Verhältniß zu den Darmstädtern hatte ich meine Schwester auch hineingezogen (I/28, 97f.; 168).* Unterbrochen wurde die enge Verbindung Goethes zu D. nur 1772 durch den viermonatigen Aufenthalt in *Wetzlar: *seitdem ich ... nun wieder meinen Freundescirkel zu Frankfurt und Darmstadt verlassen, war mir eine Leere im Busen geblieben, die ich auszufüllen nicht vermochte (I/28, 150)* und 1774 durch die Lahn- und Rheinreise. Die Aufenthalte auf der Hin- und der Rückfahrt der 1. Schweiz-Reise im Mai und Juli 1775 schließen diese Periode ab. Auf der Fahrt nach *Heidelberg und vermeintlich in den Süden ruft sich Goethe in den Abschiedsworten des am 30. X. 1775 in *Eberstadt begonnenen *Reisetagebuchs* noch einmal die liebgewordenen Stätten D.s vors Auge: *Und Merck, wenn du wüsstest dass ich hier der alten Burg* (*Frankenstein) *nahe sizze und dich vorbeyfahre der so offt das Ziel meiner Wandrung war. Die geliebte Wüste, Riedesels Garten den Tannenwald, und das Exerzierhaus* (*Morris 5, 474;* dazu 6, 557). Stellen wir neben

diese in gefühlsbetonter Aufbruchsstimmung geschriebenen Worte die Notiz aus der Arbeit an *DuW: Darmstadt Merk Dilettantisch Technisch Industrie Tendenz. advociren liberale Zeit. Berlichingen Ausg. auf eigne Kosten (I/28, 370),* dann ahnen wir etwas von der großen Spannweite der Lebensbereiche, die sich Goethe in D. erschlossen.

In diese d.er Zusammenhänge gehören hauptsächlich folgende Produktionen: 1772: *Concerto dramatico; Wanderers Sturmlied; Der Wanderer; Pilgers Morgenlied; Felsweihe-Gesang an Psyche; Elysium;* 1772/73: *Da hatt' ich einen Kerl zu Gast...; Hier schick' ich dir ein teures Pfand;* 1773: *Jahrmarktsfest zu Plundersweilern* (1. Fassung); *Satyros;* 1773/74: *Ein Fastnachtsspiel vom Pater Brey;* 1774: *An Schwager Kronos;* dazu noch manches aus der *Sturm- und Drang-Dichtung, aus den *Werther-Zusammenhängen; auch an erste Arbeiten am *Urfaust wäre zu denken. – D. war der erste Verlagsort des *Götz von Berlichingen* (Selbstverlag Goethe/Merck; gedruckt in der Hof- und Canzleydruckerey Gottfried Heinrich Eylau 1773). Für: *Von deutscher Baukunst* (1773); *Zwo wichtige bisher unerörterte Biblische Fragen* (1773); *Prolog zu den neuesten Offenbarungen Gottes* (1774) ist D. als erster Verlagsort nicht sicher erwiesen (vgl. WHagen S. 69–73).

1779 sah Goethe D. während der 2. Schweiz-Reise wieder, wo er sich bei der Rückkehr über den Jahreswechsel hin *an den Höfen herumtreiben mußte (IV/4, 158);* nach einem Bericht in der „Darmstädter Zeitung" vom 3. I. 1780 wohnte er damals 24.–31. XII. 1779 als Gast in Mercks Haus, am 6. I. verließ die Reisegesellschaft D. in Richtung Frankfurt. 1793 passierte er die Stadt bei der Rückkehr aus *Mainz und 1797 wiederum auf dem Wege in die Schweiz. Ein sehr verändertes D., eine neugestaltete Stadt fand Goethe bei seinen letzten Besuchen 1814 und 1815 vor: *Herr Oberbaurath Moller findet in einer Residenz, deren Straßen sich täglich mehr ausdehnen, wo Privatgebäude aufgeführt, öffentliche projectirt werden, für sein architektonisches Talent erwünschte Gelegenheit (I/34ᴵ, 155f.).* Goethes Hauptinteresse galt in diesen beiden Jahren dem neuerrichteten Museum mit der Bibliothek und den verschiedenen Sammlungen (*Antiken-Sammlungen Sp. 312f.). Er widmete diesen Einrichtungen eine ausführliche Darstellung in *Kunst und Alterthum am Rhein und Main (I/34ᴵ, 150–156)* und erwähnt auch die früher in *Köln befindliche, 1804 D. übereignete Sammlung des Freiherrn Johann

Wilhelm Carl Adolf vHüpsch (*Hübsch;* 1730 bis ?1805).

In den Jahren 1829–1831 fanden auf dem Karlshof bei D. Feiern des goetheschen Geburtstages statt, die des Jahres 1830 hat CEv*Holtei in launiger Weise beschrieben. RV S. 10–13; 18; 20; 31; 33; 50f. HBräuning-Oktavio: Der Hillsche „Prospect" von Darmstadt. In: JbSKip 8, S. 309–317.

Personen: Goethe schon vor seinem ersten Besuch in D. bekannt: JC*Seekatz, seit 1753 Hofmaler in D., arbeitete zusammen mit anderen Künstlern, die *sich in Frankfurt und in der Nachbarschaft aufhielten (I/26, 132),* für JCGoethe und 1759 für den Grafen *Thoranc; FCv*Moser, 1751–1763 in *Frankfurt, seit 1754 als darmstädtischer Vertreter (vgl. I/26, 121f.; HbgA 9, 654). Weiterhin bestanden hauptsächlich folgende Verbindungen:

1770, 13.–27. VIII.: JG*Herder erstmals in D. auf der Reise nach Straßburg, bis 1773 häufige Besuche;

1771, Ende Mai: JWL*Gleim und ChrM*Wieland (vgl. CMFlachsland an Herder 4. VI.: Prang S. 48); Dezember erstes Zusammentreffen in Frankfurt: JH*Merck;

1772, Anfang März: JG*Schlosser; JHMerck mit Familie und verzweigter Verwandtschaft; ständiger Kontakt bis zu Mercks Tod. – Von jetzt ab Bekanntschaft mit den Brüdern *Leuchsenring; mit HvRoussillon; LZiegler; CMFlachsland; Andreas Peter vHesse (1728 bis 1803), landgräflich hessen-darmstädtischer Geh. Rat, Reichsadelsstand Wien 17. III. 1770, 1780 Minister, auch dann noch zB. durch Mineralientausch mit Goethe verbunden (vgl. IV/4, 312) und seine Frau Friederike geb. Flachsland (gest. 1881), *ein unglückliches Geschöpf, die eben ohne Hülfe zu Grunde geht (IV/4, 204;* vgl. auch I/28, 97), Ende März 1775 sandte sie den Aufsatz von Heinrich Boßhardt aus *Zürich über Herders „Älteste Urkunde des Menschengeschlechts" an Goethe (Morris 5, 24; 6, 440); Angehörige des Hauses *Hessen-Darmstadt; (?) Rathsamhausen, Erzieher des Erbprinzen; Fräulein vRavanel, Erzieherin der Prinzessinnen; April: S*Laroche mit Tochter Maximiliane; G?vReutern, Studiengenosse Goethes aus *Leipzig (Morris 2, 317); H*Riedesel zu Eisenbach; Helferich Bernhard Wenck (1739–1803), seit 1769 Rektor, 1778 Initiator einer Schulreform am Pädagogium in D.; Georg Wilhelm Petersen (1744–1816), Prinzenerzieher, 1787 Hofprediger in D.; September: Sigmund Flachsland, Bruder von CMFlachsland erhält eine Anstellung in D.;

1773, 2. V.: Walther, Stadtpfarrer, „ein alter, ehrwürdiger Geistlicher", traut JGHerder mit CMFlachsland; Helferich Peter Sturz (1736 D.–1779), Diplomat in dänischem, dann in oldenburgischem Dienst, Schriftsteller, besonders als Prosaist bedeutend (Briefe, Erinnerungen), Erwähnung in *FGA (nicht sicher von Goethe), Goethe las 1807: *Reise um den Deister* und 1809 letztmals *Sturzens Schriften (III/3, 219; 4, 29);* Johann Jakob Heß, ein Verwandter von CMFlachsland (Morris 3, 171; 6, 302), später Pfarrer in Zwingenberg (Prang S. 86f.); „Jungfer Heß" (Morris 6, 493);

1774: JC*Lavater; HChr*Boie (Morris 4, 368); Friedrich August Clemens Werthes (1748–1817), seiner 1775 erschienenen Schrift „Ueber die Sitten der Morlacken" nach dem Italienischen des Abbate Alberto Fortis entnahm Goethe den Stoff des *Klaggesang von der edlen Frauen des Asan Aga* (vgl. HbgA 1, 453; zu dem Aufenthalt in D. vgl. Merck an SLaroche: Morris 4, 369); Ludwig Johann Georg Mejer, Kammersekretär aus Hannover und Frau (WLampe in: Goethe und Niedersachsen. S. 4. Vgl. Morris 4, 22f.); Oktober: FG*Klopstock, Goethe begleitet ihn von Frankfurt nach D.;

1775, Februar: FH*Jacobi (Prang S. 123); Goethes Begleiter auf der 1. *Schweiz-Reise: die Grafen Chr und FL zu *Stolberg; Graf ChrAHCv*Haugwitz; Juli: JG*Zimmermann; JG und CMHerder;

1776, März: JMR*Lenz; FCvMoser beruft M*Claudius durch Vermittlung Herders und vHesses als Oberlandcommissarius und Redakteur der „Privilegierten Hessen-Darmstädtischen Landzeitung" (bis 1777); sein Vorgesetzter: Kammerrat Eymes (Gunzert S. 9);

1777: GE*Lessing reist auf der Fahrt nach *Mannheim durch D. (*Dalberg 2); Ende Dezember: ChrM*Wieland;

1778: Goethes Mutter mit JC*Bölling „und anderen Bekannten" (Prang S. 173);

1779/80: Carl August von *Sachsen-Weimar-Eisenach und Reisegesellschaft der 2. *Schweiz-Reise: Hof und Hofgesellschaft der Landgrafen von Hessen-D.; abgesetzter hessen-darmstädtischer Minister FKGroschlag (1730–1799), begegnet Goethe auf der Rückreise in *Dieburg;

1781, März: Carl August; 28. V.: Kaiser Joseph II. von *Österreich; Johann August (v) Starck (1741–1816), baltische und russische Beziehungen, wird Oberhofprediger in D. (Gunzert S. 31; vgl. 1788; IV/8, 375); LJF *Höpfner; JAAv*Kalb; PhChr*Kayser;

1782, Februar: JCW*Voigt;

1783: JBGde*Villoison;

1784, Herbst: Carl August; FvSchiller;

1785: Johann Ludwig Martini, *Kammerrath* in D., Goethe erbittet Vermittlung (in einer Expulsions-Angelegenheit) bei *Zerschlagung des Gutes Burgau (IV/7, 27–30)*; Anfang Juni: Kammerkonsulent JFSchwabhäuser, vgl. hier Sp. 918; Carl August;
1786/88: in Italien: Karl Ernst Christoph Heß (1755 Darmstadt bis 1828 München), Kupferstecher, schon aus den Jahren 1772/74 bekannt? (WvBiedermann: Goethe und Dresden. S. 24);
1788, 8. VIII.: STh*Sömmering, Goethe bittet *auf Befehl meines gnädigsten Herrn* um Nachricht über die *Gesundheits- und Gemüthsumstände unsres Freundes Merck (IV/9, 9 f.);*
1806, 10. XI.: *Darmstädtischer Major zur Einquartierung* in Weimar *(III/3, 179);*
1812: Luise Frank (gest. 1851 in D.) geht als erste Sängerin nach D., Pensionierung hier 1830 (zu ihrem weimarer Gastspiel 1811 vgl. I/36, 63);
1814, 6. VIII.: in Wiesbaden: *Hof Adv. Halwachs aus Darmstadt Declamation der Glocke (III/5, 123)*, vielleicht Bruder des Ministerialrats (Wilhelm Konrad?) Hallwachs, des Urhebers und Veranstalters von Goethes Geburtstagsfeiern in D.? (Gunzert S. 59); 9. bis 11. X.: JGSchlosser; im übrigen Umgang mit demselben Personenkreis wie
1815, 18.–20. IX.: S*Boisserée (Firmenich-Richartz S. 204; 226; 419; I/36, 90; III/5, 182); Angehörige des Fürstenhauses von Hessen-Darmstadt; Johann Georg Primavesi (1774D.–1855), erster Briefkontakt schon 1803 *Heidelberg, Hoftheatermaler in D. (vgl. IV/25, 57), *hat die mühsame Arbeit unternommen, die Rheingegenden, von beiden Quellen herab, nach der Natur zu zeichnen (I/34I, 156;* vgl. dazu 1818: III/6, 197; 1821: III/8, 316); G*Moller; EChrFA*Schleiermacher in D.; Becker, Oberforstrat; Fehr, Münzmeister und Geologe; Dr. Franz Hubert Müller, Galeriedirektor in D. (erster nachweisbarer Bezug erst 1823 bezüglich des *oppenheimer Doms);
1816: *Hölken, Schauspieler aus Darmstadt* in Weimar *(III/5, 229; 240);*
1817: Ludwig Heinrich (v) Bojanus (1776 bis 1827), Anatom und *Zoologe, seit 1804 Professor in Wilna, *von Darmstadt bürtig (III/ 6, 70; 9, 269; *Urtier);*
1818, 30. IV.: *Darmstädter Handwerker wegen Tapezieren und Goldputzen (III/6, 247 f.);*
1819, 20. XII.: erstmals GChrGv*Wedekind;
1823, 12. I.: CChrT*Glenck, *der wegen großen Salzgewinnes im Württembergischen und Darmstädtischen berühmt ist (IV/36, 275);*
1824, 25. VI.: CF*Grüner, seit 1816 Schau-

spieldirektor und Opernregisseur in D., in Weimar (III/9, 234);
1825, 9. III.: Johannes Heß (gest. 1837?), Oberfinanzrath und Vorsteher des Botanischen Gartens D.: *Beyliegendes Pflanzenverzeichnis kommt mir von Darmstadt (IV/39, 133;* vgl. BrCarl August 3, 376); 10. X./14. XI.: CLWv *Grolmann, hessen-darmstädtischer Minister: Dank für das Begleitschreiben zur Übersendung des Privilegs gegen Nachdruck (IV/40, 126; 399);
1826, 17. X.: Glaeser/Gläser, Gotthelf Lebrecht (1784–1851), Briefwechsel wegen eines Gemäldes, das G. bereits im Herbst 1825 zum Jubiläum des Großherzogs Carl August nach Weimar gesandt hatte (vgl. IV/40, 82; 41, 200f.), Goethe übersendet zur Besänftigung zwei Medaillen; 19. X.: Karl Friedrich Weber (1794–1861), Goethe schon früher bekannt (vgl. 1818: III/6, 204), *von Zeitz nach Darmstadt als Schulmann berufen (III/10, 259);* GF*Lange;
1830: Briefwechsel mit den Freiherrn HChrE und FBv*Gagern, seit 1818 in Hessen-D., wegen Privilegierung der Ausgabe letzter Hand (IV/46, 267f.); 25. VI.: CEvHoltei *geht als Regisseur nach Darmstadt, wo CThKüstner die Direction übernommen hat (IV/47, 112).*
1831: *Darmstädtisches Programm über leichtere Erlernung fremder Sprachen (III/13, 177).*
                                                              JP

HPrang: Johann Heinrich Merck. 1934 (Literatur-Angaben). – WGunzert: Darmstadt und Goethe. 1949 (Literatur-Angaben). – Auch RHaym: Herder, 1954.

Darsaincourt, Nanette (Lebensdaten nicht ermittelt), eine Französin, die Prinz Constantin von Sachsen-Weimar im Herbst 1782 zu *Paris kennen gelernt und zu seiner Geliebten gemacht hatte; ihrer überdrüssig geworden, schickte er sie im Winter nach Weimar, während er selbst seinen Aufenthalt im Ausland fortsetzte. Goethe wurde beauftragt, das Verhältnis mit Mme D., die er eine *kleine, artige traurige Person*, ein *armes Geschöpf* nennt (1783: IV/6, 179; 158), möglichst schonend zu lösen. „Einige Zeit nach der Geburt eines Kindes ward die D. nach Frankreich zurückgebracht. Goethes . . . Diener, Ph*Seidel, begleitete sie und entledigte sich dieses Auftrags zu größter Zufriedenheit seines Herrn." Die weiteren Lebensschicksale des Kindes lassen sich (trotz HDüntzers Angaben) nicht mit Sicherheit verfolgen.   *Fu*

Daru, Pierre-Antoine-Noël-Mathieu-Bruno, Graf (1767–1829), französischer Politiker und Schriftsteller. Nach dem Staatsstreich vom 18. Brumaire (1799) schloß er sich *Napoleon an; als Generalintendant der Großen Armee in Preußen und Österreich trieb er die Kriegskontributionen mit durchgreifender Energie, aber absoluter persönlicher Ehrlichkeit ein; später organisierte er das Nachschub- und Verpflegungswesen des Rußlandfeldzuges; als Kriegsminister hatte er den Mut, sich Napoleons Eroberungsplänen zu widersetzen. Nach 1815 fiel er in Ungnade, wurde jedoch 1819 in die Pairskammer ernannt, wo er die reaktionäre Politik der Bourbonen bekämpfte. Literarisch betätigte er sich durch Originaldichtungen (Versepisteln), Übersetzungen aus dem Lateinischen und historische Arbeiten; so veröffentlichte er 1819 als Frucht der ihm aufgezwungenen Muße eine „Histoire de la République de Venise" in sieben Bänden, die noch 1853 in 4. Auflage erschien; er war Mitglied der *Académie française. D. hat Goethe bei der bekannten erfurter Unterredung vom 2. X. 1808 Napoleon *präsentiert (Bdm. 2, 323)*; der Kaiser besprach mit D. preußische Kontributionsangelegenheiten, „ging alsbald zu der Frage nach Goethes Trauerspielen über, wobei Daru Gelegenheit nahm, sich näher über sie auszulassen und überhaupt Goethes dichterische Werke zu rühmen, namentlich auch seine Übersetzung des *Mahomet von *Voltaire" (Bericht ThAHFv*Müllers, Bdm. 1, 538; vgl. UKM 284). Ohne den lobenden Charakter der Äußerungen D.s zu erwähnen, bemerkt Goethe, daß D., *um den Deutschen, denen er so wehe thun mußte, einigermaßen zu schmeicheln, von deutscher Literatur Notiz genommen; wie er denn auch in der lateinischen wohlbewandert und selbst Herausgeber des Horaz war*. D. *sprach* dabei von Goethe *wie etwa* dessen *Gönner in Berlin mochten gesprochen haben*, hob, auch nach Goethes Bericht, die Mahomet-Übersetzung hervor *(I/36, 272)*. *Fu*

Darwin, 1) Erasmus (1731–1802), englischer Arzt, Naturforscher und didaktischer Autor (ChrWF*Hufeland), der ua. auch Cv*Linnés „Systema vegetabilium" ins Englische übersetzte. Seine Hauptwerk „Zoonomia or the laws of organic life" erschien 1795–1799 in deutscher Übersetzung von JD*Brandis. Die ersten beiden Abteilungen besaß Goethe (Ruppert Nr 4486), er hat sich mit dem ganzen Werk wiederholt beschäftigt (1795: III/2, 34; 1801: (?) III/3, 3; 1810: III/4, 104; vgl. auch IV/22, 58). Nicht sehr positiv urteilt Goethe über D.s „The botanic garden" (London 1781 uö.): *Bey allen diesen Sonderbarkeiten scheint mir aber doch das sonderbarste: daß in diesem botanischen Werke alles, nur keine Vegetation, zu finden ist* (26. I. 1798 an Schiller: *IV/13, 36–39;* *Bakis Sp. 594). Am 20. X. 1825 bittet Dr. Aloys Clemens (1797–1869) aus *Frank-

furt, Goethe „eine freie Bearbeitung" von D.s „The temple of nature, or the origin of society", 1789, widmen zu dürfen. Goethe antwortet: *Die Verdienste dieses Mannes sind mir zeitig bekannt geworden, und ich habe mich durch ihn auf meinen wissenschaftlichen Wegen auf mehr als eine Weise gefördert gesehen (IV/40, 250f.;* 444f.). D.s Sohn, nicht sein *Bluts- oder Namensvetter (II/4, 243)* ist

–, 2) Robert Waring (1766–1818), prakt. Arzt in Shrewsbury (Shropshire), der Verfasser von „On the Ocular Spectra of Light and Colours", das 1785 in den „Philosophical Transactions" in London erschien. *Nochmals abgedruckt in Erasmus Darwins Zoonomie. Dieser Aufsatz von den Augengespenstern (Zur Farbenlehre Historischer Theil. II/4, 241–245)* interessierte Goethe sehr: *... ich versäumte nicht, in der Geschichte meiner Farbenlehre besonders Warings zu gedenken (IV/40, 251;* vgl. auch JbGGes. 10, 168; 182). *Sl*

–, 3) Charles Robert (1809–1882), Sohn von 2), der berühmteste Vertreter der Familie D., studierte zuerst in Edinburg, später in Cambridge nach dem Willen seines Vaters Medizin, sodann Theologie, aus eigenem Antrieb jedoch Zoologie und Botanik, daneben Geologie. 1831 konnte er auf der „Beagle" eine Weltumseglung vornehmen (zusammen mit RFitzroy), von der er erst 1836 wieder nach Hause zurückkehrte. Die Beobachtungen auf dieser Reise, vor allem über die geographischen Rassendifferenzierungen, haben D. aufs stärkste beeinflußt. Neben der klassisch gewordenen Arbeit über die Korallenriffe des Pazifischen Ozeans und den Untersuchungen über die Cirripedier war vor allem die Beschäftigung mit der Frage nach der Entstehung der Arten eine Frucht dieser Reise. Dies Problem beschäftigte ihn jahrelang vordringlich und führte schließlich 1859 zur Veröffentlichung seines einflußreichen Hauptwerkes „The origin of species by means of natural selection", in dem die *Abstammungslehre (hier Sp. 24 bis 26; dazu auch *Biologie hier bes. Sp. 1214; 1254–58) entwickelt und durch die Theorie der Auslese des Tüchtigsten im Kampf ums Dasein (Darwinismus) begründet wurde. Wenn die moderne *Genetik die theoretischen Voraussetzungen D.s widerlegt hat, so blieb doch die darwinistische Form der Abstammungslehre in der modifizierten Form als Selektionslehre („Neodarwinismus") herrschend. Erst die jüngste Vergangenheit zeigt in einer Besinnung auf die erkenntnistheoretischen Grundlagen der Abstammungsvorstellung auch ein Zurückgreifen auf die allgemeineren abstammungstheoretischen Gedankengänge des Goethe-Zeitalters.   *Bn*

ChDarwin: Gesammelte Werke (am wichtigsten: Autobiographie, Die Entstehung der Arten, Die Abstammung des Menschen und Die geschlechtliche Zuchtwahl), übersetzt von Carus. – EHaeckel: Generelle Morphologie 1866. – LRieckmann: Charles Darwins Abstammungslehre als Ausdruck der englischen Weltanschauung des 19. Jahrhunderts. Diss. Hamburg 1938; mit reichlichen Literaturangaben.

Datt, Johann Philipp, ist geboren 1654 in der Reichsstadt Eßlingen, wo sein Vater Stadtamtmann und Syndicus der schwäbischen Reichsritterschaft war, und gestorben 1722 im nahen Stuttgart als Regierungs- und Consistorialrat. Sein in Ulm 1698 erschienenes umfangreiches Hauptwerk trägt den Titel: Volumen rerum Germanicarum novum sive de pace imperii publica Libri V. Es ist noch heute ein wichtiges Kapitel der mittelalterlichen deutschen Staatsgeschichte, eine Materialsammlung von hohem Wert, nämlich das leidige Kapitel des Fehdewesens in seiner Bekämpfung durch die Landfriedensgesetzgebung. Goethe benutzte es, wie er in *DuW (I/28, 123)* erwähnt, als rechtshistorische Quelle für seinen *Götz: Ich las die Hauptschriftsteller fleißig: dem Werke De pace publica von Datt widmete ich alle Aufmerksamkeit; ich hatte es emsig durchstudirt, und mir jene seltsamen Einzelnheiten möglichst veranschaulicht.*   *Fr*

Daub, Carl (1765–1836), Hesse aus Kassel, dort aus der reformierten Gemeinde stammend, 1791 in Marburg Prediger und Dozent, 1794 in Hanau Philosophie-Professor, 1795 in *Heidelberg ao., 1805 o. Theologie-Professor, entwickelte sich von den Ausgangspunkten des reformierten Christentums über die kritische Philosophie und nach Denkanleihen bei Schelling und Hegel zum positiven Christentum im Sinne des romantisch modifizierten Protestantismus, war mit GF*Creuzer eng verbunden. Auffällig und wohl das eigentlich Anziehende, bisweilen auch mit mancher Eigenmächtigkeit Abstoßende an ihm war für Goethe D.s Verarbeitung von Grundmotiven aus dem Denken J*Böhmes. Bei der ersten persönlichen Begegnung am 2. X. 1815 *(III/5, 185),* könnte unter dem *Mancherley,* was damals *besprochen* wurde, auch davon die Rede gewesen sein, denn 1816/18 erschien D.s großes Werk „Judas Ischariot oder Betrachtungen über das Böse im Verhältnis zum Guten". Konnte D. den alten Gedanken der *Coincidentia oppositorum auch nicht in ganzer Tiefe und nicht im Sinne der goetheschen *Polarität* fassen, so ist die sachliche und zeitliche Nachbarschaft zu Goethes *Mystischem Dogma* in *DuW* (1811:

III/4, 190; 1812: ebda 301) doch nicht zu übersehen; ein parodierendes Tischgespräch mit CLv*Knebel spielte darauf an: „Aber mein Gott!" sagte Knebel, „wie kann er denn so einfältiges Zeug in die Welt setzen, wie den Judas Ischarioth?" *Sei ruhig, mein Kind!* sagte Goethe… *Sieh, das ist ganz wie mit Dir: Du bist auch der liebenswürdigste Mensch, den je die Sonne beschienen hat, Du bist ein zärtlicher Gatte, ein liebreicher Vater, würdest auch ein herrlicher Prorektor sein, wenn man Dich wählte, aber – wolltest Du anfangen, alle Deine Gedanken in die Welt hineindrucken zu lassen, buh und bah –* (1. IV. 1817: *Bdm. 2, 378).* D.s Rezension der „Grundlehren der christlichen Dogmatik" seines Kollegen PhCMarheineke ([2]1827, nach Anregungen Schellings umgearbeitet) kam Goethe *wundersam* vor *(III/11, 197),* mehr noch wahrscheinlich das rezensierte Werk und sein Autor, dessen *wundersame* Gedanken über eine Nationalkirche in Deutschland (Männer: protestantisch; Frauen: katholisch) gerade in der Zeit engster Verbindung mit D. diskutiert worden waren.   *Za*

Daubenton, Louis Jean Marie (1716–1799), war, nach vorübergehender Tätigkeit als praktischer Arzt, seit 1745 Mitarbeiter B*Buffons am Naturhistorischen Museum in Paris. Sein Arbeitsgebiet war vor allem die Anatomie der Tiere *(ein genauer scharfer Anatomiker: II/7, 185;* 360; 6, 18; 8, 24; 40; 76; 321; 13, 197; 213; vgl. 4, 113). Die *ganz verschiedene Behandlungsart* veranlaßte jedoch *auch zwischen diesen beiden Männern eine nicht herzustellende Trennung… Daubenton nimmt seit dem Jahre 1768 keinen Theil mehr an der Buffonschen Naturgeschichte* [„Histoire naturelle"], *arbeitet aber emsig für sich allein fort; und nachdem Buffon im hohen Alter abgegangen, bleibt der gleichfalls bejahrte Daubenton an seiner Stelle und zieht sich in Geoffroy de St.-Hilaire einen jüngern Mitarbeiter heran (II/7, 185;* vgl. IV/49, 31). 1783 wurde D. Professor der Ökonomie an der landwirtschaftlichen Akademie zu Alfort.   *Sl*

Dauthe, Johann Friedrich Karl (1749–1816), war seit 1781 als städtischer Baudirektor in *Leipzig tätig und eng mit *Oeser befreundet. Er schuf mehrere gute klassizistische Bauten in und außerhalb Leipzigs und hatte das gesamte Bauwesen unter sich. Goethe, der D. persönlich kannte und sich seine Architekten für den *Schloßbau *von auswärts borgen mußte,* hatte vorübergehend wohl auch an D. gedacht. Als aber 1797 Carl August ohne vorheriges Befragen Goethes Verhandlungen mit diesem eingeleitet hatte, wollte Goethe, der sich inzwischen in Stuttgart für *Thouret entschieden hatte, nicht viel davon wissen. Nach seiner Rückkehr aus Stuttgart wurde der Plan der Berufung D.s aufgegeben.   *Wt*

David, Jacques Louis (1748–1825), Historien- und Porträtmaler, tätig in Paris, Rom und Brüssel, brach 1775 durch seine Übersiedlung nach Rom mit der Tradition des Rokoko, bildete sich an den Werken der Antike und fand, *Poussin verwandt, aber selbständig, zur bühnengemäßen Figurenanordnung und zur linearen Bildstruktur, in der Waagerechte und Senkrechte Figur und Ausdruck bestimmten. Seine Kunst wird von einer neuen ethischen Haltung dem Menschen gegenüber bestimmt. Im Auftrage Ludwig XVI. schuf D., 1783 in die Akademie aufgenommen, in Rom 1784 den „Schwur der Horatier" (Paris, Louvre), ein großformatiges Bild, das in Rom und bei der Ausstellung 1785 in Paris begeistert begrüßt wurde. Es leitete in Frankreich die Epoche des Klassizismus ein, ein Jahr bevor *Erdmannsdorf in Deutschland zu strengeren Formen fand und – Goethe nach Italien aufbrach. D. gewann dadurch sowohl in künstlerischer Hinsicht wie in seiner gehaltlichen Ausdeutung des Vorgangs Einfluß auf den Geist der Revolution. In Rom neigte sich durch die „Horatier" *das Übergewicht auf die Seite der Franzosen.* Die Ausstellung der französischen Akademie in Rom 1787 stand bereits im Zeichen der Kunst D.s (I/32, 69). Goethe erkannte, obgleich er das Bild wohl nur in einer Reproduktion hat kennenlernen können, daß *die neue Energie unter David* bei der französischen Akademie durch *Hinweisung auf die Natur im Gegensatz von Manier,* jedoch im Unterschied zur *Hinweisung auf Styl durch* *Mengs (I/47, 297)* heraufgekommen war. *Meyer seinerseits hielt den Gegenstand nicht unberechtigterweise für unglücklich gewählt. Ist D.s Kunst für Goethe eine Steigerung der Natur zur höheren Wahrheit ihrer selbst, so hätte er bei näherer Kenntnis der Werke D.s ohne Zweifel die Prinzipien des neuen Stils als ihm selbst gemäß noch stärker in den Vordergrund seines Denkens und Anschauens rücken können; sein Interesse an D. war nach 1795 sehr lebhaft. Er las einen Aufsatz im JLM über „Artistisches Leben des Mahlers D. in Paris" (I/40, 477). Er hatte die Absicht, über D. einen Aufsatz zu schreiben (I/47, 280), und begnügte sich ersatzweise damit, eine Beschreibung Wv*Humboldts über D.s Gemälde „Die Versöhnung der Römer und Sabiner" (meist „Die Sabinerinnen" genannt, 1799 voll., jetzt Paris, Louvre) *mit einigen Bemer-*

kungen über sein Talent und seine Kunst überhaupt* (von Meyer?) in den (*Propyläen* III, 1 S. 117) zu veröffentlichen (vgl. I/47, 290 und IV/14, 101 und 178, ferner I/48, 233). D. hatte das Bild während seiner Kerkerhaft 1794 konzipiert. Es sollte nicht so sehr das historischsagenhafte Geschehen veranschaulichen, als ein persönliches Bekenntnis und eine Mahnung zur Humanitas im Sinne der großen schon verblaßten Revolutionsidee sein: „Versöhnung der Sabiner und Römer."Es ließen sich, schrieb Goethe mit seinem Dank für die Beschreibung an Humboldt, über den Gegenstand und *über die Motive der Ausführung . . . sonderbare Bemerkungen machen. Fast keine Spur vom Naiven ist mehr übrig, alles zu einer gewissen sonderbaren gedachten Sentimentalität hinaufgeschraubt (IV/14, 178).* Wird hier der neuen Intellektualität der politischen Kunst nachgespürt, so gilt als Beispiel der negativen Einwirkung der Politik auf die Kunst D.s Gemälde „Der Schwur im Ballhaus" (das Ereignis vom 20. VI. 1789, von der Verfassunggebenden Versammlung 1791 in Auftrag gegeben, durch D.s politische Tätigkeit jedoch unvollendet geblieben): *Und wer weiß was von diesem Werke in drei Jahrhunderten übrig sein wird (I/44, 313),* womit wohl mehr die Fortdauer seines Inhalts als der materielle Bestand angezweifelt und der ideellen Dauer antiker Bildkunst entgegengesetzt wird.

Für die von La Garde geplante große illustrierte Homer-Ausgabe, an der er und Meyer mitarbeiten sollten, hoffte Goethe 1799 eine Zeichnung von D. zu erhalten (IV/14, 101), fürchtete aber die teuren Preise und nahm die von Humboldt eingeleiteten Verhandlungen nicht auf (vgl. ebda 207 f.: 282).

1804 wurde D. Hofmaler Napoleons, in dessen Auftrag er vier Riesengemälde in Angriff nahm, unter ihnen die „Krönung des Kaisers" (Paris, Louvre, früher in der Galerie Versailles) – Goethe sah hiervon 1825 eine Reproduktion (III/ 10, 129) –, die mit der „Verleihung der Adler" allein zur Ausführung gelangte. Von dem Porträtisten D. – das berühmte Bild der Madame Récamier (1800, Paris, Louvre), mehrere Bildnisse Napoleons, Papst Pius VII. (ebda) – hatte Goethe anscheinend keine Kenntnis, obgleich hier D. charakteristische Leistungen aufzuweisen hat. 1815 mußte D., nunmehr politisch belastet, nach Brüssel übersiedeln. In den Jahren der politischen Vorherrschaft Frankreichs stil- und schulbildend, sollte er hier den Einfluß seiner neuen Kunstideale und -formen fast überleben. 1822 begannen die kunstkritischen Kämpfe um *Delacroix.   *Lö*

56*

BrMeyer S. 370. – UChristoffel: Klassizismus in Frankreich um 1800. 1940; mit Abb. – WvLöhneysen in: Coll Strasbourg S. 237–289.

David d'Angers, Pierre Jean, eigentlich nur: David (1788–1856), zubenannt nach seinem Heimatort Angers zum Unterschied von JL*David, dem Maler, war Sohn des Bildschnitzers und Holzplastikers Pierre Louis D., lernte anfänglich bei Besnier, dann bei JL David, endlich bei PhLRoland, wo er sich entschieden und energisch zum Bildhauer entwickelte. 1811 Rompreis (Basrelief: Tod des Epaminondas), 1812 vornehmlich im Atelier A*Canovas/Rom (Marmorstatue: Der junge Schäfer; Basrelief: Nerëide mit dem Helm des Achilles), 1816 im Drang zur Distanzierung von ACanova Aufbruch und Reise nach England, Heimkehr nach Frankreich (Paris). D. war durch seine Lehrer JLDavid sowie mehr noch durch ACanova in die klassizistische Stilwelt eingedrungen, zugleich aber in deren Gefahr: in die Möglichkeit manieristisch verschönelnder oder gar versüßelnder Wirklichkeitsentfremdung. Er begann sofort nach seiner Heimkehr gegen eine derartige verweichlichende Fehlinterpretation der Natur durch die Kunst zu protestieren. Er suchte nicht die abstrakte Statik der lebensentleerten Haltung, sondern die konkrete Dynamik der lebensübervollen Bewegung (Condé-Standbild 1817/1827). Er ergriff den Augenblick als Energeia, nicht als Ergon. Das Pathos seiner Formensprache war viril-aktiv, nicht feminin-passiv. Er war ein „homo faber", impulsiert von der subjektiven Gewalt, sich die Erscheinungen zu realisieren. Indem er dergestalt das Universelle durch das Individuelle, mitten in dem Individuellen erfaßte, war er Realidealist und als solcher bemerkenswert goethe-nah. Mit seinen „lebhaften und feinen Fühlfäden für den Ausdruck des geistigen Lebens" (F Müller) war er damals die fast einzige, kongeniale Künstlerpersönlichkeit, die adaequat die geistige Organisation ihrer Zeit und deren Repräsentation in der Differenzierung ihrer großen Individuen, im figürlichen Denkmal, in der Büste, in der Bildnismedaille wahrzunehmen, festzuhalten und der Nachwelt zu überliefern vermochte. Der aufmerksame Betrachter fühlt sich durch die Motorik der Darstellungskraft D.s mitten in die Situationen hinein-und zu den Personen hinversetzt, wenngleich das Temperament D.s bisweilen etwas zu gewaltsam, auch etwas zu pathetisch mit dem Dargestellten zu verfahren scheint. In den Gesichtern, die er bildete, vermochte er uns das Antlitz des Lebens seiner Zeit aufzuschließen, das personale Antlitz der stellvertretenden Menschen, nicht ihre schemenhafte Maske. D. hat rd 55 Standbilder, 150 Bildnisbüsten, 70 Basreliefs, 20 Statuetten und über 500 Medaillen geschaffen, die in Kopien oder in Originalstücken das Musée David/ Angers zu einem imponierenden Gesamtbild seines Lebenswerkes vereinigt.

Goethe kannte von diesem Ouevre wahrscheinlich noch gar nichts, als *Bildhauer David von Paris* sich am 23. VIII. 1829 in Weimar *meldete, empfehlende Briefe, manches Buch und Heft mitbringend, auch den Antrag machte, meine Büste zu fertigen, welches ad referendum genommen wurde (III/12, 116). Die empfehlenden Briefe* stammten von JJA*Ampère und VCousin (*Globe). In D.s Begleitung befand sich der junge Schriftsteller Victor Pavie (1808 bis 1886) aus Angers, der über das Zusammensein berichtet hat (Goethe et David. Souvenirs d'un voyage à Weimar. 1874; dazu auch VPavie im Feuilleton des Affiches d'Angers. 18. X. 1829; ferner HJouin: David d'Angers, sa vie, son œuvre, ses écrits et ses Contemporains. I. 1878; jetzt: Bdm. 4, 148f.; WBode 3, 330–335). Außerdem traf D. bei Goethe mit A*Mickiewicz und mit dessen Begleiter AEOdyniec zusammen, so daß sich die Trias Frankreich/Deutschland/Polen ergab. D.s Anwesenheit in Weimar dauerte vom 23. VIII. bis zum 9. IX. 1829. Der Kontakt gestaltete sich zu einer Begegnung wirklich Großer, zu einem echten „Gipfelgespräch". Zugleich wurde er zu einer Begegnung der Generationen, der Künste, der Kulturen, der Nationen im Geiste des Gemeinsamen und Verbindenden: *Es ist höchst merkwürdig durch einen so talentvollen Mann in eine ganze Nation hineinzusehen, ihre Denk- und Kunstweise, ihr Sinnen und Bestreben gleichsam symbolisch gewahr zu werden (IV/46, 71)*; „David ... erhob oder berührte vielmehr die Frage der nationalen Sympathien und Antipathien, indem er darlegte, welchen Einfluß die Dichtungen Byrons, Goethes und Schillers auf die gebildeten Klassen in Frankreich hinsichtlich ihrer Anschauungen über die Engländer und Deutschen geübt hätten." Goethe „wies nämlich nach, wie die angebornen Verschiedenheiten der Begriffe und Gefühle oder, besser gesagt, der Weise zu begreifen und zu fühlen, welche sowohl ganzen Stämmen, als einzelnen Menschen eigentümlich und die Folge von Neigungen und Stolz, oder verkehrten Ansichten, oder leidenschaftlicher Überhebungen sind, sich mit der Zeit bei der blinden Menge zu unübersteiglichen Grenzen gestalten, welche die Menschheit so zerteilen, wie Gebirge oder Meere die Landschaften abgrenzen. Daraus gehe nun für die Höhergebildeten und Besseren die Pflicht hervor, ebenso mildernd und versöhnend auf die Beziehungen der Völker einzuwirken, wie die Schiffahrt zu erleichtern, oder Wege über Gebirge zu bahnen. Der Freihandel der Begriffe und Gefühle steigere ebenso wie der Verkehr in Produkten und Bodenerzeugnissen den Reichtum und das allgemeine Wohlsein der Menschheit. Daß das bisher nicht geschehen sei, liege an nichts anderem, als daran, daß die internationale Gemeinsamkeit keine festen moralischen Gesetze und Grundlagen habe, welche doch im Privatverkehre die unzähligen individuellen Verschiedenheiten zu mildern und in ein mehr oder minder harmonisches Ganze zu verschmelzen vermögen" (Bdm. 4, 151 f.). Wie es zu Goethes Großleistungen gehört, an dieser internationalen Gemeinsamkeit, an ihren festen moralischen Gesetzen und Grundlagen (nach den natur- wie geisteswissenschaftlichen Einsichten in das Wesen der Partnerschaft) beispielgebend, ja entscheidend mitgewirkt zu haben, so stand auch D. unter den gleichen Zeichen, als schöpferischer Künstler und Menschengestalter von unzweifelhaft großer Intuitions- und Imaginationskraft, als leidenschaftlicher Politiker nicht in entsprechender Weise glücklich.

Beim ersten Besuch (23. VIII. 1829) legte D. Goethe als Proben seiner Kunst die Bildnismedaillen vor, die er von VCousin, VHugo, EDelacroix gemacht hatte. Goethe erklärte sich bereit, D. für eine Kolossal-Büste Modell zu sitzen. Die Arbeit begann am 26. VIII. und endete am 2. IX., der Guß beanspruchte den 6. und 7. IX. 1829. Goethe selbst war am 27.VIII. 1829 *einige Stunden gegenwärtig (III/12, 118),* sonst kürzere Zeit, am Geburtstag (80) fand keine Sitzung statt. Sein Urteil erkannte das *Bedeutende* an dem *Kunstwerk,* wenngleich auch das *Problematische* (bedingt durch die natürliche Verschiedenheit der Individuen, der Generationen, der Kulturen, der Nationen) ihm nicht verborgen blieb *(IV/46, 74),* ihn jedoch im Grunde anzog, denn D. vermochte *dem Werke natürliches Ansehen zu geben, so daß jedermann damit zufrieden ist (ebda 78).* Indessen ist es trefflich gearbeitet, außerordentlich natürlich, wahr und übereinstimmend in seinen *Theilen* (13. VIII. 1831: *IV/49, 37).* Das Interesse der weimarer Hof- und Stadtgesellschaft war sofort rege und anhaltend lebhaft. Die Steigerung ins Kolossalische wurde freilich nicht sogleich als das verstanden, was sie war und sein wollte: Dokumentation der kolossalischen Größe des Dargestellten selbst, Trans-

figuration über das menschliche Durchschnittsmaß hinaus. Auch die Intention, das Gesicht in seinem sehr gesammelten Ausdruck weniger von oben nach unten, als ebensowohl von außen nach innen wie von innen nach außen gewendet erscheinen zu lassen, ihm dadurch eine ungemein verdichtete Majestät zu geben, befremdete manchen, obwohl gerade der Mund nicht eine sich verschließen, sondern sich offen und beredt mitteilen wollende, irdisch liebende Geistes- und Seelenart verrät. Goethe geriet in Zwiespalt: er fühlte sich erfaßt und doch überbildet; in diesem zwiespältigen Gefühl soll er beim ersten Anblick des fertigen Werkes gerufen haben: *kurios, kurios* (ESchaeffer S. 79)! Indessen: der um Bewältigung/Gewältigung ringende Bildhauer pausierte nicht, sondern arbeitete unverzüglich an dem Profilbilde Goethes für eine Medaille. Dabei kam es erneut zu einer *bedeutenden Unterhaltung über die französischen öffentlichen Zustände und allgemeinen Gesinnungen: . . . Über die gegenwärtigen Zustände liberale Gesinnungen vernommen (III/12, 123f.).*

Als D. schied, war eine lange wirkende, mit dauernden Gedanken befestigte Verbindung gewonnen, die von seiten D.s in einer großen Sendung von Gipsabgüssen nach den Bildnismedaillen von 57 bedeutenden Zeitgenossen gipfelte. Goethe, der umgehend und sehr ausführlich dafür gedankt hatte (IV/46, 261–264), antwortete nach Eintreffen der Kolossal-Büste in endgültiger Marmor-Ausführung und am Gedenktage der Begegnung, indem er dieser festlich die Deutung gab, die in ihr wirkte und ihren Platz im geistigen Kosmos ausmachte: *Allein nicht lange genossen wir Ihres werthen Umganges, als wir einen Mann gewahr wurden, dem das allgemein Menschliche lebhaft im Sinne lag und welcher daher überallhin seine Aufmerksamkeit richtete, wo er ein Bestreben bemerkte, darauf zu wirken, daß Mensch- an Menschen sich knüpfen, um durch wechselseitige Anerkennung das eigentliche Gleichgewicht im Ganzen herzustellen, welches im Einzelnen, wegen des immer fortdauernden Conflictes der besonderen Interessen, schwer zu erreichen und zu erhalten ist.* Goethe nennt D. einen *unmittelbaren Geistesverwandten* und hofft, sich seiner *erhabenen Intention . . . angenähert zu haben* (20. VIII. 1831: *IV/49, 43f.).* Auch das Umgekehrte ließe sich sagen. Zweifellos besteht die Größe D.s darin, daß dies so ist. Insofern zwingt sie uns auch, unsere stilgeschichtlichen Kategorien einer ernsten Überprüfung zu unterziehen.   *Li*

WvLöhneysen in: Coll Strasbourg S. 286–289.

Davi(e)s, John Francis (1795–1890)), englischer Diplomat und Sinologe, Übersetzer eines chinesischen Dramas: „Laou-seng-noh or An heir in his old age. A Chinese Drama." (London 1817; verdeutscht von Moritz Engelhardt im Morgenblatt vom 10.–22. April 1818). Goethe erwähnt die Übersetzung 1821 in einem Aufsatz über indische Dichtung (I/42^{II}, 52; vgl. dazu hier Sp. 1634).   *Sn*

Davy, Sir Humphrey (1778–1829), bedeutender englischer Chemiker, Mitglied der Royal Institution in London (seit 1801, 1820 Sekretär, 1827 Präsident); entdeckte ua. eine Reihe chemischer Elemente (Na, K, Ca, Sr, B, Mg) und entwickelte 1815 eine Gruben-Sicherheitslampe, die Goethe 1828 von *Döbereiner gezeigt bekam (III/11, 207 f.). 1808 erwähnt Goethe die *famosen Versuche von Davy* (Kalium und Natrium in ihrem Verhalten gegenüber Säuren: *IV/20, 18;* vgl. II/4, 326) und 1827 *Akademische Reden des Herrn Davy* (Six discourses delivered before the royal society: *III/11, 59*).   *Sl*

Dawe, George (1781–1829), englischer Porträtist, Hofmaler des Zaren, Mitglied der Akademie St. Petersburg, porträtierte in Weimar im Mai/Juni 1819 Goethe, Maria Paulowna ua., wohl im gleichen Jahre auch den Herzog BEF von *Sachsen-Meiningen. Während der Sitzungen fand Goethe Gelegenheit, Probleme seiner *Farbenlehre* mit D. zu behandeln: *in kurzem war er mit der Lehre vom Trüben, von der Farbenentstehung durch dessen Vermittlung so bekannt, als wenn er sie erfunden hätte (IV/32, 134).* Das entstandene Bildnis war *als Kunstwerk nicht ohne Verdienst (I/36, 199);* den Kupferstich fertigte Thomas Wright (1792–1849). 1821 zeigte Goethe den Stich in *KuA III, 1* an (I/53, 230). Die spätere Korrespondenz mit D. und seiner Schwester vermittelte JChr*Hüttner. Das seit 1825 verschollene Goethebild wurde 1912 wieder aufgefunden und kam in das GNM.   *Sn*

Dazincourt oder d'Azincourt, Joseph-Jean-Baptiste Albouis, genannt (1747–1809), französischer Schauspieler, der 1799 die *Comédie française reorganisierte und von *Napoleon I. zum Leiter der Vorstellungen am kaiserlichen Hofe ernannt wurde. 1808 lernte Goethe ihn in *Erfurt kennen und verdankte ihm einen guten Platz für eine Vorstellung vor dem berühmten „Parterre von Königen" (Bdm. 1, 542); in Weimar organisierte er mit ihm die Aufführung von *Voltaires „Mort de César" (III/3, 391) und erinnerte sich seiner *mit Enthusiasmus* (1808: *IV/20, 174*).   *Fu*

Deahna, ursprünglich hessische Familie, eigentlich: von der Ahna, aber nicht adelig, vielleicht nach dem Flüßchen Ahna-Ahne, bzw. nach dem Kloster Ahnaberg im Habichtswalde bei Kassel genannt. Die lückenlose Geschlechterfolge beginnt mit Theodoricus de Ana, der vierzehn Jahre als „rector scholae" in Hofgeismar wirkte. In der Nachkommenschaft finden sich Handelsherren, Juristen, Regierungsbeamte, Offiziere, später auch musikalische Begabungen (zB. Pauline D., Sängerin, verheiratet mit Richard Strauß). Die in Goethes Umgang auftretenden D.s standen im Vettern-Verhältnis zueinander, d.h. ihre Väter und die Mutter des Präsidenten vSchwendler (3) waren Geschwister; es handelt sich um:

–, 1) Sophie Helene (1780–1857), Tochter des meiningischen Kammerkonsulenten Bernhard Johann Georg D. (1750–1800), seit 1801 verheiratet mit ChrA*Vulpius, dem Bruder Christianes: *Räthin Vulpius (IV/43, 76; 36, 91);*

–, 2) FChrAv*Schwendler (1772–1844), Sohn des Amtmanns Johann Valentin Schwendler und seiner Ehefrau Helene, Dorothea geb. D. (1754–1820), seit 1822 Präsident der Landesdirektion in Weimar, mit Goethe in vielfacher dienstlicher Berührung, schließlich auch in goetheschem Verkehr, besonders mit Ottilie und deren Kindern, die bei Scharaden in seinem Hause mitwirkten;

–, 3) Rosalie (? 1789–1840), Tochter des Regierungsrates Justus Hermann D. (1758–1825; *Bayreuth Sp. 913; vgl. auch IV/36, 91), verheiratet mit dem Bankier Heinrich Ritter vGeymüller, der um die Zeit des Wiener Kongresses eines der reichsten, glänzendsten Häuser Wiens unterhielt, dessen Mittelpunkt seine durch Schönheit und musikalische Begabung ausgezeichnete Frau bildete; ihre Töchter sah Goethe 1823 in *Marienbad (IV/37, 115);   *Vp*

Genealogisch mit den Vorgenannten nicht eindeutig zu verbinden, erscheint in Goethes Lebenswerk noch:

–, 4) Maria Sibylla D. (1734–1821), verheiratet mit JChr*Schmidt (1727–1807); ihr Schwiegersohn war Robert Victor Swaine (IV/47, 252), ihr Schwiegerenkel CFAv*Conta, der ihre Enkelin Friederike geb. Weiss (1785 bis 1842) aus Langensalza geheiratet hatte.   *JP*

,Décade philosophique, littéraire et politique" (1793–1807), französische Zeitschrift von guter intellektueller und literarischer Haltung, welche die *französische Revolution hatte überdauern können, aber unter dem ersten Kaiserreich, wohl infolge Drucks von oben, ihr Erscheinen einstellte. Goethe erwähnt sie zweimal (1798: IV/13, 82 und 1800: IV/15, 137). *Fu*

De Dominis, Marcus Antonius (1561–1624), aus der Familie des Papstes Gregor X. stammend, war zunächst Jesuit, später Bischof von Segni (1596), dann Erzbischof von Spalatro und Primas von Dalmatien und Kroatien (1602). 1616 floh er nach England, trat zum Protestantismus über und wurde Geistlicher der anglikanischen Kirche. Aus England verbannt hielt er sich 1622 in Brüssel auf und nahm erneut den katholischen Glauben wieder an. Als er sich später in Rom wieder in theologische Kämpfe einließ, wurde er von der Inquisition auf der Engelsburg gefangengesetzt und durch Gift ermordet. Neben seinen theologischen Streitschriften veröffentlichte er 1611 „De radiis visus et lucis in vitris perspectivis et iride tractatus", in der er sich mit der Brechung der Lichtstrahlen, besonders beim Regenbogen (vgl. II/3, 279; 4, 400f.) auseinandersetze. Goethe fertigte am 12. und 13. IX. 1797 einen Auszug aus dieser Arbeit an (III/2, 131; I/34^I, 338: NS II, 6 S. 468–471), den er später für einen Artikel über D. in seiner *Farbenlehre* verwandte (II/3, 257–266; vgl. 5^{II}, 270). *Sl*

Deffand, Marie de Vichy-Chamrond, marquise du (1697–1780), berühmt durch ihren philosophisch-literarischen Salon, in dem ua. *Voltaire, *Montesquieu, d'*Alembert, *Hume verkehrten, und durch ihre 1809 bzw. 1810 zuerst veröffentlichten Briefe, die Goethe *mit viel Interesse* liest *(1812: IV/22, 301; III/4, 258f.)*. *Fu*

Degen, Christoph (1736–1794), der Förster und Gastwirt auf dem *Torfhaus (Borkenkrug), cui sylvarum hujus regionis cura mandata est (CHWeber, Spicilegium florae, 1778), „mir schon aus mehreren gehaltenen Forstämtern als eifrigster Diener, allemal auf haltbarer Wahrheit stehend, in ziemlich platten Ernst und durch muntere Laune bekannt" (FWHv*Trebra, 1813), führte Goethe auf dessen Wunsch am 10. XII. 1777 auf den *Brocken, nachdem er es zunächst wegen der Jahreszeit und des dichten Nebels abgelehnt hatte. *Ich war still und bat die Götter das Herz dieses Menschen zu wenden und das Wetter (IV/3, 201)*. Tatsächlich hellte sich der Himmel auf, und D. sagte: *Ich will mit Ihnen gehn. – Ich habe ein Zeichen ins Fenster geschnitten zum Zeugniss meiner Freuden Trähnen (ebda)*. Es war die erste Winterbesteigung des Brockens, die D. unternahm; er hat dann noch mehrfach anderen Reisegesellschaften als Führer (zB. 1785, allerdings nicht im Winter) auf den Harzgipfel gedient. Da er bis zum Tode auf dem Torfhause verblieb, wird

Goethe ihn zumindest bei seiner zweiten*Harzreise 1783 dort noch angetroffen haben.   *JP*

Deinhardstein, Johann Ludwig Franz (1794 bis 1859), geboren und gestorben in Wien, anfangs Jurist, Aktuar, besonders gefördert durch den Fürsten CLWv*Metternich, seit 1825 Dozent, 1827 Professor der Ästhetik und Literatur, alsbald auch Zensor, Theaterschriftsteller, insbesondere Schöpfer des „Künstlerdramas", dh. einer Gattung von Bühnenstücken, die Künstlerpersönlichkeiten als Theaterhelden darstellt und meist mehr durch die Anziehungskraft der Dargestellten als der Darstellung wirkt. Goethe wurde durch CFMP v*Brühl (4; Sp. 1461f.) veranlaßt, einen *Prolog* für die berliner Aufführung des „dramatischen Gedichts: Hans Sachs, in 4 Abtheilungen" von D. zu schreiben (Februar 1828: I/13^I, 182–184; 13^{II}, 234–238; dazu SGGes. 17, S. IC–CII). Dieser Prolog, aus Gefälligkeit für Brühl niedergeschrieben, war zugleich als Einleitung zu Goethes eigener *Erklärung eines alten Holzschnittes vorstellend Hans Sachsens poetische Sendung* (1776: I/16, 123–129) gemeint (ASauer), kaum als Anerkennung für D.s Künstlerdrama. Goethes wirkliche Anteilnahme an D. regte sich erst, nachdem D. Anfang 1830 die Redaktion der „*Jahrbücher der Literatur" in Wien übernommen hatte. Als deren Redakteur wurde er am 31. VIII./1. IX. 1830 mit besonders auszeichnender Aufmerksamkeit in Goethes Frauenplan-Haus empfangen (III/12, 296); D. selbst berichtete ausführlich darüber (Bdm. 4, 293f.; auch UKM S. 195). In der Korrespondenz (Februar 1830/ Dezember 1831) ging es hauptsächlich um Fragen der Mitarbeit an den „Jahrbüchern"; Goethe setzte sich dabei nachdrücklich und sogar mit einem eigenen Beitrag (I/49^I, 161 bis 187) für WJC*Zahn sowie für dessen Pompeji-Publikation ein (SGGes. 17, 212–231). D. ließ alle bereits vorliegenden und auch jeweils die neuen Bände der „Jahrbücher" an Goethe schicken.   *JP*

Delacroix *(de la Croix: IV/42, 25)*, Ferdinand Victor Eugène (1798–1863), Historienmaler, Porträtist und Lithograph, gebildet im Atelier Guérins, vor allem aber an *Veronese (vgl. „Der Tod des Dogen Marino Falieri", 1826, London, Nat.-Gal.), Rubens und den großen Meistern der abendländischen Malerei im Louvre zu Paris, erregte mit seiner „Barke des Dante" (Inferno VIII, 13 ff.) 1822 Aufsehen und heftige Ablehnung der öffentlichen Kunstkritik, die Kolorit und Auffassung des Bildes als den herrschenden klassizistischen Idealen entgegengesetzt verurteilte. Noch stärker waren die Angriffe der Kritik auf das 1824 ausgestellte „Massaker von Chios", in dem in antiklassizistischer Komposition ein Ereignis aus den griechischen Befreiungskriegen 1822 dargestellt worden war (beide Bilder im Louvre).

In London sah D. 1825 auf seiner Englandreise (Freundschaft mit Constable!) die Aufführung eines musikalischen Dramas „Faust" (vgl. D.s Brief an Pierret vom 18. VI. 1825), das ihn, der schon 1821 von den Illustrationen *Retzschs (vgl. IV/33, 247 über das Aufsehen, das diese in England machten) beeindruckt worden war, zu eigenen Zeichnungen veranlaßte (jetzt Paris, Louvre und in Privatslgn. verstreut, im Louvre auch Entwürfe zu nicht lithographierten Szenen; Probedrucke in der Bibl. Nat. zu Paris). D. ging dabei von dem grundlegenden Kontrast des Geschehens, insbesondere zwischen Faust und Mephistopheles aus und hob aus dem episch gehaltenen Gedicht diejenigen bildmäßig faßbaren Handlungen heraus, die seiner dramatischen Auffassung entsprachen. Diese im wesentlichen nicht illustrative Einstellung, die gehaltlich auf vorgoethesche Faustkonzeptionen zurückgreift, unterscheidet sich von der eines *Cornelius, der als deutscher Künstler die Geschichte menschlicher Verstrickung zum Hauptthema seiner Illustrationen wählte. Goethe lernte die beiden ersten, von *Coudray aus Paris mitgebrachten Probedrucke (Faust und Mephistopheles am Hochgericht – vgl. hierzu als künstlerische Vorstufe „Pferd, vom Gewitter erschreckt", Aquarell 1824, Budapest, Privatbesitz – und Auerbachs Keller) schon Ende November 1826 kennen (vgl. 29. XI. 1826: Bdm. 3, 299f.; dazu 5, 155; III/10, 274). Die Auffassung D.s, dessen Darstellungen *Eckermann gut zu interpretieren wußte, bestimmte Goethe zu dem Urteil, daß er sich selbst diese Szenen nicht so vollkommen gedacht habe. Diese beiden Blätter, *die wild und geistreich genug sind (IV/42, 25)*, sandte Goethe am 3. I. 1827 *nochmals* an *Meyer, *mit Bitte, das Minimum was zu ihrem Lobe gesagt werden kann mit wenigen Worten auszudrücken (IV/42, 4*; vgl. III/11, 2). Meyer verfaßte daraufhin den Nachtrag zu Goethes Besprechung der stapferschen Faustübersetzung, in der die Folge von 17 Lithographien bei ChMotte 1828 erschienen. Goethe hatte sie schon 1827 in *KuA* (VI, 1 S. 67) angekündigt. In beiden Rezensionen (I/41^{II}, 233; 340f.; vgl. I/49^{II}, 252) spricht Goethe ausführlich über die Blätter D.s, die er mit Coudray am 23. III. 1828 (III/11, 196) und mit Meyer am 9. V. 1828 besprach (ebda 216).

Mit Kenntnis der um D. in Paris entbrannten kunstkritischen Auseinandersetzung, in der er den Kampf der jüngeren gegen die ältere Generation sieht, aber in voller Würdigung der von D. mitgebrachten künstlerischen Voraussetzung zur Erfüllung dieser Aufgabe – *das Ungestüm seiner Conceptionen, das Getümmel seiner Compositionen, die Gewaltsamkeit der Stellungen und die Rohheit des Colorits (I/41^{II}, 233;* Mitteilung *Coudrays über das „Massaker auf Chios"?) – kommt Goethe zu dem Schluß, daß D. *hier in einem wunderlichen Erzeugniß zwischen Himmel und Erde, Möglichem und Unmöglichem, Rohstem und Zartestem, und zwischen welchen Gegensätzen noch weiter Phantasie ihr verwegnes Spiel treiben mag, sich heimathlich gefühlt und wie in dem Seinigen ergangen zu haben* schien *(I/41^{II}, 341)*. Das Urteil Meyers, der allerdings die Bildmäßigkeit der Darstellungen erkannte, ist von klassizistischer Warte aus gesprochen, während Goethes Ansicht Mitgehen und -denken mit dem geschichtlichen Werden eines neuen Stiles zeigt, in dem er künstlerische Originalität anzuerkennen vermag. D. fand in Frankreich wenig Beifall und erinnerte sich noch 1862, daß seine Illustrationen Karikaturen hervorriefen, die ihn „als eine der Hauptstützen der Schule des Häßlichen hinstellten" (Brief an PhBurty vom 1. III. 1862). 1836 ff. fertigte D. Zeichnungen zum *Götz* an (Paris, Louvre; dort auch das verworfene Blatt mit der Darstellung des verwundeten Selbitz von 1828), wovon er sieben Lithographien herausgab. Die späteren selbständigen Gemälde D.s nach Szenen aus Goethes Werken – Valentins Tod, 1848, und „Weislingen, von den Anhängern Götzens fortgeschafft" (*Götz* I. Akt, 3. Szene, 1850 voll., Wien, Slg. Eissler) sind schon in ihrer Auswahl bezeichnend für die Goethe-Interpretation D. treffen jedoch den Ton deutscher Spätmittelalterlichkeit bemerkenswert sicher. – D. wurde trotz der Auseinandersetzungen der öffentlichen Meinung um seine Kunst mehrfach zu staatlichen Aufträgen herangezogen: Palais Bourbon, Salon du Roi und Bibliothek, Apollogalerie des Louvre. Die die Zeitgenossen – und unter ihnen auch Goethe – erschreckende Wildheit D.s (29. XI. 1826: Bdm. 3, 300) war im Grunde die Absage an die Bildkomposition überhaupt, wie sie die Tradition forderte, und das Bekenntnis zum Aufbau des Bildes durch die Farbe, worin sich D. bewußt von der Linienkunst des *Klassizismus der *David-Schule und seines Rivalen Ingres (1780–1867) unterschied. Die Farbe und ihre optische Wirksamkeit ergründete D.

mit wissenschaftlichem Eifer, dessen Ergebnis, mag immer der Stil D.s als goethefremd empfunden werden, den goetheschen Erkenntnissen vom Wesen des Farbigen entsprachen. D. skizzierte das Farbendreieck und erkannte eines Tages das Gesetz von der Tönung einer Farbe im Schatten durch die Komplementäre derselben Farbe im Licht. So beruht die Wirkung seiner Bilder nicht auf der lokalen Farbigkeit der Gegenstände, sondern rechnet mit der Fähigkeit des Betrachterauges, Farbenbeziehungen als Harmonien zu erleben. Hier liegt der tiefere Grund für die Auseinandersetzung um D., den Goethe nur im Schwarz-Weiß der Lithographie kennenlernte. D.s theoretisch gefundene Erkenntnis fand ihre praktische Bedeutung und Bestätigung während seines gut halbjährigen Aufenthaltes in Marokko 1832, der ihm das Erlebnis des farbigen Wechsels im Licht und die Motive der exotischen Welt vermittelte. D. steht damit am Anfang der Moderne, die die goethesche *Farbenlehre* bestätigte und sie im Impressionismus im Bereich des Künstlerischen verwirklichte. *Lö*

JMeyer-Graefe: Eugène Delacroix. Beiträge zu einer Analyse² 1922. S. 72f.; 48f. – Schuchardt S. 200. – ECassirer: Künstlerbriefe des 19. Jahrhunderts. 1923. S. 510. – ThB 8 (1913) S. 51ff. – WvLöhneysen in: Coll Strasbourg S. 237–289.

Delavigne, Casimir (1793–1843), französischer Dichter und Dramatiker, wurde durch seine patriotischen Gedichte „Les Messéniennes" (1816–1822) berühmt, welche durch die französische Niederlage von 1815 eingegeben waren, heute aber sehr kalt erscheinen. Auch seine Dramen („Les vêpres siciliennes", 1819; „Le paria", 1821; „Marino Faliero", 1829; „Les enfants d'Edouard", 1833) sind nicht mehr lebendig; doch hatten diese Arbeiten eines mit *Shakespeare und *Byron bekannten geschickten Theatralikers trotz psychologischer Leere und verfälschtem oder banalem Gefühlsleben als geschickte Kompromisse zwischen Traditionalismus und Neuerung großen Erfolg; denn sie entsprachen dem Geschmack eines Publikums, das, der Abstraktheit der pseudoklassischen Tragödie müde, nach individualisierender Konkretheit, Malerisch-Eindrucksvollem, äußerer Handlung, Schauspiel, dh. romantischen Bühneneffekten verlangte, zugleich aber in D.s Plattheit die Vernunft selbst sah und sie der Poesie vorzog, wie sie, bei sonstiger Verwandtschaft, V*Hugos Drama auszeichnete. D.s Lustspiele – darunter als bestes „L'école des vieillards" (1823) – sind eine Mischgattung, in der Rührung, Pathetik und Komik abwechseln. Goethe hat sich nach anfänglich humoristischer Zurück-

haltung (IV/38, 194; Bdm. 3, 123f.; I/5I, 94) sehr anerkennend über Werke D.s geäußert: 1824 („Le paria": *sehr schön gedacht, wohl durchgeführt: I/41II, 100f.;* *Beer Sp. 950 betr. Paria-Zusammenhang), 1825 *(Krönungsgedicht: IV/39, 218),* 1827 („Les Messéniennes": I/42II, 487), 1829 („Marino Faliero": IV/45, 295). Eine derartig positive Stellungnahme zu D. überrascht heute. Doch ist zu bedenken, daß D. zu seiner Zeit berühmt war und gewissermaßen als der offizielle Vertreter der klassischen Schule galt. Diese Nähe zu einer zwar substanzarmen, doch neben den Zugeständnissen an die Romantik fühlbaren Klassik läßt Goethes Beurteilung verständlicher werden, für den die Übertreibungen des Vollromantikers Hugo trotz dessen ungleich größerer dichterischen Begabung unerträglich waren. Literarhistorisch leitet Goethe D. von *Chateaubriand ab (Bdm. 3, 312). *Fu*

GLanson: Histoire de la littérature française (zahlreiche Auflagen). – JLemaître: Impressions de théatre 3 (1891). – HLoiseau: Goethe et la France. 1930.

Delbrück, Johann Friedrich Ferdinand (1772 bis 1848), Mitteldeutscher aus Magdeburg, Schüler FA*Wolfs (Halle 1790), philosophisch sowohl mit wie gegen Kant gebildet, pädagogisch arbeitend in Eutin (FL Graf *Stolberg), weiter studierend in Kiel (KLReinhold), Hauslehrer in Hamburg (Bekanntschaft mit Klopstock), 1796 wieder in Magdeburg („Über die Humanität"), 1797 Promotion in Halle („Homeri religionis quae ad bene beateque vivendum heroicis temporibus fuerit vis"), Lehrer-Seminarist, alsbald Kollaborator in Berlin (Graues Kloster), Prinzenerzieher (Prinz August, Prinzessin Charlotte von *Preußen/*Rußland), 1800 gesteigerte Publizistik (Edition mit Kommentar: Klopstocks Oden; Beiträge ALZ, JALZ), 1809 in *Königsberg/Pr. (Regierungsrat; Universitätsprofessor: Ästhetik), Mitwirkung bei den preußischen Reformen, auch bei den Heeresreformen (1813: Landsturm), 1816 in Düsseldorf, 1818 in Bonn, besonders beliebt als versöhnlich-vermittelnder Charakter, zumal in konfessioneller Hinsicht. Goethe kannte und schätzte D. als Rezensenten seit 1804 (JALZ Nr 235/238: *Die Natürliche Tochter*), 1808 (JALZ Nr 1/2: *Gedichte*), freute sich seiner persönlichen Bekanntschaft mit ihm 1809 (III/4, 56; dazu IV/21, 41; 44), bewahrte ihm ein dankbar wohlwollendes Gedächtnis: ... *will ich gern bekennen daß ich von Personen, denen es gefiel freundlich über mich zu reflectiren manches gelernt und sie deshalb verehrt und bewundert habe. So hat mich Delbrück aufmerksam gemacht daß meine kleinen, wenigen Gedichte* *an Lida die zartesten unter allen seyen. Das hatte ich nie gedacht noch viel weniger gewußt und es ist wahr! es macht mir jetzt Vergnügen es zu dencken und anzuerkennen* (2. IV. 1818: *IV/29, 122 f.;* vgl. dazu Goethes Bemerkung 1820/21 aus Anlaß der Schrift von CFLKannegießer über die *Harzreise im Winter: I/41^I, 329*).   *Za*

Delille, Abbé Jacques (1738–1813), französischer, sehr fruchtbarer beschreibender Dichter und sehr freier Übersetzer, der, die geistige Zeitströmung erfassend und aussprechend, ungeheuren Erfolg hatte, heute aber ein bloßer Name in der Literaturgeschichte ist. Er war lediglich ein sehr gewandter Techniker des Verses. Goethe charakterisiert den Übersetzer D. dahin, daß er eigentlich nur bemüht ist, *fremden Sinn sich anzueignen und mit eignem Sinne wieder darzustellen (*1819: *I/7, 236).* Er kennt von D. wenigstens den „Homme des champs" (1800), (1804; Bdm. 1, 352), die (soeben erschienene) Milton-Übersetzung (1805; III/3, 110) und „L'imagination", *wo der Mann sich fast immer im Gegenstand vergreift und diesen λήκυθος (Farbenkasten) an unrechten Stellen ausschmiert* (1806: *Bdm. 1, 458*); anderseits sieht Goethe richtig, „daß die neuesten Talente hinsichtlich guter Verse sehr viel von Delille gelernt" (1827: Bdm. 3, 333).   *Fu*

Delitzsch *(Delitsch),* sächsische Stadt (erst 1815 preußisch) nördlich *Leipzig, durchquerte Goethe wiederholt auf seinen Reisen nach *Dessau und zurück, häufig in Begleitung Carl Augusts. Er erwähnt den Ort nur am 2. I. 1797, als die Wegstrecke Leipzig-Dessau im Schlitten zurückgelegt und in D. eine Pause zum Füttern der Pferde gemacht wurde. Während der Rast traf der Erbprinz Carl Friedrich von *Anhalt-Dessau ein (III/2, 51; hier Sp. 282). Vgl. RV S. 15; 17; 21; 22; 31.   *JP*

Delph, hessisch-rheinfelsische Familie, durch Georg Wilhelm D. seit 1748 in *Heidelberg ansässig, wo am Markt in einem zunächst gemieteten, erst 1782 gekauften Hause ein Geschäft mit langsamem Gewinn betrieben wurde, aufsteigend vornehmlich erst nach 1760, als der untaugliche Sohn des Hauses (Bernard Thielmann) ausgezahlt und außer Landes gegangen, der Gründer Georg Wilhelm D. und seine Ehefrau gestorben waren und die beiden Schwestern die „Fortführung eines offenen Ladens" für sich erwirkt hatten:

–, 1) Sibylle Elisabeth (ca.1726–1794), von der wir infolge ihres zurückhaltenden, betont häuslichen Wesens keine sonderliche Nachricht in Goethes unmittelbaren oder auch nur

mittelbaren Zeugnissen haben; 1794 schenkte sie ihren Eigentumsanteil der Schwester.

–, 2) Helene Dorothea (1728–1808), die weitaus die stärkere Persönlichkeit war, mit gesundem, erfolgreichem Blick für alles Geschäftliche, auch mit der energischen Aktivität sich durchzusetzen und das Geschäft hochzubringen, weltgewandt und lebenspraktisch, überdies erprobt vertrauenswürdig und gerade zu Vermittlungsaktionen geschickt, selbst unter schwierigen Bedingungen. Sie hatte geschäftliche und menschliche Beziehungen zu der frankfurter Bankiersfamilie *Schönemann, auch zu den Häusern d'*Orville, Dufay, mancherlei Fäden auch zu Repräsentanten der damaligen Landespolitik. So machte sie sich (zB. dem „Churpfälzischen Conferenzminister Freiherrn von Hompesch") durch die zuverlässige Weiterleitung geheimer Diplomatenkorrespondenz zwischen Preußen und der Pfalz nützlich, als er sich bemühte, die bereits projektierte Preisgabe kurbayrischer Gebiete an die habsburgische Monarchie zu verhindern (*Bayern Sp. 888), kurz: sie war eine „marchande tres renommée" mit mancherlei beachtlich weit reichenden Wirkungsmöglichkeiten. In Goethes Leben spielte sie zu wiederholten Malen die Rolle einer kräftig handelnden oder ausgleichend besorgten *Freundin:* Ostern 1775 brachte sie in Frankfurt Goethes Verlobung mit Lili zustande, Michaelis 1775 (30. X.–3. XI. 1775) wohnte Goethe bei ihr in Heidelberg (wohl im Obergeschoß des Hauses) und sollte schon Objekt eines neuen Heiratsplanes werden (Franziska Charlotte Josepha oder Marie Louise Josepha vWrede?), als die „Stafette" aus Weimar kam und JAAv*Kalb den ungeduldig Gewordenen abholte, um ihn der *ernsten Wirthin* zu entführen *(I/29, 191);* 1793 fand bei ihr die paradigmatisch/symptomatisch interpretierte Begegnung mit JG*Schlosser statt (*Belagerung von Mainz, Sp. 997; Anfang August); 1797 besuchte Goethe die *Freundin* zu ausgedehntem Gespräch und Rundgang (26. VIII. 1797: *III/2, 88 f.).* Goethes Sohn August kam als Bote seines Vaters 1808, als er in Heidelberg studierte, zugleich auch als Abgesandter seiner Großmutter, die bis zu ihrem Tode enge Verbindung mit ihr hielt (vgl. zB. BrMutter S. 543).   *JP*

BErdmannsdörffer: Goethe in Heidelberg und die Familie Delph. In: Neue Heidelberger Jahrbücher 1896. S. 1–24.

Demars, Odon-Nicolas Lœillot (1751–1808), französischer Offizier, in *Paris geboren, 1764 bis 1768 in *Straßburg Zögling einer militärischen Vorbereitungsanstalt, 1768 Sous-lieute-

nant (Leutnant) im Infanterieregiment Nassau-Saarbrücken, das er zum Zweck der Erlernung des Deutschen gewählt hatte; im Juni 1771 nach *Schlettstadt, im Oktober 1771 nach Neu-Breisach versetzt; nach wechselvoller Soldatenlaufbahn (Korsika, Indien, Belagerung von *Mainz) als Chef de demi-brigade (Oberst) in Genua gestorben. Sein früherer vierjähriger straßburger Aufenthalt hat den in Schlettstadt garnisonierten jungen Offizier gewiß oft nach Straßburg geführt, wo anzunehmen ist, daß er Goethe in gemeinsam besuchten Gesellschaften kennenlernte; später hat er ihn in Frankfurt besucht und dort ua. am Mariagespiel (I/28, 344) teilgenommen, wie aus einem Brief Goethes an ihn (Juni 1773: vollständiger in ArtA 18, S. 946f. und 1198 als in IV/2, 96) hervorgeht. Die Beziehungen Goethes zu D. müssen eine gewisse Vertrautheit oder wenigstens einen gewissen Grad von Sympathie erreicht haben, da Goethe dem in Neu-Breisach Stehenden *ein Drama* seiner *Arbeit* – er denkt hier ein wenig auf französisch: ,,un drame de ma façon" –, den **Götz*, schickt. *Sein Glück muß es unter Soldaten machen. Unter Franzosen, das weiß ich nicht (IV/2, 96).* Späterer Kontakt zwischen Goethe und D. ist nicht festzustellen.   *Fu*
F Baldensperger in ,,Revue germanique" VIII (1912), S. 423–426.

Demetrius, Erzgießer aus Alopeke in Attika, lebte in der ersten Hälfte des 4. Jh.s vChr. als Zeitgenosse des *Praxiteles. Er war berühmt durch seinen Realismus. Goethe zitiert im Aufsatz über *Winckelmann Stellen aus Quintilian, wo das Verhältnis von *Ähnlichkeit* und *Schönheit* an der Gegenüberstellung antiker Bildhauer beleuchtet wird: *Lysippus und Praxiteles sollen nach der allgemeinen Meinung sich der Wahrheit am besten genähert haben; Demetrius aber wird getadelt, daß er hierin zu viel gethan; er hat die Ähnlichkeit der Schönheit vorgezogen (Quintil. XII 10, 9. – I/46, 45).* *Hm*
Grumach 520. – Th. B. IX, 52 f. (W. Amelung). – RE. IV, 2850 f. (C. Robert). – G. Lippold, Porträtstatuen 47 f.

Demetrius. Über die Pläne Schillers zum ,,Demetrius" im einzelnen verständigt, beschloß Goethe 1805, das hinterlassene Fragment *zu vollenden ... ein herkömmliches Zusammenarbeiten bei Redaction eigener und fremder Stücke hier zum letztenmal auf ihrem höchsten Gipfel zu zeigen und die Aufführung als Todtenfeier zu gestalten. Des Freundes Verlust schien mir ersetzt, indem ich sein Dasein fortsetzte.* Der Plan wurde bald wieder aufgegeben *(I/35, 190-193).* Im Maskenzug

von 1818 hat Goethe den *Demetrius* noch einmal heraufbeschworen *(I/16, 294f.).* *So*

Demidow, Paul Grigorjewitsch (1738–1821), russischer Naturwissenschaftler (Studium der Mineralogie in Freiberg, der Naturwissenschaften in Upsala bei Linné), gründete im Park seines Palastes 1756 den botanischen Garten Moskau und errichtete an der Universität einen Lehrstuhl für Naturwissenschaften. Goethe erwähnt ihn in einer schwer deutbaren Tagebuchnotiz am 29. IX. 1806 (III/3, 171), vielleicht auch im Zusammenhang mit einer im selben Jahr auf D. geschlagenen Medaille.   *Sl*

Demmer, 1) Carl jun. (geb. in *Köln) Schauspieler, Debüt 1787. Kam mit seiner nachgenannten Frau Caroline von der rheinbergschen Truppe 1791 zur weimarischen *Hof-Schauspielergesellschaft und war bei dieser bis Ostern 1794 als Tenor und Schauspieler engagiert. Ging nach *Frankfurt/M., wo ihn Goethe gelegentlich seines Aufenthaltes 1797 sah und sprach. Von 1804–1822 am Burgtheater Wien. 2) Caroline geb. Krüger (1764 Berlin – 14. IV. 1813 Wien), Schauspielerin, kam 1786 zu *Bellomo, durchlief die gleichen Engagements wie ihr Ehemann. Spielte komische Mütter und Soubretten.   *EF*

Demokrit (zwischen 460 und 360), Gründer des Atomismus. Epikur pflanzt seine atomistische Lehre fort, während D.s eigenes, fast so hoch wie *Platons berühmtes Schriftwerk in der christlichen Zeit verloren ging. Doch haben Platon und die ihm verbundenen ,,Pythagoreer" von D. gelernt (Timaios). Goethe hat (trotz *Wielands ,,Abderiten") keine Beziehung zu D.s Lehre. Er sieht, daß Platon und *Aristoteles bis in die Neuzeit führend wirken, auch die *Renaissance und *Kepler beherrschen. Die Erneuerung der Wissenschaft D.s bei Gassendi, Descartes, Hobbes, Locke (Unterscheidung der primären und sekundären Qualitäten) widersprach Goethes Naturauffassung durchaus. Im Gedicht *Die Weisen und die Leute* ist D. der im wielandischen Sinn Überlegene *(I/3, 110).*   *Hi*

Dennstedt, August Wilhelm (1776–1826), Professor der *Botanik. Arzt in Magdala bei Weimar; seit 1817 wissenschaftlicher Leiter des Großherzoglichen Gartens in *Belvedere. *Wegen des genannten Tennstedt von Magdala hab' ich bey Professor Sturm Nachricht eingezogen, welcher mit demselben, was ökonomische Botanik heißt, höchlich zufrieden ist ... Da er alle Woche nach Tiefurt kommt, so könnte er, entweder denselben Tag oder den folgenden, in Belvedere Stunden geben und von da nach Magdala zurückkeh-*

ren (IV/28, 222). 1820 wurde D. vom Großherzog Carl August beauftragt, einen wissenschaftlichen Katalog über die Pflanzensammlung in Belvedere herauszugeben. An der Vorrede zum Katalog nahm auch Goethe teil. Zu diesem Zwecke war er am 3. II. 1820 *mit Professor Dennstedt in Belvedere; die Vorrede des Pflanzen-Catalogs besprochen (III/7, 134).* Ba

Denon (vor der Revolution de Non), Dominique-Vivant (durch *Napoleon) Baron (1747 bis 1825), französischer Kunstsammler, daneben Schriftsteller, Zeichner, Radierer, Lithograph und Medailleur, Freund F*Bouchers, JBd'*Agincourts, JL*Davids, seit 1787 Mitglied der Académie de peinture. Diplomatische Missionen und Beziehungen zu maßgebenden Persönlichkeiten des Ancien Régime ließen ihn während der Revolution verdächtig erscheinen, doch konnte ihn David durch JP*Marat vor der Guillotine bewahren. D. entwarf danach 11 Blatt „Costumes révolutionnaires" als Vorbilder für das offizielle Nationalkostüm. Er nahm am Ägypten-Feldzug Bonapartes teil (1798–1799) und schuf, als Frucht dieses Erlebnisses, den Text und die Illustrationen des sehr erfolgreichen „Voyage dans la Basse et la Haute Égypte..." (2 Bde, 141 Tafeln, 1802), nachdem er schon vorher des Abbé de Saint-Non Werk über Sizilien und Neapel illustriert hatte. Napoleon ernannte ihn zum Generaldirektor der französischen Museen; als solcher bestimmte D. die Auswahl der aus den eroberten Ländern nach *Paris zu schaffenden Kunstwerke und wurde er zum ersten Gestalter des Louvre (der „Pavillon Denon" erinnert an ihn). Als Leiter der Münze lieferte er die Entwürfe zu fast allen dort geprägten napoleonischen Münzen und Medaillen. (Gutes Beispiel: der caesarische Napoleon der Medaille auf die Taufe des Königs von Rom.) Die Restauration ließ ihn im Dunkel. Er benutzte seine letzten Lebensjahre zur Ordnung und Veröffentlichung seiner Privatsammlung („Monuments des arts du dessin chez les peuples tant anciens que modernes...", Text von Amaury-Duval, 4 Bde, 1829). „D. hat zahlreiche graphische Blätter hinterlassen (nach einem alten französischen Katalog 340), meist Reproduktionen von Gemälden und täuschende Kopien seltener Originalradierungen. An originalen Arbeiten finden sich viele kleine Bildnisse, einzelne Genredarstellungen, Tierköpfe und Landschaften" (Thieme-Becker), reproduziert in La Fizelière, „L'œuvre originale de Vivant Denon", 1872. Der Mensch war ein Gemisch von genießerischer, doch gewinnender Lebensfreude, ele-

ganter Bravour im Stil des französischen 18. Jahrhunderts und echter Kunstbegeisterung. – Goethe lernte D. in *Venedig kennen, wo dieser nach Gemälden der dortigen Schule radierte, und hatte vom 18. bis 20. X. 1806 *viel Freude am Wiedersehen* mit dem nunmehrigen *Direktor aller Kayserlichen Museen,* der *zwey Tage bey ihm logirte (IV/19, 210)* – und zwar auf eigenen Wunsch (WVulpius) –, sich gut im Hause betrug, auch in betreff der Kunstwerke (Bdm. 2, 225), das heißt wohl, nichts konfiszierte. Als *ein Regenbogen* nach dem *Gewitter* war er *äußerst munter und artig (IV/19, 216).* Goethe begleitete ihn zur *Herzogin,* war mit ihm *bey Hofe,* blieb bei ihm *bis zu seiner Abreise (III/3, 174f.)* und wußte ihn für das „wissenschaftliche Wesen" Weimars günstig zu stimmen (Goethe-Voigt, 423). D. schrieb sich in das Stammbuch von Goethes Sohn ein – „Je viens de l'éprouver, on a toujours le même âge en frappant à la porte d'un ami" (WVulpius) – und *ließ* Goethes *Profil zeichnen durch *Zix (III/3, 175),* wie auch, unter Goethes Vermittlung, durch JH *Meyer dasjenige *Wielands als Vorlage für eine *Medaille (IV/19, 208).* Diese und eine solche Goethes wurden, nach einer Mitteilung Meyers (?) an die *ALZ, von Medailleuren, die D. begleiteten, ausgeführt (als Tonmodelle?) – Goethe zeigte sie ihm (III/3, 175) –, doch später nie geprägt (Zarncke, 133f.). Am 21. X. wendet Goethe sich brieflich an seinen *estimable ami* und bittet ihn vertrauensvoll um eine Hilfeleistung zugunsten der Universität *Jena *(IV/19, 213f.).* Ein im Tagebuch (III/3, 178) erwähnter Brief vom 9. XI. an D. betrifft höchstwahrscheinlich die politischen Beziehungen zwischen Napoleon und Sachsen-Weimar (Goethe-Voigt, 429). Durch LL d'*Ideville läßt Goethe sich 1809 bei D. in Erinnerung bringen (IV/21, 112). 1816 wird D. vom Großherzog in Sachen einer *Medaille* herangezogen (*Promemoria* Goethes an *Denon; III/5, 210;* IV/26, 280f.). 1818 und 1820 beschäftigt sich Goethe, als Leiter der Anstalten für Kunst und Wissenschaft und als Leser, mit D.s Ägyptenwerk (1818: IV/30, 192 und 1820: III/7, 191, 195). Noch 1831 bemerkt er, aus frisch gebliebener fünfundzwanzigjähriger (!) Erinnerung, daß *die unglücklichen Tage* von 1806 durch D. *zu frohen Festtagen* geworden waren, *indem ... der Genannte wegen früherer Verhältnisse und einem herkömmlichen Zutrauen* ihm *das Lästige des Augenblicks nicht hatte fühlen* lassen *(III/13, 9f.).* In der geplanten Fortsetzung von *DuW (1809: I/26, 363) hätte D. eine Stelle gefunden, zweifellos als ein

Mensch, den die Brutalitäten der Zeitereignisse im Liebenswerten und Hilfsbereiten seines Wesens kaum oder nicht beeinträchtigt hatten.   *Fu*

Grand dictionnaire universel du XIXe siècle. – WVulpius: Das Stammbuch von August von Goethe. In: Deutsche Rundschau 68 (1891). – FZarncke: Goetheschriften. 1897. – ThB 9 (1913). – BrVoigt 3 (1955).

Denstedt, Dorf an der Ilm, 5 km unterhalb von Weimar, mit Rittergut und Schloß der Freiherren von Lincker und Lützenwick, 1822: 234 Einwohner, von Goethe mehrfach aufgesucht oder berührt (erwähnt 1776, 1777, 1779, 1798). RV S. 14–16; 18; 36.   *Dl*

Zeichnungen:
1) Corpus I 164 InvNr 1175: Dächer zwischen Bäumen
   Dat. eigenhändig d 27 Jul 77
2) Corpus I 206 InvNr 1184 R: Häusergruppen an einer Brücke (?)
   Dat. 1778/79
3) Corpus I 295 InvNr 124 = Siesta
   Dat. eigenhändig, aber mit irrtümlicher Ortsangabe: d 12 Juli 76 Arnstad   *Fm*

Dentzel, Georg Friedrich (1755–1824), später baronisiert, aus Dürkheim/Pfalz, studierte Theologie in Jena (immatr. 10. XI. 1774), machte als evangel. Feldprediger in pfalzzweibrückischen Diensten den amerikanischen Unabhängigkeitskrieg mit, war nach seiner Rückkehr Pfarrer in Landau und heiratete dort 1783 eine Bürgermeisterstochter. Während der Französischen Revolution wurde er als Deputierter des Departements Bas-Rhin zum Nationalkonvent nach Paris geschickt und stand später als Konventskommissar bei der französischen Rheinarmee, wo er 1793 bei der Verteidigung Landaus gegen die Preußen durch rücksichtslose Tatkraft auffiel. Nach seiner Rückkehr nach Paris als Gegner der Partei Robespierres verhaftet, erst nach dessen Tod wieder frei; 1795 wieder Mitglied des Konvents, 1796 des Rats der Alten. An zahlreichen Feldzügen Napoleons nahm er als Generaladjutant teil, ua. gegen Preußen, Rußland und Spanien; durch große Milde machte er sich bei den Besiegten beliebt. 1813 wurde er Brigadegeneral; nach Napoleons Sturz diente er den Bourbonen. – D. war der erste der französischen Stadtkommandanten, die nach der Schlacht von Jena und Auerstedt in Weimar eingesetzt wurden (16.–23. X. 1806); er ist zugleich der einzige, den Goethe in seinen Tagebüchern und Briefen mit Namen nennt. Goethe, dem D. seine Ernennung mitgeteilt hatte (undat. Brief im Goethe- und Schiller-Archiv Weimar), verzeichnet am 16. X. 1806 die *Ankunft des Commandanten Dentzel (III/3, 174).* Er speiste mit ihm tags darauf in dessen weimarer Quartier, in Gesellschaft Wielands, zu Mittag (ebda; IV/19, 198) und am 20. X. an der Hoftafel (Fourierbuch

1806). Von der wohlwollenden Gesinnung D.s war er überzeugt: *Daß wir Denzel manches schuldig sind ist mir wahrscheinlich* (an Carl August 19./36. X. 1806 *IV/19, 201*). Als D. im Mai 1808 mit Frau und Tochter mehrere Tage in Weimar weilte, war er zweimal Gast in Goethes Haus, beim zweitenmal mit Frau und Tochter (III/3, 332f.). Daß Goethe den zum französischen General emporgestiegenen Geistlichen pfälzischer Herkunft bis in sein hohes Alter in bester Erinnerung behielt, zeigt mehr noch als eine Bemerkung in den *TuJ* (I/36, 3) sein Tagebucheintrag vom 13. I. 1831 *(III/13, 9f.).*   *Hk*

Nouvelle Biographie Générale XIII. (1855), Sp. 657 bis 658. – Pierer³ 8, S. 199f. – Universitätsmatr. Jena. – Fourierbücher im LHA Weimar.

Deny, 1) Wilhelm (nach 1780–26. I. 1822 Jena) Schauspieler, Sänger. Kam Juli 1805 von *Berlin nach Weimar und war dort bis 1822 engagiert, anfänglich für Helden und Liebhaber, später für das Charakterfach. Vielseitig verwendbar, auch als Baß in der *Oper. Gehörte zu Goethes *Hauskapelle.

2) Dessen Ehefrau, Schauspielerin. In Weimar engagiert Februar 1811 bis zu ihrer Pensionierung November 1821.   *EF*

Depping, Georg Bernhard (1784–1853), gebürtiger Westfale (Münster), naturalisierter Franzose (1827), Sprachlehrer (1803 in Frankreich), Übersetzer, Schriftsteller, besonders: Geschichtsschreiber. D., *der junge talentreiche feurige Übersetzer (I/41^II, 15),* hatte bereits 1819 Fühlung aufgenommen (Ruppert Nr 61), überzeugte 1821 durch seine französische Ausgabe des Ägypten-Berichtes von GB*Belzoni (Sp. 1015; Goethe Jb. 21, 107) und machte sich Goethe im selben Jahre besonders durch *die humoristische Schelmerei einer Zurückübersetzung* von *Rameau's Neffen* vertraut (*I/41^II, 15;* dazu 45, 222–225); übrigens gab es 1823 Streit deswegen mit JLJBrière, dem „Herausgeber der vollständigen Werke *Diderot's" (I/45, 223). 1824/25 entlieh und las Goethe als letztverzeichnetes Werk D.s Publikation „La Grèce ou description topographique de la Livadie, de la Morée et de l'Archipel…" (4 Bde; Paris 1823; Keudell Nr 1650; III/10, 81–83).   *Za*

De Rosne (fälschlich *Derones: I/26, 372),* eine französische, während der französischen Besetzungszeit in *Frankfurt lebende Schauspielerfamilie (Vater, Mutter 1765 retrospektiv als gut erwähnt: IV/1, 26 eine Tochter; zwei Söhne); der älteste Sohn war Goethes Spielgenosse, selbstsicherer literarischer Berater und erfolgreichster Lehrer des Französischen; sein Vater war vermutlich der Theaterdirektor, Renaud (Goethe Jb. 4, 442), was

die stille, ja traurige Haltung der Tochter erklären kann (I/26, 143–149; 168f.).   *Fu*

Derschau, 1) Hans Albrecht von, (1754–1824),
preußischer Offizier, Kunst-, insbesondere Ma-
jolika-Sammler, von dessen Erwerbungen
1817 ein Teil durch Kauf in Goethes Besitz
übergegangen ist (1816: IV/27, 108; 229;
1817: ebda 315; 339; 340f.; 343f.); weitere
Teilbestände der imponierenden Sammlung
(Ölgemälde, geschmelzte Glasmalereien, andere Majoliken usw.) bot der Sohn
–, 2) Hans Albrecht von (1790–1842), bay-
rischer Offizier, aus dem Nachlaß seines Vaters
in einem *freylich höchst verführerischen Catalog*
an *(IV/39, 204;* Ruppert Nr 2234).   *Za*

Desaguliers, Jean Théophile (1683–1744), geborener Franzose, der als Anhänger Newtons
Vorlesungen in England und Holland hielt;
*ward berühmt durch sein Geschick zu experimen-
tiren (II/4, 77).* Goethe widmete ihm in seiner *Farbenlehre* einen eigenen Artikel (ebda
74–77) und setzte sich in Zusammenhang
mit der newtonschen Optik mit D.s Ansichten
gegenüber denen von EMariotte (ebda 77–84)
und JRizetti (ebda 90–94) auseinander (vgl.
III/3, 27; 4, 42; II/2, 134; 143; 4, 65; 131; 209;
403; 480; 5II, 332f.; 418).   *Sl*

Descamps, Jean Baptiste (1706–1791), ist bekannt durch sein kunsthistorisches Werk
„La Vie des Peintres flamands, allemands
et hollandais avec des portraits", das 1753/54
in zwei Bänden in Paris erschien, ebenda
1762 als dritter und vierter Band von *Ar-
genvilles „Abrégé de la vie des plus fameux
peintres".* Es ist im wesentlichen eine Reproduktion von van Maders „Schilderboeck" von
1604 mit urteilsgeschichtlich interessanten Abweichungen. Goethe, der die vierbändige Ausgabe von d'*Argenville in der deutschen Übersetzung von *Volkmann schon als Student
kennengelernt hatte (I/27, 159), las während
seines ersten heidelberger Aufenthaltes 1814,
angeregt durch die Brüder *Boisserée, am 28.
IX. 1814 *nachts die Geschichte der Meister die
mir bekannt geworden im Descamps (IV/25, 46)*
und notierte sich den Titel des Buches am
Rande seines ersten Entwurfes über *Niederländische Kunst (I/34II, 21).* – D. veröffentlichte 1759 die „Voyage pittoresque de la
Flandre et de Brabant", eine topographisch
geordnete Bestandsaufnahme der Gemälde in
Kirchen und öffentlichen Gebäuden.   *Lö*
WvLöhneysen: Die ältere niederländische Malerei im
Urteil der Kunstgeschichtsschreibung, 1953.

Descartes, René (1596–1650), größter französischer Philosoph. Er bezweifelt alles, was
nicht exakt beweisbar ist und wird meist als

Gründer der neuen Philosophie angesehen.
Sein Hauptmittel ist die Mathematik. Die anschauliche Geometrie führt er analytisch in
eine Rechenmethode über. Metaphysisch unterscheidet er dualistisch die Substanzen Ausdehnung und Denken. (In der Hauptsache ist
jene mathematisch bestimmt, diese mathematisch bestimmend.) Für die lebendig schaffende
Seele bleibt in dieser dualistisch-mathemati-
schen Methode nur wenig Raum. Abgesehen
vom freien Willensentschluß des Menschen
sind Mensch und Tier mechanistisch bestimmt.
Obwohl D. die Grundlage für Spinoza und
dessen „geometrische Methode" ist, scheint
sich Goethe nur im Zuge der Geschichte der
Farbenlehre mit ihm genauer beschäftigt zu
haben. In den *Materialien* widmet er ihm ein
Kapitel *Renatus Cartesius.* Im allgemeinen
wird er dem großen Denker gerecht, ohne doch
seine entschiedene Ablehnung zu verhehlen.
Man begreife ihn nur *als französischen Edelmann* von hervorragender Ausbildung. Er
habe die *Facilität in mathematischen Combi-
nationen ... wie sie sich bei andern im Spiel-
geist äußert,* auf die Wissenschaft gewendet.
*Außerordentlich zart behandelt er seine Mit-
lebenden, Freunde, Studiengenossen, ja sogar
seine Gegner. Reizbar und voll Ehrgefühl ent-
weicht er allen Gelegenheiten sich zu compro-
mittiren.* Daher seine Vorsicht gegenüber dem
kirchlichen Dogma, eingedenk des Schicksals
Galileis. Die vereinfachende Formel *Baco
als Empirist, D. als reiner Rationalist, nimmt
Goethe nicht unbesehen hin. Er betont D.s
großen Eifer, *alles mit Augen zu sehen,* auch
unter *Aufwand* und *Gefahr ... an den merkwürdigsten Ereignissen seiner Zeit ehrenvoll
Theil zu nehmen.* Aber als Gegengewicht gegen diese baconische *unendliche Empirie* habe
D. die *Rückkehr in sich selbst, in die Ausbildung seiner Originalität und Productionskraft*
besessen. Dabei sei er der bloßen Mathematik
müde geworden und sei *Naturforscher* geworden *(II/3, 276f.).*
Bis hier versucht Goethe sich in eigner Seele
in D. hineinzudenken. Nun aber sieht er, daß
die Mathematik zu der einseitigen mechanistischen Betrachtung führt und sieht in ihr
Schwierigkeiten für den Naturforscher. D.
*scheint nicht ruhig und liebevoll an den Gegen-
ständen zu verweilen, um ihnen etwas abzugewinnen; er greift sie als auflösbare Probleme
mit einiger Hast an und kommt meistentheils
von der Seite des complicirtesten Phänomens in
die Sache. Dann scheint es ihm auch an Einbildungskraft und an Erhebung zu fehlen. Er
findet keine geistigen lebendigen Symbole, um*

sich und andern schwer auszusprechende Erscheinungen anzunähern. Er bedient sich, um das Unfaßliche, ja das Unbegreifliche zu erklären, der crudesten sinnlichen Gleichnisse. So sind seine verschiedenen Materien, seine Wirbel, seine Schrauben, Haken und Zacken, niederziehend für den Geist, und wenn dergleichen Vorstellungsarten mit Beifall aufgenommen wurden, so zeigt sich daraus, daß eben das Roheste, Ungeschickteste der Menge das Gemäßeste bleibt (II/3, 277 f.). Für Goethes Begriff der Wahrheit ist diese Polemik sehr bezeichnend: Er setzt der einseitigen Hypothese keine andere einseitige gegenüber, sondern läßt alles gelten, was zur Erklärung fruchtbar beiträgt.

In der *Farbenlehre* erkennt Goethe das Verdienst D.s um die Erklärung des äußeren Regenbogens an.   *Hi*

Deschamps, Émile Deschamps de Saint-Amand, genannt Émile (1791–1871), einer der begeistertsten, aber auch klarblickendsten Anhänger der französischen romantischen Schule. 1828 veröffentlichte er unter dem Titel „Études françaises et étrangères" eine Sammlung von Übersetzungen oder Nachbildungen nichtfranzösischer Werke (darunter Schillers „Glokke", Goethes *Braut von Korinth,* schottische Balladen, spanische Romanzen), durch welche die Franzosen mit einigen der bedeutendsten ausländischen literarischen Formen vertrauter wurden; Goethe lobte die Übersetzung der *Braut von Korinth* als *treu und sehr gelungen* (1830: *Bdm. 4, 230).* – Ein Jahr nach der programmatischen hochromantischen „Cromwell"-Vorrede V*Hugos konnte die Vorrede der „Études" als das Manifest des vollendeten klassischen Romantikers bezeichnet werden. D. setzt sich darin mit einer die Fragen falsch stellenden Polemik über Klassik und Romantik – „la haine à la mode" – auseinander, weigert sich, in seiner Urteilsbildung der Gefangene dieser Kategorien zu werden, lehnt es ab, das Wesen der Romantik zu definieren (260; angeführt nach „Oeuvres complètes de Émile Deschamps, Poésie, Deuxième partie", Paris 1872) und stellt einfach die Existenz einer Literatur des 19. Jahrhunderts fest, die wertvolle und wertlose Produktionen aufweist. Angesichts der vollendeten Leistungen der Vergangenheit ist der Anbau früher vernachlässigter Gebiete das einzige Verfahren für die zeitgenössischen Autoren, sich einen Namen zu schaffen: man sehe *Bernardin de Saint-Pierre, *Chateaubriand – „la plus grande figure littéraire de notre temps" –, die Philosophen und Historiker (die beide hinter

dem Ausland zurückstehen: 261). Glücklicherweise für die Heutigen sind die zwei letzten Jahrhunderte der *französischen Literatur hinter dem Ausland in den drei höchsten dichterischen Gattungen, der epischen, lyrischen und elegischen, zurückgeblieben. Daher die Möglichkeiten, die sich Chateaubriand als dem Autor des Prosaepos „Les martyrs", V*Hugo, *Lamartine und de*Vigny geboten haben. Letztere vermählten in der französischen Lyrik jene „hohe Metaphysik", ohne die es keine wirklich ergreifende – „forte" – Poesie gibt, die Seele und den Gedanken miteinander und schenkten damit der französischen Literatur, was ihr bis dahin fehlte (264); doch wird hier auch *Béranger genannt, der sich in seinen Chansons als Talent ersten Ranges ausgewiesen hat (265). Wenn die Literatur der Epoche Extravagantes, hemmungslos Phantastisches, ungeordnet Zusammengestelltes, barbarisch oder lächerlich Geschriebenes aufweist, so darf man sie nicht nach solchen Fehlleistungen beurteilen und als „romantisch", dh. wertlos schmähen; auch die Anhänger der Klassik haben derartiges hervorgebracht (266). Wenn der Wert der zeitgenössischen Poesie gemeinhin nicht anerkannt wird, so deshalb, weil künstlerisches Gefühl und Phantasie beim französischen Leser wie beim französischen Autor selten sind: „Dans notre pays, on comprend beaucoup plus et beaucoup mieux qu'on ne sent" (267). Dafür ist besonders die sogenannte große Welt verantwortlich; denn das Gefühl für Poesie verlangt zu seiner Entwicklung ein in sich gesammeltes oder leidenschaftliches Leben, und die Salons wissen nicht darum (268). Wohl aber gibt es eine kleine Minderheit, die der Poesie und dem Traum so geöffnet ist wie die Menschen am Arno und in den Bergen Schottlands (269). Wenn die Philosophen, Dichter und Historiker ihre Kräfte vereinigen statt gegen sich selbst zu kehren, werden sie unter dem Doppelgestirn des Guten und Schönen das „große Werk" des 19. Jahrhunderts schaffen können, wie ihre Vorgänger die „neue Ordnung der Dinge" geschaffen haben (272f.). Was die Dramatik anbelangt, ist zwar Shakespeare das größte moderne dramatische Genie; aber die französische Dramatik hat sich zwei Jahrhunderte lang als fruchtbar erwiesen, während England nach Shakespeare nichts wirklich Großes mehr hervorgebracht hat. Wenn die klassische französische Tragödie stofflich nicht viel geschaffen hat, so kann man ihr doch nicht die „ungeheure Schöpfung" ihrer typischen Kunstform abstreiten

(273f.). Danach muß der Dramatiker, der durchdringen will, Neues bringen (276), wobei, jeden bornierten Literaturpatriotismus – „patrioterie littéraire" – beiseitegesetzt (282), ein adäquat übertragener Shakespeare Führer sein kann (277). An Autoren von Tragödien, die dem Wechsel der literarischen Systeme und Moden trotzen werden, sind genannt: N*Lemercier(„Agamemnon"), A*Soumet („Clytemnestre", „Saül"), P.-A. Lebrun (Übersetzer von Schillers „Maria Stuart"), P.-M. Guiraud („Les Macchabées"), als letzter, und als einziger Schöpfer von etwas ganz Neuem, C*Delavigne, Autor des „Paria", eines Werkes für ein anspruchsvolles Publikum, das Sinn für Gedankendichtung, originale, lebensvolle Charaktere und poetische Diktion hat (279). Das alles besagt nicht, daß *Corneille und *Racine zu verwerfen sind: „Dans l'empire des arts, il y a un trône pour chaque génie" (282). Neben der Freiheit in der Wahl der dramatischen Form verlangt D. für jeden Autor die Freiheit zum persönlichen Stil, wozu auch die Versbehandlung gehört: hier hat die verständnislos-exklusive Nachfolge Racines bewirkt, daß gewandte Techniker der Versbehandlung – „versificateurs" – für dichterische Talente gehalten wurden (289ff.). Hier lag das Verhängnis; denn das Durchschnittliche, Abgegriffene – „le commun" – tötet, trete dieses in klassischer oder romantischer Form auf. „C'est contre le commun que toutes les colères de la saine critique doivent être dirigées" (292). – Manche seiner eigenen Gedanken fanden für Goethe in dieser Vorrede ihre Bestätigung: Bernardin de Saint-Pierres und Chateaubriands literaturhistorische Stellung (1829: Bdm. 4, 164), der Rang VHugos und Lamartines als Lyriker (1827: Bdm. 3, 312), Wert und Wirkung Bérangers (1830: Bdm. 4, 233 geht fast wörtlich auf D. zurück), die Beurteilung des „Paria" Delavignes (1824: I/41[II], 100f.), die freiere Versbehandlung in der zeitgenössischen Lyrik (1828: I/40, 420), die Extravaganzen gewisser Romantiker (1831: IV/48, 242f.; IV/49, 65; III/13, 168), die Schätzung der Historiker FPG*Guizot und AF*Villemain, die geringe Rolle der Phantasie bei den französischen Autoren (AFuchs, 335f.), die seelisch-geistige Gefahr der Salons (ebda 321), die Notwendigkeit der Befruchtung der französischen Literatur von außen (1824: Bdm. 3, 143), vielleicht der Gedanken, daß die Franzosen sich nach ihrem 18. Jahrhundert eine neue literarische Führerrolle in Europa zusprechen dürfen (1829: IV/45, 295); hocherfreulich mußte ihm

auch das übernationale Denken D.s, hierin eines Geistesbruders JJA*Ampères (Bdm. 3, 389), sein. Schließlich deutet die gemeinsame Ablehnung der nur aufgrund der Chronologie aufgestellten Kategorisierung Klassisch-Romantisch auf eine andere wichtige Ähnlichkeit in der geistigen Haltung D.s und Goethes und dürfte in ihrer Formulierung, auch im Hinblick auf den Kontext – *die neuesten französischen Dichter* –, durch die D.-Lektüre angeregt worden sein (zu Eckermann: 2. IV. 1829). All dies erklärt Goethes Schätzung des von D. *mit großer Mäßigkeit und Umsicht eröffneten Überblicks* (1830: *IV/46, 264*). Neben *Barante und Villemain ist D. der einzige, der Goethe, dem Betrachter der französischen Literaturgeschichte, etwas bot, was über das rein Stoffliche (Ch*Palissot) hinausging. – D.s Medaillon von *David d'Angers befand sich in der bekannten Huldigungssendung der französischen Romantiker. *Fu*

AFuchs: Goethe et l'esprit français. In Goethe et l'esprit français. Actes du Colloque international de Strasbourg. S. 307–343. 1958.

Desmarais Desmarest: I/32, 70]; Desmarés: *I/46, 385*, auch *Des marez* und andere Abweichungen), Jean Baptist Frédéric (1756 bis 1813), Maler, Professor an der Akademie zu Carrara und seit 1804 in Florenz, gab 1787 sein Bild „Der sterbende Pindar" in die Ausstellung der französischen Akademie zu *Rom, *es ist viel Verdienst in dem Bilde*, schrieb Goethe *(I/32, 64)*. *Meyer behandelte D. in seinem Entwurf zu einer Kunstgeschichte des 18. Jahrhunderts. Goethe erhielt noch 1806 Kenntnis von D. durch Ph*Hackerts Brief, in dem über Komposition und Malweise D.s berichtet wurde (I/46, 385). *Lö*

Dessau (als Dissouve von flämischen Einwanderern vor 1200 an der Mulde gegründet), um 1213 schon Stadt, seit 1603 die Haupt- und Residenzstadt des Fürsten-, 1807 Herzogtums *Anhalt-Dessau (vgl. hier Sp. 281), bot sich Goethe in den Jahren 1776–1797 und mit seinen knapp 9000 Einwohnern (1818: 9136; 1824: 9400) so *ansehnlich* dar, wie es Leopold III. Friedrich Franz dank seiner langen Regierungszeit (1757/58–1817) zu entwickeln vermochte. Sechs Aufenthalte Goethes sind als wesentlich urteilsbildend zu notieren: 1776 (Dezember), 1778 (Mai, Juni), 1781 (September), 1782 (Dezember), 1794 (Juli, August), 1797 (Januar). Doch sind die Äußerungen spärlich. Der Knobelsdorff-Bau des Schlosses (1748–1751) inspirierte Goethe nicht sonderlich, wenngleich er ihn einigermaßen an *Palladio zu erinnern vermochte (1786: III/1,

293; dazu FWv*Erdmannsdorf; *Wörlitz; HbgA 11, S. 583–585). Goethe erwähnte das *kleine Schloß* (dh. den westlichen alten Flügel) nur als Sitz der *Chalkographischen Gesellschaft (1797: *III/2, 51); das altdeutsche Haus* (1872/74 stark überbaut) spielte in einem Reisebericht des Enkels Wolfgang vielleicht wegen des „Krötenringes" und der damit verbundenen askanischen Familiensage eine besondere Rolle (1830: *III/12, 279*). Das Schloßtheater wurde nicht als Bau, sondern als Bühne vermerkt, allerdings kam in der Frühzeit das *Bauwesen* in Stadt und Land zur Sprache (1778: *III/1, 67*). Die pädagogischen Bemühungen des Landesherrn, insbesondere das Philantropinum JB*Basedows (vgl. hier Sp. 280) standen zunächst und zeitentsprechend im Vordergrund. Goethe besichtigte die Anstalt in ihrem Haus Zerbster Straße 12, wo nach 1789 auch der pensionierte Hofrat EW*Behrisch (hier Sp. 973) wohnte und wo 1793 nach Auflösung des Philanthropinums die Amalien-Stiftung, eine Armenanstalt für Frauen, gegründet von Amalie, der im selben Jahre noch gestorbenen Tochter Leopolds III. Friedrich Franz, untergebracht wurde. Die gartengestalterischen Maßnahmen des Fürsten betrafen zwar hauptsächlich *Wörlitz, aber Goethe begegnete ihnen doch auch in dem stadtnahen Louisium (Dessau-Jonitz), wo die Fürstin Louise ihren Lieblingssitz hatte (vgl. hier Sp. 282); die dortige Gemäldesammlung (A*Kauffmann-Zucchi: Amor und Psyche) war sehenswert (1797: III/2, 52). Der verkehrswichtigen Lage seiner Residenz kam der Fürst durch bauliche Pflege der alten hochberühmten Elbbrücke (Wallenstein-Schlacht vom 25. IV. 1626) nach, mehr noch durch Errichtung einer neuen Muldebrücke (1797: III/2, 52). Die „Dessauische Verlagshandlung" (1781–1788) war Goethe zunächst durch FJJ*Bertuch, vornehmlich aber in Verbindung mit Herder (HA 22, S. 312f.) und in dieser Hinsicht nicht gerade sehr rühmlich vertrauter geworden (vgl. auch *DuW: I/28, 116*). Das damalige Wohnhaus der mit Goethe mütterlicherseits verwandten Familie v*Loën (Besuch 1797: III/2, 52; I/35, 70) steht nicht mehr. Das Geburtshaus M *Mendelssohns (Askanische Straße 1) war noch nicht hervorgehoben. Späterhin und bis in die letzte Lebenszeit konnte sich Goethe durch die familiären Beziehungen der *Pogwischs über *Dessauer Personal und Verhältniß* auf dem Laufenden halten lassen und tat es offenbar gern (zB. 1820: *III/7, 159*. Häufige Besuche der Angehörigen, besonders Ottiliens

und der Enkel gaben stets erneuten Anlaß (zB. 1817, 1818, 1822, 1829, 1830). RV S. 15; 17; 21f.; 31; 33.

Personen: Angehörige des Hauses *Anhalt-Dessau; Herzog Carl August und Begleitpersonal; im übrigen besonders: seit 1767: EW*Behrisch (Sp. 969f.; 972f.); 1776, 3. XII.: Friedrich Samuel (G) Kretschmar, anhalt-d.ischer Leibarzt (Bdm. 1, 84); 15. XII.: JB*Basedow (III/1, 28); HJ*Campe (hier Sp. 814); wahrscheinlicher Begleiter Goethes; Chr*Kaufmann; 1778, 26. V.: JBBasedow (III/1, 67); 1783, April: F*Matthisson als Lehrer des *Philanthropins in Weimar (Bdm. 1, 116f.), später in *Wörlitz wohnhaft; 20.–24. XI.: „Dessauische Herrschaften in Weimar", ? Angehörige des Fürsten-Hauses und deren Begleitung (IV/6, 449; vgl. 216); 1797, 3.–5. I.: Familie JJv*Loën (I/35, 70); Franz Anton Johann Georg Graf von Waldersee (1763–1823), natürlicher Sohn des Fürsten Leopold Friedrich Franz von Anhalt-Dessau [vgl. Behrisch Sp. 970], Schriftsteller und dessen Frau (III/2, 52) Luise Caroline Kasimire Sophie, geb. Gräfin von Anhalt (gest. 1842), späterer Besuch Waldersees in Weimar 29. X. 1813 (III/5, 81); *Chalkographische Gesellschaft; besonders erwähnt: *Biegler, d. i. JP Pichler, der am rasenden Herkules nach Dominichin arbeitete (III/2, 51)*; Schauspieler in *Ifflands „Die Hagestolzen": Ehepaar Sehring: *Mad. Sehring ist leidlich im Fache der komischen Mütter aber ohne Energie; ihr Mann ein guter Schauspieler an das Chevalierfach grenzend;* Luise Neefe; *eine sehr leidliche Actrice. Zwar nicht gebildet aber von gutem Naturell, sie spielte die Rolle der Margrethe recht artig (III/2, 51f.);* JFA*Tischbein (Bdm. 1, 254), Wiederbegegnung 3. IV. 1798 in Jena (III/2, 204); 1807, 27. VII. Karlsbad: KGv*Raumer *aus Dessau (III/3, 249)*; 1809, 9. I. Weimar: Friedrich Wessel, Opernsänger (geb. um 1788), *bey der Dessauer Bühne, die sich gegenwärtig in Leipzig befindet, hat sich hier gemeldet und will in jugendlichen seriosen Baßpartieen auch komischen Rollen etwas leisten, so wie auch im Schauspiel nicht ganz unnütz seyn (IV/20, 276f.;* vgl. 285*);* 1813, 8. I. Weimar: *Kammerherr Wilhelm von Hagen, ein Onkel von Goethes Schwiegertochter (III/5, 3;* vgl. November 1823: *Wegen dem Tode des Onkels in Dessau alles in Consternation; III/9, 147);* 11. VIII. Dresden: JH *Beck *von Dessau copierte den Raphael (III/5, 68;* hier Sp. 936); 1817, 28. V. Jena: Bezugnahme auf den vielleicht schon bekannten Pädagogen und Philanthropinlehrer Ludwig Heinrich Ferdinand Olivier (1759–1815; 1781–1801 in D.), der nach Auflösung des Philanthropinums eine eigene Anstalt in D. aufgemacht hatte (1793–1801), sowie auf dessen beide Söhne Johann Heinrich Ferdinand (1785–1841) und Woldemar Friedrich (1791–1859), die sich als Landschaftsmaler betätigten (IV/28, 104);

9. IX.: CAckermann, Buchhändler in D., bietet goethesche Handschriften aus dem Nachlaß von EWBehrisch an (Morris 6, 47);

24. XII.: August von Rode (1751–1837), Prinzenerzieher, seit 1795 Kabinettsrat, Bibliothekar, 1803 geadelt, Goethe zumindest seit 1797 bekannt (*Vitruv-Übersetzung: IV/12, 46; 403; 14, 225), wendet sich in ebendieser Nachlaß-Angelegenheit durch Vermittlung CLv*Knebels an Goethe (GootheJb. 3, 421; 7, 119f.), dieser dankt für die erhaltenen Handschriften am 19. I. 1818 (IV/29, 15; III/6, 157; 160);

1822, 6. V.: CW*Coudray *welcher viel von Dessau ... erzählte (III/8, 193);*

1826, 24. VIII. Weimar: erstmals persönlich W*Müller (III/10, 234) mit Alexander Heinrich Frhr von Simolin (geb. 1800), herzgl. anhaltdessauischem und kgl. preußischem Kammerherrn; 1827, 17. VI. Weimar: *Frankfurter und Dessauer (III/11, 72);*

1830, Juni: Dr. Olbers (IV/47, 110; ?Heinrich Wilhelm Mathias Olbers);

1831, 15. VI. Weimar: *Hofrath Vogel mit einem Dessauer Freunde (III/13, 92).*   *JP*

Destouches, Franz, geb. 14. X. 1774 in *München, gest. ebenda 9. XII. 1844, Sohn eines bayr. Hofkammerrats, kam 1787 zu JHaydn nach Wien in die Lehre. Nach Reisen als Pianist erhielt er eine Stelle als Musikdirektor in Erlangen und kam 1799 als *Goepferts Nachfolger nach Weimar, wo er unter dem Titel eines herzoglichen Konzertmeisters vor allem die Schauspielmusiken zu *Schillers Dramen schrieb. Doch warf man ihm zuviel Janitscharenlärm vor, weshalb ihn 1810 AE*Müller ablöste. Er kehrte in seine Vaterstadt zurück, wo er als nur nomineller Hofkapellmeister wenig mehr geleistet hat. (Nicht zu verwechseln mit einem Opernkomponisten, dem Kardinal André D., 1672–1749, den Goethes Kommentar zu *Rameaus Neffe* irrig mit dem Komödiendichter Philippe D. zusammenwirft).   *Mr*

Destouches, Philippe Néricault, genannt (1680 bis 1754), französischer Komödiendichter im Sinne der klassischen Ästhetik N*Boileaus; bekannteste Stücke: „Le curieux impertinent", der seinen Ruf begründete; „Le Glorieux", sein

Meisterwerk. Bereits der Knabe Goethe kannte D. (I/26, 143); der leipziger Student sieht ihn auf der Bühne (I/36, 227), der straßburger Goethe muß ihn veraltet nennen hören (I/28, 63), der weimarer Goethe trifft 1776 den „Glorieux", 1778 den „Poetischen Landjunker" (= „La fausse Agnès ou le poète campagnard") auf der Liebhaberbühne an (Goethe Jb. 4, 113; 115). In den *Guten Weibern* hat die Geschichte der Pächterin (1801: I/18, 301–305) Ähnlichkeit mit D.s „Dissipateur ou l'honnête friponne" (1765 und 1779 in deutscher Übersetzung: „Der Verschwender oder die ehrliche Betrügerin"); doch ist weniger Abhängigkeit Goethes von D. als beider Abhängigkeit von einer gemeinsamen unbekannten Quelle anzunehmen (GootheJb. 7, 375; 15, 152). Die *Anmerkungen* zu *Rameau's Neffen* geben eine Vierzeilencharakteristik des Mannes und seines Werks (1805: I/45, 166f.), während der Dialog den Musiker ADestouches im Auge hat (ebda 113).   *Fu*

Des Voeux, Charles (??–1833?), englischer Diplomat, Gesandschaftsattaché, einer der besonders vertrauten, ja amourös umworbenen Männer aus dem Freundeskreis Ottiliens vPogwisch-Goethe, übersetzte wohl auf deren Veranlassung und sehr wesentlich mit deren Hilfe Goethes *Tasso* ins Englische (London 1827). Goethes anfänglich positives Urteil (29. III. 1827: IV/42, 103f.) wurde durch Th *Carlyles sehr ungünstige, vielleicht nicht völlig uneigennützige Stellungnahme (18. IV. 1828: IV/43, 404) negativ beeinflußt, was Ottilie zu spüren bekam: *Ich hätte gewünscht daß dir für Antheil und Bemühung ein freundlicheres Resultat wäre zu Theil geworden* (18. VII. 1828: *IV/44, 215*). Die zweite Ausgabe der Übersetzung, 1833 nach beider Tode von Ottilie veranstaltet, brachte anhangsweise noch Balladen (Schiller, Uhland ua.), für deren Englisch Ottilie allein verantwortlich war. Bei seinen persönlichen Aufwartungen in Weimar (1827, 1829, 1830) wurde D. auch von Goethe sehr freundlich aufgenommen. 1829 glaubte Ottilie sogar die Zustimmung Goethes zu einer neuen Übersetzer-Aufgabe für D. erlangen zu können, aber die Versetzung nach Konstantinopel und alsdann der schnelle Tod machten allen Plänen ein Ende (III/11, 37; 63; 12, 136; 142; 239; 240; IV/47, 63).   *Za*

Deutsch-Amerikanischer Bergwerksverein in Elberfeld. 1824 als kommerzielles Unternehmen gegründet (bestand bis 1838). Bergwerksunternehmungen in Mexiko. Goethe erhielt durch Vermittlung von EA*vBeust Ende 1827 von der Direktion des Vereins eine

Kollektion mexikanischer Gebirgsarten zur Ansicht. *Wenn ich dieselben nunmehr mit den mir bekannten und in meiner Sammlung befindlichen Beyspielen anderer Zonen vergleichend betrachten werde, so habe ich mich dabey der Freundlichkeit zu erinnern, mit der Sie mir Gelegenheit geben, meine Kenntnisse auf eine so erwünschte Art zu erweitern (IV/43, 256).* Die Gesellschaft ließ Goethe von 1829 ab durch wiederholte Übersendung ihrer Rundschreiben und Generalberichte an der wirtschaftlichen Entwicklung des Unternehmens teilnehmen (III/12, 73, 335; III/13, 37; 113; 122). Goethe fühlte dadurch seine *Kenntnisse in geographischer, statistischer, naturwissenschaftlicher und sonstiger Hinsicht erweitert (IV/46, 247).* Im August 1831 erbat er sich für seine Sammlung Stufen aus dem der Gesellschaft gehörigen Bergwerk Anangueo, *um sich sowohl geognostisch als mineralogisch jene höchst bedeutenden Erdpuncte vergegenwärtigen zu können.* Wobei er feststellte, *Der Drang nach Autopsie scheint sich mit den Jahren zu steigern (IV/49, 40).* Die letzte Sendung vom Verein erhielt Goethe am 6. I. 1832 (III/13, 201).   *Ba*

Deutsch / Deutschland. Goethe hat in seinem *Menschen- und *Gesellschaftsbild, in seinem Wirklichkeits- und Weltverständnis nur sehr wenig, eigentlich gar keinen Raum für den *Nationalismus und für dessen vielerlei isolierende Erscheinungsweisen, auf deren mehr und mehr verabsolutierende Betonung man schon zu seinen Lebzeiten Wert zu legen begann (*Politik). In immer neuen Variationen und Modifikationen spricht er sein Credo aus. *Nur alle Menschen machen die Menschheit aus, nur alle Kräfte zusammengenommen die Welt. Diese sind unter sich oft im Widerstreit, und indem sie sich zu zerstören suchen, hält sie die Natur zusammen und bringt sie wieder hervor. Von den geringsten thierischen Handwerkstriebe bis zur höchsten Ausübung der geistigsten Kunst, vom Lallen und Jauchzen des Kindes bis zur trefflichsten Äußerung des Redners und Sängers, vom ersten Balgen der Knaben bis zu den ungeheuren Anstalten, wodurch Länder erhalten und erobert werden, vom leichtesten Wohlwollen und der flüchtigsten Liebe bis zur heftigsten Leidenschaft und zum ernstesten Bunde, von dem reinsten Gefühl der sinnlichen Gegenwart bis zu den leisesten Ahnungen und Hoffnungen der entferntesten geistigen Zukunft, alles das und weit mehr liegt im Menschen, und muß ausgebildet werden; aber nicht in einem, sondern in vielen. Jede Anlage ist wichtig, und sie muß entwickelt werden. Wenn einer nur das Schöne, der andere* nur das Nützliche befördert, so machen beide zusammen erst einen Menschen aus. *Das Nützliche befördert sich selbst, denn die Menge bringt es hervor, und alle können's nicht entbehren; das Schöne muß befördert werden, denn wenige stellen's dar, und viele bedürfen's (1794/96: I/23, 216 f.). Nur sämmtliche Menschen leben das Menschlichche. (1798: IV/13, 137). Das eigentliche Studium der Menschheit ist der Mensch* (1809: I/20, 293). Solche und ähnliche Sätze, deren Zahl Legion ist, formulieren das Grundproblem des Verhältnisses, genauer: des Wechselverhältnisses, das zwischen dem Besonderen und dem Allgemeinen, zwischen dem Allgemeinen und dem Besonderen besteht und allein durch dieses sein dialektisches Bestehen beide konstituiert. *Das Allgemeine und Besondere fallen zusammen: das Besondere ist das Allgemeine, unter verschiedenen Bedingungen erscheinend* (1829: *MuR:* Hecker Nr 569). *Das Besondere unterliegt ewig dem Allgemeinen; das Allgemeine hat ewig sich dem Besondern zu fügen* (1823: *MuR:* Hecker Nr 199). Die *Coincidentia oppositorum in jeder, zumal in dieser Form ist für Goethe ein unverbrüchliches Wirklichkeits- und Weltgesetz, das ebendeswegen für *Natur und *Geschichte gleichermaßen gilt und das er selbst mit *Polarität bezeichnet, indem er freilich – in *funfzigjährigem Fortschreiten* (1828: *II/11, 11 f.*) – die Steigerung mitdenkt. Aus dem damit charakterisierten Kraftfeld tritt niemand ungestraft, dh. ohne Preisgabe seiner Existenz heraus.

Die sehr zahl- und formenreiche Kritik Goethes an seinen *wunderlichen, jedoch immer geliebten Landsleuten* (1814: *IV/24, 134*; *Volk/Volkheit) zielt in wechselnden Tönen und Betonungen stets auf den neuralgischen Punkt, wo sie in freilich wesenstief verwurzelter Fehlinterpretation *der ursprünglichen deutschen National-Freyheit* (1814: *IV/24, 101*; *Freiheit) aus diesem Kraftfeld herauszufallen drohen oder es tatsächlich verkennen und verlassen. Den geschulten, erfahrenen Naturforscher beunruhigt dabei imgrunde der *Specificationstrieb, das zähe Beharrlichkeitsvermögen dessen was einmal zur Wirklichkeit gekommen* (1823: *II/7, 75*) und was dergestalt die *Metamorphose* alles Lebendigen gefährdet oder verhindert (*Biologie Sp. 1238–1239). 1821 hatte er mit Nachdruck formuliert: *Die Natur geräth auf Specificationen wie in eine Sackgasse: sie kann nicht durch und mag nicht wieder zurück; daher die Hartnäckigkeit der Nationalbildung (MuR:* Hecker Nr 95). Diesbezüglich war es schon in der Schiller-Zeit kaum zu hart, von *bornirter Deutschheit* zu sprechen (1797: *IV/12, 358*). Auch die *Xenien* lassen an Deutlichkeit nichts zu wünschen übrig. Man erinnere sich der verdrießlichen Frage, wo *Deutschland .. liegt: Ich weiß das Land nicht zu finden, / Wo das gelehrte beginnt, hört das politische auf* (1796: *I/5¹, 218 Nr 95*). Hier steckt ein vielleicht tiefstgreifender Vorwurf. Vor Goethes Augen klaffen Denk- und Daseinsformen so weit auseinander, daß sie zunächst und durchaus typisch als unvereinbar erfahren werden. Aber damit ist die Intention noch nicht ganz erfaßt. In dieser Erfahrung nämlich liegt nicht nur das Negative der (derzeitigen) Unvereinbarkeit des Denkens mit dem Dasein, sondern das Positive der Möglichkeit, eine solche Erfahrung überhaupt zu machen, sich ihrer als eines Problems bewußt zu werden sowie das Resultat zum Postulat zu erheben. Die Diskrepanz wird nicht ignoriert, nicht beschwichtigt, nicht verschönt: *Schädliche Wahrheit, ich ziehe sie vor dem nützlichen Irrthum. / Wahrheit heilet den Schmerz, den sie vielleicht uns erregt* (1796: *I/1, 352 Nr 49*). In diesem (zeitlich sehr engen) Zusammenhang kann man (auch sachlich) das unmittelbar dem vorzitierten nachfolgende *Xenion* erst ganz verstehen: *Zur Nation euch zu bilden, ihr hoffet es, Deutsche, vergebens; / Bildet, ihr könnt es, dafür freier zu Menschen euch aus* (1796: *I/5¹, 218 Nr 96*). Goethe will damit aus der Erfahrung der Diskrepanz von Denk- und Daseinsformen heraus versuchen, Negatives in Positives umwandeln zu helfen. Er will die Diskrepanz bewußt machen und die Unvereinbarkeit ihrer Pole in der höheren Dimension des Echten als aufhebbar erscheinen lassen. Daher denn ruft er die gleichsam regenerativen Reserven spezifischer Grundanlagen (auch) seines Volkes auf: *ihr könnt es!* Zwanzig, dreißig Jahre später wird er seine Forderungen sehr viel radikaler formulieren. Im Grunde wußte er schon jetzt, daß einer solchen postulierten Metamorphose immer wieder die Beobachtung widerspricht: *der Deutsche treibet* extremistisch, ohne sicheres Gefühl oder gar Wissen um die Notwendigkeit der Balance, *doch alles zu einem Äußersten* (1796: *I/5¹, 252 Nr 323*). Am verderblichsten wirkt dabei der Drang nach Individualität um der Individualität willen, ein *specificirend* verbohrter, *bornirter* Ernst, mit dem man sich ihm hingibt sich ihm unterwirft, mit dem man jegliches *Einander-Gelten-Lassen* in rechthaberischer, überdies jeweils unreflektierter, zumindest leichtfertig besserwisserischer Ablehnung alles, ja des Anderen

zu ersticken droht. So steht man nicht nur in der Poesie, sondern in der Realität vor einer *verzeddelten Menge: Alle ihre Tugenden und ihre Mängel lassen sich hieraus ableiten* (1811: *I/27, 393*). Harte Worte. Noch härtere: *Sich von einander abzusondern ist die Eigenschaft der Deutschen; ich habe sie noch nie verbunden gesehen als im Haß gegen Napoleon. Ich will nur sehen was sie anfangen werden, wenn dieser über den Rhein gebannt ist* (1813: *IV/24, 43*). *Es ist niemandem erfreulich, ... daß dieß nun einmal die Art der Nation ist, sobald sie von fremdem Drucke sich befreyt fühlt, unter sich zu zerfallen* (1814: *IV/24, 134*). Mit wachsendem Zorn bemerkt Goethe nach wie vor *die falsche Sucht, Original seyn zu wollen* (1813: *IV/24, 31*). Am 3. II. 1814 macht sich aufgestauter Grimm in bitteren *Tagesreimen (III/5, 95)* Luft: *Verfluchtes Volk! kaum bist du frei, / So brichst du dich in dir selbst entzwei. / War nicht der Noth, des Glücks genug? / Deutsch oder Teutsch, du wirst nicht klug (I/5¹, 144)*. Für ihn ist das schon eine schmerzlich alte Melodie: *Es ist in diesem Volke ein eignes Gemisch von Originalität und Nachahmerey* (1801: *IV/15, 186*). Außerdem haben seine Menschen *von jeher die Art, ...daß sie es besser wissen wollen als der, dessen Handwerk es ist, daß sie es besser verstehn, als der, der sein Leben damit zugebracht ... welches ihnen jedoch, in Betracht ihrer übrigen Untugenden, verziehen werden soll* (1812: *IV/23, 200*). Die politischen Verhältnisse ließen oder lassen derlei nicht nur zu, sondern sie sind angemessener Ausdruck, indem *Deutschland, und besonders das nördliche, in seiner alten Verfassung* (dh. solange das „Reich" bestand) *den Einzelnen freigab, sich so weit auszubilden als möglich, und Jedem erlaubte, nach seiner Art beliebig das Rechte zu thun, ohne daß jedoch das Ganze jemals eine sonderliche Theilnahme daran bewiesen hätte* (1807: *IV/19, 377 f.*). Schlimme Konsequenzen: *die Spaltungen werden in's Unendliche gehen* (1815: *IV/25, 243*), *der Deutsche weiß wohl zu berichtigen, nicht zu suppliren, zu ergänzen (ebda 241)*, *jeder glaubt sich berechtigt, ohne irgend ein Fundament bejahen und verneinen zu können, wodurch denn ... ein Krieg aller gegen alle erregt wird* (1816: *IV/27, 170*). Die Vorurteilerei und das Beckmessertum regieren über Gut und Böse, nicht über sich selbst. Der schönen Reden dabei sind viele, und mit einer besonderen Meisterschaft im Schleiermachen verhüllt man die eigensüchtige, eitle Niedertracht seiner Rhetorik (1814: *I/6, 106*). An die **Barbaren* wird mit dem Zorn des Vielerfahrenen er-

innert: *Alle unsere Akademien haben noch
barbarische Formen in die man sich finden muß,
und der Partheygeist der meistens Collegen trennt,
macht dem Friedfertigsten das Leben am sauersten und füllt die Lustörter der Wißenschaften
mit Hader und Zank* (1782! *IV/5, 265f.*). Fast
verächtlich heißt es: er *ist so närrisch..., daß er
versichert er könne ganz für sich bestehn, indem
er sich sogleich die Verdienste aller Völker an-
maßt und versichert alle Nationen stammen von
ihm ab, oder seyn wenigstens ihm von der Seite
verwandt* (1817: *IV/28, 68*). Alles in allem: die
lieben Deutschen sind *in ihren anarchischen
Wust verliebt* (1809: *IV/21, 100*).
Wir fragen nicht, ob und wieviel von solchem
Urteils-Unmut auch ähnlich organisierte Angehörige anderer Nationen bei der Kennzeichnung ihrer Landsleute aufbrächten. Überdies
sind die meisten dieser Äußerungen mehr oder
minder versteckte Imperative, Postulate, Monita. Die überwiegende Masse der angeführten
Zeugnisse entstammt den Jahren der Napo-
leons-Herrschaft und der *Freiheitskriege. Das
ist aufschlußreich. Denn läßt man den schnell
verflammten nationalen Enthusiasmus der
*Sturm- und Drang-Zeit beiseite (es ging da-
bei um die Suche nach dem Ursprünglich-
Urbildlichen auf eine besondere Weise), so
ringt Goethe mit gelegentlich sogar ausgesprochener Bewußtheit seiner Parallelität zu *Blücher (Sp. 1285) um eine „Befreiung" seiner
Lands- und Volksbrüder, und zwar von *Phi-
lister-Netzen* (1819: *I/5I, 103*). Die goethesche
Definition des *Philisters*, die FW*Riemer überliefert hat, deckt sich begrifflich exakt mit den
Prinzipien der goetheschen Kritik am National-Charakter: *Man wird in philisterhaften
Äußerungen immer finden, daß der Kerl immer
zugleich seinen eignen Zustand ausspricht, indem er den fremden negiert, und daß er also
den seinigen als allgemein sein sollend verlangt.
Es ist der blindeste Egoismus, der von sich selbst
nichts weiß, und nicht weiß, daß der der andern
ebensoviel Recht hätte, den seinigen auszuschließen, als der seinige hat, den der andern* (1807:
Riemer/Pollmer S. 282f.). Damit ist die Verderblichkeit des *Specificationstriebes*, sobald
dieser in philisterhafter Verabsolutierung und
demzufolge ursprungs-entfremdeter Gegenbildlichkeit – *abstrus*, sagt Goethe – auftritt,
als *blindester Egoismus* gebrandmarkt – als die
Quelle von Übeln ohne Ende. So ist es denn
imgrunde alles andere, nur kein Kompliment,
wenn man aus den Jahren 1826/30 Äußerungen vernimmt wie: *Im Deutschen lügt man,
wenn man höflich ist (I/15I, 98 V. 6771);* ein
solcher Satz fixiert, zwar euphemistisch, aber

doch sehr skeptisch, die Kommunikations-
unfähigkeit hypertropher *Nationalbildung*,
dh. die Unfähigkeit der Wahrheitsfindung auf
einer höheren Ebene der Umgangsformen.
Bejaht werden kann der *Specificationstrieb
nur*, wenn seiner *vis centripeta* sogleich die
vis centrifuga der *metamorphosischen* Verwandlungslust und *Steigerungskraft* coincidiert.
Dem Bestreben, im National-Charakter zu
beharren, muß der Drang zum *Weltbürgertum*
infiltriert werden oder besser: selbständig und
selbsttätig innewohnen.
Hier haben die Landsleute eine echte Chance,
und an dieser Stelle antwortet Goethe seiner
bisherigen Negation mit einer ebenso nachdrücklichen Position. Dazu müssen *die Deutschen begreifen, daß man in guter tüchtiger Kerl
seyn kann, ohne gerade ein Philister und ein
Matz zu seyn* (1796: *IV/11, 163*). Sie müssen
aus den *cimmerischen Nächten* (*Cimmerien;
*Thule) der *Speculation* aufbrechen, sie müssen Norden und Süden verschmelzen (*Ballade Sp. 695–702), Westen und Osten verbinden *(West-östlicher Divan)*, sie müssen sich
(zunächst) *immer treuer an einander schließen*
(1815: *IV/25, 217*), sie müssen (alsdann) zugleich *anstatt sich in sich selbst zu beschränken,
die Welt in sich aufnehmen..., um auf die Welt
zu wirken* (1817: *IV/28, 41*). Optimistisch vielleicht mehr als realistisch heißt es damals aber
auch schon: *Man kann die Deutsche Nation
recht lieb haben, denn wenn man ihr Zeit läßt
so kommt sie immer auf's Rechte (ebda 26)*.
In demselben oder doch sehr ähnlich vorwegnehmenden Gefühl, zugleich in dem runden, warmen Glück des Heim- und Heimat-
Habens hatte Goethe überschwänglich/allzu
überschwänglich geglaubt, *daß er auf keine
Weise mehr allein seyn, und nicht außerhalb des
Vaterlandes leben könne* (1790: *IV/9, 202*). Daß
hier nur ein ganz privat-persönlicher Gemüts-
Zustand, ein transitorisches Hochgefühl Ausdruck suchte und fand, darf nicht übersehen
werden. Allenfalls für Goethe ganz allein
konnte gelten, daß er (momentan) die Coinci-
denz erreicht hatte und erfuhr, auch dies nur
in dem Fünfminuten-Glück der kleinen, kleinsten Welt (vgl. dazu Goethes Zeichnung
„Hausgarten" 1793, LMünz Nr 159; auch
HEmmel: Weltklage). Wie anders demgegenüber der Gesprächs-Bericht von H*Luden:
*Glauben Sie ja nicht, daß ich gleichgültig wäre
gegen die großen Ideen Freiheit, Volk, Vaterland.
Nein; diese Ideen sind in uns; sie sind ein Teil
unsers Wesens, und niemand vermag sie von
sich zu werfen. Auch liegt mir Deutschland warm
am Herzen. Ich habe oft einen bittern Schmerz*

empfunden bei dem Gedanken an das deutsche Volk, das so achtbar im einzelnen und so miserabel im ganzen ist. ... Sie sprechen von dem Erwachen, von der Erhebung des deutschen Volks und meinen, dieses Volk werde sich nicht wieder entreißen lassen, was es errungen und mit Gut und Blut teuer erkauft hat, nämlich die Freiheit. Ist denn wirklich das Volk erwacht (1813: *Bdm. 2, 214–216*)? Goethe war nicht der Meinung, daß das Volk erwacht, noch weniger, daß es frei wäre (zB. *BvM* Sp. 997; *CiF* Sp. 1547–1553). Daher seine Reserve. Daher der groteske Versuch, als Reisender in der Maskerade eines russischen Militärmantels möglichst unbeachtet auf dem Wege nach *Böhmen weiterzukommen, paradoxerweise aber gerade durch den roten Chargenkragen dieses Mantels zur soldatischen Meldung herauszufordern, alsobald erkannt und um den Waffensegen bedrängt zu werden, diesen schließlich in einer halbwilligen Form und Formel zu erteilen, deren Eigentlichstes ganz in ihrem Konditionalsatz ausgesagt, jedoch ganz offenbar nicht verstanden wird – wie es oft mit Konditionalsätzen Goethes geschieht: *Wenn ihr jungen Vaterlandsbefreier meint, daß mein Segen für eure Waffen von Erfolg sein könne, so sei er euch hiermit von ganzem Herzen erteilt* (20. IV. 1813: *Bdm. 2, 179; Begegnisse unterwegs: TuJ* 1813: *I/36, 86*). Die Freiwilligen hören in der Tat nur den Hauptsatz und in diesem nur das „*von ganzem Herzen*"; die Begeisterungstrunkenheit ihrer „wiederholten Lebehoch"-Rufe übertäubt jedes Wahrnehmungsvermögen dafür, daß mutatis mutandis auch damals „das Erlebnis der Gemeinschaft nicht Ausdruck der politischen Wirklichkeit war" (BLiebrucks). *Die Deutschen sind recht gute Leut', | Sind sie einzeln, sie bringen's weit; | Nun sind ihnen auch die größten Thaten | Zum erstenmal im Ganzen gerathen. | Ein jeder spreche Amen darein | Daß es nicht möge das letzte Mal sein* (1814: *I/5ᴵ, 146*). Hier muß man einen Blick in Grundkonzeptionen Goethes wagen. Wir stellen zwei weit auseinander liegende Zeugnisse zusammen. Der innere Gleichklang ihrer Intentionen ist von außerordentlicher Ausdruckskraft. 1773: *Götz* beschwört, ohne noch das Wort zu kennen, die Idee des *Fürstmenschen* im absoluten Zentralpunkt der Dichtung, sozusagen in einem Atem mit der abendmahlsähnlichen Feierhandlung (III); 1822: Carl August kauft mit seinem *Linsengericht* das Erstgeburtsrecht *fürstmenschlicher* Legitimation an ebenfalls beispielhafter *Bauplan*-Stelle der *Campagne in Frankreich* (Sp. 1552). In dieser Parallelität manifestiert

sich über einen Zeitraum von imgrunde mehr als fünfzig Jahren dasjenige, worin Goethe – wir lassen offen, ob und mit wieviel Recht oder Unrecht – die Gewähr *gesunder* Formen erblickt, um das nationale ebenso wie das individuelle *Leben* in seinen *Bezügen* wiederherzustellen und zu bewahren. Dennoch: Goethe ist – richtig verstanden – von tiefster Skepsis erfüllt. Er hätte sich über hundert Jahre später schmerzlich überzeugen müssen, daß auch noch viele andere Völker in seinem Sinne weder erwacht noch frei wären. Bekenntnishaft, vermächtnisartig, mahnend, beschwörend faßt ein Alterswort Erreichtes und Erstrebtes zusammen: *Ich finde mich glücklich, daß, nach einer so langen und mannichfaltigen Laufbahn, meine guten Landsleute mich durchaus noch als den ihrigen betrachten mögen. Diesen Vorzug einigermaßen verdient zu haben darf ich mir wohl schmeicheln, da ich weder Blick noch Schritt in fremde Lande gethan, als in der Absicht das allgemein Menschliche, was über den ganzen Erdboden verbreitet und vertheilt ist, unter den verschiedensten Formen kennen zu lernen und solches in meinem Vaterlande wiederzufinden, anzuerkennen, zu fördern. Denn es ist einmal die Bestimmung des Deutschen, sich zum Repräsentanten der sämmtlichen Weltbürger zu erheben* (14. VI. 1820: *IV/33, 67*). 1827/28 formuliert Goethe: *Eine wahrhaft allgemeine Duldung wird am sichersten erreicht, wenn man das Besondere der einzelnen Menschen und Völkerschaften auf sich beruhen läßt, bei der Überzeugung jedoch festhält, daß das wahrhaft Verdienstliche sich dadurch auszeichnet, daß es der ganzen Menschheit angehört* (*I/41ᴵᴵ, 306*). Wieder einmal ist das Eigentlichste einer Grundeinsicht der Äußerungsform des Konditionalsatzes anvertraut, als könnte eine solche Weisheit anders nicht bereit werden. Dergestalt vollzieht die *Sprache Goethes den partnerschaftlichen Charakter seines Menschen- und Gesellschaftsbildes, seines Wirklichkeits- und Weltverständnisses. Die darin wirksame superlativische Form möglicher Verknüpfung von *vis centripeta* und *vis centrifuga*, von *Specificationstrieb (Einheit des Charakters)* und Weltbürgertendenz *(mannichfaltige Bildung)* verlangt aber, wie man zugleich vernehmen kann, noch größere Aufmerksamkeit. Diesen Maßstab des *Echten (MuR: Hecker Nr 976)* in immerwährender, sich steigernder Bemühung, in *täglicher Bewahrung schwerer Dienste* als *Urbild* menschlicher Menschlichkeit und quasi im Selbstexperiment darzuleben, ist optimal wohl nur wenigen *echten Deutschen* wie Goethe selbst gelungen. Gerade aus dieser Tiefe dialektischer Wechselbindung von *vis centripeta* (Cuvier) und *vis centrifuga* (Geoffroy St. Hilaire) versteht sich die dramatisch leidenschaftliche Geisteserregung, mit der Goethe 1830 an dem Akademie-Streit teilnimmt, auch auf die *paradoxen Sätze* vom 7. III. 1823 fällt neues Licht. Der Antagonismus der Standpunkte und Betrachtungsweisen erschien ihm nicht nur als Polarität des Denkens, sondern des Daseins selbst – verstößt man dagegen, so fehlt man im Denken ebenso wie im Dasein. Was Goethe weit- und tiefreichend Resultat sein durfte, ist seinen Zeitgenossen und seinen Nachfahren gerade in den entscheidenden Punkten mehr als ,,tausend Jahre'' lang, Postulat geblieben. *Wie haben sich die Deutschen nicht gebärdet, um dasjenige abzuwehren, was ich allenfalls gethan und geleistet habe, und thun sie's nicht noch? Hätten sie alles gelten lassen und wären weiter gegangen, hätten sie mit meinem Erwerb gewuchert, so wären sie weiter, wie sie sind* (Aus dem Nachlaß/August 1824: *MuR:* Hecker *Nr 872*).   *Za*

WMommsen: Die politischen Anschauungen Goethes. 1948. – Goethe: Die Deutschen. Hrsg. v. HJWeiß. 1949. – AFuchs: Goethe und Europa. 1956 – HEmmel: Weltklage und Bild der Welt in der Dichtung Goethes. 1957. – WMommsen in: Coll Straßbourg S. 69–79 – AZastrau in: Coll Straßbourg S. 225. – AZastrau: Gedanken über die Menschlichkeit in Zeugnissen Goethes. In: Humanismus und Technik. VI, 2. 1959. – EWeniger.

Deutscher Bund. Auf dem *Wiener Kongreß wurde durch die Deutsche Bundes-Akte vom 8. VI. 1815 der DB als völkerrechtliche Vereinigung von 39 Fürstentümern geschaffen. Die gleichbedeutenden Bezeichnungen für sein oberstes Organ sind: Bundestag und Bundesversammlung. Beide Bezeichnungen werden schon in der wiener Schlußakte vom 5. V. 1820 nebeneinander gebraucht, auch Goethe wechselte damit, sogar in ein und demselben Schreiben (11. I. 1825: IV/39, 82f.). Die gebräuchlichere Bezeichnung war Bundestag, aber offiziell die andere. Der DB hatte kein Parlament. Der Bundestag war, ähnlich dem alten *regensburger Reichstag, ein ständig versammelter Kongreß der Gesandten der einzelnen souveränen Mitglieder. Er hatte seinen Sitz in *Frankfurt und tagte im Palais Thurn und Taxis.

Dieses oberste Organ des DB.es schien Goethe berufen, für die in Vorbereitung begriffene Ausgabe letzter Hand seiner Werke den wünschenswerten Rechtsschutz gegen *Nachdruck, diesen *gefährlichsten Widersacher* für *Autor und Verleger*, für das ganze Bundesgebiet zu gewähren *(IV/39, 2)*. Hieß es doch im Artikel 18 der Deutschen Bundesakte: ,,Die Bun-

desversammlung wird sich bey ihrer ersten Zusammenkunft mit der Abfassung gleichförmiger Verfügung über... die Sicherstellung der Rechte der Schriftsteller und Verleger gegen Nachdruck beschäftigen.'' So erwartete Goethe, hier mehr Optimist als Jurist, daß der Bundestag aus eigener Zuständigkeit ihm den gesetzlichen Schutz gewähren würde. Vorsichtshalber legte er am 2. XI. 1824 den Entwurf seiner Eingabe erst dem preußischen Bundestagsgesandten, dem von ihm auch als *umsichtigsten Kunstkenner und glücklichsten Sammler* angesprochenen Generalpostmeister CFFv*Nagler vor *(IV/39, 1–4)*, der ihn ebenso wie der Minister ChrGGraf v*Bernstorff in seinem Vorhaben bestärkte. Auf Naglers Empfehlung reichte Goethe, nachdem er noch die gedruckten Aktenstücke und Protokolle des wiener Kongresses zu Rate gezogen hatte (Keudell Nr 1582; 1583), sein Gesuch nicht direkt, sondern auf dem Umweg über Wien ein. In seinem Begleitschreiben an den österreichischen Kanzler CWL Fürst von *Metternich vom 11. I. 1825 konnte er Bezug auf die persönliche Bekanntschaft in *Karlsbad nehmen: *Die ausgezeichnet schönen Tage... erscheinen mir immer in leuchtender Erinnerung (IV/39, 80)*. In dem Gesuch selbst hat Goethe das heikle Thema der Zuständigkeit weniger juristisch begründet als in Frageform angeschnitten: *Sollte nun aber gegenwärtig der erhabene Bundestag, der Verein aller deutschen Souveränitäten, nicht dergleichen als Gesammtheit auszuüben geneigt seyn, was die Einzelnen vorher anzuordnen und festzusetzen berechtigt waren und noch sind, und wäre nicht durch einen solchen Act das entschiedenste Gewicht auf deutsche Literatur und Geistesbildung kräftigst zu bethätigen (IV/39, 83f.)?* Goethe war sich also wohl bewußt, eine Ausnahmeregelung für sich zu begehren [für die sich der Bundestag die Zuständigkeit selbst zuerkennen sollte].

Als Goethes Eingabe zum ersten Mal im Bundestag auf der Tagesordnung stand, wurde von seiten *Preußens, das überhaupt in der ganzen Angelegenheit eine sehr verständnisvolle und würdige Rolle gespielt hat, beantragt, sofort einen Beschluß gewährenden Inhalts zu fassen. Es ließ sich aber trotzdem keine Sonderregelung für Goethe durchsetzen, sondern seine Eingabe wurde zunächst, wie jede andere, an die Reclamations-Commission verwiesen, in deren Register sie unter Nr 16 zwischen den Gesuchen eines fuldaer Kellereibüttners wegen rückständiger Besoldung und eines schweriner Brüderpaares wegen Gestattung eines verweigerten Zeugenverhörs ihren Eintrag fand. Berichterstatter war der bayerische Gesandte ChrHvPfeffel (1765–1835), der in der Vollversammlung vom 24. III. 1825 die Ansicht der Commission vortrug: Die Bundesversammlung sei zwar berufen, für eine Vereinbarung sämtlicher Bundesregierungen über allgemeine Grundsätze und gemeinsame Bestimmung gegen den Nachdruck zu wirken, aber sie könne sich nicht auf die Anwendung und Ausführung des Festzusetzenden in einzelnen Fällen einlassen. Die Erteilung von Privilegien sei immer und überall ein Akt der inneren Selbstverwaltung, der dem Geschäftskreis des Bundestages durchaus fremd wäre. Wenn man hiernach strenggenommen die Eingabe wegen Unzuständigkeit abweisen müsse, so glaube doch der Ausschuß, „in der Überzeugung, daß alle deutschen Regierungen wohl gerne einem so allgemein geehrten deutschen Schriftsteller, wie Herrn von Göthe, ein Zeichen ihrer Achtung und Anerkennung seiner Verdienste um die deutsche Literatur zu geben bereit seyn werden, den Wunsch äußern zu dürfen: daß sämtliche Herren Bundestagsgesandten es übernehmen möchten, das Gesuch des Großherzoglich-Sachsen-Weimarischen Herrn Staatsministers von Goethe angebrachtermaßen ihren respect. Regierungen bevorwortend vorzulegen, und dadurch die gewünschte Erledigung in geeignetem Wege zu bewirken." Verfassungsrechtlich war die Stellungnahme der Commission zweifelsohne richtig, man darf sie nicht nur auf partikuläre Bedenklichkeit des bayerischen Berichterstatters und anderer süddeutscher Gesandter zurückführen. Carl August von *Sachsen-Weimar hatte selbst mit der Unzuständigkeit des Bundestags gerechnet und seinen Gesandten, den Grafen KLv*Beust, gleich dahin instruiert, als vermittelnden Eventualbeschluß „die von jedem einzelnen der Bundesglieder ausgehende Ertheilung besonderer Privilegien" herbeizuführen" (BrCarl August 3, S. 375). In der Aussprache der Vollversammlung, die offenbar Niveau gehabt und der Person des Gesuchstellers immer wieder höchste Achtung gezollt hat, konnte die juristische Auffassung der Commission nicht in Zweifel gezogen werden. Nur der hannoversche Gesandte HDFrhr vHammerstein (1768–1826) ließ erkennen, daß er trotz der Rechtslage auch einem Beschluß auf Erteilung eines allgemeinen Privilegiums durch den Bund ohne weiteres zuzustimmen bereit sei. Der preußische Gesandte vNagler regte, ganz im Sinne des weimarischen Eventualantrags, an, von der Erteilung der Einzelstaaten-Privilegien Goethe durch den Bundestag zu benachrichtigen. Der Commissionsantrag wurde aber schließlich doch nur in der ursprünglichen Form angenommen, wobei die Gesandten von Hannover, *Bayern, *Hessen-Nassau und *Braunschweig die Erteilung der Privilegien durch ihren Souverän bereits förmlich zusicherten. So war die Angelegenheit, die über die Persönlichkeit des Gesuchstellers hinaus rechtsgeschichtlich in mancher Beziehung außerordentlich interessant ist, zwar nicht ganz nach des Dichters Wunsch gegangen, aber immerhin war doch die Erteilung einzelstaatlicher Privilegien gesichert. Freilich bedurfte es nun doch noch der zeitraubenden Einreichung neuer Gesuche an die einzelnen Bundesstaaten, was manchmal ganze Vormittage in Anspruch nahm (vgl. zB. 26. IX. 1825; III/10, 107). Dann stellten sich allmählich und nicht immer taxfrei die einzelnen Privilegien ein, wohl zuerst am 9. V. 1825 das von *Serenissimo Vinariensi (III/10, 53)*. Das preußische war mit einem besonders liebenswürdigen Handschreiben König Friedrich Wilhelms III. begleitet, das österreichische kostbar auf Pergament geschrieben. Das letztgenannte erstreckte sich auf alle Länder der habsburgischen Monarchie, also nicht nur auf die zum DB gehörenden, so daß es Schutz für einen umfangreicheren Raum gab, als ein Privilegium des Bundes vermocht hätte.

Goethe verwahrte, nachdem die wiederum langwierige Dankeskorrespondenz erledigt war, die wichtigsten Dokumente in einer Hülle aus indischem Seidentuch in seinem Schreibtisch. In die Ausgabe letzter Hand aber wurde auf das Titelblatt getrost gesetzt: „Unter des durchlauchtigsten deutschen Bundes schützenden Privilegien", wobei die Pluralform des letzten Wortes wohl auf den tatsächlichen Rechtszustand hindeuten sollte.

Noch einmal hatte sich der Bundestag mit Goethe zu befassen, über zehn Jahre nach dessen Tod. Es war Anfang der vierziger Jahre der Plan aufgetaucht, Goethes Haus und Sammlung durch den DB anzukaufen und daraus ein Nationaldenkmal zu gestalten. Alle Bundesstaaten – Kurhessen nur nach langem Sträuben – unterstützten ihn. Besonders eifrig war in dieser der Ehrung Goethes dienenden Angelegenheit wiederum die preußische Regierung. Aber nach jahrelangen ernsthaften Bemühungen wurde doch nichts aus dem Plan, er scheiterte an der zeitweise geradezu peinlichen Haltung der goetheschen Erben. So mußte man froh sein, wie der preußische Gesandte von Sy-

dow äußerste, daß „der Hauptzweck erreicht
sei, nämlich an diesem Beispiel einmal zu zeigen, ‚daß die Bundesversammlung auch mit
anderen als polizeilichen oder militärischen
Dingen sich beschäftige'" (JSchultze S.259).*Fr*
Protokolle der Deutschen Bundesversammlung vom
Jahre 1825. S. 61–66. – BrCarl August – KTGae-
dertz: Persönliches Privilegium für Goethes Werke.
In: Bei Goethe zu Gaste. 1900. S. 313–348. –
JSchultze: Der Plan eines Goethe-Nationaldenkmals
in Weimar. In: JbGGes. 12 (1926), S. 239–263.

Deutsches Verlagshaus. Das von Richard Bong
1887 in Berlin begründete Unternehmen pflegte
*Naturwissenschaften und Gewerbekunde, vor
allem aber das Gebiet der Literatur. Bongs Goldene Klassiker-Bibliothek setzte im 20. Jahrhundert in unmittelbarer Nachfolge die Reihe
von Hempels Klassiker-Ausgaben des 19. Jahrhunderts fort. In dieser Reihe erschienen folgende Goethe-Ausgaben: 1) „Goethes Werke.
Auswahl in 10 Teilen." Aufgrund der hempelschen Ausgabe neu hrsg. von CAlt. 1908; eine
Auswahlsammlung der Dichtungen, von der
1927 ein etwas vermehrter Neudruck erschien;
2) „Goethes Werke. Auswahl in 20 Teilen."
Aufgrund der hempelschen Ausgabe neu hrsg.
von CAlt. 1908; 3) Die wichtigste ist die
Vollständige Ausgabe in 40 Teilen nebst 2 An-
merkungs- und 2 Registerbänden, die aufgrund der hempelschen Ausgabe gleichfalls
von Alt mit zahlreichen Mitarbeitern 1910 –
1926 herausgegeben wurde. *St*

Deutsch - lateinische Dialoge, 1757 vom acht-
jährigen Goethe zu Übungszwecken verfaßt,
verraten neben für den Knaben erstaunlicher
Sprachbeherrschung zugleich Anschaulichkeit,
Humor und dramatisches Geschick (vgl. *Morris 1, 18–30; 6, 2f.*).
1. *Pater et Filius:* Der Sohn begleitet den Vater in den Keller, man unterhält sich dabei von
der feierlichen Grundsteinlegung des Hauses
und von der Lagerung der Weine. Das erste
Motiv ist offenbar autobiographisch und eine
Erinnerung an den Neubau des goetheschen
Hauses.
2. *Wolfgang et Maximilian:* Zwei Knaben warten auf ihren Lehrer und vertreiben sich die
Zeit, wobei Maximilian auf Streiche sinnt,
Wolfgang aber übertrieben tugendhaft ist; eine
schelmische Anspielung.
3. *Pater. Filius:* Der Vater überrascht den
Sohn beim Anfertigen von Tierfiguren aus
Wachs und läßt die literarisch gefärbten Deu-
tungen des Knaben eher gelten als die Tierfiguren, die er mißlungen und häßlich findet,
weicht aber kleinlaut aus, als er selber den Unterschied von Schön und Häßlich erklären soll.
Auch dieses Motiv spielt auf Selbsterlebtes im

Verhältnis des Knaben Goethe zu seinem Vater an. *So*

Devonshire, 1) Elizabeth Cavendish, Herzogin
von (1759–1824), Tochter des FAHervey
Earl of *Bristol, Witwe von IThFoster, seit
1809 zweite Gattin von William, dem 5. Herzog von D. (1748–1811), ab 1815 in Rom
lebend. Sie läßt die Übersetzung der Aeneis
von Annibal Caro als Prachtausgabe mit
Kupfern von *Gemlin drucken. Goethe erwähnt diese Ausgabe häufig, ua. in Nachträgen zu Aufsätzen über Literatur und
Kunst, in Besprechung der neuen Ausgabe der
Aeneis, in Briefen an JHMeyer vom 28.VII.
1820 und an Carl August vom 3. I. 1822 (I/41ᴵ,
482; 53, 230; 408; IV/33, 131; 35, 223). Goethe ist wenig befriedigt von der Ausgabe: *Diese
Blätter ... geben ein trauriges Beispiel von der
modernen realistischen Tendenz, welche sich
hauptsächlich bei den Engländern wirksam erweis't (I/36, 168).* Später schreibt er in gün-
stigerem Sinne: *Der Herzogin v. Devonshire
Sorgfalt, uns mit den gegenwärtigen Ansichten
des Virgilischen Schauplatzes bekannt zu machen, ist alles Dankes werth, wenn auch die
Hand der Zeit fast jede Spur damaliger Herrlichkeit ausgelöscht hat (IV/35, 223).*
–, 2) William Spencer Cavendish, 6. Herzog von
D., Stiefsohn von 1) (1790–1858), 1826 englischer Krönungsbotschafter in Moskau (vgl. IV/
41, 97), 1828 hervorragender Gastgeber HG
W*Sontags in England (vgl. IV/44, 82). *Sn*
Devrient, 1) Ludwig (15. XII. 1784 Berlin bis
30. XII. 1832 ebda.), Schauspieler, ging gegen
den Willen seiner Familie zum Theater und
debütierte unter dem Namen Herzfeld 1804
bei der langeschen Truppe in Gera. Er ging
nach anfänglichen Mißerfolgen als Liebhaber-
Darsteller ins Charakterfach und ins Komische Fach über, war 1805–1809 in Dessau,
1809–1815 in Breslau tätig und wurde noch
von *Iffland 1814 für das berliner Hoftheater
verpflichtet; die Verhandlungen führte CFMP
*Brühl zu Ende (IV/25, 293, 341). D.s geniale
Leistungen, besonders als Franz Moor, Har-
pagon, König Lear, Falstaff, Shylock, Richard III., haben vor anderen die zwanziger
Jahre des 19. Jahrhunderts zu einer Blütezeit
des berliner Theaters gemacht. Sein exzentri-
sches Wesen und seine ganz aus der Intuition
gespeiste Darstellungskunst stand in starkem
Gegensatz zu dem Prinzipien der weimarer
Schule, die zur gleichen Zeit in Berlin Goethes
Schüler PA*Wolff vertrat; Goethe verfolgte
jedoch mit Interesse die Nachrichten über D.
(IV/26, 124; I/40, 125), und begrüßte es, neben
Wolff *Talente zu bemerken, die alles sich selbst*

verdankten (Bdm. 3, 113). Ein Gastspiel D.s in Weimar im Winter 1830/31 zeigte leider schon den durch ausschweifenden Lebenswandel und Alkoholgenuß hervorgerufenen Verfall seiner Kunst; er ließ nur noch *die Ahnung, was er war, entstehen (IV/48, 71)*. Anläßlich dieses Gastspiels besuchte D. Goethe (III/12, 347) und wurde auf den 23. XII. 1830 zu einer kleinen Abendgesellschaft gebeten, bei der er Szenen aus dem „Kaufmann von Venedig" und „Heinrich IV." vortrug (III/12, 348; Bdm. 5, 179).

–, 2) Philipp Eduard (11. VIII. 1801 Berlin bis 4. X. 1877 Karlsruhe), Schauspieler, Regisseur, Theaterleiter und Theaterhistoriker, Neffe von 1), wurde von CF*Zelter im Gesang ausgebildet und debütierte 1819 als Bariton an der königlichen Oper in Berlin. Er blieb bis 1844 Mitglied der berliner königlichen Bühnen und ging während dieser Zeit zum Sprechtheater über, da er seine Stimme überanstrengt hatte. Seine ausgezeichnete Stimme und seine literarischen Interessen befähigten ihn besonders auch für Vortrag und Rezitation; so trug er 1828 eine der *Theaterreden, die Goethe für die berliner Bühne verfaßte, den Prolog zu Deinhardsteins „Hans Sachs", im Kostüm eines Meistersingers vor (IV/43, 244f., 414). Devrient war 1844–1852 als Schauspieler am dresdener Hoftheater und dann bis 1870 Direktor des großherzoglichen Hoftheaters in Karlsruhe. Seine „Geschichte der deutschen Schauspielkunst" (1846–74) ist die erste grundlegende deutsche Theatergeschichte geworden.

–, 3) Dorothea (Doris), geb. Böhler (1805 Kassel bis 29. V. 1882), Schauspielerin, Tochter eines Schauspielerehepaars und jüngere Schwester von Christine *Genast, trat zuerst 1816 in Prag in Kinderrollen auf und war seit 1817 am leipziger Theater bei *Küstner für das Fach der Naiven und für Soubretten engagiert. Dort wird sie über ihre Schwester Christine Goethes Bekanntschaft gemacht haben (III/7, 152), der ihr das Gedicht *Soll sich das Leben wohl gestalten* (Paralipomena I/5^{II}, 366) gewidmet haben soll, das gewisse Ähnlichkeiten mit dem kurz zuvor Christine übersandten *Treu wünsch' ich dir zu deinem Fest* aufweist. Dorothea heiratete 1825 den gleichfalls in Leipzig engagierten Schauspieler Emil D., mit dem sie 1828 Leipzig verließ und nach Hamburg ging. 1831 wurde sie mit ihrem Mann an die dresdener Hofbühne engagiert. Sie zog sich 1843 von der Bühne zurück.   *EF*

Deycks, Ferdinand (1802–1867), Philolog und Ästhetiker, später Professor der Akademie in Münster, besuchte nach Studium in Berlin, von Tieck empfohlen, Goethe am 11. X. 1824 (III/9, 280). Erst nach dessen Tod erschienen seine Schriften „Goethe's Faust. Andeutungen über Sinn und Zusammenhang des ersten und zweiten Theiles der Tragödie" (Koblenz 1834) und „Friedrich Heinrich Jacobi im Verhältniss zu seinen Zeitgenossen, besonders zu Goethe" (Frankfurt a. M. 1848).   *Rt*

Diana, griech. Artemis, jungfräuliche Göttin der Jagd, Herrin der freien Natur und der Tiere. Als Jägerin sendet D. wie ihr Bruder Apollon mit ihren Pfeilen auch den Menschen oft den Tod. Herodot (4, 103) berichtet von den Menschenopfern, die einer jungfräulichen Göttin in Tauris dargebracht wurden. Die Griechen verbanden diese Menschenopfer mit der Artemis Tauropolos, und so entstand vielleicht die Erzählung von dem Kultbild der taurischen Artemis, das *Iphigenie und Orestes im Auftrage Apollons nach Attika zurückbringen. Goethe kennt D. als göttliche Jägerin (zB. in der *Achilleis: Artemis kam, die frühe, schon freudig des siegenden Pfeiles, / Der den stärksten Hirsch ihr erlegt an den Quellen des Ida. I/50, 275, V. 124f.*), als Schützerin der Jungfräulichkeit (I/10, 11, V. 200), aber auch als Göttin der Herden und des Viehs (I/13^I, 174, V. 68f.). Die D. seiner *Iphigenie auf Tauris* behält als taurische Barbarengöttin den überlieferten Zug der grausamen Menschenopfer, im übrigen wirkt sich aber die Humanitätsidee auch auf die Charakteristik der Göttin aus: *Der mißversteht die Himmlischen, der sie / Blutgierig wähnt; er dichtet ihnen nur / Die eignen grausamen Begierden an. / Entzog die Göttin mich nicht selbst dem Priester? / Ihr war mein Dienst willkommner, als mein Tod (I/10, 23, V. 523–527).* Im Widerspiel von Hellenen und Barbaren betont der Grieche diese humane Seite der Göttin: *Diana sehnet sich / Von diesem rauhen Ufer der Barbaren // Und ihren blut'gen Menschenopfern weg (I/10, 32, V. 734–736).* Außer der Humanitätsidee verbirgt sich in Goethes D.-Vorstellung auch der Begriff der natura naturans. – D. wurde sowohl von den Griechen wie von den Römern der Mondgöttin (Selene bzw. Luna) und auch Hekate, der chthonischen Herrin alles Zauber-, Spuk- und Hexenwesens, gleichgesetzt. Auch diese Gleichsetzung treffen wir bei Goethe (zB. I/3, 46; I/5^I, 254, Nr 335), am eindruckvollsten in den Versen des *Anaxagoras* in der *Classischen Walpurgisnacht: Du! droben ewig unveraltete, / Dreinamig-Dreigestaltete, / Dich ruf' ich an bei meines Volkes Weh, / Diana, Luna, Hekate! / Du Brust-erweiternde, im-Tief-*

sten-sinnige, | Du ruhig-scheinende, gewaltsam-innige, | Eröffne deiner Schatten grausen Schlund, | Die alte Macht sei ohne Zauber kund! (I/15[I], 149, V. 7902–7909).

Die D. von Ephesos war eine asiatische Vegetationsgottheit, deren berühmtes Kultbild zahlreiche Brüste trug. Der Tempel der D. zu Ephesos galt in der Antike als eines der sieben Weltwunder. Die Episode von dem Silberschmied Demetrios, der seine Zunftgenossen in Ephesos gegen den Apostel Paulus und die von ihm verbreitete Lehre aufputschte (Apostelgeschichte 19, 21–40), spiegelt Widerstände gegen das aufkommende Christentum in diesem Zentrum der D.-Verehrung wider. Goethe hat dieser Szene sein in proheidnischem Sinn gehaltenes Gedicht *Groß ist die Diana der Epheser (I/2, 195)* gewidmet. Wie ein Kommentar zu diesem Gedicht und zu Goethes weltanschaulicher Stellung in dieser Frage lesen sich die Sätze in einem Brief an FH*Jacobi vom 10. V. 1812: *Ich bin nun einmal einer der Ephesischen Goldschmiede, der sein ganzes Leben im Anschauen und Anstaunen und Verehrung des wunderwürdigen Tempels der Göttin und in Nachbildung ihrer geheimnisvollen Gestalten zugebracht hat, und dem es unmöglich eine angenehme Empfindung erregen kann, wenn irgend ein Apostel seinen Mitbürgern einen anderen und noch dazu formlosen Gott aufdringen will. Hätte ich daher irgend eine ähnliche Schrift zum Preis der großen Artemis herauszugeben, (welches jedoch meine Sache nicht ist, weil ich zu denen gehöre, die selbst gern ruhig seyn mögen und auch das Volk nicht aufregen wollen,) so hätte auf der Rückseite des Titelblatts stehen müssen: „Man lernt nichts kennen, als was man liebt, und je tiefer und vollständiger die Kenntniß werden soll, desto stärker, kräftiger und lebendiger muß Liebe, ja Leidenschaft seyn."* (IV/23, 7). *Iphigenie; *Natur.   Hu

Hunger S. 51–54. – Grumach S. 721 f.

Dibbetz, Hendrik Albert (1731 Alkmaar bis 1805/1806 Warmond), erst Offizier, dann (bis 1784) Postmeister zu Leiden, sammelte Münzen und besonders römische, handelte auch damit. Goethe erwähnt in seiner Besprechung des Werkes von J. C. de Jonge „Notice sur le cabinet des médailles et des pierres gravées de Sa Majesté le Roi des Pays-Bas 1823..." auch, daß in dieses Cabinett die *Sammlung von Medaillen, Jettons und neuern Münzen, welche ehemals dem reichen Kabinett des Herrn Dibbetz zu Leyden angehörte,* gekommen sei. Das geschah 1822 (I/49[II], 109; Ruppert Nr 2489).   Fr

J van Kuyk: Geschiedenis van het Koninklijk Kabinet van Munten, Penningen en Gesneden Steenen.

1946. S. 20. – AJ van der Aa: Biographisches Woordenboek. Haarlem 1854.

Dichtung und Wahrheit. I. Wurzeln; Impulse persönlicher Natur. Die tiefsten Wurzeln liegen in Goethes, schon 1765 die leipziger Briefe diktierender Neigung zur Selbstdarstellung und bereits 1771 sich zeigender hohen Schätzung des Prinzips der *Autobiographie. So ist *DuW* der Ausdruck eines weit zurück verfolgbaren, aber seit 1795 (Sp. 502) immer stärker werdenden inneren Dranges, in dem vielerlei Impulse zusammenschießen. Zu den für alle Autobiographik Goethes geltenden Antrieben (Sp. 504–507) tritt noch, offensichtlicher als sonstwo, das Bestreben, über die Periode einer gewissen Unfähigkeit zu freischöpferischer Dichtung, zum *Höhern und Poetischen (EGW II, 400,* auch 486; nichts Derartiges liegt zwischen den *Wahlverwandtschaften,* 1809, und dem 1814 begonnenen *West-östlichen Divan)* hinwegzukommen; das Interesse für *Morphologie, deren Auswirkungen Goethe in seinem Leben nachgehen wollte (I/28, 356f.; EGW II, 368; 375; 431; 493; 512), der Wunsch, nach seinem Tode nicht durch *niederträchtige Necrologen (I/26, 364)* in einer Ungestalt weiterzuleben; schließlich, während der Arbeit an *DuW* sich fühlbar machend, das Bedürfnis nach Unterhaltung *mit entfernten Freunden und Geistesverwandten,* um sie *zur Theilnahme am gegenwärtigen* Leben *aufzurufen* – ein Kontaktsuchen, wie es zwischen 1811 und 1816 bezeichnend, ergreifend oft als *der nächste und eigentliche Zweck,* als die *einzige Absicht* ausgesprochen wird (*EGW II, 396; 405–409; 417; 424; 430; 465; 467; 471; 477; 493; 509*) und sich, trotz einer 1824 gemachten skeptischen Bemerkung (ebda 501), noch 1827 kundtud. Goethe will *der Gefahr,* den *entfernten Freunden ... bey Lebzeiten abzusterben,* entgehen. Indem er sich seine *alten Mährchen in der Einsamkeit* erzählt, sucht er das Mittel gegen die vorgeahnte und gefürchtete Tragik eines Greisenalters, dessen Prämissen von niemandem mehr geteilt werden (UKM, S. 187). Die zu ThAHFv*Müller getane Äußerung ist die stöhnende, grollende Variation des (nur scheinbar sexuell-frivolen) jugendlichen Wortes: *... Menschenfleisch geht allem vor, | Um sich daran zu wärmen* (1774: I/2, 190). Immer mehr wird gebende und empfangende Liebe als ein Weg der Selbstbewahrung die wohl tiefste existentielle, die Kraft zum Durchhalten verleihende Impuls persönlicher Natur. In diesem Sinne hätte Goethe über die gehaltresümierenden Motti der vier Teile noch, als Widmung an den idealen Leser, Verse seines **Tasso (V. 388 ff.)* setzen können: *Und wie der Mensch nur sagen kann: Hie bin ich! | Daß Freunde seiner schonend sich erfreuen; | So kann ich auch nur sagen: Nimm es hin!* Indes hätten sie nur etwas im *Vorwort* (I/26, 5f.) diskret, fast beiläufig Ausgesprochenes fühlbarer, vielleicht für Goethes männliche Verhaltenheit zu fühlbar werden lassen.

II. Entstehung. Nach den Jahren 1807 und 1808, in denen Goethe häufiger als sonst auf seine persönliche Vergangenheit zurückgekommen war (Jahn 107), brachte 1809 wohl den doppelten psychologischen „Choc" (Sp. 507), der die *Vorarbeiten* zur *Selbstbiographie (EGW II, 364)* einsetzen, dh. ein ältestes chronologisches Schema (I/26, 349–364; 11. Oktober: EGW II, 365) entstehen ließ; *die Um- und Übersicht* zu dessen *Fertigung ... forderte* noch 1810 *anhaltende Beschäftigung (EGW II, 367)*. Es folgte ein „Zwischenschema" (I/29, 251 ff.) als nur fragmentarisch erhaltener „Versuch, den Stoff zu gruppieren" (Jahn 149f.). Vom 22. bis 31. V. wurde *am* (nur teilweise erhaltenen sog. Karlsbader *biographischen Schema dictirt (EGW II, 369;* Goethe Jb. 28, 6–17 auch I/53, 383–388; Jahn 151–155), wovon „ein Riemersches Inhaltsverzeichnis (I/29, 253f.) vorliegt, das den Stoff des Faszikels nach Bänden und Büchern ordnet" (Jahn 151) und dabei über die uns vorliegenden Teile des goetheschen Schemas hinausgeht. Die Schemata, die bis 1809 bzw. 1786, 1797 und im riemerschen Inhaltsverzeichnis bis 1803 reichen, zeigen, daß *DuW* ursprünglich über 1775 hinausgehen sollte (dazu EGW II, 348, Anm. 3). Gestützt auf diese Gesamtschemata, auf Einzelschemata zu den meisten der Bücher und auf Einzelnotizen erfolgte in freier Bearbeitung und Erweiterung (EGW II, 348–362; Alt 59–78; Jahn 161–238) die Ausführung der drei ersten Teile in raschem Zuge von Ende Januar 1811 bis November 1813 (Veröffentlichung 1811, 1812, 1814), während die Arbeit am vierten Teil sich auf die Jahre 1812, 1813, 1816, 1821, 1824, 1825, 1830, 1831 zersplitterte. Die Unterbrechung nach dem 15. Buch erklärt sich wohl weniger durch den erst im Juni 1814 begonnenen *Divan* und die Rücksicht auf E*Schönemann (EGW II, 491; 515) als, angesichts der *Schwierigkeiten* der Darstellung, durch die Unlust zur Beschreibung der Existenz in Weimar *(ebda 488)*. Goethe rettete sich in die am 6. XII. 1813 angefangene *Italiänische Reise*, deren anregende Kraft ihn 1816, doch nur für sehr kurze Zeit, wieder zu *DuW* zurückbrachte (ebda 471, Anm. 1 und 492). In eigenwilliger,

oft unorganisch wirkender Komposition geschah die Weiterführung stoßweise, in *glücklichen Augenblicken ... guten Humors (ebda 488)*, und dreimal auf recht lange Zeit – fünf, drei, fünf Jahre – unterbrochen. Schließlich *griff* Goethe die Beendung *mit Gewalt an;* entschlossen, sich *durchzuhelfen und allenfalls durchzuwürgen*, fuhr er *auch hier fort bey niederem und hohem Barometerstand der Lebensatmosphäre (ebda 518; 520; 528)*, bis zum Abschluß im Oktober 1831. Die Veröffentlichung erfolgte posthum im 8. Band von *Goethe's Nachgelassenen Werken*, 1833.

Noch in den zwanziger Jahren hat Goethe an die Darstellung der Zeit von 1776 bis 1786 gedacht (EGW II, 348, Anm. 3). Als Grund für den Verzicht darauf erklärte er einmal, mit 1775 sei *die bedeutendste Epoche* seiner Existenz, *die der Entwickelung*, abgeschlossen. Die *Italiänische Reise* als Darstellung des Abschlusses seiner geistigen Mannwerdung (Gundolf 608) genügt zur Widerlegung des Arguments. Die wahre Ursache liegt in der Skepsis, mit der Goethe die erste weimarer Zeit betrachtet, die er gelegentlich auf *das Leben eines deutschen Gelehrten* (zum Sinn des Wortes vgl. Sp. 503) reduziert *(EGW II, 501)*, anderen Orts als unglaubhafte Mischung von Positivstem und Wunderlichstem oder Verwegenstem bezeichnet (ebda 508, Anm. 3) oder, vielleicht am entscheidendsten in diesem Zusammenhang, als das Dasein eines *beengten und beängstigten*, nach Luft lechzenden *Natur-Kindes* charakterisiert *(ebda 488)*. Er fürchtet, durch einen fünften Teil *Vielen weh, vielleicht nur Wenigen wohl*, sich *selbst niemals Genüge* zu *thun* und fragt: *Wozu das? (ebda 508)*.

III. Quellen. Bei den Quellen ist zu unterscheiden zwischen denen „für die eigentlich biographische Erzählung" und denen „für die historischen und literarischen Abschnitte" (Alt 25f.).

1. Für jene kommen in Betracht: 1) Goethes persönliche, vorher nicht schriftlich festgelegte Erinnerungen; er steht ihnen nicht ohne Bedenken gegenüber (EGW II, ua. 364; 375; 449; 492; auch Jahn 128–132). Soweit er sie auch außerhalb *DuW* erwähnt, beziehen sie sich überwiegend auf Personen (JMR*Lenz, KPh *Moritz, F*Jacobi, AFv*Goué, FG*Klopstock, GE*Lessing, JFW*Zachariä, den Vater, JH *Merck, JG*Herder, FM*Klinger, E*Schönemann; EGW II, 363–367; 404 uö.); an Ereignissen nennt er nur das **Erdbeben* von **Lissabon*, die Geldverlegenheit beim **Götz*-Druck, *das Jugendleben* in **Wetzlar* (ebda 365;

363; 390; 433); dabei ist Goethe „durch die Art seines Lebenslaufes in unvergleichlich günstigerer Lage gegenüber der eigenen Vergangenheit als die große Mehrzahl der übrigen Selbstbiographen; nirgends in seinem Leben klaffen tiefe Risse, überall bleiben Verbindungen bestehen" (Jahn 133–139).– 2) Schriftliche Aufzeichnungen Goethes. Die **Ephemerides* und das Reisetagebuch vom Oktober 1775 dürften ausscheiden, nicht dagegen gewisse, jedoch kaum weitgehend benutzte Briefe (besonders an Cornelia, aus **Leipzig*), einige wenige Gedichte und Prosatexte, darunter die Aufzeichnungen aus der dritten **Schweiz*-Reise (Alt 12–18, 30); *alte Tagebücher (EGW II, 365)* wären für die Zeit nach 1775 in Betracht gekommen. – 3) Berichte dritter Personen: „Karlsbader Badebekanntschaften und durchreisende Landsleute" (Jahn 132), dann, genauer festzustellen (in der zeitlichen Reihenfolge der Erwähnung): 1797 *die Familie von *Loën* (I/35, 70); 1810 B*Brentano; 1811 JM*Melber, BBrentano; 1812 FWH v*Trebra (für die Zeit nach 1775), HLv*Knebel, F*Jacobi, PhChr*Weigand (nicht erwähnt, doch sicher zum mindesten für *Bastberg und *Buchsweiler herangezogen); 1813 Trebra, JFH*Schlosser, Knebel; 1814 FM *Klinger (nicht benutzt), FJ*Bertuch (EGW II, 373f.; 383; 395; 422; 426; 445; 448; 449; 485; 494). – 4) Dokumente, gedruckte Berichte: 1809 unbestimmbare *Documente und Papiere;* 1810 *Papiere* aus dem Nachlaß der Mutter *(ebda 365; 367);* um 1812 und 1830 Zeichnungen (Jahn 206; 238); 1811 H*Jung-Stilling: Angaben aus dem Notizenbuch von Schlossers Vater, *Lavaters Biographie von Geßner;* 1812 Jung-Stilling: *Karte vom Elsaß,* Lavaterbiographie; 1825 Jung-Stilling; 1830 FWDelkeskamp: Relief pittoresque du sol classique de la Suisse (EGW II, 380; 383 [und 390]; *392;* 410; *418;* 433f.; 505; 517). – „Damit sind Goethes Quellen für die eigentliche biographische Erzählung erschöpft. Es scheint viel zu sein und doch, im Verhältnis zu dem, was er selbst aus dem Gedächtnis hinzutun mußte, war es recht wenig" (Alt 25f.).

2. Für die historischen und literarischen Abschnitte sind die Quellen, soweit sie aus Büchern der großherzoglichen Bibliothek in Weimar bestanden, bei Alt (67–90) in der Reihenfolge der Entleihung zusammengestellt. Aus EGW ergeben sich noch folgende Ergänzungen: Zeitlich vor der Altschen Liste liegende Entleihungen: (Mai 1807) *Zincgrefs Apophthegmen;* (Oktober und November 1809)

KAKüttner: Charaktere teutscher Dichter und Prosaisten, Bd 1, 1781; JWArchenholtz: Geschichte des Siebenjährigen Krieges, I, II, 1793 (später bei Alt angeführt); KPhMoritz: Über die bildende Nachahmung des Schönen, 1788; zwei Simplicissimusausgaben *(EGW II, 363;* 365ff.). Danach JBruce of Kinnaird: Travels to discover the sources of the Nile, 5 Bde, 1790; JStPütter: Versuch einer academischen Gelehrten-Geschichte von der Georg-Augustus-Universität zu Göttingen, 1765; [Franck, Sebast., oder Agricola, Joh.:] Sprichwörter, Schöne Weise Klügreden..., 1560; d'Holbach: Système de la nature; JM Hoscher: Verfassung des ... Reichs-Kammergerichts, 1788; Göttinger Anzeigen von gelehrten Sachen ... 1770, 1. I.–14. VII.; 1772, 2. I.–4. VII.; 1773, 2. I.–8. VII.; 1775, 11. VII. bis 30. XII. mit Zugaben zu den Jahren 1770 bis 1778; Versuch über den Character des Großen Arztes ... Boerhavens ... A. d. Franz., 1748; Montesquieu: Considérations sur les causes de la grandeur des Romains..., 1760; Delkeskamp: Relief pittoresque du sol classique de la Suisse, 1830 (ebda 378, Anm. 2; 397; 421; 422; 450; 451; 466; 469; 517). Zweifellos weil schon die Daten der Entleihung und der Arbeit an *DuW* kaum an ein Quellenverhältnis denken lassen, hat EGW folgende, von Alt angeführte Titel nicht aufgenommen: EJ Koch: Grundriß einer Geschichte der ... Literatur der Deutschen..., 2 Bde, 1795–1798; entl. 22. I.–19. II. 1810 (Keudell Nr 643). FKGHirsching: Historisch-literarisches Handbuch berühmter ... Personen, welche in dem 18. Jahrhundert gestorben sind, Bd 7, 1805; entl. 12. III.–17. V. 1817 (Keudell Nr 1083). JJEschenburg: Beispielsammlung zur Theorie und Literatur der schönen Wissenschaften, Bd 1–8, Abt. 1, 1788–1794; entl. 16.–19. X. 1824 (Keudell Nr 1570). LWachler: Handbuch der Geschichte der Literatur, 2. Umarb., 1.–4.Teil, 1822–1824; entl. 25. X. 1824–? (Keudell Nr 1575). Schlichtegrolls Nekrolog auf das Jahr 1795, 1796; entl. 18. I.–6. II. 1825 (Keudell Nr 1587). JSErsch-JGGruber: Allgemeine Encyclopädie der Wissenschaften und Künste, 1. Teil, 1818; entl. 8.–25. II. 1825 (Keudell Nr 1594). JGMeusel: Das gelehrte Teutschland oder Lexikon der jetzt lebenden teutschen Schriftsteller, Bd 7, 10, 11, 1798–1805; entl. 12. X.–13. XII. 1830 (Keudell Nr 2162). JGMeusel: Das gelehrte Teutschland im 19. Jahrhundert, Bd 3, 8, 1811–1825; entl. wie oben (Keudell Nr 2163). Wie der vorvorige Titel, Bd 1–9, 1796–1801; entl. 27.–28. X. 1831 (Keudell Nr 2230). Wie der vorvorige Titel,

Bd 1, 5, 1808, 1820; entl. wie oben (Keudell Nr 2231). Neben den Entleihungen aus der weimarer Bibliothek, auf die Alt sich beschränkte, stellt EGW als weitere gedruckte Quellen noch folgende Werke fest (vgl. auch Alt 26): 1809 *Mangelsdorfs Europäische Geschichte des 18. Jahrhunderts (366;* Ruppert Nr G 3292); *Krönungsdiarium ... (366);* 1810 *Die Voltairischen Briefe... (370); Bredowsche Tabellen zur Litterärgeschichte (370* Ruppert Nr 3278; doch erst 1811 erworben); *Siegwart (371): Gleims Biographie von Körte (374* Ruppert Nr 119); 1811 *Brandes Betrachtungen über den Zeitgeist (376); Hamanns Schriften (376* Ruppert Nr 928–49; 970; 1068); *Hezels Biblisches Real-Lexicon (388* Ruppert Nr 2631); d'Anville, Géographie ancienne abrégée, 3 Bde, 1768 (388); *von Loen: Der ehrliche Mann am Hof (389); Büchelchen des Pater Sacchi über die hebräische Sprache... (391* Ruppert Nr 753); 1812 *Lenzens Amor vincit omnia* (= Anmerkungen übers Theater) *(412)* FGA (412); *Klingers Werke (413* Ruppert Nr 983); *Katholische Übersetzung der Vulgata von 1662 (415); Horazens ars poëtica (416;* Ruppert Nr 1390); *Meine Bemerkungen über französische Litteratur in Gefolg von Rameau's Neffen (422); Rameau's Neffe von Diderot (424);* 1813 Sueton (451); Chaucer (453); Spencer (453); *Mösers patriotische Phantasien (454;* Ruppert Nr 2952, nur 2. Teil); *Sachsenspiegel (454); Zimmermann v d. Erfahrung (463); Sulzers Theorie einige Capitel (466); Spinoza (466); Sur le Suicide par Mme de Staël (467); Kants Critic der r. Vernunft* (Ruppert Nr 3086). In seinem Text nennt Alt (29f.; 42) noch HSHüsgens Artistisches Magazin (Ruppert Nr 2318, auf die frankfurter Maler bezüglich) und Eichhorns Umriß der deutschen Poesie und Prosa, Jahn verweist auf ,,bildliches Material" (176; 199; 238). Als nicht Gedrucktes ist Zelters Briefäußerung über Rousseaus Pygmalion hinzuzufügen (EGW II, 470). – Nach Gattungen geordnet verteilen sich die von Goethe herangezogenen Texte auf Lexika, Nachschlagewerke, Stoffsammlungen, Gesamtdarstellungen einer ausgedehnten Materie, Zeitschriften, Jahrbücher, auf Arbeiten über Einzelfragen, auf Texte literarischer oder philosophischer Natur. Damit ist schon gesagt, daß Goethe seiner gedruckten Dokumentierung überwiegend Stoffliches oder bloße Anregungen zu persönlicher geistiger Stellungnahme entnommen hat (Einzelheiten bei Alt 27–47 und Jahn 158ff.; 169f., 176–179, 194–207, 237, und den *DuW*-Kommentaren). In letzterem Sinne las er auch, ,,zur Vorbereitung auf sein

eigenes historisches Unternehmen ... ein planmäßiges Geschichtsstudium" treibend, 1810 Voltaires Briefe, Jv*Müllers Vierundzwanzig Bücher Allgemeiner Geschichten besonders der europäischen Menschheit, Tacitus (EGW II, 370, Anm. 3), später, 1811, als *wichtige Bücher, deren Einfluß bleibend war, ... St. Croix Examen des Historiens d'Alexandre; Heerens Ideen über die Geschichte des Handels; Degérando histoire de la philosophie; sie verlangten sämmtlich, daß man seine Umsicht innerhalb der vergangenen Zeiten auszudehnen und zu erweitern sich entschließe (ebda 376).* 1812 fuhr er in *mannigfaltiger Lecture alter und neuer Schriften* fort, *um sich seinen Gang synchronistisch, in dem Gange der Umgebung, zu denken (ebda 411).* Goethe wollte die ,,Fehlerquellen beseitigen, die seine besondere Begabung der Selbstbiographie in den Weg stellte" (Jahn 128). Damit erhebt sich die Frage nach den

IV. Leitgedanken der Gestaltung im Stofflichen und Künstlerischen, die Goethe von vornherein beschäftigte, wie unterm 18. V. 1810 der Tagebucheintrag *Biographica und Ästhetica* es bezeugt. Der intellektuellen Redlichkeit gegenüber dem eigenen Gedächtnis wurde schon gedacht. Auf benachbarter Ebene zeigt sich im ältesten Schema, durch das große Voltairezitat (I/26, 350), der prinzipielle Entschluß, als Autobiograph, dh. als Historiker, alle ,,marottes", alles Unfruchtbare, zu Weitgespannte und subjektiv Begründete zu vermeiden. Goethe will innerhalb eines Gebietes ausgedehnter, doch greif- und beweisbarer Bezüge bleiben und als Psycholog sich Rechenschaft darüber geben, wie in diesen Grenzen sein Leben, dies nie aussetzende *Abentheuer,* diese *ewige Marter ohne eigentl. Genuß (ebda 364),* wurde, was es war. Er erstrebt eine *ironische Ansicht des Lebens im höhern Sinne,* eine von der eigenen Jugend Abstand nehmende, objektivierende Methode, die sich aber auch *wieder gegen das Leben zurückzieht,* sich in dessen Fülle taucht, und zwar *superstitios (EGW II, 368)* dh. wohl halb im Gedanken der Bindung an höhere Mächte (EBeutler 887), halb in einer ,,bedingungslosen, ja wahnhaft erscheinenden Hingabe an das Leben...," die den Glauben an das Leben gewissermaßen zum Aberglauben werden läßt" (EWolf 90); das Prinzip der *Metamorphose* ist zu berücksichtigen. Diese intellektuell, sinnenhaft, metaphysisch und morphologisch ausgerichtete Behandlungsweise darf auf *befriedigende Totalität* als Frucht hoffen. Innerhalb solcher Ganzheit ist zwar *der Grund von allem*

... *physiologisch (EGW II, 368);* doch gilt dabei das *Hauptaperçu, daß zuletzt alles ethisch sey (I/53, 384).* Entscheidend ist die sittliche Richtung der Seelenkräfte unter dem Gebot des klarheitsuchenden Willens. Aus dieser fundamentalen Versittlichung des Lebensbegriffs ergibt sich, zunächst vielleicht überraschend, die Forderung, ohne Scheu auch *seine Tugenden* zu *beichten (EGW II, 368);* sind sie doch eine wirkende Macht, von der zu sprechen die Wahrheit gebietet. Von „Dichtung" ist denn auch in allen Skizzen zur Autobiographie durchaus noch nicht die Rede (Jahn 156). Die erste Niederschrift erschreckte bei der Vorlesung die Hörerinnen durch ihre Offenheit (ebda 167). Es handelte sich um „eine einfache biographische Erzählung, die sich ... eng an das Karlsbader Schema anlehnte", ohne die „meisten der großen Einlagen allgemeinen Charakters, die die Schilderung mit der Geschichte, der Literatur, mit der menschlichen Entwicklung in Beziehung setzen werden" (ebda 162). Dabei „wird deutlich, daß die Ereignisse durchweg vorangestellt sind, daß ihnen die Wirkung nach innen angeschlossen wird, und daß sodann aus der veränderten seelischen Disposition die Wirkungen nach außen, Entschlüsse, Handlungen, Schriften entwickelt werden. Deutlich schon im Karlsbader Schema, bleibt ja diese Betrachtungsweise bis in die abgeschlossene Biographie die herrschende" (ebda 166f.). Die Überarbeitung erfolgte in drei Richtungen: eine vergangene Kultur wurde wiederbelebt und damit ihre Bildungselemente ihrem Werte gemäß hervorgehoben; eine individuelle Selbstschilderung vertiefte sich zu einer Gesamtdarstellung des menschlichen Lebens und erweiterte sich zu einem Bilde der menschlichen Entwicklung; die annalistische Erzählung sollte sich durch die Mittel der Komposition zum Kunstwerk erheben (ebda 168f.).
Trotz gewisser Formulierungen – *biographisches Poëm (EGW II, 405), wunderliche Arbeit, biographische Späße* –, die nicht irreführen dürfen *(Jahn 314),* trotz des Willens, *manches Gemüth zu erheitern (EGW II, 393)* und „die gedrückte Stimmung in dem geknechteten Deutschland zu heben" (Jahn 316), trotz der – übrigens in *DuW* selbst nicht geheimgehaltenen – Neigung zum Mildern (ebda 317), trotz der möglichst weiten Verschiebung der „Grenzlinie ... nach dem Normalen, Allgemein-Menschlichen, Ausgeglichenen hin" (ebda 320), trotz der Leitung durch solche *Hauptbetrachtungen (EGW II, 461),* hat Goethe immer die Wahrheit seiner Darstellung

betont, *Dichtung* streng von *Erdichtung* unterscheidend *(ebda 506).* Der von FW*Riemer in der Form Wahrheit und Dichtung vorgeschlagene, dann von Goethe aus euphonischen Gründen etwas gefährlich umgestaltete Titel (ebda 396) war allerdings eher dazu angetan, die *Zweifel* des Publikums *an der Wahrhaftigkeit solcher biographischen Versuche* zu verstärken, trotzdem dies Bekenntnis Goethes *zu einer Art von Fiction gewissermaßen ohne Noth* geschah *(ebda 512).* Er war überzeugt, der Wahrheit treu geblieben zu sein; denn Wahrheit war für ihn nicht die für unmöglich gehaltene genaue Wiedergabe *einer niedern Realität (ebda 524),*von *Einzelnheiten, wie sie sich einmal ereigneten.* Er urteilte, daß Lebensepochen, Partei- und Zeitgeist sowie die unvermeidliche, naturgewollte wohltätige Umgestaltung der Erinnerungsbilder *(ebda 512;* 514) ein solches Vorhaben untersagten, und daß, dem Wesen der Dinge nach, *der gründliche und freydenkende Historiker ... viele Dichtung von bedeutenden historischen Monumenten abziehn muß, um die Wahrheit übrig zu behalten (ebda 444).* Die Wahrheit wird durch das Übergehen *eingestreuter unzusammenhängender Wirklichkeiten* nicht beeinträchtigt *(ebda 508);* denn sie besteht in der Auslese der Fakten, insofern sie in einem Leben etwas zu bedeuten hatten (ebda 524), *fruchtbar* waren *(1829: I/3, 83),* in den *Resultaten* eines Daseins *(EGW II, 524),* in der Kongruenz des *Vorgetragenen* als Erhellung des Begriffs *stufenweiser Ausbildung einer ... Persönlichkeit. Dichtung* ist somit nur der nicht zu umgehende, in intellektueller Redlichkeit nach höheren Gesichtspunkten sichtende und ordnende Subjektivismus, den jenseits aller Selbstbeschönigungssucht der *Erzählende* in die *Erzählung* hineinträgt *(ebda 512;* 470; 516). Goethe faßt zusammen, wenn er von *möglichster Erinnerung,* von *scheinbarster* – mit dem Höchstmaß von Überzeugungskraft erscheinender – *Wahrheit und vermiedener Dichtung* spricht *(ebda 514),* wobei Dichtung ausnahmsweise Synonym von Erdichtung (ebda 506) ist. Er tritt mit dem Anspruch auf, Historiker zu sein.
V. Der existentielle Gehalt. – Das Horoskop – *ich* und *die Constellation* (I, 1) – veranschaulicht die Begriffe *Dämon* (die *geprägte Form* der Persönlichkeit, *die lebend sich entwickelt)* und *Nöthigung* (das Fatum: *Da ist's denn wieder, wie die Sterne wollten* [1817: I/3, 95f.]), das Innen und das Außen. In *Polarität verbunden *(Gegenschein des Mondes,* I, 1) bieten die Gestirne *gute Aspecten,* deuten auf Glück-

haftigkeit (*Jupiter ... blickte freundlich*, 1; *Erhaltung* des Kindes, 2) und verheißen hierdurch *Steigerung. Konkreter: Der Mensch ist Teil einer Welt, die sich von der Familie als der Urzelle aller menschlichen Verbundenheit bis zum Sternenhimmel, vom Physischen bis ins Metaphysische erstreckt; hier hat er leidend *(Ungeschicklichkeit der Hebamme)* und handelnd (wenigstens mittelbar führt Goethe *Geburtshelfer* und *Hebammen-Unterricht* in Frankfurt ein, 2) und, wie sehr bald hervorgehoben werden wird, in Bewußtheit (8) zu bestehen. Damit sind bereits die durchgehenden Großthemen von *DuW* gegeben: Ein Weltgefüge außerhalb des Individuums; darin das Individuum, wie es zwischen Förderung und Hemmung von außen, Gefährdung und Sicherung von innen in *Diastolen und *Systolen sich zur Aufgabe der Selbstbehauptung und -entfaltung verhält; die Entdeckung der Lebensgesetze.

Aspekte des Weltgefüges im Räumlichen (Vaterhaus, 3; Vaterstadt, 17–33; Ausland, Weltreisen, 10, 25, 56; das Kosmische, 8, 74), Zeitlichen (Vergangenheit der Vaterstadt und des Reichs, 6, 21–32, 57; die Antike, 10, 55f.; Weltgeschichte, 55) und ordnenden, erkennenden, schaffenden Geistigen (die Erziehung, 9, 15; Religionsunterricht, VII, 76; die reichsstädtische und staatliche Autorität, I, 18–25; die Macht, 27; Gott, 74 – *das Würdige der Wahrheit* in Büchern, 56; der weissagende Großvater JW*Textor, 64; Gott, 74 – Kunstwerke, 10, 37s.; das *Phantasiereiche des Märchens*, 56; Gott, 74) sind von dem etwa siebenjährigen Kinde in bereits recht ausgedehntem Maße wahrgenommen und festgehalten worden. Danach erweitern sich die Blickfelder im Räumlichen hauptsächlich durch *Leipzig und *Dresden (1765–1768), das *Elsaß (1770–1771), das *Lahn- und *Rheingebiet (bis *Düsseldorf; 1772, 1774), die *Schweiz (1775), und im Zeitlichen durch historische Lektüren (IV, 70), die oft infolge ihres weitausgreifenden *Encyclopädismus* (VI,46) summarischen Charakters sind, sowie durch die Studien zu *Götz, *Egmont und zum 15. und 16. Jahrhundert (XVII, 96). Für das Geistige ist die Bereicherung unendlich größer. Die Zeit bis Leipzig (1765): Die Phänomene Politik (mit Unerfreulichem und Heldenverehrung, II, 2–5), Krieg (III, 32–35) und Kulturosmose (die Franzosen in Frankfurt: neue Menschentypen, Sprache, Theater, Literatur, Veranschaulichung einer strengen künstlerischen Form [*Französischer Geist, *Französische Literatur, *Französische Sprache]); viel Schulwissen (IV, 2–26 passim), vor

allem sowohl alte wie lebende Sprachen, in erster Linie Latein (VI, 47) und Französisch als Hauptgrundlage des künftigen weiten Wissens und der Weltoffenheit; viel Buchwissen (*anhaltender und hastiger, Tag und Nacht fortgesetzter Fleiß*, VI, 46), *juristische Gegenstände* als *Hauptzweck* (IV, 65); naturwissenschaftliche (10), historische (70), religionsphilosophische (42), philosophische (VI, 5), literaturgeschichtliche und sprachliche, der Antike geltende (IV, 45) Studien. Erfahrungswissen durch den intellektuellen *bedeutenden Einfluß* reifer, kultivierter Männer, die in ihm, als einem *geliebten Sohn*, einen künftigen *Hofmann, diplomatischen Geschäftsmann, Rechtsgelehrten* (82–92) sehen; durch genaueres praktisches Kennenlernen des Menschenwesens in verschiedenen Gesellschaftsschichten (Fde *Thoranc, VFv*Broglio, *Soubise; *Handwerker*, 75; aufstrebende Vertreter unterer Volksschichten, V, 16; *Pöbel*, 76; *die Judengasse*, IV, 72) und sozialen oder politischen Erscheinungsformen, darunter sehr Fragwürdigem in der familienhaften (VI, 18; VII, 61), bürgerlichen (IV, 5–8, 69, 74; V, 87), städtischen (IV, 2, 71; V, 89; VI, 49), staatlichen (V, 27, 52, 79) Ordnung. Leipzig (1765–1768): Auf dem Boden einer die Intellektuellentragödie *Fausts* vorwegnehmenden (VII, 82; A Fuchs, 99) Kritik an hohlgewordenen Werten (Universitätsbetrieb, VI, 66–68; herrschende Literatur, VII, 30; Popularphilosophie, 35; kirchliche Religion, 79; bürgerliche Welt, VI, 75, 77; VII, 81; eigenes Schaffen, VI, 86), geistig Neues in kunsthistorischem Wissen (Lektüre und Besuche von *Sammlungen*, VIII, 4, 33; die Niederländer der Dresdener *Galerie*, 18); in Erschließung einer (vorläufig) mit den Augen *Oesers, *Winckelmanns, *Wielands gesehenen (6, 33; VII, 31) Antike, nach der *ein sehnsuchtsvoll verehrender Blick sich immer offen halten* (VIII, 8); in ästhetischen Einsichten (Gebot des *inneren Gehalts* [VII, 52], des *Natürlichen* und *Wahren* [86, 94]; richtiges Verhältnis von Form und Gehalt [92ff.]; *wie sich ... Begriff und Anschauung wechselweise fordern* [VIII, 14]; Gebot des *Schönen* für den *bildenden Künstler (Laocoon)* [11]; in vertieften Betrachtungen über die Psychologie als das *Rätsel des Menschenlebens* (VII, 66); dabei sind erwachendes Interesse für *Medicin* und *Naturhistorie* (VI, 85), erneuter Glauben an ein wieder als *göttlich* empfundenes *Evangelium* (VIII, 45) und Kontakte mit einzelnen Persönlichkeiten (ua. AF*Oeser, EW *Behrisch, ETH*Langer, ein *verständig heiterer Officier* [VII, 97–100])Vorausdeutungen auf die frankfurter Zeit (1768–1770), dh. auf *Al-chemie (VIII, 53–56) und *Pietismus, *Neu-platonismus und *Kabbala (65), aber auch auf die wissenschaftlich zuverlässigeren Gebiete der *Chemie (HBoerhave) und der Kirchen- und Ketzergeschichte (G*Arnold),zudem, ein-mal mehr, auf eine als überlegen anerkannte und verehrte Persönlichkeit: Sv*Klettenberg. Straßburg und das Elsaß (1770–1771): die Prinzipien der europäischen Vorromantik in der deutschen Abwandlung des *Sturm und Drang (Kritik, doch nicht radikale Verwer-fung der *Aufklärung und der übernationalen Geisteshaltung, IX, 57), aber auch am Mün-ster selbst erfühlte Klassik (45f.) und *Raffael als *das Rechte und Vollkommene* (16); innigeres Eindringen in die Natur durch *Medicin, Che-mie, Anatomie* (14f.), Landschaft (X, 34; XI, 46), Geomorphologie (X, 35), Bergwerkswesen (37) und in bisher unbekannte halbländliche oder ländliche Lebensformen (*Buchsweiler, *Sesenheim); Abwendung vom Pietismus und Zuwendung zur pandynamistischen Natur-vergottung als der metaphysischen Auswir-kung des Erlebnisses der *Fülle der äußeren Welt* (X, 7) und des eigenen wie noch nie *be-wegten Lebens* (IX, 2); leitend, zwei verschie-dene Menschentypen, JG*Herder und JD *Salzmann. Danach die Jahre bis 1775: Zu-nächst Intensivierung von schon vorher an-gegangenen geistigen Problemen: literarisch, doch nicht nur literarisch (*Geniereise* [XIX, 48] in die Schweiz) der Sturm und Drang mit seinem Zurückgehen in die deutsche Vergan-genheit des 15. und 16. Jahrhunderts (XVII, 96; H*Sachs, Uv*Hutten) und mit der stili-stischen Beeinflussung durch JG*Hamann als Gipfelpunkt (XII, 17); sozial und politisch die nunmehr existentiell erfahrene, nicht allein durch das *Reichskammergericht* zu *Wetzlar illustrierte Stagnation des *bürgerlichen Lebens* (XIII, 54) und das daraus fließende nationale Epochenphänomen des *Ekels vor dem Leben* (44; *Wertherkrise, 58); religiös die Verteidi-gung eines *Christenthums* zu seinem *Privat-gebrauch* (XV, 5) in den Auseinandersetzun-gen eines Pelagianers (4), Realisten (XIV, 26), *Heiden* (XV, 3) mit SvKlettenbergs Pietismus und JC*Lavaters *bibelbuchstäblichem Glauben* (XIX, 40), und anderseits die Aufrechterhal-tung seiner *Neigung zu den heiligen Schriften* (XV, 5) gegenüber einer gewissen Bibelkritik (XII, 12); an allen drei Kategorien teilhabend, das Griechentum (*das Homerische Licht*, XII, 63 – das *Prometheus-Symbol – Plastik und Architektur *[dieses große … Schauen]*, XI, 122–127; XIII, 22). Dazu vier neue Gegeben-

heiten, darunter drei von hoher, höchster gei-stiger Potenz: Das Finanz- und Großbürger-tum *(*Schönemann)*; J*Möser und seine *innig-ste Kenntnis des bürgerlichen Wesens* (XIII, 73); B*Spinoza, der Ordner und Befrieder; das *Dämonische*, das geheimnisvoll ins persönliche Leben eingreifende *furchtbare Wesen* (XX, 16). Schließlich auch in dieser Periode die hervor-ragende Rolle einiger starker Persönlichkei-ten: *Mephistopheles* (aber nicht nur Mephisto-pheles)-*Merck* (XV, 44), Lavater, ESchö-nemann.

Das Individuum Goethe, schon früh zu füh-lender (I, 8), denkender (47), kritischer (40f., 54), schöpferischer (12f., 53f., 74) Bewußt-heit im *Ernsten und Ahnungsvollen* (8) er-wacht, ein *gut gesinntes, zur Liebe und Theil-nahme geneigtes Kind* (II, 26), das jedoch fe-sten Willen besitzt (I, 58), auch extremisti-schen Reaktionen ausgesetzt ist (V, 89; des-gleichen später immer wieder, zB. VIII, 35; XIII, 55ff.; XVII, 59; XVIII, 81), hat sich mit diesem fortschreitend entdeckten Welt-gefüge auseinanderzusetzen. Der erste umfas-sende Versuch in solcher Richtung, die eigene Form der Gottesverehrung (I, 74), erfolgt sehr bald; Goethes Religion des uneigennützi-gen Bewunderns und *Dankens, nicht Fürch-tens, gegenüber der Schöpferkraft erscheint darin als die des Wärmebedürfnisses eines universalen, aber ordnenden Hingabe-, Ver-bundenheits- und Harmonieverlangens, wie ein Liebender und ein Künstler, ein zugleich naturverbundener und intellektueller Mensch es empfinden mag, dessen Individualität, ob-wohl auf das Absolute hin erweitert und der Tradition verpflichtet, sich in Bewußtheit be-hauptet. Schon jetzt läßt sich in ihren un-erschütterlichen Grundzügen die *Entelechie* erkennen, *Die holde Kraft die aus dem Innern drang / Und nahm und gab, bestimmt sich selbst zu zeichnen, / Erst Nächstes, dann sich Fremdes anzueignen (Faust, V. 6841–6843).*

Von außen gefördert wird Goethe durch die materiellen *Vortheile seiner Lage* (V, 16), die Heiterkeit der Mutter (I, 9), die vom Vater gebotene geistige Bereicherung, Unterstüt-zung und Teilnahme (I, 44; XIII, 23; XVI, 57; XVII, 30; XIX, 79), die zeitweise mit Dankbarkeit als sicher und *behaglich* empfun-dene Atmosphäre des Elternhauses (I, 34; II, 1; VIII, 53; XVI, 2; XIX, 65), die weitere Familie (I, 62, 68ff.), die Heimatstadt (wenig-stens in der Kindheit, 17), die ihm von jungen Mädchen entgegengebrachte Liebe, den Ver-kehr mit bedeutenden Persönlichkeiten (zu-oberst Herder), die progressiv erworbenen

Kenntnisse als Ausgangspunkte von Impulsen, darunter als existentiell wichtigste Strahlungszentren *Bibel, *Griechentum, gewisse Elemente der deutschen Vergangenheit (*Gotik, 15. und 16. Jahrhundert) und Gegenwart (*Klopstock, Wieland, Lessing, Herder, Hamann,Winckelmann, Möser), französische und *englische Literatur, Naturwissenschaft, Spinoza.

Aber die Familie mit ihrem *schwebenden Widerstreit* (VI, 18), der Vater mit seinem Charakter, seiner Pädagogik, seinen Zukunftsplänen, seiner Verständnislosigkeit der jungen Generation gegenüber (II, 43–48; XIX, 61), die unglückliche Schwester (C*Goethe), die Heimatstadt als *entsetzliche Last* (VI, 49) wirken hemmend, wie später die leipziger Gesellschaft (VI, 73, 77) und das stagnierende bürgerliche Leben im Reich überhaupt (XIII, 54). Politik ist Brutalität (I, 27; III, 2). Der private Unterricht (I, 62; IV, 3–9), die öffentliche Schule (IV, 13), die Universität (VI, 66ff.) enttäuschen. Die zeitgenössische Literatur versetzt in einen *verzweiflungsvollen Zustand* (VII, 20). *Der Conflict zweier, für das literarische Vaterland ... bedeutender Epochen* (VII, 56) und die herrschende Philosophie (35f.) lähmen. *Lissabon* wird zum metaphysischen Erdbeben. Die *kirchliche Religion* sieht sich nach *düstrem Scrupel* abgelehnt (VII, 68, 79). Die Menschen werden schon früh als nicht immer erfreulich empfunden (I, 8, 16, 58; II, 2, 5–9, 22, 26f.; IV, 92; XIII, 46, 69); sogar *Sinnesverwandte* können durch *falsche Mit- und Einwirkung* schaden (XIX, 49). Die Liebe bringt ein reines Knabenherz in Beziehung zum Verbrechen und lehrt die erschütterndste Verzweiflung kennen (V, 89–93) oder stürzt den jungen Menschen in Schuld (XII, 31) und *Reue* (XII, 31). Der schöpferische Mensch muß die Einsamkeit suchen (XIII, 69). Zusammengefaßt: Die *äußern Berührungen treffen niemals mit der Epoche unserer innern Cultur zusammen* (ebda).

Die für Gefährdung, aber auch Sicherung der Existenz entscheidenden Kräfte liegen jedoch in der Persönlichkeit Goethes. Intensität der *Lebensgewalt* (V, 92; auch V, 1; VII, 63; XIII, 20; XIV, 47; XVIII, 81), Wärme- und Verbundenheitsbedürfnis (vgl. oben zu Goethes Religion, I, 74; VII, 68–75) als allgegenwärtige, vorherrschende ganz triebhafte Impulse geben den geistigen und seelischen Manifestationen oft etwas Bedrohliches. Intellektuelle Aufnahmefähigkeit zeitigt Zerstreuung (XII, 66), Verstehenkönnen zu großes *Geltenlassen* (XVIII, 27), vertrauender „genialer" Kräfteüberschuß

(XVIII, 24) *Excentricitäten* (XVIII, 7) und *Verrücktheiten* (30). Im Anschlußbedürfnis von Mensch zu Mensch wird Hilfsbereitschaft naiv gutmütige (XVIII, 27) Unklugheit (V, 19, 86; XV, 37), wahre oder auch nur gewähnte (XVIII, 17) Freundschaft Sichverführenlassen (XVIII, 27; XIX, 27), die ihrer Herkunft und ihres Endes unbewußte Liebe (X, 78; XII, 71; XVI, 38) Extremismus (VI, 25, 49; VII, 59; XII, 31, 75; XIX, 76), *Humanismus* Verweichlichung (XIII, 24, 29). Seelischer Adel bringt Drangsal (V, 89). Enttäuschung, Kritik, *Unmut* (XIII, 58) führen zu Introversion (II, 6; VI, 8; XII, 31, 33; XIII, 55), nihilistischem Anarchismus (VII, 82), *Ekel vor dem Leben* (XIII, 44), Versuchung durch den Selbstmord (XIII, 57). Goethe kann gegen sich selbst wüten (V, 92; VII, 59).

Diese irrationale Dynamik ist jedoch nicht immer gefährdend. Sie kann fördernd, sichernd sein, zunächst ganz allgemein als Antrieb zu irgend einer Betätigung, als Heilmittel gegen die Introversion (VI, 15, 27; XII, 31; XIX, 81). So trägt das instinktive Verbundenheitsbedürfnis erquickende Früchte in der schon frühzeitig erfolgenden gefühldurchtränkten Hinwendung zur Natur (I, 8; VI, 9; *Elsaß, *Lahn, *Rhein, *Schweiz), der Heranbildung einer uneigennützigen (XIV, 52) Gott-Naturfrömmigkeit (VI, 9), im immer wieder auflebenden vertrauenden Zug zu den Menschen (VI, 40; VII, 29; XIV, 50; XVIII, 27), im *Seelen- und Geistesverein* der Freundschaft (XIV, 51), *edlen Verständnis* der Liebe (XVII, 13), positiven offenen Verhältnis zur *Menschheit zusammen* selbst auf dem Höhepunkt seiner jugendlichen *patriotischen Gesinnungen* (IX, 57, 54), im Glück, bei menschlicher Wärme *alles sein Gutes und Liebevolles ... hervorbrechen* zu fühlen (XIV, 50). Wie die Sympathie reifer Männer (IV, 92, Oeser, Langer, Herder u. A.) bestätigen solche Beziehungen zu den Menschen ihm, stärkend, Kraft und Wert seiner nicht überschätzten, *mit freudiger Bescheidenheit* (XIII, 72) fremde *Superiorität* (X, 13) verehrenden, aber pelagianisch auch nicht unterschätzten (XV, 4) Persönlichkeit, gegen die er selbst christlich-metaphysische Herabsetzung nicht gelten läßt (ebda). Dadurch und durch das Bewußtsein von seinem *productiven Talent* als der *sichersten Base* seiner *Selbständigkeit* (XV, 11), ja als *einem Heiligen* (XVI, 23; EWolf, 163) nimmt die triebhafte *Lebenskraft* (II, 9; IV, 90, 94; V, 1; VI, 1, 18; VII, 63; IX, 27; XII, 11, 34; XVIII, 24, 30, 80) eines jener rationalen Elemente in sich auf, die ihm durch die

Existenz helfen. Zuoberst das intellektuelle, *Begriff und Anschauung* (VIII, 14) verbindende und damit auf methodologische und sachliche Totalität ausgehende Suchen nach Klarheit (VII, 58; VIII, 10; die Nachahmung des Stils Hamanns [XII, 17] kann nicht zu hamannscher Dunkelheit werden; XVI, 6; XIX, 11), gültigem *Maßstab des Urtheils* (I, 54; VI, 81 bis 84), Unverfälschtheit (XII, 70; XIII, 32f.), Ordnung (IX, 45; XIV, 37; XVI, 10). Hierbei ist das dichterische Gestalten ganz wesentlich (VII, 58), und zwar schon in der Kindheit (II, 10). Eine solche intellektuelle Redlichkeit gibt auch dem Glauben Goethes seine Eigenart. Dem unzugänglichen Absoluten gegenüber läßt Goethe den Inhalt des Glaubens (hierzu EWolf, 158–161), als subjektiv bedingt (VIII, 65), auf sich beruhen; wesentlich ist für ihn das *sicherheit*gebende *Unerschütterlichkeit* des Glaubens, des *Zutrauens auf ein übergroßes, übermächtiges und unerforschliches Wesen* (XIV, 34), das eine geordnete, sinnvolle Welt geschaffen hat (I, 74; VIII, 65ff.; XVI, 10), in der die Goethe sich geborgen (I, 74; VIII, 67; XVI, 1f.) und glückhaft (Horoskop, s. o.; *ein Liebling der Götter* [*Der neue Paris*], II, 17; IV, 90; XVI, 26; XVIII, 68; XX, 19, 49; auch XI, 62) fühlt. Dieses Fühlen ist nicht hemmungslos vital-irrational; denn es stützt sich auf den Wert der aktivistischen, die Lagen und Dinge nicht tatlos hinnehmenden Persönlichkeit und andere, von dieser ganz oder fast ganz unabhängige Fakten (vier Geschwister sterben, er nicht; Pockenheilung, I, 58; Krankheiten als Rettung, V, 93; VIII, 35f.), die eine optimistische Deutung der über dem Leben waltenden hohen Kräfte, auch des *Dämonischen* (Schluß [!] von *DuW*) erlauben. Da Goethe der Mensch der *moralischen* Selbstausbildung (XV, 5), der *Fruchtbarkeit* der Zukunft (XI, Schluß! In diesem Sinne das ganze 12. Buch die Apologie nach dem Erlebnis mit F*Brion) und der *hilfreichen und nützlichen* Leistung (Joseph als Wunschbild, IV, 57) ist, darf er ohne sittliche Skrupel auf seine Überzeugung hören, umso mehr, da sie seinen sowohl nach außen (II, 21f.; VI, 51; XV, 21 bis 25; XVI, 34ff.) wie nach innen (IX, 30f.; XIII, 33, 57, 61; XVI, 50; XVIII, 26) positiv eingestellten Willen kräftigt. Obwohl den übermächtigen Gegenkräften nachgebend (die vom Vater geforderten juristischen Studien), strebt er doch dem jeweils gemäß Dünkenden (Dichter, IV, 94; Professor, VI, 50; Advokatur [während der Lilizeit], XVII, 28; Weimar, XV, 16–20 und später) zu und verliert dabei nie das Unerläßliche, als ganz fundamental Er-

kannte (IV, 30) aus den Augen, die Wahrung der persönlichen Wesenheit (IV, 56; VI, 73f.; XII, 70; XVI, 34; die Trennungen von FBrion, Ch*Buff, ESchönemann; defensive Haltungen gegenüber dem Vater, Herder [X, 27], Hamann [XII, 20], JG*Zimmermann [XV, 29], vielleicht auch Merck [XII, 21] und Lavater [XIX, 27]) als der letzten Instanz im Lebenskampf (XV, 11) und die Existenzgestaltung nach dem persönlichen Gesetz, das Behauptung und Entfaltung des Ich in besonnener altruistischer Tätigkeit verlangt. Von *Joseph*, dem Wunschbild des Knaben ausgehend (s. o.) präzisiert es sich mit immer stärkerer Betonung des Willens zum sozialen Wirken (Dichter, Universitätsprofessor; *Weltgeschäfte*, XIII, 73–77 und XVI, 23), bis Goethe in optimistischem Fatalismus und mit dem vollen Einsatz seiner Persönlichkeit *mutig gefaßt* (*DuW*, Schluß!) in einer Reihe von Akten, die *auf eine unbegreifliche Weise aus Freiheit und Nothwendigkeit zusammengesetzt* (XI, 69) ist, sich dem schließlich entdeckten Mittel zur Erreichung seines Zieles sehr bewußt (XV, 17–20; XVIII, 35; XX, 11, 28, 35, 47) entgegenarbeitet. In Weimar erhofft er seine Selbstverwirklichung durch die Hingabe an das Überpersönliche des Geistigen und Dichterischen (XV, 17) und der *Thätigkeiten* (XX, 13) in den *Weltgeschäften* zu seinem und *anderer Nutzen und Vortheil, … nichts von* seinen *Kräften ungebraucht* lassend (XVI, 23) noch *das Obere dem Unteren* aufopfernd (XIV, 60).

Es sind wenige Biographien, welche einen reinen, ruhigen, stäten Fortschritt des Individuums darstellen können (XI, 69). Auch auf Goethes *Lebenspfad* gibt es *Steine des Anstoßes, über die* er wie *ein jeder Wanderer stolpern muß* (*MuR*: Hecker Nr *617*), anders und nochmals in Goethes Formulierung gesagt, **Diastolen und *Systolen* (obgleich nicht jede der letzteren ein Hindernis bedeutet). In Goethes Existenz bis 1775 sind fünf Perioden unterscheidbar, die sich als progressive Großdiastolen darstellen: Die Kindheit bis zur Gretchenkatastrophe; die Zeit bis Leipzig; die drei Jahre in Frankfurt und im Elsaß; die Epoche bis zur Lebensekel-*(Werther-)*krise; die Zeit vor der Liebe und während der Liebe zu Lili; Kleinsystolen sind jedesmal festzustellen, ohne daß sie den diastolischen Grundcharakter fraglich werden lassen. Jede dieser Perioden endet systolisch mit eingesprengten Einzeldiastolen, und zwar drei – die erste (VI, 11), zweite (VII, 59), vierte (XIII, 57) – in fast katastrophalem Ausmaß, zwei ohne derart tiefgehende Wirkung (XII, 31; XX, 27f.).

58*

Hier muß Goethe nur auf einen Einzelwert innerhalb eines Ganzen verzichten, das er als Positivum (Durchbruch zur Vorromantik) erworben hat oder zu erwerben hofft (Weimar); dort bricht eine Welt von Werten zusammen (VI, 49; VII, 82; XIII, 54); doch jedesmal liegt die Ursache der Systole im Abstand zwischen Erwartung und Wirklichkeit (Gretchen, von der er geliebt, dh. ernst genommen zu werden wünscht, sieht in ihm nur *ein Kind* [VI, 3]; Leipzig ist Gegenstand seiner *Träume* [VI, 52; auch VII, Schluß]; FBrion läßt Goethe sich *in süße Träumereien verlieren* [X, 79; auch XI, 4]; Goethe – und ein Teil der Jugend – wünscht sich, was die Zeitverhältnisse nicht gewähren können, und stellt *übertriebene Forderungen an sich selbst* [*Wertherkrise, XIII, 54f.*]; *Trugschluß der Leidenschaft* [Lili, XVII, 74]) und ist die Intensität des Erlebnisses durch Goethes Persönlichkeit gegeben; jedesmal auch liegt die Rettung in Goethes Lebenswillen und Lebenskraft (VI, 1, 4; VII, 63 und VIII, 49; XI, 121 und XII, 34; XIII, 57; XVIII, 68, 80, 85). Indes sucht Goethe manchmal bewußt-unbewußt die Systole, wobei sie nicht Hemmung oder Enttäuschung bedeutet, sondern Entspannung als Hygiene (XV, 46f.; XVI, 2), Aufhören zweckloser Kräfteausgabe (s. o. zu ,,Wahrung der persönlichen Wesenheit"), Willen zu intellektueller Beherrschung (IX, 8; XVI, 6), Bedürfnis nach geschlossener Form (XI, 126) – Ermöglichung, Vorbereitung und Überwachung neuer Diastolen, Ausdruck einer latenten Klassik.

In diesem diastolisch-systolischen Rhythmus, den er in den eigenen psychologischen Regungen sehr früh (I, 8), danach recht bald in seinen biologischen Reaktionen (V, 93) und im Ablauf der äußeren Ereignisse (Lissabon, Gretchenkatastrophe zB.) bemerkt, um ihn, zwanzigjährig, als gottgewollten Wechsel von *verselbsten* und *entselbstigen* (bedeutungsvoll am Ende des 8. Buches vor der elsässischen Diastole) nach metaphysischer Begründung zur ethischen Forderung zu erheben, erfaßt Goethe das größte der Lebensgesetze, deren Auswirkung er in *DuW* darstellt.

Es überwölbt alle andern, im Wesen der Welt und einer fruchtbaren Lebensgestaltung liegenden Gesetze und Gebote, wie einige schon das erste Buch in der Außenwelt, in deren Zusammentreffen mit dem Individuum und in diesem selbst hervortreten läßt: den souverän autonomen aus der Natur der Dinge fließenden Determinismus (I, 40, 43), die Unbeständigkeit (7, 14, 40 ff., 58) und Ambivalenz der Gegebenheiten (der helfende, aber auch hem-

mende Vater; die zugleich erhebende und fragwürdige Tradition; die bedrückende und helfende Religion), die Gegensätzlichkeit von menschlichem Geistesgang und Wirklichkeit (Phantasie, 22f.; Gerechtigkeit, 40ff.), den Zwang zu kritischer Stellungnahme (9, 42, 71), die Notwendigkeit des Vergessenkönnens (24, 73), die der Selbstbewahrung (62), endlich, im Schluß (!) zum Ausdruck kommend, das *Dämon*-Prinzip – *So mußt du sein* – der unstörbaren, unzerstörbaren Entelechie (s. o. zu 74). Danach erscheinen andere, fortschreitend erfaßte Gesetzlichkeiten und Notwendigkeiten; als erstere das Wachsen der Unruhe mit dem Wachsen der Kenntnisse (VIII, 28) und der Bankrott aller *unbedingten Tätigkeit (MuR*: Hecker *Nr 461)*, als letztere Anpassung und Ausgleich (Zukunftspläne des Vaters, Kampf gegen Introversion und hemmungslose Dynamik), Hinnahme der Verquickung von *Freiheit und Notwendigkeit* (s. o.), Entsagung, Einsatz des Eigenen als Grundlage der Verkettung von *Verdienst und Glück (Faust, V. 5061)*, schließlich Klarheit über die von der Persönlichkeit gebotenen helfenden Kräfte: im Biologischen, den Willen zu leben und sich deshalb den Lebensgesetzen zu unterwerfen; im Intellektuellen, die Fähigkeit, diese zu erkennen; im Sittlichen, das Entfaltungs- und Vervollkommnungsstreben bei *vorsichtiger Duldung* (VII, 62) und Hilfsbereitschaft – zusammengefaßt die zugleich egozentrische und altruistische tatbereite Offenheit für *Idee und Liebe* (1827: I/6, 83).

VI. Dieser existentielle Gehalt ist strikteste Wahrheit im Sinne Goethes, da er das für sein Leben Wesentliche wiedergibt, Dichtung lediglich die Technik des erhellenden Hervorhebens dieses Wesentlichen ist. Zur Beurteilung dieser Technik ist, in Abwehr einer etwaigen prinzipiellen Skepsis, auf drei Punkte hinzuweisen: Gewisse Urteile über Personen (Herder, Merck) erscheinen nur dann anfechtbar, wenn man sie vom Standpunkt der eigenen Unbeteiligtheit betrachtet, werden aber gültig, wenn man erwägt, daß Goethe – der ja über s e i n Leben berichtet – diese Menschen nach ihrem Verhältnis zu ihm sehen muß (Jahn 326); das eine oder andere, was lange als Erfindung verdächtigt worden ist, hat sich als echter Tatsachenbericht herausgestellt (zB. der dresdener Schuster [Beutler, 925f.], Systole und Diastole [Lepinte, 53]); Goethe ,,respektierte unbedingt... die einwandfrei festgestellte Wahrheit" (Jahn 326). Trotz solcher Sicherungen bleibt die Frage offen, inwiefern die unvermeidliche Einwirkung der Persönlichkeit des Darstellenden, Hervorhebenden, die nackten Tatsächlichkeiten umgestaltet, einerseits unbewußt durch Erinnerungsfehler und eine bei aller aufgewendeten intellektuellen Redlichkeit ungenügend gebliebene materielle Dokumentierung, anderseits bewußt durch die geistige Haltung des Autors. An „Unwahrheiten", die als unbewußt eingeführt zu bewerten sind, zählt Alts Kommentar, nach vLoeper, Düntzer, Meyer, etwa hundert auf. Die große Mehrzahl betrifft Daten und andere Einzelheiten, die sowohl an sich als auch in ihren Auswirkungen auf Goethes Leben in den meisten Fällen belanglos sind (zB. das Posaunen des Turmwächters bei der Überrumpelung Frankfurts durch die Franzosen; die Methode des Französischlernens; die Dauer der Verzweiflung nach dem Gretchenerlebnis; das Mariagespiel, das erst 1769, nicht schon 1764 stattgefunden hat; die Komödienszene bei Gottsched; das Alter Salzmanns; die sesenheimer Chronologie; das Datum der Lektüre von *Diderots „Deux amis de Bourbonne"; den Aufenthalt Leuchsenrings in Koblenz; die gemeinsame Reise Goethes und *Basedows; die Chronologie der Lili-Zeit; F J *Wreden Oberamtmann, nicht Oberforstmeister); doch entstellen auch bedeutungsvollere Ungenauigkeiten (zB. das Verschweigen der sehr frühen von *Voltaire und *Montesquieu ausgeübten Wirkung; die Übertreibung des Gegensatzes *Thoranc – Rat Goethe; zu geringe Einwirkung Oesers auf Goethes Zeichnertechnik; der Irrtum über die gotische als deutsche Baukunst; die *drusenheimer Verkleidungs- und Kuchenanekdote; das zu frühe Ansetzen des Melusine-Märchens; die zu *tigerhafte* Merck-Charakteristik; Irrtümer in der *Werther*-Chronologie; zu starke Betonung von Lenzens *imaginärem ... Haß* auf Goethe; Lavater und Basedow als Anlaß zu Betrachtungen Goethes über *Mahomet* als Betrüger) das Bild der Wirklichkeit nicht entscheidend, was selbst vom Schweigen über *Faust* gilt, da Goethes Expansives, Extremistisches und Schöpferisches anderweitig genügend hervortritt; schwerer fallen ins Gewicht Fehldarstellungen, die den auf Goethe lastenden Druck zu sehr betonen (Weigerung des Vaters, Geld für Ausflüge und dgl. auszugeben; zu dunkel gehaltenes Bild Corneliens; Druck des leipziger Studentenlebens im Sinne der „Galanterie"; die Härte des Vaters in der Erziehung Corneliens; Widerwillen gegen die Jurisprudenz), der geistigen Entwicklung eine der Wirklichkeit nicht entsprechende Beschleunigung geben (zu früh angesetzt: die

Befreiung von der französischen Tragödienklassik; die Fähigkeit, fertige Bilder zu sehen; das Studium *Wielands; die Neigung des Dichters zum Natürlichen und Wahren; der Stilwandel [im Verhältnis zur Manier *Clodius']; die persönliche Interpretation des „Laocoon"; die Beeindruckung durch das korinthische Kapitell in Mannheim als Reaktion gegen die Gotik; die *Reue* nach der Trennung von FBrion vorverlegt und übersteigert [Spalte 1444 ff.]; *Mahomet* als Annäherung an die regelmäßigere Dramenform; das politische Interesse am *Egmont*) oder Werke falsch datieren (Jahn, 131 f.), wobei indes überall nur eine Intensität oder ein Rhythmus, keineswegs eine Essenz modifiziert wird. Entsprechendes gilt grundsätzlich auch von Goethes bewußtem Schalten mit den realen Gegebenheiten, wie es sich mildernd, normalisierend, das Regulative unterstreichend kundtut. Um durch seine Darstellung den Lesern Hilfe für ihre eigene möglichst beherrschte, verantwortliche, fruchtbare Lebensführung zu bieten, handhabt er den Euphemismus (Jahn, 317; hier Sp. 1543; zB. in bezug auf die Seelenhaltung der jungen Jahre, die *elend, genagt, gedrückt, verstümmelt [1777: IV/3, 195]* war; die frankfurter Kindesmörderinnenprozesse (Beutler, 943); den straßburger *liederlichen Tanzboden* [I/28, 360]; das *wilde ... Mißverhältnis zu Herder* [I/28, 364]; das Empörerische im *Götz* [Meyer, in JubA. 25, 294]; den Abschied von Wetzlar; die Erklärung der *Werther*-Krise nicht allein durch Liebesqual; den Besuch in Emmendingen bei der Schwester; das Verhältnis zu Lili [anders die in *Lili's Park* dargestellte sinnliche Hörigkeit, 1775, I/2, 87–91]); er denkt dabei sowohl an die Wirkung auf Individuen, als, hierin *Béranger ähnlich, auf die Nation (Jahn, 316), wenn in der Enttäuschung durch *Napoleons Deutschland-Politik (EWeniger, 112) „die straßburger Zeit und die Loslösung vom französischen Einfluß bewußter gedeutet ist als es gleichzeitig der Fall war" (WMommsen, 25; auch Meyer a. a. O., 23, 330), oder aus Beängstigung durch die Revolution das Bild eines idyllischen, sozial spannungslosen Deutschland des 18. Jahrhunderts hingestellt wird: Gelegentlich sollte „dem durch die politischen Verhältnisse gedrückten Deutschen ... gezeigt werden, was das Leben an Erfreulichem und Gutem biete, sein Vertrauen in sich, sein Glaube an das Sinnvolle des Seins sollte gestärkt werden" (Beutler, 943). Im gleichen, pädagogisch sänftigenden und stärkenden Geiste nähert er seine psychologischen Haltungen dem „Allgemein-Menschlichen, Ausgeglichenen" an (Jahn, 320; zB. entgegen *DuW* die der absoluten Verzweiflung nahen Briefe nach und ausschließlich wegen der Trennung von Ch*Buff; das Verschweigen der im Tagebuch vom 30. X. 1775 festgehaltenen Doppelliebe [III/1, 9]; die Dämpfung des Titanismus) und verfrüht oder übersteigert wenigstens, hier und da, Reaktionen gemäß persönlichen oder universalen fruchtbar regulativen Prinzipien (zB. die persönliche Gottesverehrung des Knaben [Jahn, 263]; die sehr frühe geistige Richtung auf allgemeine große Gesetze [Meyer, aaO. 22, 265]; *der Neue Paris* als Ausdruck der sittlichen und vitalen Sicherung durch das Dichtertum; die Flucht schon des Knaben in *Patriarchenluft* [1814: I/6, 5; Meyer, aaO. 282]; die negative Reaktion der leipziger Epoche gegen die zeitgenössische deutsche Literatur [Alt, Kommentar, 80]; die Reaktion gegen die das Poetische zerstörende Bibelkritik [ebda, 88]; die Wirkung Spinozas [Beutler, 940]). Aber selbst in den sehr seltenen Fällen, wo die Wirklichkeit der angeführten Tatsache oder des erzählten Vorgangs bezweifelt werden kann, vielleicht muß, wird nichts Wesentliches verfälscht: die nach Leipzig verlegte Lobpreisung des schutzbietenden Katholizismus (Beutler, 923f.) ist Symbol der steten Sehnsucht nach der *ewigen Ruh in Gott dem Herrn* (vor 1827: *I/3, 363*), die Vision bei *Drusenheim das eines prinzipiellen und echten Harmoniebedürfnisses; sollte auch 1775 der Text des *Egmont*-Zitats des Schlusses noch nicht geschrieben worden sein, so nimmt doch *An Schwager Kronos* (1774: I/2, 65 f.) das existentielle Kernmotiv des Dramas in glanzvoller Konzentration vorweg, und wenn der Versuch einer Definition des *Dämonischen* erst 1813 *(EGW II, 358)* gemacht wurde, so reicht doch die Erfahrung des später so Genannten bis in den Sturm und Drang zurück. Auch in den ausnahmsweise eingeführten symbolhaltigen Fiktionen werden reale Kräfte dargestellt. Was sich in solchen Fällen auswirkt, ist Goethes Absicht, auch durch Unterstreichen sein Leben als eine gemäß morphologisch-organischen Prinzipien von innen nach außen sich entfaltende *Metamorphose* (1797: I/42^{II}, 506f.; 1810: EGW II 368; 1813: I/28, 357f.) darzustellen; zwar ist dieser Plan, dessen rigorose Verwirklichung schließlich für Goethe selbst fraglich werden mußte (XI, 69), „bei der Ausführung des Buches nicht genau befolgt worden; aber er hat als verborgener Grundriß des Ganzen gedient" (Viëtor, 220;

analog Staiger, 251 f.). In gleichem Sinne läßt Goethe anderseits Tatsachen aus, die nichts geistig Neues gebracht, sondern nur überladen hätten (daher zB. die Enterotisierung der Beziehungen zu M*Brentano). Auch dadurch entsteht ein Entwicklungsbild, das bei allem Stoßhaften allerdings wenig vom Gefühl jener *ewigen Marter* gibt, als die Goethe seine Jugend empfand, wenn er ganz frei über sie nachdachte; indes beruht diese Wirkung überwiegend auf der gelassenen, *ironischen* Darstellung, durch die, im Rückblick, die frühen Hemmungen und Empörungen auf das richtige Verhältnis zum Lebensganzen reduziert werden, nicht auf dem Verschweigen von Krisen. Auch verbarg ja Goethe, in *DuW* selbst, durchaus nicht, daß er in heiter und zuversichtlich stimmendem Geiste verfuhr, und gab dem Aufmerksamen den Wink, zwischen den Zeilen zu lesen (Jahn, 317), um, lebenserfahren, die realistische Korrektur selbst vorzunehmen. Wenn die Tatsachen hie und da mit irrelevanter Irrtümlichkeit berichtet und überall ordnend hingestellt werden, so sind sie doch nirgends wesenverfälschend dargestellt… Am Schlusse der Autobiographie faßt im *Egmont*-Zitat die besessene, doch hellsichtige Gewalt des Lebenstriebes die in den *Urworten* (1817: I/3, 95f.) heraufbeschworenen ungeheueren Kräfte, mit Ausnahme des *Eros*, für eine Zeit, die vier Jahrzehnte vor den *Urworten* liegt, ungeheuer zusammen. Wird damit nicht, über die Jahrzehnte hinweg, besagt, daß das unabänderliche Gesetz eines kaum je ermattenden *nisus vorwärts* (1771: IV/2, 8) diese Existenz durchwaltet, um sie als *Abentheuer* auf vulkanischem Boden dahinstürmen zu lassen? Aber Goethe, der erfahren hatte, man könne *vom Publicum nicht verlangen, daß es ein geistiges Wort geistig aufnehmen solle* (XIII, 64), weiß, daß er nur den Feinhörigen und zu eindringender Rückschau Geneigten auf den Sinn des Ganzen hinweisen, doch keine lebensferne Euphorie aus ihrer Selbstseligkeit aufstören würde. Wie hinter den Einzelheiten zeichnet sich nunmehr auch hinter dem Gesamt der dynamisch bewegten Selbstbiographie ein statisches, statuarisches Selbstporträt ab – das eines bedrohten und dieser Bedrohtheit bewußten, indes festen und milden Goethe in seiner vom Leben ausgebildeten und das Leben ausbildenden Geistigkeit. Denn Lebenserfahrung und Wille zu fruchtbarer Lebensführung waren es, die Goethe über Menschen, Ereignisse und Dinge so urteilen und berichten ließen, wie er es in *DuW* getan hat. Auf dieser Ebene des Existentiellen ist „Dichtung" letzten Endes die Perspektive, in der des gealterten Goethe Lebensfreundlichkeit und nun erst möglich gewordene Lebensweisheit, das Auge auf eigene und fremde Existenz gerichtet, zu einer bestimmten Epoche (Jahn, 164, 330; HbgA 9, 609) die „Wahrheit" sah, *das Vergangene... , wie wir es uns... jetzt denken* (EGW II, 512). Daß trotzdem *Berichtigungen und Nachträge* (1812: *IV/23, 217 f.;* Antwort auf einen skurill-kritischen Brief JChr*Ehrmanns d. Ä. [EGW II, 435 ff.]) im Tatsächlichen und Interpretatorischen (Milieutheorie; Jahn 330; Roethe 11) nötig waren, hat Goethe gewußt; doch dachte er nur ganz vorübergehend an eine in diesem Sinne bessernde Bearbeitung. Es wäre schwer gewesen, etwa zugunsten einer Korrektur der Chronologie das feste Werkgefüge ohne künstlerischen Schaden zu ändern (Jahn 329 f.).

VII. Das Werkgefüge, das nur im 4. Teil an Festigkeit verliert, sowie die andern künstlerischen Mittel, desgleichen die intellektuelle Disziplin des Historikers dienen ebenfalls der „Wahrheit". „Bei *DuW* entstand die Form für den Stoff nicht erst in Goethes Geist, der Stoff selbst brachte schon eine Form in sein Gedächtnis mit... Auch hier waren der Dichtung durch die Wahrheit, und zwar durch die Tatsachenwahrheit, die Richtigkeit, Grenzen gezogen, seine Kompositionsfreiheit eingeschränkt." Daraus ergab „sich die Unmöglichkeit eines Aufbaus nach strengen Formprinzipien... Nur die Einteilung und Ordnung des Stoffes ließ ihm einen gewissen, freilich immer ... beschränkten Spielraum" (Gundolf, 610). Die Komposition ist auch dadurch bedingt und erschwert, daß, anders als im Roman, kein kulminierendes Ereignis die Anlage orientieren und straffen kann. Sie muß sich darauf beschränken, auf Wendepunkte vorzubereiten – im ursprünglichen weitgespannten Plan Weimar und Italien. Diese innere Linie hat Goethe auch im ausgeführten Werk streng beibehalten, sich aber im Äußern vollste Freiheit gelassen (Jahn, 332–336). So vermag er die Verflochtenheit des individuellen und des überindividuellen Lebens – des *Dämons* und des *Zufälligen* der *Urworte* – zu zeigen. Daher der der Außenwelt zugewiesene Raum (stoffliche Übersicht bei Roethe, 8–11; vertieft bei Gundolf, 610–616), wobei deren Bedeutung „selbst für die empfängliche Jugend" vielleicht zu hoch angesetzt wird (Roethe). So entsteht (vgl., außer Gundolf, HbgA 9, 612–616) ein „kunstvolles Geflecht, das als Verknüpfung des Verschiedenen das Leben in seiner Ganzheit symbolisiert... Jedes Buch

hat, erhellend, ein, zwei oder drei Hauptthemen oder Hauptgestalten. Das Hauptmotiv eines Buches kehrt meist in den andern Büchern als Nebenmotiv wieder. Die Buchabschlüsse fassen zusammen, schließen ab oder eröffnen weite Perspektiven (Überblick über die Gesamtanlage bei Jahn; Detailanalysen bei Beutler, 898 ff.; HbgA 9, 614). Handlung, Betrachtung, Exkurs wechseln miteinander ab. Die Masse ist so organisiert, daß der Reichtum nirgends als verwirrende Fülle auftritt, aber auch nirgends die Ganzheit des Lebens auseinandergerissen ist. Inmitten der großen Ereignisse und Strömungen treten einzelne Persönlichkeiten stärker hervor, wobei manche „an einer Stelle genau beschrieben werden". Man hat es hier Goethe zum Vorwurf gemacht, daß der Mutter eine solche *Aristeia* – die ja erwogen worden war (I/29, 231 bis 238) – schließlich doch nicht zuteil wurde; doch ist es nicht vielleicht gerade treffend, daß er diese Aristeia durch eine ständige Anwesenheit ersetzt? – Erst wenn man das Werk als Ganzes überblickt, das als solches weder memoiren- noch romanhaft ist (Flitner, 64), erschließt sich, daß die Form ihrem Wesen nach die eines großen Epos ist; „es hat seine Einheit – die von Goethe geforderte *große Einheit* (1806: *I/40, 361*) – in der Welt, die es darstellt, und in dem Helden, der dieser so unentwegt bildbar begegnet". Dabei hat Goethe aufs natürlichste die Mittel benutzt die ihm von seinen Romanen her geläufig waren (Gundolf, 606 f., 614 ff.; Parallele *DuW-Meister,* bei Roethe, 13 f.; Belebung der Darstellung der deutschen Literatur, bei Beutler, 924); er hat novellistische Ausschmückungen (HRemak zur Struktur des Gretchenabenteuers) und fiktive Gespräche eingeführt; doch da jene symbolische Bedeutung haben und in diesen nur der Wortlaut, nicht der Gehalt erfunden ist, beeinträchtigt einmal mehr die „Dichtung" die „Wahrheit" nicht. Das Gefährlichste der Formelemente ist der ruhige epische Ton; aber auch hier hat Goethe einer Falschinterpretation vorgebaut (s. o., VI, gegen Ende).

VIII. Beruhigen und heiter Stimmen (s. o.) ist eine der nach außen gerichteten, dh. hilfreich dem Mitmenschen geltenden letzten Intentionen Goethes. Er will das Vertrauen erwecken, „es lasse sich auch für den kritisch abwägenden Überblick im Lebensgang des Menschen ein guter Sinn und in den Bedingungen des Daseins eine freundliche Ordnung entdecken" (Viëtor, 224). Das ist wichtig, doch sekundär, da leicht zu Passivität führend. In aktivistischerem Geiste versucht Goethe, bei den Lebenden die Verbindung mit der Vergangenheit aufrechtzuerhalten (EGW II, 476), die für ihn, dem nur das Zukunftversprechende wertvoll war (du Bos, 97), „Lebensfülle und in den Zusammenhang des Lebens hineinwirkende Kraft" (Dilthey, 199) bedeutete. Doch handelt es sich hier erst um die Basis für die Verwirklichung der wohl höchsten der altruistischen Intentionen Goethes, für die Anwendung der entscheidendsten der in *DuW* einbeschlossenen Lehren. Diese besagt und fordert: Wie er selbst, habe jeder *das eigentliche Grundwahre, das in* einem *Leben* obwalten sollte, in dem seinen obgewaltet habe und in *DuW möglichst dargestellt und ausgedrückt* worden sei (1830: *IV/46, 241*), als das fundamentale Prinzip aller fruchtbaren Existenz zu erfassen und sich ihm zu fügen: Es geht um ein allgemeines Gesetz. Was es ist, spricht Goethe in seinem letzten, gleichsam schon aus dem Jenseits gesendeten, dem *Merlin* (1818: *Bdm.2, 240*)-Brief vom 17. III. 1832 an Wv*Humboldt aus: *Zu jedem Thun ... wird ein Angebornes gefordert... Je früher der Mensch gewahr wird daß es ein Handwerk, daß es eine Kunst gibt, die ihm zur geregelten Steigerung seiner natürlichen Anlagen verhelfen, desto glücklicher ist er; was er auch von außen empfange, schadet seiner eingebornen Individualität nichts... Die Organe des Menschen durch Übung, Lehre, Nachdenken, Gelingen, Mißlingen, Förderniß und Widerstand und immer wieder Nachdenken verknüpfen ohne Bewußtseyn in einer freyen Thätigkeit das Erworbene mit dem Angebornen, so daß es eine Einheit hervorbringt welche die Welt in Erstaunen versetzt... Verwirrende Lehre zu verwirrtem Handeln waltet über die Welt, und ich habe nichts angelegentlicher zu thun als dasjenige was an mir ist und geblieben ist wo möglich zu steigern und meine Eigenthümlichkeiten zu cohobiren...* (*IV/49, 281-283*). ... Das ist, ganz persönlich und zugleich als Vermächtnis an Spätere fünf Tage vor dem Abscheiden ausgesprochen, der Leitgedanke, der bereits das Autopsychogramm von 1797 (I/42^{II}, 506f.) beherrscht. Zwischen den beiden Bekenntnissen liegt das Werden und Vollenden der durch sie in ihrem tiefsten Sinne gedeuteten Autobiographie als Beispiel dieser nach der unerläßlichen *Klarheit* (*Faust*, V. 309, 11801) strebenden, mannhaften *Ausbildung des Einzelnen aus sich selbst* (angeführt bei Beutler, 947). Inmitten der Sinnen- und Geisteswelt und angesichts des anerkannten, aber *dem Wesen nach .... immer* unerkannten (1816: I/3, 239), zu stets wieder-

holten Interpretationsversuchen und -versuchungen führenden Übersinnlichen besitzt der Mensch als letztes Werkzeug und letzte Waffe nur die eigene, von *Vernunft* und *tapferem Wollen* (Trostbrief an Zelter, vom 3. XII. 1812) geleitete Substanz. Gestützt auf seine geistigen und sittlichen Kräfte hat er seinen Weg selbst zu suchen, seine Gefahren allein zu bestehen und sich dabei von dem *Hauptaperçu* durchdringen zu lassen, *daß zuletzt alles ethisch sey*. Derart ausgerüstet soll er, von der konstellationüberstrahlten Stunde seiner Geburt an, dem Punkte zustreben – den Egmont im Auge hat –, an dem er seiner selbst sicher ist und den Mut aufbringt, sich selbst und dem Geschick zu vertrauen. Es ist jene Weisheit, die Mephistopheles, der gelegentlich Wahrstes ausspricht, der hellen, freien, offenen, nach dem vollen Leben verlangenden Intelligenz des Homunculus verkündet (*Faust*, V. 7847f.): *Wenn du nicht irrst, kommst du nicht zu Verstand! Willst du entstehn, entsteh auf eigne Hand! Fu*

Belege nach Büchern und Absätzen, auch einzeiligen (zB. III, 47 bis 61 passim; VI, 33). Im Hinblick auf Ausgaben nach WA sind I/26, 26, Z. 6 und 147, Z. 1 als Absatzbeginn gezählt (= I, 19; III, 24). – I/26, 204, Z. 23 bis 205, Z. 26, desgl. I/27, 140, Z. 1 bis 141, Z. 2 bilden nur je einen Absatz (= IV, 31; VII, 93). Gemäß Punkt statt Doppelpunkt in WA am Schluß von XV, 1; XVI, 19; XVII, 7 gelten die darauffolgenden Gedichte als Absatz bzw. nach XVII, 7 als zwei Absätze. – Kommentare von GvLoeper (HA), HDüntzer (Kürschner), RMMeyer (JubA), KAlt (Bong), ETrunz (HgbA), EBeutler (ArtA). – EGW 2. – UKM. Ruppert. – KAlt: Studien zur Entstehungsgeschichte von Goethes „Dichtung und Wahrheit". 1898. – GRoethe: Dichtung und Wahrheit. In: BerFDH 1901. H. 1. – KJahn: Goethes Dichtung und Wahrheit. 1908. – FGundolf: Goethe. 1916. – WDilthey: Der Aufbau der geschichtlichen Welt. In: Schriften 7 (1927). – Chdu Bos: Goethe. 1946. – AFuchs: Goethe. Un homme face à la vie. 1946. – WFlitner: Goethe im Spätwerk. 1947. – WMommsen: Die politischen Anschauungen Goethes. 1948. – KViëtor: Goethe. 1949. – ChrLepinte: Goethe et l'occultisme. 1957. – EWolf: Über die Selbstbewahrung. Zur Frage der Distanz in Goethes Dasein. 1957. – EWeniger: EStaiger: Goethe. Bd 3. 1959. – Henry HHRemak: Die novellistische Struktur des Gretchenabenteuers in Dichtung und Wahrheit. In: Stil- und Formprobleme der Literatur; herausgegeben im Auftrag des F. J. L. M. von PBöckmann. 1959.

Dickhäuter. Als D. gelegentlich auch Pachyderme genannt, faßt man in der Zeit Goethes einige Gruppen von *Säugetieren wegen einer gewissen Habitusähnlichkeit (erheblicher Größenwuchs, plumpe Gestalt, Dickhäutigkeit mit spärlich entwickeltem Fell) zusammen, die tatsächlich zu ganz verschiedenen systematischen Einheiten gehören. Die äußerliche Ähnlichkeit ist die Folge ähnlicher Lebensräume und Lebensbedingungen. Die Tapire und Nashörner gehören zu den Unpaarhufern, die Flußpferde als primitive Paarhufer in die weitere Verwandtschaft der Schweine, die Elefanten bilden als Subungulaten eine selbständige Gruppe. Diese „Dickhäuter" sind heute nur noch in wenigen Reliktformen einst viel formenreicherer Gruppen vertreten. Auf einige Einzelheiten vor allem der Wirbelsäule bei D.n kommt Goethe im Zusammenhang mit den *Faultieren zu sprechen. Die Veröffentlichung d'*Altons über die Anatomie der D. regt ihn zu einigen allgemeineren Bemerkungen an (II/8, 230).

Spezielle Untersuchungen hat Goethe dem Elefantenschädel gewidmet, vor allem im Zusammenhang mit der Bemühung um den Zwischenkiefer. Den *Casseler Elephanten-Schädel war er durch Sömmerrings Gunst und Gefälligkeit zu benutzen in den Stand gesetzt (II/8, 122).* An ihm, der von einem noch jungen Tier stammte, wurden die an ausgewachsenen Schädeln zum Teil verwachsenen und undeutlichen Knochennähte untersucht. Die Arbeit nahm Goethe sehr ernst und gründlich. *Zu meiner grosen Freude ist der Elephanten Schädel von Cassel hier angekommen . . . Ich halte ihn im innersten Zimmergen versteckt damit man mich nicht für toll halte (IV/6, 288)* schreibt Goethe im Juni 1784 aus *Eisenach an Frau vStein. An *Sömmering schreibt er im August 1784: *Ich hoffe, daß ich ihn noch einige Zeit behalten darf, um nichts zu übereilen und nach meiner Rückkunft die Vergleichung der beiden Schädel mit Muse anstellen zu können. Von den Suturen, die am äußerlichen Schädel erscheinen, fehlen mir nur noch wenige, die übrigen habe ich schon ausgekundschaftet (ebda 329).* So gelang Goethe in wesentlichen Punkten eine Erweiterung der Kenntnis des Elefantenschädels. Daß dem Elefanten das Tränenbein und der Nasenknochen damals oft abgesprochen wurden, daß er aber beide Knochen nachweisen konnte (II/8, 268), war für die allgemeinen Vorstellungen Goethes von ähnlicher Bedeutung, wie der Nachweis des *Zwischenkieferknochens beim Menschen. Gerade daß solche extreme Formen, wie die Elefanten sich trotz aller Besonderheiten dem allgemeinen Bauplan einordnen, zeigt die Bedeutung des Typusbegriffs besonders augenfällig.

Die Elefanten traten gelegentlich auch mit ihrem fossilen Vertreter, dem Mammut (*Fossilien) Goethe vor Augen und erregten sein Interesse. Ein bei Weimar angeschwemmter Mammutzahn führte freilich, obgleich *Werner ein Stück, das er bei mir sah, gleich für Ebur fossile erklärte (NS 1, 277)* zu etwas phantastischen Vorstellungen. Einen *fossilen Backzahn, wahrscheinlich vom Mammut (NS 2, 288)* deutete Goethe jedoch durchaus richtig und verglich mit den entsprechenden Figuren bei *Cuvier. *Die fossilen Elephantenknochen, die*

sich bei Kannstadt finden (I/34^I,309) erregten auf der Durchreise in die *Schweiz 1797 Goethes Aufmerksamkeit. Auf speziellere Fragen hinsichtlich dieser fossilen Formen ging er jedoch nie ein. Sein Interesse blieb rein osteologisch mit dem Blickpunkt auf den Typusbegriff.   *Bn*

Dictionnaire de l'*Academie française, die 1638 auf *Richelieus Anregung in Angriff genommene Bestandsaufnahme des als richtig anzusehenden französischen Wortschatzes, deren erste Auflage erst 1694 fertiggestellt werden konnte (5. Auflage 1798; die achte seit 1929 im Erscheinen begriffen). Goethe führt das Werk in den *Anmerkungen zu *Rameau's Neffen* an (1805: *I/45, 196*).   *Fu*

Dictionnaire universel, 1821 (III/8, 149) erwähnt, mit der Bemerkung *Buchstabe A.* Es kann sich um das „D. u. de la langue française" von Boiste (1800) oder das gleichnamige Werk von Gattel (2 Bde, 1813), beides Sprachlexika, handeln, vielleicht auch, im Hinblick auf das Datum, um das „Nouveau dictionnaire de la langue française" (2 Bde, 1820), ein Wörterbuch der Gebrauchssprache mit Etymologie und Synonymik.   *Fu*

Diderot, Denis (1713–1784), der französische Philosoph und Schriftsteller, vielleicht die lebensvollste Gestalt und der vielseitigste Geist des französischen, wohl auch des europäischen 18. Jahrhunderts. Sein philosophisches Denken (ua. „Pensées philosophiques", 1746; „Lettres sur les aveugles", 1749; „Pensées sur l'interprétation de la nature", 1754; „Entretien d'un philosophe avec Mme la duchesse de ***"; 1776; „Entretien entre d'*Alembert et Diderot", „Le rêve de d'Alembert", „Suite de l'entretien", posthum, 1830) ist durch die naturwissenschaftliche Begründung und durch die Folgerichtigkeit gekennzeichnet, mit der es vom spiritualistischen Glauben an den persönlichen Gott des Christentums über den Deismus zum Materialismus und Atheismus gelangt und diese festhält – der senile Bourgeoiskonformismus D.s ist eine Legende –, sich aber trotz eines prinzipiellen Determinismus nicht entschließen kann, das Problem der menschlichen Entschlußfreiheit beiseite zu schieben (JFabre; *Rameau's Neffe). In genialer Intuition spricht D. dabei Konzeptionen aus, die erst später aufgenommen und ausgebaut werden sollten (Evolutions-, Zellentheorie); doch ist dieser Teil seiner Schriften erst dem 19. Jahrhundert bekannt geworden. Wo frühere Kritik dem Denker Liebe zum Paradox, Sophistik, Wankelmütigkeit, Skepsis, Unfähigkeit zur Synthese, intellektuellen Anarchismus als Frucht eines impulsiven, unüberwachten Temperaments vorwarf, wird heute das berechtigte Zögern eines Geistes gesehen, der die Zeit eines philosophischen, zwischen idealistischem Fortschrittswillen und -glauben und materialistischem Determinismus stehenden Umbruchs erlebte und sich nur desto schärfer der außerordentlichen Komplexität der großen philosophischen Probleme bewußt war (EHenriot). Philosophieren war für D. nicht Wissen und Kritisieren, sondern (wie für den Lessing der „Duplik") Vorschlagen in jenem Suchen nach der Wahrheit, das die einzige Aufgabe der Philosophie ist (PVernière), war *Wissensdrang*, von dem sein *Busen* nie *geheilt* sein wollte *(Faust, V. 1768)*, und damit Vorrecht, ja Pflicht, frühere Stellungen gegebenenfalls zu räumen. Sein am Tage vor seinem Tode gesprochenes Wort: „Le premier pas vers la philosophie, c'est l'incrédulité" gilt auch in einem die eigenen Gedanken angreifenden und überwindenden Sinn. Auch D. ist ein Mensch des *Stirb und werde!* (1814: *I/6, 28*); aber infolge seiner französischen Wesensart ist er es anders als der Goethe der *Seligen Sehnsucht (ebda):* unkontemplativer, intellektualistischer, extravertierter, ausschließlicher tellurisch (AFuchs, 329f., 340, 26f.), unlyrischer; indes darf gerade bei D. das Gefühlsmäßige, das mit dem Rationalismus der großen französischen (KRoßmann, 226) – wie aller großen (hier Sp. 437) – Aufklärer verbunden ist, nicht zu gering eingeschätzt werden; denn es verleugnet sich in keiner seiner Haltungen. Durch sein nie ermattendes *Streben (Faust, V. 317, 11936)* stellt sich D. als eine „faustische" Erscheinung dar: Auch er wird das *Faulbett (ebda, V. 1692)* verachten; auch er wird sich nicht an den schönen *Augenblick (ebda, V. 1699)* verlieren. Doch glücklicher in der seelischen Struktur als *Faust*, vermag er den Augenblick zu genießen, ohne sich ihn zu verderben; denn liegt es ihm einerseits fern, *des Denkens Faden* zerreißen zu lassen *(ebda, V. 1748)*, so ist er anderseits nicht der *Kerl, der speculirt (ebda, V. 1830)*, um nihilistisch, vom inneren Gegensatz des *schmerzlichsten Genusses (ebda, V. 1766)* mit Aufreibung (ebda, V. 3301) bedroht, dem *Zerscheitern (ebda, V. 1775)* entgegenzustreben: Er ist ungefährdeter als *Faust*. Pathos und Größe des Tragischen umwittern ihn nicht; dafür ist er aber auch ungefährdender, menschlicher, ist er undenkbar als der Mörder *Philemons* und *Baucis'* [ebda, V. 11362 (*Faust* mußte wissen, wohin der *Mephistopheles* gegebene Befehl fast

zwangsläufig führen würde: ebda, V. 11275f.)] und als der eiskalt böse, zuletzt zum KZ-Lagerführer (ebda, V. 11127f., 11551–54) werdende Greis, und kann er, was *Faust* stets versagt bleibt (noch zuletzt ebda, V. 11544–47), fruchtbar wirken. – Der Schriftsteller D.: Als Epiker schuf er – neben Erzählungen, die zT. in den unteren Gesellschaftsschichten spielen, für deren Nöte er Herz und Verständnis hatte („Les deux amis de Bourbonne", 1773), vier Werke größeren Umfangs: „Les bijoux indiscrets" (1748), eine lose Geschichtenreihe, in welcher Erotik, Zeitsatire, gelegentlich auch literarische oder musikalische Ästhetik sich vermengen; „Le neveu de Rameau"*(Rameau's Neffe)*; „Jacques le fataliste" (1780 in der „Correspondance" FM*Grimms handschriftlich wiedergegeben, 1796 als Buch erschienen), den ebenfalls dialogisierten Bericht einer Reise mit ihren Zwischenfällen, der ein Plaidoyer für die deterministische Welterklärung ist und in den auf die willkürlichste, doch glaubhafteste Art Abschweifungen eingestreut sind, darunter die mit unbarmherziger Geschlossenheit erzählte Geschichte der Mme de Pommeraye, die *Schiller unter dem Titel „Merkwürdiges Beispiel einer weiblichen Rache" übersetzte; „La religieuse" (1781, wie vorher „Jacques le fataliste", in Grimms „Correspondance" wiedergegeben, 1796 als Buch veröffentlicht), in Briefform den Roman einer Nonne wider Willen. Von der Frage der bühnenmäßigen Darstellung des Lebens angezogen und in der Absicht, dieses getreuer und gegenwartsnäher wiederzugeben, schuf D. die Ästhetik des bürgerlichen Schauspiels und gab zwei übrigens nicht lebensfähige Anwendungen seiner Theorie im „Fils naturel" (1757) und im „Père de famille" (1758). Den Problemen der bildenden Künste kehrte er sich in Abhandlungen („Essais sur la peinture", 1795, posthum) und in Berichten zu, die er, gegen den herrschenden Akademismus Stellung nehmend, über die alle zwei Jahre in Paris stattfindenden Kunstausstellungen, die „Salons", ebenfalls in Grimms „Correspondance" veröffentlichte: Er spricht darin nicht nur über Fragen der Technik und Ästhetik, sondern auch als moralisierender Literat über den gedanklichen und stofflichen Inhalt der Werke. Alledem ist noch seine Hauptleistung hinzuzufügen, die Arbeit an der *„Encyclopédie", deren Beseeler und erster Werkmann er von 1746 bis 1772 war. Wie als Philosoph, trotz seiner Geradlinigkeit im Ganzen, der unsystematischste Denker, ist D. als Schriftsteller der Mann der offensten und gelöstesten, aber auch genialsten und lebensvollsten Darstellungsweise seiner Zeit: Seine künstlerische Form ist eben das Abbild seiner Geistesform, in welcher dialektisches Bedürfnis, Sinnenfreude, Sinnlichkeit und oft überschwängliches Gefühl sich in wechselndem Verhältnis mischen, sowie eines Charakters und Temperaments, die sich im unbekümmerten Verausgaben einer unerschöpflichen Vitalität erfüllen. Der Mensch ist in gewissen Einzelheiten nicht von allem Tadel freizusprechen, zwingt aber durch seine oft bewiesene Selbstlosigkeit und menschliche Hilfsbereitschaft zur Achtung und Neigung, durch seine Arbeitsleistung zur Bewunderung; und „alle Schwächen, die man ihm vorwerfen kann, verschwinden angesichts des Mutes und der Beharrlichkeit, mit denen er sich der „Encyclopédie" hingab; wenigstens hier stand sein Charakter auf der Höhe seiner Intelligenz" (A Billy). Der D. des persönlichen Verkehrs wird oft als „hinreißend" geschildert.

Durch das französische Theater im von den Franzosen besetzten *Frankfurt tritt D. schon in den Gesichtskreis des Knaben Goethe, der unzweifelhaft trotz seines noch recht jugendlichen Alters in dessen *Hausvater* die *natürlichste Natürlichkeit* im Gegensatz zur französischen klassischen Tragödie erfaßt *(I/26, 148)*. Doch wird der Dichter des **Götz* *Shakespeare, nicht dem allzu sehr verbürgerlichten (RMortier) und *die Täuschung einer künstlerischen höheren Wirklichkeit (I/28, 65)* gefährdenden D. folgen. Entgegen den Angaben in *DuW* führen dann keineswegs die *wackeren Wilddiebe und Schleichhändler (ebda 64)* der erst 1772 bzw. 1773 erscheinenden „Deux amis de Bourbonne" den straßburger Goethe wieder zu D., sondern *Herder ist, wie man annehmen darf (RMortier), hier der Vermittler. Er hat in *Paris D. wenigstens gelegentlich gesehen, nachdem er sich in Nantes an dessen „Éloge de Richardson" erfreut hatte. D. zeigt sich darin voller Begeisterungsfähigkeit für Künstlerautonomie gegenüber ästhetischen und sozialen Konventionen, für gefühlselige Tugend und Moral; er ist der Fanatiker der Romane, die von *Richardson für nachdenkliche, die Einsamkeit liebende Menschen geschrieben wurden, wie das Leben selbst Herzen und Geister ergreifen und rühren und zur seelisch-sittlichen Stellungnahme zwingen, so daß sie an ein Evangelium denken lassen. Bis zu ekstatischer Hingerissenheit ist D. der Apostel Richardsons: „J'ai tracé (ces lignes) sans liaison, sans dessein et sans ordre à mesure qu'elles m'étaient imposées dans le tumulte de mon cœur". Aber diese Werke, unterstreicht D., darf man nicht in einer jener kürzenden, verfälschenden „eleganten französischen Übersetzungen" kennen lernen, die die französischen Leser fordern, weil ihr „kleiner Geschmack" der Gefühlsstärke und -tiefe der Originale nicht gewachsen ist, weil zu wenige unter ihnen weinen können. Das „Lob" Richardsons erschien Herder sehr neu und tief, besonders als französische Leistung (Brief an *Hamann, von RMortier angeführt). Herder fühlte sich D., dem gefühlsseligen Individualisten, Verteidiger der Neuerung, Verächter der wesentlich logisch bestimmten Form, rhapsodischen Rezensenten nahe und wies ihm im französischen Geistesleben eine Sonderstellung zu, die sich eher außerhalb dieses Lebens, wie Herder es sah, befand; denn Herder, der in Frankreich nur eine Familie in Nantes und die mondän-literarischen Zirkel in Paris gesehen hatte, dabei den Generationenunterschied (Voltaire geb. 1694; Diderot geb. 1713) und seine Bedeutung für den Gestaltwandel des Geistes nicht berücksichtigte, wußte erschreckend wenig vom lebendigen, vielfältigen, zukunftreichen Frankreich, beschränkte den *französischen Geist ausschließlich genug auf den voltaireschen Intellektualismus und die pariser Salonatmosphäre und war wenig geneigt, in Frankreich Gültiges, Neues und Fruchtbares anzuerkennen (MRouché). Für Herder und seinen Schüler Goethe wurde D. *in alle dem, weßhalb ihn die Franzosen der alten Schule tadelten, ein wahrer Deutscher (I/28, 64)*. Hier, in Herders D.-Begegnung und -interpretation und den daraus gezogenen falschen Folgerungen, liegt eine der Wurzeln von gewissen ablehnenden Reaktionen des jungen Goethe im Verhältnis zu Frankreich; wenn in der Shakespearerede von 1771 *(I/37, 132)* die *Französgen* die Griechen nicht begreifen können, sind sie die Brüder ihrer Landsleute, die vor Richardson versagen. Der Franzose D. als Vater eines der wenigen gallophoben Anfälle Goethes (AFuchs, 311) ist ein hübsches Paradox der Geistesgeschichte. – Am D. der „Encyclopédie" geht der Stürmer Goethe vorbei; das Werk macht ihm den Eindruck des allzu Mechanischen und verwirrend Vielfältigen (I/28, 64f.); es „befremdet die deutsche intellektuelle Jugend, die durch ihre Hochschulbildung an die nicht praktisch-zweckbestimmten Spekulationen des traditionellen Humanismus gewöhnt ist und sich an einem anarchistisch-ordnungslosen Kultus der Natur und der Natürlichkeit berauscht" (RMortier). D.s und anderer französischer Philosophen *heftiger Streit… mit dem Pfaffthum* ist Goethe *ziemlich gleichgültig: über religiöse Gegenstände* glaubt er sich *selbst aufgeklärt zu haben (I/28, 68)*. Trotz solcher Vorbehalte wird indes D. als Mithelfer des *Sturm und Drang empfunden (ebda). 1772 lernt Goethe durch die deutsche Fassung der „Moralischen Erzählungen und Idyllen" von *Geßner-D. (1772: I/37, 284) des letzteren „Deux amis de Bourbonne" und den allerdings nicht erwähnten „Entretien d'un père avec ses enfants" kennen; er entdeckt einen D., der in seiner Darstellungsart saftvoller, energischer als der Autor des „Hausvaters" ist, sich der Wald- und Outlawromantik hingibt, Elend, Mut und Adel der sozial Enterbten in äußersten Situationen mitfühlt und zu persönlicher Beantwortung eines durch das kodifizierte Recht vielleicht falsch gelösten Problems aufruft. Goethe atmet etwas von der Atmosphäre seines *Götz*. In *Clavigo und *Stella als bürgerlichen Familiengemälden mag ein gewisser prinzipieller d.scher Einfluß vorliegen. Aufs wirkungsvollste tritt danach in Weimar D. in den Gesichtskreis Goethes. *Knebel und der Herzog können ihm einiges über persönliche Berührungen mit D. berichten, wenn sie, wie es sehr wahrscheinlich ist, diesen 1774 in *Paris besucht haben (RMortier). Wesentlicher ist es, daß Goethe nunmehr in weitem Umfang mit D. als schaffendem Künstler, Ästhetiker und Philosophen vertraut wird. Bezeichnend für die Vielseitigkeit des Künstlers D. ist es, daß er nach den vorangegangenen realistischen Anregungen oder Bestätigungen Goethe auf ganz anderer Stilebene zu einer in klassisch-französischem Sinne aufgefaßten und damit im Gegensatz zu *Euripides' Behandlungsweise stehenden psychologischen Vertiefung des *Iphigenie-Stoffes hat führen können, wahrscheinlich auch geführt hat, und zwar durch eine Bemerkung in Grimms „Correspondance" (ThWDanzel), wie denn durch diese Goethe *die herrlichsten Arbeiten Diderots: die Klosterfrau, Jakob der Fatalist u. s. w. nach und nach in... kleinen Portionen zugeteilt* werden *(I/41^I, 145)*. 1780 verschlingt Goethe *in sechs ununterbrochenen Stunden* „Jacques le fataliste", den er als wohl durchdachtes und angelegtes Ganze voller Saft und Kraft höchlich bewundert, *eine sehr köstliche und große Mahlzeit... für das Maul eines einzigen Abgottes (IV/4, 203)*. 1781 liest er „La religieuse" (IV/5, 69), von der er anläßlich ihres Erscheinens in Buchform 1795 wünscht, für die „*Horen" Gebrauch machen zu können (IV/10, 348f.). Bei dem außerordentlichen Eindruck, den „Jacques le fataliste" auf Goethe gemacht hat, ist es durchaus nicht ausgeschlossen, daß

gedankliche Analogien zwischen Stellen des Romans und zT. bekanntesten Formulierungen bei Goethe (Diderot, „Oeuvres complètes", éd. Assezat, VI, 117, 37, 138. *Faust*, Vers 1720f., 4117. I/5^I, 134, Vers 708–713; hierzu auch „Religieuse", éd. Assezat, V, 69. S. Levy) auf D. zurückgehen, wie auch daß eine Beziehung zwischen der *Braut von Corinth* (1796) und der „Religieuse" besteht (ABrandeis; *Ballade Sp. 658). 1794 schickt Goethe Schiller die „Bijoux indiscrets" (IV/10, 175), denen 1796 ein Xenion gelten wird (I/5^I, 221). 1804 und 1805 widmet er sich, vielleicht im Geist der Warnung vor Romantik und aufkommendem Nationalismus (PGrappin 217), der Übersetzung und Kommentierung des „Neveu de Rameau" *(*Rameau's Neffe), der ein wahrhaftes Meisterwerk* ist (1805: *IV/19, 19*). Die „Regrets sur ma vieille robe de chambre" kann Goethe durch Herder gekannt haben, obwohl er diesen lebensvollen, für den „Bonhomme" D. so bezeichnenden Text nirgends erwähnt (RMortier). Unter den Schriften des Ästhetikers D. gilt Analoges für das „Paradoxe sur le comédien", das wie die „Regrets" sehr lange in Herders Händen war (dafür CAEggert; dagegen RMortier). Zwischen der These dieses Textes und den Gründen von *Wilhelm Meisters* Mißerfolgen auf der Bühne, der auch hier zu sehr Mensch des persönlichen Gefühls ist, besteht eine solche Entsprechung, daß man sich versucht fühlen kann, einen erweckenden oder bestätigenden Einfluß D.s anzunehmen; anderseits hatte aber JJ*Engel in seiner „Mimik" den Grundgedanken des „Paradoxe" schon ausgesprochen und, über alles, Goethe konnte ihn ganz selbständig gefunden haben (RMortier). 1798 und 1799 übersetzt Goethe Teile des „Essai sur la peinture" *(Diderot's Versuch über die Mahlerei)*; das Werk ist oft mehr stofflich-literarischen als formal-ästhetischen Charakters (1796: IV/11, 291); trotz Fehlern und Flecken (ebda, 149) bleibt es *ein herrliches Buch, das oft mit gewaltiger Fackel vorleuchtet (IV/11, 291)*. Vom Philosophen D. dürfte Goethe 1789 den „Entretien entre d'Alembert et Diderot", der 1782 wohl sicher nach *Gotha gelangt ist, gelesen haben; mit ihrem dynamistischen Materialismus, ihrer kühnen Gleichsetzung des Belebten und Unbelebten, des menschlichen und tierischen Bewußtseins, ihrem ethischen Determinismus, ihren Obszönitäten gehört die Schrift zu den kühnsten Wesensäußerungen D.s, der übrigens jede Veröffentlichung durch den Buchhandel ablehnte. Man hat geringeren Grund anzunehmen, daß Goethe auch den „Rêve de d'Alembert", der gleichen Schlags ist, gekannt hat, trotz eines 1813 mit Beistimmung gemachten Hinweises auf ein D. von Goethe zugeschriebenes, doch in D.s Werken nicht festzustellendes Wort – *Wenn Gott noch nicht ist, so wird er vielleicht noch (Bdm. 2, 175)* –, das vielleicht die stark modifizierende Neuformulierung eines Gedankens aus dem „Rêve" ist (RMortier). Der Naturwissenschaftler D., insoweit man ihn vom Philosophen D. trennen kann, scheint Goethe kaum bekannt gewesen zu sein (1817: *II/6, 19:* Ablehnung des Vorschlags des *verwegenen D., wie man ziegenfüßige Faune hervorbringen könne*); und doch finden sich in den Gedankengängen Goethes und D.s überraschende Ähnlichkeiten. Beiden ist die grundsätzlich anticartesianische dynamistische Einstellung gemeinsam, beide sind der *Mathematik gegenüber skeptisch, trotzdem D. auch für diese hochbegabt ist. Darüber hinaus liegen auffallende Parallelismen vor; denn in D.s „Pensées sur l'interprétation de la nature" findet sich das Prinzip des tierischen und pflanzlichen Urtypus als Ausgangspunkt aller morphologischen Umgestaltung; das Gesetz, das in goethescher Formulierung besagt, *daß in einem Organismus keinem Theil etwas zugelegt werden könne, ohne daß einem andern dagegen etwas abgezogen werde, und umgekehrt* (1795: *II/8, 16*); die Methode, welche Erfahrung, Versuch und die nachprüfende Einfügung von deren Ergebnissen in einen umfangreicheren Fragenkreis miteinander verbindet (wie *der Versuch als Vermittler von Object und Subject.* 1793: *II/11, 21–37;* FPapillon). Wenn trotz derartiger Analogien Goethe hier über D. schweigt, so deshalb, weil er die „Interprétation" nicht kennt; schreibt er doch: *Ich weiß genau wem ich dieses und jenes auf meinem Wege schuldig geworden, und es soll mir eine Freude sein, es künftig öffentlich bekannt zu machen (ebda 25).* Die „Encyclopédie"-Artikel des Propheten des aufdämmernden technischen Zeitalters, für welche der Stürmer und Dränger keinen Sinn hatte haben können, werden 1826 (III/10, 267) dem Verfasser der *Wanderjahre* wertvoll.

Über D.s Persönlichkeit und äußeren Lebensgang erschlossen sich Goethe manche Quellen, die ihn unterrichteter sein ließen als den Durchschnitt selbst der geistig interessierten Kreise. (Von *Rousseau und *Voltaire wußten diese viel mehr.) Nach Herder, Carl August und Knebel (s. o.) berichtete ihm höchstwahrscheinlich Grimm 1781 manches, eine Annahme, die um so berechtigter ist, als es sich um die Zeit der Lektüre des „Jacques" und

der „Religieuse" handelt. 1792 war in *Pempelfort die Erinnerung an D., den *Gast*, der 1774 *sehr wohl gefiel und mit großer Freimüthigkeit seine Paradoxen behauptete,* noch lebendig und wurde in den Gesprächen zwischen Goethe und F*Jacobi aufgefrischt *(I/33, 194),* der jedoch den Franzosen den Sinn für das Wahre und Schöne absprach und an seinen Zynismen Anstoß nahm (wie überhaupt die meisten Deutschen nach persönlicher Berührung Vorbehalte über D. machten; RMortier). Am 13. XII. 1811 schrieb FM*Klinger an Goethe, daß D. eine Monarchin „wie... Katharina nicht wenig durch seine Anmaßungen ergötzt" habe und fügte ein *Autogramm D.s bei: „Auch in dem übersandten Blättchen werden Sie ihn finden". Die Memoiren Mme de *Vandeuls, der Tochter D.s, die bereits 1787 durch die „Correspondance" nach Gotha und von da zu Herder, Wieland und Schiller gelangt waren, scheint Goethe erst 1813 in ihrer buchhändlerischen Erstausgabe gelesen zu haben *(III/5, 71: Diderots Leben).* Diese D.-Biographie zeigt „neben dem Schriftsteller und Denker den generösen und wohltätigen Menschen, den selbstlosen Freund, den sorgenden Vater: ein Vorbild weiter und warmer Menschlichkeit, das von einer inneren Flamme verzehrt wird". Schiller war begeistert von dem D., den er hier entdeckte (Brief an Körner, 12. II. 1788; RMortier). Goethe äußert sich nicht über das Werk, doch ist dessen Substanz gewiß in sein Gesamtbild D.s eingegangen. 1824 las er noch D.s *Reise nach Holland (III/9, 238).* Trotz Vorbehalten ist Goethes fundamentale Einstellung zu D.s Werk und Persönlichkeit bejahend, mehr: begeistert. Der Menschenbeobachter D. hat richtig gesehen und dargestellt (1792: I/33, 142). Der Künstler war fähig, ein *vortreffliches Ganze zu schreiben* (1805: *I/45, 207*), Werke voller Leben, Blut, Dichte (1780: IV/4, 203), die mithalfen, *die Franzosen... aus der Pedanterie zu einer freiern Art in der Poesie* zu führen (1827: *Bdm. 3, 312*). Des Dialektikers des funkelnden Gesprächs wird mit Bewunderung gedacht (1805: I/45, 207. Auch 1799: ebda 249, Z. 9 f., sehr bezeichnend). Mit des Ästhetikers D. Naturalismus kann Goethe als künftiger Herausgeber und Inspirator der *Propyläen zwar nicht einig sein, bekämpft aber *diesen vortrefflichen Mann* nur *mit Achtung und Neigung* (1805: *I/45, 185*) und behält dabei *das letzte Wort* nur deshalb, weil er es *mit einem abgeschiednen Gegner zu thun* hat (1799: *ebda 249*). Mit dem philosophierenden Naturforscher geht Goethe einig in der Hingabe an das Alleben, in welchem kein

mechanistischer Atomismus (wie bei *Holbach), sondern drängende, aufs engste in sich
selbst verflochtene Dynamik herrscht. Durch
die Art ihres Fühlens, ihre Freude am Lebendigen, ihre Phantasie gehören Goethe und D.
der gleichen Familie von Geistern an, die es
nach Einheit und Totalität verlangt. Aber die
Analogie darf nicht weiter getrieben werden
(RMortier). Sagt doch Goethe, daß er zwar
für D.s *Art der Darstellung... ganz besonders eingenommen* sei, dessen *Gesinnungen und Denkweise* jedoch nicht teile (1804: *I/35, 181*). Goethe, der einen lenkenden *Weltgeist annimmt,
kann sich nicht zu D.s Materialismus bekennen; er, der schreibt: *Das Wort *Freiheit
klingt so schön, daß man es nicht entbehren
könnte, und wenn es einen Irrthum bezeichnete*
(1813: *I/28, 69*), muß D.s scheinbar unbedingt
ausgesprochenen Determinismus ablehnen
(der übrigens erst von der neuesten Forschung
in Frage gestellt worden ist: JFabre); schließlich hat Goethe angesichts der Schöpfung
und ihres Rätsels Sinn für das Geheimnis,
der D. fehlt: nicht D. wäre beim Wort *Mütter... aufgeschreckt (Faust, V. 6216)*. Doch
hindert dies alles Goethe nicht, 1805 und später die „Encyclopédie" – die so sehr von D.s
Geist getragen war – als ein Denkmal des
menschlichen Geistes in seiner kritischen, wissenschaftlichen, auf praktische Wirkung bedachten Form und als eine der großen Leistungen des französischen 18. Jahrhunderts
anzuerkennen. Am Menschen D. hebt Goethe
als Negativum nur einen gelegentlichen, aus
Kräfteüberschuß geborenen amoralistischen
Intellektualismus hervor, wenn er ihn einen
seltsamen, genialischen Sophisten nennt, bei
dem *Paradoxen, schiefe und abgeschmackte Behauptungen ... mit den luminosesten Ideen* abwechseln. *Das Pariser gesellschaftliche Gewäsch,
die falschen, lügenhaften Wendungen verführen
ihn oft, wider besser Wissen und Gewissen;* aber
*auf einmal dringt seine bessere Natur, sein gro-
ßer Geist wieder durch und er trifft, Schlag auf
Schlag, wieder den rechten Fleck* (1796: *IV/11,
149f.*). Dem so erwähnten Fehler, den die Hervorhebung von D.s Genie sofort mildert, muß
Goethe noch weniger Bedeutung zumessen,
wenn er an D.s soziales Gefühl und auch tatsächliche Hilfsbereitschaft denkt; diese kennt
er zum mindesten durch die Memoiren Mme
de Vandeuls, jenes etwa durch die „Deux
amis de Bourbonne" und den Geist der technischen Beiträge D.s zur „Encyclopédie", hinter denen der Gedanke an die künftige Wirt-
schafts- und Gesellschaftsordnung steht – wie
in den *Wanderjahren*. Der späte Goethe, dh.

der Goethe nach der Abfassung der Teile des
11. Buchs von *DuW*, in denen D. als *wahrer
Deutscher* bezeichnet ist (1812), spricht in seinen Betrachtungen über die *französische
Literatur von diesem nur noch als Franzosen
schlechthin. Goethe ist nunmehr mit der französischen Romantik vertraut (AFuchs, 316),
dem breiten, nicht mehr wesentlich intellek-
tualistischen Strom nach Rousseau und dem
Rousseauismus, weiß besser, daß die Spannweite des *französischen Geistes über Voltaire
hinausreicht, und feiert in D. einen würdigen
Vertreter der großen Tradition des französischen 18. Jahrhunderts, die in Frankreich den
Nachgeborenen die Selbstbehauptung schwer
macht. Dabei ist D.s Bedeutung übernational;
er hat grenzensprengende Kraft, weil er, als
Franzose, zugleich Vertreter einer übernationalen Haltung, der europäischen Vorromantik, ist. Wenn er zur rechten Zeit als analoge
Erscheinung in Deutschland gewirkt hätte,
hätte er im Verein mit andern *großen...Mustern*
den Sturm und Drang der *dummen Jungen von
1772*, Goethe miteinbegriffen, zu einem gegen-
standslosen Unternehmen gestempelt (1830:
Bdm. 4, 264f.).

Über alles Künstlerische, Philosophische,
Historische hinaus ist jedoch Goethes Verhältnis zu D. existentiell. D., der Beobachter mit
dem durchdringenden Blick, der autonome
Meister der literarischen Form, der uner-
schrocken grabende Denker, der blutvolle Dy-
namiker unter drei Aspekten hilft ihm leben.
Der Gedanke an D., der in stets erneutem
Schwung so hinreißend beispielhaft ist für die
Verbindung von wertvollster geistiger Substanz und des „light sane joy of life, the buck-
ler of the Gaul" (Kipling), wird gewiß eine
Stütze für jenen Goethe, der dem Leben, auch
dem eigenen, oft so skeptisch gegenübersteht
(Sp. 505) und *verzweifeln gelernt* hat (1830:
Bdm. 4, 282). Es ist kein Zufall, daß Goethe
es D. offenbar nicht als Mangel anrechnet, vom
metaphysischen *Schaudern* als *der Menschheit
bestem Theil (Faust, V. 6272)* unberührt zu
bleiben; er begreift es zweifellos: In seiner nie
erlahmenden Vitalität, als Mann der nie ver-
zichtenden Untersuchung, der die Verehrung
des Unbekannten, des Geheimnisses (AFuchs,
329) durch den ebenfalls verehrungswürdig-
sten (Sp. 437) Glauben an Macht und Hoheit des Menschengeistes ersetzt, brauchte D.
dieses *Schaudern* als Mittel gegen das *Erstarren (Faust, V. 6271)*, [wobei Goethe in D.s
„Naturalismus" ein „mächtiges emotionales
Moment" (KRoßmann, 226) gewiß erkennt
und anerkennt (AFuchs, 336)]. Neben dem

Wert des Denkers und Künstlers dürfte auch und gerade diese gesunde Klarheit bei allem Vorwärts, die Goethe gelegentlich als Heilmittel gegen gewisse deutsche, auch ihm persönlich nicht unbekannte Geisteshaltungen empfindet und empfiehlt (AFuchs, 12, 322 Anm. 11 f., 339 Anm. 3), Goethes so positive Haltung zu D. begründen. Auch dadurch wird der Kontakt mit D.s so verschiedener, aber reicher Persönlichkeit erleichtert, und Goethe schöpft daraus Kraft für sich selber. In solcher Begegnung, *Wirkung und Gegenwirkung* (1799: *I/45, 248*), *Polarität findet er ein Mittel zur *Steigerung. Darum ist das Urteil des Greises eine aus Bewundern und Danken geborene Huldigung: *Diderot ist Diderot, ein einzig Individuum; wer an ihm oder seinen Sachen mäkelt, ist ein Philister;* was er gibt, ist *unschätzbar,* und Erkenntlichkeit die einzig mögliche Haltung ihm gegenüber (1831; IV/48, 193).

Es wirkt wie eine symbolisch zusammenfassende Darstellung des Verhältnisses Goethes zu D., wenn 1830 von Goethe mit Genugtuung im *Globe ein *sehr schöner Aufsatz über Diderot* festgestellt wird *(III/12, 308).*   Fu

JReinach: Diderot. 1894. – ThWDanzel: Ges. Aufsätze (1855), S. 130 ff. – FPapillon: in: Séances et travaux de l'Académie des Sciences morales et politiques. 1874, I. – SLevy in: GoetheJb 6 (1885), S. 332 f. – ABrandeis in: ChrWGV, 20. XII. 1890. – CAEggert: Goethe und Diderot: Über Schauspieler und die Kunst des Schauspielers. In: Euphorion 4 (1897). – HDieckmann: Goethe und Diderot. In: DVjs 10 (1932). – ABilly: Diderot. 1932. – MRouché: J. G. Herder, Une autre philosophie de l'histoire . . ., o. D. – JFabre: Diderot, Le neveu de Rameau. 1950. – RMortier: Diderot in Allemagne. 1954. – PVernière: Diderot, Œuvres philosophiques. 1956. – Ch Guyot: Diderot par lui-même. 1957. – EHenriot: Diderot relu. In: Le Monde, 14. VIII. 1957. – KRoßmann: Goethe und der Geist der französischen Philosophie; PGrappin: Goethe et les philosophes français du XVIIIe siècle; AFuchs: Goethe et la langue française; Goethe et la littérature française; Goethe et l'esprit français. Sämtlich in: CollStrasbourg.

Dieburg, hessische Stadt an der Gersprenz, nördlich vom Odenwald, wo seit 1774 CFW v*Groschlag saß, besuchte Goethe erst am 1. I. 1780, als er im Anschluß an die zweite *Schweiz-Reise sich mit *Carl August *an den Höfen herumtreiben* mußte: *Das schöne Jahr haben wir in Dieburg mit kleinen Spielen angefangen, wo Diedens der Stadthalter seine Schwägerinn, Graf Nesselrodt zusammen waren (IV/4, 158;* RV S. 20).   JP

Diede zum Fürstenstein, im Mannesstamm erloschenes reichsfreiherrliches Adelsgeschlecht, das Goethe durch seinen letzten Repräsentanten und durch dessen Familie kennen und schätzen lernte:

–, 1) Wilhelm Christoph (1732–1807), geboren in *Eisenach, Diplomat in Diensten *Dänemarks, Geheimrat, Gesandter in Berlin, Lon-

don, oft in Gotha, seit 1793 in Regensburg beim *Reichstag, seit 1806 Ritter des Elephantenordens, Schloßherr von Ziegenberg bei Nauheim, Gutsbesitzer in Langenhain, gestorben zu Hannover. D. berichtete über persönliche Begegnungen mit Goethe während einer Weimar-Reise bereits im November 1776 (WBode 3, 441 f.). Goethe selbst verzeichnet Zusammenkünfte erst 1780 in *Dieburg (IV/4, 158) und Ziegenberg (IV/6, 404), 1781 wieder in Weimar (IV/5, 110), 1782 in Gotha (ebda 292f.), 1788 in Rom (I/32, 282–284; fraglich), 1795 in Karlsbad (Goethe Jb. 14, 27), 1800 in Weimar (III/2, 311). Briefverbindungen finden sich zumeist 1781/1782, 1804. D. bemühte sich dabei vornehmlich um Goethes künstlerische Hilfe, 1781/1782 bei der Gestaltung eines Grabmals für D.s unlängst verstorbene Schwester Sophie (IV/30, 14f.; dazu 214; ferner 18–24; Inschrift: IV/30, 21; I/2, 126), 1804 bei dem Projekt einer Grabanlage für D.s eigene Gemahlin, woraufhin Goethe diesmal jedoch an A*Canova (hier Sp. 1557f.) erinnerte (IV/17, 161f.) und dann einen eigenen, grundsätzlichen Aufsatz zur Frage der *Monumente beifügte (I/48, 141f.). In politischen Dingen hielt sich Goethe zurück, zumal es ihm anfangs auch menschlich nicht leicht fiel, ein *rechtes Verhältniss* zu D. zu finden *(IV/5, 293);*

–, 2) Ursula Margarethe Constanze Louise geb. Gräfin Callenberg (1752–1803), 1772 mit 1) vermählt, gehörte noch weniger zu den Menschen, mit denen Goethe schnell Kontakt gewinnen konnte, ja sie erfüllt ihn bei den ersten Begegnungen mit einer *Abneigung,* die er *nicht überwinden* konnte: *Der Mensch ist eine wunderliche Zusammensetzung (IV/5, 292).* Goethe bat damals JC*Lavater um sein Urteil (IV/6, 21). Aber durch ihre *sehr großen Vorzüge* im *Flügelspiel,* die sie zu *entwickeln* vermochte *(I/32, 282),* verwandelte UMCL Antipathien in Sympathien, die sie sich auch über die Höflichkeitsformen hinweg erhielt (19. VI. 1788: „Er zeigte uns diesmal Zuneigung und Vertrauen": WBode 3, 457; vgl. dazu Goethes eigene Beileidsworte, mit denen er *das Andencken Ihrer unvergeßlichen Gemahlin ... feyerte: IV/17, 161f.).

–, 3) Caroline Henriette Susanne (geb. 1773), ältere Tochter der Vorigen, heiratete 1795 den Grafen Christian Detlef Carl vRantzau-Ascheberg und übermittelte, seit 1812 verwitwet, die eigenelterliche Goethe-Verehrung ihren Söhnen, wozu auf Ziegenberg mancherlei Gelegenheit war (III/12, 145); ähnlich

–, 4) Louise (geb. 1778), jüngere Schwester

der Vorigen, die 1801 (?) den Freiherrn Georg Löw von und zu Steinfurth heiratete und ihre Kinder zu Goethe führte.   *Gk*

VValentin: Festschrift zu Goethes 150. Geburtstagsfeier dargebracht vom Freien Deutschen Hochstift Frankfurt 1899, S. 1–47.

Diel, August Friedrich Adrian (1756–1833), fürstlich oranien-nassauischer Hofrath, Stadtphysikus in Diez/Lahn und Brunnenarzt in Bad Ems. Berühmter Pomologe, besaß in Diez eine eigene, bedeutende Obstplantage. Goethe beschäftigte sich im Sommer 1812 in Teplitz mit *Diels Obstorangerie (III/4, 305).* (,,Über die Anlegung einer Obstorangerie in Scherben und die Vegetation der Gewächse", Frankfurt a. M. 1798).   *Ba*

Diene *(Diehne),* Johann Heinrich (gest. 1786), aus Hannoversch-Münden nach Frankfurt/M. zugewandert, dort mit einer Sergeanten-Tochter verheiratet, wurde, da er *gut französisch sprach,* im Januar 1759 Dolmetscher bei dem Königsleutnant Fde*Thoranc, der im Goethe-Haus einquartiert war. D. wirkte damit zugleich als *Vermittler zwischen einem verdrieß-lichen, täglich mehr sich hypochondrisch quälenden Hausherrn und einem zwar wohlwollenden aber sehr ernsten und genauen Militärgast* (*DuW: I/26, 133;* vgl. ebda 157–164). Thoranc schätzte D., verhalf ihm als Garn- und Leinwandkrämer zum Bürgerrecht in Frankfurt und machte ihn schließlich auf Lebenszeit zum städtischen Laterneninspektor (*Beleuchtung Sp. 1002). Bei D.s drittem Kind (geb. 1. V. 1759) wurde Goethe am 24. VIII. 1759, also kurz vor seinem eigenen *Geburtstage, Taufpate, so daß D. *nun auch als Gevatter zu dem Hause eine doppelte Neigung spürte (I/26, 134).*   *Rf*

WStricker: Die Besetzung der Reichsstadt Frankfurt durch die Franzosen. In: Historisches Taschenbuch. Hg. WMaurenbrecher. VI, 4. S. 287–306. – MSchubart: François Théas Comte de Thoranc. Goethes Königsleutnant. 1896.

Dienemann, Johann Heinrich, 1813 bis 1816 in Goethes Diensten als Kutscher, in Karlsbad auch als Diener: *Hiernächst muß ich den Kutscher loben, der nicht allein Pferde und Geschirr, wie immer, sehr gut hält, sondern auch seinen übrigen Dienst dergestalt versieht, daß man es nicht besser wünschen kann. Schon durch seine Ehrlichkeit wird mehr erspart als zu berechnen ist (IV/23, 349).* 1816 heiratet er Goethes Köchin Frau Johanna Christiana Horn geb. Hoepfner, die schon seit 1804 im Haus am Frauenplan in Diensten stand. Goethe hilft ihm, daß er als Wirt das Gasthaus am Schloß Belvedere übernehmen kann. Als er 1829 wegen Krankheit seiner Frau von der Pacht zurücktritt und nach Oberweimar zieht, wird

seinem Nachfolger vom Hofmarschallamt auferlegt, ,,daß der Gasthof in Belvedere seinen guten Ruf behalte und stets mehr ein Vergnügungsort für das gebildete Publikum als für die niedrige Classe sey". 1830 besucht D. Goethe und bittet ihn, seinem Sohne zur Aufnahme in die Zeichenschule zu verhelfen (III/12, 231).   *Si*

Diener. Goethe hatte immer eine zahlreiche Dienerschaft. 1777 im Gartenhause: 2 Diener, 1 Bursche, 1 Köchin, 1 Hausbesorgerin; jährlicher Lohn der Diener 26 Taler, incl. ,,Biergeld", 20 Taler für Livree, Geschenke 10 Tlr 13 Groschen, Köchin 24 Tlr, Hausbesorgerin 16 Tlr Lohn incl. ,,Biergeld" und Geschenke, vierteljährlich 1 Paar Schuhe. 1805 Diener, Kutscher, Bursche, Köchin, Hausmädchen; 1818 Diener, Kutscher, Jungfer mit je 4 Tlr monatlich, dazu vierteljährlich 1 Tlr 12 Gr. ,,Biergeld"; Köchin mit 2 Tlr 20 Gr. Kindermädchen und Hausmädchen je 4 Tlr vierteljährlich. In zeitlicher Folge ergibt sich namentlich folgende Reihe der eigentlichen D.: Philipp Friedrich *Seidel (1755–1820), 1775 schon in Frankfurt bis 1788; Christoph Erhard *Sutor (1754–1838) 1776 bis 1795; Johann Georg Paul *Götze (1761–1835) 1777 bis 1794; Johann Ludwig *Geist (1776–1854) 1795 bis 1804; Johann Carl Gensler 1805 bis 1806, wegen Prügelei entlassen; Carl *Eisfeld 1806 bis 1812, wegen Krankheit entlassen; Carl Wilhelm Bindnagel genannt *Stadelmann (1782–1840) 1814 bis 1815 und 1817 bis 1824; Ferdinand Schreiber, Ostern 1815 bis 19. Nov. 1816, wegen Krankheit entlassen in das Siechenhaus; Friedrich *Krause (1805 bis 1865) 1824 bis 1832, danach noch bis 1837 bei Goethes Schwiegertochter Ottilie.   *Si*

Dienstedt, Dorf an der *Ilm zwischen Kranichfeld und Stadtilm, 1822: 406 Einwohner, wurde von Goethe immer wieder auf den Reisen nach *Ilmenau passiert – zB. zu Pferd am 5. IX. 1780: *Mit Krebsen und Schafkäs hab ich hier ein gut Mittagessen gehalten (IV/4, 280)* – ferner am 12. X. 1781 auf dem Wege von Gotha nach Großkochberg (IV/5, 202). RV S. 13f.; 17; 21–25; 27f.; 31–33; 49; 54; 67f.   *Dl*

Dies, Albert Christoph (1755–1822), Maler und Kupferstecher, tätig in Rom, Salzburg und Wien. In Rom traf er mit Goethe zusammen, für den er eine von diesem entworfene Landschaft kolorierte; Goethe glaubte, daß sich dadurch *Auge und Geist immer mehr an Farbe und Harmonie* gewöhnt *(I/32, 36),* was zumindest in diesem Fall auf die bildkünstlerische Arbeitsmethode Goethes ein etwas bedenkliches Licht wirft. Auch *Meyer verkehrte 1796 mit ihm

und dem Archäologen und Kunsthistoriker
*Hirt, bei dem D. in den letzten Jahren seines
italienischen Aufenthaltes wohnte. 1809 befanden sich Gemälde in Aquarellfarben von D. in
der großherzoglichen Sammlung zu Weimar. *Lö*

Dies irae dies illa, das Kirchenlied über das
Jüngste Gericht, seit dem 13. Jahrhundert zur
Totenmesse gesungen, wurde in der Frühzeit
des Franziskanerordens vermutlich von Thomas von Celano (um 1230) gedichtet. Die ge-
hämmerten Dreizeiler sind für moderne Ohren
wohl das wirksamste Stück mittellateinischer
Hymnik. Der Text, 17 Strophen mit einem
wohl etwas später nachgetragenen Abgesang,
blieb auch den Protestanten bekannt und
wurde bis 1770 etwa ein Dutzend mal, namentlich 1659 durch Gryphius, ins Deutsche übersetzt. Im *Faust* (schon in der Urfassung 1333,
1348, 1361) erklingen Str. 1, 1–2; 6; 7; 7,
1 wird wiederholt.   *Stn*

Edition: Analecta hymnica, hg. Dreves und Blume.
Bd 54. S. 269f. – FGLisco: Dies israe, 1840 bringt die
alten Übersetzungen.

Dietendorf oder Altdietendorf, sachsen-gothaisches Dorf südwestlich Erfurt, rechts der Ap-
felstedt, 1816: 234 Einwohner. Links der Ap-
felstedt Rittergut des Grafen Gustav Adolf
v Gotter, genannt Neugottern, später Neudie-
tendorf, seit 1742 hier erste Ansiedlung der
Herrenhuter durch Graf Balthasar v Promnitz,
seit 1752 Mittelpunkt der Herrenhuter Dias-
pora in Thüringen, 1816: 340 Einwohner. Goethe schreibt am 3. V. 1780 aus *Erfurt: Heut reiten wir gegen Gotha zu und essen in Dietendorf
(IV/4, 214;* *Wegebaukommission). Neudie-
tendorf berührte er bereits auf der Fahrt von
Ilmenau nach Weimar am 10. V. 1776 (III/1/
12). Die Herrenhuter Kolonie wird von Goethe nicht erwähnt. RV S. 13; 20.   *Mü*

Dieterich (Dietrich), Johann, Graf von (1719
bis 1795) entstammte einer lothringer Familie
aus der Gegend von Nancy, die im 16. Jahrhundert Didier geheißen und zu Beginn des
17. Jahrhunderts wegen der Verfolgung der
Protestanten durch *Ludwig XIV. Frankreich
verlassen hatte. In hohem Unternehmergeist
gründete er zu *Reichshofen die noch jetzt bestehende Eisenindustrie; auch als Finanzmann
zeichnete er sich aus, zT. im Dienste *Ludwigs
XV., der ihn adelte. Der deutsche Kaiser
Franz I. verlieh ihm den Grafentitel. Von 1759
bis 1762 war D. regierender Ammeister von
*Straßburg. Er erwarb bei Reichshofen-Nie-
derbronn und im Steintal (Ban de la Roche, in
den Mittelvogesen) weite Ländereien: Er
durfte von sich sagen, daß er der an Grundbesitz reichste Privatmann der Provinz *Elsaß
war. Durch seine Hochöfen und in seinen Wäl-

dern gab er 1500 Familien Brot; darum konnte Goethe in den Waldgegenden des *Bären-
thals D.s Namen *ehrenvoll . . . aussprechen hören (I/27, 338).* – Er war der Enkel des Am-
meisters Dominikus D., der 1681 vor Louvois'
Drohungen die Kapitulation Straßburgs hatte
unterzeichnen müssen, und Vater Philipp Friedrich vD.s, des ersten Maires von Straßburg, in
dessen Hause die „Marseillaise" zum ersten
Male gesungen wurde.   *Fu*

HHaug: Reichshoffen, Niederbronn et environs. 1929.
S. 55 ff.

Dietrich, Bauernbotaniker aus Ziegenhain bei
Jena. Diese Botaniker-Familie wurde im 18.
Jahrhundert in Thüringen weithin bekannt;
vier Generationen versorgten über 100 Jahre
lang die Universität Jena, Apotheken, Kräu-
terhändler und Pflanzenliebhaber mit Material
aus der heimischen Flora.

–, 1) Adam (1711–1782), *der Stammvater derselben, sogar von Linné bemerkt, hatte von diesem
hochverehrten Mann ein eigenhändiges Schreiben aufzuweisen, durch welches Diplom er sich
wie billig in den botanischen Adelsstand erhoben
fühlte (II/6, 105).* Eine persönliche Bekanntschaft mit Goethe ist nicht bezeugt.

–, 2) Johann Adam (1739–1794) setzte nach
dem Tode des Vaters *die Geschäfte fort, welche
hauptsächlich darin bestanden, daß die sogenannten Lectionen, nämlich Bündel der jede
Woche blühenden Gewächs, Lehrenden und Ler-
nenden von allen Seiten herangeschafft wurden.
Die joviale Wirksamkeit des Mannes verbreitete
sich bis nach Weimar, und so ward ich nach und
nach mit der Jenaischen reichen Flora bekannt
(II/6, 105).* Er war Goethes erster Pflanzen-
lieferant, bis ihn sein Sohn Johann Michael
darin ablöste.

–, 3) Friedrich Gottlieb (1765–1850), der Enkel
des Stammvaters, *hatte einen noch größern
Einfluß auf meine Belehrung. Als wohlgebauter
Jüngling, von regelmäßig angenehmer Gesichts-
bildung, schritt er vor, mit frischer Jugendkraft
und Lust sich der Pflanzenwelt zu bemeistern;
sein glückliches Gedächtniß hielt alle die seltsamen Benennungen fest, und reichte sie ihm jeden
Augenblick zum Gebrauche dar; seine Gegenwart
sagte mir zu, da ein offner freier Charakter aus
Wesen und Thun hervorleuchtete, und so ward
ich bewogen auf einer Reise nach Karlsbad ihn
mit mir zu nehmen (II/6, 105).* Goethe machte
die Bekanntschaft des Jünglings am 20. VI.
1785 bei einem Spaziergang in der Umgebung
Jenas. Die Reise nach *Karlsbad wurde Ende
Juni gemeinsam mit *Knebel angetreten und
führte über das Fichtelgebirge durch floren-
reiche und pflanzengeographisch interessante

Gebiete. Auf dem *Ochsenkopf (1014 m) sah Goethe zum erstenmal den Sonnentau (Drosera rotundifolia) und erkannte sofort den insektivoren Charakter dieser Pflanze. *In Karlsbad selbst war der junge rüstige Mann mit Sonnenaufgang im Gebirge, reichliche Lectionen brachte er mir sodann an den Brunnen, ehe ich noch meine Becher geleert hatte; alle Mitgäste* (Herder und Frau, Chv Stein, Knebel, Gräfin Bernstorff, Fürst Czartorisky, Fürstin Lubomirska, Graf Brühl) *nahmen Theil, die welche sich dieser schönen Wissenschaft befleißigten besonders. Sie sahen ihre Kenntnisse auf das anmuthigste angeregt, wenn ein schmucker Landknabe, im kurzen Westchen daher lief, große Bündel von Kräutern und Blumen vorweisend, sie alle mit Namen, griechischen, lateinischen, barbarischen Ursprungs, bezeichnend; ein Phänomen, das bei Männern, auch wohl bei Frauen, vielen Antheil erregte (II/6, 106 f.).* Es entstand überall *Verwunderung, daß ein rüstiger Bauerbursche Geschlecht und Art, deutsche Benennung, Klasse mit ihrer Rubrik hinter einander wie ein Paternoster hersagte (II/13, 40).* Später ermöglichte Goethe mit Carl August's Unterstützung D. eine wissenschaftliche Ausbildung in Jena und Reisen in das Ausland. Von 1792–1801 war FGD. herzoglicher Gärtner (ab 1794 Hofgärtner) in Weimar. In diesen Jahren hatte er häufig Berührung mit Goethe, indem er ihm Material für seine Pflanzenstudien lieferte und ihm als Hausgärtner im *Garten am Stern einen eigenen botanischen Garten nach dem natürlichen System von *Jussieu einrichtete. Von 1801–1845 war FG Schöpfer und Vorsteher des herzoglichen botanischen Gartens (ehemaligen Karthäusergartens) in *Wilhelmsthal bei Eisenach. Hier fand er endlich die ihm zusagende Lebensaufgabe und entwickelte daneben eine bedeutende schriftstellerische Tätigkeit (sein Hauptwerk „Lexikon der Gärtnerei und Botanik" umfaßt dreißig Bände). Vielfältige Anerkennungen und Ehrungen stellten sich im Laufe der Jahre ein: Der Sproß der ziegenhainer Bauernfamilie erhielt den Titel eines großherzoglichen Raths, die philosophische Doktorwürde, wurde Professor der Botanik und Direktor des botanischen Gartens in *Eisenach, sowie Mitglied einer Reihe gelehrter Gesellschaften. Ihm zu Ehren wurde eine eigene Pflanzengattung Dietrichia aufgestellt (später zur Gattung Rochea gezogen und damit wieder aufgegeben). FG ist Goethe nach seinem Fortgang von Weimar noch dreimal im Haus am Frauenplan begegnet, zuletzt am 2. V. 1825. *Professor Dietrich von Eisenach, alter Zeiten sich erinnernd, wie er im Jahre 1785*

mit mir als Ziegenhainer Bauerbursche auf dem Fichtelgebirge, sodann in Carlsbad gewesen und wie er von da an seinen Eintritt in die höhere Kultur zu rechnen habe (III/10, 50). 1845 trat er in den Ruhestand und starb 1850 in Eisenach.

–, 4) Johann Michael (1767–1835), der jüngere Bruder des Vorgenannten, übernahm vom Vater den Bauernhof und wurde in Jena „privilegierter Universitätsbotanicus". Als solcher belieferte er die Universität nicht nur mit lebendem Pflanzenmaterial, sondern fertigte auch Präparate für die Sammlungen sowie für Studenten und Liebhaber an. Goethe erhielt durch ihn mehrere Jahrzehnte lang regelmäßig Pflanzenlektionen. Der ziegenhainer Botanikus findet bei Goethe brieflich und im Tagebuch öfter Erwähnung, zuletzt an EHF*Meyer vom 23. IV. 1829: *Zugleich kommt der alte Pflanzen- und Kräutermann von Ziegenhayn und bringt die Rediten der Flora Jenensis von Ruppe's Zeiten und wer weiß wie lange her, welche mich noch jedes Frühjahr seit mehr als 50 Jahren heimsuchen (IV/45, 254).*

–, 5) Johann David Nikolaus (1799–1888), einziger Sohn des Vorgenannten und Urenkel von 1), widmete sich von Kindheit an der Pflanzenkunde. Als Erwachsener übersiedelte er nach Jena, wo er als Privatgelehrter wissenschaftliche Botanik betrieb. Goethe hat, wohl um seine Studien zu fördern, mehrmals Bücher für ihn in der Universitätsbibliothek Jena ausgeliehen. Seine Präparierkunst kam ihm bei der Herausgabe des Exsikkatenwerks „Musci Thuringici" zustatten, womit er 1821 gemeinsam mit JC*Zenker begann. Er scheint Goethes Interesse für seine Moosforschungen erweckt zu haben, wie aus dessen Tagebuch vom 9. I. 1820 hervorgeht: *Paquet an *Färber durch die fahrende Post, enthaltend: ...Dietrichs Moose von Tautenburg (III/7, 126).* JDN entfaltete eine lebhafte schriftstellerische Tätigkeit, sein Hauptwerk war die in dreizehn Jahren bearbeitete „Synopsis plantarum" mit über 80 000 beschriebenen Arten. Er erlangte die philosophische Doktorwürde und wurde durch den preußischen König mit der goldenen Medaille für Kunst und Wissenschaft ausgezeichnet. In den letzten Lebensjahren war er Kustos des Universitätsherbariums in Jena.   *Ba*

Dietrich (Ditricy), Christian Wilhelm Ernst (1712–1774), Maler, Sohn des weimarischen Hofmalers Joh. Georg D. (1684–1752), Schüler des Landschaftsmalers A*Thiele in *Dresden, wurde 1741 Hofmaler Augusts III. und 1748 Inspektor der dresdener Galerie. Künstlerisch *von allerlei Manier (III/2, 51),* hatte auf ihn die stärksten Einwirkungen die holländische Malerei um *Rembrandt, so daß er erst langsam zu einer eigenen Form fand. Goethe, der die „Kunstzustände in Dresden" zur Zeit *Hagedorns, *Oesers und D.s sehr wohl kannte (I/46, 35), fand 1769 als Student wenig Interesse an den *platten Nymphen von Dietrich, so nackend und glatt sie auch sind (IV/1, 208)*, gemeint wahrscheinlich das Bild „Badende Nymphen" (Dresden, Kat.-Nr 2125). Von D., der in seinen Gemälden und Radierungen viele Themen behandelte, sah Goethe 1810 bei seinem Besuch in der dresdener Galerie außer dem ebengenannten die jetzigen Kat.-Nr 2151 (Felsenlandschaft) und 2142 (Ruhe auf der Flucht nach Ägypten, nach einer Radierung Rembrandts, vor 1741 gemalt) und beurteilte sie günstig (I/47, 375 f.). Die von Goethe 1817 in Rudolstadt auf Schloß Heidecksburg betrachteten *Decorationsbilder von Dietrich im französischen *Boucherschen und *Watteauschen Geschmack (III/6, 120)* befinden sich in den oberen Flachbogenfeldern des Hauptsaales, dessen allegorische Wand- und Deckenmalereien von LDeisinger stammen. – Noch 1831 ließ Goethe zwei Landschaftszeichnungen aus einer schweizer Sammlung für die weimarische Zeichenschule erwerben; er selbst besaß mehrere eigenhändige Radierungen D.s.   *Lö*

Dietz, Johann Jacob Christian (1749–1807), Sohn des Kammergerichts-Procurators Johann Thomas Andreas D. (1701–1752) in *Wetzlar und dessen Ehefrau Susanna Maria Cornelia geb. *Lindheimer, jüngerer Bruder von Isabella Charlotte D. (1745–1817); Morris 3, 55; 6, 269; Stiefvater: Hofrat Johann Friedrich Lange), der aufgrund dieser Verwandtschaftsbeziehungen Goethe seinen „theuersten Herrn Vetter" nennt (15. VIII. 1793: IV/10, 387 Nr 3027), Dr. iur., großhzgl. hessischer Hofrat, Kammergerichts-Procurator in Wetzlar, 1777 verheiratet mit CWM *Buff (4). Goethe lernte ihn Mai/Juni 1772 kennen, um alsbald manchen Spott mit ihm zu haben: *Der Doctor Hofrath Grillen heckt / Und sie Carlinchen für Liebe verkauft* (Januar 1773: I/5¹, 62), und ... *wie der quasi Hofrath fortfährt ein Esel zu seyn* (April 1773: Morris 3, 39). Zwanzig Jahre später versuchte D., Goethes Vermittlung für ein berufliches Avancement und zwar als Nachfolger des verstorbenen weimarischen Anwalts und Procurators am Reichskammergericht CJvZwierlein zu gewinnen. Goethe bemühte sich für D., aber ohne Erfolg, *da der jüngere Herr von Zwierlein schon die Substitution auf seines Herrn Vaters Stelle erhalten (IV/10, 129;* dazu 387).   *JP*

Diez, Stadt an der Lahn bei *Limburg, durchwanderte Goethe 1772 auf seiner Flucht aus *Wetzlar. Auf einer Grubenfahrt mit Oberbergrat *Cramer sah Goethe D. wiederum am 23. VIII. 1815 (I/28, 177; IV/26, 58). RV S. 11; 51.   *Gu*

Diez, Friedrich Christian (1794–1876), geboren in Gießen, gestorben in Bonn, wurde wesentlich durch Goethe bestimmt, sich mit Gebieten und Gegenständen der romanischen Philologie zu beschäftigen. Eigentlich wurde er erst dadurch zu deren anerkanntem, indes überholtem, wissenschaftlichem Begründer. Er ist ein Beispiel mehr für Goethes außerordentliche Anregungskraft hinsichtlich Konstitution oder Institution von Forschungs- und Lehrbereichen.

D. hatte 1811 mit altphilologischen Studien in Gießen begonnen, war 1813 von der Freiheits-Bewegung erfaßt, bis in die Grundlagen seiner Bewußtseinsbildung erschüttert und seinen bisherigen Berufszielen entfremdet worden. Nach rechtswissenschaftlichen Versuchen sowie einigen ersten Schritten in neuphilologischer Richtung war er noch ohne wirklich entschiedene Festigkeit, als er im Spätherbst 1817 Goethe sein dem Vorbild der Brüder *Grimm nacheiferndes, dem gießengöttinger Universitätslehrer FG*Welcker dedizertes Übersetzungswerk „Altspanische Romanzen" mit handschriftlicher Widmung schickte (Ruppert Nr 1715) und im April 1818 (genauer: 3.?; *eingeführt durch* JC*Wesselhöft?: III/6, 191;* GRM 5, 474) während eines Jena-Aufenthaltes persönlich zu Goethe kam. Die innere Situation Goethes war hinsichtlich D.s Anlagen und Neigungen durch eine zeitliche und mehr als zeitliche Nachbarschaft scheinbar sehr weit auseinander liegender, in größerer Tiefe jedoch höchst aufschlußreich miteinander verbundener und aufeinander bezogener, natur- zugleich und geisteswissenschaftlicher Fragenkomplexe ganz besonders erregt: *Ballade (1816/17; vgl. Sp. 682 bis 695) als poetisches Organ der *Nord-Südlichkeit (Sp. 702), die *West-Östlichkeit im Sinne des *Divans, zumal der *Noten und Abhandlungen (1818/19; vgl. dazu WLentz: Goethes Noten und Abhandlungen zum West-östlichen Divan. 1958), *Farbenlehre/*Entoptische Farben (1816/20), *Tonlehre/Tabelle (1815/19), eine Reihe von Problemen der *Geologie (zB. *Epochen der Weltbildung 1817; Hervortreten des Unterschiedenen 1817; Entstehung unorganischer Formen 1818), auch solche der *Botanik, der *Zoologie oder allgemein der *Biologie sowie der *Verfahrensart des gegenständ-

lichen Denkens überhaupt (vgl. Sp. 946f.). Alle diese Fragenkomplexe verdichteten sich zu den Fundamentalansätzen einer poetischen Anthropologie, die natur- wie geisteswissenschaftliche Aspekte historisch und systematisch, dh. *morphologisch* zusammenfaßt. Für deren Entwicklung wurde Goethe damals (April 1817; Mai 1818) durch FJM*Raynouard nachdrücklicher und entschiedener als bisher auf die Bedeutung der provenzalisch-occitanischen Kultur (Sprache/Dichtung; vgl. auch Sp. 695–702) aufmerksam. Dergestalt, so muß man sagen, könnte Goethe seinem hochbegabten Besucher D. den ihn selbst von innen her vielschichtig impulsierenden Nachdruck eigenen Erregtseins mitgeteilt haben – ,,ja er schrieb ihm sogar den Titel der provenzalischen Grammatik auf einen Zettel'' (JKörner, GRM 5, 475). D. begann unverzüglich gemäß Goethes thematischer Weisung FJM Raynouard genau zu studieren, wobei er methodisch JGrimm folgte. In diesem Studium ging er alsbald immer selbständiger, immer weiter und tiefer dringend vor, sodaß man in ihm und in seinen Arbeiten die Gründertat der provenzalisch-occitanischen nicht nur, sondern der romanischen Philologie in Deutschland beobachten und feststellen darf. D. erinnerte sich der außerordentlichen Anregungskraft seiner Goethe-Begegnung zeitlebens, aber in seinen langsam heranreifenden Leistungen, vor allem in seinem nicht immer genug ausgewogenen Urteil über FJMRaynouard fürchtete er sich zunächst doch zu weit von diesem seinem Ausgangspunkt entfernt zu haben. Er wagte daher nicht, gleich beim Erscheinen und ohne besondere Erklärung seine Publikationen nach Weimar zu schicken (1826: ,,Die Poesie der Troubadours. Nach gedruckten und handschriftlichen Werken dargestellt''; 1829: ,,Leben und Werke der Troubadours. Ein Beitrag zur näheren Kenntnis des Mittelalters''). Wenige Jahre danach war es dann schon zu spät. Wir können nicht nachweisen, daß Goethe diese Schriften auf andere Weise kennenlernte.   *Za*

Diez, Heinrich Friedrich (1751–1817), 1786 geadelt, Anhaltiner aus Bernburg, Jura-Student in Halle, beruflich zunächst Verwaltungs-Jurist (Referendar, Kanzleidirektor in Magdeburg), 1784 preußischer Gesandter in Konstantinopel/Istanbul, in dieser Eigenschaft mehr und mehr für türkische, überhaupt für orientalische Mentalität, Kultur und Zivilisation eingenommen und als Diplomat auch von der politischen Nützlichkeit oder gar Notwendigkeit eines möglichst engen Verhältnisses

zwischen der *Türkei und *Preußen überzeugt, 1790 zurückberufen und als Geheimer Legationsrat pensioniert. D. widmete sich alsdann bis zu seinem Tode ausschließlich seinen morgenländischen Neigungen, seiner Liebe zum Türkentum und wurde durch die Fülle und Dichte seiner privaten Studien eine maßgebliche Persönlichkeit auf dem Gebiet der *Orientalistik. Goethe bekannte dankbar, daß D.s *Arbeiten, Übersetzungen, Noten, Abhandlungen* seine *tägliche Gesellschaft sind* und daß *D. ein Ankergrund in diesem für ihn noch immer sehr stürmischen orientalischen Meerbusen ist (IV/26, 416),* daß D. dergestalt *einen bedeutenden Einfluß auf* sein *Studium* hat *(I/7, 222),* ja daß er D.s *Arbeiten als die Basis* anzusehen hat, *worauf er seine Kenntnisse des Orients gründen* konnte *(IV/26, 246).* Ein solches Urteil versteht sich relativ zu den noch sehr anfänglichen Entwicklungsstadien dieser Fachdisziplin. Zur Persönlichkeit D.s heißt es: *Daß er in seiner Lebensweise etwas sonderbar, von der Welt abgetrennt und eigen sey, nimmt mich nicht Wunder, denn viele sind es, die viel weniger Recht dazu haben (IV/26, 416).* Sachlich und zeitlich gehört der Kontakt Goethes mit D. in die Schaffensjahre für den *West-östlichen Divan, insbesondere auch für dessen *Noten und Abhandlungen. Die Korrespondenz reichte vom Mai 1815 bis zum November 1816. Die Lektüre von Schriften D.s fiel in die Zeit vom Januar 1815 bis zum Juli 1819: 1. ,,Denkwürdigkeiten von Asien in Künsten und Wissenschaften'' I/II, 1811/15 (Ruppert Nr 1762), 2. ,,Buch des Kabus oder Lehren des persischen Königs Kjekjawus'' 1811 (Ruppert Nr 1772), 3. ,,Lalézari: Vom Tulpen- und Narcissen-Bau in der Türkey'' 1815 (Ruppert Nr 1773), 4. ,,Der neuentdeckte oghuzische Cyklop verglichen mit dem Homerischen'' 1815 (Ruppert Nr 1767), 5. ,,Achmed Efendi: Wesentliche Betrachtungen oder Geschichte des Krieges zwischen den Osmanen und Russen in den Jahren 1768–1774'' 1813 (Ruppert Nr 3484), 6. ,,Über Inhalt und Vortrag, Entstehung und Schicksale des königlichen Buchs, eines Werks von der Regierungskunst'' 1811 (Ruppert Nr 756; wie 2. erworben gemäß testamentarischer Verfügung des Verfassers: IV/32, 125). Wiederholt nahm Goethe Gelegenheit, D. seine Dankbarkeit und Wertschätzung in Widmungsworten auszudrücken (hauptsächlich: I/ 7, 222; 304; I/6, 473; vgl. dazu auch I/41^I, 87). Häufiger sind Aneignungen und Weiterbildungen von Auszügen aus Schriften D.s (I/5^{II}, 364; I/6, 51; 87; 108; 126; 141; 171; 286; 476 Nr 16). Aus D.s Streit mit Jv*Hammer-Purgstall hat Goethe sich herausgehalten (TuJ 1816: I/36, 106). Eine FGA-Rezension (1772) über eine anonym erschienene Frühschrift D.s („Vortheile geheimer Gesellschaften für der Welt") – D. war in seiner Studentenzeit zu Halle Freimaurer („Amicisten-Loge Constantia") geworden – kann nicht mit Sicherheit auf Goethe zurückgeführt werden (I/38, 372).   *Li*

CSiegfried: Briefwechsel zwischen Goethe und v˙ Diez. In: GoetheJb. 11 S. 24–41. – FBabinger: Ein orientalischer Berater Goethes: Heinrich Friedrich von Diez. In: GoetheJb. 34 S. 83 bis 100. – JKörner: FJM Raynouard. In: GRM 5, S. 456–488. FBabinger: Der Einfluß von HFDiezens „Buch des Kabus" und „Denkwürdigkeiten von Asien" auf Goethes „West-östlichen Divan". In GRM 5 S. 577–592.

Diezel/Dietzel, Conrad (1753–1826), akademischer Kunst- und Lustgärtner, Gärtner am *Botanischen Garten in Jena seit 1794. Sein Vorgesetzter, Professor AJGK*Batsch, war *im Ganzen genommen mit ihm zufrieden*, er mußte aber im einzelnen wegen mancherlei Vernachlässigungen streng gehalten werden *(IV/10, 292)*. Goethe besuchte mit CLv*Knebel und JTh*Seebeck im November 1807 *Diezels Garten* in Jena *(III/3, 301)*. Am 25. IX. 1826 besuchte nach dem Tode ihres Mannes *die Hofgärtner Dietzeln* Goethe in Weimar, um sich ihm zu empfehlen *(III/10, 248)*.   *Ba*

Dilthey, Wilhelm Christian Ludwig (1833 bis 1911), philosophischer Forscher und Lehrer von weit- und tiefreichender Bedeutung (Basel, Kiel, Breslau, Berlin) und von fast unerschöpflicher Anregungskraft, Vertreter einer Lebensphilosophie, die das Wesen des Menschen aus der Geschichte zu interpretieren sucht, insofern Begründer einer seinerzeit grundsätzlich neuen Autonomie der Geisteswissenschaften, ja der Geisteswissenschaften überhaupt, die er damit gegenüber dem Primat (des Positivismus) der Naturwissenschaften legitimierte und konstituierte. Im Grunde bestimmte er damit auch die Goethe-Forschung bis weit in das 20. Jahrhundert hinein. Seine These ist, daß die Geisteswissenschaften ihre Gegenstände zu „verstehen", die Naturwissenschaften hingegen die ihrigen zu „erklären" haben. Methodik und Systematik seines Philosophierens charakterisierte D. selbst mit Vorliebe als „Kritik der historischen Vernunft". Das „Verstehen" setzt voraus, daß man den wissenschaftlichen Gegenstand der Geisteswissenschaften als ein Erzeugnis des menschlichen Geistes dem „verstehenden" Geiste transparent macht und dergestalt miterlebend seine innere Struktur aufweist. Das „Erklären" verlangt, den wissenschaftlichen Gegenstand der Naturwissenschaften in im-

mer kleinere Teile, schließlich atomistisch usw. zu zerlegen und die Verbindung dieser Teile sodann auf das Kausalprinzip zu reduzieren. Goethe selbst würde darüber hinaus und zwar mit Gültigkeitsanspruch für beide Wissenschaftsbereiche entschieden fordern, daß man sich in die Lage bringen muß, den jeweiligen (geistes- sowie naturwissenschaftlichen) *Gegenstand in allen seinen Teilen zu übersehen, recht zu fassen* und *ihn im Geiste wieder hervorbringen* zu können. Diese Möglichkeit zur Re-Produktion, ja zur Produktion ist das entscheidende Moment. Goethes *„Verstehen"* ist demzufolge sehr viel aktiver, außerdem mit dem „Erklären" durchaus verbunden und erst dann in seiner *subiectiven Gewalt*, dh. in seiner Potenz-Energie voll erreicht, wenn man seinen *Gegenstand im Geiste wieder hervorbringen kann*. Die moderne Entwicklung deutet daraufhin, daß man auf die Potenz = Energie eines derartigen *Wieder-Hervorbringens* sich zunehmend hinorientieren und dergestalt die Diskrepanz geistes- und naturwissenschaftlicher Verfahren durch eine adaequate, aber radikale Synthese überwinden will.

In seiner weithin schulebildenden Typologie der Philosophien und Weltanschauungen hat D. dem zweiten Typus, dem des „objektiven Idealismus", neben zB. Heraklit, den Stoikern, Leibniz, Shaftesbury, Schelling, Schleiermacher, Hegel insonderheit Goethe zugezählt. Dieser zweite Typus steht auf gleicher Stufe mit den beiden anderen (1) des Materialismus-Positivismus und (3) des Idealismus der Freiheit, ohne daß eine definitive Entscheidung zugunsten des einen oder des andren möglich wäre. Jedem kommt das gleiche Recht zu. Aufgabe des Philosophen ist es auch gar nicht, eine solche Entscheidung zu intendieren, sondern jeden einzelnen Typus in seiner eigenen Notwendigkeit und Bedingtheit zu „verstehen". Diese Position D.s ist manchen neueren Versuchen auf dem Wege der Entwicklung eines „realistischen" Denkens in der Wissenschaft sowie in der daraus resultierenden Wirklichkeits- wie Weltorientierung mit wissenschaftlichen Mitteln problematisch geworden – problematisch unter dem ungeheuren Druck der Forderungen moderner Daseins-Ermöglichung und -Bewältigung. Der Druck vergrößert sich in dem Maße, in dem die traditionellen Begriffe der „Geschichte" ebenso wie der „Natur" ihre für D. quasi selbstverständlichen Formen einbüßen.

Gleichwohl behalten D.s inhalt- und folgenreiche Leistungen auf dem Gebiete der Goethe-Forschung den bahnbrechenden Charak-

ter, den sie seit ihren zT. weit zurückliegenden Erscheinungsjahren beanspruchen können.   *Li*

Diluvium. Der Name „Diluvium" wurde geschaffen für eine allgemeine hypothetische
Flutperiode, die der Gegenwart (Alluvium)
vorangegangen sein und der biblischen Sintflut entsprechen sollte (Sintfluttheorie oder
Diluvianismus). Hauptvertreter dieser Theorie
waren J Woodward (1665–1728), Th Burnet
(1635–1715) und der Züricher Arzt J J Scheuch-
zer (1672–1735). Der Name D. blieb auch
nach dem schon in der Mitte des 18. Jahrhunderts erfolgten endgültigen Zusammenbruch
der Sintfluttheorie erhalten und wurde derjenigen Epoche zugeordnet, die der unmittelbaren Gegenwart vorausgeht. Das D. ist durch
das erratische Phänomen gekennzeichnet, dh.
durch die sehr weite Verbreitung zT. großer Gesteinsblöcke, die nicht unmittelbar
aus dem Untergrund stammen. Das Problem
des Transports dieser erratischen Blöcke hat
die verschiedensten Theorien entstehen lassen.
Es ist in der modernen Geologie endgültig
durch die Eiszeittheorie gelöst, wonach infolge
eines umfassenden Temperaturrückgangs weiträumige Vergletscherungen den Transport der
Geschiebe (erratischen Blöcke) als Gletscher-
moräne bewirkt haben, so daß – wenn auch
nicht ganz korrekt – der Begriff D. gleichbedeutend mit Eiszeit genommen wird.
Schon in der Zeit der ersten Beschäftigung
Goethes mit der Geologie in Thüringen, gemeinsam mit *Voigt wurde die eigenartige
Erscheinung der erratischen Blöcke wohl beachtet. *Wir kannten recht gut unsere Lage auf
den Höhen eines *Flözgebirges, um destomehr
fiel uns die Erscheinung auf, daß Granitblöcke
sich hie und da hervortaten (NS 2, 253).*
Goethe dachte zunächst in der Hauptsache an
Herkunft aus dem eigenen Untergrund: *Das
nördliche Deutschland hatte seine Granitfelsen,
aber verwitterliche, sie sind zusammengesunken
und liegen im durchgespülten Sande (ebda
378).* Es schwebten ihm dabei ähnliche Erscheinungen vor, wie er sie von der *Luisenburg beschrieben hatte. Offenbar hatte Voigt
schon frühzeitig die Vorstellung entwickelt,
*diese Blöcke durch große Eistafeln herantragen
zu lassen (ebda 256).* Die Verfolgung der
Frage ruhte aber zunächst; und eigenartigerweise wurde sie auch in der Schweiz nie aufgegriffen, wo die Gletscher und ihre über den
heutigen Gletscherrand weit hinaus sich ausdehnenden Moränen anschaulich auf solche
Zusammenhänge hindeuten. Diese Fragen

standen zunächst hinter dem hauptsächlich
interessierenden Zentralproblem der *Gebirgsbildung zurück.
Wie im Fall von *Pozzuoli war es auch hier
das Werk von CEAv*Hoff, das Anlaß gab, die
Frage der erratischen Blöcke aufzugreifen, dies
um so mehr als mittlerweile Lv*Buch in seinem
*Vulkanismus eine Erklärung des erratischen
Phänomens entwickelt hatte, die Goethes Widerspruch reizte: Im Zug gewaltsamer vulkanischer Hebungen sollten die mit emporge-
schleuderten Wassermassen losgerissene Gesteinsbrocken *in diesem Tumulte . . . weit über
Nachbarschaft und Ferne umhergestreut und zersplittert haben (NS 2, 381).* Das Gesetzlose und
Chaotische in dieser Erklärungsweise ließ das
auf gesetzmäßige Zusammenhänge gerichtete
Denken Goethes unbefriedigt. Zusendungen
aus verschiedenen Teilen Norddeutschlands
ließen ihn erkennen, daß hier doch ein sehr
allgemeines und verbreitetes Phänomen vor-
liege. Da außerdem *die Ähnlichkeit mit den
nordisch überseeischen Felsgebilden . . . allzu auffallend ist, als daß man sich die Verwandtschaft
verleugnen könnte (ebda 255),* denkt er nicht
mehr nur an Herkunft aus dem Untergrund,
sondern will *auch den Sukkurs von Norden her
nicht verschmähen (ebda 378).* Nun erinnert er
sich auch der erratischen Blöcke am Genfer
See und läßt die *Gletscher durch die dahin sich
ausmündenden Täler sich fort und fort herunter-
senken bis an den Rand des Sees; auf diesen rut-
schen und schieben sich die oberwärts abgelösten
Granitblöcke als einer glatten gesenkten Fläche
und werden mit vorgeschoben, wie heut zu Tag
noch geschieht (ebda 377).*
Infolge dieser Vorstellung mußte er *sogar einen
Zeitraum grimmiger Kälte zu Hülfe rufen (NS 2,
381),* kam also in der Tat in Ablehnung der
neusten Schiebe- und Schleudertheorien *(ebda
385)* zu einer Eiszeit mit der *Vermutung, daß
eine Epoche großer Kälte wenigstens über Europa gegangen sei, etwa zur Zeit, als die Wasser
das Kontinent noch etwa bis auf 1000 Fuß Höhe
bedeckten und der Genfer See zur Tauzeit noch
mit den nordischen Meeren zusammenhing
(ebda 388).* Freilich konnte dies, wie die
letzte Bemerkung zeigt, nicht unsre heutige
diluviale Eiszeit sein, da die erdgeschichtlichen
Zeiträume in die geogenetische Vorstellung
noch nicht eingegangen waren. Goethe stellte
sich, wie seine ganze Zeit einen einheitlichen
Prozeß vor, in welchem aus dem Urmeer das
heutige Erdbild sich herauskristallisierte, in
diesem Vorgang war die *Kälteepoche* ein zusätz-
liches Moment: *So lasse ich bei noch hohem
Wasserstand der Erde die Gletscher noch weiter*

nach dem Lande und dem Genfer See sich ausdehnen (NS 2, 390).   Bn
KAvZittel: Geschichte der Geologie und Paläontologie. 1899. – Zur allgemeinen Orientierung über die
Geologie des Diluviums vgl. P. Woldstedt: Das Eis-
zeitalter. 1929.

Dingelstädt, damals noch ein landstädtchen-
ähnliches Dorf (erst 1859 wirklich Stadt) im
*Eichsfeld, lernte Goethe am 8.VIII. 1784 bei
einem durch Achsenbruch *des schweerbepackten
Wagens* verursachten Zwangsaufenthalt kennen: *da wir hier liegen bleiben mussten, machte
ich gleich einen Versuch wie es mit ienem ver-
sprochnen Gedichte gehn mögte, was ich hier
schicke ist zum Eingang bestimmt, statt der hergebrachten Anrufung ... Es ist noch nicht alles
wie es seyn soll ich hatte kaum Zeit die Verse abzuschreiben,* heißt es in einem gleichzeitigen
Briefe an *Herders (IV/6, 333).* Es handelt
sich um den Anfang des Gedichtes *Die Geheimnisse (I/16, 169–183),* die allerdings in der
damaligen Fassung und Anordnung nicht an
diesem ihrem ursprünglichen Platz blieben (I/
16, 436). – Ein zweites Mal kam Goethe durch
D. auf der Badereise nach *Pyrmont am 6. VI.
1801, wobei ihn sein Sohn August begleitete;
D. erschien ihm *im Ganzen sehr reinlich und
nach einem Brande ... (1739) ... ziemlich regelmäßig erbauet. Die Einwohner nähren sich
meist vom Ackerbau ... Das weibliche Geschlecht
von häßlichem Gesicht, keine Farbe im Gesicht
und alle blonde Haare, die mehr ins rothe über-
gingen. Die Häuser daselbst werden alle von har-
tem Holz gezimmert. ... ohngefähr 500 Häuser
und 2 Kirchen. Die Gegend ist fruchtbar und gut
bebaut. Mittag gegessen im Mohren (III/3, 17).*
Es ist auffällig, wieviel Worte Goethe diesem
Ort widmet, der zu wenig mehr als einer Mittagsrast diente. RV S. 38.   JP

Dinger (geb. um 1800), ein sonst unbekannter
Bildhauer *aus Solingen (IV/42, 276),* Schüler
Beuths (IV/43, 145f.), wahrscheinlich der Vater
des Kupferstechers Fritz D. aus Wald bei Solingen (1827–1904), stellte einen Bronzeabguß
des *in den Niederungen der Oder gefundenen
kleinen Jupiters* her, den der Kronprinz Friedrich Wilhelm von*Preußen 1827 Goethe sandte
(IV/42, 276).   Lö

Dinkelsbühl. Bezeichnend für Goethes Einstellung zu alten Städten mit ihren engen Straßen,
Fachwerkbauten und malerischen Winkeln,
wie er sie besonders in Süd- und Mitteldeutschland fand, ist seine Tagebuchnotiz von seinem
kurzen Besuch in D. vom 4. XI. 1797: *Dinkelsbühl. Fruchtbare Lage. Die Stadt hat zwei Wälle,
ist alt aber reinlich; man sieht wenig Gärten, guter Fruchtbau (III/2, 191).* Wie verschiedentlich auch in anderen alten Städten, so zB.

in *Kronach, interessierte Goethe außer der
Lage der Stadt nur ihre Befestigung, die aus
dem 15. Jahrhundert stammte, während die
Tortürme in der Renaissance errichtet wurden. Die Stadtmauern waren das Einzige, was
ihm in der malerischen alten Stadt der besonderen Erwähnung wert schien (III/2, 191). RV
S. 35.   Wt

Diogenes Laërtius/Laërtios (3. Jahrhundert
nChr.), Biograph und Doxograph der antiken
Philosophen, als solcher gewiß nur Kompilator, doch selbst in dieser Eigenschaft als Quel-
lenautor von großer Bedeutung. Goethe
kannte und nutzte die Original-Ausgabe von
Marcus Meibomius (Pracht-Ausgabe: De Vitis,
dogmatibus et apophthegmatibus clarorum
philosophorum. Amsterdam 1692), daneben
die deutsche Übersetzung von August Borhek
(Wien/Prag 1807; Leipzig 1809), allerdings
erst spät bezeugt (1826/27: Keudell Nr 1739;
1737), doch dürfte die Kenntnis zumindest bis
in die Studentenzeit zurückreichen (vgl. eine
allerdings nicht völlig für Goethe gesicherte
FGA-Rezension von 1772: I/38, 366). Die Abschnitte, die Goethe in den Zeugnissen der
späten und spätesten Altersjahre besonders
interessieren, sind *Anaxagoras (vgl. hier
Sp. 258f.; *Klassische Walpurgisnacht*), *Pythagoras (betr. *Geschichte der Farbenlehre*),
Chrysipp (betr. Theorie des Sehens im Zusammenhang mit der *Geschichte der Farbenlehre*),
Epikur *(Farbenlehre),* Pyrrho *(Farbenlehre).*
                                                 Ab

Diogenes von Sinope/Paphlagonien – Pontos
Euxeinos (404–323 vChr.), *Sanct Diogenes*
(1774?: I/2, 272), als Flüchtling nach Athen
gekommen, als Philosoph dort Schüler des
Antisthenes, in Weiterbildung von dessen
Denk- und Lebensart eigentlicher Begründer
des Kynismus, selbst der Kyniker κατ' ἐξοχήν
(κύων = „Hund"; wegen der Bissigkeit sowie wegen der besonderen Verachtung, die
man im damaligen Griechenland für dieses
Tier hegte, außerdem wegen der Bedürfnislosigkeit, bisweilen auch wegen der Anhänglichkeit und Treue), bekannt und wirkungsvoll
durch sein einsiedlerhaftes Hausen im Fasse
des Tempels der Göttermutter Kybele (Diogenes Laërtios VI, 23), durch seine Betonung
des *Weltbürgertums, der übersteigerten Bedürfnislosigkeit, die er einmal als kynische
Askese (Abhärtung und Befreiung von allen
den Menschen unfrei machenden Lebens-
gewohnheiten), andererseits als kynische
Schamlosigkeit (Verachtung gegenüber allen
traditionellen Vorurteilen und Anstands-
regeln) darlebte und forderte. Ungewiß die

Reichweite und Tragkraft der Frühbezüge (1766: *il faudroit chercher en Diogene: Morris 1, 129*; 1770: *Diogenes von Sinope dialogirt sehr in der Manier von John Falstaff: Morris 2, 36*; auf Grund von Wielands Übersetzung 1770), um so intensiver aber die Berufungen und Bezeugungen der hohen Mannesjahre (1786: *ich bin aber doch im [protestantischen] I/30, 247] Diogenismus zu alt geworden: IV/8, 110*; 1794: *nichts Räthlicheres, als die Rolle des Diogenes zu spielen und mein Faß zu wälzen: IV/10, 181f.*; 1795: *in dieser letzten unruhigen Zeit meine Tonne gewälzt: IV/10, 303*; 1796: *indessen fortgefahren meine Tonne zu wälzen: IV/11, 134*), ganz eindeutig und bewußt aber im zunehmenden Alter zum Sinnbild, ja fast zum Symbol seiner selbst hochgesteigert (1813: Riemer/Pollmer S. 346: *Seine Stube kommt ihm vor wie Diogenes' Faß*; 1815: *vor wie nach beschäftigt ..., wie St. Diogenes mein Faß zu wälzen: IV/25, 193*; 1818: *wie Diogenes sein Faß in der allgemeinen Verwirrung hin und her wälzen: IV/29, 9*), wie man einem Brief an CFv *Reinhard entnehmen kann: *wie anders aber sollte Diogenes seine Existenz in dieser bewegten Welt bethätigen* (1821: *IV/34, 259*). Etwa gleichzeitig dürfte das *Montan*-Wort zu *Wilhelm Meister* formuliert worden sein: *Wandre nur hin, du zweiter Diogenes! Laß dein Lämpchen am hellen Tage nicht verlöschen! Dort hinabwärts liegt eine neue Welt vor dir; aber ich will wetten, es geht darin zu, wie in der alten hinter uns (I/24, 45*; *Ballade Sp. 683–690; *Bettler Sp. 1152 bis 1155; *Dank/Danken/Dankbarkeit Sp. 1743, *Höhle; *Ironie; *Sokrates; *Till Eulenspiegel).   *Ab*

Dionysische Schwärmerei, architektonisches Schmuckrelief aus Ton, in der römischen Kaiserzeit nach späthellenistischen Vorlagen geschaffen. Es befindet sich heute in London BM (D 525). Das Stück war schon in *Winckelmanns „Monumenti Inediti" behandelt und abgebildet und Goethe dadurch bekannt. Er erbittet von *Beuth, der nach London fährt, am 9. VI. 1827 einen Abguß und erhält ihn am 19. VII. 1827 (IV/42, 222. 274; III/11, 87; 91).   *Hm*
Schuchardt II 337 Nr 126. – Wegner 89. – Grumach 571 f.

Dionysius Halicarnassensis (1. Jh. vChr., 30–8 in Rom), griechischer Rhetor, römischer Geschichtsschreiber. Seine Darstellung der Geschichte Roms (vielleicht schon 1772 flüchtig bekannt geworden?: I/38, 353; für die Vorbereitungen zur 2. Italien-Reise 1795/96 notiert: I/34II, 227) studiert Goethe im Winter 1820/21 anhand der Übersetzung von JL*Benz-

ler sorgfältig: *Dionys von Halikarnaß konnte nicht versäumt werden, und so reizend war der Gegenstand, daß mehrere Freunde sich mit und an demselben unterhielten (I/36, 192*; vgl. III/7, 262–264; 8, 3f.; „Römische Alterthümer. Aus dem Griechischen übersetzt von Johann Lorenz Benzler. Bd. 1; 2. Lemgo 1771/72." Keudell Nr 1381).   *Ab*

Dionysos Farnese, den überlebensgroßen Torso eines sitzenden jugendlichen Gottes, wahrscheinlich des Dionysos, vielleicht ein griechisches Originalwerk des 3. Jahrhunderts vChr., sah Goethe noch in *Rom, kurz vor der Überführung der farnesischen Antiken nach *Neapel bei dem Restaurator Albacini. Er hielt ihn für den *Torso eines sitzenden Apolls*, *er hat an Schönheit vielleicht nicht seines Gleichen* (16. VII. 1787: *I/32, 32*; vgl. auch 35).   *Hm*
Neapel, Museo Nazionale Nr 6034. – Wegner 62 u. Abb. 20. – Grumach 546.

Dioskuren, in der griechischen Mythologie die Zwillingssöhne des Zeus und der Leda, Kastor und Polydeukes (lat. Pollux) genannt. Als Theseus die junge *Helena raubte, zogen die D. gegen ihn zu Felde, eroberten das attische Aphidnai und befreiten ihre Schwester. Hiervon erzählt *Chiron* in der *Klassischen Walpurgisnacht* (I/15I, 129, V. 7415–7421; vgl. V. 8852). Während Homer die beiden D. im Gegensatz zu ihrer Schwester Helena als Sterbliche auffaßte, wollte eine andere antike Überlieferung nur Polydeukes als unsterblichen Sohn des Zeus gelten lassen. Hierauf spielt das *Dioskuren* betitelte *Xenion* Nr 357 (I/5I, 257, V. 713f.) an. Pindar erzählt, wie der nach seinem Erdenleben in den Olymp aufgenommene Polydeukes von seinem göttlichen Vater das Zugeständnis erbittet, gemeinsam mit seinem sterblichen Bruder Kastor je einen Tag im Olymp und einen Tag in der Unterwelt verbringen zu dürfen (Nem. 10, 55ff., 75ff.). Goethe scheint dies so aufgefaßt zu haben, als ob Kastor und Polydeukes einander bei dem jeweils eintägigen Aufenthalt in der Unterwelt ablösten: *So standen sie fest umschlungen, wie Kastor und Pollux, Brüder die sich auf dem Wechselwege vom Orcus zum Licht begegnen* (*Wilhelm Meisters Wanderjahre: I/25I, 297*). Die D. galten in der Antike als ritterliche Nothelfer, besonders als Retter in Seenot; in dem Elmsfeuer an den Mastspitzen der Schiffe glaubte man die helfenden D. selbst zu erkennen (Hom. Hymn. 33, 10f.). In diesem Sinne ist das Gespräch zwischen *Faust* und dem *Kaiser* in der Szene *Auf dem Vorgebirg* zu verstehen: *Kaiser: Doch wie bedenklich! Alle Spitzen / Der hohen Speere seh' ich blitzen; / Auf*

unsrer Phalanx blanken Lanzen | Seh' ich behende Flämmchen tanzen. | Das scheint mir gar zu geisterhaft. | Faust: Verzeih, o Herr, das sind die Spuren | Verschollner geistiger Naturen, | Ein Widerschein der Dioskuren, | Bei denen alle Schiffer schwuren (I/15ᴵ, 269 f., V. 10 593 bis 10 601).
In Rom wurden die D. besonders verehrt, was man mit ihrer Waffenhilfe für die Römer in der Schlacht am See Regillus (499 vChr.) in Zusammenhang brachte. Noch heute können wir in Rom auf dem Monte Cavallo die beiden Kolossalstatuen der D. als Rossebändiger bewundern, Kopien nach klassischen griechischen Originalen des späten 5. Jahrhunderts, die auf Goethe, seit er sie am 3. XI. 1786 zum erstenmal sah, den größten Eindruck machten: *Weder Auge noch Geist sind hinreichend, sie zu fassen (I/30, 200;* *Monte Cavallo).* Noch in späten Jahren übten zwei Gipsabgüsse der Köpfe dieser Kolossalstatuen in Rudolstadt auf Goethe besondere Anziehungskraft aus (I/35, 198; 36, 124; III/6, 120; IV/28, 282).   *Hu*
Hunger S. 95–97. – Grumach S. 511–514.

Dioskuren vom Quirinal (Rom), die Gruppe der beiden kolossalen rossebändigenden Dioskuren, die heute noch wie zu Goethes Zeit (seit Pius VI.) mit einem Obelisken zu einer wirkungsvollen antithetischen Gruppe verbunden auf der Piazza del Quirinale, dem Monte Cavallo, stehen, ehemals wahrscheinlich vor einem Tempelgebäude im alten *Rom aufgestellt waren, erfreuten sich seit jeher einer besonderen Berühmtheit, da man sie aufgrund alter, wenn auch zweifelhafter, Inschriften für Werke von der Hand des *Phidias und *Praxiteles hielt. Als phidiasisch galten sie somit auch Goethe, der sich 1817, mit den *Elginschen Marmoren beschäftigt, plötzlich am 10. Oktober nach *Rudolstadt aufmachte, wo er sich *an den erstaunenswürdigen Köpfen von Monte Cavallo, für lange Zeit herstellte (I/36, 124).* Im dortigen Schloß befanden sich die Gipsabgüsse der beiden Köpfe der Dioskuren. Am 7. III. 1788 hatte er Abgüsse im Atelier Cavaceppi gesehen (I/32, 291).   *Hm*
Wegner 77 f. Abb. 23. – Grumach 511 ff. – ODeubner: Maburger Winckelmanns Prog. 1947. – *IR* vEinem: S. 603.
Dirzka, Ignaz, Opernsänger, Bassist, war 1804 bis 1808 am weimarischen Theater engagiert. Er wurde, obgleich seine Stimme dem Publikum gefiel (IV/19, 484; JbGGes. 4, 145 f.; SGGes. 6, 293), durch den Schützling C*Jagemanns, den Sänger *Strohmeyer, verdrängt und ging nach Wien.   *EF*
Distichon. Das D. ist eine *Strophe, wenn auch kleinsten Umfanges, ein Zweizeiler, ein

Doppelvers, je einen *Hexameter und einen *Pentameter paarend, in der griechischen Antike entwickelt, in der römischen fortgebildet, vornehmlich durch FG*Klopstock für die deutsche Dichtung aktualisiert. Es diente alsdann auch Goethe zu „einem vortrefflichen Gebrauch" (AW*Schlegel). Das 18./19. Jahrhundert, dh. sowohl die *Klassik wie die *Romantik waren übereinstimmend der Auffassung, daß sich „der Erguß der Empfindung in dem fortströmenden Hexameter, die Mäßigung in dem mit zwei fast gleichen Einschnitten versehenen, hemmenden Pentameter sehr lebendig abschildert, so ist dies Versmaß ohne Zweifel die passendste Form für die Elegie, und wurde daher das elegische Versmaß genannt. Zugleich ist das Distichon zur lieblichen Einfassung einzelner kleiner Gemälde von Gedanken und Empfindungen geeignet. Dies ist die natürliche Ursache, warum der Grieche seine Epigramme fast ausschließlich in diese Form goß" (ADRE 3, 309). In diesen zeitgenössischen Formulierungen wirkt die Patenschaft Schillers (SäkA 1, 152 Nr 56) stärker als diejenige Goethes, der den Doppelvers weniger in der Unterschiedenheit und Besonderheit seiner Zeilen als in ihrer Verbundenheit wohl auch rational, aber zutiefst rhythmisch erfährt: *Dir Hexameter, dir Pentameter, sei es vertrauet, | Wie sie des Tags mich erfreut, wie sie des Nachts mich beglückt (I/1, 261).* Schon AWSchlegel hatte bemerkt, daß Goethes D. diese Verbundenheit der Zeilen betont und die diastolische Eigenschaft des Hexameters mit der systolischen des Pentameters synthetisch verschmilzt, daß er anders als die Griechen das „Übergehen des Sinnes aus einem Distichon in das andre, welches immer neue elegische Perioden bildet, und das Epigrammatische und Symmetrische wegnimmt", fast geflissentlich vermeidet, daß er in der jeweiligen Einzel-Balance der polaren Vers-Charaktere, dh. im D. als in einer geschlossenen Form sich partiell beruhigt (AW Schlegel: Dt. Lit. Denkm. 18 II, 277; dazu SGGes. 13, 20). Dergestalt vermochte ihm gerade damals (1788 ff.) das D. eine angemessene Form der Liebesaussage zu werden und die Liebe selbst, wie er sie zu dieser Stunde erfuhr, beredt zu machen: „Auch daß der Geist der dargestellten Liebe nicht sentimental ist, harmoniert mit dem übrigen: doch wird die schön gebildete Sinnlichkeit durch edle Gesinnung gehoben ... Das wahre zur Elegie gehörige Verhältnis zwischen Bewegung und Ruhe, musikalischer Stimmung und Kontemplation findet sich dem ungeachtet" (AW

Schlegel: Dt. Lit. Denkm. 18 II, 289). Die goethesche Form des D.s ist demgemäß weniger griechisch, mehr römisch, was der Zeitlage hinsichtlich quellenechter Kenntnis der Denkmäler durchaus entspricht. In den nachitalienischen Jahren bediente sich Goethe mit Vorzug des D.s. Erst bildete er sich den elegischen Modus heraus, dh. am Anfang bestimmt – wie so oft – das Beredtwerden der Liebe als einer neuen Seinsmacht den Ausdruck *(Römische Elegien)*, der auch auf den epigrammatischen Formenbereich übergreift *(Venetianische Epigramme)*. Dann ist die volle Verfügungsfähigkeit gewonnen. Es folgen schnell die *Xenien,* die *Weissagungen des Bakis,* die *Vier Jahreszeiten,* die *Metamorphose der Pflanzen;* einige Früh-Versuche *Antiker Form sich nähernd* waren vor der Italien-Reise bereits gemacht, aber wirkungslos geblieben.   *Za*

Dittersbach, schlesisches Dörfchen am Nordhang des Falkengebirges, suchte Goethe auf seinen gesteins- und landschaftskundlichen Gebirgserkundungen im *Heuscheuer-Gebiet Ende August 1790 auf (III/2, 24). RV S. 29.   *JP*

Dittersdorf, Karl Ditters von (1739–1799), war der nächst Mozart am weimarer Theater unter Goethe meist aufgeführte Singspielkomponist, vor allem mit dem heute noch wirksamen „Doktor und Apotheker". Durch D.s Werke wurde unter Bellomo (seit 1784), dann unter Goethe (seit 1791) das wiener Singspiel fest im weimarer Spielplan verankert.   *MB*

Dittrich (Dietrich), Anton (1786–1849), Ordensgeistlicher und Präfekt des Gymnasiums in Komotau, besuchte Goethe 1813 und 1818 in Weimar (ausführlicher Bericht über seinen ersten Besuch am 16. VII. 1813: Bdm. 2, 192 bis 194) und traf mit ihm 1818 und 1819 wiederholt in Karlsbad zusammen (III/6, 238; 7, 95). Als *bedeutende Person (I/36, 85)* und wegen seiner Empfänglichkeit und des Weitergebens von Anregungen geschätzt (IV/24, 47f.) wurde er auch an G*Hermann weiter empfohlen (IV/33, 340).   *Rt*

Dlask/Tlask, Laurentius Albert (1782–1834), Professor am Konservatorium Prag und Autor des Lehrplans der nicht musikalischen Lehrgegenstände seiner Anstalt. Sein Buch „Versuch einer Naturgeschichte Böhmens" (*Böhmen, Sp. 1305; Ruppert Nr 4015), das Goethe 1822 von *Sternberg erhielt (I/36, 213; III/8, 216; 321; 9, 72; IV/37, 119), ist das Werk eines begeisterten Neptunisten.   *Sb*

Dobrovsky (Dobrovský), Josef (1753–1829) ist der bedeutendste tschechische Gelehrte der Aufklärungsperiode, einer der hervorragendsten Zeitgenossen Goethes in *Böhmen. Er

hat der tschechischen Philologie, Geschichtsforschung und Literaturwissenschaft moderne, europäische Fundamente geschaffen, hat sie religiösen, feudalen und individuellen Tendenzen entwunden und auf die Basis bahnbrechender Beweisführung, historischer Quellenstudien und kritischer Nüchternheit gestellt. Daher zerstört und entwurzelt er Legenden, wie diejenige von der vermeintlichen Handschrift des heiligen Markus: Fragmentum Pragense evangelii s. Marci vulgo autographi (1778). Gleichermaßen tragen seine analytischen Werke ihre läuternde Absicht im Schilde: Kritische Versuche, die ältere böhmische Geschichte von späteren Erdichtungen zu reinigen (1803–1826). Auch in der berühmten und berüchtigten Handschriftenfrage, von der sich Goethe ausführlich unterrichten ließ, behielt er das entscheidende letzte Wort. Zum Begründer der tschechischen Literaturwissenschaft wurde D. mit seiner Geschichte der böhmischen Sprache und Literatur (1791 bis 1818); auch hier besagt bereits der Titel die Tendenz, Literatur und Sprache als untrennbares Ganzes zu betrachten. Auf dem Gebiet der Sprachwissenschaft ist sein „Ausführliches Lehrgebäude der böhmischen Sprache" (1809, 1819) von grundlegender Bedeutung. Sein monumentales Werk: „Institutiones linguae slavicae dialecti veteris" (1822) hat ihm den Ehrentitel des Begründers der slawischen Philologie, des Patriarchen der Slawistik eingebracht. Es folgten lexikographische, volkskundliche, etymologische Arbeiten von dauernder Bedeutung. Trotz seiner kompromißlosen Kritik ist D. der nachhaltige Anreger der geistigen Aufklärung und eine unvergleichliche Stütze der sittlichen Kräfte seines Volkes geworden. Seine Tradition ist in der tschechischen Literatur- und Sprachwissenschaft heute noch lebendig. – D.stand seinerzeit mit der ganzen gelehrten Welt in Verbindung, seine Korrespondenz mit deutschen Textkritikern, Philologen und Historikern ist aufschlußreich. Am nächsten standen ihm JDMichaelis, JJGriesbach, JGEichhorn, FCFulda, JChrAdelung, ALSchlözer, GHPertz und Jakob Grimm, die er auf seiner Reise nach Schweden und Rußland 1792, nach Italien 1794 und während seines Studienaufenthaltes in Deutschland in den Jahren 1795, 1812, 1815 zum Teil persönlich kennenlernte. Allerorts interessierten ihn fast ausschließlich slawische Denkmäler und Belange. Häufiger als Deutschland bereiste er Österreich, in Wien selbst oblag er oft monatelang seinen Studien in freundschaftlichem Verkehr mit dem Slowenen Bartholomäus Kopitar, dem dortigen hervorragenden Vertreter der slawischen Philologie. Direkten oder indirekten Verkehr pflegte D. auch mit anderen Gelehrten und Schriftstellern seiner Zeit, ua. mit JGHerder, WvHumboldt, ClBrentano, AvArnim, den Brüdern Schlegel und Goethe. Dieser nennt ihn fast ausnahmslos *Dombrowski,* infolge einer Verwechslung mit dem Namen eines polnischen Generals.

Goethe dürfte D., der in seiner Korrespondenz mit dem Grafen Caspar *Sternberg wiederholt genannt ist, im Jahre 1818 in Karlsbald persönlich kennengelernt haben, da damals beide in *Czernins Gesellschaft verkehrten, wie dem Tagebuch des Grafen Eugen zu entnehmen ist. Ausdrücklich vermerkt sind ihre Gespräche im Jahre 1823 in Marienbad, in der Zeit vom 21.–24. Juli. Sie haben einige Fragen eingehend durchgesprochen, wie Goethe am 10. September aus Eger an Sternberg schreibt. Es dürfte sich um die Einteilung (Klassifizierung) der slawischen Sprachen und um eine historisch geographische Sprachentabelle des Slawentums gehandelt haben, vor allem um den teils gedruckten, teils handschriftlichen Jenenser Kodex: Antithesis Christi et Antichristi, den D. im Mai 1792 während seines Aufenthaltes in Jena bewundert hatte. Goethe versprach D. Kopien einiger Illustrationen und die Abschrift beliebiger Textstellen, die D. auf Grund einer ausführlichen Beschreibung des Inhalts, die er von Goethe erhalten werde, anfordern möge. D. empfahl sich durch seine Kenntnisse der *böhmischen und anderen Litteraturen* (Böhmen Sp. 1312f.), auch war er mit bedeutenden *Documenten und sonst verwandten Gegenständen* wohl vertraut *(III/9, 80).* Person und Sache waren so wichtig, daß Goethe Carl August darüber berichtete, vornehmlich wegen der Gesellschaft des Vaterländischen Museums in Böhmen, aber wohl auch im Hinblick auf Angelegenheiten der *Oberaufsicht über die weimarischen Kulturinstitute. Goethe sandte die Beschreibung des Kodex am 18. XII. 1823 nach Prag ab. Sternberg vermittelt im Januar 1824 D.s Dank, der dem Dichter bei dieser Gelegenheit seine Geschichte der böhmischen Sprache und Literatur widmet. Am 30. April verspricht der Empfänger dem Gelehrten weitere Kopien, *genaue Durchzeichnungen, welche theils Herr Dobrowsky früher gewünscht, theils des Herrn Grafen Sternberg Excellenz selbst ausgesucht* [6 Blätter: 1. *(Huss)* als Lehrer; 2. Huss auf dem Scheiterhaufen; 3. (Wahrscheinlich) Hieronymus aus Prag (Jeroným Pražský) auf dem Scheiterhaufen; 4. Communion der Utraquisten;

5. Sieg der Utraquisten gegen die Kreuzfahrer; 6. Der blinde Ziska (Žižka) führt Krieger und Bauern an]. Sein Versprechen erfüllt Goethe am 20. August und fügt hinzu, daß die Holzschnitte der gedruckten Antithesis mit den Bildern der Handschrift nichts zu tun haben und daß sie nicht von Cranach zu stammen scheinen *(IV/38, 249 f.).* Da sich D. auf einer Archivreise befand, bestätigt Sternberg den Empfang in seinem Namen. Bdm verzeichnet Goethes anerkennenden Ausspruch über die Beiträge D.s in der Monatsschrift der Gesellschaft des Vaterländischen Museums in Böhmen. Am 22. I. 1829 meldet Sternberg Goethe D.s Tod und bezeichnet ihn als schmerzlichen Verlust des Museums, der Gesellschaft der Wissenschaften und der ganzen literarischen Welt. In den Berliner Jahrbüchern für wissenschaftliche Kritik schreibt Goethe im März 1830: *Vom Abbé Joseph Dobrowsky, dem Altmeister kritischer Geschichtsforschung in Böhmen, finden wir mehrere kleine Aufsätze und Anmerkungen, in denen man alsbald den Hauch überlegener Kenntnisse spürt. Dieser seltne Mann, welcher frühe schon dem allgemeinen Studium slavischer Sprachen und Geschichten mit genialem Bücherfleiß und Herodotischen Reisen nachgegangen war, führte jeden Ertrag immer wieder mit Vorliebe auf die Volks- und Landeskunde von Böhmen zurück und vereinigte so mit dem größten Ruhm in der Wissenschaft den seltneren eines popularen Namens. – Wo er eingreift, da ist gleich der Meister sichtbar, der seinen Gegenstand überall erfaßt hat und dem sich die Bruchstücke schnell zum Ganzen reihen. Indem er aus den großen Arbeiten unsres Pertz alsogleich für die böhmische Geschichte seinen Gewinn erlies't, vermehrt er rückwirkend den der unsrigen* (I/42[I], 36). Sb

Dodd, William (1729–1777), englischer Schriftsteller und Prediger, als Wechselfälscher gehenkt, da er eine Schuldverschreibung über £ 4200 mit dem Namen seines früheren Schülers, des 5. Lord Chesterfield, unterzeichnete. Sein bekanntestes Buch ist die *Shakespeare-Anthologie „The Beauties of Shakespeare" (1752), die Goethe während der leipziger Studienzeit las. Das Buch tat *manche gute Wirkung, alles traf mich einzeln und gewaltig (I/28, 72 f.).* Sn

Dodwell, Edward (1767–1832), englischer Altertumsforscher, 1813 erstmals von Goethe erwähnt (IV/24, 60). Seinem Werk „A classical and topographical tour through Greece during the years 1801, 1805 and 1806" (2 Bde, London 1818f.; deutsch 1821 von FKL*Sickler) entnahm Goethe Anregungen für die griechischen Landschaftsbilder in *Faust II*: Fausts Ruhe (1. Akt) und die Flußlandschaft am unteren Peneios (2. Akt): das Tempetal zwischen Olymp und Ossa, die hohen, durch übernatürliche Kraft gespaltenen Gebirge, der geschwellte Peneios, grüne Buchten, kühle Wälder, erfrischende Quellen (vgl. dazu: ESchmidt in JubA 14, 339; I/15^{II}, 230 Nr 169; Keudell Nr 1347; 1640f.; *Bran Sp. 1375). *Sn*

Döbbelin, 1) Karl Theophil (24. IV. 1727 Königsberg bis 10. XII. 1793 Berlin), Schauspieler und Theaterleiter, debütierte 1750 bei der neuberschen Truppe und gründete 1756 in Erfurt eine eigene, die d.sche Truppe, die im gleichen Jahre als erste Truppe für das *Theater in Weimar privilegiert wurde. D. mußte jedoch schon 1757 wegen Zwistigkeiten Weimar verlassen und ließ den größten Teil seiner Truppe dort zurück. Wichtig für die deutsche Theatergeschichte wurde er später als Gründer und Leiter eines stehenden Theaters in Berlin, das er 1775 eröffnete; Friedrich Wilhelm II. räumte ihm das ehemalige Französische Komödienhaus am Gendarmenmarkt ein und erhob das Theater 1786 zum Königlichen Nationaltheater; Goethe sah 1778 bei D. eine Aufführung des Lustspiels ,,Die Nebenbuhler". Im August 1789 zog sich D. von der Bühne zurück.

–, 2) Karl Konrad Kasimir (1763 Kassel bis 1821 Berlin), Sohn von 1), Schauspieler und Theaterleiter, war Mitglied der Bühne seines Vaters, bis er 1788 eine eigene Gesellschaft gründete, mit der er Norddeutschland bereiste. Er spielte 1802 mit seiner Gesellschaft in Spandau und Charlottenburg (IV/16, 82). 1809 ging er für mehrere Jahre an das Stuttgarter Hoftheater.   *EF*

Döbereiner, 1) Johann Wolfgang (1780 Hof bis 1894 Jena); zunächst Apothekergehilfe in Münchberg, Dillenburg, Karlsruhe und Straßburg, dann Begründer einer kleinen pharmazeutisch-chemischen Fabrik in Gefrees. Aber auch hier, wie später als Baumwollkaufmann (Einführung der Chlorbleiche), kam er aus verschiedenen Gründen in wirtschaftliche Bedrängnis, sodaß der Ruf als Dozent der Chemie nach Jena ihn aus größter Not befreite. Aus Dankbarkeit hat er dann 38 Jahre in dieser Stadt gewirkt und ehrenvolle Rufe nach Bonn, Dorpat, Halle, München und Würzburg abgelehnt. D. übernahm 1810 auf Vorschlag AF*Gehlens die Nachfolge JFA*Göttlings in Jena, die von Goethe zunächst für JB*Trommsdorf vorgesehen war, ohne eine entsprechende Ausbildung durchgemacht zu haben. Am 30. XI. des gleichen Jahres erhielt er von der

Fakultät das Doktordiplom. Mit Goethe traf D. erstmals am 8. XI. 1810 in Weimar zusammen, später folgten häufige Begegnungen und ein reger Briefwechsel. Mit großem Interesse beobachtete Goethe die Arbeiten dieses Mannes: *Es ist unglaublich wie rasch er, sowohl in practischer Fertigkeit, als in theoretischer Einsicht, nicht weniger in litterarischer Kenntniß vorschreitet. Ich habe seit mehreren Jahren manchen vorzüglichen jungen Mann ... auf diesem Wege gesehen, aber keinen, der mich so sehr gefreut, der mir nach meiner innigsten Überzeugung soviel Hoffnung gegeben hätte* (29. IV. 1812 an FAGvEnde: *IV/22, 373*). Nicht nur in seiner Eigenschaft als Oberaufseher über die wissenschaftlichen Anstalten förderte Goethe daher den Ausbau des chemischen Institutes (*Chemie) und ermöglichte D. erstmals in Deutschland die Einführung eines chemischen Praktikums, lange bevor Liebig in Gießen sein Labor eröffnete (vgl. IV/27, 21). In einem Dankschreiben D.s an Goethe heißt es ua. ,,Der Lehrstuhl der Chemie der hiesigen Universität ist nun mit allem ausgestattet, was nur zu wünschen und zu glänzenden Versuchen erforderlich ist, wofür Ew. Excellenz ich den Dank meines Herzens auszudrücken nicht Worte genug habe. Ich werde Gelegenheit haben, der Welt zu sagen, was Hochdieselben für mich und die chemische Wissenschaft thaten, und mich glücklich preisen, wenn mir durch Thätigkeit und Fleiß es gelingen wird, das Vertrauen eines Chefs zu gewinnen, für den mein Herz mit soviel Ehrfurcht schlägt." D., 1819 zum o. Professor ernannt, unterstützte Goethe, indem er ihn in die Stöchiometrie einführte (I/36, 99; 127), Gläser für dessen Untersuchungen zur Farbenlehre anfertigte und Gesteins- und Quellwasseruntersuchungen durchführte (zB. Schwefelquelle Bad Berka 1812: ebda 79; II/13, 322–340). Von den zahlreichen wissenschaftlichen Arbeiten, über die sich Goethe des öfteren mündlich oder schriftlich berichten ließ und über die D. gelegentlich am Hofe Versuche vorführte, ist wohl die Entdeckung, daß Alkohol in der Kälte durch Platinmohr oxydiert wird und Wasserstoff bei Anwesenheit von Platinschwamm sich an der Luft entzündet (1823 D.sches Feuerzeug; vgl. III/11, 53) am bekanntesten. Er wurde damit zum Begründer der katalytischen Forschung. 1829 veröffentlichte er die ,,Ersten Versuche zu Elementtriaden", in denen er als erster eine zahlenmäßige Beziehung chemischer Elemente fand und somit Vorarbeiten für ein Periodisches System der Elemente lieferte. In seiner Eigenschaft als Oberaufseher der Brauereien, Brennereien, Färbereien und technischen Betriebe errichtete er 1812 in Tiefurt eine kleine Stärkezuckerfabrik, die aber nur kurze Zeit bestand (III/4, 268f.; 270; 274; 281; 284; 288; IV/22, 380); erfolgreicher war jedoch die Essigfabrikation, für die er die wissenschaftlichen Grundlagen schuf. Weitere Arbeiten betrafen die Erzeugung von Leuchtgas aus Kohle (III/5, 282f.; 291; IV/27, 253f.; I/36, 111); die Erforschung einheimischer Farbstoffe (Pflanzenchemie: III/4, 270f.; 273f.), Versuche zur Herstellung optischer Gläser, Untersuchungen über Gärungschemie (D.sches Champagnerpulver; III/5, 238; 244) und anderes mehr. Die Ergebnisse seiner Arbeit legte er in zahlreichen Veröffentlichungen nieder. Von diesen erwähnt Goethe das ,,Lehrbuch der allgemeinen Chemie" (1811–12: III/4,219; 346f.; 355), ,,Grundriß der allgemeinen Chemie" (1819: III/7, 42; 47; 149), ,,Anleitung zur Darstellung und zum Gebrauch aller Arten der kräftigsten Bäder und zur künstlichen Bereitung der wirksamsten Heilwässer" (1817: III/6, 38), ,,Zur pneumatischen Chemie" (1821–35: ebda 8, 56; 311) und einen Aufsatz über Steinkohlengewinnung (ebda 5, 212). Ein Gedicht *Dem Professor Döbereiner im Namen seiner Kinder, zum Geburtstage* findet sich *I/4, 259.*

–, 2) Clara geb. Knab, D.s Frau, frühstückte am 15. XII. 1814 mit ihrem Gatten bei Goethe (III/5, 143);

–, 3) Alwine, beider Tochter, erwähnt Goethe am 21. XI. 1827 (III/11, 139).   *Sl*

Döbler, Ludwig (1801–1864), österreichischer Graveur, Taschenspieler und Zauberkünstler aus Wien, kam am 23. VI. 1831 in Goethes Haus, *Walthern einige Kunststücke zu lehren (III/13, 98).* Im Juli widmete ihm Goethe die Stammbuchverse: *Was braucht es ein Diplom besiegelt? | Unmögliches hast du uns vorgespiegelt (I/4, 300 Nr 2).*   *EF*

Dölitz, böhmisches Dorf nahe *Eger, besuchte Goethe mit dem egerer Polizeirat JS*Grüner, *die Reste des dort gebrochnen Kalcksteins aufsuchend,* am 27. VII. 1822 *(III/8, 220);* dort schrieb sich auch der *Mammuthszahn* her, *der lange Zeit als merkwürdiges Erbstück der besitzenden Familie sorgfältig aufbewahrt, nunmehr für das Prager Museum bestimmt wurde.* Goethe läßt ihn abgießen und an JWEd'*Alton schicken *(I/36, 213).* RV S. 62.   *JP*

Dölitz, damals Dörfchen bei *Leipzig; AF*Oeser hatte hier ein Landhaus, wo Goethe vor allem nach dem Blutsturz am Ende seiner leipziger Studentenzeit häufig zu Gast war (I/27, 187) und schließlich Oesers Tochter Friederike

seine *Lieder mit Melodien* (BTh*Breitkopf) kurz vor oder bei dem Abschied im August 1768 überreichte. Noch aus Frankfurt/M. denkt er an die *seelge Wohnung* in dem ländlichen Haus (6. XI. 1768: *Morris 1, 308;* I/5[I], 61). Trotz so angenehmer Erinnerung ist bei späteren leipziger Aufenthalten kein weiterer Besuch Goethes in D. mehr bezeugt. RV S. 9.   *JP*

Döll, 1) Friedrich Wilhelm Eugen (1750–1816), Bildhauer, fertigte bereits 1770 die knabenhafte Büste Carl Augusts (Schloß Heinrichsau) an, die noch dem Rokoko zugehört, studierte nach seiner Ausbildung mehrere Jahre in Paris und Rom – wo er eine Kolossalbüste *Winckelmanns (jetzt Konservatorenpalast) schuf – und arbeitete, schon 1781 auswärtiges Mitglied der berliner Akademie, seit 1782 für die Höfe in *Gotha, *Anhalt-Dessau und *Meiningen. Seine Haupttätigkeit erstreckte sich auf Porträtbüsten und -reliefs, sowie auf Denk- und Grabmäler. Goethe, der ihn schon vor 1788 kennengelernt hatte (IV/9, 52), beauftragte ihn in einem Schreiben vom 18. IV. 1799 (IV/14, 69f.) mit der Anfertigung eines Denkmals für die Schauspielerin ChrLA *Neumann–Becker (= Euphrosyne), das D. im Oktober des gleichen Jahres soweit fertiggestellt hatte, daß der Transport von Gotha nach Weimar für den 15. erbeten werden konnte (III/2, 262). D. war am 8. XI. 1799 bei Goethe zu Tisch und sollte am Abend eine Loge im Theater erhalten (IV/14, 218). Das von D. geforderte Honorar für das Monument wollte Goethe auf 200 Rthl. senken (ebda 72); eine Zahlung von drei Friedrichs d'or erfolgte am 9. XII. 1799 und noch 1804 wird eine *alte Schuld an Döll* durch *Meyer in Gotha beglichen *(IV/17, 149).* – 1802 beteiligte sich D. am weimarer *Preisausschreiben, wurde jedoch nicht ausgezeichnet (vgl. III/13, 55 und JALZ 1803 I/Beilage II Lit. K), ebenso 1803 mit zwei Basreliefs – ,,Athena hält den Eros gefangen" und eine ,,Madonna in Halbfigur" –, die jedoch nicht als Konkurrenzstücke anzusehen sind (JALZ 1804, Beilage S. VIII). Für ein 1805 geplantes Schiller-Denkmal verfertigte D. einen Entwurf, für den er von H*Meyer Skizzen erbat. Dieser braun lackierte Entwurf stellte ,,lang, im antiken Geschmack gekleidet und mit der Leyer im Arm" den Dichter dar, ,,vom Genius des Todes begleitet", wie er zur Ewigkeit herantritt, die ihm einen Lorbeerkranz auf das Haupt setzt. Die Ewigkeit ist als eine weibliche Figur dargestellt, und ihr zum bedeutenden Zeichen ,,die in den Schwanz sich beißende Schlange beygelegt". Diese ,,aus drey rund auszuarbeitenden Figuren bestehende Gruppe" war auf der Herbstausstellung 1805 in Weimar zu sehen (JALZ 1806, Beilage S. X).

Neben dieser Tätigkeit als Grabmalplastiker stellte D. vermutlich auch Nachbildungen von Münzen her. Noch 1825 erinnerte sich Goethe, *daß mir in frühster Zeit erlaubt war durch den Hofbildhauer Döll einige auffallend schöne Münzen abformen zu lassen (IV/40, 51)* worunter die *modernen Medaillen* zu verstehen sind, von denen Goethe 1804 Abgüsse erbeten hatte *(IV/17, 149)*.

-,2) Ludwig, Maler, (? Sohn von 1) stellte 1805 drei männliche und ein weibliches Porträt, Brustbilder in Öl in Weimar aus (JALZ 1806, Beilage S. VIII). *Lö*

Döll, Johann Veit (1750–1835), war ein tüchtiger Stein- und Stempelschneider in seiner Vaterstadt Suhl. Auf ihn wohl – nicht auf den gothaer Bildhauer Friedrich Wilhelm D., wie die WA (IV/23, 492 und im Register) annimmt – lenkte Goethe die Aufmerksamkeit seines Ministerkollegen *Voigt, als er mit ihm anfangs 1813 über die Prägung weimarischer Taler verhandelte: *Ein Mann, wie Döll, würde sich gar leicht aus der Sache ziehen (IV/23, 270)*. Solches Zutrauen war berechtigt. D., der ursprünglich das in der Gewehrstadt Suhl wichtige Handwerk der Schäftemacherei erlernt hatte, widmete sich, zunächst ganz autodidaktisch, der in seiner Vaterstadt auch viel geübten Metallgravur und bildete sich in ihr dann in Wien weiter aus. Heimgekehrt verlegte er sich vor allem auf das Gravieren von ,,colorit vergoldetem Tombak", wofür sich viele Liebhaber fanden. Durch den zufälligen Auftrag, ein Wappen in Carneol zu schneiden, kam er, wiederum als Autodidakt, zum Steinschnitt, worin er bald auch größte Fertigkeit erlangte und sich weithin Ruhm erwarb. Ebenso bekannt wurde er schnell als tüchtiger Stempelschneider. Seit 1796 hat er von Suhl aus fast 20 Jahre hindurch Stempel für die private Berliner Medaillenanstalt von *Loos gefertigt, insgesamt über 90. Sein Lebenswerk, das bis ins Ausland strahlt, ist unübersehbar groß. Die Kgl. Akademie der Künste und mechanischen Wissenschaften in Berlin ehrte den kurfürstl. sächsischen Hofgraveur durch Ernennung zu ihrem ordentlichen Mitglied. Er war übrigens eine Doppelbegabung insofern, als er auch hochmusikalisch war und in Suhl bis in sein hohes Alter als hochgeschätzter Organist wirkte. *Fr*

JGMeusel: Neue Miscellaneen artist. Inhalts. I. Stück S. 322ff. – Julius Kober: Johann Veit Döll aus Suhl.

In: Das Schatzkästlein, Beilage zur Thüringer Allg. Ztg. vom 9. 10. 1932. – ThB. 9, S. 392.

Dörbeck, Franz Burchard (1799–1835), baltischer Kupferstecher und Lithograph, tätig in Petersburg, Riga und Berlin, wo er bald als humoristischer Schilderer des berliner Volks- und Studentenlebens bekannt wurde. Eine seiner Lithographien-Folgen ,,Berliner Witze", auch *Berliner Redensarten*, brachte Hofrat *Vogel am 14. III. 1831 Goethe, der sie nach Tisch *Eckermann zeigte: *Der Künstler ist lobenswürdig, daß er sich nicht in eine Karrikatur verliert, die keinen Charakter mehr hat (III/13, 45; vgl. Bdm. 4, 345)*. Auch Kugler urteilte ähnlich (,,Museum", 1825, Nr. 44). Mit AMenzel (1815–1905) war D. sehr befreundet; er kann als Begründer der berliner Karikatur angesehen werden. *Lö*

Dörrberg *(Dürberg)*, kleines sachsen-gothaisches Walddorf nordwestlich Ilmenau, 1816: 66 Einwohner, wurde von Goethe passiert, als er mit Carl August am 4. IX. 1777 bei starkem Regen von Ilmenau nach Wilhelmsthal ritt (III/1, 46). *Mü*
RV S. 16.

Döschnitz, Dorf im Sorbitztal, einem Seitental des Schwarzatales, südlich von *Schwarzburg, dessen Marmorbruch im 18. Jahrhundert das Rohmaterial für die Arbeiten der Insassen des Zuchthauses Schwarzburg lieferte. Goethe besuchte den Marmorbruch im Juli 1781 (IV/5, 166; *Bauwesen hier Sp. 860). RV S. 21. *Eb*

Dohm, Christian Wilhelm von (1751–1820), historischer und politischer Schriftsteller, gab 1776–1778 mit *Boie zusammen ,,Das Deutsche Museum" heraus, veröffentlichte 1777 EKämpfers ,,Reise nach Japan" (vgl. I/42ᴵᴵ, 20). Seit 1779 Kriegsrat, Geheimer Sekretär und Archivar beim preußischen Außenministerium, nahm er besonders an der Arbeit zur Bildung des Fürstenbundes teil (vgl. Ruppert Nr 2889). Goethe traf ihn 1792 in *Düsseldorf (*CiF*: I/33, 202; vgl. Bdm. 5, 35, Nr 390a; IV/10, 45 ua.). 1797 beim Kongreß zu Rastatt dritter preußischer Gesandter, hinterließ er Goethe und Schiller bei seinem Besuch in Weimar 1799 einen im Namen des diplomatischen Corps verfertigten Bericht über die Ermordung der französischen Gesandten nach dessen Abbruch (ArtA. 20, 705). Seit 1801 war er Präsident der preußischen Kriegs- und Domänenkammer für die Provinz Erfurt-Eichsfeld-Nordhausen und Mühlhausen in Heiligenstadt. Am 23./24. II. 1807 besuchte er, *von Warschau kommend*, wo er als Führer einer ständischen Delegation Napoleon vorgestellt worden war, Goethe in Weimar: *und obgleich das, worüber* man sprach, sehr unerfreulich war, so erquickte man sich doch, einen so tüchtigen, standhaften und unter allem Wechsel seinem Geschäft treu bleibenden Mann zu sehen (IV/19, 275). 1808 bis 1810 war D. preußischer Gesandter am Hofe in *Dresden; Goethe besuchte ihn dort am 23. IX. 1810 (III/4, 155).

Die späteren Beziehungen Goethes zu D., der sich 1810 auf sein Gut Pustleben bei Nordhausen zurückgezogen hatte, sind vor allem bestimmt durch Goethes Interesse an D.s Werk: „Denkwürdigkeiten meiner Zeit oder Beiträge zur Geschichte ... 1778–1806", 5 Bde, 1814–1819 (Ruppert Nr 3317). D. sandte den ersten Band 1814 an Goethe und Carl August zugleich mit der Bitte um Material aus den Acten, den Fürstenbund betreffend, aus dem weimarer Archiv (IV/25, 117; von Carl August gewährt: ebda 175). Die letzten Bände erhielt Goethe am 30. IX. 1819. Am 9. XI. 1819 bedankt er sich für das unschätzbare Werk und dessen Fortsetzung, das unzählbaren Lesern, jedem in seiner Art, eine köstliche Gabe ... bereite (IV/32, 94).   Gk

Doktortitel. Doctor war Goethe erst seit 1825 und zwar honoris causa in der philosophischen und der medizinischen Fakultät. Zu seinem bereits am Erinnerungstag seiner Ankunft in Weimar (7. XI. 1775) gefeierten fünfzigjährigen Amtsjubiläum verliehen ihm die genannten Fakultäten der Landesuniversität Jena die Würde des Ehrendoktors. Die beiden anderen Fakultäten begnügten sich an diesem Tage mit lapidar-feierlichen Glückwunschschreiben (alle finden sich, mit des Dichters Antworten, abgedruckt in „Goethes goldner Jubeltag"), die theologische wohl aus diplomatisch kaschierten Ressentiments, die juristische aber aus einem Irrtum. Sie meinte nämlich, der Dichter habe schon vor 54 Jahren in Straßburg zum Doctor juris promoviert, deshalb könne er – so war es damals und noch eine Zeitlang später akademischer Brauch – nun nicht in der gleichen Fakultät den Ehrendoktor dazu bekommen. Goethe hatte es aber nach Abschluß seiner nicht gerade planmäßigen Studien gar nicht zum Doctor utriusque juris (dh. des weltlichen und des kanonischen Rechts – in Frankfurt im 18. Jahrhundert üblicherweise dem Namen mit J.U.D. nachgesetzt) gebracht. Versucht hatte er es, schon um einem dringenden Wunsche seines Vaters und dem ihm gegebenen Versprechen nachzukommen.

Er war ja auch eigentlich nach Straßburg gegangen..., um zu promoviren und sein Vater... verlangte ein ordentliches Werk. Aber der Versuch dazu mißglückte entschieden. Goethe hat sein Mißgeschick in DuW eingehend, wenn auch vielleicht ein wenig beschönigend erzählt (I/28, 39–45). Da ihm die *Kirchengeschichte fast noch bekannter als die *Weltgeschichte war und ihn von jeher der Conflict, in welchem sich die Kirche ... nach zwei Seiten hin befindet und immer befinden wird, höchlich interessirt hatte, so wählte er ein kirchenrechtliches Thema und vertrat in der Ausarbeitung – natürlich in lateinischer Sprache – die freigeistig-aufklärerische Ansicht, daß der Gesetzgeber nicht allein berechtigt, sondern verpflichtet sei, einen gewissen Cultus festzusetzen, von welchem weder die Geistlichkeit noch die Laien sich lossagen dürften. Aber die Fakultät nahm die Hefte nicht an. Der Dekan eröffnete dem Kandidaten, daß es doch nicht räthlich sein möchte, diese Arbeit als akademische Dissertation bekannt zu machen. Der Dichter sagt hierzu, daß ihm der Dekan JF*Ehrlen mit seiner Eröffnung einen Stein vom Herzen gewälzt habe. Er habe die Arbeit eigentlich nur seinen Vater zu befriedigen geschrieben, er selbst nichts sehnlicher gewünscht und gehofft, als daß sie die Zensur nicht passieren möchte. Er begründet das mit seiner noch von Behrisch her rührenden und durch den Umgang mit Herder verstärkten unüberwindlichen Abneigung, etwas von mir gedruckt zu sehen. So erschien dem greisen Dichter rückschauend sein Mißgeschick von 1771. Er schildert in DuW des weiteren recht humorvoll, wie er die Doktorpläne nun fallen ließ und auf recht einfache und bequeme Weise bloß den Grad eines *Licentiatus juris erlangte. In Teutschland haben beide Gradus gleichen Wehrt, so tröstete er sich, wie er im Spätherbst 1771 einmal an seinen Freund *Salzmann schrieb (Morris 2, 119). Das traf allerdings nicht ganz zu. Man kannte nur auswärts vielfach nicht die Lizentiatenwürde für Juristen. Aber wo sie erworben werden konnte, stand sie an Rang unter der eines Doktors. Nur dieser war mannigfach privilegiert und stand sozial und rechtlich allein dem Adel gleich, so bei Besetzung der Richterstellen beim *Reichskammergericht, die nach dem Reichskammerentwurf von 1500 nur zur Hälfte Adeligen, zur anderen Doktoren vorbehalten waren.

In dem eben zitierten Brief deutet Goethe noch an, daß man ihm von Straßburg aus nachträglich doch noch den Doktor angeboten habe, jedoch ist mirs vergangen Doktor zu seyn. Wie dem gewesen sein mag, Goethe war acht Tage nach der von ihm als Promotion bezeichneten Aufnahme in Numerum Licentiarum Juris nach Frankfurt zurückgekehrt. Wenn er dann hier allgemein der „Doktor" genannt wurde, so wird er es selbst, sein enttäuschter Vater erst recht, nicht ungern gehört haben. Er selbst bezeichnete sich in seinem hier alsbald aufgenommenen *juristischen Beruf eines Advocaten meist korrekt als Licentiatus juris, so besonders bei der Unterzeichnung seiner bei Gericht eingereichten Schriftsätze (vgl. Morris 3, 348ff.).

In Weimar dann sprach man in der ersten Zeit allgemein nur von dem „Doktor Goethe". Carl August hielt es ebenfalls so, auch in dem Dekret vom 11.VI.1776 über des Freundes Anstellung als Geheimer Legationsrat (JAvBradish: Goethes Beamtenlaufbahn, S. 193).

In den Sachsen-Weimar-Eisenachischen Hof- und Adreßkalendern wurde Goethe noch bis 1783 mit dem Doktortitel geführt. Dann kam man, wie überhaupt immer mehr in amtlichen Schriftstücken, davon ab. Erst nach 1825 tritt der Doktortitel amtlich wieder in Erscheinung, nun in dreifacher Form. So steht im Staatshandbuch für 1827 unter der Rubrik „Wirkliche Geheimräthe": Johann Wolfgang von Goethe, Doktor der Rechte, der Medizin und der Philosophie, Staatsminister.   *Fr*

Dolomieu, Deodat Guy S. Tancrède de (1750 bis 1801). Geologe, seit 1796 Professor an der École des Mines in Paris. Goethe lernte D. während seiner *Italienischen Reise 1787 in Rom kennen (IV/8, 312).   *Ba*

Domaritius, Friedrich (geb. 17. XII. 1766 Jena), Schauspieler. Debüt 1789 in Weimar bei *Bellomo, 1791 – Ostern 1793 unter Goethe für zärtliche Liebhaberrollen engagiert. Sprecher des Eröffnungsprologes 1791, Don Carlos in der Prosafassung 1791. 1797–1813 Direktor des Nationaltheaters in Graz, betrieb dort später ein Lohnfuhrgeschäft.   *EF*

Domenichino (meist: *Dominichin*), eig. Domenico Zampieri, gen. il D. (1581–1641), Historien- und Landschaftsmaler, tätig in Rom und Neapel, Schüler des A*Carracci, dessen Kunstweise D. als sein Mitarbeiter und Nachfolger weiterbildete. *In einer spätern glücklichern Kunstzeit entsprungen (I/30, 163),* einem Kreis zugehörig, in dem jeder *in gleichem, allgemeinem Sinn sein besonderes Talent üben und bilden* konnte *(I/49ᴵ, 155),* wurde D. der eigentliche Schöpfer der figurreichen barocken Historie und mit seinem Hauptwerk, den 1624 bis 1628 gemalten Chorfresken von S. Andrea della Valle zu Rom, der Vollender des monumentalen Stils. Bildmäßig klar gegen die architektonische Rahmung abgesetzt, sind diese Darstellungen (Andreaslegende in den sphäri-

schen Trapezfeldern des Chores, eine Szene mit Johannes dem Täufer auf der Arkade zum Chor und die vier Evangelisten in den Pendentifs der Vierungskuppel) das Ergebnis der hochstehenden Formbeherrschung D.s und seines frei erfindenden Geistes, den die Schwierigkeit der Aufgabe zur höchsten Entfaltung reizte.

Bilder von D. sah Goethe zuerst in Bologna (I/30, 163). Bald nach seiner Ankunft in Rom besuchte er am 17. XI. 1786 S. Andrea della Valle: *Ich aber kann nur mit wenig Worten das Glück dieses Tages bezeichnen. Ich habe die Frescogemählde von Domnichini in Andrea della Valle, ingleichen die Farnesische Galerie von Carraccio gesehen. Freilich zu viel für Monate, geschweige für einen Tag (I/30, 216f.,* verändert aus IV/8, 54). Im Laufe seines römischen Aufenthaltes lernte Goethe außerdem die Fresken mit der Legende des hl. Nilus in der Badia zu Grottaferrata (gemalt 1609–1610) kennen (vgl. IV/9, 109), ferner die von D. in Zusammenarbeit mit GB*Viola 1608 vollendeten Fresken mit Darstellungen aus den ovidischen Metamorphosen im Apollosaal der Villa Aldobrandini zu Frascati und die Kommunion des hl. Hieronymus (I/32, 438), 1614 für den Hochaltar von S. Girolamo della Carità geschaffen (jetzt Rom, Vatikanische Pinakothek). Die meisten dieser Werke besaß Goethe in Reproduktionen, dazu ua. auch die Marter des hl. Sebastian, ein für S. Peter um 1630 gefertigtes Fresko (Schuchardt: „Mosaikgemälde"), das sich seit dem 18. Jahrhundert in S. Maria degli Angeli befand. Von der Marter der hl. Cäcilie aus den 1616/1617 in der Cäcilienkapelle von S. Luigi dei Francesi zu Rom gemalten Fresken besaß Goethe zwei zeichnerische Nachbildungen. Nach I/32, 438 ist es wahrscheinlich, daß Goethe auch diese Fresken gesehen hat.

Die Goethe 1797 bei *Lerse in Leipzig bekannt gewordene Komposition „Hagar in der Wüste", D. zugeschrieben, blieb *für den Kenner und Unkenner einigermaßen problematisch (IV/12, 18).* Auch die *ohnstreitig (ebda 363)* von D. stammende Landschaft mit Cephalus und Prokris, die Goethe im Herbst 1797 durch A*Hirt zum Preis von 10 Friedrichs d'or in Gold erwarb, scheint nicht von D. zu stammen.

Goethes Urteil über die Hauptwerke D.s, eingefügt in seine Anschauungen über die bolognesische Maler-Schule um 1600, gibt über den konkreten Bezug auf die Kunst D.s Einsicht in die Kunsttendenzen des weimarer Kreises. In D. und seinen Zeitgenossen konnte man die höhere Vollendung dessen anerkennen und bewundern, was im engeren Kreise systematisch erarbeitet werden sollte. In Weimar war es üblich, D. zum Muster zu nehmen: *Meyer fertigte Nachzeichnungen an und noch *Preller kopierte ihn (III/13, 212 und 217). D. erhält den Charakter des eigentlich Klassischen. Der „Exorzismus" – die Heilung eines besessenen Knaben durch den hl. Nilus – und Raffaels *Bibel* sind *die schönsten einfachsten Beyspiele* der Zusammensetzung. Diese ist dann *die beste, wenn sie bey Beobachtung der zartesten Gesetze der Eurythmie, die Gegenstände so ordnet daß man aus ihrer Stellung schon ihr Verhältniß erkennen und das Facktum wie ein Mährchen daraus abspinnen kann (IV/9, 109)*, mit anderen Worten: die Form muß so von Inhalt erfüllt sein, daß dieser rein aus ihr hervorgeht und dem Betrachter deutlich wird. Daß diese Eigenschaft auch die Antike gehabt habe, ist selbstverständliche Urteilsvoraussetzung. Daß die Entwürfe Meyers gleichfalls Muster dieser Art sind, schwächt nur scheinbar den Wert des Gedankens ab. Denn um diese Forderung ging es gerade der von D. ausgehenden klassizistischen, auf Frankreich übergreifenden Richtung in der Malerei des 17. Jahrhunderts, als deren historische Weiterführung der deutsche Klassizismus um 1800 gelten kann. Weimar gab ihm die theoretische Folie. Aber auch das rein gestalterische Problem der hochbarocken Malerei Italiens, die harmonische Einheit von Gestalt und Raum, wurde Goethe im Lauf der Jahre deutlicher: *Mit dem größten Entzücken sah er im Apollo-Saal der Villa Aldobrandini zu Frascati, auf welche glückliche Weise Dominichin die Ovidischen Metamorphosen mit der schicklichsten Örtlichkeit umgibt ... (I/48, 182).* Stärker noch wird dieses Urteilsmotiv bei der späten Betrachtung der Landschaftsmalerei ausgebildet. Schon Ph*Hackert hatte ihm darüber geschrieben; doch konnte dessen mehr praktisch gerichtete Beurteilung (I/46, 369 f. und 382) für den späten Goethe nicht mehr bestimmend werden. Ihm ging es darum, anhand des Kunstwerks die Entwicklung des menschlichen Verhaltens zur Umwelt zu klären. Und die Erweiterung des landschaftlichen Raumes, dem sich das Figürliche bald nur noch als bloße Staffage einfügt, wird in dem Unterschied des Urteils über A*Carraccis und D.s Landschaften, mit denen sich Goethe 1821 und 1822 gelegentlich beschäftigte (III/8, 147 und 188), offenbar: bei Annibale empfand Goethe das Gleichgewicht von Figur und Raum; bei D., *der sich bei seinem Bolognesischen Aufenthalt in die gebirgigen und einsamen Umgebungen vertieft habe*, sah er ein *höchst zierliches Menschengeschlecht, das in seinen Räumen wandelt*

(1830; I/49^{II}, 244). Heimlich wird damit die Entwicklung von der figuralen Darstellung als der eigentlichen Aufgabe der Kunst zum naturbestimmten menschlichen Dasein in den Bildern des späteren Barock verfolgt, aus dem der junge Goethe einst hervorgewachsen war.
                           Lö

Domenico Veneziano, eig. D. di Bartolomeo da Venezia (gest. 1461), Maler aus *Venedig, tätig (seit 1438) in Perugia und Florenz, von dem nur wenige Bilder bekannt sind, steht nach Goethes Ansicht (im Anschluß an *Vasari) am Anfang der Entwicklung der neuen venezianischen Malerei, deren Höhepunkt G*Bellini darstellt. Goethe verwechselte ihn (I/47, 212) mit Donato Veneziano, unter dem ein Donato di S. Vitale (dh. aus der Pfarrei von S. Vitale in Venedig, in der Donato von 1367–1382 wohnte) verstanden werden könnte; von diesem war jedoch um 1800 nichts bekannt.   *Lö*
Vasari-Milanesi 2. S. 667. – ThB 9 (1913), S. 408.

Domslau, die schlesische Ortschaft südlich *Breslau, passierte Goethe am 9. VIII. 1790 auf dem Wege in die Hauptstadt *Schlesiens, am 26. VIII. 1790 auf der Reise in die Grafschaft Glatz. Über den jeweils nur kurzen Aufenthalt haben wir außer dem Kassenvermerk über das dort bezahlte Wegegeld keine Notiz. RV S. 29.   *JP*
Hoffmann-Schlesien S. 62.

Domus Aurea (Rom), ein ausgedehntes Parkareal mit einer Reihe von Lustbauten, darunter einem großen Palast, der ‚domus aurea' im engeren Sinne, das Nero nach der großen Feuersbrunst 64 nChr. errichten ließ und das sich vom Esquilin über das Tal, in dem später das *Colosseum erbaut wurde, bis zum *Palatin hinüber erstreckte. Goethe durchstreifte die Ruinen des Palastes, der nach seiner Zerstörung von den Thermen des Trajan, nach älterer, aber irriger Ansicht – so auch Goethes – von denen des Titus, überbaut worden war, am 18. XI. 1786 (I/30, 218).   *Hm*
Grumach 439. – Platner-Ashby 166 ff. – LCurtius: Das antike Rom S. 47 f. Abb. 89–94. – vSalis: Antike und Renaissance. Zürich 1945. S. 35 ff. – IRvEinem S. 608.

Donatello, eigentlich Donato di Niccolò di Betto Bardi (1386–1466), aus *Florenz, *zuerst Goldschmied (IV/11, 22)*, Bildhauer und Erzgießer, in seinen Darstellungen erstaunlich realistisch, bahnbrechend in seinen Schöpfungen, vornehmlich in Freistatuen, Reliefs, Bildnissen, in Frauen- und Kinder-Gestaltungen, gehört gleichwohl nicht zu den Künstlern, die Goethe ein stärkeres Interesse abnötigten. Florenz, die Heimatstadt D.s, hatte er *eiligst durchlaufen (I/30, 176)*, auch auf der Rückreise ohne literarische Fixate passiert

(I/32, 480). Doch bewahrte er im Gedächtnis manches Kunstwerk wortlos (auch D.s berühmte Gruppe „Judith und Holofernes"?), bis ihm alle *bey der Übersetzung vom *Cellini wieder so lebhaft vor Augen standen (IV/11, 129).   Li

Donatus, Aelius D., ein Grammatiker und Rhetor aus der Mitte des 4. Jahrhunderts, von dem wir einen wertvollen Terenzkommentar und jene Grammatik besitzen, auf welcher der gesamte mittelalterliche Sprachunterricht beruhte. Die Elementargrammatik hieß geradezu „Donat" und ein grammatischer Fehler „Donatschnitzer". D. wird der Ausspruch: „Pereant, qui ante nos nostra dixerunt" zugeschrieben, den Goethe in der Vorrede zum zweiten Teil des „Koran" fand, einer unter diesem Titel veröffentlichten Aphorismensammlung von RGriffith. Natürlich protestierte Goethes geschichtliches Bewußtsein und Verantwortungsgefühl leidenschaftlich gegen das in dem Worte ausgesprochene Autochthonentum, so zB. in der Reflexion Nr. 790 (Hecker), in einem Briefe an Eichstädt (IV/17, 268) sowie in dem *Zahmen Xenion: Gern wär' ich Überliefrung los ... (I/3, 367).*   Fe

Donau, von den Römern im Oberlauf Danubius, im Unterlauf Ister genannt, der zweitgrößte Strom Europas, ist eine alte Völker- und Verkehrsstraße nach dem *Orient (Hunnenzüge; *Nibelungenlied; *Kreuzzüge; Türkenkriege). Ihre Quellflüsse Brege und Brigach vereinigen sich bei Donaueschingen mit der eigentlichen Donauquelle; die D. durchquert dann den Schwäbischen (Versickerungsgebiet) und den Fränkischen Jura, durchfließt und verbindet die Länder der damaligen habsburgischen Donaumonarchie und mündet nach 2900 km langem Lauf ins Schwarze Meer: *Gegen den Aufgang ström' ich, der Freiheit, der Musen Gefilde | Lass' ich hinter mir lang, eh' der Euxin mich noch trinkt (I/5ᴵ, 293).* Goethe hat die D. mehrfach überquert: 1779 und 1797 bei *Tuttlingen, 1786 bei *Regensburg, 1788 und 1790 bei *Donauwörth; von ihren deutschen Nebenflüssen sah er *Nab, *Regen, *Lech, *Isar und *Inn. So war ihm ihr Stromgebiet im Oberlauf durchaus gegenwärtig. Besonders 1786 bei der Hinfahrt nach Italien schuf er sich durch aufmerksame Beobachtung das Bild dieser *Flußregion* und ihrer Landschaft (I/30, 6; vgl. hier Sp. 1027: *Beraun). In Regensburg notierte er dann: *Die Donau hat mich an den alten Mayn erinnert. Bey Franckfurt präsentirt sich Fluß und Brücke besser, hier sieht aber das gegenüberliegende Stadt am Hof recht artig aus (III/1, 149). Die milde*

Luft, die ein großer Fluß mitbringt, ist ganz was Eigenes (I/30, 8). An der Donau gezeichnet (III/1, 151). Bei *Abach sah er den Durchbruch durch den Fränkischen Jura. 1797 auf der 3. Reise in die Schweiz ging er bei Tuttlingen ... *die Donau zu sehen. Sie scheint schon breit, weil sie durch ein großes Wehr gedämmt ist. Die Brücke ist von Holz und ohne bedeckt zu seyn mit Verstand auf die Dauer construirt... Der Nebel sank in das Donauthal, das wie ein großer See, wie eine überschneite Fläche aussah... (III/2, 137 f.).* Auf der Weiterfahrt bot sich ein großartiger Überblick: *Man steigt so hoch, daß man mit dem Rücken der sämmtlichen Kalkgebürge, zwischen denen man bisher durchfuhr, beynah gleich zu seyn scheint. Die Donau kommt von Abend her geflossen, man sieht weit in ihr Thal hinauf, und wie es von beyden Seiten eingeschlossen ist, so begreift man, wie ihr Wasser weder südwärts nach dem Rhein, noch nordwärts nach dem Neckar fallen könne. Man sieht auch ganz hinten im Grunde des Donauthals die Berge quer vor liegen, die sich an der rechten Seite des Rheins bey Freyburg hinziehen und den Fall der Wasser nach Abend gegen den Rhein zu verhindern (ebda;* Blick nach Donaueschingen: I/34ᴵᴵ, 105).

Weitere Landschaften der D. lernte Goethe 1821 durch die *Donau-Ansichten* von J*Alt/ AKunike/GKBvRumy kennen *(III/8, 15; 41; 49;* vgl. dazu auch BrCarlAugust 3, 313); die Beschäftigung mit der Volksdichtung der Serben führte in die Gebiete und politischen Verhältnisse der mittleren D.(vgl. I/41ᴵᴵ, 139f.). Kriegsereignisse im D.-Raum haben Goethe wiederholt beschäftigt (vgl. 1778/79: *Bayerischer Erbfolgekrieg; 1796: IV/11, 133; 164: *Napoleon; 1829: Bdm. 4, 93: Russischtürkische Kriege).

1824 erfuhr Goethe von Eugen *Beauharnais, Herzog von Leuchtenberg, einen Plan, *den Rhein mit der Donau durch einen Kanal zu vereinigen. Ein riesenhaftes Unternehmen, wenn man die widerstrebende Lokaltät bedenkt ... Karl der Große hatte schon denselbigen Plan und ließ auch mit der Arbeit anfangen; allein das Unternehmen geriet bald ins Stocken: der Sand wollte nicht Stich halten, die Erdmassen fielen von beiden Seiten immer wieder zusammen (Bdm. 3, 83).* Das Unternehmen faszinierte Goethe, 1827 äußerte er den Wunsch, *eine Verbindung der Donau mit dem Rhein hergestellt zu sehen. ... Diese drei großen Dinge* [Panama-Kanal; Suez-Kanal; D.-Rhein-Kanal] *möchte ich erleben, und es wäre wohl der Mühe wert, ihnen zuliebe es noch einige funfzig Jahre aus-*

zuhalten (Bdm. 3, 350). 1836/45 wurde der Ludwigskanal gebaut, der das Stromgebiet der D. mit dem Main verbindet, 1928/30 der Main-D.-Kanal; die direkte Verbindung zwischen *Rhein und D. ist auch heute noch nicht hergestellt.   *JP*
Vgl. A Zastrau in: Humanismus und Technik IV, 3.
Zeichnungen:
1) Corpus II, InvNr 146
      Dat. 4. IX. 1786
2) Corpus II, InvNr 146 Rs
      Dat. 5. IX. 1786   *Fm*

Donauwörth, die alte, bayerische (zeitweilig „unmittelbare") Stadt an der Wörnitz-Mündung in die *Donau, außer *Regensburg und *Tuttlingen als Überquerungsort für Einsicht in und Urteil über die Bedeutung des großen Stromes wesentlich, passierte Goethe dreimal: Mitte Juni 1788 auf der Rückfahrt von seiner ersten, Mitte März und Anfang Juni 1790 auf dem Hin- und Rückweg der zweiten *Italienreise (I/53, 385; III/2, 2; IV/9, 208; vgl. hier Sp. 862; 876f.; 883; RV S. 27–29).   *JP*

Doni/Donius, Giovanni Battista (1593–1647), Gelehrter, Archäologe, Schriftsteller aus Florenz. Vor allem auf sein Buch „De restituenda salubritate agri Romani... Florentiae 1667" (Keudell Nr 57) stützen sich die Kapitel *Umfang von Rom; Bevölkerung; Lage von Rom; Ungesunde Lage; Unreinlichkeit; Kranckheiten; Feldbau um Rom; Theater. Masken der Collektaneen zur Vorbereitung zur zweiten Reise nach Italien (I/34^II, 226–237; 253)*.   *Gu*

Donop, weitverzweigtes, ursprünglich westfälisches Uradelsgeschlecht, in militärischen, diplomatischen, administrativen Verwendungen bewährt, kam Goethe hauptsächlich durch zwei Vertreter *(Die beyden von Donop: 15. XI. 1810; III/4, 166)* nahe, ohne daß die genealogischen Zusammenhänge eindeutig festellbar sind:
–, 1) Georg Carl Wilhelm Philipp (1767–1845), Goethe vielleicht schon kraft seiner Position in der Regierung von *Sachsen-Meiningen persönlich bekannt, erlangte aber erst durch den schwebenden Verkauf einer Münzsammlung aktuellere Bedeutung (11. II. 1816: IV/26, 253f.; dazu 405);
–, 2) Wilhelm Gottlieb Levin (1741–1819), Verfasser der „Historisch-geographischen Beschreibung der Fürstl. Lippischen Lande in Westphalen". ²1790 (16./19. VII. 1814: Keudell Nr 931; 6. I. 1824: III/9, 163).   *Gk*

Doppelburg, Jagdschloß des Fürsten C Jv*Clary und Aldringen, bei Eichwald in der Nähe von *Teplitz. Goethe notiert Besuche in D. am 27. VII. 1812 und 21. V. 1813 (III/4, 306; 5, 48), Fahrten auf der Chaussee nach D. 1810 und 1813 (III/4, 150; 5, 48). Ob die damals

häufigen Zusammenkünfte mit dem Fürsten Clary auf weitere Besuche D.s schließen lassen, bleibt offen. RV S. 47f.   *JP*

Dorat, Claude François (1734–1780), französischer Lyriker, Erzähler und Dramatiker; als solcher schwach und fast überall maniriert. In der „Idée de la poésie allemande" (1770) stellt er „gegen die „frivolité fardée" seiner Landsleute die „vertu simple" der deutschen Dichter: „... ils sont simples et vrais; ... ils peignent une âme pure, honnête, amie de l'humanité". D. wird von Goethe in den *Ephemeriches (1770: I/37, 107) mit den „Baisers" erwähnt und später in den Anmerkungen zu *Rameau's Neffen charakterisiert (1805: I/45, 167 f.); die *FGA hatten 1772 über D.s „Fables" nicht durchaus ablehnend berichtet.   *Fu*

Dorigny, Nicolas (1658–1746), Maler und Reproduktionskupferstecher, tätig in *Rom, in England, wo er im Auftrag der Königin Anna die Teppichkartons von *Raffael in Hampton-Court reproduzierte, und Paris, leitete die*Raffael-Renaissance des 18. Jahrhunderts ein. Die 1693 geschaffenen, handkolorierten Kupferstiche nach den Fresken Raffaels in der Farnesina mit der Geschichte Amors und Psyches hingen in Goethes Zimmer in Rom (I/30, 217); sie waren häufig Gegenstand gemeinsamer Betrachtungen und begleiteten das Studium der Originale (I/32, 24). In den letzten Jahren seines Lebens bestellte Goethe mehrfach Nachbildungen D.s bei *Weigel und *Börner, so 1817 die *Cartons von Dorigny* nach den Entwürfen in Hampton-Court *(IV/28, 355)* und 1829 den Fischzug Petri aus der gleichen Folge (IV/45, 196), die er zu vergleichenden Studien benutzte (III/12, 61; vgl. I/32, 24). Besonders interessiert war er an der Nachbildung des auf dem Meere wandelnden Petrus von *Lanfranco (IV/42, 135). Auch die Reproduktion der Verklärung Christi von Raffael, die Goethe besaß, rührt von D. her.   *Lö*

Dornau *(Dorne)*, böhmisches Dorf bei *Teplitz, war ein beliebtes Spaziergangsziel Goethes während seiner teplitzer Badeaufenthalte in den Jahren 1810 (9., 21., 30. VIII.: *III/4, 146; 148; 150)* und 1813 (22. VI. und 6. VIII.: III/5, 56; 66). RV S. 45; 48.   *JP*

Dornauszieher (Rom, Konservatoren-Palast, Sala dei Trionfi 2), die berühmt gewordene Bronzestatue eines sitzenden Knaben, der sich einen Dorn aus der Fußsohle zieht, ein klassizistisches Werk der frühen Kaiserzeit nach hellenistischen Vorbildern in Anlehnung an Stilformen des frühen 5. Jahrhunderts vChr. gestaltet, war bereits seit dem 12. Jahrhundert nChr. bekannt (vgl. zB. Konsolenfigur des Bronzegrabmals Friedrich von Wettin, gest. 1152, im Magdeburger Dom). Goethe führt die Bronze im Aufsatz *Über Laokoon (I/47, 106)* an. In den Aufzeichnungen während seines Aufenthaltes in Rom erwähnt er sie nicht. Daß Goethe den Konservatoren-Palast und seine Antikensammlungen besichtigt hat, läßt sich nicht einwandfrei nachweisen.   *Hm*

Stuart-Jones, Mus. Cap. S. 43 ff. – Sieveking: Münch. Jb. f. bild. Kunst 1912, 131. – Wegner 128. – Grumach 546. – WFuchs: Opus nobile, Heft 8.

Dornburg und seine Schlösser. Die kleine Ortschaft D. am linken Saaleufer unweit Jena war mit ihrer auf hohem Felsenufer über der Saale gelegenen, bereits aus dem 11. Jahrhundert stammenden Burg im Mittelalter eine Grenzfeste. Aus dieser frühesten Zeit und dem 13. und 14. Jahrhundert stammten der Palas, die Nebengebäude und der Küchenbau. Die wichtigsten Umbauten erfolgten Ende 16. Jahrhundert. Die Kuppel stammt aus dem 17. Jahrhundert und die sogenannte Trompeterstube wurde um 1730 angebaut. Neben diesem Schloß ließ Ernst August ungefähr zur gleichen Zeit wie *Belvedere und *Ettersburg ein Rokokoschlößchen als Jagdschloß errichten, das jedoch nicht ganz zu Ende ausgeführt wurde. Ausgang des 18. Jahrhunderts mußten die zT. zerstörten Pavillons abgetragen werden. Nach der 1816 erfolgten Anlegung einer bequemen Fahrstraße weilte der Hof fast jedes Jahr in dem Schlößchen. An der Südwestecke des Burgfelsens befand sich ein bescheidener, um 1600 errichteter Spätrenaissancebau, das sogenannte „Stohmannsche Schlößchen", das Carl August 1824 von diesem letzten Besitzer erwarb. In der Bergstube des im 18. Jahrhundert zu diesem Schloß ausgeführten Anbaues pflegte Goethe bei seinen Besuchen in D. – er weilte hier mehr als zwanzigmal – zu wohnen. Im Innern des Schlosses hatte Carl August einige Veränderungen vornehmen lassen, sein Hauptaugenmerk aber galt den gärtnerischen Anlagen des gesamten Schloßkomplexes und den Weingärten. Goethe liebte die Schlösser auf dem Burgfelsen mit dem Blick über das Saaletal ganz besonders, zeichnete sie erstmals 1776 und hat in Briefen an ChvStein (1776, 1779), dann 1828 an *Zelter, dem er noch 1829 D. zeigen konnte, und an HEFAv*Beulwitz Beschreibungen der schönen Lage gegeben, sich auch *Eckermann gegenüber lobend über D. ausgesprochen. Nach dem Tode Carl Augusts flüchtete Goethe nach D. und genoß 7. VII.–11. IX. 1828 die *Vergünstigung eines Aufenthalts in Dornburg (III/11, 239)*. Damals entstanden die dorn-

burger Gedichte (*Alterslyrik). *Die Aussicht ist herrlich und fröhlich... Das weitere erhalten und aufgeschmückt, das Neuerworbene (eben das Schlößchen, das ich bewohne, ehemals ein Privat-Eigenthum) mäßig und schicklich eingerichtet, durch anmuthige Berggänge und Terrassen mit den frühern Schloßgärten verbunden ... und was der Gärtner ohne Pedanterie und ängstlichkeit zu leisten verpflichtet ist, alles vollkommen, Anlage wie Flor (IV/44, 180f.).* Das Lob, das er hier dem Gärtner spendet, galt KAChr*Sckell, dem Sohn des in Belvedere wirkenden Gärtners, der als Hofgärtner und Schloßverwalter in D. tätig war und mit seiner Frau für Goethe sorgte, wenn dieser in D. weilte. Die aus dem Jahre 1608 stammende Inschrift über der Eingangstür hat Goethe besonders 1828 gern zitiert, auch übersetzt, sie schien ihm so recht in die Stimmung zu passen, die ihn in D. erfüllte: Gaudeat ingrediens, laetetur et aede recedens, / His qui praeter eunt det bona cuncta Deus (vgl. IV/44, 205f.).   *Wt/Hk*

HWahl: Die Dornburger Schlösser 1923.
Zeichnungen:
1) Corpus I 151, InvNr 116: Dornburger Schlösser Bleistift, Tuschlavierung
   Eigenhändig datiert und signiert: Dornburg 16. Oktbr. 76 G. mit vier Verszeilen (Rückseite) für ChvStein:
   Ich bin eben nirgend geborgen
   Fern an die holde Saale
   Verfolgen mich manche Sorgen
   Und meine Liebe zu dir.
2) Corpus IV InvNr 976
3) Corpus IV InvNr 1094
4) Corpus IV InvNr 1095
   Feder und Tusche
   Datierung: 1806.   *Fm*

Dorndorf, sachsen-weimarisches Dorf unmittelbar östlich *Dornburg rechts der Saale, 1814: 453 Einwohner, dessen Fluren Goethe von der Terrasse des dornburger Schlosses überblicken konnte (III/11, 248). Goethe erwähnt eine Fahrt mit KG*Stichling durch die Dorndorfer Flur, wobei er sich die Bienenzucht des Orts-Geistlichen Johann Friedrich Lossius zeigen ließ (7. IX. 1828: III/11, 276). RV S. 66.   *Mü*

Dorow, Wilhelm (1790–1846), königlich-preußischer Hofrat, Altertumsforscher, förderte aus Liebe zum heimatlichen Boden das Studium der Monumente der Römerzeit am *Rhein, gründete 1820 in *Bonn das „Museum vaterländischer Altertümer", die Vorstufe des heutigen Provinzialmuseums. In seinem Werk „Die Denkmale germanischer und römischer Vorzeit in den rheinisch-westfälischen Provinzen" (2 Bde. Stuttgart 1823/27) interessierte Goethe besonders der Abschnitt über das Römer-Castell von *Neuwied. Seine Beurteilung D.s ist, wenn auch einschränkend, so doch anerkennend: *Dieser wunderliche und problematische Mann hält sich denn doch auf seinem Felde (IV/42, 75)*. Goethe las mit Kritik (III/11, 258) sein 1828 erschienenes italienisch geschriebenes Buch über *etruskische Vasen (IV/44, 264)*. Über D.s *Ausgrabungen* unter *Begünstigung des Großherzogl. nassauischen Ministeriums* der *in Wiesbadens Umgegend liegenden Grabhügel* berichtet Goethe in *I/49^{II}, 151 f.* Hm Stark 291. – Grumach 473. 634.

Dou *(Douw: I/47, 372)*, Gerard Gerrit (1613–1675), holländischer Genre- und Bildnismaler, Schüler *Rembrandts während dessen leidener Zeit, tätig in Leiden, war mit seinen von reichem Detail umgebenen und minutiös gemalten Genrefiguren, die meist in einem Fensterrahmen eingestellt sind, für die zweite Hälfte des 17. Jahrhunderts vorbildlich, in der seine zahlreichen Schüler wirkten. Die Nachahmung seiner Kunst und sein Ruhm dauerten während des 18. Jahrhunderts an, so daß auch Goethe ihn, begünstigt durch die Nachahmung der holländischen Malerei im frankfurter Künstlerkreis (vgl. I/26, 139), von Jugend auf kannte. Als er 1768 krank zu Hause lag, hing in Goethes Zimmer *eine abgelebte Frau / Mit riefigem Gesicht, mit halbzerbrochnem Zahne, Vom fleißig kalten Gerhard Dow (I/5^I, 57 = IV/1, 171)*, sie mußte *Bouchers Mädchen* ersetzen. Auch während der *italienischen Reise wird Goethe in *Neapel durch seine Fähigkeit, die Wirklichkeit als Bild zu sehen, beim Anblick eines Heilmittel darbietenden Wunderdoktores an D. erinnert (I/31, 62). Und noch 1810 sind die in *Dresden verwahrten Bilder D.s – *ein Mädchen mit brennendem Licht* von 1656 (jetzt Kat.-Nr 1706), ein Stilleben (Nr 1708) und das Schulbild *Die hlg. Magdalena* (Nr 1723) – *sehr schön und sehr geistreich, fürtrefflich* und *fleißig (I/47, 372; 376; 387)*. Wahrscheinlich ist die Nr 12 der damaligen Katalogabschrift jetzt Nr 1709 und dann ebenfalls von D. Bei den mehr und mehr sich vollendenden Kunsteinsichten Goethes konnte D. keine Rolle mehr spielen. *Lö* IRvEinem S. 626 f. – ThB IX (1913), S. 503.

Douglas, David (1798–1834), schottischer Botaniker, der auf 3 Reisen durch Nordamerika neue Pflanzen, Vögel und Säugetiere entdeckte. Auf seiner letzten Reise kam er auf den Sandwichinseln ums Leben. Ihm zu Ehren wurde eine Gattung der Primulaceen Douglassia genannt. In Mitteleuropa wird gelegentlich die Douglastanne (Pseudotsuga douglasii Car.) aus dem westlichen Nordamerika abgepflanzt. Goethe erwähnt *Lupinus polyphyllus. Eine neue Art, welche Herr Douglas im Nordwesten von Amerika gefunden hat (II/7, 45;* vgl. 364). *Sl*

Downes, G., irischer Student, der Goethe am 31. VIII. 1826 in Weimar aufsucht, empfohlen durch KLMetzler von Giesecke, Professor der Mineralogie in Dublin. In einer Niederschrift (Bdm. 3, 284) beschreibt er die eindrucksvolle Erscheinung des fast 80jährigen Goethe, seine lebhafte Sprechweise, eine gewisse Ungeduld bei Unterbrechungen. Der Gast wird der Familie vorgestellt und verschiedentlich eingeladen. *Sn*

Drackendorf, sachsen-altenburgisches Dorf 7 km südöstlich *Jena, 1800: 325 Einwohner. Das Rittergut D. befand sich im Besitz des Freiherrn AFCv*Ziegesar, ihm und seiner Familie galten wohl alle Aufenthalte Goethes in D. Der erste Besuch findet sich am 25. IX. 1776 im Tgb. notiert (III/1, 22); schon 1788 heißt es: *Ich fange noch einmal an, um zu melden daß wir in Drackendorf gewesen sind das Zigesarische Blut zu beschauen (IV/9, 58* an den Herzog Carl August). Besonders häufige Besuche fanden in den Jahren 1802 und 1808 bis 1811 statt. *Und geht nicht ganz natürlich der Weg von Altenburg über Drackendorf nach Jena? (IV/20, 127)* schreibt Goethe am 3. VIII. 1808 an Silvie vZiegesar; in den *TuJ* des gleichen Jahres lesen wir: *Bekannte und Verwandte schlossen sich an, einiger und zusammenstimmender wäre kein Cirkel zu finden (I/36, 32)*. Letztes Zeugnis einer Fahrt nach D. am 1. X. 1820: *Die Herrschaften nicht angetroffen, gleich zurück (III/7, 230)*.   *JP*
RV S. 14; 28; 39; 40; 43; 44; 45; 46; 52; 53; 54; 55; 57; 58; 60. – HKoch: Goethe und Silvia von Ziegesar. In: Goethe 16, S. 225–234.
Zeichnungen:
Corpus IV, Inv. Nr 1994
Dat. eigenhändig: *April 1810.*   *Fm*

Drahowitz *(Trabiz)*, damals ein Dörfchen an der *Eger bei *Karlsbad. Goethe nennt es nur einmal am 12. VII. 1806 *(III/3, 138)*, obwohl er es auf seinen Wegen zum *Galgenberg, nach *Dallwitz und *Gießhübel öfter berührt haben dürfte. RV S. 41.   *JP*

Drama. Wer sich mit den goetheschen Dramen beschäftigt, wird stets aufs neue überrascht sein, wie wenig sie sich auf eine gemeinsame, deutlich erkennbare Struktur zurückführen lassen. Wären wir nicht geschichtlich darüber unterrichtet, daß *Die Laune des Verliebten, Götz von Berlichingen, Stella, Iphigenie, Faust* und *Die Natürliche Tochter* vom gleichen Autor stammen, so würde es auch einer sehr diffizilen und textnahen Interpretation schwer fallen, das *eine* dichterische Ich darin wiederzufinden, das sich im dramatischen Dialog ja nur vervielfältigt und in mannigfache Gestalten verwandelt. Oder darf man das Bekenntnis des jungen Schiller in seinem Brief an Reinwald vom 14. IV. 1783, in dem er über das dichterische Erschaffen von dramatischen Charakteren spricht, auf Goethes Produktion nicht anwenden? „Alle Geburten unsrer Phantasie wären also zuletzt nur Wir selbst." Goethe seinerseits hat in einer fast lässigen, ja gleichgültigen Weise auf das Wechselvolle in seinem Stilwillen hingewiesen, der besonders in der Jugend etwas Improvisierendes gehabt habe und stets bereit war, wieder eine „andere Manier" zu erproben. Im 15. Buch von *DuW* berichtet Goethe über seine vorweimarische Zeit, er habe in jenen Jahren noch keinen Stil gehabt und deshalb *bei einer jeden neuen Arbeit, je nachdem der Gegenstand war, immer wieder von vorne tasten und versuchen* müssen (I/ 28, 312). Ähnlich heißt es in einem Brief vom 21. VI. 1781: *Gewiß ist mir nie in den Sinn gekommen, irgend ein Stück als Muster aufzustellen, oder eine Manier ausschließlich zu begünstigen, so wenig als individuelle Gesinnungen und Empfindungen zu lehren und auszubreiten" (IV/5, 144f.).* Geradezu verspielt mutet die Feststellung in den *Tag- und Jahresheften* von 1769–1775 an: *Man fühlt die Nothwendigkeit einer freiern Form und schlägt sich auf die englische Seite. So entstehen Werther, Götz von Berlichingen, Egmont. Bei einfacheren Gegenständen wendet man sich wieder zur beschränkteren Weise: Clavigo, Stella, Erwin und Elmire, Claudine von Villa Bella (I/35, 4).* Es kommt hinzu, daß man durchaus ernsthaft die Frage diskutieren kann, ob Goethe überhaupt ein Dramatiker gewesen ist. Denn bis heute ist man sich nicht darüber klar, ob bei ihm die lyrische, die epische oder die dramatische Begabung überwiegt. Offensichtlich hat sich Goethe allen drei Dichtungsarten gegenüber eine innere Freiheit, ja Ungebundenheit bewahrt. Sein Dichten hat nicht nur im *Faust*, der ja ein Fall für sich ist, sondern überall den Zug ins Universale, der sich mit dem Persönlichen, Bekenntnishaften verband. Schon AW*Schlegel hat in seiner 15. Vorlesung über dramatische Kunst und Literatur hervorgehoben: „Überhaupt war es Goethe vor allem darum zu tun, seinen Genius in seinen Werken auszusprechen, und neue poetische Lebensregung in die Zeit zu bringen: die Form galt ihm dabei gleich, wiewohl er meistens die dramatische vorzog." Die dramatischen Dichtungen des Leipziger Goethe und aus der frühen Frankfurter Zeit *Die Laune des Verliebten* (1767/69) und *Die Mitschuldigen* (1767/69) gehören noch ganz dem Zeitstil des anakreontischen Rokoko an. Wir können bis heute an diesen Komödien die geistreiche Anmut und den überlegenen

Kunstverstand bewundern. *Die Mitschuldigen* haben darüber hinaus innerhalb der deutschen Alexandrinerkomödie des 18. Jahrhunderts noch das besondere Verdienst, daß sie im Gegensatz zu der von Gottsched bis Lessing führenden Linie stärker an die ältere komische Tradition wieder anknüpfen und noch etwas von der ursprünglichen Spielfreude der commedia dell'arte besitzen. Von einer besonderen, spezifisch Goetheschen Gestaltungsform wird man jedoch hier noch nicht sprechen dürfen. Den Zugang zur *persönlich handelnden* Naturform des Dramas, so wie sie der alte Goethe in den *Noten und Abhandlungen* zum *west-östlichen Divan* als *Dichtart* beschrieben hat (I/7, 118), fand der junge Goethe erst unter dem Einfluß *Herders und in der Begegnung mit *Shakespeare. Herder hatte Shakespeare zum ersten Male geschichtlich gesehen, herausgewachsen aus seiner eigenen, besonderen Situation des Nordens, die sich mit der des griechischen Theaters nicht auf einen Nenner bringen ließ. Er deutete ihn als den Dichter des großen Ereignisses, der „Begebenheit", eine Welt dramatischer Geschichte, „so groß und tief wie die Natur". Jedes seiner Dramen ist ein Universum im Kleinen mit einer *Weltseele*, die Elementares, Menschliches und Himmlisches miteinander verschmilzt und alles durchdringt. Herders Auffassung Shakespeares gibt die Idee der bauenden Vernunft, der künstlerischen Form und der Gattung Tragödie, an denen Lessing noch durchaus festgehalten hatte, weitgehend preis zu Gunsten des Atmosphärischen, der Stimmung, zu Gunsten des Einmaligen, Persönlichen, Geschichtlichen. Es ist eine lyrische, irrationale Deutung der Shakespeareschen Dramen, die von den „Planen der Unordnung und Trunkenheit" spricht, in denen hier von einem ans Übermenschliche grenzenden Genie das Ganze der Welt, die für uns sonst undurchschaubaren Pläne der „Vorsehung" noch einmal divinatorisch nachgestaltet wurden. Herders Shakespeareaufsatz in den „Blättern von deutscher Art und Kunst"(1773) mußte auf den Goethe des Schäferspiels und der sozialkritischen Komödie wie eine Offenbarung wirken. Aber wenn auch der Goethe des Sturm und Dranges das Entscheidende seinem Mentor Herder verdankt, so tritt doch bezeichnenderweise bei ihm der geschichtliche Ansatz Herders fast völlig zurück. Goethes Sendschreiben *Zum Schäkespears Tag* (1771) beschwört Shakespeare als den *Bruder*, der ihn in sein dichterisches Weltamt gleichsam einweist. An Shakespeare entzündet sich das Bewußtsein

des eigenen Genies. Nicht Geschichte, wohl aber Natur wird das große Thema, in dem sich Goethe durch Shakespeare bestätigt sieht. *Daß aus Shakespeare die Natur weissagt,* macht ihn zu dem großen Dichter des Pan-Universums. Später heißt es bei Goethe: *... man lernt aus seinen Stücken, wie den Menschen zumute ist.* (Zu Eckermann am 26. VII. 1826: Bdm. 3, 281.) Mit Shakespeare begegnet das Geheimnis der menschlichen Seele und aller ihrer vielfältigen Möglichkeiten, hierin allein lag die Faszination, die von ihm ausging. Was hier Natur genannt wurde, das relativierte nach der Meinung des jungen Goethe auch noch die Gegensätze von Gut und Böse und wurde als Ganzes nunmehr der Welt der Gesellschaft entgegengesetzt. In diese Shakespearesche „Natur" trägt Goethe seinen persönlichen Konflikt hinein und deutet damit nicht so sehr Shakespeare als vielmehr seine eigene dramatische Produktion der Sturm und Drang-Zeit aus: *Seine Plane sind, nach dem gemeinen Styl zu reden, keine Plane, aber seine Stücke drehen sich alle um den geheimen Punckt, (den noch kein Philosoph gesehen und bestimmt hat), in dem das Eigenthümliche unsres Ich's, die prätendirte Freyheit unsres Wollens, mit dem nothwendigen Gang des Ganzen zusammenstößt (I/37, 133).*
Aus solchen Voraussetzungen entsteht *Götz von Berlichingen.* (Erste Fassung *Geschichte Gottfriedens von Berlichingen mit der eisernen Hand, dramatisiert,* 1771; zweite Fassung *Götz von Berlichingen mit der eisernen Hand,* 1773.) Da verbindet sich die natürliche Freude am Theater mit der Freude am Bunten und Vielfältigen, das Drama wird zum *Raritäten Kasten,* zum Guckkasten, wo die wechselvollen Begebenheiten anschaulich und bühnenwirksam an uns vorbeiströmen. Noch ist Goethe von dem klassischen Formbegriff weit entfernt. *Ein verworrnes Stück machen* erscheint ihm im Grunde besser *als ein kaltes* (Aus Goethes Brieftasche 1775; I/37, 314). Es geht ihm um die innere Form, auch diese, soweit sie Form ist, immer noch unwahr, aber doch *das Glas, wodurch wir die heiligen Strahlen der verbreiteten Natur an das Herz der Menschen zum Feuerblick sammeln.* Noch steht die Bühne im Vordergrund und nicht das Drama als Kunstwerk, das Goethe später immer mehr vom Theater isolierte. Auch Shakespeare war ihm künftig nicht mehr so sehr Dichter der Bühne, sondern einer Weltfrömmigkeit und Weltdeutung, für die nicht nur das Theater, sondern darüber hinaus die ganze sichtbare Welt zu eng war. Der junge Goethe hingegen

wollte noch für die Bühne arbeiten, die Bühne studieren,*Wirkung der Fernemahlerei, der Lichter, Schminke, Glanzleinewand und Flittern.* Er wollte die Natur an ihrem Ort lassen und nichts weiter anlegen, *als was sich auf Brettern zwischen Latten, Pappendeckel und Leinewand durch Puppen, vor Kindern ausführen läßt.*(Aus Goethes Brieftasche 1775; I/37, 314).
Blickt man vom *Götz von Berlichingen* auf das spätere goethesche Drama voraus und versucht, trotz des vielfachen Stilwechsels, ein gemeinsames Kennzeichen herauszuheben, so wird man in erster Linie die Schwerpunktsverlagerung in die Individualität nennen dürfen. Goethes aus dem Sturm und Drang der Geniebewegung herauswachsende Lebensanschauung sieht in der freien Eigentümlichkeit des Ich die Quelle, aus der alles Leben hervorgeht. Diese Entdeckung der Person entsprang nicht nur Goethes Neigung, die Bildung des Einzelmenschen den Gesetzen der Gattung überzuordnen, sondern auch dem Lebensgefühl des empfindsam bürgerlichen Zeitalters, das sich vom politisch staatlichen Denken des Barock abwandte und im „Charakter" eine neue, persönliche Freiheit und dramatische Einheit zu finden glaubte, die den künstlichen, erst geschichtlich entstandenen Ordnungen der Gesellschaft als „natürlich" und als „ursprünglich" entgegengesetzt wurde. Aber Goethe unterscheidet sich dennoch von dem mehr oder weniger problemlosen Geniekultus seiner Generation. Denn mehr als seine Zeitgenossen erlebte er die Individualität selbst als tragisch. Er erkannte, daß diese mit dem Wesen des Menschen bereits gegebene Tragödie nicht erst ein Ergebnis geschichtlich entstandener Schranken und Einengungen ist, mit denen der Einzelmensch sich auseinandersetzen muß, wie es noch sein Götz tut, sondern daß das Widersprechende bereits im Ich selber liegen kann, weil dieses nicht nur gewachsene, freie, allein Gott verantwortliche Eigentümlichkeit ist, sondern auch gespaltene Zweiheit, von der Seele gelebte Gefährdung, wie sie uns in den Gestalten eines Weislingen, Fernando, Clavigo, Tasso, Faust entgegentritt. Bis ins hohe Alter hinein hat Goethe dieses Interesse am Einzelfall behalten. *Des tragischen Dichters Aufgabe und Tun ist nichts anders, als ein psychisch-sittliches Phänomen, in einem faßlichen Experiment dargestellt, in der Vergangenheit nachzuweisen* (I/42^{II}, 250). Ähnlich heißt es in einem Brief an Schiller vom 9. XII. 1797: *Ohne ein lebhaftes pathologisches Interesse ist es auch mir niemals gelungen irgend eine tragische Situation zu bearbeiten, und ich habe sie*

daher lieber vermieden als aufgesucht (IV/12, 373). Goethes immer stärkere Entfernung vom Drama als ursprünglichem Theater hing sicher auch damit zusammen, daß der geschichtlich in das Hier und Jetzt hineingestellte Mensch, der unwiderrufliche Entscheidungen fällen muß, zunehmend bei ihm zurücktrat zu Gunsten des nach „innen geführten" Helden, der nur und gerade dadurch, daß er seinem „Dämon" folgt, in einen Konflikt mit der Welt verwickelt wird. Nicht der Zusammenstoß verschiedener Wertsphären, auch nicht der gewaltsame Augenblick im Schicksal einer Epoche, auch nicht die tückische Macht des Zufalls bestimmten Goethes Verhältnis zum Tragischen, sondern einzig und allein das Schicksal, das in der Seele selbst bereits angelegt ist, und um dessen Ausgleich mit dem ewigen Gesetz des Kosmos Goethe sich stets von neuem bemühte. Es ist bezeichnend für ihn, daß zB der Zusammenstoß überpersönlicher Sphären wie Familie und Staat bei ihm fast ganz bedeutungslos ist. Ausdrücklich betont er noch in den Gesprächen mit Eckermann am 28. III. 1827 den von der historischen Bestimmtheit unabhängigen Konflikt, der nur in der Seele und in den Leidenschaften des Menschen wurzelt. *Freilich leben wir alle in Familien und im Staat, und es trifft uns nicht leicht ein tragisches Schicksal, das uns nicht als Glieder von beiden träfe. Doch können wir auch ganz gut tragische Personen sein, und wären wir bloße Familien- oder wären wir bloße Staatsglieder. Denn es kommt im Grunde bloß auf den Konflikt an, der keine Auflösung zuläßt, und dieser kann entstehen aus dem Widerspruche welcher Verhältnisse er wolle, wenn er nur einen echten Naturgrund hinter sich hat und nur ein echt tragischer ist. So geht der Ajas zugrunde an dem Dämon verletzten Ehrgefühls, und der Herkules an dem Dämon liebender Eifersucht. In beiden Fällen ist nicht der geringste Konflikt von Familienpietät und Staatstugend vorhanden, welches doch nach Hinrichs die Elemente der griechischen Tragödie sein sollen* (Bdm. 3, 353).
Bereits im *Götz von Berlichingen* liegt das Schwergewicht ganz auf der privaten Person, auf dem großen und edlen Herzen, das aus der Natur unmittelbar hervorgeht, ja diese Natur selber ist, und erst durch eine mit den Augen *Rousseauscher Kulturkritik gesehene Epoche vernichtet wird. Weislingen, die Gegenfigur, zeigt auf der anderen Seite das gespaltene Herz mit seiner seelischen Ambivalenz von Treue und Untreue, die es in eine nicht so sehr sittliche als vielmehr dämonische Schuld hineintreibt. Beides mochte für den jungen Goethe *prätendierte Freiheit unseres Wollens* bedeuten. *Der notwendige Gang des Ganzen* bleibt damit verglichen sehr viel blasser und unbestimmter. Im Mittelpunkt steht der Mann der Tat, der Ritter mit der eisernen Hand, und um ihn herum baut sich eine naiv angeschaute Welt auf, die in ihrem bunten mannigfaltigen Leben, wie es gerade der junge Goethe gestalten konnte, nur dazu dient, damit sich dieser eine, der „sich selbst genug" ist, davon abhebe, dieser eine, von dem Emil Staiger in seinem Buch über Goethe mit Recht gesagt hat, daß er „kein Repräsentant" ist. Er steht weder für Kirche und Reich, auch noch nicht für allgemeine Ideen, sondern nur für sich selbst, und darin liegt seine natürliche, nicht idealische Größe. Einen solchen unbefangenen, kraftvollen Ton bei gleichzeitiger szenischer Auflockerung und Freiheit hat Goethe im Drama später nie wiedergefunden. Dennoch zeigt bereits sein erstes Geschichtsdrama, daß die Geschichte als dramatischer Gegenstand ihm im Grunde fremd bleiben mußte. Der Schritt zum *Clavigo* (1774) bedeutet damit verglichen einen Schritt zurück, fort von Shakespeare und zurück zu Lessing. Dieser war es, dem das moderne deutsche Theater nicht nur den Sinn für eine neue szenische Technik, sondern darüber hinaus für die Tragödie als intime, bürgerliche, psychologische Gattung verdankt. Im Grunde mußte das Goethe näher liegen als die Shakespearesche Geschichtstragödie, die die einzelnen, persönlichen, ständischen und kollektiven Subjekte immer in ihrem Konflikt mit der Bewegung des geschichtlichen Ganzen gestaltet hatte. Goethe hingegen brauchte das Drama als psychologisches Experiment, das die Bedingungen eines bestimmten Falles untersucht und die Vieldeutigkeit der menschlichen Seele und ihrer Motive dabei in den Mittelpunkt stellt. Aus dem persönlichen Erlebnis seiner Jugend heraus ist es vor allem *ein* Konflikt, der ihn auch im Drama wiederholt beschäftigt: das Gegeneinander von Rechten des Ich und Pflichten gegen das Du, wie es gerade in der erotischen Leidenschaft und ihren Folgen sich immer wieder verhängnisvoll auswirken mußte. Wohl löst er die sittlichen Wertungen Lessings dabei auf, aber auch bei Goethe geht es ebenso wie bei Lessing darum, daß der Zuschauer den Mann auf der Bühne als mit sich „vom gleichen Schrot und Korne" empfindet. Die realistische Prosa, die neue Sprache des Affektes, die Bühne als eine Schule des Mitleides, das alles verdankt Goethe

weit mehr Lessing als Shakespeare. Auch das starke dialogische Moment in Goethes Dramen – persönlich neigte er dazu, seine Gedanken im Gespräch zu entwickeln – ist Lessingsches Erbe. Später tritt dieses „Ballspielen mit Maximen und das Zwiegespräch *über* einen Gegenstand" (Sengle) noch deutlicher hervor. In der Jugend konnte die Freude am Mimischen, am Theatralischen im Sinne des äußerlich Sichtbaren noch überwiegen. Allerdings findet sich auch bei dem alten Goethe die gelegentlich erhobene Forderung, daß das *Dramatische persönlich mimisch vorgetragen werden* soll. Friedrich Sengle hat in seiner wertvollen Untersuchung „Goethes Verhältnis zum Drama" (Berlin 1937) gezeigt, daß eine Synthese zwischen dem Dialogischen und dem Mimischen Goethe nur selten gelingt und daß die Weimarer Klassik mit ihrem Ideal harmonischer Selbstbeherrschung das Mimische notwendig noch stärker zurückdrängen mußte. Nur in den Komödien Goethes findet es noch ein gewisses Fortleben. Aber Goethes Bemerkung in *Shakespeare und kein Ende,* daß das Drama ein Gespräch in Handlungen (I/41^I, 66) fordert, zeigt doch, wie sehr er die Auseinandersetzung der Personen als Wechselrede auffaßte, die dann oft – man denke an *Torquato Tasso* – disputationsähnliche Form annehmen konnte. Satz und Gegensatz, so hebt Sengle mit Recht hervor, werden auch dann noch aufeinander bezogen, wenn die Gestalten durchaus nur sich selbst darstellen und kaum aufeinander hinhören.

Diese mehr dialogische als mimische Art des Sprechens in Goethes Dramen, – in anderer Weise gilt sie auch durchaus für Schiller – hat aber noch einen besonderen Grund, der mir mit dem Goetheschen Weltbild zusammenzuhängen scheint. Damit machen wir allerdings bereits einen Vorgriff auf die klassische Zeit. Goethe erlebte die Einheit der Natur immer wieder in der Zweiheit. Bis ins hohe Alter hinein werden ihm Polarität und Steigerung die zwei großen Triebräder aller Natur, die in der physischen Welt noch eine geistige, in der geistigen Welt noch eine physische Bedeutung haben. Das Gesetz der Polarität, des Anziehens und Abstoßens, Trennens und Verbindens, Erstarrens und Fließens, Ausdehnens und Sich-Zusammenziehens ist für Goethe eine Grundeigenschaft der lebendigen Einheit Natur und damit auch ein Gesetz der sittlichen Welt. Nur auf diese Weise kann das Besondere als Bild und Gleichnis des Allgemeinen erscheinen. Dieser „universelle Individualismus" mit seinem symbolischen Einklang von Erscheinung

und Wesen, von Ich und Sein, dieses untragische beseligende Wissen um das All-eine, um die Gott-Natur hat aber auch die Erfahrung von den tragischen Spannungen von Seele und Welt in sich aufgenommen. Aller Zusammenklang wächst erst aus der unvermeidlichen dialektischen Entgegensetzung menschlicher Charaktere. Gerade darin ist Goethe durchaus Dramatiker, daß er immer wieder von dieser Zweiheit ausgeht, die stellvertretend für die Polarität der gesamten Natur steht. Das gilt nicht nur für den extrem männlichen Pol Faust und den extrem weiblichen Pol Gretchen, die diese Kluft nur in der Liebe überbrücken, aber gerade dabei tragisch scheitern müssen, es gilt auch für Faust und Mephisto, für Götz und Weislingen, für Clavigo und Carlos, für Tasso und Antonio, für Egmont und Alba, für Orest und Pylades. Immer geht es dabei um eine Zweiheit, die die Natur nicht zu einer Einheit gestalten konnte und die daher meist den Keim des Tragischen in sich trägt. Es ist, als fordere die Existenz des einen auch die des andern. Beide sind schon in ihrem Dasein und Sosein disputatorisch aufeinander angewiesen. In Goethes Drama handelt es sich nicht um einen Hauptspieler, der einen oder mehrere feindliche Widersacher hat, sondern es handelt sich fast immer um ein Paar, bei dem der eine Partner den anderen geradezu logisch fordert und beide doch nur auf tragische Weise zusammen anwesend sein können.

Die polare Entgegensetzung zweier Charaktere bedeutet aber für Goethe durchaus nicht eine Polarität von Gut und Böse. Ausdrücklich hat er es abgelehnt, daß man eine Gestalt wie Carlos im *Clavigo* als einen Bösewicht auffasse. *Der reine Weltverstand des Carlos sollte Neigung und äußere Bedrängniß wirken* und auf diese Weise auch einmal eine Tragödie motiviert werden, so erläutert Goethe selbst in *DuW* (I/28/348). Im Gegensatz zu Schiller hatte er für die Psychologie des Bösen und der Intrige kein Organ. Geradezu bewußt verzichtete er auf den Reiz der Spannung, der im dramatischen Vorgang durch das Handeln der großen Bösewichter entsteht. Schon *Schopenhauer hat *Clavigo* für einen Typus der Tragödie in Anspruch genommen, bei dem das Unglück „durch die bloße Stellung der Personen gegen einander, durch ihre Verhältnisse" entsteht. Denn hier seien Charaktere gestaltet, „wie sie in moralischer Hinsicht gewöhnlich sind, unter Umständen, wie sie häufig eintreten, ohne... daß dabei das Unrecht auf irgend einer Seite ganz allein sei"

(Die Welt als Wille und Vorstellung, 3. Buch, Paragraph 51). Die tragischen Konflikte erwachsen bei Goethe aus den besonderen psychologischen Bedingungen, die einem Einzelfall zu Grunde gelegt sind.

Damit hängt auch das für Goethe so charakteristische Bedürfnis nach vielfältiger psychologischer Motivierung zusammen. *Was man Motive nennt, sind also eigentlich Phänomene des Menschengeistes, die sich wiederholt haben und wiederholen werden und die der Dichter nur als historische nachweist.* Es ist auffallend, in welchem Ausmaße im Goetheschen Drama das innere Leben der Personen vor dem äußeren an Übergewicht gewinnt. Auch hier muß noch einmal auf Goethes Naturanschauung hingewiesen werden. Diese leugnet die Sprünge und die plötzlichen Übergänge und sieht die Vorgänge des Lebens im Entwicklungszusammenhang der Metamorphose. Das vulkanisch Gewaltsame ist Goethe immer fremd, ja widerwärtig gewesen. Das macht verständlich, daß auch im Drama die innere Geschichte der Personen seit *Clavigo* eine ständig wachsende Bedeutung gewinnt. Goethe vermeidet das Gewaltsame, das an sich zur Form des Dramas gehört, denn jeder Übergang vom Gedanken zur Tat hat notwendig etwas Gewaltsames. Statt dessen liebt er, ganz im Gegensatz zu Schiller, das ausgedehnteste Motivieren, obgleich er selbst einmal später zugeben muß, daß es zwar das Individualisieren ins Unendliche treibe, aber gegen die Gesetzlichkeit des Dramas, das nun einmal tatsächliche Handlung verlangt, verstoße. Zu Eckermann erklärte er am 18. I. 1825: *Daß ich ... zu viel motivierte, entfernte meine Stücke vom Theater. Meine Eugenie ist eine Kette von lauter Motiven, und dies kann auf der Bühne kein Glück machen* (Bdm. 3, 159). In der Tat ließ die epische Neigung Goethes, Lebensvorgänge im Wachstum der Metamorphose zu deuten, im Dramatischen keine eigentliche, auf ein Ziel gerichtete „Spannung" aufkommen. Statt dessen begnügte sich Goethe mit der Kontrastierung der Personen und ihrer Wechselreden, mit „delikaten Wirkungen", mit dem szenischen Zustandsbild.

Wie stark auch der lyrische Einstrom in das Goethesche Drama sein kann, verdeutlicht besonders seine *Stella* (1774/75). Das „Schauspiel für Liebende", (Morris 5, 67), wächst bis in seine abgebrochene, stammelnde, mehr nach Ausdruck als nach Sinn strebende Sprachform aus der Atmosphäre der Empfindsamkeit. Es hat nichts von der Kälte der Analyse, die den *Clavigo* charakterisiert. Auch noch das

etwas künstliche Vermeiden der Katastrophe – erst der Goethe von 1806 gab dem Stück eine zweite, tragische Bühnenfassung – wird im Grunde nur durch den bis zum Schluß festgehaltenen gehobenen Ton der lyrischen Stimmung möglich gemacht. Dennoch birgt das Verhältnis der Geschlechter, wie es vom überschwänglich fühlenden Herzen her gedichtet ist, den Keim des Tragischen in sich. Glück wandelt sich in Elend, Leidenschaft in Schuld, Liebesrausch in Langeweile. Wie kommt es, daß die „ewigen Gefühle" Quelle des Glückes und des Elends zugleich sein können? Das ist die Frage, die den jungen Goethe stets von neuem beunruhigt. Wie kommt es, daß die irdische Liebe Begnadung und Verhängnis zugleich ist? Es ist das gleiche tragische Thema, wie es Goethe als Motto-Vers der zweiten Auflage des *Werther* 1775 voranstellte:

Ach der heiligste von unsern Trieben
Warum quillt aus ihm die grimme Pein?
(Morris 6, 446).

Bereits in der *Stella* wird sichtbar, daß Goethe in seinem dramatischen Stil die fehlende Einheit der Spannung und der Entladung durch eine Einheit des Gemüts, eine Einheit der Stimmung zu ersetzen sucht und damit das Dramatische dem Lyrischen annähert. Schon auf *Stella* läßt sich die Goethesche Kategorie des „Dämonischen" anwenden, freilich nur als Dämonie der Leidenschaft, als Widerspruch von Gefühl und Treue oder von Seligkeit und Schuld. Goethe hat das Tragische fast immer an die männliche Daseinsform geknüpft, während die weibliche Humanität der Stella und Cäcilie, der Iphigenie und der Prinzessin im Tasso dem Zugriff des Tragischen entrückt ist. Nur die Ottilie in Goethes *Wahlverwandtschaften* und in einer besonderen Weise auch die Eugenie in der *Natürlichen Tochter* sind Gestalten, bei denen der Umkreis des Tragischen auch auf das Weibliche ausgedehnt wird. Gretchen wiederum ist von sich aus keine tragische Gestalt, sondern nur das Opfer des dem Dämonischen verfallenen Mannes. Die enge Nachbarschaft des Dämonischen zum Tragischen bei Goethe wird besonders deutlich im *Egmont* (1775 bis 1787) und im *Torquato Tasso* (1780–1789). Hier geht es nicht mehr um Dämonie der Leidenschaft, sondern um das Dämonische schlechthin, das die menschliche Seele von innen und außen in jedem Augenblick geheimnisvoll bedroht. Denn dem Goetheschen Glauben an die Einheit des Seins steht die religiöse Einsicht in den immer wieder mög-

lichen Zwiespalt von äußerer Erscheinungsform und innerem Gesetz gegenüber, wie er im
Dämonischen als innerer Besessenheit, und im
Dämonischen, das der alte Goethe als ein Element des Universums selbst bezeichnet, jeden
schau- und greifbaren Zusammenhang aufhebt. Humanität als eine im seelisch-sittlichen
Bereich gefundene und im Gesellschaftlichen
verbindlich gewordene Ordnung wird stets von
neuem durch das Dämonische bedroht, das in
uns und um uns als eine Macht wirkt, die sich
dem Zugriff der menschlichen Vernunft und
des menschlichen Willens völlig entzieht, mag
es auch das eine Mal eine ,,durchaus positive
Tatkraft'' sein, das andere Mal eine Macht, die
den Menschen nur gefährdet und ruiniert.
Gleichgültig ob dieses Universal-Dämonische
im Einzelschicksal oder im Schicksal der Völker wirkt, ob es hilft oder vernichtet, in keinem
Falle kann der Mensch von sich aus frei darüber verfügen.

Der alte Goethe hat in *DuW* seinen jugendlichen Egmont von der Kategorie des Dämonischen aus interpretiert. In der Sprache des
jungen Goethe spricht es Egmont am Ende
des Dramas selber aus: *Es glaubt der Mensch
sein Leben zu leiten, sich selbst zu führen; und
sein Innerstes wird unwiderstehlich nach seinem Schicksale gezogen (I/8, 301).* Das Schwergewicht des ganzen Dramas, so hebt bereits
Schillers Rezension vom 20. X. 1788 hervor,
liegt durchaus auf dem Charakter, nicht
auf der Handlung, der Situation oder einer
einzelnen Leidenschaft. Diesen eigentümlich
für sich stehenden, von seiner Umwelt weitgehend isolierten Charakter suchte Schiller
mit der Formel von der ,,schönen Humanität'' zu deuten. Aber er vermißte dabei die
tragische Größe, den tragischen Ernst; der
geschichtliche Egmont, der Gatte und Vater
war, schien ihm weit mehr tragischer Held zu
sein als die liebenswürdige und leichtsinnige
Goethesche Privatperson, die gleichsam unter
dem Niveau der Geschichte bleibt, geschweige
denn, daß sie sich über dieses Niveau erhöbe!
Der Einwand verkennt das Wesen der Goetheschen Tragik. Denn es geht bei Goethe
gerade um das ewige Recht der Privatperson
noch gegen alle Geschichte, um ihr inneres
,,Wachstum'', ,,um den ganzen freien Wert des
Lebens'', um das Dasein ohne ,,Sorge'', um
den ,,innern Kern'' unserer ,,Eigenheit''. Die
Staatsräson Albas, die ,,nach einförmigen und
klaren Gesetzen'' die Provinzen regieren will,
vernichtet mit Egmont das Leben der Seele
und seinen ganzen Reichtum, den auch die
politische Welt nicht entbehren kann, wenn sie

nicht in einem abstrakten Automatismus der
Macht erstarren soll. Von hier aus gesehen ist
Goethes *Egmont* ein Drama gegen die Geschichte und gegen den Anspruch, den sie an
den Helden stellt. Erst im *entheroisierten Helden* werden jene Kräfte sichtbar, die dem sittlichen Wachstum der Natur angehören und
deren Zerstörung Frevel bedeutet: Vertrauen,
Liebe, Güte, Menschlichkeit und Toleranz,
Nähe zum Leben und auch zum Genusse des
Lebens. Goethe steht der politischen Welt mit
der Skepsis des Realisten gegenüber. Wohl bekennt er in einem Brief an Carl August am
17. XI. 1787: *Ich möchte nun nichts mehr schreiben, was nicht Menschen die ein großes und
bewegtes Leben führen und geführt haben, nicht
auch lesen dürften und möchten* (IV/8, 292).
Hingegen heißt es in der Italienischen Reise:
*Die Gestalt dieser Welt vergeht, ich möchte mich
nur mit dem beschäftigen, was bleibende Verhältnisse sind* (I/32, 62). Bereits im *Egmont*
wird Goethes Mißvergnügen an der Geschichte
spürbar, seine kühle zuschauende Reserve,
seine Abneigung gegen die vom Staate aufgerichteten künstlichen Schranken, die die
Flügel der Seele erlahmen lassen. Gewiß ist
der *Egmont* auch ein Freiheitsdrama. Aber es
geht dabei stets um konkrete und individuelle
Freiheiten, um die Privilegien und Rechte der
Niederländer, die sich nicht durch Landfremde
aus ihrem geschichtlich gewachsenen und darum organischen Lebenszusammenhang heraus-
drängen lassen wollen, um die Freiheit der
Liebe zwischen Egmont und Klärchen, die
jenseits aller gesellschaftlichen Abwertung wie
ein Stück Naturpoesie gedichtet ist, ja auch
noch um die Freiheit zum Tode, aus der heraus
Egmont, sogar angesichts des düsteren Scha-
fotts, auf eine intim persönliche Weise den
Sohn des ärgsten Feindes zum Freunde für
sich gewinnt.

Bezeichnend ist das Zwielicht, das über der
Darstellung des Volkes bei Goethe liegt. Die
anschauliche Kraft der Volksszenen hat Schiller mit Recht gelobt, alles sei hier mit der
,,höchsten Natur und Wahrheit'' dargestellt.
Behagliches Wohlwollen, Freude am vielfältig
Lebendigen liegt über diesen Szenen, in denen
sich Goethe zu der *Klasse von Menschen* bekannte, die *man die niedre nennt! die aber
gewiß für Gott die höchste ist* (an Frau v. Stein
4. XII. 1777 IV/3, 191). Es ist die gleiche Verteidigung der Naturwerte des Volkes, seiner
Offenheit und Treuherzigkeit, seines unverbil-
deten Lebens, die sich auch schon im *Werther*
finden läßt. Dennoch blickt bereits der italienische Goethe auf dieses Volk mit ironi-

scher Skepsis, einer Skepsis, die offensichtlich mit der gegen die Geschichte aufs engste zusammenhängt. Politisch gesehen wird das Volk völlig bedeutungslos. Die von Klärchen zum Befreiungskampf aufgerufenen Bürger weichen ängstlich zurück, im Ernstfall ist es ihnen nur darum zu tun, ihre eigene Haut noch heil aus allen Geschichtskrisen herauszubringen. Von der Perspektive der Geschichte aus gesehen wird das Volk zum willenlosen Pöbel, der dem jeweils stärksten Einfluß erliegt.

Realistisch sind nicht nur die Volksszenen, sondern auch die, in denen sich die dialogische Auseinandersetzung der Großen abspielt: die Regentin und Macchiavell, Alba und Egmont, Oranien und Egmont. Es geht um eine politische Argumentation, die auch bei entgegengesetzten Standpunkten stets auf die Wirklichkeit gerichtet ist. Vorkämpfer der „Idee", und seien sie auch noch so zweideutig, wie Schillers Posa, finden sich bei Goethe nicht. Egmont beruft sich auf die *alten Rechte,* auf die *alte Verfassung,* er betont die Freiheit der Männer des Volkes, *werth Gottes Boden zu betreten; ein jeder rund für sich, ein kleiner König, fest, rührig, fähig, treu, an alten Sitten hangend* (I/8, 267). Es gilt den Spielraum des Privaten in einer sich immer mehr einengenden geschichtlichen Welt auch für die Zukunft noch zu bewahren. Alba hingegen vertritt den neuen Standpunkt der fürstlichen Souveränität, eines realpolitischen und abstrakten Denkens, das auch gewachsene Verhältnisse auf Grund willkürlicher, aber seiner Meinung nach vernünftiger Eingriffe zu ändern bereit ist und gerade den Spielraum der privaten Freiheit im Interesse des Monarchen einschränken will. Wenn er Egmont vernichtet, so geschieht es nicht aus persönlicher Leidenschaft oder Bosheit, sondern aus einem Staatsinteresse, das für ihn mehr bedeutet als der persönliche Zauber dieses Mannes, von dem er als einziger nicht fasziniert wird. Auch Alba ist kein intrigierender Bösewicht.

Die realistische Prosa dieses Dramas mündet gegen Ende immer mehr in einen lyrischen, sich der Oper nähernden Stil. Das Lyrische hängt aufs engste mit dem zusammen, was Goethe später „dämonisch" genannt hat, mit jenem geheimnisvollen, individuellen Schicksalsgefühl, das sich zu einem unbekannten Ziel aufgerufen sieht und am Ende auch noch den Tod in sein Lebensbewußtsein mit einbezieht, so daß wir *eingehüllt in gefälligen Wahnsinn, versinken ... und hören auf zu sein* (I/8, 303). Dämonisch ist nicht nur das sieghafte

Vertrauen Egmonts zu sich selbst, seine *Attrattiva,* seine unbewußte Ausstrahlung, der er es verdankt, daß er – nach den Worten in *DuW* – *die Gunst des Volks, die stille Neigung einer Fürstin, die ausgesprochene eines Naturmädchens, die Teilnahme eines Staatsklugen, ... ja selbst den Sohn seines größten Widersachers für sich* gewinnt (I/29, 175); dämonisch ist ebenso, daß Egmont in Glück und Bedrohung seiner Existenz von einem dumpf empfundenen, unsichtbaren Schicksal geführt wird, über das ihm keine Macht gegeben ist, es sei denn *vom Steine hier, vom Sturze da die Räder wegzulenken* (I/8, 220).

Das Lyrisch-Dämonische mündet in die Musik, so schon beim Tode Klärchens, noch ausdrücklicher in Schlaf und Traum Egmonts, als die Allegorie der Freiheit mit den Zügen Klärchens erscheint und dem „Sieger" den Lorbeerkranz überreicht. Erst jetzt wird der entheroisierte Held von neuem zum heroischen Helden umgeschaffen. Sein Tod steht stellvertretend für den kommenden Freiheitskampf der Niederlande. Das lyrisch Schmelzende und wehmütig Rührende des Schlusses soll die Tragik der vereinsamten Einzelperson wieder auflösen durch die Aussicht, daß der Untergang des *Liebenswürdigen* und der Triumph des *Gehaßten* einem *Dritten* den Weg bereite, *das dem Wunsch aller Menschen entsprechen werde* (I/29, 175). *Musik, *Allegorie, *Traum und *Pantomine stehen stellvertretend für eine solche Versöhnung.

Wir haben schon auf die Neigung Goethes hingewiesen, die dramatische Einheit der Spannung und der Entladung durch eine Einheit des Gemütes und der Stimmung zu ersetzen. Wenn auch Goethe das bloße Aneinanderreihen von Szenen gelegentlich verteidigt, so kann es ihm doch nicht genügen. *Irgend ein vorbereitender Anteil muß schon in der Menge walten, und wenn man diesen aufzufassen, den Augenblick zu nutzen weiß, so darf man seiner Wirkung gewiß sein... Man gedenke der unwiderstehlichen Gewalt tragischer Chöre der Griechen. Wodurch steigern sie sich aber als auf dem dazwischen von einem Akt zum anderen sich steigernden dramatischen Interesse* (I/41^I, 347f.). Diese hier von Goethe betonte Steigerung liegt offensichtlich mehr im Lyrischen und Gemüthaften, ja im Musikalischen. Eine Bemerkung aus dem Jahre 1813 gibt hier weitere Aufschlüsse. Am Ende eines Dramas *soll die Empfindung, in der Mitte die Vernunft, am Anfang der Verstand vorwalten und alles gleichmäßig durch eine lebhaft-klare Einbildungskraft vorgetragen werden* (I/42^{II}, 251). Die Betonung des lyrischen Abschlusses beim Drama wird gerade beim *Egmont* besonders deutlich. Hinzu kommt noch, allerdings vorwiegend beim klassischen Goethe, ein dem Drama widersprechendes Verweilen, ein Auskosten des Augenblicks, eine Vorliebe für die Vergegenwärtigung des Einzelbildes, die notwendigerweise den Plan des Ganzen zurücktreten lassen mußten. Sicher hängt auch Goethes Abneigung gegen die Verwendung von Intrigen, überhaupt von besonderen Verwicklungen, mit dieser seit dem *Egmont* sich immer nachdrücklicher entwickelnden Stilform zusammen. Liebevoll versenkt sich Goethe in die einzelne Szene, hat aber beim ersten oder zweiten Akt noch keineswegs klar und zielstrebig den letzten vor Augen. Schiller, der geborene Dramatiker, hatte dieses goethesche Verfahren bereits in seiner Egmontkritik getadelt. Aber es gehört eben zur Eigenart goethescher Dramatik, daß lyrische und epische Stiltendenzen durchaus mit am Dramatischen beteiligt sind. In der klassischen Zeit ist es wohl auch der Einfluß der plastischen Kunst, der zu einer epischen Überbetonung des Zuständlichen im Drama führt. Goethe hebt hervor, *wie nah der bildende Künstler mit dem Dramatiker verwandt ist* (an Schiller, 27. XII. 1797 IV/12, 387). Im Anschluß an einige Szenen des *Aristophanes meint er, daß ihm diese wie *antike Basreliefe* erscheinen. *Es kommt im Ganzen und im Einzelnen alles darauf an: daß alles von einander abgesondert, daß kein Moment dem andern gleich sei* (an Schiller, 8. IV. 1797 IV/12, 85). Solches modellierende, individualisierende und stilisierende Verfahren, das nach dem „Prinzip der Reliefbehandlung" vorgeht (vgl. darüber E. von Sydow, Die Kultur des deutschen Klassizismus, Berlin 1926, S. 159) hat Goethe in den Szenenbildern seiner klassischen Zeit selber angewandt.

Man sollte nun meinen, daß bei solcher freien Verbindung lyrischer, epischer und dramatischer Stiltendenzen der klassische Goethe das Problem der Gattungen notwendig vernachlässigen mußte. Aber so einfach liegen die Dinge wiederum nicht. Goethe hat die Unterschiede zwischen den Dichtungsgattungen wiederholt betont, ja sich ausdrücklich um sie bemüht. Im Briefwechsel mit Schiller nimmt die Diskussion über die Qualifikation bestimmter Stoffe zur epischen oder dramatischen Behandlungsweise einen breiten Raum ein. Offensichtlich sollen hier auch der Freiheit des Genies Schranken auferlegt werden, die es nicht zu durchbrechen, sondern anzuerkennen gilt.

Der Brief an Schiller vom 23. XII. 1797 betont ausdrücklich, daß man den *kindischen, barbarischen, abgeschmackten* Tendenzen des Zeitalters widerstehen müsse, die nach der Lesung eines guten Romans diesen gleich auf dem Theater sehen wollen, denn es gelte Kunstwerk von Kunstwerk durch undurchdringlichen Zauberkreis zu sondern, *jedes bei seiner Eigenschaft und seinen Eigenheiten* zu erhalten, so wie es die Alten getan haben* (IV/12, 382f.). Noch schroffer ist um die gleiche Zeit die Absage an Vermischung der Gattungen in den *Propyläen* von 1798: *Eines der vorzüglichsten Kennzeichen des Verfalles der Kunst ist die Vermischung der verschiedenen Arten derselben. Die Künste selbst, so wie ihre Arten, sind unter einander verwandt, sie haben eine gewisse Neigung, sich zu vereinigen, ja, sich in einander zu verlieren. Aber eben darin besteht die Pflicht, das Verdienst, die Würde des echten Künstlers, daß er das Kunstfach, in welchem er arbeitet, von andern abzusondern, jede Kunst und Kunstart auf sich selbst zu stellen und sie aufs möglichste zu isolieren wisse* (I/42, 22). Freilich wird dieser strenge Standpunkt im Briefwechsel mit Schiller nicht festgehalten, sondern gerade der in theoretischen Dingen begabtere Freund gibt Goethe die für ihn nötige künstlerische Freiheit wieder zurück, wenn er betont, daß *Hermann und Dorothea* eine „gewisse Hinneigung zur Tragödie" hat, die *Iphigenie* hingegen ins epische Feld hinüberschlage und ihre Wirkung „generisch, poetisch" sei (an Goethe, 26. XII. 1797). Goethe betont erfreut in seiner Antwort: *Eine Abweichung, von deren Notwendigkeit man überzeugt ist, kann nicht zum Fehler werden* (IV/12, 388). Die gemeinsame Bemühung um die Verschiedenheit der Dichtungsarten wird in dem kleinen Versuch *Über epische und dramatische Dichtung* zusammengefaßt, den Goethe mit dem Brief vom 23. XII. 1797 an Schiller sandte. Darin heißt es: *Der Epiker und der Dramatiker sind beide den allgemeinen poetischen Gesetzen unterworfen, besonders dem Gesetze der Einheit und dem Gesetze der Entfaltung; ferner behandeln sie beide ähnliche Gegenstände, und können beide alle Arten von Motiven brauchen; ihr großer wesentlicher Unterschied beruht aber darin, daß der Epiker die Begebenheit als vollkommen vergangen vorträgt, und der Dramatiker sie als vollkommen gegenwärtig vorträgt. Das epische Gedicht stellt vorzüglich persönlich beschränkte Tätigkeit, die Tragödie persönlich beschränktes Leiden vor; das epische Gedicht den außer sich wirkenden Menschen: Schlachten, Reisen, jede Art von*

Unternehmung, die eine gewisse sinnliche Breite fordert; die Tragödie den nach innen geführten Menschen, und die Handlungen der echten Tragödie bedürfen daher nur weniges Raums (I/42², 220f.). Allerdings nimmt Goethe diese theoretischen Unterscheidungen nicht so ernst wie Schiller, dem wir die entscheidenderen Einsichten in das Wesen der Dichtungsarten verdanken. Liest man im 7. Kapitel des 5. Buches von *Wilhelm Meisters Lehrjahren* die Unterhaltung nach, ob der *Roman oder das Drama den Vorzug verdiene, so sind hier zum Teil abweichende Ergebnisse formuliert. *Im Roman sollen vorzüglich Gesinnungen und Begebenheiten vorgestellt werden; im Drama Charaktere und Taten. Der Roman muß langsam gehen, und die Gesinnungen der Hauptfigur müssen, es sei auf welche Weise es wolle, das Vordringen des Ganzen zur Entwickelung aufhalten. Das Drama soll eilen, und der Charakter der Hauptfigur muß sich nach dem Ende drängen, und nur aufgehalten werden. Der Romanheld muß leidend, wenigstens nicht in hohem Grade wirkend sein; von dem dramatischen verlangt man Wirkung und Tat... Im Drama modelt der Held nichts nach sich, alles widersteht ihm, und er räumt und rückt die Hindernisse aus dem Wege, oder unterliegt ihnen.* Daran anschließend wird die Bedeutung des Schicksals im Drama, des Zufalls im Roman hervorgehoben. Erst durch das Schicksal, *das die Menschen, ohne ihr Zutun, durch unzusammenhängende äußere Umstände zu einer unvorgesehenen Katastrophe hindrängt,* wird die eigentlich tragische Situation möglich, weil es *schuldige und unschuldige, von einander unabhängige Taten in eine unglückliche Verknüpfung bringt* (I/22, 178f.).
Vergleicht man diese Äußerungen miteinander, so sieht man, das eine Mal wird vom Drama, insbesondere der Tragödie, *persönlich beschränktes Leiden,* der nach *innen geführte Mensch* verlangt, das andere Mal *Wirkung und Tat,* zu denen dann freilich der vom Menschen weitgehend unabhängige Begriff des Schicksals tritt. Klare und gültige Unterscheidungen sind hier nicht gewonnen worden. Es überrascht daher nicht, daß Goethe im Alter zwar nach wie vor an der *Absonderung der Dicht- und Redearten* festhält, weil sie *in der Natur der Dicht- und Redekunst selbst* läge, aber doch ausdrücklich gegen das Gottschedsche *Fächerwerk* Partei ergreift, weil es *den innern Begriff der Poesie* zugrunde richte (vgl. 7. Buch von *DuW*). In den *Noten und Abhandlungen zum Divan* wird dann deutlich unterschieden zwischen *Dichtarten* als bloßen

Rubriken, die bald nach äußern Kennzeichen, bald nach dem Inhalt, wenige aber einer *wesentlichen Form* nach benamst sind, und den drei *echten Naturformen der Poesie,* der klar erzählenden, der enthusiastisch-aufgeregten und der persönlich handelnden: *Epos, Lyrik und Drama* (I/7, 118). Ausdrücklich wird hervorgehoben, daß man sie oft schon in kleinsten Gedicht beieinander findet – Goethes Balladentheorie von 1821 von dem *lebendigen Urei* (I/41ᴵ, 224) der Poesie wird von hier aus verständlich – und daß sie sowohl zusammen wie abgesondert wirken können. Damit wird die formale, überlieferte Gattungsästhetik durchbrochen zugunsten einer Phänomenologie des Lyrischen, Epischen und Dramatischen, wie sie heute Emil Staiger in seinen „Grundbegriffen der Poetik" vorträgt. Bezeichnend dafür ist ein von Goethe angeführtes Beispiel. *Im französischen Trauerspiel ist die Exposition episch, die Mitte dramatisch, und den fünften Akt, der leidenschaftlich und enthusiastisch ausläuft, kann man lyrisch nennen* (I/7, 118). Offensichtlich kommt es dem alten Goethe gerade auf dieses Zusammenwirken verschiedener Stilformen an, das er auch bei der Besprechung von Arnolds „Pfingstmontag" 1820 hervorhebt. Alle Personen *handeln und reden vor uns meist dramatisch lebhaft; weil sie aber ihre Zustände ausführlich entwickeln sollen, so neigt sich die Behandlung ins Epische, und damit uns ja die sämtlichen Formen vorgeführt werden, weiß der Verfasser den anmutigsten lyrischen Abschluß herbeizuleiten* (I/41ᴵ, 148). Das Ergebnis unserer Darstellung über Goethes Verhältnis zu den Gattungen sieht also so aus: Im ganzen hat Goethe in seiner Entwicklung doch an dem Generischen der Poesie festgehalten und, ungeachtet aller Verschiedenheit der Dichtungsarten, seinen Blick immer wieder auf ihr Zusammenwirken, auch und gerade im dramatischen Gedicht gerichtet. Dafür bot sich ihm im Alter die glückliche Unterscheidung von bloßen Rubriken und echten Naturformen der Poesie (I/7, 118f.) an. Nur aus diesem Streben nach einer dichterischen Universalität hat Goethe seinen *Faust* gestalten können. Zunächst begegnet uns diese Universalität bereits in der Formensprache, für die der *Blankvers längst nicht mehr genügt und die über *Knittelvers, fünffüßigen *Jambus bis zum Madrigalvers, zum antiken Trimeter, zum freien Rhythmus und zur Prosa reicht. Universalität tritt uns hier aber auch im Ineinanderspielen der Räume und der Zeiten entgegen, die sich zumal im zweiten Teil der Dichtung bis zur Verwandlung des Geschichtlichen ins

Mythologische steigert. Vor allem aber dürfen wir von einer Universalität des Gehaltes sprechen. Denn *Faust* ist ein Weltgedicht, das die Grenzen der dramatischen Form in voller Absicht sprengt. In der paradoxen Einheit eines als „Mysterienspiel" gefaßten Rahmens und einer als „Tragödie" gedichteten Binnenhandlung werden hier für die extremen Möglichkeiten des Menschseins an einem einzelnen exemplarischen Fall, an einer großen „Monade" sichtbar gemacht. Faust ist weder als Vorbild noch als abschreckendes Beispiel gemeint. Er verdeutlicht die höchsten Gefahren, die dem Menschen in dieser Welt erwachsen. Soweit er das Unauflösbare des menschlichen Loses darstellt, ist er Tragödie. Läuterungsdrama im Sinne der Humanität ist er nicht mehr. Dennoch zeigt gerade diese Dichtung, vom sinngebenden und umschließenden Kosmos her, auch die heilenden und wiederherstellenden Kräfte und überwindet so die bannende Zone des Tragischen durch das Mysterium der Erlösung des ewig Strebenden.

Der *Egmont*, dessen lange Entstehungszeit von 1775 bis 1787 reichte, steht bereits an der Schwelle des klassischen Dramas. Den eigentlichen Durchbruch jedoch erreicht Goethe erst mit seinem Schauspiel *Iphigenie auf Tauris*. Doch bedurfte es eines langen Umschmelzungsprozesses, bis Goethe 1787 in *Rom seinem Drama die endgültige Gestalt in reimlosen fünffüßigen Jamben (Blankversen) geben konnte. Die erste Fassung war in Prosa geschrieben und wurde bereits am 6. IV. 1779, wenige Tage nach der *Pariser Aufführung von Glucks „Iphigenie in Tauris", auf der Weimarer Liebhaberbühne mit Goethe als Orest gespielt. Dann folgte im nächsten Jahr eine Bühnenbearbeitung in freien Rhythmen, und erst sehr allmählich gelang es Goethe, *die schlotternde Prosa der Ur-Iphigenie in einen gemesseneren Schritt* (IV/8, 134) umzuwandeln. Die viermalige formale Umgestaltung der Iphigenie (vgl. dazu Jacob Baechtold, Iphigenie auf Tauris in vierfacher Gestalt, Freiburg und Tübingen 1883 und den Anhang des 39. Bandes der WA) wollte dem Drama mehr „Harmonie im Stil" verschaffen. Immer entspricht aber auch einem neuen Stilwillen eine neue veränderte Haltung. Dem klassischen Goethe ging es um die Herausarbeitung vorbildlicher Seelenhaltungen, um Werte des Menschseins, um die Betonung von Ordnung und Maß auch und gerade noch innerhalb einer unruhigen, vom Schicksal bedrohten Welt. Es ist klassischer Glaube, daß die schaffende Bildungskraft des Menschen alles Innere in klare Gestalt verwandeln kann, alles Subjektive in die Dauerhaftigkeit eines gültigen objektiven Gebildes hinaufläutern kann. Vorbilder für dieses neue Menschenbild waren nicht die Römer und ihre staatliche Gesinnung, nicht die stoische Philosophie von einer letzten Unempfindlichkeit der Seele, sondern die Griechen, so wie sie von Goethe und Schiller gedeutet wurden. Auch Schiller spürte bereits 1789 in seiner Rezension der Goetheschen *Iphigenie* den Geist des Altertums in einer lebendigen Erneuerung, und er begriff gerade an dieser Dichtung Goethes, „wie groß sein schöpferischer Geist auch im größten Zwang der Regel bleibt". Zur klassischen Gesinnung des deutschen Dramas gehört die freiwillige Unterwerfung unter das Gesetz der Form. Es geht hier um jene Mitte der Menschheit, die nicht mehr tragisch zerstört wird, sondern sich mit der Ordnung des Kosmos wieder aussöhnen läßt. Das ist nur durch ästhetisches Maß und durch sittliche Reinheit möglich.

Von der Gewalt, die alle Wesen bindet,
Befreit der Mensch sich, der sich überwindet.

Eine solche Haltung ist von der antiken Vorlage des Euripides doch wieder recht weit entfernt. Dort ging es um die Gewinnung des Kultbildes der Artemis, die allein dem von den Furien verfolgten Orest die Heilung bringen konnte, am Ende jedoch nur mit der Hilfe der Göttin Athene möglich war. Für Goethe ist die Entsühnung des Orest nicht ein kultisch mythischer, sondern ein innerseelischer Vorgang, den er ausdrücklich die Achse des Stückes genannt hat. Gerade Iphigenie ist im besonderen Ausmaß das Bruchstück einer großen Konfession (I/27,110), sie ist der Spiegel persönlicher goethescher Konflikte und seines besonderen Verhältnisses zur Frau, dh. zu Charlotte von *Stein in der frühen Weimarer Zeit. Hier sind vor allem die Worte zu nennen, die Goethe bereits am 7. VIII. 1779 in sein Tagebuch einträgt: *Möge die Idee des Reinen die sich bis auf den Bissen erstreckt den ich in Mund nehme, immer lichter in mir werden!* (III/1, 94). „Rein", „fromm", „gelassen", diese und verwandte Adjektive begleiten den Goetheschen Begriff der „Stille" und des „Herzens", der weit mehr noch auf mystisch Christliches als auf griechisches Erbe hinweist; der Mensch wird zum Gefäß, das den Willen Gottes mit einer besonderen Innigkeit in sich hineinzunehmen vermag. Nicht der trunkene Augenblick, sondern das „reine" Wesen in seiner zeitentrückten, ewigen Gültigkeit vermag dem ruhelosen, von fruchtloser Reue und Sorgen gequälten Goethe-Orest die Wiedergeburt, die Heilung durch Natur und durch Menschlichkeit zu schenken. Hierin ist Goethes *Iphigenie* unmittelbar mit der epischen Dichtung von 1784 *Die Geheimnisse* verwandt.

Freilich, der Stoff der *Iphigenie* stammt durchaus aus der Welt des griechischen Mythos. Aber der dunkle Hintergrund des Tantalidenschicksals dient doch nur dazu, die erlösende Kraft des reinen, adligen und gläubigen Menschentums um so leuchtender sichtbar werden zu lassen. Es ist nicht zufällig, sondern wesentlich, daß nicht dem Manne, sondern gerade der Frau, deren Zustand mit Nachdruck als „beklagenswert" bezeichnet wird, dieser Durchbruch zur reinen Menschlichkeit gelingt. Iphigenie ist keine heroische Siegerin, sie ist die Wehrlose und die Verbannte, die dennoch die heile Welt wiederherstellt.

Gewalt und List, der Männer höchster Ruhm
Wird durch die Wahrheit dieser hohen Seele
Beschämt (I/10,94).

Die Gegenposition der männlichen Welt spricht der Freund Pylades aus mit Argumenten, die bereits an die des Schillerschen Wallenstein in seinem Gespräch mit Max Piccolomini erinnern.

So wunderbar ist dies Geschlecht gebildet,
So vielfach ist's verschlungen und verknüpft,
Daß keiner in sich selbst, noch mit den andern
Sich rein und unverworren halten kann.
(I/10, 72).

Das alles ist Goethe und nicht Euripides. Allerdings ist auch die Goethesche Iphigenie Tantalidentochter, die unter der tragischen Macht des Geschlechterfluches steht und das dunkle Parzenlied, das Lied von der ewigen Trennung der Götter und der Menschen, singt. Aber der griechische Mythos wird aus dem Geist eines christlichen Jahrhunderts von innen her abgewandelt und umgestaltet. So kann das antik Tragische transzendiert werden durch eine neue griechisch-christliche Weltfrömmigkeit, die das Göttliche in der eigenen Seele bewahren will und ihm eben damit auch in der Welt zum Durchbruch verhilft. Nach Goethes Worten ist seine Iphigenie *verteufelt human,* und er bekennt in der *Italienischen Reise,* daß er ihr kein Wort in den Mund gelegt habe, das nicht auch eine heilige Agatha von Raphael hätte sprechen können. In diesem Sinne ist die Goethesche *Iphigenie* ein Seelen- und Läuterungsdrama. Es mußte seine neue „Harmonie im Stil" mit einem weitgehenden

Verlust an Handlung, an geschichtlicher Welt, an mimischer Bewegung, an theatralischer Lebendigkeit erkaufen. Die Charaktere werden ganz nach innen geführt, der dramatische Vorgang beschränkt sich auf das Notwendigste; alles ist leise, verhalten, im gesamten Stil spiegelt sich der Wille zu Maß und Grenze, zu Ordnung und Gesetz, der auch die Haltung der wenigen Figuren, um die sich das dramatische Spiel gruppiert, freiwillig oder unfreiwillig bestimmt. Selbst der Barbarenkönig Thoas wird am Ende durch die Kraft der Innerlichkeit, durch den Mut zur Wahrheit gewonnen. Ein solcher Schluß wäre bei Euripides undenkbar gewesen. Dennoch ist dies nicht – wie noch in Lessings „Nathan der Weise" – in einem gewollt belehrenden und erzieherischen Sinne gemeint. Ausdrücklich hebt Goethe in *DuW* hervor, daß die wahre Darstellung keine didaktischen Zwecke braucht. *Sie billigt nicht, sie tadelt nicht, sondern sie entwickelt die Gesinnungen und Handlungen in ihrer Folge und dadurch erleuchtet und belehrt sie* (I/28, 228).

Von einem klassizistischen Formalismus ist das alles weit entfernt. Auch hier steht die Einzelseele ganz im Mittelpunkt des goetheschen Dramas. Man könnte es Humanität der Person nennen, wenn man darunter die ganz Darstellung gewordene, aus der Gesinnung entspringende Handlung versteht. Die höchste, im Symbol des Weiblichen gedichtete Würde des Menschen besteht darin, daß das Ich selbst dienend und liebend das göttliche Maß der Welt zu erhalten und zu tragen vermag. *Ganz unbefleckt genießt sich nur das Herz* (I/10, 71). Aber freilich darf darüber das düstere Geflecht von Lüge und Verstrickung, von Schicksalsbedrängnis und Machtanspruch, von Götterferne und nackter Lebensnot nicht übersehen werden, dem auch und gerade Iphigenie ausgesetzt ist. Erst in der nicht titanisch erzwungenen, sondern reinen Antwort auf die gewaltsamen Verhältnisse des Tragischen, auf die ungeheure Opposition (vgl. I/28, 314), auf das Leid der Entwurzelung und auf die Dämonie des Geschlechterfluches kann das verdunkelte Bild der Gott-Natur von neuem sichtbar werden. Das versteht Goethe unter „reiner Menschlichkeit", die ebenso eine persönliche Leistung wie Gnade von oben ist. Denn die Götter helfen dem bedrohten Wesen Mensch nur dort, wo er das freie Vertrauen zu der mitgenießenden, fröhlichen Anteilnahme der Sterblichen am göttlichen Himmel nicht verliert. Dann aber kann das Innerste im Menschen mit dem gültigen, unzerstörbaren Gesetz des Kosmos übereinstimmen. Denn nicht der ehernen Hand der Not gehorcht Iphigenie, sondern nur dem unzerstörbaren Glauben an die ewige Macht der Wahrheit, die stärker ist als alle von Menschen errichteten Zwänge. In solcher Darstellung einer erlösten Welt konnte Goethes Iphigenie nicht nur griechisch, sondern mußte auch christlich und deutsch-idealistisch sein. Rudolf Alexander Schröder weist in seiner Rede über Goethes *Iphigenie* auf einen Satz Kants hin, der wie eine Glosse zur *Iphigenie* lautet. „Die Maxime der Selbstliebe (Klugheit) rät bloß an; das Gesetz der Sittlichkeit gebietet." Die Nähe der *Iphigenie* zum Kantischen Idealismus zeigt auch ein weiterer Satz: „Freiheit und unbedingtes Gesetz weisen wechselseitig aufeinander zurück." So wird man auch von diesem Werk sagen dürfen, daß die hier entscheidenden Begriffe „Reinheit", „Freiheit" und „Wahrheit" in ihrem tiefsten Grunde identisch sind. Auf ihnen beruht die Möglichkeit, daß der Mensch von der tragischen Macht des Tantalidenfluches überhaupt erlöst werden kann.

Neben *Iphigenie* steht *Torquato Tasso*. Auch hier ist alles nach innen geführt, und die Personen sprechen eine gehobene, stilisierte Sprache. Noch die tiefste Qual ertönt im Wohllaut des Verses, da „Musik" – nach Mozarts Worten–„allzeit Musik bleiben muß". Die Weimarische Niederschrift der zwei ersten Aufzüge des *Tasso*, die noch in Prosa abgefaßt waren, hat Goethe vernichtet. Das bereits im Juli 1780 begonnene Drama wurde erst nach der Rückkehr aus Italien im Lustschloß Belvedere abgeschlossen.

So sehr auch *Torquato Tasso* ein Drama des klassischen Goethe ist, gerade diese Dichtung zeigt stärker als jede andere, daß das Klassische bei Goethe keineswegs schon eine Transzendierung oder Überwindung des Tragischen bedeuten muß. Denn nirgends wird im Goetheschen Drama so sichtbar, wie nahe das Schöne dem Schrecklichen benachbart bleibt. Hier haben wir den einzigartigen Fall in der gesamten *Weltliteratur, daß von einem Dichter die Tragödie des Dichterseins selbst gedichtet ist. Gemeint ist ein Urdichtertum, ein Weltdichtertum, das in den höfischen Formen der Gesellschaft – hinter dem Hof von Ferrara ist der von Weimar unschwer zu erkennen – nie ganz aufgehen kann.

Der alte Goethe hat in seinen Gesprächen mit Eckermann am 8. III. 1831 über die Poesie geäußert, daß in ihr etwas durchaus Dämonisches waltet, *und zwar vorzüglich in der unbewußten, bei der aller Verstand und alle Ver-*

nunft zu kurz kommt, und die daher auch so über alle Begriffe wirkt (Bdm. 4, 340). Blickt man von dieser Äußerung auf den *Tasso* zurück, so sieht man, daß hier das Poetische als das Dämonische gedichtet ist. Das Drama von dem unglücklichen Dichter, der durch einen selbstzerstörerischen Wahn sein zunächst glückliches Verhältnis zum Hofe von Ferrara zerstört, darf nicht als eine bloße Krankheitsgeschichte mißverstanden werden. Gewiß handelt es sich auch um einen pathologischen Sonderfall, um das gestörte Gleichgewicht einer Seele, deren schweifende Phantasie, deren Mangel an Wirklichkeitssinn, deren sprunghafter Wechsel von Introversion und Extraversion bis zum Verfolgungswahn vom Dramatiker Goethe als ein psychisch-sittliches Phänomen analysiert wird. Aber der Psychopath verdient noch lange nicht das Goethesche Prädikat dämonisch.

Dämonisch wird Tasso erst, weil die gleichen Eigenschaften, die ihn an der Wirklichkeit scheitern lassen, auch wieder die Voraussetzung für seine adlige und einmalige dichterische Sendung sind. Die tragische Aporie von Begnadung und Wahn charakterisiert ihn genauso wie Egmont. Tasso lebt von der Phantasie und nur von der Phantasie her, von der unbegreiflichen Eingebung, das heißt überflutend, maßlos, formlos, nur ichbezogen. Sein ganzes Wesen sprengt von Anfang an die Form. Unter Form verstehen wir hier eine kunstvolle vernünftige Bewältigung des Lebens. Tasso hingegen läßt sich nur vom Unbewußten leiten, aber gerade das macht ihn zum Dichter. Form bedeutet jedoch am Hofe von Ferrara alles. Sie heißt Lebenskunst, Distanz, Disziplin und Selbstbeherrschung, Anerkennung gemeinsamer Spielregeln. Tasso hingegen ist ein Besessener, ein Begeisterter. Er ist blind gegen das Wirkliche, weil sich ihm alles in Phantasie verwandelt. Er gleicht dem Spieler auf der Bühne, der nur sein eigenes Stichwort hört und nicht die Stichworte der anderen. Die mahnenden Aufforderungen, sich dem eigenen Inneren zu entreißen, das Gegenwärtige nicht zu verkennen, sich handelnd zu vergleichen, gehen ins Leere.

Wir empfinden diesen Gegensatz des dämonisch von sich selbst besessenen Künstlers und der ihm gegenüberstehenden, vom Gesetz des Maßes und der Form beherrschten Gemeinschaft um so tragischer, als diese Gemeinschaft ja nichts anderes wünscht, als sich den Dichter zu bewahren und zu erhalten. Denn die Stimme des Dichters schließt ihnen allen ihr eigentliches Dasein erst auf, im Spiegelbild seiner

Seele erfahren sie ein erhöhtes Bewußtsein auch ihres persönlichen Wertes. Keiner will den Dichter verdrängen, auch Antonio nicht, fast alle wetteifern, ihn zu schmücken, zu lohnen, zu schützen. Wo hätte Tasso besser leben können als an diesem Hofe, von aller Lebenssorge befreit, von einem fürstlichen Mäzen beschützt und von der Gunst der Frauen beschwingt? Dennoch geht er zu Grunde. Dieser Untergang ist eine dämonische Selbstzerstörung, bei der die Kraft der Inspiration in das Verhängnis des Wahnes umschlägt. Es gehört zum unvergleichlichen Reiz der Tasso-Dichtung, daß sie mit der Darstellung eines pathologischen Zustandes immer auch zugleich die besondere Eigentümlichkeit des dichterischen Lebensgefühles sichtbar macht, welches gerade aus dieser Gefährdung seine einmalige Kraft schöpft.

Aber die Bedeutung dieses Dramas ist damit noch nicht erschöpft. Die Forschungen von W. Rasch und M. Wilkinson haben gezeigt, daß hier die Tragödie eines Dichters selber zum Gegenstand der Bühne wird. Goethe hat von Tasso nicht nur behauptet, daß er dichtet, sondern er zeigt ihn, durchaus unterschieden von allen anderen Gestalten des Dramas, in verschiedenen Augenblicken als den von der Eingebung der Vision aus empfindenden Künstler, dem eine einzelne Situation nur zum Anlaß dient, sie zu einem selbständigen, eigenen Bildganzen zu entfalten. Das Verhängnis Tassos beginnt jedoch erst dort, wo er darüber hinaus auch die Wirklichkeit mit Hilfe seiner Phantasie zurechtzubiegen versucht und sich damit in den Wahn verstrickt. Das geschieht vor allem in den großen Monologen, während der Tasso des Ausgangs, der seinen eigenen selbstzerstörerischen Wahn durchschauen muß, sich noch einmal auf die ganz andere Ebene des rein künstlerischen Sprechens erhebt.

So hat Goethe im *Tasso* das tragische Leiden des Dichters gestaltet, das aus einem Zuviel an einfühlender Phantasie und aus einem Zuwenig an formender Vernunft entspringt. Diese Tragik konnte freilich nur so lange überzeugend bleiben, als der Glaube an dichterische Sendung noch erhalten blieb. Am Ausgang des 19. Jahrhunderts mußte selbst für einen so überlegenen Geist wie den alten Fontane die höfische Kulisse und der ganze Aufwand um einiger „Dichterreizbarkeiten" willen als unsinnig erscheinen. „Aber Hof- und Salongeschichten haben ihre Zeit, und zu dem Gleichgültigsten von der Welt gehören Dichterreizbarkeiten" (Theodor Fontane, Cause-

rien über das Theater, Berlin 1905, S. 58). Aber damit ist das Dämonische in Tassos Wesen verkannt. Dämonisch ist Tasso – so hoben wir schon hervor – weil es die gleichen Seelenmächte sind, die ihn liebenswürdig, ungewöhnlich und bezaubernd produktiv machen, ihn aber auch wieder in den Abgrund einer unvermeidlichen Selbstzerstörung hinabstoßen. Ein Dichter zu sein bedeutet hier Gnade und Fluch zugleich. Am Ende bleibt dem Dichter nur noch der unverlierbare Trost des Gesanges, um den Schmerz seiner irdischen Existenz zu ertragen.

Und wenn der Mensch in seiner Qual verstummt,
Gab mir ein Gott, zu sagen, wie ich leide.

Goethe hat mit dem *Tasso* seine eigene Grenzsituation als Dichter gedichtet. Es ist das Gedicht von dem Poeten, dem die holde Gabe der Phantasie zu einem dämonischen Verhängnis wurde. Er mußte sein ungeheures Dasein als Ausnahme, seine Vereinzelung als Dichter, damit bezahlen, daß er seine irdische Existenz für immer untergrub und nur noch in dem schon übersinnlich gewordenen Leid des Gedichtes weiterzuleben vermochte. Gewiß ist Tasso ein Extrem des Dichterischen, wir mögen es nun sentimentalisch oder romantisch nennen. Goethe selbst hat einmal seinen Tasso „einen gesteigerten Werther" genannt, Dichtung ist hier nicht das Normale, sondern gerade das Exzentrische, Abwegige, Bodenlose, ja sogar Kranke. Aber trotz allem behält dieses hier gedichtete Extrem seine eigene Wahrheit. Indem Goethe das rein Dämonische am Dichter zum Gegenstand eines tragischen Dramas macht, befreit er sich selbst von dieser geheimen Möglichkeit seines Wesens und ruft zugleich alle Gegenkräfte in sich auf, die dem dämonischen Genius Einhalt zu gebieten vermögen. Goethes eigenes Wesen war reich genug, die entgegengesetzten Lebensformen von Weltmann und Dichter, von Antonio und Tasso, von gesellschaftlicher Humanität und dichterischer Dämonie in ihrer polaren Spannung zu umgreifen. Mit dem *Tasso* wehrt er sich gegen die Gefahr seines Wesens, sich an das bloße Dichtertum zu verlieren und darüber die undämonisch ordnende Kraft der Vernunft preiszugeben. Es will uns scheinen, als ob Goethe damit die geheime Versuchung des Dichters gebannt hat, zugunsten der weder an Raum noch an Zeit gebundenen Macht der Phantasie die fest gegründete Erde und ihre irdischen Ordnungen zu opfern. Der Ausgang des Dramas erfaßt die tragische Situation noch einmal im gleichnishaften Bild. Das Wesen des Dichters ist das der sturmbewegten

Welle. Aber es gehört zu seiner Paradoxie, daß er, der mit dem Urelement des Meeres eins ist, durch eben dieses Meer seine Zerstörung erfährt, und das Bild von der Welle verwandelt sich in das von dem scheiternden Schiffe, das an dem Elemente selbst, mit dem der Dichter sich identisch wußte, zugrunde gehen muß.

Von allen goetheschen Dramen ist die im reifen Mannesalter entstandene *Natürliche Tochter* am wenigsten gesehen und gewürdigt worden. Man hat ihr immer wieder Marmorkälte, leeren Wortprunk, unsinnige Abstraktion, klassizistische Typisierung vorgeworfen. Frau von *Staël sprach von der „noble ennui", die dieses Drama charakterisiere. Schiller und Herder jedoch haben sie als Meisterwerk bewundert, und in unserer Zeit hat Rudolf Alexander Schröder eine seiner schönsten Reden über sie gehalten (Ges. Werke, Bd. II, Suhrkamp Verlag 1952, S. 472 bis 495). Goethe hat diese dramatische Dichtung ausdrücklich als „Trauerspiel" bezeichnet, sie war der erste Teil einer nicht mehr durchgeführten Trilogie (von der geplanten Fortsetzung existieren nur wenige Schemata), in der Goethe den großartigen Versuch gemacht hat, das ihn so quälende und beängstigende Phänomen der französischen *Revolution im dichterischen Symbol zu meistern. Alle anderen dramatischen Experimente Goethes, sich mit dem Zerfall der geschichtlichen Ordnungen auseinanderzusetzen, *Die Aufgeregten* (1793), *Der Bürgergeneral* (1793) und *Der Groß-Cophta* (1789/90, als Buch 1792) blieben weit dahinter zurück, weil sie das ungeheure Thema mehr ins belanglos Komische abzuschieben versuchten. Goethes Quelle, die 1798 erschienenen „Mémoires historiques de Stéphanie–Louise de Bourbon-Conti, écrits par elle-même" gaben nur den äußeren Umriß zur Fabel der *Natürlichen Tochter*. Diese Autobiographie berichtet von den Verfolgungen, unter denen Stéphanie-Louise, die natürliche Tochter des Prinzen Louis Francois von Bourbon-Conti, durch ihren legitimen Halbbruder zu leiden hatte und von denen sie sich angeblich nur durch eine Heirat mit einem brutalen Manne bürgerlicher Herkunft zu retten vermochte. Auf Grund der Anregungen des französischen Memoirenwerkes – Schiller hatte Goethe darauf hingewiesen – entwarf dieser am 6. und 7. XII 1799 den Plan zu einer Trilogie, von der dann Ende 1802 und in den ersten Monaten des Jahres 1803 der erste Teil, das Trauerspiel *Die Natürliche Tochter* entstand. Wie in der *Iphigenie*

verkörpern sich auch hier die höchsten Möglichkeiten des Menschseins in weiblicher Gestalt. Eugenie ist der Mittelpunkt des tragischen Geschehens, die einzige Figur, die einen Namen trägt, während alle anderen, König, Herzog, Graf, Hofmeisterin, Sekretär, Weltgeistlicher, Gerichtsrat, Gouverneur, Äbtissin, Mönch bereits durch das Typische der Bezeichnung nicht als einmalige Personen, sondern als Exponenten geschichtlicher und sozialer Vorgänge aufgefaßt werden. Wenn Goethe jetzt noch einmal am Ausgang der klassischen Periode zum Geschichtsdrama zurückkehrt, so konnte er das nur, indem ihm von vornherein Geschichte ein symbolischer und nicht ein empirischer Gegenstand war. Man hat gemeint, Goethe habe seinen Protest und seine Abwehrhaltung gegen die Französische Revolution bereits durch die Distanz der Form ausgesprochen, die ja in diesem Drama am weitesten vom Naturalismus des Sturm und Dranges entfernt ist. Richtiger scheint mir zu sein, daß Goethe das Ungeheure des geschichtlichen Vorgangs von vornherein nicht durch irgend eine Art von Abspiegelung erfassen wollte, sondern nur in der stellvertretenden symbolischen Gestaltungsform, in der allein die dramatische Kunst dem Ereignis der Geschichte gewachsen sein konnte. Für diese Art von Symbolik ist eine entlegene Äußerung des alten Goethe aus dem Jahre 1818 in dem Aufsatz *Philostrats Gemälde und Antik und Modern* sehr aufschlußreich (I/49[I], 142): Das Symbol *ist die Sache, ohne die Sache zu sein, und doch die Sache, ein im geistigen Spiegel zusammengezogenes Bild, und doch mit dem Gegenstand identisch.*

Mit der *Natürlichen Tochter* hat Goethe nicht ein Revolutionsdrama geschrieben, auch nicht ein Drama über die Vorgeschichte der Revolution, sondern seine in diesen Jahren besonders stark empfundene Beunruhigung durch die Geschichte und ihre unabänderlichen Abläufe ins symbolische Bild verwandelt. Goethes *Natürliche Tochter* zeigt den Beginn jener längeren Krisenzeit, die dann über die Sonette, die *Pandora, Die Wahlverwandtschaften* bis zur Paria-Legende reicht. Zu keiner Zeit seines Lebens war Goethe der Bedrohung durch das Tragische so ausgesetzt wie in diesen Jahren. Sie hat ihre Wurzel bereits in dem durch die französische Revolution ausgelösten Erlebnis der Geschichte. Thema der *Natürlichen Tochter* wird die symbolische Deutung der Auflösung und der Zerstörung geschichtlicher Ordnungen überhaupt, eine dramatische Analyse, die über 100 Jahre später Hofmannsthal in seiner letzten Tragödie „Der Turm" in anderer Weise noch einmal unternommen hat. Die Mächte des Bösen und der Intrige, die in Goethes Dramen sonst immer zurücktraten, gewinnen hier eine entscheidende Bedeutung, aber nicht im Sinne der persönlichen Leidenschaft, sondern gleichsam überpersönlich als fast unfreiwillige Vollstreckungsorgane einer furchtbaren Notwendigkeit, die unentrinnbar zu walten scheint. Mit kalter und klarer Bewußtheit formulieren sie ihre Stelle im geschichtlichen Gesamtprozeß. Nirgends ist der Bereich der persönlichen Freiheit in einer so grauenvollen Weise eingeschränkt wie in diesem Drama. Die abstrakte Kälte, durch die die Figuren ihre Individualität verloren haben und nur noch in der Masse der Namenlosen verschwinden, gehört zum symbolischen Wesen des hier gedichteten Vorganges, der die fürchterlichen Zeichen einer Zeit zu deuten versucht, in der jeder, mit oder gegen seinen Willen, ins Netz verstrickt ist und das „obere Waltende" alle in einen Abgrund hinabreißt.

Ein Vorsatz, mitgeteilt, ist nicht mehr dein;
Der Zufall spielt mit deinem Willen schon;
Selbst wer gebieten kann, muß überraschen.
Ja, mit dem besten Willen leisten wir
So wenig, weil uns tausend Willen kreuzen.
(I/10, 266).

Dieses „obere Waltende" ist nicht das Göttliche, es ist die anonyme und doch öffentliche Macht des Geschichtlichen, die sich der Willkür und des Verbrechens bedient und in Streben und Gegenstreben das Ganze von Thron und Vaterland in einen Prozeß der wilden Gärung und unaufhaltsamen Zersetzung hineinreißt. Die Störungen im geschichtlichen Organismus sind also nicht partieller, sondern totaler Natur. Auch diejenigen, die aufsteigend davon zu profitieren glauben, sind in Wahrheit in die Desorganisation miteingeschlossen. Jeder, der von sich aus in punktuellem Egoismus mit Macht und List über andere zu verfügen glaubt, muß am Ende erfahren, daß von anderer Seite über ihn noch verfügt wird. Wohl vollzieht sich dieses anonym Geschichtliche auch noch durch Menschen, sei es von oben her durch herrschende Schichten und ihre parteiische Entzweiung, sei es von unten durch dumpfe, nach oben drängende Kräfte. Aber sinnbildlich für den Vorgang ist jenes Dekret des Königs, das Eugenie jeden Weg zur Rettung versperrt und von dem sich später erweisen soll, daß der König selbst gar nichts davon wußte. Es ist bezeichnend, daß die Figur des wilden wüsten, legitimen

Bruders, der Eugenie zu vernichten sucht, um ihren Aufstieg am Königshof zu verhindern, durchaus im Hintergrund bleibt, weil es gar nicht auf ihn als Person ankommt, sondern auf den geschichtlichen Vorgang als Ganzes, bei dem das Hohe sich senkt, das Niedere schwillt und das letzte, unausweichliche Resultat nur die unterschiedslose Vermischung aller (vgl. 1. Aufzug, 5. Auftritt) sein kann. Am Ausgang des Dramas spricht der Mönch in seiner Vision der Zukunft das Grauen aus, dem die Zeit verfallen ist.

Es charakterisiert die Hauptgestalt, daß sie die einzige ist, die sich noch für das Ganze des geschichtlichen Prozesses verantwortlich weiß. Alle anderen, selbst der König, sind bereits zu freiwilligen oder unfreiwilligen Funktionären des Geschehens geworden, gerade und besonders dort, wo sie in bezeichnender Blindheit nur ihren eigenen Vorteil im Auge haben. Allerdings fehlt auch Eugenie zunächst noch die Einsicht in die Situation der Zeit. Im ersten Aufzug begegnet sie uns als die Abgesonderte, die außerhalb des geschichtlichen Lebens in behüteter Verborgenheit, in geschichtsloser Idylle herangewachsen ist. Aber schon hier wird das Tragische ihres Schicksals vorweggenommen im symbolischen Bild des Sturzes der reitenden Amazone in die Tiefe. Eugenie ist keine tragische Gestalt wie Faust, Egmont, Tasso. Sie steht aber auch nicht jenseits des Tragischen wie Iphigenie, die zum liebenden Gefäß des göttlichen Willens zu werden vermochte. Denn die Unordnung des Geschichtlichen hat in diesem Goetheschen Trauerspiel die Ordnung des Kosmos völlig verdunkelt. Es gibt nur noch einen Weg für den reinen und heilen Menschen in einer Welt, in der alle anderen nicht mehr Person und daher unrein und heillos sind, nämlich den des stellvertretenden Opfers und der stellvertretenden Entsagung. Auch hier ist es für Goethe nur der Einzelmensch, Eugenie, die Wohlgeborene, von dem noch Hoffnung und Rettung für die Zukunft ausgehen kann. Aber das ist nur möglich, wenn er, wie später die Ottilie der *Wahlverwandtschaften,* das als Schicksal erfahrene Tragische in freier Wahl zu tragen und zu übernehmen vermag. Die Geschichte als solche hat nicht mehr die Möglichkeit, sich neu zu organisieren, sich im evolutiven Wachstum zu entfalten, sondern kann sich nur immer weiter unaufhaltsam desorganisieren.

Wir können das von Verbannung und Tod bedrohte Geschick der Eugenie hier nicht im einzelnen beschreiben. Auch auf eine Charakteristik der Gestalt des Mönches im 5. Aufzug, der für die Innerlichkeit der christlichen Religion, nicht wie die Äbtissin für die Kirche als politische Institution stellvertretend steht, müssen wir verzichten. Eugenie wählt am Ende den Weg der Ehe mit dem bürgerlichen Gerichtsrat und verzichtet damit auf die erhöhte, durch die Geburt ihr aufgetragene geschichtliche Daseinsform. Dieser Entschluß zur Ehe setzt ihre nach dem Gespräch mit dem Mönch gewonnene neue Erkenntnis vom bevorstehenden Umsturz des Reiches voraus. Der *gutgesinnte Mann*, der Gerichtsrat, soll Eugenie im Verborgenen als *reinen Talisman* verwahren.

Denn, wenn ein Wunder auf der Welt geschieht,
Geschieht's durch liebevolle, treue Herzen
(I/10, 378).

Das ist Goethes Antwort auf die von ihm gegebene abstrakt symbolische Analyse der Zeitgeschichte. Nur das liebevolle treue Herz kann der kalten Notwendigkeit des Geschichtsablaufes, deren „rückwärtsgewandter Fatalismus" (H. Grimm) – man kann es ebensogut „vorwärtsgewandten Fatalismus" nennen – sich in der strengen Notwendigkeit der Kunstform spiegelt, mit einer Freiheit entgegentreten, der auch noch das Wunder in der Welt möglich ist, ja sogar noch das Wunder der Rettung des Vaterlandes. Daß alles dies schon ganz im Sinne des alten Goethe der „Wanderjahre" unabdinglich an Entsagung geknüpft ist, verdeutlicht der Ehebund, bei dem auch der Mann die eigne Frau nur mit der reinen Neigung des Bruders empfangen darf. Damit wird noch einmal die ins Priesterliche erhobene Aufgabe der Eugenie symbolisch verbildlicht, deren einmaliges Wesen fortan zum reinen Opfer für eine unrein gewordene geschichtliche Menschheit bestimmt ist. Nur so ist nach Goethes Meinung die Heilung für das bedrohte Land auch weiterhin zu hoffen und zu glauben.

In den beiden Sprachschichten des Dramas, der bewußten, kalt distanzierenden, die den größeren Raum einnimmt, und der enthusiastisch-pathetischen, spiegeln sich auf der einen Seite die furchtbare Notwendigkeit der Geschichte, auf der anderen der Bereich des persönlichen Leidens und der persönlichen Freiheit. Einen Zugang zu diesem verrätselsten und chiffriertesten Drama Goethes gewinnt man vielleicht auch von der späteren Schrift Goethes aus dem Jahre 1813/1816 *Shakespeare und kein Ende*. Hier wird Skakespeare erstaunlich weit vom Theater abgerückt, und seine Dramen enthalten nach der Meinung des

alten Goethe *viel weniger sinnliche Tat als geistiges Wort*. Goethe sieht in ihm den großen Mittler zwischen der antiken und der modernen Welt. In den alten Dichtungen sei *das Unverhältnis zwischen Sollen und Vollbringen* vorherrschend, *in den neuern zwischen Wollen und Vollbringen. Das Sollen wird dem Menschen auferlegt, das Muß ist eine harte Nuß; das Wollen legt der Mensch sich selbst auf, des Menschen Wille ist sein Himmelreich.* Nach Goethes Meinung beruhte die alte Tragödie *auf einem unausweichlichen Sollen, das durch ein entgegenwirkendes Wollen nur geschärft und beschleunigt wird. Hier ist der Sitz alles Furchtbaren der Orakel, die Region, in welcher Oedipus über alle thront. Zarter erscheint uns das Sollen als Pflicht in der Antigone, und in wie viele Formen verwandelt tritt es nicht auf. Aber alles Sollen ist despotisch. Es gehöre der Vernunft an, wie das Sitten- und Stadtgesetz oder der Natur, wie die Gesetze des Werdens, Wachsens und Vergehens, des Lebens und Todes. Vor allem diesem schaudern wir, ohne zu bedenken, daß das Wohl des Ganzen dadurch bezielt sei. Das Wollen hingegen ist frei, scheint frei und begünstigt den Einzelnen. Daher ist das Wollen schmeichlerisch und mußte sich der Menschen bemächtigen, sobald sie es kennen lernten. Es ist der Gott der neueren Zeit; ihm hingegeben, fürchten wir uns vor dem Entgegengesetzten, und hier liegt der Grund, warum unsere Kunst, sowie unsre Sinnesart, von der antiken ewig getrennt bleibt. Durch das Sollen wird die Tragödie groß und stark, durch das Wollen schwach und klein. Auf dem letzten Wege ist das sogenannte Drama entstanden, in dem man das ungeheure Sollen durch ein Wollen auflös'te; aber eben weil dieses unsrer Schwachheit zu Hülfe kommt, so fühlen wir uns gerührt, wenn wir nach peinlicher Erwartung zuletzt noch kümmerlich getröstet werden* (I, 41[I], 60 f.). Shakespeare hat, so meint Goethe, das Alte und das Neue überschwenglich miteinander verbunden. Im Gegensatz zum antiken Drama hat er Notwendigkeit und Freiheit miteinander ausgesöhnt, *indem er das Notwendige sittlich macht*. In ähnlicher Weise deutet Goethe auch im *Prolog zu Eröffnung des Berliner Theaters am 26. V. 1821* (I/13, 115 ff.) noch einmal auf Shakespeare hin, wenn er ihn zwischen das antike Drama, in dem der Mensch im düsteren Wollen einer vergeblichen Leidenschaft gegen ein unbekanntes Verhängnis anrennt, und das christliche stellt, – nicht nur das mittelalterliche Drama, auch Calderon scheint Goethe hier vorgeschwebt zu haben –, in dem der Glaube an den Gekreuzigten die Kraft gibt, das Tragische zu überwinden und nach dem Vorbild Christi zu leiden und zu entsagen. Zwischen diesen beiden Extremen liegt die moderne Tragödie, zu der auch Shakespeare schon trotz aller naiv heidnischen Züge gehört.

Nun aber zwischen beiden liegt, so zart,
Ein Mittelglied von eigner holder Art.
Schicksal und Glaube finden keinen Teil,
In reiner Brust allein ruht alles Heil:
Denn immerfort, bei allem was geschah,
Blieb uns ein Gott im Innersten so nah;
Wo Erd' und Himmel sich im Gruße segnen,
Dem Staunenden als Herrlichstes begegnen.

Die Natürliche Tochter zeigt Goethe in einer bemerkenswerten Nähe zum mythischen Drama der Griechen. Was bei den Griechen Geschlechterfluch war oder despotisches *Sollen*, Sollen eines *Sitten- und Stadtgesetzes* oder der *Natur (Gesetze des Werdens, Wachsens und Vergehens, des Lebens und des Todes)*, das wird hier zu dem, wenn auch negativen Sollen – denn das *Wohl des Ganzen* wird dadurch gerade *nicht* mehr erreicht – einer mythisch gesehenen Geschichte. Die Frage, wie der Einzelmensch dieses *ungeheure Sollen* noch in ein *Wollen* auflösen kann, führt Eugenie in tiefste tragische Bedrängnis und kann am Ende nur noch durch die schmeichlerische Hoffnung auf das Wunder der liebevollen, treuen Herzen beantwortet werden. Auch der am Ausgang der Klassik stehende Goethe versucht wie Shakespeare, das Notwendige sittlich zu machen und auf diese Weise die alte und die neue Welt zu verknüpfen. Ja, es gehört zum Paradox dieses Dramas mit dem so modernen Stoff der französischen Revolution, daß hier Goethe eigentlich antiker ist als der modernere, ja christlichere Shakespeare. An keinem anderen Punkt seiner Entwicklung war Goethe der furchtbaren Macht des Tragischen näher als hier. Wohl hieß es bereits im Brief an Schiller vom 9. XII. 1797: *Ich kenne mich zwar nicht selbst genug, um zu wissen, ob ich eine wahre Tragödie schreiben könnte; ich erschrecke aber bloß vor dem Unternehmen und bin beinahe überzeugt, daß ich mich durch den bloßen Versuch zerstören könnte* (IV/12, 374). Ähnliches lesen wir noch in einem Brief des alten Goethe an Zelter: *Ich bin nicht zum tragischen Dichter geboren, da meine Natur konziliant ist, daher kann der rein tragische Fall mich nicht interessieren, welcher eigentlich von Haus aus unversöhnlich sein muß, und in dieser übrigens so äußerst platten Welt kommt mir das Unversöhnliche ganz absurd vor* (IV/49, 128). Aber trotz dieser häufig zitierten Stellen, mit denen man

beweisen wollte, daß Goethe kein eigentliches Verhältnis zum Tragischen besessen habe, zeigt gerade die stilisierende, ja abstrakte Form der *Natürlichen Tochter*, daß Goethe hier von einem Tragischen fast überwältigt wird, das er als das Wesen der Geschichte selbst begriff und das ihn in der Tat an den Rand der Selbstzerstörung geführt hat. Nur durch das Kunstwerk selbst, durch eine Freiheit des Spieles, die in jeder einzelnen Aussage symbolischen Gehalt in die reine Form der Kunst bannte, konnte er eine dritte Welt aufrichten, mit der weder ein bloß wirkliches Sein, noch ein bloß fiktiver Schein gemeint war. Daher gehört zur *Natürlichen Tochter* das gewollt Künstliche in der Darstellung, der streng durchgeführte Funktionalismus in ihrem Aufbau, in dem alle Teile sich gegenseitig spiegeln und gegenseitig aufeinander verweisen. Goethe dichtet hier gleichsam das reine, absolute Kunstwerk, das mit keiner vorgegebenen Welt mehr verglichen werden kann, sondern eine Deutung aus seinen eigenen künstlerischen Zwecken und Absichten heraus verlangt. Das hat schon Schiller richtig gesehen. Er schreibt am 18. August 1803 an Wilhelm von Humboldt: „Göthens Natürliche Tochter wird Sie sehr erfreuen und wenn Sie dieses Stück mit seinen andern, den früheren und mittleren, vergleichen, zu interessanten Betrachtungen führen. Des theatralischen hat er sich zwar darinn noch nicht bemächtigt, es ist zuviel Rede und zu wenig That, aber die hohe Symbolik mit der er den Stoff behandelt hat, so daß alles stoffartige vertilgt und alles nur Glied eines ideellen Ganzen ist, diese ist wirklich bewundernswerth. Es ist ganz Kunst und ergreift dabei die innerste Natur durch die Kraft der Wahrheit." (Jonas, Schillers Briefe, Bd. 7, S. 65.)

Vielleicht erklärt sich aus diesem Vorbehalt der Goetheschen Kunst noch gegen alle Wirklichkeit, mit dem sich Goethe gegen das Andrängen des Tragischen zu schützen versuchte, auch noch die merkwürdige Übersetzung der Aristotelischen Definition der Tragödie, die Goethe in seiner *Nachlese zu Aristoteles' Poetik* 1827 gegeben hat. Dort heißt es: *Die Tragödie ist die Nachahmung einer bedeutenden und abgeschlossenen Handlung, die eine gewisse Ausdehnung hat und in anmutiger Sprache vorgetragen wird, und zwar von abgesonderten Gestalten, deren jede ihre eigne Rolle spielt, und nicht erzählungsweise von einem einzelnen; nach einem Verlauf aber von Mitleid und Furcht mit Ausgleichung solcher Leidenschaften ihr Geschäft abschließt. Unter Katharsis versteht Goethe dabei diese aussöh-*

nende Abrundung, welche eigentlich von allem Drama, ja sogar von allen poetischen Werken gefordert wird (I/41[II], 246f.). Goethe verlangt also hier nicht nur die Knüpfung, sondern auch die Lösung des Knotens durch den Dichter. Das dramatische Kunstwerk selbst ist die Form, in der das Tragische nicht nur zur Darstellung gelangt, sondern auch seine höhere ,,aussöhnende Abrundung'' erfährt. Von einer moralischen Besserung des Zuschauers kann dabei keine Rede sein. Ausdrücklich sagt Goethe über ihn: *Die Verwicklung wird ihn verwirren, die Auflösung aufklären, er aber um nichts gebessert nach Hause gehen; er würde vielmehr, wenn er ascetisch-aufmerksam genug wäre, sich über sich selbst verwundern, daß er eben so leichtsinnig als hartnäckig, eben so heftig als schwach, eben so liebevoll als lieblos sich wieder in seiner Wohnung findet, wie er hinausgegangen* (I/41[II], 251).

Wie sich Goethe eine solche im Kunstwerk und durch das Kunstwerk selbst sich vollziehende Katharsis vorstellt, das verdeutlicht er am Beispiel des Oedipus von Kolonus, *wo ein halbschuldiger Verbrecher, ein Mann, der durch dämonische Konstitution, durch eine düstere Heftigkeit seines Daseins, gerade bei der Großheit seines Charakters, durch immerfort übereilte Tatausübung dem ewig unerforschlichen, unbegreiflich folgerechten Gewalten in die Hände rennt, sich selbst und die Seinigen in das tiefste, unherstellbarste Elend stürzt und doch zuletzt noch aussöhnend ausgesöhnt und zum Verwandten der Götter, als segnender Schutzgeist eines Landes eines eignen Opferdienstes wert, erhoben wird* (vgl. I/41[II], 249).

So verschieden auch die Stilformen sind, die wir im Goetheschen Drama vom *Götz* bis zur *Natürlichen Tochter* beobachten konnten, so wechselnd und aphoristisch sprunghaft auch die dramaturgischen Äußerungen Goethes waren, im ganzen ließ sich doch eine für Goethe charakteristische Auffassung vom Drama aufzeigen, die noch mit seinem gesamten Weltbild in Verbindung stand. Es ist die Grenze und zugleich die Größe Goethes, daß er niemals bloßer Dramatiker war, sondern nach einer Universalität der dichterischen Aussage strebte, in der der einmalige dichterische Genius bei allem Wechsel der ,,Motive'' und der ,,Manier'' den nur ihm gemäßen Ausdruck suchte und fand.   *Wi*

Die Goethe-Stellen wurden nach der Weimarer Ausgabe, nach Goethes Gespräche, Gesamtausgabe, hgg. von F. von Biedermann, 5 Bde, ²1910 oder nach MMorris, Der junge Goethe, 6 Bde, Leipzig 1909–1912 zitiert. Aus dem umfangreichen Schrifttum über Goethe wurde besonders herangezogen: Benno von Wiese, Die deutsche Tragödie von Lessing bis Hebbel, 4. Aufl.

Hamburg 1958, S. 51–169 und Friedrich Sengle, Goethes Verhältnis zum Drama, Die theoretischen Bemerkungen im Zusammenhang mit seinem dramatischen Schaffen, Berlin 1937. Zum ,,Torquato Tasso'' vgl. ferner: WRasch, Stuttgart 1954 und den Aufsatz von MWilkinson in ,,Das deutsche Drama'', Bd 1, hg. von BvWiese, Düsseldorf 1958, dort auch die Aufsätze von PBöckmann über Egmont, AHenkel über Iphigenie und von HEHass über die Natürliche Tochter.

Dransfeld, Stadt westlich nahe *Göttingen, suchte Goethe am 14. VIII. 1801 von Göttingen her auf, um die dortigen *Basalt-Brüche, *deren problematische Erscheinung schon damals die Naturforscher beunruhigte (I/35, 112),* zu besichtigen und den Hohen Hagen / *Hahn* (wegen seiner weitreichenden Aussicht) zu besteigen *(III/3, 31f.).* Er übernachtete in D. und setzte am 15. VIII. 1801 seine Reise in Richtung auf *Kassel fort. RV S. 38.   *JP*

Dreifelderwirtschaft, verbesserte, schildert Goethe am 28. VIII. 1797 bei *Weinsberg: *Der Feldbau ist auch hier in drei Jahresabtheilungen eingetheilt, obgleich kein Feld brach liegt, sondern ihr Drittes ist das Haferfeld (I/34[I], 279).*
      Gu

Dreikreuzberg, Erhebung östlich in nächster Nähe von *Karlsbad, ein beliebtes Spaziergangsziel Goethes. Auf solchen Wegen hat Goethe den D. mehrfach berührt, zB. am 9. und 31. VII. 1807 (III/3, 237; 251), am 14. VI. 1808 (ebda 347), seltener bestiegen (gewiß schon 1785; ferner am 28. V. 1808: III/3, 340; und am 20. VIII. 1818: III/6, 237), um besinnlich den Ausblick zu genießen. Von der Wohnung aus konnte er beobachten, wie *der abnehmende Mond... sehr klar über dem Dreykreuzberg... oder die Sonne... gar herrlich aufging;* diese Beobachtungen hält das Tagebuch erst am 25./26. VIII. 1823 während des letzten karlsbader Aufenthalts (Uv*Levetzow) fest *(III/9, 99f.).* RV S. 42f.; 56.   *JP*

Dreißig/Dreyssig, August Friedrich (1766–1822), besaß in *Tonndorf eine Spielkartenfabrik, widmete sich aber hauptsächlich der Blumenzucht, seinem ,,Lieblingsgeschäft''. Seine blumistischen Erfolge bildeten die Grundlage einer eigenen Gärtnerei, die große Berühmtheit erlangte und eine Sehenswürdigkeit des weimarischen Landes wurde. Goethe besuchte *in Tonndorf Dreysings Garten (III/5, 108)* zum ersten Male im Mai 1814 von *Berka aus, wo er sich einige Wochen mit seiner Frau *Christiane, *CUlrich und *FRiemer aufhielt. Damals entstand das kleine Gelegenheitsgedicht *Pfingsten: Unterhalb verwelkten Maien | Schläft der liebe Freund so still; | O! wie soll es ihn erfreuen | Was ich ihm vertrauen will: | Ohne Wurzeln dieses Reissig, | Es verdorrt das junge Blut; | Aber Liebe, wie Herr Dreyßig, | Nähret ihre Pflanzen* *gut (I/3, 51).* Nach D.s Tod führte seine Ehefrau Auguste Friedericke den Gartenbetrieb weiter. Goethe besuchte mit *Eckermann die tonndorfer Anlage im Herbst 1827 abermals. *Madame Dreyßig war nicht gegenwärtig. Besuchten ihren Garten, geführt von ihrem Factor und dem jungen geschickten Gärtner. Georginen und Astern waren noch immer vorzüglich, ob sie gleich durch die letzten Nachtfröste gelitten hatten (III/11, 114).* Goethe erhielt von Madame D. nach diesem Besuch noch mehrmals Blumensendungen, aber seine Hoffnung erfüllte sich nicht mehr, die beliebte Blumistin *bey schöner Sommerzeit in Ihrem so wohl versehenen und besorgten Garten gesund und thätig zu finden (IV/44, 45).*   Ba

Dreißigjähriger Krieg. Wie als *treuer Beobachter der* *Natur dem Vulkanismus, war Goethe als Beurteiler der *Geschichte den *Epochen der Kriege gegenüber ablehnend oder doch zurückhaltend (*Chronik; *Geschichtsschreibung). Demzufolge sind Goethes unmittelbare Äußerungen spärlich und meist ein wenig unwillig. So weit diese nicht das Zeitalter des *Barock oder insonderheit die *barocke Literatur, vielmehr den DK. selbst betreffen, stehen sie zunächst in Verbindung mit Goethes Auftrag und Vorsatz (1777/80), die Lebensgeschichte des Herzogs Bernhard von *Sachsen-Weimar zu schreiben: *denn wie das Studium zu Berlichingen und Egmont mir tiefere Einsicht in das funfzehnte und sechzehnte Jahrhundert gewährte, so mußte mir dießmal die Verworrenheit des siebzehnten sich, mehr als sonst vielleicht geschehen wäre, entwickeln (Tu J: I/35, 7).* Die gewiß bedeutende Gestalt des Herzogs ließ sich aber *nach vielfachem Sammeln und mehrmaligem Schematisiren* doch nicht genügend aus den Zusammenhängen *der jammervollen Iliade des dreißigjährigen Krieges* herauslösen, um ein wirklich eigenes *Bild zu machen,* weshalb Goethe die Arbeit aufgab *(ebda 6 f.).* 1795 stiegen die nachwirkenden Erinnerungen durch die Lektüre der Gedichte J*Baldes wieder auf: *kriegerisch verworrene Zeitläufte aber, die sich in allen Jahrhunderten gleichen, fanden in diesem dichterischen Spiegel ihr Bild wieder, und man empfand als wie von gestern, was unsere Urvorfahren gequält und geängstigt hatte (I/35, 56).* 1796/98, in den Jahren, als Goethe so energisch an Schillers *Wallenstein-Trilogie teilnahm, verdichteten sich rezeptiv und produktiv die Bezüge zum DK., zu seinen Ereignissen, zu seinen Personen, zu seinen Orten. 1805 – Schiller war schon tot – aktualisierte sich vielleicht doch mehr davon, als die Briefberichte angeben, bei dem Aufenthalte in

*Magdeburg (IV/19, 45; 48; vgl. dazu Goethes Gedicht auf *Die Zerstörung Magdeburgs* durch Tilly, das 1798 als Anfangslied für „Wallensteins Lager" – vgl. dazu auch U*Megerle/ Abraham a Santa Clara – entstanden war, nachdem Goethe erneut Schillers „Geschichte des dreißigjährigen Krieges" studiert hatte: *I/5[I], 41 f.;* 5[II], 241). 1806 nutzte Goethe seine Reise nach *Eger, um, zum ersten Male wieder seit dessen Tode hier, des Freundes und des so weitgehend gemeinsamen Werkes zu gedenken (III/3, 133). 1817 schenkte S*Boisserée „das schöne Stammbuch von Herrn v. König" (IV/29, 334), das ... *mit Feder und Pinsel gezeichnet, höchst merkwürdig* war: *Tüchtigkeit, Ernst und Muth walten überall vor* (16. I. 1818: *IV/29, 11).* 1820 wurde Goethes *Aufmerksamkeit auf eigenhändige Schriftzüge vorzüglicher Personen ... wieder angeregt ..., indem eine Beschreibung des Schlosses Friedland, mit Facsimiles von bedeutenden Namen aus dem dreißigjährigen Kriege, herauskam, die* er an seine *Original-Documente sogleich ergänzend anschloß. Auch erschien zu derselben Zeit ein Porträt des merkwürdigen Mannes* [Wallenstein] *in ganzer Figur, von der leichtgeübten Hand des Director Langer in Prag, wodurch denn die Geister jener Tage zwiefach an uns wieder herangebannt wurden –* aufschlußreich an dieser Formel ist, daß nicht Goethe an die Geister herangebannt wurde, sondern diese an ihn (*I/36, 172 f.;* *Autograph Sp. 509). Von innen her bestand keine Affinität zu diesen *kriegerisch verworrenen Zeitläuften*   Gk

Dresden, Haupt- und Residenzstadt der Kurfürsten, seit 1806 (Rheinbund) der Könige von *Sachsen. Goethe lernte D. in jener schon sprichwörtlichen Gestalt und Geltung als „deutsches Florenz" kennen, die es seinen repräsentationsbegabten Herrschern verdankt, insbesondere Friedrich August I., dem „Starken" (1694–1733), Friedrich August II. (1733–1763) und dessen Minister, dem Grafen Heinrich v*Brühl (1746–1763; vgl. hier Sp. 1460), insbesondere Friedrich August III. (1763–1827). *Dresden ist ein Ort, der herrlich ist, und wenn mir's erlaubt wäre ein kleines Supplement daran zufügen, so wünschte ich mich nie heraus* (1768: *Morris 1, 206).* *Es ist ein unglaublicher Schatz aller Art an diesem schönen Orte* (1791: *IV/9, 239).* Siebenmal zog es Goethe in diese Metropole der Kultur, der Kunst, des Wissens, der Bildung: 1768 (Februar/März), 1790 (Juli/August; September/Oktober), 1794 (August), 1810 (September), 1813 (April; August) – dies letzte Mal herrschte politisch-militärisch Hochspannung in der Stadt, der sich

Goethe noch eben vor Ausbruch der kriegerischen Aktionen entzog (17. VIII. 1813: III/5,
71; EWeniger S. 109). Sechsundfünfzig Tage
insgesamt war Goethe hier. Die Häuser, in denen er gern zu wohnen pflegte, sind zerstört.
Stadtteile, die er bevorzugt aufgesucht oder
notiert hat, sind: Altstadt (Schloß, Museum
Johanneum, *Galerie, Frauenkirche, Hofkirche: erbaut 1738/46 von Chiaveri, *Antiken-
Sammlung: hier Sp. 312 Nr. 13, Bibliothek,
Brühlsche Terrasse, *Botanischer Garten:
hier Sp. 1365 Nr 1, Neumarkt), Pirnaische
Vorstadt (Großer Garten), Neustadt (Augu-
stus-Brücke, Finanzkollegium, Schwarzes
Tor), See-Vorstadt (See-Tor), Wilsdrufer Vor-
stadt/Friedrichstadt.
Als der junge Goethe 1768 von *Leipzig aus D.
besuchte (auf Anraten JF*Oesers?), stand,
wie er es später in *DuW* ausführlich schilderte
(I/27, 166 ff.) im Vordergrunde seines Erlebens
die Gemäldegalerie, die er wie ein „Heiligtum" betrat und der er mehrere Besuche abstattete. Das andere große Erlebnis dieses
ersten Aufenthaltes wurde zunächst nicht, wie
man vermuten könnte, von dem, was das erhaltene Stadtbild an Schönheit bot, bestimmt,
sondern im Gegenteil von den Zerstörungen,
die 1760 durch die Beschießung der Stadt angerichtet worden waren: „durch das neun-
tägige Bombardement wurde die Kreuzkirche
nebst 460 Häusern in den Grund gestoßen"
(*Ruinen und Trümmer). Goethe verschaffte
sich einen Überblick von dem Turm der durch
G*Baehr 1726–1738 errichteten, unzerstört gebliebenen Frauenkirche, dh. von dem ersten
wirklich monumentalen Kirchenbau der Protestanten, der nach der Anfang des 17. Jahrhunderts erbauten wolfenbütteler Kirche entstand. Goethe hatte auch später nur kurze
Notizen im Tagebuch für das Gesehene. Wiederum war es nicht in erster Linie das barocke
D. mit seinen Bauten, das er aufsuchte, sondern die Kunst in den Museen, die Antikensammlung, die Galerie, die Rüstkammer und
auch der botanische Garten, denen seine besondere Aufmerksamkeit galt (III/4, 154 ff.).
Am 25. IV. 1813 aber schrieb er von D. aus an
*Christiane: *Ich habe mir einen Plan von Dres-
den angeschafft und mache mich nach demselben
mit der Stadt und den Vorstädten bekannt (IV/
23, 330).* Im Ganzen gingen seine späten
schriftlichen Äußerungen zu D. als Stadt oder
zu den einzelnen Bauwerken über Stich-
wortcharakter nicht hinaus. Als Kunststadt
und in der natürlichen Schönheit seiner Umgebung aber war D. für Goethe selbst sowie
für die Mehrzahl seiner Freunde und Bekann-

ten ein so sicherer Bildungsbesitz, daß die
Mannigfaltigkeit der Brief- und Reiseverbin-
dungen im einzelnen kaum faßbar ist. RV
S. 9, 29; 31; 45, 48f.   *Za/Wt*
Personen:
I. Gruppen: a) Angehörige des sächsischen
Fürstenhauses und Hofes und der dort akkre-
ditierten auswärtigen diplomatischen Vertre-
tungen (*Politik/Politiker);
b) Angehörige der *Kunstakademie im enge-
ren und im weiteren Sinne: JBCasanova; JA
Darnstedt; ChrWEDietrich; CD*Friedrich;
A*Graff; G/JGrassi; ChrLv*Hagedorn; ChrG
Hammer; FAHartmann; CL*Kaaz; GF*Ker-
sting; JChr*Klengel; FAKrüger; FG*Kügelgen; PhD*Lippert; JG, EG und JF*Matthäi;
J und AR*Mengs; JFWMüller; GH*Näke;
AF*Oeser; P*Palmaroli; CG*Peschel; FSt
Pettrich; EChrJF*Preller; FAM*Retzsch,
F/F und Chr/J*Riepenhausen; EFA*Rietschel; JMv*Rohden; ChF*Schuricht; JC*Sei-
delmann; ChrF*Tieck; JA*Thiele; JThürmer;
HCWVitzthum vEckstädt; KChrVogel vVo-
gelstein; A*Zingg;
c) Angehörige des *Sächsischen Kunstvereins;
dessen Vorsitzender: JGv*Quandt (seit 1822
in D. wohnhaft);
II. Einzelne:
1758: KF*Abel; durch ihn vielleicht erste
Kenntnis von JAP*Hasse;
1767: FGHermann, Oberhofprediger in D.,
Goethe bekannt als Vater seines leipziger Studienfreundes ChrG*Hermann (I/27, 388);
durch Oeser Kenntnis von KHvHeinecken
(*Galerie);
1768, Februar/März: Schuster Haucke und
Frau, Goethes Wirte (vgl. MStübel: Schuster
Haucke und der ewige Jude. 1920.; nach
älteren Forschungen dagegen: Ernst Gottfried oder Johann Gottfried Engelmann, vgl.
Bdm/Dresden S. 2ff.); *ein Unteraufseher,* Goethes erster *Führer* in der Gemälde-Galerie
(I/27, 171 f.); JA*Riedel; *ein junger Mann,
der sich in Dresden aufzuhalten und einer Le-
gation anzugehören schien* und die *Gesellschaft,*
zu der er Goethe einlud *(I/27, 173);* Familie
Behrisch (hier Sp. 967; 974); GW*Rabener
(Besuch in diesen Tagen wenig wahrscheinlich);
1784, Dezember: Geh. Regierungsrat von
Schauroth und Frau (IV/6, 420);
1785, *Karlsbad: Bekanntschaft mit Angehörigen der Familie v*Brühl, durch sie erste
Kenntnis von JG*Naumann;
1785/86: JFA*Darbes;
1787, Neapel: FChr*Andres *aus Dresd. (I/32,
442);*

1790, Juli und September/Oktober: JF v *Racknitz; Karl Heinrich Titius (1744 bis 1813), Arzt, Inspektor des Naturalienkabinetts in D., Goethe bereits aus Karlsbad bekannt, spätere Begegnungen in Karlsbad 1806/1807/1808 (III/3, 138; 142; 250; 364); ChrGKörner (1781–1815 in D., von jetzt ab ständiger freundschaftlicher Kontakt mit ihm und seiner Familie, seine Frau Minna geb. Stock kennt Goethe bereits seit der leipziger Studienzeit; D*Stock, ebenfalls aus Leipzig bekannt, ständiger Kontakt bis zu ihrem Tode 1813; ? Traugott Andreas v*Biedermann (1743–1814); vgl. Bdm / Dresden S. 12; WG*Becker, seit 1782 in D., Goethe wohl schon 1776 bekannt (IV/3, 49), zu seinem „Taschenbuch zum geselligen Vergnügen" verspricht Goethe, etwas beizutragen (1796: IV/11, 1); JChr*Adelung; Johann Heinrich Ramberg (1763–1840), Maler; ? MAHEv*Arnim, ? SAlbrecht (vgl. hier Sp. 390);

1791, 12. IX.: Erkundigungen nach dem Steinschneider Gottfried Benjamin Tettelbach (1750–1813) wegen Ausbildung von FW *Facius (IV/9, 283; 307f.; 377), der 1792 nach D. geht;

1792, Juni: Carl Wilhelm Ferdinand von Funck (1761–1828), sächsischer General, Diplomat, Historiker (IV/9, 308; 381), Mitarbeiter der „Horen" und späterhin der *JALZ, Verfasser einer Geschichte „Kaiser Friedrichs II." (vgl. I/34^{II}, 222f.; 264; III/2, 41), Wiederbegegnung 1796 in *Jena (IV/11, 77);

1794, 7. VII.: erste Anfrage nach dem Mechaniker Ähnelt, der Stahlspiegel und Prismen für Farbenversuche herstellen soll (Br Meyer 1, 123; vgl. hier Sp. 458), Besuch während des August-Aufenthaltes (BrMeyer 1, 135; dazu IV/10, 304);

August: *angenehme acht Tage, meist mit Meyern (IV/10, 177;* JH*Meyer, April bis September in D.); Benjamin Gottlieb Holzapfel, damals herzoglich sachsen-weimarischer Agent in D. (Bdm.-Dresden S. 20); erstmals FWBv *Ramdohr; erstmals JH*Seidel, letzter Besuch 1813 (III/5, 70);

22. IX.: Erkundigung nach der Nudelfabrik Antoni Bertoldi (BrMeyer 1, 136);

1795: *Unsere Geschäftsmänner und Diplomaten bewegten sich nun nach Dresden (I/35, 51);* Zusammenhang: *Baseler Frieden, mit der Mission betraut: JChr*Schmidt, ChrG *Voigt;

1796: Georg Karl Alexander (v)Richter (1760 bis 1806), gebürtiger Dresdener, wird herzoglich sachsen-weimarischer Geschäftsträger in D., 1804 Besuch Richters in Weimar (Bdm/

Dresden S. 83f.); 16. V.: Erwerb einer antiken Victoria-Statuette nach einem Vorbild des 5. Jahrhunderts vChr. aus der Sammlung von Johann Friedrich Wacker (1730–1795) durch GA Frhr v *Seckendorf (Bdm. 1, 246; Wegner S. 87; Abb. 33);

1797, März: *Doctor Petzold in Dresden* macht im Auftrage AvHumboldts Versuche betr. tierischen Magnetismus und Galvanismus *(IV/12, 66f.);* Sommer: Brüder v*Humboldt mit Familie etwa acht Wochen in D. (vgl. IV/12, 165; 1/34^I, 216);

Spätherbst: Sophie (geb. 1781) und Marianne Koch (geb. 1783), Schauspielerinnen, Töchter des verstorbenen weimarer Schauspieler-Ehepaars FKKoch (gest. 1794) und Francisca Romana geb. Gieranek (1748–1796) werden als Nachfolgerinnen von ChrBecker-*Neumann und F*Vohs-Porth diskutiert (Bdm/Dresden S. 83f.); dabei möglicherweise Kontakt mit F*Seconda und Christian Wilhelm Opitz (1756–1810), erneuter Kontakt mit Opitz 16. I. 1800 (III/2, 280);

1798, Dezember: „unangenehmes Schreiben aus Dresden" leitet den Atheismus-Streit ein (BrVoigt 2, 115; 420f.; *Fichte);

1799: M*Meyer/vEybenberg; dann erneut 1808 (vgl. SGGes. 18, 110; 209); Beginn der goetheschen Beschäftigung mit den *Winckelmann-Schriften [JJWinckelmann, 1752–1755 in D.; Karl Wilhelm Daßdorf (1750–1812), Bibliothekar in D., Herausgeber von „Johann Winckelmanns Briefe an seine Freunde" (2 Tle 1777/1780), vgl. I/46, 14: *in der schätzbaren Daßdorfischen Sammlung;* Heinrich Graf von Bünau (1697–1762); Walther, *Verlags- und Sortimentsbuchhändler;

1799, 15. IX.: Oberkonsistorialrath *Heidenreich von Dresden (III/2, 258);*

1804: Maria Agathe Alberti, Malerin in D., (Bdm-Dresden S. 116f.); KA*Boettiger geht nach D.; dresdener Mitarbeiter an der JALZ: Friedrich Christian Franz (geb.1766), Carl Wilfried Ferdinand vFunck, (? Friedrich Gotthilf) Hartmann, Friedrich Ludwig Kreysig (1770 bis 1839), Johann Gottfried Lipsius (1754 bis 1820), Wilhelm Gottlieb Hermann (?) Ranisch, (1769–1812), Anton Christoph Johannes (?) Reiff (1772–1807), Friedrich August Schulze (1770–1849), Karl August Tittmann (1775–1834), Gottfried Benjamin Weinart (1751–1815);

1806, Karlsbad 7. VII.: Johann Aloysius Schneider (1752–1818), apostolischer Vicar von Sachsen, Goethes Tischnachbar beim Grafen Oertzen (III/3, 136), 1820 wünscht Goethe bei der *Dresdner Bischoff-Schneiderschen Auction*

(III/7, 129) etwas aus der Kupferstichsammlung zu erstehen, kaufte aber nichts: *es ward alles übertrieben bezahlt* (vgl. IV/32, 149; 153; 213; *33, 259*); 16. VII.: Hans Georg von Carlowitz auf Oberschöna und Kirchbach (1772 bis 1840), kgl. sächs. Wirkl. Geh. Rat, Jurist, Staatsminister, Prälat des Hochstifts Merseburg (III/3, 140f.); 31. VIII.: *Verzeichniß der Münzsammlung, welche den 17. September in Dresden verkauft werden soll (III/3, 167)*, ? Hinterlassenschaft des Münzmeisters Johann Ernst Croll (1755–1804), vgl. Bdm/Dresden S. 130;

1807, 24. V.: Leutnant Kühnemann vom dresdener Kadettencorps *kam nach Jena das Schlachtfeld aufzunehmen und zu modeliren (III/3, 213;* Fertigstellung des Reliefs 1810, vgl. dazu BrCarl August 2, 41 f.; 340); Karlsbad: Dr. ChE*Kapp *von Dresden (I/36, 18)*, Kapp lebte 1807/08 bis zu seinem Tode in D.; 19. VI.: FV*Reinhard, seit 1792 Oberhofprediger, Kirchenrat, Oberkonsistorialrat in D. (III/3, 226); 14. VII.: *Abends ... Nachricht, daß der Herzog nach Dresden abgehen werde (III/3, 240)*, dort 18. VII. Audienz bei *Napoleon, aus Weimar in D. anwesend: ThHAF v*Müller, G Frhr v*Egloffstein, FA Frhr v*Fritsch (vgl. JbGGes 20, 88–91); 25. VII.: *Bekanntschaft mit Dr. Schubert von Dresden (III/3, 247);* GH*Schubert); 8. VIII.: Bernhard von Haza-Radlitz (gest. 1853), *der mir ein Packet von Adam Müller* (AH*Müller, Ritter vNitterdorf, 1806–1807 in D.) *brachte (III/ 3, 255;* 257; 266; IV/19, 403f.), 1808 *dessen Scheidung* von Sophie geb. vTaylor, später wiederverheirateter Müller vNitterdorf *(III/ 3, 364).*

[Hazas Haus war der Mittelpunkt der romantischen Gesellschaft D.s, insbesondere: H v*Kleist mit der Redaktion des ,,*Phoebus", weiterhin gehörten mehr oder weniger vorübergehend zu diesem Kreis L*Tieck, (*Finckenstein), F*Schlegel (nahm erstmals 1794–96 Wohnsitz in D., stirbt hier 1829), v*Hardenberg, Z*Werner, Cl*Brentano, Wilhelm von Burgsdorff, Friedrich Karl von Jariges (1773–1826), Goethe als Schriftsteller und *Übersetzer bekannt, JSt*Schütze, H *Steffens, FWJv*Schelling, Fv*Gentz, Christian August Gottlieb Göde (1774–1812), Friedrich August Koethe, GHSchubert, OM v*Stackelberg (1787–1834), Evd*Recke, Chr A*Tiedge, AG*Oehlenschläger, FADHv*Loeben; in diesen Zusammenhängen vgl. zB. 1. VI.: *Advokat Mener aus Dresden über verschiedene dortige Verhältnisse, den androhenden Katholicismus u. s. w.,* Wiederholung des Gesprächs 3. VI. *(III/3, 218;* 220); auch 20. X. mit K Frhr vMüffling *über die Dresdner litterarischen und philosophischen Verhältnisse: über Gentz, Adam Müller, Schubert, von Kleist etc. (III/3, 287).*]

30. IX.: Cv*Türckheim auf dem Wege nach D. in Weimar (IV/19, 471);

1808, April: C*Bardua geht nach D., bleibt dort bis vor 1821; 26. V.: Frau v*Staël (IV/20, 398); 10. VII. *Franzensbad: erster Kontakt mit dem Grafenhaus *Bose (vgl. hier Sp. 1341f.); Karlsbad: F*Bury (I/36, 37f.); 12. VI.: *Kaufmann Schrader von Dresden (III/ 3, 345);* 31. VII.: *Superintendent Joseph Schmid, der geistliche Herr aus Dresden,* 12. VIII.: *der geistliche Herr mit der Madame in Email (III/3, 366; 371);* 25. VIII. Fischern: *Stoll dem älteren aus Dresden begegnet (III/3, 376);*

1809, Januar: Auftreten der Harfenistin, Sängerin, Rezitatorin, Malerin Therese Emilie Henriette aus dem Winkel (1784–1867) mit ihrer Mutter in Weimar (III/4, 3; 4; 5); 22. I.: Erkundigung nach dem Schauspieler ? Julius Weidner *bey der Dresdner Gesellschaft, der mir ... als Chorführer in der Braut von Messina sehr gelobt worden (IV/20, 285;* vgl. Bdm/ Dresden S. 84);

1810, 11. VI. Karlsbad: erste notierte Begegnung mit Heinrich Ludwig Verlohren (? 1750/51–1832), seit 1806 Geschäftsträger der ernestinischen Höfe in D., 1810 weimarischer Hauptmann, später geadelt, zuletzt Oberst und gothaischer Legationsrat (III/4, 131), in der Folgezeit nicht abreißende Verbindungen zu Goethe, besonders als Vermittler von Sendungen amtlicher oder persönlicher Art, auch ständige Postadresse Goethes in D. (IV/21, 381; 385); September *Teplitz: HMC Graf Schönberg-Rothschönberg;

17.–25. IX.: FW*Riemer, Goethes Reisegefährte; außer mit den befreundeten oder bereits bekannten Dresdnern Umgang mit folgenden Personen: Prinz Bernhard von *Sachsen-Weimar; (bei der kurfürstlichen Garde in D. stationiert); JJOA*Rühle vLilienstern (militärischer Begleiter des Prinzen) und Frau; *Weimarisch-Jenaische Colonie* [dabei: KFE *Frommann und Frau, E*Wesselhöft, L*Seidler, HEFAv*Beulewitz, J*Schopenhauer; ThJ *Seebeck]; *Schleyermacher* (? JD oder EChrA *Schleiermacher); H*Herz; PA Fürst *Esterhazy vGalantha; JAv*Thielmann und Frau; Hugo Franz Graf von Hatzfeld (1755–1830); JW*Volkmann und Frau; *Kunsthändler* ? Heinrich Rittner, vgl. 1816: IV/27, 292, 1817: IV/28, 260f.; ? Morasch und PASkerl, vgl. 1827/28: III/11, 152; 157; 180f.; bei Sv*Grotthuß *zu Tische;* Frau von Knox; *bey v. Pfeffel angefragt;* ChrWv*Dohm; August Pechwell *(Bechwell, Pochwill),* Kunstsammler (1757–1811); Hofrat Bloch, Mineraloge (5. XII. 1812 Besuch Blochs in Weimar, 1818/1819/22 Erwerbungen aus dessen Nachlaß?: III/4, 350; BrCarl August 2, 234; 434; 3, 52; 333) mehrfach: *Grose Gesellschaft* und *Musicalische Unterhaltung (III/4, 154–156; IV/21, 388);*

1810/11: während der Arbeit an dem Aufsatz über Ph*Hackert für das „Morgenblatt": Johann Georg Wagner (1744–1767), Landschaftsmaler in D. (I/41^I, 26; nochmals I/46, 122f.);

1811, April/Mai: Sendungen an den Privatgelehrten Carl Wilhelm Friedrich Erbstein (III/4, 198; 203); Mai/Juni: JSMD*Boisserée (Absicht, Goethe von D. aus in Karlsbad zu besuchen, vgl. IV/22, 120; Firmenich-Richartz S. 143; 148); Juni Karlsbad: CFWLv *Loeben (III/4, 211f.); 9./10. VII.: Bildhauer Christian Gottlieb Kühn (geb. 1781) III/4, 218f.; 15. VII.: KChrF*Krause, derzeit in D., als Gegenstand eines Abendgesprächs bei JJ *Griesbach (Jena);

1812, Januar: Johanna Geisler, geb. Ludwig *in Dresden, Neustadt, Obergraben beym Hutmacher Otto wohnhaft (III/4, 409),* Spitzen-Stickerin, erhält eine *Assignation von 119 Thlr. 12 gr. Sächsisch (ebda 255)* als Bezahlung für ihre durch LSeidler nach Weimar vermittelten *Waaren (IV/22, 226f.),* sie bedankt sich 7. II. (III/4, 410); CW*Lieber aus Weimar als Kunststudent nach D. (vgl. IV/23, 222; dort Schüler von CDFriedrich, GFKersting), erneute Entsendung 1827 zu PPalmaroli vgl. IV/42, 350–354); 30. XI.: Hofgraveur Bauer von Dresden (III/4, 348);

1813, 20.–25. IV.: ECChr*John, Goethes Begleiter, Wohnung bei Hof- und Justizrat Ludwig Christoph von Burgsdorff (1774–1828) und dessen Frau Charlotte Wilhelmine Sophie geb. von der Lochau (? 1793–1863), Seestraße Nr 20, Burgsdorff berichtet über Goethes Verhalten an D Graf *Einsiedel-Wolkenburg; HFK Reichsfreiherr vom und zum *Stein (Goethe wartet ihm nicht auf: Bdm/Dresden S. 30); außer mit den bereits Befreundeten und Bekannten Zusammentreffen mit folgenden Personen: *Mad. Fleischmann und Töchter;* AC Graf *Edling; Herr *Erdmann aus Allstedt, in russischen Diensten (III/5, 35);* FAG Frhr v*Ende; EM*Arndt; Herr von Nolten, russischer Offizier, *einer seiner Verwandten hat eine Zeitlang in Jena, Weimar und Rudolstadt*

gelebt (IV/23, 326f.); Regierungsrath Graff von Königsberg ... ist hier bey der Verwaltungscommission angestellt (IV/23, 327); Legationssekretär Schwebel; Hv*Cotta (hier Sp. 1697); Carl Friedrich Demiany (1768–1823), seit 1812 an der Galerie angestellt; FChrSibbern als *Kopenhagen; *Ankunft der Potentaten* (Alexander I. von *Rußland; Friedrich Wilhelm III. von *Preußen), Interesse für ein *Verzeichniß der mit den Majestäten kommenden Personen (III/5, 37, 35); Schreckniß* in der Oper (Cosi fan tutte): *Alte vermagerte, ja lahme Frauen, statt der lustigen Dirnen, Liebhaber, steif und stockig über alle Begriffe, der Buffo nicht der Rede Werth (IV/23, 327);* Buntheit des Stadtlebens: *Schubkarren mit Blumen / Orgelmann* mit *Kindern / Marckt / *[Großstadtgetriebe (40000 Einwohner und deren Lebensbedürfnisse)] *Chorschüler marschirten nach der Melodie eines Gassenhauers / Cosacken* mit *Cameel = ächt asiatisches Wahrzeichen* freuen *sich am Nürnberger Tand / Bewegung und Zerstreuung (III/5, 328f.; IV/23, 329f.);*

Mai–August, Teplitz: *Die Zahl der Curgäste vermehrt sich täglich durch Blessirte und Personen von Dresden (IV/23, 339);* [darunter ua.: Lord John Whitley O'Caroll, Baronet of Ely und Familie, *Nachricht von der Schlacht am 2. Mai (III/5, 42);* „Frau Baronin v. Ompteda nebst Familie aus Dresden" (ebda 331); *ein Medicus von Dresden* (? Dr. Friedrich August Roeber, Stadtphysikus, gest. nach 1823; *III/5, 44;* vgl. 331); Maximilian Karl von Carlowitz-Maxen (1782–1833), kgl. sächs. Kammerherr, Rittmeister a.D., Staatsminister, Amtshauptmann in D. (ebda 53; vgl. 331); „Fr. Marianne v. Gablenz, Gattin des k. sächs. Obersthofmeisters nebst frl. Tochter" (ebda 332); Karl Christian Leberecht Weigel (1769–1845), seit 1802 Arzt in D., 1813 Vorstand der medizinisch-militärischen Angelegenheiten und russischer Hofrat (ebda 53; vgl. Bdm/Dresden S. 33); „Joh. Karl Wötzel, Doktor nebst Gattin aus Dresden": *Prof. Wötzel declamirte das Gastmahl des Darius von Apel (III/5, 332; 59)*]; Desport, Handelshaus (III/5, 59; IV/23, 385), erneute Geschäftsverbindung;

10.–17. VIII.: HCF*Peucer und ChFC*Wolfskeel von und zu Reichenberg aus Weimar; Heinrich Frhr von Heß, Hauptmann, später österr. Feldmarschall und sein Kamerad Frhr vNeumann (*Offiziere), beide aus Teplitz bekannt (vgl. SGGes. 17, LXXVI; 135); Französische Hofschauspieler, darunter: *Talma; Michot, Michelot, Batiste; beim Kopieren beobachtet: JH*Beck, (?) Johann Martin von

Rohden (1778–1868), Christian August Günther (1760–1824); Bekanntschaft mit: ChFKv *Kölle (1781–1848; *Politiker/Diplomaten); General Rautenstrauch (?*Pole*? vgl. *III/5,70*); JH*Klaproth; *dem Kayser begegnet* (*Napoleon); Ferdinand IV. von Neapel (III/5, 69); September: JStSchütze: *Geschichte der Schlacht, bey Dresden, durch letzteren als Augenzeugen (III/5,74),* nochmals 4. VIII. 1824 *von Dresden erzählend (III/9, 252);*
1814: CG*Carus wird Prof. in D.; Iffland hat zur Vorbereitung des *Epimenides …zwey Decorateure, von Dresden und Weimar verschrieben (I/16, 519)*
1815: A*Schopenhauer (bis 1818 in D.);
1816: Oberkammerherr Johann Georg Friedrich Freiherr von Friesen (1757–1824), Chef der kgl. Kunstsammlungen (vgl. IV/26, 333f.; 426); Berufung CMFv*Webers nach D.; *Tennstedt: Flüchtige Begegnung mit Maria Theresie Antonie Edlen von Reinhardt, geb. vNicléwicz (1792–1866), auch mit dem späteren sächsischen Minister Johann Paul Frhr von Falkenstein (1801–1882), vgl. Bdm/Dresden S. 46; 140;
1817, 30. VI.: AG*Werner stirbt in D. (IV/28, 183);
1818/19: EChKvd*Recke nunmehr zu ständigem Aufenthalt in D.;
1818/21, Karlsbad: Friedrich Traugott Hase (1754–1823), Goethe als Herausgeber des leipziger Musenalmanachs (1775/77) bekannt, seit 1779 in D., 1807 Kriegsrat, Partner eines Gesprächs über Italien (Bdm. 2, 526);
1819, 29. VII.: Bassenge u. Co., Handelshaus (III/7, 75);
1820, 21. IV.: Jv*Egloffstein nach D. (I/4, 37; 5^II, 24; vgl. 1821: I/36, 202); Wv *Schütz; 8. IX.: Ernst Friedrich Georg Otto von der Malsburg (1786–1824), *Casslerischer Resident in Dresden (III/7, 219,)* *Übersetzer von *Calderon und *Lope de Vega (vgl. Ruppert Nr 172; 1730); 17. X. 1824: Besuch seines jüngeren Bruders, die Hinterlassenschaft in Dresden abzuholen, mit einem rechtlichen Beystand (III/9, 283; 414); Johann Wilhelm Seyffarth, kgl. sächs. Hofgürtler, erbittet ein Muster, um Goethes Porträt in Stahl zu schneiden (IV/33, 285; 396; vgl. schon 1819: III/7, 108), die fertige Arbeit findet nicht Goethes Beifall (1824: IV/38, 248; 375; vgl. III/9, 270; 411); 24. IX. Friedrich August Schulze, pseudonym: Friedrich Laun, Unterhaltungsschriftsteller in D.: *Nachts las ich im Taschenbuche: Die Tischnachbarin, Erzählung von Friedrich Laun (III/7, 227);*
1821: H*Hosse sendet aus D. Werke zur wei-

marischen Kunstausstellung, Goethe berichtet darüber in *KuA* IV, 1 (Bdm./Dresden S. 117);
1822: JChr*Sachse; 24. VI. Marienbad: *Dresdner Ankömmlinge (III/8, 211);* 25. VII. Eger: *Major von Dresler (ebda 233);*
1823, April: Nils Lauritz Höyen (1800–1870) als Überbringer eines Briefes von CGCarus aus D. (IV/37, 13); 20. VI.: CWv*Heygendorff als Kadett nach D. (Bdm./Dresden S. 12); 15./17. VII. Marienbad: Oberforstmeister von Lüttichau (Wolff Aoolf August ?), Familie möglicherweise schon früher bekannt (III/9, 77f.; vgl. 3, 354); Karl Friedrich von Brand, Staatsbeamter (III/9, 93);
1824, Sommer: Familie v*Levetzow (Goethe Jb 8, 182f.); 2. X.: Maximilien von Schreibershofen (1785–1881), kgl. sächs. Offizier und Frau (III/9, 277);
1825, Januar: Briefverbindung mit Justin Amadeus Lecerf (1789–1868; sehr fruchtbar durch *Vertonungen goethescher Dichtungen, wohl bereits seit 1820 über CGCarus in persönlichem Kontakt: Bdm-Dresden S. 76f.), insonderheit wegen des Abschlusses von *Jery und Bätely* durch ein betonter versöhnliches Chor-Finale: *Ich konnte ihren Wunsch leicht erfüllen; er war ganz vernünftig* (September: Besuch in Weimar; *Bdm. 3, 225*); Juli/August: Hans Ernst von Globig (1755–1826), kgl. sächsischer Minister, Kirchenratspräsident, Direktor der Gesetzkommission, übersendet Interims schein betr. Privilegienschutz für die Ausgabe letzter Hand (IV/40, 352);
1826, 15. XII.: Fanny Tarnow (III/10, 136; erneut 13. II. 1826: ebda 161);
1827, 2. V.: *Herr von Schweitzer aus Dresden (III/11, 52);* 14. V. Weimar: JKU*Baehr und *Geselle* Wagner (vgl. hier Sp. 571); JLSchütz, *Reproduktionskupferstecher; 11. IX.: Heinrich David August Ficinus (geb. 1782), Arzt, Chemiker (III/11, 108);
1828: HGL*Reichenbach; Th*Eißl; 1. IX. Dornburg: Carl Constantin Kraukling gen. Krauklihn (1792–1873), Mitherausgeber der „Dresdener Morgenzeitung", 1839 Direktor des historischen Museums in D., ein *sinniger, wohldenkender, unterrichteter, den neusten literarischen Zuständen wohl geeigneter Mann (III/11, 272;* vgl. IV/44, 302; 305); 9. IX.: erste Verbindung zu dem Kunsthändler Ernst Arnold (III/11, 277); 19. IX. Weimar: Elisabeth Camilla von Roeder, geb. Gräfin von Chasôt (1789–1843), Frau des klg. sächs. Ministerresidenten in Berlin (III/11, 280);
1829, 1. VI.: Dr. Adolf Peters (1803–1876), Mathematiker (III/12, 76); 8. VII.: *Herr und*

Madame von Schwarz bey Dresden wohnhaft (III/12, 94);
1830, 7. II.: Julius Hermann Busch (Pseudonym: Abaldemus), klg. sächsischer Artillerie-Wirthschafts-Fourier, Goethe übernimmt die Patenschaft für B.s dritten Sohn (IV/46, 233; 383); B.s 1825 erschienene Schrift „Über die Natur des Menschengeschlechts" war Goethe bereits seit 1826 bekannt (EWG 1, 1); April: WSchröder-*Devrient; 30. VII.: KJ *Sillig; 2. IX.: FWBalthasar, Lehrer der Calligraphie und Handelswissenschaft sendet *Facsimiles (III/12, 297; 405);* September: KF Graf *Reinhard wird Gesandter in D.;
1831, Juli: *Quittung Forcht v Dresden (III/ 13, 271);* 26. IX.: Ludwig Lesser, gen. Liber, *Banquier (ebda 145);*
1832, 4. II.: Burkhard Wilhelm Seiler (1779 bis 1843) interessierte mit seiner Anleitung für die Fabrikation von Gehörpräparaten in der Werkstatt des Gipsarbeiters Franz Propatschky (Bdm/Dresden S. 130; *Tonlehre).   *JP*
Bdm/Dresden = WvBiedermann: Goethe und Dresden. 1875.

Drollinger, Carl Friedrich (1688–1742), Badenser, Studium in Basel (Rechts- und Geschichtswissenschaft; Philosophie), 1712 in badischem Verwaltungsdienst (Bibliotheken, Archive, Cabinette), 1726 Geheimer Archivar, seit 1733 bis zum Tode wieder in Basel; literarischer Entwicklungsgang: Hofmannswaldau-Lohenstein-Canitz-Besser-Brockes-Boileau-Pope, doch ohne die Kraft, neben Haller und Hagedorn seine Stimme durchzuhalten. Goethe lernte D. durch des Vaters *Hausbibliothek (Götting S. 50) kennen, wo seine Gedichte in der Reihe der Reimdichter standen (I/26, 122f.). Auch an D. entzündete sich die knabenhafte *Versewuth (I/26, 48).* Besonders wirkungsvoll war die Tatsache, daß D. im Gegensatz zu den anderen eine weniger dogmatische Formenstrenge besaß, den *Alexandriner nicht allein kultivierte, sondern Mut und Beweglichkeit zB. auch zum *Knittelvers besaß (Labores juveniles: I/38, 211). Über die Knabenzeit hinaus hatte D. für Goethe allerdings keine Bedeutung; in der weimarer Hausbibliothek war er nicht mehr vertreten.   *Za*

Drouais, Jean Germain (1763–1788), Historienmaler, Sohn des berühmten Porträtmalers François Hubert D., gen. le fils (1727–1775), und der Anne Françoise Doré, (daß D. deren einziger Sohn gewesen, schreibt Goethe I/32, 276; aus der Ehe gingen vier Kinder hervor), arbeitete seit 1780 im Atelier JL*Davids, mit dem er 1784 nach Rom ging, *unter allen studi-*

renden Künstlern für den hoffnungsvollsten gehalten (I/32, 276). Er scheint sich nach Goethes Bericht an der französischen Akademieausstellung vom August 1787 in *Rom beteiligt zu haben (ebda 69f.). Sein Tod im Februar 1788 löste in Rom unter den Künstlern *allgemeine Trauer und Bestürzung* aus. Goethe besuchte sein Atelier und sah dort das unvollendete Bild eines Philoktet, *welcher mit einem Flügel eines erlegten Raubvogels den Schmerz seiner Wunde wehend kühlt. Ein schön gedachtes Bild, das in der Ausführung viel Verdienste hat . . . (I/32, 276).*   *Lö*
JLM 10, S. 114 f.– ThB 9, S. 579.

Drusenheim, ein größeres Dorf im Unter-Elsaß (Département Bas-Rhin), 5 km südlich von *Sesenheim, ungefähr 30 km nordöstlich von *Straßburg in der hier ziemlich reizlosen Rheinebene gelegen, die jedoch einigen Waldbestand aufweist. Bis zu einer Rheinregulierung im Jahre 1811 mündete die *Moder bei D. in den *Rhein. Auch sonst war durch die heute verschwundenen *Rheininseln das Landschaftsbild vom heutigen verschieden. Zur Zeit Goethes gehörte der Ort zur Grafschaft *Hanau-Lichtenberg. – Es ist sehr fraglich, ob der *Wirthssohn* vom *Gasthofe zu Drusenheim* der Wirklichkeit entspricht *(I/27, 359 ff.).* Er ist vielleicht die dichterische Umgestaltung eines gewissen GKlein (1743–1793), eines Bekannten der Familie *Brion, der aber in Dengolsheim, einer Pfarrannexe von Sesenheim, nicht in D., ansässig war. Der *Kindtaufkuchen,* den er *der Frau Pfarrin zu bringen* hatte, wird vermutlich nicht aus dem ganz katholischen D. ins protestantische Pfarrhaus von Sesenheim geschickt worden sein; auch weisen die Kirchenbücher von D. für 17/71 keine immerhin mögliche protestantische Geburt auf, die die Übersendung des Kuchens erklären würde. Der ganze Bericht von der Verkleidung Goethes in den Wirtssohn von D. ist höchstwahrscheinlich eine Erfindung, trotz Goethes Freude am Mystifizieren. – Das zweite Gesicht, das Goethe erwähnt und in dem er sich bei D. sich selbst begegnend erblickt (I/28, 83 f.), wäre die Vorausverkündung des Besuches in Sesenheim, den sein Brief vom 25. IX. 1779 an Chv *Stein schildert; die Vision wird bezweifelt, da es merkwürdig bleibt, daß Goethe seiner großen Vertrauten nicht davon spricht. RV S. 10f.   *Fu*

Dubos, Jean-Baptiste (1670–1742), Abbé, Kunsttheoretiker, Ästhetiker, Mitglied und Sekretär der *Académie des Sciences zu Paris, kam Goethe in den Diskussionen der FGA-Mitarbeiter nahe (I/37, 196, vornehmlich durch seine „Réflexions critiques sur la poésie, la peinture et la musique" (Paris 1719), die auch durch AGP*Barante (Sp. 741) Goethe wieder ins Gedächtnis gerufen wurden. *Fu*

Duderstadt, am Rande des *Eichsfeldes in einem fruchtbaren Tal gelegen, das man früher „Goldene Mark" nannte, erreichte Goethe aus Bergwerks- und Industrie-Anlagen (*Lauterberg Königshütte), kommend, mit einer Augenverletzung am 13. XII. 1777 bei schlechtem Wetter und Weg: *in Duderst. musste das Aug verbinden legte mich vor langerweile schlafen (III/1, 57).* Am 9. VIII. 1784 traf Goethe nach einem Wagenunfall von *Dingelstädt kommend und auf dem Wege nach *Clausthal und *Zellerfeld vor Tagesanbruch abermals in D. ein (IV/6, 333). RV S. 17; 23. *JP*

Dudweiler liegt östlich von *Saarbrücken im Saarkohlenbecken (Steinkohlenbergbau). Die Kohlen des Saargebiets sind fast durchweg gasreich und neigen daher zu Schlagenden Wettern, gelegentlich sogar zur Selbstentzündung. Ein solches durch Selbstentzündung in Brand geratenes Kohlenflöz ist die Ursache des *brennenden Berges bei Dudweiler,* den Goethe 1770 von *Straßburg aus besuchte. Obwohl Goethe den *rötlichen weißgebrannten Stein* und *die Schiefer,* die *vollkommen geröstet daliegen* und das *zufällige Ereignis,* durch welches *diese Strecke sich entzündete (NS 1, 3)* beschrieb und wohl auch stark davon beeindruckt war, kam er später, als er *Vulkanismus und Flözbrandtheorie *Werners eingehend diskutierte, nie mehr darauf zurück. RV S. 10. *Bn*

Düntzer, Johann Heinrich (1813–1901), Rheinländer, Philologiestudent in Bonn und Berlin, Privatdozent in Bonn, 1846 Bibliothekar des katholischen Gymnasiums in Köln. Die Verdienste seiner fast unvorstellbar beharrlichen und ungemein ausgedehnten Sammlungs-, Vergleichungs- und Editions-Arbeit, seiner Erläuterungs- und Darstellungs-Tätigkeit vornehmlich auf den Gebieten der „Goethe-Philologie" überwiegen deren bisweilen erschreckende Mängel. Der Wissenschafts-Historiker wird sich um ein gerechtes Urteil bemühen und die Relativität der d.schen Leistung aus den Erfordernissen und Voraussetzungen der Situation heraus verstehen müssen. Ohne das Lebenswerk D.s, ohne die Fundamente zumal für die Kommentierung, die D. aus einer viel zeitnäheren Fakten- und Personen-Kenntnis legen konnte, ist die gewiß ganz anders gerichtete, hochentwickelte Goethe- und Goethezeit-Forschung der Folge-Generationen nicht zu denken. Viele seiner Publikationen behaupten trotz der penetranten Pedanterie und allein wegen der exorbitanten Realientreue ihren Wert. D. entwickelte keine Perspektiven, ihn bewegen und beunruhigen keine Intuitionen, aber er trägt in großer Fülle und Dichte Materialien herbei, mit denen sich zuverlässig operieren läßt. D.s Stärke ist die Andacht zum Kleinen, seine Schwäche, daß er für die Andacht zum Großen das notwendige Ingenium nicht besaß. *Za*

Dürer, Albrecht (1471–1528), größter deutscher Maler und Zeichner, Meister des Kupferstichs und des Holzschnitts, Schüler *Wohlgemuts, lebte nach Wanderjahren am Oberrhein als einer der ersten ohne Zunftzwang tätigen deutschen Künstler in seiner Vaterstadt Nürnberg, das er 1495 und 1506–1507 für seine venezianischen Reisen und 1520–1521 zu einem längeren Aufenthalt in den Niederlanden verließ. Schon um 1600 setzt in Kunst und Schrifttum eine Wiederbelebung des d.schen Erbes ein. Die theoretischen Schriften wirken auf die großen Maler des 17. Jahrhunderts. Sammler und Kunstliebhaber schätzen D. als Graphiker, als der er auch in der Kunstgeschichtsschreibung beachtet wird. Aus ihr entwickelt sich die wissenschaftliche Betrachtung des 18. Jahrhunderts, die mit DGSchöber („AD.s Leben, Schriften und Kunstwerke, aufs neue und viel verständiger, als von andern ehemals geschehen, beschrieben" 1769) und Murrs Beiträgen zur nürnbergischen Kunstgeschichte (Journal für Kunstgeschichte und neuere Literatur, 1776) in die Goethezeit führt. Goethe mag D. als Graphiker schon in der väterlichen Sammlung kennengelernt haben, denn in seiner frühen Schrift *Von deutscher Baukunst* (1772) wird D. als Holzschnitt-Künstler gut charakterisiert. Er wird gegen *unsere geschminkten Puppenmahler* des späten Rokoko, die *durch theatralische Stellungen, erlogene Teints, und bunte Kleider die Augen der Weiber gefangen* halten in seiner Eigenart betont: *Männlicher Albrecht Dürer, den die Neulinge anspötteln, deine holzgeschnitzteste Gestalt ist mir willkommener (I/37, 150).* Dieses Urteil bleibt in *Hans Sachsens poetische Sendung* bestehen: *Nichts verlindert und nichts verwitzelt, / Nichts verzierlicht und nichts verkritzelt; Sondern die Welt soll vor dir stehn, / Wie Albrecht Dürer sie hat gesehn, Ihr festes Leben und Männlichkeit, / Ihre innre Kraft und Ständigkeit (I/16, 124).* Diese Eigenschaften bestimmten Goethes Aufgeschlossenheit dem deutschen 16. Jahrhundert gegenüber. Aus ihr entwickelte sich die dramatische Bearbeitung des Götz-Stoffes, die Anfänge der Faust-Dichtung und die hohe Schätzung D.s, sowie die systematische Arbeit an D.s graphischem Werk, das er im Laufe seines Lebens mit ziemlicher Vollständigkeit sammelte.

Die im gotheschen Freundeskreis wachsende Neigung zu D. (vgl. IV/3, 214) fand ihren Niederschlag in der Ordnung und Vervollständigung der D.-Graphiksammlung Lavaters, die dieser Goethe am 12. I. 1780 zur Bearbeitung zuschickte. Zusammen mit anderen altdeutschen Kupferstichen und Holzschnitten wurden sie von den Papieren gelöst und der Sitte der Zeit gemäß der Nummernfolge entsprechend in einem Klebeband vereinigt, in dem für die fehlenden Blätter Platz gelassen wurde (IV/4, 266; 172). Bei der Bearbeitung stand Hüsgens D.-Katalog (,,Raisonnirendes Verzeichniß aller Kupfer- und Eisenstiche, so durch die geschickte Hand AD.s verfertiget worden") von 1778 zur Verfügung. Mehrfach wird Lavater zum Kauf d.scher Blätter angehalten und auch *Merck um Besorgung des Fehlenden gebeten (IV/4, 229; 201). Herzog Carl August, der selbst eine Sammlung von D.-Graphik besaß, kauft *einige Marienbilder* auf der leipziger Messe für *Lavater *(IV/4, 211; 201;* vgl. 44, 75*). Am 3. IX. 1780 wird der Kupferstichband an seinen Besitzer zurückgesandt (IV/4, 279), *der Holzschnitte sind noch zu wenig* (7. VIII. 1780: *ebda 266*). Von der Fertigstellung eines Holzschnitt-Bandes ist später nicht mehr die Rede. Zur Zeit seiner Beschäftigung mit D. las Goethe auch das von *Murr im Journal für Kunstgeschichte 1779 und 1781 teilweise publizierte ,,Tagebuch" D.s von der niederländischen Reise (III/1, 108).

Die Intensität, mit der Goethe sich dieser Aufgabe unterzog – *ich treibe die Sachen als wenn wir ewig auf erden leben sollten (IV/4, 258)* – spiegelt sich in seinen Urteilen wieder: *Denn ich verehre täglich mehr die mit Gold und Silber nicht zu bezahlende Arbeit des Menschen, der, wenn man ihn recht im Innersten erkennen lernt an Wahrheit Erhabenheit und selbst Grazie nur die ersten Italiener zu seines gleichen hat (ebda 190).* Goethe wollte *über die merkwürdigsten Blätter* schreiben, *nicht sowohl über Erfindung und Composition, als über die Aussprache und die ganz goldene Ausführung (ebda 201).* Steht damit mehr das Inhaltliche und Expressive als das Formale im Vordergrund des Interesses, so konnte sich Goethes Begeisterung auch nur bis in die Zeit halten, in der ihm die Kunst des Südens und mit ihr die Bedeutung der Form in der Kunst als Problem entgegentreten sollte. In *Venedig bedauerte Goethe 1786, daß D. nicht in *Italien gewesen sei (III/1, 306) – erst die Buchausgabe

der *Italiänischen Reise* berichtigt aufgrund des von Cramer 1809 herausgegebenen ,,Leben AD.s" *tiefer nach Italien* – und erkennt die Beschränktheit seiner deutschen Existenz: *Mir ist so ein armer Narr von Künstler unendlich rührend, weil es im Grunde auch mein Schicksal ist, nur daß ich mir ein klein wenig besser zu helfen weiß (I/30, 161).* Goethe trifft sich hier mit dem prächtig-männlichen Wort D.s, das er 1506 an Pirckheimer schrieb: ,,Ach wie wird mich nach der Sonne frieren. Hier bin ich Herr, daheim ein Schmarotzer." Doch der gotheschen Gedanke klingt, ins Positive gewandt, noch ganz spät wieder an: *Und sieht man es denn Albrecht Dürern sonderlich an, daß er in Venedig gewesen? Dieser Treffliche läßt sich durchgängig aus sich selbst erklären (I/34^I, 189).* Schon vor seiner Beschäftigung mit der D.-Graphik hatte Goethe Gemälde des Künstlers kennengelernt. 1774 sah er bei seinem Besuch im jabachschen Hause zu Köln *(IV/2, 187: Jappach)* vielleicht einen Altar D.s, der um 1503–1505 entstanden war und ehemals die Kapelle des jabachschen Hauses geschmückt hatte. Die beiden Flügelinnenseiten mit den hl. Joseph und Joachim (links) und den hl. Simon und Lazarus (rechts) gelangten in die Sammlung *Boisserée (I/49^I, 427) und mit dieser in die münchener Pinakothek. – Das im Besitz von Merck erwähnte Bildnis Karls V., das 1782 nach Weimar kam und von der Herzogin an Carl August geschenkt wurde, ist sicher eine Nachahmung, denn von D. gibt es nur die 1521 geschaffene Medaille auf den Kaiser. *Lavater wollte *über so ein Gesicht und über so ein Werk ein ganzes Buch schreiben* (IV/6, 67; 77; vgl. SGGes. 16, 229). – Erst auf seiner Fahrt nach Italien lernte Goethe *ein paar Stücke . . . von unglaublicher Großheit* von D. in München kennen (I/30, 161). In der dortigen Hofgartengalerie befanden sich seit 1781 die Beweinung Christi von 1500, der paumgartner Altar von 1503, die Lucretia von 1518 und die Vier Apostel, sowie das Bildnis JFuggers aus der Zeit um 1518 (sämtlich jetzt Alte Pinakothek). – In Venedig scheint Goethe zumindest Mitteilung von dem für die deutschen Kaufleute in Venedig gemalten Rosenkranzfest erhalten zu haben, glaubt jedoch, daß *Pfaffen (ebda)* den Auftrag gegeben hätten. – Auf der Rückreise machte Goethe 1788 einige Auszüge aus Murrs ,,Beschreibung der vornehmsten Merkwürdigkeiten in des H. R. Reichs freyen Stadt Nürnberg" (1778; I/32, 461). Man zeigte ihm auch 1790 *die noch übrigen prächtigen Gemählde des Albrecht Dürers, wovon sich eines in der* [laut Notiz des Ausgabenbuches zu ergänzen: Sebald =] *Kirche die andern aber auf dem Rathhaus befinden (III/2, 13)*. Ersteres ist wahrscheinlich die von der Familie Holzschuher am Ende der 1490-er Jahre gestiftete Beweinung Christi, die über die Sammlung *Boisserée (vgl. IV/32, 245) in das Germanische National-Museum in Nürnberg gelangte. Letztere sind nach der Aufstellung bei Murr der Triumphwagen – wohl die Zusammenstellung der in langjähriger Arbeit 1522 vollendeten Holzschnitte mit dem Triumphwagen Kaiser Maximilians –, ferner in der Konferenzstube *Das Friedensmahl*, sowie Bilder im *Schönen Saal;* in der Silberstube ein *Bildniß auf Holz*, schließlich die beiden Kaiserbildnisse, Karl der Große und Sigismund, die der Rat der Stadt Nürnberg 1510 bei D. für die Heiltumskammer bestellt hatte.

Erst eineinhalb Jahrzehnte später beschäftigte sich Goethe wieder mit D.s Kunst. In seinem klassischen Jahrzehnt konnte D. keine Aufmerksamkeit beanspruchen (vgl. I/47, 340), wenn auch damals mit der älteren Romantik Wackenroders („Ehrengedächtnis unseres ehrwürdigen Ahnherrn AD.s", 1797) und L*Tiecks („Sternbalds Wanderungen") eine Hinneigung zur altdeutschen kirchlichen Malerei eingesetzt hatte. So entspricht Goethes Interesse zeitlich etwa der im frühen 19. Jahrhundert einsetzenden D.-Renaissance. Lebhaft und erstaunlich sicher ist Goethes Urteil über das 1805 bei *Beireis gesehene Selbstbildnis des zweiundzwanzigjährigen D. von 1493, eine jetzt in Leipzig befindliche Kopie des im Louvre zu Paris aufbewahrten Originals. Goethe schreibt an Carl August, daß in diesem Bilde *alle Tugenden dieses Meisters jugendlich, unschuldig blühend erscheinen. Ein's der interessantesten Bilder die ich kenne, wenig beschädigt, gar nicht restaurirt (IV/19, 48 f.).* Er gibt eine genaue Farbbeschreibung des Bildes und eine Charakteristik des Menschen D., das eigentlich Künstlerische tritt demgegenüber zurück (I/35, 217). Hier wird das Urteil *Meyers (und Goethes) vor den Bildern der dresdner Galerie verständlich, über deren Echtheit beide selbständig zu entscheiden wissen. Der *Eremit mit einem Todten Kopfe* (jetzt Kat.-Nr. 1886) ist wahrscheinlich ein niederländisches Bild des 16. Jahrhunderts, das *Portrait eines Mannes im Pelz* (Nr. 1871) wurde früher als Bildnis des BvOrley bezeichnet, ist jedoch ein Porträt eines BvResten, das 1521 in Antwerpen entstand. Goethe fand es *schmutzig hart, aber geistreich (I/47. 370 f.)*; die *Haus-Capelle* ist der damals noch D. zugeschriebene dresdner Altar aus der Spätzeit des Jv*Eyck. Mit Recht zweifelte Goethe an der Echtheit des Marientodes (Nr. 1874), einer späteren Kopie nach dem Holzschnitt des Marienlebens; auch die Kreuztragung (Nr. 1872) ist nur eine Nachbildung.

Die praktische Beschäftigung mit D.s Kunst fand Goethes ungeteilte Aufmerksamkeit. 1808 veröffentlichte *Strixner unter dem Titel, „A D.s christlich-mythologische Handzeichnungen" lithographische Nachbildungen der d.-schen in München befindlichen Illustrationen zu Maximilians Gebetbuch, das in der Art der Handschriften des 14. Jahrhunderts gedruckt worden war. Unter anderen Künstlern war auch D. zur Ausschmückung der Randleisten herangezogen worden. Hier fand Goethe endlich die freiere Form D.s: *Aus der gewissenhaften Peinlichkeit, die sowohl seine Gemählde als Holzschnitte beschränkt, trat er heraus bei einem Werke wo seine Arbeit nur ein Beiwesen bleiben, wo er mannichfaltig gegebene Räume verzieren sollte. Hier erschien sein herrliches Naturell völlig heiter und humoristisch (I/36, 50).* Die einzelnen Lieferungen wurden mit Hofrat Meyer und anderen Mitgliedern des Hofes und der Gesellschaft wiederholt besprochen; mit Hilfe Meyers verfaßte Goethe eine Renzension für die J. A. L. Z. (III/3, 220 ff. und III/4, 10f.; vgl. I/48, 249): *Dergleichen Gutes kann nicht oft kommen (IV/20, 37 f.).* – Hierdurch war Goethe vorbereitet, 1811 durch SBoisserée in den Umkreis der *altdeutschen Kunst und zugleich in die künstlerische Wiederbelebung d.schen Geistes und d.scher Form bei den Faust-Illustrationen des *Cornelius einzudringen, so daß er an diesen schreiben konnte, er möge die ihm *gewiß schon bekannten Steinabdrücke des in München befindlichen Erbauungsbuches so fleißig als möglich ... studiren, weil, nach meiner Überzeugung, Albrecht Dürer sich nirgends so frey, so geistreich, groß und schön bewiesen, als in diesen gleichsam extemporirten Blättern (IV/22, 88).*

1814–1815, lernte Goethe in Frankfurt unter den aus dem ehemaligen Dominikanerkloster stammenden Kunstwerken auch D.s Heller-Altar kennen. Der damalige Betreuer der Sammlung, der Kunstmaler CG*Schütz, glaubte noch, das Original vorweisen zu können – *und ich bin sehr geneigt es zu glauben*, schreibt Goethe (I/34^{II}, 17). Dieses war jedoch schon 1729 in *München beim Brande der Residenz vernichtet worden. Der Altarzusammenhang war nicht mehr bekannt; das Mittelbild, die Himmelfahrt der Maria, eine Kopie des J*Harrich (nicht *Uffenbach), die von Schülerhand stammenden Flügelbilder – Martyrien des hl. Jacobus und der hl. Katharina als den beiden Namensheiligen der Stifter Jacob (nicht *Martin*) *Heller und Katharina von Melen (nicht *Meden*) – und die Stifterbildnisse werden von Goethe gesondert aufgeführt. Ihre künstlerische Eigenart wird mehr als in den früheren Urteilen hervorgehoben: *Die Federzeichnung* [des Mittelbildes], *wo man sie noch durchsieht, ist höchst meisterhaft, und das Colorit glühend,* die Flügelbilder sind *trefflich componirt (I/34II, 17 f.).* – Das 1819 aus dem hohnwiesnerischen Nachlaß durch die Vermittlung JFH*Schlossers nach mancherlei Verhandlungen für das herzogliche Museum angekaufte Schnitzwerk „Adam und Eva" gelangte im Juli dieses Jahres nach Weimar. Goethe zweifelte schon früh an der Echtheit (IV/31, 117) und stellte nach Eintreffen der Figuren fest: *Es möchte* wohl *etwas später seyn als Albrecht Dürer, doch nicht weit in die zweite Hälfte des sechzehnten Jahrhunderts hineinreichen (IV/31, 221).* Wichtiger als diese Beschäftigung mit einzelnen Werken D.s, die durch Neuordnung und Erweiterung der eigenen Graphik-Sammlung unter Heranziehung des hüsgenschen Kataloges begleitet wurde (III/5, 97; III/6, 290 und III/7, 35 f.), war die Begegnung Goethes mit dem Theoretiker und Künstler D. und die Bildung und Wandlung einer Gesamtvorstellung von Form und Auffassung des großen deutschen Malers. Erst der reifere Goethe lernte Bruchstücke von D.s Schriften kennen. Meyer, der sie ihm 1791 vermittelt hatte, erhielt zur Antwort: *In dem Stücke ... stehen wahrhaft goldne Sprüche, es wäre schön wenn man sie einmal zusammenrückte und in neuere Sprache übersetzte (IV/9, 248).* Auch in dem Faszikel von der Schweiz-Reise 1797 befand sich unter anderen auf Nürnberg bezüglichen Materialien ein Verzeichnis von den „Opera omnia Alberti Dureri" *(I/34II, 132).* Scheint diese Berührung wenig tiefgehend, so hatte sich für den Künstler als gestaltende Persönlichkeit schon der jüngere Goethe vornehmlich interessiert. Was damals D. im Gegensatz zum Spätrokoko in seiner *Kraft und Ständigkeit* für Goethe bedeutete, erweiterte sich in dem Gegensatz des Charakteristikers zum Undulisten, von Ernst und Spiel in den Theoremen aus *Der Sammler und die Seinigen,* obgleich beide in der Beharrung auf einer *Manier* verwandt erscheinen könnten *(I/47, 206).* Zwar entstand diese Theorie im klassischen Jahrzehnt, und an D. wird Goethe kaum gedacht haben, aber in Goethes Kunstanschauung wird D. seine Stelle als Charakteristiker angewiesen. Zugleich wird der Wandel in Goethes Urteil verständlich. Am Anfang verglich Goethe D. nur den besten Ita-

lienern in Wahrheit, Erhabenheit und Grazie. In den nachklassischen Jahren sah er ihn in *gewissenhafter Peinlichkeit* beschränkt, aus der D. nur die Gebetbuch-Illustrationen herausgeführt hätten *(I/36, 50).* Zuletzt haben für Goethe *Albrecht Dürer und die übrigen Deutschen ... alle mehr oder weniger etwas Peinliches, indem sie gegen die ungeheuern Gegenstände die Freiheit des Wirkens verlieren* (dh. den Inhalt über die Form stellen) *oder solche behaupten, insofern ihr Geist groß und denselben gewachsen ist. – Daher sie bey allem Anschau'n der Natur, ja Nachahmung derselben ins Abentheuerliche gehen, auch manirirt werden (I/49II, 246).* Aus eigener verwandter Wesensart besaß Goethe tiefere Einsicht in die d.sche Kunst. Um so mehr mußte er D.s entwicklungsgeschichtliche Stellung betonen und anerkennen, die die jüngere Generation, die dem Künstler seine *Härten (I/49I, 31)* verzieh, außer acht gelassen hatte. *Weil Albrecht Dürer, bei dem unvergleichlichen Talent, sich nie zur Idee des Ebenmaßes der Schönheit, ja sogar nie zum Gedanken einer schicklichen Zweckmäßigkeit erheben konnte, sollen wir auch immer an der Erde kleben (I/48, 208)*! Diese fehlende Idee der Schönheit, die D. mit wachsender Erkenntnis nur in den Erscheinungen wahrzunehmen glaubte – „Die Schönheit, was das ist, das weiß ich nit, wiewol sie viel Dingen anhanget" – kann durch sein *höchst inniges realistisches Anschauen, ein liebenswürdiges menschliches Mitgefühl aller gegenwärtigen Zustände* nicht ersetzt werden. *Ihm schadete eine trübe, form- und bodenlose Phantasie* – ein befremdendes Wort! – *... und wie das deutsche Verdienst sich dort beschränkt, wäre interessant zu zeigen, und nützlich zu zeigen, daß dort nicht aller Tage Abend war (I/48, 208),* dh., daß die Entwicklung dort nicht stehen bleiben durfte und konnte (vgl. IV/22, 87).

Die Begrenztheit D.s erkannte Goethe, weil er in sich selbst die *Idee des Ebenmaßes der Schönheit* und ein *höchst realistisches Anschauen* vereinigt wissen konnte. Das konnte ihm helfen, die den Deutschen so oft eigentümliche *form- und bodenlose Phantasie* zu überwinden. Denn in zwei Eigenschaften waren beide, der Bildkünstler D. und der bildhaft denkende Wortkünstler Goethe, verwandt: In der subjektiven Erfahrung der Natur durch das wirklichkeitsfrohe Auge, mit dessen Hilfe der menschliche Geist die in der Natur verborgene Gestalt zu künstlerischer Objektivität erhebt, und in der Behauptung des geniehaften Schaffens, durch das in der Kunst eine höhere Naturwelt entstehen kann.

Die Begegnungen der jüngeren Romantiker-

Generation mit D. waren wesentlich unproblematischer, zumal sie im Bilde nur den Inhalt und die Form nur inbezug auf den subjektiven Ausdruck beurteilen mochte. Aber schon zur Goethe-Zeit kündet sich eine Versachlichung an, die aus dem Historismus der Zeit zu dem Plan eines D.-Denkmals in Nürnberg (vgl. IV/43, 152; 365 und IV/44, 21; 337) führte, dem ersten, „welches in Deutschland künstlerischem Verdienst errichtet" wurde. Zur Grundsteinlegung und zur Feier des 300-jährigen Todestages im April 1828 lud der Magistrat der Stadt Nürnberg Goethe ein und dieser erwiderte höflich, daß er *an Zweck und Vorhaben, welches sich durch diese Feyer so lebhaft und energisch ausgesprochen, fortan theilzunehmen nicht unterlasse (IV/44, 69; III/11, 195)*. Das Fest vereinigte zahlreiche deutsche Künstler. Auch SBoisserée war unter den Teilnehmern und gab seinem Bruder Melchior einen anschaulichen und kritischen Bericht über den Geist dieses Festes. An Goethe schrieb er über ein in München aufgeführtes Gelegenheitsstück „D. in Venedig". Dem in Nürnberg gegründeten AD.-Verein trat Goethe bei (III/11, 283). In Dresden wurde am Todestage D.s der *sächsische Kunstverein ins Leben gerufen. Die bürgerliche Welt hatte vom D.-Erbe Besitz ergriffen. Die Höhe des goetheschen D.-Verständnisses blieb für Jahrzehnte unerreicht.   *Lö*

Schuchardt S. 112 ff. – Heidrich: Dürers schriftlicher Nachlaß, Familienchronik, Gedenkbuch, Tagebuch der niederländischen Reise, Briefe etc., Geleitwort von HWölfflin. 1920. – Kleine Schriften zur Kunst von Heinrich Meyer. 1886. S. CII. – SBoisserée I. 1862. S. 123; 5 8 . – Keudell S. 143. – Lange Fuhse: Dürers schriftlicher Nachlaß. 1893. S. – HvEinem Goethe und Dürer. 1947. – Wölfflin: Die Kunst Albrecht Dürers. ²1908. – Winkler: Die Zeichnungen Albrecht Dürers. 4 Bde = Jahresgaben des Deutschen Vereins .für Kunstwissenschaft. 1924 ff. – FWinkler: Albrecht Dürer = Klassiker der Kunst Bd IV (1928). – Panofsky: Albrecht Dürer. 1947. HLüdecke und SHeiland: Dürer und die Nachwelt. 1955. S. 342ff.

Düring, Johann Georg Heinrich (1778–1858), Organist an der deutsch-reformierten Kirche, Gründer und Leiter einer *Singschule* in Frankfurt/M., die Goethe 1815 kennen und schätzen lernte: *Diese Anstalt ist schon so weit gediehen, daß junge Personen beiderlei Geschlechts, die sich seiner Leitung anvertraut, bei feierlichen Gelegenheiten, in den Kirchen beider Confessionen Musiken aufgeführt, zum Vergnügen und Erbauung der Gemeinden. Auch in öffentlichen Concerten ist dieses geschehen (I/34¹, 121)*. Modell der Gründung war ua. die Singakademie Faschs und Zelters, die D. wohlbekannt war; der goethesche Ausdruck *Singschule* ist sachlich falsch, denn in der Form überwog das Vereinsmäßige.   *Ev*

Düsseldorf, die jülich-bergische, dann pfälzi-

sche Residenzstadt, seit den Kurfürsten Johann Wilhelm (1658–1716), der die berühmte *Galerie gründete, und Karl Theodor Philipp (1724 bis 1799; *Bayern Sp. 886–888), der 1767 die Kunstakademie stiftete, auf dem Wege, eine Kunstmetropole zu werden (heute auch Sitz der Sammlung *Kippenberg), die Geburtsstadt CA*Varnhagen vEnses, H*Heines ua. ist für Goethe vornehmlich durch *Pempelfort (1766 von dem kurpfälzischen Kommerzienrat JC*Jacobi angelegt) wichtig geworden. Außer der Galerie ist es eben dieser Verbindung zu danken, daß er 1774 und 1792 hierher kam (*Aachen Sp. 2). Über den Besuch von 1744 berichtet Goethes Begleiter FG *Schmoll, daß sie die Nacht vom 20./21. VII. auf dem jenseitigen Rheinufer „in einem elenden Dorf bey Bauern" verbringen mußten, ehe sie am 21. VII. morgens 6 Uhr in D. selbst anlangten (Klapheck S. 103f.). Sie stiegen im „Prinzen von Oranien" (Burgplatz 12 gegenüber der Galerie) ab, Goethe eilte sofort zu dem Stadthaus der Jacobis (Flinger Tor), und ebenso vergeblich nach Pempelfort, sofort zurück nach D., zur *Gallerie (Morris 4, 93)* und noch am selben Abend nach *Elberfeld, um dort die Brüder Jacobi zu treffen. Am Abend des 22. kamen FH Jacobi und Goethe gemeinsam nach D./Pempelfort zurück, am 23. traf auch JG Jacobi ein und am Sonntag, 24. VII. fuhr man gemeinsam nach *Bensberg und *Köln (Klapheck S. 104).

1792, nach der *Campagne in Frankreich* (Sp. 1548) ist der Weg durch D. hindurch, noch dazu bei Nacht, nach Pempelfort wiederum hastig, aber während des Aufenthaltes dort ist reichlich Gelegenheit, *fleißige Besuche... bei Freunden die zu dem Pempelforter Cirkel gehörten,* zu machen; *auf der Galerie war die gewöhnliche Zusammenkunft (I/33, 200)*. Die Erinnerungen an diese gesellige Kultur sind lebhaft und nachhaltig, freilich nicht immer ganz positiv gewertet (*Campagne in Frankreich; *Belagerung von Mainz Sp. 997). RV S. 12; 30.

Personen:

Außer der Familie *Jacobi, Angestellten der *Galerie und Angehörigen der *Kunstakademie standen hauptsächlich folgende Personen für Goethe in einem zumindest zeitweiligen Zusammenhang mit D.:

1772, Juni: JKS*Fahlmer zieht mit ihrer Mutter von D. nach Frankfurt (I/28, 282; HbgA 10, 595); September in Thal/*Ehrenbreitstein: FM*Leuchsenring, *der von Düsseldorf heraufkam (I/28, 178)*;

1773: D*Diderot;

1774, bei den Jacobis: *an Fremden fehlte es*

nie (I/28, 291); JJW*Heinse („Herr Rost");
FGSchmoll; JC*Lavater;

1780: CLv*Knebel, der *auch wohl nach Düsseldorf geht (IV/4, 278);* von jetzt an wiederholte Besuche der Fürstin *Gallitzin und ihres Kreises;

1788, Juni/Juli: Anna Amalia von *Sachsen-Weimar und Gefolge; Anfang November: Wv *Humboldt;

1792, April: *Bey der dortigen Schauspieler Gesellschaft ein Ackteur Nahmens Voß* (JH *Vohs; IV/9, 297);* August: JG und C*Herder nach der Badereise nach Aachen (IV/10, 3; 132); 6. XI.–4. XII.: Canonicus Cornelis de Pauw (1739-1799; vgl. HbgA 10, 689f.) *von Xanten, Nachbar von Düsseldorf (I/33, 194); Emigrirte (ebda 202;* vgl. EPauls: Zur politischen Lage in Düsseldorf während des Besuchs Goethes im Spätherbst 1792. In: Beiträge zur Geschichte des Niederrheins. Jahrbuch des Düsseldorfer Geschichtsvereins. Bd 14, 1900, S. 224–228); *die Brüder des Königs (ebda),* d. s. der Graf von Provence (1814–1824 Ludwig XVIII. von Frankreich) und der Graf von Artois (1824–1830 Karl X. von Frankreich), Brüder Ludwigs XVI.; *schöne Französinnen ... in Düsseldorf in den traurigsten Umständen wieder angetroffen (I/33, 245); ein Apotheker (ebda 202),* Quartierwirt von: FMv*Grimm und Frau vBueil, Enkelin der Madame d'Epinay, ihre älteste Tochter Katharina (1787–1825) heiratete 1807 KEv*Bechtolsheim (vgl. hier Sp. 935); Sophie Freifrau, seit 13. X. 1790 Reichsgräfin von Coudenhove(n) *(Guttenhof: I/33, 364),* geb. Gräfin Hatzfeld-Wildenburg (1747–1825), Witwe des Generals Georg Ludwig vC., *eine schöne geistreiche Dame, sonst die Zierde des Mainzer Hofes (I/33, 202;* 203), Wiederbegegnung 1814 in Frankfurt (III/5, 133); ChrWv*Dohm *und Frau* Henriette geb. Helwing aus Lemgo *(I/33, 202;* vgl. HbgA 10, 694); JGL*Abel; Graf von Nesselrode, Kurpfälzischer Minister (vgl. JbG Ges. 19, 107), vgl. auch 1. I. 1780 *Dieburg: Graf Nesselrodt (IV/4, 158),* Goethe sendet ihm 1. II. 1793 *ein paar Bände von Alfieri (IV/10, 49),* 17. IV. 1793 *Ein Stahlsiegel worauf die Medusa Strozzi kopirt (ebda 54); Hildebrand (ebda 46);*

1793, 5. XII.: Goethe erkundigt sich bei FH Jacobi nach einem *Schauspieler Doebler... der in Düsseldorf spielt oder gespielt hat ... und seiner Frau:* Engagement in Weimar kam nicht zustande *(IV/10, 129;* 388);

1795: Wilhelm Xaver Jansen, Medizinalrath in D., seine Briefe über Italien (Düsseldorf 1793) zur Vorbereitung der zweiten Reise nach Italien benutzt (I/34^{II}, 187; 189);

1806: JF*Benzenberg;

1822, 29. VI.: CL*Immermann „auf einer Rheinreise" (SGGes. 14, 258) sendet aus D. sein „Papierfenster eines Eremiten";

1826: Kanzler v*Müller (III/10, 225; 232; nochmals 1828: III/11, 280; IV/44, 317);

1828, 18. VI.: A*Nicolovius sendet *lithographische Blätter, von Düsseldorf (III/11, 234). JP*

Dufour, Franzose aus Bordeaux, als Knabe in *Weimar in Pension, nachmals Weinhändler in seiner Vaterstadt; 1818 im Personenverzeichnis zum *Maskenzug dieses Jahres in der Rolle eines Elfen genannt (I/16, 482).   *Fu*

Duisburg, die bekannte clevische Stadt an der Ruhr-Mündung in den *Rhein, damals noch (seit 1655–1818) Universitätsstadt, war Goethes Reiseziel am 4., 5. und 6. XII. 1792 (I/33, 371). Er besuchte hier, noch immer im Wirbel der Kriegswirren (*Campagne in Frankreich,* hier Sp. 1548), den seit 1788 als Philosophieprofessor an der Universität wirkenden FVL-*Plessing, *mit dem sich vor vielen Jahren ein sentimental-romanhaftes Verhältniß anknüpfte (I/33, 208);* gemeint sind die Jahre 1776/77; vgl. III/1, 56 und *Wernigerode); die Begegnung Goethes mit Plessing in D. war im Zusammenhang mit diesen Erinnerungen nicht rein erfreulich, es *wollte keine eigentlich frohe Mittheilung statt finden (I/33, 228).* Der Besuch bei dem Naturforscher B*Merrem war positiver (IV/10, 41). Eine *Fabrik* zur mechanischen Reproduktion von Malereien, *ein curioses Unternehmen,* interessierte Goethe im April 1797 sowohl von der technischen wie von der künstlerischen Seite her *(IV/12, 94–96).* RV S. 30.   *JP*

Dumas, Alexandre (der Ältere) (1803–1870), französischer sehr fruchtbarer Dramatiker und Romanschriftsteller. Sein „Henri III et sa cour" (1829 mit außerordentlichem Erfolge an der *Comédie française aufgeführt) ist der erste Versuch eines authentischen französischen romantischen Ereignisdramas mit historischem Stoff, sein „Antony" die erste psychologische Studie des zeitgenössischen Menschentyps des vom Schicksal verfolgten skeptischen, doch auch dem Extremismus der Gefühle preisgegebenen Amoralisten (1831). D. sucht und erreicht überall die packende Wirkung. Er ist heute noch durch einige seiner pseudohistorischen, doch sehr lebensvollen Romane (vor allem „Les trois mousquetaires", 1844) bekannt. Zu bemerken ist, daß D. sich einen wahren Stab von Mitarbeitern erzog. – Goethe kennt „Henri III" (1830: III/12, 209), der am 14. II. 1831 in *Weimar aufgeführt wird, *lobt* das Stück *als ganz vortrefflich, findet jedoch natürlich, daß es für das Publikum nicht die rechte Speise gewesen;* er *hätte es unter* seiner *Direktion nicht zu bringen gewagt* (1831: *Bdm. 4, 326*). Später liest er noch „Antony" (1831: III/13, 192). *Fu*

Dumesnil, Louis-Alexis Lemaistre (1783 bis 1858), französischer Literat, der zur Opposition gegen das erste Kaiserreich gehörte und später durch seine Unabhängigkeit auch mit der Restauration in Konflikt geriet. Er schrieb ua. „De l'esprit des religions" (1810), von Goethe 1811 gelesen (III/4, 209 f.). *Fu*

Du Mont de Courset, George Louis Marie (1746 bis 1824), französischer Botaniker. Mit dessen Hauptwerk „Le Botaniste cultivateur ou description, culture et usage de la plus grande partie des plantes étrangères, naturalisées et indigènes, cultivées en France et en Angleterre, rangées suivant la méthode de Jussieu" (Paris ab 1798) hatte sich Goethe am 21., 22. und 24. XII. 1813 bekannt gemacht (III/5, 88). Als ihm der Großherzog Carl August das inzwischen auf 7 Bände angewachsene Werk am 22. V. 1817 durch einen Boten überbringen ließ (III/6, 50), konnte er den Verfasser *als einen alten Freund* begrüßen (vgl. Keudell Nr 1045; April 1816) und dabei bekennen, *den Botaniste Cultivateur in Jena zu studiren macht mir doppelte Freude, indem daraus hervorgeht daß wir vor so viel Jahren sehr wohl gethan, mit Beystimmung des Hofrath Büttners, auf Überzeugung des guten Batsch, den botanischen Garten nach dem natürlichen System angelegt zu haben (IV/28, 391).* *Ba*

Dumouriez, Charles François (1739–1823), Feldherr der Französischen Revolution, bei deren Ausbruch er Generalleutnant wurde, bewährte sich bei der *Campagne in Frankreich (Sp. 1550f.),* entscheidend vornehmlich bei der Kanonade von *Valmy (OAubry I, S. 492 bis 503). Als Gegner der terroristischen Ausschreitungen und Willkürakte im Revolutions-Frankreich ging er 1793 zu den Österreichern über und blieb bis zum Tode außer Landes. Goethe schätzte ihn und stellte ihn bei seiner literarisch-dichterischen *Gewältigung* der Ereignisse *(CiF)* in gutes Licht. Traf er ihn 1794 wie d'Oyré in Erfurt (*Belagerung von Mainz, Sp. 999)? D.s „Mémoires" (1794), dh. dessen *Geschichte* erinnerte Goethe an Wallenstein *(IV/12, 143),* aber ausführlicher beschäftigte er sich damit erst in den Abfassungsjahren der *CiF* (III/7, 126 f.; EGW II, S. 23–58); auch zog er dabei noch andere Veröffentl. D.s zurate (Keudell Nr 1298–1301; Ruppert Nr 2913). *Gk*

Duncker, Karl Friedrich Wilhelm (1781–1869),

gründete 1809 zusammen mit Peter Humblot die Verlagsbuchhandlung D. und Humblot in Berlin, die 1814 auf Empfehlung Ifflands den Verlag des für das Berliner Theater geschriebenen Festspiels *Des Epimenides Erwachen* übernahm (vgl. I/16, 517–533). Zur Besprechung von Einzelheiten besuchten D. und der Komponist BA*Weber gleichzeitig mit Zelter Goethe im Juni 1814 in *Berka/Ilm (III/5, 114; vgl. IV/27, 6 f.). *St*

Dupin, Charles Pierre François Baron de (1784 bis 1873), Geometer, Ingenieur, Wasserbaumeister, Schiffstechniker, berühmt durch ausgedehnte Forschungsreisen im Mittelmeer (Ägäis, Adria, Italien) und im Atlantik (*Groß-Britannien), interessierte Goethe außer durch seine wirtschaftstheoretischen und länderkundlichen Schriften (Ruppert Nr 4069) hauptsächlich durch seinen Entwurf einer *Karte über den Kulturzustand Frankreichs,* wodurch er *die größere oder geringere Aufklärung der verschiedenen Departements mit helleren oder dunkleren Farben zur Anschauung gebracht habe* (1828: *Bdm. 4, 47;* vgl. IV/43, 105; Keudell Nr 1872 oder Ruppert Nr 2938?). *Sl*

Dupont de Nemours, Pierre Samuel (1739–1817), anfangs Privatgelehrter in Paris, 1773 durch Veröffentlichung seiner Grundsätze über Philosophie und politische Ökonomie („Les éphemerides du citoyen") in Ungnade und außer Landes gedrängt, durch Carl Friedrich von *Baden (1) zum Geheimen Legationsrat ernannt, auch durch andere Fürsten sehr geehrt (Toscana; Österreich; Schweden; Polen), in zunehmendem Maße durch seine außerordentlich humanen, gründlich durchdachten sozial- und wirtschaftstheoretischen Gedankengänge von Bedeutung, auch in der Praxis seiner mannigfachen europäischen, insbesondere französischen (1775–98 unter Turgot; 1802–15) und nordamerikanischen Ämter (1798–1802; ab 1815) als eine besonders integre Persönlichkeit vielbewährt.

D. ist in der Nachfolge Quesnays der Vater der sogenannten physiokratischen Schule, derjenigen volkswirtschaftlichen Theorie also, die als Basis der nationalen Ökonomie die landwirtschaftliche Produktion ansah. Er ist maßgeblich beteiligt an den sozialen und wirtschaftlichen, von *Edelsheim durchgeführten Reformen in Baden. Auf diesem Wege muß er Goethe längst (vielleicht auch persönlich?) bekannt gewesen sein, noch ehe sich ein Zeugnis dafür findet und finden kann: 1807 notiert Goethe nur die Lektüre einer bereits dreimal aufgelegten Schrift D.s: „Philosophie de l'univers" (1796): *Enthält zwar anthropomorphisti-*

sche aber artige Bemerkungen über das gesellige Leben der Thiere ... bey Gelegenheit dieses Werks über den Zusammenhang aller Erscheinungen und über die Hauptmaximen der Natur (III/3, 222).   Gk

Dupré, Adolph, Schauspieler, 1792–1804 in *Frankfurt/M, 1804–1814 in Wien für Chargenrollen. Goethe sah ihn 1797 in Frankfurt und notierte ihn auf seiner Liste über frankfurter Schauspieler.   EF

Dupré, Augustin (1748–1833), Goldschmied und Medailleur, vielseitig in Paris tätig, wurde 1791 Generalgraveur der französischen Münze, verlor jedoch 1803 aus politischen Gründen seine Stellung, so daß Goethe 1813 in einem Briefe an CGv*Voigt ihn schon verstorben glaubte, *aber seine Schüler haben diese* (seine) *Ausführlichkeit geerbt;* sie sollten die Ausführung der Medaille auf Carl August übernehmen (*IV/23, 237).*   Lö

Durand, 1) August (7. III. 1787 Medzibor/Schl. bis 12. II. 1852 Weimar), Schauspieler. Ging als Student 1810 zum Theater. War 1812–1852 in Weimar engagiert, übernahm nach *Wolffs Abgang dessen Rollen. Er spielte Max Piccolomini, Mortimer, Tasso, Pylades, den Grafen Appiani in „Emilia Galotti", den Tempelherrn im „Nathan", später Heldenväter und ältere Charakterrollen. Er war 1829 der erste weimarer Faust. Ein guter Sprecher, auch im Lustspiel; zeichnete sich durch besonnenes, überlegtes Spiel aus. War von 1823–1826 und wieder seit 1829 auch als Regisseur tätig.
–, 2) Wilhelmine geb. Dunst. Schauspielerin, seit 1811 verheiratet mit dem Vorigen, später von ihm geschieden. In Weimar engagiert Mai 1812 bis Herbst 1816.   EF

Durand, Jean-Nicolas-Louis (1760–1834), französischer Architekt, Erbauer des Hôtel La Thuile *Paris und Professor an der Ecole Polytechnique daselbst. *Coudray, der ihm einen Teil seiner Ausbildung verdankte, übersetzte seinen „Précis des leçons d'architecture ..." und besprach mit Goethe D.s theoretische Schriften und Ansichten über Baukunst. Wt
W Schneemann: C. W. Coudray. Goethes Baumeister. Weimar 1943.

Durante, Francesco (1684–1755), den bedeutenden italienischen Kirchenkomponisten, nennt Goethe mit Leo zusammen und vergleicht beide in *ihrer Kunst und Zeit* mit Caracci (*19. II. 1831* an Zelter: *IV/48, 123).*   MB

Durchwachsung (Prolifikation). Goethe hat in den fünf Jahrzehnten seiner botanischen Studien Durchwachsungen öfter beobachtet, nachdem ihm erstmalig am 18. VI. 1787 während der *italienischen Reise in *Rom die durchgewachsene Gartennelke *weitere Einsicht in den*

Grundbegriff der Metamorphose vermittelt hatte (*II/13, 49).* Ebenso hat Goethe bei der Rose die Durchwachsung der Blüte zuerst in *Italien beobachtet. Andere Fälle der bei der Rose nicht allzu seltenen Prolifikation wurden ihm in späteren Jahren bekannt. Wie wichtig Goethe diese Abweichungen von der Normalgestalt für seine Ideen über die Pflanzenbildung waren, geht daraus hervor, daß er den Durchwachsungen bei der Rose und der Nelke eigenhändige Zeichnungen widmete und besondere Kapitel in seiner *Metamorphose der Pflanzen* einräumte. *Und so zeigen uns denn beide Fälle, daß die Natur gewöhnlich in den Blumen ihren Wachsthum schließe und gleichsam eine Summe ziehe, daß sie der Möglichkeit in's Unendliche mit einzelnen Schritten fortzugehen Einhalt thue, um durch die Ausbildung der Samen schneller zum Ziel zu gelangen (II/6, 83).*   Ba

Durfort-Duras, Claire Lechat de Kersaint, Herzogin von (1779–1828), französische Schriftstellerin, die nach einem durch die *französische Revolution bedingten Leben außerhalb Frankreichs (Insel Martinique, Deutschland, England) unter *Napoleon I. wieder in ihr Vaterland zurückkehrte und in *Paris zur Restaurationszeit einem glänzenden literarischen Salon vorstand. Sie ist am bekanntesten als Verfasserin des Romans „Ourika" (1823) geworden: Es ist die etwas gekünstelte und fade Geschichte der unmöglichen Liebe einer naiven jungen Negersklavin zu einem weißen Manne; bis zu einem gewissen Grade kann an „Paul et Virginie" von *Bernardin de Saint-Pierre und an „Atala" von *Chateaubriand gedacht werden. (*Ludwig XVIII. sprach von einer „Atala de salon"). Das Buch fand Chateaubriands Wohlwollen und damit den Erfolg; Ourika wurde eine Zeitlang Modesache. Goethe erwähnt den Roman 1824 (IV/38, 194); 1827 (*III/11, 46)* wird ihm *Ourika das Büchlein* von Av*Humboldt aus *Paris geschickt; ein späterer Brief (1827: IV/42, 172 f.) an die Tochter der Autorin, die Herzogin von Rauzan, analysiert und lobt ihn.   Fu

Dusch, Johann Jacob (1725–1787), Niedersachse, Student in Göttingen (Theologie), Hauslehrer, Lehrer, Gymnasial-Professor und -Direktor in Altona (Philosophie; Mathematik), Justizrat in dänischen Diensten, rationalistisch-didaktischer Vielschreiber von immerhin beachtlicher, keineswegs immer erfreulicher zeitgenössischer Wirkung (Polemik mit GE Lessing), stilgewandt, machte sich für den heranwachsenden Goethe bemerkenswert durch seine *Pope-Übersetzung (1758–1765), durch seine eigenen Leistungen auf dem damals besonders beliebten Gebiet des komischen Heldengedichtes (1751; 1756; vgl. Götting S. 50), insonderheit aber durch seine Briefe zur Bildung des Geschmacks an einen jungen Herrn von Stande" (1764; betr. Moralische Briefe.." vgl. Götting S. 50). Für deren etwaige spätere Berücksichtigung in *DuW* wurden zwei grundsätzliche Formulierungen mitnotiert: 1. *Keine Nation hat eine Critik als in dem Maße, wie sie vorzügliche, tüchtige und vortreffliche Werke besitzt (1/28, 369); 2. Die Bestimmung des Menschen scheint zu seyn, sich mit sich selbst und dem nächstliegenden zu beschäftigen. Disproportion zu höhern Zwecken (1/29, 255).* Za

Dutrochet, René Joachim Henri (1776–1847), widmete sich als Arzt zunächst physiologischen Untersuchungen, zog sich jedoch später als Privatgelehrter nach Château-Renault zurück. Im Zusammenhang mit der *Spiraltendenz der Vegetation erwähnt Goethe D.s "Recherches anatomiques et physiologiques sur la structure intime des animaux et des végétaux, et sur leur mobilité" (1824; II/7, 46–48), woraus er einen Auszug anfertigte (III/12, 350; vgl. IV/40, 306). Sl

Duval, Alexandre-Vincent Pineux-D., genannt (1767–1842), französischer, sehr fruchtbarer Dramatiker, Verfasser einer rücksichtslos umgestaltenden *Tasso-Bearbeitung, die Goethe 1827 bespricht (I/41ᴵᴵ, 260–265) und wenigstens in Einzelheiten *platt und absurd* nennt (1827: *Bdm. 3, 382,*). 1803 hatte D. Goethe besucht, der aus diesem Grunde eine "vorhabende" Reise um mehrere Stunden verschob (FBaldensperger, Bibliographie critique de Goethe en France, 1907). Fu

Dux ist in Nordböhmen, im Zentrum des dortigen Braunkohlenbeckens gelegen; die alttertiäre Braunkohle wird dort in großem Umfange abgebaut. Das Duxer Braunkohlenbecken ist ein Teil des großen und wichtigen nordböhmischen Braunkohlengebiets, das in der jungen Einbruchszone des Egertalgrabens entstand. Durch die Einwirkung des jungen nordböhmischen *Vulkanismus ist diese Braunkohle zT. veredelt und daher relativ hochwertig. Die Braunkohlengrube von D. hat Goethe 1813 besucht und in einer kurzen Notiz auf den Schwefelgehalt der Braunkohle hingewiesen, den er für die Möglichkeit der Selbstentzündung verantwortlich machte. *Selbst im Tiefsten dieser Grube geschieht es, daß die Lagen sich entzünden (NS 2, 50).* Diese Beobachtungen waren Goethe wichtig im Hinblick auf die Flözbrandtheorie zur Erklärung des Vulkanismus. Die enge räumliche Vergesellschaftung von Kohle und Vulkanen in Nordböhmen

konnte durchaus in dieser Richtung gedeutet werden. *Bedenkt man nun ferner, daß solche Erscheinungen in Böhmen . . . auf dem Ausgehenden der Steinkohlen- und Braunkohlenlager sich finden, so wäre man am Ende wohl gar geneigt, diese sämtlichen Phänomene für pseudo vulkanisch anzusprechen (NS 2, 330 f.).* Bn RV S. 48.

Dyck, Anton van (1599–1641), flämischer Maler. Noch aus der Tradition des *Barock heraus ist D. auch Goethe schon früh bekannt (IV/2,287). Lavater nennt den Dichter in seiner Charakterbeschreibung von 1788 "vandykisch im großen, so *chodowieckisch im kleinen" und trifft damit auch Goethes schon früh weitgespanntes künstlerisches Interesse. Lavater besaß einen angeblichen, "retouchirten Vandyk", den er Goethe für den Großherzog sandte. In der Gesellschaft der Zeit war es üblich, bei der Stellung von Bilderszenen ua. D. als Vorbild zu benutzen, wie Goethe in den *Wahlverwandtschaften* erzählt, wo für die Szene "Der blinde Belisar" ein Stich als Vorlage diente (I/20,252), wahrscheinlich derjenige von Scotin, den Goethe selbst besaß. Doch dürfte das Bild wohl kein Original D.s gewesen sein. Meist sind es Kopien, die Goethe bei seinen Besuchen der dresdener Galerie kennenlernte und die Meyer in seiner Katalogabschrift von 1810 beurteilte. Unter den aufgeführten Gemälden lassen sich identifizieren: *Die Familie Karls I.,* wahrscheinlich die drei Kinder Karls (Kat.-Nr 1033), *bekanntes schönes Bild,* Replik oder Werkstattbild des in Windsor befindlichen Originals von 1635; ferner das Porträt der Henrietta, der Gemahlin Karls I. (Nr 1034); die Danae (Nr. 1039), vielleicht von GBackereel; die Apostelbilder (Nr 1018 und 1020) aus der Zeit vor der italienischen Reise D.s (andere Bilder dieser Folge in Altorp House bei Earl Spencer) und der trunkene Silen (Nr 1017), ein Jugendwerk D.s aus der Zeit vor 1621. Die bei Meyer nach dem Katalog von 1801 unter Nr. 344 – *fürtrefflich von Pinsel und frisch von Farbe (I/47, 381)* – und 345 aufgeführten Porträts sind Gegenstücke (Kat.-Nr 1023 C und D). Wichtig ist die Goethe wohl mündlich mitgeteilte, aber erst im Katalog von 1822 auftretende Identifizierung des Porträts des *Engelbert Jage,* eig. Engelbert Taie, Baron von Wemmel, wahrscheinlich nach dem Kupferstich des Cornelis Galle j. in der Ikonographie D.s von 1636. – Goethe, der der Wirklichkeit mit den am Kunstwerk gebildeten Augen zu sehen gewohnt war, hat auch 1813 in Dresden D.s Bilder beachtet. Kurz zuvor wird er durch *ein schönes Mädchen, von etwa 4 Jahren,* das am Fenster eines Hauses *auf dem dunkeln Grunde wie ein Porträtchen* stand, *das van Dyk und Rubens nicht schöner hätten malen können (IV/23, 323 f.)*, an D. erinnert. Vielleicht hat hierzu das Porträt der MClairesse, der Gattin des JvdWouver (Dresden, Kat.-Nr 1023), anregend gewirkt.

Aus den Urteilen Goethes ergibt sich eine kenntnisreiche, doch nicht übermäßige Schätzung D.s. Gelegentliche Erwähnungen van d.scher Bilder in den späteren Jahren – eine Beweinung Christi in der Sammlung *Brentano in Frankfurt (IV/29, 7 f.), wohl ein Schulbild dieses von D. häufig behandelten Themas; ferner das Bildnis des CdCrayer, das für die weimarische Pinakothek ausgesucht wurde, eine Kopie des in Wien, Sammlung Liechten-

stein, befindlichen Originals (I/49^{II}, 423 f.; vgl. III/7, 139) – und die wenigen Blätter in der eigenen Kupferstichsammlung, von denen nur das Porträt des Bischofs Malderus (Antwerpen) und Ph de Roys, des Herrn von Ravel, von 1630 (London) Reproduktionen von Originalen D.s sind, zeigen die geringe Kenntnis wirklicher van-D.-Bilder, so daß sich auch nur schwerlich eine Gesamtanschauung bilden konnte. – Das Interesse an dem aus dem Nachlaß *Jagemanns zu Goethe gelangten angeblich Schädel D.s – *auf alle Fälle aber von der vorzüglichsten Construction (III/12, 266)* – ist naturwissenschaftlich.   *Lö*

BrMeyer S. 155. – Goethe und Lavater. Als: SGGes. 16, S. 155. – Schuchardt 1, S. 154 f. – Glück: Anton van Dyck = Klassiker der Kunst XIII (³ 1931).

Eastlake, Charles Lock (1793–1865), seiner Zeit ein sehr bedeutender englischer Maler und Kunstschriftsteller; 1850 Präsident der Königlichen Akademie, 1855 Direktor der Nationalgalerie in London. Übertrug 1840 Goethes *Farbenlehre* erstmalig ins Englische („Theory of Colours").   *Sn*

Ebbe und Flut umfaßt die auch unter dem Begriff der „Gezeiten" zusammengefaßte Erscheinung der regelmäßig-periodischen Schwankungen vor allem der Wasserhülle der Erde unter dem Einfluß der Anziehungskraft des Mondes. Analoge Gezeiteneinflüsse, wenngleich nur wenig oder kaum bemerkbar, treten auch im festen Erdkörper und in der Atmosphäre auf. Die Gezeitenerscheinungen des festen Erdkörpers, auch heute nur sehr unvollständig erkannt, waren der Zeit Goethes und Goethe selber unbekannt.

Die Gezeiten des Meeres haben seit alters die Menschen beschäftigt. In den naturwissenschaftlichen Vorstellungen Goethes spielt das Phänomen eine ganz verschwindende Rolle. Er erlebte die Gezeitenwirkungen des Meeres nur einmal in Italien, nämlich nur in den Lagunen von Venedig, so daß sie sich seiner Anschauung, die entscheidend für seine Problemstellung wirkte, nicht weiter einprägte und ihn nicht stärker beschäftigte. In Venedig macht er überwiegend Bemerkungen über die geologischen Auswirkungen von *Ebbe und Fluth*, wobei vor allem als auffällig vermerkt wird,

daß die Wege des Flutstroms und des in die Ebbe abfließenden Wassers außerordentlich konstant sind.

Ein Gezeitenphänomen in der Atmosphäre ist schon frühzeitig angenommen worden (Laplace). Die periodischen Gezeitenschwankungen des Luftdrucks in der Atmosphäre werden aber von den viel stärkeren sonstigen Barometerschwankungen – vor allem in den gemäßigten Zonen mit ihrer starken Zyklonentätigkeit – so überdeckt, daß sie nur bei sehr langjährigen Beobachtungsreihen und mit Hilfe geeigneter rechnerischer Methoden erfaßbar sind. In der durch Zyklonen weniger gestörten tropischen Atmosphäre kommt diese atmosphärische Gezeitenschwankung etwas deutlicher zum Ausdruck und ist hier auch vielfach schon frühzeitig beobachtet worden, so von Av*Humboldt, worauf sich auch Goethe bezieht. Laplace ist der Versuch, diese tägliche Barometerperiode als Gezeitenphänomen zu deuten, nicht befriedigend gelungen; er zieht auch andere Möglichkeiten in Betracht. D'*Alembert, der schon früher die Winde durch die Sonnenanziehung erklärt hatte, brachte damit auch diese tägliche Oszillation in Verbindung. Sonst aber haben die zeitgenössischen Meteorologen die tägliche Oszillation auf verschiedene Weise durch den täglichen Temperaturgang zu erklären gesucht, worüber Kämtz eingehend berichtet, der selber unter ausdrücklicher Ablehnung irgendeines Mondeinflusses die Temperatur als einzige Ursache betrachtete.

Auch Goethe, der die Meinung, *daß, wo nicht die Fixsterne, doch die Planeten, wo nicht die Planeten, doch der Mond·die Witterung bedinge, bestimme, und auf dieselbe einen regelmäßigen Einfluß ausübe* ablehnte, der alle Witterungserscheinungen *für rein tellurisch (II/12, 77)* erklärte, lehnte die Erklärung der täglichen Oszillation als Gezeitenphänomen ab. *Die völlige Unzulänglichkeit: so constante Phänomene, den Planeten, dem Monde, einer unbekannten Ebbe und Fluth des Luftkreises, zuzuschreiben, ließ sich Tag für Tag mehr empfinden (II/12, 109).* Und dabei beruft er sich auch auf Meinecke, der mit ihm *das gleiche Geschäft* hatte, *siderischen, planetarischen, lunarischen Einfluß abzulehnen, auch das Ebben und Fluthen, was man dem Luftkreise borgt, zu verneinen (II/12, 232).*

War Goethe in der Ablehnung einer Gezeitenhypothese für die Atmosphäre mit der zeitgenössischen Meteorologie einig, so ging er in seiner Erklärung der Erscheinung der täglichen Oszillation einen völlig abweichenden Weg. Beziehungen zum täglichen Temperaturgang zog er überhaupt nicht inbetracht; seine Erklärung brachte die Erscheinung mit der *Grundbewegungen des lebendigen Erdkörpers (II/12, 101)* in Beziehung und die Regelmäßigkeit dieser Periodizität erschien ihm als besonders beweiskräftig auch für seine Barometerhypothese (*Barometer). *Zuerst deutet uns die sogenannte Oscillation auf eine gesetzmäßige Bewegung um die Axe, wodurch die Umdrehung der Erde hervorgebracht wird . . .; sie bewirkt als anziehend und nachlassend das tägliche Steigen und Fallen des Barometers unter der Linie; dort wo die größte Erdmasse sich umrollt muß sie am bemerklichsten sein, gegen die Pole sich vermindern, ja Null werden (II/12, 101).* In diesem ganzen Zusammenhang einer *veränderlichen pulsirenden Schwerkraft der Erde (ebda 109)* erscheint ihm die *magnetische Beobachtung . . . eines täglichen Steigens und Fallens der Inclination . . . um 2 ½° wichtig* und beweisend. *Pulsschlag der Erde (II/12, 233)!*   *Bn*

ADefant: Die Gezeiten der festen Erde, des Meeres und der Atmosphäre (Preuß. Ak. Wiss., Vorträge und Schriften, H. 10, Berlin 1942). – HThorade: Ebbe und Flut (Verständliche Wissenschaft, Bd. 46, Berlin 1941). – d.Alembert: Sur la cause générale du vent (Berlin 1746). – LFKämtz: Lehrbuch der Meteorologie. Bd. 2 1832).

Ebel, Johann Gottfried (1764–1830), Arzt in Frankfurt/M. Durch längeren Aufenthalt und verschiedene Reisen in der Schweiz einer der besten Kenner dieses Landes. Goethe hatte Ursache, ihn wegen seiner Kenntnisse und seines Charakters zu schätzen. Wir beriefen ihn sogar einmal, (1803) als einen Schüler Sömmerings, zur Professur der Anatomie; welche vortheilhafte Stelle er aber auf eine sehr edle Weise ausschlug 28. IX. 1807 (an CFvReinhard: *IV/19, 420;* vgl. ebda 16, 343).   *Sl*

Ebeleben, Landstädtchen südwestlich von Sondershausen, 1816: 747 Einwohner. Das Schloß, ursprünglich Sitz der Herren von E., im 17. Jahrhundert vorübergehend als Residenz einer Linie der Grafen von Schwarzburg baulich erweitert, diente auch im 18. Jahrhundert Gliedern der fürstlichen Familie als Wohnsitz und erhielt in den siebziger Jahren noch einen Schloßgarten im französischen Gartenstil. Goethe berichtet zum 10. III. 1781 kurz über *eine Fahrt nach Ebeleben ein Schwarzburgisches Lustschloss (IV/5, 72).* Schloß und Garten nur noch als Ruinen erhalten. RV. S. 21.   *Eb*

Eben, Johann Michael (1716–1761), Kupferstecher und Kunsthändler, tätig in Augsburg und (seit 1742) in Frankfurt/M., wo er mit unbedeutenden Kupferstichporträts hervortrat und die nach älteren Vorlagen gefertigten Ansichten Frankfurts zu Müllers „Beschreibung Frankfurts" von 1747 lieferte. *Dieser gute alte Mann war freilich nur ein Halbkünstler.* Er war 1762 einige Zeit Zeichenlehrer *ohne Folge und ohne Methode* für Kopf- und Ausdruckszeichnen (als Lehrbuch diente Le Brun, „Méthode pour apprendre à dessiner des Passions proposée dans une conférence sur l'expression générale et particulière" von 1667), sowie für Landschaft im goetheschen Hause *(I/26, 182 f.).*   *Lö*

Eberhard, Konrad (1768–1859), Bildhauer und Maler, Professor an der Akademie in München, war 1806 in Rom tätig, wo er neben *Canova und *Thorwaldsen eine bedeutende Stelle im Kreise der Künstler klassizistischer Prägung einnahm. Durch die *Nazarener wurde er auf die kirchliche Kunst hingewiesen, der er sich dann in seinen Bildern und Skulpturen ausschließlich widmete. Seit 1826 lebte er in München. – 1828 erhielt Goethe E.s Darstellungen seines Gedichtes *Der Sänger* (I/1, 162 f.; dazu auch III/11, 202). Goethe fand es *höchst eindringlich . . . wie ein so frühes, gewissermaßen altes Gedicht sich immer wieder auf neue Weise in guten und schönen Geistern reproducire, ausweite, vermannichfaltige, vervollständige und so zuletzt dem Unermeßlichen sich nähere (IV/44, 59).* Goethe tat die Blätter in seine Sammlung.   *Lö*

Eberl, Anton (1765–1807), Wiener, Pianist, Komponist (Opern, Orchesterwerke, Kammermusik, Klavierkompositionen), Freund

WAMozarts, unter dessen Namen sogar Kompositionen von ihm erschienen, traf gelegentlich einer seiner zahlreichen Konzertreisen, empfohlen durch JFvRetzer, am 13. IV. 1806 in Weimar bei Goethe ein und konzertierte am 1. V. 1806 mit Erfolg, sodaß *man sich durch sein schönes Talent erheitert* fand *und ... seine Gegenwart ... doppelt bedeutend geworden (IV 19, 445;* III/3, 125; 127). E. bot von eigenen Kompositionen ein der Erbprinzessin Maria Pawlowna gewidmetes Klavierkonzert dar, „von ihm selbst meisterhaft und fertig vorgetragen", und eine „Sr. Majestät dem Kaiser von Rußland" gewidmete Sinfonie. Eine ausführliche Besprechung erschien am nächsten Tag im JLM Bd. 21,H. 4, S. 315f.   *Ev*

Ewens: Anton Eberl, ein Beitrag zur Musikgeschichte in Wien. 1927.

Eberstadt *(Ebersstadt)*, ein sehr altes und großes Dorf an der *Bergstraße nahe bei *Darmstadt, erreichte Goethe am 30. X. 1775, als er nach vergeblichem Warten auf den Kammerjunker JAAv*Kalb und den herzoglich-weimarischen Wagen – seinem Vater nicht unerwünscht – mit schnellem Entschluß nach Süden, dh. nach *Italien aus Frankfurt/M. aufgebrochen war. In dem Gefühl des Aufbruchs und der Erwartung beginnt Goethe während der Mittagsrast in E. sein *Reisetagebuch* (im Manuskript noch ohne Titel; Morris 6, 557; III/ 1, 345). Widerstreitende Empfindungen bewegen ihn: *Ich packte für Norden, und ziehe nach Süden; ich sagte zu, und komme nicht, ich sagte ab und komme!* Dann der endgültige Abschied von E*Schönemann: *Lili Adieu Lili zum zweitenmal! Das erstemal schied ich noch hoffnungsvoll unsere Schicksaale zu verbinden! Es hat sich entschieden – wir müssen einzeln unsre Rollen ausspielen. Mir ist in dem Augenblick weder bange für dich noch für mich, so verworren es aussieht! – Adieu –.* Endlich, im Anblick der über E. ragenden Ruine Frankenstein, der Gedanke an den darmstädter Freund JH*Merck: *wenn du wüßtest daß ich hier der alten Burg nahe sizze, und dich vorbeyfahre der so offt das Ziel meiner Wandrung war ... Nein Bruder du sollst an meinen Verworrenheiten nicht theilnehmen, die durch Theilnehmung noch verworrner werden.* Selbst bei der Mahlzeit verläßt ihn diese Stimmung nicht:*Ominose Uberfüllung des Glases. Projeckte, Plane und Aussichten (III/1, 8f.; Morris 5, 474-475).* Die Klarheit kommt noch in *Heidelberg. Goethe hat E. außerdem häufig passiert; es lag an seiner Reisestraße von Frankfurt nach und von Süden (bis 1769; 1771; 1775; 1779; 1793; 1797; 1814; 1815).

Der Romantik galt die Ruine Frankenstein als beispielhaftes Denkmal der Ritterzeit.
RV S. 10–13; 19f.; 31; 33; 50; 52.   *JP*

Ebert, Carl Egon, Ritter von (1801–1882), deutsch-böhmischer Dichter aus Prag. Studium in Wien und Prag, 1825–1857 Bibliothekar und Archivar, zuletzt Archivdirektor bei dem Landgrafen von *Fürstenberg in Donaueschingen. Er verarbeitete lyrisch in Balladen (1826–1828), episch vornehmlich im Heldengedicht „Wlasta" (tschechisch Vlasta, 1829) und dramatisch in seinen in Prag aufgeführten Dramen nicht ohne temperamentvolle Leichtigkeit und Formbegabung Stoffe und Motive der tschechischen Mythologie, Sage und Geschichte. Dem größeren Vorbild Uhlands folgend, huldigte er in seinen bedeutendsten balladischen Dichtungen einer gesuchten Düsterheit. Sein und seiner Zunftgenossen dichterischer und literarischer Ehrgeiz ging eben bewußter-oder unbewußtermaßen nicht über das Ziel des Epigonen hinaus, die Tonart seines Meisters in böhmischer Aufmachung nachzuahmen und laut werden zu lassen, wie dies der Modeströmung ihrer Zeit entsprechend Gustav Schwab für Schwaben, Karl Simrock für die Rheinlande und andere für andere Landschaften ebenfalls geleistet haben. Ferner lag es ihm, wozu auch die Flugkraft seiner Poesie nicht ausgereicht hätte, über das tschechische Volk und dessen innerste Lebensregungen Neues und Wesentliches aussagen, die Grundlagen seines Daseins sinnlich zur Anschauung bringen zu wollen oder gar die Problematik des deutsch-tschechischen Zusammenlebens in einem Staate anzuschneiden. Unfähig, die Schrittweite des reichsdeutschen Literaturaufschwungs einzuhalten, haben er und Seinesgleichen den dortigen Verlegern mit auf deren Sichtebene damals noch unbekannten, einigermaßen exotisch wirkungsvollen Stoffen aufgewartet. Den ihnen hierfür gebührenden Neuigkeits- und Sensationserfolg haben sie zu ihrer Zeit auch reichlich eingeheimst. Wenn sich der auf diesem Gebiete nur von außen her unterrichtete Goethe auf Grund der handschriftlich in seinem Besitz befindlichen Gedichte E.s und des ihm im Erstdruck vorliegenden Heldengedichtes „Wlasta" (Ruppert Nr 876f.) günstiger aussprach und solche, die Vorgeschichte seines geliebten Böhmerlandes popularisierende Literatur zustimmend und ermunternd rezensierte (29. III. 1827: I/42^I, 256; vgl. auch ebda 50f.), ist dies außer der ihm gewohnt gewordenen väterlichen Beschützergeste des Alters seiner mangelnden Vertrautheit mit diesen Fragen zuzuschreiben.

Die kulturbewußten Kreise des tschechischen Volkes fühlten sich E. und seinen deutsch-böhmischen Stammes- und Kunstgenossen gegenüber für ihre volksfremde Reklame nicht zu Dank verpflichtet. Man stand ihrer Verkündung kühl gegenüber und der maßgebende tschechische Dichter FLČelakovský (1799 bis 1852) gab nur einer allgemein empfundenen Stimmung Ausdruck, wenn er den Nachweis erbrachte, es handle sich hier um eine für den ausländischen Marktbedarf gangbar gemachte tschechische Kostümierung, nicht aber um eine die wahren Gefühlssaiten des tschechischen Wesens erschließende Kunst.   *Sb*

Eberwein, 1), der weimarische Stadtmusicus, hatte mit seinen Leuten öfters in Goethes Garten den Freunden aufzuspielen und mag auch unter jenen gewesen sein, die Goethe im Februar 1779 *neben in der grünen Stube (IV/4, 12)* ein Quadro (= Streichquartett) ausführen ließ, um eine Iphigenienszene in sich wachzurufen. Wichtiger für Goethe sollten zwei seiner Söhne werden:

-, 2) Max, geb. 27. X. 1775 in Weimar, Schüler von Schick in Mainz, seit 1797 in der rudolstädter Hofkapelle, deren Kapellmeister er 1817 wurde, gest. 2. XII. 1831 dortselbst, Vertoner der goetheschen Singspiele *Claudine* (1815) und *Das Jahrmarktsfest zu Plundersweilern* (1818). Beliebt war seine 1810 entstandene Komposition von *Mich ergreift, ich weiß nicht wie.* -

-, 3) Karl (1786-1868), jüngster Bruder des Vorigen, wurde auf Goethes Wunsch von Zelter als Schüler angenommen und hat sich als solcher auch lange auf den Titeln seiner Liedersammlungen bezeichnet.

1808 übernahm Max E. die Leitung von Goethes Hausgesangverein am Frauenplan, der unter ihm rasch aufblühte und sich gelegentlich sogar im Theater vor geladenen Gästen hat hören lassen. Man übte in gemischter Chorbesetzung in Frau Christianes Zimmer; den Beschluß bildete ein schlichtes Mahl. „Man begann meist mit Kirchenmusik und ging dann über die weltliche Musik ernster Art, wobei Zelter, Reichardt und Eberwein stark vertreten waren, schließlich zu Proben komischer Musik über. Bei den weltlichen Nummern pflegte Goethe selbst mit Anweisungen über Tempo und Vortrag einzugreifen. Der Verein blieb bis in die letzte Zeit eine Hauptquelle für Goethes Musikgenuß. Der Dichter liebte, auch hierin ein echter Sohn des 18. Jahrhunderts, dieses zwanglose gesellige Musizieren". Der Goethe-Vertoner Karl E. ist zZt. kaum völlig zu überblicken: Außer den

„Sechs Gesängen von Goethe aus dessen ,*Kunst und Altertum*' fand ich 1949 im weimarer Goethe-Haus, das sonst noch viel Singstoff jenes Kränzchens birgt, nur noch E.s Diwan-Vertonungen als 8. und 9. Heft (Hamburg o. J., JA Böhme). Beidemal erweist sich Goethes Hauskapellmeister als verjüngter Zelter in gefährlicher Neigung zu verkräuselter Koloratur, aber auch in glücklicher Gabe zu natürlicher und doch nicht alltäglicher Melodik, wie in *Frühling übers Jahr.* Seine Vertonung der ,Ballade' *Herein, o du Guter* steht als Prachtstück zwischen Zelter und Loewe: Zwar durchaus strophisch à la Ehlers, aber mit vielen kennzeichnenden Einzelabbiegungen je nach der Situation, und nur die Reden des bösen Eidams durch geschickte Übersetzung aus flüssigem$^{6}/_{8}$ in hackenden $^{4}/_{4}$ Takt treffsicher variiert." (HJMoser: Goethe und die Musik. 1949 S. 104). Später schrieb Goethe noch Chortexte für die Paktszene zu KE.s Faustmusik und gönnte seiner Vertonung der *Proserpina* jene schöne Anzeige in *Cottas Morgenblatt 1815 (JA 37, 69 ff.), aus der ein gewisses Bild - „die Musik ist hier ganz eigentlich als der See anzusehen, worauf jener künstlerisch ausgeschmückte Nachen getragen wird" - stillschweigend von RWagner in seine Theorie des Musikdramas übernommen worden ist.   *Mr*

-, 4) Henriette, (24. II. 1790 Erfurt bis 6. VIII. 1849 Weimar), Sängerin, Tochter des Komponisten Johann Wilhelm Häßler, seit 1812 verheiratet mit 3). In Weimar engagiert November 1807-1838. Rollen: Donna Anna, Fidelio, Pamina, Zerline, Blondchen. Bildete mit *Strohmeyer, *Moltke und C*Jagemann das berühmte Quartett der weimarer Oper. Goethe schätzte und betreute sie, sie wirkte in seiner Hauskapelle mit.   *EF*

Echo oder Widerhall tritt immer dann auf, wenn ein Schall von einer genügend weit entfernten Wand reflektiert wird. Goethe hat sich dieser Erscheinung in seinen Gedichten (I/1, 94; 144; 13^{I}, 120), in *Wilhelm Meisters Lehrjahren* (I/21, 42; 85) sowie in *Faust I* (I/14, 197 V. 3887) und *Faust II* (I/15^{I}, 36 V. 5391; 174 V. 8444; 190 V. 8830; 224 V. 9598; 265 V. 10494) im übertragenen Sinne des öfteren bedient. Im Januar 1787 hatte er aus Rom *Einen hübschen geschnittenen Stein* an Chv Stein geschickt; Goethe wünschte, daß sie *damit künftig ihre Briefe siegeln, damit, durch diese Kleinigkeit, eine Art von Kunstecho von euch zu mir herüber schalle (I/30, 249 f.).*   *Sl*

Echterdingen, damals *ein wohlgebaut heiter Dorf* bei *Stuttgart mit *Pappelallee. Wald, Wiesen, Trift* streifte Goethe am 7. IX. 1797 von Stuttgart kommend auf dem dritten Reiseweg in die *Schweiz *(III/2, 127)*. Auf dem Rückwege kam er von *Tübingen her am 1. XI. 1797 wieder an und hielt Mittagsrast *im Hirsch (III/2, 190)*. RV S. 34; 35.   *JP*

Echternacher Prozession (procession des saints dansant), eine Votivprozession, die in Echternach/Luxemburg zu Ehren des heiligen Willibrord üblich ist und nach einer uralten Tanzweise mit etwa 7000/9000 Tänzern in kadenzierten Sprüngen am Pfingstdienstag stattfindet, fünf Schritte vorwärts und zwei zurück oder drei vorwärts und einer zurück, so daß mehr als zwei Stunden Zeit gebraucht werden, um einen Weg von 1225 Schritten zurückzulegen, eine *beschwerliche Art zu wallfahrten, wo man drei Schritte vor und zwei zurück thun muß*, sagt Goethe nicht ganz korrekt, als er seinen Bericht über die *Reise in die Schweiz 1797* beginnt *(I/34¹, 206)*. Die EP. konnte ihm damals in den Sinn kommen, weil er selbst 1792 im Luxemburgischen gewesen, 1794 die Benediktiner-Mönche vor den französischen Revolutionstruppen nach Luxemburg geflüchtet, die Abtei Nationalgut und als solches schließlich Fabrik geworden, 1797 *die Aussichten auf die nächste Zeit äußerst schlimm waren (ebda 203)*.   *JP*

Eckart, Johann Ludwig (1732–1800), Dr. jur., coburger Beamtensohn, der nach seinem Studium zunächst in coburgischen Diensten stand und 1772 von der Herzogin Anna Amalia zum Hof- und Regierungsrat in das weimarische Regierungskollegium berufen wurde; seit 1778 außerdem Geh. Archivar. Durch seine Zugehörigkeit zur *Bergwerkskommission, deren Mitglied er 1777–1783 war, kam er in engere dienstliche Berührung mit Goethe (III/1, 32 und 34; IV/5, 133; 135; 160; 162; 170f.), der sich des *treflichen Rechtsgelehrten* außerdem in anderen Rechtsfragen, zB. in der Vormundschaftssache des P*Im Baumgarten, bediente *(IV/4, 31; 342–346)*, 1783 schied E. aus allen seinen weimarischen Ämtern aus (IV/6, 189), um eine ordentliche juristische Professur an der Universität Jena zu übernehmen, die er bis zu seinem Tode innehatte. 1790 wurde er in den Reichsadelsstand erhoben, 1792 kaufte er das Rittergut Wenigenjena. Als er die Wiesen dieses Gutes bei den durch die *Wasserbaukommission im Jahre 1800 vorgenommenen Saaleregulierungsarbeiten geschädigt glaubte, beschwerte er sich darüber bei Goethe, der damals diese Kommission leitete (III/2, 310; IV/15, 129 f. und 330). Unter Berufung auf Goethes Verhältnis zu Christiane Vulpius suchte E., der nach vier

Ehen Witwer geworden war, 1795 die Genehmigung zu erhalten, seine Haushälterin „zur linken Hand" zu heiraten, hatte damit jedoch keinen Erfolg (BrVoigt I, S. 208; 210).   *Hk*

Eckartsberga, kursächsische, seit 1815 preußische Stadt, am Durchgang der Straße Erfurt-Naumburg-(Leipzig) durch den Höhenzug der Finne gelegen, überragt von der Ruine der Eckartsburg, 1816: 888 Einwohner. Auf der Fahrt von Weimar über Oberroßla nach Naumburg und Leipzig kam Goethe am 17. IV. 1813 durch E. Während eines kurzen Aufenthaltes entstand hier das Gedicht *Der getreue Eckart (I/1, 206 f.*; *Ballade Sp. 678). Den Stoff lieferte ein *Thüringerwaldsmärchen*, das Goethe von seinem Begleiter KJohn kurz zuvor erzählt worden war und das er *sogleich als wir in Eckartsberge still hielten rhythmisch ausbildete* (III/5, 33 f.; *IV/23, 317; 387*). Gesteinsproben vom Schloß in E. hatte Goethe in seiner Sammlung (II/9, 282). *Das alte Schloß und die neuen preußischen Zoll-Gebäude* sah er bei einer Fahrt auf der Höhe über Stadtsulza am 2. VIII. 1828 liegen *(III/11, 254)*. RV S. 48; 68   *Dl*

Eckebrecht, Johann Friedrich (1746–1796), Dekorationsmaler in Weimar, war 1794 in Tiefurt beschäftigt (IV/10, 165), wodurch die Fertigstellung des goetheschen Hauses am Frauenplan verzögert wurde (ebda 170). Goethe lobte ihn 1796 für seine im Januar dieses Jahres ausgeführten Dekorationen, die er selbst für FX *Süßmeyers Oper „Die neuen Arkadier" entworfen hatte (IV/11, 13; 24).   *Lö*

Eckermann, Johann Peter (1792–1854), zu Winsen an der Luhe (Niedersachsen) geboren, „in einer Hütte, wie man wohl ein Häuschen nennen kann, das nur einen heizbaren Aufenthalt und keine Treppe hatte, sondern wo man auf einer gleich an der Hausthür stehenden Leiter unmittelbar auf den Heuboden stieg" (JPE: 1835, Einleitung zu den „Gesprächen"). Sein wohl schuldlos ganz verarmter Vater Johann Adolf war Kätner und Hausierer, seine Mutter Dorothea Sophie geb. Schierhorn mußte durch Wollespinnen und Haubenmachen unermüdlich mitverdienen; zwei Brüder aus der ersten Ehe des Vaters waren außer Hause, der eine als Seemann, der andere als Wal- und Robbenfänger, zwei Schwestern aus der zweiten Ehe gingen ebenfalls früh auf Erwerb aus und arbeiteten in Häusern der Nachbarschaft oder in Hamburg. Die Lebensverhältnisse waren mehr als nur bescheiden. Man darf durchaus und ohne verharmlosenden Euphemismus von Not sprechen. Umso erstaunlicher aber ist der Aufstieg, der aus solcher Enge in die Weite, aus solcher Tiefe in die Höhe führte. Dieser Aufstieg ist in hohem Grade echtes Leben, echte Leistung, überlegtes Wollen und Vollbringen. Er ist Zeugnis wahrer Persönlichkeit, wahrer Charakterstärke, wahrer Bildung. EBeutler faßt Äußerungen zusammen, die E. in seinen letzten Lebensjahren und im Umgang mit Weimars Jugend schildern: „Eine kräftige Erscheinung, eher klein als groß, das Gesicht stets glatt rasiert und scharf geschnitten, wie man es im Norden findet und wie es Seeleuten eigen ist, die Stirn breit und klug, die Nase kräftig und gebogen, die Augen hell und scharf wie die der Raubvögel. Ein wohlwollend biederer Ausdruck und das lange, glatt in den Nacken fallende Haar gaben dem Gesicht Wärme und Freundlichkeit. ‚Komm, min Jong, wir wollen einen Spaziergang machen‘, – Eckermann war wohl der einzige in Weimar, dem das Niederdeutsche die gemäße Mundart war; und dann sei man gewandert, meist dem Ettersberg zu, das Treiben auf den Feldern begutachtend und thüringische Sitte mit der von Hannover vergleichend; Vogelnester habe Eckermann auf dreißig Schritt hin erkannt, die darin nistende Art bestimmt und verschleppte Nester von ursprünglich gebauten sofort unterscheidend" (II, S. 299).

E. mußte schon als Kind zumindest wie seine Schwestern frühzeitig um Geld und Geldeswert fleißig sein. Er mußte Schilf sammeln, Vieh hüten, Holz suchen, Ähren lesen, Eicheln ernten, Hausiergut herumtragen. Aber in jeglicher Alltagsnot, die er als solche nicht empfand, blieb ihm das Herz heiter, und Johann Ludolf Parisius, der „würdige Superintendent" in Winsen, schrieb, daß E. der „Liebling aller war, die ihn kannten". Seine Schulbildung konnte in den Anfangsjahren kaum mehr als ganz lückenhaft und unregelmäßig sein, gerade ausreichend für notdürftiges Schreiben, Lesen, Rechnen. Ein ursprüngliches Talent zu genauer Beobachtung und zeichnerischer Wiedergabe wie überhaupt zu bildkünstlerischer Erfassung und Darstellung konnte zunächst und trotz hilfreicher Bemühung der „ersten Person des Ortes" (Oberamtmann Meyer) nicht weiterentwickelt werden. Die Teilnahme an dem Privatunterricht der Honoratiorenkinder (Französisch, Latein, Musik) sowie an dem Freitisch des Hauses Parisius endete mit der Konfirmation. Auch in der nun einsetzenden Berufstätigkeit blieb E. auf die Wahrnehmung von Gelegenheiten, dh. auf das Selbststudium des Autodidakten angewiesen: 1808 privater Hilfssekretär bei einem Justizbeamten (Winsen), 1810/1812 Schreiber in der Steuerdirektion Lüneburg, in der Unterpräfektur Ülzen, in der Mairie Bevensen. Die jeweiligen Chefs schätzten und beurteilten E. sowie seine Leistungen übereinstimmend in dem Sinne, daß er mit anhaltendem Fleiß, mit ausgezeichnetem Eifer alle Amtsgeschäfte bewältigt und „dabei die Neigung, seine Tätigkeiten auszubilden, bewiesen habe" (OHeimdal S. 13). Er selbst bekannte später, daß die Beschäftigungen dieser Jahre am wenigsten der Idee zu schmeicheln vermochten, die sich in ihm festgesetzt hätte, daß Gott ihn nämlich besonders lieb habe und etwas Tüchtiges aus ihm machen wollte.

1813/1814 war E. als Freiwilliger in dem Jägerkorps des Grafen LvKielmannsegg und gehörte zur Kompanie Knop. Er wurde mit dem eisernen Kreuz ausgezeichnet (GNM). Die Militärpapiere bekunden, daß der „Jäger Johann Peter Eckermann der Kompanie des Capitain Knop ein Jahr treu und redlich gedient und sich in allen Dienst-Verrichtungen beständigen Beyfall erworben hat" (OHeimdal S. 16). Flandern und Brabant vermittelten ihm durch die Begegnung mit den Großmeistern der niederländischen Kunst (Tournai) stärkste Eindrücke, unter deren nachwirkender Gewalt er beschloß, nach dem Kriege erneut und nunmehr gründlich Malerei zu studieren.

Von Winsen aus wandte E. sich im Januar 1815 nach Hannover. Er wohnte bei seinem alten Freunde Klingenberg und meldete sich als Schüler bei Johann Heinrich Ramberg (1763–1840) an. Eine langwierige, recht ernstliche Krankheit unterbrach und beendete schließlich seine Anstrengungen und Hoffnungen. Einigermaßen wiederhergestellt, mußte er den Posten eines Registrators bei der Militär-Bekleidungskommission annehmen. Ausgleich suchte er nun nicht mehr in der Malerei, sondern in der Dichtung. Mit Unterstützung seines Vorgesetzten vBerger konnte er seit dem Winter 1816/1817 nebenberuflich das Gymnasium besuchen. Man nahm ihn in die Sekunda auf. Doch blieb ihm schließlich nur mehr die Kraft für den Lateinunterricht (Vergil, Ovid, Cicero), dem er resignierend die letztmögliche Energie widmete. Ausdruck seiner bisweilen fast verzweifelnden Stimmung wurden die damals entstandenen Verse: „Laß ihn nicht sinken, / Liebende Mutter der Natur! / Gieß in die Nacht seiner Seele / Den Frühlingsschein, / Scheuch von des Zöglings / Geniusschwingen / Lastenden Schulstaub."

1817 lernte E. in Hannover seine spätere Braut und Frau Johanna Bertram, eine Kaufmannstochter, kennen, mit der er sich 1819 verlobte, ohne seiner selbst schon wirklich sicher genug zu sein. 1821/1822 gab er seine bisherige Berufsstellung auf, ließ sich für seinen Verzicht auszahlen, erhielt den Abschied von seiner Dienstbehörde mit der Bewilligung des halben Gehaltes für noch zwei Jahre und begann darauf sein Jura-Studium in Göttingen, das mehr und mehr ein Studium der schönen Wissenschaften wurde. Außer eigenen dichterischen Versuchen (zB. „Gedichte"; Drama: „Graf Eduard") bemühte er sich um die Weiterentwicklung seiner poetischen Theorien, wobei ihm seine bereits vordem in Hannover wirksame Bindung an die Dichtung Goethes maßgeblich wurde (1819?: Kauf der B-Ausgabe: Goethe's Werke. Vgl. WHagen S. 29). Im September 1821 unternahm er seine zielstrebige Studienreise nach Thüringen und Sachsen, die ihn über Lauchstädt/Merseburg/Leipzig/Riesa/Meißen bis Dresden und auf dem Rückweg nach Weimar führte (14. IX. 1821), wo er nur FW*Riemer und FThD*Kräuter sprechen, immerhin aber Mut zu erneuter Annäherung gewinnen konnte. Er brach nach dem dritten Semester sein Universitätsstudium in Göttingen ab, zog sich nach Empelde (Dorf bei Hannover) zurück, um noch im Winter 1822/1823 seine „Beyträge zur Poesie, mit besonderer Hinweisung auf Goethe" in einem Zuge niederzuschreiben. Damit war der Auftakt gemacht zu ganz anderen „Beyträgen zur Poesie", die freilich in der allerbesondersten Hinweisung auf Goethe, in der eigentlichsten Hinwendung zu ihm bestehen und E. dahin bringen sollten, daß er werden konnte, was er war. Das war gar nicht wenig.

Goethe war seit längerer Zeit auf der Suche nach einem jüngeren Mitarbeiter, dem *man Redaction von Papieren übertragen könnte, welche selbst zu leisten man wohl die Hoffnung aufgeben muß* (11. VI. 1823: *IV/37, 62*). Ein solcher Mitarbeiter mußte sich persönlich und sachlich in gleicher Weise empfehlen, mit Goethes Grundauffassungen harmonieren, für deren Universalität in Urfragen und Urantworten so vieler, fast aller Wissensgebiete aufgeschlossen sein, Rezeptivität und Produktivität unaufdringlich verbinden und ein adäquates Organ zumal für das Wesen des Dichterischen in der Welt entwickelt haben. Bisher hatten vornehmlich CE*Schubarth (1818) und JSt*Zauper (1822) Goethes Interesse geweckt: E. aber *hat sich gleichfalls an*

mir herangebildet und möchte zwischen Schubarth und Zauper in die Mitte zu stehen kommen; nicht so kräftig und resolut wie jener, nähert er sich diesem in Klarheit und Zartheit (11. VI. 1823: *IV/37, 71 f.*). Besondere Erkundigungen liefen im Winter 1822/1823 auch um JV*Adrian. E.s eigene Wünsche aber kamen Goethe am meisten entgegen. Er verfügte über alle notwendigen „Praedispositionen", um der Partner zu sein, den Goethe damals in wesentlicher und wirklicher Einmaligkeit brauchte. „Er war kein Echo Goethes, sondern eine ursprünglich verwandte Natur, wenn auch aus schwächerer Wurzel" (EBeutler: ArtA 24, S. 785).

Dabei sollte man zunächst E.s schriftstellerisch-dichterische Fähigkeiten nicht übersehen. Gewiß, seine Natur-Mitgift an Flügelkraft war nicht groß, auch noch zu wenig erprobt. Aber eine Schicksalserfahrung besonderer Art, auf ebenso besondere Art gelebt und geleistet, zog ihn mit sich fort. E. wuchs über sich hinaus und erreichte ein Maß, das nicht zu vermuten gewesen war. Seit 1819 mit JBertram/Hannover versprochen, aber von ihr seit seinem Verbleiben in Weimar und nicht immer nur räumlich getrennt, ging ihm – zum ersten Male wirklich hellsichtig und hellhörig für die Liebe – am 17. VII. 1828 das Wunder einer echten Wesensverbundenheit durch die Begegnung mit Auguste Kladzig auf, und er erschrak, als er mit ihr, die seine Schülerin war, in der Grammatikstunde das Paradigma „je t'aime" behandeln sollte. E. selbst sprach diese Wesensverbundenheit 1828/1831 in beredten und immer beredteren Worten als Urzusammengehörigkeit an. Er mag damit seiner und auch ihrer, vielleicht der Wirklichkeit und Wahrheit schlechthin nahegekommen sein. Mit der ganzen Zartheit eines tiefbetroffenen Liebenden suchte er dem Gesetz dieser Liebe zu gehorchen. Er glaubte, daß dies Gesetz im Irdischen für ihn nicht: Erfüllen hieße, sondern: Entsagen, ja eigentlich: Versagen. Wahrscheinlich war dieser Glaube falsch. War es ein „tragischer" Irrtum? Immerhin wurde E. in diesen Jahren und um den Preis seines Irrtums zum Dichter wie niemals zuvor, niemals hernach: „Ich habe ... an niemanden in der Welt aus tieferer Seele geschrieben" (18. XII. 1828); „Wir Männer lernten die Welt nicht kennen, wenn nicht die Frauen uns durch das Fegefeuer der Liebe führten" (2. IV. 1831). „Glück der Erinnerung" nannte E. ein Gedicht, das er 1831 in Ottilies *Chaos anonym erscheinen ließ: „Getrennt von dir bist du mir nicht verloren, /

Wenn auch entfernt genieß ich reines Glück. / Die schönsten Stunden, immer neu geboren, / Ruft mein lebend'ger Geist in sich zurück." – E. fühlte sich an sein vor zwölf Jahren gegebenes Wort gebunden und schloß am 9. XI. 1831 in Weimar die Ehe mit JBertram; drei Tage später hatte Auguste Kladzig ihre Bühnenverträge gelöst und verließ die Stadt. Es dürfte kaum zu hart sein, wenn man sagt: die Vermählung war ein Akt der Sentimentalität. Das Inkommensurable der Charaktere und das Illusionäre ihrer vermeintlichen Gemeinsamkeit ließen sich wohl ideologisch, nicht aber biologisch überspielen. Goethe schwieg, um nicht sagen zu müssen, was er sah. Im April 1834 starb E.s Frau an den Folgen der Geburt ihres Sohnes Karl (1834–1891), der seines Vaters Anlagen geerbt hatte und sich als Maler und Radierer einen Namen machen konnte.

Im Hinblick auf das Verhältnis zu Goethe deutete E. selbst in einem Brief an H*Laube sein eigenes Dasein und Wirken: „Ich sehe, daß man mich ... als Goethes Sekretär bezeichnet hat. Hieran ist kein wahres Wort. Es ist so wenig Goethen als mir je eingefallen, sein Sekretär zu sein. Ich war ebensowenig Goethes Sekretär als Shelley der Sekretär von Lord Byron war. So lange ich in Weimar lebte und in das Goethesche Haus Zutritt hatte, hieß Goethes Sekretär John. Es war dies ein schön schreibender, junger Mann, dem Goethe diktierte und der das durch Riemers Hilfe korrigierte Manuskript ins Reine schrieb. Mein Verhältnis zu Goethe war eigentümlicher Art und sehr zarter Natur. Es war das des Schülers zum Meister, das des Sohnes zum Vater, das des Bildungs-Bedürftigen zum Bildungs-Reichen. Ich sah ihn oft nur alle acht Tage, wo ich ihn in den Abendstunden besuchte, oft auch jeden Tag, wo ich mittags mit ihm, bald in größerer Gesellschaft, bald tête-à-tête zu Tisch zu sein das Glück hatte. Doch fehlte es unserem Verhältnis auch nicht an einem praktischen Mittelpunkt. Ich nahm mich der Redaktion seiner älteren Papiere an, ich assistierte ihm bei der im Jahre 1826 begonnenen Herausgabe seiner Werke in vierzig Bänden; auch nahm ich teil an ,Kunst und Altertum', wozu ich ihm einige Beiträge gab. Er dankte mir seinerseits dadurch, daß er mich in seine Kreise zog und an den geistigen und leiblichen Genüssen eines höheren Daseins teilnehmen ließ" (5. III. 1844). Damit ist fast haarscharf getroffen und ausgesprochen, was auch Goethe bewegte. E. erschien ihm vom ersten Kennenlernen an als

ein gar guter, feiner, verständiger Mensch (11. VI. 1823: *IV/37, 71*), als *ein gar feiner und stiller Jüngling* (17. VI. 1823: *IV/37, 82*). Goethe betraute ihn probeweise mit Redaktionsaufgaben und stellte schnell fest, daß er *mit Sinn und Verstand* arbeitete: *Er ist übrigens mit meiner Denkweise so vertraut, daß er das Geschäft dem Sinne nach eben so gut und der Ausführung nach besser als ich selbst leisten dürfte* (9. VIII. 1823: *IV/37, 179*). E. steigerte *seine Neigung zu meinen Arbeiten und die Übereinstimmung mit meinem Wesen überhaupt,* seine *freye Übersicht und ein glücklicher Tact qualificiren ihn* (4. II. 1824: *IV/38, 42*), ja: er *schleppte, wie eine Ameise, meine einzelnen Gedichte zusammen ... er sammelt, sondert, ordnet und weiß den Dingen mit großer Liebe etwas abzugewinnen* (8. III. 1824: *ebda 66*). E.s *Bildung zu mir und meinen Arbeiten ist ... unschätzbar; ich kann hoffen durch ihn Zerstreutes zu sammeln, Unvollständiges zu ergänzen, Vielfaches zu ordnen und zwar in meinem eignen Sinne* (5. VII. 1824: *IV/38, 185f.*). So ging es fort von Jahr zu Jahr: *Doctor Eckermann, den ich täglich sehe, bildet sich schrittweise reiner aus zu Urtheil und Antheil; er durchsieht mit löblicher Geduld meine alten, hoffnungslos zugeschnürten Manuscript-Massen und findet, zu meiner Freude, manches darin wohl werth erhalten und mitgetheilt zu werden, so daß man das Übrige nun mit Beruhigung verbrennen kann* (28. III. 1829: *IV/45, 219*). E. hieß alsdann der *vorzüglich gute und brave Eckermann* (28. V. 1830: *IV/47, 78*), der *geprüfte Haus- und Seelenfreund* (26. IX. 1830: *ebda 250*), *eine einfach reine Seele* (9. XI. 1830: *IV/48, 16*); er ward sogar zum *getreuen Eckart* und ist *von großer Beyhülfe. Reinen und redlichen Gesinnungen treu, wächst er täglich an Kenntniß, Ein- und Übersicht und bleibt, wegen fördernder Theilnahme, ganz unschätzbar* (14. XII. 1830: *IV/48, 42*). In einem späten Briefe an Th*Carlyle liest man vermächtnisartig: *Sein zartes und zugleich lebhaftes, man möchte sagen, leidenschaftliches Gefühl ist mir von großem Werth, indem ich ihm manches Ungedruckte, bisher ungenutzt Ruhende vertraulich mittheile, da er denn die schöne Gabe besitzt, das Vorhandene, als genügsamer Leser, freundlich zu schätzen und doch auch wieder nach Gefühl und Geschmack zu Forderndes deutlich auszusprechen weiß* (2. VI. 1831: *IV/48, 210*). Mit dem ganzen Gewicht seines Namens und seiner Stellung im Staate und bei Hofe setzte sich Goethe noch kurz vor seinem Tode für eine finanziell würdige Sicherung E.s *als Remuneration einer bedeutenden Mitwirkung bey den*

Oberaufsichtlichen Geschäften ein (26. I. 1832: *IV/49, 420–423*). Freilich starb er, ehe er den angestrebten Erfolg auch gesichert haben konnte; E.s weitere Existenz blieb trotz mancher Titel-Ehrung (1825: Doktortitel, Universität Jena; 1842: Hofrattitel, Fürstenhaus Weimar) schwierig. Bis in die allerletzten Tage hinein wußte Goethe seiner „ganzen Vorliebe" für E. nicht gleichsam selbstverständlichen Ausdruck zu geben, als daß er im Zuge gelehrter oder künstlerischer Besprechungen immer wieder als Refrain einschob: *Ja, wenn Eckermann nicht zu bescheiden wäre, so könnte er wohl die Sache in die Hand nehmen* (JHWolff: *Bdm. 4, 308*).

Solche Zeugnisse muß man in ihrem vollen Bedeutungsgehalt würdigen, wenn man ein Lebens- und Schaffens-Verhältnis, insofern eine Symbiose wie die zwischen Goethe und E. wirklich erfassen und verstehen will. Dies Verhältnis war fruchtbar nicht nur im Zusammenhang der *Editionen goethescher Werke, an deren letztgültiger Ordnung und Gestaltung, vielfach posthum, E. stark beteiligt war, sondern auch bereits bei der Entstehung einiger Hauptwerke Goethes selbst, zB. der letzten Teile von *Dichtung und Wahrheit, der abschließenden Fassung von *Wilhelm Meisters Wanderjahren, des *Faust II: Eckermann versteht am besten, literarische Produktionen mir zu extorquiren durch den sens(ue)llen Antheil, den er an dem bereits Geleisteten, bereits begonnenen nimmt* (8. VI. 1830: *UKM S. 191*). *Ich verdanke Schillern die Achilleis und viele meiner Balladen,...und Sie* [Eckermann] *können es sich zurechnen, wenn ich den zweiten Teil des Faust zustande bringe (Bdm. 4, 227)*. E.s Leistung und Verdienst um Goethe geht aber über die editorische und *extorquierend*-mäeutische Wirksamkeit weit hinaus. Er schrieb 1836 den gründlichen Artikel „Goethe" für das Brockhaus-Lexikon. In jedem Sinne sein Eigentlichstes aber gab er durch Aufzeichnung, Durchgestaltung und Überlieferung seiner *Gespräche mit Goethe. Mit diesem seinem Werke entwarf der anfängliche Schüler, alsbald Helfer, schließlich Freund ein Goethe-Bild von beispielloser, maßgebend gültig gewordener Gewalt. Freilich sehen wir Goethe durchweg mit E.s Augen, wie sie nachschaffend in der Realität die Idealität, dh. wie sie wissentlich-willentlich im „Gewöhnlichen" aller Tage das „Ungewöhnliche" suchen und wählen (Brief an HLaube; s. o.), weshalb die „Glaubwürdigkeit" des Gewählten zum Problem werden kann (JPetersen) und Goethe eben nicht „im Hemdermel"

erscheint (UKM S. 116; ThAHFv*Müller). „Hier wird alles Licht, das in Goethes Persönlichkeit war, noch einmal wie in einem Brennspiegel gesammelt, von Zufälligem und Nebensächlichem, ja auch von etwaigen Schatten befreit... Keinem Großen der Weltliteratur sonst ist es zuteil geworden, daß als letzte Offenbarung seines Geistes ein Jünger und Freund, selber mit schriftstellerischen, ja dichterischen Fähigkeiten begabt, solch ein verklärendes Abbild der Welt hinterlassen hat. Das ist die besondere Stellung dieses Buches und sein unvergleichlicher Wert" (EBeutler: ArtA 24, S. 781). Aber nicht nur dies. E. schuf eine ganze Literatur-Gattung, die es zuvor noch gar nicht gegeben hatte und deren Nachbildungen oder Fortentwicklungen allgemach unübersehbar wurden. Endlich: E.s Werk erreichte Welt-Rang, und zwar sowohl durch seinen Stoff wie durch seine Form, womit in gleicher Weise Diktion und Komposition gemeint sind: „Wenn man von Goethes Schriften absieht und namentlich von Goethes Unterhaltungen mit Eckermann, dem besten deutschen Buche, das es gibt: Was bleibt eigentlich von der deutschen Prosaliteratur übrig, das es verdiente, wieder und wieder gelesen zu werden" (FNietzsche 1879?) Mit den Abstrichen, die uns die Jahrzehnte seither gelehrt haben, kann man diese Frage auch heute noch stellen.   *Za*

Porträts: JJSchmeller 1824; 1827. – FPreller 1851. – KEckermann 1852.
ADB – NDB – EBeutler, S. 282–306. – EBeutler: Einführung. In: ArtA 24 S. 781–852. – OHeimdal: Eckermann. In: Bedeutende Niedersachsen. 1956. – JPetersen: Eckermanns Briefe an Auguste Kladzig. In: JbSKip 4, S. 92–190. – WHagen. – Weitere benutzte Literatur verzeichnen die Artikel *Editionen, *Gespräche.

Eckersprung/Eckertal, Quellgebiet der Ecker: *Das Eckertal, das den Quitschenberg und den kleinen Brocken scheidet, streicht hor. 1 (NS 1, 72)*. „Goethe ist – am 3. IX. 1784 – anscheinend vom Trogtal den Schachtholzweg, dann über den Quitschenberg, Eckersprung, Goethe-Weg nach der Heinrichshöhe gegangen" (FDennert S. 92) und mag dabei auch das E c k e r n l o c h passiert haben. – Die Zeichnung Corpus I 191 (*Heinrichshöhe), wahrscheinlich schon auf der 1. *Harz-Reise entstanden, könnte einen Blick vom Brocken aus in diese Gegend festhalten. RV S. 23.   *JP*

Eckert, Karl geb. 7. XII. 1820 in Potsdam, gest. 14. X. 1879 in Berlin, wurde als Schützling des Hofrats FFörster geigendes Wunderkind (Schüler von HRies), er konzertierte seit seinem 6. Jahr und durfte sich elfjährig bei Goethe vorstellen. Später war er Opernkapellmeister in Paris, Wien, Stuttgart und seit 1869 in Berlin an der Hofoper. Auch Komponist von Opern und besonders Liedern.   *Mr*

Eckhel, Joseph Hilarius von (1737–1798), österreichischer Numismatiker, eigentlicher Begründer der modernen Münzkunde, ihrer Methoden und ihrer Systematik, ursprünglich Mitglied des Jesuitenordens, reist in Italien, wird 1774 von *Maria Theresia ans Kaiserliche Münzkabinett versetzt, 1776 alleiniger Leiter desselben und Professor an der Universität Wien. Sein grundlegendes Hauptwerk ‚Doctrina nummorum veterum‘, Wien 1792–1798, benutzte Goethe (u. a. 31. I.–2. II. 1799; III/2, 231): *dann nahm ich Eckhels fürtreffliches Werk vor, und freute mich an der breiten Erfahrung, an dem schön geordneten Vortrag, an der großen Redlichkeit zum Geschäft und der daraus herfließenden durchgängigen Treue (IV/16, 173).*
Stark 222 f.   *Hm*

Eçkl (Ekel), Clemens (1789–1831), Pater Prior im Stift *Tepl (Töpel) bei Marienbad in Böhmen. Mineralogischer Liebhaber und Aufseher des im Stift Tepl errichteten Naturalienkabinetts. In persönlichem Verkehr mit Goethe. Dieser sandte E. im Juli 1822 die für das Stiftskabinett zugesagte marienbader Gesteinsfolge (IV/36, 96) und am 18. VIII. 1823 zwei weitere böhmische *Gebirgs- und Mineralien-Folgen ...*, *indem solche sich an die voriges Jahr übersendete mehr oder weniger anschließen,* wobei er die Bitte aussprach: *Stellen Sie dieselben neben das übrige bedeutende, daselbst schon Verwahrte und gedenken meiner dabei zum besten (IV/37, 173 f.).*   *Ba*

Eckstedt, sachsen-weimarisches Dorf mit Rittergut (damals Sitz der Familie vMandelsloh) im Amt Großrudestedt, nordöstl. Erfurt, 1822: 291 Einwohner. Goethe kam am 24. VII. 1816 auf der Fahrt von Weimar nach *Tennstedt durch E. (III/5, 257). RV S. 53.   *Dl*

Edda. Herders groß angelegter Versuch, mit der Hinwendung zu Volkssage, Märchen und Mythologie einen unmittelbaren Zugang zu der „lebendigen Volksdenkart" (Herder SW 25, 9 ff.) zu gewinnen, schloß auch in Ermanglung originaler *Bardenpoesie die nordische Überlieferung ein. Diese war wenigstens in einem gewissen Ausmaß seit dem Jahre 1665 zugänglich geworden, in dem Resenius in Kopenhagen die Snorra-Edda gleichzeitig mit einer Auswahl aus der Lieder-Edda in lateinischer Übersetzung herausgegeben hatte. War auch Herders Kenntnis des eddischen Liedgutes im wesentlichen auf die Völuspá, die Hávamál und Baldrs draumar beschränkt, und mag er auch an dem Reichtum der prosaischen Werke (deren Veröffentlichung Verelius seit 1664 betrieb)

vorbeigegangen sein, so stand ihm doch immerhin noch genug zur Verfügung, um die nordische Mythologie enthusiastisch als das Erbe eines Zeitalters zu begrüßen, dessen Helden „Brüder unserer Vorfahren" sind, so daß uns „eine fast angeborene Mitgenossenschaft dieser Bilder" beschieden ist (24, 313). Bereits der zwanzigjährige Herder hat die E. mit den Worten gefeiert:,,Es kann dies Buch eine Rüstkammer eines neuen deutschen Genies sein, das sich auf den Flügeln der Celtischen Einbildungskraft in neue Wolken erhebt und Gedichte schaffet, die uns immer angemessener wären als die Mythologie der Römer" (1, 74). Etwas von diesem herderschen Enthusiasmus für die eddische Überlieferung ist in Straßburg auf den jungen Goethe übergegangen, wie die *Ephemeriden bezeugen. Die Streiche, die Utgardaloki dem starken Thor und seinen Begleitern spielt, gehörten ebenso wie die Geschichten vom Fenriswolf zum beliebtesten Erzählgut des jungen Goethe. Wie *Dichtung und Wahrheit* ausführt, hat Goethe daran Gefallen gefunden, die *formlosen Helden* und *Nebelbilder* der nordischen Mythologie *nach dem heiteren Mährchen* hinzulenken: *denn der humoristische Zug, der durch die ganze nordische Mythe durchgeht, war mir höchst lieb und bemerkenswerth. Sie schien mir die einzige, welche durchaus mit sich selbst scherzt, einer wunderlichen Dynastie von Göttern abenteuerliche Riesen, Zauberer und Ungeheuer entgegensetzt, die nur beschäftigt sind, die höchsten Personen während ihres Regiments zu irren, zum Besten zu haben, und hinterdrein mit einem schmählichen unvermeidlichen Untergang zu bedrohen. Aber dann wird im gleichen Zusammenhang mit voller Entschiedenheit betont: *alle diese Dinge, wie werth ich sie hielt, konnte ich nicht in den Kreis meines Dichtungsvermögens aufnehmen; wie herrlich sie mir auch die Einbildungskraft anregten, entzogen sie sich doch ganz dem sinnlichen Anschaun, indessen die Mythologie der Griechen, durch die größten Künstler der Welt in sichtliche leicht einzubildende Gestalten verwandelt, noch vor unsern Augen in Menge dastand (1/28, 143 f.).* Dieses Urteil läßt keinen Zweifel darüber aufkommen, daß der klassische Goethe die nordische Mythologie zugunsten der griechischen entrechtet hat. Spätestens seit 1802 glaubte Goethe über ein abschließendes Urteil zu verfügen, denn in diesem Jahre fiel ihm anläßlich einer Neuordnung des jenenser Bibliothekswesens die Ausgabe des Genfers Mallet in die Hand: „Edda ou monuments de la mythologie et de la poésie des anciens peuples du Nord‘‘, – als eine willkommene Ergänzung des Wissens, das Goethe zuvor schon der Introduction à l'histoire de Danemark (1755/56) desselben Autors und der Teilausgabe des Codex Regius durch Resenius verdankte. Im Brief an Schiller vom 4. V. 1802 hatte Goethe entsprechend zu berichten: ... *ich habe die Urquelle der nordischen Mythologie, weil ich sie eben vor mir fand, in ruhigen Abenden durchstudirt und glaube darüber ziemlich im Klaren zu seyn (IV/16, 76).*

Doch wie so oft bei Goethe wird man auch in diesem Falle gewahr, daß ein Urteil, welches sich apodiktisch gibt, bald darauf einer Revision unterzogen wird. Den Anstoß dazu erteilte der dänische Dichter A*Oehlenschläger. Durch Schillers Tod in der Einsamkeit des Umgangs mit sich selbst zurückgelassen, stand Goethe 1806 in besonderer Weise den Eindrücken persönlicher Begegnung offen, wie sie die Deutschlandreise des jungen Dänen, der in seiner Dichtung um eine energische Wiederbelebung der altnordischen Mythologie und Heldensage bemüht war, mit sich brachte. Über den befriedigenden Verlauf von Oehlenschlägers Aufenthalt in Weimar erteilt der Brief Goethes an *Zelter vom 2. VI. 1806 Aufschluß. Die nachfolgenden Wochen der karlsbader Kur ließen Goethe Zeit und Gelegenheit, nicht nur dem „Aladdin" Oehlenschlägers Beachtung zu schenken, sondern sogar die *verdienstliche* Tragödie „Hakon Jarl" für eine Aufführung ernstlich in Erwägung zu ziehen *(I/35, 246;* 260). Erstaunlich bleibt auch das Interesse, das Goethe der *kühnen frischen nordischen Überlieferung* der ihm durch Tegnér erschlossenen *Frithiofs Saga* entgegenbringt *(I/41^{II}, 103).* Für diese unerwartet günstige Aufnahme von Dichtungen, die zweifellos der nordischen Tradition ihr Bestes verdanken, ist Goethes neuerwachte Anteilnahme an den deutschen Altertümern kaum hoch genug zu veranschlagen. Nicht zufällig bieten die *Annalen* den wohlwollenden Seitenblick auf Oehlenschläger im gleichen Passus wie das bedeutsame Bekenntnis Goethes zur Nibelungendichtung, die gerade im Begriff steht, im Schutze der aufblühenden germanischen Philologie *einen eigentlichen Nationalantheil* zu gewinnen *(I/35, 260).* Das folgende Jahr (1807) befördert die Neigung, an diesem *köstlichen Werk* manches Unrecht wieder gut zu machen und die *stumpfe* Gleichgültigkeit durch lebendige Teilnahme zu ersetzen, die nun auch im weiteren Sinne die *Aufmerksamkeit auf ... nordische Verhältnisse und Productionen* lenkt *(I/36, 28 f.:* 1809: ebda 45). Der ermutigende Zuspruch, den Goethe für W*Grimms „Altdänische Heldenlieder" und die E.-Übersetzung bereit hält, bezeugt, wie sein antiquarisches In-

teresse nunmehr eine heimische Richtung nimmt. Vor allem aber greift die produktive Kraft des späten Goethe viel stärker auf sein *nordisches Erbteil zurück, als es die ablehnenden Urteile über die E. und ihr Gefolge aus der Zeit der Hochklassik erwarten lassen.   *Op*

HOppel: Studien zur Auffassung des Nordischen in der Goethezeit. 1944.

Edelsheim, Wilhelm Freiherr von (1737–1793; in der Goethe-Literatur gewöhnlich verwechselt mit seinem jüngeren Bruder Ludwig), stammte aus fränkischem, in der Wetterau begütertem Rittergeschlecht. Nach juristischem Studium in Göttingen praktizierte er kurze Zeit am Reichskammergericht in Wetzlar. 1758 fand er – angezogen durch dessen humane Regierungsgrundsätze – Anstellung beim Markgrafen Carl Friedrich von *Baden (1) als Kammerjunker und Hofrat, erwarb sich sehr schnell dessen Vertrauen und ging schon 1760/61 als Geheimer Gesandter nach Gotha, Berlin und London (Siebenjähriger Krieg). 1763–67 mußte er sich zurückziehen zur Verwaltung der Güter seines Vaters (praktische Kenntnis der Probleme der Landwirtschaft). 1767–1769 weilte er im Auftrage des Herzogs zur Klärung der baden-badenschen Erbfolgefrage in Wien. Von dort aus unternahm er eine große Bildungsreise durch die Fürstentümer Mitteldeutschlands, Holland und Frankreich nach Italien (1770–72), wo er sich längere Zeit in Rom (als Freund und Schüler des Malers AR *Mengs) und in Florenz bzw. im Herzogtum Toskana, dem Musterstaat des späteren Kaisers Leopold II. (Freundschaft mit diesem; Studien über Verwaltungs- und Finanzangelegenheiten, Studium der Physiokraten), aufhielt. Nach der Rückkehr trat er endgültig in den Dienst Badens. 1774 ernannte ihn der Herzog zum Minister. Als drittes adeliges Mitglied des Geheimen Ratskollegiums sollte er sich, ohne durch Präsidialgeschäfte an die Residenz gebunden zu sein, ganz der Außenpolitik widmen können. In dieser Eigenschaft führte er 1776 die Teilung der Grafschaft Sponheim durch und war seit 1782 zusammen mit Carl August maßgeblich am Zustandekommen des *Fürstenbundes beteiligt. Sein eigentliches Interesse aber galt wohl mehr noch der Innenpolitik, Finanz- und Wirtschaftsfragen. Je enger sich das Verhältnis zu Carl Friedrich gestaltete, desto mehr nahm er auch an diesen Aufgaben Anteil. 1777 erhielt er das Referat über die Einführung neuer und Abänderung alter Gesetze; damit ging praktisch die ganze Arbeit an der Landesreform durch seine Hand; sichtbarstes Zeichen dieses Wirkens ist etwa die

Aufhebung der Leibeigenschaft 1783. 1788 übernahm E. das Präsidium im Geheimen Rat und damit offiziell die Führung der gesamten Staatsgeschäfte. 1790 ordnete er die badische Landesverfassung neu. – Seine letzten Jahre waren überschattet durch die Französische Revolution.

Als Carl August Ende 1774 zum ersten Male nach Karlsruhe kam, um dort seine zukünftige Gemahlin kennenzulernen, wohnte er im Hause E.s. Im nächsten Jahre versuchte er, ihn als Minister nach Weimar zu ziehen. E. lehnte aus Anhänglichkeit an den Markgrafen ab, blieb aber in brieflichem und persönlichem Verkehr mit Carl August, aus dem sich – nicht zuletzt wohl auch durch die gemeinsame Arbeit am Fürstenbund – ein äußerst herzliches Verhältnis entwickelte (vgl. JbGGes. 2, 51 f. Anm. 2: CvMassenbach über Carl August: „... Ein Fürst, der ... sagte, daß er mich liebe, weil ich seinem Freunde E. angehöre, ...“; P. C. 102: Carl August an FWv Preußen: „je puis garantir pour lui“).

Wann Goethe E. kennenlernte, ist ungewiß: vielleicht schon 1775 in *Karlsruhe oder durch seinen Schwager JG*Schlosser, der seit 1773 in badischen Diensten stand (*Emmendingen), sicher jedenfalls bei E.s erstem Besuch in Weimar 16.–28. V. 1776 (III/1, 13; vgl. GootheJb. 6, 150). Es ist auffallend, wie wenig dieser und die folgenden Besuche E.s in Weimar (20.–26. März 1778; zusammen mit dem Markgrafen am 7. IV. 1781 und 13.–17. X. 1783; vgl. GoetheJb. 6, 153; 159; 163) in den Äußerungen Goethes in Erscheinung treten (etwa nur: *Abends zu ♃ wo Edelsheim war, viel geschwäzzt. 23. III. 1778: III/1, 64*). Vieles aus jener Zeit mag verloren sein, so wie die Korrespondenz zwischen Goethe und E. (vgl. Postliste 6. X. 1783: IV/6, 475; außerdem IV/8, 139; 178; 242). Wahrscheinlicher ist als Grund für Goethes Schweigen der geheime Charakter der Besprechungen, jedenfalls der letzten beiden: Goethe und Carl August pflegten eigenhändig die Briefe und zT. langen Berichte E.s, falls notwendig, für die geheime Staatskanzlei abzuschreiben (vgl. P. C. 47 bis 52, Pol BrCarl August 87–92; dazu *IV/25, 175: Das worauf alles ankam, steht gewiß nicht in den Acten*). Erst im Herbst 1785, als E. kurz vor Goethes Abreise aus Karlsbad dort eintraf, ihm *den Abschied abermals schwer ... machte (IV/7, 80)*, und Goethe sich *fast hätte ... bereden lassen zu bleiben (ebda 77)*, statt dessen aber E. einige Wochen später auf dem Rückweg sich – diesmal wohl mehr zu privatem Besuch – in Weimar aufhielt, wird die

Eigenart der Beziehungen Goethes zu E. offenbar, wobei E. in besonderer Weise und in hohem Maße als der Gebende, Anregende, Goethe als der Nehmende erscheint: *Sein Umgang macht mir mehr Freude als iemals, ich kenne keinen klügeren Menschen. ... Könnt ich nur ein Vierteljahr mit ihm seyn. Da er sieht wie ich die Sachen nehme; so ruckt er auch heraus, er ist höchst fein, ich habe aber nur wenig vor ihm zu verbergen und das soll er auch nicht vermuthen (IV/7, 97)*. Das letztere könnte sich auf Goethes damalige Stellung zu seiner *Amtlichen Tätigkeit beziehen: Seit einem halben Jahr hatte Goethe nicht mehr an den Sitzungen des Geheimen Consiliums teilgenommen (AS 1, LXXX). Und die Staatsgeschäfte sind jedenfalls das Thema dieser Gespräche gewesen, wie aus dem Bericht Goethes noch aus Karlsbad hervorgeht: *Denn in Staats und Wirthschafftssachen ist er zu Hause und in der Einsamkeit wo er niemand hat gesprächig und ausführlich, in zwey Tagen haben wir schon was rechts durchgeschwäzt (IV/7, 77)*. In der Tat bot sich dieses Thema durch die auffallend ähnliche Lage der beiden Männer an: Beide als einzige enge Vertraute eines regierenden Fürsten (vgl. die Fürstenbundsverhandlungen: Goethe als Begleiter Carl Augusts nach Braunschweig wie E. mit dem Markgrafen in Weimar; Pol BrCarl August 100 Anm. 1); Goethe seit langem besonders mit Wirtschaft, Finanz- und Steuerwesen betraut (Finanzreform 1783, vielleicht schon unter dem Einfluß E.s?) – einem Gebiet, auf dem der persönlichste Freund von *Dupont de Nemours Spezialist ist. Zudem nahm Goethe, der 1782 den Auftrag erhielt, sich zum Präsidenten der Kammer zu qualifizieren, spätestens seit diesem Zeitpunkt lebhaften Anteil an den schon älteren Bestrebungen Carl Augusts zur Landreform, der sich selbst dabei sicher orientierte an den Bemühungen E.s, des Avantgardisten dieser Bestrebungen, der 1783 in Baden die Leibeigenschaft tatsächlich aufgehoben hatte und voller Pläne steckte. Man hat im September 1785 auch über dieses letztere gesprochen: *Er hat mir manches zur Characktteristick der Stände geholfen, worauf ich so ausgehe (IV/7, 97; vgl. IV/5, 311 f.: So steig ich durch alle Stände aufwärts, sehe den Bauersman der Erde das Nothdürftige abfordern*. Man wird in erster Linie in dieser Verbindung mit E. die Gründe dafür vermuten dürfen, daß Goethes „propres projets sont semblables, sinon identiques à ceux conçus par les physiocrates et par Turgot“ (Sagave 88). Man wird auch daran denken müssen, daß gerade in den Wochen nach dem Gespräch im September 1785 das 7. Buch von *Wilhelm Meisters Lehrjahren* begonnen wurde (vgl. Sagave 90).

Aber es scheint nicht nur der Reichtum an Fachwissen zu sein, den Goethe an E. bewunderte. Wenn er betont, daß sie auch *sonst im politischen Felde weit herum spaziert* seien; oder gar: mit E. sei *trefflich schwätzen und in Politicis Erbauung* [!] *hohlen (IV/7, 76; 80),* deutet das eher darauf hin, daß Goethe in E. den Mann gefunden hatte, der die Einzelgeschäfte ihrer Spezialität zu entkleiden und in den großen Rahmen menschlich politischen Wirkens zu stellen vermochte, – sie damit aufs neue interessant und erträglich machte. Auch dieser Umstand wird dazu beigetragen haben, daß Goethe während des September 1785 wieder – noch einmal – an allen Sitzungen des Geheimen Consiliums teilgenommen hat (AS1, LXXVIII). Den besten Hinweis darauf, daß E. nicht nur als politischer Fachmann, sondern mehr noch als Mensch, als Beispiel politischen tätigen Lebens auf Goethe als Vorbild gewirkt hat, geben die Briefe an Carl August aus Italien: *Ich werde Ihnen mehr werden als ich oft bisher war, wenn Sie mich nur das thun lassen was niemand als ich thun kann und das übrige andern auftragen. ... Kann ich es, weniger von Detail überhäuft, zu dem ich nicht gebohren bin; so kann ich zu Ihrer und zu vieler Menschen Freude leben (IV/8, 225f.).* Der Brief geht über E. (ebda 178). Es liegt nahe, anzunehmen, daß dieser hier Vorbild ist (vgl. Beinert S. 50f.) und daß bei dem, was Goethe sich für sein Wirken nach seiner Rückkehr vorstellt *(was niemand als ich thun kann),* weniger an den Posten eines Theaterdirektors, als vielmehr an die Stelle eines allgemeinen politischen Beraters nach dem Vorbild E.s gedacht ist. Das wird noch deutlicher in dem späteren Brief: *... einen Wunsch ... zum Schluß ...: Ihre Besitzthümer sogleich nach meiner Widerkunft, sämmtlich als Fremder bereisen, mit ganz frischen Augen und mit der Gewohnheit Land und Welt zu sehen, Ihre Provinzen beurtheilen zu dürfen. Ich würde ... einen vollständigen Begriff erlangen und mich zu jeder Art von Dienst gleichsam aufs neue qualificiren, ... mich alsdann der Landes Administration einige Zeit ausschließlich wiedmen, wie jetzt den Künsten, ich habe lange getappt und versucht, es ist Zeit zu ergreifen und zu würcken.* – Auch hinter dieser Stelle steht ganz deutlich E.: Sie folgt auf die Mitteilung: *Edelsheim in einem gar guten Brief aus Carlsbad giebt mir zwey Jahre, die hätte ich ... dann ohngefähr vollendet (IV/8, 242).*

Über die Beziehungen nach der Rückkehr finden sich keine Zeugnisse mehr.   *Gk*

P. C. = Politische Correspondenz Karl Friedrichs von Baden 1783–1806; bearbeitet von BErdmannsdörfer. 1. Bd. (1783–1792), 1888. Pol BrCarl August – BBeinert: Geheimer Rat und Kabinett in Baden unter Karl Friedrich (1738 bis 1811). Als: Historische Studien, Heft 320 (1937). – PPSagave: Goethe et les économistes français. In: Coll Strasbourg S. 87–100.

Edelsteine. Unter dem Begriff E. faßt man rein praktisch eine Gruppe von Mineralien zusammen, die dank ihrer Härte und Widerstandsfähigkeit und ihres Aussehens als Schmucksteine Verwendung finden. Für die goethesche, auf den genetischen Zusammenhang gerichtete Fragestellung boten die E. somit kein besonderes Problem, blieben daher zunächst am Rande seines geologischen Interesses. CCv *Leonhard legte ihm im Zusammenhang eines Überblicks über den Stand der *Mineralogie die Frage vor, ob nicht die E., diese besonders edlen Produkte der anorganischen Welt als Erzeugnisse eines jugendlichen Alters der Erde betrachtet werden müssen. Goethe lehnte diese Sonderbehandlung grundsätzlich ab; denn das *Bestreben, daß die Masse sich in der Form veredeln will, geht durch alle Epochen, ja bis auf den heutigen Tag (NS 2, 80).* Und wenn im gleichen Zusammenhang auf ein vom St.Gotthard mitgebrachtes Gangstück hingewiesen wird, auf dessen Grenzfläche *sich Feldspat, Hornblende und Quarz bewundernswürdig jedes für sich kristallisiert* haben *(ebda 80),* so wird dadurch nachdrücklich unterstrichen, daß die E. nicht als Sonderbildungen, sondern im Rahmen der allgemeinen Tendenz des Stoffes zur Gestaltung, dh. in diesem Fall zur Kristallisation verstanden werden müssen. Als 1818 ChrS*Weiß *einige kristallisierte Diamanten bei sich* hatte, *deren Entwicklungsfolge er nach seiner höheren Einsicht mich gewahr werden ließ,* da waren das nur *sehr belehrende kristallographische Unterhaltungen,* dh. Erscheinungen der allgemeinen Kristallisationsgesetze *(NS 2, 123).*   *Bn*

Darüberhinaus aber vermochten die Schönheit der *Juwelen, ihre Fassung und Verarbeitung Goethe durch sein ganzes Leben hindurch zu entzücken. Als er 1822 Carl Augusts E.-Sammlung neu ordnet, hilft ihm dieses *Geschäft ... über manchen trüben Tag hinweg* und ist ihm *so belehrend als ergötzlich (BrCarl August 3, 58;* vgl. 332f.).

CLeonhard: Bedeutung und Stand der Mineralogie, 1816.

Edinburgh Review, Vierteljahrsschrift, 1802 begründet und bis 1829 herausgegeben von *Jeffrey, später von dessen Schwiegersohn W Empson. Die Zeitschrift leitete eine neue und unabhängige Ära der Literaturkritik ein, war hauptsächlich Organ der Whigs, veröffentlichte aber auch einzelne Beiträge von Tories (deren erster Sir W*Scott). Bekannte Mitarbeiter ua. Macauly, Carlyle, Hazlitt. Goethe las die Zeitschrift regelmäßig, erwähnte sie in häufigen Tagebucheinträgen, schätzte sie sehr hoch ein: *Es ist eine Freude zu sehen, ... zu welcher Höhe und Tüchtigkeit die englischen Kritiker sich jetzt erheben (* (1828: *Bdm. 4, 48*). In seiner Einlei- zu Carlyles „Leben Schillers" schreibt Goethe: *Diese Edinburgh Reviews ... haben Freunde der Wissenschaften aufmerksam zu beachten,* er lobt dann ihren *gründlichsten Ernst ... freiste Übersicht, . . . strengen Patriotismus mit . . . einfachem reinen Freisinn ... gepaart (1/42ᴵ, 195f.).* Nachdem die Zeitschrift 1816 *DuW* heftig angegriffen hatte, berichtet HC*Robinson am 2. VIII. 1829: „I informed [Goethe] of the several translations as well as of the sudden turn in the Edinburgh Review. He ardently enjoyed the prospect of his own extended reputation" (Bdm. 4, 135).   *Sn*

Editionen.

Gliederung

I. Gesamtausgaben
  A. Zeitgenössische Drucke
   1. Frühe Raubdrucke
   2. Von Goethe autorisierte Ausgaben
     a) Göschen
     b) Unger
     c) Cotta
       α) 1806–1808 (A)
       β) 1815–1819 (B)
       γ) Ausgabe letzter Hand (C¹⁻³)
       δ) Nachlaßbände

  B. Ausgabe nach Goethes Tode
   1. Vorkritische Ausgaben
   2. Kritische Ausgaben
     a) Weimarer Ausgabe
     b) Mainzer Ausgabe
     c) Akademie-Ausgabe
     d) Leopoldina-Ausgabe
     e) Amtsschriften
   3. Moderne Ausgaben
   4. Volksausgaben

II. Einzelausgaben

Die Siglen der zeitgenössischen Gesamtausgaben von Goethes Werken folgen dem Siglensystem der Goethe-Akademie-Ausgabe (vgl. WHagen: Die Gesamt- und Einzeldrucke von Goethes Werken. Ergänzungsband 1. Berlin 1956. S. Xf.); abweichende Siglen der Weimarer Ausgabe werden in Klammern hinzugefügt.

I. Gesamtausgaben
A. Zeitgenössische Drucke
1. Frühe Raubdrucke
Die lange Kette der Gesamtausgaben der

Werke Goethes beginnt mehr als zehn Jahre vor dem Erscheinen der ersten rechtmäßigen Ausgabe mit mehreren Raubdrucken, denen die bis dahin erschienenen Einzeldrucke als Vorlage dienten. Sie wird eröffnet durch eine dreibändige schweizer Ausgabe: „Des Herrn Göthe sämtliche Wercke. Biel, in der Heilmannischen Buchhandlung 1775/76" (Band 1: Götz; Clavigo. 1775. Band 2: Werther. 1775. Band 3: Stella; Götter, Helden und Wieland; Erwin und Elmire. 1776). Weitere Verbreitung als dieser früheste Nachdruck, der heute zu den Rarissima einer Goethesammlung gehört, fanden die Ausgaben des geschäftstüchtigen berliner Buchhändlers Christian Friedrich Himburg, nicht zuletzt dank ihrer ansprechenden Ausstattung mit Kupfern und Vignetten, die von bekannten Künstlern, vor allem Daniel Chodowiecki, ausgeführt waren. Daß Himburg mit seiner Spekulation auf einen gewinnbringenden Absatz dieser ersten deutschen Sammlung der Werke Goethes nicht fehlging, beweist die Tatsache, daß er seine Ausgabe in kurzer Zeit in drei Auflagen herausbringen konnte, nämlich: s¹ (h¹) = „Goethens Schriften Theil 1–3 mit Kupfern, Berlin 1775/76" (Band 1: Werther; Götter, Helden und Wieland. 1775. Band 2: Götz; Clavigo; Erwin und Elmire. 1775. Band 3: Stella; Claudine; Puppenspiel. 1776); s² (h²) = „J. W. Goethens Schriften Band 1–3. 2. Auflage mit Kupfern, Berlin 1777" (Band 1: Werther; Erwin und Elmire. Band 2: Götz; Clavigo. Band 3 = s¹); s³ (h³) = „J. W. Goethens Schriften Band 1–3. 3. Auflage mit Kupfern, Berlin 1779" (Inhalt von Band 1–3 = s²). Dazu trat 1779 als Supplement zur 1.–3. Auflage noch ein zusätzlicher 4. Band mit: Brief des Pastors; Zwo wichtige bisher unerörterte Biblische Fragen; Denkmal Ulrichs von Hutten [von Herder]; Von Deutscher Baukunst; Fragmente; Prolog zu den neusten Offenbarungen Gottes; Götter, Helden und Wieland; Hans Sachs; Vermischte Gedichte.
Auf den Ausgaben Himburgs fußt ein weiterer Nachdruck: „J. W. Göthens Schriften Band 1–4. Mit allerhöchstgnädigst Kaiserl. Privilegio. Carlsruhe bey Christian Gottlieb Schmieder, 1778–80" (Inhalt = s³). Von Band 1–3 existiert ein zweiter Druck mit gleichem Titel (allerdings Aufschrift „Kayserl. Privilegio"), aber abweichenden Lesarten und Vignetten. 1787 erschien eine 2. Auflage, die jedoch nur zu zwei Bänden gediehen ist. Schmieders Ausgaben wiederum bildeten die Vorlage für den Nachdruck „J. W. Goethens

Schriften Band 1–4. 2. Auflage, Reuttlingen bey Johann Georg Fleischhauer, 1778–83" (Inhalt = s³). Auch hiervon erschien 1784 ein Neudruck in drei Bänden. Der Satz der 1. Ausgabe existiert auch ohne Verlagsangabe allein mit der fingierten Ortsbezeichnung „Frankfurt und Leipzig 1778–83". Schließlich ist unter den frühen Raubdrucken noch eine schweizer Ausgabe zu nennen, nämlich eine Zusammenstellung von sechs gesondert paginierten Einzelausgaben unter folgendem gemeinsamen Haupttitel: „Bibliothek für den guten Geschmak. Bern bei Beat Ludwig Walthard, Amsterdam zu finden bei Johanes Schreuder, 1775/76" (Band 1: Götz; Erwin und Elmire. 1775. Band 2: Werther. 1775. Band 3: Stella; Clavigo; Götter, Helden und Wieland. 1776). Alle diese Drucke sind textgeschichtlich ohne Bedeutung. Nur die beiden himburgschen Nachdrucke s¹ und s³ haben in der Textgeschichte von Goethes Werken eine unheilvolle Rolle gespielt, da sie von Goethe trotz seiner Entrüstung über den Raub an seinem geistigen Eigentum (vgl. *Der 4. Theil meiner Schriften, Berlin 1779 bei Himburg: I/5^I, 161; 5^{II}, 280 f.;* auch *DuW: I/29, 15 f.*) bei der Herstellung seiner „Schriften" bei Göschen als Vorlage benutzt wurden. Damit gingen, wie zuerst MBernays (Über Geschichte und Kritik des Goetheschen Textes, Berlin 1866) erkannt hat, die zum Teil recht erheblichen Versehen und Abweichungen dieser Drucke in alle nachfolgenden Ausgaben, besonders in die zweite Fassung des *Werther* von 1787, über und sind auch in den modernen kritischen Ausgaben nicht vollständig eliminiert worden. Andererseits ist Himburg das Verdienst nicht abzusprechen, zweifellos die hübscheste Ausgabe der Werke Goethes hergestellt zu haben, die in Druck und Ausstattung der folgenden Göschen-Ausgabe und auch den nicht sehr reizvollen Cotta-Ausgaben weit überlegen ist. Dies und auch der Vorteil, hier eine bequeme Zusammenstellung seiner Werke vorliegen zu haben, mag Goethe dazu bewogen haben, den von ihm gescholtenen Druck in so entscheidendem Zusammenhang zu benutzen. Denn man darf nicht übersehen, daß diese Nachdrucke, angefangen von der Bieler Ausgabe von 1775, das bis dahin in Einzeldrucken zerstreute Werk des Dichters zum ersten Male zusammengestellt haben (vgl. CvFaber du Faur, DLZ 78, 1957, Sp. 993: „Man kann sie nicht Nachdrucke schelten, denn sie stellen zum erstenmal das Werk des neuen Schriftstellers zusammen – von der Bieler Ausgabe von 1775 an bis zum Erschei-

nen der Göschenschen „Schriften" im Jahre 1787 konnte man nur in diesen Ausgaben von Heilmann, Himburg, Schmieder, Walthard und Fleischhauer die Goethesche Produktion überschauen. Und Himburg hat dazu das Verdienst, die hübscheste Ausgabe der Werke hergestellt zu haben, an Schrift und Ausstattung der Göschenschen überlegen").

2. Von Goethe autorisierte Ausgaben

a) Göschen

Trotzdem bleibt die Tatsache bestehen, daß bereits fünf Nachdrucker ihren Profit aus den Werken des Dichters gezogen hatten, bevor dieser selbst daran ging, eine erste Sammlung seiner Schriften zu veranstalten. Den unmittelbaren Anstoß zu Goethes Entschluß gab die Mitteilung FJ*Bertuchs, daß Himburg eine abermalige Neuauflage seines Nachdrucks plane (Bertuch an Göschen 5. VI. 1786; GSA, ungedruckt: „Ich erfuhr von Himburg in der Messe, daß er eine neue Auflage von Göthens Schriften vorhabe, machte ihm die Hölle darüber ein bißgen heiß, so daß er mir sagte er wolle an Göthe schreiben, und ihn nun um den rechtmäßigen Verlag seiner Wercke bitten. Ich kam zurück, erzählte dieß Göthe, der, wie ich wußte, schon seit etlichen Jahren an der ersten eigenhändigen Ausgabe seiner Wercke arbeitet, und dazu noch wenigstens 3 Bände ungedruckte liegen hat; und er ärgerte sich so darüber, daß er schwur, Himburg sollte sie nicht haben, und er wolle seine Ausgabe jezt ohne Zeitverlust veranstalten. Kurz das Resultat unsers Gesprächs war, daß er mir die Herausgabe seiner Wercke, und die ganze Besorgung des Verlags davon übertrug"). Bertuch leitete daraufhin die Verbindung mit seinem Freund, dem jungen leipziger Verleger Georg Joachim Göschen, ein (vgl. die Fortsetzung des oben zitierten Briefes Bertuchs an Göschen: „Also, mein Freund, habe ich jezt ein wichtiges Kleinod für einen Buchhändler in den Händen, daß ich es keinem andern vor der Hand als Ihnen zugedacht habe, können Sie von meiner Freundschaft erwarten") und bereitete die Vereinbarungen über die Drucklegung der Ausgabe, an deren Kosten er sich selbst zunächst mit einem Drittel beteiligte, vor (vgl. die von Bertuchs Hand stammenden und mit Bemerkungen von Göschen versehenen „Vorschläge zur Übernahme des Verlags der sämtlichen Wercke des Herrn G. R. v. Göthe", undatiert, GSA, ungedruckt; über die Teilhaberschaft Bertuchs gibt eine ebda handschriftlich erhaltene Erklärung Gö-

schens und Bertuchs vom 17. VI. 1786 Auskunft, in der ua. heißt: „Wir Endes Unterzeichnete verbinden uns hiedurch auf Treue
und Glauben zur gemeinschaftlichen Entreprise und Verlag der Götheischen sämtlichen
Wercke auf gleiche Kosten, Gewinn und Verlust, und zwar dergestalt daß ich Georg Joachim Göschen, wegen des Associé meiner
Handlung, dabey für zwey Drittheile und ich
Friedrich Justin Bertuch für einen Drittheil
von Kosten Gewinn und Verlust stehe"). Bereits im Juli 1786 wurde die Ausgabe dem
Publikum durch ein Avertissement, das den
verbreitetsten Zeitungen beigelegt wurde, angekündigt. In einem fingierten Brief, den
Goethe eigens für das Avertissement entworfen hatte (Bertuch an Göschen 29. VI. 1786;
LGeiger, GoetheJb. 2, 1881, S. 397f.: „Da er
nun kommende Woche ins Carlsbad geht, und
doch noch gern die Ankündigung entworfen
sehen wollte, so setzte er mir gestern den
verabredeten Brief-Extract dazu auf, und ich
habe sie in soweit als ich sie ohne Ihren Calcul
machen konnte, entworfen. Hier ist sie. Er hat
sie gelesen und ist damit zufrieden"), erläutert Goethe seine Gründe, die ihn zu dieser
ersten Ausgabe seiner Werke veranlaßten,
und zeigt die vorgesehene Verteilung der
Werke auf die einzelnen Bände wie folgt an:
Ihnen sind die Ursachen bekannt, welche mich
endlich nöthigen, eine Sammlung meiner sämt-
lichen Schriften, sowohl der schon gedruckten,
als auch der noch ungedruckten, herauszugeben.
Von der einen Seite droht wieder eine neue
Auflage, welche, wie die vorigen, ohne mein
Wissen und Willen veranstaltet zu werden
scheint, und jenen wohl an Druckfehlern, und
andern Mängeln und Unschicklichkeiten ähn-
lich werden möchte; von der andern Seite fängt
man an, meine ungedruckten Schriften, wovon
ich Freunden manchmal eine Copie mitteilte,
stückweise ins Publikum zu bringen. Da ich
nicht viel geben kann, habe ich immer gewünscht
das Wenige gut zu geben, meine schon bekannten
Werke des Beyfalls, den sie erhalten, würdiger
zu machen, an diejenigen, welche geendigt im
Manuscripte daliegen, bey mehrerer Freyheit
und Muse den letzten Fleiß zu wenden, und in
glücklicher Stimmung die unvollendeten zu voll-
enden. Allein dieß scheinen in meiner Lage
fromme Wünsche zu bleiben; ein Jahr nach dem
andern ist hingegangen, und selbst jetzt hat mich
nur eine unangenehme Nothwendigkeit zu dem
Entschluß bestimmen können, den ich dem
Publico bekannt gemacht wünschte. Sie erhalten
in dieser Absicht eine Vertheilung meiner sämt-
lichen Arbeiten in acht Bänden.

Erster Band.
Zueignung an das deutsche Publikum.
Die Leiden des jungen Werthers.

Zweyter Band.
Götz von Berlichingen. Die Mitschuldigen.

Dritter Band.
Iphigenie. Clavigo. Die Geschwister.

Vierter Band.
Stella. Der Triumph der Empfindsamkeit.
Die Vögel.

Fünfter Band.
Claudine. Erwin und Elmire. Lila. Jeri
und Bätely. Die Fischerin.

Sechster Band.
Egmont, unvollendet. Elpenor, zwey Akte.

Siebenter Band.
Tasso, zwey Akte. Faust, ein Fragment.
Moralisch politisches Puppenspiel.

Achter Band.
Vermischte Schriften und Gedichte.

Von den vier ersten Bänden kann ich mit Ge-
wißheit sagen, daß sie die angezeigten Stücke
enthalten werden; wie sehr wünsche ich mir
aber noch so viel Raum und Ruhe um die an-
gefangnen Arbeiten, die dem sechsten und sie-
benten Bande zugeteilt sind, wo nicht sämtlich
doch zum Theil vollendet zu liefern; in welchem
Falle die vier letzten Bände eine andere Gestalt
gewinnen würden. Das übrige werden Sie nach
Ihrer gefälligen Zusage gütig besorgen (ODeneke, Schriften S. 4f.).
Der Erklärung Goethes fügte Göschen noch
einige Angaben über Ausstattung und Be-
zugsbedingungen der Ausgabe hinzu: „Ich
werde alles Mögliche thun, daß diese vortref-
lichen Werke auch ein ihrem innern Werth
entsprechendes Aeußere erhalten. Der Herr
Verfasser hat klein Oktav zum Format gewählt. Sie sollen daher in solchem Format
mit ganz neuen deutschen Schriften gedruckt,
mit 8 Kupfern von Chodowiecki und 8 Vignetten von Meil geziert werden ... Der Sub-
scriptionspreiß dieser Ausgabe in klein Oktav
für alle 8 Bände, wovon jeder ohngefähr ein
Alphabet stark werden wird, und wovon vier
Bände auf Ostern und die andern vier zwischen Johannis und Michaelis 1787 geliefert
werden, ist 6 Rthlr. 16 Gr. in Louisd'or à
5 Rthlr. oder Ducaten à 2 Rthlr. 20 Gr. Der
Subscriptionstermin bleibt bis Ostern 1787
offen, mit Ende der Jubilate Messe aber kostet
das Werk 8 Rthlr. im Ladenpreiß."
Am 2. IX. 1786 unterzeichnete Goethe in
Karlsbad den Vertrag mit Göschen (ODeneke,
Schriften S. 1–3; ein undatierter Entwurf von

Goethes Hand im Kestner-Museum Hannover), der ua. folgende Punkte enthält:

1. Die nunmehr gedruckte und hierbey geheftete Ankündigung enthält das Verzeichnis derjenigen bisher sowohl gedruckten als ungedruckten Schriften, von welchen Herrn Göschen der Verlag zugesichert wird; sie enthält auch das bedingte Versprechen, daß der Verfasser, wenn es ihm an Muße nicht fehlen sollte, das möglichste thun wird um den vier letzten Bänden eine vollkommenere Gestalt zu geben, als es der Anzeige nach geschehen würde. Es versteht sich von selbst, daß alsdann, wenn einige der noch unvollendeten Stücke vollendet würden, andere dagegen aus der Sammlung bleiben müßten, wovon man gegenwärtig jedoch nichts sagen kann; genug, daß es des Verfassers Absicht ist, die vier letzten Bände denen vier ersten an innerm Gehalt soviel als möglich gleich zu machen. 2. Die zwey ersten Bände liegen zur Ablieferung bereit; zwey können um Michaelis abgeliefert werden, die vier letzten verspricht man nicht vor Ostern, doch wird man es sich durchaus zur Pflicht rechnen, den Herrn Verleger nicht aufzuhalten. 3. Überhaupt möchten drei Bände gedruckter, fünfe ungedruckter Schriften gerechnet werden können. 4. Dafür erhält der Herr Verfasser überhaupt: Zweitausend Rthlr. in Louisd'or zu 5 Rthlrn. welches Honorarium gegen das Manuscript, wie solches abgeliefert wird, theilweise zu bezahlen ist. 6. Das Format ist wie das vorige Himburgische, klein Oktav mit deutschen Lettern, neue Schrift auf schönes Schreibpapier sauber und geschmackvoll gedruckt. Die Anzahl der Exemplarien verlangt der Verfasser nach geendigtem Druck zu wissen, ob er gleich den Verleger nicht einschränken will. 7. Ingleichen giebt der Herr Verfasser zu, daß eine Auflage in groß Oktav für Liebhaber schöner Exemplare gedruckt werde, zu welcher er ein nochmals genau revidirtes Exemplar der kleinen Ausgabe dem Herrn Verleger zustellen wird, damit auch der geringste Fehler, der sich allenfalls in die kleinere Auflage einschleichen könnte, aus der großen entfernt bleibe. Wie starck die große Auflage gemacht worden, wird dem Verfasser nach deren Beendigung angezeigt. 8. Seine folgenden Schriften wird der Hr. Verfasser Hrn. Göschen vor Andern anbiethen, behält sich aber nach den Umständen vor deshalb besondere Bedingungen zu machen.

In einer Auflagenhöhe von 4000 Exemplaren (das 4. Tausend in Separatausgaben der einzelnen Werke; vgl. ODeneke, Einzeldrucke) erschien daraufhin die erste von Goethe selbst besorgte Gesamtausgabe seiner Werke unter dem Titel „Goethe's Schriften Band 1–8. Leipzig, bei Georg Joachim Göschen 1787–90". Sigle: S. Inhalt: Band 1: Zueignung; Werther. 1787. Mit einer Vignette von Meil und einem Titelkupfer nach Ramberg von Geyser (Zu der Beschreibung des Bildschmucks vgl. Deneke, Schriften sowie WHagen S. 5–8). – Band 2: Götz; Mitschuldigen. 1787. Titelvign. nach Chodowiecki von Geyser, Titelkupfer von Berger. – Band 3: Iphigenie; Clavigo; Geschwister. 1787. Titelvign. nach Oeser von Grögory, Titelkupfer von Lips; außerdem 2 Textvignetten zu Iphigenie von Lips. – Band 4: Stella; Triumph der Empfindsamkeit; Vögel. 1787. Titelvign. nach Chodowiecki von Grögory, Titelkupfer nach Mechau von Geyser. – Band 5: Egmont; Claudine von Villa Bella; Erwin und Elmire. 1788. Titelvign. nach Oeser von Geyser, Titelkupfer nach Angel. Kauffmann von Lips. – Band 6: Tasso; Lila. 1790. Titelvign. und Titelkupfer von Lips. – Band 7: Faust, ein Fragment; Jery und Bätely; Scherz, List und Rache. 1790. Titelvign. von Lips, Titelkupfer nach Rembrandt von Lips. – Band 8: Puppenspiel (Prolog, Jahrmarktsfest, Fastnachtsspiel); Prolog zu den neusten Offenbarungen Gottes; Vermischte Gedichte; Künstlers Erdewallen; Künstlers Apotheose; Die Geheimnisse. 1789. Titelvign. von Lips, Titelkupfer nach Angel. Kauffmann von Lips. –

Aus der bibliographischen Beschreibung der Ausgabe (weitere Einzelheiten bei WHagen S. 5–8) geht bereits hervor, daß die in Vertrag und Avertissement festgelegten Bedingungen nicht erfüllt wurden. Das Erscheinen der einzelnen Bände verzögerte sich weit über den dem Publikum versprochenen Termin hinaus. Am Tage nach dem Abschluß des Vertrages (3. IX. 1786) war Goethe von Karlsbad aus nach Italien aufgebrochen und hatte mit der Durchführung der geschäftlichen Verhandlungen seinen Sekretär und Diener Ph*Seidel beauftragt. In Zweifelsfällen sollte die Entscheidung JG*Herders angerufen werden, an den auch die Druckproben und Aushängebogen zu übersenden waren: *Da ich noch eine kleine Reise vorhabe und nicht bestimmt weiß, wann ich nach Hause zurückkehre, so habe ich den Cammer-Calculator Seidel in Weimar ... völlig unterrichtet und ihm deshalb die nöthigen Aufträge gegeben ... Käme ja ein Fall vor, über den man sich nicht zu entscheiden wüßte, so ersuch ich Sie deshalb, direckt bey dem Herrn Generalsuperintendent Herder in Weimar anzufragen. Da ich nicht immer zu Haus' bin, so möcht' es einen Aufenthalt machen, er wird entweder mit mir über die Sache reden, oder sie* *selbst entscheiden, welches ich zum voraus alles genehmige. Eben so bitt ich auch, die Proben des Drucks, und in der Folge die Aushängebogen an Hrn. Generalsuperintendent zu überschicken* (2. IX. 1786 an Göschen: *IV/8, 14 bis 16*). Obwohl Goethe so möglichste Vorsorge für die Abwicklung des Druckes getroffen zu haben glaubte, erschwerten doch die Abwesenheit des Autors und der Umweg über Mittelsmänner den Fortgang der Ausgabe. Schon die ersten vier Bände konnten nicht, wie angekündigt war, zur Ostermesse 1787, sondern erst in den Monaten Mai bis Juli erscheinen, da sich die Ablieferung der Druckmanuskripte verzögerte (das zu Band 3 erfolgte als letztes erst im Februar 1787, da die Umarbeitung der *Iphigenie* längere Zeit in Anspruch genommen hatte; vgl. Goethe an Göschen 13. I. und 20. II. 1787: Goethe 1, 1936, S. 132 und IV/8, 198) und die Beschaffung des Bildschmucks erhebliche Schwierigkeiten bereitete. Goethe hatte sich von Italien aus so spät und unvollständig zu den Kupfern der ersten vier Bände geäußert (Göschen an Bertuch 22. X. 1786 u. 17. I. 1787: LGeiger S. 400f.), daß Chodowiecki und Meil (vgl. oben Sp. 1998) inzwischen andere Arbeiten übernommen hatten und ihre Aufträge nicht voll erfüllen konnten. Man war daher gezwungen, sich in Eile nach anderen Künstlern umzusehen. Als Chodowiecki im April 1787 schließlich doch noch die Titelkupfer zu Band 1, 2 und 4 lieferte (den Bildschmuck für Band 3 hatte Goethe selbst in Italien anfertigen lassen; vgl. an Göschen 13. I. 1787: Goethe 1, S. 132), erwiesen sie sich als mißlungen, sodaß Göschen sie nicht zu veröffentlichen wagte und bei neuen Künstlern Ersatz bestellte. Lediglich den Subskribentenexemplaren wurden die mißratenen Chodowieckikupfer zusätzlich beigefügt, um das ursprünglich gegebene Versprechen zu erfüllen (vgl. ODeneke, Schriften S. 16f.). Noch stärker verzögerte sich das Erscheinen der letzten vier Bände, da ihre Fertigstellung Goethe weit länger in Anspruch nahm, als er angenommen hatte. Schon bei den früher verfaßten Singspielen *(Claudine von Villa Bella, Erwin und Elmire, Lila, Jery und Bätely, Die Fischerin)*, die er im wesentlichen für druckfertig gehalten hatte und bei denen er mit gelegentlichen oder vereinzelten Korrekturen auszukommen hoffte, mußte er sich zu einer völligen Neubearbeitung entschließen (an Göschen 9. II. 1788: IV/8, 341f.). Noch mehr Mühe und Zeit erforderten naturgemäß *Tasso, Egmont* und *Faust,* die dem Publikum ursprünglich zwar als Fragmente

angekündigt worden waren, zu deren Vollendung sich Goethe aber schon 1787 entschlossen hatte (an Göschen 20. II. 1787: IV/8, 198. Dieser Entschluß war dem Publikum durch ein Blättchen, das gewöhnlich dem ersten Bande beigegeben wurde, bekanntgemacht worden mit der Bitte, eine dadurch bedingte Verspätung der Bände zu entschuldigen; vgl. ODeneke, Schriften S. 8f.). *Egmont* konnte Ende August 1787 in Rom abgeschlossen werden (I/32, 73; Göschen erhielt die Druckvorlage für *Egmont* allerdings erst im Dezember 1787, da Goethes Manuskript in Weimar abgeschrieben und von Herder korrigiert werden mußte; vgl. Seidel an Göschen 17. XII. 1787: Universitätsbibliothek Leipzig, Sammlung Hirzel, ungedruckt: „Die Verzögerung der Abschrift des Egmonts, welchen Sie hierbey erhalten und die Correctur derselben, sind Ursache daß ich Ihnen den Empfang der 4 gebundenen Bände ... so spät melde"), während es für die Vollendung von *Tasso* und *Faust* auch nach Goethes Rückkehr aus Italien gänzlich an Stimmung und Muße fehlte. *Tasso* wurde Ende Juli 1789 schließlich doch noch beendet (Goethe an Herder 2. VIII. 1789: IV/9, 146f.) und in Raten an Göschen gesandt (die beiden letzten Akte erhielt Göschen am 27. VIII. 1789: IV/18, 38). Dagegen entschloß sich Goethe, *Faust aus mehr als einer Ursache* als Fragment zu geben (an Carl August 5. VII. 1789: *IV/9, 139,* sowie am 5. XI. 1789: *Faust ist fragmentirt, das heißt in seiner Art für dießmal abgethan; IV/9, 160*). Die Druckvorlage wurde am 10. I. 1790 nach Leipzig gesandt (IV/9, 393). Die Bände 6 und 7 erschienen daher als letzte der Ausgabe (Band 6 im Januar, Band 7 zur Ostermesse 1790), während Band 5 im Mai 1788 und Band 8 zur Ostermesse 1789 ausgeliefert werden konnten (Deneke, Schriften S. 9f.).
Wie bei allen späteren Gesamtausgaben seiner Werke hat Goethe auch bei den „Schriften" keine Autorenkorrektur gelesen. Auch eine Korrektur Herders, der zur Zeit von Goethes Abwesenheit für alle Fragen der Drucklegung zuständig war, hat sich während des Druckes nicht nachweisen lassen. Die Korrekturen wurden, wie es in jener Zeit infolge der langwierigen Postverbindung üblich war, in der Druckerei besorgt, wobei Göschen selbst einen erheblichen Anteil hatte (Göschen an Bertuch 28. II. 1787: LGeiger S. 402: „Goethe liegt mir sehr am Herzen. Ich lese jeden Bogen selbst und werde mich ängstigen, dem Buchdrucker allein die Sache anzuvertrauen"). Dagegen hat Herder an der Vorbereitung der

Druckvorlagen entscheidend mitgewirkt, indem er auf Goethes Wunsch die dem Druck der Schriften zugrunde liegenden Manuskripte auf Interpunktion und Orthographie sowie auf stilistische Mängel hin korrigierte: *Die vier ersten Bände sind endlich in Ordnung, Herder hat mir unermüdlich treu beygestanden* (2. IX. 1786 an Carl August: *IV/8, 12.* – Handschriften mit Korrekturen von Herders Hand haben sich z. B. von *Werther, Egmont, Triumph der Empfindsamkeit* und den *Mitschuldigen* erhalten). Außer Herder hat auch ChMWieland Goethe bei der Vorbereitung seiner ersten Gesamtausgabe, insbesondere bei der Durchführung einer einheitlichen Orthographie und Interpunktion, unterstützt: *Wieland geht die Sachen auch fleisig durch und so wird es mir sehr leicht, wenigstens die vier ersten Bände in Ordnung zu bringen* (6. VII. 1786 an ChvStein: *IV/7, 237.* – Die Mithilfe Wielands läßt sich auch bei den Korrekturen der Reinschrift von *Tasso* vermuten; vgl. LBlumenthal in: Beiträge zur Goetheforschung Band 1. Schriften des Instituts für deutsche Sprache und Literatur Nr. 16. Berlin 1959 S. 171 f.).

Als Richtschnur für die Anwendung der Rechtschreibung galt nach dem Vertrag die bei *Adelung festgelegte Orthographie (Grundsätze der deutschen Orthographie, 1782, und später: Vollständige Anweisung zur deutschen Orthographie, Biegung und Ableitung, 1788), zu deren Befolgung sich Goethe bereit erklärt hatte: *Man hat zwar die Rechtschreibung meistentheils überein zu korrigiren gesucht; allein es mögen noch hie und da einige Abweichungen stehen geblieben sein. Im Ganzen ist die Absicht: der Adelungischen Rechtschreibung vollkommen zu folgen, ein sorgfältiger Korrektor wird also bey jedem zweifelhaften Fall sich nach derselben zu richten haben* (2. IX. 1786 an Göschen, Bemerkungen für die Drucklegung Abs. 3: *IV/8, 388*).

Von der im Vertrag vorgesehenen Liebhaberausgabe in Großoktav hat Göschen sehr bald Abstand genommen, da schon der Absatz der ordinären Ausgabe weit hinter seinen Erwartungen zurückblieb. Erst später, nachdem die ersten vier Bände bereits erschienen waren, hat er noch einmal den Plan einer Vorzugsausgabe auf holländischem Papier gefaßt und zu diesem Zwecke die Auflage um 500 Exemplare auf holländischem Papier erhöht (ODeneke, Schriften S. 20f.). Aber auch dieses Vorhaben ist nicht verwirklicht worden. Der geplante Nachdruck der ersten vier Bände unterblieb, da sich offenbar zu wenig Interessenten für diese Luxusausgabe fanden. Die hol-

ländischen Bogen von Band 5–8 wurden später zur Herstellung von Einzelausgaben der Werke *Egmont, Tasso* und *Faust* verwandt (ODeneke, Einzeldrucke).

Dagegen existieren von den „Schriften" folgende Doppeldrucke und Titelauflagen:

a) Doppeldrucke: Der teilweise Doppeldruck des 7. Bandes (Bogen F–T) und darin besonders des Faustfragments ist seit langer Zeit bekannt und war der Gegenstand einer lebhaften Auseinandersetzung um die Ermittlung des Erstdrucks (vgl. dazu vor allem: ESchulte-Strathaus: Goethes Faust-Fragment 1790. Zürich, München, Berlin, 1940; CvFaber du Faur: Der Erstdruck des Faustfragments. Monatshefte f. dtsch. Unterricht, dtsch. Sprache und Literatur, hrsg. v. d. Universität Wisconsin 41 (1949), S. 1–18 und jetzt WHagen: Die Drucke von Goethes Faustfragment. Gedenkschrift für FJSchneider. Halle 1956. S. 222–40 und: Der Erstdruck von Goethes Faustfragment. Beiträge zur Goetheforschung Band 1, S. 59–77). Es ist dagegen bisher übersehen worden, daß auch einige Bogen des 3., 4. und 5. Bandes (Band 3: Bg. L–P; Band 4: Bg. F, H–J; Band 5: Bg. Y) in doppeltem Druck vorliegen (Kennzeichen bei WHagen S. 6f.). Man kann es jetzt als erwiesen betrachten, daß bei allen Bänden, auch beim Faustfragment, der ursprüngliche Druck auch der korrektere, der fehlerhafte dagegen ein verschlechternder Nachdruck ist, der aus merkantilen Gründen vorgenommen wurde.

b) Titelauflagen: Der Satz der „Schriften" existiert mit folgenden Titelblattvarianten: 1) mit der einheitlichen Jahreszahl 1790 in allen Bänden. Weitere Kennzeichen: Titelblätter mit Diphthongierung ö (Göschen). Fortfall der lipsschen Textvignetten im 3. Band. – 2) als wiener Ausgabe zur Steuerung des österreichischen Nachdrucks unter dem Titel „Wien und Leipzig, bey J. Stahel und G. J. Göschen 1787–90"; nach Erlöschen der Firma Stahel unter dem Namen der Nachfolgerfirma: „Wien, bey C. Schaumburg und Compagnie, und Leipzig, bey G. J. Göschen 1790".

Ferner veranstaltete Göschen gleichzeitig mit der Originalausgabe einen Nachdruck in vier Bänden und Großoktav, die sogenannte „geringere Ausgabe" auf ordinärem Schreibpapier und ohne Kupfer: „Goethe's Schriften Band 1–4. Leipzig, bey Georg Joachim Göschen 1787–91" (Sigle: S²) mit folgendem Inhalt: Band 1: Zueignung; Werther; Götz. Band 2: Mitschuldigen und Inhalt von S 3.

Band 3 = S 5/6. Band 4 = S 7/8. Auch diese Ausgabe erfuhr eine österreichische Titelauflage: „Wien, bey C. Schaumburg und Compagnie, und Leipzig, bey G. J. Göschen", jedoch tragen hier alle Bände das Erscheinungsjahr 1787.

Der Druck der „geringeren Ausgabe" geschah ohne Goethes Wissen: *Außerdem bemerke ich daß Göschen eine Ausgabe in 4 Bänden unter den falschen Jahrzahlen 1787 und 1791 gedruckt wovon niemals unter uns die Rede war* (19. IV. 1805 an Schiller: *IV/17, 271*). Das hielt ihn jedoch nicht davon ab, zur Vorbereitung seiner ersten Ausgabe bei Cotta (A) nicht nur den von ihm überwachten rechtmäßigen Druck, sondern auch den ohne seine Mitwirkung veranstalteten Nachdruck zu benutzen, ein Vorgehen, das sich nicht eben günstig für die weitere Textentwicklung auswirkte (vgl. auch Sp. 2012).

Die Ausgabe S erfuhr außerdem noch einen ohne Verlegernamen veröffentlichten Nachdruck: „Goethe's Schriften Band 1–8. Neue Auflage. Mannheim 1801", der ohne Bedeutung für die Textgeschichte ist.

Die kommerzielle Verbindung zwischen Goethe und Göschen hat beiden wenig Erfreuliches gebracht. Goethe war nicht zufrieden mit der drucktechnischen Ausführung seiner ersten Gesamtausgabe: *Ich kann nicht sagen daß der Anblick der drey Exemplare meiner Schriften ... mir großes Vergnügen verursacht hätte. Das Papier scheint eher gutes Druckpapier als Schreibpapier, das Format schwindet beym Beschneiden gar sehr zusammen, die Lettern scheinen stumpf, die Farbe ist wie das Papier ungleich, so daß diese Bände eher einer ephemeren Zeitschrift als einem Buche ähnlich sehen, das doch einige Zeit dauren sollte. Von ohngefähr war ein Exemplar der Himburgischen Ausgabe hier, welches gegen jene wie einem Dedikations Exemplar ähnlich sah* (27. X. 1787 an Göschen: *IV/8, 277*). Göschen hingegen fand, daß er zu Unrecht kritisiert wurde, da er gerade dieser Ausgabe größtes Interesse und äußerste Sorgfalt gewidmet zu haben glaubte (Göschen an Bertuch 22. XI. 1787: Geiger S. 404, und an Goethe 27. XI. 1787: GSA, ungedruckt). Auch die finanziellen Erwartungen, die er an den Druck der „Schriften" geknüpft hatte, waren nicht erfüllt worden. Der Absatz ließ von Anfang an zu wünschen übrig, denn schon die Zahl der Subskribenten, die Göschen auf 1000 veranschlagt hatte, belief sich nach Ablauf des Subskriptionstermins nur auf 622. Allein die Tatsache, daß Göschen einen Teil der Ausgabe als unvollendet ankündigen mußte, schuf nicht die günstigsten Voraussetzungen für einen guten Absatz (Göschen an Bertuch 29. X. 1786: Geiger S. 400: „Goethe hat mir durch das Avertissement, die Schriften unvollendet zu liefern einen bösen Streich gespielt. Es thut mir bei der Subscription vielen Schaden ..."). Dazu kamen die langen Pausen zwischen dem Erscheinen der einzelnen Bände, die nicht nur die Geduld des Verlegers auf eine harte Probe stellten, sondern auch das Interesse des Publikums erlahmen ließen.

b) Unger.

Den Verlag der zweiten Gesamtausgabe, die die neueren Werke Goethes in sich vereinen sollte, übernahm daher der berliner Drucker und Verleger Johann Friedrich Unger, der schon 1789 den Erstdruck von Goethes „Römischem Carneval" besorgt hatte. Der Gedanke, den Druck der neuen Ausgabe Unger zu übertragen, scheint Goethe durch KPh *Moritz nahegelegt worden zu sein, der mit Unger befreundet war und auch in den folgenden Jahren bis zu seinem Tode (Juni 1793) den Mittelsmann zwischen Dichter und Verleger bildete (Unger an Goethe 10. V. 1794: Biedermann S. 20: „Moritzen verdanke ich es, der es veranlaßte, daß Sie Vertrauen auf mich setzten, und mich für würdig hielten, Ihre erhabenen Geistesprodukte zu verlegen; dies wird ewig eine dankbare Erinnerung an ihn sein").

Ein Vertrag zwischen Goethe und Unger über die Herausgabe der Werke ist nicht überliefert. Die Korrespondenz zwischen beiden ist zwar nur unvollständig erhalten (der erste Brief Ungers stammt vom 15. XII. 1792, als der erste Band der Ausgabe bereits erschienen war, der erste Brief Goethes vom 18. V. 1795; die vorhergehenden und mehrere der folgenden Briefe sind nicht erhalten), doch erweckt das vorliegende Quellenmaterial nicht den Eindruck, als ob ein formeller und bindender Kontrakt abgeschlossen worden wäre. Die Briefe zeigen jedenfalls, daß der Umfang der Ausgabe und der Inhalt der einzelnen Bände vorher nicht festgelegt waren und die nötigen Vereinbarungen über Inhalt, Ausstattung und Honorar bandweise oder, wie im Falle von *Wilhelm Meisters Lehrjahren*, für die Gesamtheit eines einzelnen Werkes getroffen wurden (vgl. Wv Humboldt an Schiller, August 1795: Biedermann S. 48; danach erhielt Goethe 500 Thaler für jeden der ersten vier Bände; aus einer am 15. IV. 1794 an Goethe gesandten Verpflichtung Ungers über die Honorierung der 4 Bände *Wilhelm Meister* geht hervor, daß Goethe für jeden Band 600 Thaler erhielt: Biedermann S. 18). Somit stellt diese Ausgabe eigentlich nur ein Agglomerat von Einzelausgaben dar, die nach der Reihenfolge ihres Erscheinens unter folgendem Gesamttitel fortlaufend numeriert wurden: „Goethe's neue Schriften Band 1–7. Berlin, bei Johann Friedrich Unger 1792–1800". Sigle: N. Inhalt: Band 1: Groß-Cophta; Des Joseph Balsamo, genannt Cagliostro, Stammbaum; Römisches Carneval. 1792. Mit einem Kupfer: Cagliostros Stammbaum, von Baumgarten. – Band 2: Reineke Fuchs. 1794. – Band 3–6: Wilhelm Meisters Lehrjahre Band 1–4. 1795–96. Mit mehreren Musikbeilagen von Reichardt. – Band 7: Lieder; Balladen und Romanzen; Elegien I/II; Epigramme, Venedig 1790; Weissagungen des Bakis; Vier Jahreszeiten; Theaterreden. 1800. Mit einer Titelvign. von Unger und zwei Kupfern von Haas und Bolt nach H. Meyer. –

Das Erscheinen der einzelnen Bände erstreckte sich über einen Zeitraum von acht Jahren, und es bedurfte immer neuer Bitten Ungers um Stoff für die einzelnen Bände und baldige Übersendung der Manuskripte, um das Unternehmen zum Abschluß zu bringen. Band 1 wurde anscheinend im Juli 1792 ausgeliefert (Goethe an JGAForster 25. VI. 1792: IV/9, 311), Band 2 folgte im Juni 1794 (Unger an Goethe Anfang Juni 1794: Biedermann S. 22). Die vier Bände *Wilhelm Meister* erschienen in der Zeit vom Januar 1795 (Unger an Goethe 27. XII. 1794: Biedermann S. 34) bis Oktober 1796 (Unger an Goethe 11. X. 1796: Biedermann S. 74). Besonders lange verzögerte sich der Druck des 7. Bandes, da es Goethe zunächst an geeignetem Stoff dafür mangelte (an Unger 3. III. 1797: IV/12, 58f.). Auf Anregung Schillers (Schiller an Unger 26. V. 1799: Biedermann S. 98) entschloß er sich schließlich dazu, eine Sammlung seiner neueren Gedichte, die zT. verstreut in Almanachen und Journalen gedruckt waren, vorzunehmen und damit den 7. Band zu füllen (an Unger 5. VIII. 1799: IV/14, 143f.). So erschien Band 7 erst im April 1800 und wurde auf Goethes Wunsch auch als Separatband unter dem Titel „Goethe's neueste Gedichte" ausgegeben (an Unger 2. IV. 1800: IV 15, 52). Für den Druck von *Wilhelm Meister* in Band 3–6 und später auch für den 7. Band wurde mit Goethes Zustimmung erstmals die später so berühmt gewordene „Unger-Fraktur", eine von Unger selbst geschaffene neue Schrifttype, verwendet.

Von den „Neuen Schriften" existiert eine Reihe von Nebenausgaben und Doppeldrucken: a) Band 3–6 erschienen auch ohne Verlagsangabe mit der fingierten Ortsbezeichnung „Frankfurt und Leipzig 1795/96". b) Die Tatsache, daß mehrere Bände der „Neuen Schriften" im doppelten Satz vorliegen, wurde schon im Jahre 1868 durch WVollmer (Zur Geschichte und Kritik des Goetheschen Textes, Beilage zur Augsburger Allgemeinen Zeitung 1868 Nr. 103/4) entdeckt. Seine Ergebnisse wurden von den weimarer Editoren *Gräf und *Schüddekopf übernommen und für *Reineke Fuchs* und *Wilhelm Meister* erweitert (vgl. I/21, 333ff.; 22, 359ff.; 23, 314f. und 50, 353f.), doch wurden die gesamten Doppeldrucke der Ausgabe N erst durch die Arbeiten von WKurrelmeyer (MLN 47, 1932, S. 281–92) ermittelt. Danach gibt es folgende Doppeldrucke von N: Band 1: Ein Doppeldruck (N^1); es existieren Mischexemplare aus Original- und Doppeldruck. Aus einem solchen Mischexemplar stammt ein Neudruck mit dem Erscheinungsjahr 1800 (N^2), der wiederum einen Doppeldruck erfuhr (N^3; Kennzeichen für diese und alle folgenden Drucke bei WHagen S. 11–16). – Band 2: Mehrere Gattungen des Originaldrucks, da verschiedene Bogen (nach Kurrelmeyer Bogen C Y Z Aa Bb Cc Ee Dd) mit Preßkorrekturen. Außerdem zwei Doppeldrucke (N^1 N^2). – Band 3–5: Je zwei Doppeldrucke (N^1 N^2). – Band 6: Ein Doppeldruck (N^1). – Wie bereits WVollmer nachgewiesen hatte, sind einige dieser Doppeldrucke für die Textgeschichte von Goethes Werken wichtig geworden, da sie von Goethe zur Vorbereitung der ersten Cotta-Ausgabe (A) benutzt wurden. Dadurch pflanzten sich ihre Fehler und Versehen über A in die folgenden Cottaschen Ausgaben und die neueren Editionen fort. – Die „Neuen Schriften" bildeten die Vorlage für einen zweiten mannheimer Nachdruck: „Goethe's neue Schriften Band 1–10. Neue Auflage 1801" (Band 10 auch mit den Erscheinungsjahren 1803 und 1809), der den zweifellos aus dem gleichen Verlag stammenden Nachdruck der Ausgabe S fortsetzte.

Ursprünglich scheint der Plan bestanden zu haben, die Sammlung der „Neuen Schriften" auf acht Bände auszudehnen (Unger an Goethe 19. V. 1802; Biedermann S. 166: „Jedermann wünscht wieder einen Band Ihrer Schriften. Darf ich wohl bald darauf hoffen?"). Das Vorhaben ist jedoch nicht ausgeführt worden, da Goethe inzwischen mit Cotta in Verbindung getreten war und ihm den Druck seiner neuen Werke zugesagt hatte: *Herr Unger schreibt mir vor einiger Zeit um einen achten Theil. Ich kann weder zu- noch absagen. Nicht ab, weil ich wirklich gern die Zahl voll machte, nicht zu, weil meine nächsten Arbeiten an Cotta versagt sind mit dem ich sehr zufrieden zu seyn Ursache habe* (29. VIII. 1803 an KFZelter; *IV/ 16, 275*). Mit Ungers Tod im Jahre 1804 brach aber die Verbindung endgültig ab, und Cotta wurde für die Folgezeit der Verleger aller weiteren goetheschen Gesamtausgaben.

c) Cotta.
a) 1806–08 (A)

Goethe lernte Johann Friedrich Cotta im Herbst 1797 durch die Vermittlung Schillers kennen (III/2, 127). Die erste Frucht dieser neuen Verbindung war die von Goethe 1798 bis 1800 herausgegebene Zeitschrift *Propyläen,* die im cottaschen Verlage erschien. Nachdem bereits mehrere Einzelwerke bei Cotta veröffentlicht worden waren (*Mahomet* und *Tancred* 1802, *Cellini* 1803, *Die natürliche Tochter* 1804), faßte Goethe im Herbst des Jahres 1804 den Plan, eine neue Sammlung seiner Schriften zu veranstalten (Schiller an Cotta 16. X. 1804; WVollmer: Schillers Briefwechsel mit Cotta, S. 534). Die ersten Vereinbarungen über die neue Edition wurden bei einem Besuche Cottas in Weimar im Mai 1805 getroffen (Goethe an Schiller 19. IV. 1805; IV/17, 271, und Cotta an Goethe 15. V. 1805; GSA, ungedruckt, wonach Cotta ,,Samstag oder Sonntag nach Himmelfahrt'' – d. h. am 25. oder 26. 5. – in Weimar weilte), und am 14. VI. 1805 übersandte Goethe in einem vom 1. V. datierten Promemoria eine Aufstellung aller für den Druck vorgesehenen Werke, verteilt auf 12 Bände (IV/19, 13–16). Am 5. VII. 1805 übersandte Cotta Goethe die Bedingungen, unter denen er bereit war, den Verlag der neuen Ausgabe zu übernehmen, und erhielt sie mit Randbemerkungen versehen am 12. VIII. 1805 von Goethe unterzeichnet zurück. Die Vereinbarung hat folgenden Wortlaut: *Der Herr Geheimerath von Goethe hat die Absicht, seine sämmtlichen Werke in zwölf Bänden, welche in drey Lieferungen erscheinen sollen, herauszugeben. Die erste erfolgt wahrscheinlich Ostern 1806.* 1. [Cotta:] *Ich übernehme den angebotnen Verlag Ihrer Werke für 10,000 rh. Sächsisch in den festgesetzten Terminen. Da das Ganze aber ein bedeutendes Capital beträgt, so setze voraus, daß das Recht für diesen Verlag sich auf 6 Jahre, von der Herausgabe der letzten Lieferung an gerechnet, erstrecken werde. Also z. B. 1808 Ostern erscheint die letzte Lieferung, so habe ich* bis 1814 Ostern das Recht des Verlags. [Goethe:] *Da bey einer Übereinkunft für beyde Theile das Gewisse wünschenswerth ist; so möchte wohl der Termin von Herausgabe der ersten Lieferung zu rechnen seyn. Wogegen ich zufrieden bin daß er auf acht Jahre erstreckt werde also z. B. von Ostern 1806 biß Ostern 1814.* – 2. [Cotta:] *Ich bin nicht blos an die festgesetzte saubere und geschmackvolle Handausgabe mit deutschen Lettern gebunden, sondern darf auch andre Formen wählen. Wenn ich es zum Beyspiel räthlich fände, die Idee einer Taschenausgabe auszuführen.* [Goethe:] *Bin es zufrieden.* – 3. [Cotta:] *Ich habe nach Verlauf der sechs Jahre das Vorrecht vor jedem andern Verleger bey Eintretung in gleiche Verbindlichkeit.* [Goethe:] *Bin gleichfalls damit zufrieden. (Würde nur heisen nach Verlauf der acht Jahre.)* – 4. [Cotta:] *Sie vertreten mich bey den bisherigen Verlegern, Göschen, Unger.* [Goethe:] *Als mich Schiller zur Herausgabe meiner Wercke aufforderte, machte ich ihn mit allen meinen früheren Verhältnissen bekannt, da er denn äußerte daß kein gegründeter Einspruch geschehen könne, worüber ich noch ein Blat von seiner werthen Hand besitze. Sollte indeß dergleichen vorkommen, so erlauben Sie daß ich es mittheile und mich Ihres Rathes bediene.* – 5. [Cotta:] *Bis zum Absatz der ersten Auflage findet keine neue Statt, falls dieser auch länger als sechs Jahre erforderte.* [Goethe:] *Diese Bedingung ist, wie die Schrift zeigt, später eingeschrieben und Sie haben in der Eile der Expedition wohl nicht gedacht daß dieselbe den ersten Punckt gleichsam aufhebt. Damit sich der Autor nicht um die Stärcke der Auflage, nicht um die Weise zu bekümmern brauche wie der Verleger die Wercke in's Publicum bringt, ist dort eine Zeit festgesetzt welche allen Mishelligkeiten vorbeugt. Durch No. 5 aber würde der Termin aufgehoben, wodurch manche Weiterung entspringen könnte (IV/19, 42–44).* Diese Vereinbarung scheint von beiden Partnern als bindender Vertrag angesehen worden zu sein, denn ein anderes Dokument ist nicht überliefert und scheint auch nicht existiert zu haben. Nach sorgfältiger Vorbereitung der Druckvorlagen, bei der er sich hauptsächlich der Unterstützung *FWRiemers bediente, übersandte Goethe am 30. IX. 1805 als erstes Manuskript *Wilhelm Meisters Lehrjahre* für den 2. und 3. Band der neuen Ausgabe und bat in dem beigegebenen Brief (IV/19, 64f.) um äußerste Sorgfalt des Drucks: *Sie sehen, das Exemplar ist mit großer Sorgfalt durchgegangen und corrigirt, und ich würde in Verzweiflung seyn, wenn es wieder entstellt erschei-*

*nen sollte. Haben Sie ja die Güte, einem sorg-
fältigen Mann die Revision höchlich anzuempfehlen, wobey ich ausdrücklich wünsche, daß
man das übersandte Exemplar genau abdrucke,
nichts in der Rechtschreibung, Interpunction
und sonst verändre, ja sogar, wenn noch ein
Fehler stehn geblieben wäre, denselben lieber
mit abzudrucken. Genug, ich wünsche und verlange weiter nichts als die genaueste Copie des
nun übersendeten Originals.* Die Ablieferung
der weiteren Druckmanuskripte verlief ohne
Stockung: das Manuskript zu Band 1 erfolgte
am 24. II. 1806 (IV/19, 105), Band 4 am 18.
VIII. 1806 (IV/19, 175), mit Ausnahme von
Elpenor, der am 28. X. nachgereicht wurde
(IV/19,219). Am 8. XII.1806 gingen die Druckvorlagen für Band 5, 6 und 7 an Cotta ab und,
da ein Exemplar von Göschens „geringerer
Ausgabe" (S²) dafür hergerichtet war und man
die vier Bände nicht zerreißen wollte, auch
schon für Band 9 *Triumph der Empfindsamkeit* und die *Vögel* und für Band 11 *Werther*
(IV/19, 515). Band 8 war Cotta bereits bei
seinem Besuch in Weimar am 25. IV. 1806
übergeben worden (III/3, 126 sowie IV/19,
175 und 506); Band 9, 11 und 12 erhielt er
offenbar bei seinem Besuch am 8. V. 1807
(vgl. zu III/3, 208 Cotta an Goethe 18. V. 1807,
GSA, ungedruckt: „Euer Excellenz zeige ich
hiedurch meine glükliche Ankunft hier an –
sie ist bedeutend, da ich so schäzbare Manuscripte mit mir führte"). Als letzter folgte
Band 10 am 8. XII. 1807 (IV/19, 473f.). Im
März 1807 erschien die erste Lieferung
(Band 1–4) der neuen Ausgabe (Goethe an
Cotta 18. III. 1807; IV/19, 285). Dagegen
sind die letzten beiden Lieferungen (Band
5–12) wohl erst zusammen zur Ostermesse des
Jahres 1808 ausgegeben worden (Cotta an
Goethe 14. IV. 1808:„Heute sind alle 8 Theile
ausgesezt, um in etlichen Tagen die Meßreise
anzutretten"; GSA, ungedruckt. Nach einem
ebda erhaltenen Avisum der Cottaschen Buchhandlung wurden Goethe die Exemplare der
2. und 3. Lieferung am 12. IV. zugesandt).
Später wurden die 1810 im Einzeldruck erschienenen *Wahlverwandtschaften* als 13. Band der
Ausgabe neu gedruckt, um den Nachdruckern
nicht einen Vorteil vor der rechtmäßigen Gesamtausgabe einzuräumen (Cotta an Goethe
14. IX. 1809, GSA, ungedruckt: „Möchten
Sie nicht die Gnade haben, mir das Honorar
für die Wahlverwandschaften zu bestimmen
und zugleich die Rüksicht zu nehmen, daß
ich sie in die Werke aufnehmen dürfte – Nach
den neuern Ereignissen in Österreich solten
wir diß nicht zu lange anstehen lassen. Bis

zum Einmarsch der Franzosen habe ich nem-
lich durch einige Freunde verhindern können
daß dasjenige was man mir nachdruken wolte
durch die Censurbehörden verhindert wurde
indem diese das imprimatur versagte. Nun
kommen die Franzosen und in der schönen
Absicht, den Censurzwang aufzuheben, erlauben sie Drukfreiheit. Das nächste Resultat
ist, daß Schillers Werke von 2 Buchhändlern
. . . mir nachgedrukt werden. Natürlich wird
die Reihe an Ihre Werke auch kommen und
wenn dise Menschen die Wahlverwandschaften denn auch aufwärmten so lieferten sie
mehr als meine Original Ausgabe").
Die 13 Bände der neuen Ausgabe erschienen
unter dem Titel „Goethe's Werke Band 1–13.
Tübingen in der J. G. Cotta'schen Buchhandlung 1806–08". Sigle: A. Inhalt: Band 1:
Lieder; Vermischte Gedichte; Balladen und
Romanzen; Elegien I/II; Episteln; Epigramme. 1806. – Band 2/3: Wilhelm Meisters Lehrjahre. 1806. – Band 4: Laune des Verliebten;
Mitschuldigen; Geschwister; Mahomet; Tancred; Elpenor. 1806. – Band 5: Götz; Eg-
mont; Stella; Clavigo. 1807. – Band 6: Iphi-
genie; Tasso; Natürliche Tochter. 1807. –
Band 7: Claudine von Villa Bella; Erwin und
Elmire; Jery und Bätely; Lila; Fischerin;
Scherz, List und Rache; Der Zauberflöte zweiter Teil. 1808. – Band 8: Faust I;
Puppenspiel; Fastnachtsspiel; Prolog zu den
neusten Offenbarungen Gottes; Parabeln; Legende; Hans Sachs; Miedings Tod; Künstlers
Erdewallen/Apotheose; Epilog zu Schillers
Glocke; Geheimnisse. 1808. – Band 9: Groß-
Cophta; Triumph der Empfindsamkeit; Vögel; Bürgergeneral; Was wir bringen, Lauchstädt; Maskenzüge; Palaeophron und Neo-
torpe; Theaterreden. 1808. – Band 10: Reineke Fuchs; Hermann und Dorothea; Achilleis. 1808. – Band 11: Werther; Briefe aus
der Schweiz I/II.1808. – Band 12: Römisches
Carneval; Über Italien; Cagliostros Stammbaum; Unterhaltungen deutscher Ausgewanderten; Mährchen. 1808. – Band 13: Wahlverwandtschaften. 1810.
In ihren bereits früher gedruckten Teilen beruht A einerseits auf den vorangegangenen
Gesamtausgaben bei Göschen und Unger und
andererseits auf Einzeldrucken. Zur Vorbereitung der Druckvorlagen benutzte Goethe jedoch nicht nur Originalausgaben, sondern
auch die ohne sein Wissen veranstalteten
Nach- und Doppeldrucke. So beruhen die bereits bei Göschen gedruckten Werke (mit Ausnahme der *Mitschuldigen* und der in Band 8
der „Schriften" enthaltenen Stücke, die auf die

Originalausgabe zurückgehen) auf dem Nachdruck S²: *Zu der abgegangenen Sendung mache ich nur noch die Bemerkung, daß, weil ich die vier Göschenschen Bände nicht zerreißen wollte, einige Stücke, wie die Mitschuldigen, die Geschwister, Faust und Zubehör etc. noch einmal kommen. Diese gelten aber nicht, sondern der Abdruck geschieht nach den Manuscripten, die schon in Ihren Händen sind* (26. X. 1806 an Cotta; IV/19, 512. – Erstmalig herangezogen und für die *Vögel* durch Lesartenvergleich unterbaut von WArndt, Sonderausgabe der *Vögel* 1886, Einleitung S. XXXI sowie I/17, 356). Für *Wilhelm Meister* (Band 2–3) bildete Vorlage und Fehlerquelle der Ungersche Doppeldruck N¹3–6, ebenso wie N¹1 für den *Groß-Cophta* (Band 9), *Das römische Carneval* und *Cagliostros Stammbaum* (Band 12) als Druckvorlage diente. Nur *Reineke Fuchs* (Band 10) geht auf den Originaldruck (N) zurück (vgl. WKurrelmeyer MLN 47, 1932 S. 284f.).
Eine im Intelligenzblatt des Journals des Luxus und der Moden 1809 Nr. 1 S. V enthaltene Anzeige, die unter den zur Michaelismesse 1808 bei Cotta erschienenen Werken vermerkt: „Göthe (von) sämmtliche Werke. 12 bde gr. 8°. 2te Auflage. Weiss. Drckp. Subscr. Pr. 2 Carolin. ord. Drckp. Subscr. Pr. 1 ½ Carolin" führte zu der Annahme, es gäbe von der gesamten Ausgabe A eine zweite, bereits zur Michaelismesse 1808 erschienene Auflage (A¹) aller 12 Bände. Diese zuerst von SHirzel (Verzeichnis 1884 S. 65) ausgesprochene Vermutung gewann Bedeutung für die Textkritik, als im Rahmen der Vorarbeiten für die Sophien-Ausgabe festgestellt wurde, daß für den 6. und 7. Band der folgenden Ausgabe (B) nicht A, sondern ein mit A seiten- und zeilengleicher Text als Vorlage gedient haben müsse. EStodtmann erklärte daher in dem von AFresenius und BSuphan mitformulierten Bericht der Redaktoren und Herausgeber der WA von 1895 (GoetheJb. 16, 1896 S. 261) zum ersten Male öffentlich, daß für den 6. und 7. Band von B nicht A, sondern A¹, dh. die zur Michaelismesse 1808 erschienene zweite Auflage der cottaschen Ausgabe, Druckvorlage und Fehlerquelle gewesen sei. Man habe mit der Möglichkeit, daß der Text von B auf A¹ beruhe, auch in anderen Fällen zu rechnen und müsse sich bei der Benutzung der ersten cottaschen Ausgabe davor hüten, A mit A¹ zu verwechseln. Die Unterscheidung der beiden Ausgaben erwies sich jedoch infolge der großen Seltenheit von A¹ als schwierig. Erst 1904 konnte JTHatfield (Journal of English and Germanic Philology 5, 1904 S. 341–52)

mit seinen Schülern ein von ihm durchgängig für A¹ gehaltenes Exemplar der Northwestern University in Ithaca untersuchen und selbst Abweichungen von A zusammenstellen, womit die Existenz einer selbständigen Zweitauflage für alle Bände (bis auf die mit A identischen Bände 8 und 13) erwiesen schien.
Noch weiter ging FSeuffer (Börsenblatt für den dtsch. Buchhandel 77, 1911 S. 1697f., 2233f., 2759f.), der im Anschluß an eine von Hatfield voreilig erwogene Möglichkeit behauptete, daß die bisher als A¹ bezeichnete Auflage die Originalausgabe und die A genannte Reihe ein von Cotta sorgfältig berichtigter und zur Michaelismesse 1808 erschienener zweiter Druck wäre.
Den aus Wahrem und Falschem zusammengewobenen Knoten löste erst WKurrelmeyer (MLN 26, 1911 S. 133–37 u. 27, 1912 S. 174 bis 176) durch den Nachweis, daß sich die Anzeige im Intelligenzblatt nicht auf eine Zweitauflage von A, sondern auf A selbst im Gegensatz zu S und N bezieht, die zusammen als Erste Auflage betrachtet wurden. Der heutige Gegensatz zwischen den als „Schriften" und „Werken" bezeichneten Auflagen existierte damals noch nicht, denn die Bogennorm der Göschenschen „Schriften" ist durchweg „Goethe's W(erke)", während sich bei den Ungerschen „Neuen Schriften" die Bogennorm „von Göthe Schriften" findet, ebenso wie Goethe selbst noch während des Druckes von A den Ausdruck „Schriften" und „Werke" nebeneinander gebraucht. Bei den von A abweichenden Exemplaren handelt es sich daher nicht um eine Neuauflage, sondern lediglich um Doppeldrucke der Ausgabe A. Nach Kurrelmeyer existieren von Band 5, 6, 7, 9 zwei und von Band 1–4 sogar drei verschiedene Drucke. Einen vierten, allerdings nur teilweisen Neudruck von Band 1 (A³ mit sorgfältig nach A/A¹ korrigiertem Neudruck von S. 63/64 und Bogen 13) hat Kurrelmeyer (MLN 43, 1928 S. 245f.) nachgewiesen. Von Band 8 haben sich bisher keine Doppeldrucke feststellen lassen. Von Band 9 sind nur die Bogen 1–4 neu gesetzt, während die Bogen 5–28 in allen bisher geprüften Exemplaren mit A identisch sind. Dieser Tatbestand macht es wahrscheinlich, daß Cotta sich erst dann zur Verstärkung der Auflage entschloß, als Band 1–7 und die Bogen 1–4 von Band 9 schon gedruckt waren. Daß auch von Band 10–12 Doppeldrucke existieren, ist nicht erwiesen, aber nach dem dargelegten Tatbestand wenig wahrscheinlich. Die von Hatfield festgestellten Abweichungen in Band 10 und

11 beruhen nach Kurrelmeyer auf Preßkorrekturen und beschränken sich auf die ersten Bogen. Lediglich die Notentafel zu Band 12 scheint neu gedruckt zu sein (Ergänzung der fehlenden Seitenzahl 116 und Berichtigung der Druckfehler auf der Rückseite pazieza > pazienza, Franbia > Francia).

Wie für alle Doppeldrucke, so gilt auch hier der von Kurrelmeyer aufgestellte Satz, daß der erste, also der echte Druck den richtigen Text hat, und daß die Nachdrucke nur verschlimmbessern, wenn in ihnen hie und da auch ein auffallender Druckfehler berichtigt wird. Sie gewinnen aber dann Bedeutung, wenn der Autor selbst, ohne es zu wissen, zusammengesetzte Exemplare besitzt und diese als Vorlage für weitere Drucke verwendet, wodurch sich die Fehler und Versehen des Nachdruckes in die späteren Ausgaben fortpflanzen. So benutzte Goethe zur Vorbereitung der nächstfolgenden Ausgabe (B) ein aus Original- und Doppeldrucken zusammengesetztes Mischexemplar von A (vgl. unten Sp. 2020) und brachte damit, ohne es zu ahnen, eine große Anzahl von Korruptelen in die neue Ausgabe, die zumeist alle seine Bemühungen um die Reinheit des Textes überdauerten und erst auf Grund moderner druckgeschichtlicher Forschungen ausgeschaltet werden konnten.

Die Ausgabe A bildete die Vorlage für den österreichischen Nachdruck „Goethe's sämmtliche Schriften Band 1–26. Wien, 1810–17. Gedruckt bey Anton Strauß. In Commission bey Geistinger" (Band 20–23 u. 26 nennen nur den Verleger Geistinger. Band 24/25: „Gedruckt bey Math. Andr. Schmidt. Universit.-Buchdrucker. In Commission bey Geistinger"). Allerdings hat der Inhalt von A hier eine Umgruppierung erfahren, die bereits äußerlich in Form von Sondertiteln und Eigenzählung der Gruppen zum Ausdruck kommt (Band 1–6: Theater von Goethe Th. 1–6. Band 7–8: Gedichte von Goethe Th. 1–2. Band 9–12: Romane von Goethe Th. 1–4. Band 13: Kleine prosaische Schriften von Goethe). Der Inhalt der Bände 14–26 (14/15: *Cellini*. 16/17: *Rameaus Neffe; Winckelmann*. 18: *Hackert*. 19: *Dichtung und Wahrheit* Th. 1. 20–23: *Farbenlehre*. 24–26: *Dichtung und Wahrheit* Th. 2–4) sowie *Pandoras Wiederkunft* in Band 3 ist nach Vorlage von Einzeldrucken zum ersten Male in eine Sammlung Goethescher Schriften aufgenommen worden.

Diese Umgestaltung des Inhalts hat Goethes Zorn erregt: *Sie scheinen durch die unschicklichste Verwirrung und Umstellung der Theile,* *eine gewisse Originalität inventirt zu haben* (22. VIII. 1811 an Cotta; *IV/22, 154*), obwohl er später (12. XI. 1812), bei der vorbereitenden Einteilung der Ausgabe B, an Cotta die Frage richtete, ob man nicht *nach Anleitung der Nachdrucker* auch *Cellini, Rameaus Neffe* pp. in die Sammlung aufnehmen solle (IV/23, 135).

Die Bände 1–6 (Theater von Goethe) erfuhren ihrerseits einen ebenfalls aus Wien stammenden Nachdruck „Theater von Goethe Theil 1–12. Neueste Auflage. Wien 1816. Bey B. Ph. Bauer" (Taschenausgabe in 4 Etuis).

Die Ausgabe A bildete auch die Vorlage für einige Bände eines schwedischen Nachdrucks, der offenbar besonders in Nordosteuropa Verbreitung fand: „Johann Wolfgang von Goethe's sämmtliche Werke Band 1–15. Mit Königl. Schwedischer Allergnädigster Freiheit. Upsala, bei Em. Bruzelius 1811–20." Die Abhängigkeit dieses Nachdrucks ist im einzelnen noch nicht untersucht, er scheint jedoch auf mehrere Vorlagen, die beiden Cotta-Ausgaben A und B, den wiener Nachdruck von A sowie auf verschiedene Einzeldrucke zurückzugehen (vgl. EAlker, Die Upsalaer Klassiker-Ausgaben. Ztschr. f. Bücherfreunde NF 20, 1928 S. 71 f.).

β) 1815–19 (B)

Die zwischen Goethe und Cotta getroffene Vereinbarung (so. Sp. 2009) schloß auch die „Idee einer Taschenausgabe" ein, falls der Verleger eine solche „räthlich fände". Im Jahre 1811 sah sich Cotta durch das Treiben der Nachdrucker veranlaßt, auf diesen Plan zurückzukommen, und machte Goethe davon Mitteilung (Brief vom 17. IX. 1811, GSA, teilweise gedruckt IV/22, 452). Goethe jedoch trug Bedenken, zu einem so späten Zeitpunkt noch mit dieser Ausgabe hervorzutreten, und schlug dagegen vor, *gleich jetzt zu einer correkten, und completen Auflage zu schreiten,* zumal da *die Sache . . . schon früher überdacht und vorgearbeitet* sei (28. IX. 1811 an Cotta; IV/22, 169). Nach längeren brieflichen Verhandlungen und einem Besuch Cottas in Weimar am 17. IV. 1812 (III/4, 269) nahm dieser schließlich von seinem Vorhaben Abstand und fand sich geneigt, auf Goethes Vorschlag einzugehen, doch verzögerte sich der Beginn der neuen Ausgabe wegen der ungünstigen Zeitläufte noch bis zum Frühjahr 1815. Gleichwohl benutzte Goethe, wiederum mit Unterstützung Riemers, die Zwischenzeit schon zu einer gründlichen Redaktion und Revision seiner bisher gedruckten Werke, um ein vollständiges Exemplar parat liegen zu haben, *wenn günstigere Umstände die Herausgabe fordern und erlauben* (7. II. 1814 an Cotta; *IV/24, 131*). Am 20. II. 1815 sandte er Cotta den *Entwurf eines Contracts* und den *Entwurf einer Anzeige*, in der er die Beweggründe, die die neue Edition veranlaßten, darlegt und den voraussichtlichen Inhalt der auf 20 Bände geplanten Ausgabe mitteilt (IV/25, 196-202; die Anzeige erschien im Intelligenzblatt zum Morgenblatt für gebildete Stände Nr. 1, 1816. Es heißt darin ua.: *Da eine schon längst bereitete Ausgabe der Werke des Herrn Geheimen Rath von Goethe durch die Zeitumstände verhindert worden, so konnte es nicht fehlen, daß vollständige Exemplare derselben im Buchhandel fehlten, und auf vielfältiges Nachfragen den Freunden damit nicht gedient werden konnte. Es geschieht daher mit besonderm Vergnügen und Zuversicht, daß unterzeichnete Verlagshandlung hiermit anzukündigen im Stande ist, daß eine neue Ausgabe gedachter Werke gegenwärtig unter der Presse sei; sie wird aus z w a n z i g B ä n d e n bestehen, wovon nachstehendes Verzeichniß eine allgemeinere Übersicht gibt. Aus demselben ist zu ersehen, daß nicht nur der Inhalt der vorigen Ausgabe auch in der neuen zu finden sein wird, so wie das was von demselben Verfasser bisher im Druck erschienen, in so fern es dem ästhetischen Fache angehört, sondern daß auch manches mitgetheilt werden soll, was durch die Bekenntnisse aus dem Leben des Verfassers eingeleitet und sowohl faßlich als genießbar gemacht worden und künftig noch harmonischer in sich werden kann.* - Über den Preis der neuen Ausgabe enthält die Ankündigung folgende Angaben: Die Ausgabe auf Velinpapier kostet 66 fl.; die Ausgabe auf reinem Schweizerpapier 52 fl. bei Ratenzahlung, 44 fl. bei voller Vorauszahlung; die Ausgabe auf gewöhnlichem Druckpapier 30 fl. bei Ratenzahlung, 22 fl. bei voller Vorauszahlung; vgl. I/41^I, 80ff.). Nachdem bereits am 27. III. 1815 die Druckvorlagen für die erste Lieferung (Band 1–4) nach Stuttgart abgegangen waren (IV/25, 238), unterzeichnete Goethe am 15. VI. 1815 den Kontrakt, der u. a. folgende Vereinbarungen enthält: *1) Die Zahl der Bände wird auf zwanzig festgesetzt ... 2) Sie erscheinen in fünf Lieferungen, je von acht zu acht Monaten. 3) Das Verlagsrecht wird bis Ostern 1823 zugestanden, nach Ablauf dieses Termins behält der Herr Verleger das Vorrecht vor andern unter gleichen Bedingungen. 4) Der Verfasser bedingt sich dagegen die Summe von Sechzehn tausend Thälern sächs. (IV/26, 12).* Der Druck der Ausgabe vollzog sich ohne

Verzögerungen, da die Druckvorlagen rechtzeitig vorbereitet waren und termingemäß eingesandt werden konnten. Daten für die Ablieferung der weiteren Druckmanuskripte: Band 5: 4. XII. 1815 (III/5, 194); *Was wir bringen* nachgereicht am 8. I. 1816 zusammen mit Band 6 (III/5, 199). - Band 7/8: 11. III. 1816 (III/5, 214). - Band 9: 11. V. 1816 (III/5, 229). - Band 10: 8. VII. 1816 (III/5, 250). - Band 11: 2. IX. 1816 (IV/27, 160). - Band 12: 23. X. 1816 (III/5, 279). - Band 13/14: 18. XII. 1816 (III/5, 295). - Band 15/16: 7. I. 1817 (IV/27, 311). - Band 17–19: 18. IV. 1817 (III/6, 38). - Band 20: *Rameaus Neffe* 20. V. 1817 (IV/28, 95). Am 10. V. 1818 Anweisung Goethes, den weiteren Inhalt: *Diderots Versuch, Über Wahrheit und Wahrscheinlichkeit der Kunstwerke, Der Sammler und die Seinigen* aus den *Propyläen* abzudrucken. Die *Summarische Jahresfolge Goethescher Schriften* folgte am 5. III. 1819 (III/7, 22). Sie war ursprünglich als eine umfassende chronologische Darstellung von Goethes schriftstellerischer Entwicklung geplant, um dem im Publikum laut gewordenen Wunsch nach einer chronologischen Ordnung der Werke entgegenzukommen. *Nach einer achtwöchentlichen ununterbrochenen Arbeit, die ... jedoch nicht weiter als bis zum Schluß des vorigen Jahrhunderts führte*, mußte sich Goethe jedoch entschließen, von seinem Vorhaben Abstand zu nehmen und vorerst nur einen summarischen Überblick über die zeitliche Folge seiner Schriften zu geben (an Cotta 5. III. 1819: IV/31, 89). Eine ausführliche Erläuterung der Gründe, die ihm einen schematischen Überblick über die Chronologie seiner Arbeiten unmöglich machten, gibt Goethe in der Einleitung der *Summarischen Jahresfolge: Dasjenige, was von meinen Bemühungen im Drucke erschienen, sind nur Einzelnheiten, die auf einem Lebensboden wurzelten und wuchsen, wo Thun und Lernen, Reden und Schreiben unablässig wirkend einen schwer zu entwirrenden Knaul bildeten. Man begegnete daher vielfachen Schwierigkeiten, als man jener Zusage nur einigermaßen nachleben wollte. Man hatte versucht, die Anlässe, die Anregungen zu bezeichnen, das Offenbare mit dem Verborgenen, das Mitgetheilte mit dem Zurückgebliebenen durch ästhetische und sittliche Bekenntnisse zusammenzuknüpfen, man hatte getrachtet, Lükken auszufüllen, Gelungenes und Mißlungenes, nicht weniger Vorarbeiten bekannt zu machen, dabey anzudeuten, wie manches zu einem Zweck Gesammeltes zu andern verwendet, ja wohl auch verschwendet worden. Kaum aber war man mit solchen Bemühungen, den Lebensgang*

folgerecht darzustellen, einige Lustra vorge-
schritten, als nur allzu deutlich ward, hier dürfe
keine cursorische Behandlung stattfinden, sie
müsse vielmehr derjenigen gleichen, wie sie
schon in den fünf biographischen Bänden mehr
oder weniger durchgesetzt worden (I/42^I, 81 f.).
Die erste Lieferung (Band 1–4) erschien offenbar zur Ostermesse 1816 (nach einem im GSA
erhaltenen Beischreiben übersandte die Cottasche Handlung die Goethe zustehenden Freiexemplare am 19. IV. 1816), die zweite zur
Michaelismesse desselben Jahres. Goethe
äußerte sich sehr zufrieden über die druck-
technische Ausführung: *Ew. Wohlgeb. vermelde*
dankbar, daß die Exemplare der zweyten Sen-
dung [Band 5–8] *glücklich angekommen sind.*
Druck und Papier nehmen sich recht gut aus,
auch den metteur en pages muß man höchlich
loben, daß er ohne übermäßigen Aufwand von
Raum die Gedichte, besonders den Epimenides
wohl eingetheilt hat (22. X. 1816 an Cotta:
IV/27, 203). Lediglich in der Frage der in den
Druckvorlagen vorgenommenen Interpungie-
rung, die Goethe dem Korrektor besonders
zur Beachtung empfohlen hatte (an Cotta
6. XII. 1815; vgl. zu IV/26, 175 noch I/13^{II},
117), entstanden in der cottaschen Druckerei
einige Unklarheiten, die den Korrektor zu einer
Anfrage nach Weimar veranlaßten. Goethe
erteilte darauf am 3. VI. 1816 folgende Antwort: *Die Interpunction betreffend, äußere Fol-*
gendes. Es hat sich in der deutschen Schrift,
dadurch daß man mehr liest als hört, die Ge-
wohnheit eingeschlichen viel zu viel Commata
zu machen. Wie schädlich dieses dem lebendigen
Vortrag sey hab ich seit dreyßig Jahren nur
allzusehr bemerken können, indem ich mir die
Mühe gab Schauspieler auszubilden. Z. B.
Glaubst du denn, daß sie dich liebt! –
Hab ich dir nicht gesagt, daß ich nicht
hinkommen kann? Die hier roth gezeichne-
ten Commata sind es die ich möglichst weg-
gestrichen habe, weil sie den Schauspieler, den
Vorleser zu einem gehackten Vortrag verführen.
Denn wenn es gleich Fälle giebt, daß man an
einer solchen Stelle etwas anhält, so entspringt
doch eine solche Pause aus dem Gefühl, nicht
aus dem Sinne, welcher allein durch die Inter-
punction zu bezeichnen ist, wie denn ja in Versen
die Cäsur nicht immer einen Sinnesabschnitt
macht. Doch bin ich hier nicht pedantisch und
lasse dem Herrn Corrector die völlige Freyheit
in gewissen Fällen nach eignem Urtheil ein
Comma herzustellen (IV/27, 45 f.).
Der Titel der neuen Ausgabe lautet: „Goethe's
Werke Band 1–20. Stuttgart und Tübingen,
in der J. G. Cotta'schen Buchhandlung 1815

bis 19." Sigle: B. Inhalt: Band 1/2: Gedichte.
1815. – Band 3/4: Wilhelm Meisters Lehrjahre.
1816. – Band 5: Laune des Verliebten; Mit-
schuldigen; Geschwister; Mahomet; Tancred;
Palaeophron und Neoterpe; Vorspiel 1807;
Was wir bringen, Lauchstädt u. Fortsetzung
Halle 1814; Theaterreden. 1816. – Band 6:
Götz; Egmont; Stella; Clavigo. 1816. – Band 7:
Iphigenie; Tasso; Natürliche Tochter; Elpe-
nor. 1816. – Band 8: Claudine von Villa Bella;
Erwin und Elmire; Jery und Bätely; Lila;
Fischerin; Scherz, List und Rache; Der Zau-
berflöte 2. Th.; Maskenzüge; Carlsbader Ge-
dichte; Des Epimenides Erwachen. 1816. –
Band 9: Faust; Puppenspiel; Fastnachtsspiel;
Satyros; Prolog zu den neusten Offenbarungen
Gottes; Parabeln; Legende; Hans Sachs;
Miedings Tod; Künstlers Erdewallen/Apothe-
ose; Epilog zu Schillers Glocke; Geheimnisse.
1817. – Band 10: Triumph der Empfindsam-
keit; Vögel; Groß-Cophta; Bürgergeneral;
Aufgeregten. 1817. – Band 11: Reineke Fuchs;
Hermann und Dorothea; Achilleis; Pandora.
1817. – Band 12: Werther; Briefe aus der
Schweiz. 1817. – Band 13: Römisches Car-
neval; Fragmente über Italien; Cagliostros
Stammbaum; Die guten Weiber; Unterhal-
tungen deutscher Ausgewanderten. 1817. –
Band 14: Wahlverwandtschaften. 1817. –
Band 15/16: Benvenuto Cellini. 1818. – Band
17–19: Aus meinem Leben, Dichtung und
Wahrheit. 1818/19. – Band 20: Rameaus
Neffe; Diderots Versuch über die Malerei;
Über Wahrheit und Wahrscheinlichkeit der
Kunstwerke; Der Sammler und die Seinigen;
Summarische Jahresfolge Goethescher Schrif-
ten. 1819.
Druckvorlage für die schon früher veröffentlichten Teile bildete außer den in der Zwischenzeit erschienenen Einzeldrucken die Ausgabe A, doch benutzte Goethe auch hier nicht
nur die Bände des Originaldrucks, sondern
ein aus Original- und Doppeldrucken bestehendes Mischexemplar, das sich nach W Kurrelmeyer (MLN 26, 1911 S. 137 und 27, 1912
S. 174 f.) wie folgt zusammensetzte: Band 1
und 4: A^2; Band 5, 6, 7, 9: A^1; alle übrigen
Bände: A. –
Auch von der Ausgabe B existiert ein Doppeldruck (B^2). Er wurde erstmals von HvLoeper
für Band 1, später auch von ESchmidt für
Band 9 entdeckt (I/2, 299 und 14, 251), in
seiner Gesamtheit jedoch erst von W Kurrelmeyer (MLN 31, 1916 S. 275–80) nachgewiesen. Nach Kurrelmeyer existiert B^2 vollständig nur von den Bänden 1–8, während von
Band 9 nur die Bogen 1–17, von Band 10 die

Bogen 1–5 neu gesetzt wurden (Kennzeichen bei WHagen S. 30–35). Textgeschichtliche Bedeutung kommt ihm nicht zu, da die Ausgabe letzter Hand auf den Originaldruck B zurückgeht. Textkritisch wertlos sind auch die zwar mit Goethes Zustimmung, aber ohne nochmalige Textrevision gedruckten Ergänzungsbände zur Ausgabe A. Sie wurden in der Absicht hergestellt, den Besitzern der ersten cottaschen Ausgabe die Möglichkeit zu geben, diese durch die in B neu aufgenommenen Werke zu ergänzen (vgl. Goethe an Cotta 6. XII. 1815; IV/26, 177f., sowie die Ankündigung im Intelligenzblatt zum Morgenblatt für gebildete Stände Nr. 1, 1816: *Für die Besitzer der ersten Ausgabe wird auf die folgende Art gesorgt: Sie stellen ihren ersten Band bei Seite und an dessen Statt die gegenwärtigen zwei ersten Bände unter dem Titel: Erster Band, erste Abtheilung. Erster Band, zweite Abtheilung. Alsdann ginge die Bändezahl der ersten Ausgabe fort bis zu dreizehn, welcher die Wahlverwandtschaften enthält. Nun wird ein eigener vierzehnter Band für sie gedruckt, worin dasjenige nachgetragen wird, was in die vorhergehenden Bände eingeschaltet worden. Vom funfzehnten Bande an schließen sich die sechs letzten Bände der neuen Ausgabe ununterbrochen an, so daß die Besitzer der ersten Ausgabe auf diese Weise neun Bände abgeliefert erhalten; I/41ᴵ, 82*). Für diese Ergänzungsauflage wurde nur der 14. Band neu gesetzt, während Band 1 und 2 vom Satz des Doppeldrucks B², die Bände 15–20 jedoch vom Satz von B hergestellt wurden.

Bedeutend wichtiger als diese nur bibliographisch nennenswerten Neben- und Doppeldrucke ist der W i e n e r N a c h d r u c k der Ausgabe B: „Goethe's Werke Band 1–26. Original-Ausgabe. Wien 1816–22, bey Chr. Kaulfuß und C. Armbruster. Stuttgart, in der J. G. Cotta'schen Buchhandlung. Gedruckt bey Anton Strauß". Sigle: Bᵃ (B¹). (Inhalt von Band 1–20 = B. Band 21: *Divan*. Band 22: *Winkelmann und sein Jahrhundert*. Band 23–25: *Dichtung und Wahrheit 2. Abth.* Band 26: *Wanderjahre 1. Th.*). Die textkritische Bedeutung dieses Druckes stellte sich erst heraus, als bereits eine Reihe von Bänden der WA erschienen war. Am Text der *Guten Weiber* machte nämlich BSeuffert (GoetheJb. 15, 1894 S. 166–177) die Feststellung, daß der bisher für wertlos gehaltene wiener Nachdruck aus der gleichen Vorlage wie B stammt und dieser (hier einem überarbeiteten Exemplar des Erstdrucks der *Guten Weiber* im Taschenbuch für Damen von 1801) vielfach

nähersteht als der oft fehlerhafte Text der Originalausgabe. Vergleiche mit anderen Bänden der Ausgabe bestätigten die Ergebnisse Seufferts und führten zu einer gründlichen Revision der bisher maßgebenden editorischen Prinzipien. Die neuen Erkenntnisse über die Bedeutung des Nachdrucks Bᵃ als Druckkorrektiv wurden von AFresenius in den Lesarten zu Band 13 (I/13ᴵᴵ, 118f.) wie folgt zusammengefaßt: „Will man im Allgemeinen angeben, in welcher Weise B¹ [Bᵃ] für die Textkritik zu verwerten ist, so kann man sagen: Wo B B¹ gegen A . . . übereinstimmen, liegt entweder eine von Goethe gewollte Verbesserung vor, oder wir haben es mit dem Fehler oder der eigenmächtigen Änderung einer Zwischenstufe . . . zu tun. Wo A B . . . gegen B¹ übereinstimmen, weicht B¹, wo A B¹ . . . gegen B übereinstimmen, weicht B von der Druckvorlage ab" (vgl. auch Goethe-Jb. 16, 1895 S. 261). Zur gleichen Zeit konnten aus dem Briefwechsel des wiener Verlegers Armbruster mit Cotta urkundliche Zeugnisse ermittelt werden, die Aufschluß über die Entstehungsgeschichte des wiener Nachdrucks gaben (vgl. ELaistner: Armbruster und die Wiener Goethe-Ausgabe. Münch. Allg. Zeitung vom 18. I. 1894).

Das erhaltene Quellenmaterial – außer dem bei Laistner veröffentlichten die Briefwechsel Goethe-Cotta und Goethe-Frommann (die Briefe Cottas und Frommanns an Goethe handschriftlich im GSA) sowie Frommann an Cotta (handschriftlich im Cotta'schen Hausarchiv, deponiert als Leihgabe der Stuttgarter Zeitung im Schiller-Nationalmuseum Marbach) – gibt folgenden Vorgang wieder: um die neue Ausgabe vor dem Zugriff der wiener Nachdrucker zu sichern, verband sich Cotta im Jahre 1816 mit der wiener Verlagsfirma Kaulfuß und Armbruster und ließ dort einen von ihm selbst gelenkten Nachdruck der Goetheschen Ausgabe erscheinen, der durch 6 zusätzliche Bände mit inzwischen erschienenen Einzelwerken vermehrt wurde (vgl. Inhalt von Band 21–26). Am 19. III. 1816 setzte er Goethe von seinem Vorhaben in Kenntnis (IV/26, 421). Goethe antwortete zustimmend am 25. III.: *Auch die Wiener Ausgabe kann ich nicht anders als billigen; wo das Gesetz nicht hilft, da muß die Klugheit rathen (IV/26, 307f.)*, und vermittelte Cotta sogar sein vor Jahresfrist von Raabe gemaltes Portrait, das in der neuen Ausgabe als Titelvignette Verwendung finden sollte (vgl. auch an Cotta 22. X. 1816: IV/27, 204. Das Portrait erschien im 17. Band von Bᵃ). Da die geplante Ausgabe nur dann vor dem weiteren österreichischen Nachdruck geschützt war, wenn der Zensurbehörde die zum Druck vorgesehenen Werke im Manuskript vorgelegt wurden, sah sich Cotta genötigt, an Stelle der ausgedruckten Bände von B Manuskripte nach Wien zu senden (vgl. Laistner aO. 6f.). Der Einfachheit halber scheinen für die bereits in A veröffentlichten Werke die Druckvorlagen selbst nach Wien gegeben worden zu sein (vgl. das am 9. IV. 1817 von Cotta an Goethe gesandte Promemoria des Faktors Reichel, in dem dieser bedauert, über den Mehrinhalt der 14 ersten Bände von B gegenüber den 13 der Ausgabe A nur aus dem Gedächtnis Auskunft geben zu können, da er „das Mspt. alles nach Wien abgeben mußte": I/13^{II}, 119), während von den neuen goetheschen Handschriften offenbar in der cottaschen bzw. frommannschen Druckerei (die Einzeldrucke vom *Westöstlichen Divan*, Stuttgart 1819, von *Dichtung und Wahrheit 2. Abth.*, Stuttgart 1816–22, und von *Wilhelm Meisters Wanderjahren*, Stuttgart 1821, die die Vorlage für B^a 21 und 23–26 bildeten, wurden bei Frommann und Wesselhöft in Jena gedruckt) Abschriften hergestellt und diese nach Wien eingesandt wurden. Eine besonders interessante Sonderstellung nimmt der Druck des *Divan* im 21. Band der wiener Ausgabe ein. Hierfür hatte Goethe das dem Erstdruck von 1819 zugrundeliegende Manuskript aufgehoben und es zur Abkürzung des Geschäftes nach Wien abgegeben, zusammen mit einem von ihm nochmals korrigierten Exemplar des fertigen Drucks, das dem wiener Setzer als Vorlage dienen sollte: *Ew. Wohlgeboren erhalten hiebey das Manuscript zum Divan, zugleich auch ein corrigirtes Druckexemplar; doch wäre der Wiener Drucker und Corrector vorzüglich an letzteres zu weisen, weil solches gegenwärtig auf alle Weise zuverlässiger ist als das Manuscript* (21. I. 1819 an Frommann; IV/31, 67). Hier stammt also B^a nicht nur aus derselben, sondern sogar aus einer besseren Vorlage als B und besitzt in einer Reihe von Fällen einen höheren Textwert als die Originalausgabe (vgl. KBurdach I/6, 356; Mainzer Ausgabe 5, 388; GoetheJb. 10, 1889 S. 273.) Wenn somit der wiener Nachdruck B^a auf Grund seiner Abstammung heute als ein wichtiger Zeuge innerhalb der Textgeschichte der goetheschen Werke gilt, so scheint doch seine richtige Einschätzung und textkritische Verwertung auch gegenwärtig noch zu den schwierigsten Problemen innerhalb der Druckgeschichte der zeitgenössischen Goethe-Werke zu gehören. Denn abgesehen davon, daß B^a eine sehr eigenwillige, lokal- und verlagsgebundene

Orthographie und Interpunktion besitzt, ist seine Entstehung und textkritische Bedeutung auch heute noch nicht bis in alle Einzelheiten geklärt, zumal es auch an ausreichendem Quellenmaterial mangelt. So hat zB. schon WKurrelmeyer (MLN 27, 175f.) vor einer allzu vorurteilslosen Benutzung des Nachdrucks gewarnt, indem er auf Grund eines Textvergleiches darauf hinwies, daß B^a nicht in allen Fällen auf den Druckvorlagen für B beruht, sondern zB. vom 9. Bogen des 2. Bandes an direkt nach B gesetzt ist und somit hierfür keinen Korrektivwert besitzt. Aus den Briefen Frommanns an Cotta geht hervor, daß von *Dichtung und Wahrheit 2. Abt. 2. Band* (Einzeldruck bei Cotta 1817 und danach in B^a 24) die fertigen Aushängebogen nach Wien gesandt wurden (Frommann an Cotta 29. IX. 1817: „Alle Aushängebogen [von DuW 2. Abth. 2. Bd.] sind in drey Sendungen an Armbruster u. Kaulfuß nach Wien gegangen, da das Goethesche Mspt. nicht mehr existirte. Er erhielt dies nehmlich bey jedem Revisions Bogen mit u. dann ist es fort, auch ändert er, sezt zu und streicht so mancherley bey der Korrektur was unbedeutend scheinen könnte, aber bey ihm weder ist noch auch ihm gleichgültig, so daß jeder gedruckte Bogen eine ganz andere Gestalt hat als das Mspt.... Diese [meine Leute] konnten also nur das kürzeste thun was möglich war, d. h. die Aushängebogen nach Wien senden; war dort durchaus ein Mscpt nöthig so war es kürzer es dort als hier abschreiben zu lassen...": Cotta'sches Hausarchiv, ungedruckt). Erstaunlich ist, daß sich später weder Goethe noch Cotta an ihre Verhandlungen über den wiener Nachdruck erinnerten. In einem Brief vom 21. IX. 1823 unterrichtet Goethe Cotta, daß er in einem carlsbader Buchladen eine ihm sehr unangenehme Erfahrung habe machen müssen, als ihm nämlich eine „Originalausgabe" seiner Werke, Wien und Stuttgart, den letzten Band vom vorigen Jahre, vorgelegt worden sei, von deren Existenz er nichts wußte: *Anwesende fragten mich ferner: wie es denn komme, daß man die ächte Ausgabe nur bis zum 20ten Theil, diesen Nachdruck aber bis zum 26ten vorfinde? Wodurch die Besitzer der ersten sehr benachtheiligt wären. Welche Frage ich dann auch nicht genugsam zu beantworten im Stande, in meiner eigensten Sache als gleichgültig, nachlässig und unvorsichtig erscheinen mußte (IV/37, 225f.).* Cotta entgegnet am 18. X. 1823, daß dies seit Jahr und Tag das Unangenehmste sei, was ihn täglich quäle, und legt Goethe noch einmal die Gründe dar, die ihn zu dem wiener Paralleldruck veranlaßten, bemerkt allerdings dazu, daß er glaube, Goethe seinerzeit davon geschrieben zu haben. Besonders interessant ist jedoch seine Darstellung über den Druck des *Divan* in B^a 21: „Nun erhalte ich als der Divan, glaube ich, erschienen einen 21sten Band mit der Entschuldigung gegen meine Protestation, daß er, Armbruster, hiezu genöthigt worden sey weil sonst andre österreichische Buchhändler dies Werk ... nachdrucken ... ich replicirte, daß er wenigstens meine Vollmacht dazu hätte haben müssen daß ich gegen jedes weitere ähnliche Einschreiten mich verwahre – allein er hatte meine Fonds, ich war in seinen Händen und dergleichen Processe sind schwer zu schlichten" (IV/ 38, 292). Diese Darstellung der Vorgänge zeigt, daß Cotta sich ebenso wie Goethe nicht mehr daran erinnerte, daß der Druck des *Divan* in Band 21 mit Goethes Wissen, ja mit seiner Zustimmung durchgeführt worden war und Goethe dazu sogar das von ihm nochmals durchgesehene Originalmanuskript zur Verfügung gestellt hatte. Angesichts dieser Tatsachen erscheint es erklärlich, daß die Bedeutung von B^a für die Geschichte des Goethetextes auch von den modernen Editoren erst spät entdeckt wurde.

γ) Ausgabe letzter Hand (C$^{1-3}$)

In der Zeit, da diese Briefe gewechselt wurden, war Goethe bereits intensiv mit dem Plan einer neuen großen Ausgabe beschäftigt, die als „Ausgabe letzter Hand" sein literarisches Werk für die Nachwelt in abschließender Form überliefern sollte. Seit dem 1. V. 1822, wo im Tagebuch zum ersten Male *Gedanken an eine neue Ausgabe meiner Werke auftauchen (III/8, 191),* zeugen Tagebücher und Briefe fortlaufend von dem großen Unternehmen, das Goethe in Angriff genommen hat. Da er jedoch nicht hoffen konnte, bei seinen hohen Jahren noch die Vollendung des großen Gebäudes zu erleben, mußte es zunächst sein dringendstes Anliegen sein, eine umfassende Ordnung, Zusammenstellung und Registrierung seiner gesamten Papiere vorzunehmen, um so wenigstens das Fundament zu sichern, auf dem auch im Falle seines früheren Hinscheidens die neue Ausgabe erstehen konnte. Sein Sekretär FThKräuter, ein *in Bibliotheks- und Archivsgeschäften wohlbewanderter Mann (I/41^{II}, 27, 14–15),* erhielt Anfang Mai 1822 den Auftrag zu einer archivarischen Ordnung und systematischen Verzeichnung von Goethes sämtlichen Akten, insbesondere

der schriftstellerischen Arbeiten: *Kräuter arbeitete seit gestern, alle Acten und Documente auf mich und meinen Wirkungskreis bezüglich aufzustellen und in Ordnung zu bringen* (Tgb. vom 7. V. 1822: *III/8, 193;* vgl. auch an Cotta 8. IX. 1822: IV/36, 159). Kräuter führte diese Arbeit während Goethes Abwesenheit im Sommer 1822 durch (Goethe weilte vom 16. VI. bis 29. VIII. in Marienbad und Eger) und übergab ihm bei seiner Rückkehr eine wohlgeordnete, sowohl seine gedruckten und ungedruckten literarischen Arbeiten als auch seine Tagebücher und Briefe umfassende Repositur, über deren Anordnung ein ausführliches Repertorium Auskunft gab (vgl. dazu WFlach: Goethes literarisches Archiv. In: Archiv und Historiker. Festschrift für HOMeisner S. 67). Kräuter behielt die Aufsicht über das Archiv, das in den folgenden Jahren laufend erweitert und vervollständigt wurde, laut testamentarischer Anordnung auch nach Goethes Tode. Er war in der Ausübung seiner Pflicht von den Vormündern der Enkel unabhängig und unterstand nur der Oberaufsicht des Kanzlers von Müller als Testamentsvollstrecker (vgl. Testament vom 6. I. 1831 § 3, I/53, 328 f.). Von der Bedeutung, die Goethe der Anlage seines literarischen Archivs beimaß, zeugt ein Aufsatz in *KuA* Band 4 Heft 1, 1823 S. 174 bis 178, in dem es ua. heißt: *Übersah ich nun öfters die große Masse, die vor mir lag, gewahrte ich das Gedruckte theils geordnet, theils ungeordnet, theils geschlossen, theils Abschluß erwartend, betrachtete ich, wie es unmöglich sei, in späteren Jahren alle die Fäden wieder aufzunehmen, die man in früherer Zeit hatte fallen lassen, oder wohl gar solche wieder anzuknüpfen, von denen das Ende verschwunden war, so fühlte ich mich in wehmüthige Verworrenheit versetzt, aus der ich mich, einzelne Versuche nicht abschwörend, auf eine durchgreifende Weise zu retten unternahm. Die Hauptsache war eine Sonderung aller der bei mir ziemlich ordentlich gehaltenen Fächer, die mich mehr oder weniger, früher oder später beschäftigten; eine reinliche ordnungsgemäße Zusammenstellung aller Papiere, besonders solcher, die sich auf mein schriftstellerisches Leben beziehen, wobei nichts vernachlässigt noch unwürdig geachtet werden sollte. Dieses Geschäft ist nun vollbracht; ein junger, frischer, in Bibliotheks- und Archivsgeschäften wohlbewanderter Mann hat es diesen Sommer über dergestalt geleistet, daß nicht allein Gedrucktes und Ungedrucktes, Gesammeltes und Zerstreutes vollkommen geordnet beisammen steht, sondern auch die Tagebücher,* *eingegangene und abgesendete Briefe in einem Archiv beschlossen sind, worüber nicht weniger ein Verzeichniß, nach allgemeinen und besondern Rubriken, Buchstaben und Nummern aller Art gefertigt, vor mir liegt, so daß mir sowohl jede vorzunehmende Arbeit höchst erleichtert, als auch den Freunden, die sich meines Nachlasses annehmen möchten, zum besten in die Hände gearbeitet ist (I/41^{II}, 25–28).*

Der Aufsatz in *KuA* wird eingerahmt von zwei weiteren, etwa um die gleiche Zeit entstandenen kleinen Arbeiten: *Selbstbiographie* und *Lebensbekenntnisse im Auszug* (I/41^{II}, 23f. und 29–31), die den ideellen Zusammenhang verdeutlichen, aus dem auch der für einen Dichter wohl einmalige Plan einer nach allen Regeln der Registratur vorgenommenen Bearbeitung seiner bisherigen schriftlichen Aussagen erwachsen war. Es ist das ,,Bemühen um die historische Durchdringung des eigenen Lebens" (Flach aO. 66), das in diesen Jahren in Goethe beherrschend ist und auf das sich eine Reihe weiterer Unternehmen dieser Zeit gründen: neben der Inangriffnahme der letztwilligen Ausgabe, die den Ertrag seines dichterischen Lebens bergen sollte, die Bearbeitung der als *Tag- und Jahreshefte* bezeichneten Lebenserinnerungen sowie auch der Versuch einer Übersicht über die Chronologie seiner Werke, die nach mancherlei Mühen schließlich auf die *Summarische Jahresfolge Goethescher Schriften* im 20. Band der Ausgabe B beschränkt werden mußte (vgl. oben Sp. 2018f.).

Nach der Sicherung des literarischen Nachlasses war es das nächste Hauptanliegen Goethes, geeignete Mitarbeiter zu finden, die ihm bei der unmittelbaren Vorbereitung der Ausgabe behilflich sein konnten. Denn wenn seine Papiere von Kräuter auch in eine feste äußere Ordnung gebracht worden waren, so galt es nun, eine intensive Sichtung, eine Scheidung des für den Druck Brauchbaren vom Ungeeigneten und eine endgültige Herrichtung der Texte vorzunehmen. Diese Arbeit allein durchzuführen, mußte Goethe bei der Masse und Vielseitigkeit des vorliegenden Materials unmöglich scheinen. Zudem wollte er seine Kräfte für die neuen großen Dinge, die in ihm lebten, wie vor allem die Vollendung von *Faust II* und die Fortführung von *Dichtung und Wahrheit* freihalten. Zwar standen ihm Meyer und Riemer, die in langjähriger gemeinsamer Tätigkeit geschulten Mitarbeiter, nach wie vor zur Seite (vgl. *Anstalten zu Herausgabe meiner Werke; I/41^{II}, 402f.: Zwei Freunde, schon viele Jahre mit dem Verfasser*

wirkend, deren Arbeiten in die seinigen verflochten und verschlungen sind, übernehmen jeder den ihnen zusagenden Theil der Arbeit und führen ihn auch bei eintretenden Zufälligkeiten durch; vgl. auch an JSBoisserée 13. XII. 1823: IV/37, 281f.), doch waren sie von eigenen Geschäften zu sehr in Anspruch genommen, als daß man ihnen die ganze Last der Vorarbeiten zumuten konnte.

So hatte Goethe bereits im Jahre 1823 angefangen, sich nach jungen Leuten umzusehen, *denen man Redaction von Papieren übertragen könnte, welche selbst zu leisten man wohl die Hoffnung aufgeben muß* (11. VI. 1823 an Cotta: IV/37, 62). Nachdem er verschiedenen anderen Spuren bereits gefolgt war (vgl. an JVAdrian 3. II. 1823: IV/36, 303f. und dazu an CLFSchultz 11. VI. 1823: IV/37, 71), begegnete ihm in JPEckermann der geeignete Mann, den er sich ganz für seine Zwecke heranbilden konnte und der in der Folgezeit sein treuester und unentbehrlichster Gehilfe wurde. Eckermanns erste Aufgabe nach seinem Besuch bei Goethe war eine als eine Art Probearbeit gedachte Durchsicht der 1772/73 in den FGA anonym gedruckten Rezensionen des jungen Goethe, die für den Druck in der geplanten Ausgabe redigiert werden sollten (vgl. Tgb. vom 16. VI. 1823 und 15./16. IX. 1823: III/9, 62 und 116 sowie I/38, 298f.).

Auch später galt Eckermanns Mitwirkung an der Vorbereitung der Ausgabe letzter Hand vor allem der Bearbeitung des noch im Urzustand ruhenden handschriftlichen Materials (vgl. die Darstellung, die Eckermann selbst später von der ihm gewordenen Aufgabenstellung gab, wonach ihn Goethe ,,an einen Haufen starker Convolute von allerlei Manuscripten führte. Sie sehen hier, sagte er, eine Masse ungeordneter, theils auch nicht ganz vollendeter Gedichte, Xenien, Aphorismen, so wie Packete von Aufsätzen und Abhandlungen über die verschiedenartigsten Erscheinungen deutscher und ausländischer Literatur, Gegenstände der Kunst und alle Zweige der Naturwissenschaft, worin ich ein halbes Leben mich bemüht habe. – Unter allen diesen Papieren das Brauchbare vom Unbrauchbaren zu sondern, das Problematische und nicht ganz Vollendete mit mir zu besprechen, das entschieden Fertige abschreiben zu lassen, und alles nach inneren Bezügen nach und nach zu ordnen und zu Bänden zusammenzustellen ist eine Arbeit, die eine Jahre lange Thätigkeit in Anspruch nehmen wird. – Wollte ich mich selbst damit befassen, so würde ich bei meinem hohen Alter weiter nichts thun können. Wollten Sie aber mir diese Arbeit abnehmen, so wäre ich eine große Last und Sorge los und ich könnte mich mit allen noch übrigen Kräften auf die Hervorbringung von neuen Dingen wenden, und vor allen den Faust und Wahrheit und Dichtung fertig machen"; HHHouben: JPEckermann, sein Leben für Goethe. Band 1 Leipzig 1925. S. 146).

Woran es jedoch nach wie vor fehlte, war eine geeignete Kraft, der man die Revision der bereits gedruckten Werke übertragen konnte. Goethes Wahl fiel dabei zunächst auf Carl Ernst Schubarth, der ihm durch seine Schulung als klassischer Philologe und Ästhetiker und durch seine eingehende Kenntnis der Goetheschen Werke (Schubarth war 1818 mit einer Schrift „Zur Beurteilung Goethes mit Beziehung auf verwandte Literatur und Kunst" hervorgetreten) für dieses Geschäft besonders berufen schien. Durch die Vermittlung des berliner Staatsrathes CLFSchultz trug er ihm seine Wünsche am 3. VII. 1824 wie folgt vor: *Die Vorbereitungen zu einer neuen Ausgabe meiner Werke gehen ununterbrochen fort, wobey mir mehr um die Sicherung meines literarischen und biographischen Nachlasses für künftige Zeiten und um die Brauchbarkeit desselben, auch ohne mein Zuthun, besorgt bin, als um ein eiliges Hervortreten. Schon sind zerstreute Papiere gesammelt, Entwürfe redigirt und gestaltet, daher denn alles was als Manuscript oder außer Verbindung dalag nunmehr schon brauchbar und einzuordnen ist. Manches jedoch bleibt zu thun übrig. Woran ich jetzt aber vor allem zu denken habe ist die Revision der schon gedruckten Werke, sowohl der zwanzig Bände, als der später herausgegebenen. Es wäre darum zu thun diese Bände mit grammatischem Aug durchzugehen, mit kritischem Scharfsinn zu prüfen, ob vielleicht irgend ein Druckfehler verborgen liege, dann wäre eine Conjectur zu notiren, und so das Ganze rein in sich herzustellen, wie es bleiben soll, ohne daß man sich bemühte manches besser auszudrucken, wenn es auch leicht geschehen könnte. Eben so wäre die Interpunction mit Milde zu behandeln und allenfalls nur die überflüssigen Unterscheidungszeichen, die zu jenen Zeiten im Schwang waren, auszulöschen (IV/38, 183).* Schubarths zustimmende Antwort und seine Meldung, daß er sich zu dem kritischen Unternehmen gerüstet habe, erfolgte jedoch erst am 25. I. 1825 (GSA, ungedruckt), als sich Goethe bereits der Mitwirkung CWGöttlings versichert hatte. Gleichwohl war Goethe anfangs nicht abgeneigt, beide Männer gleichzeitig zu beschäftigen und Schubarth zunächst die Bearbeitung von *DuW* anzuvertrauen (an Schubarth 6. II. 1825: IV/39, 109f.). Später jedoch, als Schubarth sich neuerlich zustimmend erklärt hatte (Brief vom 3. III. 1825: GSA, ungedruckt), kamen ihm Bedenken, ob es möglich und ratsam sei, das Geschäft in der geplanten Form aufzuteilen: *Allein bey näherer Betrachtung fand sich viele Bedenklichkeit: man mußte sich vorerst über Rechtschreibung der deutschen Worte, sodann der aus fremden Sprachen entlehnten vergleichen, ferner über Flexion, worin ich mir manches Willkürliche erlaubt habe; die Interpunction kommt alsdann in Betracht; und sollten nicht in den meisten dieser Dinge zwey vorzügliche Männer verschiedenen Überzeugungen nachgehen? Wer sollte zuletzt entscheiden? und würde ich nicht gerade, indem ich einer solchen Bemühung auszuweichen gedenke, sie dadurch auf mich heranlocken? (21. III. 1825 an Schubarth: IV/39, 149 f.).* Dazu kamen Schubarths damalige Entfernung von den erforderlichen literarischen Hilfsmitteln, die räumliche Entfernung, die ihn von Goethe trennte, und die Ungewißheit seines Aufenthalts (Schubarth hielt sich damals bei Verwandten in Schlesien auf), die Goethe dazu bewogen, von seinem ursprünglichen Vorsatz abzugehen.

Die Revision der bereits gedruckten Werke blieb daher Carl Wilhelm Göttling allein vorbehalten, der die ihm übertragene Aufgabe in den folgenden Jahren mit großer Sorgfalt und aufopferungsvoller Geduld durchführte. Göttling, der seit 1821 in Jena als Privatdozent und tit. a.o. Professor für klassische Philologie wirkte, hatte Goethe schon zur Zeit seines Amtsantritts bei der Übersetzung der Fragmente des Euripideischen Phaeton beigestanden und schon damals Goethes Zufriedenheit geerntet (vgl. EGrumach, Goethe 12, 1950 S. 72). Als sich daher Goethe am 10. I. 1825 an ihn mit der Bitte wandte, die zwanzig Bände der letzten Ausgabe sowie das übrige besonders Gedruckte aufmerksam zu korrigieren, *welches freylich nur von einem geistreichen und im kritischen Fache geübten Manne geschehen kann*, so tat er das in der Überzeugung, daß die Revision seiner Werke in den Händen eines klassischen Philologen am besten aufgehoben sei und die Bemühung, die dieser sonst den alten Schriftstellern zuwandte, nun auch seinen Schriften zugute kommen konnte. Die Pflichten, die Göttling mit der Revision der Werke übernehmen würde, umriß Goethe folgendermaßen: *1) daß der Text genau durchgegangen, auffallende, von selbst sich ergebende Druckfehler corrigirt würden. 2) Daß da, wo sich etwa ein Dunkel- oder Widersinn ergibt, die Stelle bemerkt würde und deshalb Anfrage geschähe. 3) Daß etwa eine, in früherer Zeit gewöhnliche, allzuhäufige Interpunction und Commatisirung ausgelöscht und dadurch ein reinerer Fluß des Vortrags bewirkt werde. In solchem Falle sind freylich keine Codices zu collationiren, denn die früheren Ausgaben würden hier nur kümmerliche Nachweisung geben; aber eben deshalb hat der Verfasser zu wünschen daß diese Arbeit bey seinen Lebzeiten geschehe, damit, nach einiger Berathung, der Entschluß alsobald gefaßt werden könne (IV/39, 76f.).*

Am 19. I. 1825 erklärte sich Göttling bereit, die ihm angetragene Aufgabe zu übernehmen (GSA, ungedruckt), und erhielt bereits am 22. I. die beiden ersten Bände der Ausgabe B zugesandt (IV/39, 88). Nach ihrer Durchsicht sah er sich in der Lage, Goethe in einem langen Schreiben (8. III. 1825, GSA, ungedruckt), von seiner Tätigkeit, wie er sie auffaßte und durchzuführen gedachte, Rechenschaft zu geben und ihm die „Erfordernisse einer Recension im philologischen Sinne" darzulegen. Er habe sich, so bemerkt er eingangs, bei jeder der von ihm vorgenommenen Änderungen gefragt, „ob ich dieselbe Veränderung bei einem alten Griechen oder Römer gemacht haben würde". Es folgen umfangreiche Erläuterungen über „eine consequent durchgehende Orthographie", die Regelung der Schreibung von Fremdwörtern und -namen und die Vereinheitlichung der Flexion. Die Interpunktion, bemerkt Göttling, habe er verändert, wie er sie nach bester Überzeugung bei seinen Griechen und Römern dargestellt haben würde. Goethe zeigte sich so befriedigt über *die so gründlich begonnene Arbeit,* daß er ihm bereits in seinem nächsten Brief vom 12. III. 1825 *völlige Macht und Gewalt* erteilte, *fernerhin nach Ihrer Überzeugung zu handeln: a) die Rechtschreibung betreffend; b) die Flexion; c) Schreiben der aus fremden Sprachen entlehnten Wörter; e) Interpunction (IV/39, 135f.).* Danach korrigierte Göttling in der Folgezeit die 20 Bände der Ausgabe B sowie die als Druckvorlage dienenden Einzeldrucke und übersandte Goethe mit den fertigen Bänden in Listenform angelegte ausführliche briefliche Nachweise über die von ihm vorgenommenen Veränderungen. Goethe aber gab sich dem beruhigten Gefühl hin, einen Helfer gefunden zu haben, dessen Sorgfalt und Gründlichkeit er vertrauen und dem er das ihm so lästige Korrekturgeschäft fast ausschließlich

überlassen konnte (vgl. dazu EGrumach aO. 66–70).

Neben der Sorge um die Vorbereitung der Druckvorlagen ging Goethes Bemühen einher, der geplanten Ausgabe den für damalige Verhältnisse wirksamsten Schutz gegen jeglichen Nachdruck und damit seinen Erben einen möglichst hohen Gewinn aus dem neuen Unternehmen zu sichern. Am 11. I. 1825 richtete Goethe daher an die deutsche Bundesversammlung ein Gesuch um Gewährung eines Privilegs für die neue vollständige Ausgabe seiner Werke, wodurch sie gegen Nachdruck in allen deutschen Bundesstaaten und Österreich geschützt würde (IV/39, 82–85). Goethes Hoffnung, ein Gesamtprivileg der deutschen Bundesversammlung zu erhalten, durch welches *die höchsten Herrscher dasjenige was sie sonst wohl einzeln verliehen auch jetzt zusammen gewähren und einen Act verbündeter Souverainität dadurch auszusprechen geneigt seyn möchten* (7. I. 1825 an FvGentz: IV/39, 73), ließ sich allerdings nicht verwirklichen. Dagegen gelang es ihm nach langwierigen und weitverzweigten Verhandlungen, von jedem einzelnen Mitgliedsstaat des deutschen Bundes sowie von Österreich ein Sonderprivileg zu bekommen, womit ihm der erwünschte Schutz in deren gesamten Machtbereich zuteil wurde – ein für die damalige Zeit ungewöhnlicher Erfolg und zudem ein bedeutsamer Meilenstein auf dem Wege zu einem einheitlichen deutschen Urheberschutzgesetz (vgl. dazu HFröbe: Die Privilegierung der „Ausgabe letzter Hand" Goethes sämtlicher Werke. Diss. Erlangen 1951).

An Cotta hatte Goethe bereits am 19. IV. 1822 (IV/36, 20f.) eine erste Andeutung seines Vorhabens, eine neue große Ausgabe seiner Werke zu veranstalten, ergehen lassen. Auch in der Folgezeit unterrichtete er ihn laufend über den Stand der Vorarbeiten (vgl. zB. IV/36, 159; 37, 62f.), und Cotta erklärte sich bereit, den Verlag zu übernehmen: *Die neue Ausgabe meiner Werke ist mit Cotta zur Sprache gekommen, der sich im Allgemeinen willfährig erklärt* (5. XI. 1823 an CLFSchultz: IV/37, 268). Als sich die Vorbereitungen dem Abschluß näherten und eine endgültige Fixierung der Bedingungen der gegenseitigen Partnerschaft geboten war, kam es jedoch zu einigen Spannungen zwischen Dichter und Verleger. Goethe erwartete die Vorschläge Cottas über die Frage der Honorierung: *Möchten Sie inzwischen bedenken wie diese heranwachsende Masse dem Autor zu Gute kommen könnte, wie und zu welcher Zeit man allenfalls hervorträte, so würde mir hoffentlich die Freude werden daß ein für die Zukunft gesichertes Geschäft noch durch mich eingeleitet und begonnen werden könnte* (30. V. 1824 an Cotta: IV/38, 150). Cotta wollte jedoch erst dann damit hervortreten, wenn ihm nähere Angaben über Umfang und Anlage des Werkes vorlagen (an Goethe 15. II. 1824: „Sowie der Plan für die gesammte Werke vorliegt will ich diesen Gegenstand die ernstlichste Aufmerksamkeit schenken und meine Ansicht dann mittheilen"; GSA, ungedruckt). Goethe erblickte in dieser Haltung Cottas ein mangelndes Interesse an dem Unternehmen, zumal bei ihm bereits laufend Anträge anderer Verleger (ua. der Gebrüder Brockhaus, Leipzig, der Firma Josef Max, Breslau) einliefen, die sich nur auf Grund des Gerüchtes, daß Goethe an einer neuen großen, durch Privilegien vor jeglichem Nachdruck gesicherten Ausgabe arbeite, und ohne Kenntnis der näheren Bedingungen mit zum Teil sehr beachtlichen Angeboten um den Verlag der Ausgabe bemühten: *Lassen Sie mich aufrichtig und vertraulich reden, es sey nur zwischen uns beiden: den Antrag wegen einer neuen Ausgabe meiner Werke that ich schon vor zwey Jahren an Herrn v. Cotta; er behandelte die Sache dilatorisch, das ich mir gefallen ließ, weil ich selbst noch viel daran zu thun hatte, verziehen wird es mir daher seyn wenn ich seinen letzten Brief in eben dem Sinne geschrieben fand. Wie leicht das Geschäft zu übersehen ist ergibt sich daraus, daß die bedeutenden Anträge von der Leipziger Messe ohne weitere Vorkenntniß des Einzelnen geschehen ... Herr v. Cotta, der die größten Unternehmungen mit Einem Blick übersieht, ist vor allem im Stande das gegenwärtige Geschäft zu überschauen, da ihm ja das Einzelne seit Jahren durchaus bekannt ist* (20. V. 1825 an JSBoisserée: IV/39, 196f.). Unter dem Einfluß seiner Familie, besonders seines Sohnes August, der in starkem Maße an den geschäftlichen Verhandlungen beteiligt und eine möglichst hohe Honorierung der Ausgabe zu erzielen bestrebt war, verhielt sich Goethe gegenüber den Anerbieten der anderen Buchhändler nicht abgeneigt. So verhandelte er zB. zusammen mit August bei einem Besuch der Brüder Brockhaus in Weimar am 14./15. V. 1825 (III/10, 55) mit diesen ernsthaft über die Bedingungen einer Verlagsübernahme. Diese Haltung Goethes erbitterte wiederum Cotta, dem ja aufgrund der früheren Verträge das Vorrecht vor allen anderen Verlegern zugesichert war. Der geschickten und verständnisvollen Vermittlung des gemeinsamen Freundes Boisserée war es zu

danken, daß schließlich doch eine Einigung zwischen Goethe und Cotta erzielt werden konnte und daß Cotta, zu Goethes ausgesprochener Zufriedenheit und Erleichterung, auch diese Ausgabe seiner Werke anvertraut wurde (vgl. dazu 3. II. 1826 an Cotta und an Boisserée; IV/40, 282 und 283f.).

Am 6. III. 1826 übermittelte Goethe über Boisserée (IV/40, 313) den *vollzogenen und vidimirten Contract,* auf der Grundlage der von Cotta am 27. 8. 1825 angebotenen Bedingungen („Indem ich ... für das Honorar Ihrer sämtlichen Werke gesichert gegen jeden Nachdruck 10,000 rh. mehr als jeder andere anbot, wollte ich zeigen, daß ich unser Verhältniß nicht blos auf die Contracte gegründet, sondern Ihnen zeigen möchte, daß ich dasselbige über alles hochschätze – Durch die Anerbietungen andrer bis zu 50,000 rh. ist dies Mehr Anerbieten zur Summe von 60,000 rh. gestiegen": IV/40, 359), und erhielt am 28. III. das von Cotta unterzeichnete Exemplar (Begleitbrief Cottas GSA, ungedruckt).

Der Vertrag (die endgültige Fassung, die sich handschriftlich im GSA befindet, ist bisher ungedruckt; veröffentlicht sind lediglich zwei Vorentwürfe vom 20. IX. 1825: IV/40, 371f. und vom 8. I. 1826: ebda 236–38) enthält ua. folgende Vereinbarungen: *1. Die vollständigen von Goethischen Werke nebst des Verfassers dereinstigen Nachlaß, so fern sich derselbe zum Druk eignen dürfte, werden auf Zwölf Jahre und zwar von der Ausgabe der letzten Lieferung an zu rechnen gedachter Handlung in Verlag gegeben. – 2. Sie verbindet sich eine gute Ausgabe in Octav und eine anständige Taschen Ausgabe nach einem mit dem Autor zu bestimmenden, der Anzeige beizufügenden Muster, zu veranstalten. – 3. Ferner verpflichtet sich der Herr Verleger die nach dem bereits vorgelegten Inhalts-Verzeichniß in Vierzig Bände vertheilten Werke mit: Sechzig Tausend Thalern Sächs. nicht unter 1/6 Stüken, zu honoriren. – 4. Damit das Honorar womöglich noch gesteigert werde, gedenkt man eine Subscription zu eröffnen und in der Anzeige zu erklären daß mit der Subscription das Honorar welches dem Autor und seiner Familie zu Gute kommen soll sich steigern werde. – 5. Im Fall die Subscription welche noch ein halbes Jahr nach Anfang des Drukes offen bleiben soll die Zahl von Zwanzig Tausend Exemplaren der Taschen-Ausgabe erreichen würde, verbindet man sich für die Octav-Ausgabe ein besonderes Honorar zu geben, jedoch weil die Kosten so viel größer und die Aussichten zum Absatz so viel geringer sind, in demselben Verhältniß wie die Taschen Ausgabe.*

*Ferner sollen alle Exemplare der Taschen Aus-
gabe wofür über Zwanzig Tausend subscribirt
würde gleichfalls mit Drei Thalern sächs. vom
Exempl. honorirt werden. – 8. Ein jedes Ein
Tausend Exempl. welches nach der Subscription noch wird abgesetzt werden mit Zwei Tausend Thalern sächs. zu honoriren und in Jahresfrist nach dem Absatz zu bezalen wird zugesagt.*

Dem Publikum wurde die Ausgabe im Morgenblatt für gebildete Stände Nr. 25 vom
19. VII. 1826 sowie in einem Einzeldruck, der
KuA Band 6 Heft 1 beigelegt wurde, angekündigt. Die Anzeige enthielt ein Verzeichnis des vorgesehenen Inhalts der 40 Bände,
eine Bekanntgabe der Subskriptionsbedin-
gungen (danach kostete die Taschenausgabe
auf weißem Druckpapier bei Ratenzahlung
12 Reichsthaler, bei voller Vorauszahlung
10 Reichsthaler 12 Groschen; dieselbe auf Velinpapier 18 Reichsthaler; die Oktavausgabe auf
Velinpapier 50 Reichsthaler 16 Groschen, auf
Schweizerpapier 40 Reichsthaler, auf Druckpapier 32 Reichsthaler) und einige Erläuterungen Goethes, die sich vor allem darauf
bezogen, *wie man der gegenwärtig angekündigten Ausgabe die Prädicate von sämmtlich,
vollständig und letzter Hand zu geben sich
veranlaßt gefunden. ... die Bezeichnung vollständig will sagen, daß theils in der Auswahl
der noch unbekannten Arbeiten, theils in Stellung und Anordnung überhaupt vorzüglich
darauf gesehen worden, des Verfassers Naturell,
Bildung, Fortschreiten und vielfaches Versuchen
nach allen Seiten hin klar vor's Auge zu bringen, weil außerdem der Betrachter nur in unbequeme Verwirrung gerathen würde. Der Ausdruck letzter Hand jedoch ist vorzüglich vor
Mißverständniß zu bewahren. Wo er auch je
gebraucht worden, deutet er doch nur darauf hin,
daß der Verfasser sein Letztes und Bestes gethan,
ohne deßhalb seine Arbeit als vollendet ansehen
zu dürfen. Da ich nun aber, wie aus Vergleichung aller bisherigen Ausgaben zu ersehen
wäre, an meinen Productionen von jeher wenig
zu ändern geneigt gewesen, weil mir das, was
zuerst nicht gelang, in der Folge zu bessern niemals gelingen wollen, so wird man auch in dieser wenig verändert finden. An die bisher nicht
gekannten oder minder geachteten Aufsätze ist
hingegen genugsamer Fleiß gewendet worden,
so daß sie theilweise von einer späteren Bildung
gar wohl Zeugniß geben können (I/42^I, 109 bis
120).*

Zur Ostermesse 1827 erschien die erste Lieferung (Band 1–5) der Taschenausgabe (Goethe
erhielt die ihm zustehenden Freiexemplare
am 19. V.; III/11, 58), während die erste Lieferung der Oktavausgabe zur Ostermesse des
folgenden Jahres ausgegeben wurde. Seinen
Abschluß fand das Unternehmen erst im März
1831 mit der Fertigstellung des 38. und 39.
Bandes der Oktavausgabe (am 10. III. 1831
übersandte Cottas Faktor WReichel die rest-
lichen Aushängebogen der genannten Bände
mit der Bemerkung: ,,Und so wäre denn nun
in Gottes Namen auch diese Ausgabe zu
ihrem Ziele gebracht"; GSA, ungedruckt; vgl.
Goethes Antwort vom 19. III. 1831: *IV/48,
149*, in der er dankbar der Vorsehung gedenkt,
*die mich gegen alle Wahrscheinlichkeit die Be-
endigung dieses wichtigen Geschäfts erleben
ließ.*)

Sowohl die Taschenausgabe (Sigle: C^1) als
auch die Oktavausgabe (Sigle: C^3, in WA: C)
erschienen unter dem Titel ,,Goethe's Werke.
Vollständige Ausgabe letzter Hand. Unter des
durchlauchtigsten deutschen Bundes schützenden Privilegien. Band 1–40. Stuttgart und
Tübingen, in der J. G. Cotta'schen Buchhandlung 1827–30" (C^3: 1831). Inhalt: Band 1–4:
Gedichte. Dazu in Band 4: Aufklärende Bemerkungen; Dramatisches; Zahme Xenien.
Band 5/6: Divan mit Noten und Abhandlungen. Band 7 = A 4 ohne Elpenor. Band 8:
Götz; Egmont. Band 9 = B 7 ohne Elpenor.
Band 10: Elpenor; Clavigo; Stella; Claudine;
Erwin und Elmire. Band 11: Jery und Bätely;
Lila; Fischerin; Scherz, List und Rache; Zau-
berflöte; Palaeophron; Vorspiel 1807. Was
wir bringen; Theaterreden. Band 12: Faust.
Band 13 = B 9 ohne Faust und mit: Masken-
züge; Carlsbader Gedichte; Epimenides. Band
14 = B 10 ohne Die Aufgeregten. Band 15:
Die Aufgeregten; Unterhaltungen deutscher
Ausgewanderten; Die guten Weiber. Novelle.
Band 16 = B 12. Band 17 = B 14. Band
18–20 = B 3/4. Band 21/23: Wilhelm Meisters Wanderjahre. Band 24–26 = B 17–19.
Band 27 bis 29: Italienische Reise. Band 30:
Campagne in Frankreich. Band 31/32: Tag-
und Jahreshefte. Zum Andenken Anna Amalia und Wieland. Band 33: Rezensionen; Prometheus; Götter, Helden und Wieland. Band
34/35 = B 15/16. Band 36: Rameau; Diderot. Band 37: Winkelmann; Hackert. Band
38/39: Kunsthistorische Schriften. Band 40
= B 11. – Erscheinungsjahre von C^1: Band
1–10: 1827. Band 11–20: 1828. Band 21–30:
1829. Band 31–40: 1830. – Erscheinungsjahre
von C^3: Band 1–2: 1827. Band 3–10: 1828.
Band 11–15: 1829. Band 16–37 u. 40: 1830.
Band 38–39: 1831.

Die Taschenausgabe beruht in ihren bereits

früher gedruckten Teilen auf den 20 Bänden der Ausgabe B und auf den in der Zwischenzeit neu erschienenen Einzeldrucken, die Goethe an Göttling zwecks gründlicher Revision übersandt hatte (vgl. oben Sp. 2030f.). Vorlage für die Oktavausgabe wurde ein von Göttling nochmals revidiertes Exemplar der Taschenausgabe, um etwa übersehene oder durch den Druck neu entstandene Fehler zu beseitigen: *Wollten Sie daher mir bald ein vollständiges Exemplar* [von Band 1 und 2 der T.A.] *durch die fahrende Post zuschicken und das Original mit beylegen, so würde für nochmalige Revision und Beseitigung aller etwaigen Anstände gesorgt werden, und wir eines großen Vortheils genießen, wenn die Octavausgabe nach der Taschenausgabe abgesetzt würde* (an W Reichel 3. IV. 1827: *IV/42, 117*). Goethe selbst beschränkte seine Mitwirkung an dem Korrekturgeschäft auf ein möglichstes Mindestmaß, doch wenn man bei der Revision der Druckvorlage für die Taschenausgabe noch von einer wirklichen Mitarbeit Goethes sprechen kann, so überließ er Göttling die Vorbereitung der Oktavausgabe fast ausschließlich: *Ein paar blaue Zeichen finden Sie auch in dem zweyten Bande* [von C¹], *doch habe ich's weiter unterlassen; ich werde durch das Gedicht fortgezogen und, was schlimmer ist, durch die Erinnerung an vorige Zeiten verwirrt. Es sey Ihnen alles anheim gegeben* (23. IV. 1827 an Göttling: *IV/42, 155f.*). So trägt der Text der Ausgabe l. H. in starkem Maße den Stempel der Korrekturtätigkeit Göttlings, dem Goethe in so tiefgreifenden Fragen wie der Orthographie, der Interpunktion und der Flexion völlige Handlungsfreiheit überlassen hatte. Wenn Goethe auch die Korrekturen Göttlings gebilligt und ausdrücklich gewünscht hat, so hatten sie doch in ihrer Gesamtheit oft eine Überfremdung des eigentümlich Goetheschen zur Folge, was sich zB. im Falle der Interpunktion, von der Goethe und Göttling ganz verschiedene Vorstellungen hatten, für den Text sehr nachhaltig auswirkte (vgl. dazu die von E Grumach aO. 73 bis 81 angeführten Beispiele). Dazu kamen eine Fülle von Einzeländerungen wortkritischer Natur, die Göttling anregte und die von Goethe oft allzuschnell und ohne genauere Prüfung übernommen wurden, die aber im Interesse der Dichtung besser unterblieben wären. Die seit dem Beispiel der WA übliche hohe Wertschätzung des Textes der Oktavausgabe l. H. als Goethes heiligem Vermächtnis, als letztwilliger, mit größter Umsicht und einer Sorgfalt wie bei keiner früheren Ausgabe vorgenommenen Textrezension (vgl. Vorbe-

richt zu WA I/1, XVIII–XXIV) entspricht daher nicht dem wahren Gang der Druckgeschichte und bedurfte mancher Korrektur (vgl. unten Sp. 2046f.).

Auch von der Taschenausgabe letzter Hand existieren zwei Doppeldrucke (C²), nämlich ein Neudruck von Band 1–10 mit der einheitlichen Jahreszahl 1828 (C²ᵃ), und eine Neuauflage von Band 1–40 (C²ᵝ), deren Erscheinungsjahre in den ersten zehn Bänden C²ᵃ, in den übrigen Bänden C¹ entsprechen (Kennzeichen bei W Hagen S. 43–63). Die Redaktoren der WA, deren Wissen über diese Drucke noch unzureichend war (auf den doppelten Satz von C¹ hatte zum ersten Male Gv Loeper I/2, 299 hingewiesen), hielten die Doppeldrucke von C¹ für „textkritisch wertlos" (vgl. A Fresenius I/13ᴵᴵ, 139), obwohl bereits B Seuffert, wenngleich ohne nähere Belege, in den Lesarten zu Band 18 (S. 391) darauf hingewiesen hatte, daß C² in einigen Bänden nach den für C³ revidierten Exemplaren von C¹ gesetzt worden ist. Erst 1937 wurde das Problem erneut aufgegriffen. Im Rahmen seiner *Divan*-Edition in der Welt-Goethe-Ausgabe (Band 5, S. 390) wies K Burdach nach, daß C² in den beiden *Divan*-Bänden die für den Druck von C³ vorgenommenen Korrekturen von C¹ enthält, also aus der gleichen Druckvorlage wie C³ stammt. Eine durchgängige Beschreibung der beiden Doppeldrucke von C¹ mit Mitteilung einiger Kennzeichen für alle Bände brachte schließlich 1946 W Kurrelmeyer (MLN 61, 1946 S. 145 bis 153), der jedoch die Frage ihrer textkritischen Bedeutung nur streifte. Die von W Hagen im Rahmen der AkA durchgeführte eingehende Überprüfung sämtlicher Bände von C² (Beiträge zur Goetheforschung Band 1, S. 35–51) lieferte den Beweis, daß der Doppeldruck C²ᵃ (di. der 1828 datierte Neudruck von Band 1–10) in der Gesamtheit seiner Bände auf den Druckvorlagen für C³ beruht und somit ein wertvolles Korrektiv für die entsprechenden Bände von C³ darstellt. Aus den im Cottaschen Hausarchiv erhaltenen Briefen des damaligen Faktors der Cotta'schen Druckerei in Augsburg, W Reichel, an Cotta geht hervor, daß C²ᵃ bereits in den Jahren 1828/29, dh. unmittelbar im Anschluß an die ersten beiden Lieferungen von C¹ und C³ hergestellt wurde. Dagegen ist C²ᵝ (die Neuauflage von Band 1–40) ein bedeutungsloser Nachdruck, der vermutlich erst spät (nach 1830) entstand und eine Vielzahl eigenmächtiger Abweichungen enthält. Da seine ersten zehn Bände auf C²ᵃ beruhen, sind ihm die Korrekturen für C³ zwar ebenfalls zugute gekommen, doch stammen alle folgenden Bände aus einem unkorrigierten Exemplar von C¹ und sind ohne jeden textkritischen Wert. Über diese beiden Doppeldrucke hinaus vermutete weitere Neudrucke von C¹1–10 (vgl. ESchmidt, GoetheJb. 16, 1895, S. 262 sowie KBurdach aO. 390) haben sich bisher nicht nachweisen lassen und existieren offenbar nicht.

δ) Nachlaßbände

Nach Goethes Tode wurden die vierzig Bände der Ausgabe l. H. durch zwanzig Nachlaßbände ergänzt. In einem Nachtrag zu seinem Testament vom 22. I. 1831, der die Veröffentlichung des literarischen Nachlasses regelte, hatte Goethe diejenigen Werke bezeichnet, die *im Gefolg der Vierzig heraus gegeben werden könnten.* Den Umfang des handschriftlichen Materials, das zum größten Teil zum Abdruck bereit läge und nur weniger Revision und Nachhilfe bedürfte, schätzte Goethe auf 10–12 Bände. Die endgültige Redaktion, Revision und Anordnung der gedachten Bände sollte Eckermann obliegen, den das Testament neben Riemer und vMüller zum Verwalter des handschriftlichen Nachlasses ernannt hatte (vgl. FTewes: Aus Goethes Lebenskreise, JPEckermanns Nachlaß. Berlin 1905. S. 272f.). Ein am 15. V. 1831 getroffenes Sonderabkommen zwischen Goethe und Eckermann wiederholte noch einmal ausführlich den vorgesehenen Inhalt des Nachtrags (neben den naturwissenschaftlichen Schriften sollte er vor allem *Faust II,* den *Urgötz* sowie die Bühnenbearbeitung des *Götz* und den 4. Band von *DuW* enthalten) und bestimmte ferner: *Herr Dr. Eckermann hat mir seit verschiedenen Jahren bey Bearbeitung vorstehender Werke treulich beygestanden; inwiefern sie als abgeschlossen oder unvollendet anzusehen sind davon wird er jederzeit die beste Auskunft geben können. Ich ernenne ihn deshalb zum Herausgeber vorgemeldeter Werke ... Herr Dr. Eckermann ... wird die Vertheilung gedachter Schriften in Bände, die Folge derselben, worüber wir schon Unterredung gepflogen, besorgen und auf Erfordern ein gereinigtes Manuscript überliefern* (Tewes S. 269f.).
Am 25. VIII. 1832 übersandte Müller an Cotta den in Weimar legalisierten Vertrag über die Herausgabe von 15 Nachlaßbänden, die in 3 Lieferungen zu je 5 Bänden erscheinen sollten (Brief und Vertrag handschriftlich im Cottaschen Hausarchiv). Auch hiervon waren zur Ergänzung der vorausgegangenen Reihen zwei Ausführungen, eine Taschen- und eine

Oktavausgabe, vorgesehen, wobei die Oktavausgabe, wie schon bei den früheren vierzig Bänden, wiederum nach einem durchgesehenen Exemplar der Taschenausgabe gesetzt wurde. Die erste Lieferung der Taschenausgabe erschien im Januar, die zweite im Mai 1833, während die dritte Lieferung zur Michaelismesse des gleichen Jahres ausgegeben wurde. Eine von Eckermann als verantwortlichem Herausgeber entworfene Vorrede, die den Erstdruck von *Faust II* im 41. Bande der Nachgelassenen Werke einleiten sollte, wurde nicht gedruckt und ist erst hundert Jahre später von HHHouben (Band 2 S. 60–68) veröffentlicht worden. Die Annahme Houbens, nach der die Zurückhaltung der Eckermannschen Vorrede eine Revanche Müllers gewesen sei (Eckermann hatte sich geweigert, den von Müller gedichteten Prolog zu *Faust II* in den von ihm redigierten Erstdruck aufzunehmen), kann allerdings nicht zutreffen. In einem Briefe Müllers vom 19. I. 1833 an Georg vCotta, den Sohn des am 29. XII. 1832 verstorbenen JFvCotta, heißt es ua.: „Ich kann mir die Gründe nicht erklären, die Ihrem verewigten Herrn Vater vorgeschwebt haben könnten, als er den Abdruck der Vorrede untersagte. Jeder Autor hat ein vollkommenes Recht seinem Werke eine Vorrede anzufügen. Daß Goethe in seinem Testamente ausdrücklich verordnet hat, D. Eckermann solle sich bey der Herausgabe öffentlich als Redacteur nennen, wußte Ihr Herr Vater vielleicht nicht. Eine solche öffentliche Nennung muß aber mit Angabe des Verfassers bey der Redaction begleitet seyn und kann schicklich nur in einer Vorrede geschehen. Über dies ist die von D. Eckermann unter Hofr. Riemers und meiner Mitwirkung und Revision, entworfene Vorrede nicht lang genug, um für den Verleger einen nur irgend bedeutenden größeren Druckaufwand herbeizuführen, und dagegen gehaltreich genug, um mit Ehren den nachgelassenen Goethe Werken vorzustehen" (Cotta'sches Hausarchiv, ungedruckt. – Eine eingehende Klärung der Entstehungs- und Druckgeschichte der goetheschen Nachlaßbände sowie der Quartausgabe 1836/37 wird erst nach Veröffentlichung des erhaltenen Quellenmaterials möglich sein, die im Rahmen eines von der AkA vorbereiteten Ergänzungsbandes „Quellen und Zeugnisse zur Druckgeschichte von Goethes Werken" erfolgen soll).
Am 3. V. 1833 regte Müller bei Cotta den Druck einer 4. Lieferung an: „Es ist uns nämlich der Gedanke einer vierten Lieferung in

der letzten Woche gekommen, und er konnte nicht früher entstehen und sich ausbilden, weil es erst jetzt, nach dem auch die zweite Lieferung abgeschlossen, klar hervortritt, wie so sehr viele und bedeutende Manuscripte noch übrig sind. Alles, was für die 3 Lieferungen von Goethe bestimmt war, fand sich bei seinem Abscheiden in abgesonderten Behältnissen vor, und wurde natürlich zuerst vorgenommen. Alle übrigen zahllosen Papiere konnten erst diesen Winter nach und nach durchgegangen werden, da Niemand von uns Zeit hatte, sich einem so umfänglichen Geschäft ausschließend zu widmen ... Die vierte Lieferung würde in drey bis vier Bänden bestehn, und wir würden solche, in billiger Berücksichtigung der ganz eigenthümlichen Verhältnisse, Ihnen um ein bedeutendes unter dem Contractspreise überlassen" (Cotta'sches Hausarchiv, ungedruckt). Cotta ging auf den Vorschlag zunächst nicht ein (Müller an Cotta 5. VI. 1833: „Es ist sehr bedauerlich, daß Sie auf unsern Antrag einer 4ten Lieferung nicht einzugehen geneigt sind"; Cotta'sches Hausarchiv, ungedruckt). Die 5. Lieferung (Band 16–20) der Nachgelassenen Werke erschien daher erst im Jahre 1842, um den Besitzern der Ausgabe letzter Hand das nachzuliefern, was inzwischen an bisher Ungedrucktem schon in der von Eckermann und Riemer besorgten Quartausgabe von 1836/37 und der von Eckermann 1840 herausgegebenen vierzigbändigen Ausgabe von Goethes Werken (s. u. Sp. 2042f.) geboten worden war.

Die Nachlaßbände tragen neben dem Haupttitel (Band 41–60 der Ausgabe letzter Hand s. o.) den Nebentitel „Goethe's nachgelassene Werke Band 1–20. Stuttgart und Tübingen, in der J. G. Cotta'schen Buchhandlung 1832 bis 1842". Inhalt: Band 41: Faust II. Band 42: Geschichte Gottfriedens von Berlichingen; Götz, für die Bühne bearbeitet. Band 43: Schweizerreise 1797; Rheinreise 1814/15. Band 44: Kunst. Band 45: Theater und deutsche Literatur. Band 46: Auswärtige Literatur und Volkspoesie. Band 47: Gedichte. Band 48: Dichtung und Wahrheit Th. 4. Band 49: Einzelnheiten, Maximen und Reflexionen. Band 50: Zur Naturwissenschaft. Band 51: Mineralogie, Geologie, Meteorologie. Band 52: Farbenlehre, didaktischer Theil. Band 53/54: Geschichte der Farbenlehre. Band 55: Nachträge zur Farbenlehre, Pflanzenlehre, Osteologie. Band 56: Gedichte; Zum Divan; Maximen und Reflexionen; Verschiedenes Einzelne; Reise der Söhne Megaprazons; Brief

des Pastors; Zwo biblische Fragen. Band 57: Die Wette; Iphigenie in Prosa; Erwin und Elmire / Claudine in der frühesten Gestalt; Die ungleichen Hausgenossen; Zwei ältere Scenen aus dem Jahrmarktsfest; Hanswursts Hochzeit; Paralipomena zu Faust; Fragmente einer Tragödie; Fortsetzungsschemata zur Natürlichen Tochter und Pandora; Nausikaa. Band 58: Morphologie; Beiträge zur Optik; Metamorphose der Pflanzen. Band 59: Farbenlehre polemischer Theil. Band 60: Nachträge zur Farbenlehre, Mineralogie, Geologie; Naturwissenschaftliche Einzelnheiten; Biographische Einzelnheiten; Chronologie der Entstehung Goethescher Schriften. – Erscheinungsjahre von C^1: Band 41, 42, 44: 1832. Band 43, 45–55: 1833. Band 56–60: 1842. – Erscheinungsjahre von C^3: Band 41–50, 52–54: 1833. Band 51, 55: 1834. Band 56–60: 1842.

Als Supplement zur Taschen- und Oktavausgabe letzter Hand erschien schließlich, ebenfalls sowohl im Sedez- als auch Oktavformat, das sogenannte Musculus'sche Register „Inhalts- und Namenverzeichnisse über sämtliche Goethesche Werke nach der Ausgabe letzter Hand und dem Nachlasse, verfertigt von Christian [C^1: Carl] Theodor Musculus unter Mitwirkung des Hofraths und Bibliothekars Dr. Riemer. Stuttgart und Tübingen, in der J. G. Cotta'schen Buchhandlung. 1835". Das Register wurde von Musculus schon einige Jahre vor Goethes Tode begonnen, und „so konnte demselben mehreres, wobei Zweifel entstanden waren, noch zur Entscheidung vorgelegt werden" (Einleitung S. VI). Es enthält nicht nur ein Verzeichnis der in Goethes Werken vorkommenden Personen, wobei die Namen, die bei Goethe oft in falscher Schreibung erscheinen, hier richtiggestellt werden, sondern auch ein Werkregister mit Einschluß der vorgehabten und nicht zustande gekommenen Fragmente und Pläne.

B. Ausgaben nach Goethes Tode

Aus Raumgründen beschränken wir uns hier auf bibliographische Angaben und kurze Erläuterungen zu den wichtigsten Ausgaben.

1. Vorkritische Ausgaben

a) „Goethe's poetische und prosaische Werke in zwei Bänden. Ersten Bandes erste – Zweiten Bandes zweite Abtheilung. Stuttgart und Tübingen, in der J. G. Cotta'schen Buchhandlung 1836/37." – Sog. Quartausgabe. Sigle: Q. Hrsg. von JPEckermann und FWRiemer. Enthält nur die dichterischen Produktionen Goethes, nicht aber Übersetzungen, Rezensionen, Kommentationen und die naturwissenschaftlichen Schriften. Beruht offenbar auf der von Eckermann, Riemer und Musculus nochmals revidierten Taschenausgabe 1. H. (C¹). Wertvoll durch eine Reihe bis dahin unveröffentlichter Stücke, die im Inhaltsverzeichnis durch * gekennzeichnet s´nd (zB. Gedichte, Sprüche zum Divan, Paralipomena zu Faust, die Lustspiele Die Wette und Die ungleichen Hausgenossen sowie die Fortsetzungsschemata zur Natürlichen Tochter und Pandora). Wichtig auch durch die im Inhaltsverzeichnis und im Anhang von Bd 2 gegebene Chronologie der Werke Goethes, die von Musculus aufgrund der Tagebücher und Briefe und sonstiger verstreuter Notizen hergestellt wurde und zT. auf nicht mehr erhaltenen Quellen beruht.

b) „Goethe's sämmtliche Werke in vierzig Bänden. Vollständige, neugeordnete Ausgabe. Stuttgart und Tübingen, J. G. Cotta'scher Verlag 1840." Ergänzungsband: „Alphabetisches Namen-Register der in Goethes Werken, Taschenausgabe 1840 erwähnten Personen ... nebst einem Verzeichniß der Stellen, an denen Goethe seine eigenen Productionen erwähnt oder bespricht, verfertigt von Christian Theodor Musculus. 1842." – Hrsg. von Eckermann unter Mithilfe von Musculus. Text beruht auf sorgfältiger Vergleichung der früheren Ausgaben (vgl. das von Eckermann an Kanzler vMüller gerichtete Memorandum vom 5. VI. 1842, abgedruckt bei HHHouben: JPEckermann, ein Leben für Goethe Bd 2 S. 231–233). Aus der Vielzahl der folgenden Ausgaben des Verlages Cotta, die heute sämtlich überholt sind, können hier nur die wichtigsten genannt werden:

α. „Goethe's sämmtliche Werke in dreißig Bänden. Vollständige, neugeordnete Ausgabe. Stuttgart und Tübingen, J. G. Cotta'scher Verlag 1850/51." – Beruht auf der von Eckermann besorgten Ausgabe. (Dasselbe 40 Bde 1853–58; 40 Bde 1869.)

β. „Goethe's sämmtliche Werke, hrsg. und mit Einleitungen versehen von KGoedeke. Bd 1–36. Stuttgart, Verlag der J. G. Cotta'schen Buchhandlung 1866–68." (Dasselbe 15 Bde 1872; 10 Bde 1875.)

γ. „Goethes sämmtliche Werke. Neu durchgesehene und ergänzte Ausgabe in 36 Bänden [hrsg. von WVollmer]. Mit Einleitungen von KGoedeke. Stuttgart, J. G. Cotta und Gebrüder Kröner [1882–85]." (Dasselbe 36 Bde 1893 und 1893–96; eine Auswahl in 12 Bdn 1888/89 und 1889–91.)

c) „Goethe's Werke. Nach den vorzüglichsten Quellen revidirte Ausgabe. Nebst einer Biographie des Dichters von FFörster. Theil 1–36. Berlin, Gustav Hempel [1869–79]." – Sog. Hempelsche Ausgabe. Mitarbeiter: WvBiedermann; HDüntzer; SKalischer; GvLoeper; FStrehlke. Unentbehrlich auch heute noch durch den Kommentar Loepers zu Dichtung und Wahrheit (Bd 20–23) und Düntzers zur Italienischen Reise (Bd 24).

Zwei Neubearbeitungen der Hempelschen Ausgabe gediehen nur bis zum Abschluß der Gedichtbände, sind aber ihrer Kommentare wegen noch heute zu benutzen:

α. „Goethe's Werke. Mit Einleitungen und Anmerkungen von GvLoeper. Zweite Ausgabe. Bd 1–3. Berlin, Gustav Hempel 1882–84."

β. „Goethe's sämmtliche Werke. Theil 1–3. Hrsg. und mit Anmerkungen begleitet von FStrehlke. Berlin, Gustav Hempel [1886 bis 1888]."

Zu der von KAlt geleiteten Neubearbeitung der Hempelschen Ausgabe vgl. unten Sp. 2051.

d) „Goethes Werke. Theil 1–36. Berlin und Stuttgart, Verlag von W. Spemann [1882 bis 1897]." (= Deutsche National-Litteratur. Historisch-kritische Ausgabe. Hrsg. von Joseph Kürschner Bd 82–117^II). – Mitarbeiter: HDüntzer; AGMeyer; KJSchröer; RSteiner; GWitkowski. Wichtig vor allem durch die von Düntzer gegebenen Erläuterungen zum Divan (Bd 4) und Faust (Bd 12).

2. Kritische Ausgaben

a) „Goethes Werke. Hrsg. im Auftrage der Großherzogin Sophie von Sachsen. Abtheilung I–IV. 133 Bde (in 143). Weimar, Hermann Böhlaus Nachfolger 1887–1919." – Sog. Weimarer Ausgabe oder Sophien-Ausgabe. Abteilung I: Werke, 55 Bde (in 63) 1887 bis 1918. Namen und Werkregister in Bd 54 und 55; Verzeichnis der Gedichtanfänge in Bd 5^II, 425–501 und Bd 53, 576–579. – Abteilung II: Naturwissenschaftliche Schriften, 13 Bde (in 14) 1890–1906. Namen-, Sach- und Werkregister in Bd 5^II, 449–532; Bd 12, 249–382; Bd 13, 525–565. – Abteilung III: Tagebücher, 15 Bde (in 16) 1887–1919. Namen- und Werkregister in Bd 14 und 15. – Abteilung IV: Briefe, 50 Bde 1887–1912. Namen- und Werkregister in Bd 7, 383–478; Bd 8, 423–434; Bd 18, 115 bis 234; Bd 30, Anhang 1–210; Bd 50, Anhang 1–336. – Redaktoren der Ausgabe: GvLoeper, ESchmidt, HGrimm (an Stelle des am 6. VIII. 1886 verstorbenen WScherer), BSeuffert, BSuphan. Über 60 weitere Mitarbeiter, darunter KBurdach, WCreizenach, AFresenius, MHecker, RMMeyer, JMinor, GRoethe, ASauer,

RSteiner, FStrehlke, JWahle, FZarncke u. a. – Editionsprinzipien (Vorbericht I/1 S. XVIII bis XXV): 1) „soll sich in dieser Ausgabe das Ganze von Goethes litterarischem Wirken nebst Allem, was uns als Kundgebung seines persönlichen Wesens hinterlassen ist, in der Reinheit und Vollständigkeit darstellen, die jetzt erst, seitdem sein Nachlaß der wissenschaftlichen Bearbeitung zugänglich geworden, erreichbar ist". Daher der Ausschluß „von allen rein amtlichen Actenstücken", deren Edition erst neuerdings von WFlach begonnen ist (vgl. unten Sp. 2049f.), aber Aufnahme der naturwissenschaftlichen Schriften in Übereinstimmung mit „Goethes eigener Auffassung, nach welcher sie als Supplement zu den Werken behandelt werden sollten". 2) soll „bei Allem, was Gestalt und Erscheinung der Ausgabe im Großen wie im Einzelnen betrifft, befolgt werden, was uns als Goethes selbstwillige Verfügung bekannt ist". Daher werden die Tagebücher und Briefe „in genauem Anschluß an die urkundlichen Vorlagen gegeben", während als Vorbild für die Edition der Werke die Ausgabe 1. H. betrachtet wird, in der nach Auffassung der Redaktoren Goethe für die Drucke „selbst die Norm gegeben hat. Sie ist sein Vermächtniß, er selbst hat sie so betrachtet, als den Abschluß seiner Lebensarbeit". Daher erschien es den Redaktoren „geboten, diese Ausgabe zu Grunde zu legen", sowohl in der Anordnung der vierzig Bände, in deren „Folge sich die nachgelassenen Schriften, sowohl die nach dem Tode Goethes veröffentlichten wie das noch Ungedruckte, einfügen lassen", wie auch in allen Fragen der Textgestaltung. Von der Lesart der Ausgabe 1. H. soll daher „nur aus zwingenden Gründen", dh. bei offensichtlichen Korruptelen, „abgegangen werden", wobei für alle Abweichungen die Zustimmung der Redaktorenmehrheit erforderlich war (daher nicht selten Entscheidungen gegen die bessere Einsicht der mit der Bearbeitung der einzelnen Bände betrauten Editoren). Dabei gilt als Vorbild nicht die Taschenausgabe (C¹), sondern die „auf Grund derselben in erneuter Durchsicht hergestellte Octavausgabe (C)", die „als letztwillige Textrecension" Goethes angesehen wird. Das Vorbild von C erstreckt sich auch auf alle Fragen der Orthographie und Interpunktion. Ausnahmen für die Orthographie: Berichtigung offenbarer Fehler und Ausgleich von Schwankungen in der Schreibweise. Aufgabe des veralteten Buchstabens y in den heute nicht mehr gebräuchlichen Fällen, in denen ihn Göttling noch in weitem Um-

fang eingeführt bzw. zugelassen hatte (vgl. den von Göttling für die Cotta'sche Druckerei aufgestellten Kanon, abgedruckt I/1 S. XXIIf.). Ausnahmen für die Interpunktion: Nur im Falle der Sinnwidrigkeit oder dem Verständnis Hinderlichen. Dagegen Einführung einer durchgehenden Kommatisierung vor relativem der, die, das und vor daß.

Die dem Text beigegebenen Lesarten befinden sich im Anhang der Bände (in Einzelfällen auch in einem 2. Halbband). Sie sollen den „Anforderungen einer gesunden Philologie" volles Genüge tun und Rücksicht auf den weiteren Kreis gebildeter Leser nehmen. Eine laufende Berichterstattung über die jeweils veröffentlichten Bände der Ausgabe im GoetheJb (Bd 9, 1888– 33, 1912). Wichtig vor allem der „Bericht der Redaktoren und Herausgeber" für 1895 (GoetheJb 16, S. 261), der eine Reihe von wichtigen neuen Erkenntnissen über die Druckgeschichte von Goethes Werken und damit eine Revision bisher geltender Grundsätze enthält (vgl. dazu schon oben Sp. 2013).

Die WA ist noch heute als Basis für alle Untersuchungen über die Werke Goethes unentbehrlich. Dagegen sind ihre editorischen Prinzipien stark angefochten worden. Zur Kritik vgl. die Rezensionen von HDüntzer in der ZfdPh 23 (1891) –33 (1901), besonders Bd 23 S. 294–349; EvdHellen, Jubiläums-Ausgabe Bd 1 S. 303f., Bd 10 S. 256f., Bd 31 S. 284 sowie seine Ausgabe der Briefe Goethes (Bd 1–6, Stuttgart und Berlin, Cotta 1901–13) Bd 6 S. 169 Anm.; HJWeitz: Zum Goethe-Text. In: Mitteilungen für den Buchhandel in der franz. Zone 4 (1949) S. 411–414; EGrumach: Prolegomena zu einer Goethe-Ausgabe. In: Goethe 12 (1950) S. 60–88; ders.: Aufgaben und Probleme der modernen Goetheedition. In: Wissensch. Annalen 1 (1952) S. 3–11; ders.: Probleme der Goethe-Ausgabe. In: Veröffentlichungen des Instituts f. Dtsch. Sprache u. Lit. d. Dtsch. Akad. d. Wissensch. z. Berlin Nr 1 S. 39–51.

Die Einwände richten sich vor allem gegen die Überschätzung der Ausgabe 1. H. und besonders der Oktavausgabe, die mehr als ein verlegerisches Unternehmen denn als eine selbständige und neue Textrezension gedacht war und deren Bearbeitung Goethe daher auch in wachsendem Maße seinem Helfer CWGöttling überließ. Göttlings Einfluß ist, wie die Arbeiten Grumachs gezeigt haben, auch bei der Taschenausgabe nicht genügend erkannt und eliminiert worden, obwohl nach den Richtlinien der WA Göttlings „Änderungen erforderlichen Falls rückgängig gemacht" werden sollten (I/1 S. XX). Hinzu kommt, daß bei der von Goethe und Göttling vorgenommenen Revision der Druckvorlagen (vgl. oben Sp. 2036f.) nur die in der obersten Textschicht zutage liegenden Fehler erkannt werden konnten, während die in der Tiefe versteckten Fehler (man denke an Goethes Benutzung von Doppel- und Nachdrucken für spätere Ausgaben; vgl. Sp. 2012f.; 2020f.) nicht erfaßt wurden. Die Ausgabe 1. H. beruht daher nicht auf einer echten Textrezension, sondern nur einer Revision der vorhergehenden Textschicht, ebenso wie die WA diesen von Göttling revidierten Text nur einer neuen Druckrevision unterworfen hat. Die Festlegung auf C bedeutete außerdem überall eine Entscheidung zugunsten der spätesten Form, die Goethe seinen Werken oft in zeitlich großem Abstand und aus einer veränderten Einstellung heraus gegeben hat, eine Divergenz, die sich naturgemäß am stärksten bei den Jugendwerken fühlbar machte. Hier setzte daher auch der erste Versuch ein, gegenüber der WA wieder zur originären Textfassung zurückzukehren. Die Dokumente der Jugendjahre hatten MBernays und SHirzel (Der junge Goethe. Seine Briefe und Dichtungen von 1764 bis 1776. Leipzig 1875, ²1887) zum erstenmal chronologisch in ihrer ursprünglichen Gestalt zusammengefaßt, soweit dies damals ohne vollen Zugang zu den Handschriften möglich war. Ernsthaft durchgeführt wurde der Versuch in der von MMorris besorgten 2. Ausgabe des Werkes (Der junge Goethe. Neue Ausgabe in 6 Bänden, Leipzig 1909–1912), die, wenn auch nicht immer ganz konsequent, der handschriftlichen Überlieferung bzw. den Erstdrucken folgt. Eine erweiterte Neubearbeitung des Werkes gibt HFischer-Lamberg jetzt im Akademie-Verlag heraus.

b) „Goethes Werke, Welt-Goethe-Ausgabe. Im Auftrage des Goethe- und Schiller-Archivs hrsg. von Anton Kippenberg, Julius Petersen und Hans Wahl. Leipzig 1932–40" (= Welt-Goethe-Ausgabe der Gutenbergstadt Mainz und des Goethe- und Schiller-Archivs zu Weimar, dargebracht zu Goethes hundertstem Todestage am 22. März 1932. Sog. Mainzer Ausgabe). Geplant in 50 Bdn, erschienen nur Bd 1 (Gedichte), Bd 5 (Divan), Bd 6 (Epen und Kantaten), Bd 7 (Götz), Bd 12 (Urfaust, Faustfragment und Faust I), Bd 13 (Faust II), Bd 16 (Werther, Briefe aus der Schweiz), Bd 22 (Wahlverwandtschaften und Erzählungen), da das Unternehmen der Zeitereig-

nisse wegen abgebrochen werden mußte. – Mitarbeiter: KBurdach, HGGräf, MHecker, JHoffmeister, FAHünich. Ausgabe begonnen in Antiquadruck (Bd 12 und 13), später Umstellung auf Fraktur und Umdruck der bereits erschienenen Bände. Im Anhang jedes Bandes ein kritischer Apparat mit teils nur kurzer Beschreibung der Handschriften und Drucke und einer Auswahl der wichtigsten Lesarten. Das angestrebte Ziel, die „endgültige wissenschaftliche Festlegung des reinen, ungetrübten Goetheschen Textes" zu bieten (vgl. Nachwort zu Bd 12, Antiquadruck S. 389), hätte daher auch bei vollständigem Erscheinen nicht erreicht werden können. Ebenso wie die WA folgt die Mainzer Ausgabe im Prinzip der Ausgabe 1. H., dh. der obersten und spätesten Textschicht. Sie ist daher auch in ihrem Apparat im wesentlichen bemüht, ihre Abweichungen vom Vulgattext zu rechtfertigen und vermag noch weniger als die WA eine Vorstellung von der Entstehung des Textes zu geben.

c) „Werke Goethes. Hrsg. von der Deutschen Akademie der Wissenschaften zu Berlin unter Leitung von Ernst Grumach. Berlin, Akademie-Verlag 1952ff." (sog. Akademie-Ausgabe). – Aufgabe des Unternehmens ist die Erneuerung der I. Abteilung der WA. Erscheint in Einzelausgaben, bei denen Text und Apparatbände getrennt werden. Bisher erschienen: Divan Bd 1–3 (Text, Noten und Abhandlungen, Paralipomena); Jugendwerke Bd 1–3 (Dramen und dramat. Szenen 1773–75, Prosaschriften); Werther Bd 1; Tasso Bd 1; Faust Bd 1 (Paralleldruck Urfaust/Faustfragment mit Faks. der Göchhausenschen Abschrift) und Bd 2 (Faust I); Egmont Bd 1; Wilhelm Meister Bd 1 (Theatral. Sendung); Götz Bd 1; Dramen und dramat. Szenen vor der Jahrhundertwende Bd 1, 1/1, 2; Epen Bd 1. – Bearbeiter: LBlumenthal, HFischer-Lamberg, RFischer-Lamberg, EGrumach, IJensen, IMKümmel, EMerker, J Neuendorff-Fürstenau, SScheibe, EVölker. In einer Ergänzungsreihe: 1) Die Gesamt- und Einzeldrucke von Goethes Werken, bearb. von WHagen; 2) Quellen und Zeugnisse zur Druckgeschichte von Goethes Werken, bearb. von WHagen (in Vorbereitung); 3) Paralleldruck von Urfaust/Faustfragment/Faust I, bearb. von EGrumach und IJensen. – Zu den Editionsprinzipien: EGrumach: Prolegomena zu einer Goethe-Ausgabe. In: Goethe 12 (1950) S. 60–88; ders.: Aufgaben und Probleme der modernen Goetheedition. In: Wissensch. Annalen 1 (1952) S. 3–11; ders.: Probleme der Goethe-Ausgabe. In: Veröffentlichungen des

Instituts f. dtsch. Sprache und Lit. d. Dtsch. Akademie der Wissensch. z. Berlin Nr 1 S. 39 bis 51; LBlumenthal: Die Tasso-Handschriften. In: Goethe 12 (1950) S. 89–125; vgl. auch GMüller: Goethe-Literatur seit 1945, II. Ausgaben und Auslegungen. In: DVjs 26 (1952) S. 377f. und MWindfuhr: Die neugermanistische Edition. Zu den Grundsätzen kritischer Gesamtausgaben. Ebd. 31 (1957) S. 436f. – Die bei den Vorarbeiten entstandenen Untersuchungen der Mitarbeiter der AkA jetzt gesammelt in: Beiträge zur Goetheforschung, hrsg. von EGrumach. Veröffentlichungen des Instituts f. dtsch. Sprache und Lit. d. Dtsch. Akad. d. Wissensch. z. Berlin Nr 16, 1959.

d) „Goethe. Die Schriften zur Naturwissenschaft. Vollständige mit Erläuterungen versehene Ausgabe hrsg. im Auftrage der Deutschen Akademie der Naturforscher (Leopoldina) zu Halle von Günter Schmid [Bd 1–3], Rupprecht Matthaei, Wilhelm Troll und K. Lothar Wolf. Weimar, Hermann Böhlaus Nachfolger 1947ff." (sog. Leopoldina-Ausgabe). – Aufgabe des Unternehmens ist die Erneuerung der II. Abteilung der WA. Erscheint in 2 Reihen: 12 Bde Text und etwa 6 Bde Apparat mit Erläuterungen. Bisher erschienen: Abt. I Bd 1/2 (Schriften zur Geologie und Mineralogie), Bd 3 (Beiträge zur Optik und Anfänge der Farbenlehre), Bd 4 (Zur Farbenlehre Didaktischer Teil), Bd 5 (Zur Farbenlehre Polemischer Teil), Bd 6 (Zur Farbenlehre Historischer Teil), Bd 7 (Zur Farbenlehre Tafelband), Bd 9 (Morphologische Hefte). Abt. II Bd 6 (Ergänzungen und Erläuterungen zur Farbenlehre Historischer Teil). – Bearbeiter: DKuhn, RMatthaei, GSchmid, WTroll, KLWolf. – Zu den Editionsprinzipien: KLWolf: Goethes Schriften zur Naturwissenschaft. In: Forschungen und Fortschritte 31 (1957) S. 261–263; vgl. auch KLWolf und EGrumach: Zu den Akademie-Ausgaben von Goethes Werken. In: Goethe 20 (1958) S. 309f.

Als Ergänzung erscheinen: „Neue Hefte zur Morphologie. Hrsg. von Karl Lothar Wolf und Dorothea Kuhn. Weimar, Hermann Böhlaus Nachfolger 1954ff." Geplant ist ferner eine Neuausgabe der naturwissenschaftlichen Korrespondenz Goethes als Ersatz für die wissenschaftlich überholte Ausgabe von FTBrataneck, 2 Bde, Leipzig 1874.

e) „Goethes Amtliche Schriften. Veröffentlichung des Staatsarchivs Weimar hrsg. von Willy Flach. Weimar, Hermann Böhlaus Nachfolger. Bd 1, 1950" (sog. Amtsschriften). – Geplant in 9 Bänden als Ergänzung zur WA, die nach ihren Grundsätzen (s. o.) „alle rein amtlichen Actenstücke" ausschließt und nur im Nachtragsband I/53 eine knappe Auswahl amtlicher Schriften bringt; vgl. WFlach: Goethes amtliche Schriften. Zur Begründung ihrer Veröffentlichung. In: Goethe 12 (1950) S. 126–143; ders.: Goethes amtliche Tätigkeit und seine amtlichen Schriften. In: Wissensch. Annalen 8 (1955) S. 449–465.

3. Moderne Ausgaben

a) „Goethes Werke. Unter Mitwirkung mehrerer Fachgelehrter hrsg. von Karl Heinemann. Kritisch durchgesehene und erläuterte Ausgabe. Bd 1–30. Leipzig, Bibliographisches Institut [1901–08]" (= Meyers Klassiker-Ausgaben). Mitarbeiter: WBölsche, GEllinger, OHarnack, GKlee, TMatthias, HMaync, VSchweizer, KVoßler, RWeber. – Beruht im wesentlichen auf dem Text der WA, mit ausführlichen Anmerkungen und Angabe der wichtigsten Varianten im Anhang.

b) „Goethe's sämtliche Werke. Jubiläumsausgabe in 40 Bänden. In Verbindung mit KBurdach, WCreizenach, ADove, LGeiger, MHerrmann, OHeuer, AKöster, RMMeyer, MMorris, FMuncker, WvOettingen, OPniower, ASauer, ESchmidt, HSchreyer, OWalzel hrsg. von Eduard von der Hellen. Bd 1–40. Stuttgart und Berlin, J. G. Cotta'sche Buchhandlung Nachfolger [1902–07]."Als Ergänzung erschien 1912 ein 41. Bd: Personen- und Sachregister. Mit wertvollen Einleitungen und Anmerkungen. Verhält sich gegenüber der Ausgabe 1. H. bedeutend selbständiger als die WA. Text beruht in einer Reihe von Fällen auf frühen Handschriften und Drucken (zB. Bd 10: Götz; Bd 16: Werther, Die guten Weiber). Berücksichtigt in weit stärkerem Maße als die WA die Rolle des wiener Nachdrucks von 1816–21. Zu den Editionsprinzipien vgl. EvdHellen, Vorbemerkung Bd 1 S. Vf.; 1 S. 303f; 10 S. 256f. und seine Ausgabe der Briefe Goethes (Stuttgart und Berlin, Cotta 1901–13) Bd 6 S. 169 Anm.

c) „Goethes sämtliche Werke. Propyläen-Ausgabe. Bd 1–45. München, Georg Müller (ab Bd 29: Berlin, Propyläen-Verlag) [1909 bis 1932]." – Als Herausgeber erst in Bd 29 CHöfer genannt, ab Bd 30 CNoch. Chronologisch geordnete Gesamtausgabe mit Einschluß der Briefe und Tagebuchnotizen. Ohne Kommentare und Anmerkungen. Prinzipien der Textgestaltung nicht vermerkt, beruht offenbar auf der WA. Dazu ein Suppl.Bd: Die Bildnisse Goethes, hrsg. von ESchulte-Strathaus [1910]. Ferner Erg.Bd 1–3: Goethe als Per-

sönlichkeit. Briefe und Berichte von Zeitgenossen. Gesammelt von HAmelung. 1914–25.
d) „Goethes Werke. Vollständige Ausgabe in 40 Teilen. Auf Grund der Hempelschen Ausgabe neu hrsg. mit Einleitungen und Anmerkungen sowie einem Gesamtregister versehen von Karl Alt in Verbindung mit EErmatinger, SKalischer, WNiemeyer, RPechel, RRiemann, EScheidemantel und CHWaas. Teil 1–40 (dazu 2 Bde Anmerkungen und 2 Bde Register). Berlin - Leipzig - Wien - Stuttgart, Deutsches Verlagshaus Bong & Co. [1910–26]“ (= Goldene Klassiker-Bibliothek). – Beruht textlich auf der WA, die Anmerkungen und besonders das ausgezeichnete Register von ChWaas noch heute unentbehrlich. Dazu eine kleine Ausgabe: Auswahl in 10 Teilen, hrsg. von KAlt in Verbindung mit RRiemann und EScheidemantel, ebd. [1927].
e) „Goethes Werke. Festausgabe zum hundertjährigen Bestehen des Bibliographischen Instituts. Im Verein mit FBergemann, EA Boucke, MHecker, RRichter, JWahle, OWalzel, RWeber hrsg. von Robert Petsch. Kritisch durchgesehene Ausgabe mit Einleitungen und Erläuterungen. Bd 1 bis 18. Leipzig, Bibliographisches Institut [1926–27]“ (= Meyers Klassiker-Ausgaben). – Wichtige Studienausgabe mit ausführlichen Anmerkungen. Text folgt im allgemeinen der WA, geht jedoch häufiger als diese auf Handschriften und Einzeldrucke sowie auf die von Eckermann und Riemer besorgte Ausgabe Q zurück.
f) „Goethes Werke, Hamburger Ausgabe in 14 Bänden. Hamburg, Christian Wegner-Verlag 1948ff.“ Bisher erschienen Bd 1/2 (Gedichte und Epen), Bd 3–5 (Dramatische Dichtungen), Bd 6–8 (Romane und Novellen), Bd 9–11 (Autobiographische Schriften), Bd 12 (Schriften zur Kunst), Bd 13 (Naturwissenschaftliche Schriften). Bd 1–3 bereits in 2. und 3. Auflage (Bd 1 1948, ²1952, ³1956; Bd 2 1949, ²1952, ³1956; Bd 3 1949, ²1954, ³1957). – Leitung der Ausgabe: ETrunz. Mitarbeiter: LBlumenthal, HvEinem, WKayser, DKuhn, JKunz, WLoos, HJSchrimpf, RWankmüller, WWeber, CFvWeizsäcker, BvWiese. – Moderne Studienausgabe, als Ersatz für 3 b, c und e, mit ausführlichen Anmerkungen und reichhaltigen bibliographischen Angaben. Außerdem im Anhang jedes Bandes eine Auswahl aus Goethes eigenen Äußerungen und Stimmen bedeutender Zeitgenossen über das betreffende Werk. Der noch ausstehende Abschlußband soll außer einem Gesamtregister auch chronologische Tabellen bringen. Folgt textlich der Ausgabe 1. H. mit Anlehnung an die moder-

nen wissenschaftlichen Editionen. Einige Bde jedoch auf früheren Zeugen beruhend, zB. Bd 4 (Mitschuldigen, Prometheus, Egmont); Bd 9 (Dichtung und Wahrheit).
g) „Johann Wolfgang von Goethe. Gedenkausgabe der Werke, Briefe und Gespräche. 28. August 1949. Hrsg. von Ernst Beutler. Bd 1–24. Zürich, Artemis-Verlag 1948–54.“ Sog. Artemis-Ausgabe. Mitarbeiter: WBaumgart, CHBeutler, EDamm, FErnst, HFischer, GKüntzel, JKunz, HvMaltzahn, KMay, HOstertag, WPfeiffer-Belli, KSchmidt, ASpeiser, EStaiger, PStöcklein, FStrich. – Textausgabe mit wertvollen Einleitungen. Editionsprinzipien nicht angegeben, folgt im allgemeinen der WA unter Benutzung neuerer Ausgaben. h) „Goethes poetische Werke. Vollständige Ausgabe. Bd 1–10. Stuttgart, J. G. Cottaische Buchhandlung Nachfolger 1949–54.“ Bearbeiter: WBaumann, LLohrer, PStapf. – Vollständigste Handausgabe der dichterischen Werke ohne Einleitungen und Anmerkungen. Der sorgfältig geprüfte Text beruht auf den „verbindlichen Goethe-Editionen“, der Ausgabe 1. H., der WA und der Cotta'schen Jubiläumsausgabe unter gelegentlicher Hinziehung der neueren wissenschaftlichen Ausgaben. Als Ergänzung erscheint seit 1956 eine auf 12 Bände geplante 2. Abteilung „Schriften“. Bisher erschienen Bd 1–3: Tagebücher (G. Baumann) und 5: Schriften zu Literatur und Theater (W. Rehm).

4. Volksausgaben

Von den zahlreichen Volksausgaben verdienen besondere Erwähnung:
a) „Goethes Werke in 6 Bänden. Im Auftrage der Goethe-Gesellschaft ausgewählt und hsrg. von Erich Schmidt, Bd 1–6. Leipzig, Insel-Verlag 1909, ²1910.“
Der sog. „Volksgoethe“, der mit allen Auflagen und Neubearbeitungen (1925 erschien eine von HRoethe besorgte erweiterte Neubearbeitung, Wiesbaden 1949–52 eine von AKippenberg im Verein mit HJWeitz und WZiesemer bearbeitete „wesentlich vermehrte Ausgabe“) eine Gesamtauflage von 130000 Exemplaren erreicht hat und damit wirklich die volkstümlichste Ausgabe geworden ist.
b) „Goethes Werke. In Auswahl hrsg. von Max Hecker und Hans Wahl. Bd 1–7. Leipzig, J. J. Weber 1921–24“ (= Volksgut deutscher Dichtung).
c) „Goethe. Auswahl in 3 Bänden. Bearbeitet von der Schriftleitung der Klassiker-Ausgaben des Bibliographischen Instituts unter Lei-

tung von Heinrich Becker. Leipzig, Bibliographisches Institut 1952."

d) „Goethes Werke in 10 Bänden. Hrsg. von Reinhard Buchwald. Weimar, Volksverlag 1956/57" (= Bibliothek Deutscher Klassiker, hrsg. v. d. Nationalen Forschungs- und Gedenkstätten der Klassischen Dtsch. Literatur in Weimar).

II. Einzelausgaben

Aus Raumgründen beschränken wir uns in diesem Abschnitt auf einen chronologischen Überblick über die selbständigen Erstdrucke von Goethes Werken. Zu den Einblattdrucken und separaten Gedichtdrucken, die hier nicht verzeichnet sind, vgl. WHagen S. 69–138.

Neue Lieder in Melodien gesetzt von Bernhard Theodor Breitkopf. Leipzig, bey Bernhard Christoph Breitkopf und Sohn. 1770. 43 S. qu. 2⁰.

Positiones juris quas auspice deo inclyti jureconsultorum ordinis consensu pro licentia summos in utroque jure honores rite consequendi in alma Argentinensi die VI. augusti MDCCLXXI. h.l.q.c. publice defendet Joannes Wolfgang Goethe Moeno-Francofurtensis. Argentorati ex Officina Johann's Henrici Heitzii, Universit. Typographi. 12 S. 4⁰.
Goethes Dissertation an der Universität Straßburg.

Von Deutscher Baukunst. D. M. Ervini a Steinbach. 1773. 16 S. 8⁰.
Erschien im Selbstverlag Mercks November 1772. Nach GWitkowski I/38, 288, Morris Bd 6, 288 u. a. gedruckt bei Deinet, Frankfurt; nach HBräuning-Oktavio (Der Erstdruck von Goethes Götz von Berlichingen, 1923. S. 27f.) gedruckt bei Eylau, Darmstadt.

Brief des Pastors zu *** an den neuen Pastor zu ***. Aus dem Französischen. 1773. 26 S. 8⁰.
Nach Morris Bd 6, 290 ua. erschienen bei Deinet, Frankfurt; nach HBräuning-Oktavio aO. S. 28 gedruckt bei Eylau, Darmstadt im Selbstverlag Mercks.

Zwo wichtige bisher unerörterte Biblische Fragen zum erstenmal gründlich beantwortet, von einem Landgeistlichen in Schwaben. Lindau am Bodensee. 1773. 16 S. 8⁰.
Nach Morris Bd 6, 291 ua. gedruckt bei Deinet, Frankfurt; nach HBräuning-Oktavio aO. S. 28 bei Eylau, Darmstadt.

Götz von Berlichingen mit der eisernen Hand. Ein Schauspiel. 1773. 206 S. 8⁰.
Erschien bei Eylau, Darmstadt im Selbstverlag Mercks; vgl. HBräuning-Oktavio aO.

Prolog zu den neusten Offenbarungen Gottes verdeutscht durch Dr. Carl Friedrich Bahrdt. Giessen 1774. VII S. 8⁰.
Gedruckt bey Eylau, Darmstadt; vgl. HBräuning-Oktavio aO. S. 28. Existiert in 2 Drucken; Kennzeichen bei WHagen S. 73.

Götter Helden und Wieland. Eine Farce. Auf Subscription. Leipzig, 1774. 18 ungez. Bll. 8⁰.
Auf Veranlassung von Lenz in Kehl gedruckt; vgl. MRieger I/38, 426.

Clavigo. Ein Trauerspiel von Göthe. Leipzig, in der Weygandschen Buchhandlung. 1774. 100 S. 8⁰.
Existiert in 3 Drucken; Kennzeichen bei WHagen S. 75.

Neueröfnetes moralisch-politisches Puppenspiel. [Motto] Leipzig und Frankfurt 1774. 96 S. 8⁰.
Inhalt: Prolog; Künstlers Erdewallen; Jahrmarktsfest zu Plundersweilern; Fastnachtspiel von Pater Brey. – Vermutlich bei Weygand, Leipzig, erschienen; vgl. Morris Bd 6, 296.

Die Leiden des jungen Werthers. Erster/Zweyter Theil. Leipzig, in der Weygandschen Buchhandlung. 1774. 224 S. 8⁰.
1. Fassung; 2. Fassung erstmals in Bd 1 der „Schriften" bei Göschen 1787 (vgl. Sp. 1999f.) und als Sonderdruck ebenda.

Erwin und Elmire ein Schauspiel mit Gesang. [Motto] Frankfurt und Leipzig 1775. 64 S. 8⁰.
1. selbständiger Druck; Abdruck aus der Zeitschrift „Iris" Bd 2 (1775) S. 161–224. – 1. Fassung; 2. Fassung (Singspiel) erstmals in Bd 5 der „Schriften" bei Göschen 1788 (vgl. Sp. 2000) und als Sonderdruck ebenda.

Stella. Ein Schauspiel für Liebende in fünf Akten von J. W. Göthe. Berlin 1776. bey August Mylius, Buchhändler in der Brüderstraße. 115 S. 8⁰.

Claudine von Villa Bella. Ein Schauspiel mit Gesang von J. W. Göthe. Berlin bey August Mylius 1776. 127 S. 8⁰.
1. Fassung; 2. Fassung (Singspiel) erstmals in Bd 5 der „Schriften" bei Göschen 1788 (vgl. Sp. 2000) und als Sonderdruck ebenda.

Gesänge zu dem Feenspiel Lila. 13 S. 8⁰.
Textbuch zur 1. Aufführung in Weimar, erschien am 22. I. 1777 bei Glüsing, Weimar; vgl. JAHBurkhardt: Das herzogliche Liebhabertheater 1775–84. In: Die Grenzboten 32 (1873) 2. Sem. 1. Bd S. 8. – Frühe Fassung; die endgültige Fassung von „Lila" erschien in Bd 6 der „Schriften" bei Göschen 1790 (vgl. Sp. 2000).

Proserpina, ein Monodrama. XI S. 8⁰.
Sonderdruck des Monodramas, das sonst einen Teil von „Triumph der Empfindsamkeit" bildet. Textbuch zur 1. Aufführung des „Triumph" am 30. I. 1778, gedruckt bei Glüsing, Weimar; vgl. Burkhardt aO. S. 11; MRoediger I/17, 320; WHagen, Der Erstdruck von „Proserpina". In: Beiträge zur Goethe-Forschung S. 78ı.

Geheime Nachrichten Von den letzten Stunden Woldemars Eines berüchtigten Freygeistes. Und wie ihn der Satan halb gequetscht, und dann in Gegenwart seiner Geliebten, unter deren Gewinsel zur Hölle gebracht. Gedruckt bey dem Nachdrucker Dodsley und Compagnie. 1777. 19 S. 8⁰.
Parodie auf Fritz Jacobis „Woldemar", erschien September 1779; vgl. CSchüddekopf, Goethes Parodie auf Fritz Jacobis Woldemar. Weimar 1908.

Die Fischerinn ein Singspiel. Auf dem natürlichen Schauplatz zu Tiefurth vorgestellt. 1782. 22 ungez. Bll. 8⁰.
Erschien bei Glüsing, Weimar; vgl. AvWeilen I/12, 368.

Die Mitschuldigen. Ein Lustspiel. Von Goethe. Ächte Ausgabe. Leipzig, bey Georg Joachim Göschen, 1787. 128 S. 8⁰.

Sonderdruck aus Bd 2 der „Schriften" bei Göschen (vgl. Sp. 2000).

Iphigenie auf Tauris. Ein Schauspiel. Von Goethe. Ächte Ausgabe. Leipzig, bey Georg Joachim Göschen. 1787. 136 S. 8⁰.
Sonderdruck aus Bd 3 der „Schriften".

Die Geschwister. Ein Schauspiel. Von Goethe. Ächte Ausgabe. Leipzig, bey Georg Joachim Göschen, 1787. 44 S. 8⁰.
Sonderdruck aus Bd 3 der „Schriften".

Der Triumph der Empfindsamkeit. Eine dramatische Grille. Von Goethe. Ächte Ausgabe. Leipzig, bey Georg Joachim Göschen, 1787. 118 S. 8⁰.
Sonderdruck aus Bd 4 der „Schriften".

Die Vögel. Nach dem Aristophanes. Von Goethe. Ächte Ausgabe. Leipzig, bey Georg Joachim Göschen, 1787. 64 S. 8⁰.
Sonderdruck aus Bd 4 der „Schriften".

Egmont. Ein Trauerspiel in fünf Aufzügen. Von Goethe. Ächte Ausgabe. Leipzig, bey Georg Joachim Göschen, 1788. 198 S. 8⁰.
Sonderdruck aus Bd 5 der „Schriften".

Das Römische Carneval. Berlin, gedruckt bey Johann Friedrich Unger. Weimar und Gotha. In Commission bey Carl Wilhelm Ettinger. 1789. 69 S. 4⁰.
Als Anhang: 20 handkolorierte Tafeln.

Torquato Tasso. Ein Schauspiel. Von Goethe. Ächte Ausgabe. Leipzig, bey Georg Joachim Göschen. 1790. 222 S. 8⁰.
Sonderdruck aus Bd 6 der „Schriften".

Faust. Ein Fragment. Von Goethe. Ächte Ausgabe. Leipzig, bey Georg Joachim Göschen, 1790. 168 S. 8⁰.
Sonderdruck aus Bd 7 der „Schriften". Bogen F–L in 2 Drucken (vgl. Sp. 2004).

Jery und Bätely. Ein Singspiel. Von Goethe. Ächte Ausgabe. Leipzig, bey Georg Joachim Göschen, 1790. 56 S. 8⁰.
Sonderdruck aus Bd 7 der „Schriften". Existiert in 2 Drucken (vgl. Sp. 2004).

Scherz, List und Rache. Ein Singspiel. Von Goethe. Ächte Ausgabe. Leipzig, bey Georg Joachim Göschen, 1790. 96 S. 8⁰.
Sonderdruck aus Bd 7 der „Schriften". Bogen A–D in 2 Drucken (vgl. Sp. 2004).

J. W. von Goethe Herzoglich Sachsen-Weimarischen Geheimenraths Versuch die Metamorphose der Pflanzen zu erklären. Gotha, bey Carl Wilhelm Ettinger. 1790. 86 S. 8⁰.

J. W. von Goethe, Beyträge zur Optik. Erstes Stück mit XXVII. Tafeln / Zweytes Stück mit einer großen colorirten Tafel und einem Kupfer. Weimar, im Verlag des Industrie-Comptoirs 1791/92. 62 S.; 30 S. 8⁰.
Zum 1. Stück 27 kolorierte Tafeln im Spielkartenformat, meist in Etui oder Pappkarton. – Zum 2. Stück eine kolorierte Tafel in 2⁰. Galt lange als verschollen, dann aufgefunden und reproduziert durch Jul. Schuster: Goethe. Große Tafel zu der Beyträge zur Optik Zweytem Stück 1792. 1928.

Der Groß-Cophta. Ein Lustspiel in fünf Auf-

zügen von Goethe. Berlin. Bey Johann Friedrich Unger. 1792. 241 S. 8⁰.
Sonderdruck aus Bd 1 der „Neuen Schriften" (vgl. Sp. 20 6).

Der Bürgergeneral. Ein Lustspiel in einem Aufzuge. Zweyte Fortsetzung der beyden Billets. Berlin. Bei Johann Friedrich Unger. 1793. 138 S. 8⁰.

Gesänge aus der Oper: Die vereitelten Ränke. Nach dem Italiänischen freibearbeitet in zwei Aufzügen. Die Musik ist von Cimarosa. Weimar, gedruckt mit Glüsings Schriften 1794. 16 ungez. Bll. 8⁰.
Goethes Bearbeitung des italien. Operntextes, gedruckt als Textbuch zu den Weimarer Aufführungen; vgl. MMorris: Goethe als Bearbeiter von italien. Operntexten. GoetheJb 26 (1905) S. 50f.

Gesänge aus der Oper: Circe, in Einem Aufzuge. Musik von Anfossi. Weimar, gedruckt mit Glüsings Schriften 1794. 8 ungez. Bll. 8⁰.
Goethes Bearbeitung des italien. Operntextes, gedruckt als Textbuch zur 1. Aufführung am 22. XI. 1794; vgl. Morris aO. S. 28f.

Wilhelm Meisters Lehrjahre. Ein Roman. Herausgegeben von Goethe. Erster–Vierter Band. Berlin. Bei Johann Friedrich Unger. 1795/96. 8⁰.
Titelauflage von Bd 3–6 der „Neuen Schriften" (vgl. Sp. 2007).

Epigramme. Venedig 1790. [Motto] Berlin. Gedruckt bei Johann Friedrich Unger. 56 S. 8⁰.
Sonderdruck aus Schillers Musenalmanach 1796.

Gesänge aus der Oper: Theatralische Abentheuer, in zwei Aufzügen. Die Musik ist von Cimarosa und Mozart. Weimar 1797. 9 ungez. Bll. 8⁰.
Italien. Oper, von Goethe 1791 für das Weimarer Theater bearbeitet. Der Goethesche Grundtext existiert nur handschriftlich, während der Einzeldruck bereits von Vulpius eingefügte Ergänzungen aus einer Mozart-Oper enthält. Diente als Textbuch zur Aufführung am 14. X. 1797; gedruckt bei Glüsing, Weimar; vgl. MMorris aO. S. 6f.

Taschenbuch für 1798. Hermann und Dorothea von J. W. von Göthe. Berlin bey Friedrich Vieweg dem älteren. 7 Bll. Kalender, 174 S. 8⁰.
Erschien Oktober 1797; zur Drucklegung vgl. LGeiger: Die erste Ausgabe von Hermann und Dorothea und ihre Verleger. Zeitschr. f. Bücherfreunde 1,1 (1897) S. 143–149.

Göthe's neueste Gedichte. Mit Kupfern. Berlin. Bei Johann Friedrich Unger. 1800. 380 S. 8⁰.
Titelauflage von Bd 7 der „Neuen Schriften" (vgl. Sp. 2007).

Mahomet. Trauerspiel in fünf Aufzügen, nach Voltaire von Göthe. Tübingen, in der J. G. Cotta'schen Buchhandlung 1802. 102 S. 8⁰.

Tancred. Trauerspiel in fünf Aufzügen, nach Voltaire von Göthe. Tübingen in der J. G. Cotta'schen Buchhandlung 1802. 104 S. 8⁰.

Was wir bringen. Vorspiel bey Eröffnung des neuen Schauspielhauses zu Lauchstädt. Von

Göthe. Tübingen, In der J. G. Cotta'schen Buchhandlung. 1802. 80 S. 8⁰.

Leben des Benvenuto Cellini Florentinischen Goldschmieds und Bildhauers von ihm selbst geschrieben. übersezt und mit einem Anhange herausgegeben von Goethe. Erster/Zweyter Theil. Tübingen, Im Verlag der J. G. Cotta'schen Buchhandlung. 1803. 316 S.; 334 S. 8⁰.

Taschenbuch auf das Jahr 1804. Die natürliche Tochter. Trauerspiel von Goethe. Tübingen, in der Cotta'schen Buchhandlung. 224 S. 8⁰.

Winkelmann und sein Jahrhundert. In Briefen und Aufsätzen herausgegeben von Goethe. Tübingen, in der J. G. Cotta'schen Buchhandlung. 1805. XVI, 496 S. 8⁰.

Rameau's Neffe. Ein Dialog von Diderot. Aus dem Manuskript übersetzt und mit Anmerkungen begleitet von Goethe. Leipzig, bey G. J. Göschen, 1805. 480 S. 8⁰.

Zum feyerlichen Andenken der Durchlauchtigsten Fürstin und Frau Anna Amalia, verwittweten Herzogin zu Sachsen-Weimar und Eisenach, gebornen Herzogin von Braunschweig und Lüneburg. 4 S. 2⁰.
Nachruf auf die Herzogin Anna Amalia, gedruckt Mitte April 1807. Diente zum Verlesen von den Kanzeln; vgl. WvBiedermann I/36, 449.

Sammlung zur Kenntniß der Gebirge von und um Karlsbad angezeigt und erläutert von Goethe. Karlsbad, gedruckt mit Johanna Franieckischen Schriften. 1807. 32 S. 8⁰.

Faust. Eine Tragödie. von Goethe. Tübingen in der J. G. Cotta'schen Buchhandlung. 1808. 309 S. 8⁰.
Stammt aus dem umbrochenen Satz von Bd 8 der Ausgabe A (Cotta 1806–08; vgl. Sp. 2012).

Die Wahlverwandtschaften. Ein Roman von Goethe. Erster/Zweyter Theil. Tübingen, in der J. G. Cotta'schen Buchhandlung. 1809. 306 S.; 340 S. 8⁰.

Maskenzug zum 30sten Januar 1810. 16 S. 4⁰.
Maskenzug zum Geburtstag der Herzogin Luise, 1. Aufführung 2. II. 1810; vgl. HDüntzer: Goethes Maskenzüge. 1886. S. 66.

Pandora von Goethe. Ein Taschenbuch für das Jahr 1810. Wien und Triest, in der Geistingerischen Buchhandlung. 64 S. 8⁰.
Existiert in 2 Drucken; Kennzeichen bei WHagen S. 118.

Zur Farbenlehre. von Goethe. Erster Band. Nebst einem Hefte mit sechzehn Kupfertafeln / Zweyter Band. Tübingen, in der J. G. Cotta'schen Buchhandlung. 1810. XLVIII, 654 S.; XXVIII, 757 S. 8⁰.
Von Bd 1 Exemplare mit dem Erscheinungsjahr 1808 und 352 S.; vgl. dazu GSchmid: Goethe und die Naturwissenschaften. 1940. Nr 48/49. Als Ergänzung erschienen:
a) Anzeige und Uebersicht des Goethischen Werkes zur Farbenlehre. Tübingen, bey Cotta,

1810, in 8. I. Band S. XLVIII. 654. II. Band S. XXVIII. 757. Ein Heft mit XVI. illuminierten Kupfertafeln und deren Erklärung.
Erschien in der Extrabeilage Nr 8 zum Morgenblatt Nr 135 v. 6. VI. 1810. Davon ein neuer Abdruck mit 12 S., zusammen mit b) in einem Heft; vgl. GSchmid aO. Nr 59; ders.: Schicksale einer Goetheschrift. 1938. S. 7f.
b) Erklärung der zu Goethe's Farbenlehre gehörigen Tafeln. 24 S., 17 Tafeln.

Philipp Hackert. Biographische Skizze, meist nach dessen eigenen Aufsätzen entworfen von Goethe. Tübingen, in der J. G. Cottaischen Buchhandlung. 1811. XII, 346 S. 8⁰.

Aus meinem Leben. Dichtung und Wahrheit. Von Goethe. Erster-Dritter Theil / Zweyter Abtheilung Erster, Zweyter, Fünfter Theil. Tübingen [4–6.: Stuttgart und Tübingen], in der J. G. Cottaischen Buchhandlung. 1811 bis 1822. 8⁰.

Goethe's Gedichte. Tübingen in der J. G. Cotta'schen Buchhandlung. 1812. 408 S. 8⁰.
Titelauflage von Bd 1 der Ausgabe A (2. Doppeldruck A²; vgl. Sp. 2014).

Wieland's Andenken in der Loge Amalia zu Weimar gefeyert den 18. Februar 1813 von Goethe. Als Manuscript. 28 S. 4⁰.
Erschien Ende März 1813; gedruckt bei Carl Bertuch, Weimar.

Höhen der alten und neuen Welt bildlich verglichen von Hrn. G. R. von Göthe. Aus den Allgemeinen Geographischen Ephemeriden XLI. Bandes I. Stück besonders abgedruckt. Mit einem colorirten Tableau. Weimar, im Verlage des Landes-Industrie-Comptoirs 1813. 4 S., 1 Tafel. 2⁰.

Des Epimenides Erwachen. Ein Festspiel von Göthe. Berlin, bei Duncker und Humblot. MDCCCXV. XIV, 66 S. 8⁰.
Mit einem Vorwort von Konrad Levezow, das in manchen Exemplaren fehlt. Existiert in 2 Drucken; Kennzeichen bei WHagen S. 126f.

Goethe's Gedichte. Erster/Zweyter Theil. Stuttgart und Tübingen, in der J. G. Cotta'schen Buchhandlung. 1815. VIII, 256 S.; VIII, 207 S. 8⁰.
Titelauflage von Bd 1–2 der Ausgabe B (Cotta 1815 bis 1819; vgl. Sp. 2019f.), nach Herausnahme des Durchschusses.

Bey Allerhöchster Anwesenheit Ihro Majestät der Kaiserin Mutter Maria Feodorowna in Weimar Maskenzug. Stuttgard, in der Cotta'schen Buchhandlung. 1819. 80 S. 8⁰.
Umschlagtitel: Festgedichte Weimar 18ter December 1818. Exemplare ohne Verlagsangabe und mit dem Erscheinungsjahr 1818. – Davor bereits der Druck „Bei Allerhöchster Anwesenheit Ihro der verwittweten Kaiserin Aller Reussen Majestät Maskenzug. Im December. Vorläufige Anzeige. Weimar, 1818. 16 S. 8⁰", der jedoch nur die prosaische Beschreibung und Erläuterung des Maskenzuges enthält.

West-oestlicher Divan. Von Goethe. Stuttgard, in der Cottaischen Buchhandlung 1819. 556 S. 8⁰.

Der Kammerberg bey Eger. 20 S. 8⁰.

Sonderdruck aus: Zur Naturwissenschaft überhaupt, besonders zur Morphologie. Bd 1 H. 2. Stuttgard und Tübingen, Cotta 1820, S. 65–82. – 1. Einzeldruck, vorher bereits in: Taschenbuch für die gesammte Mineralogie. Hrsg. von C. C. Leonhard. 3. Jg. 1809, S. 3–24.

Wilhelm Meisters Wanderjahre oder Die Entsagenden. Ein Roman von Goethe. Erster Theil. Stuttgard und Tübingen, in der Cotta'schen Buchhandlung. 1821. 4 ungez. Bll., 550 S. 8⁰.

Goethe's Reinecke Fuchs. In zwölf Gesängen. Leipzig: F. A. Brockhaus. 1822. 491 S. 8⁰.

Die unverkauft gebliebenen Bgn von Bd 2 der Ausgabe N (2. Doppeldruck N²; vgl. Sp. 2008) mit neuem Titelbl.

Prolog von Göthe, gesprochen im Königl. Schauspielhause vor Darstellung des dramatischen Gedichts Hans Sachs, in 4 Abtheilungen, von Deinhardstein. Berlin, 128. 138 S. 8⁰.

Goethe's Gedichte. Erster / Zweyter Theil. Neue Auflage. Stuttgard und Tübingen, in der J. G. Cotta'schen Buchhandlung. 1829. XII, 456 S.; X, 366 S. 8⁰.

Über den Zwischenkiefer des Menschen und der Thiere, von Goethe. Jena, 1786. Mit 5 Kupfertafeln. 48 S., 5 Tafeln. 4⁰.

Sonderdruck aus: Verhandlungen der Kaiserlichen Leopoldinisch-Carolinischen Akademie der Naturforscher. Bd 15, 1. Bonn 1831. S. 1–48. – 1. Einzeldruck, vorher bereits in: Zur Naturwissenschaft überhaupt, besonders zur Morphologie. Bd 1 H. 2. 1820. S. 199–251.

Mittheilungen aus der Pflanzenwelt, von Göthe. Mit zwei Steindrucktafeln. (Aus den Jahren 1827 und 1828.) 22 S., 2 Tafeln. 4⁰.

Sonderdruck aus: Verhandlungen der Kaiserlichen Leopoldinisch-Carolinischen Akademie der Naturforscher. Bd 15, 2. Breslau und Bonn 1831. S. 363 bis 384.

Faust. Eine Tragödie von Goethe. Zweyter Theil in fünf Acten. (Vollendet im Sommer 1831) Stuttgart und Tübingen, in der J. G. Cotta'schen Buchhandlung. 1833. 344 S. 8⁰.

Titelauflage von Bd 41 der Taschenausgabe letzter Hand (vgl. Sp. 2041).

Literatur

Bibliographien: KGoedeke: Grundriß zur Geschichte der deutschen Dichtung. 3. Aufl. Bd IV 1–4. 1910–16. – FMeyer: Verzeichnis einer Goethe-Bibliothek. 1908. – LBrieger: Ein Jahrhundert deutscher Erstausgaben. Die wichtigsten Erst- und Originalausgaben von etwa 1750 bis etwa 1880. 1925. – Katalog der Sammlung Kippenberg. 2. Ausgabe. Bd 1–3. 1928. – Verzeichnis von SHirzels Goethe-Sammlung der Univ. Bibl. Leipzig. Nach Hirzels Verzeichnis von 1876 neu hrsg. von RFink. 1932. – GSchmid: Goethe und die Naturwissenschaften. 1940. – CFSchreiber: Goethe's works with the exception of Faust. A catalogue compiled by the members of the Yale University library staff. 1940. – WHagen: Die Gesamt- und Einzeldrucke von Goethes Werken. AkA Erg. Bd 1. 1956. – HRuppert: Goethes Bibliothek. 1958.
Zu Abschn. IA (Verleger): OFVaternahm: Goethe und seine Verleger. Diss. Heidelberg 1916. – GWitkowski: Goethe und seine Verleger. In: Miniaturen. 1922. S. 102–135. – FAHünich: Goethe und seine Verleger. In: Goethe-Kalender 18 (1925), S. 99 bis 118. – ORauscher: Wiener Ausgaben von Goethes

Werken in den Jahren 1776–1834. Diss. Wien 1934 [Masch.]. – ICLoram: Goethe and the publication of his works. Diss. New Haven 1949 [Masch.]. – KMarkert: Goethe und der Verlag seiner Werke. In: Goethe 12 (1950), S. 144–176.
Zu Abschn. A 1 (Frühe Raubdrucke): MBernays: Über Kritik und Geschichte des Goetheschen Textes. 1866. – ODeneke: Die erste Sammlung von Goethes Schriften. Göttinger Beiträge zur Goethe-Bibliographie II. 1907. – JHEckhardt: Berliner Buchhändler der Klassikerzeit. In: Börsenbl. f. d. dtsch. Buchhandel 76 (1910), S. 2266–2270; 2393–2398; 2688 bis 2692; 8816–8820; 8930–8933; 10182–10186; 10393–10397.
Zu Abschn. A 2a (Göschen): LGeiger: Aus Göschens und Bertuchs Correspondenz. In: Goethe Jb 2 (1881), S. 395–409. – Ders.: Brief Seidels an Göschen. In: Goethe Jb 10 (1889), S. 146 f. – GJViscount Göschen: The life and times of Georg Joachim Göschen, publisher and printer of Leipzig 1752–1828. 2 Bde 1903. Gekürzte dtsch. Ausgabe, übers. v. TAFischer, 2 Bde 1905. – ODeneke: Goethes Schriften bei Göschen 1787–1790. Göttinger Beiträge zur Goethe-Bibliographie IV. 1909. – Ders.: Die Einzeldrucke Goethescher Werke bei Göschen 1787–1790. Göttinger Beiträge zur Goethe-Bibliographie V. 1909. – WHeck: Die Erstdrucke in Goethes Schriften bei Göschen 1787–1790. In: Das Antiquariat 5 (1949), S. 68 f.
Spezialuntersuchungen zum Doppeldruck des Faustfragments: BSeuffert: Einleitung zur Neuausgabe des Faustfragments. In: Dtsch. Lit.-Denkmale 5 (1882). – GMilchsack: Die Drucke von Goethes Faustfragment 1790 und die Drucke 1808. In: Gesammelte Aufsätze über Buchkunst und Buchdruck... 1922. S. 138–147. – HBehn: Der Erstdruck von Goethes Faustfragment. In: Ztschr. f. Bücherfreunde NF 15 (1923), S. 41–48. – BSeuffert: Nochmals der Fragmentdruck von Goethes Faust. In: Ztschr. f. Bücherfreunde NF 16 (1924), S. 29–33. – ESchulte-Strathaus: Goethes Faustfragment 1790. – CvFaber du Faur: Der Erstdruck des Faustfragments. In: Monatshefte f. dtsch. Unterricht, dtsch. Sprache und Literatur, hrsg. v. d. Universität Wisconsin Bd 41 (1949), S. 1–18. – WHagen: Die Drucke von Goethes Faustfragment 1790. In: Gedenkschrift f. FJSchneider. 1956. S. 222–240. – Dies.: Der Erstdruck von Goethes Faustfragment. In: Beiträge zur Goetheforschung, hrsg. v. PGrumach. 1959. S. 59–77. – Zu den Wiener Titelauflagen der "Schriften": OMallon: Bemerkungen zur Goethe-Bibliographie. Die Wiener "geringere" Göschen-Ausgabe. In: Ztschr. f. Bücherfreunde NF 22 (1930), S. 18 f. – FBrahn: Eine unbekannte Goethe-Ausgabe. In: Das Antiquariat 9 (1953), S. 41. – Zum Mannheimer Nachdruck der "Schriften": MHarrwitz: Eine unbekannte Goethe-Ausgabe. In: Ztschr. f. Bücherfreunde 10, 1 (1906/07), S. 46.
Zu Abschn. A 2b (Unger): FvBiedermann: Johann Friedrich Unger im Verkehr mit Goethe und Schiller. 1927. – ICLoram: Goethe und Johann Friedrich Unger. In: Germanic Review 26 (1951), S. 125 bis 135. – Zu den Doppeldrucken der "Neuen Schriften": WVollmer: Zur Geschichte und Kritik des Goetheschen Textes. In: Beilage z. Augsburger Allg. Zeitung 1868 Nr 103/04. – WKurrelmeyer: Doppeldrucke von Goethes Neuen Schriften 1792 bis 1800. In: MLN 47 (1932), S. 281–292.
Zu Abschn. A 2c (Cotta): WVollmer: Briefwechsel zw. Schiller und Cotta. 1876. – GKleinstuck: Goethe und Cotta. 1882. – ASchäffle: Johann Friedrich Cotta. 1895. – MFehling: Briefe an Cotta. Das Zeitalter Goethes und Napoleons 1794–1815. 1925. – HSchiller: Briefe an Cotta. Das Zeitalter der Restauration 1815–1832. 1927. – Cotta. Zur 100. Wiederkehr seines Todestages hrsg. u. verlegt v. d. JG Cotta'schen Buchhandlung Nachf. Robert Kröner. 1932. (Mit 12 Briefen Goethes an Cotta.) – HSchiller: Johann Friedrich Cotta. In: Schwäbische Lebensbilder Bd 3 (1942), S. 72–124. – URiedel: Der Verleger JFCotta. Ein Beitrag zur Kultursoziologie seiner Zeit und zur Verlagssoziologie. Diss. Heidelberg 1951 [Masch.]. LLohrer: Cotta, Geschichte eines Verlages 1659–1959.
Zu Abschn. A 2 cα (Ausgabe 1806–08: A): JT

Hatfield: Über die 2. Auflage (A') der ersten Cotta'-
schen Ausgabe von Goethes Werken. In: Journal of
English and Germanic Philology 5 (1904), S. 341 bis
352. – FSeuffer: Die beiden Drucke (A und A¹) der
ersten Cotta'schen Ausgabe von Goethes Werken. In:
Börsenbl. f. d. dtsch. Buchhandel 77 (1911) S. 1697f.,
2233f., 2759f. – WKurrelmeyer: Die Doppeldrucke
von Goethes Werken 1806–1808. In: MLN 26 (1911),
S. 133–137; 27 (1912) S. 174–176. – Ders.: Die Doppeldrucke in ihrer Bedeutung für die Textgeschichte
von Wielands Werken. In: Abhandlungen der Königl.
Preuß. Akademie der Wissenschaften 1913, phil.-
hist. Classe Nr 7. – Ders.: Zu den Doppeldrucken der
Goethe-Ausgabe 1806. In: MLN 43 (1928), S. 245f. –
Zu den Nachdrucken von A: ORauscher: Die
Wiener Nachdrucke von Goethes Werken. In: Chronik der Wiener Goethe-Vereins 40 (1935), S. 23–32;
41 (1936), S. 32–35. – Ders.: Joseph Geistinger als
Verleger Goethes. Ebd. 43 (1938), S. 36f. – EAlker:
Die Upsalaer Klassiker-Ausgaben. In: Zeitschrift f.
Bücherfreunde NF 20 (1928), S. 71–74.
Zu Abschn. A 2cβ (Ausgabe 1815–19: B): W
Kurrelmeyer: Die Doppeldrucke der zweiten Cotta'-
schen Ausgabe von Goethes Werken. In: MLN 31
(1916), S. 275–280. – Zum Wiener Nachdruck
von B: BSeuffert: Die Wiener Goethe-Ausgabe von
1816. In: Vierteljahrschr. f. Lit.Gesch. 6 (1893), S.627.,
– Ders.: Goethes Erzählung „Die guten Weiber" in
den Wiener Nachdrucken. In: GoetheJb 15 (1894),
S. 158–177. – ELaistner: Armbruster und die Wiener
Goethe-Ausgabe. In: Münchener Allg. Zeitung vom
18. I. 1894, Beilage Nr 14. – ORauscher: Die Wiener
Originalausgabe von Goethes Werken 1816–1819. In:
Chronik des Wiener Goethe-Vereins 42 (1937), S. 37
bis 40.
Zu Abschn. A 2γ (Ausgabe letzter Hand).
a) Vorbereitung: HGFiedler: Goethe's application
for the copyright of the final edition of his collected
works (Ausgabe l. H.). In: Modern Language Review 37 (1942), S. 75–78. – HFröbe: Die Privilegierung der Ausgabe letzter Hand Goethes sämtlicher
Werke. Diss. Erlangen 1951 [Masch.]. – WFlach: Goethes literarisches Archiv. In: Archivar und Historiker.
Festschrift f. HOMeisner. 1956. S. 45–71. – b) Druckgeschichte: WKurrelmeyer: Die Doppeldrucke der
Ausgabe letzter Hand. In: MLN 61 (1946), S. 145 bis
153. – GEcke: Über Goethes Werke, Ausgabe letzter
Hand. In: Börsenbl. f. d. dtsch. Buchhandel, Frankfurter Ausgabe 9 (1953), S. 581f. – WHagen: Die
Doppeldrucke der Taschenausgabe letzter Hand. In:
Beiträge zur Goetheforschung, hrsg. v. EGrumach.
1959. S. 35-51. – Zur Kritik der Ausgabe letzter Hand
vgl. oben Sp. 2046 ff.
Zu Abschn. I B (Ausgaben nach Goethes Tode) und
II (Einzelausgaben) vgl. die oben Sp. 2042 ff. und Sp.
2052 ff. bereits angeführte Literatur.   *Gr/Hg*

Edling, Albert Cajetan Graf von (1772–1841),
aus der Grafschaft Görz gebürtig, nach sechs-
jährigem Studium an der Universität Wien
und mehrjähriger Tätigkeit bei einem wiener Verwandten, die ihm Gelegenheit gab, den
kaiserlichen Hof kennen zu lernen, kgl. sächs.
Kammerherr in Dresden, nahm auf Empfehlung des dortigen weimarischen Agenten
Heinrich Ludwig Verlohren als Begleiter von
Carl Augusts zweitem Sohn Bernhard an dessen Reise nach Österreich, Italien und Frankreich 1811 bis 1813 teil. Nach seiner Rückkehr
hielt er sich eine zeitlang in Weimar auf, wo
er am 4. IV. 1813 in Begleitung des Prinzen
Bernhard auch Goethe besuchte (III/5, 30).
Im Laufe des Jahres traf er mit Goethe mehrfach – in Dresden, Teplitz, Ilmenau und Weimar – zusammen (III/5, 35; 45; 72f.; 75; 82;
86; 342; IV/23, 349; 429). Ende 1813 trat er auf

Carl Augusts Wunsch als Oberhofmarschall
und Mitglied der Hoftheaterkommission in
weimarische Dienste; 1815 wurde er Wirkl.
Geh. Rat und Staatsminister und besorgte als
solcher die Angelegenheiten des Hofes und der
auswärtigen Politik. Als im Januar 1818 ein
geheimer Quartalsbericht *Kotzebues an den
russischen Zaren Alexander I. über den „Zustand und die Tendenz der deutschen Literatur" dem jenaer Historiker *Luden in die
Hände gespielt und trotz des Druckverbots
der weimarischen Regierung von L*Wieland
im „Volksfreund" größtenteils veröffentlicht
worden war, fühlte sich E., der dem russischen
Gesandten in Weimar die Unterbindung des
Drucks zugesagt hatte, bloßgestellt und trat
von seinen Ämtern zurück, zumal er sich in
der Frage der Pressefreiheit, deren entschiedener Gegner er war, im Gegensatz zu seinen
weimarer Ministerkollegen zu befinden glaubte. Er ging zunächst für Monate in Urlaub und
schied im Juni 1819 ganz aus dem weimarischen
Dienst aus. Seitdem lebte er teils in Italien
teils auf den Gütern seiner Frau Roxandra
geb. Prinzessin Stourdza, vormaliger Hofdame der Kaiserin Elisabeth von Rußland
und Schwester des russischen Publizisten und
Staatsrats Fürsten Alexander Stourdza (1791
bis 1854), in Bessarabien und in Odessa. Nur
selten kam er noch einmal nach Weimar (1825:
III/10, 96). Goethe schätzte E., mit dem er
dienstlich zu tun hatte (III/5, 199; 233; III/6,
148; IV/24, 272; IV/25, 77; 248; IV/27, 329;
335; IV/28, 322), aber auch gesellschaftlich
verkehrte (III/5, 203; 214; 276; III/6, 45; 263),
und bedauerte seinen Weggang aus Weimar
lebhaft (IV/31, 174; IV/32, 22; 155f.).   *Hk*

Eger an der Eger, die alte Kreishauptstadt in
*Böhmen, empfängt wie zu Goethes Zeiten
als Einfallstor noch heute den Fremdenver-
kehr, der vor allem den böhmischen Welt-
bädern zuströmt, wie den Güterzufluß, der für
das Landesinnere bestimmt ist, und es entläßt
als Ausfallstor Reisende und Warenausfuhr
nach dem Westen. So hat E. die ursprüngliche Grenzfunktion als Fernstraßen- und Ei-
senbahnknotenpunkt unverändert beibehalten. 1785, 1786, 1795(?), 1807, 1810(?), 1811
und 1820 hat Goethe hier bloß übernachtet.
Seit 4. VIII. 1806 pflegte er in dem altrüm-
lich bekannten Gasthof „Zur goldenen Sonne"
abzusteigen, dh. damals am Marktplatz,
*einem der schönsten Marktplätze…, der Ring
genannt, zwar ansteigend, aber durchaus mit
schönen Gebäuden umgeben (III/8, 97),* wo
heute das Sparkassengebäude steht. Goethe
liebte es, sowohl am Ankunfts- wie meist auch

am nächstfolgenden Abreisetag einige Stunden, zuweilen auch einen halben Tag der Stadt- und Landschaftsbesichtigung, Besuchen, Unterredungen, Einblicken in die verschiedenartigsten privaten und öffentlichen Sammlungen etc. zu widmen. Unter den *Merkwürdigkeiten*, die er *besehen* hat, notierte er die *zwey Kirchen* (Doppelkapelle der alten Hofburg, unterer Teil 1183 romanisch, oberer Teil 1255 gotisch), in der Stadt das *Rathhaus* (in dessen *Bibliothek ... die Partisane, womit Wallenstein erstochen worden*), endlich das *Schloß*, einen Bau, dessen älteste Anlagen frühmittelalterlich sind und in die Markgrafenzeit der Vohburger (1000/1149) zurückreichen, dann aber den Staufern Ausbau (1150/79) und Würde als Hofburg verdanken. Später wurde es mehrfach erneuert, war 1633 bis 1634 Wohn- und Amtssitz des Stadtkommandanten Oberstleutnant John Gordon, der *Wallensteins Anhänger am 25. II. 1634 hier im Bankettsaal ermorden ließ, blieb seither unbewohnt, wurde 1742 Ruine [im österreichischen Erbfolgekrieg: Belagerung durch VFv *Broglio und Kapitulation]. 1791 hatte Schiller in E. Anregungen zum „Wallenstein" gesucht; 1806 verbrachte Goethe sein erstes Wiederverweilen nach Schillers Tod im Gedanken an den Toten und gab sich „Wallenstein"-Erinnerungen hin. Unter den Resten der mittelalterlichen Burganlage fesselte Goethe über das Jahr 1806 hinaus, vornehmlich 1807, 1821, 1826 der *alte Thurm* / der *alte Römerthurm* / der *alte schwarze Thurm*, der allerdings nicht von *Quarz*, sondern mit Lavastücken aus dem erloschenen Krater des Kammerbühl, auch nicht zur Römer-, sondern allenfalls in der Vohburger-Zeit aufgeführt wurde: *Er bleibt doch der Anfang und das Ende. Ich wüßte nichts einfacher-größeres von dieser Art. Mir ist er gewiß römisch, so etwas setzt einen großen Kunstbegriff voraus* (*III/3, 133; 272; 8, 103;* dazu IV/41, 178). In den beiden Jahren 1806 und 1808, als in E. auch die Abhandlung *Der Kammerberg bei Eger* (1808: *II/9, 76–97;* NS 1, 357–369) zustande kam, dehnte Goethe seinen vom Zauber des mit Sv*Ziegesar erlebten Herzensromans mitbestrahlten E.-Aufenthalt auf je zwei Tage aus. Auch fuhr er 1808 während seiner Kurzeit in *Franzensbad sechsmal, wenn auch nur auf wenige Stunden, nach E. hinein: 1821 weilte er dann 20 Tage (25. VIII.–13. IX.) in E. (aber: 28. VIII. *Hartenberg: *Geburtstag), im folgenden Jahr 32 Tage (26. VII. bis 26. VIII.), 1823 dreimal je vier Tage (29. VI.–2. VII.; 22.–25. VIII.; 7.–11. IX. – dieses dritte Mal in der Stimmungsdüsternis, die der Abschiedsschmerz um Ulrike v*Levetzow bewirkte).

Beschränkt auf die bloße Aufzählung auch nur der hauptsächlichsten geistig-seelischen Bindungen und Bestrebungen, die Goethes vierzehnmaliges, insgesamt 124 Tage währendes Verweilen in E. ausgefüllt haben, ergibt sich folgende gedrängte Sachübersicht: Mineralogie/Geologie/Geognosie (vielfach verbunden mit Sammlung und Ordnung von Gesteinsproben), ferner Paläontologie (Fossilien; Mammutzahn: *Dölitz, I/36, 213; Heideneiche: *Reichersdorf, III/8, 219; 221), zeichnerisch darstellende, wissenschaftlich beschreibende, dichterisch verherrlichende Fixierung der bedeutendsten Landschaftseindrücke in der näheren und ferneren Umgebung, historische Baudenkmäler der Stadt [außer den bereits erwähnten zB. *alte verödete Judensynagoge ..., merkwürdig wegen hebräischen Inschriften* 1821: *III/8, 103,* einst zur christlichen Capelle umgewandelt, jetzt verwais't vom Gottesdienste des alten und neuen Testaments 1821 *TuJ I/36, 203f.* *Hebräisch; Hauptkirche St. Nicolai, von wo aus um 10 Uhr die große Prozession ausging: St. Vincenztag: III/8, 96f.; die „sogenannte Wenzelsburg gegenüber den alten Schloßruinen": Bdm. 2, 543; das „alte Schulgebäude" (Gymnasium): Bdm. 2, 546 (Prüfung und Prämiierung von Schülern); das „Dominikanerkloster, um die Bibliothek und das Mineralien- und Konchylienkabinett zu besehen", (Manuskript des Priors Wilhelm, 1565: Bdm. 2, 587)], Urkunden, Münzen und andere, die einstige politische Eigenständigkeit der königlichen Stadt und des Reichslandes E. bezeugende Spuren, namentlich auch die auf die Religionskämpfe des *Dreißigjährigen Krieges bezüglichen Gedenkstellen, alles Volkskundliche: Sitten, Bräuche, Feste, ältere und neuere Sprache und Grammatik, slawische Unterschichtung der Urbevölkerung, kirchliche Einrichtungen samt den dabei in Anwendung stehenden Lehrmitteln, Büchereien usw.; alle auf das wirtschaftliche und ökonomische Dasein der gesamten Bevölkerung sich beziehenden Umstände, Erwerbsarten, Lohnverhältnisse, Verwaltungsformen, öffentliche Lasten, Besteuerung, Frondienste, Scharwerke, Robote, Einrichtungen der Volkswohlfahrt, der Fürsorge, des Gerichtswesens, der Verkehrsmittel, überhaupt alle akuten Fragen der Politik und Regierung hierzulande.

Von den zahlreichen, von E. aus und in E. geschriebenen Briefen und *Tgb.*-Aufzeichnungen abgesehen, ist da auch die Neubearbeitung des alttschechischen Gedichtes vom *Sträußchen* entstanden (*Altböhmisch: I/3, 209;* die Angabe „Marienbad" 428 ist irrig, denn Goethe befindet sich am 28. VII. 1822 in E.). Daß diese geistig-seelische und schöpferische Regsamkeit keineswegs nacheinander und voneinander unabhängig, sondern gerade in allen Bezügen innigst verwoben als Empfindungs-, Erlebnis- und Denkeinheit aus Goethes Innerem hervortrat und sich als unauflösbare Einheit seiner so vielfachen Daseinsausstrahlung bekundet, wird in E. besonders sinnfällig. Bei dem Dichter der **Gelegenheit* wundert es nicht, wenn auch hier fast immer die Impulse in und durch Begegnungen mit Menschen verschiedenster Art wirksam wurden. RV S. 24f.; 41–43; 45–47; 58–63.

Personen: Historisch gebührt dem Scharfrichter Karl Huss die erste Erwähnungsstelle. Seit Goethes erstem Besuch bei ihm am 5. VIII. 1806 brach der belangreiche, persönliche und briefliche Verkehr beider niemals ab. Goethe besichtigte des durch sein Amt vereinsamten Mannes Münzen-, Mineralien-, Dokumenten-, Altertums- und Kunstsammlungen bei jeder sich bietenden Gelegenheit aufs eingehendste. – Viel später, erst seit 1820 rückte der Polizei- und Kriminalrat beim Magistrat E., Joseph Sebastian Grüner zur Mittelgestalt allen Umgangs in E. auf. So ist ua. auch die für Goethes Altersjahre entscheidendste und bedeutsamste Freundschaft, die mit Kaspar Graf Sternberg, dank seiner Vermittlung zustande gekommen. Ihre für Lebensdauer schöpferisch und anregend fortwirkende Vertiefung erfuhr sie durch die von Grüner in E. am 30. VI. 1822 veranstaltete, unmittelbar den Untersuchungen des Mammuthzahnes, der versteinten Heideneiche und des vulkanischen Kammerbühl bei E. geltende Zusammenkunft. Zu Goethes höchster Befriedigung nahmen an dieser auch die beiden Fachgelehrten europäischen Rufes, der Geologe Jakob Berzelius aus Stockholm und der Chemiker Prof. Dr. Joh. Bap. Em. Pohl aus Wien teil. Der Kammerbühl und sein fraglicher Vulkanismus war allerdings schon seit 1808 in jedem Sinne des Wortes Goethes „Herzenssache" geworden. Durchglühte ihn doch bei seinen ersten Forschungsgängen zum berühmten Hügel die Liebesidylle mit Sylvia von Ziegesar. – Auch der Advokat Frank in Eger, in dessen Hause der prager Kapellmeister Václav Jan Tomášek/Wenzel Johann Tomaschek, ua. auch Komponist des Mignonliedes, am 6. VIII. 1822 seine Vertonungen zahlreicher Goethe-

gedichte dem Dichter vortragen konnte, gehörte zu Grüners dortigem Freundeskreis. – Goethes für das egerische und gesamtböhmische, ja gesamtösterreichische Erziehungs- und Unterrichtswesen vielfach bekundete, auch Lehrbücher, Lehrmittel, Schul- und Gemeindebüchereien miteinschließende rege Anteilnahme brachte ihn mit Mitgliedern des Kuratoriums und des Lehrkörpers des damals sechsklassigen egerer humanistischen Gymnasiums in Berührung. Er besuchte die Anstalt am 31. VIII. und am 5. IX. 1821, wohnte den Reifeprüfungen und der öffentlichen feierlichen Prämienverteilung bei. Den „Rhetor" Georg Schmied, den Sohn eines armen Taglöhners aus Reichersdorf, zeichnete er durch die eigenhändige Namenseintragung in sein Prämienbuch aus. Bei dieser Gelegenheit traf er abermals mit dem ihm schon von seinem Besuch bei dem Grafen Auersperg in Hartenberg her bekannten Ehrendirektor des Gymnasiums, dem Kreishauptmann von Elbogen (Loket), Joseph Frh. v. Erben, zusammen und lernte auch den Vizedirektor Bürgermeister Abraham Totzauer, sowie den Präfekten und den tatsächlichen Anstaltsleiter Joseph Schramm aus Königswart (Kynžvart), den Professor der I. Humanitätsklasse Dominik Kratochvíle und den der II., Joseph Hentsch kennen. – Von zahlreichen kleineren Ausflügen, wie zB. solchen nach Maria Culm (Wallfahrtskirche), Liebstein (Aussicht, Krystalle, Granit), Haslau (Egeranbrüche), Seeberg (Drahtmühle, romantische Aussicht, Schloß mit Turm, Schwedenschanze, Wallenstein- und Schillererinnerungen), Booden (Thonschiefer und vulkanischer Sand), Albenreuth (Basalthornblende), Pograd (Eisenstein- und Tongruben, Kiensberger Römerturm, Ölberg mit Passionsweg und lebensgroßen bemalten Holzschnitzereien), Schloppenhof (Bachmeyersche Spinnerei), Dölitz (Aussicht, Kalkstein, Pflanzenfossilien) ua. abgesehen, unternimmt Goethe in Grüners Begleitung vier solche, die in seinem Schaffen nachhaltige Spuren hinterlassen. Am 3. und 5. VIII. 1822 besucht er in Falkenau (Sokolov) den Justitiar Ignatz Lössl, einen hervorragenden Mineralogen und Gesteinsammler, der seinen hohen Besucher durch seine auf unmittelbarer Anschauung beruhende Vertrautheit mit allen wirtschaftlichen, sozialen und politischen Verhältnissen des Egerlandes zu fesseln vermochte. Lössl veranstaltete auch die Zusammenkunft mit dem Vertreter des für Goethes Gesamtauffassung grundlegenden Naturdichterbegriffes, Anton Fürnstein. –

Am 4.VIII. 1822 ging Goethe nach Hartenberg zum geheimen Rat und Apellationspräsidenten Grafen Joseph v. Auersperg, bei dem er im Vorjahre seinen 72. Geburtstag in unvergeßlicher Festlichkeit begangen hatte. Der auch literarisch gebildete Graf bot alles auf, den Aufenthalt seines bewunderten Gastes auch diesmal möglichst erfreulich und ersprießlich zu gestalten. Aus seinem musterhaften Mineralienkabinett beschenkte er ihn mit einem mächtigen Bleispat mit kristallisiertem Braunbleierz und anderen begehrten Seltenheiten der Art. Er versäumte aber auch nicht, ihm den ganzen Schatz seiner in hohen Ämtern gesammelten vertraulichen Einsichten in alle Verwicklungen der österreichisch-ungarischen Innenpolitik zu eröffnen, wie er auch Goethes die landwirtschaftlichen und industriellen Betriebe in Hartenberg (Brauereien, Ziegeleien, Bergwerke etc.) betreffende Wißbegierde nicht unbefriedigt ließ. Den dort vorhandenen, das zu jener Zeit ganz ungewöhnliche soziale Verantwortungsbewußtsein des Grafen bezeugenden Fürsorge- und Wohlfahrtseinrichtungen der leibeigenen Arbeiter widmete Goethe gleichwegs Aufmerksamkeit. Auf der Rückreise nach E. besuchte er die Industrieanstalt für Klöppelspitzen in Gossengrün und beachtete diesen für die damalige Erzgebirgsbevölkerung grundlegenden Erwerbszweig, sowie zugunsten dieses Notstandsgebietes getroffene Maßnahmen. – Am 9. VIII. desselben Jahres sprach Goethe bei Pastor Anton Johann Martius in Schönberg vor. Der durch seinen Besuch geehrte Hausherr besaß eine wegen ihrer Vollständigkeit selbst zu dieser der Geologie als allgemeiner Mode huldigenden Zeit weit und breit rühmlich bekannte Mineraliensammlung, aus der er dem Gast aus Weimar mit erwünschten Rauchtopasen, Amethysten und Egeranen aus der Nachbarschaft beschenkte. Die von Schönberg aus sich darbietende, auch zeichnerisch festgehaltene Aussicht ergötzte Goethe ganz besonders, weil er in ihr eine Art „Recapitulation der Touren" sah, „die er in diesem Ländchen gemacht hatte". (Grüner: Briefwechsel, S. 105.) – Dienstag, den 13. VIII. 1822 fuhr Goethe in Grüners Begleitung nach dem jenseits der böhmischen Grenze gelegenen, vormals zur Gerichtsbarkeit der kgl. Stadt E. gehörigen Markt Redwitz. Dort betrieb die Familie Fikentscher (Vater: Wolfgang Kasper und der von seinen drei Söhnen anwesende Friedrich Christian) eine großangelegte und überaus leistungsfähige, Goethes Wissensdrang höchlichst reizende Fabrik chemischer Produkte, nebst

einigen Glashütten, insbesondere für Retortenerzeugung. Goethe bestellte farbige Glasscheiben für seine Versuche zur Farbenlehre, die ihn gerade damals infolge des soeben laut gewordenen Widerspruches besonders in Atem hielt. Schon auf der Herfahrt von E. nach Redwitz besichtigte Goethe die Sammlungen, Bibliothek und Schnitzwerke (Holzskulpturen) im Kloster Waldsassen (Bayern) und von Redwitz aus die Felsengruppen zu Alexandersbad, die er zeichnete und in den Heften zur Naturgeschichte behandelte. Er blieb bei Fikentschers bis zum 18. – Über Naturwissenschaftliches unterhielt sich Goethe außerdem mit Dr. Adam Köstler, Stadtarzt in Eger und seinem Sohn Lorenz, später gleichfalls Arzt, mit Graf Zedtwitz in Liebenstein, mit Joseph Gabler, Ritter von Adlersfeld, mit dem Dominikanerprior Amandus Dressel v. Neuenberg. Über Literatur, besonders über den *Wilhelm Meister*, kamen Gespräche mit Friedrich Constantin Freiherrn von Stein und seiner Tochter aus Breslau, mit dem Pfarrer von Oberlohma Anton Rößler und anderen in Gang, während Magistratsrat Abraham Schuster und Theodor Felix Bernhardi v. Knorring nebst vielen anderen eher nur als unterhaltsame Teilnehmer des geselligen Umgangs zu erwähnen sind.   *Sb*

Zeichnungen:
1) Corpus IV, InvNr 2152: Motiv aus dem Egertal. (nahe (Karlsbad)
   Dat. 1808.
2) Geologische Zeichnung aus der Gegend um Eger
   Besitz: Professor Dr. Edwin Redslob/Berlin
   Katalog Goethe-Ausstellung Berlin 1949, S. 24 Abb.
         Fm

Egerland, geologisch betrachtet eine junge Einbruchszone, die in westöstlicher Richtung verlaufend das Eibenstocker und Kaiserwald-Granitmassiv (*Erzgebirge) voneinander trennt und mit jungen tertiären Sedimenten (Braunkohlensanden und Tonen) erfüllt ist. Man kann *den Egerdistrikt als ein kleineres* (Tal, im Vergleich zu Böhmen) *denken, welches durch den Fluß dieses Namens sich seiner Wasser entledigt (NS 1, 358; **Franzensbad, ***Eisenbühl, ***Kammerbühl).   *Bn*

Egerton, Francis Henry (1756–1826), seit 1823: 8. Earl of Bridgewater, Viscount Brackley und Baron Ellesmere, Theologe, Liebhaber von Literatur und Antiquitäten (F.R.S.: 1781; F.R.S.A.: 1791), exzentrischer Sonderling, der einen großen Teil seines Lebens in Paris verbrachte. 1818 sandte er *die von ihm herausgegebenen Werke sämmtlich* der Universitätsbibliothek in *Jena ein, eine *Aufmerksamkeit*, die Goethe mit Genugtuung in den *TuJ* vermerkte (*I/36, 143;* vgl. dazu III/6, 202f.; 209f.). Bei diesen Werken dürfte es sich um elf Nummern aus E.s reichhaltiger Produktion gehandelt haben, hauptsächlich familiengeschichtliche Schriften (darunter zwei Schriften über Francis Egerton, den letzten Herzog von Bridgewater, 1736–1803, „the first great Manchester man"), außerdem um eine Euripides-Ausgabe, eine Milton-Übersetzung und ein Heft Sappho-Fragmente. – E. hinterließ den größten Teil seines Vermögens seinem (Groß?)Neffen, Lord Francis *Leveson-Gower.

Sn

Eglisau, Rhein-Städtchen im Kanton *Zürich, passierte Goethe auf Hin- und Rückfahrt zur dritten *Schweiz–Reise: *Reinlichkeit und Zierlichkeit* (19. IX. 1797: *III/2, 154*). E. war Zollstation. Am 26. X. 1797 benutzt Goethe den Aufenthalt zur Mittagsrast im *Gasthof zum Hirsch (III/2, 189)* und genießt die *Aussicht auf den Rhein.* Ein *dunkler Streif zwischen den Regenbogen* wird *sehr sichtbar. JP* RV S. 34.

Egloffstein, Freiherren und Grafen von und zu, altes fränkisches Adelsgeschlecht. Einige Mitglieder ließen sich während der Goethezeit in Weimar nieder, bekleideten dort bedeutende Stellen am Hofe, in der Verwaltung und im Militär, spielten gesellschaftlich eine Rolle und traten in zT. enge persönliche Beziehungen zu Goethe. Es waren durchweg Angehörige der Familie des markgräflich brandenburgischen Kammerherrn und Hauptmanns Carl Ludwig Frhr vE. Bei dessen zweiter Gemahlin Johanna Sophia geb. vThüna (1742–1807), die längere Jahre in Weimar lebte (vgl. IV/8, 353) und hier starb, und ihrem ältesten Sohn Christian vE. (1764–1834), der 1805 in Weimar heiratete, war die Verbindung mit dem weimarischen Hofe noch ziemlich lose, dagegen war sie sehr eng bei ihren weiteren Kindern Gottlob (1), Gottfried (2), August (3) und Henriette (4) und den Kindern der letzteren, den Gräfinnen Caroline (5), Julie (6) und Auguste (7) vE. Die Familie erwarb in Sachsen-Weimar-Eisenach umfangreichen Rittergutsbesitz (1792 Berka v. d. Hainich, 1794 Guthmannshausen, 1796 Wallichen, 1797 Tannroda mit Thangelstedt und Cottendorf, 1804 Isseroda), geriet aber infolge von unvorsichtigen Güterspekulationen und von Verlusten, die auf die Kriegsereignisse und die politischen Veränderungen in Franken während der Jahrhundertwende zurückzuführen waren, in wirtschaftliche Bedrängnis. Konkurs und Versteigerung des Rittergutsbesitzes (1818) vernichteten den Wohlstand der Familie auf längere Zeit. Bei der Vielzahl der zeitweise in Weimar lebenden E.s ist es nicht immer möglich, die oft kurzen Hinweise in Goethes Briefen und Tagebüchern eindeutig auf ein bestimmtes Familienmitglied festzulegen.

Bei dem *Hausfreund,* der seinem *Kriegsfreund* Fv*Luck im März 1820 eine goethesche Sendung nach Münster überbrachte (*IV/32, 178;* III/7, 143), dürfte es sich um den späteren kgl. preußischen Obersten Heinrich II. Ludwig Gustav vE. (1790–1876) handeln; bei der 1782 notierten Bekanntschaft (III/1, 363) um Sophie Juliane vE., geb. vBreitenbauch (1762 bis 1824), 1782 bis 1803 Gemahlin des ansbachischen Kammerjunkers Christoph vE.

–, 1) Wolfgang Gottlob Christoph Freiherr (1766–1815), Jurist, trat 1786 als Hofjunker und Regierungsassessor in weimarische Dienste, wurde 1787 Kammerjunker und Regierungsrat, 1794 Kammerherr und Hofrat, 1802 Hofmarschall und 1813 unter Dispensierung von den Geschäften beim Hofmarschallamt Oberkammerherr. Seit 1809 war er auch Assessor am Hofgericht in Jena. WGChr., mit dem Goethe auch in amtlichen Angelegenheiten zu tun hatte und dem er häufig bei Hofe begegnete (III/2, 271; 296; 304; III/3, 74f.; III/4, 100; IV/13, 27; IV/50, 34f.). und noch mehr seine Gemahlin Caroline geb. vAufseß (1767–1828) pflegten mit Goethe gesellschaftlichen Verkehr, der in häufigen Besuchen und Gegenbesuchen seinen Ausdruck fand (III/3, 94; 325; 406; III/4, 7; 77; 79; 100f. u. ö.; IV/14, 220). Beide nahmen im Winter 1801/ 1802 an Goethes Mittwochskränzchen (*Cour d'amour) teil. 1798 und 1810 ist die Mitwirkung Caroline vE.s an den von Goethe zu Ehren des Geburtstags der Herzogin Luise inszenierten Maskenaufzügen bezeugt (III/4, 92f.; IV/13, 36; vgl. auch IV/21, 174f.; 177f.). In Gesellschaft der ihrer Obhut anvertrauten Gräfinnen Caroline und Julie vE. (hier 5 und 6) wird die *Ober-Cammerherrin (III/6, 123;* 203; 222; 276; III/7-11 häufig) von Goethe oft erwähnt. Als sie 1828 in Wilhelmsthal starb, reisten Goethes Familienangehörige dorthin; er selbst beschäftigte sich unter Mitarbeit CW*Coudrays mit der Errichtung eines Grabmonuments *für unsere schnell Geschiedene (IV/44, 301;* III/11, 251, 266, 279; III/13, 243).

–, 2) Friedrich Gottfried Ernst Freiherr (1769–1848), Bruder des Vorigen, preußischer Werbeoffizier in Nürnberg, erhielt 1794 den Titel eines weimarischen Kammerherrn, nahm 1797 seinen Abschied aus dem preußischen Dienst und ließ sich zunächst in Eisenach, seit etwa 1800 in Weimar nieder. Als Mitbesitzer weimarischer und eisenachischer Rittergüter gehörte er zu den weimarischen und eisenachischen Landständen. 1809–11 Mitglied des Landschaftskollegiums und Landrat in Weimar, 1812 Landrat in Eisenach, wo er, der inzwischen den Rang eines Obristleutnants erhalten hatte, 1814 Platzkommandant und Mitglied der Polizeidirektion, 1816 Oberst und Landesdirektionsrat und 1842 Generalmajor und Generaladjutant wurde. Außerdem hatte er den Posten eines Schloßhauptmanns inne. Goethe erwähnt ihn bei Gelegenheit von Besuchen in Eisenach 1814 und 1815 (III/5, 162; IV/25, 1). Der dritte Bruder

–, 3) **August Friedrich Carl Freiherr** (1771 bis 1834), zunächst in preußischen Militärdiensten, trat 1795 auf Carl Augusts Wunsch als Premierleutnant und Adjutant in weimarische Dienste über, wurde 1796 Hauptmann, 1805 Major und 1807 Oberst. Im Verband der weimarischen Truppen nahm er 1796 an der Schlacht bei Wetzlar und 1806 an der Schlacht bei Jena teil, wurde hier verwundet und geriet in Magdeburg in französische Gefangenschaft. Unter seiner Führung beteiligten sich die als Rheinbundkontingent nunmehr auf französischer Seite kämpfenden weimarischen Truppen 1807 an der Belagerung Kolbergs, ferner an den Feldzügen in Tirol (1809), Spanien (1810) und Rußland (1812), wofür ihm 1813 das Offizierskreuz der Ehrenlegion verliehen wurde. Nach dem Ende des Rußlandfeldzuges 1813 in Danzig entlassen, bildete er unter Carl Augusts Befehl die anhalt-thüringische Brigade im Kampf gegen Napoleon, in deren Verband er die Feldzüge in den Niederlanden (1814) und Frankreich (1815) mitmachte. 1815 wurde er Generalmajor und Chef des weimarischen Militärkommandos. Seit 1804 war er außerdem weimarischer Kammerherr; 1822 wurden ihm die Titel Wirkl. Geh. Rat und Exzellenz verliehen. Den *Hauptm. Egloffstein* besuchte Goethe am 5. X. 1800 *(III/2, 309)*, und als *General Egloffstein* wird er seit 1816 mehrfach im *Tgb.* genannt (*III/5, 241;* III/6, 108; 121; 10, 191; 11, 121). 1830 bat ihn Goethe, sich dem Porträtmaler *Schmeller für einige Sitzungen zur Verfügung zu stellen, *damit das werthe Bildniß, einer bedeutenden Sammlung von einheimischen und fremden geschätzten Personen, mit eingefügt werden könne* (*IV/47, 306f.;* III/12, 322). AFC. war seit 1808 mit Isabella Gräfin *Waldner vFreundstein verheiratet.

–, 4) **Henriette Sophie Franziska Friederike Albertine Freiin** (1773–1864), wurde frühzeitig in das Hofleben eingeführt (Bayreuth, Erlangen, Ansbach) und kam 1787 erstmals nach Weimar. 1789 heiratete sie ihren Vetter Gottlieb Friedrich Leopold Graf vE. auf Lamgarben und Arklitten und lebte nach kürzerem Aufenthalt 1791 von 1795–1797 mit ihrer Familie in Weimar. Bei diesem letzten Aufenthalt lernte sie Goethe kennen, war aber von ihm wenig angetan: „Das Bild, welches sich meine lebhafte Phantasie von ihm entworfen hatte, stand weit über dem Originale... Ich kann nur mit vollkommenster Wahrheit versichern, daß Goethe zu der Zeit, wo ich ihn kennen lernte, schroff, wortkarg, spießbürgerlich steif und so kalten Gemütes wie ein Eisschollen zu sein schien, was ihn für mich mehr abschreckend als anziehend machte." Goethes Tagebücher erwähnen die *Gräfinn Eglofstein* zweimal im Jahre 1797 *(III/2, 55; 67)*. In diesem Jahr zog sie mit ihrer Familie wieder nach Erlangen, verließ aber 1800 ihren Mann, mit dem sie in unglücklicher Ehe lebte und von dem sie sich 1803 scheiden ließ, und kehrte mit ihren Kindern nach Weimar zurück. Sie war eine reife, imponierende Schönheit, hochgebildet und musikalisch, adelsstolz und streng in der Einhaltung der gesellschaftlichen Konvention. Goethes Lebensgemeinschaft mit Christiane bezeichnete sie als die „ominöse Liaison mit dem Bertuch'schen Blumenmädchen". In der weimarischen Gesellschaft spielte sie eine bedeutende Rolle. Goethe schätzte sie sehr und nannte sie seine *verehrte*, seine *geliebte* und seine *würdige Freundinn (IV/15, 272; 16, 60; 131)*; sie war der Mittelpunkt des *Cour d'amour, sie gab auch den Anstoß zu seiner Auflösung (Goethe Jb 6, 78–83).

Henriette hat in späterer Zeit Aufzeichnungen über ihren weimarischen Aufenthalt gemacht, in denen sie sich gegen J*Falks Behauptung, sie sei eine „zärtliche und begünstigte Verehrerin des großen Meisters" gewesen, verwahrte und erklärte, sie habe in Goethe „nie den Menschen, sondern nur das allumfassende Genie bewundert und geliebt", habe auch „statt seine Nähe zu suchen, diese möglichst zu vermeiden" gestrebt; es hätte zwischen ihr und Goethe „keine sympathischen Beziehungen" gegeben. Ja, sie spricht von ihrer „Abneigung" gegen ihn (vgl. Goethe-Jb. 6, S. 61). Seit ihrer Eheschließung mit CWFrhrv*Beaulieu-Marconnay (2) kam sie nur zu gelegentlichen Besuchen nach Weimar, zB. 1821, 1824. Ihre Töchter ermunterte sie zu einem engen persönlichen Verkehr mit Goethe; es sei gut, schrieb sie einmal an Julie, „wenn Du

Dich in den letzten Strahlen dieser sinkenden Sonne spiegelst. ... Du wirst seinem alten Herzen eine neue Erscheinung wohltätiger Art sein und er wird sich dankbar dafür erweisen – ich sage dankbar und bitte Dich, nicht über mich zu lächeln. Zu spät wirst Du vielleicht erst begreifen, was es heißt: je ne suis pas la rose, mais j'ai fleuri auprès d'elle!". Als der Kanzler Fv*Müller, der ihr (,,Olympia") seine Anstellung im weimarischen Staatsdienst mit zu verdanken hatte, am 16. VII. 1827 ihre ,,inhaltsreichen, geistvollen Worte" über das Helenaproblem Goethe mitteilte, zeigte sich dieser sehr erfreut und äußerte: *Ja, wenn diese Frau sich nicht so sehr in der Welt verschlossen hätte – da hättet Ihr erst sehen sollen, zu welchem Gipfel weibliche Kraft anzusteigen vermag (Bdm. 3, 413;* zum Gesamtproblem vgl. UKM S. 368f.; auch *III/11, 86: Ich erhielt eine merkwürdige frauenzimmerliche Äußerung über Helena).*
1831 sagte er in Gegenwart des Großherzogs Carl Friedrich, als dieser sich ,,sehr bewegt und enthusiastisch über die Beaulieu" äußerte, zu Müller, sie *habe bei männlicher, ritterlicher Kraft weibliche Anmut zu bewahren gewußt (Bdm. 4, 365).*
–, 5) Caroline Gräfin (1789–1868), älteste Tochter der vorigen, weilte schon als Kind, vor allem 1800–1804 mit ihrer Mutter in Weimar, dann wieder 1809–10 als Besuch bei ihrer Tante Caroline (vgl. hier 2) und nahm nach ihrer 1815 erfolgten Ernennung zur Hofdame der Erbgroßherzogin Maria Paulowna seit 1816 für 15 Jahre ständig hier Aufenthalt, der nur durch zahlreiche Reisen im Gefolge der Erbgroßherzogin, ua. nach St. Petersburg, wo sie *Klinger kennen lernte (III/9, 258, 278f.; IV/34, 271; IV/38, 266f.; IV/39, 52f., 251f.), unterbrochen wurde. An dem Maskenzug zum 30. I. 1810 hatte sie als *schlanke Jägerin (IV/21, 177; 179)* teilgenommen. Mit ihrem Eintritt in den weimarischen Hofdienst entwickelte sich ein freundschaftlicher Verkehr mit Goethe, und sehr häufig nennt das *Tgb.* die *Gräfin Line* als Mittags- und Abendgast im Goethehaus (III/6–12 häufig). Goethe schätzte *Line* wegen ihres harmonisch-ausgeglichenen Wesens und wegen ihrer musikalischen Begabung, die sich in Gesang und Liedkompositionen äußerte (III/6, 181; IV/29, 88f.). Einige kleine Gedichte von ihm sind an sie gerichtet (I/4, 22, vgl. 5^II, 15; 4, 143; 256; 259). C. gab 1831 ihre Stellung als Hofdame auf, lebte später abwechselnd bei ihrer Mutter im Hannöverschen, auf Reisen und in Weimar und

starb in Marienrode bei Hannover. Ihrer hohen Verehrung für Goethe hat sie 1819 Ausdruck gegeben: ,,... ich lebe nur von einem Tag zum andern in dem Gedanken, ihn zu sehen und zu sprechen, und meine Wünsche sind befriedigt, wenn der Abend an seiner Seite endet."
–, 6) Julie Gräfin (1792–1869), weilte wie ihre Schwester schon als Kind in Weimar, wo bereits ihr zeichnerisches Talent auffiel, hielt sich hier auch später besuchsweise auf (vgl. 3. XII. 1811: III/4, 244) und nahm seit 1816 hier ihren ständigen Aufenthalt. Sie war ein schönes, leidenschaftliches, adelsstolzes und durch die ihr wegen ihrer Schönheit und ihrer Talente entgegengebrachte allgemeine Verehrung und Bewunderung selbstbewußt gewordenes Mädchen, dessen früh erkannte künstlerische Begabung sich durch eifriges Studium vielversprechend entwickelt hatte. Als Fv*Müller 1815 Goethe Zeichnungen von ihr vorlegte (III/5, 157), äußerte dieser: *So viel reine Intention, so liebliche Anordnung, so zierlich nette Ausführung und so viel Freyheit in der Bewegung verrathen ein herrliches Naturel, das auf dem Wege der vollständigsten Ausbildung schon weit genug vorgeschritten ist (UKM S. 16f.).* Wie mit ihrer Schwester, so stand Goethe auch mit ihr nach ihrer Übersiedlung nach Weimar in freundschaftlichstem Verkehr (III/6–11 häufig). Er schätzte sie sehr: *Julie Gräfin Egloffstein, die ein seltenes Talent zur bildenden Kunst mit manchem andern und überdieß mit persönlichen Eigenschaften verbindet, welche allein hinreichend wären sie als höchst vorzüglich in der Welt auftreten zu lassen (I/4, 81).* Einige Gedichte von ihm sind an sie gerichtet (I/3, 101; I/4, 36ff.; III/8, 276; Bdm. 5, 131). An ihrer künstlerischen Entwicklung nahm er lebhaften Anteil und gab ihr Ratschläge für ihr weiteres Studium (Bdm. 2, 411ff., 442). Bei ihren häufigen Besuchen im Goethehaus kamen oft künstlerische Fragen zur Sprache, auch zeigte ihr Goethe dann Kupferstiche und andere Reproduktionen von Kunstwerken (III/6, 123; III/7, 9; 35; 106; 248; III/8, 51f.; 57; 62; 142; 148; 151; 185; 205 uam.), oder er besprach mit ihr ihre eigenen Arbeiten (III/8, 140; 237; 259 uam.). Neben zahlreichen anderen Werken schuf sie Porträts Goethes, Knebels, Carl Augusts und der Herzogin Luise (III/10, 138; 165; 251; 261; III/11, 10; 69; 78f.; 115; 150; 163f.). J. erwiderte Goethes Wohlwollen mit leidenschaftlicher Verehrung: ,,O wie hinreißend, wie unwiderstehlich ist dieser Mann, wenn er in heiterer Gemütlichkeit sich zwischen seinen Kindern und Freunden bewegt, bald das Höchste ins Gespräch verflechtend,

bald sich scherzhaft wieder zu dem Kleinsten und Unbedeutendsten hinabneigend, und jedem einen neuen Wert, eine neue Bedeutung verleihend" (Alt-Weimars Abend S. 149). Nachdem sie sich durch Studien in *Dresden (1820: III/7, 161; IV/33, 78) weiter vervollkommnet hatte, wies ihr Carl August im Jägerhaus in Weimar ein eigenes Atelier an (IV/34, 15 f.). Ihre Lungen- und Augenschwäche und standesmäßige Vorurteile hemmten jedoch ihre Weiterentwicklung. Obwohl dem Hofleben abgeneigt, trat sie aus wirtschaftlichen Gründen 1824 als Hofdame in die Dienste der Herzogin Luise, wodurch ihre Gesundheit noch mehr litt, so daß sich eine Erholungsreise nötig machte, die sie nach der Schweiz und Italien führte (1829–32: III/12, 72; 245; IV/47, 5 f.; IV/48, 234; IV/49, 25). Seitdem kam sie nur noch gelegentlich besuchsweise nach Weimar. Sie war meist auf Reisen (München, Niederlande, Italien, Dresden) oder lebte, zeitweise in dürftigen Verhältnissen, bei ihrer Mutter und ihrer Schwester Caroline in Marienrode bei Hannover, wo sie auch starb.

–, 7) Auguste Gräfin (1796–1862), die dritte Tochter Henriettes (4) kam häufig und meist in Gesellschaft ihrer Mutter und ihrer Schwestern nach Weimar und verkehrte im Hause Goethes (III/9, 320; IV/24, 179; IV/28, 26), der am 1. XII. 1825 das *Porträt der Gräfin Auguste von der Schwester gemalt (III/10, 130)* in seinem Tagebuch erwähnt. Sie war schwer herzleidend. Für ihre künstlerische Begabung zeugt eine größere Anzahl von Gedichten. Eine Auswahl wurde nach ihrem Tode 1864 veröffentlicht.   *Hk*

ADB 5, S. 680–683. – UKM – C Frhr vEgloffstein: Stammliste der Offiziere des Großh. Sächs. Contingents von 1702–1867. 1902. – H Frhr vEgloffstein: Alt-Weimars Abend. Briefe und Aufzeichnungen aus dem Nachlasse der Gräfinnen Egloffstein. 1923. – H Frhr vEgloffstein: Henriette, Caroline und Julie Gräfinnen von Egloffstein. In: Lebensläufe aus Franken. Bd 3 (1927), S. 97–130.

Egmont. Betrachtet man in Goethes Dichtung das *Drama, dh. alle dramatischen Produktionen historisch und systematisch als ein Ganzes (zum Methodischen vgl. hier Sp. 597 bis 598; auch *Naturformen der Dichtung; *Poetik), so zeigt sich, daß der *Egmont* eine eigentümliche Zwischenstellung einnimmt. *Egmont*, das niederländische Gegenstück zum deutschen *Götz*, seines Dichters „Abschied vom Geschichtsdrama" (FSengle S. 34), ist ein Drama des goetheschen *Sturmes und Dranges, und er ist es auch nicht. In diesem Sinne historisch/systematisch ist *Egmont* dadurch charakterisiert, daß er nicht mehr *Götz* und

noch nicht *Tasso* ist, von späterem zu schweigen. *Egmont* ist beides und keines (zu dieser Zwischenstellung vgl. AFuchs: „Egmont". S. 2–3; ferner AFuchs: Goethe I, S. 404–411; EStaiger: Goethe I, S. 289–307). Insofern entwickelt er in den langen Jahren seiner Entstehung (1773–1787) eine abweichende Antwort auf die Grundfrage Liebe/Freiheit. Von Bedeutung ist außerdem, daß in dieses Intervall auch die *Iphigenie* greift. Vergleichsweise könnte man formulieren, daß *Egmont* ein gesteigerter *Götz* ist oder doch sein sollte und dies nicht so wurde, wie der *Tasso* als *gesteigerter Werther* gelten darf (JJA*Ampère Sp. 216). Es besteht eine *Verwandtschaft des Erzeugten mit dem Erzeuger und … die verschiedenen poetischen Produktionen* sind *verschiedene Früchte verschiedener Lebensepochen des Dichters;* es sind jeweils *Teile* seines *eigenen Wesens (Bdm. 3, 384).* Historisch und systematisch versteht sich also die dichterischen Werke im einzelnen und jedes für sich als Entwicklungsstufen eines Dichterlebens, insofern als *Bruchstücke einer großen Confession (I/27, 110).* Sucht man sie insgesamt zu erfassen, so fügt sich Stufe an Stufe der *hergebrachten poetischen Beichte (I/28, 120)* wie nach einer *unbekannten geahnten Regel* (MuR: Hecker Nr *328),* und es ergibt sich das mehr und mehr deutliche Bild der in sich selbst sinnvollen, aus *Grund und Folge* zu verstehenden *Morphologie* eines menschlichen *Daseins* und *Wirkens,* das sich in Produktionen ereignete und in Objektivationen bezeugte, indem es sich zugleich selbst immer überwand und für den weiteren Lebensprozeß befreite (vgl. hierzu besonders Sp. 1832-1837). So kann es wichtig werden, nicht nur die jeweiligen Besonderheiten dieser Produktionen und Objektivationen zu beachten, sondern auch deren Zusammenhänge, und zwar thematisch wie formal. Im Ansatz, dh. in dem entelechalen *Ur*-Sprung zeigen sich die Charaktere der Einzel-Manifestationen von Lebensstufe zu Lebensstufe als strengere oder freiere Variationen eines und desselben Themas sowie der diesem adäquaten Grundform, als *wiederholte sittliche Spiegelungen,* die *das Vergangene nicht allein lebendig erhalten, sondern sogar zu einem höheren Leben empor steigern,* wie bei den *entoptischen Erscheinungen…, welche gleichfalls von Spiegel zu Spiegel nicht etwa verbleichen, sondern sich erst recht entzünden (I/42II, 57;* *Entoptik). Dieses Thema ist nicht allein die *Freiheit. Es ist ebenso die *Liebe. Es ist beides in einer Verbindung, die für die Konstitution des Existenzbewußtseins dieser vor- und frühweimarischen Entwicklungsstufe (vgl. hier Sp. 622–634, insbesondere 627) allerdings von außerordentlicher Bedeutung ist. „Wie die politische Freiheit beschaffen sein und wie sie beschützt werden soll, wagt Goethe nicht unzweideutig zu sagen. Aber als unbeirrbar und dichterisch mächtig erweist er sich überall dort, wo es gilt, eine innere Freiheit inmitten politischer Drangsal zu behaupten. Unter diesem Gesichtspunkt betrachtet, lösen die Widersprüche sich auf und fallen Schillers Bedenken dahin… Egmont soll das Beispiel eines inmitten des hochbedenklichen und verworrenen Weltlaufs freien Mannes sein, eines Helden, der den gefährlichsten Feind der Würde des Menschen, die Sorge, besiegt" (EStaiger: Goethe I, S. 298; 300). „In dieser Gesinnung weiß sich Egmont mit seiner geliebten Geliebten eins, mit Klärchen, das ebensowenig die Gegenwart für die Zukunft preiszugeben bereit ist. Schiller, ohne Sinn für das festliche Leben, hat auch dies gerügt … Klärchen würde wie Egmont entgegnen, daß sie das Leben schon verloren hätte, wenn sie es sparen wollte… Beide huldigen sie der Gunst des unersetzlichen Augenblicks… Sie weiß genau, was sie auf sich nimmt… Ebenso handelt er … in klarem Bewußtsein dessen, was er wagt" (EStaiger: Goethe I, S. 299–300). Die Sorg-Losigkeit dieses Menschentums ist Ausdruck eines Lebensgefühls, das Sicherungen kennt und Bindungen erfährt, wie sie nicht aus dem Sich-Selbst-Voraussein der Sorge, sondern aus dem augenblicklichen Eins-Sein mit der *elementaren* Sphäre des *Ur*-Sprünglichen zu gewinnen sind und wie sie alsdann die Seele und den Geist durchsonnen. Diese Sorg-Losigkeit ist, wie EStaiger formuliert, „die Freude des Einverständnisses mit dem Unendlichen", die „Heiterkeit", der „Mut, der darauf vertraut, im Unbekannten geborgen zu sein" (EStaiger: Goethe I, S. 304). Wer meint, dies mit Worten zur *Maxime* zu erheben sei leicht, der vergißt, wie schwer es ist, wenn in solchen Worten eine Wesensverfassung beredt wird, die Taten voraussetzt, um das dergestalt Gesagte und Gedachte zu bestätigen – denn dies kommt auf das *immerwährende Wälzen eines Steines* hinaus, *der stets von neuem gehoben werden* will (*Ironie). Hier handelt es sich zunächst darum, das Eins-Sein mit der *elementaren* Sphäre des *Ur*-Sprünglichen zu erspüren und zu erreichen (*Ballade Sp. 622 bis 634). „Was erwogen wird, ist denn auch das Prinzip, nach welchem eine individuelle oder kollektive Existenz zu gestalten ist. Diese ungeheure Frage ist die Substanz, von der das

ganze Werk sich nährt" (AFuchs: „Egmont". S. 2). Die Liebe *Egmont/Clärchen* bindet zwei Individuen aneinander, deren Freiheits- und Liebes-Fähigkeit zentral nicht nur darin gründet, daß die männliche und die weibliche Inkarnation der „Seele des Volkes" (FSengle S. 35) ihre hochzeitliche Begegnung feiern, sondern daß Goethe selbst eine *morphologisch* neue Entwicklungsstufe des Existenzbewußtseins, insofern einer neuen poetischen Anthropologie intendiert, entwirft und vollzieht, jedenfalls in der schließlich „fertig" gewordenen Fassung (vgl. dazu EVölker/EGrumach AkA „Egmont" 1957, S. 157). Es ist das Existenzbewußtsein von „Menschen"-Bildern, mit denen Goethe die ihn gerade in den so sehr wesentlichen Jahren 1774/1776/1777/1784 bedrängende Psalmisten-Frage zu beantworten sucht: „Was ist der Mensch, daß du seiner gedenkst, und des Menschen Kind, daß du dich seiner annimmst?" (Psalm 8, 5; I/19, 140; III/1, 26f.; 57; IV/3, 184; vgl. auch II/9, 171–177). Diese Beantwortung erfolgt durchaus in der Form einer Neu-Konstitution des Existenzbewußtseins, wobei Goethe in *lebendiger Heuristik* andere Fragen aus der *Außenwelt* heraus vernimmt und andere Antworten in die *Außenwelt* hinein zurückgibt. Damit ist aber auch auf ihre Relativität verwiesen. Die hier wirksame Relativität ist zunächst eine solche der Stoff-Wahl. Der Stoff entsprach durchaus der *Götz*-Stufe. Wahrscheinlich hat die Wahl fast gleichzeitig stattgefunden: *Man wußte, daß ich noch andere Puncte jener Zeitgeschichte mir in den Sinn genommen hatte und manche Familie, die sich aus jener Zeit noch tüchtig herschrieb, hatte die Aussicht ihren Ältervater gleichsam an's Tageslicht hervorgezogen zu sehen* (1773: *DuW I/29, 72*). Die Gleichzeitigkeit dieser Projekte ist sehr weitgehend und tiefreichend auch eine Gleichartigkeit. Diese Feststellung verweist in andere Dimensionen. Dafür zeugt die gemeinsame Verwurzelung aller solcher Konzeptionen in dem Mutterboden der Anregungen aus Justus*Mösers Denkwelt, die JGHerder in Straßburg vermittelt hatte (insbesondere: „Von dem „Faustrecht" 1770; alsdann: „Patriotische Phantasien" 1774–1786). Diese lebenslang nachwirkenden (s. u.) Anregungen steuerten die stoffliche Verarbeitung der Quellen (zB. Famianus Strada: De bello Belgico decades duae. Mainz 1651; Emanuel van Meteren: Eygentliche und vollkommene historische Beschreibung des niederländischen Krieges. Amsterdam 1627). Sie ähnelten die vielfältig divergierenden Fakten einander an.

Immerhin konnte Goethe von Strada manches fast wörtlich übernehmen (so etwa charakteristische Einzelheiten in den Wesens- und Erscheinungsbildern a) Egmonts: heiter, sorglos, selbstsicher, stattlich, schön, gewinnend, b) Oraniens: mager, kahlköpfig, Respekt einflößend; Unterredung Egmont/Oranien; Schluß des IV. Aktes). Erheblicher aber sind morphologische Grundbeziehungen. In diesen verbinden sich *Götz, Egmont, Faust* auf allerdings höchst bemerkenswerte Weise; zugleich unterscheiden sich gerade darin die später konzipierten Dramen: zB. *Iphigenie, Tasso.* Mit jenem freilich nur relativen Maße von Sicherheit, das in solchen Fragen als optimale Möglichkeit zu erwarten und zu erreichen ist, ergibt sich folgendes. Frühestens in den späten Sommer und frühen Herbst 1771 fallen die Anfänge des *Faust* und des *Götz,* 1773 die ersten Spuren des *Egmont.* Chronologisch zeigen sich die Schaffensansätze mit immerhin sehr deutlicher Datierbarkeit beim *Faust* in den *Gretchen*-Szenen, beim *Götz* in der *Belagerungs*-Szene, beim *Egmont* in der *Egmont/Clärchen*-Szene, jeweils zugleich mit (meist apotheotischen, bisweilen opernhaftvisionären, alsdann von den Kritikern mit Vorliebe verurteilten) Schluß-Szenen, die jedesmal Kerker-, Haft-, Gefängnisszenen sind. Die ungemein lange Entstehungsgeschichte des *Faust* bedarf hierfür eines umständlichen Nachweis-Verfahrens (trotz Goethes Formulierungen 1831: IV/49, 166; 1832: ebda 282; beide in Briefen an WvHumboldt; vgl. auch EBeutler: Faust 1939, S. 547–550; EStaiger: Goethe I, S. 207), die ebenso ungemein kurze, nur sechswöchige Niederschriftzeit des *Götz,* überdies ganz ohne vorherigen *Entwurf oder Plan (I/28, 198),* aber sogleich *in Reih' und Folge (I/29, 162),* liefert keinerlei Zeugnis, außer dem, daß sie für sich und nicht dagegen spricht, nur die Dokumentation der *Egmont*-Entstehung bietet Hinweise, daß im Spätsommer/Herbst 1775 die Manuskript-Arbeit mit den *Hauptscenen (I/29, 163),* dh. mit der *Egmont/Clärchen*-Szene in der genauen Mitte und mit der Traum-Szene am Ende des Ganzen einsetzte (vgl. dazu WKayser: HbgA 4, S. 574). In diesen Fakten verbirgt sich das keimbildende Element, sozusagen die Keimscheibe, der Bildungspol, der von Werk zu Werk wohl mehr oder weniger zu variieren vermag, aber als Ausgangspunkt von *geprägten Formen, die lebend sich entwickeln (I/3, 95),* eben die für Goethe so wesentliche Impuls-Identität erkennen macht. Mit dem mutmaßlich Ältesten zu beginnen: den Komplex

der *Gretchen*-Szenen des *Faust,* vielleicht schon 1771 konzipiert, bauen bereits die bezeugten Frühformen (Urfaust) in vielsagender Weise auf (vgl. dazu EGrumach/IJensen: Urfaust – Faust. Ein Fragment – Faust. Der Tragödie erster Theil. Paralleldruck. AkA Ergänzungsband 3). Dabei wird der Name des Mädchens in ebenso vielsagender Weise modifiziert. Diese Modifizierung ist von innen her mit morphologischen Grundkräften verbunden. Sie wird sogar aus deren Zentrum mitgesteuert. Ein schneller Blick (schnell, weil dem *Faust-Artikel nicht vorgegriffen werden soll) über die Gesamtheit der *Gretchen*-Szenen hilft bereits zur nötigen Einsicht in die Verhältnisse:

1. Strase (Margarethe) – *2. Abend* (Margrethe/Margarethe) – *3. Allee* (nur: Faust, Mephistopheles; aber Faust spricht von *Gretgen*) – *4. Nachbarinn Haus* (Margrethe/Margareth/Margrethe/Margrete/Margr:) – *5.* [*Straße;* so im Fragment 1790] Urfaust ohne Szenarangabe (nur: Faust, Mephistopheles) – *6. Garten* (Margrete/Margr:) – *7. Ein Gartenhäusgen* (Margrete/Margr:/Marg:) –

A	*Gretgens Stube (Gretgen; Meine Ruh ist hin, / Mein Herz ist schweer, / Ich finde sie nimmer / Und nimmer mehr)*

8. Marthens Garten (Margrete/Gretgen/Margr:) – *9. Am Brunnen* (Gretgen) – *10. Zwinger* (Gretgen) – *11. Dom. Exequien der Mutter Gretgens* (Gretgen) – *12. Nacht Vor Gretgens Haus* (nur: Valentin, Faust, Mephistopheles) – *13.* [*Trüber Tag Feld;* so in der Endfassung 1808] Urfaust ohne Szenarangabe (nur: Faust, Mephistopheles) – *14. Nacht. Offen Feld* (nur: Faust, Mephistopheles) –

B	*Kerker* (Margarethe/Marg:/Margr:)

Man erkennt eine auffällige Gliederung, bestehend aus zwei Phasen von je sieben selbständig gestalteten und gegeneinander unterschiedenen Einzel-Szenen. Am Ende jeder dieser Phasen steht eine Sonder-Szene A, B: jeweils besonders stark herausgehoben und außerdem zueinander in Wechselbezug gesetzt. Die erste dieser Sonder-Szenen (A): *Gretgens Stube* läßt zum ersten Mal und genau in der Mitte des Szenen-Komplexes die ganz nach innen verwiesene, stärkstens verdichtete Intimität erscheinen. Die kosende Kurzform des geliebten Mädchen-Namens, sonst allenfalls und wie von fern im Munde Fausts vorklingend, und zugleich der szenarische Raum: die *Stube* rücken das Geschehen schon hinsichtlich des „Äußeren" in das unmittelbare Herzlicht, das dann hinsichtlich des „Inneren" durch die Liedverse zu leidenschaftlicher Wärme und Strahlungskraft emporgesteigert wird. Wir stehen im Bann der Systole des Ganzen: Intimität, Liebesnähe = Zusammenziehung/Einatmung/Bindung. Die zweite dieser Sonder-Szenen (B): *Kerker* bietet uns die Diastole: die wiederum distanzierende Langform des Mädchen-Namens und zugleich der szenarische Raum, der *Kerker*, stürzen das Geschehen „äußerlich" in grauenvolle Kälte und Finsternis, die „innerlich" als Umnachtung oder Entrückung erscheint: Extimität/Liebesferne = Ausdehnung/Ausatmung/Lösung. Dieser morphologische Befund spricht seinerseits auch dafür, in diesen Partien der Dichtung ihr keimbildendes Element sehen oder doch suchen zu sollen. Man könnte vielleicht noch darauf aufmerksam werden, daß sich Entsprechendes im zweiten Teil des *Faust* zu ereignen scheint: nämlich im (morphologischen) Verhältnis zwischen dem III. Akt *(Helena)* als Systole und dem V. Akt *(Grablegung; Bergschluchten)* als Diastole (*Ballade Sp. 643–674). Hier interessiert aber das Gestaltungs-Bild mehr, das der *Götz* bietet.

Dessen 59 Einzel-Szenen der ersten, 56 der zweiten Fassung beanspruchten jeweils 22 Einzel-Szenen für den Mittel-Akt (III) und in diesem Mittel-Akt wiederum und diesmal in der rhythmisch absoluten Mitte des Ganzen 5 Einzel-Szenen für das Herzstück der *Belagerung*, das seinerseits mit seinen Bildern:

Küche – Saal – | *Saal* | *– Schloßhof – Saal*

[die zweite Fassung hebt das deutlicher heraus als die erste!] in der geradezu festlichen Familiarität und Intimität der Haus- und Tischgemeinschaft aller Belagerten sowie in dem Trinkspruch kulminiert, Blut und Wein (*Abendmahl Sp. 11) fast sakramental verbindend (A): *Und wenn unser Blut anfängt auf die Neige zu gehn, wie der Wein in dieser Flasche erst schwach, dann Tropfenweise rinnt. (er tröpfelt das letzte in sein Glas) Was soll unser letztes Wort sein? – Es lebe die Freyheit. – Es lebe die Freyheit. – Es lebe die Freyheit (I/39, 115; 1/8, 113f.).* Welche Wurzel- und Wesenstiefen hier wirklich beredt werden, zeigt vielleicht nichts deutlicher als die verblüffende Analogie zwischen den fast unmittelbar anschließenden *Götz*-Worten der zweiten Fassung (1773) über die Erfahrungen des Jahres 1792 hinaus bis in die Bericht-Worte der *Campagne in Frankreich* über das *Linsengericht* hinein (vgl. Sp. 1552), wobei noch

immer Justus Möser mitspricht: *Ich erinnere mich zeitlebens, wie der Landgraf von Hanau eine Jagd gab, und die Fürsten und Herrn die zugegen waren unter freiem Himmel speis'ten, und das Landvolk all herbei lief sie zu sehen. Das war keine Maskerade, die er sich selbst zu Ehren angestellt hatte. Aber die vollen runden Köpfe der Bursche und Mädel, die rothen Backen alle, und die wohlhäbigen Männer und stattlichen Greise, und alles fröhliche Gesichter, und wie sie Theil nahmen an der Herrlichkeit ihres Herrn, der auf Gottes Boden unter ihnen sich ergetzte (1/8, 114f.).* Kein Zweifel: diese Zentral-Szene inmitten der *Belagerung* und in der rhythmisch absoluten Mitte des Ganzen ist die eigentliche Systole der *Götz*-Dichtung, das Konzentrat der götzischen Gesamt-Existenz. Ihm entspricht die Diastole am absoluten Ende des Ganzen (B): *Ein Gärtgen am Gefängniss* (1771) / *Gärtchen am Thurn* (1773). Nach der (erzwungenen) Zusammenziehung/Einatmung/Bindung und nach der Intimität der *Belagerungs*-Szene findet hier aus der Haft heraus (im *Gärtgen*, in der sinnbildlich-verheißungsvollen Nähe des atmenden, Knospen treibenden Baumes) die Ausdehnung/Ausatmung/Freiheit, insofern die Extimität der *Thurn/Gefängniss*-Szene statt: *aus voller Brust ... einen Trunck wasser – Himlische Lufft – Freyheit. Freyheit* (1771; kaum verändert in der zweiten Fassung 1773: es fehlt nur *aus voller Brust*). Die morphologische Grundbeziehung zur etwa gleichzeitigen Konzeption des *Gretchen/Faust*-Komplexes liegt auf der Hand. Daß auch der *Egmont* in diese Zusammenhänge gehört, ja daß er sogar eine besondere Verwandtschaft mit dem *Gretchen/ Faust*-Komplex mehr als mit der *Götz*-Version aufweist, läßt sich nunmehr ganz leicht erkennen. Indem aber wir diese Beziehungen erkennen, gewinnen wir schlechthin entscheidende Einsichten.

Zunächst bei der Kennzeichnung der Sphäre des geliebten Mädchens und bei dem Gebrauch des Mädchen-Namens (zitiert nach H¹/Marburg gemäß AkA *Egmont*) wiederum von der nüchternen Grundform bis zur zärtlichen Koseform vereinigt: *Bürgerhaus Clare. Clarens Mutter. Brackenburg* (I, 3) – *Clärchens Wohnung Clärchen. Mutter. Egmont* (III,2) – *Straße Dämmerung Clärchen. Brackenburg. Bürger* (IV, 1) – *Clärchens Haus Clärchen. Brackenburg* (V, 3) – *Gefängniß Egmont/Clärchen-Vision* (V, 4). Vervollständigt zu einem Gesamt-Überblick ergibt sich bei durchlaufender Zählung aller Einzel-Szenen:
1. Armbrustschießen (I, 1) – *2. Pallast der Re-*

gentinn (I, 2) – *3. Bürgerhaus* (I, 3) – *4. Platz in Brüssel* (II, 1) – *5. Egmonts Wohnung* (II, 2) – *6. Pallast der Regentinn* (III, 1) –

<table>
<tr><td>A</td><td>*7. Clärchens Wohnung* (III, 2)</td></tr>
</table>

8. Straße (IV, 1) – *9. Der Culenburgische Pallast Wohnung des Herzogs von Alba* (IV, 2) – *10. Straße Dämmrung* (V, 1) – *11. Gefängniß* (V, 2) – *12. Clärchens Haus* (V, 3) – *13. Gefängniß* (V, 4).

Man sollte im Sinne des *Bauplans* und nach dem morphologischen Modell der gleichzeitigen, dh. gleichartigen anderen Beispiele eine

<table>
<tr><td>B</td><td>*14.* Traum-Szene *Gefängniß Egmont/ Clärchen*-Vision (V, 4): *Die Freyheit in Himmlischem Gewand von einer Klarheit umfloßen*(*Bibel Sp.1180=Markus II,6) *ruht auf einer Wolcke. Sie hat die Züge von Clärchen und neigt sich gegen den schlafenden Helden. Sie druckt eine bedaurende Empfindung aus, sie scheint ihn zu beklagen. Bald faßt sie sich, und mit aufmunternder Gebärde zeigt sie ihm das Bündel Pfeile, dann den Stab mit dem Hute. Sie heißt ihn froh seyn und indem sie ihm bedeutet daß sein Tod den Provinzen die Freyheit verschaffen werde, erkennt sie ihn als Sieger und reicht ihm einen Lorbeerkranz. Wie sie sich mit dem Kranze dem Haupte naht macht Egmont eine Bewegung wie eines der sich im Schlafe rührt, dergestalt daß er mit dem Gesichte aufwärts gegen sie zu liegen kommt. Sie hält den Kranz über seinem Haupte schwebend, man hört ganz von weiten eine kriegrische Musick von Trommeln und Pfeifen, bey dem leisesten Laut derselben verschwindet die Erscheinung* (EVölker/ EGrumach *AkA „Egmont"* 1957, *S.154*).</td></tr>
</table>

14. Einzel-Szene erwarten müssen. Sie ist auch da. Aber sie ist als Traum-Szene völlig entrückt ins Pantomimische, Apotheotische, Opernhaft-Visionäre und macht es ebendadurch den Kritikern so leicht, sie für mißlungen zu erklären.

So weit, so gut. In der Endfassung hat Goethe die hiermit intendierte Realitätsebene der (diastolischen) Extimität und Entrückung aber verlassen und sich am 3.VIII. 1787, ausgerechnet in der Villa Borghese (*Ballade Sp. 701), zu einem zusätzlichen Passus (als Nr *15* zu zählen!) entschlossen, der in die „Realität" zurücklenken soll, um sie gerade dadurch nach beiden Seiten hin zu gefährden, wo nicht zu zerstören (IV/8, 239; WKayser: HbgA 4, S. 586).

Um morphologische Beobachtungen anstellen und Wahrnehmungen machen zu können, die den Boden der Realität nicht verlassen, empfiehlt es sich ganz besonders, von normativ-ästhetischen oä. Voreingenommenheiten sich freizuhalten. Es liegt niemals etwas *hinter den Phänomenen: sie selbst sind die Lehre* (1829: *MuR:* Hecker *Nr 575*). Jedenfalls ergibt sich, daß Goethe seinen *Egmont* systolisch/diastolisch konzipiert und expliziert hat und daß er dabei morphologisch in ganz eindeutiger Weise analog sowohl zu dem *Gretchen/Faust*-Komplex wie zu dem *Götz*-Modell verfuhr, dh. der *Bauplan* dieser Dichtungen ist imgrunde einer und derselbe, es waltet darin dasselbe Gesetz von Einheit und Entfaltung, dem alles Lebendige unterworfen ist. Biologisch-morphologisch gesprochen: das keimbildende Element, die Keimscheibe, der Bildungspol findet sich immer an derselben Stelle und entfaltet sich von dort aus in urbewegenden *Systolen* und *Diastolen,* die man sich in schematischer Weise vergegenwärtigen sollte.

A. Systole

B. Diastole

Dergestalt bietet sich in der sogenannten Sturm-und-Drang-Phase seiner (zunächst) dramatischen Dichtung Goethes Ansatz zu einer neuen Selbst-Interpretation seines Daseins und Wirkens dar. Wir sehen Goethes Suchen nach einer Neu-Konstitution seines Existenzbewußtseins. Das Wesentliche dabei ist vielleicht die umfassende Neu-Orientierung aller theoretischen, praktischen, poetischen Bezüge durch ein tief und tiefer greifendes Lebens- und Liebesringen um das, was für Goethe die *Natur* ist. Hier legte er mit jedem Tage deutlicher und fester die Fundamente seines eigenen Mensch-Seins frei. Im Hinblick auf das Urbildliche daran prägte sich vieles früher bereits Erfahrene, mehr Geahnte als Gewußte, um. Die *talismanische Polarität* von Systole und Diastole bewährte sich auch und gerade 1773/1787 auf der *Egmont*-Stufe. Sie konturiert sich sogar schärfer und wird in den neuen, schärferen Konturen zum Gefäß noch mächtigerer Gehalte. Mächtiger sind diese Gehalte, weil die Idee des Lebens selbst sich gesteigert hat. Freilich hat sie noch nicht die Form einer klarbewußten Koinzidenz von *Specificationstrieb* und *metamorphosischer* Verwandlungslust, von *vis centripeta* und *vis centrifuga*. Gerade dafür, dh. für dieses Noch-Nicht zeugt der *Egmont* auf eine besonders eindringliche Weise. Die Idee des Lebens weht durch ihn hin, und ihr Wind ist der Wind des Schicksals. Sehr aufschlußreich manifestiert sie sich auf zweierlei Art, und beide Arten verbindet sie in der Identität ihrer selbst.

So ist *Egmont* fürwahr kein *Götz* mehr. Wir wiederholen: *Egmont* steht wie *Clärchen* in einem augenblicklichen Eins-Sein mit der *elementaren* Sphäre des Ur-Sprünglichen, insofern mit der Idee des Lebens selbst.

Beider Heiterkeit, beider Sorg-Losigkeit, beider Mut ist „die Freude des Einverständnisses mit dem Unendlichen", ist „die Sicherheit, im Unbekannten geborgen zu sein" (EStaiger). Diese Gemeinsamkeit ist in Wirklichkeit und Wahrheit ihre „Freiheit", ihre „Liebe". Das ist gegenüber *Götz* etwas Anderes, etwas Neues. Es mag im Ansatz (1773) schon intendiert worden sein. Ausgebildet werden konnte es erst nach dieser Zeit, genauer: wohl erst von 1775 an, in noch konsequenterer, reiferer Weise gewiß noch weit später: nach 1781/82 bis zur Abschluß-Phase von 1787. Indem es aber dann in die Erscheinung tritt, repräsentiert es nicht nur ein anderes Wesen, sondern eine andere Wirkung. Hierbei werden die beiden vorerwähnten Arten sichtbar. Die eine ist gleichsam Außenseite. *Egmont* kann sehr

verschieden vom *Götz* dramatisch exponiert werden, und zwar durch die Reflexe seiner Strahlungen, seiner „Aura", dh. seiner *Gabe alle Menschen an sich zu ziehen (attrativa)*, die eine dreifache Staffelung sogleich für den Expositions-Akt (I) verursacht: *1. die Gunst des Volkes* (Armbrustschießen I, 1) – *2. die stille Neigung einer Fürstin* (Pallast der Regentinn I, 2) – *3. die ausgesprochene eines Naturmädchens* (Bürgerhaus I, 3) – die Strahlungszonen mehren sich und steigern sich wiederum in dreifacher Staffelung: *4. Theilnahme eines Staatsklugen* (Oranien II, 2) – *5.* Vermögen, selbst den *Sohn seines größten Widersachers für sich einzunehmen* (Ferdinand: IV, 2) – *6.* Vorübergehende Affizierung ebendieses *seines größten Widersachers* selbst (Alba am Fenster IV, 2; *DuW: I/29; 175*).

Die andere ist gleichsam Innenseite. Dieser gibt Goethe den Namen des *Dämonischen. Die Idee des Lebens wirkt nicht nur aus dem Menschen heraus, als Anziehungskraft auf andere. Sie wirkt auch in den Menschen hinein, wenn er „aus unmittelbarem Einverständnis mit dem Gang des Ganzen handelt". Sie erscheint dann nicht als Gunst, Neigung, Liebe, sondern als *Freiheit*. Man kann insofern von der „Freiheit des Dämonischen" sprechen. Goethe selbst, „obwohl er später, auf bewußte Bildung gerichtet, seiner Natur das Dämonische absprach, hat sich doch zeitlebens etwas von dieser unendlichen Freiheit bewahrt und immer wieder, bis ins höchste Alter, dem Ursprung anvertraut" (EStaiger: Goethe I, S. 304).

Die Idee des Lebens – und darin besteht die Vor-Läufigkeit des *Egmont* – vermag hier wohl die Außenseite und die Innenseite miteinander zu verbinden. Sie bedient sich dabei als Mittel der „Liebe" und der „Freiheit". Aber die Tiefengewalt dieser Mittel ist noch nicht radikal genug erfaßt. Um diese Aufgabe erfüllen zu können, hat sich Goethe alsdann nicht mehr der Form des Dramas – vom *Faust* abgesehen – überlassen (*Naturformen der Dichtung).   *Za*

EGW III. – AFuchs: „Egmont". In: Bulletin de la Faculté des Lettres de Strasbourg. 1947. – FSengle: Das deutsche Geschichtsdrama. Geschichte eines literarischen Mythos 1952. –

Egmont-Musik. Die erste, wovon Teile bei Angelika Kauffmann im römischen Hauskonzert aufgeführt wurden, schrieb PhChr*Kayser, sie verscholl aber dann anscheinend. *Beethoven schrieb die seinige 1809/10 und veröffentlichte sie als Werk 84; der Rang und das unbedingt Treffende seiner Komposition erübrigten weitere Vertonungsversuche. Die Partitur enthält folgende Nrn: Ouvertüre. 1. Clärchens Lied *Die Trommel gerühret* (im 1. Aufzug); 2. Entr'acte I (vor dem 2. Aufzug); 3. Entr'acte II (vor dem 3. Aufzug); 4. Clärchens Lied *Freudvoll und leidvoll* (im 3. Aufzug); 5. Entr'acte III (vor dem 4. Aufzug); 6. Entr'acte IV (vor dem 5. Aufzug); 7. Larghetto (Clärchens Tod; im 5. Aufzug); 8. Melodram *Süßer Schlaf* (im 5. Aufzug); 9. Sieges-Symphonie (Schluß des 5. Aufzugs). Partitur in der Gesamtausgabe (Breitkopf u. Härtel); Klavierauszug von Dr. W Kienzl (Universaledition Wien). Beethovens auch selbständig im Konzert vielgespielte Ouvertüre gehört mit seinen Vorspielen zu „Leonore" und zu Collins „Coriolan" zu jenen für die spätere Gattung der sinfonischen Dichtung richtungweisenden Instrumentalwerken, die – im Rang und Bau erster Sinfoniesätze – in erstaunlichem Maße die ethische Summe des zugehörigen Dichtwerkes zu ziehen verstehen. Im Fall *Egmont* wird vor allem das Pathos der Gheusenfreiheit gegenüber der finsteren Tyrannei Albas zum Thema, und es ist möglich, daß Beethoven hierbei der eignen vlämischen Abstammung gedacht hat. Im weiteren Verlauf ist besonders die Gestalt Cläres rührend gestaltet – die Sterbemusik malt packend unter dem Flackern der Kerze das Verlöschen ihres physischen Lebens. Daß Beethoven nicht Schillers Bearbeitung, sondern Goethes Originalfassung zugrunde legte, hat letzterer die Bühnen zurückerobert.   *Mr*

Ehlers, 1) Wilhelm, geb. 1774 in Hannover, gest. 1845 als Theaterdirektor in Mainz, Opernsänger und Schauspieler in Weimar zu Goethes Zeit, von diesem als Liederkomponist und Sänger zur Guitarre geschätzt. In den *Annalen* von 1801 schreibt er ausführlich über ihn und grundsätzlich über die Liedkomposition: *Brauchbar und angenehm in manchen Rollen war Ehlers als Schauspieler und Sänger, besonders in dieser letzten Eigenschaft geselliger Unterhaltung höchst willkommen, indem er Balladen und andere Lieder der Art zur Guitarre mit genauester Präcision der Textworte, ganz unvergleichlich vortrug. Er war unermüdet im Studiren des eigentlichsten Ausdrucks, der darin besteht, daß der Sänger nach Einer Melodie die verschiedenste Bedeutung der einzelnen Strophen hervorzuheben und so die Pflicht des Lyrikers und Epikers zugleich zu erfüllen weiß. Hievon durchdrungen ließ er sich's gern gefallen, wenn ich ihm zumuthete, mehrere Abendstunden, ja bis tief in die Nacht hinein, dasselbe Lied mit allen Schattirungen auf's pünctlichste zu wiederholen: denn bei der gelungenen Praxis überzeugte er sich, wie verwerflich alles sogenannte Durchcomponiren der Lieder sei, wo-* durch der allgemein lyrische Charakter ganz aufgehoben und eine falsche Theilnahme am Einzelnen gefordert und erregt wird (I/35, 90 f.). Seine Gesänge zur Guitarre wurden auf Goethes Verwendung 1803/04 zu *Tübingen gedruckt; darin von Goethe *Der Rattenfänger* und *Jägers Abendlied. Schäfers Klagelied,* ebendort ohne Nennung des Komponisten veröffentlicht, ist von E. wohl nur gesetzt. Denn wir wissen durch einen Brief von FKJ Schütz, dem Sohn des Begründers der „Allgemeinen Literaturzeitung", vom Mai 1801, daß Goethe das Gedicht der Weise eines rheinischen Volksliedes unterlegte, das er in einer Abendgesellschaft zu Jena (wahrscheinlich am 20. I. 1802) gehört und das ihn *innig ergriffen* hatte. Nach seiner weimarer Zeit (1801–1805) war E. in Wien, Breslau, Pest, bis 1824 Regisseur am königstädtischen Theater in Berlin, 1831 in Frankfurt/M., 1837 Direktor des Mainzer Theaters.   *MB/EF*
–, 2) Frau des Vorigen, Schauspielerin, Sängerin, in Weimar tätig Mai 1801–Ostern 1805. *EF*

Ehrenberg, Christian Gottfried (1795–1876), bereiste nach dem Studium der Zoologie und Medizin in Leipzig und Berlin mit Unterstützung der Berliner Akademie von 1820–1825 Ägypten, später dann (1829) mit Av*Humboldt Asien. 1826 wurde er zum außerordentlichen Professor ernannt und erhielt 1847 den Lehrstuhl für Geschichte der Heilkunde in Berlin. Die große Bedeutung E.s liegt jedoch auf einem ganz anderen Gebiet. Sein Hauptwerk hatte er den *Infusorien gewidmet; er ist dadurch zu einem wesentlichen Förderer der mikroskopischen Zoologie und Botanik geworden. Zahlreiche Arbeiten und kleinere Monographien über die Infusorien der Erde, des Wassers und der Luft, sowie deren Bedeutung für die Bildung mancher Erdschichten waren das Ergebnis dieser Arbeit. Goethe hatte 1830 E.s „Organisation, Systematik und geographisches Verhältniß der Infusionsthierchen" (1830; in erweiterter Fassung 1838 als Hauptwerk E.s unter dem Titel „Die Infusorien als vollkommene Organismen" erschienen) sowie „Beitrag zur Charakteristik der nordafrikanischen Wüsten" als Geschenk erhalten (Ruppert Nr 4519; 4096; III/12, 320). Kurz vorher hatte E. afrikanische Pflanzen für das botanische Museum übersandt (IV/47, 206); Goethe bedankt sich für beides am 6. XI. 1830 (IV/48, 5–7). E. starb als Geheimer Medizinalrat und Mitglied der berliner Akademie der Wissenschaften.   *Sl*

Ehrenbreitstein (Thal-Ehrenbreitstein), das *Rhein-Städtchen zwischen den Festen E. *(in ... Kraft und Macht vollkommen gerüstet. I/28,*

177) und Asterstein in der Talschlucht der von diesen gekrönten Höhen, erreichte Goethe auf seiner *Werther-Flucht aus *Wetzlar – *dem Entschluß nach frei, dem Gefühle nach befangen (I/28, 175)* – mit einem Kahn von *Ems rheinabwärts fahrend Mitte September 1772. Er besuchte dort GMFv*Laroche, dessen Frau Marie Sophie und Töchter, insbesondere *Maxe,* die ältere von beiden: *Es ist eine sehr angenehme Empfindung, wenn sich eine neue Leidenschaft in uns zu regen anfängt, ehe die alte noch ganz verklungen ist. So sieht man bei untergehender Sonne gern auf der entgegengesetzten Seite den Mond aufgehn und erfreut sich an dem Doppelglanze der beiden Himmelslichter (I/28, 184).* Aus Anlaß eines im Hause vLaroche (dem nachmaligen Gasthof zum Kurfürsten in E.) gehaltenen *theils artistischen, theils empfindsamen Congreß* kamen ua. auch FM*Leuchsenring (fraglich) und vor allem JH*Merck nach E. *Man durchstrich die Gegend; Ehrenbreitstein diesseits, die Carthause jenseits wurden bestiegen. Die Stadt, die Moselbrücke, die Fähre die uns über den Rhein brachte, alles gewährte das mannichfachste Vergnügen. Noch nicht erbaut war das neue Schloß; man führte uns an den Platz wo es stehn sollte, man ließ uns die vorschlägigen Risse davon sehen (I/28, 184).* Goethe verließ mit JH Merck und den Seinigen E. noch im September 1772. – Am 18. VII. 1774 führte die Geniereise mit JC*Lavater und JJ*Basedow durch E., Ende Juli/Anfang August (auf der Rückfahrt) verweilten sie einige Tage im Hause Laroche. – Dann kam Goethe erst wieder bei der Rückkehr von der *Campagne in Frankreich* am 1. XI. 1792 gegen Abend in der Richtung auf *Koblenz an E. vorbei, ein Besuch in E. ist nicht bezeugt, auch nicht wahrscheinlich, die wenigen Tage in Koblenz waren angefüllt, dazwischen nur Stunden frei: *Ich aber, in einsamen Spaziergängen den Rhein hin, wiederholte mir die wunderlichen Ereignisse der vergangenen Wochen (I/33, 176).* Endlich ergab sich am 25. VII. 1815 noch eine Gelegenheit: Goethe kam aus *Nassau über Ems gemeinsam mit dem Reichsfreiherrn HFK vom und zum *Stein in E. an, kehrte zu kurzem Imbiß in der Post ein und setzte die Fahrt *im Nachen hinabwärts* fort *(III/5, 172).* RV S. 11; 12; 51.   *JP*

Ehrenlegion, Légion d'honneur, der 1802 vom Konsul *Napoleon gestiftete, noch jetzt höchste französische *Orden, zu dessen Ritter Goethe am 14. X. 1808 (III/3, 393) ernannt wurde, das ihm liebste seiner Ehrenzeichen (1814 bis 1817: Bdm. 2, 390). Goethe schätzte Orden um ihres praktischen, *im Gedränge manchen Puff* abhaltenden Wertes willen (1827: *Bdm. 3,*

398, auch 430); aber auch davon abgesehen war ihm *von Oben / Der Ehren anerkannte Zier, das Loben / Erfreulich (1827: I/6, 83;* vgl. auch Bdm. 5, 100; dazu Spalte 683). Bei der E. lag noch etwas anderes als diese „kleine Schwachheit" (Bdm. 5, 100) vor; „Von dem, durch den er es (das Kreuz) hat, pflegt er immer Mein Kaiser zu sagen", berichtet WvHumboldt (1809: Bdm. 2, 16). Man hat es mit Heldenverehrung und mit mehr als solcher zu tun. Das Kreuz der E. war das Zeichen, daß Napoleon – „Vous êtes un homme" (I/36, 271) – in ihm den geistigen Pair erkannte und anerkannte (Sp. 685). Nach der Schlacht bei Leipzig fuhr Goethe fort, die E. zu tragen; er urteilte, man könne doch einen Orden, durch den einen ein Kaiser ausgezeichnet habe, nicht ablegen, weil dieser eine Schlacht verloren habe; daher die bekannte, mit „wütender Härte" gemachte Äußerung *Colloredo-Mansfelds, die ihn im Allertiefsten, Existentiellen fast vernichtend traf [zum ganzen Vorfall und seiner Bedeutung für die *Ballade ‚Herein, o du Guter!'* (1813: I/3, 3) vgl. Sp. 682 bis 687]. „Im November 1813 erregte er noch Ärgernis mit dem roten Band, ja im Herbst 1814 trägt er es in aller Ruhe in *Wiesbaden. Major Graf *Brandenburg ... soll Goethe von der allgemeinen Mißstimmung in Kenntnis gesetzt haben, der es daraufhin ablegt, mit dem gutmütigen Spott: *Das Pentagramma macht dir Pein?* Er empfand die E. eben nur als Bestätigung seiner eigenen Bedeutung im europäischen Rahmen, als berechtigte Anerkennung durch eine europäische Macht und einen großen Mann. Zudem mochte er denken, daß es ehrlicher sei, sich zu seiner Vergangenheit zu bekennen... Übrigens muß man zum Verständnis der damaligen Situation wissen, daß der König von Preußen einigen Offizieren das Tragen der E. auch jetzt noch ausdrücklich gestattet hat und daß in den Nekrologen preußischer Offiziere unter den Ordensauszeichnungen in der Regel auch die Ehrenlegion angeführt wurde" (EWeniger, 83f.). – 1818 wurde Goethe durch *Ludwig XVIII. zum Offizier der E. befördert; KFv* Reinhard unterstützte Goethes Bemühungen darum (BrReinhard, 215–218).   *Fu*

Ehrenreich, 1) Johann (Lebensdaten unbekannt), ursprünglich Arzt, war seit 1736 in Frankfurt/M. ansässig und besaß eine umfangreiche und berühmte Gemäldesammlung, die Goethe bei seinen frankfurter kunstgeschichtlichen Studien besuchte (I/28, 187). E.s Sohn: –, 2) Johann Benjamin (1733–1806) war Maler, Radierer und Kupferstecher, vorwiegend jedoch Kunsthändler und Sammler, dessen bedeuten-

der Kunstbesitz in seinen späteren Lebensjahren eine Sehenswürdigkeit Hamburgs war. *Lö*
Ehrenstein, schwarzburgisches Dorf zwischen Remda und Stadtilm, hat Goethe auf dem Wege von Großkochberg nach Ilmenau am 28. VIII. 1777 berührt (III/1, 44; RV S. 16; *Geburtstag; fehlt bei ERedslob: Mein Fest). Er unterbrach hier seinen Ritt zu einer Besinnungs- und Zeichnungspause.   *Dl*

Zeichnungen:
1) Corpus I 169 InvNr 1183: Burg Ehrenstein bei Remda Bleistiftzeichnung. Ausschnitt der folgenden Zeichnung. Dat. 28. VIII. 1777.
2) Corpus I 170 InvNr 1292: Burg Ehrenstein bei Remda Schwarze Kreide.
3) Corpus I 263 InvNr 1054: Burgturm und Landschaftsausschnitt Bleistiftzeichnung. Identifizierung und Chronologisierung unsicher. Replik? Dat. September/Oktober 1783?   *Fm*

Ehrenström, Marianne von (1773–1867), schwedische Sängerin und Schriftstellerin, Hofdame der Königin Sophia Magdalena, der Gemahlin Gustavs III. von Schweden. Verfügte über eine vielseitige Bildung und stand in engem Kontakt mit den Dichtern, Musikern und Künstlern der sog. gustavianischen Epoche. In dem dreiteiligen Werk „Notices sur la littérature et les beaux arts en Suède", Stockholm 1826, versuchte sie, die Geschichte der Dichtkunst, der Musik und der bildenden Kunst ihres Landes von den Anfängen bis zum Beginn des 19. Jahrhundert darzustellen. E. ist darauf bedacht, die kulturellen Leistungen der schwedischen Nation, welche sonst nur als „aussi brave que belliqueuse" bekannt sei, ins rechte Licht zu setzen. Für eine ergiebige Darstellung älterer Zeiten reichte allerdings das damals verfügbare Wissen bei weitem nicht aus, während die Schilderung der künstlerischen Zustände der gustavianischen Epoche fülliger ausfiel. Das Werk ist nach altem Modell künstlerbiographisch aufgebaut und dürfte, besonders was die bildende Kunst betrifft, dem ausländischen Leser kaum eine lebendige Anschauung der schwedischen Kunst vermittelt haben. E., die in Zweibrücken geboren und eigentlich Deutsche war, sandte ihr Buch an Goethe, der am 29. XII. 1826 *in Fräulein Ehrenströms Litteratur und schöne Künste von Schweden las (III/10, 287).* Ob er den Empfang bestätigt hat und welchen Nutzen er etwa aus dem Buch zog, ist nicht bekannt.   *Fo*

Svenska Män och Kvinnor 2. 1944. – HSchück: Den sista gustavianska hovdamen. 1919.

Ehrfurcht ist in besonderer Weise ein Wort Goethes, wenngleich nicht auch seine Schöpfung. Erste Zeugnisse finden sich bei Christian Gryphius (1698), Johann Leonhard Frisch (1741), für „neu ersinnt" hielt man es noch

1759 (Dornblüth). Als Rückbildung wird es bezogen auf das reformatorische Beiwort „ehrfürchtig" (Melanchthon). Wie dieses, aber nun als Hauptwort, verschmilzt es die beiden alten Wörter „Ehre" und „Furcht" zu einem neuen Doppelwort. Goethe vermochte alte, schon halb verblaßte bildliche Ausdrücke so zu gebrauchen, daß ihr ursprünglicher Sinn wieder hervortrat (O*Pniower; vgl. auch GoetheJb. 19, 247). Er hatte auch die Fähigkeit, durch diese Ausdrücke und durch ihren ursprünglichen Sinn hindurch die Spontanëität der Wortfindung und -bildung, ihre Quellkraft in Gestalt und Gebärde des Produktionsaktes sich (wie) neu zuzueignen und die versteinerten Formen atmen, ja die jeweils bezeichneten Gegenstände selbst leuchten und sprechen zu machen durch „eine ausnehmend anschauende, sich in die Gegenstände durch und durch hineinfühlende Dichterkraft" (GFE*Schönborn: Bdm. 1, 26; *Sprache). Diese Fähigkeit ist ein Modus der *subjectiven Gewalt sich die Erscheinungen zu realisiren (1/44, 418).* So konnte er in dem Worte „Ehre" noch die ursprüngliche Zuordnung zu der Sphäre religiös-sittlicher *Ur*-Erfahrung wahrnehmen. Er konnte darin den Ausdruck für den (äußeren) Gegenstand wie auch für den (inneren) Zustand einer Begegnung mit höheren Wesensmächten spüren und dafür, daß man als Anrufender immer auch ein Antwortender war oder doch zu sein hatte, daß man nur in der Simultanëität dieser beiden Verhaltensweisen, ergreifend und ergriffen, die Wirklichkeit des Wesentlichen vollziehen = verstehen kann (*Religion/Religiosität). Die kompositionelle Verschmelzung dieses Wortes mit „Furcht" dürfte kaum zufällig sein. „Furcht" ist nicht dasselbe wie Angst, Bange, Feigheit, Mutlosigkeit, Scheu, Schrekken, Verzweiflung oä. So dunkel Herkunft und Zusammenhänge sind – genügend deutet daraufhin, daß es sich um eine Empfindung handeln muß, die sozusagen mehr von außen nach innen zu wach wird und dergestalt ihren freilich ganz besonderen Ausdruck findet. „Furcht" entsteht, wenn der Mensch an eine unübersteigliche, unwiderrufliche, festgefügte, bewehrte und bewahrte Grenze gerät, vielleicht schon, wenn er sich ihr unzulässig nähert. Von diesem ursprünglichen Bilde her, das „Furcht" und „Furche"/Einschnitt, Graben etymologisch zu verbinden mindestens sehr nahelegt (AZastrau: Der Wahrheitsausdruck im Deutschen I. Habilitations-Schrift Halle 1943), wird die „Furcht" zum Namen für das Inne-Werden eines „Bis hierher und nicht weiter!". Man darf in dieser „Furcht" die Mutter des Gefühls, mehr: des Bewußtwerdens und -seins vermuten für eine solche Grenze. Auf einem derartigen etymologischen Boden, dessen unreflektiertes Vorwalten wiederholt in Goethes Sprache zu beobachten ist (Witterung für das *Ur*-Sprüngliche: Sp.602/3), ruht die barocke(!) Verschmelzung der beiden Wörter „Ehre" und „Furcht" zu dem neuen Doppelwort „Ehrfurcht". Mag es auch schon, wenngleich „neu ersinnt" (1759), vorgebildet gewesen sein, so ist es doch durch Goethe allein als Sprachgut wie als Geistestat in jene Dimension gehoben worden, die schon die Elemente der Wortfindung umwittert hatte. In einem tieferen Sinne darf es daher als Goethes Wort gelten – es verdeutschte für ihn mutatis mutandis das *jungfräulich keusche* Fremdwort Pietät, und es war ebenso *jungfräulich keusch (I/41^{II}, 133)*. In Goethes theoretischer und praktischer Lebens- und Menschenkunde steht es an ganz zentraler Stelle. Entsprechend erscheint es, höchst verdichtet, im *Bauplan*, dh. im Werkgefüge der *Wanderjahre Wilhelm Meisters* unter sehr beziehungsreichen und bedeutungsvollen Aspekten *(*Pädagogische Provinz)* als Lehre von der *dreifachen Ehrfurcht, die, wenn sie zusammenfließt und ein Ganzes bildet, erst ihre höchste Kraft und Wirkung erreicht (I/24, 240)*. Diese *Ehrfurcht* gilt als Organ, das *niemand mit auf die Welt bringt, und doch ist es das, worauf alles ankommt, damit der Mensch nach allen Seiten zu ein Mensch sei (ebda)*. Dies Organ, dieser *höhere Sinn, der seiner Natur gegeben werden muß, und der sich nur bei besonders Begünstigten aus sich selbst entwickelt (I/24, 242)*, ist das Medium der Partnerschaft als menschliches Lebens-, ja als Wirklichkeits- und Weltgesetz, es ist die höchste Maxime des partnerschaftlichen Denkens für Goethe (*Dank/Danken/ Dankbarkeit), ihm eignen Kraft und Würde der *Urbildlichkeit*.

Mächtig zeigt sie sich von Eltern zu Kindern, schwächer von Kindern zu Eltern; sie verbreitet ihre segensvolle Einwirkung von Geschwistern über Bluts-, Stammes- und Landesverwandte, erweis't sich wirksam gegen Fürsten, Wohlthäter, Lehrer, Gönner, Freunde, Schützlinge, Diener, Knechte, Thiere und somit gegen Grund und Boden, Land und Stadt; sie umfaßt alles, und indem ihr die Welt gehört, wendet sie ihr Letztes, Bestes dem Himmel zu; sie allein hält der Egoisterei das Gegengewicht, sie würde, wenn sie durch ein Wunder augenblicklich in allen Menschen hervorträte, die Erde von allen den Übeln heilen, an denen sie gegenwärtig und vielleicht unheilbar krank liegt (1824: *KuA* V, 1;

I/41^{II}, 133 f.). Gewiß ein zusammenfassendes, bemerkenswert barockes Alterswort, aber in allen Entwicklungsstufen immer wieder Erfahrungswirklichkeit und -wahrheit, in zunehmendem Maße auch die Forderung, auf solcher E. die Gliederung der menschlichen Gesellschaft zu gründen als Basis einer organisch fortschreitenden Kultur, die gleichermaßen und das heißt imgrunde: partnerschaftlich die breiten Unterschichten zur vollen Menschlichkeit sich frei entfalten läßt (vgl. 1821/23: I/3, 9; dazu: 1774(!): IV/2, 171; 1777: IV/3, 191; ferner 10. XI. 1823: Bdm. 3, 39; 1. XII. 1831: Bdm. 4, 398 auch 1813: I/3, 61). Die Zeugnisse reichen von frühester Jugend (vgl. I/26, 64–66 sowie I/4, 180, dazu besonders die Widmung an die Mutter: 30. IX. 1765) bis unmittelbar an den Tod heran (vgl. 21. III. 1832: Bdm. 5, 183 vgl. zum Ganzen: AZastrau: Gedanken über die Menschlichkeit in Zeugnissen Goethes. In: Humanismus und Technik VI, 2, S. 63–80).

Diesen persönlich-lebensgeschichtlichen Verhältnissen entsprechen die sachlich-werkgeschichtlichen Zeugnisse, zumal an der Stelle ihrer höchsten Steigerung und Verdichtung. Inbegriff und Endursache der *Pädagogischen Provinz*, ihrer Gesamtanlage und jeder ihrer Einzelstufen, ist es, das prinzipielle, in diesem Sinne theoretische Postulat der *Ehrfurcht* in ein reales, in diesem Sinne praktisches Resultat zu verwandeln. *Der Geist des Wirklichen ist das wahre Ideelle* (1827: *Riemer/Pollmer S. 356)*. Die Wege, die dazu beschritten werden, setzen die sichere Wahrheit einer Wechselbezogenheit zwischen Außen und Innen voraus, in diesem Falle zwischen Gebärde und Gesinnung – Gesittung wäre ebendiese Wechselbezogenheit und ihr Ergebnis. „Der Geist der goetheschen Weltfrömmigkeit spricht sich nicht nur in einem Gedicht aus wie *Prooemion* oder einem Dialog wie dem Gespräch auf der *Sternwarte*, sondern auch in diesen Gebärden. Um sie zu erfinden, bedurfte es eines Schöpfers mit Körpergefühl, wie es ein Tänzer besitzt oder ein Bildhauer. Eine abstrakt-gedankliche Formulierung der neuen Geistigkeit haben viele gegeben: Kant, Hegel, Schiller uam. – eine Symbolisierung als Gebärde nur Goethe im Alter, hier an dieser Stelle" (ETrunz: HbgA 8, S. 657). Die Wege der *Pädagogischen Provinz* führen von Außen über die Gebärden und Grußformen nach Innen zu der *dreifachen Ehrfurcht ... vor dem was über uns ist, ... vor dem was unter uns ist, ... vor dem was uns gleich ist (I/24, 240 f.; 243)*. Sie führen damit zu der dreifachen Religion/Religiosität, dh. zu dem Glauben an Gott *(über uns)*, an die im Leiden Verherrlichten *(unter uns)*, an die Weisen und Guten *(neben uns; uns gleich)*. Sie führen endlich im Durchgang durch diese drei Stufen und durch deren Erfahrung, Durchdringung, Aneignung im Nacheinander zu jener *Ehrfurcht vor sich selbst (ebda 244)*, die insofern die unmißverständlich höchste ist, als sie *Verselbstigung* und *Entselbstigung* in einen einzigen Akt zusammenzieht und Goethes Einsicht als Naturforscher naht- und bruchlos auf die Menschenbildung anwendet, bzw. in dieser wiederfindet: daß die einander widerstrebenden Lebensgewalten *vis centripeta* und *vis centrifuga, Specificationstrieb* und *Metamorphosen-Idee* in Wechselbezogenheit wirken, dh. daß sie koinzidieren und daß nur diese ihre Koinzidenz den Menschen als Natur-wie als Geistwesen *nach allen Seiten zu einen Menschen sein* läßt *(I/24, 240)*. Die goethesche *Ehrfurcht,* so *jungfräulich keusch* aus den Elementen der Wortfindung neu, wie neu gebildet, wird damit in einer Dimension lokalisiert, wo sie den Anspruch erhebt, als höchster, (quasi) *urbildlicher* Daseinswert nicht nur *gedacht,* sondern *getan,* dh. dargelebt zu werden (vgl. ETrunz: HbgA 8, S. 661).   *Za*

Ehringsdorf, Dorf im Ilmtal bei Weimar, der Gemeinde Oberweimar benachbart (1822: 272 Einwohner), an dem die Straße nach Schloß *Belvedere vorüberführt und das von Goethes Gartenhaus aus leicht zu erreichen war; infolge dieser Lage von Goethe oft berührt. *Dl RV* S. 14; 17; 36; 67.
Z e i c h n u n g e n :
1) Corpus I 196 InvNr 1176: Kirchplatz Ehringsdorf Bleistift, Feder mit Tusche, Tuschlavierung. Eigenhändige Bleistiftnotiz auf der Rückseite: *ruhig überschauend Freude an der Natur / und Zeichen Blick / Von außen einige Freude und Nahrung wünschend.* Geschenkblatt für die Gräfin Vaudreuil? Dat. um 1777/78.
2) Corpus I 222 InvNr 1174: Kirchplatz in Ehringsdorf Bleistiftskizze. Dat. um 1780.   *Fm*

Ehrlen, Johann Friedrich, Professor, mehrfach, auch Mai/Oktober 1771 Dekan der juristischen Fakultät *Straßburg, *ein lebhafter gescheidter Mann,* riet Goethe in Amtseigenschaft *mit vielen Lobeserhebungen* ab, seine für die Promotion bestimmte *Arbeit als akademische Dissertation bekannt zu machen (I/28, 43)*.   *Fu*

OBerger-Levrault: Annales des Professeurs des Académies et Universités alsaciennes, 1523–1871. 1892. GCKnod: Die alten Matrikeln der Universität Straßburg, 1621–1793. II, 1897.

Ehrmann, 1) Johann Christian dÄ. (nicht Johann Friedrich), (1710–1797), „Stadtphysikus, Oberammen- und Apothekerherr" (damals keine akademischen Titel) „und Decanus colle-gii medici" (doyen perpétuel des médecins) in *Straßburg, aber nicht Professor, wozu ihn des letzten Titels wegen die Lexika machten. Die *Lectionen der Entbindungskunst* muß Goethe bei ihm, nicht bei seinem Sohne Johann Friedrich (2) besucht haben. Anderseits kann es sich beim *Klinicum* nur um diesen, nicht um den *ältern Doctor Ehrmann* handeln *(I/27, 257 f.; EGW II, 437),* der den straßburger Universitätsarchiven nach nie einer Klinik vorstand.

–, 2) Johann Friedrich (nicht Georg Friedrich), (1739–1794), Sohn von 1), war 1769–1782 außerordentlicher, später ordentlicher Professor der Medizin an der Universität Straßburg und Leiter der Klinik. Bei ihm, nicht beim Vater, *wohnte* Goethe *dem Clinicum bei* (trotz *I/28, 9* und I/27, 257). Die Eleganz, die JF. Dissertation „De catarrho benigno" (die Grippe) nachgerühmt wird, weist eher auf den Sohn denn auf den Vater als Autor der *Schlußreden, mit denen (der verehrte Lehrer) gewöhnlich seine Stunden zu krönen pflegte (I/28, 9)*. Schließlich läßt es sich nicht vereinigen, daß Goethe *Lectionen der Entbindungskunst (I/27, 257 f.)* bei JF. anführt, dieser jedoch in einem von ihm selbst verfaßten und ins Einzelne gehende Curriculum vitae von keinerlei Tätigkeit als Geburtshelfer spricht. Hinsichtlich dieser beiden E. ist in *DuW* ein nach vierzig Jahren erklärlicher Erinnerungsfehler untergelaufen, wie Goethe denn auch zu JChr dJ. (3) im Hinblick auf ihren *gemeinschaftlichen Aufenthalt in Straßburg* bemerkt: *. . . Sie haben aus meinen gedruckten Bekenntnissen gar wohl gesehen . . ., daß sich bey mir gar manche Gestalt und manches Verhältniß verwischt* (1816: *IV/26, 297;* dazu EGW II, 435 ff.).

–, 3) Johann Christian dJ. (1749–1827), Sohn zweiter Ehe von 1), studierte Medizin, zuerst wahrscheinlich in Göttingen, dann, zur Zeit von Goethes Anwesenheit, in Straßburg; promovierte 1722 in Basel. 1775 hielt er sich in Frankfurt auf, wo er zu der *Gesellschafft . . . guter Jungens* gehörte, von denen Goethe an Av*Stolberg berichtete und deren einige, darunter JChr dJ. und Goethe, sich um L*Nagel, das Mädchen von Offenbach bemühten (1775: *IV/2, 292;* dazu ein Brief JChr dJ. EGW II, 436). Danach war JChrE wieder in Straßburg, vielleicht auch in Paris; für letzteres spricht die Tatsache, daß „er zum Korrespondenten der Königl. Französischen Medizinischen Gesellschaft zu Paris ernannt" wurde. 1779 heiratete er eine frankfurter Bürgertochter und ließ sich in Frankfurt als Arzt nieder, wo er eine sehr erfolgreiche Praxis gründete, seit 1780

das „Frankfurter Medizinische Wochenblatt"
(Bibliographie, Rezensionen, Personalien) herausgab, 1792 Garnisonsarzt und 1808 Medizinalrat wurde. 1821 zog er sich, kindisch geworden, zu Angehörigen nach Speyer zurück, wo
er starb.

Sein Wesen war von Natur aus weich. (Er war
ein großer Wohltäter der Armen.) Doch verbarg sich diese ursprüngliche Anlage unter einem rauhen Äußeren, das er auch als Arzt nicht
ablegte, ungescheutester Kundgebung der eigenen Meinung selbst in für ihn recht gefährlichen Fällen (1792 *Custine gegenüber), oft
sonderbarem Benehmen und meistens recht
skurrilen Späßen. („Eines Tages blieb ihm seine
Frau zu lange bei einer Kaffeevisite; er ließ sie
daher öffentlich ausschellen, sie sei verloren
gegangen.") Politisch war er Republikaner.
Als Wissenschaftler beschäftigte er sich außer
mit der Medizin auch mit der Tierarzneikunde,
Alchemie und Psychiatrie. Sein Sinn für Mystik und das Geheimnisvolle, worin er in seinen
mannigfachen Schriften als ein Vorläufer von
EThA*Hoffmann erscheint, veranlaßte ihn,
sich mit der Geschichte der Feme und einer
Sammlung von Urkunden über die Steinmetzen-Brüderschaft zu befassen. „Einen Namen
machte er sich vor allem als satirischer Autor;
in Schriften (zB. „Geheime Instruktionen für
Wundärzte bei Leichen", 1779), die ein gutes
Bild vom Zustand der Heilkunst am Ende des
18. Jahrhunderts geben, legte er deren Übelstände mit ungemeiner Verve bloß". Um 1800
gründete er die freimaurerische „Gesellschaft
der verrückten Hofräte" als ein Mittel, in jenen
bedrängten Zeiten sich und andere durch hu-
morvolle geistige und seelische Selbständigkeit aufrechtzuerhalten. Mit Bezug auf die Gesellschaft heißt es in der „Mainzer Zeitung"
vom 13. VI. 1809: „Es war ein kluger Gedanke,
die Verrückten des menschlichen Geschlechtes
in einem eigenen Orden zu sammeln. Verrückt
nennen wir, nach der ursprünglichen Bedeutung des Wortes, was nicht an seiner Stelle ist,
und in diesem Sinne möchte wohl auf unserm
Planeten der gescheuteste Mann mit Recht der
verrückteste sein ... Das Altertum zählte
ganze Völker, die Griechen und Römer als Mitglieder dieses Ordens. Die neuere Geschichte
zeigt uns nur gewisse Epochen der Verrücktheit, wie die Zeiten der Kreuzzüge, des dreißigjährigen Krieges und die ersten Jahre der französischen Revolution. Der Mensch glaubte damals, es gäbe noch etwas Größeres und Höheres, als seinen Hausrat und seine physische
Existenz. Ein gescheiter nüchterner Mensch
weiß freilich, was an der Sache ist." Der Orden

zählte etwa hundert Mitglieder, darunter
S*Boisserée, *Jung-Stilling, JJ und Mv*Willemer, *Arndt, Goethe, Ritter (der Geograph). „Verdienste, die von den Zeitgenossen
nicht anerkannt wurden, aber auch Irrtümer
oder Ungereimtheiten, die irgend ein hochge-
stellter Mann begangen hatte, konnten den
Ehrentitel eines verrückten Hofrates begründen. Sauber gedruckte, in lateinischer Sprache
ausgefertigte Diplome, unter dem 1. April aus-
gefertigt, galten als Beglaubigungsschreiben."
Zur Zeit der französischen*Revolution trat eine
Entfremdung zwischen Goethe und JChrdJ.
ein, da dieser von Goethe meinte, er sei Aristo-
krat geworden. 1812 knüpfte ein Brief JChrdJ.
über *DuW* wieder an (EGW II, 435 ff.). Goethes
Wagniß, seine *biographischen Blätter ... zu edieren,*
gewann ihm die *nähere Theilnahme* auch dieses
Mitlebenden, der *gütige Gesinnungen* an den Tag
legte. Goethe dankte ihm dafür, bat ihn auch
um einen lebensgeschichtlichen *Abriß* und um
detaillirtere Notizen . . . auf den Puncten, wo die
Bahnen ihrer Existenzen sich *berührt* hatten
(1812: *IV/23, 217 f.*). 1815 erfolgten während
Goethes frankfurter Aufenthalt persönliche
Berührungen im Kreise, zu dem auch die Familie Willemer und die Boisserées gehörten.
Neben ernstem Gedankenaustausch [zB. über
die Steinmetzen-Brüderschaft der mittelalterlichen Dombauten (I/34^I, 199; vgl. auch IV/27,
47)) fanden Scherze in JChrdJ. Stil ihre breite
Stelle. Einer davon veranlaßte ein Gedicht
(1815: I/4, 70 Nr 96), welches auf die Pfeifen-
signale anspielt, durch die JChrdJ. seine Ankunft auf der*Gerbermühle meldete und Willemer diesen zum Eintreten einlud. Ein anderer,
gewagter Spaß bestand in der Übersendung
eines literarischen Produktes in Knittelversen,
„worin die bisher bekannte Biographie Goethes behandelt und mit den Namen aller seiner
‚Mädchen' in den Reimen versehen war". Am
14. VIII. 1815 erhielt Goethe auf der Gerbermühle das Diplom als Mitglied des Ordens der
verrückten Hofräte, „ob orientalismum occi-
dentalem". Danach sah er den *unchristlichen
Christian* (1816: *IV/27, 195*) nicht mehr. Doch
sandte 1816 *Freund Ehrmann* an Goethe *Un-
glaubliches,* wohl wissend, *daß* es *anerkannt*
werden würde: *sonst hätt er's nicht gethan* (1816:
*IV/26, 324): Es war das wunderbarste und er-
freulichste Quodlibet ..., von den ernsthaftesten
und wichtigsten* Mineralien und von *Münzen*
bis zu *Puppen und Vexirgläsern (ebda 296 f.);*
Goethe antwortete entsprechend (ebda). „E.'s
wenige Briefe an Goethe aus den Jahren 1815
bis 1819, die im Goethe-Schillerarchiv in Weimar liegen, enthalten meist ... Schnurren

drolligster Art und sind gewöhnlich mit ‚Timander' unterzeichnet." Sie müssen trotzdem für Goethe ein gewisses spezifisches Gewicht gehabt haben. 1817 sprach er den Wunsch und die Hoffnung aus, daß JChrs *Pfeifchen und Schwänke* nicht verstummen möchten *(IV/28, 183)*. Sogar einige Tage nach dem Tode seiner Frau hatte er in einem *Zustand, der an die Verzweiflung* grenzte, diese als *anmuthigst* bezeichnete *Spässe* geschätzt und *recht erfahren*, was solche *Steckenpferde ... dem armen, schwereren, leichtersauflichen Menschen für willkommene Schwimmwämser sind* (1816: *IV/27, 63* ff.). Goethe erkannte bei JChrdJ. hinter einer oft grotesk verzierten oder verzerrten Fassade ein lebensmutiges Temperament.

Ein Urteil von 1820 faßt zusammen: JChrdJ. habe *sich Goethe jederzeit gefällig erwiesen und so manchen Dienst geleistet: Ich kenne ihn aber auch als einen Sonderling und humoristischen Mann, dessen Launen ich wohl selbst erfahren, ohne daß ich beurtheilen möchte, wie weit sie ihn führen und verführen könnten (IV/32, 232)*.

(Unbelegbar Goethes Verwicklung in einen Ehrenhandel JChrE.s und Bemühung um das frankfurter Bürgerrecht für ihn).   *Fu*

FrESitzmann: Dictionnaire ... des hommes célèbres de l'Alsace I. 1909. – SMPrem: Goethes Freund Ehrmann. In: ZfdU 23 (1909); dazu KReuschel und SMPrem, ebda 26 (1912).

Eichelborn, sachsen-weimarisches Dorf zwischen Erfurt und Weimar, 1822: 209 Einwohner. *Aufs Lerchenstreichen* in E. war Goethe am 2. X. 1776 und zur *Jagd *auf'm Esbach* (Gehölz bei E.) am 23. VIII. 1777 *(III/1, 23; 44)*. RV S. 15 f.   *Dl*

Eichenberg, Johann Ludwig. Die Buchhandlung der eichenbergischen Erben in Frankfurt/M brachte 1774 die 2. Auflage von Goethes *Götz* heraus (I/8, 311). Man unterscheidet eine Ausgabe mit fehlerhafter und eine mit richtiger Paginierung. Die 1. Auflage des *Götz* hatte Goethe im Selbstverlag erscheinen lassen. *Solche Dinge, die nach und nach entstanden, ließ ich, um mich an dem Publicum zu versuchen, im folgenden Jahre auf meine Kosten drucken, verschenkte sie, oder gab sie der Eichenbergischen Buchhandlung, um sie so gut als möglich zu verhöken, ohne daß mir dadurch einiger Vortheil zugewachsen wäre (DuW: I/28, 105)*. Unter den goetheschen Schriften, die die e.sche Buchhandlung zum Verkauf anbot, befanden sich zB. der *Brief des Pastors zu **** für zwölf Kreutzer, die himburgschen Nachdrucke usw. (vgl. dazu WHagen S. 70 f.). Die e.sche Buchhandlung befand sich damals im Besitz des Hofrates JCDeinet, der 1770 die Witwe des Buchhändlers und Buchdruckers

JLE. geheiratet hatte. Er hat sich als Verleger der FGA großes Verdienst erworben. Als der Verlag ein Inserat über Lavaters Predigten im Jahrgang 1774 Nr. 131 des ,,Journal in Frankfurt am Main" einrückte und gleichzeitig Lavaters Namen für eine Schrift nannte, die dieser anonym gehalten wissen wollte, kam es zu einem leidenschaftlichen Angriff Lavaters·gegen den e.schen Verlag, den Goethe allerdings wesentlich abmilderte (I/53, 156 f.; 481).   *St*

MMorris: Einzelnes zu Goethes Leben und Wirken. In: GoetheJb 28 (1907), S. 207–210. – Goedecke ³ 4, 3 (1912) S. 143. WHagen S. 72.

Eichendorff, Joseph Karl Benedict Freiherr von (1788–1857), romantischer Dichter, zweiter Sohn aus der Ehe des aus altbayrischem, früh nach der Mark Brandenburg und im 17. Jahrhundert nach Schlesien verpflanzten katholischen Adelsgeschlechte stammenden Adolph Frhrn vE. (1756–1818) mit Caroline Freiin vKloch (1766–1822). Er wurde mit seinem Bruder Wilhelm (1786–1849) nach sorgfältig eingehegter Jugenderziehung im Elternhaus und von 1801 bis 1805 im Konvikt des katholischen Gymnasiums zu Breslau und nach einem aus reinem Bildungsinteresse betriebenen Universitätsstudium in Halle (1805) und Heidelberg (1807) durch Vermögensrückschläge, die zur Preisgabe der Erbgüter einschließlich des Geburtsschlosses Lubowitz führten, zu längerem Brotstudium in Wien (1810–1812) und zum Eintritt in den Staatsdienst genötigt. Nach Beteiligung an den Freiheitskriegen vermählte sich E. 1815 mit Aloysia (Luise) vLarisch (1793–1855) und entschied sich für den Verwaltungsdienst in Preußen, wo er nach einer unsteten Laufbahn (Breslau 1816, Berlin 1820, Danzig 1821, Königsberg 1824) von 1831 bis 1844 mit einer Ratsstelle im Kultusministerium zu Berlin betraut wurde. – E., der als bedeutender Lyriker dem Volke vielfach unbewußt zu eigenstem Besitz geworden ist, war – tief in die *Romantik versponnen – durch seine dichterische Existenz befähigt, das ,,Lied" wahrzunehmen und zu wecken, das ,,in allen Dingen schläft"; die Sprachlichkeit des Daseins, die sich somit bekundet, hat der Lyrik neue Wege gewiesen (über E.s Erweckung zum Lyriker durch das heidelberger Käthchenerlebnis siehe KOFrey in: NHJb 1938). Ein Gesamtbild der lyrischen Begabung ergab aber erst die 1837 von E. besorgte erste Sammlung seiner Gedichte; daß Manches davon vorher in F*Asts ,,Zeitschrift für Wissenschaft und Kunst" (1808) unter dem Pseudonym Florens, in GrafOv*Löbens ,,Hesperiden" (1816), in Almanachen oder als

Verseinlagen in den Romanwerken veröffentlicht wurde, war einer Würdigung seiner Kunst wenig förderlich gewesen. Volkstümlich wurde E.s Name durch die als romantischer Seelenspiegel vollendete Novelle „Aus dem Leben eines Taugenichts" (1826), während er nach seinen größeren, heute der Vergessenheit anheimgefallenen Prosawerken hauptsächlich als sozialpsychologische Erscheinung zu werten ist: Weltaufgeschlossenheit mit christkatholischem Vorbehalt. Damit ist auch sein Verhältnis zu Goethe gegeben, dem er zu dessen Lebzeiten schüchterne Verehrung zollte. Als Student in Halle sah er „den unsterblichen Goethe" in FJ*Galls Schädelcollegium, „wodurch wir in den Stand gesetzt wurden, die Physiognomie dieses großen Mannes, und die Art seines Umganges ... unserer Seele einzuprägen" (Tgb. vom 8.VII. 1805: HKA Bd 11 S. 103), und nach einer Aufführung des *Götz* in Lauchstädt am 3.VIII. 1805 notierte er: „Sr. Exelentz der Geheime Rath von Göthe saß selbst mit seiner Demois. Vulpius in der Loge und blikte so herab auf das Entzüken, welches das Kind seines Geistes rings verbreitete" (ebda 106). — Goethes Urteil über E. erhellt aus den *Noten und Abhandlungen* zum *West-östlichen Divan (Zweifel)*, wo er anläßlich der persischen Mystik schreibt, *sie verdiente wenigstens, eines tiefen und gründlichen Ernstes wegen, mit der unsrigen verglichen zu werden, die in der neusten Zeit, genau betrachtet, doch eigentlich nur eine charakter- und talentlose Sehnsucht ausdrückt; wie sie sich denn schon selbst parodirt, zeuge der Vers: Mir will ewiger Durst nur frommen / Nach dem Durste (I/7, 83)*. Dieses Zitat aus dem zwölften Kapitel von „Ahnung und Gegenwart" (HKA Bd 3 S. 145), wo eigentlich Graf Ov*Loeben von E. persifliert wird (ebda S. 508f.), war für Goethes Empfinden, der zwischen den Genannten keinen Wertunterschied machte, ein Kriterium für den ganzen Kreis. – Als E. sein Drama „Der letzte Held von Marienburg" an Goethe sandte, blieb es unbeachtet und das Begleitschreiben vom 29. V. 1830 wohl auch unbeantwortet (HKA Bd 12 S. 32; 265 Anm.). – E.s Gedicht „Der alte Held. Tafellied zu Goethe's Geburtstag 1831" erschien erst im „Deutschen Musenalmanach für 1833"; viel später auch seine in orthodoxer Befangenheit konzipierten literarhistorischen Schriften, die zu einer „Geschichte der poetischen Literatur Deutschlands" (1857) verarbeitet wurden; danach habe Goethe ohne Zweifel am besten erreicht, „was diese vom positiven Christentum abgewandte

Poesie aus sich selbst erreichen konnte: die vollendete Selbstvergötterung des emanzipierten Subjekts und der verhüllten irdischen Schönheit" (Kosch S. 301).   *Sh*

HKA: JvEichendorffs Sämtliche Werke. Historisch-kritische Ausgabe von WKosch und ASauer. Bisher erschienen 1908ff. Bd 1¹; 1ᴵᴵ; 3; 4; 6; 10–13, 22. – Kosch: JvEichendorffs Geschichte der poetischen Literatur Deutschlands neu hrsg. und eingel. von WKosch. 1906. – HvEichendorff: Biographische Einleitung. In: JvEichendorffs Sämtliche Werke Bd 1. ²1864, neu bearb. durch KvEichendorff und WKosch ³1923. – FSchultz: Aus der Stimmung der Befreiungskriege. Ein Brief Josefs von Eichendorff. In: Süddeutsche Monatshefte 12 (April-Sept. 1915), S. 134 bis 141. – KOFrey: Eichendorffs Käthchen. In: Neue Heidelberger Jahrbücher (1938), S. 52–87. – JGiraud: Joseph von Eichendorff, critique de la Société. In: Études Germaniques XIII (Paris 1958), S. 303–332.

Eichhoff, Frédéric Gustave (1799–1875), Orientalist, Indologe, vergleichender *Sprach-Forscher, 1826 docteur ès lettres in Paris, wurde am 25. IX. 1825 durch den Kanzler v*Müller bei Goethe eingeführt (III/10, 106).   *Fu*

Eichhorn, Johann Gottfried (1752–1827), Orientalist, Literarhistoriker, 1775–1788 Professor in Jena, danach in Göttingen. Auf Vorschlag Goethes wurde er im Frühjahr 1786 anläßlich der Studentenunruhen zusammen mit drei anderen Vertrauensleuten Goethes und des Herzogs als Verstärkung zum Mitglied des Concilii arctioris ernannt (IV/7, 195). E.s wissenschaftliche Verdienste bestehen vor allem in der Anwendung literarkritisch-quellengeschichtlicher Maßstäbe auch gegenüber den Schriften des Alten Testamentes. Goethe benutzte seine „Einleitung ins Alte Testament" (3 Bde 1780 oder ²1787: Keudell Nr 75) im April/Mai 1797, als er, *indem er den patriarchalischen Überresten nachspürte, in das alte Testament geraten* war und sich *auf's neue nicht genug über die Confusion und die Widersprüche der fünf Bücher Mosis verwundern* konnte *(IV/12, 86)*. Aus dieser Beschäftigung entstand *Israel in der Wüste (I/7, 156–182;* *Bibel Sp. 1166) und Teile der *Bemerkungen über das erste Buch Mose (I/7, 311 bis 335)*. Schon vorher hatte E. Goethe im persönlichen Gespräch vor allem darauf hingewiesen, daß *ein großer Theil des alten Testaments ... dem Felde der Dichtkunst* angehöre *(I/7, 7)*, und dadurch geholfen, die Brücke zu schlagen vom Alten Testament zur späteren orientalischen Literatur: Erst unter diesem Aspekt konnten *alle Wanderungen* Goethes *im Orient durch die heiligen Schriften veranlaßt* werden (I/7, *154 f.*), konnte der Weg von diesen Schriften zum *Divan* führen und von dort wieder *zu denselben zurück, als den erquicklichsten, obgleich hie und da getrübten, in die Erde sich verbergenden, sodann aber rein* *und frisch wieder hervorspringenden Quellwassern (ebda):* Im Mai 1819 erhielt Goethe *von* E.s *Hand das höchst wichtige Werk, das uns die Propheten und ihre Zustände aufklärt (ebda 220:* „Die hebräischen Propheten", Bd 1–3, 1816–19: Ruppert Nr 2616). In den *Noten und Abhandlungen zum Divan* spricht Goethe seinen *dankbaren Lebensbezug zu diesem würdigen Manne treulich aus (I/7, 220),* im November 1819 schickt er E. den *WöD* mit einem Gedicht aus dem *Buch der Betrachtungen,* das wohl ursprünglich ebenso wie die Gedichte an HF *Diez und de*Sacy zum geplanten Buch der Freunde gehören sollte (I/6, 84; 392). Goethe schätzte E. auch als Literaturhistoriker (I/36, 317f.: „Allgemeine Geschichte der Cultur und Literatur im neuern Europa", Bd 1, 1796, Keudell Nr 265a; „Geschichte der Literatur von ihrem Anfang bis in die neuesten Zeiten", Bd 3, 1807, Keudell Nr 1282) und als Herausgeber und Übersetzer von W*Jones (I/7, 220; vgl. 284; Ruppert Nr 766). Er kannte ferner seine Schriften: „Repertorium für Biblische und Morgenländische Litteratur", Th. 1–4, 1777–79 (Keudell Nr 977) und „Über das Reich des Hira" in den „Fundgruben des Orients" 2 und besaß: „Commentarius in Apocalypsin Joannis", Vol. 1. 2, 1791 (Ruppert Nr 2615); „De deo Sole invicto Mithra ...", 1814 (Ruppert Nr 1967); „De Aegypti anno mirabili ...", 1818 (Ruppert Nr 2032). E.s Ehefrau

–, 2) Susanne, geb. vMüller (1756–1835) und beider Sohn

–, 3) Carl Friedrich (1781–1854), den späteren „Vater der Rechtsgeschichte", Universitätsprofessor in Frankfurt/O., Berlin, Göttingen, Berlin erwähnt Goethe nur kurz.   *Ml*

Eichsfeld, Hochebene am Nordwestrande Thüringens, östlich der unteren Werra, katholische Enklave, gehörte als Fürstbistum E. bis 1802 zum Kurfürstentum *Mainz. In den Wirren der Revolutionszeit floh der Landesherr 1792 zum ersten Male von Mainz hierher nach *Heiligenstadt, wo er schließlich von 1796–1800 wohnte und residierte. 1802 kam das E. mit seinem oberen Teil an Preußen, mit seinem unteren (größeren) Teil zunächst an Westfalen, 1815 an Hannover. Goethe hat das E. einmal wirklich durchquert, sonst nur gestreift: Juni 1801 auf dem Wege nach*Pyrmont; das Katholische im Landschaftsbilde dürfte er wahrgenommen haben (III/3, 16; RV S. 38).   *JP*

Eichstädt, Heinrich Carl Abraham (1772–1848), seit 1793 Dozent der alten Sprachen an der Universität Leipzig, wurde 1796 als Professor und zur Unterstützung des Herausgebers der

*Allgemeinen Literaturzeitung ChrG*Schütz nach Jena berufen, wo er nach dessen Abwanderung nach Halle 1804 mit der Redaktion der als Ersatz begründeten Jenaischen Allgemeinen Literaturzeitung betraut wurde. Diese Tätigkeit brachte ihn in engste Verbindung mit Goethe, der an der Vorbereitung und in den ersten Jahren an der Herausgabe stärksten Anteil nahm, was sich in häufigen Besprechungen und einem bis 1816/17 sehr lebhaften Briefwechsel auswirkte (Goethes Briefe an E. Mit Erl. hrsg. v. Woldemar Frh. vBiedermann. Berlin 1872). Seine Kenntnisse und Geschick, Tätigkeit und Bereitwilligkeit wurden auch von Goethe gerühmt (zB. IV/16, 274; 280; IV/28, 323; I/35, 164) und fanden in vielen äußeren Ehrungen Anerkennung. Die ihm 1804 übertragene Professur der Beredsamkeit und Dichtkunst und sonstige wissenschaftliche Arbeit trat aber bis auf Programme und Reden, die wegen des eleganten lateinischen Stils geschätzt waren (IV/44, 284), mit den Jahren fast völlig in den Hintergrund, auch das gleichzeitig verliehene Oberbibliothekariat der Universität Jena wurde teilweise nur lässig versehen (IV/29, 34).   *Rt*

Eichwald, Walddorf am Südosthang des Erzgebirges nahe bei *Teplitz. Abgesehen von seinen Besuchen beim Fürsten CJv*Clary auf dessen dicht bei E. gelegenem Jagdschloß Doppelburg kam Goethe auf eigens nach dem Ort gerichteten Spaziergängen von Teplitz aus am 28. VII. 1812 (III/4, 306) und das zweitemal am 26. VI. 1813 (III/5, 57) dorthin, erst nach einer gewissen Scheu, *weil ich mich fürchtete, ihn gegen vor dem Jahre öde und wüste zu finden (NS 2, 32).* Am 9. VII. 1813 durchquerte er E. auf dem Wege nach *Zinnwald (NS 2, 37). RV S. 47; 48; 49.   *JP*

Einbeck, niedersächsische Stadt am Krummen Wasser nahe der Ilme, *sehr alt und rauchig, die Dächer mit rothem Sandstein gedeckt, große Dauer derselben über 300 Jahr ... Diese Art, die Häuser mit Sand zu decken, dauert fort bis einen guten Strich über die Weser hin (III/3, 21).* Goethe machte hier auf der Hin- und wohl auch der Rückfahrt von *Göttingen nach *Pyrmont am 12. VI. *(Logie im Kronprinz, Wirth Meyer)* und am 17. VII. 1801 Quartier. (III/3, 26 f.). RV S. 38.   *JP*

Einer, Andreas Dietrich, eigentl. Krako (gest. 19. XI. 1812 in Weimar durch Selbstmord). Schauspieler, studierter Jurist. Liebhaber und Heldendarsteller, 1786–1789 bei *Bellomo, 1791 bis 1792 unter Goethe engagiert. Schied aus Gesundheitsgründen aus, wurde 1795 Auditeur, 1799 Regierungskanzleiarchivar.   *EF*

Einheiten / Die drei Einheiten der Handlung, der Zeit und des Ortes – das grundlegende Formprinzip der französischen klassischen Bühnenwerke, besonders der *Tragödie, wie es am schärfsten von *Boileau ausgesprochen wurde: „Qu'en un lieu, qu'en un jour, un seul fait accompli / Tienne jusqu'à la fin le théâtre rempli" („Art poétique", III, 45f.). Die Forderung wurde auf *Aristoteles' „Poetik" (7. Kap.) zurückgeführt, welche die Notwendigkeit der Handlungseinheit stark betont, als wünschenswerte, wenn auch nicht absolut unüberschreitbare zeitliche Begrenzung vierundzwanzig Stunden angibt, aber von der E. des Ortes nicht spricht. In Italien, Spanien, England, Frankreich haben spätere Dramatiker diese Spielraum lassenden Sätze zu immer gebieterischeren Regeln erstarren lassen. In *Frankreich kann Mairet als der Begründer der zum System zusammengefaßten Ästhetik der drei E. betrachtet werden; seine „Sophonisbe" (1634) ist die erste französische regelmäßige Tragödie. Im Verlauf des Streites um den „Cid" *Corneilles (1636) verlangte dann Chapelain als Wortführer der *Académie française die genaue E.-Beachtung. Boileau gab 1674 dieser Forderung ihre bekannteste Formulierung (s.o.). Corneille versuchte trotz seiner grundsätzlich bejahenden Stellung sich eine gewisse Bewegungsfreiheit zu wahren. *Racine befolgte mühelos ein Gesetz, das dem Wesen seiner eigenen Schöpfungen wie durch eine Art prästabilierte Harmonie entsprach; denn seine Tragödien sind ihrer Natur nach nichts Anderes als das Nahen, Ausbrechen, Lösen einer rein psychologischen, dh. ins Innerliche verlegten Krisis (und verkörpern damit aufs reinste die Idee der französischen klassischen Tragödie, welche Klärung eines seelisch-sittlichen Konflikts sein will). Hier können die Einwirkungen von außen keine große Bedeutung mehr haben: Die E. des Ortes – der berühmte „Kronleuchter", unter dem das Drama sich als „Gespräch" abspielt – hat nichts Künstliches; zu Beginn der Handlung ist die Lage immer derart, daß alles zur Katastrophe bereit ist, auf diese zudrängt: Der schnelle Ablauf der Ereignisse, die E. der Zeit, liegt in der Logik der Dinge; die E. der Handlung, anders gesagt, das Verwerfen jeder Nebenhandlung neben der Haupthandlung, ist der Ausdruck des durchaus berechtigten Bedürfnisses und Willens, zur Erreichung des tiefen und vollen Verständnisses die Aufmerksamkeit auf eine möglichst geschlossene Gegebenheit zu lenken – eine Haltung, die so natürlich ist, daß der damalige Einfluß der analytischen, jedes Problem isolierenden cartesianischen Methode sie nicht zu begründen brauchte, sondern sie höchstens bewußter und fordernder werden lassen konnte. Genau wie das Drama der Griechen und dasjenige *Shakespeares ist die französische klassische Tragödie der drei E. etwas historisch Gewordenes und etwas Organisches. Sie vollbringt „die eigentliche künstlerische Tat", welche „in der Bändigung der darstellenden Kraft, in der organisierenden Bewältigung aller Kunstmittel" zu sehen ist; in der Weltgeschichte der Kunst ist ihr „strenger Zwang ... eine so wichtige Schule, wie die des Kontrapunkts und der Fuge ... oder die Gorgianischen Figuren" (Nietzsche). Man darf die französische klassische Tragödie nicht nach den Erscheinungen ihrer Verfallszeit beurteilen, in der sie zur leeren Form wurde, nicht geschlossenen Auges *Lessing folgen, der Unrecht hatte, als er diese „einzige moderne Kunstform zum Gespött in Deutschland" machte (Nietzsche). – *Bedürfniß einer beschränkten Form zu besserer Beurtheilung der eigenen Productionen* ließ den Knaben Goethe sich um das Verständnis und die Anwendung der E. bemühen, der Stürmer und Dränger lehnte sie ab (sein „*Götz* ist eine bewußte Reaktion auf die französische „haute tragédie", nicht so sehr eine Nachahmung Shakespeares als eine „contre-imitation" Racines": Merian-Genast, 37), der Dichter der *Iphigenie unterwarf sich ihnen aufs ungezwungenste im Gehorsam gegen die innere Form seines Seelendramas, der späte Goethe erkannte sie unter gewissen Bedingungen als berechtigt an (P*Corneille, *Voltaire: *Mahomet*, JB*Racine, *Tancred, MuR:* Hecker Nr 355). Gelegentlich fragte er sich, *ob nicht die Franzosen (mit ihren klassischen Trauerspielen) auf dem rechten Wege waren* (um 1810: *Bdm. 2, 240*), und stellte als dramatisches Prinzip die *Einheit*, welche die Franzosen jedoch nur *mechanisch ergriffen* hätten, über die Technik Shakespeares, dessen *Stücke in dieser Hinsicht bei aller Poesie nichts taugten* (1815: *ebda 320*). Goethe wußte, daß die drei E. ein vollgültiges künstlerisches Mittel sein können (1813: I/28, 197–199), um die Fülle des Lebens zu meistern und in Form zu verwandeln. Seine „negativen Äußerungen über die französische Klassik erklären sich wohl auch als Reaktion auf den damals noch, wenigstens von französischer Seite, erhobenen Anspruch auf ihre vorbildliche Geltung... Umgekehrt ruft die Kritik französischer Romantiker an Racine ein leidenschaftliches Bekenntnis zu ihm hervor. Die oft so

widerspruchsvollen Äußerungen Goethes entspringen seinem Bedürfnis, Einseitigkeiten
anderer zu korrigieren und durch die Antithese zur gerechten Synthese zu führen. Sie
dürfen daher nie verabsolutiert, sondern müssen dialektisch verstanden werden" (Merian-
Genast, 54).   *Fu*

GLanson: Esquisse d'une histoire de la tragédie française. 1927. – GLanson: Histoire de la littérature
française, zahlreiche Auflagen. – EMerian-Genast:
Goethe und die französische Klassik. In: Coll Strasbourg S. 35–54.

Einhornhöhle (Scharzfelser Höhle), dreiwöl-
bige, etwa 300 m langgestreckte Kalkfelsen-
Höhle unweit *Königshütte bei *Lauterbach
im *Harz, besichtigte Goethe am 8. VIII. 1784
auf seiner hauptsächlich geologisch interessierten dritten Harzreise, von *Mühlhausen
über *Dingelstädt kommend *(NS I, 68): Man
kann die graue Wacke unter dem Kalk bemerken.
Diese Kalkfelsen, ob sie gleich aus übereinander-
liegenden Bänken bestehen, haben das Ansehn
eines ganzen Gebirges, und die Gangklüfte, die
durchstreichen, sind sichtbarer als die Flözklüfte.*
Von der Ruine Scharzfels notiert er nur, daß
sie *auf diesem Gestein steht.* Über das Geologische im engeren Sinne hinaus hat der Besuch dieser und anderer *Höhlen für Goethe
Bedeutung. RV S. 23.   *JP*

Einschachtelungslehre. Die *Biologie des Altertums, des Mittelalters und auch noch der Renaissance hatten die Entwicklung der Organismen als unmittelbaren Ausdruck einer sie be-
wirkenden lebendigen Kraft verstanden. Diese
Vorstellung beherrschte in den mannigfach-
sten Formulierungen das Denken und die
Theorienbildung. Mit dem Aufkommen der
Maschinenvorstellung des Organismus (Mechanismus), welche im Anschluß an die gali-
leische Physik und deren Vordringen in alle
Bereiche der *Naturwissenschaften sich herausbildete, traten in der Biologie neue, mit den
bisherigen Mitteln und Denkvoraussetzungen
nicht mehr zu bewältigende Probleme auf. Die
Annahme einer besonderen Lebenskraft als
bewirkendes und schöpferisches Moment erschien nicht mehr vertretbar. Da der Organismus einerseits nicht wie eine Maschine aus
einzelnen, gesondert hergestellten Teilen zusammengesetzt wird, anderseits aber auch
nicht etwas hervorbringen kann, was nicht zuvor schon dagewesen ist – mit dem Wegfall
der Lebenskraft war ja auch die Ursache für
einen solchen epigenetischen Vorgang (*Epigenese) hinfällig geworden –, blieb nur die
Annahme, daß der Organismus im einzelnen
im Keim schon vorgebildet, „präformiert" sei
(Präformationslehre); die Entwicklung des

Organismus ist daher nur eine Ent-Wicklung,
eine Auswicklung (Evolution) des im Keim
schon fertig Gebildeten, so daß nur die Teile
sich noch vergrößern (Malpighi 1628–1694).
*Swammerdam hat in Weiterbildung solcher
Vorstellungen die Ansicht vertreten, daß seit
der Erschaffung des Lebens nichts Neues mehr
entstanden sei (Ablehnung der Urzeugung).
Alle Entwicklung sollte, wie er an den Insekten glaubte nachweisen zu können, nur ein
Wachstum von schon anfänglich Vorhandenem
sein. Ähnliche Vorstellungen entwickelte *Spal-
lanzani.
Hieraus erwuchs folgerichtig die E.: Da nichts
Neues entstehen kann, sondern alles nur Auswicklung, Wachstum von schon Vorhandenem,
Vorgebildetem ist, ist nicht nur der Keim (Samentierchen = Spermatozoen) gewissermaßen
eine Miniaturausgabe des erwachsenen Individuums, sondern dieser enthält in sich auch
schon den Keim der folgenden Generation usf.
Alle Generationen müssen also in *einem* ursprünglichen Akt in Form von ineinanderge-
schachtelten Keimen zugleich mit den ersten
Organismen erschaffen worden sein. Wie die
Entwicklung des Einzelorganismus, so ist die
Entwicklung der einander ablösenden Generationen nur eine Auswicklung.
Diese Vorstellung ermöglicht eine streng mechanische Deutung des Lebensprozesses ohne
Zuhilfenahme einer besonderen Lebenskraft
oä. In ihr waren alle Lebensvorgänge nur
noch der notwendige Ablauf eines einmal geschaffenen kunstvollen Mechanismus. Nur in
diesem Rahmen erschien eine folgerichtige
und widerspruchsfreie Deutung des Lebens
auf mechanistischem Wege möglich. So war es
nur konsequent, wenn der Versuch einer mechanistischen Deutung des Lebensprozesses im
19. Jahrhundert auf die Vererbungslehre mit
ihrer Chromosomentheorie und damit zu einer
allerdings modernisierten Wiederherstellung
der Präformationslehre führte. Die in den
Chromosomen lokalisierten Erbanlagen der
Keimzelle enthielten ja schon den späteren
Organismus bis ins Einzelne präformiert; und
selbst die Einschachtelungsvorstellung wiederholte sich modifiziert in der Keimbahnvorstel-
lung (*Genetik).
Jede epigenetische Vorstellung, die in irgendeiner Form eine Neubildung behauptet, durch-
bricht das mechanistische Schema. Bildung,
Entstehung von Neuem, zuvor nicht Dage-
wesenem setzt eine formbildende, dh. nicht
mechanische Ursache voraus. Die in welchem
Lebenskraft oder wie auch immer genannt
werden (*Epigenese). Auch die *Abstammungs-

lehre des 19. Jahrhunderts, die durch ihre Behauptung der Entstehung neuer, differenzierterer Formen aus einfacheren, weniger differenzierten im Kern unmechanistisch ist, konnte ihr mechanistisches Forschungsziel nur dadurch verwirklichen, daß sie die präformationistische Genetik in sich aufnahm und sich damit selbst aufhob bzw. die Neubildung von Formen auf den einen strengen Mechanismus durchbrechenden Zufall zurückführte.

Der Gegensatz zwischen E. (Präformationslehre, in der modernen Biologie Genetik) und Epigenese (in der modernen Biologie Entwicklungs-„Mechanik") entspricht dem Gegensatz zwischen dem Mechanismus und Vitalismus in der Biologie. Die Versuche der modernen Genetik und Abstammungslehre, diesen Gegensatz zu verhüllen, gründen auf einer gegenüber der Präformationslehre des 17. und 18. Jahrhunderts unzureichenden logischen Durchdringung der Probleme. Der geringe Erfahrungsschatz des 17. Jahrhunderts ließ das grundsätzliche Problem noch deutlich erkennen, das sich heute hinter der unübersehbaren Fülle der Erfahrungsbefunde allzu leicht verbirgt.

Goethe, der jenseits von jeglichem Mechanismus die lebendige organische Gestalt zutiefst erfaßt hatte, mußte die E. von Grund auf ablehnen. Dies äußert sich in seiner Stellungnahme zu Charles Bonnet (1720–1793; II/6, 143). Mit klarem Blick für die Zusammenhänge stellt er fest, daß die *kalte, fast unfreundliche Begegnung*, die er mit seiner Metamorphosenlehre der Pflanzen zu erfahren hatte, *ganz natürlich* war: *die Einschachtelungslehre, der Begriff von Präformation, von successiver Entwickelung des von Adams Zeiten her schon Vorhandenen hatten sich selbst der besten Köpfe im Allgemeinen bemächtigt (II/6, 16). Es sollte nicht Evolution seyn auch nicht Epigenese im angenommenen Sinn, nicht Präformation nicht Prädivination, weil alle diese Worte den Begriff eines freyen Werdens beschräncken (II/13, 51).*　　　　　　　Bn

ERadl: Geschichte der biologischen Theorien in der Neuzeit. 1913. – LvUbisch: Die Bedeutung der neueren experimentellen Embryologie und Genetik für das Evolutionsproblem. 1942. – MMalphigi: Opera omnia. 1686. – AVallisnieri: Istoria della generazione dell'uomo e degli animali se sia da vermecelli spermatici o dalle uovi. Venezia 1721.

Einsiedel, 1) August Hildebrand von (1721 bis 1793), sachsen-gotha-altenburgischer Geheimer Rat, Kammerpräsident und Obersteuerdirektor in Altenburg, Herr auf Lumpzig, Hohenkirchen und Oberzetzscha. Er kam, wegen zerrütteter Familienverhältnisse in einen Zustand geistiger Unzurechnungsfähig-

keit geraten, Ende Oktober 1781 nach Weimar, um seinen Sohn (2) aufzusuchen. Goethe nahm sich seiner an: *Ich habe indess als moralischer Leibartzt einen verworrnen Handel zwar leider nicht ans Ende ... doch bis zur Entwicklung führen helfen. Eine alte Kranckheit zerrüttet die Einsiedlische Famielie, der Häusliche, politische, moralische Zustand hat auf den Vater so gewürckt, daß er nahe an der Tollheit, wahnsinnige, wenigstens schwer erklärliche Handlungen vorgenommen hat, endlich zu Hause durchgegangen ist und seinen Sohn hier aufgesucht hat. Ich habe mich, um kurz zu seyn, des Alten bemächtigt und ihn nach Jena in das Schloß gebracht, wo ich ihn unterhielt, biß seine Söhne ankamen, die indeß zu Hause mit Mutter und Onckle negotiirt und die Sache auf einen Weg geleitet hatten. Die ganze Woche ist mir auf diese Besorgnisse aufgegangen (IV/5, 209 f.; 7, 366; III/1, 132).* Auch mit Wieland war AH. bekannt. Dieser wurde bei seiner Beschäftigung mit dem englischen Schriftsteller E*Gibbon an AH. erinnert: „Auffallend war mir die Ähnlichkeit seines Kopfs und seiner ganzen Figur mit dem seligen Geheimen Rath v. Einsiedel, mit welchem er auch, was die Geisteskräfte, die Liebe zum Lesen und das Gedächtniß, ja sogar die Art zu studieren betrifft, viele Ähnlichkeit gehabt zu haben scheint" (Wieland an LvGöchhausen 18. III. 1798: JbG Ges. 11, 269).

–, 2) Friedrich Hildebrand von (1750–1828), Schriftsteller und Übersetzer, ältester Sohn von 1), seit 1761 Page am Hofe der Herzogin Anna Amalia und von dieser 1766 zum juristischen Studium auf die Universität Jena geschickt, trat 1770 als Assessor in die weimarische Landesregierung ein, wo er 1773 Regierungsrat wurde. 1775 erhielt er außerdem das Amt eines Assessors am Hofgericht Jena übertragen. Nachdem ihm 1775 der Titel eines Hofrats und 1776 der eines Kammerherrn verliehen worden war, schied er 1776 aus dem Regierungskollegium aus, da ihm die nüchternen Verwaltungsgeschäfte nicht behagten. Er trat in die Hofdienste Anna Amalias, in denen er, seit 1802 als Geheimer Rat und Oberhofmeister, bis zu deren Tode gestanden hat.

In dem Kreis, der sich im weimarer Wittumspalais, in *Ettersburg und *Tiefurt um die Herzogin sammelte und zu dem insbesondere auch Goethe gehörte, spielte FH. wegen seiner schriftstellerischen, musikalischen und schauspielerischen Talente eine hervorragende Rolle. Er besaß neben rechtswissenschaftlichen und medizinischen auch ausgezeichnete Sprach- und Literaturkenntnisse, hatte die

Fähigkeit zu Improvisation, liebenswürdiger Satire und Selbstironie und war wegen seiner Herzensgüte und Selbstlosigkeit, seines Humors und angenehmem Äußeren und seiner gewandten Umgangsformen allgemein beliebt. In der weimarischen Hofgesellschaft führte er den Spitznamen „L'ami". FH. gehörte zum engsten Freundeskreis Carl Augusts und Goethes (III/1, 12–28 passim; I/36, 236f.). Mit Goethe verband ihn zeitlebens das brüderliche „Du" und an den zahlreichen tollen Streichen der ersten weimarer Jahre Goethes war er beteiligt (zB. IV/3, 7–12); noch 1819 erinnerte sich Goethe, als er auf *Stützerbach und die Späße mit dem Kaufmann Glaser zu sprechen kam, an „Einsiedels gottloses Wegziehen des Tischtuches mit allen Abendspeisen und Flucht darnach" (Bdm. 2, 436). FH. betätigte sich lebhaft am Liebhabertheater des Hofes (IV/3, 120; 122; 243f.; 4, 55; 58; 257), verfaßte selbst kleine Theaterstücke (zB. IV/6, 50f.) und Operetten und war der Redakteur und einer der eifrigsten Mitarbeiter des *Tiefurter Journals. Zu größeren Leistungen fehlten ihm aber, wie auch Goethe erkannte (IV/8, 295), Tatkraft, Fleiß und Zielstrebigkeit. Nach der Rückkehr von einer Italienreise, die er im Gefolge Anna Amalias 1788–90 unternommen hatte (I/35, 19; IV/9, 143; 168; 178), galt seine wesentliche literarische Tätigkeit der Übersetzung von italienischen Operntexten, vor allem von Opern Cimarosas, und mehrerer Werke von Terenz, Plautus, Calderon und Molière für die Zwecke des weimarer Hoftheaters, an dem sie unter Goethes Leitung aufgeführt wurden (I/ 5ᴵᴵ, 411, Nr 113; 11, 351; 13, 82; 33, 252 f.; 35, 18f.; 86; 117f.; 293; 36, 63; 74; 100; 244; 40, 105; III/3, 36–39; 58; 194; 198; 4, 235ff.; 264f.; 349f.; IV/12, 367; 13, 40; 51; 99; 15, 298; 16, 181; 187f.; 19, 281; 293; 296; 468f.; 22, 320; 325; 328; 345; 23, 115; 193f.; 255; 258; 24, 118). Auch „Grundlinien zu einem Schema der Schauspielkunst" (1797) hat er herausgegeben. Nachlässigkeit und Vertrauensseligkeit bei der Verwaltung seines Vermögens, Verachtung des Geldes und Leidenschaft für das Spiel führten dazu, daß sich FH. stets in wirtschaftlicher Bedrängnis befand. 1790 war seine Lage so schlecht, daß Goethe sich bei Anna Amalia und Carl August um einen Kredit von 1800 Talern für ihn bemühte, um wenigstens die drückendsten Schulden zu decken (IV/9, 210; 216f.); das väterliche Gut Lumpzig mußte 1798 verkauft werden. Solcher Umstände wegen mußte FH. auf die Erfüllung seines sehnlichsten Wunsches, einen eigenen Hausstand zu gründen, verzichten. Nach dem

Ende der Sturm-und-Drang-Zeit, während der er die Hofdame LAv*Waldner verehrte, verband ihn eine tiefe gegenseitige Neigung mit C*Schröter. Nach Anna Amalias Tod (1807) übernahm FH. das Amt eines Oberhofmeisters der Herzogin Luise. 1817 wurde er außerdem zum Präsidenten des Oberappellationsgerichts in Jena ernannt. Goethe zählte FH. auch in dieser Zeit weiterhin zu seinen *nächsten Freunden (I/35, 89),* oft trafen sie sich in Jena, aber auch im Haus am Frauenplan war FH. häufiger Gast (viele *Tgb.*-Belege). Nach FH.s Tod gab Goethe dem Kanzler v*Müller am 16. VIII. 1828 die Anregung, eine Gedächtnisrede auf den Verstorbenen zu verfassen: *Um Einsiedels Andenken müssen Sie sich auch noch verdient machen. ... Die Schwierigkeit liegt darin, den Lebensgang eines milden geselligen Mannes aufzufassen, dessen Gegenwart schon ein Räthsel war (IV/44, 276).* Müller überließ diese Aufgabe jedoch CWv*Fritsch. Das Ergebnis wurde bei der Gedächtnisfeier für Carl August am 3. IX. 1828 in der Loge Amalia, deren Mitglied auch FH. gewesen war, mit vorgetragen (Freymaureranalecten IV. Heft, Weimar, 3. IX. 1828). Müller begnügte sich mit der Abfassung einer Goethe vorgelegten und von diesem abgeänderten Grabschrift, in der er das Leben des Verstorbenen in Versen würdigte (III/11, 301; IV/45, 50 f.; 343).

–, 3) Johann August von (1754–1837), jüngerer Bruder von 2) zunächst holländischer Offizier, verließ den Militärdienst, der ihm nicht zusagte, besuchte seit 1779 die Universität Göttingen und bezog 1780 die Bergakademie Freiberg, wo er später vorübergehend als Bergrat tätig war. In den Jahren 1777–1785 hielt er sich häufig besuchsweise bei seinem Bruder (2) in Weimar auf. JA hatte ernste wissenschaftliche Neigungen, vor allem naturwissenschaftliche, geographische und ethnographische, aber auch philosophische und historische Interessen und Kenntnisse, und besaß eine scharfe Beobachtungsgabe. Er war ein extremer Anhänger demokratischer und rousseauscher Ideen, antichristlich und diesseitig eingestellt, ein Feind aller Gesetzlichkeit und Bindungen und ein Verächter der Zunftgelehrten. Sein Ideal war ein Leben nach eigener Laune. So taugte er schlecht für den Staats- und Hofdienst. Mit Herder und seiner Familie war er eng befreundet Herder hat die „Ideen" des Freundes in handschriftlichen Exzerpten sowie in eigenen Rezeptionen und Produktionen überliefert oder weiterentwickelt (WDobbek: August vEinsiedel: Ideen. 1957). Goethe erwähnt am 4. VII. 1777 ein *tolles Disputiren mit Einsied d. iüngern* bei einem Aufenthalt in Dornburg *(III/1, 41)* und unterhielt sich am 2. IV. 1780 *mit Einsiedeln iun. ... viel über den Erdbau (ebda 115)*. JA richtete sich in *Oberweimar ein chemisches Laboratorium ein, das er 1784, als er mit zwei Brüdern eine Expedition nach Afrika begann, zurückließ und das Carl August auf Anraten Goethes 1785 für die jenaer Universitätsanstalten kaufte (IV/6, 372; 7, 16 f.). Offenbar machte sich ein Aufschub der afrikanischen Expedition notwendig; jedenfalls erschien JA bereits im November 1784 als holländischer Hauptmann in Weimar, um hier Truppen für die Niederlande anzuwerben. Er verhandelte in Abwesenheit Carl Augusts mit Goethe als dem Leiter der weimarischen Kriegskommission (IV/6, 395; AS 1, 323 ff. u. 329 ff.); sein Unternehmen hatte jedoch in Weimar keinen Erfolg. Im Sommer 1785 führte er die Reise nach Afrika aus, auf der er heimlich seine Geliebte, die Gattin des weimarischen Kammerherrn und Stallmeisters CFGv*Werthern, Emilie geb. vMünchhausen, mit sich nahm, die sich zu diesem Zweck hatte totsagen und scheinbegraben lassen (IV/7, 60; 66; 102). Die Tat erregte großes Aufsehen und führte nach der Rückkehr des Paars (1786) zur Scheidung der vWerthernschen Ehe und 1788 zur Heirat JA.s mit Emilie. *Wie abscheulich! – Zu sterben! nach Afrika zu gehen, den sonderbarsten Roman zu beginnen, um sich am Ende auf die gemeinste Weise scheiden und kopuliren zu lassen. Ich hab es höchst lustig gefunden. Es läßt sich in dieser Werckeltags Welt nichts auserordentliches zu Stande bringen (IV/7, 240)*. In der Folgezeit hatten JA und seine Gattin, denen sich die weimarische Gesellschaft lange Jahre verschloß, ihren Wohnsitz zunächst in Leitzkau bei Magdeburg, dann in Lumpzig bei Altenburg und nach dem Verkauf dieses väterlichen Guts (1798) in Ilmenau, später in Jena, wo JA bei der Plünderung der Stadt durch die Franzosen (1806) große Verluste erlitt. Er befand sich viel auf Reisen und besuchte ua. 1801 Paris. Seine freundschaftlichen Beziehungen zur Familie Herder blieben unverändert, aber er kam nur noch selten nach Weimar. Goethe erwähnt am 5. IX. 1820 ein Zusammentreffen mit JA und dessen Sohn in *Drackendorf (III/7, 217). Zuletzt lebte JA auf dem Schloß Scharfenstein bei Marienberg im Erzgebirge. Zur gräflichen Linie E.-Wolkenburg gehören: –, 4) Detlev (1773–1861), Dompropst zu Meißen, kgl. sächsischer Geheimer Rat und (seit 1813) Staatsminister (Wiener Kongreß!) Rücktritt September 1830 (Unruhen in Dresden); Kontakte mit Goethe vornehmlich 1808/12/26, außer politischen Fragen besonders *Carlsbader Geologica* betreffend (zB. 28. VIII. 1812, was vielleicht für eine mehr als konventionelle Wertschätzung beiderseits spräche: III/4, 316); persönliche Begegnungen hauptsächlich in *Karlsbad (vgl. dazu *Böhmen Sp. 1308 bis 1314);

–, 5) Adolf (1776–1821), Bruder von 4), Domkapitular zu Havelberg, kgl. preußischer Oberst; er scheint Goethe auch persönlich nähergestanden zu haben; die Begegnungen in Jena deuten auf engere Vertrautheit (1819: III/7, 73; 88; 104; 297); bei der *Gevatterschaft* dürfte es sich um A.s Töchterchen

–, 6) Caroline Albertine Maria Adolphine (1819 bis 1899) gehandelt haben.　　　　　*Hk*

Einsiedeln (Maria Einsiedeln), Benediktiner-Stift im Kanton Schwyz; Goethe besuchte E. am Fronleichnamsfest (15. VI.) 1775 und am 28./29. IX. 1797. Er logierte 1797 im Gasthaus „Zum Pfauen" und besichtigte die Klostergebäude, den Kirchenschatz, die Bibliothek sowie das Kunst-, Kuriositäten- und Naturalienkabinett. In dem Kupferstichkabinett sah er Arbeiten von M*Schongauer (III/2, 162f.). Das alte bereits 934 gegründete Kloster war von 1674–1723 durch einen Neubau unter KMoosbruger ersetzt, das Innere im wesentlichen nach 1723 begonnen und um 1770 fertiggestellt worden. Goethe beschrieb in *DuW* die *rauhen Wege* zum Kloster, die er mit seinen Gefährten und von Wallfahrern begleitet zurücklegte, um endlich das Kloster selbst zu erblikken. Seine größte Anteilnahme erregte nicht der barocke Bau selbst oder die prächtige Innenausstattung, sondern das um die alte Wallfahrtsstätte gebaute Oktogon (von FBeer?), *das Kirchlein in der Kirche (I/29, 112f.)*. Daß er sonst aber mit diesem Bau und seinem Innern nicht allzu viel anzufangen wußte, zeigt eine kurze Notiz im Tagebuch über die Besichtigung der Kirche: *Unsinnige Verzierung des Chors (III/2, 163)*. Mit Aufmerksamkeit betrachtete er die Goldschmiedearbeiten des Kirchenschatzes. RV S. 12; 34.　　*Wt*

Einsiedlerin. Die königliche Einsiedlerin, neben *Amine das zweite Schäferspiel des jugendlichen Goethe vor 1765, das in *Wilhelm Meisters theatralischer Sendung* als fertig erwähnt ist (I/51, 119) und von dem dort sogar 28 Verse eines Monologs der Heldin mitgeteilt werden, die einzigen, die erhalten blieben. Es sind fünffüßige gereimte Jambenverse in elegisch-pathetischem Stil, am französischen *Alexandriner geschult (I/51, 132f.).　　*So*

Eisack, dem *reißenden* südtiroler Alpenfluß (*III/1, 173;* mit der **Etsch verwechselt),* folgte Goethes Fahrstraße nach und von **Italien 1786 und 1790 über die Poststationen Sterzing, Mittewald, Brixen, Kollmann, Deutschen, Bozen nahezu von der Quelle bis zur Mündung in die **Etsch (III/1, 171; 2, 3). *JP*

Eisenach *liegt an einem Ende von Thüringen (I/34^{II},150)* zwischen der zur Werra fließenden Hörsel und dem **Wartburg-Bergkegel. Die Gegend ist überherrlich* (1777: *IV/3, 174;* *Wilhelmsthal). Die Stadt war seit 1596 mehrfach, zuletzt 1672–1741 Residenz eines selbständigen ernestinischen Fürstentums, das nach Aussterben des Herzogshauses an das Haus **Sachsen-Weimar kam, aber noch bis in die 1. Hälfte des 19. Jh.s eigene Landstände und eigene Verwaltung besaß. Erst von 1802–1850 wurde diese Eigenständigkeit allmählich abgebaut. Bis dahin war E., das 1790 8300 Einwohner zählte, Sitz von Zentralbehörden, die allein dem weimarer Herzog und seinem **Geheimen Consilium, nicht aber anderen weimarer Behörden unterstanden und die, wie auch die e.er Landstände, stets sehr auf Bewahrung ihrer Selbständigkeit bedacht waren. Die in den Kollegien jener Behörden tätige höhere Beamtenschaft und einige durch Handel wohlhabend gewordene Familien (zB Cramer, Eichel, Kühn, Röse, *Streiber) prägten das Gesicht der e.er Gesellschaft: *es ist* in ihr *ein mehr geniesender Geist als bey uns* (dh. als in Weimar: *IV/5,295).* Der Charakter der Stadt als einer zweiten Residenz des Gesamtstaates gestaltete für den Landesherrn und seine leitenden Beamten den Kontakt zu ihr in jeder Hinsicht besonders eng. Außer zahlreichen flüchtigen Passagen, der ersten 1765 und der letzten 1815, waren Besuche und Aufenthalte Goethes dementsprechend häufig (vgl. GHB IV, Kartenblätter 4, 5, 8 und RV passim). Er wohnte alsdann im *weitschichtigen Schlössgen* (1742/1745 von Ernst August, dem neuen Landesherrn aus Weimar, erbaut; *IV/3, 174).* Bei dem ersten längeren Aufenthalt (4. IX.–9. X. 1777) mißfiel es ihm freilich, in einem Zimmer *hinten hinaus wohnen* zu müssen, überdies litt er an einer Zahn-*Geschwullst* (September 1777: *IV/3, 171–174;* Parulis: Oberhoffer S. 34;); er quartierte sich ersatzweise auf die Wartburg um. Der zweite längere Aufenthalt (7. VI.–10. VII. 1784) war durch derartige Komplikationen nicht belastet. Vielmehr stand er nach seinen wesentlichen, inneren, intimen *Bezügen* unter einem ganz anderen Stern (Chv*Stein), weshalb Goethe sich von der *Nation* (= Adelsgesellschaft) emanzipierte

und diesmal ganz privat bei der Kommerzienrätin AMLJCramer (1744–1815) Wohnung nahm (AS 1, 308): ... *nicht das anmutigste wenn man entfernt von der Geliebtesten fühlt daß man sehr weit von Hause ist (IV/6, 287).* Muß diese Wohnungnahme außerdem in Verbindung gebracht werden mit der Psychologie der Schaffensarbeit an *Wilhelm Meisters theatralischer Sendung,* die gerade in den Jahren 1782/83/84/85 jeweils aus den Sommern heraus die Herbste (November) füllt (vgl. ETrunz: HbgA 7, S. 611 f.)? Die Hauptzwecke beider Aufenthalte aber lagen im Rahmen der *amtlichen Tätigkeit Goethes (*Beamtenschaft) und betrafen vornehmlich Angelegenheiten, die mit den Landständen zu verhandeln waren. Außerdem bestanden mancherlei nicht nur amtliche oder gesellschaftliche, sondern auch persönlich menschliche Bindungen, und zwar besonders enge zu JLv*Bechtolsheim (1) und Frau (2), zu JL*Streiber (P*Baumgarten), zu dessen Frau (2) und Tochter (3), zu FG*Beyer, zu WCL*Appelius, zu FG*Dietrich (3), Bv*Niebecker ua.

Die Tatsache, daß E. der Geburtsort noch näher stehender Personen (ChvStein; LvGöchhausen) war, trug 1777 spürbar dazu bei, die Beziehungen zur Stadt innerlich zu erwärmen (vgl. Inschriften am Stadttor sowie an der Residenz). Zur selben Zeit wirkte sie vielleicht äußerlich abkühlend, indem Goethe in einer Art von Fernweh-Stimmung empfinden mußte daß er *mit den Leuten unten, die ganz gute Leute seyn mögen nichts gemein* habe *(IV/3, 175).* Mager blieben die Notizen über Baulichkeiten der Stadt: Markt- oder Georgenkirche (um 1180 gegründet, gotisch ausgestaltet, 1525 in der Bauernkriegs-Zeit verwüstet, in Renaissance-Formen wiederhergestellt; Kenotaph des 1496 im Kerker umgekommenen, vorreformatorisch bedeutungsvollen Mönches Johannes Hilten; Besuch des Sonntags-Gottesdienstes dort durch Carl August am 7. IX. 1777: III/1, 46), *Klemde/*Klemda (ehemalige Wasserburg = Gesellschaftshaus) auf Vorschlag und unter Führung von JLvBechtolsheim (9. IX. 1777: *III/1, 47);* eine andere Gesellschafts-Veranstaltung ähnlicher Art führte zu einem *Vogelschiesen,* wobei es zu einem schweren Unfall kam: *Ward ein Mensch erschossen;* man nahm den Weg durch das *Clas thor* (Nikolai-Tor, spätromanisch) zu dem Bechtolsheim-Besitz (15. IX. 1777: *III/1, 47).* Wartburg und Wilhelmsthal sowie deren beider Umgebung bildeten eigene Bereiche (vgl. darunter auch: Zeichnungen). Bei dem zweiten längeren Aufenthalt (1784) wie überhaupt in den späteren Jahren waren andere Dinge aktuell. Der Zeit- und Sachzusammenhang ließ zunächst die mineralogisch-geologischen, bergbaulichen Interessen in den Vordergrund treten. Ein wichtiges Frühzeugnis meldet den Besuch des *Mineralienkabinets* von Appelius *(IV/6, 291)*, wenig später findet sich die Nachricht von einer *mineralogischen Spazierfahrt*, auf der sich Goethe *(?* mit ChrG*Voigt als *Vorläufer) auf gut bergmännisch wacker erlustigt* und *Übersicht selbst in der Verwirrung* findet *(ebda 288; 297 f.)*. Über den Erkenntnis-Gewinn solcher Fahrten berichtet er: *Meine Felsen Spekulationen gehen sehr gut. Ich sehe gar viel mehr als andere die mich manchmal begleiten und auch auf diese Sachen aufmercksam sind, weil ich einige Grundgeseze der Bildung entdeckt habe, die ich als ein Geheimnis behalte und deswegen die Gegenstände leichter beurtheilen kan* (17. VI. 1784: *IV/6, 302 f.*; vgl. 308). Auch die osteologischen Fragen, die Goethe bewegten, erhielten gerade hier in E. besonderen Auftrieb, denn zu seiner *grosen Freude* kam die Sendung von SThv*Sömmering, dh. der *Elephanten Schädel* an, den Goethe wegen der Zwischenkieferknochen-Frage untersuchen wollte. *Ich halte ihn im innersten Zimmergen versteckt damit man mich nicht für toll halte. Meine Hauswirthinn glaubt es sey Porzellan in der ungeheuren Kiste (IV/6, 288; 291)*. Der Entwicklung seiner Amtspflichten folgend (*Oberaufsicht) bemühte sich Goethe um die *Eisenach. Zeichenschule* (9. XII. 1798: *III/2, 226*), die schon seit 1784 bestand und im Mai 1808 aus dem Schloß (Fürstenhaus) in das Gymnasium (ehemaliges Dominikanerkloster, Predigerplatz) verlegt wurde (BrVoigt 3, S. 456 zu Nr 253). Dies Institut war sogar eine Art von Sorgenkind (zB. Zwistigkeiten unter den Lehrkräften FBöber/JHHose) und bedurfte, wie auch andere Schulen hier (zB. Bürgerschule; Andreisches Privatinstitut) Goethes gelegentlich energischer Anteilnahme: so etwa Sommer 1795: I/53, 186; 1820: *Eisenachische An- und Vorschläge zur Meteorologie* (JChrF *Körner; *III/7, 238 f.;* dazu auch das Studium der *meteorologischen Tafeln:* JF*Posselt, HLF *Schrön 1822); 1822/23: *Bürgerschule: Bau*zeichnungen von CW*Coudray, alsdann *Feyer des Grundsteinlegens* besprechend, dazu Publikation von JAHebe: *III/8, 199; 261;* 9, 139; 332 Büchervermehrungsliste, aber nicht Ruppert; 1828: Interesse für den neuen *Felsenkeller* („Zahnlücke"), weil er *in das Todtliegende getrieben* wurde *(III/11, 168)*. In den immer wieder aufmerksam verfolgten, vielfach sogar aktiv betriebenen plan-

mäßigen Auf- und Ausbau der Stadt brachte am (?) 1. IX. 1810 die Detonation dreier mit Munition beladener französischer Pulverwagen im Marktviertel Schrecken und Entsetzen und die Last langsamer Wiederherstellung des Zerstörten oder gar völliger Neuerrichtung, die unterhalb des Predigerplatzes in Gestalt der noch heute so genannten „neuen Straßen" zT mit Goethes Anteilnahme vollbracht wurde. Rund dreißig Häuser gerieten in Brand und brachen zusammen, zweihundert wurden mehr oder weniger erheblich beschädigt, vierundfünfzig Einheimische getötet, zahllose verletzt: *Solche zufällige Folgen des Krieges sind fürchterlicher als die nothwendigen (IV/21, 383;* vgl. BrVoigt 3, 309 f.).

Personen:
Wegen der engen Verbindung zwischen Weimar und E. sind im Folgenden nicht erwähnt die Angehörigen des Hauses *Sachsen-Weimar-Eisenach, der weimarer *Beamtenschaft und Gesellschaft, wenn sie sich zeitweilig in E. aufhielten.
Amtliche Aufgaben, besonders 1777 und 1784, brachten Goethe dienstliche Kontakte mit den in den Kollegien der eisenachischen Zentralbehörden tätigen höheren Beamtenschaft dieser Jahre; sie setzte sich 1776–1786 aus folgenden Personen zusammen:
1. Landesregierung.
1) Johann Christian vGöckel (1715–81), Wirkl. Geh. Rat und Exzellenz, Kanzler, Oberkonsistorialpräsident, Obersteuer- und Kassedirektor (III/1, 98: 12. IX. 1779; 2) JLvMauchenheim gen. v*Bechtolsheim; 3) Justin Thölden vThöldenitz († 1780), Dr. jur., Geh. Regierungsrat, seit 1776 auch Oberkonsistorialvizepräsident; 4) Ernst August vMoltke († 1789), Hof- und Regierungsrat, auch Kammerjunker, 1776 Kammerherr, 1781 Geh. Regierungsrat, 1784 Oberkonsistorialvizepräsident *(zu Molcks wo Picknick war* 8. X. 1777: *III/1, 50);* 5) Philipp Ernst vFeilitzsch († 1802), Hof- und Regierungsrat, 1781 Geh. Regierungsrat; 6) Johann Christian Ludwig vGöckel (1752–1807), 1776 Regierungsrat, 1784 auch Hofrat, Sohn von 1; 7) Bernhard Gottlieb Huldreich vHellfeld (1759–88), Dr. jur., 1781 Regierungsassessor, 1784 Regierungsrat, 1786 auch Hofrat (IV/7, 22: 6. III. 1785).
2. Kammer.
1) CChrv*Herda zu Brandenburg (1728–1802), 1776 Kammerpräsident, 1781 Geh. Rat, außerdem Obersteuer- und Kassedirektor; 2) Johann Moritz vHeßler († 1777), 1776 Kammervizepräsident; 3) Georg Jacob Ludwig Rödiger

(1722–77), Kammerrat; 4)ErnstAugust Anton vGöchhausen (1740–1824), Landkammerrat und Kammerjunker, 1777 Kammerrat, 1783 Geh. Kammerrat, später Kammerdirektor und Geh. Rat, Vetter von Luise vG (Brief Goethes an ihn 8. I. 1784: IV/6, 234f.; ferner AS 1, 299; III/5, 119 und IV/25, 1: 1814); 5) Friedrich (seit 1785: von) Heyne († 1791), Landrentmeister, 1778 Landkammerrat, 1784 Kammerrat; 6) WCL*Appelius (1728–96), burggräfl. kirchberg. Hofrat, Hofadvokat und Landschaftssyndikus, 1780 Landkammerrat, 1784 Kammerrat; 7) Johann Carl Salomo *Thon (1752–1830), Kammersekretär, 1784 Kammerassessor, 1786 Landkammerrat; 8) Carl Wolf vTodenwarth (geb. 1762), 1786 Kammerassessor, schied 1807 als Kammerrat aus dem Dienst aus (Briefwechsel betr. Zeichenschule, 3. III. 1798 erbittet Goethe von Carl August die *Restitution einiger ... Auslagen,* die CWvT. *wegen Übung der dort garnisonirenden Jäger in der Mathematik und den Zeichenkünsten* hatte: *IV/30, 64;* vgl. 13, 355.; die Angelegenheit schleppte sich bis ins folgende Jahr: Januar 1800 hin; vgl. BrVoigt 2, S. 210; 446).

3. Oberkonsistorium.

1) JChrvGöckel, s. o.; 2) JLvMauchenheim gen. vBechtolsheim, s. o.; 3) Justin Thölden vThöldenitz, seit 1776, s. o. 4) Hannibal Georg Hofmann, Oberkonsistorialrat; 5) Carl Siegmund Anton vGöchhausen (1744 bis n. 1811), Akzessist beim Justizamt Eisenach, 1785 Oberkonsistorialassessor, Bruder d. EAA vG.; 6) Christian Köhler († 1781), Oberkonsistorialrat und Generalsuperintendent; 7) Christian Wilhelm Schneider (1734–97), Oberkonsistorialrat und Archidiakonus in Weimar, 1781 Oberkonsistorialrat und Generalsuperintendent in E.; 8) Johann Philipp Petri, Oberkonsistorialassessor und Archidiakonus, 1782 Oberkonsistorialrat; 9) Johann Christian Friedrich Heusinger, Oberkonsistorialassessor und 1. Diakonus, 1782 Oberkonsistorialrat.

4. Obersteuer- und Kassedirektorium.

1) JChrvGöckel, s. o.; 2) CChrvHerda zu Brandenburg, seit 1781, s. o.; 3) Georg Ludwig Ernst vHarstall (1697–1778) auf Mihla, weimarischer Oberst und ritterschaftl. Deputierter, bis 1778; 4) Wilhelm Friedrich vNesselrodt (1715–99) auf Krauthausen, weim. Oberstleutnant, 1784 Oberst, und ritterschaftl. Deputierter, seit 1780; 5) Johann Andreas Knoll, Bürgermeister von E. und städt. Deputierter; 6) JL*Streiber (1723–96), Bürgermeister von E., Kommerzienrat und städt. Deputierter, 1782–85; 7) Friedrich Jacob Schweiger, Bürgermeister von E. und städt. Deputierter 1782–85; 8) Johann Philipp Sältzer, Bürgermeister von E. und städt. Deputierter, seit 1785.

Bei den Generalausschußtagen der eisenacher Landstände von 1777 und 1784, an denen Goethe teilnahm, waren die folgenden Ständevertreter anwesend:

1) Georg Ludwig Ernst vHarstall (1697–1778) auf Mihla, weim. Oberst, burggräfl. kirchberg. Prinzipalbevollm. und Senior der ritterschaftl. Deputierten (nur 1777); 2) Wilhelm Friedrich vNesselrodt (1715–99) auf Krauthausen, weimarischer Oberstleutnant, 1784 Oberst, ritterschaftl. Deputierter, 1784 als Senior; 3) Otto Friedrich vWangenheim (†1812) auf Lauchröden, Geh. Legationsrat, 1784 Geh. Rat, später Landschaftsdirektor (1799) und Exzellenz (1809), ritterschaftl. Deputierter (AS 1, 308: 1784; III/3, 176: 25. X. 1806); 4) Georg Friedrich vBoyneburg (1742–1811) auf Stedtfeld, weim. Kammerherr und Oberforstmeister, ritterschaftl. Deputierter; 5) Wilhelm Georg vÜtterodt zum Scharfenberg auf Wenigenlupnitz, großbrit. Kammerherr (nur 1777); 6) Carl Friedrich Wilhelm vHerda zu Brandenburg, auf Unterellen, landgräfl. hess. Leutnant, 1777 nur Teilnehmer, 1784 ritterschaftl. Deputierter; 7) Carl Ludwig Gottlieb vHarstall auf Mihla, Hauptmann, ritterschaftl. Deputierter (nur 1784); 8) Ludwig Wolf Siegfried Georg vÜtterodt zum Scharfenberg, hess.-darmstädt. Kammerherr (nur 1784); 9) WCLAppelius, burggräfl. kirchberg. Hofrat und Landschaftssyndikus, 2. gräfl. Bevollmächtigter (nur 1777); 10) Johann Carl Heerwart, burggräfl. kirchberg. Rat und Landschaftssyndikus, 2. gräfl. Bevollmächtigter (nur 1784); 11) Johann Andreas Knoll, Bürgermeister von E., städt. Deputierter (nur 1777); 12) Johann Michael Sältzer, Hofadvokat und Bürgermeister von E., städt. Deputierter (nur 1777); 13) Johann Philipp Sältzer, Hofadvokat und Bürgermeister von E., städt. Deputierter (nur 1784); 14) Friedrich Jacob Schweiger, Bürgermeister von E., städt. Deputierter (nur 1784); 15) Johann Georg Beck, Bürgermeister und Bevollmächtigter von Creuzburg (nur 1777); 16) Johann Philipp Jaeger, Stadtschreiber (1777) bzw. Bürgermeister (1784) und Bevollmächtigter von Creuzburg; 17) Johann Justin Köhler, Bürgermeister und Bevollmächtigter von Creuzburg (nur 1784); 18) Johann Adam Seyfert, Stadtschultheiß und Bevollmächtigter von Ostheim/Rhön (nur 1777); 19) Gottlieb Christoph Höpfner, Stadtschultheiß und Bevoll-

mächtigter von Ostheim (nur 1784); 20) Johann Friedrich August Hercher, Stadtsyndikus und Bevollmächtigter von Ostheim.

Darüber hinaus finden sich hauptsächlich folgende personelle Kontakte:

1765, Ende September/Anfang Oktober: *Hr. Walter ... ein sehr umständlicher Mann, den* Goethe *Nachts um 12* in E. nicht aufsuchen konnte *(IV/1, 29 f.);*

1776, 28. VI.; Johann Julius Goeckel, Chirurg, ersucht um Zulassung zur Praxis (AS 1, 4);

1777, 6. IX.–9. X.: *Landst*(ände) *(III/1, 46); die Weiber (ebda); Misels (III/1, 47);* CE *Andrée (hier Sp. 264); Frau von Lindau (III/1, 47);* JH*Merck; *auf dem Weege* nach *Marksuhl den Spieser gehezt (III/1, 47 f.);* Ernst II. Ludwig von *Sachsen-Gotha; Anton Christian Wilhelm Wenzing, Pirschknecht auf der Hohen Sonne bei E. (III/1, 48); Demoiselle Offeney (III/1, 49); Georg Peter Kühn, Rentcommissarius (IV/1, 49; vgl. 11. VIII. 1797 in *Offenbach: *Dem. Kühn aus Eisenach, verheiratete Ratscher: I/34¹¹, 86);* CFv *Witzleben; CThAMv*Dalberg; FMv*Grimm; VChr Freiherr v*Riedesel; Dezember: *Englischer Reuter (III/1, 58);*

1781, 21. IV.: Perückenmacher Beßer in E. erhält Erlaubnis zur Einstellung von zwei Lehrjungen (AS 1, 149 f.); 21. VII.: „Testamentssache Röhrig" (AS 1, 155 f.); 9. XII.: Rittmeister von Röder: *Stein ist bey seiner Schwester, und wird den Herrn Schwager sehr werth kriegen, der im Grund und auf der Oberfläche sicher ein Schufft ist (IV/5, 235;* vgl. BrCharlotte 1^II, 633);

1782, Juni: LFF von *Anhalt-Dessau und Gemahlin (IV/5, 346); 4. X.: Witwen- und Waisen-Sozietät in E. (AS 1, 208 f.);

1783, 22. VIII.: Artillerieleutnant Eberhardt wegen Ungebühr bestraft (AS 1, 241 f.);

1784, 23. IV.: Valentin Rommel, 1775 aus dem Zuchthaus E. entsprungen (AS 1, 299); 7. VI.–10. VII.: Herzog und Prinzen von *Sachsen-Gotha (IV/6, 289; 300); Pellegrini, Improvisator (IV/6, 291): *Durch den italiänischen Improvisator belebt hab ich im Spazieren versucht auch aus dem Steegreife Verse in deutscher Sprache hinzugiesen, es hat ungleich mehr Schwierigkeiten, doch müsste es auch, mehr oder weniger gehn, wenn man sich drauf legte (ebda 295;* vgl. Herder an Gleim ebda 458); G*Batty (IV/6, 307); NSChG*Osann trifft als neuer weimarischer Leibarzt in E. ein, stirbt hier kurze Zeit später (IV/6, 290; 310; 320 f.); Prinz Heinrich von *Preußen (IV/6, 325); 1789: Böber, an der Zeichenschule in E., vgl.

Böver 1808: *(IV/30, 111);* C*Horny wird Zeichenmeister in E. (IV/9, 125);

1793: JH*Hose wird Zeichenmeister in E.;

1795: Lv*Hessen-Darmstadt *mit 200 Pferden (IV/10, 303);* der *Darmstädtische Hof (ebda 351); mehrere Fremde, besonders Emigrirte (I/35, 43;* darunter *Graf Dumanoir,* auch Vicomtesse de Mailly sowie de Castries und Frau; vgl. hier Sp. 2160 f.); ChrFAv*Staff und Frau geb. v*Voß (schon früher bekannt: IV,10, 341; 425);

1796: S Gräfin Coudenhoven (vgl. hier Sp. 2165 f. *Düsseldorf);

1798, 12. II.: *Eisenacher Tüncher* in Weimar *(IV/13, 63):* 12. VI.: *Der Eisenacher Kammerbote* JB Müller *(IV/13, 176);*

1800, 4. X.: Johann Wilhelm Heinrich Dörr, Landschaftskassierer in E., auch sonst persönlich und postalisch in Verbindung, übersendet das Goethe *von den deputirten Herren Ständen des Fürstenthums Eisenach... verwilligte Douceur (IV/15, 128 f.;* 329);

1801: Christian Friedrich Röse (1744–1806), Kaufmann in E.: *seine Anlagen ... waren zu einem neuen unerwarteten Gegenstand indessen herangewachsen (I/35, 113;* vgl. III/3, 33);

1802, 22. XII.: Anfrage bei GHufeland in Jena nach einem *jungen Eisenacher, nahmens Buch, ... welcher eine schöne Tenorstimme haben soll... Sollten Ew. Wohlgeb. ... in dem jungen Menschen eine Brauchbarkeit für das Theater vermuthen; so hätten Sie ja wohl die Güte ihn nächstens herüber zu schicken (IV/16, 158 f.);*

1803, November: Der *Conducteur Sartorius in Eisenach* wird als Rezensent für *Straßenbau* in der JALZ vorgeschlagen *(IV/16, 345;* vgl. hier 1821);

1807, 16. X.: FG*Beyer;

1814: *Fuhrmann Lorenz Kraus von Eisenach* hat am 5. III. in Frankfurt ein Kästchen Mineralien zum Transport nach Weimar übernommen, das Ende April noch nicht angekommen ist *(IV/24, 231 f.;* vgl. hier Sp. 1163); 25. VII.: Constantin Metschke, *Schloss-Voigt* in E. *regalirte mich Selbst mit einer Kaltschaale, deren Ingredienzien jedem Reisenden empfehle (IV/25, 1;* BrChristiane 2, 440); FGEv*Egloffstein (erneut 24. V. 1875); Johann Friedrich Sältzer, Amtsadvokat in E., übernimmt Sendungen Goethes aus Frankfurt (VI/25, 6; 42);

1816: ChrA und JCS*Thon; FG*Dietrich *von Eisenach, welchen ich in 14 Jahren nicht gesehen (III/5, 199;* erneut 17. XII. 1821: III/8, 147);

1819, 30. VII.: Comte de Laisere de St. Julien

mit seiner Schwester, *aus Auvergne gebürtig...*
in Eisenach bekannt und mit JAChvBechtols-
heim *in Verbindung (IV/31, 246f.;* 396f.);
1821, 9. X.: Georg Christian Sartorius (1774
bis 1838), Baurat in E., schickt *geognostische*
Beobachtungen, illuminirte Karte und Verzeich-
niß der Eisenacher Mineralien (III/8, 122; vgl.
IV/36, 453f.; vgl. hier 1803);
1823, 15. I.: *von frauenzimmerlichen Verhält-*
nissen..., besonders Eisenachischen (mit U
v*Pogwisch: *III/9,6));* 6. XII.: Johann August
Nebe, General-Superintendent in E., schickt
sein Buch: ,,Feyer der Grundsteinlegung der
neuen Bürgerschule zu Eisenach. Gesänge und
Reden" (III/9, 332);
1826, Januar: Dr. Cunitz als Nachfolger des
herzogl. Leibarztes W*Rehbein ausersehen:
,,der hat unser aller Räder Werck schon ofte
einschmieren helfen und besitzt das allgemeine
Zutrauen" (BrCarl August 3, 221f.), lehnt
bescheiden ab (ebda 399);
1828/29: FH*Müller (vgl. BrCarl August 3,
444f.; 447);
1831, 24. X. als Mitglieder des Sächsischen
Kunstvereins erwähnt: Carl Eichel (1784 bis
1852), Kaufmann; *Frau Cammerherrin v.*
Hopffgarten, (IV/49, 125). *Hk/JP*

Eisenbahn wurde zunächst als Pferdeeisen-
bahn 1795 in englischen Kohlengruben eingeführt. Durch die Konstruktion von Lokomotiven für diese Bahnen 1803 von RTrevi-
thik (1771–1833) und vor allem 1814 von
GStephenson (1781–1848) konnte 1825 die
erste E. zwischen Stockton und Darlington,
dann 1830 zwischen Liverpool und Manchester in Betrieb genommen werden. Goethe
hatte sogleich die Bedeutung dieser Bahnen
erkannt; am 23. X. 1828 äußerte er sich gegenüber JP*Eckermann: *Mir ist nicht bange, ...*
daß Deutschland nicht eins werde; unsere guten
Chausseen und künftigen Eisenbahnen werden
schon das ihrige tun (Bdm. 4, 46). Mit Interesse hat Goethe die Entwicklung dieses Ver-
kehrsmittels verfolgt. Er erwähnt Pläne für
E.en in Böhmen (I/42^I, 38) und hat kurz
vor seinem Tod am 27. II. 1832 *Die Eisen-*
bahn von Liverpool nach Manchester, ein inter-
essantes Heft, durchzugehen angefangen (III/13,
225f.; es handelt sich um: PMoreau, Description raisonnée et vues pittoresques du chemin
de fer de Liverpool à Manchester. Paris 1831.
Keudell Nr 2268). Die erste deutsche E. verkehrte zwischen Nürnberg und Fürth (1835),
später folgte die Strecke Leipzig-Dresden
(1839). *Sl*
AZastrau: Technik und Zivilisation im Blickfeld Goethes. Vortrag aus Anlaß der 125. Wiederkehr von

Goethes Tod. In: Humanismus und Technik IV, 3,
S. 134–156, insbesondere 150.

Eisenberg, Dorf am Südhange des Erzgebirges. Goethe besuchte das malerisch darüber-
gelegene Schloß der Fürsten von *Lobkowitz
im Jahre 1810 von *Teplitz aus, um den Tenor
A*Brizzi kennenzulernen und für ein Gastspiel in Weimar zu gewinnen (vgl. BrCarl
August 2, 60–64). Er traf am 8. IX. *Vor Tafel*
in E. ein und blieb bis 12. IX. *Früh (III/4,*
152). Carl Augusts gnädigste Empfehlung verschaffte ihm *einen höchst freundlichen Emp-*
fang ... drey volle Tage habe ich daselbst auf
eine sehr angenehmeWeise verlebt (IV/21, 382).
Am 9. IX. unternahm man eine Fahrt zum
Grafen *Firmian: Ruine *Hassenstein, Ha-
gensdorf und Brunnersdorf, *wo man speiste,*
am 11. IX. eine *Fahrt mit der Fürstin und der*
Familie auf dem Seeberg (III/4, 152). Zu der
Gesellschaft in E. gehörten der Landgraf Joachim Egon zu Fürstenberg (1749–1828) und
seine Gemahlin Sophia Maria Therese Walburga geb. Prinzessin zu Oettingen-Waller-
stein (1751–1835) sowie *Fräulein von Kerpen*
(?Elisabeth Freiin vK.: 1786–1865; ?ihre
Schwester Anna Maria: 1781–1849), eine Malerin, deren *Portefeuille* Goethe bereits zwei
Wochen vorher in *Karlsbad kennengelernt
hatte *(III/4, 142).* Am 11. IX. empfing er
einen Besuch von Fv*Gentz und dem sächsischen Rittmeister Karl Otto vBose. Für die
Hin- und Rückfahrt nach E. benutzte Goethe die Postroute über *Dux – Brüx. RV
S. 45. *JP*
Eisenberg, Stadt im Herzogtum *Sachsen-Go-
tha-Altenburg, die zeitweise Residenz eines bei
einer Landesteilung entstandenen Herzogtums
Sacl sen-E. gewesen war (1680–1707). 1790:
2882 Einwohner, 1818: 3943 Einwohner.
Von Goethe als *reiche Landstadt eines benach-*
barten Fürstenthums bezeichnet gelegentlich
der Erbauung des Schützengesellschaftshau-
ses, über die er von CW*Coudray, nach dessen
Plänen der Bau 1820/1821 erstand, unterrichtet wurde *(IV/35, 12;* vgl. III/7, 152; 155;
224; 8, 122). *Dl*
Eisenbühl am *Rehberg in *Böhmen, besuchte
Goethe am 23. VIII. 1823 von *Eger aus
(III/9, 98; *Boden). Es handelt sich um
einen locker geschütteten Hügel von vulkanischen Aschen und Schlacken an der Flan-
ke des Rehbergs. Goethe fand *hier sehr bedeu-*
tende mit Quarz durchflaserte Tonschiefer-
massen, endlich große entschiedene Schlacken-
klumpen (NS 2, 313). Ein Verzeichnis der gefundenen und gesammelten Stücke sucht auch
hier die Entstehung der Schlacken durch Hitze

aus den Anstehenden Gesteinen nachzuweisen. *Den Rehberg fand er zwar nur aus Tonschiefer bestehend (NS 2, 330), aber mit ihrer Gebirgsrinde zusammengesinterte Hornblende-Kristalle (NS 2, 313 f.)* und *ein sehr verschlacktes Originärgestein (NS 2, 315)* ließen ihn außerdem die gleichen Archetypen annehmen, wie am *Wolfsberg.   Bn*

Eiserner Hut, mulmig verwittertes, braunes Quarzriff, ist ein Anzeichen für Vererzung des Ganges in der Tiefe: *Kein Kupfergang so gut / Er hat einen Eisernen Hut (III/5, 129)* notiert Goethe als alte Bergmannsweisheit.   *Gu*

Eisfeld, Johann David (1787–1852), von Goethe nur *Carl* genannt, ist der Sohn eines Zeugmachermeisters aus Langensalza. Von 1806 bis 1812 stand er in Goethes Diensten. *Er ist gescheidt und gewandt (IV/23, 105).* 1812 wegen Krankheit entlassen, geht er nach Karlsbad und heiratet dort die Tochter Anna von Goethes Badewirtin Heiligenkötter. Er lebt seit 1815 wieder in Langensalza. *Eisfeld von Langensalza, ehmals in meinen Diensten, präsentirt sich und gibt Nachricht von dem Gedeihen seines wirthschaftlichen Unternehmens in seiner Vaterstadt Langensalza* (30. V. 1826: *III/10, 198).* 1852 stirbt er als Ökonom, hinterläßt die Witwe und vier Kinder.   *Si*

Eißl, Therese, geb. vOberndorfer (?1792 bis ?1842), österreichische Malerin (*Liebhabertum/Dilettantismus), die sich gerne mit A*Kauffmann verglich. Geboren und erzogen in *Wien, in Graz verheiratet, wandte sie sich nach dem Tode ihres Gatten Matthias Amand E. (?1776–1821) verstärkt der Malerei zu. 1828 weilte sie in *Dresden, um dort in der Galerie zu kopieren, und schrieb am 6. IV. erstmals an Goethe: „… Ob ich Euer Excellence aber auch immer recht verstanden, ob ich meine Pallete auch richtig nach Ihrer Farbenlehre ortne, und ob meine Gemählte dieses beurkunden?"…und bat ihn um eine Aufgabe, ein Bildthema. Goethe entsprach ihrer Bitte mit dem Text Matth. 14, 24. Durch den Tod einer Nichte vorzeitig aus Dresden zurückgerufen, konnte ThE. auch ihren geplanten Besuch in Weimar nicht ausführen. Sie übersandte Goethe auf seinen Wunsch am 15.VIII. 1829 ihr Selbstporträt und fügte eine kurze Autobiographie bei. Das große Bild mit dem Goethe-Thema wurde zu Goethes Lebzeiten nicht beendigt. Nach seinem Tode ergaben sich Differenzen mit den Erben.   *JP*
Abdruck des Briefwechsels in: Goethe und Oesterreich. Als: SGGes. 17, S. 271–312. Mit Abb. Vgl. auch S. CXVIII–CXXV; 363–366.

Ekendahl, Daniel Georg (1782–1857), schwedischer Historiker, Teilnehmer am Freiheitskrieg 1813–15, zeitweise Lehrer in Frankfurt/ M., seit 1825 in Weimar ansässig, veröffentlichte ua. 1826–27 eine „Geschichte des Schwedischen Volks und Reichs", die allerdings meist aus anderen schwedischen Geschichtswerken, zB. aus dem „Erik" Gustav Geijers, kompiliert war. E.s persönliche Bekanntschaft mit Goethe wurde wahrscheinlich durch Fv*Müller vermittelt, wozu noch schriftliche Empfehlungen Mv*Willemers kamen, welche mit E. in Frankfurt zusammengetroffen war. Am 15. VI. 1827 heißt es: *Ich machte mich näher bekannt mit von Ekendahls Geschichte des Schwedischen Volks und Reichs und fand mich davon sehr zufrieden (III/11, 71).* Goethe empfahl das Buch auch S*Boisserée und *Varnhagen vEnse (Ruppert Nr 3450). Der wirtschaftlichen Not, in der sich E. ständig befand, konnte allerdings auch Goethe nicht abhelfen (27. IX. 1827: IV/43, 85f.). Nachdem E. am 4. X. 1828 Goethe ein neues Manuskript zur Begutachtung vorgelegt hatte, dessen Lesung dieser aber ablehnte (IV/45, 20f., 331), verschwand er offenbar aus Weimar und starb 1857 in Eisenach.   *Fo*
Gräbner S. 133. – HGGräf: Sverige i Goethes liv och skrifter. 1921. S. 65–69.

Ekhof, Hans Konrad Dietrich (12. VIII. 1720 Hamburg bis 16. VI. 1778 Gotha). Schauspieler. Debüt 1740 in Lüneburg bei der schönemannschen Truppe; gründete bei dieser 1753 in Schwerin eine Akademie. Ging 1757 zunächst zu Schuch, dann mit den Resten der schönemannschen Truppe zu *Koch. 1764 bis 1769 bei Ackermann in Hamburg, 1769 zu Seyler, mit diesem 1773 nach Weimar, 1774 nach Gotha. „Vater der deutschen Schauspielkunst". Kam noch aus der französisch-klassizistischen Schule, wurde dann zum bedeutendsten Vertreter des ernsten, gehobenen aber realistischen Schauspielstils (vgl. auch I/40, 176f.). Sein Interesse galt der Hebung seines Standes, sein Lieblingsprojekt war das eines Pensionsinstituts. Goethe, der Januar 1778 neben ihm auf der Bühne des weimarer *Liebhabertheaters spielte, bezeichnet ihn als *edle Persönlichkeit, die dem Schauspielerstand eine gewisse Würde mittheilte, deren er bisher entbehrte (I/28, 194).* E. hatte ihm am 11. I. *die Geschichte seines Lebens erzählt (III/1, 60;* vgl. dazu BrCharlotte 1, 562; *Wilhelm Meisters theatralische Sendung).   EF*
JKürschner: Conrad Eckhofs Leben und Wirken. 1872. – CPietschmann: Diss. FU Berlin. 1954. – FHetting: Conrad Ekhof. 1954. – HKindermann: Conrad Ekhofs Schauspieler-Akademie. SBWien, Phil.-Hist. Klasse Bd 230 (1956).

Ekmarck, Daniel (1779–1808), schwedischer Maler und Miniaturist, von dessen Arbeiten

und Lebenslauf nichts Näheres bekannt ist. E. besuchte Weimar 1808: *Nach Tische der Schwede Egmar.* Derselbe muß den Unmut Goethes hervorgerufen haben, denn am folgenden Tage heißt es: *Enthüllung des albernen Betragens des schwedischen Malers (III/3, 319).* Im Herbst des gleichen Jahres figurierte E. noch einmal in Goethes Briefwechsel. Der unglückliche und kranke Künstler hatte sich an PhO*Runge in Hamburg gewandt, wo er aber schon am 17. IX. starb. Runge teilte dies am 19. IX. Goethe mit, welcher am 7. XI. 1808 auffallend teilnahmslos auf diese Nachricht antwortete und erklärte, die *Noth* habe den Verstorbenen *zum Lügner und gewissermaaßen zum Schelmen* gemacht *(IV/20, 206).* Der Grund für diese ungewöhnlich scharfen Worte Goethes läßt sich nicht genau ermitteln.   *Fo*
Runge: Hinterlassene Schriften 1840. Bd 2, S. 370.

Elbe, der größte Fluß Nord- und Ostdeutschlands, entspringt im böhmischen *Riesengebirge und mündet nach 1154 km langem Lauf nordwestlich *Hamburg in die Nordsee.
Aus dem Stromgebiet des *Rheins, in dem Goethe aufgewachsen war, kam er zum erstenmal 1767 als Student in das Stromgebiet der E. Die Unterschiede zwischen beiden spiegeln sich noch in der rückblickenden Erinnerung wesentlich auch in *Sprache und Dialekt: *Der Oberdeutsche nämlich, und vielleicht vorzüglich derjenige, welcher dem Rhein und Main anwohnt, (denn große Flüsse haben, wie das Meeresufer, immer etwas Belebendes) drückt sich viel in Gleichnissen und Anspielungen aus, und bei einer inneren menschenverständigen Tüchtigkeit bedient er sich sprüchwörtlicher Redensarten... Jede Provinz liebt ihren Dialekt: denn er ist doch eigentlich das Element, in welchem die Seele ihren Athem schöpft. Mit welchem Eigensinn aber die Meißnische Mundart die übrigen zu beherrschen, ja eine Zeit lang auszuschließen gewußt hat, ist jedermann bekannt (I/27, 58).* Zu der Zeit, als dies geschrieben wurde, hatte Goethe, der Oberdeutsche, längst seinen Lebensraum im Stromgebiet der E. gefunden; in Weimar (*Ilm), Jena (*Saale), in den Bädern *Böhmens (*Eger; Moldau). Auch die kleineren Reisen in Thüringen (*Unstrut), nach Dessau (*Mulde), in den östlichen Harz (*Bode; *Selke; Eine, Wipper) nach Berlin (*Havel; *Spree) blieben in diesem Raum. Nur die großen Reisen nach der Schweiz, nach Italien, Schlesien, zur Campagne in Frankreich führten ihn noch in neue Stromgebiete oder zum alten des Rheins zurück. In Goethes Bewußtsein aber blieb die E. doch ein fremder Strom,

dem er sich allenfalls über seine Nebenflüsse als zugehörig empfand: *Ich bewege mich nach alter Weise zwischen der Ilm und Saale, wahrscheinlich auch bald zur Eger und Elbe (IV/31, 247).*
Die Orte, in denen Goethe die E. selbst kennenlernt oder sie überquert hat, sind: *Schreckenstein, *Aussig, Bad *Schandau, *Pirna, *Zschachwitz, *Dresden, *Meißen, *Wittenberg, Coswig, *Aken, *Barby, *Magdeburg. Über den Oberlauf der E., der von Gebirgen begleitet wird oder selber Gebirge durchschneidet (Elbsandsteingebirge) finden sich mehrfach geologische Beobachtungen Goethes (zB. 1812/13: Schreckenstein, Aussig, Lilienstein, Königstein, Pirna) oder solche, die seine Freude an der Landschaft bezeugen. Von Aussig, *wo die Elbe vorbeyfließt und eine sehr angenehme abwechselnde Gegend belebt* (1812: *IV/23, 49*), unternahm er eine Fahrt *auf der Elbe bis gegen den Schreckenstein... Herrlicher Abend* (1813: *III/5, 65*), Pirna *liegt gar anmuthig an der Elbe (IV/23, 345)... Wir gingen nach dem Flusse, der die Gegend sehr belebt, sahen mehrere auf und abfahrende Schiffe. Diese sind sehr lang, vielleicht 90–100 Fuß. Ein solches Schiff trägt 1800–2000 Scheffel (Dresdner) Getraide. Die Pirnaischen Steine werden auch darauf nach Dresden und weiter transportirt (ebda 347);* das *herrliche Elbthal* bei Dresden war ihm schon längst vertraut (1797: *IV/12, 166*), die hügelige Lage von Meißen erfreut ihn: *von einer gar freundlichen Abendsonne beleuchtet sahen wir das schöne Elbthal vor uns und gelangten zu rechter Zeit nach Meißen* (1813: *IV/23, 322*), das *rechte Ufer der E. zwischen Meißen und Dresden ist über alle Begriffe cultivirt und mit Häusern bebaut..., die erst einzeln, dann mehrere Stunden lang zusammenhängend, eine unendliche Vorstadt bilden (ebda 325).* Kein beschreibendes Wort über die E. findet sich weiter stromabwärts bei Wittenberg, Coswig, Wörlitz, Dessau, Aken und Barby. Aus Magdeburg wird nur sachlich berichtet: *Wir gingen an der Elbe hinunter, fuhren über das Wasser, zogen durch die Stadt und waren sehr lustig* (1805: *IV/19, 45*). *Stadt, Festung und, von den Wällen aus, die Umgegend ward mit Aufmerksamkeit und Theilnahme betrachtet; besonders verweilte mein Blick lange auf der großen Baumgruppe, welche nicht allzufern die Fläche zu zieren ehrwürdig dastand* (Klosterbergen; ChrM*Wieland; *I/35, 208*). Der ruhig durch das Tiefland strömende Fluß hatte wohl für den aus der *Flußregion* des Rheins und Mains Stammenden nichts **Bemerkenswertes. In der Vorstellung ist es die**

reiche Elbe, der *spiegelbreite Fluß* (1821: *I/4,
27*), auch der Ort merkantiler Geschäftigkeit
(vgl. 1829: *Elbgetöse* [!] in Halle/Saale: *IV/46,
46;* *Hamburg).
Ein Gesichtspunkt aber blieb unverändert, ob
im Gebirge oder im Tiefland: *da der Übergang
aus einer Flußregion in die andere immer der
Hauptaugenmerk mein des Geognosten war, so
fielen mir die Sandsteinhöhen auf, die nun, statt
nach der Elbe, nach der Weser hindeuteten* (1805
zwischen Magdeburg und *Helmstedt: *I/35,
209;* vgl. dazu 1786: *Donau, 1821: *Beraun,
letzteres freilich innerhalb des Stromgebiets
der E.).
Ein Reisebericht JP*Eckermanns *von Hamburg, Stade und den dortigen Anschwemmungen
(III/10, 217)* rundete 1826 das Bild ab und
brachte, eingebettet in ein botanisches Problem, das Mündungsgebiet der E. in Goethes
Gesichtskreis: *das mit vielen erdigen Theilen
geschwängerte Wasser dieses großen Flusses
setzt, von der Fluth zurückgehalten, auf jedem
angeschwemmten Kies die fruchtbaren Theile
nieder. Da erscheint denn im ersten Jahre Sali-
cornia herbacea, welche tiefe Wurzeln schlägt
und das Land befestigt. Dann kommt Salsola
Kali. Zuletzt, bey völlig gebildetem Boden,
kommt Triglochin maritimum. Man glaubt hier
ein Analogon urzeitlicher Pflanzensteigerung zu
erblicken* an CM Graf *Sternberg; *(IV/41, 172*
vgl. 1828 an *Nees vEsenbeck: IV/44, 51).
JP

Elberfeld, Stadt an der Wupper, damals schon
mit *der Rührigkeit so mancher wohlbestellten
Fabriken (I/28, 292)* auf dem Wege, das „deutsche Manchester" zu werden, besuchte Goethe
am 21./22. VII. 1774. Seit 1772 lebte JH
*Jung-Stilling hier als Arzt, es gab ein herz-
liches Wiedersehen am Morgen des 22. *Hier
sahen wir ihn in seinem Kreise und freuten uns
des Zutrauens, das ihm seine Mitbürger schenkten, die mit irdischem Erwerb beschäftigt, die
himmlischen Güter nicht außer Acht ließen
(ebda).* Im Hause des pietistischen Kaufmanns Anton Philipp Caspari traf Goethe am
Nachmittag mit JH*Jacobi und W*Heinse zusammen, auch JC*Lavater und die Pietisten
Dr. Samuel Collenbusch und JG*Hasenkamp
aus *Duisburg hatten sich dort eingefunden.
„Niemals hat sich wohl eine seltsamer gemischte Gesellschaft beysammen gefunden,
als jetzt um den großen ovalrunden Tisch her"
(Heinrich Stillings häusliches Leben. 1789.
S. 58; vgl. Morris 4, 122–125; 6, 372f.). W
Heinse nennt auch JG*Schmoll und den Pietisten Teschemacher in diesem Kreise (ArtA
22, 60). *Die betriebsame Gegend gab einen be-*

ruhigenden Anblick, weil das Nützliche hier aus
Ordnung und Reinlichkeit hervortrat (I/28,
292).* Am Abend kehrten Goethe, FH Jacobi
und WHeinse nach *Düsseldorf/*Pempelfort
zurück.
In späteren Jahren war Goethe durch den
*Deutsch-amerikanischen Bergwerksverein
mit E. verbunden (besonders erwähnt: *Director Schmidt; vgl. IV/45, 280 f.; 46, 247).* An
persönlichen Besuchen aus E. finden sich notiert: *Herr Camp, angesehener Handelsmann*
(1829: *III/12,61);* Carl Feldhoff, Kaufmann (1829, 1830, nochmals brieflich 1831:
III/12, 73; 257; 13, 90). 1828 referierte CW
*Coudray über eine *Beleuchtungsanstalt, von
Elberfeld her angeboten (III/11, 219),* 1830
erhielt Goethe eine *merkwürdige Mittheilung
über Elberfeld und das Wupperthal* (? von Johannes Lind(n)er aus Basel: *III/12, 292;* 404;
vgl. ArtA 23, 724f.), im gleichen Jahr Beschäftigung mit FW*Krummacher. *JP*
RV S. 12. – HMFlasdieck: Goethe in Elberfeld Juli
1774. 1929.
Elbingerode, die Bergstadt in einer Mulde des
mittelharzer Hochplateaus, lernte Goethe auf
seiner *Harzreise im Winter kennen, als er
von *Ilfeld kommend am 1. XII. 1777 *mit
einem Boten, gegen Mittag* eintraf *(III/1, 55).*
Eine Notiz an gleicher Stelle weist darauf hin,
daß hier die bereits unterwegs (I/33, 215; IV/3,
197) konzipierte Ode *Dem Geyer gleich... (I/2,
61–64)* in ihren ersten Strophen aufgeschrieben wurde (I/33, 217f.). In *KuA III, 2* gibt
Goethe näheren Aufschluß über Entstehung
und Auslegung dieses Gedichtes *(I/41I, 328
bis 339).* Goethe verbrachte die Nacht zum
2. und zum 3. XII. in E., nachdem er sich
tagsüber intensiv dem Studium der *Baumannshöhle gewidmet hatte, und verließ E.
auf *Wernigerode zu. – Erst 1784 auf der geologisch am stärksten betonten Harzreise kam
Goethe, begleitet von GM*Kraus(e) wieder
nach E. Am 6. IX. wurden von hier aus Büchenberg, Hartenberg, Gräfenhagensberg besucht, Bergwerksanlagen besichtigt. Nach erneuter Übernachtung in E. ging es am 7. IX.
weiter in Richtung Bodetal-*Susenburg (NS
1, 73f.; vgl.hier Sp. 1042f.). *Wir beyde haben
... alle Felsen der Gegend angeklopft... Krause
hat ganz köstliche Dinge gezeichnet (IV/6, 353).*
Goethes Gasthaus in E. war der nicht mehr
erhaltene „Blaue Engel". *JP*
RV S. 16 f.; 23. – Dennert.
Elbogen ist ein böhmisches Städtchen, *das
über alle Beschreibung schön liegt und sich als
ein landschaftliches Kunstwerk von allen Seiten
betrachten läßt* (1807: *IV/19, 365).* Der Ort ist
auf einem Granitfelsen erbaut, der in wild-

romantischem Tal von der *Eger umflossen wird. Das alte Schloß (870 gegründet, um 1394 Gefängnis Kaiser Wenzels) besichtigte Goethe am 16. IX. 1819 *(III/7, 94)* ebenso das Stück des hier gefundenen Meteorsteins („der verwünschte Burggraf"), das *auf dem Rathause* aufbewahrt wurde.

E. war ein beliebtes Ausflugsziel von *Karlsbad aus (Einkehrlokal: Weißes Roß). Mindestens neun, wenn nicht mehr Besuche Goethes lassen sich nachweisen, und zwar 1785/86 (?; vgl. III/1, 169; IV/19, 365), Juli 1807 (III/3, 233), Juni 1808 (ebda 350), Juli 1810 (III/4, 143), Juni 1811 (ebda 211), August 1818 (mehrfach: III/6, 237f.), September 1819 (mehrfach: III/7, 91; 94) und 28. VIII. 1823.

Der österreichische Mineraloge Franz Xaver Riepl (1790–1857) lenkte 1818 Goethes mineralogische, geologische und geognostische Interessen erneut auf E.: er hatte *eine Karte des Königreichs mir zu illuminiren die Gefälligkeit ... des Vorsatzes in einer eigenen Schrift dieses Bestreben weiter zu führen und öffentlich bekannt zu machen. Man besuchte Haidingers Porzellanfabrik in Elbogen, wo man außer dem Material des reinen verwitterten Feldspathes auch das ausgebreitete Brennmaterial der Braunkohlen kennen lernte, und von dem Fundort der Zwillingskrystalle zugleich unterrichtet wurde (I/36, 139; 23. VIII: III/6, 237: Steinkohlen).* Zwei Tage später fuhr Goethe nach *Schlaggenwald über E. und verweilte auf dem Rückweg *in der Porzellan Fabric. Hr. Haidinger. Feldspat- (vielmehr Schrift-Granit) Gang nächst derselben. Glimmerkugeln im Granit (III/6, 238).* Die Porzellanfabrik der Brüder *Haidinger wurde nun bei jedem Aufenthalt in E. besucht. Die mineralogischen Funde wurden stets weiter ergänzt (I*Lößl; *Horn-Berg). In dem Aufsatz *Zur Geologie, besonders der böhmischen* heißt es: *Wir wollen nur des Bezirks Ellbogen gedenken, wo man sagen kann, die Natur habe sich mit der krystallinischen Feldspath-Bildung übernommen und sich in diesem Antheile völlig ausgegeben (II/9, 125).*

War es die besonders anmutige Lage, die E. für Geburtstagsfeiern reizvoll erscheinen ließ? Am 21. VI. 1808 wurde der Geburtstag Sv*Ziegesars mit einer Fahrt nach E. begangen (III/3, 350), am 28. VIII. 1823 Goethes eigener in Gesellschaft Uv*Levetzows, ihrer Mutter und ihrer Schwestern. *Still und gleichsam anonym* feierte man hier den *Tag des öffentlichen Geheimnisses (IV/37, 204;* Bdm. 2, 662f.), besichtigte auch nochmals gemeinsam den *Meteorstein* auf dem *Rathhaus* und die *Porzellain-*

fabrik (III/9, 102). Es war zugleich ein Abschied von *Böhmen.   *JP*

RV S. 42; 43; 45; 46; 56; 58; 63.
Z e i c h n u n g e n :
1) Corpus IV, InvNr 2095
2) Corpus IV, InvNr 2096
3) Corpus IV, InvNr 2097 *Gegend bei Ellenbogen 1807*
4) Corpus IV, InvNr 2098
1–4: Eigenhändig datiert: 1. VII. 1807   *Fm*

Elektrizität. Die Erscheinung, daß geriebener *Bernstein Wollfäden anzuziehen vermag, war schon Thales von Milet (585 vChr.) bekannt. WGilbert (1540–1603) nannte diese Kraft „vis electrica". *Kurz vor Goethes Geburt erregte die Elektricität neues Interesse (II/11, 299; 86):* 1733 unterscheidet ChFDufay Glas- und Harzelektrizität, die 1777 Lichtenberg willkürlich als positiv bzw. negativ bezeichnet. Goethe hatte das Wissen über diese Energieform, die sich in Anziehung und Abstoßung elektrisch geladener Körper äußert, zusammengestellt (II/11, 191–198) und ihr eine Stellung in seinem naturwissenschaftlichen Weltbild zu geben versucht. Er schreibt: *Mit der Elektricität verhält es sich wieder auf eine eigne Weise. Das Elektrische, als ein Gleichgültiges, kennen wir nicht. Es ist für uns ein Nichts, ein Null, ein Nullpunct,... der aber in allen erscheinenden Wesen liegt, und zugleich der Quellpunct ist, aus dem bei dem geringsten Anlaß eine Doppelerscheinung hervortritt, welche nur insofern erscheint, als sie wieder verschwindet. Die Bedingungen, unter welchen jenes Hervortreten erregt wird, sind, nach Beschaffenheit der besonderen Körper, unendlich verschieden. Von dem gröbsten mechanischen Reiben sehr unterschiedener Körper an einander bis zu dem leisesten Nebeneinandersein zweier völlig gleichen, nur durch weniger als einen Hauch anders determinirten Körper, ist die Erscheinung rege und gegenwärtig, ja auffallend und mächtig, und zwar dergestalt bestimmt und geeignet, daß wir die Formeln der Polarität, des Plus und Minus, als Nord und Süd, als Glas und Harz, schicklich und naturgemäß anwenden (II/1, 297f.)* und an anderer Stelle: *sie ist das durchgehende allgegenwärtige Element, das alles materielle Dasein begleitet, und ebenso das atmosphärische; man kann sie sich unbefangen als Weltseele denken (II/12, 90).* Nach Goethe rückt die E. *dem Körperlichen, dem Chemischen schon näher (II/11, 210),* auch glaubte er *an die Verwandtschaft magnetischer und elektrischer Phänomene (ebda 301).* Nicht nur, daß E. durch Reiben erzeugt wird (II/11, 118; vgl. 171; 189) und *vom Bernstein ihren Namen hat (II/11, 244; 150; 192;* vgl. II/1, 4): Goethe erwähnt auch einen ersten Apparat zur Erzeugung von E., *ein seidenes Band, ein Stück geschliffen Glas, und ein*

Stück Bernstein (II/11, 193; vgl. 189) und gibt eine Darstellung einer Elektrisiermaschine (ebda 196; vgl. I/26, 188). *Elektrisches Licht* welches *Bei Nacht zu beobachten ist,* und dessen Erzeugung und Sammlung durch Elektrisiermaschine, Conduktor und Leidener Flasche (1672 entdeckte Leibnitz elektrische Funken an einer geriebenen Schwefelkugel) erwähnt Goethe in seiner Zusammenstellung über die E. *(II/11, 197).* Im Zusammenhang mit seinen metereologischen Betrachtungen hatte sich Goethe darüber hinaus mit der Luftelektrizität befaßt und dieser E. einen besonderen Abschnitt gewidmet (II/12, 90); *bei stark ziehenden Wolken, Regen, Nebel, Reif, Graupen, Hagel, Schnee wird Elektrizität frei, am meisten bei herannahenden oder sich entladenen Gewitterwolken (II/12, 206).* Der *Blitzableiter, 1752 von B*Franklin erfunden, dient zur Ableitung dieser atmosphärischen E. (II/11, 300; 12, 207; I/53, 189; IV/13, 38), da Eisen *das Metall sein soll, das die Elektricität am besten leitet (II/11, 208).* In seiner *Instruktion für die Beobachter bei den Großherzoglich metereologischen Anstalten* gibt Goethe genaue Anweisungen zur Beobachtung dieser Erscheinung (II/12, 206f.). Letztlich sollte auch das *Erdbeben... entbundene tellurische Elektrizität sein (ebda 105).*   Sl

Element / Elemente / Die vier Elemente. Für Goethe, den Mann der modernen *Chemie, war die Vorstellung von Wasser, Erde, Feuer und Luft als vier unreduzierbaren E. selbstverständlich unhaltbar. *Die Eintheilung der ursprünglichen Naturkräfte in vier Elemente ist für kindliche Sinnen faßlich und erfreulich, ob sie gleich nur oberflächlich gelten kann* (1810: *II/3, 117).* Anderseits erklärt er aber, sie sei naturgemäß, zumal wenn er dabei an die *Bedingungen des Erscheinens (MuR:* Hecker *Nr 716),* an die schaffenden Grundgewalten oder -mächte im Sinne des Ursprünglichen denkt: *Vier Elemente. Die Eintheilung in vier entspringt aus einer Verdopplung des Gegensatzes, und ist theils naturgemäß, wie bei den Weltgegenden, Jahrszeiten. Temperamenten, theils willkürlich, wie bei den Welttheilen* (1805/06: *II/11, 212).* Die zu den vier Temperamenten hergestellte Beziehung ist aufschlußreich; denn sie setzt voraus, daß zwischen den Menschen und den E.en eine Entsprechung waltet (*Analogie), wie denn beispielsweise das Erlebnis der E.e – *Feuer, Sturm, Hügel* und *Höhle, feuchter Busch* – dem *Faust* von *Wald und Höhle* das Gefühl innigster Verbundenheit mit brüderlich Verwandtem gibt (*Faust, V. 3219–3238;* vgl. den gemeinsamen Entwurf

einer Temperamentenrose durch Goethe und Schiller 1798. RMatthaei: Die Temperamentenrose. In: Neue Hefte zur Morphologie 2, 33 bis 46). Bei Goethe geht eine solche Stellung zu den E.en auf persönliche Charakterzüge sowie dadurch ja mitbedingte Traum- oder Phantasiebilder zurück. Derart gesehen, sind die E.e für ihn nicht einfach Vorstellungskategorien, sondern, paracelsisch gesprochen, ,,Mütter", dh. wirkende Materien, die sich auch untereinander beeinflussen, ineinander übergehen. Er begegnet hier einer Manifestation des Prinzips der *Metamorphose, wie er es sehr früh, um 1769, in der ,,Aurea catena *Homeri" angetroffen und viel später noch in genau dem gleichen Sinne ausgesprochen hat: *Luft das alles Umgebende. Feuer das alles Durchdringende. Wasser das alles Belebende. Erde das in allem Sinn zu Belebende* (1805/06: *II/11, 212;* ähnlich, um 1815, *Gott, Gemüth und Welt:* I/2, 217, Z. 46–54).

Das Elementargefühl des Menschen und des Dichters war am stärksten dem Wasser gegenüber (*Ballade Sp. 622–629). Wasser in seiner Bewegung war Belebung des eigenen Lebens (1775: I/1, 3, Z. 1f., 9f., 16), Symbol unerschöpflich fließenden Lebens, das zu ihm drang (1776: IV/3, 67, Z. 1ff.); in der *Zueignung* (1784: *I/1, 3)* erhebt sich der taufrische *junge Tag..., und alles war erquickt* Goethe *zu erquicken,* und zwar im prägnantesten Sinne, dh. als erneutes Leben ihm das eigene Leben zu erneuen; 1824 heißt es *An Werther: Es ist als ob du lebtest in der Frühe, / Wo uns der Thau auf Einem Feld erquickt (I/3, 19).* So war denn auch Baden (*Bäderkunde) bei Goethe noch etwas anderes als Hygiene, bedeutete 1776 (*der Mondschein war so göttlich ich lief noch ins Wasser. Auf der Wiese und Mond: IV/3, 84)* eine Form der stärkenden mystischen communio mit der Natur (ebda 89f.), wie er sie, wiederum durch das Medium des Wassers, noch als Greis sucht, findet und dankbar feiert (1827: I/4, 113). Im dichterischen Werk treten Bilder des Wassers, Symbolik des Wassers bezeichnend oft auf, als Auswirkungen der Persönlichkeitsstruktur: Empfänglichkeit für das Weibliche, ästhetischer Sinn, subtil verfeinerte Reaktionsfähigkeit, Gefühl einer magischen, auf tiefer Verwandtschaft beruhenden Anziehung durch das Wasser (vgl. 1778 an JH*Merck: IV/2, 237f. – 1779: *I/1, 169f., Der Fischer: Lockt dich dein eigen Angesicht / Nicht her in ew'gen Thau?* – dazu 1778: *IV/3, 208,* mit Bezug auf die Empfindungen nach dem Selbstmord Chr v*Laßbergs: *Diese einladende Trauer hat was*

gefährlich anziehendes wie das Wasser selbst,
und der Abglanz der Sterne des Himmels der aus
beyden leuchtet lockt uns. – 1823: Bdm. 3, 35).
Wasser ist der Ursprung des Lebens (1772:
I/2, 67–71, *Wanderers Sturmlied*, V. 72–75; um
1800: I/1, 128f., *Weltseele*, V. 23f.; um 1815:
I/2, 216, *Gott, Gemüth und Welt*, V. 36–42 [Be-
zug auf *Paracelsus und „Aurea catena Homeri"]; 1830: *Faust*, V. 8435ff.), *das alles Be-
lebende* (s.o.), das Nährende (1773: I/2, 53ff.,
Mahomets Gesang; 1778: I/4, 211, V. 7f.; 1780:
I/2, 58, V. 21ff.; 1808: I/50, 306, *Pandora*,
V. 176–183), das Heilbringende (um 1774:
Urfaust, V. 44), ist das, in der Form von Verdunstung und Kondensation, dem Gesetz der
*Polarität Unterworfene, das sich Verwan-
delnde und in alledem ein Bild der menschlichen Existenz (1779: I/2, 56f., *Gesang der
Geister über den Wassern*). Doch ist trotz der
Summe an Positivem das Wasser auch das
Verderbenbringende; im *Sturmlied* (V. 111 bis
116) braucht der Wanderer seine ganze Kraft
um dem drohenden E. zu entgehen; in den
Wahlverwandtschaften findet das Kind Charlot-
tens und Eduards, als lebender Zeuge des geistigen Ehebruchs, den Tod im, wie es bezeichnend heißt, *treulosen . . . Elemente* (1809: *I/20,
361*); in den *Wanderjahren* wird dem Knaben
Wilhelm der eben gewonnene und schon tief,
vielleicht gefährlich tief geliebte junge Freund
durch das Wasser entrissen (1829: I/25[I], 44f.,
48f.); im *Faust* ist das Meer *unfruchtbar selbst,
um Unfruchtbarkeit zu spenden (V. 10213)*.
Mit diesem Doppelaspekt des Wassers steht
Goethe wiederum im Gefolg des Homerus, für
den „alles aus dem Wasser geboren wird . . .
und durch solches wieder seinen Tod und Absterben nimmt". – Neben dem Wasser die
Erde. Erdgefühl ist für Goethe mehr als ein
Begriff, ist tiefes physiologisch-psychologi-
sches Erleben und Kräftequell. Von Leipzig
aus *kann er nicht genug sagen wie sich sein
Erdgeruch und Erdgefühl gegen die . . . Magisters, . . . Studenten Buben, . . . Mägdlein, . . .
Junge Mägde ausnimmt (1776: IV/3, 46); zum
erstenmal im Garten geschlafen*, schreibt er,
ebenfalls 1776, *und nun Erdtulin* (= Erdküh-
lein, nach der Lesung von HHBorcherdt,
Goethes Briefe an Charlotte von Stein, 2 Bde,
Deutsche Bibliothek, o. J.) *für ewig (IV/3,
62); etwas später: Jetzt werd ich täglich mehr
leibeigen, und gehöre mehr der Erde zu der wir
wiederzukehren bestimmt sind (1781: IV/5,
129*). Erdmagnetismus und Empfindlichkeit
dafür, wie *Wahlverwandtschaften* (I/20, 338)
und *Wanderjahre* sie darstellen (I/25[I], 271),
sind für ihn etwas als positiv Anzuerkennen-

des. Wesentlicheres bedeutet es jedoch, daß
Erde Ausdauer – auch im Dulden (*Pandora*,
V. 189–194) – ist, Festigkeit, die dem Geist
die Richtung zum Wirken, und zwar auf lange
Sicht, gibt. Erdgefühl entspricht bei Goethe,
trotz *Werther* (1774: I/19, 8), einem Wunsch-
traum des Willens, der Bleibendes zu schaffen verlangt; daher des *Prometheus* Heraus-
forderung an *Zeus: Mußt mir meine Erde |
Doch lassen stehn, | Und meine Hütte, die du
nicht gebaut, | Und meinen Herd . . .* (1773: *I/2,
76*). Aber die Erde, die allein weiterbesteht,
wenn alles vergeht, trägt in sich das Gebot
der Absonderung, der Einsamkeit, das Gesetz
der Tragik des Einsamen. *Prometheus* steht
Zeus als Einzelner gegenüber, wie *Jarno* den
Menschen. *Montan* (1821: *I/24, 39–46*), den
die Freunde als Einsiedler zwischen Himmel
und Erde, auf dem härtesten und ältesten
Gestein des Kontinents, wiederfinden, ist die
erhabene Verkörperung der Einsamkeit. Er
hat die Härte, die Kälte, das Schneidende
des *Granits*. Geheimer Verwandtschaft gehorchend, lebt er in Verbundenheit mit dem
E., das insgeheim seinem Charakter entspricht. Doch ist seine Einsamkeit nicht müßig; sie stimmt zum Nachdenken, zum positiven Denken, zur Willensentscheidung, zum
dauernden Werk, das allerdings dem Unendlichen entsagt (Symbolik des Dammbaus im
Faust). Nicht umsonst ist es *Jarno*, der den
Lehrbrief vorliest, in dem es u.a. heißt: *Der
Sinn erweitert, aber lähmt; die That belebt, aber
beschränkt* (1796: *I/23, 213*): Jarno-Montan
ist der Mann der praktischen, nützlichen Tätigkeit, wie sie in den *Wanderjahren* zu einem
der großen Themen wird, er strebt *zum praktischen Ziel, worauf doch alles ankommt, damit
Erkennen und Wissen in That verwandelt werde*
(1828: *IV/44, 54*). Solche Erdennähe gibt dem
Leben Würde, hat damit selbst religiöse
Würde. Außerhalb einer derartigen Religion
der Erde bleibt die Symbolik des Maurers, die
Esoterik der Steine, die der Mörtel bindet, in
ihrer tiefen Bedeutung unerfaßt. Es besteht
eine Verbindung zwischen Goethes *Freimau-
rertum und Erdgefühl, zwischen dem *Prometheus*-Dichter und dem Mitglied der Loge
Amalia. Abgesehen von den *Lehr- und Wanderjahren* ist auf die *Wahlverwandtschaften* zu
verweisen: Die Rede des Maurers bei der
Grundsteinlegung ist ein Lob humanitärer
und tellurischer Bemühung; der Damm, den
Eduard aufwerfen läßt *(I/20, 71)*, soll Schutz
gegen das *Anschwellen der Wasser gewähren,
Analoges geschieht in *Pandora* (V. 184–188)
und, ins Großartige gesteigert, im *Faust*

(V. 10229 ff., 11569 f.): Der Traum vom Begrenzten, Nützlichen erweist sich als wertvoller und stärker, denn der Traum vom Unendlichen, Zwecklosen. Die Erde und was sie an Fruchtbarem bedeutet, siegt. Trotz solchem Pragmatismus steht indes der Mensch und Dichter Goethe den E.en Wasser und Erde immer auch als Irrationalist, wenn man will als Alchemist, gegenüber; wie seine *Ottilie* spürt auch er den Einfluß einer Verwandtschaft, ist er magisch beeindruckt, fühlt er das Numinose dieser E.e. – Feuer und Luft spielen für die dichterische Phantasie Goethes eine weit geringere Rolle. Es fehlt ihnen an Dichte, sie sind zu ungreifbar. In *Pandora* ist das *Feuer* lediglich Mittel, nicht aber Gegenstand schöpferischer Tätigkeit (V. 168 bis 175). Die Luft hat noch geringeren Rang: *Ströme du, Luft und Licht, | Weg mir vom Angesicht! | Schürst du das Feuer nicht, | Bist du nichts werth (V. 199–202).* – Verschieden steht es, wenn das Feuer eine Verbindung mit einem andern E., der Erde, eingeht. Für die Alchemisten, die Goethe nie vergessen hat, steht Feuer dem Himmel gleich, und Feuer vergeistigt die Materie: *Denn was das Feuer lebendig erfaßt, | Bleibt nicht mehr Unform und Erdenlast (Gott, Gemüth und Welt; I/2, 217).* So ist denn auch der zwischen Himmel und Erde lebende *Montan* der *Wanderjahre* vollständiger, menschlicher als der *Jarno* der *Lehrjahre*. Eine andere Verbindung von E.en ist diejenige von Erde und Wasser, die zusammen den Lehm bilden; hier sichert die Erde Festigkeit, Gewicht, wie das Wasser Geschmeidigkeit und Leichte; hier findet die Metaphorik des schöpferischen Aktes ein Ausdrucksmittel: Aus solchem Stoff formt *Prometheus* (s. o.) *Menschen | Nach* seinem *Bilde*. Wenn derartige Verbindungen Fruchtbarkeit bedeuten, wirken die E.e in diesem Sinne am stärksten, sobald die Kräfte aller ineinanderströmen, *die Elemente sich erschließen | Mit Hunger in einander ergießen, | Alldurchdringend, alldurchdrungen (1773: I/16, 94, Satyros, V. 301 ff.);* dann kann die Schöngestalt entstehen, als *Huri* (1820: *I/6, 257,* V. 8 ff.) oder *Galatee* (1830: *Faust,* V. 8386 bis I 390), und *Homunculus,* der zuerst nur reine Intelligenz war, inmitten der rauschenden Symphonie der *Element' ... alle vier (ebda V. 8487)* am Schlusse der *Classischen Walpurgisnacht* zum vollen Leben gelangen. Dionysisch spricht Goethe hier eine religiöse Ehrfurcht vor der *Würde der sämmtlichen Elemente* aus, eine Ehrfurcht wie er sie, gebändigter kundgegeben, doch nicht schwächer, bei den *alten Parsen* (1819: *I/7, 20 f.*) gefunden

und verstehend begrüßt hatte. Wo indes eine solche Sym-phonie, Sym-biose nicht stattfindet, wo *die Elemente | Scheidend auseinander fliehn,* drohen Verstummen, Erstarrung, Öde, und *Gott ist einsam* (1815: *I/6, 188 f.*). Um zu *entstehn (Faust, V. 8133* und oben zu *Homunculus),* um im wahren, fruchtbaren Sinne zu sein, braucht der Geist die E.e; aber er, nicht sie, hat sich als das obere Waltende zu erweisen. Der Mensch hat danach zu streben, *die Elemente, | Ihre Kraft | Und Eigenschaft* zu kennen und ihrer Herr zu werden. *Faust* spricht es in mittelalterlicher Formulierung als Magier aus (1808: *Faust, V. 1278 ff.*), Goethe auf ganz persönliche Weise als Individuum, dem *Gott ... höhere Menschheit gönnte* und damit die Möglichkeit gab, *die täppischen Elemente | Nicht verkehrt auf es wirken zu lassen* (um 1820: *I/3, 252*). Das ist passiv, abwehrend. Um aktiv gegenzuwirken, muß ein Mensch am *Dämonischen* teilhaben; dann kann er *eine unglaubliche Gewalt über alle Geschöpfe, ja sogar über die Elemente* üben. Das Dämonische ist, in triebhafter, unbegreiflich zweck- und richtungsloser Autonomie, *ungeheure Kraft* wie das Elementarische selbst. Wenn es, im Menschen auftretend, stärker sein kann als dieses, so deshalb, weil ihm nun in irgend einem Grade Überlegenheit *an Geist* oder *an Talenten* (1813: *I/29, 174–177 passim*) eignet. Das besagt aber, daß das Elementarische und das Individualisierte, bewußt Lebende, Gegensätze sind: *Wer keinen Namen sich erwarb, noch Edles will, | Gehört den Elementen an (Faust, V. 9981 f.;* 9985–10038; auch um 1800, *Dauer im Wechsel:* [I/1, 120] V. 37–40 und 25–32), verfällt dem Primitivismus der Naturkräfte, ist keine Entelechie... Die E.e sind die Basis und der Nährboden, worauf der Mensch, überlegend-überlegen, sein sittlich gerichtetes, dh. eben das Elementarische beherrschendes Dasein und Standbild aufzubauen hat. Bei Goethe ist die dunkle „Romantik" der E.e und des Elementarerlebnisses die unentbehrliche, aber zu beaufsichtigende Prämisse der Klassik, der echten Menschlichkeit. Es geht um eine der tiefsten Lebenserfahrungen und -weisheiten Goethes, um die Polarität von „dunkler Getriebenheit, naturelbischer Vieldeutigkeit, vitalem Magnetismus" und „in Geist aufflammender Lebensgewalt" (ThMann)... Ein letzter Beleg. Eine der *MuR:* (Hecker *Nr 202*) statuiert: *Die Zeit ist selbst ein Element* – nicht etwa als ein fünftes nach den vier andern, sondern weil, wie ein Brief an CGv*Voigt (1818: *IV/29, 117*) erhellend kommentiert, auch sie *nur Werth und Würde* *durch den Sinn des Menschen erhält.* Ebendies aber ist es, was jedes *Element* dem Dichter und dem Forscher sowie wechselweise dem Forscher und dem Dichter wichtig macht. Man muß in den *Elementen* wurzeln, wenn man ihnen widerstehen, sie *durch die höchste Kraft des Geistes, durch Mut und Lust im einzelnen Fall* [!] *bewältigen,* dergestalt über sie hinaustreten und sie in gerade diesem Akte adeln will *(II/12, 102).*   *Lp*

ChrLepinte: Goethe et l'occultisme. 1957. – ThMann: Frankfurter Ansprache im Goethejahr 1949. In: Altes und Neues. 1953.

Elend, Dorf und alter Hüttenort im *Harz, am Fuße des *Barenberges und an der kalten *Bode gelegen. Goethe kam auf seiner zweiten und dritten Harzreise nach E., beide Male im Anschluß an die *Brockenbesteigung. Am 22. IX. 1783 und unter der Führung von FWHv*Trebra durchquerte Goethe mit Fv*Stein und seinem Diener EESutor über *Schierke kommend den Ort, um sich dann nach *Oderbrück und zum *Rehberg und zur Rehberger Klippe zu wenden. 1784, auf der geologisch am stärksten betonten Harzreise, kam Goethe mit GM*Kraus am 4. IX. nach E. und könnte hier übernachtet haben, um am 5. IX. *Schnarcherklippen und Barenberg nochmals zu untersuchen, danach in Richtung auf *Elbingerode weiterzuziehen (NS 1, 72–73).

Die *Gegend von Schierke und Elend* ist der Ort der *Walpurgisnacht (I/14, 195;* vgl. *Classische Walpurgisnacht: Die Schnarcher schnauzen zwar das Elend an,* | *Doch alles ist für tausend Jahr gethan; I/15¹, 140).*   *JP*

RV S. 23. Dennert.

Eleusis, Kultort der berühmten Mysterien der Demeter und Kore bei Athen. Anläßlich des Erscheinens der „Unedited Antiquities of Attica, Comprising the architectural remains of Eleusis, Rhamus, Sunium and Thoriscus. By the *Society of Dilettanti", London 1817, beschäftigte sich Goethe mit einem daselbst behandelten *Tempel der Diana in Antis mit zwey Säulen dazwischen (IV/28, 293),* dem Tempel der Artemis Propylaia des Heiligtums. Ein Modell des Tempels ließ Goethe vom Belvedere in den Raum der ehemaligen Schloßbibliothek nach Jena bringen (vgl. I/36, 125; IV/33, 274; 305f.; 35, 121; 135; III/7, 238; 8, 118; BrMeyer 3, 20f.). – Mv*Wagner. *Hm*

Elfenbein, welches *aus einer schönen, meist gleichen, der Länge nach sehr dicht organisirten Knochenmasse* der Stoßzähne des männlichen Elephanten *gebildet ist (II/12, 130),* wurde und wird vorwiegend wegen seiner Elastizität, Härte, Politurfähigkeit und Bearbeitbarkeit

als Schmuck- und Gebrauchsgegenstand verwendet. *Der Elephantenzahn ist im Anfange eine dünne und hohle Scheide, die, indem sie an Wachsthum zunimmt, sich sowohl in- als auswendig mit mehrern Lamellen überkleidet, welche anfangs blättrig übereinander liegen, zuletzt aber als ein festes Elfenbein zusammen verbunden werden (ebda 132). Ausgesuchte Elfenbeinarbeiten* hatte Goethe 1787 in *Catania in der Sammlung *Biscari gesehen *(I/31, 189);* das *Elfenbeinschwarz des *Apelles war ihm aus der Malerei bekannt *(II/3, 86; 91).* 1798 schrieb Goethe die *Betrachtungen über* seine eigene, an JChr*Loder weitergeschenkte *Sammlung kranken Elfenbeins (II/12, 127 bis 137),* mehr denn zwanzig Stücke... *in gar schöner Folge (I/35, 80): Für die pathalogische Knochenlehre* sind *die Wirkungen der Natur in den Elephantenzähnen merkwürdig (II/12, 127;* vgl. II/13, 23f.; *Dölitz).   Sl*

Elgersburg, ein zu Füßen einer witzlebenschen Burg malerisch gelegenes sachsen-gothaisches Dorf mit (1815) 430 Einwohnern, besuchte Goethe von *Ilmenau aus mehrfach, erstmals am 4. V. 1776 (III/1, 12). Dort entstand am 7. VIII. 1776 für ChvStein das Gedicht *Ach, wie bist du mir,* | *Wie bin ich dir geblieben!* | ... *(I/4, 208).* Goethe liebte den Ort: *Wir waren heute in Elgersburg. Wie wünschte ich daß es deine Wohnung seyn mögte* (an ChvStein 7. VI. 1785: *IV/7, 61).* Burgherr war damals der weimarische Oberhofmarschall FHv*Witzleben, bei dem Goethe am 29. VIII. 1777 zu Mittag speiste (III/1, 45). Den gewaltigen Felsen des nahebei gelegenen Körnbachtals, von denen einer heute den Namen „Goethestein" trägt, galt Goethes besondere Aufmerksamkeit (II/ 13, 361). Er besuchte sie und die dort befindliche Massemühle auch bei seinem ilmenauer Aufenthalt im August 1813 (27. VIII. 1813: III/5, 72) und, begleitet von seinen beiden Enkeln, am 28. VIII. 1831, seinem letzten Geburtstag; damals trug er sich in das Gästebuch der Mühle ein (III/13, 130; Bdm. 4, 392). RV S. 13; 14; 16; 24; 49; 68.   *Hk*

Elgin, Thomas Bruce, 7. Earl of Elgin and Kincardine (1766–1841), der berühmte Griechenlandreisende und Erwerber der nach ihm benannten Sammlung der Elgin Marbles (heute im Britischen Museum) stammte aus hohem Adel Schottlands, studierte in St. Andrews und in Paris, trat 1785 in die Armee ein; 1790 als Peer of Scotland gewählt, wurde er im gleichen Jahr in Sondermission an den Hof in Brüssel gesandt, ging als Gesandter 1795 nach Berlin und 1799 als Botschafter an die Pforte nach Konstantinopel.

Von Sizilien aus, wo ihn Lord *Hamilton in seinem Vorhaben einer Expedition zur Ausgrabung und Erwerbung der Altertümer, namentlich von Athen, bestärkte, traf er die organisatorischen Vorbereitungen zu einer Expedition, bei denen ihm besonders sein Privatsekretär Hamilton, der spätere Unterstaatssekretär und Botschafter sowie Sekretär der *Society of Dilettanti (1830), beistand. 1800 ging die Expedition nach Athen und begann mit einer Arbeit, deren Folgen, zumal die Wirkung der geborgenen *Parthenon-Skulpturen, eine Revolution der allgemeinen Auffassung von antiker Plastik heraufführen sollten, an der der alte Goethe und die *WKF in lebhaftester Weise Anteil nahmen. 1816 erschien das Foliowerk E.s „The Elgin Marbles from the temple of Minerva at Athens", das Carl August für die weimarer Bibliothek anschaffte, hierzu Goethes Rückäußerung erbittend, die dieser in einem Brief vom 23. V. 1817 (IV/28, 96f.; 390f.; *Elgin Marbles: I/49¹¹, 21f.*) übersandte (vgl. auch Brief an *Vogel einen Monat später IV/28, 139ff.; *Elginische Marmore: I/49¹¹, 23f.*). Die deutsche Ausgabe der Denkschrift Hamiltons über Lord E.s Erwerbungen in Griechenland (engl. 1811; ²1815), von *Böttiger 1817 besorgt, statten die WKF mit Anmerkungen aus. Ehe die Sammlung Lord E.s nach London kam und 1816 durch Beschluß des House of Commons vom Staat erworben wurde, hatte sie mannigfache Schicksale erfahren. Die bereits vom französischen Gesandten Choiseul Gouffier gemachten Funde vom Parthenon gingen in E.s Sammlung über.　　　　　　　　　　　　　　　*Hm*

Wegner S. 37 ff. – Grumach 494–509. – Stark S. 255 f. – AHSmith: Lord Elgin and his collection. In: Journal of Hellenic Studies 36 (1916), S. 163–372. – IGennadios: Lord Elgin (griechisch). Athen 1930.

Elie de Beaumont, Jean Baptiste Armand Louis Leonce (1798–1874), ging 1819 zum Studium des Bergbaus an die École des Mines in Paris, machte 1822 eine Studienreise nach Großbritannien, wurde 1827 Professor an der École des Mines, 1835 Generalinspektor der Bergwerke und später Leiter der geologischen Landesaufnahme, nachdem er schon 1825 bis 1840 gemeinsam mit PADufrénoy eine geologische Karte von Frankreich gemacht hatte. E. war Anhänger des *Vulkanismus und hat diesen durch Begründung der Kontraktionstheorie weitergeführt. Er war der erste, der durch Überlagerung ungestörter über gestörte Schichten (Diskordanzen) die Gebirgsbildungen zeitlich festlegte und erkannte, daß es im Verlauf der Erdgeschichte mehrere Gebirgsbildungen gegeben habe, die

selber nur sehr kurzdauernde Katastrophen gewesen sein sollen, im Gegensatz zu den längeren Ruheperioden dazwischen. Die Gebirgsbildungen sind nach E. Folge des Zusammenbruchs der Erdkruste über dem durch Abkühlung schrumpfenden Erdkern. Die von ihm entwickelte Kontraktionstheorie hat nahezu hundert Jahre lang die geologische Theorienbildung beherrscht. – E. hat die Grundgedanken seiner Theorie schon 1829 entwickelt. Goethe hat diese kennengelernt, wonach *dieses Heben und Schieben nicht auf einmal, sondern in vier Epochen geschehen;* er sah in ihr eine Vervielfachung des Vulkanismus, lehnte sie daher schroff ab. *Ich aber leugne nicht, daß es mir gerade vorkommt, als wenn irgend ein christlicher Bischof einige Wedams für kanonische Bücher erklären wollte (NS 2, 394;* vgl. IV/47, 155). Die vorgefaßte Meinung gegen Lv*Buch hat Goethe hier einen fruchtbaren Forschungsansatz ablehnen lassen.　　　　　　　　　　　　　　　*Bn*

EdBeaumont: Extrait d'une série de recherches sur quelques-unes des Révolutions de la surface du globe. In: Annales des sciences naturelles. Bd 18 und 19. 1827 f.

Elkan, 1) Jakob (ca 1742–1805), jüdischer Kaufmann in Weimar, 1770 zum Hofjuden, 1790 zum Hoffaktor ernannt. Goethe bezeichnete ihn 1783 als *Colporteur,* durch den Nachrichten über die Liebesaffaire des Prinzen *Constantin mit N*Darsaincourt *auf der breiten Strase in's Publikum* gekommen seien *(IV/6, 130f.).* Als Goethe Anfang Januar 1797 in Leipzig eine Kette für Christiane kaufen wollte, nahm er E.s Dienste in Anspruch. *Ich erwarte eben den Juden Elkan, der mir Ketten bringen wird und überhaupt sehr geschäftig ist. ... Der Jude hat mir, als ein wahrer Jude, abscheuliche alte Ketten gebracht und ich will, wenn ich [aus Dessau] wieder nach Leipzig komme, selbst zu Rost gehen, denn wenn ich auch etwas mehr zahlen muß, so habe ich doch dafür auch gewiß etwas gutes, das dir Freude macht (IV/12, 3f.).*

–, 2) Julius (1781–1839), Sohn von 1), Kaufmann und Bankier, erhielt 1833 das Prädikat eines Hofbankiers. Besorgte von 1810–19 mehrfach, seit 1822 in zunehmendem Maße Goethes Geldgeschäfte und wird in den Briefen und Tagebüchern der Jahre 1822–32 oft erwähnt. Aus den Jahren 1827–32 sind zahlreiche Briefe Goethes an ihn in solchen Angelegenheiten erhalten (III/8–12, IV/42–49).

–, 3) Johanna (geb. 1807), Tochter von 2). Am 1. IX. 1827 bestätigte Goethe den Eingang eines Briefes von *Zelter, der ihm *durch die artige Jüdin* überbracht worden sei *(IV/43,*

45). Sie heiratete 1834 den berliner Verlagsbuchhändler Moritz Veit.   *Hk*

Ellwangen, württembergisches Städtchen an der *Jagst mit Stift und Schloß, erreichte Goethe am 3. XI. 1797 auf der Rückkehr aus der *Schweiz, blieb dort zur Nacht und fuhr am nächsten Morgen weiter. Im Tagebuch erwähnte er das Schloß (ursprünglich Burg des 12./13. Jahrhunderts, dann Renaissancebau, im 18. Jahrhundert zum größten Teil barock umgestaltet) und *die Wallfahrt den schönen Berg* dh. die Wallfahrtskirche auf dem Schönenberg, eine 1682 im sog. vorarlberger Bauschema in der Hauptsache von Michael und Christian Thumb errichtete berühmte Barockkirche mit dem 1749 nach dem Plan von Balthasar Neumann errichteten Seminargebäude *(III/2, 191).* RV S. 35.   *Wt*

Elpenor. Goethe entwarf im August (11.; 19.) 1781 (III/1, 130f.) nach einer Erzählung (Antiope/Lykos) des augusteischen Grammatikers *Hygin (Ruppert Nr 1396) und unter Verwendung von homerischen Namen (Odyssee X) sowie von pindarischen Oden-Motiven, auch von chinesischen Anregungen (? Sp. 1633) ein *Drama, das chronologisch wie thematisch in die Nachbarschaft der *Iphigenie* und des *Tasso* gehört. Im März 1783 (IV/6, 131; 133; 135) berichtete er über Wiederaufnahme der Gestaltungsarbeit, die einen ersten Aufzug (6 Auftritte) und einen zweiten Aufzug (3 Auftritte) „in der sogenannten poetischen Prosa" (FWRiemer) hervorbrachte, dann aber stockte, ohne daß man einen sicheren *Bauplan* zu erkennen oder den Grad der Vollendung des Vorliegenden eindeutig zu erkennen vermöchte. Diesen *Ur-Elpenor* hat IHakemeyer 1949 rekonstruiert. JGHerder und FWRiemer (1806) hatten den authentischen Charakter des Fragments durch eine nicht nur formal-sprachliche Redaktion verdeckt. Die Hauptgestalt *Elpenor* ist eine Art von männlichem Pendant zu *Iphigenie,* zugleich aber auch ein Halbbruder *Tassos.* Das Thema ist der Konflikt zwischen der angelobten Pflicht zur Rache und der eingeborenen Pflicht zum Ausgleich, vielleicht auch schon wirksam genug der Konflikt zwischen der Unbedingtheit des Idealen und der Bedingtheit des Realen in der menschlichen Existenz – ein doppelter Konflikt, für dessen Lösung die Form *morphologisch* noch nicht ausgereift sein, das *Elpenor*-Drama zwischen *Iphigenie* (1779/86) und *Tasso* (1780/87) eine solche vermittelnde, dh. zwittrige Form vielleicht überhaupt nicht entwickeln konnte: *es mag ein Beyspiel eines unglaublichen Ver-*

greifens im Stoffe, und weiß Gott für was noch anders ein warnendes Beyspiel seyn (24. VI. 1798: *IV/13, 194).* Selbst Schiller hatte nicht so streng geurteilt (vgl. IV/13, 195f.).   *So* IHakemeyer: Elpenor. Herausgegeben und kritisch eingeleitet. 1949. – JKunz: Elpenor. In: HbgA 5, S. 309–331; 514 (Bibliographie).

Elsaß, die Landschaft zwischen *Rhein und *Vogesen, der *Schweiz und der *Pfalz, die französischen Departements Haut-Rhin und Bas-Rhin. – Für Goethes Darstellung seines Aufenthaltes im E. ist das politisch-kulturelle Verhältnis des letzteren zu Frankreich und Deutschland von Bedeutung. Durch den Westfälischen Frieden war das E. an Frankreich abgetreten, waren aber auch die Reichsrechte aller unmittelbaren Stände im E. anerkannt worden; in widersprüchlichster Weise sollte jedoch durch alle besonderen Bestimmungen dem eingeräumten vollen Souveränitätsrechte der französischen Krone nichts entzogen werden. Ein Menschenalter lang traf Frankreich zwischen Rhein und Vogesen auf Schwierigkeiten und griff, besonders gegen die Reichsstädte und unter ihnen *Straßburg zu Maßnahmen, die auch von der französischen Geschichtsschreibung als Mißbrauch der überlegenen Kraft gekennzeichnet werden. Da Versailles nach einigen drakonischen und erfolglosen Versuchen im 17. Jahrhundert die deutschen – alemannisch-fränkischen – Gebräuche und Sprachverhältnisse unangetastet ließ, die früheren Herrschaften und Einrichtungen bestehen blieben, Verwaltung und Rechtspflege zufriedenstellend arbeiteten, der Wohlstand sich hob, da auch der Kaiser 1710 die günstigste Gelegenheit, das ganze E. samt Straßburg zurückzugewinnen, leichten Herzens abwies (Lorenz-Scherer), begann die Zeit, wo Frankreich und das E. friedlich nebeneinander, wenn auch nicht miteinander lebten. Tatsächlich machte die „Assimilierung des deutschen Landes unbedingte Fortschritte...", ging die politische Anhänglichkeit an Deutschland ... rasch verloren" (ebda). Zur Zeit der ungeheuersten Niederlagen Frankreichs „war von einer Frankreich feindlichen Haltung des E.es nichts zu spüren...", während in der Franche-Comté Unruhen ausbrachen" (ebda). Der Traditionalismus in Sprache und Gebräuchen darf nur in einigen Kreisen als Ausdruck eines Irredentismus aufgefaßt werden. Das Gefühl einer Bindung an Frankreich, die nicht mehr als das Ergebnis eines Zwanges empfunden wurde, war vorhanden. „Das E. gehört politisch zu Frankreich, ist als deutsches Land durch Frankreich beherrscht und mit dieser Beherrschung im Allgemeinen zufrieden"

(Wackernagel). Aber nichts erlaubt, im E. französisches Nationalgefühl, französischen Patriotismus zu suchen. Man muß von wohlverstandenem Interesse, kann vielleicht von einem gewissen Gefühl der Geborgenheit, der Dankbarkeit sprechen, auch, wie bei *Schöpflin, von Loyalismus der Dynastie gegenüber. Französisches Nationalgefühl im E. wird erst sein das Werk der Revolution und des Kaiserreichs.

Nichts besagt, daß Goethe bei seiner Ankunft im E. irgendein Interesse für die dortige deutsch-französische Auseinandersetzung hat. Die Absicht Goethes, sich in Straßburg im Französischen weiter auszubilden, drängt eher den Schluß auf, daß er die politische Zugehörigkeit des E.es zu Frankreich als etwas Gegebenes ohne weiteres hinnimmt. Im E. selbst kann er wahrnehmen, daß die Eigenart der Elsässer unter keinem französischen Druck zu leiden hat, daß die *liebevolle Anhänglichkeit an alte Verfassung, Sitte, Sprache, Tracht (I/28, 55)*, daß das Singen deutscher *Volkslieder durch alte *Müttergens (Morris 2, 110)* keinerlei Unannehmlichkeiten nach sich zieht. Daß er aber in den kritischen Äußerungen der Elsässer über die *französische* damalige *Verfassung* mehr als ein innenpolitisches Phänomen, im Friedrich-Kultus *(I/28, 56)*, den doch auch Frankfurt und Paris kannten, mehr als unpolitische Heldenverehrung erblickt, daß er hier wie dort einen elsässischen Wunsch nach Wiedervereinigung mit dem Deutschen Reich wiedergeben will und diesen Wunsch teilt, ist angesichts des fast schmerzlichen Satzes, *der Überwundene ... verliere ... nothgedrungen ... die Hälfte seines Daseins (I/28, 55)* kaum zu bezweifeln. Anderseits stellt Goethe fest, daß unter den Elsässern *auch mancher zu gallischer Sprache und Sitte hinneigte (ebda)*. Zum „Irredentisten", als der er hier erscheint, dürfte Goethe jedoch kaum während seines elsässischen Aufenthaltes geworden sein, trotz der herderschen Lehre vom Nationalcharakter und des kaum etwas später geäußerten patriotischen Heimwehs nach dem Glanz eines starken Deutschen Reiches (1771: *Geschichte Gottfriedens...*: I/39, 117). In *DuW* ist zur Verdeutlichung einer entscheidenden Entwicklungsphase (hier Spalte 1834) „die straßburger Zeit und die Loslösung vom französischen Einfluß offensichtlich bewußter gedeutet, als es gleichzeitig der Fall war, und das straßburger Erlebnis offensichtlich idealisiert" (W Mommsen) und der „Irredentismus" durch die Erbitterung über den napoleonischen Druck auf Deutschland erzeugt (RMMeyer,

JubA. 23, 330). Doch nimmt der Rezensent von GD*Arnolds „Pfingstmontag" eine andere Stellung ein; er betont, daß im E. *deutsche Cultur und ... Sitten überwiegend* sind (vgl. auch *Lerse, *Salzmann, *Schweighäuser), aber auch, daß der Elsässer *im politischen Sinn sich gern als Franzose betrachtet;* Goethe irrt nur, wenn er diese Haltung lediglich durch ein Negativum erklärt – Abneigung gegen die *germanische Zerstücklung* –, da doch weitgehend ein Positivum vorliegt und wirkt: die Bejahung französischer Revolutionsideen nach deren Abklärung, Goethes *französische Superstitionen* (1821: *I/41[1], 243)*. Bereits 1798 hatte ein Sonderfall (*Schweighäuser) ihm elsässische Bindung an Frankreich gezeigt, ihm auch einen Hinweis geben können, daß die im *Mädchen von Oberkirch* (1795/96: *I/18, 77–92)* dargestellte frankreichfeindliche Reaktion, wie die Terrorperiode sie hervorgerufen hatte, im Abnehmen, wenn nicht im Verschwinden war.

Die Berührung zwischen Frankreich und dem E. beobachtet Goethe in allererster Linie in Straßburg. Die Stadt ist mit ihren gesellschaftlichen, intellektuellen und politischen Betätigungen praktisch der einzige Schauplatz, auf dem die zwei geistigen Welten sich begegnen. Doch liegt hier nicht das ausschließliche soziologisch-psychologische Erlebnis Goethes im E. als solchem. Hinzu kommt die Einführung Goethes in diesem noch unbekannte oder wenig bekannte soziale Lebensgestaltungen. Nach *Frankfurt und *Leipzig, den verhältnismäßig großen Städten, zeigen ihm hier Dörfer wie *Sesenheim, *Drusenheim, *Wanzenau ländlich-bäuerliche Daseinsweise; Städte wie etwa *Zabern, *Schlettstadt, *Ensisheim, *Bockenheim lassen ihn eine halbländliche oder dem Ländlichen noch fühlbar verbundene Existenz von außen sehen; in *Buchsweiler wird er in eine solche eingeführt. So lernt er nach den bürgerlichen, professoralen und studentischen Menschentypen, wie Straßburg sie ihm bietet, noch einen anders gestalteten elsässischen Menschenschlag kennen; er fühlt auch an diesem das Offene und Lebensfreudige, wie es sich in Tanz (I/28, 22), Familienfesten oder gern zu Festen umgestalteten besonderen Gelegenheiten (ebda 33), Gastfreundlichkeit (I/27, 326; 346f.; I/28, 29) kundtut. Als Gast, dem man nur Angenehmes zeigt und der überhaupt kaum in die tiefer liegenden Verhältnisse der Umwelt blickt, in die er eintritt, sind ihm damals die weniger erfreulichen Seiten des elsässischen Charakters wohl entgangen, wie er sie in Arnolds „Pfingstmontag" geschildert finden, in seiner eigenen Besprechung aber milde übergehen wird, vielleicht im Gedanken an den hohen menschlichen Wert eines Salzmann, Lerse, Arnold und mancher andern.

Vom E. kennt Goethe genauer nur die Gegend bei Straßburg, Wanzenau, Drusenheim, *Dalhunden, dh. diejenige, die er durchqueren muß, um nach Sesenheim, dem Wohnort F*Brions, zu gelangen, oder die er von dort aus durchstreifen kann. Im Juni 1770 berührt er, von Straßburg ausgehend, Wasselnheim (Wasselonne), Zabern, Hattmatt, Imbsheim, *Buchsweiler, Obersulzbach, *Lützelstein, *Niederbronn (und die *Wasenburg), *Reichshofen, *Niedermodern, *Hagenau. (Bei Zabern kommt er durch das lothringische *Pfalzburg, zwischen Lützelstein und Reichshofen durch die ebenfalls in *Lothringen gelegenen Ortschaften *Bockenheim, *Neusaarwerden, *Saaralbe(n), *Saargemünd, *Bitsch und, nördlich davon, *Saarbrücken). Die Vogesen überschreitet er auf der *Zaberner Steige, dann auf der Linie Lützelstein-Bockenheim, zuletzt den *Hornbach und das *Bärenthal entlang. Was er sieht, ist mittleres und nördliches Unter-E., dh. Flachland und ziemlich niedriges bewaldetes Mittelgebirge, ein Gebiet, über welches ihm der *Bastberg eine wenigstens teilweise, charakteristische Überschau gestattet. Dieses Bild wird für Goethe vom straßburger Münster aus nach Süden und Westen ergänzt (I/27, 229 f.). Im südlicheren und südlichen Unter-E. und im Ober-E. kennt er *Molsheim, Schlettstadt, *Colmar, Ensisheim und den Odilienberg (*Ottilienberg). Die Besteigung des letzteren zeigt ihm eine mächtigere Berglandschaft und eine Ebene, die sich farbiger, man möchte sagen kraft- und lebensvoller darbietet, als vom Bastberg oder Münster aus. *Manche angenehme Fahrt nach dem oberen Elsaß (I/28, 78)* rückt ihm dann die strenge, fast gewaltige Wand der Hochvogesen vors Auge. So erfaßt er alle wesentlichen Züge der elsässischen Landschaft, die ihm durch den Vergleich mit Lothringen noch deutlicher werden: die drängende Kraft eines fruchtbaren Bodens, das Gemisch von Sanftheit und Stärke eines bewaldeten Mittelgebirges, die Ausblicke in eine Ferne mit klaren, festen Linien und entschiedenen Farben. Goethe hat zwar einen gewissen Sinn für Berge und Waldungen, wie die Wahl des Weges durch das Bärenthal und wie die Landschaft in *Willkommen und Abschied* (1771: I/1, 384; 68 f.) es bezeugen; doch

hat das Gebirge noch keine wirkliche Anziehungskraft für ihn. Es ist bezeichnend, daß sein Bericht über die Besteigung des Odilienberges nichts von den imposanten Bergformen sagt, sondern Aufmerksamkeit und Bewunderung nur für die Aussicht in die Ebene zeigt. Auch ist es die *herrliche Ebne* – die beiden Worte brechen in der *Dritten Wallfahrt nach Erwins Grabe* (1775: I/37, 324) wie das Liebesgeständnis und die Danksagung einer überwältigt bebenden und doch zum Wirken gesammelten und bereiten Seele hervor –, ist es die Ebene mit den Vogesen und dem Schwarzwald als bloßem Hintergrund (I/28, 31 und I/1, 72 f.), welche das entscheidende Landschaftserlebnis Goethes im E. ist; denn hier spürt er das Leben einer *reichen Erde* unter sich, sieht das Formen- und Farbenspiel am Himmel über sich *(I/28, 31)* und lockende fast unbegrenzte Weite an sich (I/28, 80); hier kann seine eigene Lebenskraft, die auf einem ihrer optimistischsten, extrovertiertesten, expansivsten Gipfelpunkte steht, und der die Aspekte einer Gebirgslandschaft nicht entsprechen würden, ein erfaßbares Symbol entdecken; hier ist Entsprechung, Gleichklang, mit anderen Worten Bestätigung des eigenen Wesens. Nicht nur der Dank eines durch sinnenhafte Schönheit beglückten Auges, auch der Dank eines in seiner körperlich-seelischen Gesamtheit und in seinem metaphysischen Drang überreich beschenkten Menschen schwingt in Goethes Worten über das *herrliche Elsaß (I/28, 79)*, das elsässische *Paradies (I/27, 230)*. Die elsässische Landschaft trägt dazu bei, Goethes pandynamistische Naturvergottung zum Durchbruch und zum künstlerischen Ausdruck kommen zu lassen, bedeutet den wahren Beginn von Goethes ewiger Hochzeit mit der natürlichen Welt und ihren Wundern. Diese Landschaft ist für ihn lebenerneuernd, lebenzeugend in einem solchen Maße, daß er sein *Mailied (I/1, 72 f.)* dichtet, einen Aufstieg, dem er ähnlich Beglücktes und Beschwingtes nur in den *Römischen *Elegien – Welche Seligkeit ward mir Sterblichem! (I/1, 242)* – und im *West-östlichen Divan – Ist's nicht der Mantel noch gesäter Sterne? (I/6, 180)* – gegenüberstellen wird; daß er, vor der *Italienischen Reise und den leuchtenden Tagen am Rhein, Main und Neckar 1814 und 1815, im E. seine erste *Hegire* (1814: I/6, 5) feiert (*Straßburg, Schluß).

Will man umschreiben, was Goethe seinem Aufenthalt im E. schuldig wurde, so muß das bisher Dargestellte durch die Ausführungen über FBrion und Straßburg ergänzt werden. Es ergibt sich dann Folgendes: Im E. beflügelte die Liebe Goethe, für eine Zeit wenigstens, wie nie zuvor. Über diese seelische Auflockerung, Ausweitung, Befruchtung hinaus brach seine geistige Persönlichkeit in ihrem ganzen Umfang und ihrer ganzen Tiefe auf. Die Anfänge der wahren Entfaltung Goethes fallen in die elsässer Monate; hier fand er den Mut und die Kraft, er selbst zu sein; er entdeckte, anders gesagt, die Grundlage jeder authentischen Schöpfung, handele es sich um das Kunstwerk oder die Lebensgestaltung. In geistesgeschichtlichen Kategorien heißt das, daß er mit der unfruchtbar, weil allzu eng gewordenen rationalistisch-klassizistischen, übernational gerichteten Tradition brach – wenn auch nicht vollständig und endgültig mit deren an sich wertvollen Prinzipien –, die Geburt seiner großen Lyrik sah, entschiedener und kraftvoller als bisher den Weg betrat, der ihn zur Naturvergottung führen sollte. Bei allen diesen Erlebnissen und Ergebnissen ist jedoch zu untersuchen, inwiefern sie nur im E. möglich werden konnten, Gaben des E.es an sich waren. Das Liebeserlebnis: FBrion darf wohl, trotz ihrer teilweise normannischen Abstammung (JJ*Brion), als vollgültige Elsässerin angesehen werden; die Umwelt hat sie zweifellos in ganz elsässischem Sinne geformt. Gleichwohl ist es nicht aufrechtzuerhalten, daß die Liebe, wie sie sich zwischen ihr und Goethe entwickelte, nur mit einer elsässischen Partnerin diese bestimmte Gestalt annehmen konnte; lernte doch vier Jahre nach Sesenheim Goethe bei Heidelberg ein junges Mädchen kennen, das *Friederiken ... ähnelte* und dazu beitrug, die Erinnerung an das E. wieder wachzurufen *(I/29, 187)*. Dann: wenn Goethe im E. die Befreiung und neue Richtungnahme seiner urteilenden und schöpferischen Kräfte erlebte, so verdankte er es nur in sehr geringem Maße geistigen Anregungen, die dem E. zugerechnet werden dürfen. *Herder, der große Initiator, war nicht Elsässer, und ohne ihn hätte Goethe in Straßburg wie im E. überhaupt, bei Elsässern so gut wie bei Franzosen, nur die traditionalistischen Tendenzen der Zeit angetroffen. Zwei geistesgeschichtliche Erfahrungen waren allerdings nur im E. möglich: die Auseinandersetzung zwischen deutschem und französischem Wesen und das Münster, dem, als einzigem Dombau in Europa, ein *himmelan strebender Thurn* – Appell an Goethes durchbrechenden Sturm und Drang – zugleich mit den *Maßverhältnissen* (1775: *I/37, 324*) einer großen und großgegliederten Fassade – Appell an Goethes unbewußte Klassik – eigen ist. Was, auf anderer Ebene, die Wirkung betrifft, die von der elsässischen Landschaft ausging, so wäre sie bis zu einem gewissen Grade zwar auch in anderen Gegenden denkbar, wie denn später *in dem schönen Rhein- und Neckar-Thale ... alle die elsassischen Gefühle* in Goethe wiederaufleben sollten (für 1775: *I/29, 187*). Aber nur zwischen Rhein und Vogesen war es möglich, daß Goethe eine so drängend fruchtreiche und gleichzeitig so machtvoll einladende Weite (*Iphigenie,* Vers 1363f.) fand, und nur für diese konnte mit der vom Schwung seiner eigenen Entwicklung gewollten Schnelligkeit und Energie das Ihrige dazu beitragen, ihn zu einem neuen Lebens- und Naturgefühl, einer religiös durchbebten und gehobenen Offenheit und Hingabe angesichts des Kosmischen zu leiten. [Drei Jahre später wird diese sich, in unvergänglicher lyrischer Sprachwerdung, *vom Gebirg' zum Gebirg' ..., ewigen Lebens ahndevoll* (1774: *I/2, 65*) über eine ideale Landschaft hin ausströmen, die vielleicht ein unbewußtes Nachbild der Landschaft zu Füßen des Odilienberges ist.] Und in dieser Landschaft, durch diese Landschaft empfing Goethe das im reinsten und tiefsten Sinne elsässische seiner elsässischen Erlebnisse, die Begegnung mit dem Wesen des E.es in vollkommenster Erscheinung, als einer in Schönheit zwischen Milde und Kraft ausgewogenen, auch durch die stets fühlbare Gegenwart des Menschen auf menschliches Maß gebrachten vitalen Dynamik. Einige Sätze, wohl die liebendsten und leuchtendsten, die der elsässischen Landschaft gewidmet worden sind, sprechen dies 1779 (I/V 4, 65) aus.

Nach seiner Abreise blieb Goethe mit dem E. nur durch Straßburg verbunden, wenn man von dem kurzen Besuch in Sesenheim 1779 absieht (FBrion). Wie lebendig aber die Erinnerung an das ganze E. weiterbestand, erhellt aus dem *Mädchen von Oberkirch,* den *Unterhaltungen deutscher Ausgewanderten,* dem ganzen Charakter der Darstellung in *DuW* (I/27, 229–28, 84) und aus der Besprechung von Arnolds „Pfingstmontag". Mündlichen Bericht über die Revolutionszeit im E. konnte ihm ua. „eine weimarer Hofdame" geben, „Adelaide von Walden, die Cousine einer Frau von Oberkirch, die mit ihrer Tochter im E. lebte und in den Tagen der Revolution 1789 oder 1790 viel Leid erfuhr"; zweifellos ist hier ua. auch GDArnold als Quelle zu nennen; über die Prüfungen E*Schönemanns

68*

in jenen Jahren war Goethe ebenfalls unterrichtet. – Beziehungen Goethes zu elsässer Persönlichkeiten. April 1770 bis August 1771: Der engere Freundes- und Bekanntenkreis: Brion; *Ehrmann; JC*Engelbach; ChrW *Koch; L*König; *Lauth; FChr*Lerse; JFr *Lobstein; JJ*Oberlin; JD*Salzmann; JR *Spielmann; FL*Weyland; entfernterer Bekanntenkreis: *B.; PhBrunck (1729–1803, bedeutender Hellenist, vgl. ADB und vLoeper in HA 22, 285); I*Haffner; JC*Hebeisen; GK *Pfeffel; vRathsamhausen (vLoeper, aaO); *Reißeisen; FR Salzmann (ein Vetter JDSalzmanns, in Goethes Alter stehend, Jurist, 1773 Lizentiat, 1774 Hofmeister des Reichsfreiherrn Karl vom und zum *Stein während dessen Studienzeit in Göttingen, ebda); J*Schweighäuser; „Frau Doktor Siebold"(FRSalzmanns Schwester, ebda); JA*Silbermann; eine doppelte Sonderstellung nimmt JD*Schöpflin ein: als *im Baden'schen geboren* war er „Wahlelsässer" und wirkte auf Goethe *auch ohne nähere Berührung ... bedeutend* ein *(I/28, 45).* Nach August 1771: Unmittelbare Kontakte: 1772 IHaffner (?); 1773 *Wunschold; 1774 JL*Blessig; 1775, 1815 JChrEhrmann; 1778 JG*Röderer (?); 1796, 1798 FChrLerse; 1799 bis 1832 PhChr*Weyland; 1803 GDArnold; 1806, 1807, 1816 WJ*Blumenstein (Elsässer?); 1806, 1807 (?), 1821, 1829 Kv*Türckheim; 1808 B*Zix; 1813 *Gesandtschaftssecretär* *Schwebel (Elsässer? *III/5, 29*); 1828 Rauter (straßburger Universitätsprofessor, Jurist von Arnold empfohlen besucht er Goethe: GoetheJb. 13, 82f.); 1829 *Renouard de Bussières (Nichtelsässer mit verwandtschaftlichen Beziehungen im E.); 1830 *ein ungenannter Elsasser zeigte das Modell einer Dampfmaschine vor (III/12, 235); der Begleiter des französischen Gesandten, Gauthier, ein Elsasser (ebda 306);* mit den 1806 bei ihm einquartierten elsässischen Kavalleristen, die sich gut betrugen und deren einer Marodeure von Goethes Haus zu entfernen suchte, scheint Goethe nicht in Berührung gekommen zu sein (weimarische Berichte, nach Riemer). Briefliche Verbindungen mit dem E.: 1771, 1779 FBrion; 1771–1774 (und etwas später?) JDSalzmann; 1771–1773 JGRöderer; 1772, 1798 FChrLerse; 1798 JGSchweighäuser; 1801, 1808 E Schönemann/vTürckheim; 1812–1819 JChr Ehrmann dJ.; 1822, 1828 GDArnold; 1826 ChrM*Engelhardt. Trotz so seltener mittel- oder unmittelbarer Kontakte mit Vertretern des E.es blieb die seelische Bindung an das E. lebendig, und lebte das, was es für ihn noch immer bedeutete, bis in Goethes höchstes Alter fort (1828: IV/

43, 227). Im Herbst 1829 entlieh er noch MPhA de Golbérys soeben erschienene „Antiquités de l'Alsace ou châteaux, églises et autres monuments des départements du Haut et du Bas Rhin" (Keudell Nr 2033). *Fu*

OLorenz-WScherer: Geschichte des Elsasses. ³1886. – RERuss: Histoire de l'Alsace. 1912. – RWackernagel: Geschichte des Elsasses. 1919. – WMommsen: Die politischen Anschauungen Goethes. 1948. – Weimarische Berichte aus den Freiheitskriegen 1806 bis 1815. 1913.

Elsheimer, Adam (1578–1610), Historien- und Landschaftsmaler aus *Frankfurt a. M., gebildet unter dem Einfluß der von Gillis van Coninxloo (1544–1607) ins Leben gerufenen Schule von Frankenthal/Pfalz, ging 1600 nach Rom, wo er mit *Rubens eine langjährige Freundschaft schloß und wie dieser in den Wirkungsbereich *Caravaggios geriet. Seinen Landschaftsbildern eignet die schöne Ruhe der römischen Campagna-Landschaft, gestaltet mit deutschem Naturgefühl. Damit verbindet er die naturnahen, menschlich-idyllischen Szenen des Alten und Neuen Testament sowie Motive der antiken Literatur. E. leitet die Entwicklung der idealen Landschaft des 17. Jahrhunderts ein, die mit den *Carracci, vor allem aber mit *Poussin und Claude *Lorrain zur Vollendung geführt wurde.

In dieser wichtigen entwicklungsgeschichtlichen Stellung wurde er schon im 17. Jahrhundert von *Sandrart gesehen. Goethes frühe Neigung zu E. (IV/3, 206) beruht wohl auf seinem an den *Niederländern des 17. Jahrhunderts gebildeten Kunstgeschmack, der noch in die achtziger Jahre reicht, *obgleich meine Augen sich in der Kunst und in manchem aufgeklärt haben.* Doch *die Elsheimer... sind mir noch so schön, und noch von so viel Werth als ehmals* (1781: *IV/5, 31*). Diese Schätzung hatte schon 1775 die köstliche Interpretation des *goudtschen Stiches von 1612 nach dem in Dresden befindlichen, Goethe also wohl bekannten Gemälde mit Philemon und Baucis hervorgerufen, die in einer Fußnote zu dem *Falconet-Aufsatz steht: An der Wand der gastfreundlichen Hütte der beiden Alten sieht Jupiter einen Holzschnitt mit einem seiner Liebesabenteuer. *Wenn so ein Zug nicht mehr werth ist, als ein ganzes Zeughaus wahrhafter antiker Nachtgeschirre, so will ich alles Denken, Dichten, Trachten und Schreiben aufgeben (I/37, 321).* Goethes frühes lebensbezogenes und nicht antiquarisch-gelehrsames Antikenverständnis wird damit deutlich. Selbst in die Szene von *Faust II, 5* (I/15¹, 290f.) mag sich eine Erinnerung an dieses Bild des einfachen Menschendaseins verborgen haben (vgl. Bdm. 4, 373f.). Erst später taucht der Name

E. bei Goethe wieder auf. 1810 fand JH*Meyer das dresdener Gemälde mit der Flucht nach Ägypten *artig* und bezweifelte seine Echtheit (Kat.Nr 1978), 1820 meldet Goethe *mit Vergnügen* den Erwerb von Reproduktionen nach Hauptwerken E.s auf einer leipziger Auktion *(IV/33, 233)*. Unter ihnen war wohl auch die Nachbildung der in Braunschweig befindlichen Aurora-Darstellung, die Goethe wenige Tage darauf mit einem Gedicht (I/4, 8) der Prinzessin Auguste von *Sachsen-Weimar-Eisenach schenkte (III/7, 228). Merkwürdigerweise wird E. trotzdem nicht in den Entwürfen zur Landschaftsmalerei (1818; 1830; 1831) beachtet (vgl. I/49^{II}, 239–245).   *Lö*

WDrost: Adam Elsheimer und sein Kreis. 1933. – Weizsäcker: Adam E. der Maler von Frankfurt. Als: Jahresgaben des Deutschen Vereins für Kunstwissenschaft. 1936 und 1952.

Elsholtz, Franz von (1791–1872), war nach den Befreiungskriegen, die er als Freiwilliger mitgemacht hatte, 1816 Regierungssekretär in Köln (FAGv*Ende). Nach längeren Reisen in England, Holland und Deutschland war er im Sommer 1823 in *Marienbad, wo er ,,das Glück hatte mit Goethe unter einem Dache zu wohnen und an seinem täglichen Leben Anteil zu nehmen" (Hartmann S. 365). ,,Von den freundlichen Wünschen Goethes begleitet" (Hartmann S. 367), geht er von dort für zwei Jahre nach Italien, kehrt 1825 zurück in seine Vaterstadt *Berlin. Im November 1825 sendet er Goethe das Manuskript seines Lustspiels ,,Die Hofdame" zur Beurteilung. Er versucht darin, ,,das komische Princip weniger in die Personen, als in ihre Lagen und Verhältnisse gegen einander zu legen" (IV/40, 402). Goethe interessiert sich sehr für die Verwechslungskomödie, wohl weniger, weil sie *gut componirt* ist und *die Charaktere entschieden gezeichnet sind (IV/40, 131)* – dieses Lob wird gegen Überschätzung abgesichert durch *ein allgemeines Wort: ein dramatisches Werk zu verfassen, dazu gehört Genie (IV/40, 167)* – sondern weil er *die Absicht...*, *das Lächerliche des Gefühls darzustellen (ebda 130)* und *das Widerspenstige eines solchen Stoffes, das durch Verstand und Anmuth bezwungen werden* muß *(ebda 132)*, mit seinem eigenen frühen Versuch einer Bewältigung dieses *Widerspenstigen* in den *Mitschuldigen* parallelisiert *(IV/40, 131)*. Er gibt E. detaillierte Ratschläge für Verbesserungen vor allem des ersten Aktes (IV/40, 163–167), die E. weitgehend berücksichtigt, doch offenbar ohne damit Goethes Vorstellung restlos zu erfüllen, so daß dieser sich nach genau einem Jahr zurückzieht: ... *daß meine Vorschläge blos consultativ sind (IV/41, 213)*.

E. war inzwischen in München gewesen und hatte für einige Monate die Redaktion der Zeitschrift ,,Eos, Blicke auf Welt und Kunst" übernommen (3. IV.–1. IX. 1826: Nr 51–116, vgl. Goedeke VIII, 587, 5). In der ersten von ihm redigierten Nummer vermittelte er Äußerungen Goethes über die ,,Tagblätter" (GoetheJb. 5, 311f.; vgl. III/10, 184); seine Bitte um gelegentliche Beiträge Goethes scheint indessen wenig Erfolg gehabt zu haben.
Der weitere Kontakt mit E., der von Januar 1827 (? – Goedeke VIII, 584; aber vgl. III/11, 118 u. 153!) bis Oktober 1829 Intendant des gothaer Theaters war, war offenbar nur sehr lose.   *Li*

OHeuer: Goethe und ,,die Hofdame" und Briefwechsel zwischen Goethe und Franz von Elsholtz. In: Jb Hochstift 1, S. 236–265. – GvHartmann: Franz von Elsholtz über Goethe und Ulrike. In: JbHochstift 2, S. 367–373.

Elstermann, Beate (1787 Berlin–1831 Weimar), Schauspielerin, September 1805 – September 1825 in Weimar engagiert, gehörte zu Goethes Schülern. Auf seinen Wunsch trat sie unter dem Namen Elsermann auf, spielte Liebhaberinnen, später Anstandsdamen. Trat 1817 bis 1820 aus Krankheitsgründen nicht auf, gastierte auswärts, nahm 1825 ihre Entlassung.   *EF*

Eltville, Stadt im *Rheingau, sah Goethe zuerst auf seiner Rheinfahrt im Spätsommer 1772 (I/28, 187), dann am 21. VIII. 1792 auf der Fahrt zur Campagne in Frankreich (I/33, 371) und 9. VI. 1793 während der *Partie ins Rheingau (IV/10, 79)*. Am 16./17. VIII. 1814 übernachtete er in der ,,Rose" (IV/25, 19); *Elfeld* regt Goethe an, über die Ursachen nachzudenken, die zur Anlage von Orten führten *(I/34^I, 5;* *Geographie)*; in die Betrachtung eingeschlossen finden sich das benachbarte Erbach und die Eltviller Aue (Rheininsel). RV S. 11; 30f.; 50.   *Gu*

Email/Emailmalerei. E., Schmelzglas, leichtflüssiger, undurchsichtiger Glasfluß, durch Metalloxyde färbbar, der auf Glas, Tonwaren, Metall als schützende Decke oder zur Verzierung dient. Zur E.malerei trägt man die Glasflüsse in gepulvertem, breiig angeriebenem Zustand auf das Grundmaterial auf und brennt sie ein. Die verschiedenen Arten der E.malerei beschreibt Goethe mit B*Cellini: *In Gold und Silber wurden flach erhabene Figuren und Zierrathen gearbeitet, diese alsdann mit wohl geriebenen Emailfarben gemahlt und mit großer Vorsicht in's Feuer gebracht, da denn die Farben wieder als durchsichtiges Glas zusammenschmolzen und der unterliegende metallische Grund zum Vorschein kam (I/44, 322)*. Diese Art wird als Silberschmelz bezeichnet. Sie kam in der Gotik zur Hochform.

Man verband auch diese Art zu arbeiten mit dem Filigran und schmelzte die zwischen den Fäden bleibenden Öffnungen mit verschieden gefärbten Gläsern zu: eine Arbeit, welche sehr große Mühe und Genauigkeit erforderte (ebda). Wahrscheinlich meint Goethe hier den sogenannten Filigranschmelz, besonders im Ungarn des 16. Jahrhunderts ausgebildet, eine Abart des Zellenschmelzes, bei dem die Schmelzfarben durch schmale Metallstreifen (oder Drähte: Drahtemail), die hochkant auf dem Grund aufgelötet, zugleich die Umrisse der Zeichnung bilden, getrennt werden. Der Zellenschmelz blühte vor allem im Byzanz des 10. und 11. Jahrhunderts und verbreitete sich von dort über ganz Europa.

Die älteste und einfachste Art ist der Grubenschmelz, für den aus dicken Kupferplatten Gruben für die einzelnen Glasflüsse herausgestochen werden und die nötigen Stege in der Metalldicke stehen bleiben.

In *KuA* führt Goethe als E.maler auf: in *Köln *den Herrn Domvicarius Hardy..., der, ...vorzüglich... von der bildenden Kunst angezogen Email zu mahlen unternahm, welches ihm auf's glücklichste gelang (I/34^I, 85);* in *Hanau... *vorzüglich Carteret und Berneaud,... auch Fr. Nickel (I/34^I, 147).* – 1827 las er das „Essai sur les Nielles, gravures des orfévres Florentins du 15. siècle" (Paris 1826) von Jean Baptiste Joseph Duchesne (1770–1856): III/11, 66f.; Keudell Nr 1812.   *Li*

Embry, Thomas Artus, Sieur d', französischer Schriftsteller am Anfang des 17. Jahrhunderts, ist der Verfasser von Epigrammen zu *den unglücklichsten Kupferstichen,* die eine im übrigen *mit schätzenswerthen Notizen* (auch von E.?) versehene *französische Übersetzung* von *Philostrats Gemälden illustrierten (Ruppert Nr 1317). Das Werk, von Goethe als Ganzes mit dem Namen E.s verbunden, wird von ihm als Beispiel dafür angeführt, *wie wunderlich man in der Hälfte des siebzehnten Jahrhunderts sich jene rhetorisch beschriebenen Bilder vorgestellt hat (I/49^I, 178; vgl. I/49^II, 212f.).*   *Li*

Embryologie, ein Teil der Ontogenie, der sich mit der Entwicklung des Embryos vom befruchteten Ei bis zum Verlassen der Eihüllen oder bis zur Geburt befaßt. Goethe hatte sich im Zusammenhang mit seinem *Vorschlag zu einem osteologischen Typus (II/8, 269–276)* insofern mit E. befaßt, als er in diesem Aufsatz schreibt, daß *die größte Aufmerksamkeit derjenigen, welche besonders den osteologischen Ty-*

pus ausarbeiten, dahin gerichtet sein muß, daß sie die Knochenabtheilungen auf das schärfste und genauste aufsuchen; es mögen solche an einigen Thierarten in ihrem ausgewachsenen Zustande sich deutlich sehen lassen oder bei andern nur an jüngeren Thieren, vielleicht gar nur an Embryonen, zu erkennen sein (II/8, 269f.; vgl. 25; 316; Pflanzenembryo II/13, 169; *Botanik).*   *Sl*

Emerson, bekannte nordamerikanische Puritaner- und Prediger-Familie. Von der damals jüngeren Generation (fünf Brüder) wurde Goethe für zwei bedeutsam:

–, 1) William, der Älteste der fünf, bereitete sich zunächst auf den Prediger-Beruf seines (unitarischen) Vaters und seiner Vorfahren vor, wurde aber durch mehr und mehr entschiedene Zweifel in Abendmahls-Fragen zum Berufswechsel (Rechtsanwalt) veranlaßt. Inmitten dieser Zweifel machte er eine Europa-Reise, um Abstand zu gewinnen. Am 19. IX. 1824 hat er Goethe in Weimar besucht, konnte aber bezüglich des Tiefgangs seiner Gesinnungsnot nicht überzeugen und empfing nur den abgeklärten Rat, seiner Familie keine Sorge zu bereiten, in dem erwählten Beruf zu bleiben und zu predigen, so gut er es könne (Bdm. 3, 131). Er vermochte diesem Rate jedoch nicht zu folgen.

–, 2) Ralph Waldo (1803–1882), jüngerer Bruder des Vorgenannten, begann wie dieser die Ausbildung zum unitarischen Prediger und beendete sie sogar (1826), scheiterte dann aber ebenfalls an der Abendmahls-Frage und trat von seinem Amte zurück (1833). Schon längst vorher (1824) und ehe er sich einen neuen Wirkungskreis schuf, machte er eine ausgedehnte Europa-Reise, später eine zweite (1850). Aufgrund dieser Reise-Erfahrungen, die ihn in seinen eigenen Denkansätzen bestätigten und förderten, lebte er seinen philosophischen und literarischen Neigungen, die sich zu echter Berufung steigerten. Er bildete sich zu einer der führenden Gründer-Persönlichkeiten in der nordamerikanischen Kultur heran. Als solche entwickelte er bedeutende Rückwirkungen auf die europäischen Verhältnisse (FNietzsche).

Die Übersetzertätigkeit von ST*Coleridge hatte ihm den wohl ersten Hinweis auf Goethe gegeben. 1824 konnte die *Wilhelm-Meister*-Übersetzung Th*Carlyles (*Lehrjahre:* Sp. 1561) noch nicht durchaus förderlich werden. 1825 begann RW mit eigenen deutschen Sprachstudien, 1836 erwarb er Goethes Werke in der Ausgabe letzter Hand sowie die posthum erschienenen Bände. Diesen äußeren Besitz in einen inneren zu verwandeln und als Fundament einer eigenschöpferischen Philosophie wirksam zu machen, war und blieb nunmehr sein energisches Bemühen. Dies gelang ihm in einem noch immer nicht hinlänglich gewürdigten Maße. Er hielt Goethe für „einen vollkommenen Dolmetscher der Welt durch das Mittel der Sprache": „Man möchte meinen, vor ihm habe es noch keine Beobachter der Wirklichkeit gegeben. Seine Liebe zur Natur schien diesem Wort einen ganz neuen Sinn zu geben." Ebendieser Universalismus, ebendiese Universalität – es fällt hier der Ausdruck: „katholisch" – legitimierte RW, Goethe nicht nur als Dichter, sondern als Denker, als Täter, als Erzieher, als Exponenten und Repräsentanten höchster europäischer, menschlicher Menschlichkeit zu ästimieren, in seinem Werk und in seiner Welt die Wurzeln eigener Daseinsdeutung und -führung zu finden und zu entwickeln. Zeugnis dessen sind RW.s zahlreiche Schriften vornehmlich nach 1836, insbesondere seine „Essays" (I, II).　　*Li*

CThomas: Emersons Verhältnis zu Goethe. In: GoetheJb. 24, 132–152. – LLMackall: Briefwechsel zwischen Goethe und Amerikanern. In: GoetheJb. 25, insbesondere 5. 19; 37. – PSakmann: Ralph Waldo Emersons Goethebild. In: JbGGes. 14, 166–190.

Emigration/Emigrierte. Im Gefolge der *Französischen Revolution ist Emigration ein politisch gegründeter Sonderfall von *Auswanderung. Emigrierte waren zunächst Royalisten, die zT. (Prinzen von Geblüt, Hoch- und Hofadel) sofort nach der Einnahme der Bastille, dem ersten Sturmzeichen der Revolution, dann in mehreren Wellen (Landadel, Priester, Offiziere – nach dem Fluchtversuch Ludwigs XVI. –, der Rest des Adels) Frankreich verließen, und zwar allermeistens in der unüberlegten Hoffnung auf die baldige Wiederherstellung der alten Verhältnisse; später emigrierten auch Nichtroyalisten vor den jeweiligen Machthabern. Im Oktober 1792 sprach der Nationalkonvent die lebenslängliche Verbannung, bzw. im Falle der Rückkehr nach Frankreich die Todesstrafe gegen die E.n aus, setzte auch Todesstrafe auf die E.sversuche, ohne diese verhindern zu können. – Ende 1791 bildeten *Koblenz und *Worms Zentren der E. Militärisch betätigte sich diese bis Mitte 1795 (*Valmy: 22000 Mann. Kämpfe in Holland, Belgien, bei Quiberon). Die E.n führten eine fast immer sehr beengte und bedrängte Existenz (bekanntestes Beispiel *Chateaubriand in England, Sp. 1619; ein erschütternder Fall aus Deutschland in einem Brief der Fürstin *Gallitzin an Goethe, vgl. Goethe Jb. 3, 289 ff.). Die Rückkehr setzte zögernd unter dem Direktorium (1795–1799) ein, verstärkte sich unter

*Napoleon, der in der Absicht, alle Kräfte zu benutzen, E.n Stellen in Heer und Verwaltung zuwies, und war 1814/1815 prinzipiell beendet. Die E.n hielten sich nicht für Verräter, wenn sie sich im Dienst des monarchischen Prinzips fremden, mit Frankreich Krieg führenden Herrschern anschlossen; für sie war Frankreich mit dem König identisch, während die Revolutionäre das Vaterland in der Nation erblickten. Nach einem bekannten Wort haben zahlreiche E. in ihrem Exil „nichts gelernt und nichts verlernt". – Infolge des Vordringens der französischen revolutionären Armeen wurden auch Nichtfranzosen zu E.n. Es läßt sich nicht feststellen, ob ein 1790 in *Schlesien angetroffener *Graf Lavalette (I/53, 387)* für Goethe der erste E. war. In sichergestellte Berührungen mit den E.n und deren *gränzenlosem Bestreben,* zwischen *Antwerpen* und *Nizza .... in das Vaterland ... wieder einzuströmen (I/33, 11 f.),* kam Goethe zunächst durch die *Campagne in Frankreich und die *Belagerung von Mainz. In *Mainz erregen bei JFvuz*Stein ... mehrere französische Frauenzimmer* seine *Aufmerksamkeit: die Geliebte des Herzogs von Orleans* (1747–1793, nach Ablegung des Familiennamens der Bourbon Philippe-Égalité genannt; als Anhänger der Revolution 1789 nach England verwiesen, Mitglied des Nationalkonvents, wo er für den Tod des Königs stimmte; durch *Dumouriez kompromittiert, hingerichtet), *eine stattliche Frau, stolzen Betragens ... übrigens im Gespräch mit Schicklichkeit freundlich; deren Tochter ... sprach kein Wort;* Marie-Catherine (geb. Brignole, eine Genueserin, seit 1770 geschiedene) *Fürstin Monaco,* die dem *Prinzen von Condé:* (Louis-Joseph Herzog von Bourbon, 1736–1818; nach Teilnahme schon am Siebenjährigen Krieg Führer der E.n-Armee) nach Worms gefolgt war und Goethe an *Philinen* erinnerte: *Sie schien weder so gespannt noch aufgeregt, als die übrige Gesellschaft, die denn freilich in Hoffnung, Sorgen und Beängstigung lebte ... Der gepreßte Wunsch dieser Personen ward nur noch bänglicher, als sie nicht verbergen konnten, daß sie die schnellste Rückkehr in's Vaterland wünschen mußten, um von den Assignaten, der Erfindung ihrer Feinde, Vortheil ziehen, wohlfeiler und bequemer leben zu können (I/33, 3 f.).* Zwischen *Mainz* und *Bingen* trifft Goethe eine *Dame,* die mit reichlichstem Gepäck – *Kistchen und Schachteln pyramidalisch über einander gethürmt* – dem Gemahl nach *Trier folgt und von da bald möglichst nach Frankreich zu gelangen* wünscht, ohne daß ihr die Verwirklichung ihrer Hoffnungen beschieden sein sollte *(ebda 5–7, 245f)*. Während des Feldzuges selbst wird Marc-Marie *Marquis von Bombelles* (1744–1822; französischer General, dann Diplomat, vor der Revolution Gesandter in Regensburg, Lissabon, *Venedig), *als französischer Gesandter* Goethe von *Venedig* her bekannt, angetroffen; er zeichnet sich durch klaren Blick aus *(ebda 65f.)*. In Louis-Auguste Le Tonnelier, *Baron Breteuil* (1730–1807; Diplomat und Minister, ließ zwar die „Lettres de cachet", die ohne jedes Gerichtsverfahren erlassenen königlichen Verhaftungsbefehle des Ancien régime abschaffen, war aber im übrigen ein Mann des Feudalismus und Absolutismus; seine Ernennung als Minister am 12. VII. 1789 war einer der Gründe, die zum Sturm auf die Bastille führten, begegnet Goethe einem Vertreter des Hochadels und der hohen Beamtenschaft, der gelegentlich der *Halsbandgeschichte* (obwohl auf der Seite der Königin stehend) aus persönlichen Motiven durch *Haß* (gegen den Kardinal Rohan) und *furchtbarste Übereilung* dazu beigetragen hat, das Königtum zu untergraben *(ebda 129)*. Trotz persönlicher Berührung wird Henri-Gaston Marquis von B. (Spalte 514) nicht erwähnt. Über *General Heymann* (*I/33, 60*; Elsässer, Emigrierter in preußischen Diensten, gestorben 1801) kann Goethe durch den Herzog von Weimar einiges erfahren haben. In **Düsseldorf*, das *Emigrirte füllten*, sah Goethe *(ebda 202) die Brüder des Königs:* LSt Graf von Artois (1757–1834, den späteren Karl X.) CPh Graf von Provence (1755–1824, den späteren Ludwig XVIII.), nachdem er bereits von verschiedenen ihrer Erlebnisse, auch von *Unfug, Übermuth und Verschwendung* gehört hat *(ebda 49; 118; 169)*; sie beabsichtigen, in *Westphalen ... ihren Sitz (ebda 205)* zu nehmen. In der gleichen Stadt (und später in *Gotha) begegnet Goethe einmal mehr FM*Grimm, lernt auch *Frau von Bueil*, die von diesem betreute Enkelin der Madame d'Épinay und spätere Schwiegermutter KEv*Bechtolsheims, kennen *(ebda 202)*. Neben solchen Einzelpersönlichkeiten kann er die E.n als Gruppenerscheinung beobachten, wie sie sich als *Reitknechte* oder *Küchengesellen* in ihre Lage zu finden wissen, dabei aber *den innern Widerspruch ihres gegenwärtigen Zustandes ... zur Schau tragen (ebda 10; 63)*. Auch als selbständige Armee werden die E.n erwähnt (ebda 44, 100). Wenngleich Goethe der seelischen Spannkraft der E.n, ihrer Sorge um Haltung und einer gewissen Gewandtheit in schwierigen Lagen (I/33, 10, 63; 132) Gerechtigkeit widerfahren läßt, von einer *ganzen Masse guter Emi-*

grirten spricht *(ebda 138)*, *Männer von Werth und Würde* sowie *alte ehrwürdige..., Theilnahme* verdienende *Damen* bemerkt *(ebda 57; 246)*, auch einen Fall von Bescheidenheit, Anpassung und Ehrlichkeit anführt (ebda 207), so ergibt sich doch, trotz allem *gebührenden Euphemismus* (Sp. 1543 und *I/36, 189*), ein im Prinzip hartes Urteil über diese *Frauenzimmer (I/33, 3)*, Traumverlorenen, *Soldaten, Commissäre, Abenteurer (ebda 206f.)*, ihre Verblendung (ebda 6; 40), Anpassungsunfähigkeit (ebda 206ff.), Selbstsucht (ebda 4; 207), *Rangsucht und Unbescheidenheit (ebda 206)*, Arroganz (ebda 3; 206), ihren Fanatismus (ebda 40; 42f.), ihre Ungehörigkeiten und Exzesse (ebda 173; 169), ihre *Assignatenfabrik (ebda 141)*, diese Betrügerei größten Stils. In *Koblenz beklagt sich ein Mitglied des Stadtrats über die *Emigrirten ... welche zwar viel Geld, aber auch viel Unheil über die Stadt gebracht, ja den Zustand derselben völlig umgekehrt; besonders aber wollte man ihr Betragen gegen den Fürsten nicht rühmen, an dessen Stelle sie sich gewissermaßen gesetzt, und gegen seinen Willen kühnlich Unverantwortliches unternommen (ebda 180)*. So klingt es nicht nach Sympathie, wenn Goethe am 15. X. 1792 an CG*Voigt schreibt, *die Emigrirten* würden *Deutschland* bald *wieder überschwemmen (IV/10, 33)*, und etwas später in *Duisburg einen deutschen *Wirth ... von diesem vermaledeiten Volke* sprechen läßt, in welchem kaum einer nicht herabsetzend und verletzend auftritt *(I/33, 206f.)*. Goethe selbst muß sich in Kassel von seinen eigenen Landsleuten als Putativfranzose schlecht empfangen sehen; *denn mitten in ihrem Elend, da sie nicht wüßten wo sie sich hinwenden sollten, beträgen die Emigrierten sich noch immer als hätten sie von einem eroberten Lande Besitz genommen (ebda 248;* auch 7; 245). Briefliche Beziehungen in Sachen eines Grafen d'Ecquevilly (nicht *d'Ecquerilly:* 1793; *IV/10, 92;* 381) können Goethes Urteil nicht günstiger stimmen (Baldensperger, 1).

Nach Weimar zurückgekehrt, blieb Goethe in brieflicher oder persönlicher Beziehung zu französischen E.n. (Das Folgende, soweit auf Weimar bezüglich, weithin nach FBaldensperger.) Wenn CStJ Marquis von Boufflers (1738 bis 1815; Offizier, Kolonialverwaltungsbeamter, liebenswürdig geistvoller Reimer und Erzähler, emigrierte nach anfänglichen Sympathien für die Revolution; su.) 1792, auf der Reise von Schloß Rheinsberg nach *Gotha zu seinem Freunde MAv*Thümmel Weimar berührend, Goethe besucht hat, konnte er des-

sen positive Schätzung der E.n gewiß nicht
verstärken. Dampmartin, ein ehemaliger Ka-
vallerieoffizier, der einen „Essai de littérature
à l'usage des dames" veröffentlicht hatte,
schrieb im Juli 1794 dem Verfasser des *Werther* einen recht ungeschickten Brief, der allem
Anschein nach unbeantwortet geblieben ist.
1795 fand Goethe, nach überwältigend naiven
politischen und ökonomischen Äußerungen
eines *Marquis* in den Worten des *Grafen Dumanoir* ein neues Beispiel der *Verfinsterung des
Urtheils und der Meinung* bei diesen Flüchtlingen *(I/35, 43ff.)*: Jean-Louis Le Chanoine
du Manoir (1743–1805) aus normännischem
Adel, Offizier, Teilnehmer am Siebenjährigen
Krieg, Ludwigsritter, sehr begütert, ohne
Kastenstolz nach gewissen Zeugnissen; loyaler
Anhänger der Revolution, verzichtete er auf
seine Feudalrechte, wurde zum Maire einer
Landgemeinde gewählt, war Gegner der E.
und wurde trotzdem irrtümlich auf die amtliche E.n-Liste gesetzt, erhob vergeblich Einspruch, emigrierte wahrscheinlich im Sommer
1795 nach Weimar, wo er, von Carl August sehr
geschätzt, bis 1800 blieb (Ch Joret). Die Beziehungen zu Dumanoir blieben ganz oberflächlich (1796: IV/11, 32; III/2, 40); trotz
*tüchtigem Charakter und reinem Menschenver-
stand (I/35, 44)* sah Goethe in ihm wohl einen
Parasiten *bei Hof und in der Gesellschaft (ebda
57)*. Anderseits wurde *ein wackerer Mann,
schon vorgerückt in Jahren, mit Namen von
Wendel* hochgeschätzt: F I de Wendel, Seigneur de Heyange (1741–1794), begründete als
Inspektor der königl. französischen Gewehr-
fabriken die metallurgischen Staatsanstalten
von Creusot 1777 und legte den ersten Koks-
hochofen in Frankreich an (JubA. 30, 435),
mit Goethes Unterstützung suchte er sich in
*Ilmenau zu betätigen, hatte keinen Erfolg
und endete durch eine zu starke Dosis Opium,
*ein Opfer der gränzenlosen Umwälzung (I/35,
57ff.)*. Ein anderer E., *Moriz* (richtig Maurice; Br Voigt 1, S. 474), war Mitarbeiter de
Wendels (zu diesen beiden vgl. Br Voigt 1,
Nr. 121–123; 126; 128; 138; 142; 146; 151
nebst Kommentar). Eine Vicomtesse Mailly
[wohl eine Verwandte des 1794 guillotinier-
ten Marschalls de Mailly (geb. 1708)] sowie der Marschall de Castries (1727–1801;
Marineminister, reformatorisch tätig, und
Feldherr, emigrierte 1791 und wurde vom Fürsten von Braunschweig aufgenommen, den er
1760 bei Klosterkamp besiegt hatte) und dessen Gattin lernte Goethe in *Eisenach kennen
(I/35, 43, Z. 18f.). *Chanorier* (1796: *III/2, 40*),
vielleicht ein Priester aus der Gegend von

Mâcon, lenkte 1795 Goethes Aufmerksamkeit
auf Mme de *Staëls „Essai sur les fictions"
und regte dadurch die Übersetzung dieses Textes an (I/40, 204–241). JJ*Mounier trat 1796
in Beziehungen zu Goethe, die, bei aller Hochachtung von seiten des letzteren für Mouniers
Charakterfestigkeit, mit Rücksicht auf dessen
Geistesstruktur (su.) nicht immer die besten
waren. A Duvau (1771–1831; Naturforscher:
Botaniker und Schriftsteller, authentischer
Vorläufer Mme de Staëls als Entdecker und
Vermittler kultureller Bereiche, Verfasser botanischer Abhandlungen und Übersetzer ua.
von *Wielands „Neuen Göttergesprächen":
Zürich 1796, und Chr W*Hufelands „Makro-
biotik": Jena 1798, eine der sympathischsten
Erscheinungen der E., seit 1810 Leiter der
Übersetzungsabteilung in Napoleons Kabinett) stand von 1795–1797 in (deutsch ge-
führtem) Briefverkehr mit Goethe in Theater-
fragen (1797: IV/30, 62f. ist nicht Mounier,
sondern Duvau der Empfänger von Goethes
Briefen) und sandte ihm 1826 (III/10, 301)
und 1828 seine Artikel über Schiller und
Wieland in der „Biographie universelle";
Goethe nahm *dieses reine Zeugniß einer dauerhaften Anhänglichkeit an unsere Verhältnisse*
dankbar auf (1828: *IV/44, 277*; III/11, 263,
Z. 16 ist Duvau zu lesen). Literarisch interessiert und begabt ist ein anderer E.r, de Pernay (Pernet?), der eine von Goethe prinzipiell
gebilligte und *Unger zum Verlag vorgeschlagene Übersetzung der *Bekenntnisse einer schönen Seele* verfaßt (1796: IV/11, 42) und in einer
wirklich dichterischen Übertragung von Goethes *Ich denke dein (I/I, 58)* eine seltene Gabe
der Einfühlung in Form und Gehalt der Ori-
ginalverse beweist. Ein *Marquis de Fumel*,
vielleicht ein ehemaliges Mitglied der Konstituierenden Nationalversammlung, stand in
flüchtigen Kontakten mit Goethe (1799: *III/2,
242*). Das Gleiche gilt von C*Jordan und de
*Gérando. Zunächst auf *naturhistorische Ge-
genstände* (1798: *IV/13, 83*; Metamorphose der
Insekten, C Ruland S. 147f.; Mondbeobachtun-
gen, F Baldensperger in Rev. litt. comp.) gegründet, hatten die Beziehungen zur Familie
des Grafen J G Rde Fouquet [Nachkommen des
Intendanten Ludwigs XIV. (F Baldensperger,
a. a. O.; dagegen C Ruland)] – *recht artige, höfliche, dienstfertige Leute und auch mit mir recht
einig und wohl zufrieden* (1798: *IV/13, 83*; auch
1798: III/2, 199; 212) – noch andern Inhalt;
Goethe konnte praktische Hilfe leisten; die
Tochter, Renée, die Frau von *Schardt bedauert, aus ökonomischen und religiösen
Gründen nicht mit Kv*Stein verheiraten zu

können, erwies Goethe bewundernde Verehrung und muß, auch nach einem an diesen gerichteten, in sehr gutem Deutsch geschriebenen, für ein Geschenk (ein Exemplar von *Hermann und Dorothea?*) dankenden Brief zu urteilen, ein sehr liebenswerter Mensch gewesen sein; nach *Paris zurückgekehrt (1800: III/2, 296) vermittelte sie Nachrichten zwischen Goethe und Wv*Humboldt, dem sie „sehr gefällt" (GoetheJb. 31, 57).

In *Pyrmont sah Goethe 1801 *die Königin von Frankreich, Gemahlin Ludwigs des XVIII., unter dem Namen einer Gräfin Lille, ... am Brunnen, in weniger aber abgeschlossener Umgebung (I/35, 102); Der bekannte Kammerdiener Ludwig des 16ten Cléry* (1759–1809; teilte die Gefangenschaft des Königs im Temple, im Juli 1794 freigelassen; veröffentlichte 1798 „Journal (sur) la captivité de Louis XVI") befand *sich auch* dort *(ebda).*

Von Goethe persönlich gekannte E. waren vielleicht Brevillier/Previllier in Frankfurt (1797: III/2, 82); Graf Chasot in Pyrmont (1801: III/3, 25); ChMAvCrayen, Offizier (Weimar, 1809: III/4, 9; 1811: IV/22, 76); Mdme Dangers (Pyrmont, 1801: III/3, 25); Chevalier La Motte (Leipzig, 1797: III/2, 51; IV/12, 1; 394); Graf Narbonne (Weimar, 1799: III/2, 237).

Am 25. I. 1795 hatte die Fürstin Gallitzin, im Begriff selbst aus *Münster zu emigrieren (vorwegnehmend „nun selbst emigrirt") Goethe gebeten, sich bei Carl August zugunsten von ihr empfohlener E.n einzusetzen; besonders sind genannt „ein Marquis de Caumars" mit sechs Kindern und einer kränklichen Frau (dazu eine allgemeine Schilderung des Elends und der Hoffnungslosigkeit der Emigriertenschicksale: GoetheJb. 3, 289–291). Im November des gleichen Jahres war Goethe von der aus *Straßburg emigrierten Ev*Türckheim aus abenteuerlichen Fluchterlebnissen ein Gruß zugegangen (Sp. 133).

An sonstigen französischen E.n sind noch genannt (aber nicht persönlich gekannt oder wenigstens gesehen): FClAMarquis de Bouillée [1739–1800; General, bereitete 1791 als Gouverneur ostfranzösischer Provinzen den Fluchtversuch Ludwigs XVI. vor und schloß sich nach dessen Mißlingen exaltiert großsprecherisch (EDaudet I, 77) der E.n-Armee an], der in militärischen Beziehungen zum Herzog von *Braunschweig stand (I/33, 16) und dessen 1797 erschienene Memoiren Goethe 1798 und 1820 las (III/2, 217 und 7, 157; I/36, 179, Z. 4). – ChF*Dumouriez' militärische Rolle wird in der *CiF* dargestellt (I/33, 43–100 passim, 177,

204); sein 1795 und 1820 gelesenes *Leben* läßt den Mann, *der uns immer viel Antheil abgewonnen hatte, ... klärer und im günstigen Licht* erscheinen (*I/35, 55f.;* I/36, 179, Z. 4). – La Fayette (1757–1834; Edelmann aus alter Familie, Schüler der Aufklärungsphilosophen, Mitkämpfer im amerikanischen Unabhängigkeitskrieg, verlangte als erster 1787 die Einberufung der Generalstände, veranlaßte 1789 die Erklärung der Menschenrechte, wurde Vizepräsident der Konstituierenden Nationalversammlung und Kommandant der Nationalgarde, verhinderte 1790 Gewalttätigkeiten der Menge gegen die Königsfamilie, versuchte als Vertreter der liberalen Adelsminorität ergebnislos nach der Absetzung Ludwigs XVI. das Königtum zu retten und mußte, die Armee, die er für seine Pläne nicht hatte gewinnen können, verlassen, fliehen; bis 1797 in Olmütz Gefangener der Österreicher, begann er erst 1814 wieder eine politische Rolle zu spielen, die während der Julirevolution einen neuen Höhepunkt fand) in seiner politischen Haltung, seiner Flucht und in der „göttlichen Verehrung", die er *wegen seiner ritterlichen und bürgerlichen Tugenden* in deutschen Kreisen genießt, wird erwähnt (I/33, 43; 177; *201*). Um 1800 begannen die E.n Weimar und ihre übrigen Zufluchtsstätten zu verlassen (Dumanoir, Fumel 1800; Mounier, der Graf und die Gräfin Fouquet nach 1800; Duvau 1802). Doch gelangte 1803 als E. von Napoleons Ungnaden Mme de Staël nach Weimar; 1807 trat mit GK*Blumenstein wieder ein rabiater Vertreter der royalistischen E.n in Goethes Gesichtskreis, und bis 1829 war für Goethe LDM*Lavés eine lebendige Erinnerung an die französischen E.n.

Mit Ausnahme des Fragments des *Mädchens von Oberkirch* (1795–1796), *Hermann und Dorotheas* (1797) und der *Natürlichen Tochter* (1799–1803) liegen die Werke, in denen Goethe sich mit der Französischen Revolution auseinandergesetzt hat (*Groß-Cophta,* 1791; *die Reise der Söhne Megaprazons,* 1792; *die Aufgeregten, der Bürgergeneral, Reinecke Fuchs,* 1793; *Unterhaltungen deutscher Ausgewanderten* in den großen Linien schon 1794 festgelegt), vor dem Eintreffen der E.n in Weimar, auch dies ein Zeichen, daß sie keinerlei bedeutende geistige Beeinflussung auf ihn ausgeübt haben. Von einer solchen darf höchstens in dem Sinne gesprochen werden, daß vielleicht einige Züge des Gerichtsrats in der *Natürlichen Tochter* auf Mounier, einige Dorotheas in *Hermann und Dorothea* auf Renée de Fouquet zurückgehen. Weder im Politischen noch im Religiös-Philosophischen hatten die Flüchtlinge ihm etwas zu geben (während Mme de Montagu Fv*Stolberg zum Katholizismus führte). Jenseits aller ideologisch bestimmten Stellungnahme bewertete er die E.n als Individuen, denen gegenüber er seine Haltung von Fall zu Fall regelte. Doch schreibt Schiller 1796 an FHuber (Bdm. 5, 40), Goethe sei „gar kein Freund der Emigranten..., die in Weimar alle über ihn klagen. Zwar tut er keinem was zuleide, aber er nimmt sich auch keines an, und würde ihre Anzahl eher zu vermindern, als zu vermehren wünschen".Von der Bestreitbarkeit eines absoluten Sichnichtannehmens abgesehen (so.), entspricht diese Haltung Goethes seinem Urteil über die E.n, wie es aus der *CiF* (so.) und den *Unterhaltungen* hervorgeht: *Wir sehen meist die Ausgewanderten ihre Fehler und albernen Gewohnheiten mit sich ... herum führen (I/18, 100).* Der Hauptgrund dürfte in einem gewissen Parasitentum (so.) und geistigen Überlegenheitsanspruch der E.n liegen. Goethe schreibt an Schiller, es gehe *dem Grafen und der Gräfin Fouquet ... auch wie *Voßen, der am Ende denn doch überzeugt ist daß er ganz allein Hexameter machen kann und soll* (1798: *IV/13, 83);* Schiller spricht von einem geistigen „Trinkgeld", das Boufflers (su.) „der Hospitalité wegen" im Deutschen reicht (an Goethe, 18. XII. 1798); hierher gehört es wohl auch, daß Fv*Stein brieflich um die Hand der nach Paris zurückgekehrten Tochter de Fumels anhielt, ohne eine Antwort zu erhalten (Bdm. 5, 52). Dazu waren Naturwissenschaft, Literatur und Philosophie Gebiete, auf denen Gegensätze zwischen Goethe und den E.n zutage treten konnten. Goethe war in Fragen der erstern nicht einig mit Fouquet (1798: IV/13, 83), und wenn Boufflers' in Berlin dargelegte organischgenetische Philosophie der Literatur Goethes und Schillers Beifall erwarb, nicht aber den der E.n (Briefe vom 18. und 19. XII. 1798), begegnete Goethe in Mounier einem Sensualisten und Ethiker, der ihm mißfallen mußte (1798: IV/13, 82f.). Shakespeare enthielt für die Franzosen noch immer zu viel Ungereimtheiten – „trop de bêtises". Im Xenienkampf standen die E.n auf seiten Wielands: „Je doute fort", schrieb Mounier, „que l'amour de la vérité justifie les *Xénies* de MM. Goethe et Schiller." Dreißig Jahre später drückte Duvau (so.) noch den gleichen Gedanken aus. Pernay ließ 1800 in Paris eine „Oberon"-Übersetzung erscheinen. Mit solcher Stellungnahme hing es zusammen, wenn 1800 eine französische Zeitung schrieb: „... Wieland, un des plus respec-

tables vétérans de la littérature allemande, ... sans cesse en butte à une clique de petits pédants, que Goethe n'a pas honte de protéger".Indes lautet das 1822 formulierte Urteil über die E.n *(I/33, 268)* verstehend und anerkennend; von den ersten in Thüringen eingetroffenen Flüchtlingen ausgehend, sagt Goethe: Sie wußten *durch anständiges Betragen, duldsam zufriedenes Wesen, durch Bereitwilligkeit, sich ihrem Schicksal zu fügen und durch irgend eine Thätigkeit ihr Leben zu fristen, dergestalt für sich einzunehmen, daß durch diese Einzelnen die Mängel der ganzen Masse ausgelöscht und jeder Widerwille in entschiedene Gunst verwandelt wurde. Dieß kam denn freilich ihren Nachfahrern zu Gute, die sich späterhin in Thüringen festsetzten, unter denen ich nur Mounier und Camille Jordan zu nennen brauche, um ein Vorurtheil zu rechtfertigen, welches man für die ganze Colonie gefaßt hatte, die sich, wo nicht den Genannten gleich, doch derselben keineswegs unwürdig erzeigte* (auch I/35, 57, Z. 21–24; 75). Die Jahre konnten die Erinnerung an Unerfreulicheres abgeschwächt haben, wie auch sonst unter dem instinktiven Impuls der geistigen Lebenshygiene Goethes (EWolf, bes. S. 130–141) *das Gelungene vortrat..., das Mißlungene vergessen und verschmerzt* wurde (1831: *IV/49, 55).* In der so gewonnenen Perspektive wurde vor allem die seelisch-sittliche Gesamtleistung der E.n angesichts eines schweren Schicksals sichtbar. Irrt man jedoch, wenn man auch hier, wie aus gewissen Zeilen über Mme de Staël, den *Euphemismus* heraushört?

An deutschen E.n sind für 1792 und 1793 zu nennen JF vom und zum Stein, *der ... sich im Haß gegen alles Revolutionäre gewaltsam auszeichnete (I/33,3),* zu Beginn der *CiF* noch zu Hause, am Ende schon vertrieben (ebda 202); *Frau Sophie von Coudenhoven* (1747–1825, geb. Gräfin Hatzfeld, „Witwe eines Mainzer Generals, mit dem Kurfürsten von Erthal verwandt, von den Zeitgenossen als kluge, charmante, politisch tätige Frau geschätzt. Ihren Einfluß auf den Kurfürsten übte sie zugunsten der preußischen Politik aus. Herzog Carl August stand in der Zeit seines Wirkens für den Fürstenbund in enger Verbindung mit ihr" (HbgA 10, 694); *Herr und Frau von *Dohm (I/33, 202);* der Kurfürst-Erzbischof Clemens Wenzel von Trier, den *nach Regensburg abgereis't ist (I/33, 180;* Goethe hat ihn kaum persönlich gekannt); STh**Sömmering* (ebda 305). Eine Sonderstellung infolge der Liebe, nicht der Politik als Hintergrund der Emigration nehmen die jungen Mainzerinnen

ein, die die Stadt mit der französischen Besatzung verlassen; *die Mädchen ... schienen alle heiter und getrost, einige wünschten ihren Nachbarinnen wohl zu leben, die meisten waren still und sahen ihre Liebhaber an (ebda, 311).* Für die Jahre 1794–1796 sprechen die *TuJ* von der Flucht von Bekannten Goethes aus den Rheingebieten. Goethes *Schwager Schlosser* wurde *in diesem Strudel mit fortgerissen ... Jacobi war aus* *Pempelfort *nach Wandsbeck geflüchtet* (1794: *I/35, 29 f.;* 48; 59); *die Fürstin Gallitzin verließ* 1795 *Münster (ebda 49),* Goethes *Mutter ... flüchtet* 1796 *nach* *Offenbach ... *der Churfürst von Mainz geht nach* *Heiligenstadt, *der Aufenthalt des Landgrafen von Darmstadt bleibt einige Zeit unbekannt* (er flüchtete 1796 nach Weimar: III/2, 39), *die Frankfurter flüchten, doch die Mutter hält aus ..., Frau von Coudenhoven verweilt in* *Eisenach *(I/35, 67);* die Familien *Bethmann ... Busmann ... Gontard *sind im Winter* 1796–1797 *in* *Leipzig *(III/2, 50).*
Bei deutschen E.n hat Goethe die gleiche, nicht zu beschwichtigende politische Leidenschaftlichkeit gefunden wie bei ihren französischen Gesinnungsgenossen (I/33, 3; 307; 310f.; 318).
Für wie viele unter allen diesen Flüchtlingen war die E., als Auswanderung, zu einer hohen Schule des Lebens geworden (Sp. 494)?   *Fu*
FBaldensperger: Goethe et les émigrés français à Weimar. In: Revue germanique 7 (1911), S. 1–28. Un billet inédit de Goethe au comte de Fouquet. In: Revue de litt. comp. 1 (1921), S. 151 f. – EDaudet: Histoire de l'émigration pendant la Révolution française. 3 Bde. 1904–1907. – ChJoret: Le comte du Manoir et la cour de Weimar. 1896. Auguste Duvau. In: Revue germanique 3 (1907) S. 501–555. – AMathiez: La Révolution française. 3 Bde. 1930. – CRuland: Verse und Niederschriften Goethes zu Zeichnungen. In: Goethe Jb. 14 (1893), S. 146–149. – EWolf: Über die Selbstbewahrung. 1957. – Grand dictionnaire universel du XIXe siècle.

Emmendingen, die badische Amtsstadt an der Elz im mittleren *Schwarzwald, war 1774 bis 1794 Wohnsitz JG*Schlossers, wohin dieser bald nach seiner Verheiratung mit Goethes Schwester Cornelia übergesiedelt war; er *dirigirte* von hier aus als Oberamtmann *die Marckgraffschaft Hochberg (IV/2, 225),* tat auch manches für die Entwicklung von E.: Einrichtung regelmäßiger Frucht- und Viehmärkte, der ersten Kranken- und Waisenhäuser, Anschaffung der ersten Feuerspritze usw. Goethe selbst besuchte den (innerlich schwierigen) Ehestand und das Hauswesen von Schwester und Schwager gemeinsam mit JMR*Lenz vom 27. V. bis zum 5. VI. 1775 auf dem Hinweg zu seiner ersten *Schweiz-Reise; er lernte dabei auch seine am 28. IX. 1774 geborene Nichte LMASchlosser (nachmalige *Nicolovius) kennen und nahm

wahrscheinlich an dem gar nicht so unregsamen gesellschaftlichen Leben des geräumigen Hauses (Landvogtei, später: Karcherbrauerei) teil, in dem die führenden Familien des Ortes (zB. Bürklin) mit Freunden und Gästen aus Karlsruhe, Freiburg, Straßburg, Colmar, Basel, Frankfurt usw. zusammentrafen. Cornelia wachte durch den Besuch Goethes und seines Freundes Lenz aus ihrer Lethargie auf: ,,was für Wunderwürkung sein Anblick auf ihre Seele und Cörper gemacht haben. sie gieng gleich den andern Tag mit ihnen spatzieren und soll jetzt gantz wohl sein" (LKönig an FrHesse, 14. VI. 1775: Morris 5, 268). Aus einer Äußerung von Lenz geht hervor, daß Goethe in diesen Tagen seine Schwester auch gezeichnet und das Bildchen dem Freunde gegeben hat (Morris 6, 490). Goethe selbst schreibt nur: *Ich bin sehr in der Lufft. Schlafen Essen Trincken Baden Reiten Fahren, war so ein paar Tage her das seelige inhalt meines Lebens ... Ich geh nach Schaffhausen den Rheinfall zu sehen, mich in die grose Idee einzuwickeln (IV/2, 266).* Er ist dann erst wieder am 27. IX. 1779 zusammen mit Carl August von *Straßburg und *Sesenheim her nach E. gekommen. Cornelia war bereits am 8. VI. 1777 gestorben, JGSchlosser inzwischen in zweiter Ehe mit JKS*Fahlmer verbunden; trotz aller bleibenden Anteilnahme am Schicksal der Familie war Goethes Verhältnis zu Schlossers kühler geworden, ihm fehlte die Schwester in E. *In Emmendingen Alles recht gut und brav; ... einen guten Tag mit Schlossers und den Mädels (IV/4, 86).* Das Grab hat er noch besucht. Am Tage nach der Ankunft reisten beide Besucher mit ihrer Begleitung wieder ab: *Wie wir von Emmedingen nach der Bieler Insel gekommen sind. Wird wohl Lücke bleiben (IV/4, 79 f.).* Goethe ist dann nie wieder nach oder durch E. gereist. Am 28. VII. 1780 wird CLv*Knebel gebeten: *Wenn du nach Emmendingen kommst, so lies ihnen die Iphigenie ich habs lange versprochen und nicht geschickt (IV/4, 262).* RV S. 12; 19.   *JP*
Zeichnungen:
1) Corpus I 48 InvNr 2338: Landschaft mit Wasserfall. Radierung: ,,peint par A. Thiele – gravé par Goethe". Dat. 1768.
Goethe an Behrisch, 26. IV. 1768 *(IV/1, 159): Da hast du eine Landschaft, das erste Denckmal meines Nahmens, und der erste Versuch in dieser Kunst.* Es ist jedoch möglich, daß es sich hierbei nicht um das vorliegende Blatt gehandelt hat.
2) Corpus I 228 InvNr 1209: Schloß Hochberg bei Emmendingen, Bleistiftzeichnung.
Replik zu der im Bremer Kupferstichkabinett gewesenen, von Goethe auf den 28. IX. 1779 datierten Zeichnung.
Dat. 1780 (?).   *Fm*

Empedokles, ein etwas älterer Zeitgenosse von *Sokrates, etwa 490–430 vChr. in Agrigent. Von den Joniern übernimmt er den Substanz-

begriff, von den westgriechischen Ärzten die *Biologie, von Orphikern und Pythagoräern den Geist des Staatsmannes und Wundertäters, und alles faßt er zusammen im hinreißenden Ton der Dichtung. Es heißt, daß er die Wahl zum König Agrigents abgelehnt und sich in die Glut des Ätna gestürzt habe. Er lehrt nicht einen, sondern vier Grundstoffe, die *Elemente, die Jahrtausende in der Geistesgeschichte galten und auch heute noch symbolisch-mythisch gelten. Aber über diesen Stoffen walten polar die seelischen Kräfte: Liebe und Streit. Die unbedingte Herrschaft des Streites ist das Chaos, die der Liebe ist die mystische Einheit. Zwischen beiden Zuständen im periodischen Wechsel entwickelt sich die Gestaltenwelt. Wenn Anaximander genetisch die Abstammungslehre vorwegnahm, so kann sich *Darwin mit seinem speziellen Prinzip, der Auslese, auf E. berufen: Aus dem Chaos entwickeln sich sinnlose, disharmonische Gebilde; nur die zufällig harmonisch gefügten überdauern. Aber diese mechanistische Zufallslehre bettet E. ein in den Kosmos der gestaltenden Liebe. Goethe nennt seinen Namen in den *Materialien zur Geschichte der Farbenlehre.* Die Vorstellung von Poren und Ausflüssen, durch welche das Sehen zustande komme, erschien ihm wohl als *gemein-sinnliche Vorstellungsart,* dennoch naht er ihm *mit Vertrauen und Zuversicht.* In der Tat liegt in der Hypothese, daß der Lichtstrahl aus dem Auge und das vom Gegenstand entsandte Bildchen in der Mitte zusammentreffen und so das Gesichtsbild erzeugen, ein Gleichnis für die Wahrheit, daß *Subjekt und Objekt in der Erkenntnis zusammenwirken müssen. Goethe sieht darin das Zeugnis *einer höhern Ansicht, die durch jenen allgemeinen Satz: Gleiches werde nur von Gleichem erkannt, noch geistiger erscheint.* Goethe weiß auch, daß *uns bei Plato* auch diese *Denkweise, gereinigt und erhöht entgegentritt (II/3, 112; 113).*
Ohne Namensnennung setzt Goethe nicht der Gestalt, aber der Weltschau des E. das großartige Denkmal der noch gegenwärtigen Wirkung im Schluß der *Classischen Walpurgisnacht.* Diese ist die Transfiguration der Philosophie in die schaffende Dichtung, in den Vollzug des enthusiastischen Taumels in der Feier der vier Elemente, unübertrefflich in der Durchdringung der sich mischenden Elemente durch Eros-Homunkulus, die Liebe, die aus dem Chaos zur Gestaltung führt und sichtbar wird im Meeresleuchten, das die festen Körper glühend erscheinen läßt.   *Hi*

Empfindsam / Empfindsamkeit sind Gegenworte zu „vernünftig / Vernünftigkeit" in der Sphäre der *Aufklärung. Sie gehören zu ihr, wie Rationalismus und Irrationalismus von innen her zusammenstimmen, und sind ebendeswegen ihre legitimen Kinder. Ihr Ursprung liegt unmittelbar in der Welt JChr*Gottscheds und seiner Frau Louise Adelgunde Victoria geb. Kulmus (etwa 1757). Solch Ursprung weist auf eine gemeinsame Ader dieser Welt mit der JJ*Bodmers und JJ*Breitingers hin, die auch noch andere Bezüge speist: „Uns däucht, daß die schweizerischen Schriften von der Poesie mit der Gottschedschen Dichtkunst in einem Schrank hätten beisammenstehen können, ohne daß eine Schlacht unter ihnen würde vorgefallen sein" (JA*Cramer, 1743). Auch der scheinbare Antagonismus zwischen Fv*Hagedorn und Av*Haller löst sich auf. Das Gemeinsame beider Denk- und Dichtungswelten ist die Herkunft aus der Reflexion, aus einer Art von Leidenschaft zu dieser, dh. aus einer Geistestätigkeit, die kaum als ursprünglich, sondern nur als abgeleitet gelten kann. Systematisch betrachtet tritt das Phänomen als Kennzeichen einer jugendlichen Übergangsphase und Entwicklungsstufe auf. Historisch ist die „Empfindsamkeit mit dem Rationalismus der Aufklärung und mit dem Epikureismus des Rokoko verquickt. Gewöhnlich datiert man ihr ... Aufkommen von 1700 ab; zum Durchbruch in unserer Dichtung aber gelangt sie wohl drei Dezennien später. Ihre Frist ist mit dem Ende des 18. Jahrhunderts ... noch keineswegs abgelaufen" (FJSchneider, 1952, S. 28). „Die Empfindsamkeit, der Idealismus der Zärtlichkeit und Weichherzigkeit lag nun einmal in der Luft; wer unter den Gebildeten nicht ganz nüchtern und geistlos war, der entrichtete der herrschenden, mit Grübelei gepaarten Gefühlsüberschwenglichkeit unweigerlich seinen Tribut, dem wurden die Augen naß über Yoricks Erzählung vom Pater Lorenzo oder von der unglücklichen Maria ..." (RHaym 1, S. 486). Als eigentliche Wurzel mögen die mystisch-religiösen Strömungen des *Barock-Zeitalters, mag auch der *Pietismus gelten. In diese Hintergründe leuchtet eine *Maxime* mit geschichtsphilosophischer Skepsis: *Sobald die guten Werke und das Verdienstliche derselben aufhören, sogleich tritt die Sentimentalität dafür ein, bei den Protestanten* (1807: *MuR:* Hecker Nr *317*). Für die Goethe-Zeit wird die Verdeutschung von L*Sternes „Sentimental Journey" durch JJChr*Bode unter Mitwirkung GE*Lessings 1768 wortgeschichtlich richtungweisend (sentimental = empfindsam), geistesgeschichtlich die Anlehnung an JJ*Rousseau und FG*Klopstock.

Goethe selbst hält – rückblickend – das *Empfindsame*, die *Empfindsamkeit* und die darin sich ausdrückende und selbst genießende Gefühligkeit, maW: die verabsolutierte, hypertrophierte Sentimentalität, die Sehnsucht nach Kirchhöfen und Ruinen als Zeugnissen der Vergänglichkeit alles Irdischen, den Hang zur Einsamkeit, zur Weltflucht, die Schwärmerei für das Primitive in Lebensweise und Umgangsformen, die mehr oder weniger exaltierten Entzückungen und Verzückungen in allen mitmenschlichen Begegnungen, besonders in denen der Freundschaft und der Liebe für ein Symptom des halb oder ganz Ungesunden. Er spricht *von der damals* (1770–1780) *herrschenden Empfindsamkeitskrankheit* (1820: *I/41¹, 331*), wie sie ihm in so manchen Vertretern vornehmlich des Freundeskreises von *Darmstadt (Sp. 1754 f.), der „Gemeinschaft der Heiligen" entgegentrat und wie er sie selbst bestand. Man denke an Louise vZiegler (1750 bis 1814), die in der Gemeinschaft „Lila" hieß und 1774 Johann Friedrich Gustav vStockhausen (1743–1804) heiratete, an Henriette Helene vRoussillon (??–1773), Gemeinschaftsname „Urania", an CMFlachsland/ *Herder („Psyche"), an deren Schwester Friedericke, verheiratet mit APvHesse, an JL und FM*Leuchsenring, endlich an JH*Merck, auch an die mit Darmstadt verbundene Sophie v*Laroche und ihren Kreis. Typisch sind Szenen wie diese: „Merck, Leuchsenring und ich schlangen uns in einer Ecke des Fensters um den alten, guten, sanften, muntern, ehrlichen Vater Gleim und überließen uns unserer vollen Empfindung der zärtlichsten Freundschaft. Hätten Sie doch dies sanftheitere Gesicht des guten Alten gesehen! er weinte eine Freudenträne, und ich, ich lag mit meinem Kopf auf Mercks Busen; er war außerordentlich gerührt, weinte mit ..." (CMFlachsland an JGHerder: 4. VI. 1771); oder Grab, Thron, Lauben und Rosen in „Lilas" Garten und das Schäfchen, das sie mit sich zu führen liebte (Gunzert S. 37). Durchlebt man Derartiges in temporärer, zeit- und entwicklungsbedingter Relativität, so hat es und behält es seinen Sinn als Wachstumsvorgang des Geistes und der Seele. Goethe selbst besaß die Kraft, sich sehr schnell und doch sehr gründlich zu distanzieren. Er entlud und befreite sich in einer Art von Geistes- und Seelenhygiene, am entschiedensten durch seinen *Werther*-Roman (1774) und durch seine *dramatische Grille: Der Triumph der Empfindsamkeit* (1777). In den hohen Jahren der Schiller-Freundschaft heißt es: *Auf das empfindsame Volk hab' ich nie was gehalten, es*

werden, | Kommt die Gelegenheit, nur schlechte Gesellen daraus (1796: *I/5¹, 207 Nr 19*). Wieder etwa zwanzig Jahre später formuliert Goethe: *Als der Dichter den Werther geschrieben, um sich wenigstens persönlich von der damals herrschenden Empfindsamkeitskrankheit zu befreien, mußte er die große Unbequemlichkeit erleben, daß man ihn gerade diesen Gesinnungen günstig hielt* (1820: *I/41¹, 331*). Die *Empfindsamkeitskrankheit* ist ein *pathologischer Zustand (Bdm. 3, 58), den jeder wohl mindestens einmal in seinem Leben* an sich erfährt und *wo ihm der Werther kommt, als wäre er bloß für ihn geschrieben (ebda 59)*. Goethe hat das *Werther*-Fieber mehrmals durchstehen müssen. Aber er hat es eben als *Krankheit* hingenommen und überwunden: *Die Krankheit erst bewähret den Gesunden* (1810: *I/5¹¹, 350*).   Li

VTornius: Schöne Seelen. 1920. – LRahn-Bechmann: Der Darmstädter Freundeskreis. Diss. Erlangen 1934. – WGunzert: Darmstadt und Goethe. 1949. – HPrang: JHMerck. 1949.

Ems, Städtchen an der Lahn, seit dem 16. Jahrhundert (1583) als Badeort bekannt, hessen-darmstädtisch-nassauischer Gemeinschaftsbesitz. Goethe durchreiste E. in drei Jahren wiederholt: 1772, 1774, 1815. Bei seiner *Werther*-Flucht gelangte er *nach einer so angenehmen Wanderung von einigen Tagen ... nach Ems, wo er einige Male des sanften Bades genoß, und sodann auf einem Kahne den Fluß hinabwärts fuhr* (? 13. IX. 1772: *I/28, 177*; dazu HA 22, 353). Auf der *Geniereise* begleitete Goethe am 29. VI. 1774 JC*Lavater zunächst bis hierher: „Wir nahmen unser Quartier im Nassauer Hause No. 48. 49. Ein schönes, hohes, weites, halbfürstliches Gebäude" (EStaehelin 2, S. 76; das Darmstädter Haus verfügte über die stärkeren Quellen), fuhr aber nach kurzer Nachtruhe am nächsten Frühmorgen sogleich wieder nach Frankfurt zurück (I/28, 271; HA 22, 412; RKlapheck S. 95 Anm. 1; *Rechtsanwaltspraxis), um erst für die Tage 15./18. VII. 1774 wieder nach E.: *Emmaus (Morris 4, 95)* zu reisen (Kurliste; RKlapheck S. 97 Anm. 1). Wahrscheinlich schon am Ankunftstage und wahrscheinlich hier fand das (wohl irrtümlich so genannte) *Diné zu Coblenz, im Sommer 1774* statt (*I/2, 266 f.; Morris 4, 95*, dazu Morris 6, 369; JB*Basedow Sp. 812; aber: RKlapheck S. 99 f.; vgl. auch ABach S. 202 f.). Über das Zusammensein berichtet mehr als *DuW* im einzelnen Lavaters Tagebuch (Morris 4, 105–108), wo sich auch die Verse finden, die Goethe an die Wand des Nassauer Hauses geschrieben hatte: *Wenn Du darnach was fragst, | Wir waren hier. | Du, der Du nach uns kommen magst, | Hab wenigstens so* *frisches Blut, | Und sey so leidlich fromm und gut | Und leidlich glücklich, als wie wir* (18. VII. 1774: *Morris 4, 100;* auch 108)! Auf der Rückkehr verweilte Goethe mit Basedow vom 27. VII. bis in die Woche zum 13. VIII. 1774 in E., um alsdann nach Frankfurt heimzukehren (Kurliste; HA 22, 415). Der Kreis, mit dem Goethe damals in E. zusammen war, umfaßte außer den eigentlichen Teilnehmern der *Geniereise* hauptsächlich folgende Personen aus und um E.: JC*Passavant (Morris 4, 103), Magdalena Schübler/Passavant (ebda), JL Passavant (ebda 105) Kanzleidirektor ChrH HFischer/Neuwied (Morris 4, 90), Kammersekretär Meyer/Hannover (ebda 105), dessen Ehefrau (ebda 108), die Ärzte Joh. Kämpf/Ems (1726–1787) und Wilh. LudwigKämpf/Neuwied (1732–1779), dessen Ehefrau (Morris 4, 111), ein ungenannter Landgeistlicher (Morris 4, 95), ein ungenannter Tanzmeister (ebda), endlich „Officiers, Generals, Grafen, Baronen, u. des weiblichen... Geschlechts viel" (Morris 4, 90). Dichterisch drückte sich die Genie-Stimmung der Tage in E. vornehmlich durch das *„Drama" Des Künstlers Erdewallen* aus, das Goethe am 17. VII. 1774 in GF*Schmolls Stammbuch schrieb (*Morris 4, 96–100;* 6, 370; dazu RKlapheck S. 97), zeichnerisch durch mehrere Silhouetten (Morris 4, 106), durch eine Porträtzeichnung nach GFSchmoll (ebda 107) ua. Später, 1815, kam Goethe auf seiner Rheinreise mit HFC vom und zum *Stein am 25. und am 29. VII. nochmals, aber nur flüchtig durch E. (III/5, 172f.). Danach finden sich nur noch mittelbare Bezüge (zB. durch Bekannte, die dort Badekuren machten, wie etwa 1817, 1819, 1827 Maria Paulowna, 1818 Carl August, 1824 Ottilie vGoethe, 1825, 1827 Staatsrat ChrLF*Schultz, 1827 Kanzler ThA HFv*Müller ua.) auch Erinnerungen, die dadurch geweckt und genährt wurden zB. 1825: *Emser Geschichten und Abenteuer (III/10, 88;* W*Rehbein). RV S. 11f., 51.   *JP*

Ende, Friedrich Albrecht Gotthelf Freiherr von (1755–1829), gehörte zu den *Freunden und alten Waffenkameraden (Bdm. 1, 528)* Carl Augusts (kgl. hann. Generaladjutant bei den Feldmarschällen vRaden, vFreitag und Graf vWallmoden, später in kgl. preuß. Diensten), die dieser während der Herrschaft Napoleons an seinem Hofe anstellte (*Rühle, v*Müffling). E. war seit 1807 Hofmarschall des Erbprinzen bzw. der Großfürstin Maria Paulowna in Weimar. Während dieser Zeit der erzwungenen Untätigkeit wandte er sich zur Mineralogie und Geologie und geriet dadurch in engeren Kontakt mit Goethe, der ihn vielleicht erst 1806 in Karlsbad kennengelernt hatte (III/3, 144; IV/21, 350; 22, 316). 1811/13 findet Goethe bei ihm *freundliche und förderliche Theilnahme (IV/23, 169)* am *Museum und der *astronomischen Anstalt in Jena (III/5, 14.f),* die auch nach E.s Weggang von Weimar (1813 zum Hauptquartier Blüchers) noch anhält: Als Stadtkommandant von Köln (seit April 1815) sendet er noch 1824 „die Erfahrungen des dortigen Rhein Waßer Messers" nach Weimar (BrCarl August 3, 124; vgl. 155).

Goethe hatte Köln schon kurz nach dem Amtsantritt E.s besucht (Juli 1815: IV/26, 60). Im nächsten Jahrzehnt scheint für Weimar die Vorstellung von Köln und E. weitgehend zusammenzufallen: Ernst vSchiller berichtet 1820 von dort an Goethe: „Herr von Ende ist Festungscommandant. Er ist der Musik hold und muntert stets ihre Verehrer zu thätigen Vereinen auf, worinn er selbst viel bläst" (GoetheJb. 4, 291), und Carl August reflektiert 1824 über ein ihm von Goethe gesandtes Heft: „... ist der Cöllner Carneval etwas sehr belustigendes; ich hätte den dicken Ende dabey sehn mögen" (BrCarl August 3, S. 123f.). E. selbst berichtet darüber ein Jahr später (III/10, 16).   *Gk*

Engel, Ernestine (um 1795–24. VI. 1845 Weimar), Schauspielerin, Sängerin, in Weimar engagiert August 1805–1845. Spielte auf Goethes Wunsch unter dem Namen Engels; übernahm zunächst zweite Rollen, ging dann ins Mütterfach über und wurde Nachfolgerin von Henriette *Beck. Seit 1818 verheiratet mit A*Durand.   *EF*

Engel, Johann Jakob (1741–1802), Pfarrerssohn aus Parchim/Mecklenburg, besuchte seit 1750 die große Stadtschule in Rostock und immatrikulierte sich mit 18 Jahren an der rostocker Universität. Er ging 1765 nach Leipzig, und war nach Angabe Johann Gottfried Dyks, des leipziger Buchhändlers und Bühnenschriftstellers (1750–1813), dort Mitglied einer Schauspielergesellschaft, der auch Corona Schröter und Goethe angehörten (Kurze Geschichte des deutschen Schauspiels). Seit 1776 war E. Professor der Moralphilosophie und der schönen Wissenschaften am Joachimsthalschen Gymnasium in Berlin, seit 1778 Erzieher Friedrich Wilhelms III. von Preußen, vom März 1785 bis Febr. 1786 Lehrer der beiden Brüder vHumboldt. WvHumboldt schrieb darüber an CvDacheröden (12. XI. 1790): „Meine erste bessere Bildung bekam ich durch Engeln. Er ist ein sehr feiner und lichtvoller Kopf, vielleicht nicht sehr tief, aber so schnell auffassend und darstellend wie ich es nie wieder gefunden habe, versteht sich nur in intellektuellen Dingen. Bei dem hört' die Philosophie nur mit wenigen andern und unterrichtete dann wieder meinen Bruder in seiner Gegenwart. Er gewann mich äußerst lieb, und ich hatte eine Anhänglichkeit an ihn, eine Achtung – so in dem empfundenen Sinne des Worts – eine Liebe, die in den höchsten Enthusiasmus überging." 1787 übernahm E. die Leitung des Kgl. Theaters in Berlin, aus der er 1794 ausschied; er zog sich dann nach Schwerin zurück. Im Jahre 1798 wurde er von Friedrich Wilhelm III. ohne amtliche Verpflichtungen wieder nach Berlin zurückgerufen. – E. war Mitarbeiter der „Horen". Sein Briefwechsel mit Schiller steht in den Bänden der NatA. 27, 34 und 35. Er lieferte die Arbeiten: Entzükkung des Las Casas oder Quellen der Seelenruhe (3. St. 1795) und Herr Lorenz Stark (10. St. 1795, 2. St. 1796). Der Schluß des Romans erschien nicht mehr in den „Horen". – Während Humboldt im Brief vom 20. XI. 1795 den Lorenz Stark als Produkt der bürgerlichen Aufklärung positiv und gerecht beurteilte (Schiller-NatA. 35), schrieb Goethe an Schiller am 17. XII. 1795 *(IV/10, 350): Ich habe diese Tage, in Hoffnung von meinem Herrn Collegen was zu lernen, den vortrefflichen Herrn Stark gelesen und studirt. Ich könnte nicht sagen daß ich sehr auferbauet worden wäre. Vorn herein hat es wirklich einigen Schein der uns bestechen kann, in der Folge aber leistet es doch gar zu wenig.* Am 7. XII. 1796 *(IV/11, 281)* heißt es: *Neulich versicherte mich jemand er habe eine ansehnliche Wette verloren, weil er mich hartnäckig für den Verfasser des Herrn Starke gehalten.* Im Brief an Zelter vom 3. XII. 1812 endlich *(IV/23, 187)* heißt es: *Ich freue mich, daß die Schilderung meines Vaters eine gute Wirkung auf dich hervorgebracht. Ich will nicht leugnen, daß ich die deutschen Hausväter, diese Lorenz Starke, und wie sie heißen mögen, herzlich müde bin, die in humoristischer Trübe ihrem Philisterwesen freyes Spiel lassen, und den Wünschen ihrer Gutmüthigkeit unsicher in den Weg treten, sie und das Glück um sich her zerstören.* In den Werken wird eine Reihe von E. Stücken kurz berührt, so in DuW *(I/28, 194)* „Der dankbare Sohn" (Leipzig 1771) gelegentlich der Würdigung des *ehrbaren Bürger- und Familiensinns*. So „Lorenz Stark" in den TuJ *(I/35, 200)* als *Gefühlsspiel,* das in Lauchstädt aufgeführt wurde. So das Singspiel „Die Apotheke", jene Huldigung E.s für Corona Schröter, Leipzig 1771 (I/38, 363). Endlich erhielt E.s Lobrede auf Friedrich II. (Leip-

zig 1781) das unterdrückte *Xenion* 113 (467): *Im Überfahren. / Noch ein Phantom stieg ein. Das las uns eine Gedächtniß-/Rede auf Preußens Monarch, während wir ruderten, vor (I/5¹, 285)*. Hier wurde E. als lebendig-tot, als *Phantom,* in Schillers Unterwelt-Zyklus genannt. Wahrscheinlich blieb das *Xenion* ungedruckt, um den Mitarbeiter der „Horen" zu schonen. *Sz*

Die Brautbriefe Wilhelms und Carolinens vHumboldt. Leipzig 1921. – Briefwechsel zwischen Schiller und Humboldt. Stuttgart 1900. – Schiller-NatA., Bd 27, 34, 35. – FDingelstedt: Valentin Teichmanns Lit. Nachlaß. 1863. – KSchröder: J.J.Engel. 1897. – HDaffis: Engel als Dramatiker. 1899. – EAPaepcke: Engel als Kritiker. Diss. Freiburg 1928. – RRiemann: Engels Herr Lorenz Stark. In: Euphorion 7.

Engel / Erzengel. Goethe entwickelte in seiner Auffassung und Darstellung der E. keine Eigenheiten, die ihn in unauflöslich scharfen Gegensatz zu den kirchlichen Traditionen des *Christentums gebracht hätten. In der Welt des *Protestantismus geboren und aufgewachsen, kannte er von Hause aus keine spezifische Angelologie. Was sich vornehmlich in den Alterswerken *(DuW; WÖD; Faust)* an E.-Gestalten findet, läßt sich mit den Glaubenssätzen des *Katholizismus wohl vereinigen. Manches davon ist gleichsam selbstverständliches Bildungsgut beider Konfessionen und bereits in Kindheits- und Jugendtagen aufgenommen und bewahrt, aber kaum je zu bloßen und blassen Namen abgewertet. Weniges weist daraufhin, daß Goethe mit der Überlieferung freier und nach den Maßen des eigenen Schöpfertums schaltet. Die sieben Engelchöre (Seraphim, Cherubim, Throne, Fürsten, Herrschaften, Gewalten, Kräfte) – entsprechend den „sieben Geistern, die da sind vor SEINEM Stuhl" (OffJoh. I, 4; *Bibel Sp. 1180) – werden nicht deutlich unterschieden. Sie erscheinen summarisch als *himmlische Heerschaaren,* als *Himmlische Heerschaar* zB. im *Faust (I/14, 19; I/15¹, 320),* einzeln werden gelegentlich und überwiegend metaphorisch genannt die *Seraphim* (ernsthaft: I/3, 22; scherzhaft: I/5¹, 308 Nr 26), die *Cherubim* (nur ernsthaft, und zwar im Zorn der Vertreibungspose mit den flammenden Schwertern, dh. mit dem bemerkenswert latenten Pathos des lutherischen Augustinismus: I/3, 22; 8, 115; 14, 37; 28, 30; 38, 499). Auch die *Elohim,* denen offenbar seit früher Jugend Goethes größte Aufmerksamkeit gehört, indem er sie nach dem Beispiel der Septuaginta, der Itala (nicht der Vulgata), sogar der chaldäischen Paraphrasen (Targumim) und der syrischen Wiedergaben (Peschittho) als E. auffaßt und pluralistisch (durchaus unlutherisch) in ihnen die Viel- und

Allzahl der wirkenden, schaffenden Gottesnatur-Kräfte sieht und in diesen *seltsam genug aussehenden Welt*-Entwurf Motive aus dem Neu-Platonismus, aus der Gedankenwelt des Hermias, aus der Mystik, der Kabbalistik usw. einfügt (abgesehen von der einen souverän ironisierenden Version im *WÖD:* I/6, 16 immer nur ernsthaft und in der geistig-seelischen Höhenlage kosmogonischer Welt- und Wirklichkeitsdeutung: die *Elohim* sind die unmittelbaren Bewirker und Erhalter der morphologischen Stufenfolge des großen wie des kleinen Kosmos: vgl. dazu I/25¹, 93; 26, 205f.; 27, 219f.; 47, 171; auch Sp. 1743–1748). In diesem Zusammenhang steht für Goethe dann *Lucifer an erster und höchster Stelle, *welchem von nun an die ganze Schöpfungskraft übertragen war, und von dem alles übrige Sein ausgehen sollte. Er bewies sogleich seine unendliche Thätigkeit, indem er die sämmtlichen Engel erschuf, alle wieder nach seinem Gleichniß, unbedingt, aber in ihm enthalten und durch ihn begränzt (I/27, 218).* Lucifer wird durch seinen *Abfall* zum Ursprung alles dessen, *was wir unter der Gestalt der Materie gewahr werden, was wir uns als schwer, fest und finster vorstellen, welches aber, indem es wenn auch nicht unmittelbar, doch durch Filiation vom göttlichen Wesen herstammt, eben so unbedingt mächtig und ewig ist, als der Vater und die Großeltern (ebda 219).* Dieser grandiosen Repräsentation der *Finsternis* stehen die Manifestationen des *Lichtes* ingestalt der E.-Dreiheit *Raphael, Gabriel, Michael* gegenüber, und sie bezeugen sich selbst als Boten des HERRN in dem ungeheuren Hymnus auf die Sonne. Aber sie sind in besonderer Weise Boten. Sie stehen unmittelbar vor SEINEM Stuhl, so wie sie als *Viertes/Fünftes* in der Folge der Schöpfungstaten sogleich nach der *Eins/Zwei/Drei* (womit *der Kreis der Gottheit geschlossen* war: *I/27, 218)* ihren Platz haben. Schon hierin weicht Goethe von der angelologisch üblichen Rangordnung ab, obwohl nach mancherlei vergleichbaren Zeugnissen durchaus nicht unzulässig (FKaulen). Diese Rangordnung variiert Goethe aber weiterhin in dem *Bergschluchten*-Schluß des *Faust* so stark, daß die hierarchische Architektur der Szene sich mit keinem traditionellen Vorbild völlig identifizieren läßt – nicht mit *Dantes dichterischen Gesichten, nicht mit bildkünstlerischen Reminiszenzen, vielleicht auch nicht mit CCagliaris venetianischem Altarbild (BCroce). Die E. haben in Goethes Stufenbau der „geistigen"Welt zu allen Sphären Zugang, sie schweben auf und ab kraft metamorphosischer Verwandlungs-Lust. Sie

sind und bleiben die „Boten" eines immerwährenden „*Empor*". Sie sind dessen Wirkkräfte. So zeugen sie für die Eigentümlichkeit der goetheschen Variationsimpulse gegenüber der Tradition: der Unendlichkeitsbegriff Goethes ist nicht mehr die Statik des Kreises oder der Kugel, sondern die Dynamik der Spirale – es ist der Unendlichkeitsbegriff des modernen Weltbildes. So über das Heute hinaus „modern", daß selbst die E. darin wieder mehr als metaphorisch einen legitimen Platz haben. Diese Modernität aber – und darüber kann nur der oberflächliche Betrachter sich wundern – ist *das alte Wahre: daß das Ewge sich in allen fortregt (I/3, 82).* Goethe läßt die E. in jenen dialektischen Antagonismus geraten, ihn verkörpern, vollziehen, verkünden, kraft dessen aus Licht und aus Finsternis das Schöpfungswerk der Welt sich unaufhörlich bildet. Darum stehen sie in seinem *Welt*-Entwurf und in der morphologischen Stufen-, dh. Zahlenfolge so wesensdicht und -nah: *ursprünglich/uranfänglich* – wenngleich auch schon als *Geschaffene* – neben dem in sich geschlossenen *Kreise der Gottheit.*   *Za*

Engelbach, Johann Conrad (1744– um 1802), aus Westhofen im Unter-Elsaß (Département Bas-Rhin) gebürtig, hielt sich vom 2. V. 1770 bis zum 19. VI. 1770 als Student der Rechte in *Straßburg auf, wo er, schon als Consiliarius serenissimi Principis Saarepontani im Dienste des Fürsten von *Saarbrücken stehend, die Lizentiatenwürde erwarb, was an der Universität Straßburg sehr schnell erfolgen konnte. Diese Daten machen es unmöglich, daß E. Goethes *Repetent (I/27, 234 f.)* gewesen ist. Um E.s drei, in neun Tagen glücklich bestandene juristische Prüfungen zu feiern, wurde Ende Juni 1770 von diesem, *Weyland und Goethe der Ritt durch das Unter-*Elsaß und nach *Lothringen unternommen (I/27, 323), den jedoch E. aus Amtsrücksichten nicht über Saarbrücken hinaus fortsetzen konnte. – E. hatte Goethe Kolleghefte – *Manuscripte* – geliehen, die dieser ihm nach der eigenen Zulassungsprüfung zur Lizentiatenprüfung zurückschickte (September 1770: *IV/1, 247 f.,* wo nicht „Moritz Joseph", sondern „Johann Conrad" zu lesen ist). Der Stil des Dankschreibens erklärt sich durch Goethes Freude über sein eigenes erfolgreiches Examen, das *in der Kapitelstube* des straßburger Thomas-Stiftes stattgefunden hatte. Der Anfang des Briefes mit der Anspielung auf den *Kayser* hat E.s dreifache Leistung im Auge; der *Pabst* ist Goethe selbst als Kandidat. Das *B.-Haus ist sehr wahrscheinlich dasjenige einer straßburger Familie

Braun. A. bezeichnet den Aktuarius *Salzmann, an den Goethe sich eng angeschlossen hatte. Der *Tisch* ist die *Tischgesellschaft* in der Pension der Fräulein *Lauth *(I/27, 232ff.)*. Die *Disputation* bezeichnet die **Theses*, an denen Goethe *mit* seinem *Repetenten* arbeitete *(I/28, 44)*.   *Fu*

JFroitzheim: Zu Straßburgs Sturm- und Drang-Periode. 1888.

Engelhardt, Christian Moritz (1775–1858), ein Straßburger aus *Salzmanns Kreis und Verwandtschaft, hatte sich bereits durch die Herausgabe „der ‚Herrad von Landsberg' und des ‚Ritter von Staufenberg' (einer um 1310 erfolgten Umdichtung der Melusinensage) bekannt gemacht", als er beabsichtigte, aus mehreren, von Goethe „selbst herrührenden Reliquien" aus dessen straßburger Zeit „einen Blumenkranz zum unvergänglichen Band zwischen Goethe und *Straßburg zu winden" (Brief an Goethe, vom 26. XII. 1826, verschrieben oder verdruckt statt 1825), dh. unter dem Titel „Goethes Jugenddenkmale zu Straßburg" gewisse von Goethe selbst herrührende oder zu ihm in Beziehung stehende Texte zu veröffentlichen: 12 Briefe an Salzmann, einen Brief an *Demars, eine Abschrift der ersten Prosafassung der **Iphigenie,* die **Positiones juris,* einen Brief von Goethes Mutter an Salzmann. Die dazu erbetene Genehmigung wurde von Goethe in einem sehr verbindlichen Schreiben verweigert (1826: *IV/40, 284–287): Der erste Entwurf* der *Iphigenie* solle *der neuen Ausgabe* der *Werke* vorbehalten bleiben; *die Briefe und andere Einzelnheiten . . . zu propaliren* sei *nicht räthlich . . ., selbst nach dem Ableben des Schreibenden;* durch derartige *eingestreute unzusammenhängende Wirklichkeiten* würde die *gute Wirkung* des Berichtes in *DuW nothwendig gestört werden.* Goethe bittet E. sogar, ihm *die in Händen habenden Schriften* einzuhändigen und dafür seines *aufrichtigen Dankes und Anerkennung gewiß* zu sein. Als Gegenleistung für diese Entäußerung und um *durch irgend etwas Erfreuliches die Lücke wieder* auszufüllen, könne er E. etwas anbieten, was vermutlich *die gewünschte Wirkung hervor bringen* werde. E. sandte nur die Abschriften der Briefe an Goethe (IV/41, 15), nicht diese selbst, die der straßburger Stadtbibliothek übergeben wurden, wo Goethe sich beglückwünschte, *die Originalblätter so gut und sicher aufgehoben zu wissen.* Als Gegengabe erhielt E. einen *Festabdruck* der *Iphigenie* (1825: *ebd a 15 f.; 276)* und einen silbernen Trinkbecher. – Es ist möglich, sogar wahrscheinlich, daß Goethe gegen die Veröffentlichung der Briefe auch deshalb Einspruch er-

hob, weil sie ihn in einer Verwirrung und Unsicherheit zeigten, die bekannt werden zu lassen ihm unangenehm sein konnte. Doch scheint der später vernichtete Brief über die *conscia mens* und *leider nicht recti (IV/1, 261)* gegenüber F*Brion nicht zu den hier infrage kommenden Schriftstücken gehört zu haben. Sonst hätte E. in seinen „Einleitenden Worten" („Morgenblatt für die gebildete Welt", 1838) nicht von den „platonischen Schranken" gesprochen, in denen man sich „dieses leidenschaftliche Verhältniß" denken muß. Salzmann war verschwiegen gewesen.   *Fu*

FStrehlke: Goethes Briefe. Bd 1 (1882), S. 173.

Engelhard(t), Daniel (1788–1856), *ein schlanker Architect von Cassel (IV/20, 299),* Verehrer Bettinas v*Brentano (9), Freund der Brüder *Grimm. Weilte vom Spätherbst 1808 bis 26. I. 1809 in Weimar, „wo er im Schopenhauerschen Kreise Göthe gefiel, der ihn als Architekt in den Wahlverwandtschaften aufgeführt hat" (Bertuch an Bötticher, 12. I. 1811: GoetheJb. 10, 155; vgl. ebda 27, 193 Anm. 1 und *I/36, 70: Man wollte behaupten, ich habe ihn in früherer Zeit als Musterbild seines Kunstgenossen in den Wahlverwandtschaften im Auge gehabt).* Ursprünglich Anhänger der romantisch-neudeutsch-nazarenischen Kunstrichtung, wandte sich E. unter dem Einfluß Goethes *Palladio und dem Klassizismus zu (vgl. III/4, 177). 1811 ging er über Weimar nach Italien (ebda 176), heiratete dort, lebte später als Oberbaumeister wieder in Kassel.   *Li*

Engelhaus, Ausflugsziel mit auffälliger Felsbildung südöstlich *Karlsbad; *gegenüber stehet der Engelsberg, ein kühner, vortrefflich malerischer Felsen, und auf demselben ein altes Schloß* (1785: *NS 1, 108;* Ruine Engelsburg auf 40 m hohem Phonolitfelsen). *Er bestehet von seinem Fuße auf aus Hornschiefer (ebda).* Zum zweitenmal besuchte Goethe den Ort zu geologischen Forschungen mit dem *alten Steinfreunde* J*Müller am 22. VII. 1806: *Bey der Auffahrt von Engelhaus Granitübergänge mit Schörl, schillerndem Feldspath, abgesondertem Quarz und Schriftgranit. Schöne landschaftliche Gegenstände (III/3, 143 f.).* Goethe entwirft einige Zeichnungen, die er am nächsten Tage ausführt. Am 28. VI. 1808 geht er *mit Frau von Seckendorf, Fräulein Sylvie und Gotter* nach Tisch dorthin, wiederholt am nächsten Vormittage *mit Fräulein Sylvie den gestrigen Weg (III/3, 354;* Sv*Ziegesar; *Wahlverwandtschaften). In diesem Jahre ist Goethe nicht mehr nach E. gegangen, er hat aber im Gedenken an den Vormittags-Spaziergang mit *Sylvie* (29. VI. 1808) auf einem Wege nach und

durch *Eger St. Annen bestiegen und in der Mannigfaltigkeit der *herrlichen Aussicht* allein E. mit den Augen gesucht (19. VII. 1808: *III/ 3, 362*). Anscheinend ist er auch 1811 nicht nach E. gekommen, sondern auf der prager Chaussee nur *bis dahin wo man Engelhaus erblickt* (3. VI. 1811: *III/4, 210*). Am 7. V. 1814 beschäftigen Goethe *die Engelhäußer Steine (III/5, 105)*. Am 14. IX. 1819 führte die Vervollständigung der müllerschen Sammlung Goethe wieder nach E.: *ich ging unten umher, Carl erstieg den Felsen. Nachher Schriftgranite. Dreyeinigkeits-Capelle* (JCW*Stadelmann; *III/7, 93;* vgl. IV/32, 25; 51). Erst die Begegnung mit USv*Levetzow lockert Goethe so weit, daß er am 30. VIII. 1823 bei *ringsumwölktem Himmel* und fernem Gewitter E. nicht nur aufsucht, sondern (offenbar mit Levetzows) hinaufsteigt: *Das alte Schloß bestiegen. Wunderliche Abenteuer. Großes Gelächter. Die Dreyfaltigkeits-Capelle. Eingedenk des fehlenden Gottvaters. Strafe des Kirchenraubs. Fortgesetzte Lustigkeit. Auf dem Straßen-Hause späten Kaffee. Anlässe zu Spaß und Spott. Bey dem herrlichsten Wetter nach Hause (III/9, 105;* vgl. dazu IV/37, 298). An diesem Tage war Goethe zum letzten Male in E.   *JP*
RV S. 24; 41; 43; 46; 58; 63.
Zeichnungen:
Eine von ÖKletzl als „Ruine Engelhaus bei Karlsbad" veröffentlichte Zeichnung ist von Kennern der Örtlichkeit nicht anerkannt worden.
Seinerzeit Besitz des Antiquariates Stargardt, Berlin. Jetziger Verbleib unbekannt.
Dat. 1806?/1808?
Vgl. LMünz S. 93, Abb. 135.   *Fm*

Engelmann, Georg (1809–1884); in Frankfurt/ Main geboren, wanderte nach dem Studium der Naturwissenschaften an verschiedenen deutschen Universitäten 1833 nach Amerika aus. In St. Louis am Mississippi, wo er sich 1835 als Arzt niederließ und von wo aus er Illinois und das westliche Nordamerika bereiste, begründete er eine naturwissenschaftliche Gesellschaft. Goethe studierte am 22. und 23. II. 1832 E.s botanische Dissertation „De antholysi Prodromus": *Sehr schätzenswerth. Verfolgung und Benutzung der Metamorphose (III/ 13, 223f.;* vgl. dazu IV/49, 247).   *Sl*

Engelsburg (Rom), seit dem Mittelalter Castel S. Angelo, von Hadrian 130 nChr. in Anlehnung an die Form des *Augustus-Mausoleums begonnener Grabbau für sich und seine Dynastie, wurde erst von Antoninus Pius 139 nChr. vollendet. Die Anlage übertrifft in ihren Ausmaßen bei weitem das Vorbild. Der Pons Aelius, heute Ponte S. Angelo, führte direkt auf den Eingang des Grabmals zu. Seit der Belagerung Roms durch Alarich (410 nChr.) diente die E. als befestigter Brückenkopf. Die Aufbauten auf dem zylinderförmigen Rundbau sind im Mittelalter und in der Renaissance von den Päpsten geschaffen. In ihren Räumen befand sich unter anderem das päpstliche Staatsgefängnis, in dem auch *Cellini gefangen gehalten wurde (vgl. I/43, 92ff.?; 44, 6). Goethe war das Monument von sog. *Piranesis-Stichen im Vaterhause her seit frühester Jugend vertraut (I/26, 17). Am 29. VI. 1787 erlebte er von hier aus am Peter- und Paulstage das große Feuerwerk von St. Peter (I/32, 8f.). Ostern 1788 berichtet er: *So eben steht der Herr Christus mit entsetzlichem Lärm auf. Das Castell feuert ab, alle Glocken läuten . . . (I/32, 298).* Am 9. I. 1787 war Goethe wohl das erstemal in der E. (SGGes. 2, 404), wahrscheinlich im Oktober / November desselben Jahres notiert er: *Büste Hadrians im Castel Mit Tischb. (I/32, 439 Paralip. Nr 8.)*
LCurtius: Das antike Rom, S. 60 Abb. 164–166. *Hm*

Engels Krone, Jagdhaus (?) zwischen *Torfhaus und *Altenau im *Harz, berührte Goethe am 11. XII. 1777 nach seiner ersten *Brocken-Besteigung (III/1, 57; IV/3, 202). RV S. 17.   *JP*

Ensisheim, im Oberelsaß (Département Haut-Rhin); während seines elsässer Aufenthaltes sah Goethe dort den sog. Donnerstein, einen am 7. XI. 1492 aufgefundenen Aerolithen (I/ 28, 79). RV S. 11.   *Fu*

Entoptik/Entoptische Farben.
1. Geschichte, 2. Motive, 3. Resultate, 4. Dichtung.

1. Geschichte. In den *TuJ* 1810 schreibt Goethe vom Abschluß seiner *Farbenlehre: Die bisher getragene Last war so groß, daß ich den 16. Mai als glücklichen Befreiungstag ansah, an welchem ich mich in den Wagen setzte, um nach Böhmen zu fahren (I/36, 55).* Sehr bald aber sollten ihn die von ThJSeebeck entdeckten *Entoptischen Farben* mit neuer Kraft gefangen nehmen.
Die merkwürdige Erscheinung der Doppelbrechung war lange bekannt, und Newton hatte bereits die Frage aufgeworfen, ob die ungewöhnliche Brechung im isländischen Kristall nicht die Annahme rechtfertige, sie käme durch eine Art anziehender Kraft zustande, die nach gewissen Seiten hin sowohl den Strahlen als den Kristallteilchen innewohne. Die Vorstellung, ein Lichtstrahl könne unter gewissen Umständen nach zwei Seiten hin verschiedenes Vermögen erhalten, führte nach dem Vorbilde des Magneten zu der Bezeichnung „Polarisation des Lichtes". Hundert Jahre nach Newton erzielte ELMalus eine derartige „Seitlichkeit" am Lichte durch Reflexion unter einem bestimmten Winkel und

er erkannte das veränderte Verhalten des Lichtes an der Unmöglichkeit, es durch einen zweiten Spiegel umzulenken, sobald dessen Reflexionsebene senkrecht zu der des ersten verlief. Mit der newtonschen Korpuskulartheorie glaubte er seinen Befund durch die Annahme vierkantiger Lichtstrahlen und oktaedrischer Lichtmoleküle in Einklang bringen zu können. Goethe aber waren derartige Vorstellungen zuwider, weil sie die Einheit des Lichtes anzutasten und nichts zur Kenntnis der Farbenerscheinungen und ihrer Verhältnisse untereinander beizutragen schienen. 1815 gelang es AJFresnel, auf der Basis einer Undulationstheorie das Problem einer Seitlichkeit des Lichtes aufzulösen. Er nahm transversale Schwingungen des Lichtes an und folgerte, daß das Licht zB. durch Spiegelung gezwungen werden könne, nur noch in einer Ebene zu schwingen, was dann die Ablenkung in einer widersprechenden Richtung ausschließen mußte. Goethe nahm von dieser Undulationstheorie nicht unfreundlich Kenntnis (1820: II/5^I, 255; 305; 1822: 409–415). Er vermochte allerdings ihre besondere Bedeutung nicht zu fassen. Daß es indessen unglücklich war, bei den neuen Vorstellungen noch weiter von Polarisation des Lichts zu sprechen, konnte Goethe freilich auch nicht bemerken. Die Vorstellungen von Seitlichkeit und Wellennatur der Lichtstrahlen, die Goethes Zeitgenossen zu entwickeln begannen, blieben für die physikalische Deutung des Lichtes entscheidend. Umso bemerkenswerter ist die Tatsache, daß die Erscheinungen, die jene Gedankengänge ausgelöst hatten, Goethe auf seinem Wege seinem Ziele näher gebracht haben. Dabei stand ihm Seebeck zur Seite, der allerdings später von ihm abfallen sollte.

Seebeck war durch die Befunde der französischen Physiker Malus, JBBiot und DFArago aus den Jahren 1808–1811 angeregt worden. Besonders beschäftigte ihn eine Wiederherstellung der Reflexion im gekreuzten Spiegel des Apparats von Malus durch Einschalten doppelbrechender Substanzen sowie das Auftreten von Farben bei Verwendung von Glimmer, Gips und Bergkristall. Arago hatte solche ,,chromatische Polarisation'' auch mit einem spitzwinkligen Flintglas-Prisma gewonnen. Seebeck, der seine Versuche im August 1812 anfing, fand planparallele dicke Glasstücke, die den gleichen Effekt gaben. Bei fortgesetzten Studien bemerkte er aber, daß sich verschiedene Stellen desselben Glases verschieden verhielten und dieselben Stellen anders wirkten, sobald die Kanten des Glases

gegen die Spiegel gedreht wurden. Die eigenartig wirkenden Stellen des Glases schienen in gesetzmäßiger Weise angeordnet und diese Anordnung wiederum von der äußern Form des Glases abhängig. Der Spiegelapparat, mit dem Seebeck arbeitete, ließ jeweils nur die Untersuchung einer Stelle von etwa 4 mm Durchmesser zu. Als er endlich diese Beschränkung beseitigte, sodaß er das ganze Glasstück zwischen den Spiegeln mit einem Blick überschauen konnte, da entdeckte er am 21. II. 1813 in dem Glase regelmäßige farbige Muster, die er ,,Entoptische Lichtfiguren'' nannte, weil sie im Innern des Glaskörpers erschienen. Der erlanger Physiker JSChSchweigger war zugegen und hat uns in seinem Journal (1815) überliefert, er halte ,,diese farbigen Zauberfiguren für das schönste Phänomen'', das die Physik bis dahin aufzuzeigen hatte. Sogleich beobachteten sie, wie sich die Figuren im Glase wandelten, wenn man es um die Achse der Spiegelanordnung drehte. Betrachtete man aber die Figur bei unveränderter Lage des Glases und drehte einen der Spiegel, so zeigte sich, daß bei paralleler Spiegelstellung die entgegengesetzten Farben auftreten zu jenen, die bei gekreuzten Spiegeln gesehen wurden. Endlich war es Seebeck gelungen, beliebige Gläse planmäßig entoptische Eigenschaften zu verleihen, indem er es zur Rotglut erhitzte und danach rasch abkühlen ließ. Hingegen verloren vorzügliche entoptische Gläser ihre Fähigkeit, wenn sie geglüht und danach langsam abgekühlt wurden. Weiter konnte Seebeck bei planmäßiger Formveränderung durch entsprechenden Zuschnitt des Glases die entoptische Figur beliebig wandeln. Für diese letzten beiden Versuchsreihen erhielt er mit DBrewster zusammen den für 1816 angesetzten Preis des Institut de France zuerkannt. Dieses Ereignis veranlaßte Goethe, Seebeck um die Darstellung einer Geschichte der *Entoptischen Farben* für das erste Heft seiner Zeitschrift *Zur Naturwissenschaft überhaupt* zu bitten.

2. M o t i v e. Goethe war von Anfang an über die Arbeiten Seebecks unterrichtet worden. Noch am 28. XI. 1812 schreibt er an Seebeck, er kenne die *Bilder welche der Doppelspath hervorbringt…Sie sagen aber nichts mehr und nichts weniger als die übrigen auch, und ich habe ihrer, so wie manches andern nicht erwähnt, weil es mir um die Elemente … zu thun war (IV/23, 179)*. Am 15. I. 1813 schickt Goethe einen Aufsatz (vermutlich: *Doppelbilder des rhombischen Kalkspaths: II/5^I, 239–245*) und bemerkt: *Ich bin überzeugt, daß die genauere Be-*

trachtung der reflectirten Bilder uns über die *Doppelbilder* und über die prismatischen Farbensäume, welches auch nur Schattenbilder sind, den besten Aufschluß geben wird (*IV/23, 247*). Ganz anders aber wird Goethes Haltung zu SeebecksVersuchen, als er von der Entdeckung der Lichtfiguren erfährt (Druckbogen zu Seebeck: Einige Versuche … Schweiggers Journal VII/1813). Das bezeugen seine Briefe vom 13. IV. und 16. V. 1813. Der zweite aus Teplitz: *Auf Ihre schöne Entdeckung komme ich in Gedanken immer wieder zurück, sie eröffnet das weiteste Feld der Betrachtung, denn es kann wohl nichts überraschender seyn, als daß durch eine gewisse mäßige Lichtanregung in durchsichtigen Körpern Farbenbilder zum Vorschein kommen, die, ein Gesetz zum Grunde habend, sich nach der verschiedenen Gestaltung jener Körper bedingt und abwechselnd erzeigen. Die Analogie mit den Chladnischen Figuren ist gleichfalls höchst wichtig (IV/23, 433).* Sicher ist die sich stets erneuernde ästhetische Freude, die Goethe beim Anblick der *allerliebsten* Lichtfiguren empfand, ein wesentliches Motiv zu seiner ausdauernden Beschäftigung mit ihnen. Gesehen hat er sie wahrscheinlich erst Anfang Februar 1815, als er das *Entoptische Gestell* (Goethe V, S. 74, Abb. 1) hatte einrichten können. So schrieb er Schlosser über *diese schöne und lustige Farbenlehre (IV/25, 167)* und Knebel: *Man muß das Phänomen mit Augen sehen, weil das Wunderbare und Anmuthige davon nicht zu beschreiben ist (IV/25, 190).* Seitdem hat er viel in diesem Bereiche beobachtet und experimentiert, wie die Bestandsaufnahme seines Gerätenachlasses ausweist (RMatthaei: Die Farbenlehre im Goethe-Nationalmuseum. 1941. S. 27 bis 29; 46–48; 57; 80–86; darin Bestandsaufnahme der nachgelassenen Gerätschaften zur Entoptik S. 135–158; 208. Die Nummern dieses Verzeichnisses sind im vorliegenden Artikel durch vorangestelltes B kenntlich gemacht.). Überblickt man die etwa 70 Daten, die sich aus den Jahren 1813–1824 von Goethes Studium der *Entoptischen Farben* zusammentragen lassen und teilt man die Zeit durch Heraushebung der Jahre 1818–1820 nach den Publikationen in den Heften *Zur Naturwissenschaft überhaupt* I 1 (1817), I 3 (1820) und I 4 (1822) mit II 1 (1823), so findet man in allen drei Arbeitsabschnitten Äußerungen von gleicher Entschiedenheit zu allen Grundmotiven seines Bemühens.

Die allgemeinste Beobachtungsbedingung in *freister Welt* führt ihn bereits 1817 zu Untersuchungen über den Einfluß des Sonnenstandes. 1820 heißt es dann: *Eine reine, wolken-*

lose, blaue Atmosphäre, dieß ist der Quell wo wir eine auslangende Erkenntniß zu suchen haben (*II/5^I, 257*). Und LDvHenning schreibt er am 16. V. 1822: *Man thut überhaupt wohl, besonders wenn man andere unterrichten und überzeugen will, wo möglich bey reinem Himmel zu experimentiren (IV/36, 39).* – Weiterhin sieht Goethe in den *Entoptischen Farben* die allgemeinenBedingungen der Farbenerscheinung bestätigt. *Ich überzeuge mich immer mehr, daß die von Ihnen entdeckten … entoptischen Farben den prismatischen Erscheinungen zum Grunde liegen und daß wir diesen wunderlichen und geheimnißvollen Gespenstern von dieser Seite endlich beykommen werden. (21. I. 1816: IV/26, 227).* Und zur nähern Begründung 1820: *Was die Farben betrifft, so entwickeln sie sich nach dem allgemeinen, längst bekannten, noch aber nicht durchaus anerkannten, ewigen Gesetz der Erscheinungen in und an dem Trüben, die hervortretenden Bilder werden unter ebendenselben Bedingungen gefärbt (II/5^I, 268).* – Der Wert der *Physiologen Farbe* wird früh erkannt und mit wachsender Bedeutsamkeit ausgesprochen. CLFSchultz erhält die erste Nachricht bezüglich der bei Spiegeldrehung beobachteten Umkehrung der Entoptischen Farben, *daß der hier hervortretende Gegensatz mit dem der physiologen Erscheinungen völlig identisch ist* (19. VII. 1816: *IV/27, 106*). Dagegen gibt Goethe Seebeck am 14. I. 1817 bereits eine kurze aber durchaus hinlängliche Beschreibung des einschlägigen Versuches. *Merkwürdig, aber ganz natürlich ist es, daß bey Umkehrung des schwarzen Kreuzes in ein weißes die Farbenumkehrung auch die physiologische ist. Dieses Phänomen zeigt sich gar hübsch und bequem wenn man fortfährt in den Spiegel zu sehen, nachdem man den Cubus schnell weggenommen (IV/27, 316).* Am 1. X. 1820 bestätigt es Goethe nochmals Schultz, der ihm später für das erste Heft des zweiten Bandes *Zur Naturwissenschaft überhaupt* „Über physiologe Farbenerscheinungen" schrieb. *Ihre Untersuchungen sind Anfang und Ende des Ganzen (IV/33, 277).*

Auch die hohe Einschätzung der *entoptischen* Phänomene als Erfüllung der goetheschen *Farbenlehre* wird häufig wiederholt. Knebel gegenüber nennt Goethe sie am 1. V. 1816 zum ersten Male den *Punct aufs i* seiner *Farbenlehre (IV/27, 1).* Am 19. VII. desselben Jahres schreibt er an Schultz, in jener Entdeckung liege *eigentlich das Wort des Räthsels, das sich aber selbst aussprechen* müsse (*IV/27, 106*). Am 14. I. 1817 an Seebeck: *und ich sehe diese Ihre Entdeckung noch immer als das Tüpfchen auf's i an, wodurch das ganze Wort klar wird, anstatt daß jene Herrn vom Handwerk mit seltsamen Redensarten die einfach begreiflichen Erscheinungen verfinstern und aus dem Reiche der Natur in das Reich seltsamer Phantaseien auf ihrem eingebildeten exacten Wege hinüber schleppen (IV/27, 316).* Endlich lesen wir in einem Briefe vom 1. X. 1820 an Schultz: *Die physischen Farben erhalten auch durch das Entoptische eine unglaubliche Vollendung. Es ist, als wenn sich nach diesem Schlußstein das Gewölbe erst recht setzen wollte (IV/33, 277).*

Rätsel kleidet Goethe gern in Analogien. Seebeck dachte bereits angesichts seiner „Lichtfiguren" an diejenigen, die E Chladni mit Schallschwingungen gewonnen hatte (an Seebeck 13. IV. 1813: IV/23, 312; Chladni besuchte Goethe in Weimar am 20. VII. 1816). Im April-Mai 1817 stellte Goethe in Jena mit Döbereiner Anlauffiguren auf quadratischem Stahlblech her, die den *entoptischen* glichen (B 87a). Am 17. II. 1818 ließ er die *entoptischen* Quellpunkte auf Damast sticken (B 85). 1820 nennt Goethe auch gemodelte Zinnoberfläche, deren Zeichnung sich wechselnd hell vom Dunklen und dunkel vom Hellen abhebt (B 68). Am 7. II. 1823 schickte der breslauer Physiologe J E Purkinje auf Glasscheiben erzeugte und fixierte „Primäre Klanggestalten", die Goethe gewiß gesteigerten *entoptischen* Figuren analog fand (B 88). Analogien können schließlich symbolische Bedeutung gewinnen und münden damit in ein gemeinsames Becken, das Zustrom aus Wissenschaft und Kunst erhält. So hat Goethe in allen drei Abschnitten seiner *entoptischen* Arbeit die Einsichten, die sich ihm aufdrängten auch in der Dichtung bekundet. – Die innere Konsequenz der zusammenstimmenden Zeugnisse aus zwölf Jahren erlaubt es uns schließlich, sie unabhängig von ihrer Chronologie zu verwenden.

3. Resultate. Von Einzelergebnissen sind zwei aus der ersten (1813) und letzten (1823) Publikation zu diesem Gegenstande zu nennen, weil sie dem Beobachter Goethe Ehre machen. Die *Doppelbilder des rhombischen Kalkspats* benutzte er zur Farbenmischung – ein Prinzip, das noch Wilhelm Ostwald 1915 seinem Polarisations-Farbenmischer (Pomi) zugrunde legte. Der *neue entoptische Fall* bezieht sich auf entoptische Farben des Eises. *Bey eintretendem Frost empfehle dringend den schwarzen Glasspiegel auf die Fensterbank zu legen, und die aufthauenden baumförmigen gestalteten Eisrinden darin zu beschauen; ... Es ist wohl eins der angenehmsten Schauspiele in der ganzen Chromatik (9. I. 1824: IV/38, 16; dazu auch*

R Matthaei: Versuche zu Goethes Farbenlehre mit einfachen Mitteln. 1939, S. 99/100).

Schon als er die *Entoptischen Farben* kennenlernte, war Goethe entschlossen, sie *nach den Maximen seiner Farbenlehre auszusprechen;* aber erst die umfängliche Studie von 1820 bestimmte er als Schlußstück der Abteilung von den *Physischen Farben* im *Didaktischen Teile* seiner *Farbenlehre* (hinter § 485). Hier entwickelt er die Einrichtung, die Erscheinungen zu beobachten, in fünf Stufen (II/5^I, 281 f.). Im *einfachsten Versuch (II/5^I, 257 f.)* verwendet er nur ein raschgekühltes quadratisches Glasstück, das er waagrecht auf einen dunklen Grund legt, um in der spiegelnden Unterfläche den reinen blauen Himmel zu betrachten, während ihm die tiefstehende Sonne im Rücken bleibt. *Der directe Widerschein* der Sonne läßt so in den vier Ecken des Glases auf hellem Grunde vier dunkle Punkte entstehn. Darauf wendet er Blick und Glas senkrecht zu der bisherigen Richtung und erkennt im Spiegel unter dem jetzt wirkenden *obliquen Widerschein* helle Punkte im dunklen Felde. – Für den *zweiten gesteigerten Versuch (II/5^I, 259 f.)* legt Goethe dann einen Schwarzspiegel vor sich hin und hält einen Glaskubus so dahinter, daß er dessen Spiegelbild bei durchfallendem Himmelslicht im Schwarzspiegel sehen kann. Bei dieser Anordnung werden die Punkte so ausgebreitet, daß zwischen ihnen sich im ersten Falle ein weißes Kreuz vom dunklen Grunde abhebt, unter obliquem Widerschein aber ein schwarzes vom hellen. Goethe gebraucht diesen *zweiten Apparat* besonders, die Voraussetzungen zu studieren, die das Himmelslicht für das Zustandekommen der *entoptischen Figuren* stellt. Er fand die ganz reine Atmosphäre bei tiefblauem Himmel und einen niedrigen Sonnenstand vor allem geeignet, das Gesetz der Erscheinung darzustellen. Hingegen war beim höchsten Sonnenstande – nämlich am 21. Juni mittags – trotz klarer Atmosphäre in jeder Blickrichtung das weiße Kreuz erkennbar, mithin der Unterschied bei Beobachtung von der Sonne weg und senkrecht dazu aufgehoben (II/5^{II}, 439). Andrerseits konnten die Figuren bei Nebel oder Rauch ganz verschwinden. Solche Abhängigkeit ließ den handlichen Apparat, den Goethe erhielt, indem er ein geeignetes Glasstück durch ein Scharnier mit dem Schwarzspiegel verband (B 68), und den er auch auf Reisen mit sich führte, tauglich erscheinen, die Beleuchtung im Maler-Atelier zu prüfen. Erhielt er beim Blick zum Fenster das weiße Kreuz, so nahm er günstige Arbeitsbedingungen an (II/5^I, 308–312; 312–315). –

Der dritte Apparat (II/5[I], 269 f.) verfolgt endlich das Ziel, sich vom Wechsel der atmosphärischen Verhältnisse unabhängig zu machen.
Ein erster Schwarzspiegel fängt ein etwa waagrecht einfallendes Licht auf und wirft es senkrecht nach oben; dort wird das Licht von
einem zweiten Schwarzspiegel empfangen, der,
in der Grundstellung zum untern Spiegel parallel verlaufend, das Licht wiederum etwa
waagrecht in das Auge des Beobachters
schickt. Zwischen beiden Spiegeln des Entoptischen Gestells ist eine einfache Glas-
scheibe horizontal angebracht, auf die das
Entoptische Mittel gelegt werden kann. In Par-
allelstellung der Spiegel wirkt *der directe Widerschein,* der das weiße Kreuz bedingt. Dreht
man aber den obern Spiegel um 90 Grad, so
daß die beiden Spiegel überkreuz stehen, so
wird *der Widerschein obliquiert* und das
schwarze Kreuz erscheint. Zur Prüfung der
Gesetzmäßigkeit ersetzte Goethe den unteren
Schwarzspiegel durch einen Quecksilberspiegel
und richtete das Gerät bei blauem Himmel
und Sonnentiefstand gegen den *Seitenschein*
der Sonne und bekam bei parallelem Schwarzspiegel das schwarze Kreuz *(II/5[I], 272 f.).* Die
auf diese Weise abermals bestätigte Lehre vom
directen und *obliquen Widerschein* ist mithin
durchaus hinreichend, die Bedingungen der
entoptischen Erscheinungen anzugeben. Nur
darauf kam es Goethe an. Andrerseits deutet
das Ergebnis seines Versuches auf eine von
ihm wohl erkannte Gefahr, die den Naturforscher bedroht, wenn er sich von den unmittelbaren Beobachtungsbedingungen durch verwickelten Apparat löst (II/5[I], 288 f.). Auch
Seebecks Entdeckung konnte erst glücken,
nachdem er sich von störender Beschränkung
seines Spiegelapparates befreit hatte.
Mit dem *dritten Apparat* hat Goethe die Umkehrung der *Entoptischen Farben* durch zwi-
schengeschobene Glimmerplättchen und die
gesteigerten Figuren durch Aufeinanderschichten mehrerer Glastäfelchen untersucht. *Den
vierten und fünften Apparat* schenkte Schweiger zu Goethes Geburtstag 1818 in Karlsbad.
Sie unterscheiden sich nur im Okular. In dem
beiden gemeinsamen Mikroskopstativ hatte
Schweigger nach Entfernung der übrigen
Optik hinter den Beleuchtungsspiegel den
untern Schwarzspiegel in den Sockel einbauen
lassen. So wurde der Schwarzspiegel in den
optimalen Reflexionswinkel gebracht, wozu
der verstellbare Beleuchtungsspiegel verhalf.
Im Okular des vierten Apparats war außer
dem zweiten Schwarzspiegel ein kleiner Quecksilberspiegel angebracht, um zur Bequemlich-

keit des Beobachters das Licht senkrecht austreten zu lassen. Im Okular des fünften Apparates befand sich ein mit einem Glaskeil kom-
biniertes Kalkspatprisma, das es gestattete,
die Doppelbilder etwa eines eingelegten Glim-
merstückes in den entgegengesetzten Farben
vollständig nebeneinander zu beobachten, wie
sie bei parallel und gekreuzter Spiegelstellung
nur nacheinander zu sehen sind (II/5[I], 285
bis 288).
Seebeck begründet im 7. Bande des Schweig-
gerschen Journals (1813) seine Wiederholung
der französischen Versuche: „Ich sah mich
hierzu um so mehr aufgefordert, da Hr. Malus
die von ihm beobachteten Erscheinungen einer
Polarität des Lichtes zuschreibt und ich schon
früher das Licht in der Farbenerscheinung –
deren wahrhaft polarische Natur von Hrn. v.
Goethe begründet worden ist –, in der Wirksamkeit auf Körper untersucht und darin
gleichfalls ein polarisches Verhalten durch entscheidende Versuche erwiesen hatte." Und
weiterhin vertritt Seebeck mit folgendem
Satze Goethes Lehre. „Das Licht ist einfach,
und nur durch das, was in und an den Körpern, welche mit demselben in Wechselwirkung
treten, Nichtlicht ist, kommt eine Polarität
am Lichte hervor." Diesen Bekenntnissen läßt
sich der mit Polarität überschriebene Abschnitt von 1820 unmittelbar anschließen:
*Finsterniß und Licht stehen einander uranfäng-
lich entgegen, eins dem andern ewig fremd, nur
die Materie, die in und zwischen beide sich stellt,
hat, wenn sie körperhaft undurchsichtig ist, eine
beleuchtete und eine finstere Seite, bei schwachem
Gegenlicht aber erzeugt sich erst der Schatten. Ist
die Materie durchscheinend, so entwickelt sich
in ihr, im Helldunklen, Trüben, in Bezug auf's
Auge, das was wir Farbe nennen (II/5[I], 261).*
Die Farben-Bedingung einer *Mäßigung des
Lichts* (wie es in frühen Ansätzen heißt) und
des *Trüben* sieht Goethe in verschiedenen Umständen seiner *entoptischen Versuche* gegeben:
im *Widerschein,* besonders im *obliquen,* dann
im *Schwarzspiegel,* aber auch in der *wiederholten Spiegelung* und endlich in der Beschaffenheit der *entoptischen* Mittel selbst. Tatsächlich erscheint das weiße Kreuz im *entoptischen
Gestell* trüb für das Auge. Sehr eindrucksvoll
ist diese Beschaffenheit an einem starken Glastäfelchen zu beobachten, das Goethe nach
Brewster in eine Messingzwinge eingespannt
hat (B78a). Daher sah Goethe in den dunklen
Punkten eines quadratischen Glases geringsten *entoptischen* Grades die *Quellpuncte* der
Farbenerscheinung. *Der dunkle Quellpunct, der
sich nach der Mitte zu bewegt, und also über*

hellen Grund geführt wird, muß Gelb hervorbringen, da aber wo er den hellen Grund verläßt, wo ihm der helle Grund nachrückt, sich über ihn erstreckt, muß er ein Blau sehen lassen (II/5^I, 268). Diese Entwicklung ist offenbar der Ableitung der prismatischen Farben nachgebildet (Fbl. 198–202) und es muß hier die Frage aufgeworfen werden nach den entscheidenden Kriterien dafür, ob das Dunkle über das Helle geführt wird oder das Helle sich über das Dunkle erstreckt. – Man wird wahrscheinlich kein anderes finden können als eben, daß einmal Gelb, das andre Mal Blau entsteht. Jedoch erscheint Goethes Position abermals unangreifbar, sobald man sich seine Einsicht vergegenwärtigt, wonach die bunten Farben ein Zwischenreich erfüllen inmitten der äußersten Pole des Farberlebnisses überhaupt, nämlich Schwarz und Weiß oder gegenständlicher ausgesprochen Finsternis und Licht. Weiter erstreckt sich die goethesche *Polarität* auch auf die Bunten, wie sie im *entoptischen* Gegensatze umgewendet werden. Dazu stellt er die Farbenerscheinung gewisser Glimmerplättchen zusammen mit ihren Gegensätzen, die bei Seitenwendung des obern Spiegels sich darbieten:

Hell	*Dunkel*
Gelb	*Violett*
Gelbrot	*Blau*
Purpur	*Grün.*

– Erst was die Gegensätze zusammenschließt, macht *Polarität* aus. Sie ist Ganzheit, wie die Totalität der Gegenfarben im Kreise ausweist und damit auch den Grund zur Harmonie legt. In einer Tabelle, die Goethe am 2. X. 1805 zu den *Mittwochvorträgen* entwarf, finden wir *Dualität der Erscheinung als Gegensatz*:

> *Wir und die Gegenstände*
> *Licht und Finsternis*

weiter noch eine Anzahl von Begriffspaaren bis er abschließend setzt:

> *Physische Erfahrung:*
> *Magnet.*

Die Ganzheit des Magneten bekundet sich darin, daß man zwangsläufig zwei Magneten mit Nord- und Südpol erhält, wenn man einen Stabmagneten in zwei Stücke zersägt. Dasselbe Verhalten fand Goethe an einer *entoptischen* Figur; wenn er ein Glasstück in zwei Hälften zerschnitt (quer oder diagonal), stellte sich in jedem Stücke eine geschlossene Gestalt wieder her (II/5^I, 289–292). – Im VIII. Abschnitt, der von *Polarität* handelt, wird der leichten Umwendbarkeit der *entoptischen* Erscheinung gedacht *(II/5^I, 261 f.)*. *Durch den geringsten Anlaß wird das weiße Kreuz in das* *schwarze, das schwarze in das weiße verwandelt und die begleitenden Farben gleichfalls in ihre geforderten Gegensätze umgekehrt (ebda)*. Mit diesem Stichwort aber wird das erste Gegensatzpaar der erwähnten Tabelle beschworen; denn die *geforderte Farbe* wird von unserm Auge erzeugt, das sein Recht bekundet, *das Object zu fassen, indem es etwas, das dem Object entgegengesetzt ist, aus sich selbst hervorbringt* (Fbl. 38). Das allgemeinste Resultat der Entoptischen Farben ist ein Beitrag zu Goethes Grundüberzeugung, *daß alles im Universen zusammenhängt (II/5^I, 293)*, auch 23. XI. 1801 an FH Jacobi (IV/15, 280f.). Das notwendige Übereinstimmen von Innen und Außen offenbart sich ihm hier in drei Schichten. Bereits am 13. IV. 1813 schreibt er an Seebeck: *Es ist ein Begriff von großer Tiefe, daß jede Form des durchsichtigen Glasmittels eine innere Farbenerscheinung bestimmt (IV/23, 312)*. – Sodann klären ihm die atmosphärischen Beobachtungen die Wirkung des Spiegelapparates und die Eigenschaften des rhombischen Kalkspates. *Das atmosphärische Verhältniß ... bleibt der Grund von allem, bleibt, wie Glas zum Harz, wie Kupfer- und Zinkerscheinung, immer dasselbige* (8. I. 1819: *IV/31, 54 f.*; siehe auch IV/ 23, 247 Z. 21–28). – Als Drittes aber ist die Einsicht zu nennen, daß *der entoptische Gegensatz auch der physiologe sei (II/5^I, 293)*. Da heißt es in einer Anweisung für GDvHenning zu den Vorlesungen, die er über Goethes *Farbenlehre* in Berlin hielt: *Fangen Sie bey dem Physischen an, so liegt die Hauptlehre von der Trübe allsobald zum Grunde ... Lassen Sie dann das Subjective folgen, so können Sie den Schülern überraschend sagen: Was ihr bisher außer euch gesehen, geht auch in euch vor. Wirkung und Gegenwirkung, die ihr überall bemerktet, ereignen sich gleichfalls im Auge und zwar ganz folgerecht nach denselben Gesetzen* (23. III. 1822: *IV/35, 293*).

4. Dichtung. Der für das Schöne empfängliche Dichter weist dem Naturforscher einen Weg zu *geheimen Naturgesetzen (MuR: Hecker Nr 183)*, deren Gewinn wiederum der Dichter verkündet, der aus der Erkenntnis des Forschers neues Gleichnis schöpft.

Es ist erstaunlich, wie Goethe in den ersten Versen, die er zu den *Entoptischen Farben*, der Gräfin Julie von Egloffstein am 17. V. 1817 gewidmet, schrieb, eigentlich schon die ganze Lehre umreißt: ästhetische Ergriffenheit, Gedankenquälerei des theoretisierenden Physikers, eine Beschreibung des dritten Apparats, die Lichtfigur mit schwarzem Kreuz und tiefblauem Pfauenauge, endlich sogar den Zusam-

menklang zwischen symbolhaftem Auge *(Zeichen)* der *entoptischen Erscheinung* und dem Auge des Schauenden, als *wundersame Spiegelungen* angesprochen *(I/3, 101).*
Dem Aufsatze Seebecks über die Geschichte der *Entoptischen Farben* setzt er dann die ironisch-selbstbewußten Verse voran: *Möget ihr das Licht zerstückeln, | ... Kügelchen polarisiren, | Daß der Hörer ganz erschrocken | Fühlet Sinn und Sinne stocken. | ... Kräftig wie wir's angefangen, | Wollen wir zum Ziel gelangen (II/5^I, 228)* – 1819 folgt die Devise: *Müsset im Naturbetrachten | Immer eins wie alles achten; |* die ein *Heilig öffentlich Geheimniß* verkündet: *Denn was innen das ist außen (I/3, 88).* Ernsthafter noch spricht zu uns das an Verse Albrecht vHallers anknüpfende Gedicht: *„In's Innre der Natur -"* (1820) mit der beglückenden Versicherung: *Wir denken: Ort für Ort | Sind wir im Innern (I/3, 105).* Endlich klingt dieselbe Erkenntnis in den *Zahmen Xenien* nach, die manchen Vers enthalten, der das Erlebnis der *Entoptischen Farben* wenigstens mit einschließt. *Im eignen Auge schaue mit Lust, | Was Plato von Anbeginn gewußt; | Denn das ist der Natur Gehalt, | Daß außen gilt was innen galt (I/3, 355).*
Wenn aber jene an Haller anknüpfenden Verse sich am Ende gar ins Sittliche wenden, so findet sich im *Tgb.* vom 24. I. 1823 der Vermerk: *Auch über physische und sittliche Spiegelung (III/9, 9).* – Zu Anfang des Jahres 1823 erhielt Goethe den Bericht eines Herrn AF Naeke, der, durch *DuW* angeregt, Sesenheim aufgesucht und wirklich noch einen Zeugen der liebenswürdigen Erscheinung Friederikens gefunden hatte. Dies Ereignis des Nacherlebens schildert Goethe, sich eines der *Entoptik* entnommenen Symbols bedienend, als *Wiederholte Spiegelungen* unter 9 Punkten *(I/42^II, 56 f.;* dazu IV/36, 300). – Es beginnt mit einem *jugendlich-seligen Wahnleben,* das sich in dem Jüngling (1770/71) gespiegelt (1.) und weiterwirkt bis zur Spiegelung in *Dichtung und Wahrheit* (1814) (3.), von dort aber *in die Welt,* darin *ein schönes edles Gemüth* es empfängt (4.), den *Trieb* erhält, die *Vergangenheit heranzuzaubern* (5.) und nach herangewachsener *Sehnsucht,* die *Örtlichkeit* aufzusuchen, sich entschließt (6.). *Das Bild,* das der dort angetroffene Zeuge widerspiegelt (7.), kann sich schließlich *in der Seele des alten Liebhabers nochmals abspiegeln* (9.). – *Bedenkt man nun, daß wiederholte sittliche Spiegelungen das Vergangene nicht allein lebendig erhalten, sondern sogar zu einem höheren Leben empor steigern, so wird man der entoptischen Erscheinungen gedenken,* *welche gleichfalls von Spiegel zu Spiegel nicht etwa verbleichen, sondern sich erst recht entzünden, und man wird ein Symbol gewinnen dessen, was in der Geschichte der Künste und Wissenschaften, der Kirche, auch wohl der politischen Welt sich mehrmals wiederholt hat und noch täglich wiederholt.*　　　　　　　　Mt

RMatthaei: Vorführung entoptischer Gläser aus Goethes Besitz. In: SB der Societas physico-medica Erlangen 1938. S. 27–31. – RMatthaei: Versuche zu Goethes Farbenlehre mit einfachen Mitteln. 1939. S. 85–100. – RMatthaei: Neues von Goethes Entoptischen Studien. Mit zwei Tafeln nach Aquarellen des Verfassers und fünf Abbildungen im Text. In: Goethe V, 1, S. 71–96. – RMatthaei: Die Farbenlehre im Goethe-Nationalmuseum. 1941. S. 27–29; 46–48; 57; 80–86; darin Bestandsaufnahme der nachgelassenen Gerätschaften zur Entoptik. S. 135–158; 208.

Enzyklopädie/Enzyklopädisten: „Encyclopédie ou Dictionnaire raisonné des sciences, des arts et des métiers", das französische Reallexikon des 18. Jahrhunderts, von schon im Titel stark betontem, technischem Charakter, 1751–1772 in achtundzwanzig Foliobänden veröffentlicht. Politisch gemäßigt, ist die E. in philosophischen und religiösen Fragen freigeisterisch-fortschrittlich, dh. sensualistisch, empiristisch, deistisch, zT. auch materialistisch eingestellt; auf sozialem Gebiete greift sie ebenfalls alte Übelstände an; sie konnte deshalb nur unter Gefahren für die Beteiligten, unter Schwierigkeiten und mit Unterbrechungen erscheinen. Leiter waren *Diderot, d'*Alembert und de *Jaucourt, Mitarbeiter ua. *Voltaire, *Montesquieu (mit allerdings nur einem Artikel), *Rousseau (einige kurze Beiträge zur Musik), *Marmontel, Condillac, *Turgot, d'*Holbach. Neben diesen „Enzyklopädisten" im engeren Sinne stehen noch die „Enzyklopädisten" in der weiteren Bedeutung des Wortes, die, ohne Mitarbeiter zu sein, Mitstreiter im gleichen geistigen Lager sind: *Helvétius, *Raynal, *Morellet, *Lamettrie, Condorcet. Mehr oder weniger schnell veraltend, wie jedes derartige Werk, bleibt die E. doch ein Denkmal des menschlichen Geistes in seiner kritischen, wissenschaftlichen, auf praktische Auswirkung bedachten Form; gegenüber dem Ideal des religiösen Glaubens, der politischen und zT. auch intellektuellen Unterwürfigkeit des 17. Jahrhunderts stellt sie ein neues Ziel auf. Daher auch die ungeheure Wirkung: Die öffentliche denkende Meinung Frankreichs, und nicht nur Frankreichs, spaltete sich in die zwei Heere der Anhänger und der Feinde der E. – Schon für die Zeit um 1760 stellt Goethe den Einfluß der E. fest (I/ 26, 352); um 1770 ist er von ihrem Reichtum besonders auf dem Gebiet des Mechanischen (I/28, 64) verwirrt; ihre religiöse Stellungnahme läßt ihn gleichgültig, da er seine eigenen Ansichten schon ausgebildet hat (ebda 68); 1794 erwähnen *Die Aufgeregten* die E. als eines der revolutionären Fermente (I/18, 46); 1805 brachte *Rameau's Neffe* ihm den ganzen Fragenkomplex wieder zum Bewußtsein, auch durch *Palissots e.feindliches Lustspiel ,,Les philosophes" (I/45, 189–197). 1810 führt er *(Zur Farbenlehre. Historischer Theil. II/4, 187f.)* die e. als *ein Lexikon,* dh. *eine Sammlung des cursirenden Wahren und Falschen* an, das *die alte Confession mit Ernst und Vollständigkeit* ablegt. – Goethe hat seine Haltung zur E. nie zusammenfassend dargestellt. Man darf aber wohl annehmen, daß er, der mit einer wesentlichen *Stelle in d'Alemberts Einleitung in das große... Werk* einig geht, diesem *Inhalt, Gehalt und Tüchtigkeit* der Prinzipen, sowie *Reinheit des Vorsatzes* zuerkennt (1826: *II/11, 263*). Dem Werk, welches dem beginnenden Zeitalter der Technik Rechnung trug – 1826 las Goethe *den Artikel Mechanik* und *einige* andere *Artikel (III/10, 267)* –, konnte der Verfasser der *Wanderjahre* nur sympathisch gegenüberstehen; dem Kampf mit dem, was man das Pfäffische nennen mag, stimmte Goethe gewiß in allen Epochen seines Lebens zu, mochte er auch den materialistischen Unterbau dieses Kampfes ablehnen, wie aus dem Urteil über *Diderot's Gesinnungen und Denkweise* geschlossen werden darf (1804: *I/35, 181*). So war für ihn genug Positives vorhanden, daß er die Enzyklopädisten eine *Gesellschaft genie- und talentreicher Menschen* (1805: *I/45, 189*) nennen konnte, und als sicher anzunehmen ist, in seinem Geist sei die E. ein Teil jener *großen Traditionen und Muster,* jenes *großartigen Zustandes* gewesen, die ihn das französische 18. Jahrhundert so sehr bewundern hießen (1830: *Bdm. 4, 264f.*). *Fu*

Ephemerides (ἐφημερίδες = tägliche Aufzeichnungen, Tagebuch). Goethes E. umfassen das Titelblatt und 34 beschriebene Seiten eines Notizbuches. Sie sind seine frühsten Tagebucheinträge. Eine chronologische Ordnung mit der Angabe des Datums fehlt. Deshalb ist eine genaue zeitliche Bestimmung der Niederschrift nicht möglich. Der Hinweis auf die Lektüre der Novelle ,,L'amour paternel", die im Januarheft des ,,Mercure de France" abgedruckt ist, sowie die Schilderung eines Sonnenunterganges in der Januarmitte desselben Jahres bieten die frühsten Datierungsmöglichkeiten für den Beginn der Eintragungen. Das Ende ist noch weniger genau bestimmbar. JHvRiedesels ,,Reise durch Sizilien und Großgriechenland",

eine der letzten Lektüreeintragungen, gibt mit dem Erscheinungsjahr 1771 einen nur ungenauen Anhaltspunkt. Daß die beiden frankfurter Familien Jeannot und Fingerlin und auch JHMerck erwähnt werden, deutet vermutlich auf das Ende des Jahres 1771. Denn Goethe kehrte am 14.VIII.1771 von *Straßburg nach *Frankfurt zurück; er lernte Merck erst im Dezember 1771 kennen. Anfang und Ende des Notizheftes entstanden demnach wahrscheinlich in Frankfurt; der größte Teil während des straßburger Aufenthaltes. Die E. beginnen mit dem Leitwort *Was man treibt, / Heut dies und morgen das (Morris 2,26).* Sie enthalten Büchertitel (oft geht nicht hervor, ob das Buch gelesen oder im Zusammenhang mit einer Lektüre nur notiert worden ist), Exzerpte und Zitate (meist mit einer mehr oder weniger genauen Quellenangabe versehen; bei fremdsprachigen Werken im französischen, italienischen und lateinischen Urtext), dann und wann kurze Kommentare und kritische Bemerkungen zum Gelesenen, Beobachtungen mannigfaltigster Art, Anekdoten; Gedanken zur eigenen Arbeit, skizzenhafte Entwürfe zum *Cäsar*drama. Das Ganze ist in der Ich-Form geschrieben. Es fehlt jede Bemerkung über das persönliche Erleben: über Studium, Begegnungen, Freunde, Gespräche, Briefe, Wohlbefinden und das Alltägliche. Oft sind die Notizen rasch hingeworfen und nicht zu Ende geschrieben; einige bleiben völlig unverständlich, da sie der Regung eines Augenblicks entsprungen sind. Manches Zitat erschließt seine Bedeutsamkeit für Goethe dem fremden Leser nicht. Die bunte Reihenfolge der verschiedensten Wissensgebiete läßt keine Ordnung erkennen und verwirrt auf den ersten Blick. Aber welche Fülle und welchen Reichtum enthalten die E.: sie lassen die weitgespannte geistige Welt des jungen Goethe spüren, dessen wissensdurstige Aufgeschlossenheit sich in der mitreißenden und erregenden Folge der Eintragungen zeigt. Wechselweise oder auch zu gleicher Zeit wendet sich Goethes Aufmerksamkeit diesen Gebieten zu: Jura, Geschichte, Medizin und Naturwissenschaften, Literatur und Sprache, Philosophie, Theologie, Magie, bildende Kunst. Es fällt auf, daß die Musik in den Notizen nur wenig Beachtung gefunden hat. An die juristischen, historischen und medizinischen Vorlesungen, die Goethe in Straßburg hört, schließt sich manche Lektüre an. Stichwortartige Formulierungen über das Recht oder über einen besonderen Fall durchziehen das ganze Heft. Von den juristischen Werken wird Jacob Ayrers „Processus Juris Jocoserius" (zwischen Luzifer und Christus) für die *Faust*dichtung bedeutsam. Für sie hält Goethe wichtige Beobachtungen und Bemerkungen aus jeder Lektüre fest. Im Rahmen der historischen Studien deuten die Exzerpte aus JStPütters „Vollständigem Handbuch der Teutschen Reichshistorie" (Fehde und Faustrecht, Privatkriege der kleinen Fürstentümer) auf die ersten Vorstudien zum *Götz*. Die Titel zahlreicher medizinischer Bücher werden genannt. Die Anregung zu ihrem Studium verdankt Goethe vielleicht den Kommilitonen des Mittagstisches, die fast alle der medizinischen Fakultät angehörten. In der naturwissenschaftlichen Lektüre zeichnet sich bereits Goethes Interesse für Farberscheinungen (Beguelin, Paracelsus, Zitate aus Plinius und Properz), Meteorologie, Astronomie und ganz besonders für die Elektrizität ab.

Auf dem Gebiet der Literatur gilt Goethes Aufmerksamkeit vor allem: Cicero, Livius, Plinius, Tacitus – Horaz, Properz, Lucan; – Voltaire, Rousseau. Außerdem werden Abhandlungen über Homer und über die italienische Dichtung genannt. Kurze Notizen sind dem Geniebegriff und der Tragödie gewidmet. Die Auszüge aus einem Aufsatz über die Aufgaben des Komponisten bei der Vertonung eines Gedichtes erinnern an Goethes erste Veröffentlichung: an die „Neuen Lieder, in Melodien gesetzt von Bernhard Theodor Breitkopf" (Leipzig 1769/70). Die Lektüre Smollets, schottischer Gedichte und besonders Shakespeares (Romeo und Julia, Richard II., die Gestalt Falstaffs) deutet auf den Einfluß Herders. Herder selbst, mit dem Goethe im Oktober 1770 das erstemal zusammentrifft, wird in den E. nicht erwähnt. Seine Anregungen sprechen vor allem aus den Notizen über die Fabel, das Märchen und die Volksballade und über die nordische Literatur (Runen, Edda, Skaldendichtung, Saxo Grammaticus). *Wer in einer fremden Sprache schreibt oder dichtet, ist wie einer der in einem fremden Hause wohnt (Morris 2, 37).* In dieser Notiz klingt ein Gespräch mit Herder nach, an das Goethes Beobachtungen über die eigene Sprache anknüpfen; mundartliche Besonderheiten werden notiert und mit einem hochdeutschen oder geläufigeren Synonym erklärt.

Auf Herders Einfluß gehen wohl auch Goethes Platonstudien zurück, die er an Texten in den Übersetzungen von Mendelsohn und JBKöhler treibt. Die ausführlichsten Exzerpte, die die E. enthalten, stammen aus dem „Phaidon". Ein direkter Hinweis auf den Plan eines *Sokrates*dramas fehlt. Giordano Bruno, mit dem sich Goethe neben Platon auf philosophischem Gebiet noch beschäftigt, scheint er nicht aus den Texten, sondern nur aus sekundärer Literatur kennen zu lernen.

Zu den angeführten theologischen Werken lassen sich verschiedene Querverbindungen herstellen: Goethes Promotionsarbeit über die 10 Gebote setzt das Studium der *Bibel voraus. Die Lektüre eines Buches über die sprachschöpferische Leistung M*Luthers zeigt den schon erwähnten Einfluß Herders. Die längeren Auszüge aus der Baseler Reformationsordnung (*Basel) interessieren Goethe als Rechtsformulierungen, aber auch im Vergleich zu Luthers Ideen. Einige Gedanken, zB. die Klagen der ungetauften Kinder in der Hölle, werden für die *Faust*dichtung notiert.

Zahlreich sind die Titel magischer und alchemistischer Abhandlungen, die Goethe noch im Anschluß an seine längere Krankheit in Frankfurt fesseln.

Auf dem Gebiet der bildenden Kunst treten Lessings „Laokoon" und Josua Reynolds' Rede bei der Eröffnung der königlichen Akademie in London (1769) besonders hervor.

Den Abschluß der E. bilden kurz skizzierte Dialogstellen aus dem geplanten *Cäsar*drama, auf das sich auch schon vorher einzelne Notizen aus Cicero, Plinius und einem Buch Barbaults über das antike Rom beziehen.

Ein Blick auf das Gefüge des gesamten Heftes zeigt, daß die wechselvolle Unruhe des Anfanges abnimmt. Etwa von der Mitte an werden die Notizen und Exzerpte je nach ihrer Bedeutsamkeit ausführlicher. Gerade die ungestüme Art der Aufzeichnungen ist ein unterscheidendes Kennzeichen der E. zu den späteren Tagebüchern. Deshalb wirken sie auf den Leser, für den sie nicht gedacht sind, so unmittelbar lebendig und persönlich, obwohl Goethe nie von seiner Person spricht. Sie sind für das Verständnis des jungen Goethe ein unschätzbares Dokument.   *Gs*

Ausgaben und Kommentare: Briefe und Aufsätze von Goethe aus den Jahren 1766–1786. Hg. ASchöll. 1857. Bd 2, S. 63–78. – Deutsche Literaturdenkmale des 18. und 19. Jahrhunderts. Bd 14 (1883). Hg. EMartin. – Morris 2, 26–50; dazu 6, 143–152. – Goethes Werke. Hg. Hempel/Alt. 1910/26.. Teil 32, S. 72–92; dazu Anm. Bd 2, S. 112–116. – ArtA. 4 (1953), S. 959–983; dazu S. 1098–1101. – Goethes Werke. Cotta, Stuttgart 1956. Bd 11. Hg. GBaumann. S. 7–35. –
Vgl. Literaturangaben unter *Gespräche; *Tagebücher.

Ephesus, Dianatempel. Goethe erhielt am 31. V. 1809 (III/4, 33) eine Publikation von *Hirt, die das jüngere Artemision von Ephesos

behandelte, jenes Bauwerk, das anstelle des älteren, in der Nacht von Alexanders Geburt 356 vChr. durch Herostrat verbrecherisch eingeäscherten „Weltwunders" zu Ehren der ephesischen, mehr karisch-lydischen als hellenischen Göttin sogleich nach dem Brande erbaut wurde. In einem Brief an Hirt vom 9. VI. 1809 äußert sich Goethe über dessen Schrift (IV/20, 360; vgl. auch Bdm. 2, 327). Die *TuJ* verzeichnen: *(Hirts Werk) nöthigte ... uns durch die Restaurationen des Tempels der Diana ... in's Alterthum zurück. Zu Geschichte und trümmerhafter Anschauung mußte die Einbildungskraft sich gesellen; wir nahmen lebhaft Theil ... (I/36, 51).* Noch 1812 (10. V.) bekennt er: *Ich bin nun einmal einer der Ephesischen Goldschmiede, der sein ganzes Leben im Anschauen und Anstaunen und Verehrung des wunderwürdigen Tempels der Göttin und in Nachbildung ihrer geheimnisvollen Gestalten zugebracht hat (IV/23, 7;* vgl. dazu auch das Gedicht *Groß ist die Diana der Epheser* vom 23. VII. 1812: *I/2, 195 f.).*　　*Hm*
Grumach 425 f.; 721 f.

Epidemie (Seuche) ist die Bezeichnung für eine plötzlich auftretende und sich auf begrenztem Raum rasch ausbreitende Infektionskrankheit. Heute sind die E.n durch die Fortschritte der Medizin und vor allem der Bakteriologie zumindest in hochentwickelten Ländern weitgehend zurückgedrängt. Noch im vorigen Jahrhundert jedoch fielen auch in Mitteleuropa jährlich Tausende von Menschen diesen Krankheiten zum Opfer.
Eine große Bedeutung als Volksseuche, die noch Ende des 18. Jahrhunderts in Deutschland jährlich etwa 70000 Menschenleben forderte, hatten die S c h w a r z e n P o c k e n o d e r B l a t t e r n, unter denen auch Goethe in seiner Jugend schwer zu leiden hatte. In *DuW* berichtet er hierüber: *So fallen auch die Kinderkrankheiten unerwartet in die schönste Jahrszeit des Frühlebens. Mir erging es auch nicht anders.* Er schildert, wie ihn *ein Mißbehagen und ein Fieber überfiel, wodurch die Pocken sich ankündigten. Die Einimpfung derselben ward bei uns noch immer für sehr problematisch angesehen... Die Mehrzahl jedoch war noch immer dem alten Unheil ausgesetzt; die Krankheit wüthete durch die Familien, tödtete und entstellte viele Kinder... Das Übel betraf nun auch unser Haus, und überfiel mich mit ganz besonderer Heftigkeit. Der ganze Körper war mit Blattern übersäet, das Gesicht zugedeckt, und ich lag mehrere Tage blind und in großen Leiden. Man suchte die möglichste Linderung, und versprach mir goldene Berge, wenn ich mich ruhig verhalten und das Übel nicht durch Reiben und Krat-*

zen vermehren wollte. Ich gewann es über mich; indessen hielt man uns, nach herrschendem Vorurtheil, so warm als möglich, und schärfte dadurch nur das Übel. Endlich, nach traurig verflossener Zeit, fiel es mir wie eine Maske vom Gesicht, ohne daß die Blattern eine sichtbare Spur auf der Haut zurückgelassen ... Weder von Masern, noch Windblattern, und wie die Quälgeister der Jugend heißen mögen, blieb ich verschont (I/26, 51 ff.). Daß das Überstehen dieser Pocken zeitlebens vor neuer Infektion schützt und gelegentlich mild verlaufende Erkrankungen auftreten, eine Beobachtung, die schon recht bald in China und Indien gemacht wurde, gab den ersten Anstoß zu einer Bekämpfung. Während in China den Kindern getrocknete und zerriebene Pockenkrusten in die Nasenhöhle geblasen wurden, steckten die Inder ihre Kinder durch die Kleidung Erkrankter an. Afrikanische Sklavenhalter waren wohl die ersten, die durch Stichinfektion eine leichte Pockenerkrankung zum Zwecke der Widerstandsfähigkeit hervorzurufen versuchten. Da die Krankheit zu 25–40 % tödlich verläuft, wurde eine derartige Impfung, wie auch Goethe schreibt, von deutschen Ärzten nur ungern durchgeführt, während englische Ärzte gegen gute Bezahlung in begüterten Kreisen eine solche „Variolation" (von lat. variola = Pokke) ausführten. Es war daher besonders segenbringend, daß der englische Wundarzt Edward Jenner (1749–1823) in Berkeley/Gloucestershire beobachtete, daß das Überstehen der harmlosen Kuhpocken auch gegen die Schwarzen Pocken immun macht und mit dieser Beobachtung die heute noch angewendete unbedenkliche „Vakzination" (von lat. variolae vaccinae = Kuhpocken) einführte (veröffentlicht 1798, erstes Pockenschutz-Impfgesetz in Deutschland 1874), nachdem man auch an anderen Orten auf diese Eigenschaft aufmerksam wurde, so zB. bereits 1791 der holsteinische Lehrer Plett. *Die großen Hindernisse, welche der Einimpfung der Blattern anfangs entgegen standen, zu beseitigen,* war auch Goethes Vater *bemüht (I/25^I, 54).* In Frankfurt war es der *Stiftarzt Dr. Lehr,* dem man *die Einimpfung der Kuhpocken verdankt (I/34^I, 125;* vgl. 42^I, 23). Von durch Pockennarben im Gesicht entstellten Personen erwähnt Goethe den WF*Hüsgen (I/26, 254), FChr*Lerse (I/27, 254) und einen jungen Engländer, der eine zeitlang dem jungen Goethe freundschaftlich verbunden war und zu seiner Schwester eine Zuneigung faßte (I/27, 27).
1831 breitete sich die C h o l e r a, von Osten kommend, auch in Deutschland aus, wütete

insbesondere in *Berlin; aus Goethes Bekanntenkreis erlagen ihr zB. *Gneisenau in Posen, *Clausewitz in Breslau, *Hegel in Berlin. FW *Riemer, der seinen Sohn Bruno im August *in's Berliner Cadettenhaus gebracht hatte,* sah ihn im September *von jenem orientalischen Ungeheuer bedroht* und ließ ihn zurückholen. Für Weimar waren bereits Quarantäne-Maßnahmen ergriffen worden (*III/13, 141f.;* 307). Am 21. X. 1831 besuchten Goethe *die Doctoren Scoutetten und Maréchal, zwey sehr schätzbare Mediciner, von Berlin kommend, wo sie sich neunzehn Wochen? (Tage?) aufgehalten, um in Auftrag ihres Gouvernements nach den Bezügen der Cholera sich zu erkundigen. Sie brachten ohngefähr soviel mit als wir schon wissen, besonders den alten sittlichen Satz bestätigt, die Furcht sey größer als das Übel (III/13, 159;* vgl. auch III/12, 315; 13, 94). Aber man konnte die *Furcht* doch nicht ganz *balanciren ... scheue, flüchtende, aufgeregte Durchreisende* erregten sie stets aufs Neue. *Wir ... sind wie aus einem widerwärtigen Traum erwacht,* schreibt Goethe nach dem Abklingen der E. im Januar 1832 *(IV/49, 202).* Als Erreger dieser heute noch in Indien verbreiteten E. entdeckte 1883 Robert Koch die Spirochaete Vibrio comma.

Von der Malaria, dem durch verschiedene Plasmodien (Sporentierchen) hervorgerufenen und durch die Anopheles-Mücke übertragenen Wechsel- oder Sumpffieber hörte Goethe in Rom. ,,Überall gibt es Häuser daselbst, die wegen der Malaria nicht bewohnt werden. Oft ist es jedoch nur Vorurteil" (Bdm. 1, 179).

Auf die Syphilis (Lues, Lustseuche, Geschlechtspest, Venusplage), die wahrscheinlich durch die Entdeckung Amerikas zuerst nach Spanien, dann aber um 1493 als fürchterliche Volksgeißel über ganz Europa sich ausbreitete, bezieht sich wohl eine Stelle in *Wilhelm Meisters Lehrjahren* (I/22, 269f.).

Daß es sich bei der von Goethe erwähnten *Lungenseuche (III/11, 185)* um Tuberkulose handelt, ist anzunehmen. In Goethes Tagebüchern finden sich auch Hinweise auf das Fleckfieber, eine durch Rickettsia prowazeki hervorgerufene, sehr ansteckende Infektionskrankheit (22. III. 1813: *Kieser seine Schrift über die Fleckfieber: III/5, 25;* es handelt sich um ,,Vorbeugungs- und Verhaltungsregeln bei ansteckenden Faulfieberepidemien", Jena 1813) und auf einen *epidemischen Ausschlag in München* (2. III. 1828: *III/11, 186).*

Die verheerendste E. des Altertums und Mittelalters war die Pest, der schwarze Tod, der nach Schätzungen allein von 1347 bis 1350 in Europa ein Viertel der Bevölkerung, etwa 25 Millionen Menschen zum Opfer fielen. Goethe ist durch die Literatur schon früh mit dieser Seuche bekannt geworden (vgl. Götting S. 65f.), insbesondere auch durch *Boccaccios Dekameron, in dem dieser von der Auswirkung der großen Pest von 1348 berichtet, und durch die Cellini-Übersetzung, in der die im 16. Jahrhundert in Italien herrschenden Pest-E.n mehrfach erwähnt werden (I/43, 73; 114; 116). Gelegentlich tritt der Name dieser E. dann in Goethes Werken auf (I/18, 152; 155; 21, 117; 34^I, 30); die grauenvolle Heimsuchung wird vor allem in *Faust I* noch einmal heraufbeschworen (I/14, 54 V. 1028; 55 V. 1052). Auch Nostradamus (Michel Notredame, 1503–1566), dessen geheimnisvolles Buch *Faust* zur Hand nimmt, war ein französischer Wundarzt, der sich der Pestkranken annahm. 1894 entdeckten der Franzose A JEYersin und der Japaner SKitasato bei der Pest-E. in Hongkong als Erreger das Bakterium Pasteurella pestis.   *Sl*

Epigenese. Der Begriff der E. stammt von WHarvey (1578–1657), dem Entdecker des Blutkreislaufs; dieser unterschied bei der Entwicklung der Organismen zwischen der *Metamorphose, bei welcher aus dem vorhandenen Material des Keims durch Umformung der Organismus gebildet wird (Beispiel sind die Insekten mit ihrer Metamorphose Raupe – Puppe – Imago) und der E.; bei ihr soll ein zunächst sehr kleiner Keim im Wachstum fremdes, nicht-organismisches Material in sich aufnehmen und dabei gleichzeitig organisch formen, also dem Organismus wesensmäßig angleichen und einbauen. Aus organisch ungeformter Materie wird organismische neu gebildet und der organischen Gestalt wesensgerecht eingegliedert. Die Theorie von der E. setzt also eine formende und neuschaffende Kraft in dem sich entwickelnden Organismus voraus und ist damit eine ausgesprochen vitalistische Vorstellungsweise, gleich ob der Begriff Lebenskraft dabei verwandt wird oder nicht. Die theoretisch oft auf verschiedenste Weise begründete und durchgeführte epigenetische Vorstellung steht dementsprechend, auch wenn der Begriff der E. selber nicht ausdrücklich gebraucht wird, hinter den älteren biologischen Vorstellungen eines Paracelsus und anderer.

Das Vordringen präformationistischer Theorien (*Einschachtelungslehre) im Zug der mechanistischen Tendenzen des 17. und des beginnenden 18. Jahrhunderts drängt zunächst die theoretische Weiterbildung der epigenetischen Vorstellungen zurück. Zwar vertrat der hallenser Mediziner und Chemiker GEStahl (1659–1734) epigenetische Gedanken über die Entwicklung der Organismen; aber er blieb unter seinen Zeitgenossen damit, wie auch in manchem anderen, ein Außenseiter.

Stärker in den Mittelpunkt seiner theoretischen Erörterungen rückte das Problem der E. CF*Wolff, der dabei zT. leibnizische Ideen weiterbildete, allerdings in einer theoretisch nicht recht befriedigenden Weise. Das zentrale Problem der organismischen Gestaltbildung blieb weitgehend ungeklärt. Wolff wurde von Goethe, der in seiner Metamorphosenlehre – der Begriff Metamorphose hat bei Goethe einen anderen Sinn als bei Harvey – selber epigenetisch dachte, recht hoch geschätzt; im einzelnen jedoch hat er sich zu diesen rein theoretischen Fragen nicht geäußert, *weil alle diese Worte den Begriff eines freyen Werdens beschräncken (II/13, 51). Einschachtelung und Epigenese sind nur schwache Versuche des Verstandes, der alles mit Händen greifen will (ebda 166). Das System der Epigenese gilt für die Pflanzen und unvollkommenen (Thiere). Das System der Evolution für Thiere und vollkommnere (Pflanzen) (ebda 233).* Vielleicht verbirgt sich hinter diesen kurzen Andeutungen, die Goethe nie näher und spezieller ausgeführt hat, eine der harveyschen Unterscheidung von E. und Metamorphose in der Entwicklung der Organismen entsprechende Vorstellung.

Die moderne *Biologie hat epigenetische Gedankengänge in der Entwicklungs-„Mechanik" aufgegriffen und auch experimentell unterbaut. Die methodisch-kritische und erkenntnistheoretische Durcharbeitung und Analyse durch HDriesch, die zur Konzeption des Begriffes Ganzheit und der Wiederaufnahme des aristotelischen Begriffes Entelechie führte, hat die Produktivität des epigenetischen Denkens für die Biologie gezeigt (vgl. hier Sp. 1243; 1252; 1260f.).   *Bn*

ERádl: Geschichte der biologischen Theorien in der Neuzeit. 1913. – HDriesch: Philosophie des Organischen. 1909 uö. – HSpemann: Forschung und Leben. 1943. – LvUbisch: Die Bedeutung der neueren experimentellen Embryologie und Genetik für das Evolutionsproblem. 1942.

Epik. Als erste seiner *Naturformen der Dichtung* bespricht Goethe vor *Lyrik und *Drama das *Epos.* Er charakterisiert diese *Dichtweise* als die *klar erzählende* gegenüber der *enthusiastisch aufgeregten* Lyrik oder dem *persönlich handelnden* Drama. Die Problematik dieser Grundansätze einer poetischen Formen- oder Gattungslehre wird nur einsichtig,

wenn man nach der *Ballade als dem (goetheschen) *Ur-Ei* aller Dichtung, dh. als der „hypothetischen Urdichtung" die jeweiligen Einzelstränge der Entwicklung betrachtet. *Vers-Epik und *Prosa-Epik stellen in Goethes dichterischem Schaffen erstaunlich scharf gegeneinander abgegrenzte Bereiche dar. Zeitlich: Vers-epische Produktionen finden sich außer wenigen und fast symptomatisch unvollendeten Jugendentwürfen (zB. 1774: *Der ewige Jude;* 1784/86: *Die Geheimnisse*) nur in den „klassischen" Jahren des Mannesalters und der Schillerfreundschaft (vgl. 1793: *Reineke Fuchs;* 1797: *Hermann und Dorothea;* 1797/99: *Achilleis;* dazu auch 1797 das später als Muster-*Novelle* gestaltete *Jagd*-Projekt); prosaepische Werke durchziehen alle Lebens- und Schaffensphasen und erreichen auch allenthalben die Vollendungsstufe (zB. 1774: *Die Leiden des jungen Werthers;* 1777/1821: *Wilhelm Meister;* 1808/09: *Die Wahlverwandtschaften;* außerdem 1794/95: *Das Mährchen;* 1794/95: *Unterhaltungen deutscher Ausgewanderten;* 1826: *Novelle;* vgl. überdies *Autobiographie, *Bildungsroman, besonders *Dichtung und Wahrheit, *Italiänische Reise;* auch *Cellini). Selbst ein flüchtiger Überblick läßt erkennen, daß prosa-epische Produktionen nicht nur der Zeit, sondern zugleich der Anzahl nach weit überwiegen. Sachlich: Goethe selbst hat mehr und mehr deutlich empfunden, daß in der E. die Frage: Vers oder Prosa? ein persönliches ja ein grundsätzliches poetisches Problem ist, zB. bei der geplanten *Verwandlung der Achilleis in einen Roman (III/3, 256).* Er war sich aber alsbald ganz klar, daß hier echte Grenzen zu überschreiten waren und daß der Geist der antiken Mythen den modernen Formen sich schwer oder gar nicht fügen will. Goethe entwickelt eine zunehmend scharfe Unterscheidung, bzw. Unterscheidungs-Möglichkeit zwischen der *klar erzählenden Dichtweise* der Vers-Epik und der Prosa-Epik. Er verfuhr dabei fast noch schärfer als bei seinen definitorischen Äußerungen über *epische und dramatische Dichtung* (1797).   *Za*

Epikur (341–270 vChr.), Gründer der eudämonistischen oder gemäßigt hedonistischen Schule in seinem „Garten", die als Gegensatz der *Stoa ebenfalls bis weit in die christliche Zeit im römischen Reiche große Bedeutung hat. Sie gilt als Fortsetzung der Schule *Aristipps. Naturwissenschaftlich setzt sie *Demokrits Atomismus fort. E. tritt auch im Gedicht *Die Weisen und die Leute* auf, steht aber Goethe weit ferner als Aristipp *(I/3, 110).*   *Hi*

Epimenides/Des Epimenides Erwachen. E., sagenhafter kretischer Priester zu Knossos, machte sich um das griechische Verfassungsleben, vor allem Athens, verdient. Nach einem fünfzig Jahre währenden Schlaf in einer Felsenhöhle soll er als Seher seines Volkes erwacht sein. Goethe äußerte sich im Oktober 1788 er komme sich *wie... Epimenides nach seinem Erwachen* vor *(IV/9, 43)*. Ein ähnliches Gefühl mochte ihn erfüllen, als die siegreiche Beendigung der Freiheitskämpfe eine so sehr verwandelte Welt in Deutschland heraufgeführt hatte. *Iffland regte am 6. V. 1814 an, Goethe möge zur Rückkehr Friedrich Wilhelms III. ein Festspiel verfassen. Goethe arbeitete noch im Juni 1814 zu Bad *Berka das Festspiel *Des Epimenides Erwachen* aus, das von all seinen dramatischen Schöpfungen am zwiespältigsten beurteilt wurde und wird. Verständlich wird die eigenartige Struktur des Werkes aus der Haltung Goethes zu der politisch-kriegerischen Befreiungsbewegung in Deutschland. Die dämonische Größe *Napoleons und das einheitlich Ordnende seines Staatswillens zogen ihn an, während er andrerseits unter kriegerischer Zerstörung und nationalem Zusammenbruch im tiefsten litt. Mindestens ebenso stark war jedoch auch seine Skepsis gegenüber dem Halbwahren oder gar Falschen, das sich hinter dem Schilde vaterländischer Erhebungen verbarg (*Deutsch/ Deutschland; *Freiheitskriege; *Politik). Neben den unmittelbar geforderten Zweck, den Triumph über Napoleon festlich-allegorisch darzustellen und zu deuten, drängte sich das eigenste Anliegen des Dichters hervor, *der Nation auszudrücken, wie ich Leid und Freude mit ihr empfunden habe und empfinde (IV/24, 299)*, aber in den Erregungen des Augenblicks euphemistisch mehr zu sagen, als er realistisch meinen konnte, wie es etwa in den Worten des E. anklingt: *Doch schäm' ich mich der Ruhestunden, | Mit euch zu leiden war Gewinn: | Denn für den Schmerz, den ihr empfunden, | Seid ihr auch größer als ich bin (I/16, 376)*. Goethe nahm bei der Wahl der Themengestalt in Kauf, daß ein so entlegenes, dem nationalen Bewußtsein jener Tage abseitiges Motiv inmitten aktuellster Anspielungen befremdend wirken mußte. Mißverständnisse blieben nicht aus. Iffland schrieb: „Ich weiß nicht, wie ich zu dem schiefen Gedanken gekommen bin, ... in der Person des Epimenides die Anspielung auf unseren König zu suchen" (Gräf II, 1, 322). Das war peinlich genug, denn man sieht ja E. sich bei Beginn der Ereignisse zum Tempelschlaf niederlegen und erst nach begonne-

ner Befreiung wieder erwachen. Darum auch sah sich wohl Goethe veranlaßt, im Schlußchor des Ganzen von dem preußischen Monarchen ausdrücklich zu betonen: *Er hat, damit uns Heil geschah, | Gestritten und gewacht (I/16, 381)*,
Die Elemente eigentlicher dramatischer Handlung sind in dieser Dichtung auffallend viel schwächer als in anderen Festspielen Goethes, und mehr als diese betont sie das Revuehafte, nähert sich dem Charakter eines *Maskenzuges. Das geht vor allem aus dem *Programm* hervor, das Goethe seiner Dichtung nach Berlin vorausschickte und das eine Beschreibung aller Bühnenvorgänge vom Dekorativen her, zugleich die Aufschlüsselung der allegorischen Figuren enthält (I/16, 493–506). Doch zeigt das ausgeführte Stück den künstlerischen Formwillen Goethes in der strengen Symmetrie seines architektonischen Gefüges besonders deutlich. In zwei Aufzügen stehen sich Niedergang und Wiedererhebung antinomisch/dialektisch gegenüber. Böse und gute Dämonen widerstreiten einander, die Dämonen des Krieges, der List und der Unterdrückung auf der einen Seite, die Genien, Liebe, Glaube, Hoffnung auf der anderen. Zwischen ihnen wird der entscheidende Kampf ausgetragen. Die Dämonen des Bösen, Nihilistischen bringen die Kultur zum Erliegen und erzeugen eine Welt der Ruinen. Der Dämon der Unterdrückung vermag selbst Liebe und Glaube in Fesseln zu schlagen. Doch Hoffnung entrinnt seinem Zugriff, und damit endet der erste Teil, den Beginn des Glückswechsels erahnen lassend. Im zweiten Aufzuge werden Glaube und Liebe von der Hoffnung und anderen Genien wieder befreit und die verderblichen Mächte überwunden: *Doch, was dem Abgrund kühn entstiegen | Kann durch ein ehernes Geschick | Den halben Weltkreis übersiegen, | Zum Abgrund muß es doch zurück (I/16, 367)*.
Und wie im ersten Aufzuge die kriegerischen Horden der Gewaltherrschaft ausgezogen sind, die Welt zu zerschlagen, ziehen am Ende des zweiten Aktes in unmittelbarer historischer Deutlichkeit die Krieger des Freiheitskampfes ein und werden als Sieger begrüßt.
Was damals zweifellos als eine gewisse Schwäche des Festspiels empfunden wurde, das Zurücktreten äußerer Realitäten gegenüber der inneren, ideenhaften Struktur historischer Vorgänge, sichert dem Stück, indem es typische, immer wieder im geschichtlichen Geschehen hervortretende Züge festlegt, eine gewisse überzeitliche Bedeutsamkeit. In diesem *Stirb und Werde*, dem Gegeneinander nihilistischer In-

stinkte, übermenschlich-unmenschlicher Hybris einerseits und human-optimistischer Strebungen andererseits liegt der Sinn der europäischen Geschichte bis heute (*Epochen).

Die berliner Aufführung des Festspiels verzögerte sich durch den Tod Ifflands und durch Schwierigkeiten bei der musikalischen Komposition (der Komponist war BAWeber) bis zum 30. III. 1815. Am 7. II. 1816 wurde die Aufführung mit einigen Textänderungen in Weimar wiederholt. Erster Druck erfolgte 1815 bei Duncker und Humblot in Berlin. Goethe veröffentlichte eine Selbstanzeige im „Morgenblatt für gebildete Stände" (1815: Nr. 75/76) am 29. und 30. III. 1815 (I/41^I, 35 ff.). *So*

Epochen. Goethe entwickelte sowohl bei der Betrachtung und Erforschung der *Natur wie der *Geschichte morphologische Denkansätze. Demzufolge werden ihm die E. zu Entwicklungsphasen, die in einem wiederkehrenden Verhältnis zueinander stehen, aufeinander folgen und ineinander wirken. Sie gehorchen dem Gesetz von **Polarität und Steigerung* und folgen dabei – im einzelnen bisweilen sehr unterschiedlich – der **Spiraltendenz.* In ihnen manifestiert sich auf seine Weise der **Rhythmus,* der *etwas Zauberisches hat* und *uns sogar glauben macht, das Erhabene gehöre uns an* (1824: *MuR:* Hecker *Nr 248).* Man wird ihrer nicht inne, wenn man sich *in den Minutien des gränzenlos Mannichfaltigen verliert* (1829: *IV/ 46, 16).* Man verfehlt sie ebenso, wenn man *im Reflectiren sogleich vom Einzelnen in's Allgemeine gehen* will (Nachlaß: *MuR:* Hecker *Nr 1164).* Beides sind *Fehler schwacher Geister.* Gleichwohl sind in den verschiedenen Bereichen der Natur wie der Geschichte verschiedene Modifizierungen des Grundgesetzes von *Einheit/Entfaltung, Zusammenziehen/Ausdehnen, Specification/Metamorphose* wirksam, deren jeweilige Verschiedenheit Goethe in dem Entwurf adäquater *Schemata zu erfassen und darzustellen versucht. Diese auf das (qualitative) Wahrnehmen von *Gestalten hinorientierten Denkansätze trennen Goethe prinzipiell von denen, die vornehmlich im 19. und 20. Jahrhundert als Prinzipien der exakten Wissenschaften auf die (quantitative) Bewältigung der Massen ausgerichtet sind. Goethe richtete seine Aufmerksamkeit daher auf Zusammenhänge (*Grund und Folge* sind seine Worte dafür mehr als Ursache und Wirkung), deren Gliederungs- und Bildungselemente ihm die E. waren, um in der Trennung und aus dieser heraus das Gemeinsame als eigentliches, *höheres Geschäft (II/1, 296)* zu betreiben. *Za*

Erasmus, Desiderius, von Rotterdam (um 1466–1536) der berühmte Humanist, der nach Studium in verschiedenen Ländern schließlich in Basel und Freiburg i. Br. lebte. Zwar überliefert Riemer *(Bdm. 1, 487)* Goethes skeptische Äußerung, *Erasmus gehöre zu denen, die froh sind, daß sie selbst gescheit sind, und keinen Beruf finden, andre gescheit zu machen, – was man ihnen auch nicht verdenken könne.* Aber er gedenkt des bekannten „Lob der Torheit" (Encomium moriae, 1509) in den Versen I/3, 165 und empfiehlt 1797 Schiller die Anschaffung der oft aufgelegten Sprichwörtersammlung, der „Adagia". *Rt*

Erdbeben sind Erschütterungen der Erdrinde, sei es daß nur ein leichtes, ohne Meßinstrumente nicht merkliches Zittern oder daß heftige, zerstörende Bewegungen auftreten. Sie sind Auswirkungen von Vorgängen der Tiefe; ihre Erforschung ist eines der wichtigsten Hilfsmittel zur Klärung des Aufbaus des Erdkörpers und des Erdinnern. Die schwachen, mikroseismischen Bewegungen, die fast dauernd stattfinden, sind erst durch die modernen Registrierinstrumente erkennbar geworden. Für das Zeitalter Goethes traten nur die selteneren stärkeren E. ins Bewußtsein; vor allem die sehr seltenen Katastrophenbeben beschäftigten die Menschen frühzeitig und stark. In ihrer Verbreitung sind sie an die Zonen junger Gebirgsbildung und des jungen *Vulkanismus gebunden (Mittelmeergebiet, pazifische Küstenregion Asiens und Amerikas). Außerhalb dieser Hauptbebengebiete kennt man nur schwächere Erdbeben.

In den Gesichtskreis Goethes waren zwei Katastrophenbeben getreten:

1) das E. von Lissabon, das am 1. XI. 1755 die Stadt zerstörte und, nach verschieden lautenden Angaben 15000/30000/60000 Menschen das Leben kostete. Der Eindruck, den es auf den Knaben Goethe machte, ist nur ein Widerschein der geistigen Erschütterung, welche die denkenden Geister der Zeit ergriff. *Voltaire ua. benutzte die Gelegenheit zu einem Angriff auf den Optimismus von *Leibniz und *Pope („Poème sur le désastre de Lisbonne ou examen de cet axiome: Tout es bien"); JJ*Rousseau erwiderte in seiner „Lettre à M. de Voltaire ..." vom 18. VIII. 1756. Goethe kannte diese Auseinandersetzung (I/26, 41–43);

2) das E. von Calabrien (*Messina) vom 5. II. 1783, das die Stadt Messina vollständig zerstörte und rund 30000 Opfer forderte. Das zerstörte und nicht wieder, bzw. nur behelfsmäßig wieder aufgebaute Messina besuchte Goethe

auf der *italienischen Reise im Mai 1787; er gibt eine lebendige Schilderung der Zerstörungen.

Gelegentlich wird auch noch eines schwachen E.s im *Erzgebirge Erwähnung getan (NS 2, 423). Selbst hat Goethe kein E. erlebt. In die geologische Theorienbildung Goethes treten die E., die für uns entscheidende Bedeutung hinsichtlich der Probleme des Baues des Erdkörpers und der Gebirgsbildung gewonnen haben, nicht eigentlich ein.

Daß sich Goethe jedoch auch über die E. seine Gedanken gemacht hat – wie sollte es auch anders sein bei seinem auf den Gesamtzusammenhang alles Geschehens gerichteten Denken –, zeigt eine kurze Notiz von 1822. Wenn wir unter dem Stichwort *Innerer Zusammenhang der Erde* und unter ausdrücklicher Erwähnung des *Lissabonner Erdbebens* lesen, daß die Erde *nicht durch Höhlungen und Klüfte* zusammenhängt, *sondern durch stetigen Bau und unmittelbare Berührung. Daher die Möglichkeit einer galvanischen Kette (NS 2, 249)*, so erkennen wir, daß die goethesche Vorstellung auch hier andere Wege ging als die zeitgenössischen Theorien, die die E. im wesentlichen als „Einsturzbeben" deuteten, als Folge von Zusammen- und Einbrüchen über großen Hohlräumen in der Tiefe – Vorgänge, die in der Tat vorkommen (Karst, Dolinenbildung), aber nur ganz lokaler Art sind und nicht eigentliche E. bewirken. Goethe suchte die Deutung im Rahmen der Vorstellungen, die er sich im Zusammenhang mit seiner Breccientheorie entwickelt hatte: Die Solideszenz, der Übergang der Gesteine aus dem flüssigen in den festen Zustand ist mit einer inneren Erschütterung verbunden (*Breccie, *Trümmerachat). Es sind *elektrische, galvanische, nicht Schläge, sondern Entwickelungen aus einem Innern (NS 2, 98)*. Man darf nach den mehr als kurzen Andeutungen, die nie näher ausgeführt wurden, annehmen, daß Goethe an ähnliche innere Erschütterungen dachte, wie sie den Vorgang der E. auslösten.

Der Großteil der E. ist nach heutiger Vorstellung tektonischer Natur; dh. die Erschütterungen entstehen durch Auslösung von Spannungen in der Erdkruste. Eine Erklärung, die aber nicht zureicht für die sehr tief, unterhalb der starren Erdkruste liegenden Erdbebenherde. Für sie hat man die Möglichkeit ins Auge gefaßt, daß ein „unterkühlter" Glutfluß aus irgendeinem Grund plötzlich auskristallisiert und die damit verknüpften Volumänderungen die Erschütterung bewirken,

was in modernisierter Ausdrucksform die goethesche Deutung: Erschütterung durch und bei Solideszenz wäre.   *Bn*

Erde/Erdgeschichte. Erde als ein strukturierter Körper, dessen Aufbau Anlaß zur Forschung gibt, wurde erst relativ spät zu einem Thema der Wissenschaft. Bis zu Wiechert und seinen systematischen Erdbebenforschungen hatte man sich mit allgemeineren Vorstellungen begnügt, die mehr oder weniger spekulativ waren, da ein unmittelbarer Zugang zum Erdinnern nicht vorhanden war und ist.

Athanasius Kircher (1602–1680), ein Jesuitenpater, der eine Theorie über den Aufbau der Erde entwickelte, nahm an, daß der Erdkern hohl und von einem Urfeuer erfüllt sei, woraus der Vulkanismus resultiere, wenn dieses Urfeuer durch die Erdrinde an die Oberfläche durchbreche. Mit dem Seitenblick auf den *Vulkanismus hat sich Goethe darüber lustig gemacht: *Nun aber waltet ganz gewiß | Im innern Erdenspatium | Pyro-Hydrophylacium, | Damit's der Erdenoberfläche | An Feuer und Wasser nicht gebreche (NS 2, 177)*. Und später: *Vater Kircher, um gewisse geologische Phänomene zu erklären, legt mitten im Erdball ein Pyrophylacium an ... Braucht man einen Vulkan, so läßt man die Glut selbst durch die geborstene Erde durchbrechen, und alles geht seinen natürlichen Gang (ebda 354)*. Zwar hatte Goethe ursprünglich angenommen, daß vor der Bildung des Urgebirges *die Masse ... durch ein innerliches Feuer in einer gleichen Auflösung erhalten ward ...*, aber *das innerliche Feuer scheint keine solche Feindschaft mit dem Wasser gehabt zu haben als das entbundne (NS 1, 96)*. Mit der Ausscheidung des Urgebirges aber hatte auch in dieser Hinsicht eine Sonderung stattgefunden; der Erdkern und Erdkörper ist starr und kalt, das Feuer ist entbunden, eine Vorstellung, die sich weitgehend mit der zeitgenössischen deckte. Daraus ergab sich ja das besondere Problem des Vulkanismus und der Entstehung der vulkanischen Hitze nahe der Erdoberfläche, die *Buffon mit dem Auftreten des Schwefels in Verbindung gebracht hatte und der *Neptunismus durch seine Flözbrandtheorie erklärt hatte.

Diese Vorstellung hat sich schon zur Zeit Goethes als unrichtig erwiesen, als man erkannt hatte (worauf der Vulkanismus Lv*Buchs sich mit Recht berief), daß in tiefen Bergwerken nach dem Erdinnern zu die Temperatur zunimmt (geothermische Tiefenstufe). Goethe hat diese Erfahrungen nicht mehr in seine Vorstellung eingebaut, wie er ja auch den

*Vulkanismus bis zum Schluß ablehnte. Er blieb bei seiner ursprünglichen Annahme der *Entstehung aus dem Flüssigen (NS 1, 305)* des Urmeeres unter Entbindung des innerlichen Feuers. Aber – und das kennzeichnet die spezifisch goethesche Betrachtungsweise – der Erdkörper blieb ihm lebendig, dessen gesetzmäßige Bewegung wir *uns als lebendige Spirale, als belebte Schraube ohne Ende* versinnlichen *(II/12, 101)*. Im Elementaren war *die Anziehung der Erde stärker (NS 2, 357)*. Aber auch weiterhin zeigte sie *ein gewisses Pulsiren, ein Zu- und Abnehmen, ohne welches keine Lebendigkeit zu denken wäre (II/12, 100)*. Ja, es wurde sogar erwogen, *das Erdbeben als entbundene tellurische Elektricität, die Vulcane als erregtes Elementarfeuer anzusehen, und solche mit den barometrischen Erscheinungen im Verhältniß zu denken (II/12, 102)*, ein Gedanke, der freilich nicht weiter verfolgt wurde, da *hiemit... die Erfahrung nicht* übereintrifft *(II/12, 105)*. Festgehalten aber wird die Vorstellung, daß die regelmäßigen barometrischen Oszillationen (*Barometer) Ausdruck eines Pulsierens des Erdkörpers seien. Es wird in diesem Zusammenhang auf die wichtige *magnetische Beobachtung ... eines täglichen Steigens und Fallens der Inclination* hingewiesen; *Pulsschlag der Erde (II/12, 233)*.   Bn

RSchwinner: Lehrbuch der physikalischen Geologie. Bd. 1. Die Erde als Himmelskörper: Astronomie, Geophysik, Geologie in ihren Wechselbeziehungen. 1936.

Erdmannsdorff, Friedrich Wilhelm von (1736 bis 1800), kam früh an den Hof von LFF von *Anhalt-Dessau (1), ging 1761 nach Italien, 1763 als Begleiter und Freund des Fürsten nach England und Holland, wo er sich erst zum Studium der *Architektur entschloß. Entscheidend für ihn wurde seine zweite Italienreise durch die Bekanntschaft mit *Winckelmann und durch den Unterricht bei ChLClérisseau. 1769–1773 entstand sein wichtigstes Bauwerk, das *wörlitzer Schloß. In diesem und in seinen anderen Bauten in *Dessau und Umgebung war er der Vertreter eines frühen, an *Palladio und dem englischen Palladianismus orientierten*Klassizismus, der auf die folgenden deutschen Klassizisten – er war der Lehrer FGillys und schuf auch für Sanssouci und das Schloß Berlin einige Zimmer – von nachhaltigstem Einfluß war.

Goethe lernte E. im April 1780 in *Leipzig kennen (III/1, 116); E.s *Thätigkeit* in Dessau und *Wörlitz würdigte er in *DuW (I/27, 183f.)*.   Wt

EPRiesenfeld: Erdmannsdorff. 1913.

Erdreich oder *Dammerde* nennt Goethe den Boden, den er für angeschwemmt hält *(NS 1, 105)*.   Gu

Erdschlacke (vulkanische Schlacke) ist die porös schlackig erstarrte *Lava, entweder von der Oberfläche eines Lavastromes oder in Form von mannigfach geformten Auswürflingen. Die Schlacken spielten bei der Beurteilung fossiler Vulkanvorkommen im Zeitalter Goethes eine große Rolle. Schlacken und nachweisbare Krater waren Voraussetzung dafür, daß ein Vorkommen wirklich als vulkanisch anerkannt werden konnte. Da bei den Basaltvorkommen solche oftmals fehlen, sah man hierin einen wesentlichen Beweis gegen die vulkanische Natur des *Basalts. So spielten auch für Goethe bei allen Untersuchungen vulkanischer Vorkommen die Schlacken immer eine große Rolle; sie nehmen in seinen Beschreibungen und Aufsammlungen einen großen Raum ein. Dazu kam noch ein weiterer Grund: Goethe, der wie ein großer Teil seiner Zeitgenossen die vulkanischen Herde sehr flach annahm, betrachtete die Schlacken wie die Lava als Umschmelzungsprodukt normaler Gesteine infolge der vulkanischen Hitze. Daher kam es ihm, wie auch die Beschreibungen seiner Aufsammlungen immer zeigen, wesentlich darauf an, *sich umzusehen, ob es wohl möglich sei, die ursprüngliche Steinart zu entdecken, aus welcher die veränderte hervorgegangen (NS 2, 163)*.   Bn

Erffa, Carl Lebrecht Hartmann, Freiherr von (1761–1825), großherzogl. sächsischer Kammerherr und Geheimer Rat, übernahm nach vollendetem Studium das von der Mutter ererbte Rittergut Wernburg b. Pößneck, wurde 1810 königl. sächsischer Amtshauptmann, 1815 großherzogl. sächsischer Landrat im neustädter Kreis; betätigte sich dichterisch, pflegte in seinem Haus gebildete Geselligkeit. – Verkehr mit Goethe in Jena erwähnt 1806 (III/ 3, 131). 1817 versuchte Goethe seinen aus Weida gebürtigen *Diener Ferdinand Schreiber, den er wegen einer Infektionskrankheit, in seinem Dienst nicht länger behalten wollte, durch E. im Kreis Neustadt unterbringen zu lassen und erhielt eine abschlägige Antwort (IV/27, 313f.; 444).   Dl

MGörler: Goethe in Pößneck [und seinen Nachbarorten. ²1932. S. 41–47.

Erfurt, an der Gera, *merkwürdig* in einem *Kessel* liegend. *Er scheint sich in der Urzeit gebildet zu haben, da noch Ebbe und Fluth hinreichte, und die Unstrut durch die Gera heraufwirkte (1797: I/34¹, 218f.)*. Am Ende des 16. Jahrhunderts noch mit 60000 Einwohnern, dann aber durch Kriege in seiner Bevölkerung stark reduziert, hat E. 1827 als aufstrebende Stadt 21330 Einwohner in 2781 Häusern. Seit dem frühen Mittelalter mit dem Erzbistum *Mainz verknüpft, 1802 an Preußen abgetreten, kam es 1806 in Besitz Napoleons, der hier vom 27. IX. bis 14. X. 1808 die *Fürstenversammlung abhielt: *Auch ist der Einfluß dieser Epoche auf meine Zustände so wichtig, daß eine besondere Darstellung dieser wenigen Tage wohl unternommen werden sollte (I/36, 42)*. Napoleon wohnte im Regierungsgebäude, der Zar im vornehmen und modernen, hübschen Hause des Herrn Triebel und der Großfürst Konstantin im Hause des Stadtrats Ramann, Goethes Weinlieferanten. Seit 1814 wieder preußisch und Regierungssitz, hob sich E. zusehends. Erwerbsmöglichkeiten boten zB. Zucht von Gartengewächsen (vgl. auch I/6, 18 und III/2, 76f.), Wollmanufakturen, Lederfabriken (vgl. III/3, 302). An Bildungsstätten interessierte Goethe besonders: die Königliche *Akademie nützlicher Wissenschaften* – Goethe war Mitglied seit 1811 – (Michaelisstraße 39; 1378 Universitätsstiftung, 1816 aber aufgehoben: eine Mutterstätte des *Humanismus; *Faust-Reminiszenzen), das alte Gymnasium (vgl. I/50, 105; 1737 als Jesuiten-Kolleg erbaut), *Trommsdorf Institut/Apotheke (IV/21, 84;* Trommsdorffstraße?), *Thüringische Bibelgesellschaft (III/5, 298;* Michaelisstraße?), das *Corrections-Institut (III/10, 256;* ehemaliges Augustiner-Kloster, Comthurgasse 8), das *Nonnenkloster (III/13, 120;* Ursulinen-Kloster am Anger/Trommsdorffstraße). In den wenigen Notizen Goethes über Baulichkeiten E.s, die ihm erwähnenswert wurden, finden sich nur genannt: der *Dom*, dh. die Stiftskirche St. Marien (Neubau seit 1154, Erweiterungen im 14. und 15. Jh.); die *Barfüßer Kirche* der Franziskaner (1285 vollendet, Chor in seiner heutigen Gestalt 1326 hinzugefügt, Langhaus Anfang des 15. Jhs. eingewölbt). Die besondere Lage des Domes auf dem Terrassenunterbau, der sich über den Bergrand auf großen Bogen vorschiebt, und die Verbindung mit der daneben liegenden Collegiatkirche St. Severi (Neubau wohl Ende des 13. Jh.s, weitere Erneuerung um 1450) hat Goethe, obwohl er für dergleichen stets einen Blick hatte, nicht besonders vermerkt. Ferner notiert: das *Geleitshaus (III/3, 391;* neben der Statthalterei am Hirschgarten), das *hübsche Haus des Kaufmann Triebel* (alle *III/4, 227*); Gasthof „*Römischer Kaiser*" (*III/4, 215*; Am Anger); Petersberg und Cyriaksburg, wo die Gefangenen der Interventionskriege unter-

gebracht waren (darunter François Ignaz d'Oyré, General, geb. 1739), standen schon 1794 im Vordergrund (IV/10, 172; *Campagne in Frankreich, *Belagerung von Mainz;* ChF *Dumouriez). Gesellschaftliche und amtliche Veranlassungen, auch Aufgaben der *Wegebaukommission (vgl. III/1, 116f.) führten Goethe sehr häufig in die Statthalterei (später Regierungsgebäude am Hirschgarten) nach E., wo er im schon erwähnten Geleitshause wohnte als Gast *Dalbergs, des *Nachbarn und Lebensgenossen (IV/42,125)*. Goethe und Carl August nahmen auch teil an Dalbergs Assembleen, Goethe dabei zB. 1789 „in seinem zimtbraunen Bratenkleide, chapeau bas, den Degen an der Seite, Komplimente machend" (WVulpius S. 107 nach Constantin Beyer). – 1811 wohnte Goethe am Napoleonstag (15. VIII.) mit seiner Frau der Prozession und dem zweiten thüringischen Musikfest bei: *In das Geleitshaus, wo wir den Zug nach dem Dom ziehen sahen. Hierauf in den Dom ... Barfüßer Kirche. Aufführung mehrerer Musikstücke (III/4, 227)*. In E. befand sich auch eine *Abstecherbühne des weimarer Hoftheaters (vgl. I/35, 51; hier Sp. 30). – Während der Fürstenversammlung sah Goethe in dem eigens dafür umgebauten Theatersaal (Futterstraße 16) Aufführungen des *Théatre francais* (III/3, 390f., *Talma); die Leitung des Theaters hatte JJBA*Dazincourt. Goethe hat E., das an der frankfurt-leipziger Hohen Straße lag, zwischen 1765 und 1828 insgesamt über 60mal durchfahren oder aufgesucht (RV passim). Auch seine Familienmitglieder besuchten E. häufiger (III/3, 390; 6, 246; 8, 68 ua.). Vergangenheit und Gegenwart, in der Ernte eines langen Lebens gemischt, lassen 1814 bei der Durchreise an einem *Herrlichen Tag (III/5, 119)*, Verse reifen wie: *Ja es sind die bunten Mohne, | Die sich nachbarlich erstrecken, Und, dem Kriegesgott zum Hohne, | Felder streifweis freundlich decken (I/6, 18;* dazu: 368); *Sollt' einmal durch Erfurt fahren, | Das ich sonst so oft durchschritten, | Und ich schien, nach vielen Jahren, | Wohlempfangen, wohlgelitten. | Wenn, mich Alten, alte Frauen | Aus der Bude froh gegrüßet, | Glaubt' ich Jugendzeit zu schauen, | Die einander wir versüßet (I/6, 278;* dazu 451f.). P e r s o n e n : Persönliche Kontakte zu, mit und in dem nahegelegenen E. bestanden in erheblicher Zahl und Dichte. Die nachstehende Zusammenstellung beschränkt sich auf die Angabe von Einzelbeziehungen zu Persönlichkeiten aus E. selbst, soweit sie sich aus den Darstellungen des Artikeltextes und den dabei benannten Zusammenhängen (*Universität; *Amtliche Tätigkeit; *Beamtenschaft; *Fürstenversammlung; *Napoleon) nicht ergeben.

Seit 1775 erste Kontakte, darunter auch mit der Familie des späteren Kammerpräsidenten Carl Friedrich vDacheröden (1732–1809; *Humboldt) und ChrL*Redecker;

1777: ChrE*Conta (1740–1815) wird Obergeleitsmann (IV/3, 310);

1778, 22. IV.: Rv*Otto, Obrlt. (*III/1, 65);

1780, 2./5. V.: Philipp Franz Graf (seit 1806 Fürst) vdLeyen (1767–1829): *Tanzten auch einmal beym Graf Ley (III/1, 117); ebendort Abendessen und Tanz ... Der kleine* (Sohn des Grafen) *hat seine schöne Gäste mit unendlichen Kinderpossen geneckt und sie haben sich mit ihm herum gerollt. Der Stadthalter* (Dalberg, Schwager des Grafen) *war vergnügt (IV/4, 215);*

1787: Kandidatur des Freiherrn vDienheim bei der Coadjutor-Neuwahl als Gegenspieler Dalbergs (JbGGes. 11, 142–150);

1791, 15. I.: JM*Bachmann und Regierungsdirektor vBelmont (hier Sp. 536);

1798, Juni/Juli: Verbindung mit JB*Trommsdorff wegen Ferdinand Henking, Neffen von HD*Delph aus Heidelberg, der als Lehrling bei Trommsdorf eintritt (IV/13, 201; 230; 15, 17 f.);

1799, April: Susanne vKnorr, geb. Kinner vKinnersberg, Frau des mainzischen Kommandanten von E., Generalfeldwachtmeister Christian Frhr vKnorr, in Weimar (BrVoigt 2, 157; 433);

1800, 4. VI., erstmals notiert: Weinhändler ChHRamann (III/2, 298; letztmals: 21. V. 1821: III/8, 58); 28. X.: Sendung an Heinrich Dor(n)heim, Maler (III/2, 311);

1803, 18. IX.: Fühlungnahme mit Postdirektor Derling wegen Mitwirkung beim Vertrieb der JALZ (IV/16, 306);

1806, 29. X.: FJ*Haarbauer, der Goethe 1800/01 nach dem *Brownischen Dogma* (Sp. 1457) behandelt hatte, besuchsweise aus E. (III/3, 177);

1807, 15. II.: Johann Jacob Dominicus (1762 bis 1819) bei J*Schopenhauer in Weimar (III/3 193), 3. IX. 1811 übersendet er das Diplom der Akademie mützlicher Wissenschaften (IV/22, 449; 160);

1808, 27. IX.: *Bekanntschaft mit Herrn von Reck von Erfurt (III/3, 390);* 30. IX.: Höflichkeitsbesuch bei dessen Frau: Luise, geb. vIngelsleben (ebda);

1811, 15. VIII.: Intendant de Vismes: *Um 4 Uhr zum Intendanten. Tafel.* (III/4, 227);

1813, 30. XII.: Besuch von FCABvKurowsky, *Erfinder der fahrbaren Küche (III/5, 89;* weitere Bezugsstelle: *Feldfuhrküche 1814: IV/24, 115);*

1816, 18. IV.: *Prälat Muth*, Gespräch über Lage der Katholiken in E. (*III/5, 224;* IV/26, 430); 4. IX.: Wilhelm Gronau, Schwiegersohn und Biograph von ChWv*Dohm (III/5, 268), nochmals 22. VII. 1817 (III/6, 80);

1817, 3. XII.: *Geschichte der Frau von Krüdener in Erfurt (III/6, 143;* BJv*Krüdener);

1818, 2. V.: ein *Superintendent (III/6, 204);* 27. VI.: *ein Officier* (ebda *222);*

1819, 1. VIII.: *Candidat Reinhard aus Erfurt (III/7, 76);*

1821, Nov.: Dr. Christian Ernst Meyer sendet sein Werk „Bedingungen und Gesetze des Gleichgewichts" (III/8, 316);

1822, 12. III.: *Nach Tische Herr Dr. Fischer, Augenarzt von Erfurt (III/8, 175;* 1831: *Betrachtungen über Krankheit und Heilmittellehre ..., Fischers ... Abhandlung deßhalb: III/13, 174);* 1. III.: Votum für Regierungsrat Johann Friedrich Christian Werneburg (1777 bis 1851) aus *Jena: soll das Ehrenamt eines Akademie-Sekretärs in E. übernehmen; 19. XI.: *Nachricht von dem Tode der Frau von Staff zu Erfurt* (ALCWv*Staff.; *III/8, 264 f.; Collecte: ebda);

1826, 6. III.: Carl Rinne sendet seine Vignetten (III/10, 303);

1829, 13. VIII.: Christian Wenig, *Rector ... von Erfurt*, eingeführt durch MChV*Töpfer *(III/12, 111);* 22. VIII.: *ein Schulmann von Erfurt, Erlaubniß erbittend, die Bibliothek zu benutzen (III/12, 116);* 6. IX.: *Die Erfurter Gießer an der Form der großen Büste* (*David d'Angers; III/12, 122);* 20. IX.: *Einige Baulehrlinge von Erfurt* (CW*Coudray: „Freie Gewerkschule"; *III/12, 128);*

1830, 2. XI.: *Herr und Frau Regierungsrath von L'Estocq von Erfurt (III/12, 325);* 25. XII.: Pastor Johann Jeremias Kummer, schon 1828 mit Übersendung eines Gedichtes an Goethe herangetreten, wünscht Maria Paulowna seine Schrift „Die Fabelwoche..." (Gotha 1831) zu widmen, Goethe rät ab: *Zudringlichkeit eines Erfurter Predigers (III/12, 349;* 351; 412; IV/48, 52; 293);

1831, 17. V.: *Jahrmarktshändel, durch die hiesigen Schuster gegen die Erfurter begonnen. Trauriger Erfolg uralter bocksbeutelischer Herkömmlichkeiten bey ganz veränderten Umständen (III/13, 79).*   JP

Erhard, Johann Benjamin (1766–1827), der kantische Philosoph in Nürnberg, Ansbach und Berlin, studierte zunächst in Würzburg

1787, in Jena 1790/91, von wo aus er Schiller und seine Frau in Rudolstadt besuchte und seitdem mit beiden in brieflicher Verbindung blieb. Schiller besuchte ihn sowohl auf der Hin- als auch auf der Rückreise gelegentlich seines schwäbischen Aufenthalts 1793/94. Nach seinem Jena-Aufenthalt besuchte E. auf einer größeren Reise auch Immanuel Kant in Königsberg, der damals von ihm schrieb (Kants Ges. Schr. 11, S. 383): „Warum fügte es das Schicksal nicht, einen Mann, den ich unter allen, die unsere Gegend je besuchten, mir am liebsten zum täglichen Umgang wünschte, mir näher zu bringen?" E. wurde 1797 als praktischer Arzt in Ansbach, 1799 in Berlin angestellt, 1817 Mitglied der Oberexamenskommission und 1822 Obermedizinalrat. – E. war der erste, dem Schiller den Plan zu den „Horen" mitteilte (vgl. Schiller-NatA. 27, Brief vom 26. V. 1794). Er war bereits Mitarbeiter an der „Thalia" und „Neuen Thalia" gewesen („Mimer und seine Freunde. Ein Dialog"). Er wollte diese Arbeit später durch ein Gespräch über den Selbstmord ergänzen (vgl. Schiller-NatA. 34, Brief vom 25. IX. 1795). Schillers Urteil über E. findet sich im Brief an Körner vom 10. IV. 1791. In den „Horen" erschien der Anfang seiner Abhandlung: „Die Idee der Gerechtigkeit als Prinzip der Gesetzgebung betrachtet" (7. Stück, 1795). Die Fortsetzungen erschienen in Niethammers Philosophischem Journal (8. und 9. Stück, 1795). In dieser Zeitschrift steht auch E.s große Besprechung über L*Bendavids „Versuch über das Vergnügen", Wien 1794 (1. Stück). Seine Arbeit „Versuch über die Narrheit und ihre ersten Anfänge" erschien in „Wagners Beiträgen zur philosophischen Anthropologie" (Wien 1794–96). 1795/ 1797 war E. selbst Herausgeber des „Journals der bildenden Künste", das sich mit den nürnbergischen Kunstsammlungen beschäftigte. – Goethe wird auf E. durch die angeführten Abhandlungen und sicher auch durch Hinweise Schillers aufmerksam geworden sein. E. war einer derjenigen, der die *Römischen Elegien* in einem Brief an Schiller (vgl. Schiller-NatA. 34, 22. VII. 95) sehr positiv beurteilte. Schillers Gedichte hingegen verstand er nicht (vgl. seinen Brief vom 22. X. 95; Schiller-NatA. 34); seine negativen Urteile veranlaßten Humboldt zu dem Satz: „Erhards Urteil ist unbegreiflich und zeigt wenigstens, daß er im trockensten Felde der Philosophie bleiben sollte" (vgl. Schiller-NatA. 35, Brief vom 13. XI. 1795). Wie Goethe selbst (1797) E. beurteilte, berichtet JKOsterhausen

in einem Brief an E. *(Bdm. 1, 262):* „Als ich Deinen Namen nannte, fragte er mit Lebhaftigkeit: *Was macht Erhard? Ist er hier? Das ist auch ein vortrefflicher Kopf!* Ich sagte ihm von Deiner Orts- und Geschäftsveränderung. Er entgegnete: *Ein so vortrefflicher Kopf wie dieser kann sich in alle Sättel werfen".* Im Brief vom 23. II. 1830 kündigte Varnhagen vEnse Goethe die „Denkwürdigkeiten" E.s an; im Brief vom 22. V. 1830 übersandte er sie (Goethe Jb. 14, 81 u. 84). Das *Tgb.* (III/12, 248–251) enthält die Notizen über die Lektüre. Das abschließende Urteil Goethes findet sich in einem Bericht des Kanzlers vMüller: *Erhard, der Arzt, den Varnhagen treflich schildert, war eben auch ein hübsches Talent, ein guter Kopf, aber einer von den unzulänglichen Menschen, die einem so viel Qual machen, weil sie sich einbilden etwas zu seyn, etwas zu können, etwas zu sollen, dem sie nicht gewachsen sind, und aus ihrer Sphäre herausgehen* (28. VI. 1830: *UKM S. 193).*　　　*Sz*

Denkwürdigkeiten des Philosophen und Arztes J. B. Erhard. 1830. – Zu den Varnhagen-Briefen vgl. LGeiger in: Goethe Jb 14, S. 127–142. – SchillerNatA. Bd 27, 34, 35. – KVorländer: Immanuel Kant I/II. 1924.

Erlangen, die alte, mittelfränkische Universitätsstadt (seit 4. XI. 1743) an der Mündung der Schwabach in die *Regnitz, hat Goethe persönlich viermal durchreist: Mitte Juni 1788 von der ersten *Italienreise heimkehrend; am 15. III. auf dem Hin- und Anfang Juni 1790 auf dem Rückwege der zweiten Italienreise, endlich auf der Heimkehr von der dritten *Schweiz-Reise am 15. XI. 1797. Diesmal übernachtete Goethe hier *(Logie Toussaint)* und hielt seine Eindrücke fest: *Die Stadt sehr regelmäsig gebaut schöne breite Strasen des Nachts gut erleuchtet, das Schloss steht auf einen freien Plaz um die Stadt mehrere schöne Gartenanlagen und Alleen (III/2, 193;* zum übrigen I/53, 385; III/2, 2; IV/9, 208). Der nach dem Stadtbrand entworfene Stadtplan stammte von dem thüringischen Baumeister JMRichter und zeigte in regelmäßiger Bebauung zweistöckige Häuser mit Hausteingliederung und Mansardendächern. Das 1814 innen gänzlich ausgebrannte Residenzschloß war um 1700–1704 in palladianischem Geschmack, doch in nüchterner Weise erbaut worden. – Persönliche Bekanntschaften Goethes in E. bestanden in den späteren Jahren hauptsächlich mit Angehörigen der *Universität.　　*Wt*

RV S. 27; 28; 29; 35.

Ermer, Carl (Lebensdaten unbekannt), Kupferstecher und Gebrauchsgraphiker, tätig in Weimar zwischen 1810 und 1830, reproduzierte Porträtzeichnungen und -gemälde, ua. von

F* Jagemann, und Historienbilder. Goethe zog E., der *sich immer sehr billig finden ließ (IV/29, 249)*, zu verschiedenen kleineren Arbeiten heran: zur Reproduktion der heilsberger Inschrift (1818: III/6, 176; 178), die er *zierlich und sorgfältig stach (IV/29,264)*, zum Titelblatt des *Divan* (1818: III/6, 201), übertrug ihm den Holzschnitt nach *Carus Zeichnung vom Urwirbel (1822: III/8, 177) und die *Abbildung des Basaltbruchs* in Reichenberg bei Obercassel (1823: *III/9, 150*), sowie *ein Kupfer zur Morphologie* (1824:/*III/9,185*). *Lö*

Ernesti, 1) Johann August (1707–1781), bekannter Schulmann und fruchtbarer philologischer Schriftsteller, als Rektor der Thomasschule zu Leipzig seit 1734 Widersacher JS* Bachs, erschien Goethe nach dem Scheitern des göttinger Studienplans als *helles Licht (I/27, 43)*, enttäuschte ihn aber, besonders weil er den geforderten *Maßstab des Urtheils* nicht gab *(ebda 67)*.

–, 2) Johann Christian Gottlieb (1756–1802), Neffe von 1), Philolog an der leipziger Universität seit 1779. Die häufige Erwähnung seines *nicht zu erschöpfenden Werks (I/36, 109)* bestätigt Goethes Ausspruch *(ebda 86)*: *In Absicht auf allgemeineren Sinn in Begründung ästhetischer Urtheils hielt ich mich immerfort an Ernesti's Technologie griechischer und römischer Redekunst* („Lexikon technologiae Graecorum rhetoricae", 1795 „Lexicon technologiae Romanorum Rhetoricae", 1797). *Rt*

Ernstthal, sachsen-hildburghäusisches Dorf mit Jagdschloß, inmitten ausgedehnter Forsten südlich Frauenwald im Thüringer Wald gelegen, 1815: 174 Einwohner, heute Ortsteil von Schönbrunn (ehem. Unterneubrunn) – und nicht den 1707 gegründeten gleichnamigen Glasbläserort bei Lauscha – besuchte Goethe, wohl in Carl Augusts Gefolge, um dort am 3. IX. 1776 an einem *Jagen* teilzunehmen *(III/1, 20f.)*. RV S. 14. *Hk*

Eros ist für Goethe kein bloßer Name, kein konventionelles Bildungsrelikt oder -requisit – *Eros* ist ein *Urwort*, ein *orphisches (I/3, 95)*, das mit den anderen: Dämon (1), Tyche (2), Ananke (4), Elpis (5) und als deren genaues Herzstück (3) *viel Bedeutendes in einer Folge* enthält, *die, wenn man sie erst kennt, dem Geiste die wichtigsten Betrachtungen erleichtert (I/41¹, 215)*. Mögen diese Formulierungen auch erst spät fixiert sein (1820), überdies in derselben Altersphase publiziert wie die Charakterisierung des *Eros* als eine *Ausgeburt der Urzeit* neben *Amor und *Cupido *(I/49ᴵᴵ, 10)*, so reichen ihre Impulse doch in frühe Jugendstufen zurück (vgl. zB. *Behr, Sp. 965, auch

*Egmont Sp. 2076 f.). Goethe beschwört, wenn er seitdem und gewiß seit *Rom von *Eros* spricht, das, was für ihn als wesentliche, wirkliche Weltmacht sonst *Liebe heißt und was zumindest nach und durch *Straßburg etwas ganz unverwechselbar anderes für ihn geworden ist, als es etwa Amor oder Cupido je waren und sein konnten. Er beschwört eine Gottheit der Antike, eine *Ur*-Gottheit, die sich *aus alter Öde* in den *Himmel* schwang und nun von dort *niederstürzt*, aber bezeichnenderweise eine *Ur*-Gottheit des *Griechen-, nicht des *Römertums. Daß Goethe dergestalt *Eros* in die *(Bauplan-)Mitte* eines *zusammengedrängten, lakonisch vorgetragenen* Sublimats *von älteren und neueren Orphischen Lehren* stellt (*Orpheus/ Orphik), daß er Intentionen insbesondere aus der *Philosophie des *Empedokles übernimmt und weiterbildet, daß er selbst sein Gedicht über die *Urworte* in den Systemzusammenhang der *Morphologie verweist, daß er sich dazu der *Strophenform der *Stanzen bedient, daß er die Weltenfeier der *Eros*-Einweihung zur Bedingung für die nord-südliche *Faust/Helena*-Begegnung macht (*Ballade Sp. 660–664; *Klassische Walpurgisnacht – man beachte dabei die contradictio in adiecto!) – dies alles und noch vieles andere mehr bezeugt, in wie spezifischem Maße ihm *Eros* als Manifestation des Außerordentlichen, ja als Herz des Herzens gilt: *Welch feuriges Wunder verklärt uns die Wellen, | Die gegen einander sich funkelnd zerschellen? | So leuchtet's und schwanket und hellet hinan: | Die Körper sie glühen auf nächtlicher Bahn, | Und ringsum ist alles vom Feuer umronnen; | So herrsche denn Eros der alles begonnen (I/15ᴵ, 175)*.

Goethe ist in den Fundamenten dieser Konzeption wohl am nächsten verwandt mit *Platon, auch mit *Aristoteles (*Analogie; *Biologie) und – mutatis mutandis – etwa mit *Dante, endlich mit J*Böhme und mit GW *Leibniz (*Coincidentia oppositorum; *Polarität/Steigerung). *Za*

Erotenrelief (Venedig). Zwei attizistische Reliefs hadrianischer Zeit aus einer Reihe, zu der noch andere Stücke gehören (Paris), galten als Teile des sog. „Thron des Saturn". Sie stammen aus S. Vitale in Ravenna, waren im 14. Jahrhundert in eine venezianische Hausfassade eingemauert und wurden im 16. Jahrhundert in die Kirche S. Maria dei Miracoli (zu Goethes Zeit S. Giustina genannt) gebracht, wo sie Goethe sah (I/30, 135f.); 1811 gelangten sie ins Museo Archeologico (Inv. 9 u. 39. *Hm*

Wegner S. 76; Abb. 61. – IRvEinem S. 593.

Ersch, Johann Samuel (1766–1828), ist der Begründer der neueren deutschen Bibliographie. Nach Theologie-, Literatur- und Geographiestudium in Halle ging er 1786 mit *Fabri nach Jena und wurde durch ihn bei *Schütz und *Hufeland eingeführt, die den bibliographisch interessierten und bereits hervorgetretenen Mann für die Verwirklichung ihres Planes eines „Allgem. Repertoriums der Litteratur" zu gewinnen vermochten: ein Verzeichnis sämtlicher 1785–1800 erschienenen Schriften (für 1785–1790: Jena 1793/94; 1791 bis 1795: Weimar 1799; 1796–1800: Weimar 1809), einschließlich der Abhandlungen in Zeitschriften, mit Nachweisung und Charakterisierung sämtlicher Rezensionen (Keudell Nr 1116). Gleichzeitig arbeitete E. an „La France Litteraire conten. les auteurs francais de 1771 à 1796", erschienen 1797 in Hamburg, wo E. seit 1795 als Redakteur der „Neuen Hamburger Zeitung" lebte. 1800 kehrte er nach Jena zurück als Mitarbeiter an der *Allgemeinen Literaturzeitung und Universitätsbibliothekar. Erst jetzt scheint Goethe auf ihn aufmerksam geworden zu sein. In Verfolgung des schon älteren Planes eines Gesamtkataloges der weimarischen Bibliotheken erkennt er E.s bibliographische Fähigkeiten, und bald ist das dabei vorkommende *unendliche Detail* und die *vielerley Fragen* ganz *in die Hände des thätigen Ersch gelegt (IV/16, 13f.).* Daß der Plan nur zum Teil ausgeführt wird, mag nicht zuletzt daran liegen, daß die *Möglichkeit* dieses *großen Unternehmens* zu sehr *auf der Personalität des Doctor Ersch ruht (ebda 17).* 1803 geht E. mit Schütz nach Halle (Hall. *Allgemeine Literaturzeitung). Der Kontakt mit Goethe und Weimar scheint aber trotzdem weiter bestanden zu haben (vgl. 16. IX. 1807: III/3, 276), denn zu den Mitarbeitern der großen von E. zusammen mit Gruber begonnenen „Allgemeinen Encyclopädie der Wissenschaften und Künste" (Bd 1–167, Leipzig 1818–1898) gehört auch HMeyer (Ruppert Nr 515, Keudell Nr 1594 und 2160, vgl. SGGes. 35^{II}, 14).   *Gk*

Erstfeld, ansehnliches Dorf im Kanton Uri gelegen, von Goethe nicht namentlich genannt, obwohl er es auf dem Wege vom oder zum *St. Gotthard auf allen drei *Schweiz-Reisen zwischen *Altdorf und *Amsteg passiert haben dürfte. 1797 besuchte er auf dem Hin- und Rückweg die *Alte Kirche an der Jagdmatt, dh. die Gnadenkapelle Unserer lieben Frau von der Jagdmatt zu Erstfeld. Diese „älteste und bedeutendste Muttergotteskapelle an der Gotthardroute", als Wallfahrts-

kirche erstmals 1339 durch einen Ablaßbrief bestätigt, wesentlich früher begründet, seit 1477 selbständige Pfarrei, liegt „an der halbinselartigen, von der *Reuß umflossenen, legendenhaften Jagdmatt" und war bis gegen Ende des 18. Jahrhunderts „die Landeskapelle von Uri". Das von Goethe beschriebene Gemälde an der Außenwand ist ein 1791 entstandes Werk von Franz Xaver Triner.   *JP*

ThHerger: Die Muttergotteskapelle Unserer lieben Frau von der Jagdmatt zu Erstfeld. In: Borromäer Stimmen 28, 4 (1949). (Literaturhinweise).
Zeichnungen:
Corpus I 128 InvNr 101: Erstfeld.
Eigenhändige Bleistiftbeischrift: *Johanni Tag Gerstenfeld*, Bleistift.
Eine der 16 vermutlich bei Abfassung von *DuW* benutzten Reiseskizzen aus der Schweiz?   *Fm*

Erwin und Elmire, Singspiel. Goethes offenbacher Musikfreund J*André hatte nach dem Vorbild JA*Hillers im Herbst 1773 ein Singspiel „Der Töpfer" gedichtet und vertont und in Frankfurt zur Aufführung gebracht. Das veranlaßte Goethe Anfang 1775 *Erwin und Elmire* zu dichten und André zur Komposition zu überlassen. In dieser Form, mit dem ursprünglichen Prosatext voller Wärme und Leben, wurde das Werk Mai 1775 in Frankfurt, Juli 1775 in Berlin gegeben, gerade hier mit großem nachwirkenden Erfolg. Erstdruck des Textes erfolgte in *Jacobi's „Iris" (1775) mit dem *Veilchen* in Andrés Vertonung (SGGes. 11, Nr 12) als Beilage. Der KlA erschien 1776. Im gleichen Jahre komponierte Herzogin Anna Amalia die Singeinlagen (NA: Leipzig 1921) der „Oper von Goethe" mit kleinem Sinfonieorchester. In dieser Vertonung wurde das Werk 1776 dreimal, 1777/78 im ganzen viermal aufgeführt (Beisp. SGGes. 11, Nr 13, *Veilchen* SG 31, Nr 3, 4, 5). Die 1777 erschienenen „Gesänge mit Begleitung des Claviers" von PhChr*Kayser, Goethes Freund, bennen mit vier Stücken aus *EuE.* CD*Stegmann ließ im gleichen Jahre eine Vertonung sämtlicher Gesänge aus *EuE.* drucken. 1787, in *Italien, arbeitete Goethe das Werkchen um und gab ihm die heute einzig bekannte Gestalt (gehobene, dichterische Sprache in 5füßigen Jamben, Ordnung der Gesangsnummern zwecks gleichmäßiger Beschäftigung der Darsteller usw.). In dieser Form, die an Glätte und Rundung gewonnen, an Frische und Lebendigkeit verloren hatte, vertonte *Reichardt den Text, Goethe sehr zu Dank. Der KlA erschien 1793; in ihm war das *Veilchen*, Goethes Text entsprechend, als Terzett gegeben. Die Melodie blieb dem Liede auch in Reichardts Sammlung von „Goethes Liedern" (1809) und wurde volkstümlich. Außer ihr ist nur noch Kaysers Vertonung *Ihr ver-*

blühet, süße Rosen, die Goethe selbst als Umbildung einer Melodie aus *Grétry's komischer Oper „Le Magnifique" veranlaßt hatte, einigermaßen bekannt (SGGes. 11, Nr 17). *MB*

Erxleben, Johann Christoph Polykarp (1744 bis 1777), studierte zunächst, dem damals seltenen Beispiel seiner Mutter folgend, Medizin, wandte sich jedoch dann gänzlich der Physik und Chemie zu. Er wurde 1771 außerordentlicher, 1775 ordentlicher Professor der Physik in *Göttingen, sowie Mitglied der dortigen Akademie. Goethe hatte sich *aus Erxlebens Naturlehre erster Ausgabe treulich unterrichtet (II/6, 219).* Auch brachte er einen Auszug aus diesen „Anfangsgründen der Naturlehre" (1772) in seiner *Farbenlehre* zum Abdruck (II/2, 141 f.; vgl. 4, 183; 187; 194; 302; 5^I, 16; 5^{II}, 219; 223; 323; 381; 419; 11, 301). Goethe waren die ersten 6 Ausgaben dieses grundlegenden Werkes bekannt (3.–6. Ausgabe mit Zusätzen von GChr*Lichtenberg: II/13, 441; vgl. dazu IV/10, 335; 31, 108). Darüber hinaus besaß und benutzte er auch andere Schriften E.s (vgl. Ruppert Nr 4526–4529). *Sl*

Erzgebirge, das diesen Namen seinem Reichtum an Erzen verdankt, ist der südwestlich-nordöstlich streichende Mittelgebirgszug in der Grenzzone zwischen *Böhmen und Sachsen. Das E. spielt in der Geschichte der *Geologie und des Bergbaus eine erhebliche Rolle. Hier ist schon im 16. Jahrhundert das grundlegende Werk von *Agricola entstanden; und hier wurde im 18. Jahrhundert die Bergakademie *Freiberg gegründet, an der *Werner lehrte.

Geologisch ist das E. ein ausschließlich kristallin aufgebauter Komplex. Die Grundlage bilden alte, vermutlich altpaläozoische *Gneise, in welche im Jungpaläozoikum *Granite eingedrungen sind. Das große eibenstocker Granitmassiv im Westen setzt sich durch den jungen Einbruch des Egertalgrabens (*Egerland) später getrennt nach Süden in den Kaiserwaldgranit fort, an dem *Karlsbad liegt. Geologisch gehört also der Kaiserwald noch zum E. Nach Osten folgen die Granitmassive von Freiberg und *Altenberg.

Die Granite sind die Erzbringer, da bei der Erstarrung und Differenzierung des Granits gas- und erzreiche Restlösungen übrig blieben, welche teils in Klüfte des Nebengesteins, teils in solche des schon erstarrten Granits eindrangen und bei der Auskristallisierung die Erzgänge entstehen ließen, teils auch von den Klüften aus den Granit durchtränkend, diesen nachträglich veränderten (*Greisen). Die Granitmassive und ihre unmittelbare Umgebung sind daher die von den Erzgängen mehr oder weniger stark durchsetzten Gebiete (Umgebung von Eibenstock – Ehrenfriedersdorf, *Joachimsthal u.a. Orten –, freiberger und altenberger Erzgebiet).

Goethe hat sich vor allem für die Granite und im Zusammenhang mit diesen für das Vorkommen der Zinnerze interessiert. Bei Ausflügen besonders der Jahre 1812 und 1813 von Karlsbad nach *Teplitz, bei denen er sich unter anderem mit dem nordböhmischen *Vulkanismus und der Frage der böhmischen Erdbrände auseinandersetzte, machte er auch Abstecher ins E. und besuchte dabei vor allem die Zinnerzvorkommen von Altenberg und *Zinnwald. (RV S. 47–49). Dabei wurden ausführliche Gesteins- und Mineralsammlungen gemacht. Der Ausflug nach Zinnwald und Altenberg wurde eingehend geschildert (NS 2, 37–49). Das besondere Interesse, das Goethe *an der Zinnformation genommen,* stammt aus der in *Schlaggenwald gewonnenen Überzeugung, *daß hier eine wichtige geognostische Epoche zu studieren sei (NS 2, 153),* nämlich die Zeit des Auslaufens der Granitepoche (Granit, *Übergangsgebirge). Daher denn auch Goethe durch umfangreiche Literaturstudien über Zinnvorkommen aus anderen Gebieten und Beschaffung von Vergleichsstufen, zB. *einer vollkommen befriedigenden Sammlung aus Cornwallis und Malaka-Zinn (NS 2, 154)* seine Kenntnisse zu erweitern suchte. Über die von Goethe entwickelten Vorstellungen vgl. *Greisen.

Die in Zinnwalde, Altenberg und *Graupen *in verschiedenen Richtungen . . . durchschneiden-den Gänge (NS 2, 56)* und die verschiedene Ausbildung dieser Gänge wurde für Goethe auch wichtig im Hinblick auf seine Vorstellungen über die Entstehung der Gänge (*Ganglehre). *Bn*

Eschdorf, schwarzburgisches Dörfchen im Rinnetal, 7 km nordwestlich Rudolstadt, durch Goethe auf dem Wege von Großkochberg nach Ilmenau am 28. VIII. 1777 berührt (III/1, 44). RV S. 16. *Dl*

Eschenbach, das mittelfränkische Dorf, das Goethe am 5. XI. 1797 auf der Heimreise aus der *Schweiz über Leidendorf und Breitenbrunn, *Merkendorf rechts liegen lassend, durchfuhr (III/2, 192), ist das heutige Wolframs-Eschenbach, Geburtsort des großen mittelalterlichen deutschen Dichters. Goethe dachte damals wohl nicht an ihn, obwohl man damals schon längst wieder auf Wolfram (Eschilbach), aufmerksam geworden war (*Altdeutsche Poesie Sp. 161 f.; *Ambras; *Mittelalter). Das (innere) Verhältnis der beiden Großen mit wirklich modernen Mitteln zu untersuchen, wäre ein „nütziu arbeit". *JP RV S. 34.*

Eschenburg, Johann Joachim (1743–1820) war gleichzeitig mit Goethe Student in Leipzig: *ein schöner junger Mann, nur um weniges älter als wir, zeichnete sich unter den Studirenden vortheilhaft aus (I/27,181),* kam später durch Verwendung des Abtes Jerusalem als Hofmeister nach *Braunschweig (*Branconi), wo er in der Folge die durch den Tod des Dichters Zachariae erledigte Professur am dortigen Gymnasium erhielt, die er bis an seinen Tod bekleidete. Sein Hauptwerk ist eine Prosaübertragung der Werke *Shakespeares (14 Bde. Zürich 1773–1786; 16 Bde. 1798–1806), die von Goethe im ganzen doch positiv beurteilt wird: *Schöne Wirkung (III/9, 247;* vgl. I/28, 73); Shakespeare *selbst leider war nicht mehr zu sehn (I/5^I, 262, Nr 390): ... er ist wahrhaft verdeutscht (I/5^{II}, 353, Nr. 5),* – im Gegensatz zu E.s erstem „Versuch über Shakespeares Genie und Schriften" 1771, (*Seine Uebersetzung ... ist abscheulich: IV/2, 4;* die FGA-Rezension I/38, 335–338 schwerlich von Goethe!). E.s „Beispielsammlung zur Theorie und Literatur der schönen Wissenschaften", Bd 1–8, 1788–1794 (Keudell Nr 1570) ist Goethe *ein warnendes Beispiel, / Wie man nimmermehr soll sammeln für guten Geschmack (I/5^I, 225 Nr 139).* Goethe kannte außerdem seine Übersetzungen von Voltaires „Zaïre" (I/40, 67), von Füeßlis „Vorlesungen über die Malerei" (ebda 256–259; Ruppert Nr 2402), von Händels „Maccabäus" (Ruppert Nr 2585), sowie sein Schauspiel „Robert und Kalliste" (I/53, 268). Der persönliche Kontakt scheint gering gewesen zu sein (IV/11, 238; 14, 232).
Li

Escher (Glas-Escher), altes, vielzweigiges Geschlecht aus *Zürich, das Goethe in mehreren Repräsentanten verschiedener Linien und Generationen begegnete:

–, 1) Johannes (1754–1819), Offizier, später „Freihauptmann" und Handelsherr, reicher Erbe einer reichen Sammlung, bestehend aus „vortrefflichen Gemälden, einer großen Münzsammlung und vielen ausgesucht kostbaren Naturalien, zumal Cristallen", wovon er selbst freilich nicht allzu viel verstand (Carl August 1779). Goethe hatte wohl schon 1775 mit ihm (vielleicht sogar mit seinen Eltern?) Kontakt (Morris 5, 270), vertiefte die Beziehung aber erst 1779 gemeinsam mit Carl August (Besichtigung der Sammlung in E.s Stadthaus; geselliger Verkehr), wozu der Aufenthalt in Zürich reichlich Gelegenheit bot (zB. Besuch bei JJ*Bodmer, der mit E.s verwandt war;

Goethe Jb. 5, 214), sodaß J 1796 Vermittlung in Geldsachen und Kreditgewährung zugemutet werden konnte (JH*Meyer). 1797 besuchte Goethe den Patrizier auf dessen Landsitz „Schipf" bei *Herrliberg und zwar im September (21) und im Oktober (16; 21; 22?). Die ungemein großzügige Anlage des Gutes, vornehmlich die beschwingte Proportionalität des Saales mit seinem imponierenden Orgelbau, die den Geist ihres Besitzers atmete, faszinierten Goethe: *Hier muß man tanzen,* und er durchmaß dann den ganzen Raum im Tanzschritte *(Bdm. I, 260).* Auf der Rückreise verbrachte Goethe hier mehrere Abschiedsstunden, vielleicht sogar eine Nacht (?) und studierte zum letzten Male die Sammlung J.s, die *sehr schöne Suiten des Schweizergebirges enthält* (22. X. 1797: *III/2, 188).* J.s Sohn:

–, 2) Johann Caspar (1775–1829), vom Vater zunächst zum Kaufmannsberuf bestimmt, dann aber als Architekturstudent nach Italien geschickt (Livorno; Rom), dort landsmännisch bewillkommneter Gefährte von JHMeyer und dergestalt schon vorbereitet, traf Goethe 1797 in Zürich, Stäfa, Herrliberg (Schipf); JC scheint Goethe später auch einmal in Weimar besucht zu haben (? Goethe Jb. 6, 420). Ob und wieweit Goethe JC.s ingeniös-technische Begabung wahrnehmen konnte (1803: Konstruktion von Spinnstühlen; 1805: Gründung einer Fabrik für Spinnmaschinen, alsdann für allgemeinen Maschinenbau wie zB. Lokomotiven, Dampfschiffe), ist nicht sicher zu ermitteln.

–, 3) Johannes Conrad mit dem Beinamen: von der Linth (1767–1823), mit den beiden Vorgenannten nur linienverwandt, ursprünglich Kaufmann, alsdann aber zunehmend als Naturforscher, insbesondere Geologe, tätig, auch als Staatsmann wirksam (1798–1802; 1814 bis 1823), ferner künstlerisch interessiert und produktiv, bekannt durch die Leitung der Linth-Korrektion (Erbauung des Escherkanals/Linthkanals: 1807–1811; 1823 Übernahme durch die Kantone Schwyz, Glarus, St. Gallen). Er war ein eifriger Mineraliensammler und guter Beobachter und hat als solcher auf seinen zahlreichen Reisen in den Alpen einen gründlichen Überblick über deren geologischen Verhältnisse gewonnen; neben de *Saussure ist JC der wichtigste Pionier der geologischen Alpenforschung. 1796 konnte er eine geognostische Übersicht der Schweizer Alpen veröffentlichen.

Daß Goethe ihn auch persönlich gekannt und etwa 1797 auch in Zürich getroffen hat, läßt sich nur mutmaßen.

–, 4) Escher vom Blauen Himmel, nicht sicher

zu identifizieren, war in Begleitung JH*Landolts bei Goethes Mutter in Frankfurt (1782) und bei Goethe selbst in Weimar (9. VI. 1783), scheint dort aber wenig mehr als die Rolle der stummen Person gespielt zu haben (EDümmler; Goethe Jb. 13, 123; 131). *Bn*

Eschwege, Wilhelm Ludwig von (1777–1855), geb. am 15. XI. 1777 in Aue bei Eschwege (Hessen), studierte 1796–1800 in Göttingen, und Marburg Cameralia. Er wurde 1801 Bergassessor in Richelsdorf, ließ sich aber nach kurzer Tätigkeit zu bergmännischen Studien in Clausthal beurlauben. 1802 übernahm er die Leitung einer Eisenhütte in Portugal, folgte der vor den Franzosen geflohenen Regierung 1810 nach *Brasilien, richtete dort in den nächsten Jahren eine Eisenhütte, ein Bleibergwerk, Goldwäschereien und weitere bergmännische Unternehmungen ein und schuf die Grundlagen der geologisch-bergmännischen Erschließung von Minas Geraes. Nach zweijährigem Deutschlandaufenthalt ging E. 1823 als Leiter des Oberbergamts nach Portugal, verließ aber dieses Land 1830 wieder der unsicheren politischen Verhältnisse halber, versuchte an der Eder eine Goldwäscherei, nach deren Scheitern er sich wieder nach Portugal wandte, wo er bis 1850 (zuletzt als General) in verschiedenen Tätigkeiten blieb. Nach der endgültigen Rückkehr in die Heimat starb er am 1. II. 1855 in Kassel.

Während des Deutschlandaufenthalts 1822/1823 heiratete E. seine Jugendfreundin, die damalige weimarer Hofdame Sv*Baumbach; er weilte längere Zeit in Weimar, wo er auch in engere Beziehungen zu Goethe trat. E.s *Geognostisches Gemälde von Brasilien* las Goethe mit Interesse *(NS 2, 246)*. Außerdem zeigte *Herr von Eschwege ... Juwelen, Metalle und Gebirgsarten vor* und teilte *brasilianische Gebirgsarten mit (NS 2, 251)*. An die persönliche Bekanntschaft schloß sich ein gelegentlicher Briefwechsel über geologische Fragen (NS 2, 335). *Bn*

FSommer: Wilhelm Ludwig v. Eschwege, das Lebensbild eines Auslandsdeutschen. In: Schriften des Deutschen Auslands-Instituts Stuttgart. Reihe D (1927).

Eskeles, Bernhard von (1753–1839, 1811 Ritter, 1822 Freiherr), Bankier aus Wien. Goethe lernte ihn und seine Frau Caecilie, geb. Itzig im Sommer 1808 in Franzensbad kennen, wo sich bei Frau vE. „täglich Gesellschaft", darunter fast immer auch Goethe, einzufinden pflegte (SGGes. 18, LV; vgl. III/3, 379–385). *JP*

Esprit, Jacques, französischer Sittenschilderer und Psycholog, geistig *La Rochefoucauld verwandt, Mitglied der *Académie française.

1786 oder 1787 erwähnt Goethe E.s „De la fausseté des vertus humaines" (I/32, 449). *Fu Este, d',* eines der ältesten italienischen Fürstenhäuser, in Norditalien, zwischen Padua und Bologna begütert. Markgraf Otbert I. war unter Otto I. Pfalzgraf von Italien. Durch Guelf IV., den Sohn Albert Azzos II. († 1097) stammen von ihm über Heinrich den Löwen die Fürstenhäuser *Braunschweig und *Hannover ab. In den Kriegen zwischen Guelfen und Ghibellinen erwarb das Haus d'E. Ferrara und Modena. Die d'E.s glänzten vor allem durch ihre Verdienste um Künste und Wissenschaften: Nicolaus II. († 1388) erhob den Hof von Ferrara zum Sitz der Eleganz und des guten Geschmacks, Albert († 1401) gründete die Universität zu Ferrara, die von Nicolaus III. († 1441) und Lionel († 1450) erneuert wurde. Vor allem der letzte und seine Brüder Borso († 1471) und Herkules († 1505) verkörpern typisch das Mäzenatentum der d'E.: in den vielfachen Wirren und Umwälzungen des Quattrocento politisch neutral bleibend, gewinnen sie durch Einsparung des Heeres die Möglichkeit und die Mittel, in ihrem Lande Handel, Ackerbau und Gewerbe und in ihrer Hauptstadt allen Glanz des Luxus und der Künste zu entfalten. Besonders der Jüngste machte den Hof von Ferrara zum Sammelplatz berühmter Gelehrter und Dichter, wo unter dem Einfluß seines Freundes und Ministers Bojardo, Graf von Scandiano ua. *Ariosto (hier Sp. 364–366) sich bildete. Dieser Typus des „Friedensfürsten", weniger die historischen Persönlichkeiten wie der von Ariosto besungene kriegerische Alfons I. († 1535) und sein Enkel, der eitle Alfons II. († 1597), an dessen Hofe *Tasso lebte, ist es wohl im Grunde, der für Goethe das Haus d'E. in den Vergleichszusammenhang mit den *Barmekiden rückte und auch die Brücke schlug zur Kaiserin Maria Ludovica aus dem von ihrem Vater, Erzherzog Ferdinand von Österreich (3. Sohn Maria Theresias) und ihrer Mutter, Maria Beatrix, Tochter des letzten Herzogs d'E., begründeten Hause Österreich-Este. Die Verknüpfung der Barmekiden mit dem Herzogshaus *Sachsen-Weimar-Eisenach konnte sich durch dessen verwandtschaftliche Beziehungen mit den Braunschweigern ergeben haben. *Gk*

Esterhazy von Galantha, eines der mächtigsten und reichsten, in seinen kulturellen Wirkungen bedeutendsten Adelsgeschlechter Ungarns, lernte Goethe in folgenden Vertretern kennen:

–, 1) Nicolaus Joseph, Fürst (1714–1790), Gönner J*Haydns, Gesandter an mehreren Höfen, 1764 als „Wahlbotschafter" des Kurfürsten von Böhmen zur Kaiserwahl in Frankfurt, wo Goethe *eine besondere Neigung zu ihm* faßte *(I/26, 289).*

-, 2) Nicolaus IV., Fürst (1765–1833), Enkel des Vorigen, österreichischer Feldmarschall, Kunstsammler, lehnte 1809 die ihm von Napoleon I. zugedachte Krone Ungarns ab. Goethe traf ihn 1812 in Teplitz im Gefolge der Kaiserin Maria Ludovica (I/36, 406).

-, 3) Paul Anton, Fürst (1786–1866), Sohn des vorigen, österreichischer Minister, 1810 bis 1814 Gesandter in Dresden. Goethe trifft ihn dort im Sept. 1810 (III/4, 154) und in Teplitz im Juli 1812 (III/4, 303; 305). Am 29. II. 1812 hatte er über ihn die Mitteilung Metternichs von seiner Aufnahme in die k. u. k. Akademie der Künste erhalten (IV/22, 296 f.).   *Gk*

Étain, französische Stadt (Département Meuse) an der Orne, 20 km von *Verdun entfernt gelegen; Goethe war im Oktober 1792 während des ersten Koalitionskriegs dort (I/33, 132 bis 137). RV S. 30.   *Fu*

Etruskische Kultur und Kunst. Ebenso wie die *ägyptische Kunst gehörte auch die etruskische in der Anschauung des 18. Jahrhunderts, wie sie *Caylus und *Winckelmann vertraten, zum Kanon der klassischen Kulturen und Künste zusammen mit der griechischen und römischen. Nur hatte Caylus die merkwürdige Theorie entwickelt, daß – von der ägyptischen über die etruskische und griechische bis zur römischen Kunst – sich die eine aus der anderen herausgebildet, jeweils die eine aus der anderen hervorgegangen sei. Diese Anschauung stellte schon Winckelmann richtig, wie bereits *Meyer in seinem Winckelmann-Aufsatz (I/46, 71 f.) bemerkt. Goethe war auch noch mit der Vorstellung von der Zusammengehörigkeit der vier klassischen Kunstbezirke der *Antike in den Fußstapfen Winckelmanns nach *Rom gekommen, dort auch geblieben, bis ihm mit der ägyptischen auch die etruskische Kultur und Kunst durch *Herder und den dritten Teil seiner „Ideen zur Philosophie der Geschichte der Menschheit" in den Bereich archaischer Vorstufen im Kindheitsalter der Menschheit zurückgeschoben und dadurch abgewertet wurden. Vgl. auch I/47, 41.   *Hm*

Etsch (Adige); dem südtiroler-oberitalienischen Alpenfluß folgte Goethes Fahrweg bereits auf der ersten *Italienreise 10./14. IX. 1786 der Postroute entsprechend von Bozen über Brandsal, Neumarkt, Salurn, Trient bis Rovereto und überquerte ihn nach der Fahrt auf dem *Garda-See nochmals bei *Verona (III/1, 171). *Die Etsch fließt sanfter* [als die *Eisack], *macht an vielen Orten breite Kiese, auf dem Lande nah am Fluß und an den Hügeln ist alles so in einander gepflanzt daß man denckt es müßte eins das andre ersticken . . .* beobachtet Goethe zwischen Bozen und Trient *(III/1, 176).* Auf der Weiterreise von *Venedig nach *Ferrara berührte Goethe, zu Schiff nach den Angaben JJ*Volkmanns fahrend, die E. noch einmal am 15. X. 1786 bei Cavanello (I/30, 155). 1790, auf der Hin- und Rückreise nach Venedig, führte Goethes Reiseweg auch auf der Strecke von Rovereto über *Ala, Peri, Volargne bis Verona im Tal der E. entlang (III/2, 3; IV/9, 208).   *JP*

Ettersberg, gewissermaßen der weimarer Hausberg, aus Muschelkalk aufgebauter Tafelberg am Rand der innerthüringischen Keupermulde. Er steht mit seiner regelmäßigen Schichtfolge und dem Fossilreichtum des Muschelkalks am Anfang der geologischen Studien Goethes. In der Instruktion für JCW *Voigt von 1780 zur geologischen Untersuchung Thüringens ist der E. der Ausgangspunkt: er *wäre zuerst zu besteigen (NS 1, 13),* und auf ihn wären andere analoge Vorkommen zu beziehen. Das geringe Interesse, das Goethe jedoch dem Flözgebirge entgegenbrachte, ließ für die eigentlichen geologischen Studien den E. zurücktreten. Im hohen Alter kommt Goethe gelegentlich darauf zurück; 1827 berichtet JP*Eckermann von einer Spazierfahrt zum E., bei der Goethe bat, nachzusehen, „ob ich nichts von Versteinerungen entdeckte" (NS 2, 358). In dem Überblick über die *um Weimar sich findenden Fossilien* von 1828 stellt Goethe fest: *In Beziehung auf wirkliche Versteinerungen ist der Ettersberg sehr reichhaltig (NS 2, 371);* doch finden diese nur geringes Interesse, da *das Vorkommen dieser Art von Versteinerungen sehr ausgebreitet und gewöhnlich ist (NS 2, 372),* im Gegensatz zu den mehr interessierenden diluvialen Säugern des weimarer Travertins. Von einem gewissen Interesse wurde der E., *als Se. K. H. der Großherzog einen eigenen Apparat zur Meteorologie auf dem Rücken des Ettersberges errichten ließen* (II/12, 6). Für Goethe wurde dies zum Anlaß, sich systematischer mit den Wolkenformen zu befassen (*Wolkenbildung).   *Bn*

RV S. 13; 14; 16; 17; 65; 67.
Zeichnungen:
Corpus IV InvNr 2079.
Dat. 23. V. 1807.   *Fm*

Ettersburg, Dorf und Schloß am Nordrand des Ettersberges, schon im Mittelalter Sitz vornehmer Adelsgeschlechter, auch Stätte geistlicher Stifte. Die Herzöge von *Sachsen-Weimar gaben der Gesamtanlage mit ihren Jagdbaulichkeiten und -einrichtungen (Brunfthof) sowie dem eigentlichen Schloß erst das endgültige Ansehen. 1706 begann Wilhelm Ernst unter Benutzung alter Klostermauern mit dem schlicht gehaltenen, dreiflügeligen Bau (Ost-Nord-West), der 1712 eingeweiht werden konnte. 1723 fing man als architektonisch selbständigen Abschluß des Komplexes nach Süden zu den Neubau an, der nunmehr die Wohnräume der Herzogsfamilie aufnahm, während im Altbau die Gästezimmer sowie die Wohnungen der Beamten, Angestellten und Bediensteten des Hofes untergebracht wurden. 1736 konnte Ernst August seinen Einzug halten; er machte E. in seiner nunmehr vollendeten, wirkungsvollen und doch verhältnismäßig einfachen Gestaltung zum Sommersitz. Erst vierzig Jahre später erhielt E. seinen Glanz durch Anna Amalia, die bis 1780 mit ihrem Musenhof hier Sommerwohnung nahm. Alle, die sich um die damals erst 37jährige Fürstin scharten, gingen wie im Wittumspalais zu Weimar auch hier ein und aus. Goethe, als Begleiter Carl Augusts, kam wie dieser oftmals in „Werther-Tracht" (blauer Frack, gelbe Weste, dazu graue lederne Hosen, Stulpenstiefel, runder Hut) nach E., vornehmlich zur *Jagd, aber auch zu jener hochkultivierten, springlebendigen Geselligkeit, die Anna Amalia zu entfalten vermochte, wobei „Kranz mit ein paar Kammermusicis drei Wochen lang Tag und Nacht in Ettersburg residieren mußten, und geklimpert, gegeigt, geblasen und gepfiffen wurde, daß die Engel im Himmel ihre Freude daran hatten" (ChrMWieland) und wobei das *Liebhabertheater seine Blütentage hatte (zB. *Jahrmarktsfest zu Plundersweilern; Iphigenie;* Orpheus und Eurydike; Waldemar; Adolar und Hilaria; Vögel usw.). Im Park, mehr noch im weiten Wald und Feld um E. suchte Goethe die *Stille,* die ihm als Sphäre des inneren Wachstums – nicht nur als Ausgleich – schon vor und seit 1774 mehr und mehr bewußt lebensnotwendig war. So entstand hier am 12. II. 1776 *Wandrers Nachtlied: Der du von dem Himmel bist ... (I/1, 98).* Rückwärtsgewandt heißt es erinnernd und abschiednehmend beim Alters-Aufenthalt in E. und beim Durchgang durch seine sämtlichen Zimmer, die er aufschließen ließ und die mit heiteren Tapeten und Bildern behängt waren, am 26. IX. 1827: *Wir haben ... in frühester Zeit hier man-*

chen guten Tag gehabt und manchen guten Tag vertan. Wir waren alle jung und voll Übermut, und es fehlte uns im Sommer nicht an allerlei improvisiertem Komödienspiel und im Winter nicht an allerlei Tanz und Schlittenfahrten mit Fackeln (Bdm. 3, 458). Die *Buche,* in die sie damals ihre *Namen* schnitten, zeigte wohl noch Spuren davon, *doch so verquollen und verwachsen, daß sie kaum noch herauszubringen sind (ebda 459).* Auch Schiller war im Mai 1800 für einige Tage hier, um „Maria Stuart" zu vollenden. Zwölf Jahre nach Goethes Tod war HC*Andersen als nächst diesem berühmtester Gast für längere Tage in E., er wiederholte seinen Aufenthalt dort 1846 und 1847. Den Park hatte 1845 der leidenschaftlich geniale Gartengestalter Fürst Hermann Pückler-Muskau zu einem zauberhaften Landschaftsbild mit bisher ungeahnten poetischen Fernsichten und malerischen Überraschungsblicken umgeformt. Aber der Geist der Jahre 1776–1780 war doch nicht mehr zu beschwören gewesen. RV S. 13; 15–18; 21; 33; 37; 40; 65.　　*Wt/JP*

Ettmüller, Ernst Moritz Ludwig (1802–1877), Germanist, 1830 Privatdozent in Jena, am 21. VIII. 1830 Goethe von Soret empfohlen, überreichte unter dem Datum „Jena 26. VIII. 1830" Goethe zwei Publikationen: „VAULU-Spá", Leipzig 1830 (Ruppert Nr 773) und „Der Singerkriec uf Wartburc", Ilmenau 1830 (Ruppert Nr 807). Unter dem Eindruck, daß die von ihm protegierten *jeunes gens de la plus haute espérance ... ne sont jamais rien devenus,* bescheidet Goethe Soret: *Il est tems de me reposer; c'est à vous autres plus jeunes gens de faire les Mécènes à votre tour (Bdm. 4, 291).* – 1833 wird E. Professor in Zürich.　　*Li*

Etymologie. Goethes theoretisches und praktisches Verhältnis zur *Sprache ist in der außerordentlichsten Weise durch sein Organ für das *Ur*-Sprüngliche bestimmt. Tausendfältig ist zu beobachten, wie er „alte, schon halb verblaßte bildliche Ausdrücke zu gebrauchen" versteht, so „daß ihr ursprünglicher Sinn wieder hervortritt" (vgl. Goethe Jb. 19, 247). Für die zeitgenössische E. und ihre mehr oder weniger leichtfertig-fragwürdigen Methoden hatte Goethe einen Spott, der auf der Linie des bekannten *Voltaire-Bonmots lag: die E. sei eine sprachwissenschaftliche Disziplin, für die die Vokale gar keine, die Konsonanten fast keine ernstliche Rolle spielten. Aber in diesem leichten Spott liegt bei Goethe ein schwerer Ernst. Es ist der Ernst eines Dichters, dem das Wort nicht nur Mitteilung, sondern Daseinsform war und der sich zwischen Vergangenheit und Zukunft stehend als Verantwortlicher berufen fühlte. Gerade wenn es ihm darauf ankam, nicht nur den *Reim,* sondern *den Gedanken rein zu haben (I/3, 338),* wenn er bemüht war, das Wesen der Dinge, ihre Wirklichkeit und ihre Wahrheit nicht nur in „Begriffen", sondern in „Gestalten" einzusehen und auszusagen, dh. aus sich selbst heraus „beredt" zu machen, mußte es ihm ernst mit dem „ur-sprünglichen Sinn" der Worte sein (*Beiwort; *Hauptwort; *Zeitwort; vgl. auch die Literatur-Nachweise unter *Sprache). *Za*

Etzelbach, Dorf am Rande der Saaleniederung nordöstlich von Rudolstadt, von Goethe im Juli 1777 auf seinen Wanderungen von* Großkochberg nach dem Schloß *Weißenburg berührt (III/1, 41). RV S. 16.   *Eb*

Euklid, um 300 vChr. Mathematiker in Alexandrien, ist der bedeutendste Lehrmeister der *Mathematik. Aus seinen „Elementen" hat eine ganze Welt über zwei Jahrtausende lang Geometrie gelernt. Es gibt kein Lehrbuch in irgendeinem anderen Bereich der Wissenschaften, das so lange in allgemeinem Gebrauch war. Wahrscheinlich hat auch Goethe aus einer Bearbeitung der „Elemente" seine ersten geometrischen Kenntnisse bezogen. In den wenigen auf seine mathematische Bildung bezüglichen Stellen in *DuW* (I/26, 75; 182) wird E. zwar nicht ausdrücklich erwähnt, in den *MuR* spricht er aber von den *ersten Elementen der Geometrie..., wie sie uns im Euklid vorliegt, und wie wir sie einen jeden Anfänger beginnen lassen.*

Diese ersten Elemente der Geometrie nennt er hier *die vollkommenste Vorbereitung, ja Einleitung in die Philosophie.* Durch diesen Hinweis auf E. will Goethe die bekannte Inschrift an der platonischen Akademie deuten. Sie soll nicht etwa so verstanden werden: *man solle ein Mathematiker sein, um ein Weltweiser zu werden.* Nicht um das Fachwissen (oder gar um die Goethe so suspekte Anwendung auf physikalische Probleme) geht es, sondern um die Grundlegung der Philosophie durch die Zucht euklidischen Denkens *(MuR:* Hecker *Nr 655; 654).*   *Mk*
Grumach S. 831 f. – HMeschkowski: Wandlungen des mathematischen Denkens. 1960. – BvdWaerden: Erwachende Wissenschaft. 1956.

Euripides (ca. 480–406 vChr.), geboren auf Salamis, wahrscheinlich als Sohn eines landbegüterten Aristokraten, gestorben in Arethusa/Mazedonien als Gast des Königs Archelaos, in Athen Schüler des Anaxagoras, alsdann des Prodikos und Protagoras, selbst überzeugter Sophist, auch in seiner Dichtung, die ihn nach Aeschylus und Sophokles als einen der großen und sogar sehr wirkungsreichen Repräsentan-

ten der antiken *Tragödie und *Komödie ausweist. E. gilt unter diesen schon zeitgenössisch (Sophokles) als derjenige, der die Menschen nicht darstellt, wie sie sein sollen, sondern wie sie sind, hatte um dieser seiner sophistischen Modernität, dh. „Realität" willen viele Anfeindungen und Herabsetzungen von den Anhängern der Überlieferung, ebensoviel Zustimmung und Lobpreisung von den Vertretern des Fortschritts hinzunehmen. „Euripides selbst hat sich das Recht des mahnenden Priesters und Erziehers seines Volkes ebenso zugesprochen wie Aischylos und Sophokles; und auch seine hartnäckigsten Widersacher werden sich schließlich vor dem tödlichen Ernst seines Suchens und Kämpfens gebeugt haben. Entscheidend aber dafür, daß seine Werke sich, wenn auch erst nach seinem Tode, gegen jede Feindschaft durchgesetzt haben, ist das neue Welt- und Menschenbild, um das er, oft im Widerspruch mit sich selbst, gerungen hat" (LWolde: Euripides I, S. XIX).

E. ist der Wortführer der Leidenschaft, des Leidens, vornehmlich des schuldlosen Leidens, das aus falschen Verhältnissen und aus Vorurteilen entsteht, er ist Ankläger. Er ist der Dichter der Frau, des Weibes und Vorkämpfer des Selbstbestimmungsrechtes um der Würde des Menschen willen, die beiden Geschlechtern gleichmäßig zukommt. E. gestaltete mit den seinerzeit modernsten Mitteln, indem er den Chor mehr und mehr zurücktreten ließ, musikalisch-rhythmisch ganz neue Möglichkeiten des Zusammenwirkens von Wort, Ton, Bewegung suchte, indem er die Beredsamkeit sophistischer Rhetorik entfaltete, indem er die Schauspielerzahl erhöhte. Er wurde schließlich zum Muster der dramatischen Dichtung für die Folgezeit der römischen Antike und weit darüber hinaus.

Goethes besondere Aufmerksamkeit auf E., die von der Knabenzeit bis an das Lebensende bezeugte Vertrautheit und Erfülltheit gerade von Werken E.s sprechen dafür, daß auch ihm E. höher oder doch näher stand als die anderen beiden Großen (vgl. dazu Götting S. 42; Ruppert Nr 1257–1265). Im einzelnen verzeichnet Goethe selbst die Lektüre folgender Werke E.s, wobei die Aufstellung sich nach den mehr oder weniger sicheren Daten der Entstehung durch E., nicht aber der Kenntnisnahme durch Goethe richtet: *1.* Alkestis, *2.* Medea, *3.* Herakles, *4.* Hippolytos, *5.* Andromache, *6.* Hekabe, *7.* Ion, *8.* Kyklops, *9.* Elektra, *10.* Iphigenia in Tauris, *11.* Helena, *12.* Phoinikerinnen, *13.* Orestes, *14.* Bakchen, *15.* Iphigenia, *16.* Phaeton (Fragment) – weitere unter E.s Namen laufende Tragödien sind entweder nicht Werke von ihm, sondern von späteren (zB. Rhesos) oder nicht erhalten (zB. Philoktetes).

Für Goethes Urteil über E. einige besonders markante Zeugnisse: 1. Er konnte sich keineswegs die vielverbreitete Meinung zu eigen machen, „daß das griechische Theater durch Euripides in Verfall geraten" (1. V. 1825: Bdm. 3, 201); 2. *Bey den Griechen ist alles aus einem Stücke, und alles im großen Styl, derselbe Marmor, dasselbe Erz, das einen Zeus, einen Faun möglich macht, und immer der gleiche Geist, der allem die gebührende Würde verleiht. Hier* [Kyklops] *ist nun keineswegs der parodistische Sinn, welcher das Hohe, Große, Edle, Gute, Zarte herunterzieht und ins Gemeine verschleppt, woran wir immer ein Symptom sehen, daß die Nation die daran Freude hat auf dem Wege ist sich zu verschlechtern, vielmehr wird hier das Rohe, Brutale, Niedrige, das an und für sich selbst den Gegensatz des Göttlichen macht, durch die Gewalt der Kunst [dergestalt emporgehoben], daß wir dasselbe gleichfalls als an dem Erhabenen theilnehmend empfinden und betrachten müssen. Die komischen Masken der Alten, wie sie uns übrig geblieben, stehen dem Kunstwerth nach in gleicher Linie mit den tragischen. Ich besitze selbst eine kleine komische Maske von Erz, die mir um keine Goldstange feil wäre, denn sie giebt mir tagtäglich das Anschauen von der hohen Wahrheit, die ich so eben ausgesprochen habe* (28. XI. 1826: I/42II, 468f.); 3. *Für sein schönstes halte ich die Bakchen. Kann man die Macht der Gottheit vortrefflicher und die Verblendung der Menschen geistreicher darstellen, als es hier geschehen ist? Das Stück gäbe die fruchtbarste Vergleichung einer modernen dramatischen Darstellbarkeit der leidenden Gottheit in Christus mit der antiken eines ähnlichen Leidens, um daraus desto mächtiger hervorzugehen, in Dionysus* (3. III. 1832: Bdm. 4, 435).

Noch intensiver sprechen Goethes *Übersetzungs- und Wiederherstellungs-Arbeiten (Phaeton; Bacchen/Bacchantinnen), am meisten die Bezüge seiner eigenen *Iphigenie.* Li

Europa, *unser Continent, das alte (I/5I, 137),* ist für Goethe weniger der Oberbegriff für die einzelnen, ihm mehr oder weniger vertrauten Teilländer, dh. zunächst seiner Heimat *Deutschland, alsdann seiner hauptsächlichen Reisegebiete *Böhmen, *Frankreich, *Italien, *Schweiz, ferner seiner Bildungsbereiche wie die *Baltischen Länder, *Dänemark, *Griechenland, *Groß-Britannien, *Luxemburg, *Niederlande, *Norwegen, *Österreich, *Polen, *Portugal, *Rußland, *Schweden, *Ser-

bien, *Sizilien, *Spanien, auch *Türkei, endlich *Ungarn. Es ist ihm vielmehr gleichbedeutend mit dem Begriff *Okzident, den mit dem *Orient *westöstlich* zu verbinden wie auch *nord- und südliches Gelände* zu gewinnen eigentlichster Inhalt seiner Vorstellungen von Mensch und Menschlichkeit, von *Welt/Weltbürgertum ist. So wird ihm E. über alle Spezialaspekte hinaus ein ganz generelles System von natur- und geistgeschaffenen *Bezügen,* die ihm ebensowohl Gabe wie Aufgabe sind. Nach seiner Auffassung waren diese nicht durch *Auswanderung zu meistern, sondern durch Dableiben: *Der höchste Begriff vom Menschen kann nur durch Vielseitigkeit, Liberalität erlangt werden. – Dessen war zu seiner Zeit der Grieche fähig. – Der Europäer ist es noch (I/47, 292).* In diesem Sinne behält die Aufforderung an Schiller ungeschmälerte Gültigkeit: *Lassen Sie uns denn also, wenn es auch in Europa noch etwas bunter zugehen sollte, gerne in diesem Weltheile verweilen* (27. I. 1798: IV/13, 41).

AFuchs: Goethe und Europa. 1956.   *Za*

Eutin, Stadt in Holstein, 1143 durch Adolf von Schaumburg als „Utin" gegründet, seit 1155 Besitz der Bischöfe von Oldenburg, im 17. und 18. Jahrhundert Residenzstadt des evangelischen Fürstbistums Lübeck, das, 10 Quadratmeilen groß, abwechselnd mit Angehörigen der verschiedenen Zweiglinien des Hauses *Oldenburg besetzt war und 1804 mit dem Herzogtum Oldenburg vereinigt wurde. Seit JH*Voß 1782 als Rektor hierher kam, wurde E. zu einem der literarischen Zentren in *Holstein, im Blickfeld Goethes als zeitweiliger Aufenthalt verschiedener Mitglieder einer festen Gruppe seines literarischen Bekanntenkreises: 1783–86 HWv*Gerstenberg, 1791–1800 FLv*Stolberg als Präsident der fürstbischöflichen Regierung, seit 1793 bei diesem als Kammersekretär GHL*Nicolovius, 1796–98 *Schlosser, den Revolutionskriegen ausweichend, 1794–1804 (im Wechsel mit anderen Orten Holsteins) FH*Jacobi aus dem gleichen Grunde.   *Li*

Everdingen, Allaert van (1621–1675), Landschaftsmaler und Radierer, Schüler des R*Savery, tätig in Alkmaar und Amsterdam, entdeckte auf einer Reise nach Skandinavien das nordische Gebirge als Bildmotiv und bereicherte damit die holländische *Landschaftsmalerei, namentlich durch seinen Einfluß auf J van *Ruisdael. Motiv und Stil E.s mußten Goethes Sinn für die Alpenlandschaft, der 1775 auf der *Schweiz-Reise erwachte, besonders beeindrucken. Sein Interesse für E. geht aber wohl schon auf den ersten Besuch der dresdener

*Galerie zurück, die mehrere gute Bilder des Künstlers besaß. 1781 zeichnete Goethe nach Bildern E.s in der Sammlung des Grafen Werthern-*Neunheiligen und ist von ihnen begeistert: *es ist eine Gröse und Krafft drinne an der man sich ewig erlaben kan (IV/5, 70);* und in den gleichen Tagen heißt es: *Was gehen mir über den Ewerdingen für neue Lichter auf, warum muß man so lang im Dunckeln tappen und in der Dämmrung schleichen (ebda 80),* ehe, so muß man ergänzen, ein Maler wie E. für Goethes eigene Landschaftsauffassung und -zeichenkunst vorbildlich werden konnte. Schon in diesen Jahren begann Goethe, vielleicht mit Hilfe *Mercks (IV/5 100), E.s Radierungen zu sammeln; die Folge der Blätter E.s ist fast lückenlos in seine Sammlung gekommen (vgl. IV/6, 152). In Salzdahlum fand Goethe einen jetzt in Braunschweig befindlichen E. – entweder „Wassersturz mit Alpenhütte" oder das 1647 datierte Bild „Norwegisches Hochgebirge mit dem Renntiere" – *de la plus grande perfection (IV/6, 344).*

Dieses eingehende Interesse Goethes für E. in den voritalienischen Jahren konzentrierte sich schon 1782 auf dessen Illustrationen zum „Reintje de Vos" des Henrik van Alkmaar, der 1752 in Leipzig und Amsterdam unter dem Titel „Reineke der Fuchs, mit schönen Kupfern. Nach der Ausgabe von 1498 ins Hochdeutsche übersetzt und mit einer Abhandlung von dem Urheber, wahren Alter und großen Werthe dieses Buches versehen von J. Chr. Gottscheden" erschienen war, ein Werk, das Goethe von 1791 bis 1798, zweimal im Jahre 1807 und auch 1812 von der weimarischen *Bibliothek entlieh (Keudell Nr. 20; 489; 503; 791). Goethe wandte sich an JGJ*Breitkopf, um die Kupfer der ältesten Ausgabe zu erhalten (IV/5, 268), die seinerzeit bei Breitkopf gedruckt worden war. Goethe erhielt sie vor dem 19. IV. 1783 (IV/6, 152-155). Die 1812 in Ordnung gebrachten e.ischen Radierungen zum Reineke Fuchs (III/4, 331) regten Goethe jedoch erst anläßlich der neuen Zeitschrift *KuA* zu einer Betrachtung an, die er dem Aufsatz zu *Casti's Fabelgedicht: Die redenden Tiere* anreihte. Goethe erkannte die dem 17. Jahrhundert eigene Weise, das Gegenständliche und Räumliche zu einer geschlossenen, in sich harmonischen Existenz zu machen: E.s *Thiere nach ihren Zuständen passen vortrefflich zur Landschaft und componiren mit ihr auf's anmut igste. Sie gelten eben so gut für verständige Wesen, als Bauern, Bäuerinnen, Pfaffen und Nonnen (I/49¹, 352).* Die anthropomorphe Tiermalerei des 17. Jahrhunderts

kann nicht besser umschrieben werden. – Die in Nr 132 vom 11. V. 1820 der bremer Zeitung JL*Ikens von JH*Menke gegen Goethe vorgebrachte Ansicht, die Radierungen zum Reinekke Fuchs seien nicht von E., tat Goethe als *Selbstgefälligkeit und Mißbehagen, beides aus Unzulänglichkeit* ab *(IV/33, 53).* Menke selbst gegenüber nannte er die Meinungsverschiedenheit eine *kleine Differenz,* die sich dadurch ausgleiche, *daß beide Theile die Arbeit für vortrefflich halten (ebda 220).* Doch hatte Goethe hier das Recht auf seiner Seite.

Auf der Hinreise nach *Italien war E.s Landschaftsauffassung noch für Goethes Alpenerlebnis bestimmend gewesen (III/1, 173 = I/30, 32), doch finden sich später nur gelegentliche Notizen über Bilder dieses Meisters: 1810 (von JH*Meyer) in der dresdener Galerie die bezeichnete und 1649 datierte „Hirschjagd" und zwei andere Landschaften (Kat.-Nrn 1835, 1838 und 1839; I/47, 375; 386); 1815 in der Sammlung Schafhausen in Köln (III/5, 172) und 1819 ein *von Wien angekommenes Bild von Allart van Everdingen* bei *Jagemann *(III/7, 1).* In den späteren Jahren sind die Blätter der eigenen Sammlung gelegentlich Gegenstand der Betrachtung (III/7, 131; III/10, 172), jeweils im Vergleich zu C*Lorrain. 1830 ordnete *Schuchardt die Sammlung (III/12, 251), in der sich auch zwei Zeichnungen E.s befanden.   *Lö*

Everett, Edward (1794–1865), amerikanischer Gelehrter und Staatsmann, promovierte 1811 und wurde 1815 Professor der griechischen Sprache an der Harvard-Universität, ging anschließend als Student nach *Göttingen (Promotion 1817). Am 25. X. 1816 suchte er, empfohlen durch GFChr*Sartorius und FA *Wolf, gemeinsam mit G*Ticknor Goethe auf (III/5, 280). Außer dem Bericht Ticknors (Bdm. 2, 370–372) kennen wir einen Brief E.s über diesen Besuch an seinen älteren Bruder Alexander Hill E. (1792–1847). Zwischen Goethe und dem Puritaner E. hatte sich wohl kein rechtes Verständnis eingestellt (vgl. KF Schreiber in JbGGes. 15, 242–245). Doch veröffentlichte E. schon im Januar 1817 als erster in Amerika einen Artikel über Goethe in der „North American Foreign Review", deren Herausgeber er einige Zeit war. Einen nochmaligen Brief E.s vom 7. IX. 1817 ließ Goethe unbeantwortet. – 1830 berichtet JB*Harrison: „Goethe praised Everett une bonne tête, had read many of his productions; seemed, however, to confound the two brothers" (Bdm. 4, 253; 5, 173). Die Werke „Europe" und „America" von Alexander Hill E. (1823/1828 in deutscher Übersetzung erschienen) könnte Goethe gekannt haben.   *Sn*

HSWhite in Goethe Jb 5, bes. S. 221 f. – Goethe Jb 25, bes. S. 4–6; 25; 28; 34.– Rose: Essays on Goethe. 1949.

Externsteine, *die in den bunten Sandstein eingearbeitete Einsiedeley* im Teutoburger Wald *(IV/38, 15)*. Hier befindet sich als älteste Großplastik Deutschlands ein um 1130 entstandenes Relief mit einer Darstellung der Kreuzabnahme Christi, dem Goethe 1824 eine eingehende Betrachtung gewidmet hat (I/49[II], 46–52). Das unmittelbar in den Naturstein hineingearbeitete Bildwerk wiederholt in monumentaler Übersteigerung Motive byzantinisch beeinflußter Elfenbeinskulpturen. 1823 war Chr*Rauch bei einem Besuch der E. von der „Großartigkeit des Stiles" so tief beeindruckt, daß er eine Zeichnung des Reliefs anfertigte und später eine im Eisenguß vervielfältigte Plakette danach modellierte. Diese Eisenplakette Rauchs interessierte Goethe, der schon am 6. I. 1824 seine Aufmerksamkeit auf dieses Kunstwerk und seine Umwelt bezeugt (III/9, 163). Er studierte damals die ihm bereits seit 1814 bekannte „Historisch-geographische Beschreibung der Fürstlichen Lippeschen Lande" von *Donop (2), der darin die kühne Vermutung aussprach, daß nach älteren Chroniken „die vormaligen heidnischen Einwohner hiesiger Gegenden bey den Externsteine einen Götzendienst gepfleget, den Karl der Große zernichtet haben soll". – Wenige Tage später bat Goethe den in Berlin lebenden Staatsrat ChrLF*Schultz um nähere Auskunft: *Nun wünscht ich zu vernehmen, welcher Künstler ist dort gewesen? Wer hat gedachte Kreuzabnahme abgebildet und in's Kleine gebracht? Nach welcher Himmelsseite steht das Basrelief? da es für sein hohes vielleicht tausendjähriges Alter noch so leidlich erhalten ist. Hat es vielleicht einen chalcedonartigen Überzug gewonnen? welches diesem Sandstein zu begegnen pflegt, wenn er sehr lange der freyen Luft ausgesetzt ist. Hat irgend jemand über den Gegenstand in Berlin gedacht und geforscht* (9. I. 1824: *IV/38, 15 f.*)? Schultz übermittelte die Zeichnung Rauchs, Goethe bedankte sich am 8. III. 1824: *Die Zeichnung des Exeternsteins ... ist mir ein großes Geschenk; gleich die Vorstellung im Eisenguß gewann meine Neigung, das Bild interessirte, intriguirte mich; ein kleiner Aufsatz ist geschrieben, der freylich jetzt erst Gestalt erhält. Kann man sich nicht erwehren zu glauben, daß etwas Zarteres in der Ausbildung dem Künstler des neunzehnten Jahrhunderts angehöre, so ist die Anlage doch vortrefflich und bewundernswerth, deren Verdienst dem Alter-*

thum nicht abgesprochen werden kann (IV/38, 66). Bereits am 14. III. 1824 war das Manuskript der Arbeit abgeschlossen, schon im Juli erschien sie (III/9, 193; 195; 239). Kurz vorher kam Rauch, mit dem Goethe abendliche Unterhaltungen *über die Externsteine und ... Kunst überhaupt* hatte (III/9, 235).

Auch noch später bekundete wiederholt Goethe sein Interesse. Im Oktober 1824 las er die Untersuchung des pyrmonter Brunnenarztes Karl Theodor Menke über „Lage, Ursprung, Namen und Beschreibung, Alterthum, Mythus und Geschichte der Externsteine" (Münster 1823), der als Titelbild ein Steindruck der Zeichnung Rauchs beigegeben ist (III/9, 284). Im Mai 1825 schließlich empfing Goethe W *Dorow. Dieser hatte die E. in seinem 1823 erschienenen Bildwerk über „Die Denkmale germanischer und römischer Zeit in den rheinisch-Westphälischen Provinzen" behandelt, das auch einen Wiederabdruck der Untersuchung Goethes über die köstritzer Bronzefunde enthielt (I/48, 151–155). Goethe ließ sich von Dorow nochmals eine Beschreibung der E. geben und bekannte, *ihm sei etwas Ähnliches von alter Bildhauerarbeit in Deutschland nicht vorgekommen (Bdm. 3, 209).*

Das E.relief erschien Goethe als ein bedeutendes geschichtliches Zeugnis für das Einströmen byzantinischer Kunsteinflüsse in den nordwestlichen Kulturbereich. Durch die Wirren der Völkerwanderung war dort *eine öde bildlose Landweite entstanden,* und im Zuge der Christianisierung konnte es nicht ausbleiben, daß, *nach einiger Beruhigung der Welt, bei Ausbreitung des christlichen Glaubens, zu Bestimmung der Einbildungskraft die Bilder im nördlichen Westen gefordert und östliche Künstler dahin gelockt wurden (I/49[II], 48).* Goethe vermutete daher, *daß ein mönchischer Künstler, unter den Schaaren der Geistlichen, die der erobernde Hof Carl des Großen nach sich zog, dieses Werk könne verfertigt haben, das seiner Art und Zeit nach gut, echt und ein östliches Alterthum zu nennen ist (ebda).* Als byzantinische Überlieferungszüge empfand Goethe besonders *die gestauchte Form des Kreuzes, die sich der gleichschenkligen des griechischen annähert (ebda),* sowie die Darstellung der trauernden Himmelsgestirne über dem Kreuzbalken. Sonne und Mond sind dort als *halbe Figuren, mit gesenkten Köpfen, vorgestellt wie sie große herabsinkende Vorhänge halten, als wenn sie damit ihr Angesicht verbergen und ihre Thränen abtrocknen wollten (ebda 49).* Diese Darstellung der Himmelsfinsternis ist eine *uralte sinnliche Vorstellung der orientalischen Lehre, wel-*

che zwei Principien annimmt (ebda): das Licht und die Finsternis. Goethe zitiert in diesem Zusammenhange eine spöttische Äußerung des im 6. Jahrhundert lebenden Neuplatonikers Simplikios über die dualistische Lichtlehre der Perser und will damit *nur andeuten, daß diese Vorstellung des Externsteins einer uralten orientalischen Denkweise gemäß gebildet sei (ebda 50).* Immerhin scheinen an dieser Stelle diejenigen Bezüge spürbar zu werden, die Goethes Interesse tiefer begründen (*Farbenlehre). Die von vaterländischer Begeisterung getragene Altertumsforschung der Romantik hatte dagegen die E. „zum größten und bewunderungswürdigsten Nationaldenkmal unseres Vaterlandes" proklamiert und vermutete in ihnen unter Bemühung fragwürdiger Beweise einen „Hauptgötzensitz der Deutschen", der in Beziehung zur vermeintlich namensverwandten Mondgöttin „Eostra" gestanden habe (WDorow: Die Denkmale germanischer und römischer Zeit. Bd 1, S. 76). Noch bis in die Gegenwart hinein wurde über diese Fragen ein leidenschaftlicher Meinungsstreit geführt. Goethe jedoch stellte mit großer Zurückhaltung lediglich die allgemeine Hypothese auf, daß christliche Kultstätten in der Frühzeit der Christianisierung oft an Schwerpunkten heidnischer Glaubensübung entstanden sind: *Ihre ausgezeichnete Merkwürdigkeit erregte vor frühsten Zeiten Ehrfurcht; sie mochten dem heidnischen Gottesdienst gewidmet sein und wurden sodann dem christlichen geweiht. Der compacte, aber leicht zu bearbeitende Stein gab Gelegenheit, Einsiedeleien und Capellen auszuhöhlen, die Feinheit des Korns erlaubte sogar Bildwerke darin zu arbeiten (I/49^{II}, 46).* Auch in seiner Deutung einzelner Bildmotive des Reliefs äußerte Goethe Vermutungen, die unbefangen von romantischen Wunschträumen den modernen Forschungsergebnissen nahestehen. Versuchte man doch bis in die jüngste Zeit hinein, ein romanisches Pflanzenornament des Reliefs als jene von Karl d. Gr. zerstörte Irminsul zu deuten, die auf dem Bildwerk sinnbildhaft in gebeugter Form neben dem aufgerichteten christlichen Kreuzeszeichen steht. Aus rein künstlerischer Sicht deutete Goethe diese romanische Darstellung eines palmenartigen Baumes mit ihren streng stilisierten Blattornamenten als erster in einer den heutigen Erkenntnissen entsprechenden Weise: *Ein den Leichnam herablassender Theilnehmer scheint auf einen niedrigen Baum getreten zu sein, der sich durch die Schwere des Mannes umbog, wodurch denn die immer unangenehme Leiter vermieden ist (ebda 50).*

Goethes Bewunderung für das E.relief wirkt um so erstaunlicher, als er sonst eine unverhohlene Abneigung gegen Darstellungen des *leidigen Marterholzes* (1831: *IV/48, 223)* bekundet und zB. in den *Wanderjahren* leidenschaftlich jegliche Kreuzigungsdarstellung abgelehnt hat (I/24, 255). Die kunstgeschichtliche Sonderstellung des E.reliefs beruht aber darauf, daß es trotz seiner Abhängigkeit von byzantinisch beeinflußten Elfenbeinschnitzereien, die vorzugsweise bei Kreuzabnahmeszenen die „Losnagelung" mit allen Marterwerkzeugen darstellten, auf dieses traditionelle Marterbeiwerk verzichtet und den rein menschlich erschütternden Gehalt der Szene und darin zumindest einen Reflex der Ur-Polarität von Licht und Finsternis spiegelt. Diese neuen Wesenszüge jenes frühen Kunstwerkes sprachen Goethe besonders stark an: *Vorzüglich aber loben wir den Gedanken, daß der Kopf des herabsinkenden Heilandes an das Antlitz der zur Rechten stehenden Mutter sich lehnt, ja durch ihre Hand sanft angedrückt wird; ein schönes würdiges Zusammentreffen, das wir nirgends wieder gefunden haben, ob es gleich der Größe einer so erhabenen Mutter zukommt (I/49^{II}, 50).* Als Goethe die fein konturierte Zeichnung Rauchs erhielt, meinte er, jene ihn so stark anmutenden Züge des Reliefs zum Teil dem klassizistischen Kopisten zuschreiben zu müssen und meinte, *daß etwas Zarteres in der Ausbildung dem Künstler des neunzehnten Jahrhunderts angehöre (IV/38, 66).* Unbewußt hat er jedoch selbst in jene romanische Darstellung klassizistische Wesenszüge deutend hineinprojiziert, wenn ihn weniger die Christusgestalt, um so mehr der helfende Nicodemus, die ehrerbietige Haltung des Josef von Arimathia, die zarte Trauergebärde der Mutter fesselten, und er an diesem Kunstwerk *östlichen Alterthums* als besondere Vorzüge *Einfalt und Adel* empfand.

Jene Wechselbeziehung zwischen orientalischen Traditionen und antikisierenden Ausdrucksmitteln war es, die Goethe angesichts dieser Skulptur so *intriguirte (IV/38, 66).* Ein Jahrfünft nach Vollendung des *WÖD* schlug er in den behutsam vorgehenden Betrachtungen seines E.-Aufsatzes nochmals jenen Bogen vom Westen zum Osten, den er im epigrammatischen Nachwort zum *Divan* 1826 in den Versen umschrieb: *Wer sich selbst und andre kennt / Wird auch hier erkennen: / Orient und Occident / Sind nicht mehr zu trennen. / Sinnig zwischen beiden Welten / Sich zu wiegen lass' ich gelten; / Also zwischen Ost- und Westen / Sich bewegen, sei's zum Besten (I/6, 276)!* Hn

FFocke: Goethe und die Externsteine. In: Beiträge zur Geschichte der Externsteine. 1943. S. 132–148. – WHansen: Die Externsteine. In: Lippische Bibliographie. 1957. Sp. 1493–1522.

Eyben, Friedrich Graf von (gest. 1825), kgl. dänischer Gesandter in Regensburg, Berlin und Frankfurt, verschaffte Goethe 1825 auf dessen bloße Anfrage, *ohne vorhergegangenes allerunterthänigstes Gesuch,* durch sein *vielgeltendes Vorwort (IV/39, 243;* vgl. 367) bei Friedrich VI. von *Dänemark als Souverain von Holstein und Lauenburg das erste *Privileg für die Ausgabe letzter Hand.   *Li*

Eyck, Jan van (etwa 1390–1441), Maler aus Maaseyck, *gehört in die erste Klasse der Kunsttalente, die auf die neuere Zeit gewirkt haben (I/34^{II}, 30)* und gilt mit seinem Bruder Hubert (vor 1370–1426), den erst *Waagen aus den Quellen wiederentdeckte, als Begründer der altniederländischen Malerei. Jan stand im Dienste Johanns von Bayern, des Grafen von Holland, und seit 1425 Philipps von Burgund, in dessen Auftrag er 1428 nach Lissabon reiste. Danach war er in Gent und Brügge tätig. Hier vollendete er bis zum Jahre 1432 im Auftrage des genter Bürgermeisters JVydt den von seinem Bruder begonnenen Altar, der nach 1918 wieder in der Bavokirche zu Gent vereinigt ist. In ihm sind Sündenfall und Erlösung des Menschen bis hin zu der im Mittelbild unter der Dreiheit von Gottvater-Christus, Maria und Johannes gezeigten Anbetung des apokalyptischen Lammes entsprechend der mittelalterlichen theologischen Tradition dargestellt. Mit der in diesem Werk – nach Voraufgang ihnen zuzuschreibender Miniaturen – von den Brüdern E. geschaffenen, alles Gegenständliche und Räumliche auf die optisch erfaßte Bildfläche beziehenden Sehweise wird erstmals das Grundproblem der neuzeitlichen Malerei gestellt. Goethe hat dieses Problem kraft seiner augensinnlichen Veranlagung sehr wohl erkannt, wenn er schreibt, daß E. *den Schein der Tafel weit über alle Erscheinung der Wirklichkeit erhob. Ein solches muß denn freilich die echte Kunst leisten, denn das wirkliche Sehen ist, sowohl in dem Auge als an den Gegenständen, durch unendliche Zufälligkeiten bedingt; dahingegen der Mahler nach Gesetzen mahlt, wie die Gegenstände, durch Licht, Schatten und Farbe von einander abgesondert, in ihrer vollkommensten Sehbarkeit von einem gesunden frischen Auge geschaut werden sollen (I/34^{I}, 181 f.).* Jans spätere Werke, von denen Goethe die hl. Barbara (nicht Ursula) in einer Nachbildung von 1769 kannte, zeigen die Entwicklung zur größeren räumlichen und körper-

lichen Klarheit, ohne jene künstlerische Grundeigenschaft aufzugeben.

Goethes Erkenntnis und seine allerdings durch den irreführenden Vergleich zu St*Lochner gewonnene richtige Einschätzung der entwicklungsgeschichtlichen Stellung Jan van E.s, die er ausführlich im ersten Heft von *KuA* (S. 166 ff.) behandelte, ist umso bedeutungsvoller, als Goethe nur ein originales Werk Jans kannte: den dresdener Altar (Eine Haus-Capelle) aus der Spätzeit, diesen aber unter dem Namen *Dürer (I/47, 371; die ebda 387 unter E. aufgeführte Maria mit dem Kinde ist nicht von E.). Goethe sah 1814 in der Sammlung *Boisserée in *Heidelberg den E. damals zugeschriebenen Columba-Altar des Rogier van der *Weyden (IV/25, 44–46; jetzt *München, Alte Pinakothek) und findet entgegen den am Gegenständlichen haftenden Boisserées (vgl. Bdm. 2, 273f.) den Weg zur tieferen entwicklungsgeschichtlichen Einsicht. Auch 1815 steht E. im Mittelpunkt der Kunstgespräche mit *der Heidelberger lieben Drey-Brüderlichkeit (IV/28, 98),* deren Ergebnis der Aufsatz in *KuA* war. In ihm wird die Bedeutung E.s aufgezeigt: statt des teppichhaften Goldgrundes raumhafte Perspektive, Porträthaftigkeit, Sehbarkeit, Gefühl für die Farbe – die *ihm als einem Niederländer die Natur verliehen –,* Verlegung der alten flächenhaften Symmetrie in den Bildraum und Hineinstellen der Figuren in *eine gesetzliche Localität, die ihnen eine bestimmte Gränze vorschreibt . . . (I/34^{I}, 181; 186).* Selbst gegenüber der *Antike vermag E. in der Vorstellung Goethes sich zu behaupten: „*Wie aber kann sich Hans van Eyck / Mit Phidias nur messen?"* . . . *(I/3, 121).* 1817 wird anhand des Mittelbildes des Columba-Altares mit SBoisserée ein Problem der *Farbenlehre brieflich erörtert (III/6, 97 und IV/28, 198 f.).

Die Boisserées hofften 1816 die von Michael Coxcie (1499–1592) im Auftrage Philipps II. von Spanien verfertigte Kopie des genter Altares zu erwerben. Goethe studierte währenddem im Bande des d'Agincourt eine Abbildung der linken vorderen Gruppe aus der Anbetung des Lammes und teilte dies SBoisseree in der Hoffnung mit, die Kopien bald mit ihm betrachten zu können (IV/27, 275), und unterhielt sich auch mit der Kurprinzessin von Hessen, die den genter Altar gesehen hatte, über die Anbetung des Lammes (IV/28, 241). 1822 sandte Waagen Goethe sein Büchlein „Über Hubert und Jan van Eyck", das er 1822 in Breslau herausgegeben hatte; ob Goethe es gelesen hat, ist zu bezweifeln. Die darin (S. 147–148) vorgebrachte Kritik an Goethes Ausführungen in *KuA* haben anscheinend bei ihm kein Echo gefunden und nur SBoisserée verteidigt in einem Brief vom 29. V. 1824 an Goethe Hirt und Waagen gegenüber die Ansicht seines hohen Freundes, die zugleich seine eigene war. Goethe wären in Waagens Schrift, deren Übersetzung er ebenfalls erhielt (III/10, 302), die romantischen, von F*Schlegel ausgehenden Anschauungen entgegengetreten, die er nicht teilen konnte. Doch behielt er seine Bewunderung für den Columba-Altar und damit subjektiv für E. noch in den letzten Jahren bei, als

SBoisserée ihm die Lithographie danach zusandte (1821: IV/34, 220 und 1831: IV/49, 151 f.).   *Lö*

BrSBoisserée 2, S. 181. – Dvořak: Das Rätsel der Kunst der Brüder van Eyck. 1925. – Beenken: Hubert und Jan van Eyck. 1941. – Renders: Jan van Eyck et le Polyptique, deux problèmes résolues. 1950. – Scheewe: Hubert und Jan van Eyck, ihre literarische Würdigung bis ins 18. Jh. 1933. – WvLöhneysen: Die ältere niederländische Malerei. Künstler und Kritiker. 1956.

Eylenstein, Johann Bernhard (1769–10. IV. 1818 Weimar). Im Juni 1794 als Chorist und Darsteller kleinerer Rollen nach Weimar engagiert, von 1803 bis zu seinem Tode Bibliothekar der *Theaterbibliothek.   *EF*

Fabel. Obwohl unter den *Dichtarten* mitaufgeführt, wird die F. unter den *Naturformen der Dichtung* nicht ausdrücklich behandelt, wohl aber findet sich im *Nachtrag* dazu, und zwar mit dem *Bidpai*-Beispiel sowie mit dessen *Nachahmungen und Fortsetzungen* ein Hinweis (*Pañcatantra; I/7, 117–121). Freilich auch nicht mehr als ein Hinweis. Aber hier wie in den meisten Fällen sonst (in der Jugend am häufigsten) hat Goethe die *Tierfabel im Sinne, wie sie ihm durch *Aesop aus der alten, durch J de *La Fontaine, ChrF*Gellert, GE *Lessing, auch durch G*Casti, HBraun (1772) ua. aus der neueren Zeit, durch mancherlei Vertreter aber auch aus dem *Mittelalter (vgl. dazu *Altdeutsche Poesie, besonders Sp. 163 bis 166) sowie aus der *Renaissance-Literatur (insbesondere durch H*Sachs, M*Luther) vertraut war. Als eine Sonderart der *Lehrdichtung stand die F. bei dem Goethe der beginnenden Reife sowie der Mannes- und Altersjahre nicht sehr hoch im Kurse (vgl. aber *Reineke Fuchs). Bei Gelegenheit der FGA-Rezension über HBraun heißt es: *Uns dünkt überhaupt, man hat die Theorie von der Fabel noch nicht genug auseinander gesetzt. Wir glauben daß sie im Anfang nichts war, als eine Art von Induction, welche in den glücklichen Zeiten, da man noch nichts von dem dicto de omni et nullo wußte, die einzige Weisheit war. Wollte man nämlich andere belehren oder überreden, so zeigte man ihnen den Ausgang verschiedener Unternehmungen in Beispielen. Wahre Beispiele waren nicht lange hinlänglich; man erdichtete also andere, und weil eine Erdichtung, die nicht mehr sagt als vor Augen steht, immer abgeschmackt ist, so ging man aus der menschlichen Natur hinaus, und suchte in der übrigen belebten Schöpfung andere thätige Acteurs (1772: I/37, 219 f.; vgl. auch JG*Sulzer: Allgemeine Theorie der schönen Künste. 1771–1774). Da ihm die F. zu nahe an der *Allegorie lag, entwickelte Goethe sich mehr und mehr konsequent von ihr fort und kam zu Formen, die auf *Symbol/Symbolik hinorientiert oder von dorther abgeleitet sind (*Parabel; *Gleichnis; *Rätsel).   *Za*

Fabre, François Xavier (1766–1837), französischer Maler, Radierer und Kunstsammler, Schüler JL*Davids, war von 1787–1826 in Italien, zunächst in *Rom tätig, das er 1793 nach der Ermordung des französischen Geschäftsträgers, Nicolas Jean de Basseville, verließ, um sich nach *Florenz zu begeben. Dort traf er mit GPh*Hackert (über das Hackert-Porträt vgl. IV/19, 350) zusammen, der ihn in seinem Brief vom 4. III. 1806 an Goethe charakterisierte: „Herr F.... muß als ein sehr geschickter Mann gerühmt werden. Er mahlt mit Geschmack und hat ein sehr gutes brillantes Colorit", doch wirft Hackert ihm Nachahmung *Poussins in seinen Landschaften vor (I/46, 384 f.). F., zu seiner Zeit hochgeachtet, war nach 1826 in Montpellier tätig, wo er als

Direktor einer von ihm gegründeten Kunstakademie, als Porträtist und als Kunstsammler eine vielseitige Tätigkeit entfaltete.   *Lö*

Fabre, Pierre-Jean *(Johannes Faber;* gest. 1750),* Arzt in Castelnandary, erlangte durch seine mystische Behandlungsart eine zweifelhafte Bekanntheit. Goethe gibt in seiner *Farbenlehre* einen kurzen Auszug aus dessen *Werke Panchymicus Buch III. Cap. XII, p. 388 (II/3, 350: Operum voluminibus duobus exhibitorum volumen prius, in quo I: Panchymicum, seu Anatomia totius universi, 1656).*   *Sl*

Fabre d'Olivet (1768–1825), französischer Vielschreiber, in dessen Werken sich gediegenes gelehrtes Wissen und Sonderbarkeiten mischen, Verfasser von Dramen und Übersetzer von *Byrons ,,Cain''; als letzterer von Goethe aus zweiter Hand erwähnt (1824: I/41II, 94f.).   *Fu*

Fabri, Honoratus (1607–1688), gebürtiger Franzose, S. J., Lehrer der Philosophie, später auch der Physik und Mathematik am Ordenskolleg in Lyon; seit 1660 Großpönitentiar in Rom; Verfasser philosophischer, physikalischer, geometrischer, optischer Schriften; in diesen spricht er im Sinne *einer quantitativen Erklärung* die Überzeugung aus, *daß etwas Schattiges zum Lichte ... hinzutreten müsse, damit Farben entstehen können.* In diesem Sinne bespricht ihn Goethe in seiner *Farbenlehre* (II/3, 332; 334; 5II, 267; 420).   *Sl*

Fabriken sind aus Handwerksbetrieben hervorgegangene gewerbliche Großbetriebe zur Massenherstellung von Waren. Sie zeichnen sich meist durch eine größere Belegschaft, durch Arbeitsteilung unter intensiver Verwendung von Maschinen und einheitliche Leitung aus. Eine scharfe Abgrenzung der F. gegenüber dem *Handwerk und der Heimindustrie ist, zumal in der Goethezeit, nicht möglich, so wenn etwa von dem *alten Fabrikörtchen* *Ruhla gesprochen wird (1801: IV/15, 259). Durch die großen Entdeckungen des 18. Jahrhunderts (*Dampfmaschine, Leuchtgas, mechanischer Webstuhl, Spinnmaschine, Verwendung der Steinkohle bei der Eisenverhüttung ua.) wurde der Übergang vom Handwerk zur Technik vollzogen. Die Maschine löste das Werkzeug ab. Durch Goethes *ganzes Leben, bis zu dieser Stunde,* folgte *eine große Entdeckung der anderen.* Sein Leben fiel *in eine Zeit, die hierin reicher war als irgendeine andere* (1. II. 1827: *Bdm. 3, 347).* Nicht zuletzt aus diesem Grund hat er die Anwendung dieser Entdeckungen und damit den Beginn des technischen Zeitalters mit Aufmerksamkeit verfolgt. Darüber hinaus brachte ihn seine

*amtliche Tätigkeit, insbesondere seine langjährige Wirksamkeit in der *Bergwerkskommission, mit technischen und wirtschaftlichen Fragen in unmittelbaren Zusammenhang. So finden sich unter den *Amtlichen Schriften zB. 1779 ein ,,Erlaß eines neuen Tuchmanufaktur-Reglements'', 1783 eine Verfügung betr. ,,Anlage einer herrschaftlichen Walkmühle in Niederroßla'', sowie Übersichten über das ,,Fabrik- und Manufakturwesen im Lande'' und über ,,Maßnahmen zum künftigen Betrieb der Tuch- und Raschmanufakturen in Ilmenau'' (AS 1, 89; 237–239; 258–260). Eine Zusammenfassung der Goethe sicher nicht nur theoretisch bekannten *Fabriken* in *Sachsen-Weimar-Eisenach bringt das nicht ausgeführte Schema des für die *Freitagsgesellschaft geplanten Vortrags *Über die verschiedenen Zweige der hiesigen Thätigkeit (I/53, 490;* vgl. EvdHellen in Goethe Jb 14, bes. S. 17; 25f.). Goethe ist stets bemüht gewesen, sich auch auf diesen Gebieten eine praktische Anschauung zu verschaffen und nutzte jede sich bietende Gelegenheit (vgl. zB. 1779 in *Basel: ...Fabriken pp.: IV/4, 86).* Im wesentlichen lassen sich folgende F.-Besichtigungen Goethes nachweisen (Branntweinbrennereien, Bierbrauereien etc. sind den damaligen Verhältnissen entsprechend nicht als F. gerechnet):

I. Porzellanfabriken

a) B e r l i n – 1778, 16. V.: *Früh Porzellanfabr. (III/1, 66;* Sp. 1086*).*

b) I l m e n a u , Porzellanfabrik ,,Graf Henneberg'' (vgl. AS 1, 405–412: ,,Erörterungen über den Zustand und die Fortführung der Porzellanfabrik in Ilmenau'') – 1779, 17. III. *Auf die Porzellanfabr. (III/1, 83);* 1781, 5. VII.: an Chv Stein: *Die Tasse ... hab ich dir gemahlt, ich wünschte die Masse des Porzellans wäre besser, ich habe eine kindliche Freude dran gehabt und besonders in der Hoffnung daß dichs auch freuen soll. Wenn ich einmal Rothbergisches Porzellan* [Porzellanerde vom ,,Roten Berge''] *haben kan, und nur noch ein wenig Übung, so soll auch das bessre dein seyn. Ich denke drauf dir ein Paar Blumenkrüge zu mahlen (IV/5, 166);* 6.VII.: *Leider ist einer von den Blumentöpfen im Feuer verunglückt...(ebda 167);* erneute Besichtigungen der F.: 1795, 29. VIII. (IV/10, 293); 1813, 31. VIII. (III/5, 73).

c) D a l l w i t z – Besichtigungen 1806, 25. VII. (III/3, 146); 1807, 18. VII.: *In Dallwitz die Fabrik besucht, ...die Anstalt im Wachsen... (NB. Sie geben ein Service zu 12 Personen für 36 Gulden Papiergeld, welches jetzt ungefähr 2 Carolin macht). Dann zu den Feldspathbruche (III/3, 242 f.); (?)* 1808, 17. VI. (III/3, 348);

25. VI.: *Gegen 4 Uhr auf die Porzellanfabrik. Unterhaltung mit dem Faktor über die gegenwärtige Lage der Fabrik im merkantilischen, technischen und chemischen Sinne (III/3, 252)*; (?) 8. VII; 18. VIII. (III/3, 358, 374); 1811, 7. VI. (III/4, 211); 1820, 19. V.: *Nach Tische nach Dallwitz, die Porzellanfabrik; mit dem Inspektor gesprochen verschiedene Mineralien dort aufgenommen (III/7, 175)*.

d) E l b o g e n – Besuche Goethes *in der Fabrik der Gebrüder Haidinger* 1818, 23. und 25. VIII. *(III/6, 237)*; 1819, 9. IX. und 16. IX. (III/7, 91; 94); 1823, 28. VIII. (III/9, 102).

e) A l t - R o h l a u – 1819, 6. IX.: *Um zwei Uhr nach Rohlau, der Porzellanfabrik gefahren ... Schöne, wohlgelegene Anstalt, doch nicht eigentlich im Flor. Sammlung der Naturkörper und Produkte (III/7, 89)*.

II. Steingut-, Flaschen- und Krugfabriken
a) Elgersburg: Massemühle im Körnbachtal und Steingutfabrik E., Besichtigung 27. VIII. 1813 besonders bezeugt (III/5, 72; Vulpius S. 152), ? erster Besuch bereits 1795, vgl. *Mühle worauf die Marmorkugeln zum Spielen der Kinder gemacht werden (IV/10, 293)*, letzter Besuch der Massemühle 1831, 28. VIII. (III/13, 130; Bdm. 4, 392).

b) Z w ä t z e n – 1820, 2./9. VII.: *... da man denn doch immer vorsätzliche Feuer- und Gluthversuche anstellt, um zu den Naturbränden parallele Erscheinungen zu gewinnen, so hatte ich in der Flaschenfabrik zu Zwätzen dergleichen anstellen lassen (I/36, 158; III/7, 191; 194)*;

c) M a r i e n b a d – 1821, 18. VIII.: *Mit der Gesellschaft spazieren gefahren nach der Krugfabrik (III/8, 92)*; weitere Besuche: 1822, 23.VI.; 5.VII.; 10.VII. (III/8, 210; 214; 215f.); 1823, 21. VII. und 13. VIII. (III/9, 80;; 92).

III. Glashütten und -schleifereien
a) F r i e d r i c h s t h a l /Saarland – Besuch 1770, Ende Juni/Anfang Juli (I/27, 335).

b) S t ü t z e r b a c h – 1776, 27. VII.: Versuch im Glasschleifen (III/1, 17); 1778, 14. IV.: *Früh in der Glashütte (III/1, 65)*; mit August 1795, 29. VIII. *den Schacht, das Pochwerk, die Porzellanfabrik, die Glashütte, die Mühle, worauf die Marmorkugeln zum Spielen der Kinder gemacht werden* besucht *(IV/10, 293)*.

c) Ruhe-Berg bei B r a n d – 1822, 15.VIII.: *Auf die Glashütte, wo siebzehn Menschen arbeiten. Es werden große Fenstertafeln gefertigt; wir sahen die ganze Manipulation mit an, die wirklich furchtbar ist. Sie bliesen Walzen von 3 Fuß Höhe, in verhältnismäßigem Durchmesser. Diese ungeheuern Körper aufschwellen, glühend schwingen und wieder in den Ofen schieben zu sehen, je drei Mann und drei Mann ganz nahe*

nebeneinander, macht einen ängstlichen Eindruck. Dann weiß man die Walze, die erst unten rundlich geschlossen ist, mit immer fortgesetzter Erhitzung zu öffnen, daß Glocken daraus entstehen, diesen wird die Mütze genommen, die Walze selbst durch ein glühend Eisen getrennt, damit sie sich auseinander gäbe, welches im Kühlofen geschieht. Das alles geschieht mit der zerbrechlisten, glühend biegsamsten Masse, so takt- und schrittmäßig, daß man sich bald wieder beruhigt. Das Gefährliche mit Sicherheit ausgeübt, erregt eine bängliche Bewunderung. Hier zeigt sichs, was einer versteht und vermag, es ist am Tage, wer Lehrling oder Meister sei. Sie sind sehr gut bezahlt, aber man fordert viel von ihnen (III/8, 294f.).

d) G o s s e n g r ü n – 1823, 6. IX. mit Graf *Auersperg auf die Glasfabrik (III/9, 110)*.

IV. Chemische Fabrik
M a r k t r e d w i t z (WC*Fikentscher), Fabrikation von Sulfat $Na_2 SO_4$ nach der Reaktion $2\ Na\ Cl + Hg\ SO_4 = HgCl_2 + Na_2\ SO_4$; Weinstein (PWalden S. 43) – eingehende Besichtigung 1822, 14.–18 VIII. (III/8, 291–298).

V. Stärkezuckerfabrik
Tiefurt (auch Jena? vgl. III/4, 415), 1812 von JW*Döbereiner begründet, schon 1813 nach Aufhebung der Kontinentalsperre eingegangen (vgl. her Sp. 1881).

VI. Papiermühlen
Besichtigung der Betriebe im thüringischen Bereich (zB. Oberweimar, Stadt Remda) ist vorauszusetzen; weiterhin in *Böhmen:

a) P i r k e n h a m m e r – 1808, 29. VII.: *Auf der Papiermühle* für MvEybenberg *Papier gekauft (III/3, 365)*; 1810, 16. VI.: *In der Papiermühle, die ganze Arbeit gesehen (III/4, 132)*.

b) E i c h w a l d – 1813, 26. VI.: *Nach Eichwald. In die Papiermühle (III/5, 57)*.

VII. Textilfabriken
a) H a n a u – vor 1763: *... mit den Vorstehern der Seidenanstalt stand mein Vater in gutem Vernehmen (I/26, 236)*, Besuche Goethes damals und 28. VII. 1814 wahrscheinlich (*Blachière); 1814 auch Besuch der Teppichfabrik JCLeisler & Comp. anzunehmen, Bericht in *Kunst und Alterthum am Rhein und Main* jedoch weitgehend nach Unterlagen von CC v*Leonhard (I/34[I], 148; 34[II], 44).

b) E l b e r f e l d – 1774, 21./22. VII.: *Wir ... erfreuten uns an der Rührigkeit so mancher wohlbestellten Fabriken (I/28, 292)*;

c) B e r l i n – 1778, 18. V.: Wegelys Wollenmanufaktur (vgl. hier Sp. 1088);

d) G e n f – 28. X. Besichtigung der Zitzfabrik und Kattundruckerei der Brüder Fasi (zeitweilig über 1000 Betriebsangehörige; Bode S. 127f.);

e) Pösneck – 1795 *ein nahrhaftes Städtchen, in welchem sich viel Tuchfabriken befinden (III/2, 34);* bei insgesamt 18 Aufenthalten und 10 Übernachtungen in Pösneck ist Goethes aktives Interesse unzweifelhaft, wenn schon im einzelnen nicht nachweisbar;

f) Chemnitz – 1810, 28. IX.: *Nach Tische mit Hofrath Thiersch die Spinnmaschinen besehen (III/4, 156;* vgl. IV/21, 391; 410);

VIII. Strumpffabriken

Apolda – Hauptort der Strumpfmanufaktur in Sachsen-Weimar-Eisenach, Goethe aus intensiver Anschauung bekannt (1776; 1779; 1782; 1798), eindrucksvolle Äußerung über die wirtschaftliche Notlage der Fabrikanten (III/1, 82; vgl. hier Sp. 322f.; HEberhardt S. 67–85);

IX. Wachstuchfabriken

Frankfurt – In der Jugend häufige Besuche in der Wachstuchfabrik von JAB*Nothnagel (hervorgegangen aus der Tapetenfabrik Lenzler), Kleine Eschenheimergasse. Um 1763: *In einem sehr großen Raume von Höfen und Gärten wurden alle Arten von Wachstuch gefertigt, von dem rohsten an, das mit der Spatel aufgetragen wird, und das man zu Rüstwagen und ähnlichem Gebrauch benutzte, durch die Tapeten hindurch, welche mit Formen abgedruckt wurden, bis zu den feinern und feinsten, auf welchen bald chinesische und phantastische, bald natürliche Blumen abgebildet, bald Figuren, bald Landschaften durch den Pinsel geschickter Arbeiter dargestellt wurden. Diese Mannichfaltigkeit, die in's Unendliche ging, ergötzte mich sehr. Ich ... legte auch wohl selbst mitunter Hand an. Der Vertrieb ging außerordentlich stark (I/26, 245f.).*

X. Gewehrfabrik

Potsdam – 1778, 22. V. Besuch der Fabrik durch Goethe (III/1, 67).

XI. Messerfabrik

Pyrmont – 1801, 25. VI. *Gegen Mittag in der Quäkerischen Messerfabrik zu essen (III/3, 25)*

XII. Schmuckwarenfabriken (Bijouteriefabriken)

Hanau – wahrscheinlich schon seit der Jugend Verbindung und Vertrautheit mit den *Goldarbeitern* in *Hanau (vgl. I/26, 239):* 1814 Wohnung bei Toussaint, länger nachwirkende Geschäftsverbindung mit ihm (vgl. IV/25, 146; 26, 64); Besichtigung der F. nach dem Vorangehenden anzunehmen. *Sl*

MGeitel: Entlegene Spuren Goethes. 1911. – PWalden: Goethe als Chemiker und Techniker. 1932. – HEberhardt: Goethes Umwelt. 1951. – WVulpius: – A Zastrau: Technik und Zivilisation im Blickfeld Goethes. In: Humanismus und Technik. IV, 3 (1957), S. 141–154.

Facius, 1) Friedrich Wilhelm (1764–1843), Medailleur, Gemmenschneider und Graveur, Sohn eines greizer Kaufmanns, lernte als 18-jähriger in Dresden die Stahlgravierung und ließ sich dann zunächst in seiner Vaterstadt als Graveur nieder. 1788 siedelte er nach Weimar über, wo er bis an sein Lebensende wirkte. Schon 1789 erregte er Goethes Aufmerksamkeit: *Ein junger Steinschneider Facius, bildet sich gegenwärtig bey uns, von dem ich dereinst viel hoffe (IV/9, 156).* Es kommen bei ihm ein *vorzügliches Naturel, Fleiß und mechanische Geschicklichkeit zusammen. Er hat bisher in Stahl geschnitten und ist sich fast alles selbst schuldig (ebda 283).* Ich werde suchen ihn auf *alle Weise vorwärts und wo möglich zum Steinschneiden zu bringen... Dieser Mensch soll uns Ehre machen (ebda 139).* Goethe förderte FW in jeder Weise, vor allem durch Fürsprache bei dem Herzog Carl August (IV/9, 259f.), verschaffte ihm die Möglichkeit, sich 1792 bei GB*Tettelbach in Dresden in der Steinschneidekunst auszubilden (IV/9, 283; 7–310; IV/10, 28; 41) und zeigte auch in späterer Zeit für den Künstler und Menschen FW und für dessen Werke eine stets gleichbleibende hohe Wertschätzung (IV/27, 272; IV/42, 101; 106; 44, 72; 46, 304; IV/49, 389 uam.). FW schuf zahlreiche Gemmen (ua. um 1827 einen Goethekopf), Kameen (Köpfe Carl Augusts und Goethes) und Medaillen (ua. Goethe, Schiller, Wieland) und erwarb sich ein über Weimar hinausreichendes Ansehen. 1829 wurde er zum Hofmedailleur und 1840 zum Professor ernannt.

–, 2) Angelica Bellonata (1806–87), Tochter von 1), Medailleurin, Bildhauerin, Stempel- und Gemmenschneiderin, lernte bei ihrem Vater und dem Bildhauer JP*Kaufmann und fand schon als 18jährige die Förderung JH*Meyers und Goethes (IV/40, 134). Goethe verschaffte ihr 1827 durch Fürsprache bei Großherzog Carl August ein Stipendium für ihre weitere Ausbildung und empfahl *die so hübsche als geschickte Facius* an ChD*Rauch in Berlin *(IV/42, 151;* 101; 106). Er verfolgte ihre weitere Entwicklung mit lebhaftem Interesse (IV/43, 67f.; 142; IV/44, 42; 46, 41f.; 180, uam.) und unterstützte sie, die seit 1831 im Haus *Zelters lebte, in jeder Weise. Die letzte Unterschrift Goethes (vom 20. III. 1832) steht unter einer Zahlungsanweisung für AB. – Schülerin von Rauch war sie bis 1834; außerdem wurde sie von dem Graveur König in der Loosschen Prägeanstalt in Berlin im Stempelschneiden unterrichtet. Seit 1834 lebte sie wieder in Weimar, wo sie eine reiche schöpferische Tätigkeit entfaltete. Sie war beteiligt an der bildhauerischen Innenausgestaltung des Schloßwestflügels (Dichterzimmer) und schuf zahlreiche Büsten (ua. Großherzog Carl Friedrich, CW*Schweitzer, JF*Fries, F*Schulze, JF*Röhr) und Medaillen (ua. Goethe, Schiller, JHMeyer, Großherzog Carl August). *Hk*

ThB 11, S. 181 (mit weiterer Literatur). – AMirus: Angelika Facius. Ein Gedenkblatt an den 13. Oktober 1806. Weimar 1906. – LFrede: Angelica Facius, Goethes letzter Schützling (1806–1887). In: Thür. Fähnlein, 6 (1937), S. 531–537. – LFrede: Angelica Facius, Goethes letzter Schützling. Zur Erinnerung an ihren 50. Todestag (17. April 1887). In: Mitteilungen des Deutschen Schillerbunds Nr 79 (Jan. 1938), S. 5–12. – LFrede: Angelica Facius als Medailleurin. 1938.– LFrede: Das Klassische Weimar in Medaillen. 1943.

Färber, 1) Johann Heinrich David (1775 bis 1814), Sohn eines Schwertfegers in *Jena, nach kurzer Probezeit (seit 1810) und nach endgültiger Freistellung von seiner Schloßvogtstätigkeit (1811) im Bibliotheksdienst zu Jena (*Oberaufsicht), zumal im Ausleihewesen sehr bewährt, hatte in diesen Eigenschaften vom Mai 1810 bis zum Lebensende sowohl durch die Obliegenheiten seiner Amtsführung als auch durch die monatliche Berichterstattung darüber regen Dienstverkehr mit Goethe (*Amtliche Tätigkeit Sp. 230–234; Bulling S. 12–16; 53)
–, 2) Johann Michael Christoph (1778–1844), dessen Bruder, war zunächst Diener bei Schillers Schwager Wv*Wolzogen; Schiller ist in seinen und in des Dieners Rudolph Armen gestorben. 1810/14 war er Diener bei Frau v*Heygendorff (C*Jagemann) im Deutschherrenhaus. 1814 wurde er auf Goethes Empfehlung Nachfolger seines Bruders (1) als Museums- und Bibliotheksschreiber, auch als Schloßvogt in Jena. Seitdem von Goethe, im Amte oft höchst belobt, zu allen persönlichen und amtlichen Diensten herangezogen, entwickelt sich ein enges Vertrauensverhältnis bis zu Goethes Tode: *mein guter Färber.* Er hat im Auftrage Goethes mit dem Prosektor der Universität Jena, Schröder, Schillers Gebeine aus dem Kassengewölbe genommen und zur Beisetzung in der Fürstengruft bereitet. *Si*

Abhandlungen und Vorträge. Hg. Bremer Wissenschaftliche Gesellschaft, Jahrgang 7, Heft 3/4 (Februar 1935). – Unbekannte Briefe und Urkunfen aus dem Goethekreis: Aus dem Nachlaß Johann Michael Färbers. Hg. HKnittermeyer.

Fagan, Christophe-Barthélémy (1702–1755), französischer Dramatiker; „La pupille" (1734) gehört vielleicht zu den Anregungen, aus denen Goethes *Geschwister entstanden. *Fu*

Fahrenheit, Daniel Gabriel (1686–1736), bereiste nach einer kaufmännischen Lehre in Amsterdam England und Deutschland und ließ sich danach wieder in Holland nieder. Sein Interesse galt physikalischen Fragen und der Herstellung wissenschaftlicher Instrumente. Ihm gelang es erstmals, *Thermometer von völlig übereinstimmendem Gang herzustellen, für die er seit 1718 Quecksilber statt des bisherigen Weingeistes als thermoskopischer Flüssigkeit verwandte. Seine physikalischen Arbeiten und Entdeckungen trugen ihm 1824 die Mitgliedschaft der Royal Society in London ein. Früher (heute noch vielfach in England und Amerika) wurde zur Gradeinteilung der Thermometer neben der Skala von Réaumur die 1716 von F. aufgestellte verwendet (II/12, 75). *Sl*

Falbaire de Quingey, Charles–Georges Fenouillot de (1727–1800), sehr mittelmäßiger französischer Dramatiker bürgerlich - rührseligen Stils, um 1770 in Deutschland und Österreich auch durch Übersetzungen recht bekannt(IV/1, 182; I/37, 229; I/38, 356; I/28, 193). Goethe erinnert sich an ihn, als er 1792 dessen bürgerlich liebens- und achtenswerten Menschentypen in *Frankreich wirklich begegnete (I/33, 142). *Fu*

Falconet, Etienne Maurice (1716–1791), französischer Bildhauer und Kunstschriftsteller, in der Schweiz geboren, als Bildhauer in *Paris lebend, als Gelehrter völliger Autodidakt, jedoch Beziehungen zu *Caylus, später mit *Diderot eng befreundet. Verehrer *Winckelmanns wie dieser, trat er als Bildhauer und Kunstschriftsteller bedeutend hervor. Für die *Enzyklopädie schreibt er die Beiträge über Bildhauerei und legt in einem Vortrag der Académie des Beaux Arts „Reflexions sur la sculpture" seine Stellung zur „bildenden Kunst" kennzeichnend nieder. Durch Diderot an Katharina II. von Rußland empfohlen, erhielt er den Auftrag für das Bronzereiterbild Peters des Großen (1766–78). Im Anschluß an die zT. gerade technischen Probleme dieser Aufgabe entsteht seine kritische Abhandlung über die Reiterstatue Marc Aurels auf dem Kapitol in *Rom, die er jedoch nur in Gips kannte und untersucht hatte, da er nie in Italien gewesen war. An diese „Observations sur la statue de Marc Aurèle et sur d'autres objets relatifs aux Beaux-Arts, adressées à Mr. le Diderot" (Amsterdam 1771) knüpft Goethe in seiner 1775 entstandenen künstlerisch lebendig empfindenden kleinen Schrift *Nach Falkonet und über Falkonet (I/37, 315–322)* an, indem er zu Beginn der Schrift ein Stück aus F.s Abhandlung übersetzt und dann mit eigenen Worten fortfährt, ohne jedoch das Zitat als solches hervorzu-heben, dessen Kenntnis er vorauszusetzen schien. Außerdem konnte er auf den Titel verweisen, der den Sachverhalt immerhin an-deutet. *Hm*

Falda, Giovanni Battista (gest. 1678), italieni-scher, in *Rom tätiger Zeichner und Kupferste-cher, der sich überwiegend der Herausgabe von Prospekten aus Rom (am bekanntesten seine für die Geschichte der *Gartenkunst wichtigen Giardini di Roma, 1670) widmete. Aus einem dieser Bände werden die römischen Ansichten (I/26, 17) gewesen sein, die Goethe aus seinem Vaterhaus in *Frankfurt kannte und deren er sich beim Betreten der Ewigen Stadt erinnerte (I/30, 199). Die aus dem frankfurter Goethe-haus stammenden Stiche befinden sich jetzt im GNM. *Lö*

Falk, 1) Johannes Daniel (1768–1826), Schrift-steller und Erzieher, Sohn eines danziger Pe-rückenmachers, studierte seit 1791 Theologie und Philosophie in *Halle, wo er sich nach Be-endigung seines Studiums als Schriftsteller be-tätigte, vor allem als Verfasser von Satiren auf die Zeitverhältnisse, in denen er Wahrheits-liebe, aufrechte Gesinnung und persönlichen Mut zeigte, ohne sich allerdings von beißendem Spott und persönlichen Verunglimpfungen frei-zuhalten. Enge Beziehungen verbanden ihn bald mit L*Gleim, dessen kritiklose Bewunde-rung jedoch die Schattenseiten in F.s Wesen, seine hohe Selbsteinschätzung und die damit verbundene persönliche Empfindlichkeit, in unzuträglicher Weise förderte; mit Wieland knüpfte F. ebenfalls Verbindungen an. 1792 besuchte F. zum erstenmal Weimar, wo er am 17. Juli auch Goethe einen Besuch abstattete. Nach zwei weiteren Weimar-Besuchen (Sep-tember 1795 bis Februar 1796 und Sommer 1796) zog er, der sich durch seine Satiren in Halle viele Feinde gemacht hatte, auf Wielands Rat im November 1797 ganz nach Weimar. Hier schloß er sich zunächst eng an Wieland an, der ihn mit Herder und CA*Böttiger näher be-kannt machte, wodurch er in einen Kreis ge-riet, der Goethe nicht freundlich gesinnt war. Dazu kam noch, daß Goethe F.s Lustspiel „Othas", das dieser dem weimarer Hoftheater 1798 zur Aufführung anbot, zwar höflich, aber bestimmt ablehnte (IV/13, 94f.) und daß F. im gleichen Jahr in einen heftigen und in unschö-ner Form geführten Streit mit den damals von Goethe geförderten *Romantikern geriet. Anfang 1801 vollzog sich jedoch in den Bezie-hungen F.s zu Goethe eine Wandlung. Im März 1801 wird F. mehrfach in Goethes Tage-büchern als Gast im goetheschen Hause er-

wähnt (III/3, 6; 8f.) und 1802 berichtete der dänische Schriftsteller PA*Heiberg, daß F. mit Goethe „sehr intim" sei (Bdm. 1, 320). Der 1803 einsetzende literarische Kampf F.s gegen *Kotzebue ließ ihn sich noch enger an Goethe anschließen. Dieser verpflichtete F. im gleichen Jahr als Rezensenten für die JALZ. Goethe wünschte in den Rezensionen jedoch nur sach-liche Kritik, aber keine persönlichen Angriffe und verweigerte manchen Rezensionen F.s aus diesen und anderen Gründen den Abdruck (IV/17, 5; 100; 239). Deshalb und wegen F.s sa-tirischer Schriftstellerei kam es vorübergehend zu einer schweren Trübung des Verhältnisses zwischen beiden. 1804 suchte Goethe sogar, allerdings vergeblich, F.s Landesverweisung durchzusetzen, als dieser in zwei in sein Mär-chen „Die Prinzessin mit dem Schweinerüssel" eingeflochtenen Parodien die Schauspielerzunft lächerlich gemacht hatte und Goethe davon Rückwirkungen auf das weimarer Theater fürchtete. Auch veranlaßte Goethe am 17. X. 1806, drei Tage nach der Schlacht bei Jena, die Unterdrückung von F.s Zeitschrift „Elysium und Tartarus", die dieser seit Anfang 1806 (III/3, 113) mit dem Untertitel „Eine Zeitung für Poesie, Kunst und neuere Zeitgeschichte" herausgegeben und die in zunehmendem Maße einen französenfeindlichen Charakter ange-nommen hatte (BrVoigt 3, 132; 421).

F.s Unerschrockenheit, Redegewandtheit und Kenntnisse der französischen Sprache – seine Mutter entstammte einer Hugenottenfamilie – bewährten sich in den Kriegswochen vom Ok-tober bis Dezember 1806, als er zunächst als Dolmetscher bei dem französischen Stadtkom-mandanten in Weimar und später als Geheim-sekretär und Dolmetscher bei dem in Naum-burg residierenden französischen Generalin-tendanten Villain die Verhandlungen zwischen den weimarischen und französischen Amtsstel-len führte, sich dabei ebenso tätig wie unbe-stechlich zeigte und sich bedeutende Verdienste um das weimarische Herzogtum erwarb, für die ihn Carl August am 24. II. 1807 zum Le-gationsrat ernannte und mit einer jährlichen Pension bedachte. 1808 und 1809 wurde F. ge-legentlich zu diplomatischen Verhandlungen herangezogen (vgl. III/3, 292; 321; 388). Der persönliche Verkehr zwischen F. und Goethe gestaltete sich in diesen Jahren der französi-schen Besetzung sehr eng. F. war häufiger Gast in Goethes Haus. Die Unterhaltungen zwischen beiden berührten die politischen Verhältnisse ebenso wie Fragen der Kunst und Literatur. Mehrfach erschien F. in Begleitung der für das weimarische Herzogtum maßgebenden französischen Diplomaten (*Lemarquand, *Villain), um sie Goethe vorzustellen (III/3, 178; 208; 332; 401f.; III/4, 266 uam.). Auch im Salon von J*Schopenhauer begegneten sich beide und im Hause F.s 1807 stand Goethe Pate bei F.s Tochter Eugenie (III/3, 293).

Die bloße schriftstellerische Betätigung genügte F. nicht mehr. Der in ihm erwachte Drang nach praktischer, helfender Tätigkeit fand 1813 ein neues Feld. Nachdem er zunächst ein Komitee zur Linderung der allgemeinen Not – gemeinsam mit dem Stiftsprediger Horn – ins Leben gerufen hatte, nahm er sich, der im selben Jahre vier Kinder durch eine Kriegsseuche verlor, der Erziehung verwahrloster, meist verwaister Kinder an, wozu ihn eine besondere rednerische und erzieherische Begabung in hohem Maße befähigte. Er begann damit sein großes soziales Fürsorgewerk, dessen Erhaltung und Ausbau er seitdem als seine Lebensaufgabe betrachtete. Der Ertrag seiner schriftstellerischen Arbeiten, die nunmehr einen vorwiegend religiösen Charakter annahmen, und die Hilfe der von ihm geschaffenen „Gesellschaft der Freunde in der Not" dienten allein diesem Werk, das als „Falksches Institut" länger als ein Jahrhundert bestanden und vielerorts Nachahmung gefunden hat. Der persönliche Verkehr zwischen F. und Goethe ließ in dieser Zeit erheblich nach; die gegenseitige Hochachtung blieb jedoch bestehen. F. zeigte sie in seiner 1824 verfaßten, aber erst nach seinem und Goethes Tode 1832 veröffentlichten, in ihrer Glaubwürdigkeit allerdings umstrittenen Schrift „Goethe aus näherm persönlichen Umgange dargestellt". Goethes Wertschätzung der Persönlichkeit und der Wirksamkeit F.s läßt sein Briefwechsel mit HDöring, dem ersten F.-Biographen, erkennen, den Goethe in seinem Vorhaben in der Absicht unterstützte, dazu *beyzutragen, daß einem so vorzüglichen Manne ein würdiges Denkmal gesetzt werde (IV/41, 272).*

JFalk: Goethe aus näherm persönlichen Umgange dargestellt. Leipzig 1832. – ADB 6, 549 ff. – GSchnaubert: Das Lebenswerk von Johannes Falk. 1912. – ODeichmüller: Johannes Falk. Festschrift zur Hundertjahrfeier der Gründung der „Gesellschaft der Freunde in der Not". 1913. – HDiersch: Johannes Falk, Ausschnitte aus seinem Leben. 1926. – TReis: Johannes Falk als Erzieher verwahrloster Jugend. 1931 (mit ausführlichen Literaturangaben). – FFink: Johannes Falk, der Begründer der Gesellschaft der Freunde in der Not. In: Nebenfiguren der klassischen Zeit in Weimar. 1935. S. 91–118. – SSchultze: Falk und Goethe. Ihre Beziehungen zu einander nach neuen handschriftlichen Quellen. 1900. – EWitte: Falk und Goethe. 1912. – ATille: Goethe im Garten. Ein Beitrag zur Frage nach der literarischen Zuverlässigkeit Johannes Falks. In: Funde und Forschungen, Festgabe für Julius Wahle. 1921. S. 170–179. – OLeistikow: Johann Daniel Falk, seine Ahnen und Nachkommen. In: Familie und Volk, 1. Jg. (1952), S. 193–199. –

PBraun: Ludwig Gleim und Johannes Falk. In: Thür. Sachs. Zeitschrift für Geschichte und Kunst. Bd. XIII (1923–24), S. 68–75.

–, 2) Elisabeth Charlotte Karoline geb. Rosenfeld (1780–1841), Ehefrau des Vorgenannten, Tochter des Akziseeinnehmers Karl August Rosenfeld in Halle;

–, 3) Eugenie (1807–1813), viertes Kind der Vorgenannten, bei dessen Taufe am 8. XI.1807 Goethe Pate stand (III/3, 293). *Hk*

Falkenau, böhmisches Städtchen *(Hier fließt die Zwota mit der Eger zusammen),* jetzt Hauptsitz des böhmischen Braunkohlenbergbaus, damals Wohn- und Amtssitz des Bergmeisters I*Lößl, einen *wohlgebauten Ort, den Grafen *Nostiz gehörig,* hatte Goethe bereits *gar oft, nach Carlsbad fahrend, gar anmuthig unten im Thale an der Eger liegen* gesehen *(III/8, 283),* ehe er am 3. VIII. 1822 mit *Polizeyrath *Grüner* von *Eger aus tatsächlich dorthin fuhr, um Lößl und dessen *Mineraliensammlung zu besuchen. Man blieb dort über Nacht, nachdem Lößl seinen Gästen *von den Produkten der Gegend aus dem Doubletten-Vorrath manches Wünschenswerthe verehrt* und *abends bey'm traulichen Tischgespräche ... Staats-, bürgerliche und kirchliche Verhältnisse ... auch Gedichte eines Naturmenschen ..., Namens Firnstein (*Fürnstein) an die Reihe gekommen waren *(ebda 284).* RV S. 62. *JP*

Fallopius, Gabriele (1523–1562), Professor der Anatomie zunächst in Ferrara (1548), dann in Pisa und ab 1551 in Padua. Seine anatomischen Arbeiten, die allen Teilen des menschlichen Körpers, besonders jedoch dem Knochenskelett galten, fanden ihren Niederschlag in seinem bekannten Werk „Observationes anatomicae" (1561). Goethe zitiert hieraus eine Stelle in seinem *Versuch aus der vergleichenden Knochenlehre daß der Zwischenknochen der obern Kinnlade dem Menschen mit den übrigen Thieren gemein sei* (II/8, 110 f.; vgl. III/7, 319). *Sl*

Fanarioten, die Bewohner des Griechenquartiers Fanar im Nordwesten Konstantinopels, wo sich nach der Eroberung der Stadt durch die Türken die Würdenträger und Beamten des Patriarchats und die Nachkommen der byzantinischen (griechischen) adligen Familien sowie die vornehmen Glieder der Gemeinde angesiedelt hatten. Aus ihnen entnahm die Pforte seit dem 17. Jahrhundert mit Vorliebe ihre christlichen Beamten.

In zeitgenössischen Werken werden die F. *als Erben aller Laster ihrer byzantinischen Vorfahren* – Erpressung, Bestechung und Ränke – angeklagt *(I/42¹, 293).* Goethe entschuldigt sie zum Teil; grundsätzlich aber war es ihm bei seinem Interesse für die F. *um das Geschichtliche, nicht um das Sittliche zu thun (ebda 291f.):* Die Bindung einer konzentrierten Geistigkeit an einen bestimmten soziologischen, biologischen oder geographischen Ort über Generationen hinaus ist das Tertium der *Vergleichung* der F. *mit den *Barmekiden (I/ 42ᴵ, 295),* der *Vergleichung mit den großen Domstiftern Deutschlands (ebda 296,* vgl. 286) und dem italienischen Fürstenhaus der *Este. *Gk*

Farbenlehre, 1. Anfänge, 2. Das Werk, 3. *Zur Farbenlehre* (1810), 4. Urteil und Bedeutung. 1. Anfänge. CG*Carus, der sich um ein ,,näheres Verständnis'' Goethes bemühte, erachtete ,,bewundernde Liebe und tieferes Vereinleben mit der Natur'' als dessen Triebfedern, ,,auch einer wissenschaftlichen Naturbetrachtung sich angelegentlich zu widmen und hinzugeben'' (1843). Diese treffende Kennzeichnung findet man bestätigt, wenn man das Naturgefühl des jungen Goethe verfolgt (RMatthaei: Berckers kleine Volksbibliothek Nr 521), beginnend etwa mit der schwärmenden Hingabe des Vierzehnjährigen an das *Wechselgespräch mit der Natur in unserem Busen (DuW: I/27, 14),* fortschreitend zu der jubelnden Naturfreude im *Mailied (I/1, 72f.)* des Einundzwanzigjährigen und gipfelnd in den Versen, die dem Sechsundzwanzigjährigen auf dem Züricher See entstanden: *Ich saug an meiner Nabelschnur /Nun Nahrung aus der Welt . . (III/1, 2).* Auf diesem ursprünglichen, eigentümlich innigen Naturverhältnis gründet sich auch Goethes Umgang mit dem *Farbenwesen.* Daher neigt er zu den subjektiven prismatischen Versuchen und verabscheut jeden umständlichen Apparat, der zwischen ihn und die Natur tritt; daher stellt er die Ehre unseres Auges wieder her mit der Erkenntnis der **Physilogischen Farbe* als einer notwendigen Bedingung des Sehens *(Fbl. §§ 3; 180:* NS 4, 25; 72). Aus dieser Anlage heraus mußte er auch das Auge als ein *Geschöpf des Lichtes* deuten *(NS3, 437).* Und sein stets reges *Auge, dessen vorzügliche Weltoffenheit Goethe wiederholt bezeugte, ist die andere Wurzel der F.

Demgemäß ist sein persönliches Verhältnis zu Licht- und Farbenerscheinungen schon in früher Jugend erweisbar. *Sehr bald gegen die sichtbare Natur gewendet . . . Aufmerksamkeit auf Sonnenuntergang. Die farbig-abklingende Helle. Farbige Schatten . . . Regenbogen . . .* Das sind Stichwörter, die Goethe in einem Entwurf seines naturwissenschaftlichen Entwicklungsganges *(II/11, 300)* vom 11. IV. 1821 zwischen die Daten des *Erdbebens von Lissabon (1. XI.

1755) und des Beginnes der leipziger Studienzeit (Oktober 1765) stellt. Die früheste, von Goethe selbst überlieferte *Beobachtung einer Farbenerscheinung hat er Mitte Januar 1770 wohl von einem der Westfenster im zweiten Stock des väterlichen Hauses verfolgt. Sie steht in den tagebuchartigen Aufzeichnungen eines Heftes, das den Titel *Ephemerides erhielt. Da sah er *rubinrothe Streifen, die sich . . . nach dem Lichten Gelb des Abendhimmels zuzogen . . . Die Röthe war so starck dass sie die Häusser und den Schnee färbte und dauerte ohngefähr eine Stunde von sechs bis 7 Abends (I/ 37, 89).* Aber ein Gedanke, den Goethe am 13. II. 1769 an FOeser schrieb, zeugt von eingehender Beschäftigung mit einer Vorstellung, die geradezu als *Antizipation* eines Kernes der F. gelten darf, wenn auf die Feststellung *Das Licht ist die Wahrheit* die Frage folgt *Und was ist Schönheit?* und erwidert wird: *Sie ist nicht Licht und nicht Nacht. Dämmerung; eine Geburt von Wahrheit und Unwahrheit (NS 3 vor Seite 1).* – Unterm 3. VI. 1793 schreibt F*Jacobi ,,Lotte … erinnert sich, wie Du schon vor zwanzig Jahren so schön von Licht und Farben gesprochen hättest'' (Goethe 7, S. 45) und weist damit auf das Frühjahr 1773, da seine Stiefschwester Goethe in Frankfurt kennengelernt hatte. – Am 10. XII. 1777 erlebt Goethe beim Abstieg vom schneebedeckten *Brocken die *Farbigen* *Schatten so eindringlich, daß er sie später (1805?) in der F. (§ 75: NS 4, 46 f.) unmittelbar anschaulich beschreiben konnte. Und am 27. IX. 1783 hörte er ein Kollegium von *Lichtenberg im göttinger physikalischen Experimentierraum und sah eine Uhrfeder in reinem Sauerstoff brennen, wobei Blendungsnachbilder entstehen mußten, also jene Erscheinungen, die er am 5. VII. 1794 in der Dunkelkammer an einem einfallenden Sonnenstrahl eingehend untersuchte (NS 3, 263–265). *Das Licht und Farbenwesen verschlingt immer mehr meine Gedankensfähigkeit und ich darf mich wohl von dieser Seite ein Kind des Lichts nennen,* bekennt Goethe im Briefe vom 18. IV. 1792 Carl August *(IV/9, 301).*

Den eigentlichen Ursprung einer wissenschaftlichen F. sah Goethe selbst in seinem Wunsche, über Regeln und Gesetze der Malerei Klarheit zu erhalten, dessen Erfüllung er sich von einer Reise nach *Italien versprach. Zwar gelang es ihm dort, zuletzt noch in *Venedig (auch in Verfahren der Restaurierung I/47, 221–223), in das Wesen einer Gemälde-Komposition einzudringen; aber, um das Kolorit zu verstehen, fühlte er sich genötigt, eigene Wege zu suchen. *Ich hatte nämlich zuletzt eingesehen, daß*

man den Farben, als physischen Erscheinungen, erst von der Seite der Natur beikommen müsse, wenn man in Absicht auf Kunst etwas über sie gewinnen wolle (Confession: II/4, 292). Also unternahm Goethe optische Experimente. Dazu sollten ihm Prismen verhelfen, die er von Hofrat Büttner entliehen hatte, der gerade von *Göttingen nach Jena gezogen war. Als Goethe nun, vom Eigentümer, der seine Geräte wiederhaben wollte, gedrängt, nur einen flüchtigen Blick durch eines der Prismen tat, geschah das entscheidende Ereignis: *Eben befand ich mich in einem völlig geweißten Zimmer; ich erwartete, als ich das Prisma vor die Augen nahm, eingedenk der Newtonischen Theorie, die ganze weiße Wand nach verschiedenen Stufen gefärbt ... zu sehen. | Aber wie verwundert war ich, als die durch's Prisma angeschaute weiße Wand nach wie vor weiß blieb ... (II/4, 295 f.).* Diese Erwartung Goethes aber war ein Irrtum – indessen ein fruchtbarer Irrtum; denn mit der Meinung, die sich ihm sogleich einstellte, *die Newtonische Hypothese sei falsch und nicht zu halten*, war ihm *eine Entwickelungskrankheit eingeimpft, die auf Leben und Thätigkeit den größten Einfluß haben sollte (I/35, 13 f.).*
Das grundlegende Aperçu der prismatischen Farbenerscheinung dürfte Goethe Februar/ März 1790 im Jägerhause an der Marienstraße in Weimar gefaßt haben, jedenfalls nachdem er im Januar die *Metamorphose fertig gearbeitet* hatte *(III/2, 1)* und vor seiner Reise nach Venedig, wo er April/Mai unter den Epigrammen auch jenes schrieb, das auf die naturwissenschaftlichen Arbeiten zurückweist: *Mit Botanik gibst du dich ab, mit Optik? ... (Nr 77*; dazu RMatthaei in Goethe 11, S. 249). In Venedig offenbarte ihm dann ein verwitterter Schöpsenschädel die Wirbeltheorie, die Goethe so fesselte, daß er noch von der schlesischen Reise (Juli bis Oktober) schreiben konnte: *Mich interessirte damals im Stillen nichts als die comparirte Anatomie (I/53, 387).* Den optischen Studien wandte er sich erst Anfang 1791 wieder zu. So spiegelt sich ihr zwiefacher Ansatz auch in den *Tu J*: 1790 die *Inoculierung der Idee*, 1791 aber die Gelegenheit, *den chromatischen Untersuchungen ernstlich nachzuhängen (I/35, 17).* Ein Brief vom 18. V. 1791 an Carl August bringt das erste Zeugnis von den *Beiträgen zur Optik*, da Goethe meldet, er habe *seit gestern die Phänomene der Farben wie sie das Prisma, der Regenbogen, die Vergrößerungsgläser pp zeigen auf das einfachste Principium reducirt (IV/9, 261).* Der erste größere Entwurf, der uns bruchstückhaft erhalten ist, *Über das Blau* stammt

von Anfang Mai 1791 *(NS 3, 447 f.)* und die Ankündigung des ersten Stückes der *Beiträge zur Optik* unterzeichnete Goethe am 28. VIII. 1791 *(NS 3, 3–5).*
2. Das Werk. Die Schriften zur F., die sich über dreiundvierzig Jahre erstrecken, bilden das umfänglichste Werk Goethes. In der weimarer Ausgabe füllt es mit 2353 Seiten sechs Bände und wird von dem ganzen *Wilhelm Meister* nur erreicht, wenn man alle Entwürfe und die *Theatralische Sendung* dazuzählt (2320 Seiten). Nur ein Teil davon ist von Goethe in Druck gegeben worden. Aber manches von dem, was uns an Entwürfen erhalten ist, blieb selbst in der weimarer Ausgabe ungedruckt. Vieles, was dazugehört, steht in den übrigen Bänden zur Naturwissenschaft. Vor allem durchdringt die F. das ganze Werk: die biographischen Schriften, die Dichtung, die Briefe und Gespräche. Der erste von sechs Bänden, die die neue Leopoldinische Ausgabe der F. vorbehält (NS 3), umfaßt mit 408 Schriften, Entwürfen, Briefen und Vermerken, von denen siebenunddreißig neu sind, allein aus der Zeit bis 1808 (nämlich alles, was dem großen Werk vorangeht) über 500 Seiten, weil auch das Einschlägige aus dem übrigen Werke Goethes mit einbezogen wurde. Wie auch die Dichtung manches Zeugnis von Farbenbeobachtung enthält, die Goethe sonst nicht festgelegt hat, konnte am *Faust gezeigt werden. – Die Arbeit läßt sich in drei Hauptabschnitte gliedern:

I a) *Beiträge zur Optik*	*1790–1793*	
b) *Physiologische Farben*	*1794–1797*	
II a) *Schema der Farbenlehre*	*1798–1801*	
b) *Entwurf einer Farbenlehre*	*1802–1812*	
III a) *Entoptische Farben*	*1813–1820*	
b) *Erfahrung, Betrachtung, Folgerung*	*1820–1832.*	

Von den *Beiträgen zur Optik* hat Goethe die ersten drei Stücke in drei Jahren erarbeitet und geschrieben. Auch die Feldzüge nach *Frankreich und *Mainz (August/Oktober 1792; Mai/Juli 1793) vermochten ihn nicht davon abzubringen, das ihm besonders wichtige vierte Stück fertigzustellen. Die Entdeckung der *Physiologischen Farben zeitigte den Entschluß, die Veröffentlichung der Beiträge mit dem zweiten Stücke abzubrechen und das große Werk vorzubereiten. Bald standen systematische und kritische Arbeiten im Vordergrunde, sowie ein langwieriges Ringen um die beste Art des Vortrages seiner Lehre. Im Studium der *Entoptischen Farben, zu denen Goethe durch *Seebeck angeregt wurde, kehrte ihm die alte Lust zu experimentieren aus der Anfangszeit zurück. Hier liegt der Höhepunkt im Jahre 1820, da er wiederum Wochen in Jena verbringt, sich ganz den chromatischen Arbeiten zu widmen. Danach sammelt er *Nachträge zur Farbenlehre* und läßt sie in der Zeitschrift *Zur Naturwissenschaft überhaupt (Erfahrung, Betrachtung, Folgerung)* drucken. – Noch in den letzten Lebensjahren 1829/1831 betreibt Goethe den bereits 1807 in dem Hauptwerke (§ 358) geäußerten Plan, den *Vortrag* der F. *ins Engere zusammenzuziehen.* Januar/Februar 1832 schreibt er im Briefwechsel an S*Boisserée ausführlich über den *Regenbogen, und am 17. Februar findet *Soret Goethe und *Eckermann bei Versuchen mit „buntscheckigen Dorlen".

Bei dem bedeutenden *Entwurf einer Farbenlehre* (1807–1810) forderte Goethe von sich Vollständigkeit, so hielt er ihn lange hin. Am 15. V. 1803 hatte er die Arbeit noch *wie eine unabtragbare Schuld* empfunden, am 22. schrieb er Schiller: *Ich stehe hoch genug um mein vergangenes Wesen und Treiben, historisch, als das Schicksal eines Dritten anzusehen. Die naive Unfähigkeit, Ungeschicklichkeit, die passionirte Heftigkeit, das Zutrauen, der Glaube, die Mühe, der Fleiß, das Schleppen und Schleifen und dann wieder der Sturm und Drang, das alles macht in den Papieren und Acten eine recht interessante Ansicht; . . . Wenn ich das Papier los werde, habe ich alles gewonnen; denn das Hauptübel lag darin, daß ich, ehe ich der Sache gewachsen war, immer wieder einmal schriftlich ansetzte, sie zu behandeln und zu überliefern. Dadurch gewann ich jedesmal! nun aber liegen von Einem Capitel manchmal drey Aufsätze da, wovon der erste die Erscheinungen und Versuche lebhaft darstellt, der zweyte eine bessere Methode hat und besser geschrieben ist, der dritte, auf einem höhern Standpunct, beydes zu vereinigen sucht und doch den Nagel nicht auf den Kopf trifft (IV/16,229;232f.).* Solche Reihen von Ansätzen lassen sich aus den uns erhaltenen Handschriften, deren das Goethe- und Schiller-Archiv in drei Kasten von dreißig Bündeln etwa zweieinhalbtausend Blatt verwahrt, wohl noch zusammenfinden. So zeigen die Nummer 7/8/13 der Übersicht abgewandelte Darstellung der Achromasie und 13/15/22 der Farbenerscheinungen bei Refraktion. – Nicht in die Übersicht der Schriften aufgenommen wurden zahlreiche Niederschriften von Versuchen, die uns den Beobachter Goethe lebendig machen (NS 3, Hauptstück IV). Dem unmittelbaren Erfassen der Erscheinung steht eine methodische Besinnung zur Seite (NS 3, Hst. V). Sie äußerte sich auch in unermüdlichem Schematisieren. Besinnung rechtfertigte zudem das an sich in Goethes Wesen gegründete Bestreben, in freier Natur zu untersuchen. Solche Eigenart ermöglichte ihm wiederum, seine Arbeiten überall fortzusetzen. So begleitete ihn die F. zur *Campagne in Frankreich und auf die *Belagerung von Mainz. In *Karlsbad beschäftigte er sich wiederholt mit ihr. Am Vorabend zu seinem Geburtstage 1817 in Stadtilm: *Was am meisten interessirt, tritt in der Einsamkeit hervor. Farbenlehre durchgedacht (I/53,39f.).* Nach dem Tode des Großherzogs nimmt er sich Anfang Juli 1828 Akten zur F. und Schriften von J Jungius mit nach *Dornburg. Oft zog sich Goethe nach Jena zurück, um Farbstudien abzuschließen (1796 bis 1799 jedes Jahr, 1809, 1817, 1820).

Weiter ist es ein Grundzug gerade der Auseinandersetzung mit dem Farbenwesen, daß Goethe sich von Anfang an und immer wieder bemühte, Mitarbeiter heranzuziehen. Schon am 21. VII. 1793 macht er im Lager bei Marienborn (vor Mainz) *Vorschläge wie man sich in die vorzunehmenden Arbeiten teilen könne* und ruft ausdrücklich auf den Chemiker, Physiker, Mathematiker, Mechaniker, Naturhistoriker, Maler, Historiker und Kritiker, aber auch den Anatomen, den spekulativen Philosophen – schließlich *jeden aufmerksamen Menschen, (NS 3, 131; 136).* Zum gleichen Ziele versandte Goethe seine Arbeiten, oft schon in der Handschrift. Dem Mathematiker JHVoigt in Jena schickte er im Mai 1791 seinen Aufsatz *über das Blau,* Lichtenberg nach Göttingen nach und nach alle vier Stücke der *Beiträge zur Optik,* die er fertigstellte. Für Jacobi schrieb er am 15. VII. 1793 eine Tabelle zum Vergleich seiner Ansichten mit denen Newtons und Marats. Im gleichen Jahre legte er das vierte Stück seiner Beiträge v*Knebel, *Batsch, *Dalberg und Lichtenberg vor, worauf Dalberg ihm umfangreiche Randbemerkungen dazu schrieb (NS 3, 464). Am 25. V. 1795 erhielt *Soemmering in Mainz eine Abschrift *von den Farbigen Schatten* und für Schiller verfaßte Goethe am 15. I. 1798 die Betrachtung über *das reine Phänomen (NS 3, 306).*

Auch Gerätschaften zur F. wie Prismen, trübe und entoptische Gläser, Beobachtungsschirme und Entoptische Gestelle verlieh oder schenkte Goethe an die Physiker Lichtenberg und Seebeck, an den Pädagogen *Falk, den Philosophen *Hegel, den Kunstkenner SBoisserée, an die naturwissenschaftlich interessierten v*Reinhard, Staatsrat *Schultz, Soret, dem Arzte CGCarus, dem Geologen vSternberg und dem Astronomen Quetelet. Seinen Besuchern zeigte er, namentlich im Alter, besonders gerne Farbenerscheinungen: 1816 dem berliner Bildhauer *Schadow, 1819 *Schopenhauer, 1820 dem Kanzler Fv*Müller, 1821 Carus, 1822 Soret, Schultz und Purkinje, dem Physiologen, und 1825 dem münchner Astronomen vGruithuisen.

Vorträge zur F. hielt Goethe am 4. XI. 1791 in der *Freitagsgesellschaft,* 1796 vor einer *edlen Gesellschaft* in Weimar, 1801 vor göttinger Professoren und im Winterhalbjahr 1805/1806 eine ganze Reihe für die *Mittwochsgesellschaft.* Im Sommersemester 1822 las der Hegelschüler und Privatdozent für Philosophie LDvHenning in Berlin über Goethes F., von ihm durch Überlassung eines ganzen Apparates mit Anweisungen unterstützt. Von gemeinsamem Experimentieren wird uns berichtet mit dem Anatomen Soemmering in *Frankfurt 1793, mit dem Physiker *Ritter 1791 und 1806. Schelling zeigte er 1798 optische Versuche noch vor dessen Berufung nach Jena. Auch mit den Hausgenossen JH*Meyer, *Riemer und Eckermann stellte er Farbenversuche an; sogar der Diener *Stadelmann wurde herangezogen. Und in Redwitz fertigt Goethe mit dem Sohne des Begründers der Chemischen Fabrik Fikentscher am 16. VIII. 1822 trübe Gläser an (vgl. Sp. 2250).

Viele trugen zu Goethes *Apparat bei, der einer Veranschaulichung der F. diente (RMatthaei Fbl. GNM). Seebeck gab ihm einen Hornsilberaufstrich, den er dem Spektrum ausgesetzt hatte (B 60), Bergmeister v*Trebra 1811 ein verziertes Glas mit Symbolen der F. (B 22). Der erlanger Physiker JSChr*Schweigger schenkte Goethe in Karlsbad zum Geburtstag 1818 einen nach eigenen Angaben gebauten Entoptischen Apparat (B 70 a). Soret brachte im Juni 1830 aus Zwickau Proben von Chromsaurem Kali mit (B 98), und Eckermann schickte ihm am 6. Oktober des gleichen Jahres aus *Straßburg eine Büste *Napoleons aus Opalglas (B 99). – Mancherlei Gerätschaften gab Goethe dem Hofmechanikus Dr. Körner-Jena in Auftrag: den Messerschneiden-Apparat für paroptische Farben (B 45), Februar 1815 das Entoptische Gestell (B 69), Juli 1817 einen entoptischen Spiegel (B 68), 1825 ein feingeritztes Stahlplättchen für katoptrische Farben (B 94) und ein dreifaches Prisma zur Achromasie (B 95). Von dem Glasbläser Mattony erhielt er am 13. VIII. 1823 aus Karlsbad drei Trinkgläser mit Urphänomenschlange (B 91) und vom Mechaniker Niggl aus München durch *Stielers Vermittlung am 28. VI. 1829 einen Entoptischen Apparat nach Schweigger (B 70 b).

In seinen Publikationen zur F. ließ Goethe Beiträge drucken von Riemer, Knebel, JHMeyer, Seebeck und Schillers Rätsel vom Farbenkreis, überdies Briefe von PhO*Runge, dem jenaer Chemiker Döbereiner, Hegel und dem kopenhagener Arzt Brandis. Als Mitarbeiter nennt Goethe in der *Confession* (II/4, 308f.) JHMeyer und Schiller. In der *Ansprache* zu den *Entoptischen Farben* vom 20. VII. 1820 *(II/5^I, 253)* dankt Goethe *Döbereiner, Hegel,*Körner,*Lenz,Roux, Schultz, Seebeck, Schweigger* und *Voigt* für *gründlich motivirten Beifall, warnende Bemerkungen, Beitrag eingreifender Erfahrung, Mittheilung natürlicher, Bereitung künstlicher Körper* ... Trotz solcher Teilnahme und all des Wirkens ins Weite fühlte sich Goe-

the mit seiner Arbeit imgrunde vereinsamt. Da durfte ihm Schiller am 23. I. 1798 zureden: „Ich glaube aber, Sie tun wohl, wenn Sie jetzt, nachdem Sie vergebens auf einen Begleiter und Mitforscher gewartet haben, sich auch nach keinem mehr umsehen und Ihr Geschäft still für sich selbst vollenden . . ." Worauf Goethe am 24.: *Erst seit ich mir fest vorgenommen habe, außer Ihnen und Meyern mit niemanden mehr über die Sache zu konferieren, seit der Zeit habe ich erst Freude und Mut, denn die so oft vereitelte Hoffnung von Teilnahme und Mitarbeit anderer setzt einen immer um einige Zeit zurück (NS 3, 313 f.).* Und Eckermann, der glaubte in der Auffassung der Farbigen Schatten gegenüber Goethe recht zu behalten, erzählt vom 19. II. 1829 in eindrucksvoller Weise, wie Goethe darunter litt, daß auch vermeintlich treue Schüler von ihm abfielen (Bdm. 4, 75 f.).

Da ihn die F. so innig bewegte, mußte sie auch in der Dichtung ihre Spuren hinterlassen. Die *Epigramme Nr. 77–79* geben 1791 den ersten Widerschein *(NS 6, 2; 210)*; ihnen folgen 1795–1796 einige *Xenien (SGGes. 8, Nr. 169–182, 682/2/6, 800. – NS 3, 532). Hermann und Dorothea* (VII, 1–5) nimmt 1797 die Blendungsnachbilder, die drei Jahre zuvor in Jena studiert wurden (NS 3, 263), als Symbol auf (I/50, 244). 1801 um die Zeit des göttinger Schemas wird die *Faust*-Szene *Vor dem Tor* geschrieben, die innerhalb des ersten Teiles die F. am stärksten berührt. Um die Redaktion des großen Werkes entstehen einige polemische Gedichte: 1806 *Ist erst eine dunkle Kammer gemacht (I/5^I, 177.* – NS 3, 218), April 1810 die *Katzenpastete (I/2, 200)* und Weiteres wenig später (I/5^I, 178f.). Voran aber ging im August 1805 der in die Einleitung zur F. aufgenommene Spruch *Wär' nicht das Auge sonnenhaft . . . (NS 3, 436). Gott,Gemüth und Welt* (1812/1815) bringt sodann Vers 85–108 geradezu die Lehre vom Trüben *(I/2, 219 f.).* Das Divangedicht *Wiederfinden* läutert sie im November 1815 zu hohem Symbol *(I/3, 75 f.).* Das Lehrgedicht von den Entoptischen Farben *Laß dir von den Spiegeleien/Unsrer Physiker erzählen* widmete Goethe im Mai 1817 der Gräfin Jv*Egloffstein *(ebda 101).* Im gleichen Jahre begannen drei Gedichte, die in die Rubrik *Gott und Welt* aufgenommen wurden *(I/3, 103–106)* und polemische Züge zeigen. Um 1826 kommt die für die F. bedeutendste *Faust*-Szene des zweiten Teiles *Anmutige Gegend.* Die *Zahmen Xenien VI* werden um 1827 zum Nachklang der F., vor allem in zwei Gedichten: *Einheit ewigen Lichts zu spalten . . .* und *Freunde, flieht* *die dunkle Kammer . . . (I/3, 355f.* Von all diesen Versen mögen hier die versöhnlichsten stehen: *Und so lasset auch die Farben | Mich nach meiner Art verkünden, | Ohne Wunden, ohne Narben, | Mit der läßlichsten der Sünden (ebda 104).*

3. *Zur Farbenlehre* (1810). Es gehört zu den Glücksfällen in Goethes Leben, daß die entscheidende Begegnung mit Schiller (Juli 1794) in die Zeit der Entdeckung der *Physiologischen Farbe* traf, die das Subjekt-Objekt-Problem aufbrachte und damit *Schillers philosophischen Ordnungsgeist (NS 3, 387)* anregen mußte. Eine Fortführung der *Beiträge zur Optik* war aufgegeben worden und das umfassende Werk *Zur Farbenlehre* sollte entstehen. In den Jahren 1795/99 (am 3. XII. siedelte Schiller nach Weimar hinüber) berühren von den Briefen, die zwischen Goethe und Schiller gewechselt wurden, wenigstens 34 die *Farbenlehre* und es ist erkennbar, wie sich neben der Mannigfaltigkeit der behandelten Einzelheiten nach und nach die drei Hauptglieder des Werkes abzeichnen. So bestätigt Schiller schon am 23. XI. 1795 die *Polemik:* „Ihr Unwille über die Stollberge, Lichtenberge und Konsorten hat sich auch mir mitgeteilt, und ich bins herzlich zufrieden, wenn Sie ihnen eins anhängen wollen" (was zunächst in den *Xenien* geschah). Am 23. I. 1798 ermuntert er die Arbeit am *Historischen Teile:* „Das kleine Schema zu einer Geschichte der Optik enthält viele bedeutende Grundzüge einer allgemeinen Geschichte der Wissenschaft und des menschlichen Denkens, und wenn Sie sie ausführen sollten, so müßten sich viele philosophische Bemerkungen machen lassen." Goethe am 3. II.: *Ich brauche die Stunden, die mir übrigbleiben teils zum reineren Schematisieren meines künftigen Aufsatzen über die Farbenlehre, teils zum Verengen und Simplifizieren meiner früheren Arbeiten, teils zum Studieren der Literatur, weil ich zur Geschichte derselben sehr große Lust fühle...* Und am 17. einigt man sich bereits über die Gliederung des *Didaktischen Teiles: Auch ist meine Einteilung diejenige, die Sie verlangen: 1) in Beziehung aufs Auge physiologische; 2) in Beziehung auf Licht und Finsternis physische, welche alle ohne Mäßigung und Grenze nicht bestehen und von denen die prismatischen nur eine Unterabteilung sind; 3) chemische, die uns an Körpern erscheinen.* – In der zweiten Hälfte des November 1799 arbeitete Goethe in Jena an einem *Neuen Schema der Farbenlehre,* dessen Entwürfe er 1801 in Göttingen zusammengeheftet und am 2. August mit einem *Inhalt der Abhandlung*

über die Farbenlehre versehen hat. Dieses „Göttinger Schema" *(NS 3, 335)* ist die ausschlaggebende Konzeption des Didaktischen Teiles und zeigt die sechs Abteilungen in ihrer endgültigen Folge, meist auch im Wortlaut ihrer Überschriften. Danach vergingen noch fast fünf Jahre bis Januar 1806 der Druck beginnen konnte.

Am 14. VII. 1798 – fünf Tage nachdem er von einem längeren Besuch in Jena zurückgekehrt – schreibt Goethe an Schiller, es habe ihn seitdem *der böse Engel der Empirie anhaltend mit Fäusten geschlagen. Doch habe ich, ihm zu Trutz und Schmach, ein Schema aufgestellt worin ich jene Naturwirkungen, die sich auf eine Dualität zu beziehen scheinen, parallelisire und zwar in folgender Ordnung: Magnetische, elektrische, galvanische, chromatische und sonore (IV/13, 204f.).* – Dasselbe Anliegen bewegt Goethe auch in der *Farbenlehre.* Nach Theophrast und Boyle unternimmt er es als dritter, *die Farbenerscheinungen auf- und zusammenzustellen (Einleitung: NS 4, 17).* Er will *die Farbe in allen ihren Vorkommnissen und Bedeutungen* erfassen (an Stieler 26. I. 1829; *IV/45, 136). Zwei Forderungen* werden bewußt: *die Erscheinungen selbst vollständig kennenzulernen, und uns dieselben durch Nachdenken anzueignen.* Und dem folgt der Satz: *Zur Vollständigkeit führt die Ordnung, die Ordnung fordert Methode, und die Methode erleichtert die Vorstellungen* (2. X. 1805: *NS 3, 416).* Zum Grunde liegt die Erkenntnis: *Die Farbe sei ein elementares Naturphänomen für den Sinn des Auges, das sich, wie die übrigen alle, durch Trennung und Gegensatz, durch Mischung und Vereinigung, durch Erhöhung und Neutralisation, durch Mitteilung und Verteilung und so weiter manifestiert und unter diesen allgemeinen Naturformeln am besten angeschaut und begriffen werden kann (Einleitung: NS 4, 19).* Und so lesen wir im *Vorwort: Diese universellen Bezeichnungen, diese Natursprache auch auf die Farbenlehre anzuwenden, diese Sprache durch die Farbenlehre, durch die Mannigfaltigkeit ihrer Erscheinungen zu bereichern, zu erweitern und so die Mitteilung höherer Anschauungen unter den Freunden der Natur zu erleichtern, war die Hauptabsicht des gegenwärtigen Werkes (ebda 4).*
Die *Physiologischen Farben...welche dem Organ des Auges vorzüglich angehören und durch dessen Wirkung und Gegenwirkung hervorgebracht werden (Anzeige: NS 7, 4),* hat Goethe als Norm und Richtschnur alles übrigen Sichtbaren seinem Vortrag vorangestellt (*Nachträge: II/5^I, 336).* Ihnen folgen als zweite Abteilung

die *Physischen Farben* (§§ 136–485). Zuvor gibt Goethe eine Ordnung, die die *verweilenden* Physischen Farben als Brücke erscheinen läßt zwischen den *flüchtigen* Physiologischen und den *dauernden* Chemischen Farben. Die kurzen Bestimmungen dieser Reihe physischer Erscheinungen seien hier nach einer Tabelle aufgeführt, die Goethe erst 1822 in den *Nachträgen zur Farbenlehre* zusammengestellt hat, weil damals auch die *Entoptischen Farben*, die erst später entdeckt wurden, eingefügt werden konnten (*II/5^I, zu 319;* in Klammern sind noch leicht zugängliche Beispiele und die Paragraphen des Entwurfes angegeben).

1) *Katoptrische Farben*
   Bei beschränktem Zurückwerfen
   (Pfauenfeder § 379)
2) *Paroptische Farben*
   Bei kreuzendem Vorbeischeinen
   (zwischen Messerschneiden § 427)
3) *Dioptrische Farben*
   I. Klasse *durchscheinend ohne Refraction und Bild* (Trübe Mittel)
   II. Klasse *durchsichtig, mit Refraction und Bild* (Prismatische Farben)
4) *Entoptische Farben:*
   Innerhalb durchsichtiger Körper
5) *Epoptische Farben:*
   Auf der Fläche und zwischen Flächen
   (aufeinandergedrückte Glasplatten § 459; Seifenblasen § 461)

Den Übergang zu den Physiologischen Farben sucht Goethe bei den Katoptrischen ihres Schwankens wegen (Pfauenauge in der Feder). Aber auch einen Mondhof, den er durch ein Fortbestehen bei Zudecken des Mondes für das Auge als objektiven nachweist (§ 384), möchte er in die Nähe der katoptrischen Phänomene stellen (§ 380) und findet sie mit den subjektiven Höfen verwandt, die er in der ersten Abteilung beschreibt (§ 91). – Dagegen glaubt Goethe die Anlauffarben des Stahles (§ 485) noch zu den Physischen Farben zählen zu dürfen, und diese teilen ihre Dauerhaftigkeit mit den Chemischen Farben. Im Schwerpunkt der Ordnung aber stehen 3) die Dioptrischen Farben als die vorzüglichsten unter den Physischen.

Ihre erste Klasse umfaßt die Farben trüber Mittel und damit Goethes *Urphänomen* der Farben. Licht *durch ein auch nur wenig trübes Mittel gesehen, erscheint uns gelb. Nimmt die Trübe eines solchen Mittels zu, oder wird seine Tiefe vermehrt, so sehen wir das Licht nach und nach eine gelbrote Farbe annehmen, die sich endlich bis zum Rubinroten steigert. Wird hingegen durch ein trübes, von einem darauffallen-*

den Lichte erleuchtetes Mittel die Finsternis gesehen, so erscheint uns eine blaue Farbe, welche immer heller und blässer wird, je mehr sich die Trübe des Mittels vermehrt, hingegen immer dunkler und satter sich zeigt, je durchsichtiger das Trübe werden kann, ja bei dem mindesten Grad der reinsten Trübe, als das schönste Violett dem Auge fühlbar wird (§§ 150/51).* Als Beispiele werden die Farben der Atmosphäre genannt (Gelb der tiefstehenden Sonne, Blau des Himmels) und als *der erwünschteste Körper* zu Versuchen das Opalglas, von dem Goethe eine ganze Reihe kleiner Scheibchen (4 × 6 cm) verschiedenen Trübungsgrades noch im August 1822 mit FChr*Fikentscher in Marktredwitz hergestellt hat (B 92).

Die Dioptrischen Farben der zweiten Klasse, deren Darstellung auf die in den ersten beiden Stücken der *Beiträge zur Optik* mitgeteilten Versuchen aufbaut, bilden sodann mit ihren 179 Paragraphen den umfänglichsten Abschnitt zu einem einzelnen Gegenstande des ganzen, 920 Paragraphen umfassenden Didaktischen Teils. (Nahezu zwei Fünftel beansprucht die zweite Abteilung, davon die Hälfte die Dioptrischen Farben der II. Kl., ist fast ein Viertel die dritte Abteilung von den Chemischen Farben und die drei allgemeinen Abteilungen 4–6 zusammen, ein Siebentel die Physiologischen Farben und ein Sechstel das letzte Kapitel von der *Sinnlich-sittlichen Wirkung der Farbe.*) Hier versucht Goethe, die Farbensäume, die mittels Prisma und Linsen erzeugt werden, aus dem Urphänomen abzuleiten. Am anschaulichsten zeigt er dies bei der Betrachtung eines weißen Rundes auf schwarzem Grunde, zuerst durch ein Konvex-, dann durch ein Konkavglas. Er nimmt dazu an, daß beim Vergrößern des Rand des hellen Bildes über den dunklen Grund geführt wird und als ein Trübes Blau erscheinen läßt. Zieht sich aber das Bild durch ein Konkavglas zusammen, so rückt das Dunkle über das Helle und es muß ein Gelb entstehen (§§ 199–202 und 239). Daß Goethe 1827 in einem Briefe an vButtel das Unbefriedigende dieser Ableitung zugegeben hat, berührt nicht den methodischen Wert seines *Urphänomens* (wie dort gezeigt werden soll).

Die dritte Abteilung von den *Chemischen Farben* gilt den Körperfarben. Die Erscheinungen werden zunächst nach allgemeinen Begriffen abgehandelt, wie sie uns in der vierten Abteilung zusammenfassend wieder begegnen. Dann folgen die Farben in den drei Naturreichen der Mineralien, Pflanzen und Tiere, einschließlich des Menschen. *Alles Lebendige* strebt zur Farbe, zum Besondern, zur Spezifikation, zum Effekt, zur Undurchsichtigkeit bis ins Unendlichfeine. Alles Abgelebte zieht sich nach dem Weißen, zur Abstraktion, zur Allgemeinheit, zur Verklärung, zur Durchsichtigkeit (§ 586). – Besonders bemerkenswert sind zwei Beobachtungen Goethes. § 518 beschreibt er *Stufengefäße* aus weißem Porzellan, die er mit einer klaren gelben oder blauen Farbstofflösung füllt, um lotrecht hineinblickend an einer von Stufe zu Stufe vermehrten Flüssigkeitstiefe die Steigerung der Farbe ins Rote zu verfolgen. *Es ist dieses eine der wichtigsten Erscheinungen in der Farbenlehre, indem wir ganz greiflich erfahren, daß ein quantitatives Verhältnis einen qualitativen Eindruck auf unsre Sinne hervorbringe (§ 519).* – Und im *578.* Paragraphen teilt Goethe mit, daß gewisse *Pigmente in ihrem höchst gesättigten und gedrängten Zustande ihre eigentliche Farbe nicht mehr zeigen; vielmehr erscheint auf ihrer Oberfläche ein entschiedener Metallglanz, in welchem die physiologisch geforderte Farbe spielt.* Er nennt den violettblauen Indig, der nun gelb erscheint, und den roten Krapp, der Grün zeigen kann (dazu auch §§ 541–44). Dieser Sachverhalt wurde 1852 als Haidingersches Gesetz bekannt.

In der vierten Abteilung (§§ 688–715), *Allgemeine Ansichten nach innen,* hat Goethe, *was bis dahin von den Farben unter mannigfaltigen besondern Bedingungen bemerkt worden, im allgemeinen ausgesprochen, und dadurch eigentlich den Abriß einer künftigen Farbenlehre entworfen* (Anzeige: NS 7,7). – Da wir heute den Begriff Farbe weiter fassen als Goethe, der ihn den Bereiche Weiß – Grau – Schwarz gegenüberstellte, ist es zweckmäßig, an die von Wilhelm Ostwald geprägten Termini der bunten und unbunten Farben zu erinnern. Goethes meisterlich knapp gefaßter Ansatz einer Lehre zielt auf die Bunten. An dem *ursprünglichen Gegensatz* des aus dem Lichte entspringenden Gelben zu dem aus der Finsternis hervortretenden Blauen wird gezeigt, wie sich die Farbe *entscheidet* zu Hell oder Dunkel – Kraft oder Schwäche – Wärme oder Kälte. Aus der *Vereinung* der einfachen Gegensätze wird das Grüne, der *gesteigerten* sodann der Purpur abgeleitet und so der Farbenkreis entwickelt, das vollständige *Schema der Farben,* das überdies harmonische *Übereinstimmung* und *Totalität* veranschaulicht (§§ 706/07).

Die anfangs versprochene Erörterung, wie sich die Farbe *an die übrigen Glieder verwandter Naturerscheinungen anschließt und sich mit ihnen verkettet (§ 689),* wird endlich in der

fünften Abteilung gegeben, die *nachbarliche Verhältnisse* beleuchtet, und zwar in dem Abschnitt vom *Verhältnis zur allgemeinen Physik* (§§ 737–746). Goethe sieht die Physik seiner Zeit, namentlich nach der Entdeckung des Galvanismus, einer Höhe zuschreiten, auf der es *nicht unmöglich scheint, die grenzenlose Empirie an einen methodischen Mittelpunkt heranzuziehen.* Als Resultat seiner eigenen Erfahrungen mit der Aktivität des Auges findet er den Satz: *Das Geeinte zu entzweien, das Entzweite zu einigen, ist das Leben der Natur.* Solche *Entzweiung, die doch nur wieder eine Vereinigung ist,* offenbart sich im Magneten, der ihm zum Urphänomen der Polarität wird (auch §§ 756/57). *Die Formel der Polarität, dem Magneten abgeborgt, auf Elektricität* und Chemismus hinübergeführt, ist der gesuchte Mittelpunkt. Gegenüber den andern methodischen Anwendungen erhält er in der F. eine weit höhere Ausbildung. *Man vergleiche das Mannigfaltige, das aus einer Steigerung des Gelben und Blauen zum Roten, aus der Verknüpfung dieser beiden höheren Enden zum Purpur, aus der Vermischung der beiden niedern Enden zum Grün entsteht.* – Dieses besondere Verhältnis wird in der sechsten Abteilung, das die *Sinnlich-sittliche Wirkung der Farbe* behandelt (§§ 758–920) ausführlich dargestellt und Goethe greift nun sein altes Motiv wieder auf, indem er für den Maler etwas Ersprießliches zu leisten bemüht ist.

4. U r t e i l u n d B e d e u t u n g. Schon die ersten Rezensenten bemühen sich um den Nachweis, die Beobachtungen Goethes seien alle „nach Newtons Theorie zu erklären". Daneben aber hat Gren in seinem Journal der Physik 1793 anerkannt: „Die Reihe von Versuchen, die Hr. von Goethe in seinen Beiträgen zur Optik über die Farben aufgestellt hat, welche Körper durchs Prisma angesehen dem Auge zeigen, erwirbt ihm mit Recht den Dank der Physiker, da die Resultate dieser Versuche noch von keinem so in ihrer Mannigfaltigkeit abgehandelt und zusammengestellt worden sind, als es von ihm geschehen ist" (RMatthaei Fbl. GNM, S. 201). So sind zwei Gesichtspunkte der Beurteilung gegeben, die in der Kritik immer wiederkehren, wenn sie auch verschieden angewendet und bewertet werden: 1) das Verhältnis zu Newton, 2) das Ausmaß der Befunde. Dagegen bekennt sich Schelling 1801 begeistert zu der Ablehnung Newtons. „Lasset uns den Göttern danken, daß sie uns von dem Newtonischen Spektrum ... eines zusammengesetzten Lichts durch denselben Genius befreiet haben, dem wir

soviel andres verdanken" (vgl. dazu MRichter). – Einer der ersten Referenten des ganzen Werkes zur *Farbenlehre* schüttet vollends das Kind mit dem Bade aus, indem er der Neuen Oberdeutschen Allgemeinen Literatur-Zeitung aus dem Blickwinkel newtonscher Physik schreibt: „In 95 Bogen hat uns der Verfasser durchaus nichts Wahres und Nützliches und Brauchbares geoffenbart." Schopenhauer, den Goethe als mißratenen Schüler empfand, bekennt sich aber 1816 in seiner Abhandlung „Über das Sehen und die Farben" unter beiden Gesichtspunkten zu Goethe. „Goethe hat durch ein doppeltes Verdienst die Auffindung einer solchen Theorie möglich gemacht. Erstlich sofern er den alten Wahn der Newtonschen Irrlehre brach und dadurch die Freiheit des Denkens über diesen Gegenstand wiederherstellte, was wenigstens dann anerkannt werden wird, wann Katheder und Schreibtische von einer neuen Generation besetzt sein werden, die nicht ihre eigene Ehre gefährdet zu halten hat, durch den Umsturz einer Lehre, welche sie ihr ganzes Leben hindurch, nicht als Glaubens-, sondern als Überzeugungs-Sache vortrug. – Das zweite Verdienst Goethes ist, daß er in seinem vortrefflichen Werke in vollem Maß das lieferte, was der Titel verspricht: Data zur Farbenlehre. Es sind wichtige, vollständige, bedeutsame Data, reiche Materialien zu einer künftigen Theorie der Farben" (RMatthaei: Fbl. GNM, S. 202). Zu dem Streit um Newton sei hier nur bemerkt, daß es für das Werk Goethes im wesentlichen unerheblich ist, wie sich darin Recht und Unrecht im einzelnen verteilen. Goethe diente die Abwehr, seinen eigenen Weg zu finden und zu sichern (*Polemik; *Newton). – Fruchtbar sind sodann Ausführungen J*Müllers „Zur vergleichenden Physiologie des Gesichtssinnes" (1826). „Das ist nun gerade bei den Physikern das Unverzeihliche an der Goetheschen Farbenlehre, daß sie sich als einfache ungekünstelte Darlegung der Phänomene von der Seite eines mit der freiesten und unbefangensten Sinnlichkeit begabten Menschen über die Theorie der Farben enthebt und die Überzeugung hegt, daß über die Natur des den Sinnen selbst Angehörenden weiter nichts gesagt werden kann, als daß es eben gesehen, gehört wird, daß aber der Versuch einer Farbentheorie schon von einer in allem Beginnen irrigen Grenzbestimmung Zeugnis geben muß. Von dieser Seite ist der Goetheschen Farbenlehre gar nicht beizukommen; sie hat das Wenigste versprochen, indem sie uns auf das Einfache hinweist, was wir selbst schon besitzen,

aber in unrechter Erklärungssucht draußen setzen und suchen." Mit der Wendung „was wir selbst schon besitzen" spielte JMüller auf sein „Gesetz der Spezifischen Sinnesenergien" an, nach dem wir nur die eigentümlichen Reaktionsweisen unsrer Sinnesorgane erfahren (auch dazu *Physiologische Farbe). Sein Schüler, Hv*Helmholtz hält dem Dichter aufgrund eben dieses Gesetzes entgegen, dem Physiker sei „der sinnliche Eindruck keine unumstößliche Autorität"; denn die Sinnesempfindungen vermittelten uns „zwar Nachricht von den Eigentümlichkeiten der Außenwelt, aber nicht bessere, als wir einem Blinden durch Wortbeschreibungen von der Farbe geben" (HvHelmholtz: Vortrag Königsberg). Derartige Betrachtungsweise gerät allerdings schon mit einem ursprünglichen *Sinnenvertrauen Goethes in Widerspruch. Weiter wäre festzustellen, daß für die Erforschung eines Sinneseindruckes die physikalischen, aber auch die physiologischen Bedingungen von sekundärer Bedeutung sein können. Damit wird die Frage nach dem eigentlichen Gegenstande der goetheschen *Farbenlehre* angeschnitten oder, anders ausgedrückt, nach ihrem Orte im Bereich der Wissenschaften.

Freilich hat Goethe seine *Farbenlehre* als Physik (Naturlehre) betrachtet; aber die war für ihn und seine Zeit noch Wissenschaft von der belebten Natur. So studierte der Physiker JWRitter die Wirkung galvanischer Reize auf das menschliche Auge und stellte die These auf, „daß ein beständiger Galvanismus den Lebensprozeß im Tierreiche begleite"; während sein Fachgenosse Seebeck Abweichungen vom normalen Farbensinn untersuchte. – Im ersten Viertel des zwanzigsten Jahrhunderts haben Magnus, Raehlmann und Wessely das Verdienst Goethes um die *Physiologische Farbe* hervorgehoben und bewirkt, daß man weiterhin geneigt war, seine wesentliche Leistung in einem Beitrage zur Physiologie zu sehen. Es fehlte indessen nicht an Stimmen, die sich namentlich vom Philosophischen her (HGlockner) gegen eine derartige Einseitigkeit verwahrten *(*Schema der Farben).

Umfassender ist eine Deutung der goetheschen *Farbenlehre* als *Biologie. Die biologische Grundfrage nach den Beziehungen des Lebewesens zu seiner Umwelt, nach dem Wechselspiel zwischen Innen und Außen ist stets gegenwärtig. Dies beginnt mit dem Ursprung des Auges aus einer Einwirkung des Lichtes. Das Organ bedarf auch weiterhin des Lichtes; es braucht *jene reizende befriedigende Berührung, durch die es mit der äußern Welt* *verbunden und zum Ganzen wird.* So lesen wir im 6. Paragraphen. Im 33. wird sodann die *Physiologische Farbe* als lebendige Gegenwirkung ausgelegt und im *38.* steht: *Es ist die ewige Formel des Lebens, die sich auch hier äußert. Wie dem Auge das Dunkle geboten wird, so fordert es das Helle ... und zeigt eben dadurch seine Lebendigkeit, sein Recht das Objekt zu fassen, indem es etwas, das dem Objekt entgegengesetzt ist, aus sich selbst hervorbringt.* Die *subjektiven Prismatischen Versuche* der *Beiträge zur Optik* ergeben sechs ausgezeichnete Farben, die sich zu einem *Farbenkreise* zusammenfügen und paarweise einander *fordern.* Diese Darstellung bekundet den Trieb des Auges zur *Totalität* (§§ 60/61, 805/809/ 812). In einem Entwurf zur Einleitung von 1805/06 wird der Sachverhalt aphoristisch ausgesprochen: *Das Auge als ein Geschöpf des Lichtes leistet alles, was das Licht selbst leisten kann.* Und die *Sinnlich-sittliche Wirkung* wird in dem folgenden Satze einbezogen: *Das Licht überliefert das Sichtbare dem Auge; das Auge überliefert's dem ganzen Menschen (NS 3, 437).* Die physiologische Farben-Zuordnung bewährt sich in allen Abteilungen des *Didaktischen Teils:* Die gelbliche Wintersonne fordert rotblaue Schatten im Schnee; die leichteste Trübe ist durchscheinend gelb, vor dem Dunklen tief violett; der violettblaue Indigo spielt auf dem Bruch in rotgelbem Glanze. Jene Reihe von Aphorismen schließt: *Die Totalität des Innern und Äußern wird durchs Auge vollendet (NS 3, 436 f.).*

Andrerseits hat man in der *Farbenlehre* eine Begründung der Geisteswissenschaften gesehen (nicht etwa nur im Historischen Teile), und RSteiner hat sie gar als das Muster einer Geistwissenschaft bestimmter Prägung hingestellt. GIpsen schreibt zu einer Auswahl der „Schriften über die Natur" (1949), die *Farbenlehre* sei keine Naturwissenschaft sondern Anthropologie. Gewiß hat es Goethe als *das größte Unheil der neuern Physik* bezeichnet, *daß man die Experimente gleichsam vom Menschen abgesondert hat (MuR: Hecker Nr 706).* Die verschiedene Einordnung, die man für die *Farbenlehre* versucht hat, ist kennzeichnend für ihr universales Wesen. Jeder derartige Versuch weist auf einen bestimmten Zug, der diesem Werke eigen ist. Aber unversehens gibt man dem vorangestellten Wissenschaftsbegriff auch etwas von Goethes Sinnesart. Es ist dann zugleich eine Biologie oder Anthropologie besonderer Prägung daraus geworden. LKlages stellt zB. eine neue „Wissenschaft vom Leben" ganz außerhalb von beiden: Natur- und Geisteswissenschaft. Solche Lebenswissenschaft nutzt ganz vorzüglich den einzigartigen Zugang zu ihrem Forschungsgegenstande, der in ihm selbst schon enthalten ist: die Erfahrung von innen, das Erleben. Daher ist sie zwangsläufig zugleich Wissenschaft vom Menschen (RMatthaei: Leben. 1950). Ein allgemeinster Begriff bleibt zu suchen, der das Ganze der *Farbenlehre* umfassen soll. HSt Chamberlain schreibt 1905: „Goethes ganze Naturkunde kann eine Anleitung zum Sehen genannt werden." Das gilt für die beiden großen Bereiche, die Goethe uns als Aufgabe hinterließ, *Morphologie* und *Farbenlehre. Das Schwerste von allem,* sagt Goethe, ist es, *mit den Augen zu sehn, was vor den Augen* uns liegt *(I/5^I, 275).* Chamberlain unterscheidet „Natur als Mathematik" (Newton) und „Natur als Darstellung"(Goethe) und dabei mag er auch an einen Brief Goethes vom 15. XI. 1796 an Schiller gedacht haben. *Die Naturbetrachtungen freuen mich sehr. Es scheint eigen und doch ist es natürlich, daß zuletzt eine von Art subjectivem Ganzen herauskommen muß. Es wird wenn Sie wollen eigentlich die Welt des Auges, die durch Gestalt und Farbe erschöpft wird. Denn wenn ich recht Acht gebe, so brauche ich die Hülfsmittel anderer Sinne nur sparsam, und alles Raisonnement verwandelt sich in eine Art von Darstellung.* Eine Art von Darstellung – eine Art von Sehen; bei Chamberlain lesen wir über die *Farbenlehre:* „Dieses unsterbliche Werk ist lauter Anschauung und lautere Anschauung." Er fügt hinzu: „Hier ist Sehen und Verstehen dasselbe." Und kommt endlich zur „Erkenntnis dessen, was Goethes Naturforschung erstrebte: ein Reich des rein Angeschauten und unbedingt Wahrhaftigen." Goethe wiederum: *Die Phänomene lassen sich s e h r g e n a u beobachten, die Versuche lassen sich r e i n l i c h anstellen, man kann Erfahrungen und Versuche in einer gewissen Ordnung aufführen, man kann e i n e Erscheinung aus der andern ableiten, man kann einen gewissen Kreis des Wissens d a r s t e l l e n, man kann seine Anschauungen zur Gewißheit und Vollständigkeit erheben, und das, dächte ich, wäre schon genug.* Die gesperrten Wörter kennzeichnen Goethes Verfahrensweise; aber die Erscheinung ist der Angel, um den sich alles dreht.

LKlages nennt 1932 Goethe „den ersten neuzeitlichen Erscheinungsforscher" (LKlages: Seelenforscher). Goethe war sich der selbst gestellten Aufgabe durchaus bewußt: *Indem wir von den Farben zu handeln gedenken, befinden wir uns auf jede Weise im Reiche der*

Erscheinungen. So in einem Entwurf von 1805/06 *(NS 3, 437).* Und er will die Farben *verfolgen, bis dorthin, wo sie bloß erscheinen und sind und wo sich nichts weiter an ihnen erklären läßt* (Einleitung). Er weiß sehr wohl: *Die Erscheinung ist vom Beobachter nicht losgelös't, vielmehr in die Individualität desselben verschlungen und verwickelt (MuR:* Hecker *Nr 1224).* Er strebt nach ausgezeichneten Erscheinungen, nach dem **Urphänomen* als *Resultat aller Erfahrungen und Versuche...Das Höchste wäre: zu begreifen, daß alles Factische schon Theorie ist. Die Bläue des Himmels offenbart uns das Grundgesetz der Chromatik. Man suche nur nichts hinter den Phänomenen: sie selbst sind die Lehre (MuR:* Hecker *Nr 575).* „Nichts hinter": Fragen nach der Ursache bringt den Erscheinungsforscher in seinem eigenen Bezirk nicht weiter. „Die Lehre": Erscheinung ist Ausdruck eines Wesens. *Morphologie. Ruht auf der Überzeugung, daß alles was sey sich auch andeuten und zeigen müsse (II/6, 446).* Und von der Farbe verkündet Goethe, *daß ein Werdendes, Wachsendes, ein Bewegliches, der Umwendung Fähiges nicht betrüglich sei, vielmehr geschickt, die zartesten Wirkungen der Natur zu offenbaren* (Einleitung: *NS 4, 22).* Ihre *Sprache* aber schenkt uns *eine Symbolik, die man auf ähnliche Fälle als Gleichnis, als nahverwandten Ausdruck, als unmittelbar passendes Wort anwenden und benutzen mag* (Vorwort: *NS 4, 4).*

Auf dem Stande einer reinen Erscheinungslehre fühlen wir schließlich Goethes Selbsteinschätzung seines Werkes gerechtfertigt. Zu Eckermann am 18. III. 1831: *meine Farbenlehre ist so alt wie die Welt und wird auf die Länge nicht zu verleugnen und beiseite zu bringen sein (Bdm. 4, 346).* – 1822 hatte er es im vierten Heft des ersten Bandes seiner Zeitschrift *Zur Naturwissenschaft* überhaupt drukken lassen: *Mir aber können sie nichts zerstören, denn ich habe nicht gebaut; aber gesäet habe ich und so weit in die Welt hinaus, daß sie die Saat nicht verderben können und wenn sie noch so viel Unkraut zwischen den Weizen säen.* Mt CGCarus: Goethe. Zu dessen näherem Verständnis. 1843. – RMatthaei: „Wie herrlich leuchtet mir die Natur!" Vom Naturgefühl des jungen Goethe 1755 bis 1775. Als: Berckers kleine Volksbibliothek Nr 521 (1950). – RMatthaei: Anfänge der Farbenlehre. In: Goethe 11, S. 249–262. – RMatthaei: Die Farbenlehre im Goethe-Nationalmuseum. 1941. Darin S. 94–174 Bestandsaufnahme des gesamten von Goethe hinterlassenen Gerätes zur Farbenlehre (abgekürzt: B mit Nr). – MRichter: Das Schrifttum über Goethes Farbenlehre. 1938. – RMatthaei: Goethes biologische Farbenlehre. In: Goethe 1, S. 42–54. – HvHelmholtz: Über Goethes naturwissenschaftliche Arbeiten. Vortrag Königsberg 1853. – RMatthaei: Vom Leben des Leibes. 1950. – HStChamberlain: Immanuel Kant. ³1916. – LKlages: Goethe als Seelenforscher. 1932. – RMatthaei: Farbenlehre I. Farbenphänomenologie. In: HwbNaturwissenschaften. ³1933.